Sonia
    fento
Ét. soins inf.

GUIDE
DES
Judith Hopfer Deglin, Pharm. D.
April Hazard Vallerand, Ph. D., R.N.

MÉDICAMENTS

Adaptation française

PHARMACIE

Nathalie Desautels, B. Pharm., M.Sc.
Thanh Nguyen, B. Pharm.
Martine Belcourt, B. Pharm.
Michèle Gervais, B. Pharm., D.P.H.

SOUS LA DIRECTION DE

Claude Mailhot, Pharm. D.
Professeure agrégée
Faculté de pharmacie
Université de Montréal

SOINS INFIRMIERS

Lucie Gagnon, M. Sc. inf.
Chargée d'enseignement
Faculté des sciences infirmières
Université de Montréal

ERPI ÉDITIONS DU RENOUVEAU PÉDAGOGIQUE INC.

5757, RUE CYPIHOT, SAINT-LAURENT (QUÉBEC) H4S 1R3
TÉLÉPHONE: (514) 334-2690 TÉLÉCOPIEUR: (514) 334-4720
ADRESSE ÉLECTRONIQUE: erpicu@odyssee.net

Les auteurs et l'éditeur ont fait en sorte, dans la mesure du possible, que les renseignements sur les médicaments ainsi que les posologies conseillées soient justes et conformes aux normes généralement admises lors de la publication de cet ouvrage. Cependant, étant donné l'évolution rapide des connaissances en pharmacologie, il est nécessaire de consulter la notice contenue à l'intérieur du conditionnement avant d'administrer un médicament afin de vérifier la posologie conseillée, les contre-indications, la mise en garde et les précautions. Cela est particulièrement important en ce qui concerne les nouveaux médicaments, les médicaments peu utilisés et les médicaments très toxiques.

Les monographies de certains médicaments exclusivement commercialisés aux États-Unis ont été conservées dans cette version française. Dans ce cas, puisqu'il n'existe pas de nom commercial canadien, les noms commerciaux apparaissent uniquement entre parenthèses.

Cet ouvrage est une version française de *Davis's Drug Guide for Nurses* (3e édition) par Judith Hopfer Deglin et April Hazard Vallerand, publiée et vendue à travers le monde avec l'autorisation de F. A. Davis Company.

© 1993, F. A. Davis Company
Tous droits réservés.

Supervision éditoriale: Jacqueline Leroux
Traduction: Sylvie Beaupré, Marie-Annick Bernier, Josée Vidal
Révision linguistique: Véra Pollak
Correction d'épreuves: Louise L'Heureux et Véra Pollak
Réalisation infographique: Info G.L.
Couverture: ERPI (photographie de base: Rolland Renaud)

© 1995, Éditions du Renouveau Pédagogique Inc.
Tous droits réservés.

Dépôt légal: 2e trimestre 1995
Bibliothèque nationale du Québec
Bibliothèque nationale du Canada
Imprimé au Canada

ISBN 2-7613-0688-0

234567890 IG 9876
2575 ABCD   VO6

# PRÉFACE

La version française de ce guide, conçu à l'origine pour les États-Unis, a été entièrement revue et adaptée au contexte canadien. Tout d'abord, les indications des médicaments sont celles qui ont été approuvées par la Direction générale de la protection de la santé (DGPS) au Canada et qui paraissent dans la monographie canadienne officielle. Les noms commerciaux canadiens sont mentionnés en premier; les noms commerciaux utilisés uniquement aux États-Unis sont indiqués entre parenthèses.

Toute la section « Voie d'administration et posologie » a été révisée selon les recommandations des monographies canadiennes. Toutefois, lorsque la posologie indiquée dans le guide n'est pas précisée dans la monographie canadienne officielle, on a indiqué (É.-U.) immédiatement avant la dose.

Les résultats des examens biochimiques mentionnés dans le guide sont donnés en unités internationales (système SI). Les annexes ont également été revues et adaptées au contexte canadien.

Claude Mailhot, Pharm. D.

TABLE DES MATIÈRES

C OMMENT UTILISER LE *GUIDE*

Ce guide donne à l'infirmière des renseignements pratiques et faciles à comprendre sur les médicaments les plus couramment prescrits. Pour lui en faciliter la consultation, nous aimerions tout d'abord présenter le contenu des diverses sections et le type de renseignements fournis pour chacun des médicaments inscrits.

DIRECTIVES POSOLOGIQUES POUR LES CAS PARTICULIERS

Souvent, la posologie moyenne recommandée chez l'adulte peut s'avérer inadéquate sur le plan clinique. Les directives générales contenues dans cette section aideront l'infirmière à obtenir des résultats thérapeutiques optimaux dans certaines circonstances particulières.

CLASSIFICATION

Nous résumons ici les principales classes de médicaments. Après une brève description des caractéristiques de chacune, nous donnons la liste des médicaments répertoriés et, à côté de chaque médicament, la page où se trouve sa monographie.

MONOGRAPHIES

Voici les renseignements fournis pour chaque médicament.

Dénomination commune et noms commerciaux: La dénomination commune apparaît en premier. Elle est suivie des noms commerciaux, classés par ordre alphabétique. La dénomination commune, ou nom générique du médicament, est le nom adopté d'un commun accord par les organismes de réglementation pharmaceutique. Dans de nombreux établissements, les médicaments sont classés selon leur nom générique. On trouve également ici les noms et les abréviations d'usage courant ainsi que certains noms étrangers. Les noms commerciaux utilisés aux États-Unis sont indiqués entre parenthèses. Le lecteur qui ne connaît pas le nom générique d'un médicament trouvera dans l'index la liste des dénominations communes, des noms commerciaux et des classes thérapeutiques.

Classification: Nous indiquons tout d'abord la classe thérapeutique la plus courante et, ensuite, les autres classes auxquelles le médicament peut appartenir. Par exemple, la phénytoïne (Dilantin) est d'abord un anticonvulsivant, mais elle est également un antiarythmique. Pour mieux comprendre le principe de classification des médicaments, le lecteur est prié de consulter la section intitulée Classification (pages 15 à 115), où il trouvera une brève description des diverses classes thérapeutiques, la liste des médicaments de chaque classe et, à côté de chaque médicament, la page où se trouve sa monographie.

Substances contrôlées: Si le médicament fait partie des substances contrôlées, nous indiquons la classification officielle déterminée par les organismes de réglementation pharmaceutique du Canada, afin de prévenir l'infirmière qu'elle doit suivre les directives concernant l'agent en question et expliquer au patient les restrictions concernant le renouvellement de l'ordonnance. (Voir à l'annexe C, les explications des diverses classifications et la liste des substances contrôlées inscrites dans le *Guide*.)

Grossesse – catégorie ... : La Direction générale de la protection de la santé (DGPS) n'ayant pas publié de règles concernant l'administration des médicaments pendant la grossesse, nous utilisons les catégories désignées par la *Food and Drug Administration (FDA)* des États-Unis. À l'annexe E, nous expliquons plus en détail la signification de ces catégories (A, B, C, D et X), qui permettent à l'infirmière d'évaluer les risques auxquels est exposé le fœtus lorsque le médicament est administré à une femme enceinte ou à une femme en âge de procréer.

Indications : Il s'agit des usages du médicament approuvés par la Direction générale de la protection de la santé (DGPS) ainsi que des principaux usages qui n'ont pas encore été officiellement approuvés *(Usages non approuvés)*.

Action : Nous expliquons brièvement ici le mode d'action connu ou présumé par lequel le médicament produit l'effet thérapeutique souhaité.

Pharmacocinétique : Les données qui paraissent sous cette rubrique portent sur le sort du médicament après son administration, à savoir, l'absorption, la distribution, le métabolisme, l'excrétion et la demi-vie (temps nécessaire pour que la concentration plasmatique du médicament diminue de 50 p. cent).

Absorption : Il s'agit de l'ensemble des mécanismes qui permettent au médicament de pénétrer dans la circulation générale. Si seulement une petite fraction de la dose est absorbée après l'administration par voie orale (biodisponibilité réduite), il faut dans ce cas administrer une dose beaucoup plus élevée par voie parentérale. Le médicament peut également être absorbé et atteindre la circulation générale après administration par voie topique, transdermique, intramusculaire, sous-cutanée, rectale et ophtalmique. La biodisponibilité d'un médicament administré par voie intraveineuse est de 100 %.

Distribution : Après leur absorption, les médicaments sont répartis, parfois sélectivement, dans les différents tissus et liquides. Il est important de tenir compte de ce facteur lorsqu'on choisit un médicament plutôt qu'un autre (par exemple, les antibiotiques qui doivent pénétrer dans le système nerveux central lors du traitement de la méningite) ou lorsqu'on doit éviter d'administrer un médicament qui traverse le placenta (grossesse) ou qui s'accumule dans le lait maternel (allaitement). Pendant la distribution, la plupart des médicaments se lient à des récepteurs spécifiques et exercent ainsi leur effet pharmacologique. Le médicament peut aussi se lier à diverses protéines, dont l'albumine. Seule la partie libre (non liée) du médicament est active au niveau des sites récepteurs.

Métabolisme et excrétion : Après avoir exercé l'effet souhaité, le médicament est éliminé de l'organisme soit par transformation hépatique en composés inactifs (métabolisme et biotransformation), composés qui sont ensuite excrétés par les reins, soit par élimination rénale du médicament à l'état inchangé. En outre, certains médicaments peuvent être éliminés par d'autres voies : excrétion biliaire, transpiration, fèces et respiration. Si le métabolisme hépatique des médicaments est important, il faudrait éventuellement diminuer les doses chez les patients qui souffrent d'une maladie hépatique grave. Par contre, si le rein constitue le principal organe excréteur, on doit ajuster la posologie en cas d'insuffisance rénale. Chez les très jeunes enfants (prématurés et nouveau-nés) et chez les personnes âgées (de plus de 60 ans), l'excrétion rénale et le métabolisme hépatique sont réduits. On devrait, dans ces cas, diminuer la dose ou espacer les intervalles posologiques.

Demi-vie: La demi-vie d'un médicament est une donnée utile pour établir un schéma posologique efficace, car elle équivaut approximativement à la durée d'action du médicament. Les demi-vies indiquées dans ce guide correspondent à celles qu'on note chez les patients ayant une fonction rénale ou hépatique normale. Nous précisons, par ailleurs, les maladies qui pourraient modifier la demi-vie.

Contre-indications et précautions: Nous indiquons ici les cas où l'on devrait éviter l'administration du médicament et envisager de recange. En général, la plupart d[...] grossesse ou l'allaitement, à moins q[...] auxquels sont exposés la mère ou so[...]lsivants et les antihypertenseurs). L[...]dicament ne doit absolument pas êt[...] cliniques peuvent permettre l'ad-m[...]brique des précautions, nous pré-cis[...] l'administration du médicament pe[...]lles qui dictent une modification de[...]

Réa[...] devoir dresser de longues listes de [...] possibles, nous indiquons les effets secondaires et les réactions indésirables par système, en descendant de la tête aux pieds, chaque fois que cela est possible:

SNC:	Système nerveux central
ORLO:	Yeux, oreilles, nez, gorge
Resp.:	Système respiratoire
CV:	Système cardiovasculaire
GI:	Système gastro-intestinal
GU:	Système génito-urinaire
End.:	Système endocrinien
HÉ:	Équilibre électrolytique
Tég.:	Système tégumentaire
Hémat.:	Système hématopoïétique
Métab.:	Métabolisme
Loc.:	Système locomoteur
SN:	Système nerveux
Locaux:	Effets locaux
Divers:	Effets divers

Il nous est évidemment impossible de mentionner toutes les réactions signalées; nous indiquons cependant les plus importantes. Les réactions indésirables ou les effets secondaires qui mettent la vie en danger sont indiqués en PETITES MAJUSCULES et ceux qui se manifestent le plus souvent sont soulignés.

Interactions: Plus le nombre de médicaments qu'un patient reçoit augmente, plus le risque d'interactions entre les divers agents est grand. Nous énumérons ici les interactions les plus importantes entre les médicaments en précisant leurs effets, ainsi que les principales interactions entre les médicaments et les aliments.

Présentations: On indique ici les diverses présentations et associations médicamenteuses qu'on trouve sur le marché.

Voies d'administration et posologie: On trouve sous cette rubrique les voies d'administration habituelles et la posologie recommandée chez les adultes, les enfants et les groupes d'âges particuliers, le cas échéant. Lorsque la posologie indiquée dans le *Guide* n'est pas précisée dans la monographie canadienne officielle, on trouve la mention (**É.-U.**), immédiatement avant la dose. Les unités de mesure des doses correspondent à celles qu'on prescrit le plus souvent (par exemple, la posologie de la pénicilline G est donnée en unités plutôt qu'en milligrammes). Les intervalles entre les doses sont indiqués tel qu'ils doivent être prescrits. Par exemple, les antibiotiques et les antiarythmiques devraient être administrés à des intervalles réguliers, 24 heures sur 24. Cependant, il n'est ni pratique ni utile d'administrer de cette manière d'autres médicaments, comme les antihypertenseurs par voie orale. Lorsque la posologie et l'intervalle entre les doses sont différents de ceux recommandés habituellement, nous le précisons.

Pharmacodynamie: Grâce aux données fournies dans cette rubrique, l'infirmière peut prévoir le début d'action du médicament, son effet maximal (pic) et sa durée d'action. Ces données lui seront également utiles pour la planification du schéma posologique. La pharmacodynamie, selon la voie d'administration, est présentée sous forme de tableau. Le lecteur peut ainsi connaître les différences auxquelles on peut s'attendre si l'on choisit une voie d'administration plutôt qu'une autre. En général, nous ne mentionnons pas la durée d'action des anti-infectieux, car la plupart des schémas posologiques de ces préparations sont établis de façon à éviter la toxicité tout en obtenant des concentrations sanguines suffisamment élevées pour que le médicament puisse exercer son effet anti-infectieux. De ce fait, la durée d'action de ces agents et leurs concentrations dans le sang ne sont pas nécessairement comparables.

Soins infirmiers: Grâce aux données qu'elle trouve à cette section, l'infirmière peut appliquer la démarche des soins à la pharmacothérapie. Les données indiquées sous les différentes rubriques, lui permettent de suivre les étapes de la démarche clinique liées à l'administration des médicaments.

> **Évaluation de la situation:** Nous indiquons ici les renseignements concernant les antécédents et l'état physique du patient dont l'infirmière doit tenir compte avant d'administrer le médicament et pendant toute la durée du traitement. La rubrique **Directives générales** porte sur les données qu'il faut recueillir chez tous les patients qui prennent le médicament. Nous y ajoutons également les observations particulières qu'il faut effectuer compte tenu des diverses indications du médicament. Dans l'**Étude des examens diagnostiques et biochimiques**, l'infirmière trouve les résultats des examens diagnostiques et biochimiques qu'elle doit vérifier attentivement. Nous y précisons aussi de quelle manière le médicament peut influer sur ces résultats. Dans la rubrique **Toxicité et surdosage**, nous précisons les concentrations sériques thérapeutiques, les signes et les symptômes de toxicité ainsi que l'antidote et le traitement qui conviennent en cas de toxicité ou de surdosage.

> **Diagnostics infirmiers possibles:** Les **Énoncés diagnostiques** portent sur les diagnostics infirmiers approuvés par l'Association nord-américaine du diagnostic infirmier (ANADI). Nous indiquons ici les problèmes les plus pertinents ou les plus vraisemblables qui peuvent s'appliquer à la situation du patient qui reçoit le médicament en question ainsi que d'autres problèmes possibles qu'il serait utile de connaître. Ces derniers sont imprimés en italiques. Les **Facteurs favorisants** expliquent, comme leur nom l'indique, les facteurs qui peuvent donner lieu aux énoncés diagnostiques mentionnés. Ceux qui se

rapportent aux principaux énoncés diagnostiques, selon l'ANADI, apparaissent en caractères romains, les autres, en italiques. La liste complète des catégories de diagnostics infirmiers approuvées par l'ANADI se trouve à l'annexe O.

Interventions infirmières: Le lecteur trouve ici les directives particulières qui s'appliquent à l'administration du médicament en question. Les renseignements qui apparaissent à la rubrique **Directives générales** s'appliquent à toutes les voies d'administration et portent sur le moment où l'administration est la plus propice tout comme sur divers autres détails concernant les soins. On y trouve, par la suite, des précisions concernant les diverses voies d'administration. Ainsi, pour la **voie orale** (**PO**), nous indiquons le moment où il faut administrer le médicament et la méthode d'administration. Nous précisons aussi si les comprimés peuvent être réduits en poudre ou si les capsules peuvent être ouvertes et si le médicament devrait être administré à jeun, avec des aliments ou autrement. Pour la **voie intraveineuse** (**IV**), nous fournissons des détails concernant la reconstitution du médicament et sa dilution. Sous les rubriques **Intraveineuse directe**, **Perfusion intermittente** et **Perfusion continue**, nous précisons la quantité de diluant à utiliser et les types de dilutions subséquentes, le cas échéant, ainsi que le débit auquel il faut administrer les doses par chacune de ces voies (*Vitesse d'administration*). Sous la rubrique intitulée **Associations compatibles et incompatibles dans la même seringue**, nous indiquons les médicaments avec lesquels chaque produit est compatible ou incompatible lorsqu'il est administré dans la même seringue. Ce genre de compatibilité se limite habituellement à 15 minutes après mélange. Sous la rubrique **Compatibilités et incompatibilités (tubulure en Y)**, nous énumérons les médicaments qui sont ou non compatibles avec chaque agent, lorsque l'administration s'effectue par une tubulure en Y ou une tubulure à trois voies. Sous la rubrique **Compatibilités et incompatibilités en addition au soluté**, nous énumérons les médicaments qui sont ou non compatibles s'ils sont mélangés avec un soluté. Ce genre de compatibilité se limite habituellement à 24 heures.

Enseignement au patient et à ses proches: Les renseignements qui paraissent ici sont ceux que l'infirmière devrait transmettre au patient et à ses proches, par exemple les effets secondaires à signaler à son médecin, les mesures à prendre pour réduire les réactions indésirables, certains détails concernant l'administration du médicament ainsi que l'importance des examens de suivi. L'infirmière devrait également consulter les sections **Réactions indésirables et effets secondaires** et **Interactions médicamenteuses** pour trouver les autres renseignements lui permettant d'établir un plan d'enseignement plus complet destiné au patient et à ses proches.

Vérification des résultats: On trouve ici les critères permettant de déterminer si le traitement médicamenteux a donné les résultats escomptés.

DIRECTIVES POSOLOGIQUES POUR LES CAS PARTICULIERS

La plupart des médicaments doivent être administrés dans les limites d'une plage posologique. Toutefois, il existe de nombreux cas où la dose moyenne est soit toxique, soit inefficace. Nous indiquons ici les circonstances où il faut envisager des ajustements particuliers pour que le traitement soit couronné de succès. Ces directives sont générales, mais elles devraient permettre à l'infirmière de mieux évaluer les paramètres individuels. Lorsqu'elle se trouve devant un cas particulier, l'infirmière devrait examiner attentivement les doses prescrites et en prévenir le médecin afin qu'il puisse recommander les ajustements qui s'imposent.

ENFANTS

C'est essentiellement en raison de leur petite taille que l'on doit ajuster la posologie chez les enfants. La plupart des doses de médicaments destinées à cette population sont indiquées en fonction du poids, en milligrammes par kilogramme (mg/kg), ou, d'une façon encore plus précise, en fonction de la surface corporelle. La surface corporelle est déterminée à l'aide du nomogramme qu'on trouve à l'annexe G.

Dans le cas du nouveau-né et de l'enfant prématuré, des ajustements supplémentaires s'imposent. Chez ce groupe, l'absorption après l'administration par voie orale peut être incomplète ou modifiée à cause de variations dans le pH gastrique ou dans la motilité gastro-intestinale; la distribution peut être modifiée à cause de variations dans l'équilibre hydrique, et le métabolisme et l'excrétion peuvent être retardés étant donné que le foie et le rein ne sont pas encore totalement développés. Pour assurer chez l'enfant prématuré ou le nouveau-né un traitement médicamenteux optimal, il faut faire des ajustements fréquents de la posologie compte tenu de la maturation de ces organes. Les changements rapides de poids qui caractérisent ce groupe d'âge dictent, eux aussi, des ajustements supplémentaires.

L'infirmière devrait aussi tenir compte d'autres variables également. La voie d'administration par laquelle on opte chez les enfants dépend souvent de la gravité de la maladie. L'infirmière devrait prendre en considération le niveau de développement de l'enfant et sa capacité de compréhension. Le jeune enfant pourrait redouter les injections intraveineuses ou intramusculaires et les parents pourraient aussi nourrir des inquiétudes à l'égard de ce type d'administration. L'infirmière doit alors donner les explications nécessaires à l'enfant et aux parents, et les réconforter. Il faut choisir avec attention les points d'injection sous-cutanée et intramusculaire, chez ce groupe d'âge, afin de prévenir les lésions des nerfs ou des tissus.

PERSONNES ÂGÉES

Chez les personnes de plus de 60 ans, la pharmacocinétique des médicaments change. L'absorption du médicament peut être retardée par suite d'une motilité gastro-intestinale réduite (à cause de l'âge ou d'autres médicaments que la personne âgée doit prendre simultanément) ou de la congestion passive des vaisseaux sanguins abdominaux qui caractérise, par exemple, l'insuffisance cardiaque. La distribution du médicament peut être modifiée à cause des faibles concentrations de protéines plasmatiques, particulièrement chez patients qui souffrent de malnutrition. En présence d'une réduction de la concentration des protéines plasmatiques, une plus grande quantité de médicament reste libre (ne se lie pas) et, pour cette raison, son effet sera accru. De ce fait, chez ces patients, certains médicaments administrés à la dose habituelle pourraient être toxiques. Comme le métabolisme hépatique et l'excrétion rénale ralentissent avec l'âge, les médicaments peuvent avoir un effet excessif et prolongé. La physiologie de l'organisme change également avec l'âge. En effet, il y a augmentation des tissus adipeux et diminution des muscles squelettiques et de la quantité totale d'eau contenue dans l'organisme. Habituellement, la taille et le poids diminuent également. La posologie qui était adéquate chez le patient robuste, âgé de 50 ans environ, peut s'avérer trop élevée chez le même patient, 20 ans plus tard.

Il faut également tenir compte du fait que la plupart des personnes âgées reçoivent un grand nombre de médicaments. Plus le nombre de médicaments est grand, plus il y a de risques qu'un médicament modifie ou entrave les effets des autres (interactions médicamenteuses). En général, chez cette population, il faudrait diminuer les doses de la plupart des médicaments. Les médicaments qui dictent une attention particulière sont les dérivés digitaliques (la digoxine et la digitoxine), les hypnosédatifs, les anticoagulants oraux et les antihypertenseurs.

Les schémas posologiques devraient être simples étant donné que la plupart des personnes âgées prennent plusieurs médicaments à la fois. Il faudrait les déterminer de façon que le patient n'ait pas à interrompre ses activités plusieurs fois par jour pour prendre ses médicaments. L'administration d'associations médicamenteuses à des doses fixes peut simplifier le traitement. Toutefois, certaines de ces associations coûtent plus cher que les médicaments pris séparément.

FEMMES ENCEINTES

Au cours de la grossesse, on doit tenir compte des risques auxquels sont exposés la mère et le fœtus. Le placenta, qui était considéré autrefois comme une barrière protectrice, n'est en fait qu'une simple membrane pouvant protéger le fœtus uniquement contre des molécules très volumineuses. Cette membrane assure le transport passif et actif des médicaments. Le fœtus est particulièrement vulnérable au cours du premier et du dernier trimestre. Au cours du premier trimestre, les organes vitaux se forment. Pendant cette étape de la grossesse, l'absorption par la mère de médicaments qui peuvent être nuisibles (agents pouvant avoir des effets tératogènes) risque d'entraîner des malformations chez le fœtus ou de provoquer un avortement. Malheureusement, c'est l'étape de la grossesse où la femme ignore souvent son état. Par conséquent, il serait sage d'informer toutes les femmes en âge de procréer des risques auxquels le fœtus est exposé. Au cours du troisième trimestre, et particulièrement vers la fin de la grossesse, les médicaments administrés à la mère, et qui traversent le placenta, pourraient ne pas être métabolisés et excrétés de façon adéquate par l'organisme du fœtus. Si les médicaments sont administrés juste avant l'accouchement, ils s'accumulent dans l'organisme du fœtus et peuvent l'intoxiquer. Après l'accouchement, le placenta ne sert plus à l'excrétion du médicament.

On ne peut pas ignorer le fait que certains médicaments peuvent altérer la qualité et la quantité des spermatozoïdes. Il faudrait informer de ce risque les futurs pères qui prennent ce genre d'agents.

Parfois, pour préserver la santé de la mère et pour protéger le fœtus, il faut administrer certains médicaments tout au long de la grossesse, par exemple, aux patientes épileptiques et à celles qui souffrent d'hypertension. Dans ce cas, il faut choisir le médicament le plus sûr et l'administrer aux doses les plus faibles qui restent efficaces. À cause des modifications éventuelles de l'effet des médicaments pendant la grossesse, on doit ajuster la posologie pendant toute cette période et même après l'accouchement. Dans le cas des toxicomanes et des alcooliques, l'effet des médicaments pose des problèmes particuliers pendant la grossesse. En effet, les nouveau-nés dont les mères sont alcooliques ou toxicomanes (abus de sédatifs, comprenant les benzo-diazépines, l'héroïne ou la cocaïne) peuvent avoir un poids inférieur à la normale, manifester des réactions de sevrage après la naissance et connaître un retard de croissance. L'évaluation attentive des données concernant les antécédents devrait mettre en garde l'infirmière contre ces risques.

MALADIES RÉNALES

Les reins sont les principaux organes excréteurs. Certains médicaments sont excrétés seulement après avoir été métabolisés par le foie, alors que d'autres peuvent être éliminés tels quels par les reins. Il ne faut pas oublier que, chez l'enfant prématuré, la fonction rénale est insuffisamment développée et, chez la personne âgée, elle est déclinante. Pour pouvoir ajuster correctement les doses chez les patients qui souffrent d'insuffisance rénale, on doit connaître la gravité de l'atteinte et déterminer le pourcentage de médicament qui est éliminé par les reins. Le degré d'atteinte peut être établi par des épreuves diagnostiques, dont la plus courante est la clearance de la créatinine. Le pourcentage de médicament excrété par les reins peut être déterminé à partir de divers paramètres pharmacocinétiques. En outre, pour que la posologie soit la plus efficace possible, on peut mesurer les concentrations sanguines de médicament chez chaque patient et apporter les modifications qui s'imposent. On procède souvent à ce genre d'ajustement pour la digoxine et les aminosides (amikacine, gentamicine, nétilmicine et tobramycine).

MALADIES HÉPATIQUES

Le foie est le principal organe où a lieu le métabolisme des médicaments. Pour la plupart des agents, il s'agit d'une étape d'inactivation. Les métabolites inactifs sont par la suite excrétés par les reins. Habituellement, lors de ce processus de transformation, le médicament qui est relativement liposoluble devient plus hydrosoluble. Il est plus difficile de déterminer l'état de la fonction hépatique que celui de la fonction rénale. On ne peut donc pas prévoir la posologie uniquement d'après les épreuves diagnostiques chez le patient souffrant d'insuffisance hépatique. Par ailleurs, même si la fonction hépatique est très fortement diminuée, le métabolisme du médicament peut être complet.

Chez le patient qui souffre d'un ictère grave ou qui présente des concentrations très faibles de protéines sériques (particulièrement d'albumine), tout comme chez l'alcoolique chronique, le métabolisme des médicaments peut poser des problèmes. En cas de maladie hépatique avancée, l'absorption des médicaments peut également être altérée à cause de la congestion du système porte. La théophylline et les sédatifs, qui sont métabolisés par le foie, font partie des médicaments dont la posologie doit être ajustée très attentivement chez les patients souffrant de maladie hépatique. L'usage de certains promédicaments, dont l'activation a lieu dans le foie (comme le sulindac ou le cyclophosphamide), devrait être évité chez les patients qui présentent un dysfonctionnement hépatique prononcé.

INSUFFISANCE CARDIAQUE

Il faut également modifier la posologie des agents administrés aux patients souffrant d'insuffisance cardiaque, car, dans leur cas, l'absorption des médicaments peut être altérée à cause de la congestion passive des vaisseaux sanguins qui alimentent le tractus gastro-intestinal. Du fait de cette congestion passive, le transport du médicament au foie ainsi que son métabolisme sont ralentis. En outre, la fonction rénale peut être atteinte : l'élimination du médicament est alors retardée et son effet, prolongé. Un grand nombre de patients qui souffrent d'insuffisance cardiaque sont d'autant plus vulnérables qu'ils sont âgés. Chez les patients qui souffrent d'insuffisance cardiaque manifeste, il faut réduire la posologie des médicaments qui sont surtout métabolisés par le foie ou excrétés par les reins.

TAILLE ET POIDS

Dans la plupart des cas, la posologie du médicament doit être ajustée selon le poids corporel total. Certains médicaments (par exemple, la digoxine et la gentamicine) pénètrent difficilement dans les tissus adipeux et, si on les administre à un patient obèse, il faut en déterminer la posologie selon le poids idéal ou selon une estimation du poids maigre. On peut calculer les doses à partir de tableaux de poids souhaitables ou à partir d'une formule permettant de déterminer le poids maigre lorsque la taille et le poids du patient sont connus. Sans ce type d'ajustement, les risques de toxicité sont considérables.

TRANSPORT DU MÉDICAMENT À SON LIEU D'ACTION

Pour que le traitement donne les résultats escomptés, le médicament doit atteindre le lieu d'action ou le point d'impact auquel il est destiné. Dans le meilleur des cas, le médicament n'aura qu'un effet minime sur les autres tissus ou appareils. Par exemple, les préparations topiques, destinées au traitement des maladies cutanées, ne sont que faiblement absorbées. Dans le cas de la plupart des maladies, cependant, cette voie d'administration n'est ni possible ni pratique. On doit parfois emprunter des voies d'administration inhabituelles pour assurer la présence du médicament à son lieu d'action. Chez les patients souffrant de méningite bactérienne, l'administration des médicaments par voie parentérale ne peut pas toujours assurer des concentrations suffisamment élevées dans le liquide céphalo-rachidien. On doit parfois administrer le médicament par voie intrathécale et, en même temps, par voie parentérale, comme dans le cas des aminosides (amikacine, gentamicine et tobramycine). L'œil constitue également une barrière relativement imperméable à de nombreux médicaments. Pour qu'ils puissent la traverser, il faut qu'on les administre par instillation ou par injection locale.

Dans certains cas, l'absorption locale étant entravée, le médicament ne peut pas exercer l'effet général prévu. Chez les patients en état de choc ou présentant une irrigation tissulaire réduite, attribuable à une autre cause, le médicament ne peut pas être absorbé dans la circulation générale à partir des points d'injection sous-cutanée.

Pour déterminer la voie d'administration qui convient, on doit connaître le lieu où le médicament doit exercer son effet principal, car, pour qu'il puisse exercer son effet maximal, il doit être délivré au lieu d'action auquel il est destiné.

INTERACTIONS MÉDICAMENTEUSES

Il est également essentiel d'ajuster la posologie lorsque le patient prend simultanément plusieurs médicaments. Les médicaments qui se lient fortement aux protéines plasmatiques, comme la warfarine et la phénytoïne, peuvent être déplacés par d'autres médicaments ayant cette même propriété. Lorsque ce phénomène se produit, le médicament qui a été déplacé devient plus actif étant donné que c'est toujours la forme libre qui est active.

Certains agents, comme la cimétidine et le chloramphénicol, diminuent la capacité du foie de métaboliser d'autres médicaments. Il faut parfois réduire la posologie des médicaments fortement métabolisés par le foie qui sont administrés simultanément. Par ailleurs, certains agents, comme le phénobarbital, d'autres barbituriques et la rifampicine, peuvent accélérer le métabolisme hépatique des médicaments ; il faut alors en augmenter la dose.

Les médicaments qui modifient fortement le pH de l'urine peuvent affecter l'élimination d'autres substances dont l'excrétion dépend du pH. L'alcalinisation de l'urine accélère l'excrétion des médicaments acides. L'acidification de l'urine augmente la réabsorption des médicaments acides, ce qui prolonge et intensifie leur action. Par contre, les médicaments qui acidifient l'urine accélèrent l'excrétion des médicaments alcalins. Par exemple, on administre du bicarbonate de sodium en cas de surdosage par l'aspirine, car l'alcalinisation de l'urine favorise l'excrétion rénale de l'acide acétylsalicylique.

Certains médicaments modifient l'activité des enzymes qui interviennent dans le métabolisme d'autres agents. L'allopurinol inhibe l'enzyme qui participe à la production de l'acide urique, mais il inhibe également le métabolisme de la 6-mercaptopurine (inactivation), ce qui en augmente considérablement la toxicité. Il faut, par conséquent, réduire considérablement la posologie de la mercaptopurine lorsqu'elle est administrée en même temps que l'allopurinol.

PRÉSENTATION (FORMES PHARMACEUTIQUES)

La forme de la préparation pose souvent des problèmes à l'infirmière. Certains médicaments ne sont pas vendus sous forme de solution ou de comprimés à croquer. Le pharmacien doit alors préparer la forme pharmaceutique demandée. D'autres fois, afin que le patient reste fidèle à son traitement, il faut camoufler le goût ou l'aspect du médicament en le mélangeant à des aliments ou à une boisson. Enfin, certaines formes pharmaceutiques, comme les préparations en aérosol pour inhalation, peuvent ne pas convenir à de très jeunes enfants, car leur administration nécessite de la part du patient une collaboration que ces enfants sont incapables de fournir.

Avant de modifier la forme pharmaceutique (réduire en poudre les comprimés ou ouvrir les capsules), il faut s'assurer que l'effet du médicament ne changera pas. En général, il est déconseillé de réduire en poudre les préparations à libération lente ou prolongée ou d'ouvrir les capsules contenant des granules, car on risque de raccourcir la durée d'action et d'intensifier l'effet du médicament. Il ne faut pas non plus réduire en poudre les comprimés à enrobage entérique, car celui-ci protège souvent l'estomac des effets irritants. Les préparations réduites en poudre mettent en contact les parois de l'estomac avec le médicament et augmentent l'irritation gastro-intestinale. Si une préparation doit être réduite en poudre, il faut l'ingérer immédiatement. Il faudrait recommander au patient de boire un verre d'eau avant d'avaler un médicament sous forme de poudre pour humidifier l'œsophage et pour prévenir l'adhérence de la substance aux mucosités du tractus gastro-intestinal supérieur.

FACTEURS AMBIANTS

La fumée de cigarette peut accélérer le métabolisme des médicaments par les enzymes hépatiques. Il faut donc administrer des doses plus importantes de médicaments métabolisés par le foie aux patients qui fument et même, parfois, aux patients qui sont tout simplement exposés à la fumée de cigarette. L'effet du tabac sur le métabolisme des médicaments peut persister pendant plusieurs mois après que la personne a cessé de fumer.

ALIMENTS

La présence de certains aliments dans l'appareil gastro-intestinal peut également modifier le sort de certains médicaments. Le calcium alimentaire, que l'on trouve en grande concentration dans les produits laitiers, se lie à la tétracycline et en empêche l'absorption. De nombreux antibiotiques sont mieux absorbés s'ils sont administrés à jeun. Les aliments riches en pyridoxine (vitamine B_6) peuvent inhiber l'effet antiparkinsonien de la lévodopa (effet qu'on peut contrecarrer par l'administration concomitante de carbidopa). Les aliments qui peuvent altérer le pH de l'urine sont également susceptibles de modifier l'excrétion des médicaments, ce qui augmente ou diminue leur efficacité. Puisqu'il n'existe pas de directives générales à cet égard, il est prudent de vérifier si des problèmes d'interaction existent et s'ils peuvent expliquer l'échec du traitement, puis d'effectuer les ajustements de posologie qui s'imposent.

RÉSUMÉ

La posologie moyenne d'un médicament est calculée en fonction du patient moyen. Toutefois, chaque patient constitue un cas particulier, car le sort du médicament, après son administration, est chaque fois différent. Il faut donc tenir compte des données exposées ici pour pouvoir planifier un traitement médicamenteux qui soit adapté au patient et qui permette d'obtenir les résultats escomptés tout en réduisant au minimum le risque de toxicité.

ABRÉVIATIONS UTILISÉES

ACTH	adrénocorticotrophine (hormone corticotrope)
ADN	acide désoxyribonucléique
ARN	acide ribonucléique
AV	auriculoventriculaire
b.p.m.	battements par minute
cm	centimètre
CPK	créatinine sérique
CV	système cardiovasculaire
dL	décilitre
ÉCG	électrocardiogramme
ÉEG	électroencéphalogramme
End.	système endocrinien
É.-U.	États-Unis
g	gramme
GI	système gastro-intestinal
GU	système génito-urinaire
h	heure
HDL	lipoprotéines de haute densité
HÉ	équilibre hydroélectrique
Hémat.	système hématopoïétique
IA	intra-articulaire
IM	intramusculaire
IMAO	inhibiteurs de la monoamine oxydase
IV	intraveineuse
kg	kilogramme
kJ	kilojoule
L	litre
LDH	lacticodéshydrogénase
LDL	lipoprotéines de faible densité
LH-RH	hormone de libération de la lutéinostimuline
Loc.	système locomoteur
MAO	monoamine-oxydase
Métab.	métabolisme
µg	microgramme
µm	micromètre
mg	milligramme
min	minute
mL	millilitre
mmol	millimole
Na	sodium
NaCl	chlorure de sodium
NaCl à 9 %	chlorure de sodium à 0,9 %, soluté salin
ng	nanogramme
ORLO	yeux, oreilles, nez, gorge
PO	voie orale (*per os*)
PR	voie rectale (*per rectum*)

REM	mouvements oculaires rapides
Resp.	système respiratoire
SC	sous-cutanée
s	seconde
Sida	syndrome d'immunodéficience acquise
SNC	système nerveux central
SV	sinoventriculaire
Tég.	système tégumentaire
TGOS (AST)	transaminase glutamique oxaloacétique (aspartate aminotransférase)
TGPS (ALT)	transaminase glutamique pyruvique sérique (alanine aminotransférase)
TPSV	tachycardie paracystique supraventriculaire
UI	unité internationale
VHS	virus de l'herpès simplex
VIH	virus de l'immunodéficience humaine
VLDL	liprotéines de très faible densité

LASSIFICATION

ALPHA-ADRÉNERGIQUES, BLOQUEURS (ADRÉNOLYTIQUES-ALPHA ; ALPHABLOQUANTS)

Pharmacologie

Indication générale : Effets adrénergiques excessifs (système nerveux sympathique), par exemple, en présence d'un phéochromocytome ou d'une crise hypertensive provoquée par une concentration excessive d'amines sympathomimétiques (interaction des inhibiteurs de la monoamine-oxydase [IMAO] et d'aliments contenant de la tyramine).

Action générale et données de base : Les bloqueurs alpha-adrénergiques (adrénolytiques-alpha ou alphabloquants) inhibent sans compétition les récepteurs alpha-adrénergiques par blocage de la réponse normale à l'adrénaline et à la noradrénaline. Les principaux récepteurs touchés sont situés dans les muscles lisses des vaisseaux et dans les glandes à sécrétion exocrine.

Contre-indications : L'administration de ces médicaments est contre-indiquée lorsqu'une chute soudaine de la pression artérielle pourrait être dangereuse.

Précautions : Les effets cardiovasculaires peuvent être graves et dicter une intervention et un traitement de soutien. Administrer ces médicaments avec prudence aux patients ayant des antécédents d'ulcère gastroduodénal.

Interactions : Ces agents sont des antagonistes de tous les médicaments qui stimulent les récepteurs alpha-adrénergiques. Les amines alpha et bêta-adrénergiques en association avec les bloqueurs alpha-adrénergiques provoquent une forte hypotension et des arythmies.

SOINS INFIRMIERS

ÉVALUATION DE LA SITUATION

- Mesurer souvent la pression artérielle et le pouls lors du traitement initial ou de l'administration par la voie IV et à intervalles réguliers, par la suite.

DIAGNOSTICS INFIRMIERS POSSIBLES

- **Énoncés diagnostiques**
  - ☐ Diminution de l'irrigation tissulaire.
  - ☐ Risque élevé d'accident.
  - ☐ Prise en charge inefficace du programme thérapeutique.
- **Facteurs favorisants**
  - ☐ Informations incomplètes.
  - ☐ *Manque de connaissances sur les effets hypotensifs du médicament lors des changements brusques de position*
  - ☐ *Manque de connaissances sur les modalités du traitement.*

INTERVENTIONS INFIRMIÈRES

- **PO :** Administrer le médicament avec les repas ou avec du lait si l'irritation gastro-intestinale pose des problèmes.
- **IV :** Demander au patient de rester couché tout au long de l'administration par voie parentérale.

- Conseiller au patient de changer lentement de position pour réduire le risque d'hypotension orthostatique.

VÉRIFICATION DES RÉSULTATS

L'efficacité du traitement peut être démontrée par: la baisse de la pression artérielle.

BLOQUEURS ALPHA-ADRÉNERGIQUES INCLUS DANS LE *GUIDE*:

phénoxybenzamine, 1372   phentolamine, 1374

ANALGÉSIQUES NARCOTIQUES

Pharmacologie

Indication générale: Soulagement de la douleur modérée à grave. Certains agents sont administrés comme adjuvants pendant une anesthésie générale (alfentanil, fentanyl et sufentanil).

Action générale et données de base: Les analgésiques narcotiques se lient aux récepteurs opiacés du système nerveux central où ils exercent un effet agoniste sur les peptides opioïdes endogènes (enképhalines et endorphines), modifiant ainsi la perception de la douleur et la réaction à celle-ci.

Contre-indications: Hypersensibilité au médicament.

Précautions: Administrer les analgésiques narcotiques avec prudence aux patients souffrant de douleurs abdominales non diagnostiquées, de traumatisme ou d'affection crânienne et de maladie hépatique ainsi qu'aux patients ayant des antécédents de dépendance aux narcotiques. Il est conseillé d'administrer des doses initiales plus faibles aux personnes âgées et aux patients souffrant de maladie respiratoire. L'utilisation prolongée entraîne une tolérance à l'effet du médicament, d'où la nécessité d'administrer des doses plus élevées pour soulager la douleur.

Interactions: Augmentation des propriétés de dépression du SNC de l'alcool et de certains médicaments, dont les antihistaminiques, les antidépresseurs, les hypnosédatifs, les phénothiazines, les inhibiteurs de la MAO. L'administration des analgésiques narcotiques agonistes partiels (buprénorphine, butorphanol, dézocine, nalbuphine et pentazocine) peut déclencher le syndrome de sevrage chez les patients qui manifestent une dépendance physique aux narcotiques agonistes. L'administration concomitante d'inhibiteurs de la MAO ou de la procarbazine peut entraîner des réactions paradoxales graves (particulièrement dans le cas de la mépéridine). La nalbuphine et la pentazocine peuvent affaiblir les effets souhaitables d'autres analgésiques narcotiques qui sont administrés en même temps.

SOINS INFIRMIERS

ÉVALUATION DE LA SITUATION

- Noter le type de douleur, son siège et son intensité, avant l'administration et au pic de l'effet du médicament.
- Mesurer la pression artérielle, le pouls et la fréquence respiratoire, avant l'administration et à intervalles réguliers tout au long du traitement.

- L'utilisation prolongée peut entraîner la dépendance physique et psychologique ainsi qu'une tolérance à l'effet du médicament, mais cela ne doit pas empêcher le patient de recevoir une quantité suffisante d'analgésiques. La dépendance psychologique est rare chez la plupart des patients qui reçoivent des analgésiques narcotiques pour des raisons médicales. Lors d'un traitement prolongé, il faut parfois administrer des doses de plus en plus élevées pour soulager la douleur.
- Recueillir des données sur les habitudes d'élimination intestinale à intervalles réguliers. Pour réduire les risques de constipation, augmenter l'apport de liquides et d'aliments riches en fibres et administrer des laxatifs émollients ou des laxatifs d'un autre type.
- Effectuer le bilan des ingesta et des excreta. En cas d'écart important, guetter la rétention urinaire et en informer le médecin, le cas échéant.
- **Toxicité et surdosage:** En cas de surdosage, l'antidote est la naloxone (Narcan). Observer attentivement le patient et vérifier s'il ne faut pas répéter la dose de nalaxone ou administrer le médicament sous forme de perfusion.

DIAGNOSTICS INFIRMIERS POSSIBLES

■ Énoncés diagnostiques
□ Douleur.
□ Altération de la perception visuelle et auditive.
□ Risque élevé d'accident.
□ Prise en charge inefficace du programme thérapeutique.
□ *Risque élevé de constipation.*
□ *Risque élevé de perturbation des échanges gazeux.*
□ *Risque élevé de dégagement inefficace des voies respiratoires.*

■ Facteurs favorisants
□ Informations incomplètes.
□ *Manque de connaissances sur les moyens de stimuler la fonction intestinale.*
□ *Mode de respiration inefficace.*
□ *Perturbation de la vigilance.*
□ *Manque de connaissances sur les effets hypotensifs du médicament lors des changements brusques de position.*
□ *Manque de connaissances sur les modalités du traitement.*
□ *Manque de connaissances sur la méthode d'administration du médicament.*

INTERVENTIONS INFIRMIÈRES

- Expliquer au patient le rôle thérapeutique du médicament avant de l'administrer, afin d'en augmenter l'effet analgésique.
- Les doses administrées selon un horaire fixe peuvent être plus efficaces que celles administrées sur demande. Le médicament s'avère plus efficace s'il est administré avant que la douleur ne devienne intense.
- Les analgésiques non narcotiques administrés simultanément peuvent exercer des effets analgésiques additifs, ce qui permet parfois de diminuer les doses de narcotique.
- Après un traitement prolongé, interrompre l'administration graduellement pour prévenir les symptômes de sevrage.

ENSEIGNEMENT AU PATIENT ET À SES PROCHES

- Expliquer au patient ce qu'on entend par administration sur demande et à quel moment il doit réclamer l'analgésique.
- Prévenir le patient que le médicament peut provoquer des étourdissements et de la somnolence. Lui recommander de demander de l'aide lorsqu'il se déplace et de ne pas fumer lorsqu'il est seul. Lui conseiller de ne pas conduire et d'éviter les activités qui exigent sa vigilance jusqu'à ce qu'on ait la certitude que le médicament n'entraîne pas ces effets chez lui.
- Recommander au patient de changer lentement de position pour diminuer le risque d'hypotension orthostatique.
- Recommander au patient de ne pas boire d'alcool et de ne pas prendre d'autres dépresseurs du SNC en même temps que des analgésiques narcotiques.
- Recommander au patient de se tourner dans le lit, de tousser et de faire des exercices de respiration profonde toutes les deux heures pour prévenir l'atélectasie.

VÉRIFICATION DES RÉSULTATS

L'efficacité du traitement peut être démontrée par: la diminution de l'intensité de la douleur sans modification importante de l'état de la conscience, de l'état de la respiration ou de la pression artérielle.

ANALGÉSIQUES NARCOTIQUES INCLUS DANS LE *GUIDE*:

agonistes
alfentanil, 155
codéine, 496
fentanyl, 762
fentanyl transdermique, 765
hydrocodone, 898
hydromorphone, 905
lévorphanol, 1028
mépéridine, 1100
méthadone, 1116
morphine, 1202

oxycodone, 1312
oxymorphone, 1314
propoxyphène, 1488
sufentanil, 1593

agonistes – antagonistes
buprénorphine, 301
butorphanol, 313
dézocine, 586
nalbuphine, 1224
pentazocine, 1349

ANÉMIE, AGENTS DESTINÉS AU TRAITEMENT DE L'

Pharmacologie

Indication générale: Prévention et traitement des anémies.

Action générale et données de base: Le fer (fumarate ferreux, gluconate ferreux, sulfate ferreux et dextran de fer) est indispensable à la production de l'hémoglobine dont le rôle est de transporter l'oxygène vers les cellules. La cyanocobalamine (vitamine B_{12}) et l'acide folique sont des vitamines hydrosolubles, nécessaires à la production des érythrocytes.

Contre-indications: Anémie non diagnostiquée. Hémochromatose, hémosidérose, anémie hémolytique (ferriprive).

Précautions : L'administration du fer par voie parentérale aux patients ayant des anté-cédents d'allergie ou d'hypersensibilité doit s'accompagner de prudence.

Interactions : Le fer peut diminuer l'absorption des tétracyclines, des fluoroquinolones ou de la pénicillamine. La vitamine E peut altérer la réponse thérapeutique au fer. La phénytoïne et les autres anticonvulsivants peuvent diminuer l'absorption de l'acide folique.

Présentation

Ces agents existent sous forme d'association avec de nombreux minéraux et vitamines (voir l'annexe A).

 **SOINS INFIRMIERS**

ÉVALUATION DE LA SITUATION

- Examiner l'état nutritionnel du patient et ses habitudes alimentaires afin de détermi-ner les causes possibles de l'anémie et ses besoins d'information sur l'alimentation.
- **Étude des examens diagnostiques et biochimiques :** Vérifier les concentrations d'hémo-globine et de réticulocytes, l'hématocrite et les indices globulaires avant l'adminis-tration du médicament et à intervalles réguliers pendant tout le traitement.

DIAGNOSTICS INFIRMIERS POSSIBLES

- **Énoncés diagnostiques**
- ☐ Intolérance à l'activité.
- ☐ Déficit nutritionnel.
- ☐ Prise en charge inefficace du programme thérapeutique.
- ☐ *Risque élevé de constipation.*

- **Facteurs favorisants**
- ☐ Informations incomplètes.
- ☐ *Manque de connaissances sur les modalités du traitement.*
- ☐ *Manque de connaissances sur le régime alimentaire à suivre.*
- ☐ *Manque de connaissances sur les moyens de stimuler la fonction intestinale.*

INTERVENTIONS INFIRMIÈRES

Aucune en particulier.

ENSEIGNEMENT AU PATIENT ET À SES PROCHES

- Inciter le patient à respecter les recommandations diététiques du médecin. Lui expliquer que la meilleure source de vitamines et de minéraux se trouve dans les aliments. Lui recommander de suivre un régime alimentaire bien équilibré, com-prenant des aliments des quatre principaux groupes.
- Conseiller au patient qui pratique l'automédication par des suppléments de vita-mines et de minéraux de ne pas dépasser les taux quotidiens recommandés d'élé-ments nutritifs (voir l'annexe L). On n'a pas prouvé l'efficacité des doses massives dans le traitement de diverses maladies ; cependant, de telles doses peuvent pro-duire des effets secondaires.

VÉRIFICATION DES RÉSULTATS

La réponse clinique se traduit par : la résolution de l'anémie.

AGENTS POUR LE TRAITEMENT DE L'ANÉMIE INCLUS DANS LE *GUIDE*:

fer (sels ferreux)

fer-dextran, 768
fumarate ferreux, 815
gluconate ferreux, 841
sulfate ferreux, 1604

vitamines hydrosolubles

acide folique, 138
cyanocobalamine, 526
hydroxycobalamine, 911

ANESTHÉSIQUES GÉNÉRAUX ET LOCAUX

Pharmacologie

Indication générale : La kétamine et le thiopental sont utilisés pour l'anesthésie générale par voie IV. Les autres agents administrés seuls ou en association sont le diazépam, le midazolam, le propofol et le dropéridol en association avec le fentanyl. La benzocaïne, la dibucaïne et la lidocaïne existent en diverses présentations réservées à l'application locale.

Action générale et données de base : Les anesthésiques généraux provoquent une dépression du SNC suffisamment forte pour rendre possibles les interventions effractives. On les administre souvent en association avec des hypnosédatifs, des analgésiques narcotiques et des bloqueurs neuromusculaires. Les anesthésiques locaux exercent des effets limités et de courte durée en ne diminuant la transmission de l'influx nerveux que dans le territoire de l'injection ou de l'application ; on les administre dans le cas où une dépression généralisée du SNC n'est pas justifiée.

Contre-indications : Hypersensibilité.

Précautions : Lors de l'anesthésie générale, il faut disposer d'un personnel qualifié et du matériel nécessaire pour assister la respiration. Le choix du médicament et l'ajustement de la posologie doivent s'accompagner de prudence chez les enfants, les personnes âgées, les patients souffrant d'une maladie cardiaque et les femmes enceintes. Risque de réactions de sensibilité croisée lors de l'administration de certains anesthésiques locaux.

Interactions : Un grand nombre d'anesthésiques généraux augmentent l'irritabilité du cœur. Les risques d'arythmie peuvent être accrus lors de l'administration concomitante de dérivés digitaliques, de bêtabloquants ou d'antiarythmiques. La dépression respiratoire peut être aggravée par l'administration simultanée d'hypnosédatifs, d'analgésiques narcotiques, d'antihistaminiques ou d'antidépresseurs. L'épinéphrine en injection, administrée en même temps que les anesthésiques locaux, permet d'en circonscrire les effets et de les prolonger.

SOINS INFIRMIERS – ANESTHÉSIQUES GÉNÉRAUX

ÉVALUATION DE LA SITUATION

- Vérifier souvent le niveau de la conscience du patient pendant tout le traitement.
- Mesurer souvent la pression artérielle, examiner l'ÉCG et suivre de près la respiration du patient pendant tout le traitement.

DIAGNOSTICS INFIRMIERS POSSIBLES

■ **Énoncés diagnostiques**
□ Risque élevé d'accident.
□ Prise en charge inefficace du programme thérapeutique.
□ *Risque élevé de perturbation des échanges gazeux.*

■ **Facteurs favorisants**
□ Informations incomplètes.
□ *Mode de respiration inefficace.*
□ *Manque de connaissances sur les modalités du traitement.*

INTERVENTIONS INFIRMIÈRES

Administrer le médicament à jeun pour éviter le vomissement et l'aspiration.

ENSEIGNEMENT AU PATIENT ET À SES PROCHES

■ Prévenir le patient que l'altération des fonctions psychomotrices peut se prolonger pendant les 24 heures qui suivent l'anesthésie. Lui conseiller de ne pas conduire et d'éviter les autres activités qui exigent sa vigilance jusqu'à ce qu'on ait la certitude que le médicament n'entraîne pas cet effet chez lui.
■ Conseiller au patient de ne pas boire d'alcool et de ne pas prendre d'autres dépresseurs du SNC pendant les 24 heures qui suivent l'anesthésie.

VÉRIFICATION DES RÉSULTATS

L'efficacité du traitement peut être démontrée par : l'anesthésie générale.

SOINS INFIRMIERS – ANESTHÉSIQUES LOCAUX

ÉVALUATION DE LA SITUATION

■ Noter le type de douleur, son siège et son intensité, avant l'administration du médicament et quelques minutes après.
■ Observer l'état de la peau et des muqueuses affectées avant l'administration du médicament et à intervalles réguliers pendant tout le traitement.

DIAGNOSTICS INFIRMIERS POSSIBLES

■ **Énoncés diagnostiques**
□ Douleur.
□ Prise en charge inefficace du programme thérapeutique.
□ *Risque élevé d'anxiété.*
□ *Risque élevé d'accident.*

■ **Facteurs favorisants**
□ Informations incomplètes.
□ *Manque de connaissances sur les effets secondaires du médicament.*
□ *Manque de connaissances sur les modalités du traitement.*

INTERVENTIONS INFIRMIÈRES

■ **Médicaments en atomiseur pour la gorge :** S'assurer que le réflexe pharyngé est intact avant que le patient n'ait le droit de manger ou de boire.

- **Infiltration**: Associer la lidocaïne à l'épinéphrine pour diminuer l'absorption du médicament par voie systémique et pour prolonger l'anesthésie locale.

Enseignement au patient et à ses proches

- Montrer au patient comment utiliser l'agent; lui recommander d'éviter tout contact du médicament avec les yeux.
- Recommander au patient d'arrêter le traitement si un érythème, un rash ou une irritation apparaissent au siège de l'application.

Vérification des résultats

L'efficacité du traitement peut être démontrée par: ■ le soulagement passager de la douleur provoquée par les irritations mineures de la peau ou des muqueuses ■ l'anesthésie locale.

Anesthésiques inclus dans le *Guide*:

anesthésiques généraux/ traitement adjuvant

dropéridol et fentanyl, 677
kétamine, 996
midazolam, 1177
propofol, 1485
thiopental, 1645

anesthésiques locaux

benzocaïne, 265
dibucaïne, 595
lidocaïne, 1034

ANTIACIDES

Pharmacologie

Indication générale: Traitement d'appoint des ulcères gastroduodénaux. Traitement d'autres types d'hyperacidité gastrique ainsi que de l'indigestion et de l'œsophagite de reflux.

Action générale et données de base: Les antiacides peuvent neutraliser partiellement l'acide gastrique, mais ne recouvrent pas la paroi abdominale. Les antiacides le plus couramment administrés contiennent un mélange de sels d'aluminium et de magnésium qui permet de réduire les effets secondaires gastro-intestinaux (l'aluminium entraîne la constipation et le magnésium, la diarrhée). En outre, de nombreux antiacides contiennent du siméthicone, qui est un agent antiflatulent.

Contre-indications: Douleur abdominale d'étiologie inconnue, particulièrement si elle s'accompagne de fièvre.

Précautions: Les antiacides qui contiennent du magnésium doivent être administrés avec prudence aux patients souffrant d'insuffisance rénale.

Interactions: Les antiacides peuvent modifier l'absorption de certains médicaments administrés simultanément. Ils diminuent l'absorption des tétracyclines (sauf celle de la doxycycline et de la minocycline), des fluoroquinolones, de la mexilétine, de l'isoniazide et de la digoxine. Si la quantité d'antiacides administrée est suffisante pour alcaliniser l'urine, l'excrétion de la quinidine, du flécaïnide ou des amphétamines est fortement réduite et une toxicité peut s'ensuivre.

☀ SOINS INFIRMIERS

ÉVALUATION DE LA SITUATION

Suivre de près les symptômes de brûlure d'estomac et d'indigestion et noter le siège, la durée et les caractéristiques des douleurs gastriques ainsi que les facteurs qui les déclenchent.

DIAGNOSTICS INFIRMIERS POSSIBLES

- **Énoncés diagnostiques**
- ☐ Douleur.
- ☐ Prise en charge inefficace du programme thérapeutique.

- **Facteurs favorisants**
- ☐ Informations incomplètes.
- ☐ *Manque de connaissances sur les modalités du traitement.*
- ☐ *Manque de connaissances sur la méthode d'administration du médicament.*

INTERVENTIONS INFIRMIÈRES

- Les antiacides entraînent la dissolution et l'absorption prématurées des comprimés à enrobage entérique et peuvent entraver l'absorption d'autres médicaments administrés par voie orale. Prévoir un intervalle d'au moins une heure entre l'administration des antiacides et des autres médicaments par voie orale.
- Bien agiter les préparations liquides avant de les administrer. Après administration, demander au patient de boire de l'eau pour s'assurer que le médicament atteint l'estomac. Les préparations liquides semblent plus efficaces que les comprimés.
- Les comprimés à croquer doivent être bien mâchés avant d'être avalés. Demander au patient de boire un demi verre d'eau après les avoir pris.
- Administrer entre une et trois heures après les repas et au coucher pour assurer un effet antiacide maximal.

ENSEIGNEMENT AU PATIENT ET À SES PROCHES

Inciter le patient à prévenir le médecin s'il doit prendre les antiacides pendant plus de deux semaines ou si son problème de santé est récurrent. Lui recommander de consulter le médecin si les symptômes ne sont pas soulagés ou si des symptômes de saignement gastrique se manifestent : selles noires, goudronneuses, vomissements ayant l'aspect du marc de café.

VÉRIFICATION DES RÉSULTATS

L'efficacité du traitement peut être démontrée par : ■ la diminution de la douleur et de l'irritation gastro-intestinale ■ l'augmentation du pH des sécrétions gastriques.

ANTIACIDES INCLUS DANS LE *GUIDE* :

aluminium, hydroxyde d', 171
bismuth, sous-salicylate de, 286
calcium, carbonate de, 322
magaldrate, 1064

magnésium, hydroxyde de, 1068
magnésium, hydroxyde de, et hydroxyde
  d'aluminium, 1070
sodium, bicarbonate de, 1557

CLASSIFICATION

ANTIANGINEUX, AGENTS

Pharmacologie

Indication générale : Dérivés nitrés : traitement et prévention des crises d'angine. Seuls les dérivés nitrés (administrés par voie sublinguale, par voie linguale en pulvérisateur ou par voie IV) peuvent être utilisés dans le traitement des crises aiguës d'angine de poitrine. **Inhibiteurs calciques et bêtabloquants :** usage prophylactique lors du traitement prolongé de l'angine.

Action générale et données de base : On administre divers groupes de médicaments pour traiter l'angine de poitrine. Les dérivés nitrés dilatent les coronaires et entraînent une vasodilatation (vénodilatation) généralisée (diminution de la précharge). Les inhibiteurs calciques dilatent les coronaires. Les bêtabloquants réduisent la consommation d'oxygène du myocarde en ralentissant la fréquence cardiaque. Le traitement par une association médicamenteuse permet de diminuer les réactions indésirables ou les effets secondaires.

Contre-indications : Hypersensibilité. Éviter l'administration des bêtabloquants et des inhibiteurs calciques en présence d'un bloc cardiaque de stade avancé, d'un choc cardiogène ou d'une insuffisance cardiaque non traitée.

Précautions : L'administration des bêtabloquants aux patients souffrant de diabète sucré, de maladie pulmonaire ou d'hypothyroïdie doit s'accompagner de prudence.

Interactions : Les dérivés nitrés, les inhibiteurs calciques et les bêtabloquants peuvent provoquer de l'hypotension lors de l'administration simultanée d'autres antihypertenseurs ou lors de l'ingestion d'alcool. Le vérapamil, le diltiazem et les bêtabloquants peuvent entraîner des effets dépresseurs additifs sur le myocarde lors de l'administration simultanée d'autres agents inotropes négatifs.

Présentation

Les dérivés nitrés (dinitrate d'isosorbide et nitroglycérine) sont conditionnés en pulvérisateur pour administration linguale ou sont présentés sous forme de comprimés sublinguaux, de solutions parentérales, de timbres cutanés et de préparations orales à libération prolongée.

 SOINS INFIRMIERS

ÉVALUATION DE LA SITUATION

- Déterminer le siège, la durée et l'intensité des douleurs angineuses et les facteurs qui les déclenchent.
- Mesurer la pression artérielle et le pouls à intervalles réguliers pendant tout le traitement.

DIAGNOSTICS INFIRMIERS POSSIBLES

- **Énoncés diagnostiques**
  □ Douleur.
  □ Diminution de l'irrigation tissulaire.
  □ Prise en charge inefficace du programme thérapeutique.
  □ *Risque élevé d'acident.*

- **Facteurs favorisants**
  □ Informations incomplètes.

□ *Manque de connaissances sur les effets hypotensifs du médicament lors des changements brusques de position.*
□ *Manque de connaissances sur les effets secondaires du médicament et sur les moyens de les prévenir.*
□ *Manque de connaissances sur les modalités du traitement.*
□ *Difficulté à s'adapter aux changements nécessaires dans les habitudes de vie.*
□ *Manque de connaissances sur la méthode d'administration du médicament.*

INTERVENTIONS INFIRMIÈRES

Ces médicaments sont présentés sous diverses formes. Consulter la monographie de chaque médicament pour obtenir des renseignements sur la méthode d'administration.

ENSEIGNEMENT AU PATIENT ET À SES PROCHES

■ Expliquer au patient qui prend simultanément des dérivés nitrés et des médicaments destinés au traitement prophylactique de l'angine qu'il doit suivre ces deux traitements en même temps, en respectant la prescription du médecin, et qu'il doit prendre la nitroglycérine en pulvérisateur ou en comprimés sublinguaux, selon les besoins, en cas de crise d'angine.
■ Demander au patient de prévenir immédiatement le médecin si les douleurs thoraciques persistent ou s'aggravent après le traitement ou si elles sont accompagnées de diaphorèse, d'essoufflement ou de céphalée grave et persistante.
■ Conseiller au patient de changer lentement de position pour réduire les risques d'hypotension orthostatique.
■ Recommander au patient d'éviter de boire de l'alcool pendant qu'il prend ces médicaments.

VÉRIFICATION DES RÉSULTATS

L'efficacité du traitement peut être démontrée par : ■ la diminution de la fréquence et de la gravité des crises d'angine ■ l'augmentation de la tolérance à l'activité.

ANTIANGINEUX INCLUS DANS LE *GUIDE* :

ANTIARYTHMIQUES

Pharmacologie

Indication générale : Réduction des arythmies cardiaques.

Action générale et données de base : Ces médicaments réduisent les arythmies cardiaques par divers mécanismes selon la classe d'agents utilisée. L'objectif thérapeutique est de diminuer la symptomatologie et d'augmenter le rendement hémodynamique. Le choix du médicament dépend de l'étiologie des arythmies et des caractéristiques de chaque patient. Avant d'amorcer la pharmacothérapie, il faut corriger, dans la mesure du possible, la cause de l'arythmie (par exemple, les troubles électrolytiques). Les principaux antiarythmiques sont généralement classés selon leurs effets sur le tissu qui assure la conduction cardiaque (voir le tableau ci-dessous). On utilise également comme antiarythmiques, l'adénosine, l'atropine, les dérivés digitaliques (digitoxine et digoxine), l'édrophonium et l'isoprotérénol.

MÉCANISME D'ACTION DES ANTIARYTHMIQUES

CLASSE	MÉDICAMENTS	MÉCANISMES
I	moricizine	Propriétés similaires à celles des agents de classe IA, IB et IC.
IA	quinidine, procaïnamide, disopyramide	Dépression de la conductance du sodium, prolongation de la période réfractaire efficace et de la durée du potentiel d'action, diminution de la capacité de réponse de la membrane.
IB	tocaïnide, lidocaïne, phénytoïne, mexilétine	Augmentation de la conductance du potassium, raccourcissement de la période réfractaire efficace et de la durée du potentiel d'action.
IC	flécaïnide, propafénone	Ralentissement prononcé de la conduction, dépression marquée de la phase 0.
II	acébutolol, esmolol, propranolol	Interférence avec la conductance du sodium, dépression de la membrane cellulaire, diminution de l'automaticité, prolongation de la période réfractaire efficace et de la durée du potentiel d'action, inhibition de l'activité sympathique excessive.
III	amiodarone, brétylium	Interférence avec la noradrénaline, prolongation de la durée du potentiel d'action et de la période réfractaire efficace.
IV	diltiazem, vérapamil	Augmentation de la période réfractaire efficace du nœud A-V, inhibition des canaux calciques lents.

Contre-indications: Très différentes, selon l'agent administré. (Consulter la monographie de chaque médicament.)

Précautions: Très différentes, selon l'agent administré. Chez les personnes âgées et chez les patients souffrant d'insuffisance rénale ou hépatique, il faut ajuster la posologie en fonction du médicament administré. (Consulter la monographie de chaque médicament.)

Interactions: Très différentes, selon l'agent administré. (Consulter la monographie de chaque médicament.)

 SOINS INFIRMIERS

ÉVALUATION DE LA SITUATION

■ Examiner l'ÉCG et mesurer le pouls et la pression artérielle tout au long de l'administration par voie IV et à intervalles réguliers pendant l'administration PO.

DIAGNOSTICS INFIRMIERS POSSIBLES

■ **Énoncés diagnostiques**
□ Diminution du débit cardiaque.
□ Prise en charge inefficace du programme thérapeutique.
□ *Risque élevé d'accident.*

■ **Facteurs favorisants**
□ Informations incomplètes.

☐ *Manque de connaissances sur les effets secondaires du médicament.*
☐ *Manque de connaissances sur la méthode d'administration du médicament.*

INTERVENTIONS INFIRMIÈRES

- Mesurer le pouls à l'apex du cœur avant d'administrer le médicament PO. Si la fréquence cardiaque est inférieure à 50 b.p.m., ne pas administrer l'agent et en informer le médecin.
- Administrer les médicaments par voie orale avec un grand verre d'eau. Les préparations à libération prolongée doivent être avalées telles quelles. Recommander au patient de ne pas briser, réduire en poudre ni croquer les comprimés et de ne pas ouvrir les capsules.

ENSEIGNEMENT AU PATIENT ET À SES PROCHES

- Expliquer au patient qu'il doit prendre le médicament par voie orale, à intervalles réguliers, 24 heures sur 24, en respectant scrupuleusement la posologie recommandée, même s'il se sent mieux.
- Montrer au patient ou à ses proches comment prendre le pouls. Recommander au patient de contacter le médecin si la fréquence ou le rythme du pouls change.
- Conseiller au patient de consulter le médecin ou le pharmacien avant de prendre un médicament en vente libre.
- Conseiller au patient de toujours porter sur lui une pièce d'identité où sont inscrits son problème de santé et son traitement médicamenteux.
- Insister sur l'importance des examens de suivi permettant d'évaluer les bienfaits du traitement.

VÉRIFICATION DES RÉSULTATS

L'efficacité du traitement peut être démontrée par : la réduction des arythmies cardiaques sans que des effets nocifs se manifestent.

ANTIARYTHMIQUES INCLUS DANS LE *GUIDE*:

classe I
moricizine, 1200

classe IA
disopyramide, 643
procaïnamide, 1459
quinidine, 1517

classe IB
lidocaïne, 1034
mexilétine, 1170
phénytoïne, 1383
tocaïnide, 1677

classe IC
flécaïnide, 774
propafénone, 1481

classe II
acébutolol, 117
esmolol, 718
propranolol, 1490

classe III
amiodarone, 187
brétylium, 291

classe IV
diltiazem, 625
vérapamil, 1732

divers
adénosine, 150
atropine, 236
digitoxine, 613
digoxine, 618
édrophonium, 686
isoprotérénol, 981

ANTICHOLINERGIQUES

Pharmacologie

Indication générale: Atropine: bradyarythmies. **Scopolamine:** nausées et vomissements provoqués par le mal des transports et le vertige. **Propanthéline et glycopyrrolate:** diminution des sécrétions gastriques et augmentation du tonus du sphincter œsophagien. **Benztropine et trihexyphénidyle:** traitement des dyskinésies, incluant le syndrome parkinsonien. L'atropine, la scopolamine et le cyclopentolate sont également des mydriatiques.

Action générale et données de base: Inhibition compétitive de l'action de l'acétylcholine. En plus, l'atropine, le glycopyrrolate, la propanthéline et la scopolamine ont des effets antimuscariniques puisqu'ils inhibent l'action de l'acétylcholine aux sites stimulés par les nerfs cholinergiques post-ganglionnaires.

Contre-indications: Hypersensibilité, glaucome à angle étroit, hémorragie grave, tachycardie (provoquée par la thyrotoxicose ou l'insuffisance cardiaque), myasthénie grave.

Précautions: Les personnes âgées et les enfants sont plus sensibles aux effets indésirables. Administrer avec prudence aux patients souffrant de troubles des voies urinaires, aux patients qui présentent un risque d'obstruction du tractus gastro-intestinal et à ceux souffrant de maladies rénale, cardiaque, hépatique ou pulmonaire chroniques.

Interactions: Effets anticholinergiques additifs (sécheresse de la bouche [xérostomie], sécheresse des yeux [alacrymie], vision trouble, constipation) lors de l'administration d'autres agents ayant des effets anticholinergiques, dont les antihistaminiques, les antidépresseurs, la quinidine et le dysopyramide. Ces agents peuvent modifier l'absorption gastro-intestinale d'autres médicaments en inhibant la motilité gastrique et en prolongeant le transit intestinal. Les antiacides peuvent diminuer l'absorption des anticholinergiques.

☀ SOINS INFIRMIERS

ÉVALUATION DE LA SITUATION

- Mesurer les signes vitaux et examiner l'ÉCG fréquemment pendant l'administration par voie IV. Signaler rapidement au médecin toute modification de la fréquence cardiaque ou de la pression artérielle, tout comme l'angine et l'aggravation de l'ectopie ventriculaire.
- Faire le bilan des ingesta et des excreta chez les personnes âgées ou chez les patients ayant subi une intervention chirurgicale; les anticholinergiques peuvent provoquer une rétention urinaire.
- Suivre de près les signes de distension abdominale et ausculter les bruits intestinaux. La constipation peut poser des problèmes. Pour la soulager, augmenter l'apport de liquides et d'aliments riches en fibres.

DIAGNOSTICS INFIRMIERS POSSIBLES

- **Énoncés diagnostiques**
- ☐ Diminution du débit cardiaque.
- ☐ Atteinte à l'intégrité de la muqueuse buccale.
- ☐ Constipation.
- ☐ *Risque élevé d'agitation.*
- ☐ *Risque élevé d'accident.*

- **Facteurs favorisants**
  □ *Manque de connaissances sur les moyens de stimuler la fonction intestinale.*
  □ *Distension vésicale.*
  □ *Manque de connaissances sur les moyens de prévenir ou de réduire la sécheresse de la bouche.*
  □ *Perturbation de la vigilance.*
  □ *Altération de la perception visuelle (usage ophtalmique).*

INTERVENTIONS INFIRMIÈRES

PO: Administrer les doses orales d'atropine, de glycopyrrolate, de propanthéline ou de scopolamine, 30 minutes avant les repas. La benztropine et le trihexyphénidyle devraient être administrés avec les repas ou immédiatement après.

ENSEIGNEMENT AU PATIENT ET À SES PROCHES

- **Directives générales:** Conseiller au patient de se rincer fréquemment la bouche, de consommer de la gomme à mâcher ou des bonbons sans sucre et de pratiquer une bonne hygiène orale pour soulager la sécheresse de la bouche.
- Prévenir le patient que les anticholinergiques peuvent provoquer de la somnolence. Lui conseiller de ne pas conduire et d'éviter les autres activités qui exigent sa vigilance jusqu'à ce qu'on ait la certitude que le médicament n'entraîne pas cet effet chez lui.
- **Usage ophtalmique:** Prévenir le patient que les préparations ophtalmiques peuvent rendre passagèrement la vision trouble et entraver la capacité d'apprécier les distances. Lui conseiller de porter des verres fumés pour se protéger contre la lumière vive.

VÉRIFICATION DES RÉSULTATS

L'efficacité du traitement peut être démontrée par: ■ l'augmentation de la fréquence cardiaque ■ la diminution des nausées et vomissements provoqués par le mal des transports ou le vertige ■ la sécheresse de la bouche ■ la dilatation des pupilles ■ la diminution de la motilité gastro-intestinale ■ la résolution des symptômes de la maladie de Parkinson.

ANTICHOLINERGIQUES INCLUS DANS LE GUIDE:

atropine, 236
benztropine, 269
cyclopentolate (usage ophtalmique seulement), 532

glycopyrrolate, 851
propanthéline, 1483
scopolamine, 1544
trihexyphénidyle, 1707

ANTICOAGULANTS ET ANTIAGRÉGANTS PLAQUETTAIRES

Pharmacologie

Indication générale: Prévention et traitement des thromboembolies, comprenant la thrombose veineuse profonde, l'embolie pulmonaire et la fibrillation auriculaire accompagnée d'embolie. Les antiagrégants plaquettaires sont administrés dans diverses circonstances pour prévenir les épisodes thromboemboliques, par exemple, un accident vasculaire cérébral ou un infarctus du myocarde. L'aspirine est administrée pour prévenir les accidents vasculaires cérébraux et l'infarctus du myocarde. Le dipyridamole est habituellement administré après une chirurgie cardiaque. La ticlopidine est administrée pour prévenir les accidents vasculaires cérébraux.

Action générale et données de base : Ces agents préviennent la formation des caillots et l'embolisation, sans pour autant pouvoir dissoudre les caillots existants. Les deux types d'anticoagulants administrés le plus souvent sont l'héparine, par voie parentérale et la warfarine, par voie orale. On amorce habituellement le traitement avec de l'héparine en raison de son début d'action rapide. Comme les effets anticoagulants de la warfarine ne se manifestent qu'après quelques jours, ce médicament est administré en traitement d'entretien. Si la thromboembolie est grave, le traitement à l'héparine peut être précédé par un traitement thrombolytique avec de l'alteplase, de l'anistréplase, de la streptokinase ou de l'urokinase. D'autres agents, comme l'aspirine, le dipyridamole et la ticlopidine, sont également considérés comme des anticoagulants étant donné leurs effets d'antiagrégants plaquettaires.

Contre-indications : Troubles de coagulation sous-jacents, ulcère gastro-intestinal, cancer, intervention chirurgicale récente ou hémorragie patente.

Précautions : L'administration d'un anticoagulant aux patients qui présentent un risque de saignement doit s'accompagner de prudence. L'administration de la warfarine aux femmes enceintes ou à celles qui allaitent est déconseillée. L'héparine ne traverse pas le placenta.

Interactions : Les anticoagulants par voie orale se lient fortement aux protéines et peuvent déplacer d'autres médicaments doués de cette propriété ou être déplacés par eux. Les interactions qui en résultent dépendent du médicament qui a été déplacé. L'hémorragie peut être aggravée par l'aspirine ou par de fortes doses de pénicilline ou de médicaments de type pénicillinique, comme le céfamandole, le céfotétane, la céfopérazone, le moxalactam, la plicamycine ou l'acide valproïque.

SOINS INFIRMIERS

ÉVALUATION DE LA SITUATION

- Rechercher les signes de saignement et d'hémorragie (contusions inhabituelles ; saignement des gencives et du nez ; présence de sang occulte dans les selles, l'urine ou les échantillons prélevés par aspiration nasogastrique ; selles noires, goudronneuses ; hématurie, chute de l'hématocrite ou de la pression artérielle).
- Rechercher les signes et les symptômes qui révèlent une aggravation de la situation Les symptômes dépendent du territoire touché.
- **Étude des examens diagnostiques et biochimiques :** Noter à intervalles réguliers le temps de céphaline-kaolin (aPTT) pendant le traitement à l'héparine, le temps de prothrombine (pT) pendant le traitement à la warfarine, ainsi que l'hématocrite et les autres facteurs de coagulation pendant les deux types de traitement.
- **Toxicité et surdosage :** En cas de surdosage ou d'une anticoagulation qu'il faut renverser sans délai, l'antidote de l'héparine est le sulfate de protamine et l'antidote de la warfarine, la vitamine K (phytonadione [Konakion]). En cas d'hémorragie grave provoquée par la warfarine, l'administration de sang complet ou de plasma peut également s'avérer nécessaire en raison du délai d'action de la vitamine K.

DIAGNOSTICS INFIRMIERS POSSIBLES

■ **Énoncés diagnostiques**
□ Diminution de l'irrigation tissulaire.
□ Risque élevé d'accident.
□ Prise en charge inefficace du programme thérapeutique.

■ **Facteurs favorisants**
□ Informations incomplètes.
□ *Manque de connaissances sur les modalités du traitement.*
□ *Manque de connaissances sur les effets secondaires du médicament.*
□ *Manque de connaissances sur le régime alimentaire à suivre.*

INTERVENTIONS INFIRMIÈRES

■ Signaler à tous les membres de l'équipe de soins que le patient suit un traitement anticoagulant. Appliquer une pression sur les points d'injection et de ponction veineuse pour éviter le saignement ou la formation d'un hématome.
■ Lors des perfusions continues, administrer la solution par une pompe à perfusion afin de s'assurer que le patient reçoit la dose exacte.

ENSEIGNEMENT AU PATIENT ET À SES PROCHES

■ Recommander au patient d'éviter les activités pendant lesquelles il pourrait se blesser, d'utiliser une brosse à dents à poils doux et un rasoir électrique et de signaler immédiatement au médecin un saignement ou une contusion inhabituelle.
■ Conseiller au patient de consulter le médecin ou le pharmacien avant de prendre des médicaments en vente libre, particulièrement ceux qui contiennent de l'aspirine ou de l'alcool.
■ Passer en revue avec le patient qui prend de la warfarine les aliments riches en vitamine K (voir l'annexe K). Lui expliquer qu'il devrait consommer les aliments de ce type en quantité limitée, en tout temps, étant donné que la vitamine K contrecarre l'effet de la warfarine. L'avertir qu'une consommation intermittente importante de tels aliments pourrait entraîner des fluctuations dans le temps de prothrombine.
■ Expliquer au patient l'importance de passer fréquemment des examens permettant d'analyser les facteurs de coagulation.
■ Conseiller au patient de porter constamment sur lui une pièce d'identité où est inscrit son traitement médicamenteux et d'informer tous les membres de l'équipe de soins qu'il suit un traitement anticoagulant, avant de se soumettre à des examens diagnostiques, à un quelconque traitement ou à une intervention chirurgicale.

VÉRIFICATION DES RÉSULTATS

La réponse clinique est déterminée par : la prévention d'une coagulation indésirable sans signes d'hémorragie.

ANTICOAGULANTS INCLUS DANS LE *GUIDE* :

anticoagulants	antiagrégants plaquettaires
héparine, 881	aspirine, 226
warfarine, 1752	sulfinpyrazone, 1606
	ticlopidine, 1667

ANTICONVULSIVANTS

Pharmacologie

Indication générale : Voir le tableau ci-dessous.

Action générale et données de base : Les anticonvulsivants englobent un grand nombre de préparations capables d'inhiber les décharges anormales de neurones du SNC, qui pourraient entraîner des crises convulsives. Selon le groupe auquel ils appartiennent, ces agents peuvent prévenir la propagation des convulsions, déprimer le centre moteur du cortex, élever le seuil de convulsion ou modifier les concentrations de neurotransmetteurs. Consulter la monographie de chaque médicament.

PRINCIPALES CLASSES D'ANTICONVULSIVANTS, MÉDICAMENTS ET TYPES DE CRISES CONVULSIVES

CLASSE	MÉDICAMENT	TYPE DE CRISE
Barbituriques	amobarbital	État de mal épileptique.
	phénobarbital	Crises tonicocloniques, crises partielles, prophylaxie des convulsions fébriles.
	primidone	Prophylaxie des crises épileptiques partielles à symptomatologie complexe.
Benzodiazépines	clonazépam	Absences (petit mal), crises myocloniques akinétiques, petit mal variant (syndrome de Lennox-Gastaut).
	diazépam (voie IV)	État de mal épileptique, crises tonicocloniques.
Hydantoïnes	phénytoïne	Crises tonicocloniques, crises épileptiques partielles à symptomatologie complexe.
Succinamides	éthosuximide	Absence (petit mal).
Divers	acétazolamide	Crises réfractaires.
	carbamazépine	Crises tonicocloniques, crises partielles à symptomatologie complexe, crises mixtes.
	sulfate de magnésium	Éclampsie.
	valproate	Crises partielles à symptomatologie élémentaire ou complexe, crises tonicocloniques.

Contre-indications : Antécédents d'hypersensibilité.

Précautions : Administrer ces médicaments avec prudence aux patients souffrant d'une maladie hépatique ou rénale grave ; dans leur cas, un ajustement de la posologie peut s'imposer. Choisir soigneusement les agents à administrer pendant la grossesse et l'allaitement. Risque de syndrome fœtal de l'hydantoïne si la mère a reçu de la phénytoïne au cours de la grossesse.

Interactions : Les barbituriques stimulent le métabolisme d'autres médicaments métabolisés par le foie et en diminuent l'efficacité. Les hydantoïnes se lient très fortement aux protéines et peuvent déplacer les autres médicaments doués de cette propriété ou être déplacées par eux. On trouve plus de détails sur les interactions spécifiques dans la monographie de chaque médicament. De nombreux médicaments, dont les antidépresseurs tricycliques et les phénothiazines, peuvent abaisser le seuil de crise et diminuer l'efficacité des anticonvulsivants.

SOINS INFIRMIERS

ÉVALUATION DE LA SITUATION

- Déterminer le siège, la durée et les caractéristiques des crises.

- **Toxicité et surdosage**: Suivre de près les concentrations sériques de médicament pendant tout le traitement anticonvulsivant.

DIAGNOSTICS INFIRMIERS POSSIBLES

- **Énoncés diagnostiques**
- □ Risque élevé d'accident.
- □ Prise en charge inefficace du programme thérapeutique.

- **Facteurs favorisants**
- □ Informations incomplètes.
- □ *Manque de connaissances sur les modalités du traitement.*
- □ *Perturbation de la vigilance.*

INTERVENTIONS INFIRMIÈRES

- Administrer les anticonvulsivants, à intervalles réguliers, 24 heures sur 24. Le sevrage brusque peut déclencher l'état de mal épileptique.
- Prendre les mesures qui s'imposent en cas de crise.

ENSEIGNEMENT AU PATIENT ET À SES PROCHES

- Expliquer au patient qu'il doit prendre le médicament tous les jours, en respectant scrupuleusement la posologie recommandée.
- Prévenir le patient que ces médicaments peuvent provoquer de la somnolence. Lui conseiller de ne pas conduire et d'éviter les activités qui exigent sa vigilance jusqu'à ce qu'on ait la certitude que le médicament n'entraîne pas cet effet chez lui. Lui expliquer qu'il ne pourra reprendre la conduite automobile que si le médecin lui en donne l'autorisation, une fois que les crises ont été stabilisées.
- Recommander au patient de ne pas boire d'alcool et de ne pas prendre d'autres dépresseurs du SNC en même temps que ces médicaments.
- Conseiller au patient de porter constamment sur lui une pièce d'identité où sont inscrits son problème de santé et son traitement médicamenteux.

VÉRIFICATION DES RÉSULTATS

L'efficacité du traitement peut être démontrée par: ■ la diminution de la fréquence ou la suppression des crises sans sédation excessive.

ANTICONVULSIVANTS INCLUS DANS LE *GUIDE*:

barbituriques
amobarbital, 192
phénobarbital, 1366
primidone, 1452
thiopental, 1645

benzodiazépines
clonazépam, 482
diazépam, 588

hydantoïne
phénytoïne, 1383

succinamide
éthosuximide, 735

valproates
acide valproïque, 141
divalproex sodique, 141

divers
acétazolamide, 121
carbamazépine, 345
magnésium, sulfate de, 1072

ANTIDÉPRESSEURS

Pharmacologie

Indication générale: Traitement des diverses formes de dépression endogène, souvent avec la psychothérapie. Les autres indications comprennent: le traitement de l'anxiété (doxépine) et de l'énurésie (imipramine). Bien qu'ils ne soient pas approuvés pour cette indication, on utilise aussi certains antidépresseurs pour le traitement de la douleur chronique (amitriptyline, doxépine, imipramine et nortriptyline).

Action générale et données de base: L'effet antidépresseur de ces médicaments est vraisemblablement attribuable à la prévention du recaptage de la dopamine, de la noradrénaline et de la sérotonine par les neurones présynaptiques, ce qui entraîne une accumulation de ces neurotransmetteurs. La plupart des antidépresseurs sont doués de propriétés anticholinergiques et sédatives importantes, ce qui explique plusieurs de leurs effets secondaires (sauf pour ce qui est du bupropion et de la fluoxétine).

Contre-indications: Hypersensibilité. L'administration de ces agents est formellement déconseillée en présence d'un glaucome à angle fermé. Administration déconseillée pendant la grossesse et l'allaitement et immédiatement après un infarctus du myocarde.

Précautions: Administrer le médicament avec prudence aux personnes âgées et aux patients souffrant de maladie cardiovasculaire. Les hommes âgés, souffrant d'hypertrophie de la prostate, peuvent être davantage prédisposés à la rétention urinaire. Les effets secondaires anticholinergiques (sécheresse des yeux [alacrymie], sécheresse de la bouche [xérostomie], vision trouble et constipation) peuvent dicter la modification de la posologie ou l'abandon du traitement. La posologie doit être ajustée lentement; la réponse thérapeutique peut se manifester de deux à quatre semaines plus tard. Ces médicaments, et particulièrement le bupropion, peuvent abaisser le seuil de convulsion.

Interactions: Antidépresseurs tricycliques: Ces médicaments peuvent provoquer de l'hypertension, une tachycardie et des convulsions lors de l'administration concomitante d'inhibiteurs de la monoamine-oxydase (IMAO). Ils peuvent prévenir la réaction thérapeutique à certains antihypertenseurs. Effets additifs sur la dépression du système nerveux central, lors de l'administration simultanée d'autres dépresseurs du SNC. L'activité sympathomimétique peut être intensifiée par l'administration concomitante d'autres sympathomimétiques. Effets anticholinergiques additifs lors de l'administration simultanée d'autres médicaments doués de propriétés anticholinergiques. **Inhibiteurs de la MAO:** une crise hypertensive peut être déclenchée lors de l'administration simultanée d'inhibiteurs de la MAO et d'amphétamines, de méthyldopa, de lévodopa, de dopamine, d'épinéphrine, de norépinéphrine, de désipramine, d'imipramine, de guanéthidine, de réserpine ou de vasoconstricteurs. Les aliments contenant de la tyramine peuvent aussi déclencher une crise hypertensive. Risque d'hypertension ou d'hypotension, de coma, de convulsions et de mort lors de l'administration simultanée de la mépéridine ou d'autres analgésiques narcotiques et d'inhibiteurs de la MAO. Risque additif d'hypotension lors de l'administration concomitante d'antihypertenseurs ou d'une rachianesthésie et d'inhibiteurs de la MAO. Risques additifs d'hypoglycémie lors de l'administration simultanée d'insuline ou d'hypoglycémiants oraux et d'inhibiteurs de la MAO. L'administration de la fluoxétine et du bupropion en association avec les inhibiteurs de la MAO est déconseillée.

⁂ SOINS INFIRMIERS

ÉVALUATION DE LA SITUATION

- Observer l'état de la conscience et l'affect du patient. Déceler les tendances suicidaires, particulièrement tout au début du traitement. Réduire la quantité de médicament dont le patient peut disposer.
- **Toxicité et surdosage:** La consommation d'aliments contenant de la tyramine lors d'un traitement par les inhibiteurs de la monoamine-oxydase peut déclencher une crise hypertensive. Les symptômes comportent des douleurs thoraciques, des céphalées graves, la raideur de la nuque, des nausées et des vomissements, la photosensibilité et la dilatation des pupilles. Traitement: phentolamine par voie IV.

DIAGNOSTICS INFIRMIERS POSSIBLES

- **Énoncés diagnostiques**
- ☐ Stratégies d'adaptation individuelle inefficaces.
- ☐ Risque élevé d'accident.
- ☐ Prise en charge inefficace du programme thérapeutique.
- ☐ *Risque élevé d'atteinte à l'intégrité de la muqueuse buccale.*
- ☐ *Risque élevé de constipation.*

- **Facteurs favorisants**
- ☐ Informations incomplètes.
- ☐ *Manque de connaissances sur les moyens de prévenir les effets secondaires du médicament.*
- ☐ *Manque de connaissances sur les modalités du traitement.*
- ☐ *Manque de connaissances sur le régime alimentaire à suivre.*
- ☐ *Perturbation de la vigilance.*
- ☐ *Manque de connaissances sur les effets hypotensifs du médicament lors des changements brusques de position.*
- ☐ *Manque de connaissances sur les moyens de prévenir ou de réduire la sécheresse de la bouche.*
- ☐ *Manque de connaissances sur les moyens de stimuler la fonction intestinale.*

INTERVENTIONS INFIRMIÈRES

Administrer les médicaments qui entraînent la sédation, au coucher, pour éviter une somnolence diurne excessive et les médicaments qui entraînent l'insomnie (fluoxétine, inhibiteurs de la monoamine-oxydase), dans la matinée. Administrer le bupropion en doses fractionnées seulement.

ENSEIGNEMENT AU PATIENT ET À SES PROCHES

- Recommander au patient d'éviter de boire de l'alcool et de prendre des dépresseurs du SNC en même temps que ces médicaments. Inciter le patient qui reçoit des inhibiteurs de la monoamine-oxydase à ne pas prendre des médicaments en vente libre et à ne pas consommer des aliments et des boissons qui contiennent de la tyramine (voir l'annexe K) pendant le traitement et pendant au moins deux semaines après l'arrêt de la médication, pour éviter les risques de crise hypertensive. Conseiller au patient de signaler immédiatement au médecin les symptômes de crise hypertensive.

- Prévenir le patient que les antidépresseurs peuvent provoquer des étourdissements ou de la somnolence. Lui conseiller de ne pas conduire et d'éviter les activités qui exigent sa vigilance jusqu'à ce qu'on ait la certitude que le médicament n'entraîne pas ces effets chez lui.
- Conseiller au patient de changer lentement de position afin de réduire les risques d'hypotension orthostatique.
- Recommander au patient de signaler au médecin les symptômes suivants : sécheresse de la bouche, rétention urinaire, constipation. Lui expliquer qu'il peut soulager la sécheresse de la bouche en se rinçant souvent la bouche, en pratiquant une bonne hygiène orale et en consommant des bonbons ou de la gomme à mâcher sans sucre. Lui expliquer également qu'il peut prévenir la constipation s'il consomme plus de liquides et d'aliments riches en fibres et s'il fait régulièrement de l'exercice.
- Recommander au patient qui doit suivre un traitement dentaire ou subir une intervention chirurgicale de prévenir le dentiste ou le médecin qu'il suit un traitement médicamenteux. Il faut habituellement arrêter le traitement aux inhibiteurs de la monoamine-oxydase au moins deux semaines avant l'administration d'agents anesthésiques.
- Expliquer au patient l'importance de la psychothérapie et des examens de suivi permettant de déterminer les bienfaits du traitement.

VÉRIFICATION DES RÉSULTATS

L'efficacité du traitement peut être démontrée par : ■ la résolution de l'état dépressif ■ l'apaisement de l'anxiété ■ la maîtrise de l'énurésie chez les enfants de plus de 6 ans ■ le soulagement de la douleur chronique d'origine nerveuse.

ANTIDÉPRESSEURS INCLUS DANS LE *GUIDE*:

antidépresseurs tricycliques	divers antidépresseurs	inhibiteurs non sélectifs de la monoamine oxydase (IMAO)
amitriptyline, 190	bupropion, 304	phénelzine, 953
amoxapine, 196	fluoxétine, 797	tranylcypromine, 953
clomipramine, 479	maprotiiine, 1078	
doxépine, 662	trazodone, 1691	
imipramine, 934		
nortriptyline, 1275		

ANTIDIABÉTIQUES

Pharmacologie

Indication générale : On administre l'insuline dans le traitement du diabète sucré insulinodépendant (DID, diabète de type I, diabète juvénile et cétose diabétique). On peut également l'administrer pour traiter le diabète sucré non insulinodépendant de l'adulte (DNID, diabète de type II, diabète de l'adulte, diabète non cétosique), lorsque la diétothérapie et le traitement par un hypoglycémiant oral ne réussissent pas à équilibrer adéquatement la glycémie. Le choix de la préparation d'insuline (action rapide, action intermédiaire ou action prolongée) et de sa source (bovine, bovine et porcine, porcine ou humaine) dépendent du degré de normalisation souhaité, des fluctuations quotidiennes de la glycémie et des réactions préalables. Les hypoglycémiants oraux ne doivent être administrés qu'en cas de diabète sucré non insulinodépendant de l'adulte (DNID, diabète de type II, diabète de l'adulte, diabète non cétosique). L'administration des médicaments par voie orale n'est justifiée que si la diétothérapie seule n'équilibre pas la glycémie et ne permet pas de supprimer les symptômes de diabète.

Action générale et données de base: L'insuline, hormone produite par le pancréas, abaisse la glycémie en augmentant le transport du glucose vers les cellules et en favorisant la transformation du glucose en glycogène. Elle favorise également la transformation des acides aminés en protéines dans le tissu musculaire, stimule la formation des triglycérides et inhibe la libération d'acides gras libres. Les hypoglycémiants oraux abaissent la glycémie, en stimulant la sécrétion endogène d'insuline par les cellules bêta du pancréas et en augmentant la sensibilité à l'insuline aux sites des récepteurs intracellulaires. Les hypoglycémiants oraux ne doivent être administrés que si la fonction pancréatique est intacte. Les hypoglycémiants oraux portent aussi le nom de sulfonylurées ou de sulfamidés hypoglycémiants.

Contre-indications: Insuline – hypoglycémie. **Hypoglycémiants oraux** – Hypersensibilité, hypoglycémie. Une sensibilité croisée peut se produire lors de l'administration d'autres sulfonylurées ou sulfamidés. Les hypoglycémiants oraux sont contre-indiqués en cas de diabète sucré insulinodépendant (DID, diabète de type I, diabète juvénile, diabète labile et cétose diabétique). Éviter l'administration de ces médicaments aux patients souffrant de dysfonctionnement grave des reins, du foie et de la thyroïde ou d'autres dysfonctionnements des glandes endocrines. Ne pas administrer ces médicaments aux femmes enceintes ou à celles qui allaitent.

Précautions: Insuline – L'infection, le stress ou les modifications d'ordre diététique peuvent modifier les besoins en insuline. **Hypoglycémiants oraux** – Administrer ces agents avec prudence aux personnes âgées; une réduction de la posologie peut être nécessaire. L'infection, le stress ou les modifications diététiques peuvent modifier les besoins en hypoglycémiants. Administrer ces agents avec prudence aux patients ayant des antécédents de maladie cardiovasculaire.

Interactions: Insuline – Effet hypoglycémiant additif lors de l'administration concomitante d'hypoglycémiants oraux. **Hypoglycémiants oraux** – L'alcool peut entraîner une réaction similaire à la réaction au disulfirame. L'alcool, les glucocorticoïdes, la rifampicine (rifampine), le glucagon et les diurétiques thiazidiques peuvent diminuer l'efficacité de ces médicaments. Les stéroïdes anabolisants, le chloramphénicol, le clofibrate, les IMAO, les anti-inflammatoires non stéroïdiens, les salicylates, les sulfamidés et les anticoagulants oraux peuvent en augmenter l'effet hypoglycémiant. Les bêtabloquants peuvent provoquer une hypoglycémie et en masquer les signes et les symptômes.

Présentation

L'insuline est présentée sous diverses formes et teneurs et elle provient de sources différentes.

SOINS INFIRMIERS

ÉVALUATION DE LA SITUATION

Suivre de près les signes et les symptômes d'hypoglycémie.

CLASSIFICATION

DIAGNOSTICS INFIRMIERS POSSIBLES

- **Énoncés diagnostiques**
- ☐ Excès nutritionnel.
- ☐ Prise en charge inefficace du programme thérapeutique.
- ☐ Non-observance du traitement médicamenteux.
- ☐ *Risque élevé d'accident.*

- **Facteurs favorisants**
- ☐ Informations incomplètes.
- ☐ Doute quant aux bienfaits du médicament.
- ☐ *Manque de connaissances sur les effets secondaires du médicament et sur les moyens de les prévenir.*
- ☐ Manque de connaissances sur les signes d'hypoglycémie et d'hyperglycémie et sur les moyens de les prévenir.
- ☐ *Manque de connaissances sur le régime alimentaire à suivre.*
- ☐ *Manque de connaissances sur les bienfaits de l'exercice.*
- ☐ *Manque de connaissances sur la méthode d'administration du médicament.*
- ☐ *Manque de connaissances sur les modalités du traitement.*
- ☐ *Difficulté à s'adapter aux changements nécessaires dans les habitudes de vie.*

INTERVENTIONS INFIRMIÈRES

- **Directives générales:** Administrer l'insuline selon une échelle mobile aux patients dont la glycémie est équilibrée, mais qui sont soumis au stress, qui ont de la fièvre, qui souffrent de traumatismes ou d'infection ou qui doivent subir une intervention chirurgicale.
- **Insuline:** Vérifier le type, la source, la dose et la date de péremption de l'insuline en présence d'une autre infirmière diplômée. Ne pas substituer une insuline à une autre sans l'ordre explicite du médecin. Toujours utiliser une seringue à insuline pour prélever la dose.

ENSEIGNEMENT AU PATIENT ET À SES PROCHES

- **Directives générales:** Expliquer au patient que le médicament équilibre l'hyperglycémie, mais ne guérit pas le diabète. Le traitement est de longue durée.
- Expliquer au patient les signes d'hypoglycémie et d'hyperglycémie. En cas d'hypoglycémie, recommander au patient de prendre un verre de jus d'orange ou encore deux ou trois cuillerées à thé de sucre, de miel ou de sirop de maïs dans de l'eau et d'en informer immédiatement le médecin.
- Inciter le patient à suivre le régime alimentaire, la pharmacothérapie et le programme d'exercices prescrits afin de prévenir les épisodes d'hypoglycémie ou d'hyperglycémie.
- Montrer au patient comment tester la glycémie, la glycosurie et la cétonurie (auto-contrôle glycémique).
- Recommander au patient de signaler au médecin les nausées, les vomissements et la fièvre, et de le prévenir s'il est incapable de suivre le programme thérapeutique habituel ou si sa glycémie n'est pas équilibrée.
- Inciter le patient à toujours avoir sur lui du sucre et à porter en tout temps un bracelet d'identité où est inscrit son traitement médicamenteux.
- **Insuline:** Faire une démonstration de la technique d'auto-injection et informer le patient du type d'insuline qu'il doit utiliser ainsi que des fournitures médicales dont il doit se munir (seringue et stylo-cartouche). Lui expliquer comment remiser

l'insuline et comment mettre au rebut les seringues. Lui expliquer aussi qu'il est important de ne pas changer de marque d'insuline ou de seringue. Lui expliquer comment choisir les points d'injection et comment en effectuer la rotation. Insister sur la nécessité d'observer rigoureusement le traitement.

■ **Hypoglycémiants oraux :** Prévenir le patient que la consommation simultanée d'alcool peut entraîner une réaction semblable à la réaction au disulfirame (crampes abdominales, nausées, bouffées vasomotrices, céphalées et hypoglycémie).

VÉRIFICATION DES RÉSULTATS

L'efficacité du traitement peut être démontrée par : l'équilibrage de la glycémie sans épisodes d'hypoglycémie ou d'hyperglycémie.

ANTIDIABÉTIQUES INCLUS DANS LE *GUIDE* :

hypoglycémiants oraux

acétohexamide, 124
chlorpropamide, 443
glipizide, 833
glyburide, 846
tolazamide, 1680
tolbutamide, 1685

insuline, 957

insulines à action rapide

insuline régulière
suspension d'insuline zinc à action rapide

insulines à action intermédiaire

suspension d'insuline NPH
   (insuline isophane)
suspension d'insuline zinc à action lente

insulines à action prolongée

suspension d'insuline zinc et
   de protamine (insuline PZI)
suspension d'insuline régulière
suspension d'insuline zinc à action prolongée
insuline ultralente

insuline prémélangée

insuline régulière avec insuline NPH

ANTIDIARRHÉIQUES

Pharmacologie

Indication générale : Soulagement de la diarrhée aiguë et chronique non spécifique et suppression des symptômes.

Action générale et données de base : Le diphénoxylate avec de l'atropine, la difénoxine avec de l'atropine, le lopéramide et l'élixir parégorique ralentissent la motilité intestinale et le péristaltisme. Le kaolin avec de la pectine et le sous-salicylate de bismuth modifient le contenu en liquides des selles. Le polycarbophile est un antidiarrhéique qui capte l'eau contenue dans la lumière de l'intestin, favorisant ainsi la formation de selles bien moulées. L'octréotide est surtout administré en cas de diarrhée associée à des tumeurs gastro-intestinales endocrines.

Contre-indications : Antécédents d'hypersensibilité. Douleurs abdominales graves, d'étiologie inconnue, particulièrement lorsqu'elles s'accompagnent de fièvre.

Précautions : Administrer ces agents avec prudence aux patients souffrant de rectocolite hémorragique ou de maladie hépatique grave. L'innocuité des antidiarrhéiques pendant la grossesse et l'allaitement n'a pas été établie (diphénoxylate avec atropine et lopéramide). L'octréotide peut aggraver la cholécystopathie.

Interactions : Le kaolin peut diminuer l'absorption de la digoxine. Le polycarbophile diminue l'absorption des tétracyclines. L'octréotide peut également modifier la réponse à l'insuline ou aux hypoglycémiants oraux.

ÉVALUATION DE LA SITUATION

- Observer la fréquence et la consistance des selles et ausculter les bruits intestinaux avant l'administration du médicament et pendant tout le traitement.
- Effectuer le bilan hydro-électrolytique et observer la turgescence de la peau pour déceler les signes de déshydratation.

DIAGNOSTICS INFIRMIERS POSSIBLES

- **Énoncés diagnostiques**
  □ Diarrhée.
  □ Constipation.
  □ Prise en charge inefficace du programme thérapeutique.
- **Facteurs favorisants**
  □ Informations incomplètes.
  □ *Manque de connaissances sur les modalités du traitement.*
  □ *Manque de connaissances sur les moyens de prévenir les effets secondaires du médicament.*

INTERVENTIONS INFIRMIÈRES

Bien mélanger les préparations liquides avant de les administrer.

ENSEIGNEMENT AU PATIENT ET À SES PROCHES

Recommander au patient d'avertir le médecin si la diarrhée persiste et de lui signaler les symptômes suivants : fièvre, douleurs abdominales, palpitations.

VÉRIFICATION DES RÉSULTATS

L'efficacité du traitement peut être démontrée par : la diminution de la diarrhée.

ANTIDIARRHÉIQUES INCLUS DANS LE *GUIDE* :

ANTIDOTES

Pharmacologie

Indication générale : Voir le tableau ci-dessous.

Action générale et données de base : Les antidotes sont utilisés dans le traitement du surdosage accidentel ou intentionnel par des médicaments ou des substances toxiques. L'objectif du traitement par un antidote est de diminuer les complications généralisées du surdosage tout en assurant le maintien des fonctions vitales. Une évaluation attentive de la situation permettra de déterminer le type de traitement, le choix du médicament et la dose à administrer. Certains antidotes permettent d'évacuer la substance nocive avant son absorption par voie générale ou d'en accélérer l'élimination (charbon activé), alors que d'autres agents agissent de façon plus spécifique. On doit, dans ce cas, avoir des données plus précises quant au type et à la quantité de substance nocive ingérée.

SUBSTANCES TOXIQUES ET ANTIDOTES SPÉCIFIQUES

Substance toxique	Antidote
acétaminophène	acétylcystéine
anticholinestérases	atropine, pralidoxime
cyanures	nitrite d'amyle, nitrite de sodium, thiosulfate de sodium
digoxine, digitoxine	fragments d'anticorps spécifiques à la digoxine (Fab [ovins])
éthylène glycol, méthanol	éthanol
héparine	sulfate de protamine
fer	déféroxamine
méthotrexate	leucovorine de calcium
plomb	édétate de calcium disodique, dimercaprol, succimer
narcotiques (analgésiques), héroïne	naloxone
tricycliques (antidépresseurs)	physostigmine
warfarine	(phytonadione) vitamine K

Contre-indications: Consulter la monographie de chaque médicament.

Précautions: Consulter la monographie de chaque médicament.

Interactions: Consulter la monographie de chaque médicament.

 **SOINS INFIRMIERS**

ÉVALUATION DE LA SITUATION

- Se renseigner sur le type de médicament ou de substance toxique ingéré et sur le moment de l'ingestion.
- Consulter les références, un centre anti-poisons ou le médecin pour connaître les symptômes de toxicité de la substance ingérée et son antidote. Prendre les signes vitaux, observer de près les systèmes ou les appareils touchés et examiner attentivement les concentrations sériques.
- Déceler les idées suicidaires et prendre les mesures nécessaires pour empêcher une tentative de suicide.

DIAGNOSTICS INFIRMIERS POSSIBLES

- **Énoncés diagnostiques**
  - ☐ Stratégies d'adaptation individuelle inefficaces.
  - ☐ Risque élevé d'intoxication.
  - ☐ Prise en charge inefficace du programme thérapeutique.
  - ☐ *Risque élevé d'accident.*

- **Facteurs favorisants**
  - ☐ Informations incomplètes.
  - ☐ *Manque de connaissances sur les modalités du traitement.*

INTERVENTIONS INFIRMIÈRES

- Administrer les antidotes pendant qu'on essaie de faire vomir le patient, qu'on effectue l'aspiration et le lavage gastriques, qu'on administre des cathartiques et des substances qui modifient le pH de l'urine, et qu'on prend les mesures de soutien nécessaires pour combattre les effets respiratoires et cardiaques du surdosage ou de l'intoxication.

ENSEIGNEMENT AU PATIENT ET À SES PROCHES

- Exposer les risques d'empoisonnement à domicile et expliquer au patient les méthodes de prévention et la nécessité de consulter un centre anti-poisons, un médecin ou le personnel d'un service des urgences avant d'administrer du sirop d'ipéca. Insister sur la nécessité d'apporter au service des urgences un échantillon de la substance ingérée pour faciliter son identification. Insister également sur le fait qu'il faut garder tous les médicaments et substances dangereuses hors de la portée des enfants.

VÉRIFICATION DES RÉSULTATS

L'efficacité du traitement peut être démontrée par: la prévention ou la suppression des effets secondaires toxiques de la substance ingérée.

ANTIDOTES INCLUS DANS LE *GUIDE*:

acétylcystéine, 128
amyle, nitrite d', 216
atropine, 236
calcium disodique, édétate de, 327
déféroxamine, 562
dimercaprol, 630
fragments d'anticorps spécifiques de la digoxine (FAB), 615

leucovorine calcique, 1014
naloxone, 1227
physostigmine, 1387
phytonadione (vitamine K_1), 1389
pralidoxime, 1437
protamine, sulfate de, 1497
succimer, 1586

ANTIÉMÉTIQUES

Pharmacologie

Indication générale : Phénothiazines, benzquinamide et métoclopramide : traitement des nausées et des vomissements de diverses causes comprenant les interventions chirurgicales, l'anesthésie et la chimiothérapie anticancéreuse. **Dimenhydrinate, scopolamine et méclizine :** utilisation presque exclusive pour la prévention du mal des transports. **Dronabinol et ondansétron :** utilisation limitée au traitement de courte durée des nausées et des vomissements provoqués par les antinéoplasiques.

Action générale et données de base : Les phénothiazines et le benzquinamide inhibent les nausées et les vomissements en agissant sur la zone chémoréceptrice réflexogène. Le dimenhydrinate, la scopolamine, la cyclizine et la méclizine diminuent les nausées engendrées par le mal des transports. Le métoclopramide diminue les nausées et les vomissements en accélérant la vidange gastrique. Le dronabinol diminue les nausées et les vomissements par son action sur le centre du vomissement.

Contre-indications : Antécédents d'hypersensibilité.

Précautions : Administrer les phénothiazines avec prudence aux enfants qui peuvent souffrir d'une maladie virale. Choisir soigneusement les agents destinés aux femmes enceintes (l'innocuité de ces agents pendant la grossesse n'a pas été établie).

Interactions : Effets additifs sur la dépression du système nerveux central lors de l'administration simultanée d'autres dépresseurs du SNC, y compris les antidépresseurs, les antihistaminiques, les analgésiques narcotiques et les hypnosédatifs. Les phénothiazines peuvent provoquer l'hypotension lors de l'administration simultanée d'antihypertenseurs et de dérivés nitrés ou lors de l'ingestion d'alcool.

SOINS INFIRMIERS

ÉVALUATION DE LA SITUATION

- Suivre de près les nausées et les vomissements, ausculter les bruits intestinaux et observer les douleurs abdominales avant et après l'administration de l'antiémétique.
- Effectuer le bilan hydrique ainsi que celui des ingesta et des excreta. Chez les patients souffrant de nausées et de vomissements graves, il faut parfois administrer des liquides par voie IV en même temps que l'antiémétique.

DIAGNOSTICS INFIRMIERS POSSIBLES

- **Énoncés diagnostiques**
  □ Risque élevé de déficit de volume liquidien.
  □ Déficit nutritionnel.
  □ Risque élevé d'accident.
  □ *Prise en charge inefficace du programme thérapeutique.*

- **Facteurs favorisants**
  □ Manque de connaissances sur les moyens de prévenir les effets secondaires affectant l'appareil gastro-intestinal.
  □ *Manque de connaissances sur le régime alimentaire à suivre.*
  □ *Manque de connaissances sur les modalités du traitement.*
  □ *Perturbation de la vigilance.*
  □ *Manque de connaissances sur les effets hypotensifs du médicament lors des changements brusques de position.*

INTERVENTIONS INFIRMIÈRES

Lors d'une administration prophylactique, suivre le mode d'emploi de chaque médicament de façon à ce que son effet maximal puisse s'exercer au moment où l'on prévoit l'apparition des nausées.

ENSEIGNEMENT AU PATIENT ET À SES PROCHES

- Expliquer au patient et à ses proches les mesures habituelles qui permettent de diminuer les nausées : commencer par prendre quelques gorgées de liquides, consommer des repas légers, pauvres en matières grasses, pratiquer une bonne hygiène orale et éliminer les stimuli nocifs du milieu ambiant.
- Prévenir le patient que l'administration des antiémétiques peut entraîner de la somnolence. L'encourager à demander de l'aide lors de ses déplacements. Lui conseiller de ne pas conduire et d'éviter les activités exigeant sa vigilance jusqu'à ce qu'on ait la certitude que le médicament n'entraîne pas cet effet chez lui.
- Conseiller au patient de changer lentement de position pour réduire les risques d'hypotension orthostatique.

VÉRIFICATION DES RÉSULTATS

L'efficacité du traitement peut être démontrée par: ■ la prévention ou la diminution des nausées ou des vomissements.

ANTIÉMÉTIQUES INCLUS DANS LE *GUIDE*:

anticholinergique
scopolamine, 1544

antihistaminiques
cyclizine, 528
dimenhydrinate, 627
méclizine, 1087
trifluopérazine, 1702

phénothiazines
chlorpromazine, 438
perphénazine, 1360

prochlorpérazine, 1466
prométhazine, 1477
thiéthylpérazine, 1640

divers
benzquinamide, 267
dronabinol, 672
métoclopramide, 1155
ondansétron, 1297
triméthobenzamide, 1712

ANTIFONGIQUES

Pharmacologie

Indication générale: Traitement des infections fongiques. Les infections de la peau ou des muqueuses peuvent être traitées avec des préparations topiques. Pour traiter les infections profondes ou généralisées, il faut administrer une préparation par voie orale ou parentérale.

Action générale et données de base: Les antifongiques tuent les champignons sensibles (effet fongicide) ou en inhibent la prolifération (effet fongistatique), en modifiant la perméabilité de la membrane des cellules fongiques ou la synthèse des protéines à l'intérieur même de la cellule.

Contre-indications: Antécédents d'hypersensibilité.

Précautions: Étant donné que la plupart des antifongiques à action systémique peuvent exercer des effets indésirables sur la fonction médullaire, il faut les administrer avec prudence aux patients dont la réserve médullaire est réduite. L'amphotéricine B provoque souvent une insuffisance rénale. Ajuster la posologie de la flucytosine et du fluconazole chez les patients souffrant d'insuffisance rénale. Chez les patients séropositifs (VIH) les réactions indésirables au fluconazole peuvent être plus graves.

Interactions: Très différentes, selon l'antifongique administré. Consulter la monographie de chaque médicament.

Présentation

Les antifongiques sont présentés sous diverses formes. Consulter la monographie de chaque médicament pour en déterminer la méthode d'administration.

SOINS INFIRMIERS

ÉVALUATION DE LA SITUATION

Suivre de près les signes d'infection. Observer les muqueuses et les territoires cutanés atteints avant l'administration de l'antifongique et pendant tout le traitement.

DIAGNOSTICS INFIRMIERS POSSIBLES

■ **Énoncés diagnostiques**
□ Risque élevé d'infection.
□ Atteinte à l'intégrité de la peau.
□ Prise en charge inefficace du programme thérapeutique.

■ **Facteurs favorisants**
□ Informations incomplètes.
□ *Manque de connaissances sur la méthode d'administration du médicament.*
□ *Manque de connaissances sur les modalités du traitement.*

INTERVENTIONS INFIRMIÈRES

Antifongiques topiques: Avant d'appliquer le médicament, se renseigner auprès du médecin de la méthode de nettoyage qu'il préconise. Porter des gants au cours de l'application. Ne pas appliquer de pansements occlusifs, sauf si le médecin le recommande expressément.

ENSEIGNEMENT AU PATIENT ET À SES PROCHES

■ Expliquer au patient la méthode d'administration de l'agent prescrit.
■ Recommander au patient de prévenir le médecin si l'irritation de la peau s'aggrave ou si aucune réaction thérapeutique ne se manifeste.

VÉRIFICATION DES RÉSULTATS

L'efficacité du traitement peut être démontrée par: ■ la résolution des signes et des symptômes de l'infection. Le délai de guérison dépend du micro-organisme infectant et du siège de l'infection. En cas d'infections fongiques profondes, le traitement doit parfois se prolonger pendant plusieurs semaines ou mois.

ANTIFONGIQUES INCLUS DANS LE *GUIDE*:

antifongiques par voie générale
amphotéricine b, 205
fluconazole, 779
flucytosine, 782
kétoconazole, 998
griséofulvine, 861
miconazole, 1175
antifongiques topiques
clotrimazole, 489

éconazole, 682
kétoconazole, 998
miconazole, 1175
naftifine, 1222
natamycine, 1236
nystatine, 1278
oxiconazole, 1305
terconazole, 1624
tioconazole, 1672

ANTIHISTAMINIQUES

Pharmacologie

Indication générale: Soulagement des symptômes associés aux allergies, y compris la rhinite, l'urticaire et l'angio-œdème. Traitement d'appoint des réactions anaphylactiques. Certains antihistaminiques sont utilisés dans le traitement du mal des transports (dimenhydrinate et méclizine), de l'insomnie (diphenhydramine) et d'autres affections non allergiques.

Action générale et données de base : Les antihistaminiques bloquent les effets de l'histamine au site des récepteurs H_1. Ils n'inhibent pas la libération de l'histamine, la production d'anticorps ni les réactions antigène-anticorps. La plupart des antihistaminiques sont doués de propriétés anticholinergiques. Ils peuvent rendre la vision trouble et provoquer la constipation, la sécheresse des yeux (alacrymie) et la sécheresse de la bouche (xérostomie). En outre, un grand nombre d'antihistaminiques peuvent provoquer la sédation. Certaines phénothiazines sont douées de fortes propriétés antihistaminiques (hydroxyzine et prométhazine).

Contre-indications : Hypersensibilité et glaucome à angle fermé. Ne pas administrer aux nouveau-nés ni aux enfants prématurés.

Précautions : Les personnes âgées peuvent être plus sensibles aux effets anticholinergiques indésirables des antihistaminiques. Administrer ces agents avec prudence aux patients qui souffrent d'obstruction du pylore, d'hypertrophie de la prostate, d'hyperthyroïdie, de maladie cardiovasculaire ou de maladie hépatique grave. Il faut également les administrer avec prudence aux femmes enceintes et à celles qui allaitent.

Interactions : Effets sédatifs additifs lors de la prise simultanée d'autres dépresseurs du SNC, dont l'alcool, les antidépresseurs, les analgésiques narcotiques et les hypnosédatifs. Les IMAO prolongent et accentuent les propriétés anticholinergiques des antihistaminiques

☀ SOINS INFIRMIERS

ÉVALUATION DE LA SITUATION

- **Directives générales :** Suivre de près les symptômes d'allergie (rhinite, conjonctivite et urticaire) avant l'administration du médicament et à intervalles réguliers pendant tout le traitement.
- Mesurer le pouls et la pression artérielle avant d'amorcer le traitement et tout au long de l'administration par voie IV.
- Ausculter le murmure vésiculaire et noter les caractéristiques des sécrétions bronchiques. Maintenir l'apport de liquides entre 1 500 et 2 000 mL par jour pour diminuer la viscosité des sécrétions.
- **Traitement des nausées et vomissements :** Noter l'intensité des nausées et la fréquence et la gravité des vomissements.
- **Traitement du prurit :** Noter les caractéristiques, l'emplacement et l'étendue de la région cutanée atteinte.

DIAGNOSTICS INFIRMIERS POSSIBLES

- **Énoncés diagnostiques**
- ☐ Dégagement inefficace des voies respiratoires.
- ☐ Risque élevé d'accident.
- ☐ Prise en charge inefficace du programme thérapeutique.
- ☐ *Risque élevé d'atteinte à l'intégrité de la muqueuse buccale.*
- ☐ *Risque élevé de constipation.*

- **Facteurs favorisants**
- ☐ Informations incomplètes.
- ☐ *Perturbation de la vigilance.*

□ *Altération de la perception visuelle.*
□ *Manque de connaissances sur les moyens de prévenir ou de réduire la séche-resse de la bouche.*
□ *Manque de connaissances sur les moyens de stimuler la fonction intestinale.*
□ *Manque de connaissances sur les modalités du traitement.*

INTERVENTIONS INFIRMIÈRES

■ Prophylaxie du mal des transports : administrer au moins 30 minutes et, de préférence, une à deux heures avant que le patient ne soit exposé aux facteurs qui peuvent déclencher le mal des transports.
■ Lors d'une administration concomitante d'analgésiques narcotiques, surveiller attentivement les déplacements du patient pour éviter les accidents dus à la sédation accrue.

ENSEIGNEMENT AU PATIENT ET À SES PROCHES

■ Prévenir le patient que le médicament peut provoquer de la somnolence. Lui conseiller de ne pas conduire et d'éviter les activités qui exigent sa vigilance jusqu'à ce qu'on ait la certitude que le médicament n'entraîne pas cet effet chez lui.
■ Prévenir le patient que l'astémizole et la terfénadine provoquent moins de somnolence.
■ Mettre en garde le patient contre la consommation d'alcool ou d'autres dépresseurs du SNC.
■ Conseiller au patient de pratiquer une bonne hygiène orale, de se rincer la bouche fréquemment avec de l'eau et de consommer de la gomme à mâcher ou des bonbons sans sucre pour diminuer la sécheresse de la bouche.
■ Demander au patient de prévenir le médecin si les symptômes persistent.

VÉRIFICATION DES RÉSULTATS

L'efficacité du traitement peut être démontrée par : ■ la diminution des symptômes allergiques ■ la prévention ou le soulagement des nausées et des vomissements ■ le soulagement du prurit ■ la sédation si l'on recherche un effet hypnotique.

ANTIHISTAMINIQUES INCLUS DANS LE *GUIDE* :

ANTIHYPERTENSEURS

Pharmacologie

Indication générale : Traitement de l'hypertension de diverses étiologies et surtout de l'hypertension essentielle. Les médicaments administrés par voie parentérale sont destinés au traitement des crises hypertensives. Le traitement par voie orale devrait être amorcé aussitôt que possible et adapté à chaque cas particulier pour favoriser l'observance du traitement prolongé. On amorce le traitement avec les antihypertenseurs ayant les effets secondaires les plus faibles. Si ce traitement ne donne pas les résultats escomptés, on doit ajouter au régime thérapeutique des médicaments plus puissants, ayant des effets secondaires différents, et provoquant le moins de réactions indésirables possible.

Action générale et données de base: Les antihypertenseurs, en tant que classe thérapeutique, sont destinés à ramener la pression artérielle à une valeur normale (pression diastolique inférieure à 90 mmHg) ou à une valeur aussi proche de la normale que le système cardiovasculaire de patient peut le tolérer. Les antihypertenseurs sont divisés en divers groupes selon leur lieu d'action à savoir, les adrénolytiques à action périphérique, les agonistes alpha-adrénergiques à action centrale, les bêtabloquants, les vasodilatateurs, les inhibiteurs de l'enzyme de conversion de l'angiotensine (ECA), les inhibiteurs calciques, les diurétiques et l'indapamide, diurétique doué de propriétés vasodilatatrices. Les crises hypertensives peuvent être traitées par voie parentérale avec un vasodilatateur comme le diazoxide, le nitroprusside ou l'énalaprilate.

Contre-indications: Hypersensibilité à l'un des médicaments.

Précautions: Choisir attentivement les médicaments à administrer aux femmes enceintes ou à celles qui allaitent ou aux patients recevant des dérivés digitaliques. Les agonistes alpha-adrénergiques à action centrale et les bêtabloquants ne devraient être administrés qu'aux patients qui suivront fidèlement le traitement, car le sevrage brusque peut provoquer une élévation rapide et exagérée de la pression artérielle (phénomène de rebond). Les diurétiques thiazidiques peuvent augmenter les besoins en insuline ou en hypoglycémiants oraux et dicter certaines modifications diététiques chez les patients souffrant de diabète. Les vasodilatateurs peuvent provoquer une tachycardie, s'ils sont administrés seuls; on les administre généralement en association avec des bêtabloquants. La plupart des antihypertenseurs (sauf les bêtabloquants, les inhibiteurs de l'enzyme de conversion de l'angiotensine [ECA] et les inhibiteurs calciques) entraînent une rétention hydrosodée. On les administre habituellement en association avec un diurétique.

Interactions: Un grand nombre de médicaments, comme les antihistaminiques, les anti-inflammatoires non stéroïdiens, les bronchodilatateurs sympathomimétiques, les décongestionnants, les anorexigènes, les antidépresseurs et les inhibiteurs de la MAO, peuvent neutraliser l'efficacité thérapeutique des antihypertenseurs. L'hypokaliémie provoquée par les diurétiques peut augmenter les risques de toxicité digitalique. L'administration de suppléments de potassium et de diurétiques d'épargne potassique en même temps que les inhibiteurs de l'enzyme de conversion de l'angiotensine (ECA) peut provoquer une hyperkaliémie.

Présentation

Pour favoriser l'observance du traitement, de nombreux antihypertenseurs sont présentés sous forme d'associations médicamenteuses (voir l'annexe A).

SOINS INFIRMIERS

ÉVALUATION DE LA SITUATION

- Mesurer souvent la pression artérielle et le pouls pendant la période d'ajustement de la posologie et à intervalles réguliers pendant tout le traitement.

- Effectuer le bilan quotidien des ingesta et des excreta et noter le poids du patient tous les jours.

DIAGNOSTICS INFIRMIERS POSSIBLES

- **Énoncés diagnostiques**
- □ Diminution de l'irrigation tissulaire.
- □ Prise en charge inefficace du programme thérapeutique.
- □ Non-observance du traitement médicamenteux.
- □ *Risque élevé d'accident.*

- **Facteurs favorisants**
- □ Informations incomplètes.
- □ Doute quant aux bienfaits du médicament.
- □ *Manque de connaissances sur les effets hypotensifs du médicament lors des changements brusques de position.*
- □ *Manque de connaissances sur les modalités du traitement.*
- □ *Difficulté à s'adapter aux changements nécessaires dans les habitudes de vie.*

INTERVENTIONS INFIRMIÈRES

Aucune en particulier.

ENSEIGNEMENT AU PATIENT ET À SES PROCHES

- Expliquer au patient qu'il doit continuer à prendre le médicament même s'il se sent mieux. Le prévenir que le sevrage brusque peut déclencher l'hypertension de rebond et que le médicament stabilise la pression artérielle, mais ne guérit pas l'hypertension.
- Inciter le patient à suivre d'autres mesures de réduction de l'hypertension : perdre du poids, réduire sa consommation de sel, faire régulièrement de l'exercice, cesser de fumer, boire avec modération et diminuer le stress.
- Montrer au patient et à ses proches comment mesurer la pression artérielle. Leur demander de prendre la pression artérielle une fois par semaine et leur recommander de signaler au médecin tout changement important.
- Recommander au patient de changer lentement de position pour prévenir les risques d'hypotension orthostatique. Prévenir le patient que l'exercice et la chaleur peuvent intensifier les effets hypotensifs du médicament.
- Conseiller au patient de consulter le médecin ou le pharmacien avant de prendre un médicament en vente libre, et particulièrement des médicaments contre le rhume. Lui conseiller également de limiter sa consommation de thé, de café ou de boissons à base de cola.
- Recommander au patient qui doit suivre un traitement dentaire ou subir une intervention chirurgicale de prévenir le dentiste ou le médecin qu'il suit un traitement antihypertenseur.
- Expliquer au patient l'importance des examens de suivi permettant d'évaluer les bienfaits du traitement.

VÉRIFICATION DES RÉSULTATS

L'efficacité du traitement peut être démontrée par : la baisse de la pression artérielle.

ANTIHYPERTENSEURS INCLUS DANS LE *GUIDE* :

ANTI-INFECTIEUX

Pharmacologie

Indication générale : Traitement et prophylaxie de diverses infections bactériennes. Consulter la monographie de chaque médicament pour connaître son spectre et ses indications. Dans le cas de certaines infections, une intervention chirurgicale et un traitement de soutien peuvent également s'imposer.

Action générale et données de base : Les anti-infectieux peuvent tuer les bactéries pathogènes sensibles (effet bactéricide) ou en inhiber la prolifération (effet bactériostatique). Ils n'ont pas d'effet sur les virus ni sur les champignons. Les anti-infectieux sont divisés en plusieurs catégories selon la similitude de leurs propriétés chimiques et de leur spectre antimicrobien.

Contre-indications : Antécédents d'hypersensibilité à l'un des médicaments. Risque de réactions de sensibilité croisée en cas d'administration de substances semblables.

Précautions : Pour rendre le traitement aussi efficace que possible, il est souhaitable d'analyser les cultures et d'effectuer des antibiogrammes. Chez les patients souffrant d'insuffisance hépatique ou rénale, une modification de la posologie peut être nécessaire. L'administration pendant la grossesse et l'allaitement doit s'accompagner de prudence. L'administration prolongée et inopportune d'anti-infectieux ayant un large spectre peut provoquer une surinfection par des champignons ou des bactéries résistantes.

Interactions : Les pénicillines et les aminosides s'inactivent réciproquement sur le plan chimique ; il faut, par conséquent, éviter de les mélanger en solution. Les érythromycines peuvent diminuer le métabolisme hépatique d'autres médicaments. Le probénécide augmente les concentrations sériques des pénicillines et des préparations similaires. Certains anti-infectieux qui se lient fortement aux protéines, comme les sulfamidés, peuvent déplacer d'autres médicaments doués de cette propriété ou être déplacés par eux. Consulter la monographie de chaque médicament. Les pénicillines à spectre très large (mezlocilline, ticarcilline, pipéracilline) et certaines céphalosporines (céfamandole, céfopérazone, céfotétane et moxalactam) peuvent augmenter le risque de saignement lors de l'administration simultanée d'anticoagulants, d'antiagrégants plaquettaires ou d'anti-inflammatoires non stéroïdiens.

SOINS INFIRMIERS

ÉVALUATION DE LA SITUATION

- Suivre de près les signes et les symptômes d'infection avant l'administration du médicament et pendant tout le traitement.
- Interroger les patients qui doivent recevoir des pénicillines ou des céphalosporines sur leurs antécédents d'hypersensibilité.
- Prélever des échantillons pour l'analyse des cultures et les antibiogrammes avant le début du traitement. On peut administrer la première dose avant de recevoir les résultats de ces analyses.

DIAGNOSTICS INFIRMIERS POSSIBLES

- **Énoncés diagnostiques**
- ☐ Risque élevé d'infection.
- ☐ Prise en charge inefficace du programme thérapeutique.
- ☐ Non-observance du traitement médicamenteux.
- ☐ *Risque élevé d'accident.*
- ☐ *Risque élevé de diarrhée.*

- **Facteurs favorisants**
- ☐ Informations incomplètes.
- ☐ Doute quant aux bienfaits du médicament.
- ☐ *Manque de connaissances sur les modalités du traitement.*
- ☐ *Manque de connaissances sur les effets secondaires du médicament et sur les moyens de les prévenir.*

INTERVENTIONS INFIRMIÈRES

La plupart des anti-infectieux doivent être administrés à intervalles réguliers, 24 heures sur 24, afin d'assurer le maintien de concentrations thérapeutiques dans le plasma.

ENSEIGNEMENT AU PATIENT ET À SES PROCHES

- Expliquer au patient qu'il doit prendre toute la quantité de médicament qui lui a été prescrite, à intervalles réguliers, 24 heures sur 24, même s'il se sent mieux.
- Recommander au patient de signaler au médecin les allergies et les signes de surinfection suivants : excroissance noire et pileuse sur la langue, démangeaison et écoulements vaginaux, selles molles ou nauséabondes.
- Recommander au patient d'informer le médecin de l'apparition de la fièvre et de la diarrhée, particulièrement si les selles contiennent du pus, du sang ou des mucosités. Recommander au patient de ne pas traiter la diarrhée sans avoir consulté le médecin ou le pharmacien au préalable.
- Conseiller au patient de consulter le médecin si les symptômes persistent.

VÉRIFICATION DES RÉSULTATS

L'efficacité du traitement peut être démontrée par : la disparition des signes et symptômes d'infection. Le temps de résolution dépend du micro-organisme infectant et du siège de l'infection.

ANTI-INFECTIEUX INCLUS DANS LE *GUIDE* :

aminosides
amikacine, 176
gentamicine, 829
kanamycine, 992
néomycine, 1238
nétilmicine, 1243
streptomycine, 1580
tobramycine, 1674

antiprotozoaire
pentamidine, 1345

carbapéname
imipénem/cilastatine, 931

céphalosporines de la 1re génération
céfadroxil, 369
céfazoline, 374
céphalexine, 409
céphalothine, 411
céphapirine, 414
céphradine, 417

céphalosporines de la 2e génération
céfaclor, 367
céfamandole, 371
cefmétazole, 379
céfonicide, 382
céforanide, 387
céfotétane, 392
céfoxitine, 395
céfuroxime, 406

céphalosporines de la 3e génération
céfixime, 377
céfopérazone, 384
céfotaxime, 390
ceftazidime, 398
ceftizoxime, 401
ceftriaxone, 404
moxalactam, 1206

fluoroquinolones
ciprofloxacine, 459
norfloxacine, 1273
ofloxacine, 1289

macrolides
clarithromycine, 465
érythromycine, 711

monobactame
aztréonam, 249

pénicillines
amoxicilline, 198
amoxicilline/clavulanate, 201
ampicilline, 208
pénicilline G benzathinique, 1332
pénicilline G potassique, 1334
pénicilline G procaïnique, 1338
pénicilline G sodique, 1340
pénicilline V, 1343

ANTI-INFLAMMATOIRES NON STÉROÏDIENS ET ANALGÉSIQUES NON NARCOTIQUES

Pharmacologie

Indication générale : La plupart des agents de ce groupe sont administrés pour soulager la douleur d'intensité légère à modérée, la fièvre et les diverses maladies inflammatoires comme la polyarthrite rhumatoïde et l'arthrose. L'acétaminophène est doué de propriétés analgésiques et antipyrétiques, mais il n'est pas efficace en tant qu'anti-inflammatoire. La phénazopyridine est destinée uniquement à l'analgésie des voies urinaires. La méthotriméprazine est une phénothiazine douée de propriétés analgésiques ; toutefois, le risque d'hypotension excessive en interdit l'administration systématique.

Action générale et données de base : Les anti-inflammatoires non stéroïdiens constituent le groupe le plus important d'analgésiques non narcotiques. Les anti-inflammatoires non stéroïdiens et les salicylates sont doués de propriétés analgésiques, antipyrétiques et anti-inflammatoires bien que toutes ces indications ne soient pas autorisées. Le phénylbutazone est également un anti-inflammatoire non stéroïdien, mais à cause de sa toxicité trop importante, son administration systématique est déconseillée. Le mécanisme d'analgésie est probablement relié à l'inhibition de la synthèse des prostaglandines. L'effet antipyrétique est dû à l'inhibition de la synthèse des prostaglandines dans le système nerveux central et à la vasodilatation. L'inhibition de la synthèse des prostaglandines explique également les propriétés anti-inflammatoires de ces médicaments. L'acétaminophène a des effets antipyrétiques et analgésiques, mais il n'est pas doué de propriétés anti-inflammatoires.

Contre-indications : L'hypersensibilité à l'aspirine est une contre-indication à l'administration de tous les médicaments de la classe des anti-inflammatoires non stéroïdiens. L'acétaminophène seul peut être administré occasionnellement, sans danger, aux femmes enceintes ou à celles qui allaitent.

Précautions : Administrer ces médicaments avec prudence aux patients ayant des antécédents de maladie hémorragique ou d'hémorragie gastro-intestinale (parfois moins

d'effets nocifs se manifestent si l'on administre des salicylates non acétylés) et de maladie hépatique, rénale ou cardiovasculaire graves. L'innocuité des anti-inflammatoires
non stéroïdiens pendant la grossesse et l'allaitement n'a pas été établie.

Interactions : Les anti-inflammatoires non stéroïdiens, administrés en même temps que
des anticoagulants, des thrombolytiques, la plicamycine, certaines céphalosporines ou
l'acide valproïque, prolongent le temps de saignement. L'administration prolongée
d'anti-inflammatoires non stéroïdiens avec de l'aspirine peut entraîner des effets gastro-
intestinaux indésirables accrus. Les anti-inflammatoires non stéroïdiens peuvent
diminuer la réponse aux diurétiques et aux antihypertenseurs. L'utilisation prolongée
d'acétaminophène avec des anti-inflammatoires non stéroïdiens peut augmenter le
risque d'effets rénaux indésirables. La toxicité de la zidovudine peut être accrue par
une administration prolongée d'acétaminophène. La méthotriméprazine entraîne une
hypotension additive lors de l'administration d'autres agents qui abaissent la tension
artérielle.

SOINS INFIRMIERS

ÉVALUATION DE LA SITUATION

- **Directives générales :** Les risques de réactions d'hypersensibilité sont accrus chez les
  patients souffrant d'asthme, d'allergie induite par l'aspirine et de polypes nasaux.
  Observer le patient à la recherche des symptômes suivants : rhinite, asthme et urticaire.
- **Arthrite :** Noter l'intensité de la douleur et l'amplitude des mouvements des articulations, avant le traitement et une heure ou deux après l'administration.
- **Douleur :** Noter le type de douleur, son siège et son intensité, avant le traitement et
  une heure ou deux après l'administration.
- **Fièvre :** Prendre la température ; noter les signes qui accompagnent la fièvre
  (diaphorèse, tachycardie et malaise).
- **Étude des examens diagnostiques et biochimiques :** Les anti-inflammatoires non stéroïdiens peuvent prolonger le temps de saignement ; cette anomalie peut persister
  après l'arrêt du traitement.

DIAGNOSTICS INFIRMIERS POSSIBLES

- **Énoncés diagnostiques**
  □ Douleur.
  □ Altération de la mobilité physique.
  □ Prise en charge inefficace du programme thérapeutique.
  □ *Risque élevé d'accident.*

- **Facteurs favorisants**
  □ Informations incomplètes.
  □ *Manque de connaissances sur les modalités du traitement.*
  □ *Manque de connaissances sur les effets secondaires du médicament et sur les
    moyens de les prévenir.*
  □ *Perturbation de la vigilance.*

INTERVENTIONS INFIRMIÈRES

- **Directives générales :** Les analgésiques non narcotiques, administrés en même temps
  que des analgésiques narcotiques, peuvent exercer des effets analgésiques additifs,
  ce qui permet parfois de diminuer les doses de narcotiques.

- **PO :** Pour que l'effet initial soit rapide, administrer l'agent 30 minutes avant ou deux heures après les repas. Ces médicaments peuvent être administrés avec des aliments, du lait ou des antiacides pour diminuer l'irritation gastro-intestinale. Les aliments ralentissent l'absorption de ces médicaments mais ne la réduisent pas.
- **Dysménorrhée :** Administrer l'agent aussitôt que possible après le début des règles. Le traitement prophylactique ne s'est pas avéré efficace.

ENSEIGNEMENT AU PATIENT ET SES PROCHES

- **Directives générales :** Conseiller au patient de prendre ces médicaments avec un grand verre d'eau et d'éviter de se coucher pendant les 15 à 30 minutes qui suivent.
- Prévenir le patient que ces médicaments peuvent parfois provoquer des étourdissements ou de la somnolence. Lui conseiller de ne pas conduire et d'éviter les activités qui exigent sa vigilance jusqu'à ce qu'on ait la certitude que le médicament n'entraîne pas ces effets chez lui.
- Conseiller au patient d'éviter de boire de l'alcool et de consulter le médecin ou le pharmacien avant de prendre des préparations à base d'aspirine, de l'acétaminophène ou d'autres médicaments en vente libre en même temps qu'un anti-inflammatoire non stéroïdien.
- Recommander au patient qui doit suivre un traitement dentaire ou subir une intervention chirurgicale d'avertir le dentiste ou le médecin qu'il suit un traitement médicamenteux.

VÉRIFICATION DES RÉSULTATS

L'efficacité du traitement peut être démontrée par : ■ la mobilité accrue des articulations ■ le soulagement de la douleur modérée ■ la diminution de la fièvre. Les patients qui ne réagissent pas à un anti-inflammatoire non stéroïdien peuvent réagir à un autre.

ANTI-INFLAMMATOIRES NON STÉROÏDIENS ET ANALGÉSIQUES NON NARCOTIQUES INCLUS DANS LE *GUIDE* :

ANTIMANIAQUE, AGENTS DESTINÉS À LA THÉRAPIE

Pharmacologie

Indication générale : On administre le lithium pour le traitement d'un grand nombre de troubles psychiatriques. Il s'est avéré particulièrement utile dans le traitement des maladies bipolaires. Dans ce cas, on l'administre pour traiter les épisodes maniaques aigus et pour prévenir leur récurrence.

Action générale et données de base : Le lithium modifie le transport des cations dans les cellules nerveuses et musculaires en entrant en compétition avec d'autres cations, tels que le sodium et le potassium. Il peut également accroître le recaptage des neurotransmetteurs et modifier les concentrations d'AMPc (adénosine monophosphate cyclique). Le lithium est doué de propriétés antimaniaques et antidépressives.

Contre-indications : Hypersensibilité. En général, on devrait éviter d'administrer le lithium aux patients souffrant de maladie cardiovasculaire ou rénale grave et aux patients déshydratés ou débilités. On ne devrait administrer ce médicament que si le traitement (particulièrement, les concentrations sanguines) peut être suivi de près. Ne pas administrer aux femmes qui allaitent.

Précautions : Le lithium doit être administré avec prudence aux personnes âgées et à tous les patients qui souffrent d'une maladie cardiaque, rénale ou thyroïdienne de quelque gravité que ce soit ou de diabète sucré. Son administration pendant la grossesse n'est justifiée que si les avantages pour la mère dépassent les risques encourus par le fœtus ; des malformations peuvent se produire. L'innocuité chez les enfants n'a pas été établie.

Interactions : Le lithium peut prolonger le blocage neuromusculaire. Un syndrome d'encéphalopathie peut se manifester lors de l'administration simultanée d'halopéridol. Les diurétiques, la méthyldopa, le probénécide, l'indométhacine et d'autres anti-inflammatoires non stéroïdiens peuvent augmenter le risque de toxicité. L'aminophylline, les phénothiazines, le bicarbonate de sodium et le chlorure de sodium peuvent accélérer l'excrétion du médicament et réduire ainsi son effet. Le lithium peut diminuer l'efficacité des phénothiazines. Le lithium administré en même temps que l'iodure de potassium peut exercer des effets hypothyroïdiens additifs. Les phénothiazines peuvent masquer les signes de toxicité par le lithium.

SOINS INFIRMIERS

ÉVALUATION DE LA SITUATION

- **Directives générales :** Suivre de près l'humeur, l'idéation et le comportement du patient. Le cas échéant, prendre les mesures qui s'imposent pour empêcher les tentatives de suicide.
- Effectuer le bilan des ingesta et des excreta. Prévenir le médecin si des changements importants se produisent dans les valeurs totales. Sauf contre-indication, l'apport de liquides devrait être d'au moins 2 000 à 3 000 mL par jour.
- **Toxicité et surdosage :** Déterminer les concentrations sériques de lithium deux fois par semaine au début du traitement et tous les deux ou trois mois pendant le traitement prolongé. Prélever les échantillons de sang le matin, immédiatement avant d'administrer la dose suivante. Les concentrations thérapeutiques se situent entre 0,5 et 1,5 mmol par litre.

- Suivre de près les signes et les symptômes de toxicité par le lithium : vomissements, diarrhée, trouble de l'élocution, manque de coordination, somnolence, faiblesse ou soubresauts musculaires. Signaler au médecin ces symptômes avant d'administrer la dose suivante.

DIAGNOSTICS INFIRMIERS POSSIBLES

- **Énoncés diagnostiques**
□ Altération des opérations de la pensée.,
□ Risque élevé de violence envers soi-même ou envers les autres.
□ Prise en charge inefficace du programme thérapeutique.
□ *Risque élevé d'accident.*
□ *Risque élevé d'excès nutritionnel.*
□ *Risque élevé d'intoxication.*

- **Facteurs favorisants**
□ Informations incomplètes.
□ *Perturbation de la vigilance.*
□ *Manque de connaissances sur les modalités du traitement.*
□ *Difficulté à s'adapter aux changements nécessaires dans les habitudes de vie.*
□ *Manque de connaissances sur le régime alimentaire à suivre.*
□ *Manque de connaissances sur les effets secondaires du médicament.*
□ *Modification de l'état liquidien ou des volumes circulants.*

INTERVENTIONS INFIRMIÈRES

Administrer le médicament avec des aliments ou du lait pour prévenir les risques d'irritation gastro-intestinale. Demander au patient d'avaler les comprimés à libération lente tels quels, sans les briser, les réduire en poudre ni les mâcher.

ENSEIGNEMENT AU PATIENT ET À SES PROCHES

- Prévenir le patient que le médicament peut provoquer des étourdissements ou de la somnolence. Lui conseiller de ne pas conduire et d'éviter les activités qui exigent sa vigilance jusqu'à ce qu'on ait la certitude que le médicament n'entraîne pas ces effets chez lui.
- Recommander au patient de boire de 2 000 à 3 000 mL de liquide et d'ajouter librement du sel à son alimentation étant donné que les faibles concentrations de sodium peuvent le prédisposer à la toxicité. Recommander au patient d'éviter la consommation excessive de café, de thé ou de boissons à base de cola, à cause de leur effet diurétique. Lui conseiller d'éviter les activités qui entraînent une déplétion sodique excessive (exercices vigoureux, effort par temps chaud et sauna). Lui recommander de prévenir le médecin s'il vomit ou s'il a la diarrhée, car une déplétion sodique peut également s'ensuivre.
- Prévenir le patient qu'il peut gagner du poids. Lui expliquer les principes des régimes à faible teneur énergétique.
- Conseiller au patient de consulter le médecin ou le pharmacien avant de prendre un médicament en vente libre en même temps que le lithium.
- Recommander à la patiente de prendre des mesures de contraception et de prévenir le médecin si elle pense être enceinte.
- Explorer avec le patient les effets secondaires du médicament et les symptômes d'intoxication. Lui recommander de signaler immédiatement au médecin les réactions indésirables.
- Expliquer au patient l'importance des examens diagnostiques et biochimiques, passés à intervalles réguliers, qui permettront de déceler la toxicité par le lithium.

VÉRIFICATION DES RÉSULTATS

L'efficacité du traitement peut être démontrée par : ■ la disparition des symptômes de manie ; la diminution des fluctuations thymiques qui caractérisent la maladie bipolaire ■ l'amélioration de l'affect en cas de maladie unipolaire.

AGENTS DESTINÉS À LA THÉRAPIE ANTIMANIAQUE INCLUS DANS LE *GUIDE*: lithium, 1048

ANTINÉOPLASIQUES

Pharmacologie

Indication générale : Traitement de diverses tumeurs solides, lymphomes et leucémies. Certains antinéoplasiques sont également utilisés dans le traitement de certaines maladies autoimmunes comme la polyarthrite rhumatoïde (cyclophosphamide, méthotrexate). On les administre souvent sous forme d'association médicamenteuse pour réduire la toxicité de certains agents, qui peuvent varier d'un patient à l'autre, et pour intensifier la réponse thérapeutique. La chimiothérapie peut être associée aux autres modes de traitement, comme les interventions chirurgicales et la radiothérapie. Les posologies varient grandement selon la gravité de la maladie, les autres médicaments administrés et l'état du patient.

Action générale et données de base : Les mécanismes d'action des antinéoplasiques sont très différents (voir le tableau ci-dessous). Le plus souvent, ces médicaments modifient la synthèse ou la fonction de l'ADN. Cependant leur effet peut ne pas se limiter aux cellules néoplasiques seules.

MÉCANISME D'ACTION DE DIVERS ANTINÉOPLASIQUES

MÉCANISME D'ACTION	AGENT	EFFET SUR LE CYCLE CELLULAIRE
Les ALCOYLANTS entraînent la formation d'une liaison entre deux chaînes d'ADN.	busulfan carboplatine chlorambucil cisplatine cyclophosphamide dacarbazine estramustine ifosfamide méchloréthamine melphalan procarbazine thiotépa	Effet non spécifique.
Les ANTHRACYCLINES entravent la synthèse de l'ADN et de l'ARN.	daunorubicine doxorubicine idarubicine	Effet non spécifique.
Les ANTIBIOTIQUES ANTITUMORAUX entravent la synthèse de l'ADN et de l'ARN	bléomycine dactinomycine mitomycine mitoxantrone plicamycine streptozocine	Effet non spécifique (sauf pour la bléomycine)
Les ANTIMÉTABOLITES se substituent aux protéines normales.	cytarabine fludarabine fluorouracile hydroxyurée mercaptopurine méthotrexate thioguanine	Effet spécifique qui s'exerce surtout au cours de la phase S de la synthèse de l'ADN.

MÉCANISME D'ACTION	AGENT	EFFET SUR LE CYCLE CELLULAIRE
L'ENZYME provoque la déplétion de l'asparagine.	asparaginase	Effet spécifique sur une phase du cycle cellulaire.
Les HORMONES DE SYNTHÈSE modifient l'équilibre hormonal dans les tumeurs sensibles.	diéthylstilboestrol (œstrogènes) estramustine flutamide leuprolide mégestrol tamoxifène testostérone (androgènes)	Inconnu.
Les DÉRIVÉS DE LA PODOPHYLLOTOXINE inhibent l'ADN avant la mitose.	étoposide	Effet spécifique sur une phase du cycle cellulaire.
Les ALCALOÏDES EXTRAITS DE LA PERVENCHE inhibent la mitose.	vinblastine vincristine	Effet spécifique sur la phase M du cycle cellulaire (mitose).
Les AGENTS À ACTION ANTIPROLIFÉRATIVE inhibent la prolifération des cellules tumorales.	interféron alpha 2A interféron alpha 2B	Inconnu.
Les AGENTS FRÉNATEURS DES SURRÉNALES inhibent la sécrétion corticosurrénale.	mitotane	Inconnu.
Les IMMUNOMODULATEURS modulent la réponse immunitaire.	BCG lévamisole	Inconnu. Inconnu.
Mécanismes divers.	altrétamine pentostatine	Inconnu.

Contre-indications : Antécédents d'aplasie médullaire ou d'hypersensibilité ; grossesse et allaitement.

Précautions : Administrer ces agents avec prudence en présence d'une infection, d'une diminution de la réserve médullaire ou d'une autre maladie débilitante. Il faut également les administrer avec prudence aux patients qui suivent une radiothérapie et aux patientes en âge de procréer.

Interactions : L'allopurinol diminue le métabolisme de la mercaptopurine. La toxicité par le méthotrexate peut être aggravée par d'autres médicaments néphrotoxiques ou par des fortes doses d'aspirine ou d'anti-inflammatoires non stéroïdiens. Effet additif possible sur la dépression de la moelle osseuse. Consulter la monographie de chaque médicament.

SOINS INFIRMIERS

ÉVALUATION DE LA SITUATION

- Suivre de près les signes et les symptômes suivants d'infection : fièvre, frissons, maux de gorge. En informer le médecin, le cas échéant.
- Vérifier la numération plaquettaire tout au long du traitement. Suivre de près les saignements : saignement des gencives, ecchymoses, pétéchies, présence de sang occulte dans les selles, dans l'urine et dans les vomissements. En cas de thrombopénie, éviter les injections IM et la prise de température par voie rectale ; appliquer une pression sur les points de ponction veineuse pendant dix minutes.
- Effectuer le bilan des ingesta et des excreta, noter l'appétit du patient et l'apport nutritionnel. Demander au médecin s'il recommande l'administration d'un antiémétique. La modification de l'alimentation en fonction des aliments que le patient peut tolérer permet de maintenir l'équilibre hydro-électrolytique et une nutrition adéquate.

- Une anémie peut survenir. Rechercher les signes de fatigue accrue, de dyspnée et d'hypotension orthostatique.
- Évaluer avec soin les points d'injection IV et s'assurer du bon fonctionnement de la perfusion. Arrêter immédiatement la perfusion en cas de douleur, d'érythème qui se forme le long de la veine ou d'infiltration. L'infiltration peut provoquer l'ulcération et la nécrose des tissus. En informer le médecin.
- Suivre de près les symptômes de goutte : concentrations accrues d'acide urique, douleurs articulaires et œdème. Encourager le patient à boire au moins deux litres de liquide par jour. Administrer de l'allopurinol pour diminuer les concentrations d'acide urique. Le médecin peut recommander l'alcalinisation de l'urine pour favoriser l'excrétion d'acide urique.

DIAGNOSTICS INFIRMIERS POSSIBLES

- **Énoncés diagnostiques**
- □ Risque élevé d'infection.
- □ Déficit nutritionnel.
- □ Prise en charge inefficace du programme thérapeutique.
- □ *Risque élevé d'accident.*
- □ *Risque élevé de douleur au point d'injection IV.*
- □ *Risque élevé de perturbation situationnelle de l'estime de soi.*

- **Facteurs favorisants**
- □ Informations incomplètes.
- □ *Manque de connaissances sur les modalités du traitement.*
- □ *Manque de connaissances sur les effets secondaires du médicament et sur les moyens de les prévenir.*
- □ *Manque de connaissances sur le régime alimentaire à suivre.*
- □ *Fatigue et faiblesse.*
- □ *Inflammation locale du tissu vasculaire ou infiltration du médicament dans les tissus avoisinants*
- □ *Modification de l'état liquidien ou des volumes circulants.*
- □ *Douleurs articulaires.*
- □ *Altération de l'image corporelle.*

INTERVENTIONS INFIRMIÈRES

Préparer les solutions à injecter sous une hotte biologique de sécurité. Porter des gants, une blouse et un masque pendant la manipulation de ces médicaments. Mettre au rebut le matériel dans les contenants réservés à cet effet (voir à l'annexe I les directives destinées au personnel qui administre les antinéoplasiques).

ENSEIGNEMENT AU PATIENT ET À SES PROCHES

- Expliquer au patient qu'il doit éviter les foules et les personnes contagieuses. Lui recommander de signaler immédiatement au médecin tout symptôme d'infection.
- Recommander au patient de signaler les saignements inhabituels. Lui expliquer les précautions à prendre lors de l'apparition d'une thrombopénie.
- Prévenir la patiente que ces médicaments peuvent provoquer une diminution du fonctionnement des gonades ; lui conseiller cependant de continuer à prendre des mesures de contraception, car la plupart de ces médicaments sont doués de propriétés tératogènes. Lui recommander d'informer immédiatement le médecin si elle pense être enceinte.

- Expliquer au patient qu'il risque de perdre ses cheveux. Explorer avec lui les stratégies lui permettant de s'adapter à ce changement.
- Recommander au patient d'observer ses muqueuses buccales à la recherche de signes d'érythème et d'ulcération. Si une ulcération se manifeste, conseiller au patient de remplacer la brosse à dents par une brosse-éponge, de se rincer la bouche avec de l'eau après avoir bu ou mangé et de consulter le médecin si les douleurs l'empêchent de manger.
- Expliquer au patient qu'il ne doit pas se faire vacciner sans recommandation expresse du médecin.
- Expliquer au patient la nécessité des examens de suivi et d'examens diagnostiques fréquents.

VÉRIFICATION DES RÉSULTATS

L'efficacité du traitement peut être démontrée par : ■ la diminution de la taille de la tumeur et le ralentissement de la propagation des métastases ■ l'amélioration de l'hématopoïèse chez les patients souffrant de leucémie.

ANTINÉOPLASIQUES INCLUS DANS LE *GUIDE*:

alcaloïdes extraits de la pervenche

vinblastine, 1739
vincristine, 1742

alcoylants

busulfan, 308
carboplatine, 353
chlorambucil, 424
cisplatine, 462
cyclophosphamide, 533
dacarbazine, 546
estramustine, 726
ifosfamide, 928
méchloréthamine, 1083
melphalan, 1095
procarbazine, 1463
thiotépa, 1652

athracyclines

daunorubicine, 558
doxorubicine, 665
idarubicine, 923

antibiotiques antitumoraux

bléomycine, 288
dactinomycine, 549
mitomycine, 1187
mitoxantrone, 1193
plicamycine, 1409
streptozocine, 1582

antimétabolites

cytarabine, 542
floxuridine, 776
fludarabine, 784
fluorouracile, 793
hydroxyurée, 915
mercaptopurine, 1106
méthotrexate, 1132
thioguanine, 1642

enzyme

asparaginase, 223

hormones de synthèse

diéthylstilbestrol, 606
flutamide, 808
leuprolide, 1017
mégestrol, 1094
tamoxifène (bloqueur), 1615
testostérone, 1627

podophyllotoxine, dérivé de la

étoposide, 743

divers

altrétamine, 167
bcg, 256
interféron alfa-2A, 961
interféron alfa-2B, 965
interféron alfa-N3, 969
lévamisole, 1019
mitane, 1191

ANTIPARKINSONIENS

Pharmacologie

Indication générale: Traitement de la maladie de Parkinson de diverses étiologies: maladie dégénérative, intoxication, infection, cancer ou trouble d'origine médicamenteuse (syndrome parkinsonien secondaire).

Action générale et données de base: Le traitement médicamenteux du syndrome de Parkinson et des autres dyskinésies permet de rétablir l'équilibre naturel de deux neurotransmetteurs importants du SNC, l'acétylcholine et la dopamine. Ce déséquilibre correspond à un déficit en dopamine qui entraîne une activité cholinergique excessive. Les médicaments utilisés sont soit des anticholinergiques (benztropine, bipéridène et trihexyphénidyle) soit des agonistes des récepteurs dopaminergiques (amantadine, bromocriptine, lévodopa et pergolide). La sélégiline inhibe l'enzyme qui dégrade la dopamine. De ce fait, ses effets sont intensifiés.

Contre-indications: Ne pas administrer ces médicaments aux patients qui souffrent de glaucome à angle fermé.

Précautions: Administrer ces agents avec prudence aux patients qui souffrent de cardiopathie grave, d'obstruction du pylore ou d'hypertrophie de la prostate.

Interactions: La pyridoxine, les inhibiteurs de la MAO, les benzodiazépines, la phénytoïne, les phénothiazines et l'halopéridol peuvent neutraliser les effets de la lévodopa (effet antagoniste). L'administration simultanée de sélégiline et d'analgésiques narcotiques peut provoquer deux réactions dont l'issue peut être fatale (excitation, transpiration, rigidité et hypertension ou hypotension et coma). Des doses de sélégiline supérieures à 10 mg par jour peuvent produire des réactions si le patient consomme des aliments contenant de la tyramine.

SOINS INFIRMIERS

ÉVALUATION DE LA SITUATION

- Suivre de près les symptômes parkinsoniens et extrapyramidaux (akinésie, rigidité, tremblements, mouvements d'émiettement, faciès figé, démarche traînante, spasmes musculaires, mouvements de torsion et bouche ouverte laissant s'échapper la salive [sialorrhée]), avant l'administration du médicament et pendant tout le traitement. À cause des fluctuations dans les réactions aux médicaments (effet «on-off»), les symptômes peuvent apparaître ou disparaître soudainement.
- Mesurer fréquemment la pression artérielle pendant tout le traitement. Inciter le patient à demeurer en position couchée lors de l'administration de la première dose de bromocriptine et pendant plusieurs heures par la suite, à cause des risques d'hypotension grave.

DIAGNOSTICS INFIRMIERS POSSIBLES

- **Énoncés diagnostiques**
  □ Altération de la mobilité physique.
  □ Risque élevé d'accident.
  □ Prise en charge inefficace du programme thérapeutique.
  □ *Risque élevé d'atteinte à l'intégrité de la muqueuse buccale.*
  □ *Risque élevé de constipation.*

- **Facteurs favorisants**
- ☐ Informations incomplètes.
- ☐ *Manque de connaissances sur les effets hypotensifs du médicament lors des changements brusques de position.*
- ☐ *Perturbation de la vigilance.*
- ☐ *Manque de connaissances sur les moyens de prévenir ou de réduire la séche-resse de la bouche.*
- ☐ *Manque de connaissances sur le régime alimentaire à suivre.*
- ☐ *Manque de connaissances sur les modalités du traitement.*
- ☐ *Manque de connaissances sur les moyens de stimuler la fonction intestinale.*
- ☐ *Manque de connaissances sur les effets secondaires du médicament.*

INTERVENTIONS INFIRMIÈRES

Association de carbidopa et de lévodopa : les nombres qui suivent le nom de chaque médicament correspondent à la teneur respective en milligrammes.

ENSEIGNEMENT AU PATIENT ET À SES PROCHES

- **Directives générales :** Prévenir le patient que le médicament peut provoquer de la somnolence ou des étourdissements. Lui conseiller de ne pas conduire et d'éviter les activités qui exigent sa vigilance jusqu'à ce qu'on ait la certitude que le médicament n'entraîne pas ces effets chez lui.
- Conseiller au patient de changer lentement de position afin de réduire les risques d'hypotension orthostatique.
- Conseiller au patient de se rincer fréquemment la bouche, de pratiquer une bonne hygiène orale et de consommer de la gomme à mâcher ou des bonbons sans sucre pour diminuer la sécheresse de la bouche. Lui recommander de consulter le médecin si la sécheresse de la bouche persiste. (Le médecin pourrait lui prescrire des substituts de salive.) Lui recommander également de consulter le dentiste si la sécheresse de la bouche gêne le port des prothèses dentaires.
- Conseiller au patient de consulter le médecin ou le pharmacien avant de prendre un médicament en vente libre, particulièrement un médicament contre le rhume, ou avant de consommer des boissons alcoolisées. Prévenir le patient qui prend de la lévodopa que les multivitamines lui sont déconseillées. La vitamine B6 (pyridoxine) peut contrecarrer l'effet de la lévodopa.
- Prévenir le patient que le médicament peut diminuer la transpiration et que la chaleur pourrait l'incommoder. Lui conseiller de rester dans une pièce climatisée par temps chaud.
- Recommander au patient de faire de l'exercice et de consommer plus d'aliments riches en fibres et plus de liquides pour réduire les effets constipants du médicament.
- Recommander au patient de signaler au médecin les symptômes suivants : rash, rétention urinaire, constipation grave, modification de la vision, ainsi que l'aggravation des symptômes de la maladie de Parkinson.

VÉRIFICATION DES RÉSULTATS

L'efficacité du traitement peut être démontrée par : ■ la disparition des signes et des symptômes de la maladie de Parkinson ■ la résolution des symptômes extrapyramidaux d'origine médicamenteuse.

ANTIPSYCHOTIQUES

Pharmacologie

Indication générale: Traitement des psychoses aiguës et chroniques, particulièrement lorsqu'elles s'accompagnent d'une activité psychomotrice accrue. L'administration de la clozapine est réservée au traitement de la schizophrénie réfractaire aux interventions classiques. Certains antipsychotiques sont également doués de propriétés antihistaminiques ou antiémétiques. La chlorpromazine est également administrée pour traiter le hoquet incoercible.

Action générale et données de base: Les antipsychotiques bloquent les récepteurs dopaminergiques du cerveau et inhibent la libération de la dopamine et son cycle de reconstitution (turnover). Ils sont également doués de propriétés anticholinergiques et alpha-adrénolytiques périphériques. Les principaux antipsychotiques sont des phénothiazines, sauf l'halopéridol qui est une butyrophénone, la molindone dont les effets s'apparentent à ceux des phénothiazines et la loxapine et la clozapine qui font partie des agents divers. Les phénothiazines ne produisent pas toutes le même degré de sédation (la chlorpromazine, la promazine, la thioridazine et le thiothixène provoquent la sédation la plus forte), les mêmes effets extrapyramidaux (la fluphénazine, la perphénazine, la prochlorpérazine et la trifluopérazine provoquent les effets les plus marqués), ni les mêmes effets anticholinergiques (la chlorpromazine et la promazine produisent les effets les plus marqués).

Contre-indications: Hypersensibilité. Risque de réactions de sensibilité croisée lors de l'administration de certaines phénothiazines. Ne pas administrer ces agents aux patients qui souffrent de glaucome à angle fermé ni aux patients atteints d'une dépression du SNC.

Précautions: L'innocuité de ces médicaments pendant la grossesse et l'allaitement n'a pas été établie. Administrer ces médicaments avec prudence aux patients souffrant de maladie cardiaque symptomatique. Éviter les températures extrêmes. Administrer les antipsychotiques avec prudence aux patients gravement malades ou débilités, aux diabétiques et aux patients souffrant d'une insuffisance respiratoire, d'une hypertrophie de la prostate ou d'une obstruction intestinale. Ces médicaments peuvent abaisser le seuil de convulsion. La plupart des agents peuvent provoquer le syndrome malin des neuroleptiques.

Interactions: Les doses élevées d'antihypertenseurs ou de dérivés nitrés, administrés simultanément, ou la consommation concomitante d'alcool peuvent exercer des effets hypotensifs additifs. Les antiacides peuvent diminuer l'absorption des antipsychotiques. Le phénobarbital peut en augmenter le métabolisme et en diminuer l'efficacité. Effets additifs sur la dépression du système nerveux central lors de l'administration concomitante d'autres dépresseurs du SNC dont l'alcool, les antihistaminiques, les antidépresseurs, les narcotiques ou les hypnosédatifs. Le lithium peut diminuer les concentrations sanguines des phénothiazines ainsi que leur efficacité. L'administration concomitante d'agents antithyroïdiens peut augmenter les risques d'agranulocytose.

SOINS INFIRMIERS

ÉVALUATION DE LA SITUATION

- Noter l'état de la conscience du patient (orientation, humeur, comportement), avant l'administration du médicament et à intervalles réguliers tout au long du traitement.
- Mesurer la pression artérielle (en position assise, debout et couchée) ainsi que le pouls et la fréquence respiratoire, avant l'administration du médicament et fréquemment pendant la période d'ajustement de la posologie.
- Observer attentivement le patient lorsqu'on lui administre le médicament pour s'assurer qu'il l'a bien avalé.
- Suivre de près les symptômes extrapyramidaux (mouvements d'émiettement, bouche ouverte laissant s'échapper la salive, tremblements, rigidité et démarche traînante) et les symptômes de dyskinésie tardive (mouvements incontrôlés du visage, de la bouche, de la langue ou de la mâchoire et mouvements involontaires des membres). Suivre de près les symptômes du syndrome malin des neuroleptiques : pâleur, hyperthermie, rigidité des muscles squelettiques, dysfonctionnement du système neurovégétatif, état de conscience altéré, leucocytose, valeurs élevées révélées par les tests de l'exploration fonctionnelle hépatique et concentrations élevées de créatine kinase. Signaler immédiatement au médecin l'apparition de ces symptômes.

DIAGNOSTICS INFIRMIERS POSSIBLES

- **Énoncés diagnostiques**
- □ Altération des opérations de la pensée.
- □ Prise en charge inefficace du programme thérapeutique.
- □ Non-observance du traitement médicamenteux.
- □ *Risque élevé d'atteinte à l'intégrité de la muqueuse buccale.*
- □ *Risque élevé de constipation.*
- □ *Risque élevé d'atteinte à l'intégrité de la peau.*

- **Facteurs favorisants**
- □ Informations incomplètes.
- □ Doute quant aux bienfaits du médicament.
- □ *Manque de connaissances sur les effets hypotensifs du médicament lors des changements brusques de position.*
- □ *Perturbation de la vigilance.*
- □ *Manque de connaissances sur les moyens de prévenir ou de réduire la sécheresse de la bouche.*
- □ *Manque de connaissances sur le régime alimentaire à suivre.*
- □ *Manque de connaissances sur les modalités du traitement.*
- □ *Manque de connaissances sur les moyens de stimuler la fonction intestinale.*
- □ *Manque de connaissances sur les effets secondaires du médicament.*
- □ *Manque de connaissances sur les moyens de réduire la photosensibilité.*

INTERVENTIONS INFIRMIÈRES

- **Directives générales :** Recommander au patient de rester couché pendant au moins 30 minutes après l'administration parentérale du médicament afin d'en réduire les effets hypotensifs.

- Éviter les éclaboussures des solutions sur les mains, étant donné les risques de dermatite de contact.
- Interrompre le traitement aux phénothiazines, 48 heures avant une myélographie au métrizamide et ne le reprendre que 24 heures plus tard, car ces médicaments abaissent le seuil de convulsion.
- **PO:** Administrer ces médicaments avec des aliments, du lait ou un grand verre d'eau afin de diminuer l'irritation gastrique.

ENSEIGNEMENT AU PATIENT ET À SES PROCHES

- Expliquer au patient qu'il doit respecter scrupuleusement la posologie recommandée. L'avertir qu'il ne doit jamais sauter de dose ni remplacer une dose manquée par une double dose. Le sevrage brusque peut provoquer une gastrite, des nausées, des vomissements, des étourdissements, des céphalées, de la tachycardie et de l'insomnie.
- Recommander au patient de changer lentement de position afin de réduire les risques d'hypotension orthostatique.
- Prévenir le patient que le médicament peut provoquer de la somnolence. Lui conseiller de ne pas conduire et d'éviter les activités qui exigent sa vigilance jusqu'à ce qu'on ait la certitude que le médicament n'entraîne pas cet effet chez lui.
- Mettre en garde le patient contre la consommation d'alcool ou d'autres dépresseurs du SNC en même temps qu'un antipsychotique.
- Recommander au patient d'utiliser des crèmes solaires et de porter des vêtements protecteurs lors des expositions au soleil pour prévenir les réactions de photosensibilité. Lui recommander également d'éviter les températures extrêmes, car ces médicaments altèrent la thermorégulation.
- Recommander au patient de faire de l'exercice et de consommer plus d'aliments riches en fibres et plus de liquides pour réduire les effets constipants du médicament.
- Conseiller au patient de se rincer fréquemment la bouche, de pratiquer une bonne hygiène orale et de consommer de la gomme à mâcher ou des bonbons sans sucre pour soulager la sécheresse de la bouche.
- Recommander au patient qui doit suivre un traitement dentaire ou subir une intervention chirurgicale d'avertir le dentiste ou le médecin qu'il suit un traitement médicamenteux.
- Expliquer au patient l'importance des examens réguliers de suivi et de la psychothérapie, le cas échéant.

VÉRIFICATION DES RÉSULTATS

L'efficacité du traitement peut être démontrée par: ■ la diminution de l'excitation et un moindre recours au comportement paranoïde ou au repli sur soi ■ le soulagement des nausées et des vomissements.

ANTIPSYCHOTIQUES INCLUS DANS LE *GUIDE*:

phénothiazines
chlorpromazine, 438
fluphénazine, 800
mésoridazine, 1110
perphénazine, 1360
prochlorpérazine, 1466
promazine, 1473
thioridazine, 1649
thiothixène, 1655

trifluopérazine, 1702

butyrophénone
halopéridol, 878

divers
clomipramine, 479
clozapine, 493
loxapine, 1059
molindone, 1197

ANTIPYRÉTIQUES

Pharmacologie

Indication générale : Diminution de la fièvre de diverses étiologies : infection, inflammation et néoplasmes.

Action générale et données de base : Les antipyrétiques diminuent la fièvre en modifiant la thermorégulation du système nerveux central et en inhibant en périphérie l'activité des prostaglandines.

Contre-indications : Ne pas administrer de l'aspirine ou de l'ibuprofène aux patients souffrant de maladies hémorragiques (le risque de saignement est moindre lors de l'administration d'autres salicylates). Éviter également d'administrer de l'aspirine aux enfants et aux adolescents.

Précautions : L'administration d'aspirine ou d'ibuprofène doit s'accompagner de prudence chez les patients souffrant d'ulcère gastroduodénal. Éviter l'administration prolongée de fortes doses d'acétaminophène.

Interactions : Les doses massives d'aspirine peuvent déplacer d'autres médicaments qui se lient fortement aux protéines. L'administration simultanée d'ibuprofène, d'aspirine, d'autres anti-inflammatoires non stéroïdiens ou de glucocorticoïdes peut avoir des effets irritants additifs sur le tractus gastro-intestinal. L'aspirine ou l'ibuprofène peuvent augmenter les risques d'hémorragie lorsqu'ils sont administrés en même temps que d'autres agents qui affectent l'hémostase (anticoagulants, thrombolytiques, antinéoplasiques et certains anti-infectieux).

Présentation

Préparations rectales, préparations orales et associations avec d'autres médicaments.

SOINS INFIRMIERS

ÉVALUATION DE LA SITUATION

Mesurer la température ; suivre de près les symptômes fébriles (diaphorèse, tachycardie et malaise).

DIAGNOSTICS INFIRMIERS POSSIBLES

■ **Énoncés diagnostiques**
- Risque élevé d'altération de la température corporelle.
- Prise en charge inefficace du programme thérapeutique.

■ **Facteurs favorisants**
- Informations incomplètes.
- *Manque de connaissances sur les modalités du traitement.*
- *Manque de connaissances sur les effets secondaires du médicament.*

INTERVENTIONS INFIRMIÈRES

Administrer l'agent avec des aliments ou des antiacides pour réduire l'irritation gastro-intestinale (aspirine et ibuprofène).

ENSEIGNEMENT AU PATIENT ET À SES PROCHES

■ Recommander au patient de consulter le médecin si la fièvre ne diminue pas aux doses habituelles, si la température est supérieure à 39,5° C ou si la fièvre dure plus de trois jours.

- Les centres épidémiologiques mettent en garde contre l'administration de l'aspirine aux enfants et aux adolescents souffrant de varicelle, de maladies pseudo-grippales ou de maladies virales, en raison du risque d'apparition du syndrome de Reye.

VÉRIFICATION DES RÉSULTATS

L'efficacité du traitement peut être démontrée par : la diminution de la fièvre.

ANTIPYRÉTIQUES INCLUS DANS LE *GUIDE* :

acétaminophène, 119
aspirine, 226
choline et magnésium,
trisalicylate de, 450

choline, salicylate de, 453
ibuprofène, 921
salsalate, 1540

ANTITHYROÏDIENS DE SYNTHÈSE (AGENTS DESTINÉS AU TRAITEMENT DE L'HYPERTHYROÏDIE)

Pharmacologie

Indication générale : Traitement de l'hyperthyroïdie de diverses causes (maladie de Graves, goitre multinodulaire, thyroïdite et crise thyrotoxique) chez les enfants, les femmes enceintes et d'autres patients chez lesquels l'hyperthyroïdie est censée être passagère. Préparation du patient à la thyroïdectomie. Ces médicaments sont également indiqués lorsque la thyroïdectomie est déconseillée. On administre parfois des bêtabloquants (propranolol) en association avec des antithyroïdiens pour supprimer les symptômes d'hyperthyroïdie (tachycardie et tremblements), mais ces médicaments n'ont pas d'effet sur la fonction thyroïdienne. On administre également l'iode et les iodures pour protéger le patient contre les radiations.

Action générale et données de base : Ces médicaments inhibent la synthèse de la thyroxine (iode) ou l'oxydation de l'iode (méthimazole et propylthiouracile).

Contre-indications : Hypersensibilité. Antécédents d'aplasie médullaire.

Précautions : Administrer le méthimazole avec prudence aux patients dont la réserve médullaire est diminuée.

Interactions : Le lithium peut entraîner des anomalies thyroïdiennes et entraver la réaction au traitement antithyroïdien. Les phénothiazines peuvent augmenter le risque d'agranulocytose.

☀ SOINS INFIRMIERS

ÉVALUATION DE LA SITUATION

- **Directives générales :** Suivre de près les symptômes d'hyperthyroïdie ou de thyrotoxicose : tachycardie, palpitations, nervosité, insomnie, fièvre, diaphorèse, intolérance à la chaleur, tremblements, perte de poids, diarrhée.
- Suivre de près les symptômes d'hypothyroïdie : intolérance au froid, constipation, peau sèche, céphalées, apragmatisme, fatigue ou faiblesse. Un ajustement de la posologie peut être nécessaire.

- Suivre de près les éruptions cutanées ou l'œdème des ganglions lymphatiques du cou, symptômes qui dictent l'arrêt du traitement.
- Étudier les résultats des tests d'exploration de la fonction thyroïdienne avant l'administration du médicament et pendant tout le traitement.
- **Iodures :** Suivre de près les signes et les symptômes d'iodisme (goût métallique, stomatite, lésions cutanées, symptômes de rhume, irritation gastro-intestinale grave) ou d'anaphylaxie. Signaler immédiatement ces symptômes au médecin.

DIAGNOSTICS INFIRMIERS POSSIBLES

- **Énoncés diagnostiques**
- □ Prise en charge inefficace du programme thérapeutique.

- **Facteurs favorisants**
- □ Informations incomplètes.
- □ *Manque de connaissances sur les modalités du traitement.*
- □ *Manque de connaissances sur le régime alimentaire à suivre.*

INTERVENTIONS INFIRMIÈRES

Mélanger les solutions d'iodure dans un grand verre de jus de fruits, d'eau ou de lait. Administrer la préparation après les repas pour réduire l'irritation gastro-intestinale.

ENSEIGNEMENT AU PATIENT ET À SES PROCHES

- Expliquer au patient qu'il doit respecter scrupuleusement la posologie recommandée et l'avertir qu'une dose manquée peut déclencher l'hyperthyroïdie.
- Conseiller au patient de demander au médecin quels sont les aliments riches en iode qu'il peut consommer (sel iodé, crustacés, chou, chou frisé, navets).
- Conseiller au patient de porter sur lui en tout temps un bracelet d'identité où sont inscrits son problème de santé et son traitement et d'avertir le dentiste ou le médecin qu'il suit un traitement médicamenteux avant de suivre un traitement dentaire ou de subir une intervention chirurgicale.
- Expliquer au patient l'importance des examens réguliers permettant d'évaluer les bienfaits du traitement et de déceler les effets secondaires du médicament.

VÉRIFICATION DES RÉSULTATS

L'efficacité du traitement peut être démontrée par : ■ la diminution de la gravité des symptômes d'hyperthyroïdie ■ la réduction de la vascularité et de la friabilité de la glande thyroïde pour préparer le patient à une intervention chirurgicale ■ la protection de la thyroïde au cours d'une exposition aux radiations.

ANTITHYROÏDIENS INCLUS DANS LE *GUIDE* :

iode (solution de Lugol), solution forte d', 972
méthimazole, 1124

potassium, iodure de, 1432
propylthiouracile, 1494

ANTITUBERCULEUX

Pharmacologie

Indication générale : Traitement et prévention de la tuberculose et des autres maladies provoquées par les bactéries *Mycobacterium*. On administre des associations médicamenteuses dans le traitement de la tuberculose en évolution pour enrayer rapidement l'infection et pour retarder ou prévenir l'apparition de souches résistantes. Dans certains cas particuliers, la posologie peut être intermittente (deux fois par semaine). La streptomycine est également douée de propriétés antituberculeuses.

Action générale et données de base: Ces médicaments tuent les bactéries *Mycobacterium tuberculosis* (effet tuberculocide) ou en inhibent la prolifération (effet tuberculostatique). Il faut traiter le patient avec une association de deux ou de plusieurs agents, à moins que le médicament ne soit administré en prophylaxie (isoniazide).

Contre-indications: Hypersensibilité. Maladie hépatique grave.

Précautions: Administrer ces agents avec prudence aux patients ayant des antécédents de maladie hépatique, aux personnes âgées et aux patients débilités. Le traitement à l'éthambutol nécessite un suivi par des examens ophtalmiques. L'innocuité de ces médicaments pendant la grossesse et l'allaitement n'a pas été établie bien que certains agents aient été utilisés sans que des effets indésirables se manifestent chez le fœtus. L'observance du traitement est essentielle.

Interactions: L'isoniazide inhibe le métabolisme de la phénytoïne. La rifampicine (rifampine) stimule les enzymes hépatiques qui métabolisent les médicaments et peut diminuer les effets des médicaments métabolisés par le foie.

SOINS INFIRMIERS

ÉVALUATION DE LA SITUATION

Examiner les résultats des tests de dépistage de *Mycobacterium* ou des antibiogrammes avant l'administration du médicament et à intervalles réguliers pendant tout le traitement, pour déceler une éventuelle résistance.

DIAGNOSTICS INFIRMIERS POSSIBLES

- **Énoncés diagnostiques**
- ☐ Risque élevé d'infection.
- ☐ Prise en charge inefficace du programme thérapeutique.
- ☐ Non-observance du traitement médicamenteux.

- **Facteurs favorisants**
- ☐ Informations incomplètes.
- ☐ Doute quant aux bienfaits du médicament.
- ☐ *Manque de connaissances sur les modalités du traitement.*
- ☐ *Manque de connaissances sur les effets secondaires du médicament et sur les moyens de les prévenir.*

INTERVENTIONS INFIRMIÈRES

Si une irritation gastrique survient, on peut administrer la plupart des médicaments avec des aliments ou un antiacide.

ENSEIGNEMENT AU PATIENT ET À SES PROCHES

- Expliquer au patient qu'il est important de poursuivre le traitement même après la disparition des symptômes.
- Expliquer au patient l'importance des examens réguliers de suivi permettant d'évaluer les bienfaits du traitement et de déceler les effets secondaires du médicament.

VÉRIFICATION DES RÉSULTATS

L'efficacité du traitement peut être démontrée par : ■ la résolution des signes et des symptômes de tuberculose ■ des résultats négatifs des analyses des cultures des expectorations.

ANTITUBERCULEUX INCLUS DANS LE *GUIDE* :

éthambutol, 731	rifampine, 1534
isoniazide, 978	streptomycine, 1580
pyrazinamide, 1503	

ANTITUSSIFS/EXPECTORANTS

Pharmacologie

Indication générale : Soulagement symptomatique de la toux de diverses étiologies, y compris de la toux provoquée par les infections virales des voies respiratoires supérieures. L'usage prolongé des antitussifs est déconseillé.

Action générale et données de base : Les antitussifs (codéine, dextrométhorphane, diphenhydramine, hydrocodone et hydromorphone) suppriment la toux par une action centrale. Le benzonatate supprime la toux localement, dans les voies respiratoires. Les expectorants (acétylcystéine et la guaifénésine) favorisent le drainage des sécrétions pulmonaires. La toux productive ne doit être supprimée que dans la mesure où elle perturbe le sommeil ou les activités de la vie quotidienne. Les liquides, consommés en grande quantité, restent probablement les meilleurs expectorants, étant donné qu'ils diminuent la viscosité des sécrétions, ce qui en facilite l'expulsion.

Contre-indications : Hypersensibilité.

Précautions : Administrer ces agents avec prudence aux enfants. On ne doit pas les utiliser pendant des périodes prolongées, sauf sur recommandation du médecin.

Interactions : Les antitussifs à action centrale, administrés en même temps que des dépresseurs du SNC, peuvent exercer un effet additif sur la dépression du SNC.

SOINS INFIRMIERS

ÉVALUATION DE LA SITUATION

Noter la fréquence et la nature de la toux, ausculter le murmure vésiculaire et noter la quantité et le type d'expectoration.

DIAGNOSTICS INFIRMIERS POSSIBLES

■ **Énoncés diagnostiques**
□ Dégagement inefficace des voies respiratoires.
□ Prise en charge inefficace du programme thérapeutique.
□ *Risque élevé d'accident.*

■ **Facteurs favorisants**
□ Informations incomplètes.
□ *Manque de connaissances sur les modalités du traitement.*
□ *Perturbation de la vigilance.*

INTERVENTIONS INFIRMIÈRES

Sauf contre-indication, maintenir l'apport de liquides entre 1 500 et 2 000 mL pour diminuer la viscosité des sécrétions bronchiques.

ENSEIGNEMENT AU PATIENT ET À SES PROCHES

- Expliquer au patient les méthodes lui permettant de tousser efficacement ; lui conseiller de s'asseoir et de prendre plusieurs respirations profondes avant de tousser.
- Expliquer au patient qu'il peut calmer la toux en évitant les agents irritants (fumée de cigarette, autres fumées, poussière). Lui conseiller d'humidifier l'air de la pièce, de prendre des gorgées fréquentes d'eau et de sucer des bonbons durs sans sucre pour diminuer la fréquence des accès de toux sèche irritante.
- Recommander au patient d'éviter de boire de l'alcool et de ne pas prendre des dépresseurs du SNC en même temps que ces médicaments.
- Prévenir le patient que le médicament peut provoquer des vertiges ou de la somnolence. Lui conseiller de ne pas conduire et d'éviter les activités qui exigent sa vigilance jusqu'à ce qu'on ait la certitude que le médicament n'entraîne pas ces effets chez lui.
- Recommander au patient de prévenir le médecin si la toux persiste au-delà d'une semaine ou si elle s'accompagne de fièvre, de douleurs thoraciques, de céphalées persistantes ou de rash.

VÉRIFICATION DES RÉSULTATS

L'efficacité du traitement peut être démontrée par : la diminution de la fréquence et de l'intensité de la toux, sans suppression du réflexe tussigène.

ANTITUSSIFS INCLUS DANS LE *GUIDE* :

EXPECTORANTS INCLUS DANS LE *GUIDE* :

ANTIVIRAUX, AGENTS

Pharmacologie

Indication générale : Acyclovir et vidarabine : prise en charge des infections graves par l'herpèsvirus. **Amantadine :** principalement, prévention des infections par le virus A influenza. **Zidovudine et didanosine :** ralentissement de l'évolution du sida. **Idoxuridine et trifluridine :** traitement des infections virales ophtalmiques. **Ribavirine :** traitement des infections par le virus respiratoire syncytial. **Ganciclovir et foscarnet :** traitement de la rétinite provoquée par le virus cytomégalique.

Action générale et données de base : L'acyclovir, la didanosine, le foscarnet, le ganciclovir, l'idoxuridine, la ribavirine, la trifluridine, la vidarabine et la zidovudine inhibent la réplication virale. L'amantadine prévient la pénétration du virus dans la cellule hôte.

Contre-indications : Antécédents d'hypersensibilité.

Précautions : En présence d'une insuffisance rénale, il faut ajuster la posologie de tous ces médicaments. L'acyclovir peut parfois provoquer une insuffisance rénale. L'acyclovir et l'amantadine peuvent provoquer une toxicité du système nerveux central. La vidarabine entraîne souvent des réactions gastro-intestinales indésirables. L'administration de la zidovudine aux patients qui souffrent d'aplasie médullaire doit s'accompagner de prudence. La didanosine et le foscarnet augmentent le risque de convulsions.

Interactions: Effets additifs sur le SNC et toxicité rénale additive si l'acyclovir est administré en même temps que des médicaments qui provoquent des réactions indésirables similaires. L'amantadine peut avoir des effets anticholinergiques additifs lors de l'administration d'autres médicaments qui exercent des effets secondaires anticholinergiques. Les réactions indésirables à la vidarabine peuvent être potentialisées par l'administration concomitante de l'allopurinol. L'administration prolongée de doses élevées d'acétaminophène peut augmenter la toxicité de la zidovudine. Les aliments diminuent considérablement l'absorption de la didanosine.

SOINS INFIRMIERS

ÉVALUATION DE LA SITUATION

- **Directives générales:** Suivre de près les signes et les symptômes d'infection avant l'administration du médicament et pendant tout le traitement.
- **Préparations ophtalmiques:** Examiner les lésions oculaires avant l'administration de la préparation et quotidiennement pendant toute la durée du traitement.
- **Préparations topiques:** Examiner les lésions avant l'application de la préparation et quotidiennement pendant toute la durée du traitement.

DIAGNOSTICS INFIRMIERS POSSIBLES

- **Énoncés diagnostiques**
- ☐ Risque élevé d'infection.
- ☐ Risque élevé d'atteinte à l'intégrité de la peau.
- ☐ Prise en charge inefficace du programme thérapeutique.

- **Facteurs favorisants**
- ☐ Informations incomplètes.
- ☐ *Manque de connaissances sur la méthode d'administration du médicament.*
- ☐ *Manque de connaissances sur les modalités du traitement.*
- ☐ *Manque de connaissances sur les effets secondaires du médicament.*

INTERVENTIONS INFIRMIÈRES

La plupart des agents antiviraux à action systémique doivent être administrés à intervalles réguliers, 24 heures sur 24, pour maintenir les concentrations sanguines thérapeutiques du médicament.

ENSEIGNEMENT AU PATIENT ET À SES PROCHES

- Expliquer au patient qu'il doit prendre le médicament à intervalles réguliers, 24 heures sur 24, pendant toute la durée du traitement, même s'il se sent mieux.
- Montrer au patient comment appliquer les préparations topiques et ophtalmiques.
- Recommander au patient de prévenir le médecin si les symptômes ne sont pas soulagés.

VÉRIFICATION DES RÉSULTATS

L'efficacité du traitement peut être démontrée par: la prévention ou la résolution des signes et des symptômes d'infection virale. Le temps de guérison dépend du micro-organisme infectant et du siège de l'infection.

BÊTA-ADRÉNERGIQUES, BLOQUEURS (BÊTABLOQUANTS)

Pharmacologie

Indication générale: Traitement de l'hypertension, de l'angine de poitrine, des tachyarythmies, de la sténose aortique sous-valvulaire hypertrophique, des migraines (prophylaxie), de l'infarctus du myocarde (prévention), du glaucome (bétaxolol, lévobunolol, métipranalol et timolol), du phéochromocytome, des tremblements (propranolol) et de l'hyperthyroïdie (soulagement des symptômes seulement).

Action générale et données de base: Les bloqueurs bêta-adrénergiques (bêtabloquants) agissent par compétition avec les neurotransmetteurs (adrénergiques) du système nerveux sympathique (adrénaline et la noradrénaline) pour occuper les sites des récepteurs bêta-adrénergiques. Les sites des récepteurs $bêta_1$-adrénergiques sont surtout situés dans le cœur. Leur stimulation entraîne une augmentation de la fréquence cardiaque, de la contractilité du cœur et de la conduction du nœud auriculo-ventriculaire. Les récepteurs $bêta_2$ adrénergiques sont situés surtout dans les muscles lisses des bronches et des vaisseaux ainsi que dans l'utérus. Leur stimulation entraîne une vasodilatation, une bronchodilatation et la relaxation de l'utérus. Le blocage de ces récepteurs neutralise l'effet des neurotransmetteurs. Certains bêtabloquants sont relativement *sélectifs*, et se lient surtout aux récepteurs $bêta_1$ (acébutolol, aténolol, bétaxolol, esmolol et métoprolol), alors que d'autres sont *non sélectifs* (cartéolol, labétalol, lévobunolol, nadolol, penbutolol, pindolol, propranolol et timolol), et bloquent les récepteurs $bêta_1$ et $bêta_2$. Le labétalol bloque en plus les récepteurs alpha-adrénergiques. L'acébutolol, le cartéolol, le penbutolol et le pindolol sont doués d'une *activité sympathomimétique intrinsèque*, raison pour laquelle ils peuvent entraîner une bradycardie moindre que les autres agents.

Contre-indications: Insuffisance cardiaque, bronchospasme aigu, certaines formes de valvulopathie, bradyarythmies et bloc cardiaque.

Précautions: Administrer ces agents avec prudence aux femmes enceintes ou à celles qui allaitent (risques d'hypoglycémie et de bradycardie fœtale). Administrer ces médicaments avec prudence si le patient souffre d'une maladie pulmonaire quelle qu'elle soit, de bradyarythmie ou d'insuffisance cardiaque sous-jacente compensée. Administrer ces agents avec prudence aux diabétiques et aux patients souffrant de maladie hépatique grave. Le sevrage brusque est déconseillé chez les patients souffrant de maladie cardiovasculaire.

Interactions: Les bêtabloquants peuvent exercer des effets additifs sur la dépression du myocarde et sur la bradycardie s'ils sont administrés en même temps que d'autres agents ayant de tels effets (dérivés digitaliques et certains antiarythmiques). Ils peuvent neutraliser l'effet thérapeutique des bronchodilatateurs et modifier les besoins en insuline. La cimétidine peut diminuer le métabolisme et augmenter l'effet de certains bêtabloquants.

Présentation

Pour favoriser l'observance du traitement, un grand nombre de bêtabloquants sont présentés sous forme d'associations médicamenteuses (voir l'annexe A).

SOINS INFIRMIERS

ÉVALUATION DE LA SITUATION

- **Directives générales :** Mesurer souvent la pression artérielle et le pouls pendant la période d'ajustement de la posologie et à intervalles réguliers pendant tout le traitement.
- Effectuer un bilan quotidien des ingesta et des excreta et noter le poids du patient tous les jours. Surveiller régulièrement l'apparition des signes et des symptômes d'insuffisance cardiaque : dyspnée, râles ou crépitations, gain pondéral, œdème périphérique et turgescence des jugulaires.
- **Angine :** Noter la fréquence et la gravité des épisodes de douleur thoracique à intervalles réguliers pendant tout le traitement.
- **Prophylaxie de la migraine :** Noter la fréquence et la gravité des migraines à intervalles réguliers pendant tout le traitement.

DIAGNOSTICS INFIRMIERS POSSIBLES

- **Énoncés diagnostiques**
- ☐ Diminution de l'irrigation tissulaire.
- ☐ Prise en charge inefficace du programme thérapeutique.
- ☐ Non-observance du traitement médicamenteux.
- ☐ *Risque élevé d'accident.*

- **Facteurs favorisants**
- ☐ Informations incomplètes.
- ☐ Doute quant aux bienfaits du médicament.
- ☐ *Manque de connaissances sur les modalités du traitement.*
- ☐ *Manque de connaissances sur la méthode d'administration du médicament.*
- ☐ *Manque de connaissances sur les effets hypotensifs du médicament lors des changements brusques de position.*
- ☐ *Difficulté à s'adapter aux changements nécessaires dans les habitudes de vie.*
- ☐ *Manque de connaissances sur le régime alimentaire à suivre.*
- ☐ *Manque de connaissances sur les effets secondaires du médicament et sur les moyens de les prévenir.*

INTERVENTIONS INFIRMIÈRES

Mesurer le pouls à l'apex du cœur avant d'administrer le médicament. Si la fréquence cardiaque est inférieure à 50 battements par minute ou s'il y a des arythmies, ne pas administrer et en informer le médecin.

ENSEIGNEMENT AU PATIENT ET À SES PROCHES

- **Directives générales :** Expliquer au patient qu'il doit continuer à prendre le médicament même s'il se sent bien. Un sevrage brusque peut déclencher des arythmies qui peuvent être mortelles, de l'hypertension ou une ischémie du myocarde. L'avertir que le médicament stabilise la pression artérielle mais ne guérit pas l'hypertension.

- Inciter le patient à appliquer d'autres mesures de réduction de l'hypertension : perdre du poids, réduire sa consommation de sel, faire régulièrement de l'exercice, cesser de fumer, boire avec modération et diminuer le stress.
- Montrer au patient et à ses proches comment mesurer la pression artérielle. Leur demander de mesurer la pression artérielle toutes les semaines et de signaler au médecin tout changement important.
- Recommander au patient de changer lentement de position pour réduire les risques d'hypotension orthostatique. Le prévenir que l'exercice ou la chaleur peuvent intensifier les effets hypotensifs des bêtabloquants.
- Conseiller au patient de consulter le médecin ou le pharmacien avant de prendre un médicament en vente libre, particulièrement un médicament contre le rhume. Lui conseiller également d'éviter la consommation excessive de thé, de café ou de boissons à base de cola.
- Prévenir le patient que les bêtabloquants peuvent le rendre plus sensible au froid.
- Recommander au patient diabétique de mesurer soigneusement sa glycémie, particulièrement lorsqu'il se sent fatigué, faible ou irritable ou lorsqu'il ressent un malaise.
- Recommander au patient qui doit suivre un traitement dentaire ou subir une intervention chirurgicale d'avertir le dentiste ou le médecin qu'il suit un traitement médicamenteux.
- Conseiller au patient de porter sur lui en tout temps un bracelet d'identité où sont inscrits son problème de santé et son traitement.
- Expliquer au patient l'importance des examens de suivi permettant d'évaluer les bienfaits du traitement.
- **Préparations ophtalmiques :** Montrer au patient comment administrer les préparations ophtalmiques.

VÉRIFICATION DES RÉSULTATS

L'efficacité du traitement peut être démontrée par : ■ la baisse de la pression artérielle ■ la diminution de la fréquence et de la gravité des attaques d'angine ■ la réduction des arythmies ■ la prévention d'un nouvel infarctus du myocarde ■ la prévention des migraines ■ la diminution des tremblements ■ la baisse de la pression intra-oculaire.

BÊTABLOQUANTS INCLUS DANS LE *GUIDE*:

bêtabloquants non sélectifs

cartéolol, 362
labétalol, 1007
lévobunolol (usage ophtalmique seulement), 1022
métipranalol (usage ophtalmique seulement), 1153
nadolol, 1216
penbutolol, 1326

pindolol, 1394
propranolol, 1490
timolol, 1669

bêtabloquants sélectifs

acébutolol, 117
aténolol, 231
bétaxolol, 278
esmolol, 718
métoprolol, 1163

BRONCHODILATATEURS

Pharmacologie

Indication générale : Traitement de l'obstruction réversible des voies respiratoires attribuable à l'asthme ou à la bronchopneumopathie chronique obstructive (BPCO).

Action générale et données de base : Les agonistes bêta-adrénergiques (épinéphrine, iso-protérénol, orciprénaline, salbutamol, pirbutérol et terbutaline) entraînent la broncho-dilatation en stimulant la production de l'adénosine monophosphate cyclique (AMPc). Les bronchodilatateurs plus nouveaux (orciprénaline, pirbutérol, salbutamol et terbutaline) se lient de façon relativement sélective aux récepteurs pulmonaires (bêta$_1$) alors que les bronchodilatateurs plus anciens ont comme effet la stimulation cardiaque (effet sur les récepteurs bêta$_2$ adrénergiques) en plus de leur effet bronchodilata-teur. L'éphédrine exerce également des effets sur les récepteurs alpha-adrénergiques. Les inhibiteurs de la phosphodiestérase (aminophylline, dyphylline, oxtriphylline et théophylline) inhibent la dégradation de l'AMPc. L'ipratropium est un anticholiner-gique qui entraîne la bronchodilatation en bloquant l'action de l'acétylcholine dans les voies respiratoires.

Contre-indications : Hypersensibilité aux ingrédients actifs, aux agents de conservation (bisulfites) ou aux agents pulseurs qui entrent dans la composition de la préparation. Éviter l'administration de ces médicaments en cas d'arythmie cardiaque rebelle.

Précautions : Administrer ces agents avec prudence aux patients souffrant de diabète, de maladie cardiovasculaire ou d'hyperthyroïdie.

Interactions : L'administration concomitante des bêtabloquants peut neutraliser l'effi-cacité de ces médicaments. Effets sympathomimétiques additifs avec les autres adré-nergiques (qui agissent sur le système sympathique), administrés simultanément, y compris les vasopresseurs et les décongestionnants. Les effets cardiovasculaires peu-vent être potentialisés par les antidépresseurs et les inhibiteurs de la MAO.

SOINS INFIRMIERS

ÉVALUATION DE LA SITUATION

- Mesurer la pression artérielle et le pouls, ausculter la respiration et le murmure vésiculaire, noter les caractéristiques des sécrétions, avant l'administration du mé-dicament et pendant tout le traitement.
- Relever les modifications de l'ÉCG et noter les douleurs thoraciques chez les patients ayant des antécédents de troubles cardiovasculaires.

DIAGNOSTICS INFIRMIERS POSSIBLES

- **Énoncés diagnostiques**
- □ Dégagement inefficace des voies respiratoires.
- □ Intolérance à l'activité.
- □ Prise en charge inefficace du programme thérapeutique.

- **Facteurs favorisants**
- □ Informations incomplètes.
- □ *Manque de connaissances sur les modalités du traitement.*
- □ *Manque de connaissances sur la méthode d'administration du médicament.*
- □ *Manque de connaissances sur le régime alimentaire à suivre.*
- □ *Manque de connaissances sur les effets secondaires du médicament et sur les moyens de les prévenir.*

INTERVENTIONS INFIRMIÈRES

Administrer les inhibiteurs de la phosphodiestérase à intervalles réguliers, 24 heures sur 24, pour maintenir des concentrations thérapeutiques dans le plasma.

ENSEIGNEMENT AU PATIENT ET À SES PROCHES

- Expliquer au patient qu'il est important de prendre uniquement la dose prescrite, aux heures prescrites.
- Recommander au patient de boire suffisamment de liquides (2 000 mL par jour, au minimum) pour diminuer la viscosité des sécrétions des voies respiratoires.
- Conseiller au patient de consulter le médecin ou le pharmacien avant de prendre un médicament en vente libre contre la toux, le rhume ou les difficultés respiratoires et de consommer le moins possible d'aliments ou de boissons contenant des xanthines (boissons à base de cola, café et chocolat) étant donné les risques accrus d'arythmie et d'effets secondaires.
- Conseiller au patient de cesser de fumer et d'éviter les autres agents qui irritent les voies respiratoires.
- Montrer au patient comment utiliser les aérosols doseurs.
- Conseiller au patient d'informer sans délai le médecin si la dose habituelle de médicament ne produit pas les résultats escomptés, si les symptômes s'aggravent après le traitement ou si des effets toxiques surviennent.
- Expliquer au patient qui prend des bronchodilatateurs en même temps que d'autres médicaments par inhalation de commencer par le bronchodilatateur et d'attendre cinq minutes avant de prendre l'autre médicament, sauf si le médecin le lui recommande autrement.

VÉRIFICATION DES RÉSULTATS

L'efficacité du traitement peut être démontrée par : ■ la diminution des bronchospasmes ■ une moindre difficulté respiratoire.

BRONCHODILATATEURS INCLUS DANS LE *GUIDE* :

agoniste alpha et bêta adrénergique
éphédrine, 696

agonistes bêta-adrénergiques
épinéphrine, 699
isoprotérénol, 981
pirbutérol, 1402
salbutamol, 1536
terbutaline, 1621

inhibiteurs de la phosphodiestérase
aminophylline, 183
dyphylline, 680
oxtriphylline, 1307
théophylline, 1633

anticholinergique
ipratropium, 976

CHOLINERGIQUES (PARASYMPATHOMIMÉTIQUES ; ANTICHOLINESTÉRASIQUES)

Pharmacologie

Indication générale : Traitement de la rétention urinaire non obstructive (béthanécol) ; diagnostic (édrophonium) et traitement (néostigmine et pyridostigmine) de la myasténie grave. La physostigmine permet de diagnostiquer et de traiter les excès cholinergiques qui se produisent après un surdosage par les antidépresseurs. On peut administrer les anticholinestérasiques pour renverser l'effet des bloqueurs neuromusculaires de type non dépolarisant. L'édrophonium est aussi destiné au traitement de la tachyarythmie supraventriculaire. L'acétylcholine est administrée sous forme de gouttes ophtalmiques pour induire le myosis au cours d'une chirurgie oculaire.

Action générale et données de base: Les cholinergiques intensifient et prolongent l'action de l'acétylcholine en simulant ses effets aux sites des récepteurs cholinergiques (béthanécol) ou en prévenant la dégradation de l'acétylcholine par l'inhibition des cholinestérases (édrophonium, néostigmine, physostigmine et pyridostigmine). Les effets comprennent l'élévation du tonus des muscles génito-urinaires et squelettiques, la diminution de la pression intraoculaire, l'augmentation des sécrétions et la diminution de la capacité de vessie.

Contre-indications: Hypersensibilité. Ne pas administrer ces agents aux patients qui pourraient présenter une obstruction des voies gastro-intestinales ou génito-urinaires.

Précautions: L'administration des cholinergiques aux patients ayant des antécédents d'asthme, d'ulcère gastro-duodénal, de maladie cardio-vasculaire, d'épilepsie ou d'hyperthyroïdie doit s'accompagner d'une extrême prudence. L'innocuité des cholinergiques pendant la grossesse et l'allaitement n'a pas été établie. Garder de l'atropine à portée de la main pour traiter le surdosage.

Interactions: Effets cholinergiques additifs. Ne pas administrer ces médicaments en même temps que des agents neuromusculaires de type non dépolarisant. L'administration simultanée de ganglioplégiques peut provoquer une hypotension grave.

SOINS INFIRMIERS

ÉVALUATION DE LA SITUATION

- **Directives générales:** Mesurer souvent le pouls, la fréquence respiratoire et la pression artérielle pendant l'administration par voie parentérale.
- **Myasthénie grave:** Noter l'état du système neuromusculaire (ptosis, diplopie, capacité vitale, capacité de déglutition et force des membres) avant l'administration et au moment où l'effet pic se manifeste.
- Suivre de près les symptômes de surdosage, d'insensibilité au médicament (dose insuffisante) ou de résistance à ses effets thérapeutiques: faiblesse musculaire, dyspnée et dysphagie. Ces symptômes sont similaires, mais ceux du surdosage se manifestent habituellement dans l'heure qui suit l'administration alors que ceux de l'insensibilité au médicament apparaissent trois heures après l'administration, sinon plus tard. Un test par Tensilon (chlorure d'édrophonium) permet d'évaluer s'il s'agit de surdosage ou d'insensibilité au médicament.
- **Antidote des agents de blocage neuromusculaire de type non dépolarisant:** Déterminer la suppression des effets de ces agents par la stimulation des nerfs périphériques.
- **Rétention urinaire:** Effectuer le bilan des ingesta et des excreta. Palper l'abdomen pour déceler la distension de la vessie. Le médecin peut prescrire le cathétérisme pour évaluer les résidus post-mictionnels.
- **Glaucome:** Suivre de près la modification de la vision, l'irritation oculaire et les céphalées persistantes.
- **Toxicité et surdosage:** L'antidote spécifique des cholinergiques est l'atropine.

DIAGNOSTICS INFIRMIERS POSSIBLES

- **Énoncés diagnostiques**
- □ Altération de l'élimination urinaire.
- □ Mode de respiration inefficace.
- □ Prise en charge inefficace du programme thérapeutique.
- □ *Risque élevé d'accident.*

- **Facteurs favorisants**
□ Informations incomplètes.
□ *Difficulté à s'adapter aux changements nécessaires dans les habitudes de vie.*
□ *Manque de connaissances sur la méthode d'administration du médicament.*
□ *Altération de la perception visuelle.*

INTERVENTIONS INFIRMIÈRES

Myasthénie grave : Chez les patients qui ont de la difficulté à mâcher, on peut administrer le médicament 30 minutes avant les repas.

ENSEIGNEMENT AU PATIENT ET À SES PROCHES

- **Directives générales :** Recommander au patient souffrant de myasthénie grave de respecter scrupuleusement la posologie recommandée. Lui expliquer que s'il prend le médicament avec retard, il risque de déclencher une crise myasthénique alors que s'il le prend prématurément, il risque de déclencher une crise cholinergique. Prévenir le patient qu'il doit prendre le médicament toute sa vie durant.
- **Préparations ophtalmiques :** Montrer au patient comment appliquer les gouttes ophtalmiques ou l'onguent (voir l'annexe H).
- Expliquer au patient que la constriction des pupilles, les picotements et la vision trouble sont des effets passagers et prévisibles. Lui recommander de prévenir le médecin si la vision trouble et la douleur au niveau des sourcils persistent.
- Prévenir le patient que sa vision nocturne peut être altérée.
- Expliquer au patient la nécessité de se soumettre à des examens ophtalmiques réguliers permettant de mesurer la pression intraoculaire et le champ visuel.

VÉRIFICATION DES RÉSULTATS

L'efficacité du traitement peut être démontrée par : ■ la suppression des symptômes du SNC provoqués par un effet anticholinergique exagéré, induit par un surdosage médicamenteux ou l'ingestion de substances vénéneuses ■ la baisse de la pression intraoculaire ■ l'amélioration du tonus et du fonctionnement de la vessie ■ la diminution de la distension abdominale ■ le soulagement des symptômes myasthéniques ■ la capacité de distinguer les crises myasthéniques des crises cholinergiques ■ le renversement de la paralysie après anesthésie ■ la suppression de la tachycardie supraventriculaire.

CHOLINERGIQUES INCLUS DANS LE *GUIDE* :

anticholinestérasiques

démécarium, 564
échothiophate, iodure d', 684
édrophonium, 686
néostigmine, 1240
physostigmine, 1387
pyridostigmine, 1505

parasympathomimétiques

acétylcholine, 127
béthanéchol, 279

DÉCONTRACTANTS MUSCULAIRES (MYORELAXANTS)

Pharmacologie

Indication générale : La spasticité associée aux lésions de la moelle épinière ou aux maladies médullaires (baclofen et dantrolène) et le traitement d'appoint pour soulager les symptômes des maladies musculosquelettiques douloureuses aiguës (cyclobenzaprine, diazépam et méthocarbamol) sont les deux principales indications. Le dantrolène par voie IV est également administré pour traiter et prévenir l'hyperthermie maligne.

Action générale et données de base: Les myorelaxants exercent un effet central (baclofen, carisoprodol, cyclobenzaprine, diazépam et méthocarbamol) ou un effet direct (dantrolène).

Contre-indications: Le baclofen et le dantrolène par voie orale sont contre-indiqués lorsque la spasticité permet au patient de se maintenir en équilibre et en position.

Précautions: L'innocuité des myorelaxants pendant la grossesse et l'allaitement n'a pas été établie. Administrer avec prudence aux patients ayant des antécédents de maladie hépatique.

Interactions: Effets additifs sur la dépression du SNC lors de l'administration simultanée d'autres dépresseurs du système nerveux central, incluant l'alcool, les antihistaminiques, les antidépresseurs, les analgésiques narcotiques et les hypnosédatifs.

SOINS INFIRMIERS

ÉVALUATION DE LA SITUATION

Noter l'intensité de la douleur, mesurer le degré de rigidité musculaire et l'amplitude des mouvements avant l'administration du médicament et à intervalles réguliers pendant tout le traitement.

DIAGNOSTICS INFIRMIERS POSSIBLES

- **Énoncés diagnostiques**
- □ Douleur.
- □ Altération de la mobilité physique.
- □ Risque élevé d'accident.

- **Facteurs favorisants**
- □ *Perturbation de la vigilance.*

INTERVENTIONS INFIRMIÈRES

Prendre les mesures de sécurité qui s'imposent. Suivre de près les déplacements et le transport du patient.

ENSEIGNEMENT AU PATIENT ET À SES PROCHES

- Encourager le patient à suivre les autres traitements prescrits pour soulager les spasmes musculaires: repos, physiothérapie, application de chaleur.
- Prévenir le patient que le médicament peut provoquer de la somnolence. Lui conseiller de ne pas conduire et d'éviter les activités qui exigent sa vigilance jusqu'à ce qu'on ait la certitude que le médicament n'entraîne pas cet effet chez lui.
- Conseiller au patient de ne pas boire d'alcool et de ne pas prendre d'autres dépresseurs du SNC en même temps que ces médicaments.

VÉRIFICATION DES RÉSULTATS

L'efficacité du traitement peut être démontrée par: ■ la diminution de l'intensité des douleurs musculosquelettiques ■ la diminution de la spasticité musculaire ■ l'augmentation de l'amplitude des mouvements.

MYORELAXANTS INCLUS DANS LE *GUIDE*:

action centrale

baclofen, 254
carisoprodol, 358
cyclobenzaprine, 530

diazépam, 588
méthocarbamol, 1126

effet direct

dantrolène, 554

DIURÉTIQUES

Pharmacologie

Indication générale : Diurétiques thiazidiques et diurétiques de l'anse : administrés seuls ou en association pour traiter l'hypertension ou l'œdème dû à l'insuffisance cardiaque ou à d'autres causes. Les **diurétiques d'épargne potassique** ont de faibles propriétés diurétiques et antihypertensives ; ils sont surtout administrés pour empêcher l'élimination du potassium chez les patients recevant des diurétiques thiazidiques ou des diurétiques de l'anse. Les **inhibiteurs de l'anhydrase carbonique** sont surtout destinés au traitement du glaucome. Les **diurétiques osmotiques** sont souvent utilisés dans le traitement de l'œdème cérébral.

Action générale et données de base : Les diurétiques améliorent la diurèse de certains électrolytes et de l'eau en modifiant le mécanisme de sécrétion et de réabsorption des tubules rénaux. Les médicaments couramment administrés font partie des classes suivantes : diurétiques thiazidiques et dérivés ayant une structure proche (chlorothiazide, chlorthalidone, hydrochlorothiazide, indapamide et métolazone), diurétiques de l'anse (bumétanide, acide éthacrynique et furosémide), diurétiques d'épargne potassique (amiloride, spironolactone et triamtérène), diurétiques osmotiques (mannitol) et inhibiteurs de l'anhydrase carbonique (acétazolamide). Les mécanismes varient d'un médicament à l'autre.

Contre-indications : Hypersensibilité. Risque de réactions de sensibilité croisée lors de l'administration de diurétiques thiazidiques et d'autres composés sulfamidés.

Précautions : Administrer ces médicaments avec prudence aux patients souffrant de maladie rénale ou hépatique. L'innocuité des diurétiques pendant la grossesse et l'allaitement n'a pas été établie.

Interactions : Effets additifs sur l'hypokaliémie lors de l'administration simultanée de glucocorticoïdes, d'amphotéricine B, de mezlocilline, de pipéracilline ou de ticarcilline. L'hypokaliémie augmente la toxicité des dérivés digitaliques. Les diurétiques kaliurétiques diminuent l'excrétion du lithium et peuvent provoquer une toxicité. Effets additifs sur l'hypotension lors de l'administration simultanée d'autres antihypertenseurs ou de dérivés nitrés. Les diurétiques d'épargne potassique peuvent provoquer l'hyperkaliémie s'ils sont administrés en même temps que des suppléments de potassium ou des inhibiteurs de l'enzyme de conversion de l'angiotensine (ECA).

Présentation

Plusieurs diurétiques sont présentés en association avec des antihypertenseurs ou des diurétiques d'épargne potassique.

SOINS INFIRMIERS

ÉVALUATION DE LA SITUATION

- **Directives générales:** Suivre de près l'équilibre hydrique pendant tout le traitement. Noter tous les jours le poids du patient, effectuer le bilan quotidien des ingesta et des excreta, déterminer l'étendue et le siège de l'œdème, ausculter le murmure vésiculaire et examiner l'intégrité de la peau et des membranes muqueuses.
- Suivre de près les signes et les symptômes suivants: anorexie, faiblesse musculaire, engourdissement, picotements, paresthésie, confusion et soif incoercible. Prévenir le médecin dès l'apparition de ces signes de déséquilibre électrolytique.
- **Pression intracrânienne accrue:** Déterminer l'état neurologique et mesurer la pression intracrânienne des patients qui reçoivent des diurétiques osmotiques pour réduire l'œdème cérébral.
- **Pression intraoculaire accrue:** Suivre de près les douleurs oculaires persistantes ou accrues ou la diminution de l'acuité visuelle.
- **Étude des examens diagnostiques et biochimiques:** Vérifier les concentrations d'électrolytes (particulièrement de potassium), d'urée et d'acide urique sérique ainsi que la glycémie avant l'administration du diurétique et à des intervalles réguliers pendant tout le traitement.
- Les diurétiques thiazidiques peuvent augmenter les concentrations sanguines de cholestérol, de lipoprotéines de basse densité (LDL) et de triglycérides.

DIAGNOSTICS INFIRMIERS POSSIBLES

- **Énoncés diagnostiques**
- □ Excès de volume liquidien.
- □ Prise en charge inefficace du programme thérapeutique.
- □ *Risque élevé d'accident.*
- □ *Risque élevé de déséquilibre hydro-électrolytique.*
- □ *Risque élevé d'atteinte à l'intégrité de la peau.*

- **Facteurs favorisants**
- □ Informations incomplètes.
- □ *Manque de connaissances sur les signes d'hypokaliémie et d'hyperkaliémie et sur les moyens de les prévenir.*
- □ *Manque de connaissances sur les effets hypotensifs du médicament lors des changements brusques de position.*
- □ *Modification de l'état liquidien ou des volumes circulants.*
- □ *Manque de connaissances sur le régime alimentaire à suivre.*
- □ *Manque de connaissances sur la méthode d'administration du médicament.*
- □ *Manque de connaissances sur les moyens de réduire la photosensibilité.*
- □ *Difficulté à s'adapter aux changements nécessaires dans les habitudes de vie.*

INTERVENTIONS INFIRMIÈRES

Administrer les diurétiques par voie orale le matin pour prévenir l'interruption du cycle du sommeil.

ENSEIGNEMENT AU PATIENT ET À SES PROCHES

- **Directives générales:** Conseiller au patient de changer lentement de position pour réduire le risque d'hypotension orthostatique. Expliquer au patient que la consommation d'alcool, l'effort par temps chaud ou la station debout pendant de longues périodes peuvent aggraver l'hypotension orthostatique durant le traitement.

- Conseiller au patient de demander au médecin des directives concernant la consommation de potassium d'origine alimentaire.
- Demander au patient de se peser toutes les semaines et de signaler au médecin tout changement de poids important. Montrer au patient souffrant d'hypertension comment mesurer sa pression artérielle et lui recommander de prendre cette mesure toutes les semaines.
- Recommander au patient d'utiliser des écrans solaires et de porter des vêtements de protection pour prévenir les réactions de photosensibilité.
- Conseiller au patient de consulter le médecin ou le pharmacien avant de prendre un médicament en vente libre en même temps qu'un diurétique.
- Recommander au patient qui doit suivre un traitement dentaire ou subir une intervention chirurgicale d'avertir le dentiste ou le médecin qu'il suit un traitement médicamenteux.
- Recommander au patient de signaler immédiatement au médecin les symptômes suivants : faiblesse musculaire, crampes, nausées, étourdissements, engourdissement des membres ou picotements dans les mains et les pieds.
- Expliquer au patient l'importance des examens de suivi réguliers.
- **Hypertension :** Inciter le patient à appliquer d'autres mesures de réduction de l'hypertension : perdre du poids, faire régulièrement de l'exercice, réduire sa consommation de sel, diminuer le stress, boire avec modération et cesser de fumer.

VÉRIFICATION DES RÉSULTATS

L'efficacité du traitement peut être démontrée par : ■ la baisse de la pression artérielle ■ l'augmentation du débit urinaire ■ la réduction de l'œdème ■ la baisse de la pression intracrânienne ■ la baisse de la pression intraoculaire ■ la prévention de l'hypokaliémie chez les patients prenant des diurétiques ■ la diminution de l'hypersécrétion d'aldostérone.

DIURÉTIQUES INCLUS DANS LE *GUIDE* :

ÉLECTROLYTES ET SUPPLÉMENTS ÉLECTROLYTIQUES

Pharmacologie

Indication générale : Prévention ou traitement des déficits ou des excès électrolytiques. Les acidifiants et les alcalinisants rendent plus solubles les substances qui s'accumulent dans l'organisme lors de certaines maladies et en favorisent l'excrétion (calculs rénaux et uricémie).

Action générale et données de base: Les électrolytes sont essentiels à l'homéostasie. L'équilibre électrolytique est nécessaire à l'organisme pour mener à bien la plupart des processus physiologiques qui se déroulent dans le cœur, les muscles et le système nerveux, pour que la croissance et la stabilité des os soient maintenues et pour que d'autres fonctions puissent être assurées. Les électrolytes servent également de catalyseurs à de nombreuses réactions enzymatiques.

Contre-indications: Circonstances où le remplacement électrolytique pourrait entraîner des concentrations excessives d'électrolytes ou présence de facteurs de risque de rétention.

Précautions: Administrer avec prudence en présence de maladies caractérisées par un déséquilibre électrolytique, comme la maladie hépatique ou rénale, les troubles surrénaliens, les troubles hypophysaires, le diabète sucré.

Interactions: Selon les agents. Les alcalinisants et les acidifiants peuvent modifier l'excrétion de médicaments dont l'élimination rénale dépend du pH. Consulter la monographie de chaque médicament.

SOINS INFIRMIERS

ÉVALUATION DE LA SITUATION

Suivre de près les signes d'excès ou de déficit électrolytique. Étudier les résultats des examens biochimiques avant l'administration du médicament et à intervalles réguliers pendant tout le traitement.

DIAGNOSTICS INFIRMIERS POSSIBLES

■ **Énoncés diagnostiques**
- □ Déficit nutritionnel.
- □ Prise en charge inefficace du programme thérapeutique.
- □ *Risque élevé d'accident.*

■ **Facteurs favorisants**
- □ Informations incomplètes.
- □ *Manque de connaissances sur les modalités du traitement.*
- □ *Manque de connaissances sur le régime alimentaire à suivre.*
- □ *Difficulté à s'adapter aux changements nécessaires dans les habitudes de vie.*

INTERVENTIONS INFIRMIÈRES

Potassium, chlorure de: Diluer la préparation avant de l'administrer par voie parentérale.

ENSEIGNEMENT AU PATIENT ET À SES PROCHES

Expliquer au patient qui présente un déséquilibre électrolytique chronique les modifications qu'il doit apporter à son alimentation.

VÉRIFICATION DES RÉSULTATS

L'efficacité du traitement peut être démontrée par: ■ le rétablissement des concentrations d'électrolytes sériques et la disparition des symptômes cliniques de déséquilibre électrolytique ■ des modifications du pH ou de la composition de l'urine, ce qui permet de prévenir la formation de calculs rénaux.

ÉLECTROLYTES ET SUPPLÉMENTS ÉLECTROLYTIQUES INCLUS DANS LE *GUIDE*:

alcalinisant

sodium, bicarbonate de, 1557

calcium, sels de

calcium, carbonate de, 322
calcium, chlorure de, 324
calcium, gluceptate de, 330
calcium, gluconate de, 333
calcium, lactate de, 336

hypocalcémiques, agents

calcitonine, 316
étidronate, 737
gallium, nitrate de, 823
plicamycine, 1409

hypophosphatémique, agent

aluminium, hydroxyde d', 171

magnésium, sels de

magnésium, citrate de, 1066
magnésium, sulfate de, 1072

phosphates

de potassium, phosphates, 1434

de potassium et de sodium, phosphates, 1421
de sodium, phosphate, 1566

résine échangeuse d'ions potassium

polystyrène sodique, sulfonate de, 1419

potassium, sels de

potassium, bicarbonate de, 1424
potassium, chlorure de, 1426
potassium, gluconate de, 1430

solution de remplissage vasculaire

sodium, chlorure de, 1560

urine, acidifiants de l'

de potassium et de sodium, phosphates 1421
de potassium, phosphates, 1434

urine, alcalinisant de l'

de sodium, citrate, et acide citrique, 1564

GLAUCOME, AGENTS DESTINÉS AU TRAITEMENT DU

Pharmacologie

Indication générale: Traitement du glaucome. On traite habituellement le glaucome à angle ouvert par des médicaments et les autres formes de glaucome par la chirurgie.

Action générale et données de base: Ces médicaments abaissent la pression intraoculaire en diminuant la formation de l'humeur aqueuse ou en améliorant son drainage. Les bêtabloquants pour usage ophtalmique et les inhibiteurs de l'anhydrase carbonique administrés par voie orale diminuent la production de l'humeur aqueuse. Les myotiques cholinergiques à action directe, les anticholinestérasiques et les sympathomimétiques augmentent le drainage de l'humeur aqueuse.

Contre-indications: Éviter l'administration de ces préparations aux patients qui présentent une hypersensibilité aux ingrédients actifs, aux additifs ou aux agents de conservation. Ne pas administrer de myotiques aux patients qui souffrent de glaucome à angle fermé.

Précautions: Administrer ces médicaments avec prudence aux patients souffrant de maladie cardiovasculaire, de diabète sucré ou de maladie pulmonaire grave.

Interactions : Les bêtabloquants et les inhibiteurs de l'anhydrase carbonique administrés en même temps que d'autres agents exercent des effets additifs sur la pression intraoculaire. Les myotiques et les sympathomimétiques exercent également des effets additifs et on les administre fréquemment en association. Les anticholinestérasiques peuvent prolonger l'action des bloqueurs neuromusculaires.

SOINS INFIRMIERS

ÉVALUATION DE LA SITUATION

- Suivre de près les modifications de la vision, l'irritation oculaire et les céphalées persistantes.
- Surveiller les effets secondaires systémiques et les signaler au médecin.

DIAGNOSTICS INFIRMIERS POSSIBLES

- **Énoncés diagnostiques**
  □ Altération de la perception visuelle.
  □ Prise en charge inefficace du programme thérapeutique.
  □ *Risque élevé d'infection.*
  □ *Risque élevé d'accident.*

- **Facteurs favorisants**
  □ Informations incomplètes.
  □ *Manque de connaissances sur les moyens de réduire la photosensibilité et sur l'importance d'un suivi ophtalmologique.*
  □ *Manque de connaissances sur la méthode d'administration du médicament.*
  □ *Manque de connaissances sur les effets secondaires du médicament.*

INTERVENTIONS INFIRMIÈRES

Administration des gouttes ophtalmiques : demander au patient de renverser la tête vers l'arrière, abaisser la paupière inférieure et instiller les gouttes dans le sac conjonctival. Appliquer une pression sur le canthus interne pendant une minute après l'instillation pour prévenir l'absorption du médicament par voie systémique.

ENSEIGNEMENT AU PATIENT ET À SES PROCHES

- Encourager le patient à suivre le traitement prescrit et à ne pas l'interrompre sans l'autorisation du médecin. Parfois le traitement doit être poursuivi durant toute la vie.
- Expliquer au patient comment administrer les gouttes ophtalmiques. Insister sur l'importance de ne pas toucher l'œil avec l'applicateur et d'éviter tout contact entre l'applicateur et le doigt ou une quelconque surface. Lui expliquer qu'il peut prévenir l'absorption du médicament par voie systémique en appliquant une pression sur le canthus interne.
- Prévenir le patient qu'il peut ressentir une sensation passagère de picotement et que sa vision peut être trouble pendant un certain temps. Lui demander de prévenir le médecin si la vision trouble ou la douleur au niveau du sourcil persistent.
- Prévenir le patient que sa vision nocturne peut être altérée. Lui recommander de ne pas conduire la nuit jusqu'à ce qu'on ait la certitude que le médicament n'entraîne pas cet effet chez lui. Pour éviter les accidents dans l'obscurité, conseiller au patient de se servir d'une lampe de poche et de retirer les obstacles qui peuvent le gêner dans ses déplacements.
- Expliquer au patient le besoin de faire examiner régulièrement son champ de vision et sa pression intraoculaire.

L'efficacité du traitement peut être démontrée par : la stabilisation d'une pression intra-oculaire élevée.

AGENTS POUR LE TRAITEMENT DU GLAUCOME INCLUS DANS LE *GUIDE*:

bêtabloquants (usage ophtalmique)
bétaxolol, 278
lévobunolol, 1022
métipranolol, 1153
timolol, 1669

inhibiteurs de l'anhydrase carbonique
acétazolamide, 121
méthazolamide, 1119

myotiques (anticholinestérasiques)
démécarium, 564
échothiophate, iodure d', 684
physostigmine, 1387

myotiques (cholinergiques à action directe)
carbachol, 343
pilocarpine, 1391

sympathomimétiques
apraclonidine, 221
épinéphrine, 696

divers
glycérine, 849

GLUCOCORTICOÏDES

Pharmacologie

Indication générale : Doses supplétives (20 mg d'hydrocortisone ou l'équivalent) pour traiter l'insuffisance corticosurrénalienne. Les doses plus élevées sont habituellement administrées en raison de l'effet anti-inflammatoire, immunosuppresseur ou antinéo-plasique du médicament. Traitement d'appoint de nombreuses autres affections dont l'hypercalcémie et les maladies auto-immunes.

Action générale et données de base : Les glucocorticoïdes modifient la réponse immunitaire normale, suppriment l'inflammation et exercent une activité métabolique importante.

Contre-indications : Infections graves (à l'exception de certaines formes de méningite). Les patients qui prennent des doses élevées de glucocorticoïdes ne doivent pas recevoir des vaccins à virus vivants.

Précautions : Le traitement prolongé entraîne la suppression de la fonction surrénalienne. Ne pas sevrer brusquement le patient. L'administration de doses supplémentaires peut s'avérer nécessaire au cours des périodes de stress (intervention chirurgicale et infection). L'innocuité des glucocorticoïdes pendant la grossesse et l'allaitement n'a pas été établie. L'utilisation prolongée chez les enfants provoque un ralentissement de la croissance. Les glucocorticoïdes peuvent masquer les signes d'infection. Il est conseillé d'administrer la dose la plus faible possible pendant la période la plus courte possible. Pendant un traitement prolongé, il est préférable d'administrer le médicament un jour sur deux.

Interactions : Effets hypokaliémiques additifs lors de l'administration simultanée d'amphotéricine B, de diurétiques kaliurétiques, de mezlocilline, de pipéracilline et de ticarcilline. L'hypokaliémie peut augmenter le risque de toxicité par les dérivés digitaliques. Le traitement par les glucocorticoïdes peut augmenter les besoins en insuline ou en hypoglycémiants oraux. La phénytoïne, le phénobarbital et la rifampicine stimulent le métabolisme des glucocorticoïdes et peuvent en diminuer l'efficacité. Les contraceptifs oraux peuvent inhiber le métabolisme des glucocorticoïdes. La cholestyramine et le colestipol peuvent diminuer l'absorption de ces médicaments.

Présentation

Ces médicaments sont présentés sous forme de préparations orales, injectables et topiques ainsi que sous forme de préparations pour inhalation.

 **SOINS INFIRMIERS**

ÉVALUATION DE LA SITUATION

- Ces médicaments sont destinés au traitement d'un grand nombre de maladies. Observer le système ou l'appareil touché avant l'administration de l'agent et à intervalles réguliers pendant tout le traitement.
- Suivre de près les signes d'insuffisance surrénalienne (hypotension, perte de poids, faiblesse, nausées, vomissements, anorexie, léthargie, confusion, agitation) avant l'administration de l'agent et à intervalles réguliers pendant tout le traitement.
- Chez les enfants, noter à intervalles réguliers la croissance.

DIAGNOSTICS INFIRMIERS POSSIBLES

- **Énoncés diagnostiques**
- ☐ Risque élevé d'infection.
- ☐ Perturbation situationnelle de l'estime de soi.
- ☐ Prise en charge inefficace du programme thérapeutique.
- ☐ *Risque élevé d'accident.*

- **Facteurs favorisants**
- ☐ Informations incomplètes.
- ☐ *Altération de l'image corporelle.*
- ☐ *Manque de connaissances sur les modalités du traitement.*
- ☐ *Manque de connaissances sur la méthode d'administration du médicament.*
- ☐ *Manque de connaissances sur les effets secondaires du médicament et sur les moyens de les prévenir.*
- ☐ *Manque de connaissances sur le régime alimentaire à suivre.*

INTERVENTIONS INFIRMIÈRES

- **Directives générales:** Traitement quotidien ou d'un jour sur deux: administrer l'agent le matin, pour en faire coïncider la prise avec les sécrétions naturelles de cortisol.
- **PO:** Administrer l'agent avec les repas pour réduire les risques d'irritation gastrique.

ENSEIGNEMENT AU PATIENT ET À SES PROCHES

- Recommander au patient de prendre le médicament en respectant scrupuleusement la posologie recommandée. Expliquer au patient les symptômes d'insuffisance surrénalienne qui peuvent survenir lors du sevrage et le prévenir qu'ils peuvent être mortels.
- Inciter le patient qui suit un traitement prolongé à adopter un régime riche en protéines, en calcium et en potassium et pauvre en sodium et en glucides.
- Prévenir le patient que ces médicaments suppriment la réponse immunitaire et qu'ils peuvent masquer les symptômes d'infection. Lui conseiller d'éviter tout

contact avec des personnes contagieuses et de signaler au médecin toute infection possible. Lui recommander de consulter le médecin avant de recevoir un vaccin quel qu'il soit.

- Expliquer au patient les effets possibles des glucocorticoïdes sur l'image corporelle. Explorer avec lui les stratégies lui permettant de s'adapter à ce changement.
- Conseiller au patient de toujours porter sur lui une pièce d'identité où sont inscrits son problème de santé et son traitement, pour parer aux cas d'urgence où il se trouve incapable d'exposer ses antécédents.

VÉRIFICATION DES RÉSULTATS

L'efficacité du traitement peut être démontrée par : ■ la suppression de la réaction inflammatoire et de la réponse immunitaire, en cas de maladie auto-immune, de réactions allergiques et de greffe d'organe ■ l'issue favorable du traitement substitutif en cas d'insuffisance surrénalienne.

GLUCOCORTICOÏDES INCLUS DANS LE *GUIDE*:

glucocorticoïdes topiques, 839

glucocorticoïdes à action brève

cortisone, 516
hydrocortisone, 900

glucocorticoïdes à action intermédiaire

méthylprednisolone, 1147
prednisolone, 1446

prednisone, 1449
triamcinolone, 1693

glucocorticoïdes à action prolongée

béclométhasone, 260
bétaméthasone, 274
dexaméthasone, 575
flunisolide, 788

GOUTTE, AGENTS DESTINÉS AU TRAITEMENT DE LA (URICOSURIQUES)

Pharmacologie

Indication générale : Traitement des accès aigus de goutte (colchicine) et prévention des accès récurrents (allopurinol, probénécide). L'allopurinol et le probénécide sont également administrés dans le traitement de l'hyperuricémie secondaire.

Action générale et données de base : Ces médicaments diminuent la réaction inflammatoire (colchicine) ou les concentrations sériques d'acide urique, en en favorisant l'excrétion par les reins (probénécide, sulfinpyrazone) ou en en diminuant la production (allopurinol). La sulfinpyrazone est également un antiagrégant plaquettaire.

Contre-indications : Hypersensibilité. L'administration de l'allopurinol au cours des accès aigus de goutte est déconseillée.

Précautions : L'alcalinisation de l'urine augmente les effets uricosuriques. La réduction rapide des concentrations d'acide urique peut entraîner la précipitation des cristaux d'urates dans les tissus mous.

Interactions : Le probénécide favorise la réabsorption de nombreux médicaments, dont les pénicillines et les céphalosporines. On peut tirer partie de cette interaction pour obtenir des concentrations sanguines plus élevées et plus soutenues de ces médicaments. L'allopurinol augmente la toxicité de plusieurs agents antinéoplasiques (6-mercaptopurine, azathioprine). L'administration simultanée d'allopurinol et d'ampicilline élève fortement l'incidence de rash. De faibles doses d'aspirine (< 2 g/jour) élèvent les concentrations sériques d'acide urique et peuvent entraver le traitement de la goutte. La sulfinpyrazone, administrée en même temps que d'autres préparations qui affectent l'hémostase (aspirine, anticoagulants), peut augmenter le risque de saignement.

⁂ SOINS INFIRMIERS

ÉVALUATION DE LA SITUATION

- Suivre de près les douleurs articulaires et l'enflure des articulations pendant tout le traitement.
- Effectuer le bilan des ingesta et des excreta. S'assurer que le patient consomme suffisamment de liquides (de 2 500 à 3 000 mL par jour) pour réduire le risque de formation de calculs rénaux.

DIAGNOSTICS INFIRMIERS POSSIBLES

- **Énoncés diagnostiques**
- ☐ Douleur.
- ☐ Prise en charge inefficace du programme thérapeutique.
- ☐ *Risque élevé d'altération de l'élimination urinaire.*

- **Facteurs favorisants**
- ☐ Informations incomplètes.
- ☐ *Modification de l'état liquidien ou des volumes circulants.*
- ☐ *Manque de connaissances sur les modalités du traitement.*
- ☐ *Manque de connaissances sur le régime alimentaire à suivre.*

INTERVENTIONS INFIRMIÈRES

Administrer l'agent pendant ou après les repas pour réduire l'irritation gastrique.

ENSEIGNEMENT AU PATIENT ET À SES PROCHES

- Expliquer au patient l'importance d'augmenter sa consommation de liquides.
- Inciter le patient à suivre les recommandations du médecin concernant la perte de poids, le régime alimentaire à suivre et la consommation d'alcool.

VÉRIFICATION DES RÉSULTATS

L'efficacité du traitement peut être démontrée par: le soulagement de la goutte ou la prévention des accès aigus.

AGENTS POUR LE TRAITEMENT DE LA GOUTTE ET URICOSURIQUES INCLUS DANS LE *GUIDE*:

allopurinol, 158   probénécide, 1455
colchicine, 499   sulfinpyrazone, 1606

HISTAMINE, ANTAGONISTES DES RÉCEPTEURS H₂ À L'

Pharmacologie

Indication générale: Traitement et prophylaxie de l'ulcère gastroduodénal, du reflux gastro-œsophagien et des maladies caractérisées par une hypersécrétion gastrique, comme le syndrome de Zollinger-Ellison.

Action générale et données de base : Inhibition compétitive de l'activité de l'histamine au niveau des récepteurs H_2 situés surtout dans les cellules pariétales gastriques, ce qui entraîne l'inhibition de la sécrétion d'acide gastrique.

Contre-indications : Hypersensibilité.

Précautions : La réduction de la posologie est recommandée chez les patients souffrant d'insuffisance rénale et chez les personnes âgées. L'innocuité du médicament chez la femme enceinte, chez celle qui allaite et chez l'enfant n'a pas été établie.

Interactions : La cimétidine inhibe le métabolisme hépatique de plusieurs médicaments, ce qui peut augmenter les risques de toxicité par les anticoagulants oraux, la théophylline, les antidépresseurs tricycliques, le métoprolol, la phénytoïne, le propranolol ou la lidocaïne. Tous les agents diminuent l'absorption du kétoconazole.

SOINS INFIRMIERS

ÉVALUATION DE LA SITUATION

- Suivre de près la douleur épigastrique ou abdominale et la présence de sang occulte ou franc dans les selles, les vomissures et les échantillons prélevés par aspiration gastrique.
- Chez les personnes âgées et les patients gravement malades, suivre de près les signes de confusion et prévenir immédiatement le médecin de leur apparition.
- **Étude des examens diagnostiques et biochimiques :** Les effets de ces médicaments contrecarrent ceux de la pentagastrine et de l'histamine lors de l'analyse de l'acidité gastrique. Ne pas administrer l'agent dans les 24 heures qui précèdent ce test.
- Le traitement peut entraîner des résultats faussement négatifs aux tests cutanés effectués au moyen d'extraits d'allergène. Ne pas administrer ces médicaments pendant les 24 heures qui précèdent ce test.

DIAGNOSTICS INFIRMIERS POSSIBLES

- **Énoncés diagnostiques**
- ☐ Douleur.
- ☐ Prise en charge inefficace du programme thérapeutique.

- **Facteurs favorisants**
- ☐ Informations incomplètes.
- ☐ *Manque de connaissances sur la méthode d'administration du médicament.*
- ☐ *Manque de connaissances sur les modalités du traitement.*
- ☐ *Difficulté à s'adapter aux changements nécessaires dans les habitudes de vie.*
- ☐ *Manque de connaissances sur le régime alimentaire à suivre.*
- ☐ *Manque de connaissances sur les effets secondaires du médicament.*

INTERVENTIONS INFIRMIÈRES

Si les doses PO sont administrées en même temps que des antiacides, prévoir au moins une heure d'intervalle entre les deux administrations.

ENSEIGNEMENT AU PATIENT ET À SES PROCHES

- Expliquer au patient qu'il doit respecter scrupuleusement la posologie recommandée et continuer à prendre le médicament, même s'il se sent mieux. S'il n'a pas pu prendre le médicament au moment habituel, il doit le prendre aussitôt que possible mais non pas si l'heure de la dose suivante est proche. L'avertir qu'il ne doit jamais remplacer une dose manquée par une double dose.

- Expliquer au patient que le tabac entrave l'effet de certains antagonistes des récepteurs H_2 à l'histamine. Lui recommander de cesser de fumer ou, au moins, de ne pas fumer après qu'il a pris la dernière dose de la journée.
- Conseiller au patient d'éviter de boire de l'alcool et de ne pas prendre des préparations contenant de l'aspirine. Lui conseiller également de ne pas consommer des aliments qui peuvent aggraver l'irritation gastro-intestinale.
- Recommander au patient de signaler rapidement au médecin les symptômes suivants : selles noires ou goudronneuses, diarrhée, étourdissements, éruptions cutanées ou confusion.

VÉRIFICATION DES RÉSULTATS

L'efficacité du traitement peut être démontrée par : la diminution des douleurs abdominales ou la prévention de l'hémorragie ou de l'irritation gastrique. La cicatrisation des ulcères duodénaux peut être confirmée par un examen radiologique ou l'endoscopie. Après l'épisode initial, il faut poursuivre le traitement pendant au moins six semaines.

ANTAGONISTES DES RÉCEPTEURS H_2 À L'HISTAMINE INCLUS DANS LE *GUIDE* :

cimétidine, 455   nizatidine, 1268
famotidine, 755   ranitidine, 1524

HORMONES

Pharmacologie

Indication générale : Traitement de certaines insuffisances hormonales comprenant le diabète (insuline), le diabète insipide (desmopressine), l'hypothyroïdie ((hormones thyroïdiennes) et la ménopause (œstrogènes). Certaines hormones en association (œstrogènes et progestatifs) sont des contraceptifs oraux. Traitement des tumeurs sensibles aux hormones (androgènes et œstrogènes) et autres cas particuliers. Consulter la monographie de chaque médicament.

Action générale et données de base : Les hormones sont des substances naturelles ou synthétiques exerçant un effet particulier sur le tissu cible. Les effets varient considérablement selon l'hormone administrée et la fonction du tissu cible.

Contre-indications : Très différentes, selon l'hormone administrée. Consulter la monographie de chaque médicament.

Précautions : Administrer les hormones avec prudence aux patients souffrant de maladies cardiaque, hépatique ou rénale graves. Lors du traitement des insuffisances hormonales, il faut étudier les résultats des examens biochimiques pour ajuster la posologie et évaluer les bienfaits du traitement.

Interactions : Très différentes, selon l'hormone administrée. Consulter la monographie de chaque médicament.

SOINS INFIRMIERS

ÉVALUATION DE LA SITUATION

- **Directives générales :** Suivre de près les symptômes d'excès ou d'insuffisance hormonale.
- **Hormones sexuelles :** Mesurer la pression artérielle et interpréter les tests de l'exploration fonctionnelle hépatique à intervalles réguliers pendant tout le traitement.

■ **Érythropoïétine :** Tout au long du traitement, mesurer la pression artérielle, examiner l'hématocrite, les concentrations d'hémoglobine, ainsi que les numérations réticulocytaire et érythrocytaire. Suivre de près les symptômes d'anémie. L'hypertension rebelle est une contre-indication à l'administration d'hormones.

DIAGNOSTICS INFIRMIERS POSSIBLES

■ **Énoncés diagnostiques**
□ Dysfonctionnement sexuel.
□ Perturbation situationnelle de l'estime de soi.
□ Prise en charge inefficace du programme thérapeutique.
□ *Risque élevé d'accident.*

■ **Facteurs favorisants**
□ Informations incomplètes.
□ *Manque de connaissances sur les modalités du traitement.*
□ *Manque de connaissances sur les effets secondaires du médicament et sur les moyens de les prévenir.*
□ *Altération de l'image corporelle.*

INTERVENTIONS INFIRMIÈRES

Hormones sexuelles : Continuer l'administration selon le schéma posologique prescrit avant l'hospitalisation.

ENSEIGNEMENT AU PATIENT ET À SES PROCHES

■ **Directives générales :** Expliquer au patient le schéma posologique. Prévenir la patiente du risque d'apparition d'une hémorragie de retrait lors de l'administration d'hormones sexuelles femelles.
■ Expliquer l'importance des examens de suivi permettant d'évaluer l'efficacité du traitement et de contrer rapidement les effets secondaires qui pourraient se manifester.
■ **Hormones sexuelles femelles :** Recommander à la patiente de signaler au médecin les signes et les symptômes de rétention hydrique, de maladie thromboembolique, de dépression et de dysfonctionnement hépatique.

VÉRIFICATION DES RÉSULTATS

L'efficacité du traitement peut être démontrée par : ■ la résolution des symptômes cliniques de déséquilibre hormonal, comprenant les symptômes de la ménopause ■ l'efficacité des contraceptifs ■ le rééquilibrage hydro-électrolytique ■ l'arrêt de la propagation des cancers métastatiques avancés des seins ou de la prostate ■ le ralentissement de l'évolution de l'ostéoporose postménopausique ■ l'élévation de l'hématocrite.

HORMONES INCLUSES DANS LE *GUIDE* :

HYPNOSÉDATIFS

Pharmacologie

Indication générale : Sédatifs : traitement de divers troubles anxieux. **Hypnotiques :** traitement de l'insomnie. On administre certains agents comme anticonvulsivants (diazépam et phénobarbital) et d'autres comme myorelaxants (diazépam) ou comme traitement d'appoint du syndrome de sevrage alcoolique (chlordiazépoxide, clorazépate, diazépam et oxazépam). Traitement d'appoint lors de l'anesthésie générale. Certains hypnosédatifs sont doués de propriétés amnésiques. On utilise également comme sédatifs certaines phénothiazines.

Action générale et données de base : Ces médicaments provoquent une dépression généralisée du SNC. Lors d'un traitement prolongé, il y a risque de tolérance à l'effet du médicament et de dépendance psychologique et physique. Les hypnosédatifs sont dénués de propriétés analgésiques.

Contre-indications : Hypersensibilité. Ne pas administrer les hypnosédatifs aux patients comateux ou à ceux qui présentent une dépression du SNC. Ne pas administrer ces médicaments aux patients ayant des douleurs intenses rebelles à tout traitement. Éviter l'administration des hypnosédatifs pendant la grossesse et l'allaitement.

Précautions : Administrer ces médicaments avec prudence aux patients souffrant d'insuffisance hépatique, d'insuffisance rénale grave ou de maladie pulmonaire sous-jacente grave. Il faut aussi administrer ces médicaments avec prudence aux patients qui pourraient avoir des tendances suicidaires ou qui ont déjà souffert de toxicomanie. Administrer les hypnotiques pendant une période brève seulement. Chez les personnes âgées, la sensibilité aux effets dépresseurs du SNC peut être accrue ; une réduction de la posologie peut être nécessaire.

Interactions : Effets additifs sur la dépression du SNC lors de la consommation d'alcool ou de l'administration concomitante d'antihistaminiques, d'antidépresseurs, d'analgésiques narcotiques et de phénothiazines. Les barbituriques induisent l'action des enzymes hépatiques qui jouent un rôle dans le métabolisme des médicaments et peuvent diminuer l'efficacité des agents qui subissent le métabolisme hépatique. Ne pas administrer les hypnosédatifs en même temps que des inhibiteurs de la MAO.

SOINS INFIRMIERS

ÉVALUATION DE LA SITUATION

- **Directives générales :** Mesurer souvent la pression artérielle, le pouls et la fréquence respiratoire pendant l'administration par voie IV.
- Le traitement prolongé avec des doses élevées peut entraîner la dépendance psychologique et physique. Limiter la quantité de médicament dont peut disposer le patient, particulièrement s'il est déprimé ou suicidaire ou s'il a des antécédents de toxicomanie.
- **Insomnie :** Noter les habitudes de sommeil avant l'administration et à intervalles réguliers pendant tout le traitement.
- **Anxiété :** Noter le degré d'anxiété et le degré de sédation (ataxie, vertiges et troubles de l'élocution) avant l'administration et à intervalles réguliers pendant tout le traitement.
- **Crises d'épilepsie :** Observer et noter dans les dossiers l'intensité, la durée et les caractéristiques des crises. Prendre les précautions qui s'imposent si une crise survient.
- **Spasmes musculaires :** Noter les spasmes musculaires, la douleur qui les accompagne et les limites des mouvements avant l'administration et pendant tout le traitement.
- **Sevrage alcoolique :** Chez le patient qui souffre du syndrome de sevrage alcoolique, suivre de près les symptômes suivants : tremblements, agitation, délirium et hallucinations. Protéger le patient contre les accidents.

DIAGNOSTICS INFIRMIERS POSSIBLES

- **Énoncés diagnostiques**
- □ Perturbation des habitudes de sommeil.
- □ Risque élevé d'accident.
- □ Prise en charge inefficace du programme thérapeutique.
- □ *Risque élevé de perturbation des échanges gazeux.*
- □ *Risque élevé de dégagement inefficace des voies respiratoires.*
- □ *Risque élevé d'anxiété.*

- **Facteurs favorisants**
- □ Informations incomplètes.
- □ *Mode de respiration inefficace.*
- □ *Perturbation de la vigilance.*
- □ *Manque de connaissances sur les effets hypotensifs du médicament lors des changements brusques de position.*
- □ *Manque de connaissances sur les modalités du traitement.*

INTERVENTIONS INFIRMIÈRES

Observer les déplacements et le transport des patients après l'administration des hypnotiques. Retirer les cigarettes. Soulever les ridelles du lit et laisser la sonnette d'alarme à portée de la main en tout temps. Garder le lit en position basse.

ENSEIGNEMENT AU PATIENT ET À SES PROCHES

- Expliquer au patient qu'il est important de préparer un cadre propice pour le sommeil (par exemple, pièce sombre et calme). Lui conseiller d'éviter le tabac et le café. Recommander au patient de consulter le médecin s'il a l'impression que le médicament est moins efficace après quelques semaines, mais de ne jamais augmenter les doses par lui-même. Le sevrage graduel permet parfois de prévenir les réactions qui peuvent se manifester par suite d'un traitement prolongé.
- Prévenir le patient que ces médicaments peuvent provoquer la somnolence diurne. Lui conseiller de ne pas conduire et d'éviter les activités qui exigent sa vigilance jusqu'à ce qu'on ait la certitude que le médicament n'entraîne pas cet effet chez lui.
- Recommander au patient d'éviter de boire de l'alcool et de ne pas prendre d'autres dépresseurs du SNC en même temps que ces médicaments.
- Conseiller à la patiente d'informer le médecin si elle pense être enceinte ou si elle souhaite le devenir.

VÉRIFICATION DES RÉSULTATS

L'efficacité du traitement peut être démontrée par : ■ l'amélioration du sommeil ■ la diminution de l'anxiété ■ la stabilisation des crises convulsives ■ le soulagement des spasmes musculaires ■ la diminution des tremblements ■ un mode de pensée plus logique, lors du traitement des symptômes du sevrage alcoolique.

HYPNOSÉDATIFS INCLUS DANS LE *GUIDE* :

antihistaminiques

diphenhydramine, 634
hydroxyzine, 918
prométhazine, 1477

barbituriques

amobarbital, 192
composé de butalbital, 311
pentobarbital, 1352
phénobarbital, 1366
sécobarbital, 1547
thiopental, 1645

benzodiazépines

alprazolam, 160
chlordiazépoxide, 430
clorazépate, 487
diazépam, 588

estazolam, 721
flurazépam, 804
halazépam, 876
lorazépam, 1055
midazolam, 1177
oxazépam, 1303
prazépam, 1442
quazépam, 1513
témazépam, 1617
triazolam, 1700

divers

buspirone, 306
chloral, hydrate de, 421
ethchlorvynol, 733
glutéthimide, 844
méprobamate, 1104

HYPOCHOLESTÉROLÉMIANTS (AGENTS ANTIHYPERLIPIDÉMIANTS ; HYPOLIPIDÉMIANTS)

Pharmacologie

Indication générale : Traitement d'appoint faisant partie d'un programme global comprenant la diétothérapie et l'exercice pour abaisser les concentrations des lipides sanguins, et pour essayer de réduire par cette voie les taux de morbidité et de mortalité attribuables à la maladie cardiovasculaire athéroscléreuse.

Action générale et données de base: Ces médicaments abaissent les concentrations de cholestérol ou de triglycérides ou des deux à la fois par divers mécanismes. Consulter la monographie de chaque médicament.

Contre-indications: Hypersensibilité.

Précautions: L'innocuité de ces médicaments chez les femmes enceintes ou chez celles qui allaitent et chez les enfants n'a pas été établie. Consulter la monographie de chaque médicament. Il est conseillé d'essayer dans un premier temps d'abaisser les taux des lipides sanguins par la diétothérapie, pendant deux ou trois mois, avant d'amorcer un traitement médicamenteux.

Interactions: Les chélateurs des acides biliaires (cholestyramine et colestipol) peuvent lier les vitamines liposolubles (A, D, E, et K) et empêcher l'absorption de certains médicaments du tractus gastro-intestinal.

SOINS INFIRMIERS

ÉVALUATION DE LA SITUATION

- Recueillir des données sur les habitudes alimentaires du patient, notamment sur sa consommation de matières grasses et d'alcool.
- **Étude des examens diagnostiques et biochimiques:** Examiner les concentrations de cholestérol et de triglycérides avant l'administration de l'agent et à intervalles réguliers pendant tout le traitement. Ne pas administrer ces agents en cas d'élévation paradoxale des concentrations de cholestérol.
- Examiner les résultats des tests de l'exploration de la fonction hépatique avant le traitement et à intervalles réguliers pendant toute sa durée. Certains hypolipidémiants peuvent élever les concentrations enzymatiques.

DIAGNOSTICS INFIRMIERS POSSIBLES

- **Énoncés diagnostiques**
- □ Prise en charge inefficace du programme thérapeutique.
- □ Non-observance du traitement médicamenteux.

- **Facteurs favorisants**
- □ Informations incomplètes.
- □ Doute quant aux bienfaits du médicament.
- □ *Manque de connaissances sur les modalités du traitement.*
- □ *Manque de connaissances sur le régime alimentaire à suivre.*
- □ *Difficulté à s'adapter aux changements nécessaires dans les habitudes de vie.*

INTERVENTIONS INFIRMIÈRES

Consulter la monographie de chaque médicament pour déterminer s'il faut l'administrer avec des aliments ou en dehors des repas.

ENSEIGNEMENT AU PATIENT ET À SES PROCHES

Expliquer au patient que le traitement médicamenteux ne peut être efficace que s'il suit en même temps un régime alimentaire pauvre en matières grasses, en cholestérol et en glucides, s'il évite de boire de l'alcool, s'il fait de l'exercice et s'il cesse de fumer.

VÉRIFICATION DES RÉSULTATS

L'efficacité du traitement peut être démontrée par : une baisse des concentrations de trigly-cérides et de cholestérol-LDL (lipoprotéines de basse densité) et une élévation des concentrations de cholestérol-HDL (lipoprotéines de haute densité). Il faut habituellement arrêter le traitement si aucune réponse clinique ne se manifeste après trois mois.

HYPOLIPIDÉMIANTS INCLUS DANS LE *GUIDE* :

chélateurs des acides biliaires

cholestyramine, 448
colestipol, 502

divers

clofibrate, 475

gemfibrozil, 827
lovastatine, 1057
niacine, 1246
pravastatine, 1440
probucol, 1457

IMMUNOSUPPRESSEURS

Pharmacologie

Indication générale : L'azathioprine et la cyclosporine sont administrées en association avec les glucocorticoïdes pour prévenir les réactions de rejet des greffes. Le muromonab-CD3 permet de traiter les réactions de rejet réfractaires à tout autre traitement. L'azathioprine, le cyclophosphamide, la cyclosporine et le méthotrexate sont destinés au traitement d'un certain nombre de maladies auto-immunes (syndrome néphrotique de l'enfance et polyarthrite rhumatoïde grave).

Action générale et données de base : Les immunosuppresseurs inhibent les réponses immunitaires à médiation cellulaire par divers mécanismes. L'azathioprine et la cyclosporine sont surtout utilisées en raison de leurs propriétés de modulation immunitaire ; le cyclophosphamide et le méthotrexate sont par ailleurs utilisés pour supprimer la réponse immunitaire qui survient en présence de certaines maladies (syndrome néphrotique de l'enfance et polyarthrite rhumatoïde grave). Le muromonab-CD3 est un anticorps immunoglobuline monoclonal reproductible qui modifie la fonction des cellules T.

Contre-indications : Hypersensibilité au médicament ou au véhicule.

Précautions : Administrer les immunosuppresseurs avec prudence en cas d'infection. L'innocuité du médicament pendant la grossesse et l'allaitement n'a pas été établie.

Interactions : L'allopurinol inhibe le métabolisme de l'azathioprine. Les médicaments qui modifient les processus métaboliques hépatiques peuvent aussi modifier l'effet de la cyclosporine. Les risques de toxicité par le méthotrexate peuvent être accrus par d'autres médicaments néphrotoxiques, par des doses élevées d'aspirine ou par les agents anti-inflammatoires non stéroïdiens. Le muromonab-CD3 est doué de propriétés immunosuppressives additives ; les doses d'immunosuppresseurs administrées simultanément doivent être diminuées ou éliminées.

SOINS INFIRMIERS

ÉVALUATION DE LA SITUATION

- **Directives générales :** Suivre de près les signes d'infection : altération des signes vitaux, aspect des expectorations, de l'urine et des selles, diminution du nombre de leucocytes et les signaler immédiatement au médecin.

- **Greffe d'organe:** Surveiller les symptômes de rejet d'organe pendant tout le traitement.
- **Étude des examens diagnostiques et biochimiques:** Vérifier la numération globulaire et la formule leucocytaire pendant toute la durée du traitement.

DIAGNOSTICS INFIRMIERS POSSIBLES

- **Énoncés diagnostiques**
  □ Risque élevé d'infection.
  □ Prise en charge inefficace du programme thérapeutique.

- **Facteurs favorisants**
  □ Informations incomplètes.
  □ *Manque de connaissances sur les modalités du traitement.*
  □ *Manque de connaissances sur les effets secondaires du médicament et sur les moyens de les prévenir.*
  □ *Difficulté à s'adapter aux changements nécessaires dans les habitudes de vie.*

INTERVENTIONS INFIRMIÈRES

- Protéger le patient ayant reçu une greffe de tout contact avec les membres de l'équipe soignante et les visiteurs qui risquent d'être contagieux.
- Maintenir l'isolement de protection selon les besoins.

ENSEIGNEMENT AU PATIENT ET À SES PROCHES

- Expliquer au patient qu'il doit suivre son traitement durant toute la vie pour prévenir le rejet du greffon. Lui exposer les symptômes de rejet d'organe et lui recommander de les signaler au médecin dès leur apparition.
- Conseiller au patient d'éviter tout contact avec des personnes contagieuses et avec celles ayant reçu depuis peu de temps un vaccin par voie orale contre le poliovirus. Recommander au patient de consulter le médecin avant de se faire vacciner.
- Expliquer au patient l'importance des examens de suivi et des examens diagnostiques.

VÉRIFICATION DES RÉSULTATS

L'efficacité du traitement peut être démontrée par: la prévention ou l'arrêt d'un épisode de rejet du greffon ou la diminution des symptômes de maladie auto-immune.

IMMUNOSUPPRESSEURS INCLUS DANS LE *GUIDE*:

cyclophosphamide, 533	méthotrexate, 1132
cyclosporine, 537	muromonab-CD3, 1213

INHIBITEURS CALCIQUES

Pharmacologie

Indication générale: Traitement de l'hypertension (diltiazem, félodipine, isradipine, nicardipine, nifédipine, vérapamil), traitement et prophylaxie de l'angine de poitrine et du spasme coronarien (bépridil, diltiazem, nicardipine, nifédipine, vérapamil). Réduction des tachyarythmies supraventriculaires (vérapamil et diltiazem). La nimodipine permet de prévenir les lésions neurologiques entraînées par certains types de vasospasmes cérébraux.

Action générale et données de base : Ces médicaments inhibent l'entrée du calcium dans les cellules des muscles lisses vasculaires et du myocarde. Ils entraînent la dilatation des artères coronaires que le myocarde soit normal ou ischémique et inhibent le spasme coronarien. Le vérapamil et le diltiazem diminuent la conduction du nœud auriculo-ventriculaire. La nimodipine semble exercer un effet relativement sélectif sur les vaisseaux sanguins du cerveau.

Contre-indications : Hypersensibilité. Bradycardie, bloc cardiaque du 2e et du 3e degré, insuffisance cardiaque non compensée (bépridil, vérapamil).

Précautions : L'innocuité des inhibiteurs calciques pendant la grossesse et l'allaitement n'a pas été établie. Administrer ces agents avec prudence aux patients souffrant de maladie hépatique ou d'arythmies rebelles. On a associé l'administration du bépridil à l'apparition de l'agranulocytose et à des arythmies graves.

Interactions : Effets additifs sur la dépression du myocarde lors de l'administration simultanée de bêtabloquants et du dysopyramide (vérapamil seulement). L'efficacité des inhibiteurs calciques peut être diminuée par le phénobarbital ou la phénytoïne et accrue par le propranolol ou la cimétidine. Le vérapamil et le diltiazem peuvent élever les concentrations de digoxine sérique et entraîner une toxicité.

⁂ SOINS INFIRMIERS

ÉVALUATION DE LA SITUATION

- **Directives générales :** Mesurer la pression artérielle et le pouls avant l'administration du médicament et à intervalles réguliers pendant tout le traitement.
- Effectuer le bilan quotidien des ingesta et des excreta et noter le poids du patient tous les jours. Surveiller régulièrement les signes et les symptômes d'insuffisance cardiaque : dyspnée, râles ou crépitations, gain pondéral, œdème périphérique, turgescence des jugulaires.
- **Angine :** Noter la fréquence et la gravité des épisodes de douleurs thoraciques à intervalles réguliers tout au long du traitement.
- **Arythmie :** Relever constamment les anomalies de l'ÉCG pendant le traitement par voie IV et à intervalles réguliers pendant un traitement prolongé au vérapamil.
- **Vasospasme cérébral :** Évaluer l'état neurologique du patient (niveau de la conscience, mouvements) avant l'administration de la nimopidine et à intervalles réguliers pendant tout le traitement.
- **Études des examens diagnostiques et biochimiques :** Examiner régulièrement les concentrations digitaliques chez les patients recevant des dérivés digitaliques en même temps que du vérapamil ou du diltiazem. Surveiller régulièrement les signes et les symptômes d'intoxication par les dérivés digitaliques.

DIAGNOSTICS INFIRMIERS POSSIBLES

- **Énoncés diagnostiques**
- ☐ Diminution de l'irrigation tissulaire.
- ☐ Douleur.
- ☐ Prise en charge inefficace du programme thérapeutique.
- ☐ *Risque élevé d'accident.*
- ☐ *Risque élevé d'intoxication.*
- **Facteurs favorisants**
- ☐ Informations incomplètes.
- ☐ *Manque de connaissances sur la méthode d'administration du médicament.*

□ *Manque de connaissances sur les modalités du traitement.*
□ *Manque de connaissances sur les effets hypotensifs du médicament lors des changements brusques de position.*
□ *Perturbation de la vigilance.*
□ *Manque de connaissances sur le effets secondaires du médicament et sur les moyens de les prévenir.*
□ *Difficulté à s'adapter aux changements nécessaires dans les habitudes de vie.*

INTERVENTIONS INFIRMIÈRES

Expliquer au patient qu'il ne doit pas briser, réduire en poudre, croquer ni ouvrir les capsules et les comprimés à effet prolongé.

ENSEIGNEMENT AU PATIENT ET À SES PROCHES

- **Directives générales :** Conseiller au patient de changer lentement de position afin de réduire les risques d'hypotension orthostatique.
- Prévenir le patient que les inhibiteurs calciques peuvent provoquer des vertiges ou de la somnolence. Lui conseiller de ne pas conduire et d'éviter les activités qui exigent sa vigilance jusqu'à ce qu'on ait la certitude que le médicament n'entraîne pas ces effets chez lui.
- Conseiller au patient de consulter le médecin ou le pharmacien avant de prendre des médicaments en vente libre et d'éviter de boire de l'alcool.
- Recommander au patient qui doit suivre un traitement dentaire ou subir une intervention chirurgicale d'avertir le dentiste ou le médecin qu'il suit un traitement médicamenteux.
- Conseiller au patient de porter sur lui en tout temps un bracelet d'identité où sont inscrits son problème de santé et son traitement médicamenteux.
- Expliquer au patient l'importance des examens de suivi permettant d'évaluer les bienfaits du traitement.
- **Angine :** Recommander au patient qui suit un traitement concomitant avec des dérivés nitrés de continuer à prendre les deux médicaments selon la posologie recommandée et de prendre de la nitroglycérine sublinguale, selon les besoins, lorsqu'une crise d'angine se manifeste.
- Recommander au patient de consulter le médecin si la douleur thoracique n'est pas soulagée ou si elle s'aggrave après le traitement, si elle s'accompagne de diaphorèse ou d'essoufflement ou si des céphalées graves et persistantes surviennent.
- Conseiller au patient de demander au médecin s'il doit restreindre ses activités.
- **Hypertension :** Inciter le patient à appliquer également les autres mesures de réduction de l'hypertension : perdre du poids, réduire sa consommation de sel, faire régulièrement de l'exercice, cesser de fumer, diminuer le stress. Le prévenir que ces médicaments stabilisent la pression artérielle, mais ne guérissent pas l'hypertension.
- Montrer au patient et à ses proches comment prendre la pression artérielle. Leur demander de mesurer la pression artérielle toutes les semaines et leur recommander de signaler au médecin tout changement important.

VÉRIFICATION DES RÉSULTATS

L'efficacité du traitement peut être démontrée par : ■ la diminution de la fréquence et de la gravité des crises d'angine ■ la diminution du besoin de prendre des dérivés nitrés ■ l'augmentation de la tolérance à l'effort et une sensation de mieux-être ■ la baisse de la pression artérielle ■ la réduction et la prévention des tachyarythmies supraventriculaires ■ la diminution du déficit neurologique dû au vasospasme qui peut suivre l'hémorragie subarachnoïdienne provoquée par la rupture d'un anévrisme intracrânien.

INHIBITEURS CALCIQUES INCLUS DANS LE *GUIDE*:

bépridil, 272	nicardipine, 1249
diltiazem, 625	nifédipine, 1254
félodipine, 758	nimodipine, 1257
isradipine, 990	vérapamil, 1732

INOTROPES, AGENTS

Pharmacologie

Indication générale: Traitement de l'insuffisance cardiaque ou de la décompensation cardiaque qui ne répond pas au traitement classique avec des dérivés digitaliques, des diurétiques ou des vasodilatateurs. Chirurgie cardiaque.

Action générale et données de base: Les agents inotropes augmentent le débit cardiaque surtout par les effets directs qu'ils exercent sur le myocarde, mais aussi par certains effets sur les vaisseaux périphériques. Les dérivés digitaliques (deslanoside, digoxine et digitoxine) exercent des effets directs sur le myocarde.

Contre-indications: Hypersensibilité. Éviter l'administration de ces médicaments aux patients présentant une sténose aortique sous-valvulaire hypertrophique idiopathique.

Précautions: L'innocuité des inotropes pendant la grossesse et l'allaitement n'a pas été établie.

Interactions: Les bêtabloquants peuvent neutraliser les effets de la dobutamine ou de la dopamine. Plusieurs médicaments peuvent augmenter les effets arythmogènes et hypertenseurs de la dobutamine ou de la dopamine. L'amrinone peut produire une hypotension excessive lors de l'administration concomitante de disopyramide. Les agents qui provoquent l'hypokaliémie, l'hypomagnésémie ou l'hypercalcémie augmentent le risque de toxicité par les dérivés digitaliques. Les bêtabloquants administrés en même temps que les dérivés digitaliques peuvent avoir un effet additif sur la bradycardie. La quinidine augmente les concentrations sériques de digoxine.

☀ SOINS INFIRMIERS

ÉVALUATION DE LA SITUATION

- Mesurer le pouls et la pression artérielle, relever les anomalies de l'ÉCG et examiner les paramètres hémodynamiques fréquemment pendant l'administration parentérale et à intervalles réguliers pendant l'administration par voie orale.
- Effectuer le bilan quotidien des ingesta et des excreta et noter le poids du patient tous les jours. Observer le patient à la recherche des signes et des symptômes d'insuffisance cardiaque (œdème périphérique, râles ou crépitations, dyspnée, gain pondéral et turgescence des jugulaires) tout au long du traitement.
- **Étude des examens diagnostiques et biochimiques:** Noter à intervalles réguliers, pendant toute la durée du traitement, les concentrations des électrolytes sériques,

particulièrement de potassium, de magnésium et de calcium, ainsi que les résultats des tests de l'exploration de la fonction rénale et hépatique.

■ **Toxicité et surdosage :** S'assurer que les concentrations sériques de dérivés digitaliques sont mesurées à des intervalles réguliers chez les patients qui prennent ces médicaments.

DIAGNOSTICS INFIRMIERS POSSIBLES

■ **Énoncés diagnostiques**
□ Diminution du débit cardiaque.
□ Prise en charge inefficace du programme thérapeutique.
□ *Risque élevé d'intoxication.*
□ *Risque élevé de douleur au point d'injection IV.*

■ **Facteurs favorisants**
□ Informations incomplètes.
□ *Manque de connaissances sur les modalités du traitement.*
□ *Manque de connaissances sur les effets secondaires du médicament et sur les moyens de les prévenir.*
□ *Difficulté à s'adapter aux changements nécessaires dans les habitudes de vie.*
□ *Inflammation locale du tissu vasculaire ou infiltration du médicament dans les tissus avoisinants.*

INTERVENTIONS INFIRMIÈRES

■ Prendre des mesures pour corriger l'hypokaliémie avant d'administrer l'amrinone, le deslanoside, la digoxine ou la digitoxine.
■ Corriger l'hypovolémie par l'administration de solutions d'expansion volumique avant d'amorcer le traitement.

ENSEIGNEMENT AU PATIENT ET À SES PROCHES

■ Recommander au patient de prévenir le médecin si les symptômes ne sont pas soulagés ou s'ils s'aggravent.
■ Recommander au patient de prévenir immédiatement l'infirmière s'il ressent une douleur ou une gêne au point d'injection pendant l'administration IV.

VÉRIFICATION DES RÉSULTATS

L'efficacité du traitement peut être démontrée par : ■ l'élévation du débit cardiaque ■ la diminution de la gravité de l'insuffisance cardiaque ■ l'augmentation du débit urinaire.

AGENTS INOTROPES INCLUS DANS LE *GUIDE* :

LAXATIFS

Pharmacologie

Indication générale : Traitement ou prévention de la constipation ou préparation des intestins à la radiologie ou à l'endoscopie.

Action générale et données de base : Les laxatifs entraînent une ou plusieurs éliminations intestinales par jour. Il existe plusieurs types de laxatifs : les laxatifs de contact (bisacodyl, cascara et ses dérivés, phénolphtaléine et séné), les laxatifs salins (sels de magnésium et phosphates), les laxatifs émollients (docusate), les laxatifs augmentant le volume du bol fécal (polycarbophile et psyllium), les laxatifs lubrifiants (huile minérale) et les purgatifs agissant par pression osmotique (glycérine, lactulose, polyéthylène glycol avec électrolyte). L'augmentation de l'apport de liquides, l'exercice et la consommation accrue d'aliments riches en fibres permettent également de soulager la constipation chronique.

Contre-indications : Hypersensibilité ; douleurs abdominales persistantes, nausées ou vomissements d'étiologie inconnue, particulièrement s'ils s'accompagnent de fièvre ou d'autres signes d'abdomen aigu.

Précautions : L'utilisation excessive ou prolongée de laxatifs peut entraîner la dépendance. Ne pas administrer ces médicaments aux enfants, sauf si le médecin le recommande.

Interactions : En théorie, les laxatifs peuvent diminuer l'absorption des autres médicaments administrés par voie orale en accélérant le transit intestinal.

SOINS INFIRMIERS

ÉVALUATION DE LA SITUATION

- Noter la présence d'une distension abdominale, ausculter les bruits intestinaux, observer les habitudes normales d'élimination.
- Noter la couleur, la consistance et la quantité des selles produites.

DIAGNOSTICS INFIRMIERS POSSIBLES

- **Énoncés diagnostiques**
- □ Constipation.
- □ Prise en charge inefficace du programme thérapeutique.

- **Facteurs favorisants**
- □ Informations incomplètes.
- □ *Manque de connaissances sur les moyens de stimuler la fonction intestinale.*
- □ *Manque de connaissances sur les bienfaits de l'exercice.*
- □ *Manque de connaissances sur le régime alimentaire à suivre.*
- □ *Modification de l'état liquidien ou des volumes circulants.*
- □ *Manque de connaissances sur les modalités du traitement.*

INTERVENTIONS INFIRMIÈRES

- On peut administrer la plupart des laxatifs au coucher pour que l'élimination intestinale ait lieu le lendemain matin.
- L'administration des médicaments par voie orale à jeun produit habituellement des résultats plus rapides.
- Demander au patient de ne pas briser ni croquer les comprimés à délitement entérique ; lui conseiller plutôt de les prendre avec un grand verre d'eau ou de jus.
- Parfois, les laxatifs émollients et les laxatifs qui augmentent le volume du bol fécal n'entraînent pas d'élimination intestinale avant plusieurs jours.

ENSEIGNEMENT AU PATIENT ET À SES PROCHES

■ Prévenir le patient (sauf s'il souffre de lésion de la moelle épinière) que les laxatifs ne sont destinés qu'à un traitement de courte durée. Lui expliquer que le traitement prolongé peut entraîner un déséquilibre électrolytique et la dépendance.

■ Inciter le patient à boire plus de liquides pendant le traitement (au minimum, de 1 500 à 2 000 mL par jour) pour prévenir la déshydratation.

■ Recommander au patient de prendre d'autres mesures qui favorisent l'élimination intestinale : boire plus de liquides, manger plus d'aliments riches en fibres, faire de l'exercice. Expliquer au patient que chaque personne a ses propres habitudes d'élimination et qu'il est tout aussi normal de déféquer trois fois par jour que trois fois par semaine.

■ Recommander au patient souffrant de maladie cardiaque d'éviter les efforts de défécation (manœuvre de Valsalva).

■ Prévenir le patient que les laxatifs sont déconseillés si la constipation s'accompagne de douleurs abdominales, de fièvre, de nausées et de vomissements.

VÉRIFICATION DES RÉSULTATS

L'efficacité du traitement peut être démontrée par : ■ l'émission de selles molles et bien moulées ■ l'évacuation des résidus alimentaires du côlon.

LAXATIFS INCLUS DANS LE *GUIDE*:

laxatifs augmentant le volume du bol fécal

polycarbophile, 1412
psyllium, 1501

laxatifs de contact

bisacodyl, 284
casanthranol, 365
cascara, 365
cascara sagrada, 365
phénolphtaléine, 1370
séné, 1551

laxatif émollient

docusate, 651

laxatifs salins

magnésium, citrate de, 1066
magnésium, hydroxyde de, 1068
magnésium, sulfate de, 1072
sodium, phosphate et biphosphate de, 1568

laxatif lubrifiant

huile minérale, 890

osmotiques, agents

glycérine, 849
lactulose, 1010
polyéthylène-glycol, solution d'électrolytes et de, 1414

NEUROMUSCULAIRES, AGENTS BLOQUEURS

Pharmacologie

Indication générale : Facilitation de la respiration assistée ou traitement d'appoint lors de l'anesthésie générale pour favoriser une paralysie des muscles squelettiques, parfois nécessaire au cours d'une intervention chirurgicale.

Action générale et données de base : Ces médicaments paralysent la fonction musculaire par inhibition de la transmission neuromusculaire. Ils sont des agonistes de l'acétylcholine entraînant d'abord la fasciculation et ensuite le blocage de l'influx nerveux à la jonction neuromusculaire. Le blocage induit par les agents de type polarisant résiste à l'action des cholinestérases et il est plus prolongé que le blocage induit par des agents de type non dépolarisant. Les bloqueurs neuromusculaires ne sont pas doués de propriétés analgésiques.

Contre-indications : Certains agents peuvent contenir des iodures, des bromures, des para-aminobenzoates ou des sulfites. Il faut choisir soigneusement les agents chez les patients ayant des antécédents d'hypersensibilité à ces substances. Éviter l'administration de succinylcholine aux patients ayant des antécédents d'hyperthermie maligne ou de fractures.

Précautions : Administrer ces médicaments avec prudence aux patients très jeunes ou âgés (sensibilité accrue). Assurer le degré d'analgésie ou d'anesthésie qui convient aux besoins. Administrer ces médicaments avec prudence aux patients souffrant de maladie cardiovasculaire ou pulmonaire.

Interactions : Effet additif sur la dépression respiratoire lors de l'administration concomitante d'analgésiques narcotiques et d'autres dépresseurs du SNC. Risque accru d'effets cardiovasculaires indésirables lors de l'administration simultanée d'antihypertenseurs, de dérivés digitaliques et d'antiarythmiques. Le blocage neuromusculaire peut être intensifié lors de l'administration d'anti-infectieux sans pénicilline, de diurétiques, d'antiarythmiques, d'anticholinestérasiques ou d'anesthésiques locaux. Éviter d'administrer la succinylcholine en même temps que des agents qui peuvent inhiber la cholinestérase (cette association entraîne un blocage neuromusculaire prolongé).

SOINS INFIRMIERS

ÉVALUATION DE LA SITUATION

- Observer constamment la fonction respiratoire pendant tout le traitement. Les bloqueurs neuromusculaires ne devraient être administrés qu'aux patients intubés. Suivre de près l'augmentation des sécrétions respiratoires ; effectuer l'aspiration selon les besoins.

- Pendant une intervention chirurgicale, il faut déterminer la réaction neuromusculaire à ces médicaments par la stimulation des nerfs périphériques. Examiner le réflexe tendineux profond pendant le traitement prolongé. La paralysie des muscles est initialement sélective et elle se produit habituellement dans l'ordre suivant : muscles releveurs des paupières, muscles masticateurs, muscles des membres, muscles abdominaux, muscles de la glotte, muscles intercostaux et diaphragme. Le rétablissement de la fonction musculaire se produit habituellement en ordre inverse.

- Mesurer la fréquence cardiaque et la pression artérielle et relever les anomalies de l'ÉCG à intervalles réguliers pendant tout le traitement. Ces médicaments peuvent élever légèrement la fréquence cardiaque et la pression artérielle.

- Observer chez le patient en période de récupération les symptômes de faiblesse musculaire et de détresse respiratoire.

- **Toxicité et surdosage :** En cas de surdosage, stimuler les nerfs périphériques pour déterminer le degré de blocage neuromusculaire. Maintenir la perméabilité des voies respiratoires et la ventilation jusqu'au rétablissement de la respiration normale.

- On peut administrer des agents anticholinestérasiques (édrophonium, néostigmine et pyridostigmine) pour contrecarrer l'effet des bloqueurs neuromusculaires de type non dépolarisant. L'atropine est habituellement administrée avant les agents anticholinestérasiques ou en même temps qu'eux.

DIAGNOSTICS INFIRMIERS POSSIBLES

- **Énoncés diagnostiques**
- ☐ Mode de respiration inefficace.
- ☐ Altération de la communication verbale.
- ☐ Peur.
- ☐ *Risque élevé d'accident.*

- **Facteurs favorisants**
- ☐ *Manque de connaissances sur les modalités du traitement.*
- ☐ *Mode de communication altéré par l'intubation endotrachéale.*

INTERVENTIONS INFIRMIÈRES

- Les bloqueurs neuromusculaires n'influencent pas le niveau de la conscience ni le seuil de la douleur. Il faut assurer en *tout temps* une anesthésie suffisante si ces agents sont administrés comme adjuvants lors d'une intervention chirurgicale ou si le geste thérapeutique est douloureux. Administrer simultanément des benzodiazépines ou des analgésiques ou les deux à la fois lors d'un traitement prolongé à des patients intubés étant donné qu'ils sont éveillés et conscients.
- Si les yeux du patient restent ouverts pendant l'administration prolongée du médicament, protéger la cornée avec des larmes artificielles.

ENSEIGNEMENT AU PATIENT ET À SES PROCHES

- Expliquer toutes les interventions au patient qui reçoit des bloqueurs neuromusculaires sans anesthésie étant donné que ces agents seuls ne modifient pas le niveau de la conscience. Fournir au patient un soutien affectif.
- Rassurer le patient en lui expliquant que ses capacités habituelles de communication se rétabliront lorsque les effets du médicament s'épuiseront.

VÉRIFICATION DES RÉSULTATS

L'efficacité du traitement peut être démontrée par: la suppression adéquate des réactions cloniques, vérifiée par une stimulation des nerfs périphériques, et la paralysie subséquente du muscle.

BLOQUEURS NEUROMUSCULAIRES INCLUS DANS LE *GUIDE*:

bloqueur neuromusculaire de type dépolarisant
succinylcholine, 1588

bloqueurs neuromusculaires de type non dépolarisant
atracurium, 234
doxacurium, 655

gallamine, triéthiodure de, 821
métocurine, 1158
pancuronium, 1319
pipécuronium, 1397
tubocurarine, 1718
vécuronium, 1730

STIMULANTS DU SNC

Pharmacologie

Indication générale: Traitement de la narcolepsie et traitement d'appoint du trouble déficitaire de l'attention (TDA).

Action générale et données de base : Ces médicaments stimulent le SNC en y augmentant les concentrations des neurotransmetteurs. Ils stimulent également la respiration, entraînent la dilatation des pupilles, augmentent l'activité motrice et la capacité de réaction mentale, diminuent la sensation de fatigue et améliorent l'humeur. Chez les enfants qui souffrent de trouble déficitaire de l'attention, ces agents diminuent l'agitation et augmentent la capacité de concentration.

Contre-indications : Hypersensibilité. Ne pas administrer ces agents aux femmes enceintes ou celles qui allaitent. Ces agents ne doivent pas être administrés non plus aux patients hyperexcités. Leur administration à des patients ayant une personnalité psychotique ou manifestant des tendances suicidaires ou homicides est déconseillée. Ces médicaments sont contre-indiqués chez les patients souffrant de glaucome ou de maladie cardiovasculaire grave.

Précautions : Administrer ces agents avec prudence aux patients ayant des antécédents de maladie cardiovasculaire, d'hypertension, de diabète sucré ainsi qu'aux patients âgés ou débilités. L'usage continu peut engendrer une dépendance psychologique ou la toxicomanie.

Interactions : Effets sympathomimétiques additifs. L'administration concomitante d'IMAO peut déclencher une crise hypertensive. Les médicaments qui rendent l'urine alcaline (bicarbonate de sodium et acétazolamide) diminuent l'excrétion des amphétamines et en augmentent l'effet. Les médicaments qui rendent l'urine acide (chlorure d'ammonium et acide ascorbique) diminuent l'effet des amphétamines. Les phénothiazines peuvent également en diminuer l'effet. Le méthylphénidate peut ralentir le métabolisme d'autres médicaments.

SOINS INFIRMIERS

ÉVALUATION DE LA SITUATION

- **Directives générales :** Mesurer la pression artérielle, le pouls et la fréquence respiratoire avant l'administration du médicament et à intervalles réguliers pendant tout le traitement.
- Noter le poids du patient deux fois par semaine et signaler au médecin toute perte pondérale importante.
- Mesurer la taille des enfants à intervalles réguliers ; signaler au médecin l'arrêt de la croissance.
- Le médicament peut produire un faux sentiment d'euphorie et de bien-être. Prévoir des repos fréquents et observer le patient à la recherche d'un état dépressif rebond qui peut survenir lorsque les effets du médicament s'épuisent.
- **Troubles déficitaires de l'attention :** Noter la durée de la capacité de concentration, la capacité de maîtriser les impulsions et les interactions du patient avec les autres enfants. On peut interrompre l'administration du médicament à intervalles réguliers pour déterminer si les symptômes sont suffisamment graves pour justifier la poursuite du traitement.
- **Narcolepsie :** Observer la fréquence des épisodes et les noter dans le dossier du patient.

DIAGNOSTICS INFIRMIERS POSSIBLES

- **Énoncés diagnostiques**
  □ Altération des opérations de la pensée.
  □ Prise en charge inefficace du programme thérapeutique.

□ *Risque élevé de déficit nutritionnel.*
□ *Risque élevé de perturbation des habitudes de sommeil.*
□ *Risque élevé d'atteinte à l'intégrité de la muqueuse buccale.*
□ *Risque élevé d'accident.*

■ **Facteurs favorisants**
□ Informations incomplètes.
□ *Manque de connaissances sur les modalités du traitement.*
□ *Manque de connaissances sur les moyens de prévenir ou de réduire la sécheresse de la bouche.*
□ *Manque de connaissances sur les effets secondaires du médicament et sur les moyens de les prévenir.*
□ *Manque de connaissances sur le régime alimentaire à suivre.*
□ *Perturbation de la vigilance.*

INTERVENTIONS INFIRMIÈRES

Administrer le médicament au moins six heures avant l'heure du coucher pour perturber le moins possible le sommeil du patient.

ENSEIGNEMENT AU PATIENT ET À SES PROCHES

■ **Directives générales:** Expliquer au patient qu'il ne doit pas modifier la posologie sans avoir consulté le médecin au préalable. Ces médicaments peuvent mener à la pharmacodépendance ou à la toxicomanie. Le sevrage brusque, après un traitement à des doses élevées, peut provoquer une fatigue extrême et un état de dépression.
■ Expliquer au patient qu'il peut réduire la sécheresse de la bouche induite par le médicament s'il se rince souvent la bouche avec de l'eau et s'il consomme de la gomme à mâcher ou des bonbons sans sucre.
■ Recommander au patient de réduire sa consommation de caféine.
■ Prévenir le patient que le médicament peut altérer son jugement. Lui conseiller d'être prudent lorsqu'il doit conduire ou s'engager dans des activités qui exigent la vigilance jusqu'à ce qu'on ait la certitude que le médicament n'entraîne pas ces effets chez lui.
■ Prévenir le patient que le médecin peut recommander l'interruption du traitement à intervalles réguliers pour en déterminer les bienfaits et pour évaluer les risques de pharmacodépendance.

VÉRIFICATION DES RÉSULTATS

L'efficacité du traitement peut être démontrée par: ■ la diminution de la fréquence de la narcolepsie ■ l'amélioration de la capacité de se concentrer et de s'engager dans des interactions sociales.

STIMULANTS DU SNC INCLUS DANS LE *GUIDE*:

dextroamphétamine, 580   pémoline, 1323
méthylphénidate, 1145

THROMBOLYTIQUES

Pharmacologie

Indication générale: Traitement de l'embolie pulmonaire massive aiguë et de la thrombose veineuse profonde. On utilise également ces agents pour favoriser la lyse des thrombi qui se forment dans les artères coronaires après l'infarctus du myocarde et des thrombi artériels. On les utilise également pour rincer les cathéters intraveineux et les canules artérioveineuses.

Action générale et données de base: Les thrombolytiques activent le plasmogène en le transformant en plasmine qui dissout, par la suite, les caillots de fibrine, le fibrinogène et les autres protéines plasmatiques. L'alteplase stimule la transformation en plasmine en se liant à la fibrine. L'anistreplase entraîne la fibrinolyse locale au siège de thrombi nouvellement formés.

Contre-indications: Hypersensibilité. Infection streptococcique récente (streptokinase seulement). Hémorragie interne patente, accident vasculaire cérébral récent, intervention chirurgicale ou néoplasme intracrânien.

Précautions: L'innocuité des thrombolytiques chez les femmes enceintes et chez celles qui allaitent ainsi que chez les enfants n'a pas été établie. Administrer ces agents avec prudence aux patients prédisposés à la formation de thrombi dans le cœur gauche, aux patients ayant subi depuis peu de temps des traumatismes mineurs et à ceux qui souffrent d'une maladie vasculaire cérébrale ou d'une rétinopathie diabétique hémorragique.

Interactions: L'administration simultanée d'autres anticoagulants, dont l'aspirine et les autres antiagrégants plaquettaires, peut augmenter le risque d'hémorragie.

SOINS INFIRMIERS

ÉVALUATION DE LA SITUATION

- **Directives générales:** Suivre de près les signes de saignement et d'hémorragie. Examiner tous les points de ponction ayant servi précédemment. Ces médicaments peuvent provoquer une hémorragie interne comprenant l'hémorragie intracrânienne. Déterminer la présence de sang occulte dans les liquides organiques et les selles. Noter l'état neurologique. Mesurer les pouls périphériques.
- **Thrombose coronaire:** Relever constamment les anomalies de l'ÉCG. Signaler au médecin les arythmies importantes ou la douleur thoracique. Noter les concentrations d'enzymes cardiaques.
- **Occlusion des canules et des cathéters:** Vérifier si l'aspiration du sang est possible, ce qui indique la désobstruction. Afin de prévenir l'embolie gazeuse, demander au patient d'expirer et de retenir sa respiration pendant qu'on attache ou qu'on détache la tubulure IV d'un cathéter central.
- **Toxicité et surdosage:** On peut utiliser comme antidote l'acide aminocaproïque (Amicar).

DIAGNOSTICS INFIRMIERS POSSIBLES

- **Énoncés diagnostiques**
- ☐ Diminution de l'irrigation tissulaire.
- ☐ Risque élevé d'accident.
- ☐ *Prise en charge inefficace du programme thérapeutique.*

- **Facteurs favorisants**
- ☐ *Manque de connaissances sur les modalités du traitement.*
- ☐ *Manque de connaissances sur la méthode d'administration du médicament.*
- ☐ *Manque de connaissances sur les effets secondaires du médicament et sur les moyens de les prévenir.*

INTERVENTIONS INFIRMIÈRES

- Ces médicaments ne doivent être administrés que dans la mesure où l'on peut suivre de près la fonction hématologique et la réaction clinique du patient.
- Éviter pendant le traitement les interventions effractives, par exemple, les injections IM ou les ponctions artérielles.
- Obtenir le groupe sanguin et la compatibilité du sang et garder en tout temps du sang à portée de la main pour juguler l'hémorragie.
- On amorce habituellement l'anticoagulation par voie générale avec de l'héparine plusieurs heures après la fin du traitement thrombolytique.

ENSEIGNEMENT AU PATIENT ET À SES PROCHES

- Expliquer au patient le but du traitement. Lui recommander de signaler les réactions d'hypersensibilité (rash, dyspnée), les saignements et les contusions.
- Expliquer au patient qu'il peut éviter les accidents, s'il reste au lit et s'il manipule le moins possible la tubulure pendant le traitement.

VÉRIFICATION DES RÉSULTATS

L'efficacité du traitement peut être démontrée par : ■ la lyse des thrombi ou des emboles ■ le rétablissement de la circulation sanguine ■ la perméabilité de la canule ou du cathéter.

THROMBOLYTIQUES INCLUS DANS LE *GUIDE* :

alteplase, 164
anistreplase, 218
streptokinase, 1577
urokinase, 1720

VASOPRESSEURS

Pharmacologie

Indication générale : Correction des déséquilibres hémodynamiques qui peuvent persister malgré une hydratation suffisante lors du traitement du choc. La phényléphrine est également administrée en tant que mydriatique et décongestionnant topique. L'isoprotérénol est administré en tant que bronchodilatateur.

Action générale et données de base : Les vasopresseurs stimulent les récepteurs adrénergiques, entraînant la vasoconstriction (effets alpha-adrénergiques), la stimulation du myocarde (effet bêta-adrénergique) ou les deux à la fois.

Contre-indications : Maladies vasculaires occlusives, arythmies impossibles à réduire, hypotension consécutive à un déficit liquidien.

Précautions : Administrer ces médicaments avec prudence aux patients souffrant de maladie cardiovasculaire sous-jacente. L'innocuité des vasopresseurs pendant la grossesse et l'allaitement n'a pas été établie.

Interactions : L'administration simultanée d'inhibiteurs de la MAO peut entraîner une hypertension grave. Les bêtabloquants peuvent inhiber l'efficacité de ces médicaments.

SOINS INFIRMIERS

ÉVALUATION DE LA SITUATION

- Mesurer la pression artérielle, le pouls et la fréquence respiratoire, relever les anomalies de l'ÉCG et examiner les paramètres hémodynamiques toutes les 5 à 15 minutes pendant et après l'administration du médicament. Signaler au médecin les modifications importantes des signes vitaux ou l'apparition des arythmies. Demander au médecin les paramètres du pouls et de la pression artérielle ainsi que les modifications de l'ÉCG qui dictent un ajustement de la posologie ou l'arrêt du traitement.

- Suivre de près le débit urinaire pendant tout le traitement. Prévenir le médecin sans délai si le débit de l'urine diminue.
- Pendant la perfusion, observer fréquemment les points de ponction IV. Administrer dans une grosse veine pour diminuer les risques d'extravasation. L'extravasation de la dopamine, de l'épinéphrine ou de la phényléphrine peut provoquer une irritation grave, la nécrose ou la desquamation des tissus. En cas d'extravasation, infiltrer la région atteinte avec 10 à 15 mL de solution de NaCl à 0,9 % contenant de 5 à 10 mg de phentolamine.

DIAGNOSTICS INFIRMIERS POSSIBLES

- **Énoncés diagnostiques**
- □ Diminution du débit cardiaque.
- □ Diminution de l'irrigation tissulaire.
- □ *Risque élevé de douleur au point d'injection IV.*
- □ *Risque élevé d'exacerbation des effets secondaires.*

- **Facteurs favorisants**
- □ *Inflammation locale du tissu vasculaire ou infiltration du médicament dans les tissus avoisinants.*
- □ *Administration trop rapide du médicament par voie IV.*

INTERVENTIONS INFIRMIÈRES

- Corriger l'hypovolémie avant d'administrer les vasopresseurs.
- Administrer la perfusion par une pompe afin de s'assurer que le patient reçoit la dose exacte. La vitesse de l'injection doit être ajustée selon la réaction du patient (pression artérielle, fréquence cardiaque, débit urinaire, irrigation périphérique, présence d'une activité ectopique et débit cardiaque).

ENSEIGNEMENT AU PATIENT ET À SES PROCHES

Recommander au patient de signaler immédiatement à l'infirmière la douleur thoracique, la dyspnée ou la douleur au point d'injection.

VÉRIFICATION DES RÉSULTATS

L'efficacité du traitement peut être démontrée par: ■ l'élévation de la pression artérielle ■ l'amélioration de la circulation périphérique ■ l'augmentation du débit urinaire.

VASOPRESSEURS INCLUS DANS LE *GUIDE*:

dopamine, 653
éphédrine, 696
isoprotérénol, 981

métaraminol, 1113
norépinéphrine, 1270
phényléphrine, 1377

VITAMINES

Pharmacologie

Indication générale: Prévention et traitement des carences vitaminiques. Suppléments nutritifs permettant d'équilibrer divers troubles du métabolisme.

Action générale et données de base : Les vitamines font partie des systèmes enzymatiques qui servent de catalyseur à un grand nombre de réactions métaboliques. Elles sont indispensables à l'homéostasie. Les vitamines hydrosolubles (vitamines B, vitamine C et acide pantothénique) sont rarement toxiques. Les vitamines liposolubles (vitamines A, D, E et K) peuvent s'accumuler dans les tissus et provoquer une intoxication.

Contre-indications : Hypersensibilité aux additifs, aux agents de conservation ou aux colorants.

Précautions : Ajuster la posologie pour éviter la toxicité, particulièrement dans le cas des vitamines liposolubles.

Interactions : La pyridoxine, administrée à doses élevées, peut contrecarrer l'efficacité de la lévodopa. La cholestyramine, le colestipol et l'huile minérale diminuent l'absorption des vitamines liposolubles.

SOINS INFIRMIERS

ÉVALUATION DE LA SITUATION

- Suivre de près les signes de carence vitaminique avant l'administration et à intervalles réguliers pendant tout le traitement.
- Effectuer le bilan nutritionnel du patient en recueillant des données sur son alimentation des 24 dernières heures. Déterminer la fréquence à laquelle il consomme des aliments riches en vitamines.

DIAGNOSTICS INFIRMIERS POSSIBLES

- **Énoncés diagnostiques**
- □ Déficit nutritionnel.
- □ Prise en charge inefficace du programme thérapeutique.

- **Facteurs favorisants**
- □ Informations incomplètes.
- □ *Manque de connaissances sur le régime alimentaire à suivre.*
- □ *Difficulté à s'adapter aux changements nécessaires dans les habitudes de vie.*
- □ *Manque de connaissances sur les modalités du traitement.*

INTERVENTIONS INFIRMIÈRES

Étant donné qu'il est rare qu'une seule carence vitaminique soit présente, on administre le plus souvent des associations de plusieurs vitamines.

ENSEIGNEMENT AU PATIENT ET À SES PROCHES

- Encourager le patient à respecter scrupuleusement les recommandations diététiques du médecin. Lui expliquer que la meilleure source de vitamines est une alimentation bien équilibrée. Lui recommander de suivre un régime comprenant des aliments provenant des quatre principaux groupes alimentaires.
- Recommander au patient qui pratique l'auto-médication par des suppléments vitaminiques de ne pas dépasser les taux quotidiens recommandés d'éléments nutritifs (voir l'annexe L). Les doses massives ne se sont pas avérées efficaces pour traiter les divers problèmes de santé ; elles peuvent par contre provoquer des effets secondaires et l'intoxication.

VÉRIFICATION DES RÉSULTATS

L'efficacité du traitement peut être démontrée par : la prévention ou la diminution des symptômes de carence vitaminique.

VITAMINES INCLUSES DANS LE *GUIDE* :

vitamines hydrosolubles

vitamine B
  acide folique (vitamine B_9), 138
  acide pantothénique (dexpanthénol,
    pantothénate de calcium,
    vitamine B_5), 140
  cyanocobalamine (vitamine B_{12}), 526
  hydroxycobalamine (vitamine B_{12}),
    911
  niacine (vitamine B_3), 1246
  niacinamide, 1246
  pyridoxine (vitamine B_6), 1508
  riboflavine (vitamine B_2). 1532
  thiamine (vitamine B_1), 1637
vitamine C
  acide ascorbique, 133

vitamines liposolubles

vitamine A, 1745
vitamine D
  calcitriol (vitamine D_3), 319
  dihydrotachystérol, 622
  ergocalciférol (vitamine D_2), 704
vitamine E (alpha-tocophérol), 1748
vitamine K
  ménadiol (vitamine K_3), 1098
  phytonadione (vitamine K_1), 1389

divers

multivitamines (PO et parentérale), 1209
vitamines du complexe B avec
  vitamine C, 1750

ACÉBUTOLOL
Monitan, Rhotral, Sectral

CLASSIFICATION:
Antihypertenseur ; bêtabloquant cardiosélectif ; antiarythmique de classe II

Grossesse – catégorie B

INDICATIONS

■ Traitement de l'hypertension en monothérapie ou en association avec d'autres antihypertenseurs ■ Traitement de l'angine de poitrine. **Usages non approuvés :** ■ Prophylaxie de l'infarctus du myocarde, traitement des tachycardies ventriculaires, de l'anxiété, des tremblements, de la thyrotoxicose, du prolapsus valvulaire mitral et de la myocardiopathie obstructive.

ACTION

■ Blocage des récepteurs bêta$_1$ adrénergiques (du myocarde), n'affectent pas habituellement les sites des récepteurs bêta$_2$ (pulmonaires, vasculaires ou utérins). **Effets thérapeutiques :** ■ Diminution de la fréquence cardiaque ■ Diminution de la conduction du nœud AV ■ Abaissement de la pression artérielle.

PHARMACOCINÉTIQUE

Absorption : Bonne absorption par suite de l'administration par voie orale.
Distribution : Très faible pénétration du SNC. Le médicament traverse le placenta et pénètre dans le lait maternel.
Métabolisme et excrétion : La plus grande partie du médicament est transformée dans le foie en diacétolol, un métabolite actif.
Demi-vie : De 3 à 4 h (le diacétolol : de 8 à 13 h).

CONTRE-INDICATIONS ET PRÉCAUTIONS

Contre-indications : ■ Insuffisance cardiaque non compensée ■ Œdème pulmonaire ■ Choc cardiogénique ■ Bradycardie ou bloc cardiaque.
Précautions : ■ Insuffisance rénale (réduire la dose) ■ Personnes âgées (sensibilité accrue aux effets des bêtabloquants) ■ Thyrotoxicose (l'acétobutolol peut masquer les symptômes d'hypoglycémie) ■ Grossesse, allaitement, enfants (l'innocuité du médicament n'a pas été établie).

RÉACTIONS INDÉSIRABLES ET EFFETS SECONDAIRES

SNC : fatigue, faiblesse, étourdissements, dépression, insomnie, perte de mémoire, modification de l'état de la conscience, cauchemars, anxiété, nervosité, somnolence.
ORLO : vision trouble, congestion nasale.
CV : BRADYCARDIE, INSUFFISANCE CARDIAQUE, ŒDÈME PULMONAIRE, vasoconstriction périphérique, hypotension.
Resp. : bronchospasme, respiration sifflante.
GI : constipation, diarrhée, nausées, vomissements.
GU : impuissance, perte de la libido, mictions fréquentes.
Tég. : rash.
End. : hyperglycémie, hypoglycémie.
Loc. : douleurs articulaires, arthralgie.

INTERACTIONS

Médicament – médicament : ■ L'**anesthésie générale**, la **phénytoïne par voie IV** et le **vérapamil** peuvent exercer un effet additif sur la dépression du myocarde ■ Les **dérivés digitaliques**, administrés simultanément, peuvent exercer un effet bradycardique additif ■ Les **antihypertenseurs** et les **dérivés nitrés** ainsi que l'ingestion d'**alcool** peuvent exercer des effets hypotenseurs additifs ■ L'**épinéphrine**, administrée simultanément, peut entraîner une stimulation alpha-adrénergique à laquelle rien ne s'oppose ■ L'administration simultanée d'une **hormonothérapie thyroïdienne de substitution** peut diminuer l'efficacité de l'acébutolol ■ **L'insuline**, administrée simultanément, peut prolonger l'hypoglycémie.

VOIES D'ADMINISTRATION ET POSOLOGIE

PO (adultes): de 200 à 800 mg par jour – posologie uniquotidienne ou biquotidienne.

PHARMACODYNAMIE

	DÉBUT D'ACTION	PIC	DURÉE
effet anti-hypertenseur PO	1 – 1,5 h	2 – 8 h	12 – 24 h
effet anti-arythmique PR	1 h	4 – 6 h	jusqu'à 10 h

SOINS INFIRMIERS

ÉVALUATION DE LA SITUATION

☐ Mesurer souvent la pression artérielle et le pouls; suivre de près l'ÉCG pendant la période d'ajustement de la posologie et à intervalles réguliers pendant toute la durée du traitement.

☐ Effectuer le bilan quotidien des ingesta et des excreta, et noter le poids du patient tous les jours. Observer régulièrement le patient pour déceler des signes et des symptômes d'insuffisance cardiaque: dyspnée, râles ou crépitations, gain pondéral, œdème périphérique, turgescence des jugulaires.

■ **Étude des examens diagnostiques et biochimiques:** Ce médicament peut entraîner l'élévation des concentrations sériques de lipoprotéines, de potassium, de triglycérides et d'acide urique.

DIAGNOSTICS INFIRMIERS POSSIBLES

■ **Énoncés diagnostiques**

☐ Diminution du débit cardiaque.

☐ Prise en charge inefficace du programme thérapeutique.

☐ Non-observance du traitement médicamenteux.

☐ *Risque élevé d'accident.*

■ **Facteurs favorisants**

☐ Informations incomplètes.

☐ Doute quant aux bienfaits du médicament.

☐ *Perturbation de la vigilance.*

INTERVENTIONS INFIRMIÈRES

■ **PO:** Mesurer le pouls à l'apex avant d'administrer le médicament. S'il est inférieur à 50 battements par minute ou s'il y a arythmie, ne pas administrer; avertir le médecin.

☐ Administrer le médicament à jeun ou avec les repas.

ENSEIGNEMENT AU PATIENT ET À SES PROCHES

☐ Conseiller au patient de respecter scrupuleusement la posologie recommandée et de continuer à prendre le médicament même s'il se sent bien; l'avertir qu'il ne doit jamais sauter de dose ni remplacer une dose manquée par une double dose. S'il n'a pu prendre son médicament au moment habituel, il doit le prendre aussitôt que possible, mais au moins quatre heures avant l'heure prévue pour la dose suivante. Un sevrage brusque peut déclencher de l'hypertension, une ischémie du myocarde ou des arythmies mortelles.

☐ Montrer au patient et à ses proches comment prendre le pouls et la pression artérielle. Leur demander de mesurer le pouls tous les jours et la pression artérielle deux fois par semaine. Leur recommander de signaler au médecin tout changement important.

☐ Prévenir le patient que l'acébutolol peut parfois provoquer de la somnolence. Lui conseiller de ne pas conduire et d'éviter les activités qui exigent sa vigilance jusqu'à ce qu'on ait la certitude que le médicament n'entraîne pas cet effet chez lui.

A

- Inciter le patient à appliquer d'autres mesures de réduction de l'hypertension : perdre du poids, faire régulièrement de l'exercice, réduire sa consommation de sel, diminuer le stress, boire avec modération et cesser de fumer. L'acébutolol stabilise la pression artérielle, mais ne guérit pas l'hypertension.
- Prévenir le patient que le médicament peut le rendre plus sensible au froid.
- Conseiller au patient de consulter le médecin ou le pharmacien avant de prendre un médicament en vente libre en même temps que l'acébutolol.
- Recommander au patient diabétique de bien mesurer sa glycémie, particulièrement lorsqu'il se sent fatigué, faible ou irritable ou lorsqu'il ressent un malaise.
- Recommander au patient de signaler au médecin les symptômes suivants : ralentissement du pouls, étourdissements, sensation de tête légère, confusion, état dépressif.
- Recommander au patient qui doit suivre un traitement dentaire ou subir une intervention chirurgicale d'avertir le dentiste ou le médecin qu'il suit un traitement médicamenteux.
- Conseiller au patient de porter en tout temps un bracelet d'identité où sont inscrits son problème de santé et son traitement médicamenteux.

VÉRIFICATION DES RÉSULTATS

L'efficacité du traitement peut être démontrée par : ■ la baisse de la pression artérielle ■ la réduction des arythmies sans manifestation d'effets indésirables.

ACÉTAMINOPHÈNE

Abenol, Anacin-3, Apo-Acetaminophen, Atasol, Atasol forte, 222 AF, Novogesic, Novogesic forte, Panadol, Rounox, Tantaphen, Tempra, Tylenol (Acephen), (Anuphen), (APAP), (Banesin), (Datril), (Dolanex), (Genapap), (Halenol), (Liquiprin), (Myapap), (N-acétyl-P-aminophénol), (Neopan), (Panex), (paracétamol), (St.Joseph's Aspirin-Free), (Suppap), (Tenol), (Typap), (Ty-tabs)

CLASSIFICATION :
*Analgésique non narcotique – divers ;
antipyrétique*
Grossesse – catégorie B

INDICATIONS
■ Douleur légère à modérée ■ Fièvre.

ACTION
■ Inhibition de la synthèse des prostaglandines servant de médiateurs de la douleur et de la fièvre. **Effets thérapeutiques :** ■ Analgésie, qui pourrait être attribuable à l'inhibition des prostaglandines périphériques ■ Antipyrèse (diminution de la fièvre), qui pourrait être attribuable à l'inhibition des prostaglandines du SNC (hypothalamus) ■ Propriétés anti-inflammatoires négligeables.

PHARMACOCINÉTIQUE
Absorption : Bonne absorption par suite de l'administration par voie orale. Par suite de l'administration par voie rectale, l'absorption est variable.
Distribution : Le médicament se répartit dans tout l'organisme. Il traverse le placenta et pénètre dans le lait maternel.
Métabolisme et excrétion : Métabolisme hépatique de l'ordre de 85 à 95 %. En cas de surdosage, les métabolites peuvent être toxiques. Les métabolites sont excrétés par les reins.
Demi-vie : De 1 à 4 h.

CONTRE-INDICATIONS ET PRÉCAUTIONS
Contre-indications : ■ Antécédents d'hypersensibilité ■ Ne pas administrer les préparations contenant de l'alcool, de

l'aspartame, de la saccharine, du sucre ou de la tartrazine aux patients qui manifestent une hypersensibilité à ces ingrédients ou qui ne les tolèrent pas.

Précautions : ■ Maladie hépatique grave ■ Maladie rénale ■ Alcoolisme chronique ■ Malnutrition ■ Grossesse et allaitement ■ Automédication d'une durée supérieure à 10 jours, chez l'adulte, ou administration sans prescription médicale d'une durée supérieure à 5 jours, chez l'enfant.

RÉACTIONS INDÉSIRABLES ET EFFETS SECONDAIRES

GI : NÉCROSE HÉPATIQUE (surdosage).
Tég. : rash, urticaire.

INTERACTIONS

Médicament – médicament : ■ Les antipyrétiques peuvent provoquer une hypothermie grave lors de l'administration concomitante de **phénothiazines antipsychotiques** ■ L'hépatotoxicité peut être additive lors de l'administration concomitante d'autres **substances hépatotoxiques** incluant l'**alcool** ■ Le **phénobarbital** peut augmenter la toxicité hépatique en cas de surdosage à l'acétaminophène ■ La **cholestyramine** et le **colestipol** diminuent l'absorption de l'acétaminophène et peuvent en réduire l'efficacité.

PRÉSENTATION

Ce médicament existe en diverses présentations : comprimés, comprimés à croquer, « caplets », gouttes, élixir, sirop, solution et suspension orales, suppositoires PR. Les concentrations des préparations destinées aux enfants varient selon l'agent. Il existe également des solutions sans sucre et sans alcool. L'acétaminophène est également présenté en association avec un grand nombre de médicaments (voir l'annexe A).

VOIES D'ADMINISTRATION ET POSOLOGIE

Remarque : Ne pas administrer plus de 5 doses en 24 h aux enfants de moins de 12 ans, sans avoir consulté le médecin au préalable.

- **PO (adultes et enfants >12 ans) :** de 325 à 1 000 mg, toutes les 4 à 6 h, selon les besoins (ne pas dépasser 4 g/jour ou 2,6 g/jour en traitement prolongé).
- **PO (enfants de 11 à 12 ans) :** 480 mg, toutes les 4 à 6 h, selon les besoins.
- **PO (enfants de 9 à 11 ans) :** 400 mg, toutes les 4 à 6 h, selon les besoins.
- **PO (enfants de 6 à 9 ans) :** 320 mg, toutes les 4 à 6 h, selon les besoins.
- **PO (enfants de 4 à 6 ans) :** 240 mg, toutes les 4 à 6 h, selon les besoins.
- **PO (enfants de 2 à 4 ans) :** 160 mg, toutes les 4 à 6 h, selon les besoins.
- **PO (enfants de 1 à 2 ans) :** 120 mg, toutes les 4 à 6 h, selon les besoins.
- **PO (enfants de 4 à 12 mois) :** 80 mg, toutes les 4 à 6 h, selon les besoins.
- **PO (enfants < 3 mois) :** 40 mg, toutes les 4 à 6 h, selon les besoins.
- **PR (adultes et enfants > 12 ans) :** de 325 à 650 mg, toutes les 4 h, selon les besoins.
- **PR (enfants de 11 à 12 ans) :** 480 mg, toutes les 4 à 6 h, selon les besoins.
- **PR (enfants de 9 à 11 ans) :** 400 mg, toutes les 4 à 6 h, selon les besoins.
- **PR (enfants de 6 à 9 ans) :** 320 mg, toutes les 4 à 6 h, selon les besoins.
- **PR (enfants de 4 à 6 ans) :** 240 mg, toutes les 4 à 6 h, selon les besoins.
- **PR (enfants de 2 à 4 ans) :** 160 mg, toutes les 4 à 6 h, selon les besoins.

PHARMACODYNAMIE (analgésie et antipyrèse)

	DÉBUT D'ACTION	PIC	DURÉE
PO	0,5 – 1 h	1 – 3 h	3 – 4 h
PR	0,5 – 1 h	1 – 3 h	3 – 4 h

☀ SOINS INFIRMIERS

ÉVALUATION DE LA SITUATION

- **Directives générales :** Avant d'administrer l'acétaminophène, il faut évaluer

A

l'état général du patient et connaître sa consommation d'alcool. Les patients qui souffrent de malnutrition ou les alcooliques sont exposés à des risques plus élevés d'hépatotoxicité, même aux doses habituelles, si le traitement par ce médicament se prolonge.

- **Douleur:** Déterminer le type de douleur, son siège et son intensité, avant l'administration et de 30 à 60 min après.
- **Fièvre:** Mesurer la température du patient; observer la présence des signes connexes suivants: diaphorèse, tachycardie et malaise.
- **Étude des examens diagnostiques et biochimiques:** Noter l'état de la fonction hépatique et rénale à des intervalles réguliers, tout au long d'un traitement prolongé à des doses élevées.
- □ Des concentrations accrues de bilirubine, de LDH, de TGOS (AST) et de TGPS (ALT) ainsi que l'allongement du temps de prothrombine peuvent être des indices d'hépatotoxicité.
- **Toxicité et surdosage:** En cas de surdosage, administrer comme antidote de l'acétylcystéine (Mucomyst).

DIAGNOSTICS INFIRMIERS POSSIBLES

- **Énoncés diagnostiques**
- □ Douleur.
- □ Risque élevé d'altération de la température corporelle.
- □ Prise en charge inefficace du programme thérapeutique.
- □ *Risque élevé d'altération de la fonction hépatique.*
- **Facteurs favorisants**
- □ Informations incomplètes.
- □ *Manque de connaissances sur les effets de l'utilisation prolongée du médicament.*

INTERVENTIONS INFIRMIÈRES

- **PO:** Administrer le médicament avec un grand verre d'eau.
- □ On peut administrer le médicament à jeun ou avec des aliments.

ENSEIGNEMENT AU PATIENT ET À SES PROCHES

- □ Conseiller au patient de suivre scrupuleusement la posologie recommandée et de ne pas dépasser la dose prescrite. L'acétaminophène, en traitement prolongé ou à des doses élevées, peut provoquer des lésions hépatiques graves et permanentes. Les adultes ne devraient pas prendre de l'acétaminophène pendant plus de 10 jours et les enfants, pendant plus de 5 jours, sauf prescription médicale contraire.
- □ Inciter le patient à consulter le médecin si la douleur ou la fièvre ne sont pas soulagées par les doses habituelles de ce médicament ou encore si la fièvre s'élève au-dessus de 39,5 °C ou si elle persiste pendant plus de trois jours.

VÉRIFICATION DES RÉSULTATS

L'efficacité du traitement peut être démontrée par: ■ le soulagement de la douleur légère à modérée ■ la chute de la fièvre.

ACÉTAZOLAMIDE

Apo-Acetazolamide, Diamox, Novo-Zolamide, (AK-zol), (Cetazol), (Hydrazol)

CLASSIFICATION:

Diurétique – inhibiteur de l'anhydrase carbonique; anticonvulsivant; antiurolithique

Grossesse – catégorie C

INDICATIONS

■ Diminution de la pression intraoculaire lors du traitement du glaucome ■ Traitement d'appoint des convulsions réfractaires ■ Traitement de l'œdème dû à l'insuffisance cardiaque ou à l'effet des médicaments. **Usages non approuvés:** ■ Prévention de la formation de calculs rénaux composés d'acide urique ou de cystine ■ Prévention et traitement du mal d'altitude (forme aiguë).

ACTION

■ Diminution de la sécrétion des humeurs aqueuses par l'inhibition de l'anhydrase carbonique de l'œil ■ Inhibition de l'anhydrase carbonique rénale entraînant une excrétion urinaire spontanément résolutive du sodium, du potassium, du bicarbonate et de l'eau ■ Diminution possible de la décharge anormale des neurones par inhibition de l'anhydrase carbonique du SNC et de la diurèse qui en résulte ■ Diurèse alcaline qui prévient également la précipitation de l'acide urique ou de la cystine contenus dans les voies urinaires. **Effets thérapeutiques:** ■ Abaissement de la pression intraoculaire ■ Diurèse ■ Maîtrise de certains types de convulsions ■ Prévention et traitement du mal d'altitude (forme aiguë) ■ Prévention de la formation de calculs rénaux composés d'acide urique et de cystine.

PHARMACOCINÉTIQUE

Absorption: Bonne absorption par suite de l'administration par voie orale.
Distribution: Le médicament se répartit dans tout l'organisme. Il traverse le placenta.
Métabolisme et excrétion: Le médicament à l'état presque inchangé est excrété dans l'urine.
Demi-vie: De 2,4 à 5,8 h.

CONTRE-INDICATIONS ET PRÉCAUTIONS

Contre-indications: Hypersensibilité à l'acétazolamide ou aux autres sulfamidés. **Précautions:** ■ Maladies respiratoires chroniques ■ Anomalies électrolytiques ■ Diabète sucré ■ Grossesse et allaitement (l'innocuité du médicament n'a pas été établie).

RÉACTIONS INDÉSIRABLES ET EFFETS SECONDAIRES

SNC: somnolence, paresthésie.
ORLO: myopie passagère.
GI: nausées, vomissements, anorexie.

GU: cristallurie, calculs rénaux.
Tég.: rash.
End.: hyperglycémie.
HÉ: acidose hyperchlorémique, hypokaliémie.
Hémat.: ANÉMIE APLASIQUE, ANÉMIE HÉMOLYTIQUE, LEUCOPÉNIE.
Métab.: hyperuricémie.
Divers: réactions allergiques.

INTERACTIONS

Médicament – médicament: ■ L'excrétion des **barbituriques**, de l'**aspirine** et du **lithium** est accrue, ce qui peut diminuer l'efficacité de ces agents ■ L'excrétion des **amphétamines**, de la **quinidine**, du **procaïnamide** et, parfois, des **antidépresseurs tricycliques** est diminuée, ce qui peut entraîner un surdosage par ces agents.

VOIES D'ADMINISTRATION ET POSOLOGIE
Glaucome

■ **PO (adultes):** de 250 à 1 000 mg, en 1 dose ou en 2 à 4 doses fractionnées, ou capsules à libération retard à 500 mg, 2 fois par jour.
■ **PO (enfants):** de 8 à 30 mg/kg par jour, en doses fractionnées.
■ **IM et IV (adultes):** de 250 à 500 mg; on peut répéter l'administration en l'espace de 2 à 4 h.
■ **IM et IV (enfants):** de 5 à 10 mg/kg, toutes les 6 h.

Épilepsie

■ **PO (adultes et enfants):** de 8 à 30 mg/kg en 1 dose ou en 2 à 4 doses fractionnées.

Œdème dû à une insuffisance cardiaque ou à des médicaments

■ **PO (adultes et enfants):** de 250 à 375 mg par jour (5 mg/kg), en une seule dose.

Mal d'altitude

■ **PO (adultes):** 250 mg, de 2 à 4 fois par jour.

Antiurolithique

■ **PO (adultes):** 250 mg, au coucher.

A

PHARMACODYNAMIE
(effet sur la pression intraoculaire)

	DÉBUT D'ACTION	PIC	DURÉE
PO	1 h	2 – 4 h	8 – 12 h
PO (action prolongée)	2 h	8 – 18 h	18 – 24 h
IV	2 min	0,25 h	4 – 5 h

SOINS INFIRMIERS

ÉVALUATION DE LA SITUATION

- **Directives générales:** Surveiller l'apparition des signes d'hypokaliémie: faiblesse musculaire, malaise, fatigue, modifications de l'ÉCG, vomissements.
- ☐ Déterminer si le patient n'est pas allergique aux sulfamidés.
- **Pression intraoculaire:** Suivre de près la gêne oculaire ou la diminution de l'acuité visuelle.
- **Convulsions:** Suivre de près l'état neurologique chez les patients qui reçoivent l'acétazolamide pour maîtriser les convulsions. Prendre les précautions de rigueur dans ce cas.
- **Mal d'altitude:** Noter la diminution de la gravité des symptômes suivants: céphalées, nausées, vomissements, fatigue, vertiges, somnolence, essoufflement. Prévenir le médecin dès que les symptômes neurologiques ou la dyspnée s'aggravent ou si des râles ou des crépitations surviennent.
- **Étude des examens diagnostiques et biochimiques:** Examiner les concentrations d'électrolytes sériques et la numération globulaire avant l'administration et à intervalles réguliers lors d'un traitement prolongé. Le médicament peut diminuer les concentrations de potassium et de bicarbonate ainsi que le nombre de leucocytes et d'érythrocytes, et élever les concentrations sériques de chlorure.
- ☐ Le médicament peut élever la glycémie; noter soigneusement la glycé-

mie et la glycosurie des patients diabétiques.
- ☐ L'acétazolamide peut entraîner des résultats faussement positifs lors du dosage des protéines urinaires et des 17-hydroxycorticostéroïdes.
- ☐ Le médicament peut entraîner une élévation des concentrations sanguines d'ammoniaque, de bilirubine et d'acide urique ainsi que des concentrations urinaires de calcium et d'urobilinogène. Il peut diminuer les concentrations urinaires de citrate.

DIAGNOSTICS INFIRMIERS POSSIBLES

- **Énoncés diagnostiques**
- ☐ Altération de la perception visuelle.
- ☐ Prise en charge inefficace du programme thérapeutique.
- ☐ *Risque élevé d'accident.*
- ☐ *Risque élevé d'altération de l'élimination urinaire.*

- **Facteurs favorisants**
- ☐ Informations incomplètes.
- ☐ *Manque de connaissances sur les moyens de prévenir les effets secondaires du médicament.*
- ☐ *Déséquilibre hydro-électrolytique.*

INTERVENTIONS INFIRMIÈRES

- **Directives générales:** Encourager le patient à consommer de 2 à 3 L de liquides par jour, sauf contre-indication, pour prévenir la cristallurie et la formation de calculs rénaux.
- **PO:** Administrer le médicament avec des aliments pour réduire l'irritation gastro-intestinale. Dans le cas des patients qui éprouvent des difficultés de déglutition, on peut broyer les comprimés et les mélanger à un sirop de fruits pour en atténuer le goût amer. On peut ouvrir les capsules à action prolongée (Diamox Sequels) et saupoudrer le médicament sur des aliments mous; mais il ne faut pas broyer, mâcher ni avaler les granules.

A

- **IM:** Administration extrêmement douloureuse ; éviter cette voie dans la mesure du possible.
- **IV:** Diluer 500 mg de médicament dans au moins 5 mL d'eau stérile pour injection. Utiliser les solutions reconstituées en l'espace de 24 h.
- **IV directe:** Administrer en au moins 1 min.
- **Perfusion intermittente:** Effectuer une dilution supplémentaire dans une solution de dextrose à 5 % ou à 10 % dans de l'eau, dans une solution de NaCl à 0,45 % ou à 0,9 %, dans une solution de Ringer ou de lactate Ringer, ou dans une solution qui associe soit du dextrose et du soluté salin, soit du dextrose et une solution de Ringer.
- □ *Vitesse d'administration:* La perfusion doit durer de 4 à 8 h.
- **Compatibilité en addition au soluté:** Cimétidine.
- **Incompatibilité en addition au soluté:** Multivitamines.

ENSEIGNEMENT AU PATIENT ET À SES PROCHES

- **Directives générales:** Expliquer au patient qu'il doit respecter scrupuleusement la posologie recommandée. S'il n'a pu prendre le médicament au moment habituel, il doit le prendre aussitôt que possible, sauf si c'est presque l'heure prévue pour la dose suivante. Ne pas doubler les doses. Chez les patients qui suivent un traitement anticonvulsif, on devrait éventuellement réduire graduellement la posologie avant d'arrêter l'administration du médicament.
- □ Informer le patient qu'il doit prévenir le médecin en cas d'engourdissement des membres, de picotements dans les membres, de faiblesse, de rash, de mal de gorge, de saignements inhabituels ou de fièvre.
- □ Prévenir le patient que l'acétazolamide peut parfois provoquer de la somnolence. Lui conseiller de ne pas

conduire et d'éviter les activités qui exigent sa vigilance jusqu'à ce qu'on ait la certitude que le médicament n'entraîne pas cet effet chez lui.
- **Pression intraoculaire:** Inciter le patient à passer des examens ophtalmologiques périodiques, car la perte de la vue peut être graduelle et indolore.

VÉRIFICATION DES RÉSULTATS

L'efficacité du traitement peut être démontrée par: ■ la diminution de la pression intraoculaire, lorsqu'on administre le médicament pour traiter le glaucome ■ la diminution de la fréquence des convulsions ■ la diminution de l'œdème ■ la prévention de l'apparition du mal d'altitude ■ la prévention de la formation de calculs de cystine ou d'acide urique dans les voies urinaires.

ACÉTOHEXAMIDE
Dimelor, (Dymelor)

CLASSIFICATION:
Hypoglycémiant oral – sulfamide hypoglycémiant

Grossesse – catégorie C

INDICATIONS

Équilibrage de la glycémie en présence de diabète de l'adulte non insulinodépendant (diabète sucré non insulinodépendant, diabète de type II, diabète non cétosique), lorsque la diétothérapie ne donne pas les résultats escomptés. Une certaine fonction pancréatique doit cependant subsister.

ACTION

■ Diminution de la glycémie par la stimulation des sécrétions d'insuline du pancréas et augmentation de la sensibilité à l'insuline aux sites des récepteurs ■ Diminution possible de la production de glucose hépatique. **Effets thérapeutiques:** ■ Diminution de la glycémie.

PHARMACOCINÉTIQUE

Absorption: Bonne absorption par suite de l'administration par voie orale.

Distribution: Le médicament se répartit dans les liquides extracellulaires.

Métabolisme et excrétion: Une fraction d'environ 50 % est transformée lors du métabolisme hépatique en hydroxyhexamide, métabolite qui favorise l'effet hypoglycémiant.

Demi-vie: De 1,3 à 1,5 h (hydroxyhexamide: de 5 à 6 h).

CONTRE-INDICATIONS ET PRÉCAUTIONS

Contre-indications: ■ Hypersensibilité ■ Risque de réactions de sensibilité croisée avec d'autres hypoglycémiants ou sulfamides ■ Diabète insulinodépendant (diabète de type I, diabète juvénile, diabète cétosique très instable) ■ Maladies rénale, hépatique, thyroïdienne ou autre maladie endocrinienne grave.

Précautions: ■ Personnes âgées ■ Maladie cardiovasculaire grave ■ Infection, stress ou modifications diététiques (ces circonstances peuvent modifier l'équilibrage de la glycémie).

RÉACTIONS INDÉSIRABLES ET EFFETS SECONDAIRES

SNC: céphalées.

GI: nausées, vomissements, plénitude épigastrique, brûlures d'estomac, diarrhée, hépatite.

Tég.: rash, érythème, démangeaisons, photosensibilité.

End.: hypoglycémie.

Hémat.: ANÉMIE APLASIQUE, leucopénie, pancytopénie, thrombocytopénie.

INTERACTIONS

Médicament – médicament: ■ L'ingestion d'alcool peut entraîner une réaction semblable à la réaction au disulfirame ■ L'alcool, les glucocorticoïdes, la rifampine et les diurétiques thiazidiques peuvent diminuer l'efficacité de l'acétohexamide ■ Les hormones androgènes (testostérone), le chloramphénicol, le clofibrate, les inhibiteurs de la MAO, le phénylbutazone, les salicylates, les sulfamides et les anticoagulants oraux peuvent potentialiser l'hypoglycémie.

VOIES D'ADMINISTRATION ET POSOLOGIE

PO (adultes): de 250 mg à 1,5 g par jour. Les doses inférieures à 1 g par jour peuvent être administrées en posologie uniquotidienne. Les doses supérieures à 1 g par jour devraient être fractionnées et administrées deux fois par jour.

PHARMACODYNAMIE
(effet hypoglycémiant)

	DÉBUT D'ACTION	PIC	DURÉE
PO	1 h	2 h	12 – 24 h

⚡ SOINS INFIRMIERS

ÉVALUATION DE LA SITUATION

■ **Directives générales:** Observer les signes et les symptômes de réaction hypoglycémiante: transpiration, faim, faiblesse, étourdissements, tremblements, tachycardie, anxiété.

□ Déterminer si le patient n'est pas allergique aux sulfamidés.

■ **Étude des examens diagnostiques et biochimiques:** Noter quotidiennement la concentration de glucose dans le sang et dans l'urine ainsi que celle des corps cétoniques dans l'urine.

□ Le médicament peut entraîner la diminution des concentrations d'acide urique sérique.

DIAGNOSTICS INFIRMIERS POSSIBLES

■ **Énoncés diagnostiques**

□ Excès nutritionnel.

□ Prise en charge inefficace du programme thérapeutique.

□ Non-observance du traitement médicamenteux.

■ **Facteurs favorisants**
▢ Informations incomplètes.
▢ Doute quant aux bienfaits du médicament.
▢ *Difficulté à suivre le traitement.*
▢ *Manque de connaissances sur les signes d'hyperglycémie et d'hypoglycémie et sur les moyens de les prévenir.*

INTERVENTIONS INFIRMIÈRES

■ **Directives générales :** Chez les patients qui prennent moins de 20 unités d'insuline par jour, on peut substituer ce traitement à l'insulinothérapie sans devoir ajuster graduellement la posologie du médicament. Chez les patients qui prennent plus de 20 unités par jour, la dose d'insuline doit être réduite de 25 à 30 % pendant les quelques premiers jours d'ajustement de la posologie. Mesurer la glycémie et la glycosurie au moins trois fois par jour pendant cette période.
▢ Chez les patients dont la glycémie a été équilibrée grâce à la diétothérapie, mais qui ont de la fièvre ou qui sont exposés au stress, aux traumatismes, à l'infection ou à une intervention chirurgicale, il faut administrer de l'insuline selon les besoins.
■ **PO :** Administrer une fois par jour, le matin, ou en deux doses fractionnées. Administrer avec des aliments pour optimiser l'équilibrage de la glycémie et pour réduire l'irritation gastro-intestinale. Ne pas administrer l'acétohexamide après le dernier repas de la journée.
▢ Dans le cas des patients qui éprouvent des difficultés de déglutition, on peut broyer les comprimés et les administrer dans du liquide.

ENSEIGNEMENT AU PATIENT ET À SES PROCHES

■ **Directives générales :** Conseiller au patient de prendre le médicament tous les jours à la même heure. Ne pas lui administrer le médicament s'il est incapable de manger. S'il n'a pas pu prendre son médicament au moment habituel, il doit le prendre aussitôt que possible, à moins que ce ne soit presque l'heure prévue pour la dose suivante. Avertir le patient qu'il ne doit jamais remplacer une dose manquée par une double dose.
▢ Expliquer au patient que ce médicament peut maîtriser l'hyperglycémie mais ne peut guérir le diabète. Le traitement avec ce médicament est de longue durée.
▢ Expliquer au patient les signes d'hypoglycémie et d'hyperglycémie. En cas d'hypoglycémie, conseiller au patient de prendre un verre de jus d'orange avec deux ou trois cuillerées à thé de sucre, de miel ou sirop de maïs ou encore un verre d'eau sucrée, et de prévenir le médecin.
▢ Inciter le patient à suivre le régime alimentaire, la pharmacothérapie et le programme d'exercices prescrits, afin de prévenir les épisodes d'hypoglycémie ou d'hyperglycémie.
▢ Faire une démonstration du dosage du glucose sanguin ou du glucose et des corps cétoniques urinaires. Insister sur le fait qu'il est important de prélever deux échantillons consécutifs d'urine pour s'assurer que les résultats sont justes. Ces résultats doivent être notés soigneusement pendant les périodes de stress ou pendant une maladie. Il faut immédiatement prévenir le médecin si des modifications importantes surviennent.
▢ Conseiller au patient de consulter le médecin ou le pharmacien avant de prendre d'autres médicaments et, particulièrement, des agents à base d'acide acétylsalicylique ou d'alcool, en même temps que l'acétohexamide.
▢ Prévenir le patient que la consommation simultanée d'alcool peut déclencher une réaction semblable à la réaction au disulfirame : crampes ab-

dominales, nausées, bouffées vaso-motrices, céphalées et hypoglycémie.

□ Conseiller au patient de porter des vêtements de protection et d'utiliser un écran solaire pour prévenir les réactions de photosensibilité.

□ Demander à la patiente d'informer le médecin de toute intention de grossesse et de le prévenir dès qu'elle est enceinte.

□ Conseiller au patient d'avoir toujours sur lui du sucre et de porter en tout temps un bracelet d'identité où sont inscrits son problème de santé et son traitement médicamenteux.

□ Recommander au patient de contacter le médecin si les signes et les symptômes suivants se manifestent : urine foncée, jaunisse, rash, fièvre, maux de gorge, saignements inhabituels ou fatigue prolongée.

□ Insister sur l'importance d'un suivi médical régulier.

VÉRIFICATION DES RÉSULTATS

L'efficacité du traitement peut être démontrée par : l'équilibrage de la glycémie sans que des épisodes d'hypoglycémie ou d'hyperglycémie se manifestent.

ACÉTYLCHOLINE

Miochol

CLASSIFICATION :
Cholinergique ; myotique ophtalmique à action directe

Grossesse – catégorie C

INDICATIONS

Induction du myosis pendant une intervention chirurgicale.

ACTION

■ Stimulation directe des récepteurs cholinergiques de l'œil, entraînant le myosis (constriction de la pupille) et le spasme d'accommodation (constriction des muscles ciliaires). **Effets thérapeutiques :** ■ Myosis.

PHARMACOCINÉTIQUE

Absorption : Une absorption minime peut se produire par suite de l'administration intraoculaire.

Distribution : Par suite de l'administration intraoculaire, la répartition systémique du médicament est inconnue.

Métabolisme et excrétion : Par suite de l'administration par voie intraoculaire, le métabolisme et l'excrétion sont inconnus. L'agent est probablement métabolisé par les enzymes (cholinestérases).

Demi-vie : Inconnue.

CONTRE-INDICATIONS ET PRÉCAUTIONS

Contre-indications : ■ Hypersensibilité ■ Iritis aiguë ■ Certaines formes de glaucome secondaire ■ Maladie inflammatoire de la chambre antérieure de l'œil.

Précautions : ■ Patients exposés au risque de décollement ou de déchirure de la rétine ■ Enfants (l'innocuité du médicament n'a pas été établie) ■ Patients souffrant d'insuffisance cardiaque aiguë, d'asthme, d'ulcère, d'hyperthyroïdie, d'obstruction des voies urinaires ou maladie de Parkinson, bien que le médicament n'entraîne vraisemblablement pas de troubles systémiques.

RÉACTIONS INDÉSIRABLES ET EFFETS SECONDAIRES

ORLO : opacité passagère du cristallin.

CV : bradycardie, hypotension.

Resp. : difficultés respiratoires.

GI : crampes abdominales.

Tég. : bouffées vasomotrices, transpiration.

INTERACTIONS

Médicament – médicament : Le médicament peut s'avérer inefficace s'il est administré en même temps que le **flurbiprofène** pour usage ophtalmique.

VOIES D'ADMINISTRATION ET POSOLOGIE

Remarque: La solution est instable et il faut la préparer juste avant l'administration.

Gouttes ophtalmiques (adultes): de 0,5 à 2 mL d'une solution de 1 : 100, instillée dans la chambre antérieure.

PHARMACODYNAMIE (myosis)

	DÉBUT D'ACTION	PIC	DURÉE
gouttes ophtalmiques	immédiat	quelques secondes	10 – 20 min

SOINS INFIRMIERS

ÉVALUATION DE LA SITUATION

- **Directives générales:** Mesurer le pouls et la pression artérielle, ausculter le murmure vésiculaire. Signaler au médecin l'hypotension, la bradycardie ou le bronchospasme.
- **Toxicité et surdosage:** Les effets systémiques peuvent être renversés par l'atropine.

DIAGNOSTICS INFIRMIERS POSSIBLES

- **Énoncés diagnostiques**
- □ Diminution du débit cardiaque.
- □ Mode de respiration inefficace.
- **Facteurs favorisants**
- □ Aucun en particulier.

INTERVENTIONS INFIRMIÈRES

- **Gouttes ophtalmiques:** L'agent doit être administré par le médecin pendant l'intervention chirurgicale.
- □ En utilisant une technique stérile, préparer la solution comme suit: presser fermement vers le bas le bouchon de caoutchouc de la fiole unidose pour déloger la capsule qui se trouve entre les parties supérieure et inférieure et pour que le diluant (eau stérile) puisse dissoudre la poudre et former une solution. Agiter délicate-

ment. Reconstituer la solution juste avant de l'administrer.

- □ Après la reconstitution, nettoyer l'applicateur avec de l'alcool à 70 % et retirer la solution avec une aiguille de calibre 18 à 20. Remplacer l'aiguille par une canule atraumatique pour irrigation.

ENSEIGNEMENT AU PATIENT ET À SES PROCHES

Directives générales: En cas d'anesthésie locale, demander au patient de signaler les modifications de la vision, les bouffées vasomotrices, la transpiration, les crampes abdominales ou les difficultés respiratoires.

VÉRIFICATION DES RÉSULTATS

L'efficacité du traitement peut être démontrée par: l'induction immédiate d'un myosis d'une durée de 10 min, pendant une intervention chirurgicale.

ACÉTYLCYSTÉINE
Mucomyst, (Mucosol), (Parrolex)

CLASSIFICATION:
Antidote spécifique de l'acétaminophène; mucolytique

Grossesse – catégorie B

INDICATIONS

- **PO et IV:** Antidote contre les intoxications par l'acétaminophène - **Inhalation:** Mucolytique.

ACTION

- **PO et IV:** Diminution de l'accumulation des métabolites hépatotoxiques en cas de surdosage par l'acétaminophène - **Inhalation:** Liquéfaction des sécrétions bronchiques favorisant ainsi leur expectoration. **Effets thérapeutiques:** - **PO et IV:** Prévention des lésions hépatiques induites par une dose trop élevée d'acétaminophène, par diminution de l'accumulation des métabolites hépatotoxiques ■ **Inhalation:** Diminution de la viscosité des sécrétions bronchiques.

PHARMACOCINÉTIQUE

Absorption: Par suite de l'administration PO, le médicament est absorbé à partir du tractus gastro-intestinal. Administré par inhalation, le médicament a un effet local; les fractions résiduelles peuvent être absorbées à partir de l'épithélium pulmonaire.
Distribution: Inconnue.
Métabolisme et excrétion: Le médicament est métabolisé par le foie.
Demi-vie: Inconnue.

CONTRE-INDICATIONS ET PRÉCAUTIONS

Contre-indications: Hypersensibilité.
Précautions: ■ Insuffisance respiratoire grave ou asthme ■ Personnes âgées ou patients débilités ■ Grossesse ou allaitement (l'innocuité du médicament n'a pas été établie).

RÉACTIONS INDÉSIRABLES ET EFFETS SECONDAIRES

SNC: somnolence.
ORLO: rhinorrhée, stomatite.
Resp.: augmentation des sécrétions, bronchospasme.
GI: nausées, vomissements.
Tég.: urticaire.
Divers: fièvre, frissons, hypotension, œdème facial.

INTERACTIONS

Médicament – médicament: Le **charbon activé** peut absorber l'acétylcystéine et diminuer son efficacité comme antidote.

VOIES D'ADMINISTRATION ET POSOLOGIE

Surdosage par l'acétaminophène
■ **PO (adultes et enfants):** initialement, 140 mg/kg, ensuite 70 mg/kg toutes

les 4 h, jusqu'à concurrence de 17 doses supplémentaires.
■ **IV (adultes et enfants):** initialement, 150 mg/kg perfusés en 15 min, puis 50 mg/kg perfusés en 4 h et 100 mg/kg perfusés en 16 h.

Mucolytique
■ **Inhalation (adultes et enfants):** de 1 à 10 mL d'une solution à 20 %.

PHARMACODYNAMIE

	DÉBUT D'ACTION	PIC	DURÉE
PO (antidote)	inconnu	inconnu	4 h
inhalation (mucolytique)	1 min	5 – 10 min	courte

※ SOINS INFIRMIERS

ÉVALUATION DE LA SITUATION

■ **Antidote en cas de surdosage par l'acétaminophène:** Surveiller les concentrations de TGOS (AST), de TGPS (ALT), de bilirubine, de créatinine, d'urée, de glucose sérique, d'électrolytes et d'acétaminophène ainsi que le temps de prothrombine. Les concentrations sériques initiales doivent être notées 4 h après l'ingestion de l'acétaminophène. Ne pas attendre les résultats pour administrer la première dose de médicament.
□ Signaler au médecin l'apparition de nausées, de vomissements ou d'urticaire. Maintenir l'équilibre hydroélectrolytique.
■ Suivre de près les réactions suivantes d'hypersensibilité après l'administration par voie IV: éruptions cutanées, œdème facial, bronchospasmes et hypotension.
■ **Mucolytique:** Suivre de près la fonction respiratoire (murmure vésiculaire, dyspnée). Afin de déterminer l'efficacité du médicament, noter la couleur, la quantité et la consistance des sécrétions avant et immédiatement après le traitement.

DIAGNOSTICS INFIRMIERS POSSIBLES

■ **Énoncés diagnostiques**
□ Stratégies d'adaptation individuelle inefficaces.
□ Dégagement inefficace des voies respiratoires.
□ Prise en charge inefficace du programme thérapeutique.
■ **Facteurs favorisants**
□ Informations incomplètes.
□ *Manque de connaissances sur les modalités du traitement.*
□ *Incapacité d'expectorer les sécrétions bronchiques.*

INTERVENTIONS INFIRMIÈRES

■ **Directives générales:** Après ouverture de la fiole, la solution peut virer au violet, sans que cela modifie la puissance du médicament. Réfrigérer les fioles ouvertes et jeter les portions inutilisées après 96 h.
□ Une réaction se produit au contact du médicament avec du caoutchouc et des métaux (fer, nickel, cuivre); éviter tout contact avec ces substances.
■ **Surdosage par l'acétaminophène: PO:** Il faut d'abord vider l'estomac par lavage ou en provoquant des vomissements. Afin d'améliorer le goût du médicament et d'en faciliter l'administration par voie orale, diluer la solution à 20 % dans une boisson à base de cola, dans de l'eau ou dans du jus jusqu'à l'obtention d'une concentration finale de 1 : 3. Si le patient est incapable d'avaler, on peut administrer le médicament par une sonde duodénale. Si le patient vomit la dose d'attaque ou les doses d'entretien dans l'heure qui suit l'administration, administrer une nouvelle dose.
■ **IV:** Les dilutions à base de dextrose à 5 % dans de l'eau doivent être préparées selon les recommandations du fabricant. Il faudrait considérer que chaque fiole contient une dose unitaire. Préparation extemporanée: les solutions ne doivent être injectées que dans le laps de temps indiqué.
■ **Inhalation: Mucolytique** – inciter le patient à consommer suffisamment de liquides (de 2 à 3 L par jour) pour diminuer la viscosité des sécrétions.
□ *Aérosol:* On peut diluer la solution à 20 % dans une solution de NaCl à 0,9 % pour injection ou pour inhalation ou dans de l'eau stérile pour injection ou pour inhalation. On peut administrer le médicament par nébulisation ou instiller de 1 à 2 mL directement dans les voies respiratoires. Au cours de l'administration, lorsqu'une fraction de 25 % du médicament reste dans le nébuliseur, la diluer avec une quantité égale de solution de NaCl à 0,9 % ou d'eau stérile, et l'administrer à nouveau.
□ Après administration, le volume des sécrétions bronchiques liquéfiées peut augmenter. Lors du traitement administré aux patients qui sont incapables de dégager adéquatement leurs voies aériennes, garder à portée de la main le matériel de succion nécessaire.
□ Si le bronchospasme survient pendant le traitement, arrêter l'administration du médicament et demander au médecin si l'on peut ajouter un bronchodilatateur à la pharmacothérapie.
□ Rincer la bouche du patient et lui laver le visage après le traitement, car le médicament laisse des résidus collants.

ENSEIGNEMENT AU PATIENT ET À SES PROCHES

■ **Inhalation:** Avant le traitement par aérosol, demander au patient d'inspirer profondément et de tousser fortement pour dégager ses voies respiratoires.
□ Prévenir le patient que l'odeur désagréable de ce médicament s'estompe au fur et à mesure que le traitement avance.

VÉRIFICATION DES RÉSULTATS

L'efficacité du traitement peut être démontrée par : ■ la diminution des concentrations d'acétaminophène et l'arrêt de l'évolution de l'atteinte hépatique en cas de traitement du surdosage par l'acétaminophène ■ la diminution de la dyspnée et la disparition du murmure vésiculaire lorsque le médicament est utilisé comme mucolytique.

ACIDE AMINOCAPROÏQUE
Amicar

CLASSIFICATION :
Hémostatique

Grossesse – catégorie inconnue

INDICATIONS

■ Traitement des hémorragies aiguës mortelles attribuables à une hyperfibrinolyse systémique ou à la fibrinolyse urinaire ■ Traitement de l'hémorragie sous-arachnoïdienne récurrente ■ Agent d'appoint en thérapie supplétive chez les hémophiles subissant une extraction dentaire.

ACTION

■ Inhibition de l'activation du plasminogène. **Effets thérapeutiques :** ■ Inhibition de la fibrinolyse ■ Stabilisation de la formation de caillots.

PHARMACOCINÉTIQUE

Absorption : Par suite de l'administration PO, l'absorption est rapide et complète.
Distribution : Le médicament se répartit dans tout l'organisme.
Métabolisme et excrétion : La plus grande partie du médicament est éliminée à l'état inchangé par les reins.
Demi-vie : Inconnue.

CONTRE-INDICATIONS ET PRÉCAUTIONS

Contre-indications : Coagulation intravasculaire active manifeste.
Précautions : ■ Hématurie provenant des voies urinaires supérieures ■ Patients souffrant de maladies cardiaque, rénale ou hépatique (une réduction de la posologie peut s'avérer nécessaire) ■ Grossesse et allaitement (l'innocuité du médicament n'a pas été établie) ■ Coagulation intravasculaire disséminée : administrer simultanément de l'héparine.

RÉACTIONS INDÉSIRABLES ET EFFETS SECONDAIRES

SNC : étourdissements, malaise.
CV : arythmies, hypotension (administration IV seulement).
ORLO : acouphènes, congestion nasale.
GI : nausées, crampes, diarrhée, anorexie, ballonnement.
GU : diurèse, insuffisance rénale.
Loc. : myopathie.

INTERACTIONS

Médicament – médicament : Aucune interaction notable.

PRÉSENTATION

PO : L'acide aminocaproïque est aussi présenté sous forme de comprimés et de sirop, destinés aux patients qui peuvent prendre des médicaments PO.

VOIES D'ADMINISTRATION ET POSOLOGIE

Syndromes d'hémorragie aiguë attribuable à une activité fibrinolytique élevée
■ **PO (adultes) :** initialement 5 g, la première heure, suivie d'une dose de 1 à 1,25 g, toutes les heures, pendant 8 h, ou jusqu'au moment où l'hémorragie est réprimée.
■ **IV (adultes) :** initialement, de 4 à 5 g pendant la première heure, suivie d'une dose de 1 g, toutes les heures, pendant 8 h ou jusqu'au moment où

l'hémorragie est réprimée (ne pas dépasser 30 g par jour).
- **IV (enfants) (É.-U.):** dose initiale de 100 mg/kg ou de 3 g/m^2, pendant la première heure, suivie d'une perfusion continue de 33,3 mg/kg/h ou de 1 g/m^2/h (la posologie totale ne doit pas dépasser 18 g/m^2/24 h).

Prédisposition à des hémorragies chroniques
- **PO (adultes) (É.-U.):** de 5 à 30 g par jour administrés à des intervalles de 3 à 6 h.

Traitement des hémophiles subissant une extraction dentaire
- Après un traitement préopératoire comprenant une dose d'attaque de facteurs VIII ou IX pour augmenter les concentrations de facteur d'au moins 30 à 50 %, administrer 6 g le plus tôt possible après l'intervention, suivis de 6 g PO toutes les 6 h (dose totale de 24 g/24 h) pendant 9 ou 10 jours.

PHARMACODYNAMIE
(pics sanguins)

	DÉBUT D'ACTION	PIC
PO	inconnu	2 h
IV	inconnu	2 h

⁂SOINS INFIRMIERS

ÉVALUATION DE LA SITUATION
- ☐ Mesurer la pression artérielle, le pouls et la fréquence respiratoire, selon la gravité de l'hémorragie.
- ☐ Déceler l'apparition d'une hémorragie manifeste en observant le patient toutes les 15 à 30 min.
- ☐ Suivre de près les signes neurologiques (pupille, état de la conscience, activité motrice) chez les patients souffrant d'hémorragie sous-arachnoïdienne.
- ☐ Effectuer de fréquents bilans des ingesta et des excreta ; signaler au médecin tout écart important.

- ☐ Observer l'apparition de complications thromboemboliques (particulièrement si le patient a de tels antécédents). Contacter le médecin en cas de signe d'Homan positif, de douleur et d'œdème des jambes, d'hémoptysie, de dyspnée ou de douleurs thoraciques.
- ■ **Étude des examens diagnostiques et biochimiques:** Chez les patients souffrant de fibrinolyse généralisée, noter la numération plaquettaire et les facteurs de coagulation avant l'administration initiale et à intervalles réguliers pendant tout le traitement.
- ☐ Une élévation des concentrations de CPK, de TGOS (ALT) et d'aldolase sérique peut indiquer la présence de myopathie.
- ☐ L'acide aminocaproïque peut entraîner l'élévation des concentrations sériques de potassium.

DIAGNOSTICS INFIRMIERS POSSIBLES
- ■ **Énoncés diagnostiques**
- ☐ Diminution de l'irrigation tissulaire périphérique.
- ☐ Risque élevé d'accident.
- ☐ Prise en charge inefficace du programme thérapeutique.

- ■ **Facteurs favorisants**
- ☐ Informations incomplètes.
- ☐ *Manque de connaissances sur les effets hypotensifs du médicament lors des changements brusques de position*

INTERVENTIONS INFIRMIÈRES
- ■ **IV:** Stabiliser le cathéter IV pour diminuer le risque de thrombophlébite. Observer attentivement le point d'injection.
- ■ **Perfusion intermittente:** Ne pas administrer les solutions sans les avoir diluées. Diluer la dose initiale de 4 à 5 g dans 250 mL d'eau stérile, de solution de NaCl à 0,9 %, de solution de dextrose à 5 % dans l'eau, ou de solution de lactate Ringer. Ne pas di-

luer dans de l'eau stérile lors de l'administration aux patients souffrant d'hémorragie sous-arachnoïdienne.

☐ *Vitesse d'administration:* 1 h.

■ **Perfusion continue:** Après l'administration de la dose initiale, on peut administrer le médicament par perfusion continue à un débit de 1 g/h.

☐ Administrer les solutions IV à l'aide d'une pompe à perfusion pour s'assurer que le patient reçoit la dose exacte. Administrer par perfusion IV lente. Une perfusion trop rapide peut provoquer de l'hypotension, une bradycardie ou d'autres arythmies.

☐ Ne pas mélanger l'acide aminocaproïque à d'autres médicaments.

ENSEIGNEMENT AU PATIENT ET À SES PROCHES

■ **Directives générales:** Recommander au patient d'informer immédiatement l'infirmière de tout saignement récurrent ou de l'apparition de symptômes de thrombo-embolie.

■ **IV:** Conseiller au patient de changer lentement de position pour réduire l'hypotension orthostatique.

VÉRIFICATION DES RÉSULTATS

L'efficacité du traitement peut être démontrée par: ■ l'arrêt du saignement ■ la prévention d'un nouvel épisode de saignement en cas d'hémorragie sous-arachnoïdienne, sans coagulation indésirable.

ACIDE ASCORBIQUE

Apo-C, Ce-Vi-Sol, Redoxon, Vitamine C, (Arco-Cee), (Ascorbicap), (Cecon), (Cemill), (Cetane), (Cevalin), (Ce-Vi-Bid), (Cevita), (Flavorcee)

CLASSIFICATION:
Vitamine hydrosoluble

Grossesse – catégorie C

INDICATIONS

■ Traitement et prévention de la déficience en vitamine C (scorbut) en association avec des suppléments diététiques ■ Traitement supplétif en présence de certaines maladies gastro-intestinales, au cours d'une alimentation parentérale ou d'une hémodialyse prolongées ■ Circonstances où les demandes en vitamines C sont accrues, telles que: ☐ grossesse ☐ allaitement ☐ stress ☐ hyperthyroïdie ☐ trauma ☐ brulûres ☐ très jeune âge ☐ acidification de l'urine. **Usages non approuvés:** ■ Prévention des rhumes bénins.

ACTION

■ Élément essentiel à la formation du collagène et à la réparation des tissus ■ Participation active aux réactions d'oxydation-réduction, au métabolisme de la tyrosine, de l'acide folique, du fer et des hydrates de carbone (glucides), à la synthèse des lipides et des protéines et à la respiration cellulaire; amélioration de la résistance à l'infection. **Effets thérapeutiques:** ■ Rééquilibrage en présence de maladies de carences.

PHARMACOCINÉTIQUE

Absorption: Absorption active à la suite de l'administration par voie orale par un processus de saturation.

Distribution: L'acide ascorbique se répartit dans tout l'organisme, traverse le placenta et pénètre dans le lait maternel.

Métabolisme et excrétion: Oxydation en composés inactifs qui sont excrétés par les reins. Lorsque les concentrations sériques sont élevées, l'acide ascorbique est excrété à l'état inchangé par les reins.

Demi-vie: Inconnue.

CONTRE-INDICATIONS ET PRÉCAUTIONS

Contre-indications: Hypersensibilité à la tartrazine (certaines préparations contiennent cette substance).

A

Précautions: ■ Calculs rénaux récurrents ■ Femmes enceintes (éviter l'usage prolongé à des doses massives).

RÉACTIONS INDÉSIRABLES ET EFFETS SECONDAIRES

SNC: fatigue, céphalées, insomnie, étourdissements.
GI: nausées, vomissements, brulûres épigastriques, crampes, diarrhée.
GU: calculs rénaux.
Tég.: rougeur.
Hémat.: thrombose veineuse profonde, drépanocytose, hémolyse (en cas de déficit en glucose-6-phosphate-déshydrogénase).
Locaux: douleur au point d'injection SC ou IM.

INTERACTIONS

Médicament – médicament: ■ En cas d'acidification de l'urine, l'excrétion de la **mexilétine**, des **amphétamines** ou des **antidépresseurs tricycliques** peut être accrue et leurs effets diminués ■ L'acide ascorbique peut diminuer la réaction aux **anticoagulants oraux** (doses massives seulement) ■ Le **tabac**, les **salicylates** et la **primidone** peuvent augmenter les besoins en acide ascorbique ■ La vitamine C, administrée en même temps que la **déféroxamine**, augmente la toxicité du fer.

PRÉSENTATION

La vitamine C existe également en association avec d'autres vitamines et avec le fer (voir l'annexe A).

VOIES D'ADMINISTRATION ET POSOLOGIE

Scorbut
■ **PO, IV, IM, SC (adultes):** de 100 à 250 mg, 1 ou 2 fois/jour.
■ **PO, IV, IM, SC (enfants) (É.-U.):** de 100 à 300 mg/jour en doses fractionnées.

Supplément
■ **PO (adultes):** de 45 à 60 mg/jour.

Hémodialyse prolongée
■ **PO (adultes):** de 100 à 200 mg/jour.

Grossesse et allaitement
■ **PO (adultes):** de 60 à 80 mg/jour.

Autres circonstances où les besoins sont accrus
■ **PO (adultes):** de 150 à 500 mg/jour.

PHARMACODYNAMIE (réponse aux modifications squelettiques et hématologiques provoquées par le scorbut)

	DÉBUT D'ACTION	PIC	DURÉE
PO, IM, IV, SC	2 jours à 3 semaines	inconnu	inconnue

※ SOINS INFIRMIERS

ÉVALUATION DE LA SITUATION

■ **Carence en vitamine C:** Avant l'administration de la vitamine C et pendant toute la durée du traitement, surveiller les signes suivants de carence: développement anormal des os et des dents, gingivite, saignement des gencives et déchaussement des dents. La carence en vitamine C porte également le nom de scorbut.

■ Les mégadoses d'acide ascorbique (plus de 10 fois le taux quotidien recommandé) peuvent entraîner des résultats faussement négatifs à l'analyse du sang occulte dans les selles, des résultats faussement positifs au dosage de la glycosurie par le sulfate de cuivre (Clinitest) et des résultats faussement négatifs à l'épreuve de la glycosurie par dosage enzymatique (Tes-tape).

□ L'acide ascorbique peut diminuer les concentrations sériques de bilirubine et élever les concentrations urinaires d'oxalate, d'urate et de cystéine.

■ **Étude des examens diagnostiques et biochimiques:** *Acidification de l'urine:* déterminer à intervalles réguliers, pendant toute la durée du traitement, le pH de l'urine chez les patients qui reçoivent de l'acide ascorbique.

A

DIAGNOSTICS INFIRMIERS POSSIBLES

- **Énoncés diagnostiques**
- □ Déficit nutritionnel.
- □ Prise en charge inefficace du programme thérapeutique.
- □ *Risque élevé d'altération de la fonction rénale.*

- **Facteurs favorisants**
- □ Informations incomplètes.
- □ *Manque de connaissances sur le régime alimentaire à suivre.*
- □ *Manque de connaissances sur les effets d'une utilisation prolongée du médicament.*

INTERVENTIONS INFIRMIÈRES

- **Directives générales:** L'acide ascorbique fait souvent partie d'une multivitaminothérapie, car l'alimentation inadéquate entraîne souvent une hypovitaminose.
- **PO:** Demander au patient d'avaler les capsules et les comprimés à libération retard tels quels, sans les briser, les broyer ou les croquer; on peut mélanger le contenu des capsules avec de la gelée ou de la confiture. Demander au patient de bien mâcher les comprimés à croquer ou de les réduire en poudre avant de les avaler. Dissoudre les comprimés effervescents dans un verre d'eau juste avant l'administration. On peut mélanger les solutions par voie orale avec du jus de fruits, des céréales ou d'autres aliments.
- **IM:** On devrait choisir de préférence cette voie d'administration, car l'absorption et l'utilisation sont ainsi accrues.
- **IV directe:** On peut administrer l'acide ascorbique par voie IV sans le diluer à un débit maximal de 100 mg/min. Une administration IV rapide peut provoquer des étourdissements et des évanouissements passagers.
- **Perfusion intermittente:** Diluer dans une solution de dextrose à 5 ou à 10 % dans de l'eau, dans une solution de NaCl à 0,9 ou à 0,45 %, dans une solution de Ringer ou de lactate Ringer ou dans une solution qui associe du dextrose et du soluté salin ou du dextrose et une solution de Ringer. À la température ambiante, la pression à l'intérieur des ampoules peut s'élever; couvrir l'ampoule d'une enveloppe de protection avant de la briser.

- **Association compatible dans la même seringue:** Métoclopramide.
- **Associations incompatibles dans la même seringue:** Céfazoline ou doxapram.
- **Compatibilités en addition au soluté:** Amikacine, céphalothine, chloramphénicol, chlorpromazine, chlorure de calcium, colistiméthate, cyanocobalamine, diphenhydramine, gluceptate de calcium, gluconate de calcium, héparine, kanamycine, méthicilline, méthyldopa, pénicilline G potassique, polymyxine B, prednisolone, procaïne, prochlorpérazine, prométhazine, tétracycline ou vérapamil.
- **Incompatibilités en addition au soluté:** Bicarbonate de sodium, bléomycine, céphapirine, nafcilline ou warfarine.

ENSEIGNEMENT AU PATIENT ET À SES PROCHES

- **Directives générales:** Conseiller au patient de respecter la posologie recommandée et de ne pas dépasser les doses prescrites. Les excès peuvent entraîner la formation de calculs urinaires. Si le patient n'a pas pu prendre la vitamine C au moment habituel, il peut sauter cette dose et reprendre ensuite son horaire habituel.
- **Carence en vitamine C:** Encourager le patient à suivre les recommandations diététiques du médecin. Lui expliquer que la meilleure source de vitamine est une alimentation bien équilibrée combinant des aliments venant des quatre principaux groupes.
- □ Expliquer au patient que les aliments riches en acide ascorbique sont les

A

agrumes, les tomates, les fraises, le cantaloup et le poivron vert. Lui expliquer également qu'il y a une déperdition d'acide ascorbique si les aliments frais sont gardés plusieurs jours mais non pas s'ils sont surgelés. La déperdition est également rapide si les aliments sont séchés, salés ou cuits.

□ Prévenir le patient qui pratique l'automédication par des suppléments vitaminiques qu'il ne doit pas dépasser la dose quotidienne recommandée (voir l'annexe L). L'efficacité de mégadoses de vitamines dans le traitement de divers problèmes de santé n'a pas été prouvée. De telles doses peuvent, par ailleurs, entraîner des effets secondaires. Le sevrage brusque après administration de mégadoses peut provoquer une carence rebond en acide ascorbique.

■ **Acidification de l'urine:** Expliquer aux patients qui prennent de la vitamine C pour acidifier l'urine comment mesurer le pH urinaire.

VÉRIFICATION DES RÉSULTATS

L'efficacité du traitement peut être démontrée par: ■ la diminution des symptômes de la carence en acide ascorbique ■ l'acidification de l'urine.

ACIDE 5-AMINOSALICYLIQUE

Apocol, 5-ASA, Mésalamine, Mesasal, Pentasa, Salofalk, (Rowasa)

CLASSIFICATION:
Anti-inflammatoire local, effet sur l'appareil gastro-intestinal

Grossesse – catégorie B

INDICATIONS

Traitement des affections suivantes: □ Colite ulcéreuse □ Rectite □ Proctosigmoïdite.

ACTION

■ Action anti-inflammatoire locale au niveau du côlon où elle est probablement due à l'inhibition de la synthèse des prostaglandines. **Effets thérapeutiques:** ■ Réduction des symptômes de la colite ulcéreuse, de la rectite ou de la proctosigmoïdite.

PHARMACOCINÉTIQUE

Absorption: PO – Une fraction de 20 à 35 % du médicament est absorbée depuis l'intestin grêle (iléon terminal surtout) et le côlon. PR – Une fraction de 5 à 35 % du médicament est absorbée depuis le côlon, dépendant du temps pendant lequel les suppositoires ou la préparation destinée au lavement sont gardés. **Distribution:** Inconnue. **Métabolisme et excrétion:** PO – Le médicament subit une acétylation rapide et il est surtout excrété par le rein. PR – Une certaine activité métabolique a lieu, mais le siège en est inconnu. La plus grande partie du médicament est éliminée à l'état inchangé dans les fèces. **Demi-vie:** De 0,5 à 1,5 h.

CONTRE-INDICATIONS ET PRÉCAUTIONS

Contre-indications: ■ Ulcère gastroduodénal ■ Hypersensibilité à l'acide 5-aminosalicylique ou aux sulfites ■ Obstruction des voies urinaires ■ Risque de réaction de sensibilité croisée avec les sulfamidés ou les salicylates ■ Enfants âgés de 2 ans et moins.
Précautions: ■ Insuffisance rénale ou hépatique ■ Antécédents d'hypersensibilité à la sulfasalazine ■ Grossesse, allaitement ou enfants (l'innocuité du médicament n'a pas été établie).

RÉACTIONS INDÉSIRABLES ET EFFETS SECONDAIRES

SNC: malaises, céphalées.
Tég.: chute des cheveux, rash.
GI: flatulence, nausées, douleurs abdominales, diarrhée, vomissements.

A

Locaux : irritation anale.
Divers : syndrome d'intolérance aiguë, ANAPHYLAXIE.

INTERACTIONS

Médicament – médicament : Aucune interaction notable.

PRÉSENTATION

Le médicament est présenté sous forme de comprimés entérosolubles, de comprimés à libération prolongée, de suppositoires et de lavement.

VOIES D'ADMINISTRATION ET POSOLOGIE

- **PR (adultes) :** 4 g administrés sous forme de lavement (60 mL) au coucher, à garder pendant 8 h, durant une période de 3 à 6 semaines ; ou 500 mg administrés sous forme de suppositoires, 2 ou 3 fois par jour.
- **PO (adultes) :** de 0,5 à 1 g, 4 fois par jour (Pentasa) ; de 3 à 4 g par jour (Salofalk), de 1,5 à 3 g par jour (Mesasal) et de 0,8 à 3,2 g par jour, jusqu'à 4,8 g (Apocol), en doses fractionnées.

PHARMACODYNAMIE
(signes d'amélioration)

	DÉBUT D'ACTION	PIC	DURÉE
PO et PR	3 – 21 jours	inconnu	inconnue

☀ SOINS INFIRMIERS

ÉVALUATION DE LA SITUATION

- ☐ Suivre de près la douleur abdominale ; noter la fréquence, la quantité et la consistance des selles au début du traitement et pendant toute sa durée.
- ☐ Déterminer si le patient n'est pas allergique aux sulfamidés et aux salicylates. Les patients allergiques à la sulfasalazine peuvent prendre l'acide 5-aminosalicylique sans problèmes, mais on doit arrêter l'administration du médicament en cas de rash ou de fièvre.

- ■ **Étude des examens diagnostiques et biochimiques :** Suivre de près l'analyse des urines et les concentrations d'urée et de créatinine sérique afin de déceler les signes de toxicité rénale.

DIAGNOSTICS INFIRMIERS POSSIBLES

- ■ **Énoncés diagnostiques**
- ☐ Douleur.
- ☐ Diarrhée.
- ☐ Prise en charge inefficace du programme thérapeutique.
- ☐ *Risque élevé de déficit de volume liquidien.*
- ☐ *Risque élevé de perturbation situationnelle de l'estime de soi.*

- ■ **Facteurs favorisants**
- ☐ Informations incomplètes.
- ☐ *Manque de connaissances sur les moyens de prévenir les effets secondaires affectant l'appareil gastrointestinal.*
- ☐ *Altération de l'image corporelle.*
- ☐ *Manque de connaissances sur les modalités du traitement.*

INTERVENTIONS INFIRMIÈRES

- ■ **PR :** Administrer 60 mL de préparation destinée au lavement, une fois par jour, au coucher. La solution devrait être gardée pendant environ 8 h.
- ☐ Avant l'administration, bien agiter le flacon et retirer le bouchon de protection. Demander au patient de se coucher sur le côté gauche, la partie inférieure de la jambe étendue et la cuisse fléchie pour le soutenir ou l'installer en position genupectorale. Introduire délicatement le bout de l'applicateur dans le rectum en pointant vers le nombril. Comprimer uniformément le flacon afin de retirer la plus grande partie de la préparation.
- ■ **PO :** Les comprimés doivent être administrés avant les repas, avec une quantité suffisante de liquide.
- ☐ Les comprimés doivent être avalés tels quels, sans être mâchés, croqués ni broyés.

A

ENSEIGNEMENT AU PATIENT ET À SES PROCHES

☐ Montrer au patient comment administrer l'acide 5-aminosalicylique. Lui conseiller de respecter scrupuleusement la posologie recommandée et de continuer de prendre le médicament même s'il se sent mieux.

☐ Recommander au patient de signaler au médecin l'apparition des symptômes suivants : urticaire, démangeaisons, respiration sifflante, rash ou fièvre.

☐ Conseiller au patient d'informer le médecin si les symptômes s'aggravent ou ne s'améliorent pas. Lui conseiller d'arrêter le traitement et de prévenir immédiatement le médecin si les symptômes suivants d'intolérance aiguë se manifestent : crampes, douleurs abdominales aiguës, diarrhée sanguinolente, fièvre, céphalées, rash.

☐ Expliquer au patient que des examens endoscopiques pourraient s'avérer nécessaires à intervalles réguliers pour pouvoir déterminer sa réponse au traitement.

☐ Prévenir le patient qu'il peut retrouver dans ses selles des résidus qui ressemblent à des comprimés intacts ou presque intacts. Lui conseiller de consulter le médecin s'il observe ce fait très souvent.

VÉRIFICATION DES RÉSULTATS

La réponse clinique peut être démontrée par : ■ la diminution de la diarrhée et des douleurs abdominales ■ le rétablissement d'un mode d'élimination intestinale normal. Les effets peuvent être notables en l'espace de 3 à 21 jours.

ACIDE FOLIQUE
Apo-Folic, Folvite, Novofolacid

CLASSIFICATION :
Vitamine – hydrosoluble ; antianémique
Grossesse – catégorie inconnue

INDICATIONS

■ Traitement et prévention des anémies macrocytaires et mégaloblastiques ■ Administration au cours de la grossesse pour favoriser le développement normal du fœtus.

ACTION

■ Élément indispensable à la synthèse des protéines et au fonctionnement des érythrocytes. Stimulation de la formation des érythrocytes, des leucocytes et des plaquettes. Élément essentiel au développement normal du fœtus. **Effets thérapeutiques :** ■ Rétablissement et maintien d'une hématopoïèse normale.

PHARMACOCINÉTIQUE

Absorption : Bonne absorption depuis le tractus gastro-intestinal et les points d'injections IM et SC.

Distribution : La moitié de la réserve de ce médicament se retrouve dans le foie. L'acide folique pénètre dans le lait maternel et traverse le placenta.

Métabolisme et excrétion : L'agent est transformé par la dihydrofolate réductase en métabolite actif. Les quantités en trop sont excrétées à l'état inchangé par les reins.

Demi-vie : Inconnue.

CONTRE-INDICATIONS ET PRÉCAUTIONS

Contre-indications : ■ Anémie pernicieuse non corrigée (les lésions neurologiques évolueront malgré la correction des anomalies hématologiques) ■ Nouveau-nés (ne pas administrer les préparations contenant de l'alcool benzylique).

Précautions : Anémie non diagnostiquée.

RÉACTIONS INDÉSIRABLES ET EFFETS SECONDAIRES

Tég. : rash.
Divers : fièvre.

INTERACTIONS

Médicament – médicament : ■ Les **sulfamidés**, le **méthotrexate** et le **triamtérène**

empêchent l'activation de l'acide folique ■ La **sulfasalazine** diminue l'absorption de l'acide folique ■ Les **œstrogènes**, la **phénytoïne** ou les **glucocorticoïdes** augmentent les besoins en acide folique.

VOIES D'ADMINISTRATION ET POSOLOGIE

Anémie

- **PO, IM, IV, SC (adultes):** de 5 à 20 mg par jour, en doses fractionnées.
- **PO, IM, IV, SC (enfants):** de 5 à 10 mg par jour.

Grossesse

- **PO, IM, IV, SC (adultes):** jusqu'à 1 mg par jour.

Supplément alimentaire

- **PO, IM, IV, SC (adultes et enfants):** de 0,1 à 1 mg par jour, selon la gravité de la carence nutritionnelle.

PHARMACODYNAMIE (augmentation de la numération des réticulocytes)

	DÉBUT D'ACTION	PIC	DURÉE
PO, IM, SC, IV	3 – 5 jours	5 – 10 jours	inconnue

SOINS INFIRMIERS

ÉVALUATION DE LA SITUATION

- □ Avant le traitement et à intervalles réguliers pendant toute sa durée, surveiller les signes suivants d'anémie mégaloblastique: fatigue, faiblesse, dyspnée.
- ■ **Étude des examens diagnostiques et biochimiques:** Examiner les concentrations plasmatiques d'acide folique, les concentrations d'hémoglobine, l'hématocrite et la numération réticulocytaire avant le traitement et à intervalles réguliers pendant toute sa durée.
- □ L'acide folique, administré continuellement à dose élevée, peut entraîner la diminution des concentrations sériques de vitamine B_{12}.

DIAGNOSTICS INFIRMIERS POSSIBLES

- ■ **Énoncés diagnostiques**
- □ Déficit nutritionnel.
- □ Intolérance à l'activité.
- □ Prise en charge inefficace du programme thérapeutique.
- □ *Risque élevé d'anxiété.*

- ■ **Facteurs favorisants**
- □ Informations incomplètes.
- □ *Manque de connaissances sur le régime alimentaire à suivre.*
- □ *Manque de connaissances sur les effets secondaires du médicament.*
- □ *Manque de connaissances sur les modalités du traitement.*

INTERVENTIONS INFIRMIÈRES

- ■ **Directives générales:** On administre habituellement l'acide folique en association avec d'autres vitamines, car il est rare que le patient ne présente que ce seul type d'avitaminose (voir l'annexe A).
- □ Lorsque l'administration PO est impossible, l'acide folique peut être administré par voie SC, par voie IM profonde ou par voie IV.
- ■ **IV:** La couleur de la solution varie de jaune à jaune orangé.
- ■ **IV directe:** Administrer la solution à un débit maximal de 5 mg/min.
- ■ **Perfusion continue:** On peut ajouter l'acide folique à une solution destinée à l'alimentation parentérale.
- ■ **Compatibilité (tubulure en Y):** Famotidine.
- ■ **Compatibilité en addition au soluté:** Solution de dextrose à 20 % dans de l'eau.
- ■ **Incompatibilités en addition au soluté:** Solution de dextrose à 50 % dans de l'eau ou gluconate de calcium.

ENSEIGNEMENT AU PATIENT ET À SES PROCHES

- □ Conseiller au patient de respecter scrupuleusement les recommandations diététiques du médecin. Lui expliquer que la meilleure source de vitamines est une alimentation bien équilibrée, contenant des aliments provenant des 4 principaux groupes. Si le médecin essaie de diagnostiquer la carence en acide folique sans écarter l'anémie pernicieuse, il prescrira un régime faible en vitamine B_{12} et en folate.

□ Expliquer au patient que les aliments riches en acide folique comprennent les légumes, les fruits et les abats ; l'acide folique contenu dans les aliments est détruit par la chaleur.

□ Recommander au patient qui pratique l'automédication par des suppléments vitaminiques de ne pas dépasser les taux quotidiens recommandés (voir l'annexe L). L'efficacité des mégadoses dans le traitement de diverses affections n'a pas été prouvée et elles peuvent entraîner des effets secondaires.

□ Expliquer au patient que l'acide folique peut rendre l'urine d'un jaune plus foncé.

□ Conseiller au patient de signaler au médecin le rash qui peut être un signe d'hypersensibilité.

□ Insister sur l'importance des examens de suivi permettant d'évaluer les bienfaits du traitement.

VÉRIFICATION DES RÉSULTATS

L'efficacité du traitement peut être démontrée par : ■ la réticulocytose se manifestant de 2 à 5 jours après le début du traitement □ la résolution des symptômes d'anémie mégaloblastique.

ACIDE PANTOTHÉNIQUE
Vitamine B_5, (Dexor T.D.)

PANTOTHÉNATE DE CALCIUM
(Durasil), (Pantholin)

CLASSIFICATION :
Vitamine hydrosoluble

Grossesse – catégorie inconnue

INDICATIONS

Traitement et prévention des carences en vitamines du complexe B associées à un mauvais état nutritionnel ou à des maladies chroniques débilitantes.

ACTION

■ Transformation en coenzyme A, nécessaire au métabolisme intermédiaire des protéines, des glucides et des lipides. **Effets thérapeutiques :** ■ Traitement et prévention des carences.

PHARMACOCINÉTIQUE

Absorption : L'agent semble être bien absorbé par suite de l'administration par voie orale.
Distribution : L'agent se répartit dans tout l'organisme sous forme de coenzyme A qui se concentre dans le foie, les surrénales, le cœur et les reins.
Métabolisme et excrétion : Une fraction de 70 % est excrétée à l'état inchangé par les reins. Une fraction de 30 % est éliminée dans les fèces.
Demi-vie : Inconnue.

CONTRE-INDICATIONS ET PRÉCAUTIONS

Contre-indication : Aucune contre-indication connue.
Précaution : Grossesse.

RÉACTIONS INDÉSIRABLES ET EFFETS SECONDAIRES

GI : crampes gastro-intestinales.

INTERACTIONS

Médicament – médicament : Aucune interaction notable.

VOIES D'ADMINISTRATION ET POSOLOGIE

Supplément diététique
■ **PO (adultes) :** de 5 à 10 mg.

PHARMACODYNAMIE

	DÉBUT D'ACTION	PIC	DURÉE
PO	inconnu	inconnu	inconnu

SOINS INFIRMIERS

ÉVALUATION DE LA SITUATION

☐ Avant le traitement et pendant toute sa durée, suivre les signes d'avitaminose. Une carence en acide pantothénique seul (B_5) est très rare; elle est caractérisée par le syndrome « des pieds brûlants » associé à la paresthésie.

DIAGNOSTICS INFIRMIERS POSSIBLES

■ **Énoncés diagnostiques**

☐ Déficit nutritionnel.
☐ Prise en charge inefficace du programme thérapeutique.

■ **Facteurs favorisants**

☐ Informations incomplètes.
☐ *Manque de connaissances sur le régime alimentaire à suivre.*

INTERVENTIONS INFIRMIÈRES

On administre habituellement des associations vitaminiques, car il est rare que le patient ne présente qu'un seul type de carence en vitamine B.

ENSEIGNEMENT AU PATIENT ET À SES PROCHES

☐ Inciter le patient à respecter scrupuleusement les recommandations diététiques du médecin. Lui expliquer que la meilleure source de vitamines est une alimentation bien équilibrée comprenant des aliments provenant des quatre principaux groupes alimentaires.
☐ Expliquer au patient que les aliments riches en acide pantothénique comprennent les abats (foie, rognons) et les farines de grains entiers. Une petite quantité seulement est perdue lors de la cuisson.
☐ Prévenir les patients qui s'autoadministrent des suppléments vitaminiques qu'ils ne doivent pas dépasser l'apport quotidien recommandé (voir l'annexe L). L'efficacité des mégadoses dans le traitement de divers troubles médicaux reste à prouver et elles peuvent entraîner des effets secondaires.
☐ Insister sur l'importance des examens de suivi permettant d'évaluer les bienfaits de l'agent.

VÉRIFICATION DES RÉSULTATS

L'efficacité du traitement peut être démontrée par: la prévention ou la diminution des symptômes d'avitaminose B_5.

ACIDE VALPROÏQUE
Depakene, (Dalpro), (Deproic), (Myproic Acid)

DIVALPROEX SODIQUE
Epival, (Depakote)

CLASSIFICATION:
Anticonvulsivant – divers
Grossesse – catégorie D

INDICATIONS

■ Traitement des absences épileptiques à symptomatologie simple et complexe ■ Convulsions tonicocloniques. **Usages non approuvés :** ■ Traitement des crises épileptiques partielles à symptomatologie complexe ■ Convulsions myocloniques.

ACTION

■ Élévation des concentrations d'acide gamma aminobutyrique (GABA), neurotransmetteur inhibiteur du SNC. **Effets thérapeutiques :** ■ Suppression des crises épileptiques.

PHARMACOCINÉTIQUE

Absorption : Bonne absorption depuis le tractus gastro-intestinal par suite de l'administration PO. Les comprimés de divalproex ont un enrobage entérique et leur absorption est retardée de 1 h.

Distribution : Le médicament se répartit rapidement dans le plasma et les liquides

A

extracellulaires. Il traverse la barrière hémato-encéphalique et le placenta et pénètre dans le lait maternel.

Métabolisme et excrétion: Le médicament est surtout métabolisé par le foie. Des quantités minimes sont excrétées à l'état inchangé dans l'urine.

Demi-vie: De 5 à 20 h.

CONTRE-INDICATIONS ET PRÉCAUTIONS

Contre-indications: ■ Hypersensibilité ■ Insuffisance hépatique.

Précautions: ■ Troubles hémorragiques ■ Grossesse et allaitement (l'innocuité du médicament n'a pas été établie) ■ Antécédents de maladie hépatique ■ Syndrome cérébral organique ■ Aplasie médullaire ■ Insuffisance rénale ■ Enfants (risque accru d'hépatotoxicité).

RÉACTIONS INDÉSIRABLES ET EFFETS SECONDAIRES

SNC: somnolence, sédation, céphalées, étourdissements, ataxie, confusion.

ORLO: troubles visuels.

GI: nausées, vomissements, indigestion, HÉPATOTOXICITÉ, pancréatite, hypersalivation, anorexie, gain d'appétit, diarrhée, constipation.

Tég.: rash.

Hémat.: allongement du temps de saignement, leucopénie, thrombocytopénie.

Métab.: hyperammoniémie.

SN: paresthésie.

INTERACTIONS

Médicament–médicament: ■ Risque accru de saignement lors de l'administration simultanée d'**antiagrégants plaquettaires** (dont l'**aspirine** et les **anti-inflammatoires non stéroïdiens**), d'**héparine**, d'**agents thrombolytiques** ou de **warfarine** ■ L'acide valproïque et le divalproex sodique diminuent le métabolisme des **barbituriques** et de la **primidone** et en augmentent ainsi le risque de toxicité ■ Dépression additive du SNC lors de l'usage concomitant d'autres **dépresseurs du SNC**, dont l'**alcool**, les **antihistaminiques**, les **antidépresseurs**, les **analgésiques narcotiques**, les **IMAO** et les **hypnosédatifs** ■ L'acide valproïque et le divalproex sodique peuvent augmenter ou diminuer les effets et la toxicité de la **phénytoïne** ■ Les **IMAO** et d'autres **antidépresseurs**, administrés simultanément, peuvent abaisser le seuil des convulsions et diminuer l'efficacité des valproates ■ La **carbamazépine**, administrée simultanément, peut diminuer les concentrations sanguines d'acide valproïque et de divalproex sodique ■ L'acide valproïque et le divalproex sodique peuvent augmenter la toxicité de la **carbamazépine**.

VOIES D'ADMINISTRATION ET POSOLOGIE

PO (adultes et enfants): initialement, 15 mg/kg par jour. Augmenter la dose par paliers de 5 à 10 mg/kg par jour, à intervalles hebdomadaires, jusqu'à l'obtention de concentrations thérapeutiques (ne pas dépasser 60 mg/kg par jour). Si la posologie quotidienne est supérieure à 250 mg pour l'acide valproïque ou à 125 mg pour le divalproex sodique, administrer en 2 doses fractionnées.

PHARMACODYNAMIE (début d'action = effet anticonvulsivant; pic = concentrations sanguines)

	DÉBUT D'ACTION	PIC	DURÉE
PO – préparation liquide	2 – 4 jours	15 – 120 min	24 h
PO – capsules	2 – 4 jours	1 – 4 h	24 h
PO – comprimés à enrobage entérique	2 – 4 jours	3 – 5 h	24 h

⚕ SOINS INFIRMIERS

ÉVALUATION DE LA SITUATION

☐ Déterminer le siège, la durée et les caractéristiques des convulsions. Prendre les précautions qui s'imposent.

- **Étude des examens diagnostiques et biochimiques :** Noter avant le traitement et à intervalles réguliers pendant toute sa durée la numération globulaire. Le médicament peut entraîner la leucopénie et la thrombocytopénie.

□ Examiner les résultats des tests de l'exploration fonctionnelle hépatique (LDH, TGPS [ALT], TGOS [AST] et bilirubine) avant le traitement et à intervalles réguliers pendant toute sa durée. Le médicament peut provoquer la toxicité hépatique. Suivre le patient de près, particulièrement durant les 6 premiers mois de traitement.

□ L'acide valproïque et le divalproex sodique peuvent fausser les résultats des tests de l'exploration fonctionnelle thyroïdienne. Ils peuvent également entraîner des résultats faussement positifs au dosage de la cétonurie.

DIAGNOSTICS INFIRMIERS POSSIBLES

- **Énoncés diagnostiques**
□ Risque élevé d'accident.
□ Prise en charge inefficace du programme thérapeutique.
□ *Risque élevé de déficit nutritionnel.*

- **Facteurs favorisants**
□ Informations incomplètes.
□ *Manque de connaissances sur les modalités du traitement.*
□ *Manque de connaissances sur la méthode d'administration du médicament.*
□ *Perturbation de la vigilance.*

INTERVENTIONS INFIRMIÈRES

- **Directives générales :** En raison des effets sédatifs du médicament, on administre habituellement les doses quotidiennes uniques au coucher.

- **PO :** Administrer le médicament pendant ou immédiatement après les repas afin de réduire l'irritation gastrique. Le patient doit avaler les capsules et les comprimés à enrobage entérique tels quels, sans les briser ni

les mâcher en raison des risque d'irritation de la bouche ou de la gorge. Ne pas administrer les comprimés avec du lait afin de prévenir une dissolution prématurée.

□ Bien mélanger les préparations liquides avant de les verser. Utiliser un récipient gradué pour les mesurer. On peut mélanger le sirop avec des aliments ou d'autres liquides pour en masquer le goût.

ENSEIGNEMENT AU PATIENT ET À SES PROCHES

□ Inciter le patient à respecter scrupuleusement la posologie recommandée. S'il doit prendre le médicament une fois par jour et s'il n'a pu le prendre au moment habituel, il doit le faire dès que possible. S'il doit prendre plus d'une dose par jour, il doit la prendre dans les 6 h suivant l'heure prévue et espacer ensuite les doses restantes de la journée. Le sevrage brusque peut déclencher l'état de mal épileptique.

□ Prévenir le patient que l'acide valproïque ou le divalproex sodique peuvent provoquer de la somnolence ou des étourdissements. Lui conseiller de ne pas conduire et d'éviter les activités qui exigent sa vigilance jusqu'à ce qu'on ait la certitude que le médicament n'entraîne pas ces effets chez lui.

□ Recommander au patient d'éviter de boire de l'alcool ou de prendre d'autres dépresseurs du SNC ou des médicaments en vente libre en même temps que les valproates sans consulter au préalable le médecin ou le pharmacien.

□ Recommander au patient qui doit suivre un traitement dentaire ou subir une intervention chirurgicale d'avertir le dentiste ou le médecin qu'il suit un traitement médicamenteux. Lui conseiller également de porter sur lui en tout temps une pièce d'identité où est inscrit son traitement médicamenteux.

□ Inciter le patient à prévenir le médecin si les symptômes suivants surviennent : anorexie, nausées et vomissements graves, jaunissement de la peau ou des yeux, fièvre, maux de gorge, malaises, faiblesse, œdème du visage, léthargie, saignement ou ecchymoses inhabituels. Lui conseiller également de prévenir le médecin si le médicament ne permet plus de maîtriser les convulsions. Recommander à la patiente d'informer le médecin si elle est enceinte. Prévenir les parents que les enfants de moins de 2 ans sont particulièrement prédisposés à une toxicité hépatique d'issue fatale.

□ Insister sur l'importance des examens médicaux réguliers permettant d'évaluer l'efficacité du traitement.

VÉRIFICATION DES RÉSULTATS

L'efficacité du traitement peut être démontrée par : la diminution ou la suppression des crises sans sédation excessive.

ACIDES AMINÉS

Aminosyn, FreAmine HBC, Travasol, (Aminess), (HepatAmine), (NeprAmine), (Novamine), (ProcalAmine), (RenAmine), (Trophamine)

CLASSIFICATION :

Supplément nutritif – supplément de protéines

Grossesse – catégorie C

INDICATIONS

Apport énergétique destiné aux patients incapables de consommer suffisamment de protéines d'origine alimentaire pour maintenir un bilan azoté positif □ Administration en période périopératoire aux patients incapables d'ingérer des protéines, par exemple ceux souffrant de troubles de l'appareil gastro-intestinal ; source supplémentaire de protéines dans les situations où les besoins protéiques sont importants mais où les patients sont incapables d'en ingérer suffisamment, par exemple, en présence de brûlures graves, de traumatisme ou de maladies infectieuses graves □ Habituellement, administration en association avec des glucides (dextrose) et des suppléments lipidiques dans le cadre d'un programme d'alimentation parentérale totale ou d'un régime d'épargne d'azote. Les préparations renferment également des électrolytes, des minéraux, des oligo-éléments et des vitamines. **Le traitement doit être adapté à chaque patient ; l'administration doit être assurée par un personnel compétent, disposant du matériel approprié.**

ACTION

■ Substrat pour la synthèse protéique grâce à un apport énergétique et protéique suffisant ; diminution de la vitesse de décomposition des protéines (catabolisme). **Effets thérapeutiques :** ■ Maintien d'un bilan azoté positif.

PHARMACOCINÉTIQUE

Absorption : Par suite de l'administration IV, l'absorption est complète.

Distribution : L'agent se répartit dans tout l'organisme.

Métabolisme et excrétion : Le métabolisme s'effectue pendant le processus anabolique, le médicament étant ensuite excrété dans l'urine sous forme d'urée.

Demi-vie : Inconnue.

CONTRE-INDICATIONS ET PRÉCAUTIONS

Contre-indications : Aucune contre-indication connue.

Précautions : ■ Maladie infectieuse impossible à juguler ■ Maladies cardiaque, rénale ou hépatique avancées (l'administration de préparations spéciales pourrait s'avérer nécessaire).

RÉACTIONS INDÉSIRABLES ET EFFETS SECONDAIRES

SNC: céphalées, confusions.
CV: insuffisance cardiaque, hypotension, hypertension.
GI: nausées, vomissements.
HÉ: hypervolémie, hypovolémie, déséquilibre électrolytique.
Métab.: hyperglycémie, hypoglycémie, azotémie, déficit en acides gras, hyperammoniémie.
Divers: INFECTION.

INTERACTIONS

Médicament – médicament: Les **glucocorticoïdes**, les **diurétiques** ou les **tétracyclines** peuvent favoriser un bilan azoté négatif.

VOIES D'ADMINISTRATION ET POSOLOGIE

Remarque: Il faut adapter soigneusement la posologie à chaque cas particulier et de façon à satisfaire les besoins métaboliques de l'organisme. Si l'administration des acides aminés se fait dans le cadre d'un programme d'alimentation parentérale totale, les suppléments énergétiques (dextrose ou émulsions lipidiques) doivent être administrés avec des électrolytes, des vitamines, des oligoéléments et d'autres micronutriments essentiels.

- **IV (adultes):** de 1 à 2 g de protéines/kg par jour.
- **IV (enfants):** de 2 à 3 g de protéines/kg par jour.
- **IV (nouveau-nés):** de 2 à 3 g de protéines/kg par jour.

PHARMACODYNAMIE

	DÉBUT D'ACTION	PIC	DURÉE
IV	inconnu	inconnu	inconnue

SOINS INFIRMIERS

ÉVALUATION DE LA SITUATION

☐ Déterminer l'état nutritionnel avant l'administration initiale et à intervalles réguliers pendant tout le traitement, étant donné que les acides aminés font couramment partie d'une alimentation parentérale totale. Il faut mesurer la taille, le poids, l'épaisseur des plis cutanés et la circonférence du bras et noter les concentrations de protéines totales et d'albumine sérique, la numération leucocytaire, les concentrations électrolytiques, l'équilibre azoté, la fonction du tractus gastro-intestinal et les besoins énergétiques.

☐ Effectuer le bilan des ingesta et des excreta; surveiller l'apparition des symptômes suivants de surcharge liquidienne: râles ou crépitations, dyspnée, œdème périphérique.

☐ Suivre de près les signes d'infection: fièvre, frissons, diaphorèse. En cas de septicémie, le médecin peut recommander de changer le point d'injection, de mettre en culture les prélèvements provenant de l'extrémité du cathéter, d'utiliser des solutions et des tubulures neuves et de prélever du sang pour des cultures.

■ **Étude des examens diagnostiques et biochimiques:** Cet agent peut élever les concentrations sanguines d'urée. Une élévation de 10 à 15 % qui persiste pendant 3 jours consécutifs peut dicter l'arrêt du traitement ou la modification de la formule.

☐ L'agent peut élever les concentrations d'ammoniaque et de cétone.

DIAGNOSTICS INFIRMIERS POSSIBLES

■ **Énoncés diagnostiques**
☐ Déficit nutritionnel.
☐ Risque élevé d'infection.
☐ Prise en charge inefficace du programme thérapeutique.

A

- **Facteurs favorisants**
- □ Informations incomplètes.

INTERVENTIONS INFIRMIÈRES

- **Directives générales:** Les acides aminés font partie d'une alimentation parentérale totale. Habituellement, on les administre avec du glucose hypertonique. Généralement, on incorpore à la préparation des oligoéléments, des vitamines, des électrolytes et de l'insuline.
- □ Des préparations spéciales sont destinées aux patients souffrant de dysfonction hépatique ou rénale, aux patients exposés à un très grand stress (traumatisme, maladie infectieuse) et aux enfants.
- **IV:** Ne rien ajouter à la solution sans demander conseil au pharmacien. Les solutions destinées à une alimentation parentérale totale doivent être préparées par des méthodes aseptiques sous une hotte biologique de sécurité.
- □ La solution doit être transparente. L'ajout de multivitamines rend la solution de couleur jaune vif.
- □ La perfusion doit être effectuée par l'entremise d'un filtre de 0,22 μm, à moins que la préparation ne soit mélangée à du glucose et à une émulsion lipidique, dans une proportion de 3 pour 1. Vérifier la vitesse de perfusion au moyen d'une pompe volumétrique ou du dispositif approprié.
- □ Si l'agent est administré dans une veine périphérique, changer de point d'injection toutes les 48 à 72 h ou suivre les règlements de l'établissement. Surveiller l'apparition des signes de thrombophlébite. Éviter l'infiltration; l'injection peut provoquer une nécrose des tissus.
- □ On peut administrer un régime d'épargne protéique par une tubulure périphérique; utiliser dans ce cas une solution diluée d'acides aminés (à 3,5 %), avec ou sans émulsion lipidi-

que ou dextrose à 5 ou à 10 %, dans de l'eau. La tubulure centrale doit être réservée à l'administration de solutions plus concentrées, mélangées à du glucose hypertonique.

- □ On peut administrer l'émulsion lipidique et les acides aminés par un raccordement en série.
- □ Respecter les méthodes aseptiques lors de l'utilisation d'une tubulure centrale. Changer les pansements toutes les 48 h ou suivre les règlements de l'établissement.
- □ Ausculter le murmure vésiculaire. Observer le point d'injection à la recherche de signes d'érythème, d'œdème ou d'écoulements.

ENSEIGNEMENT AU PATIENT ET À SES PROCHES

- □ Si les acides aminés sont administrés dans le cadre d'un programme d'alimentation parentérale totale, expliquer au patient que la solution peut satisfaire tous ses besoins nutritionnels.
- □ Conseiller au patient de signaler sans délai la fièvre et les frissons ainsi que l'enflure, la douleur ou les écoulements au point de perfusion.
- □ Lorsque l'alimentation parentérale totale est administrée à domicile, le patient peut recevoir la perfusion seulement pendant la nuit. Avant sa sortie de l'hôpital, il faut expliquer au patient et à ses proches la raison du traitement, les techniques d'administration et les symptômes qu'il faut signaler au médecin. Ils doivent prouver qu'ils savent utiliser une technique aseptique pour nettoyer le point d'insertion du cathéter, pour perforer le sac et pour amorcer la perfusion par la tubulure. Ils doivent aussi savoir comment régler la pompe de perfusion. La planification de la sortie de l'hôpital doit se faire en collaboration avec l'établissement qui assurera les soins à domicile et four-

nira le matériel, les solutions et le support psychologique au patient et à ses proches.

VÉRIFICATION DES RÉSULTATS

L'efficacité du traitement peut être démontrée par : ■ le gain de poids ■ l'amélioration des paramètres nutritionnels ■ la cicatrisation plus rapide des plaies.

ACYCLOVIR
Zovirax

CLASSIFICATION :
Agent antiviral

Grossesse – catégorie C

INDICATIONS

■ **PO :** Traitement des primo-infections génitales par l'herpèsvirus et prophylaxie des infections récurrentes ■ **PO :** Traitement des lésions cutanées localisées, provoquées par l'herpès zoster (zona aigu) ■ **IV :** Traitement des épisodes initiaux graves d'herpès génital, chez les patients dont le système immunitaire est normal ■ **IV :** Traitement des infections mucocutanées primaires ou récurrentes, provoquées par l'herpèsvirus, chez les patients immunodéprimés ■ **Usage topique :** □ Traitement des infections herpétiques génitales primaires □ Traitement des infections cutanées du virus de l'herpès simplex qui ne mettent pas la vie du malade en péril, chez les patients immunodéprimés ■ **Usages non approuvés :** □ Traitement de l'encéphalite herpétique chez les enfants de plus de 6 mois.

ACTION

■ Inhibition de la synthèse de l'ADN viral. **Effets thérapeutiques :** ■ Inhibition de la réplication et diminution de la dissémination du virus ; accélération du temps de cicatrisation des lésions.

PHARMACOCINÉTIQUE

Absorption : L'absorption par suite de l'administration par voie orale est faible (de l'ordre de 15 à 30 %), bien que des concentrations thérapeutiques soient présentes dans le sang.
Distribution : Le médicament se répartit dans tout l'organisme. La concentration dans le liquide céphalorachidien correspond à 50 % de la concentration plasmatique. Le médicament traverse le placenta.
Métabolisme et excrétion : Élimination rénale de plus de 90 % du médicament à l'état inchangé ; la fraction restante est métabolisée par le foie.
Demi-vie : De 2,1 à 3,5 h (prolongée en cas d'insuffisance rénale).

CONTRE-INDICATIONS ET PRÉCAUTIONS

Contre-indications : Hypersensibilité.
Précautions : ■ Graves anomalies neurologiques, hépatiques, pulmonaires et hydroélectrolytiques préexistantes ■ Insuffisance rénale (réduire la dose) ■ Grossesse et allaitement (l'innocuité du médicament n'a pas été établie).

RÉACTIONS INDÉSIRABLES ET EFFETS SECONDAIRES

SNC : étourdissements, céphalées, hallucinations, tremblements, CONVULSIONS.
ORLO : hyperplasie des gencives.
GI : diarrhée, nausées, vomissements, anorexie, douleurs abdominales.
GU : INSUFFISANCE RÉNALE, hématurie, cristallurie.
Tég. : acné, transpiration inhabituelle, rash, éruptions urticariennes.
End. : modifications du cycle menstruel.
Locaux : douleur, phlébite.
Loc. : douleurs articulaires.
Divers : polydipsie.

INTERACTIONS

Médicament – médicament : ■ Le **probénécide** augmente les concentrations sanguines d'acyclovir. ■ L'utilisation concomitante d'autres **médicaments néphrotoxiques** augmente le risque d'effets rénaux indésirables. ■ Le **méthotréxate par voie intrathécale** augmente le risque d'effets secondaires sur le SNC.

PRÉSENTATION

Le médicament est présenté sous forme de comprimés, de capsules, de suspension orale, d'onguent et de solution parentérale.

VOIES D'ADMINISTRATION ET POSOLOGIE

Remarque : Diminuer la dose en cas d'insuffisance rénale. L'acyclovir sodique ne doit pas être administré par voie topique, IM, SC, orale ou intraoculaire.

Infection herpétique génitale primaire
■ **PO (adultes) :** 200 mg, toutes les 4 h lorsque le patient est éveillé (5 fois par jour), pendant 10 jours.
■ **IV (adultes) :** 5 mg/kg, toutes les 8 h, pendant 5 jours.

Traitement suppressif prolongé des infections génitales herpétiques récurrentes
■ **PO (adultes) :** 300 mg, de 3 à 5 fois par jour ou 400 mg, 2 fois par jour, pendant 12 mois au maximum.

Traitement intermittent des infections génitales herpétiques récurrentes
■ **PO (adultes) :** 200 mg, toutes les 4 h lorsque le patient est éveillé (5 fois par jour), pendant 5 jours. Amorcer le traitement dès l'apparition des symptômes.

Traitement du zona aigu
■ **PO (adultes) :** 800 mg, toutes les 4 h, lorsque le patient est éveillé (5 fois par jour), pendant 7 à 10 jours.

Infections mucocutanées provoquées par l'herpèsvirus chez les patients immunodéprimés
■ **IV (adultes et enfants > 12 ans) :** 5 mg/kg, toutes les 8 h, pendant 7 jours.
■ **IV (enfants < 12 ans) :** 250 mg/m², toutes les 8 h, pendant 7 jours.

■ **Usage topique (adultes) :** un ruban de 1,25 cm d'onguent à 5 % par 25 cm² de peau, toutes les 3 h, de 4 à 6 fois par jour, pendant 10 jours au maximum.

Encéphalite herpétique
■ **IV (adultes) :** 10 mg/kg, toutes les 8 h, pendant 10 jours.
■ **IV (enfants < 12 ans) :** 500 mg/m², toutes les 8 h, pendant 10 jours.

Infections provoquées par l'herpèsvirus varicellæ chez les patients immunodéprimés
■ **IV (adultes) :** 10 mg/kg, toutes les 8 h, pendant 7 jours.
■ **IV (enfants < 12 ans) :** 500 mg/m², toutes les 8 h, pendant 7 jours.

PHARMACODYNAMIE (concentrations sanguines antivirales)

	DÉBUT D'ACTION	PIC
PO	inconnu	1,5 – 2,5 h
IV	rapide	fin de la perfusion

✳ SOINS INFIRMIERS

ÉVALUATION DE LA SITUATION
□ Examiner les lésions avant le début du traitement et quotidiennement pendant toute la durée du traitement.
□ Examiner l'état neurologique des patients souffrant d'encéphalite herpétique.
■ **Étude des examens diagnostiques et biochimiques :** Noter les concentrations sériques d'urée et de créatinine ainsi que la clearance de la créatinine avant et pendant le traitement. Des concentrations sériques accrues d'urée et de créatinine ou une clearance diminuée de la créatinine peuvent être les indices d'une insuffisance rénale.

DIAGNOSTICS INFIRMIERS POSSIBLES
■ **Énoncés diagnostiques**
□ Risque élevé d'atteinte à l'intégrité de la peau.

- □ Risque élevé d'infection.
- □ Prise en charge inefficace du programme thérapeutique.
- □ *Risque élevé d'altération de la perception visuelle.*

■ **Facteurs favorisants**

- □ Informations incomplètes.
- □ *Manque de précautions lors des changements de pansement.*
- □ *Contact du médicament avec les yeux et la région périorbitaire.*

Interventions infirmières

- ■ **Directives générales:** Il faut commencer le traitement à l'acyclovir dès l'apparition des symptômes d'herpès.
- ■ **PO:** On peut administrer les capsules d'acyclovir à jeun ou avec des aliments.
- ■ **IV:** Pour prévenir la cristallurie, il faut maintenir une hydratation suffisante (de 2 000 à 3 000 mL/jour), particulièrement au cours des deux premières heures qui suivent la perfusion IV.
- □ Observer le point d'insertion du cathéter IV pour déceler les signes d'inflammation. Assurer la rotation des points de perfusion afin de prévenir la phlébite.
- ■ **Perfusion intermittente:** Reconstituer 500 mg avec 10 mL d'eau stérile ou d'eau bactériostatique pour injection sans parabènes jusqu'à l'obtention d'une concentration de 50 mg/mL. Ne pas reconstituer avec de l'eau bactériostatique contenant de l'alcool benzylique lors de l'administration au nouveau-né. Bien agiter pour faire dissoudre tout le médicament. Pour obtenir une concentration inférieure à 7 mg/mL, diluer dans une solution de dextrose à 5 % dans de l'eau; de dextrose à 5 % dans une solution de NaCl à 0,25 %, à 0,45 % ou à 0,9 %; dans une solution de NaCl à 0,9 % ou dans une solution de lactate Ringer. Utiliser la solution reconstituée dans les 12 h qui suivent sa préparation. La solution destinée à la perfusion doit être utilisée dans les 24 h qui suivent sa dilution. La réfrigération entraîne la formation de précipités qui se dissolvent à la température ambiante.

- □ *Vitesse d'administration:* Administrer lentement à l'aide d'une pompe volumétrique en au moins une heure afin de réduire le risque de lésion rénale.

- ■ **Compatibilités (tubulure en Y):** Amikacine, ampicilline, bicarbonate de sodium, céfamandole, céfazoline, céfonicide, céfopérazone, céforanide, céfotaxime, céfoxitine, ceftazidime, ceftizoxime, ceftriaxone, céfuroxime, céphapirine, chloramphénicol, chlorure de potassium, cimétidine, clindamycine, cotrimoxazole, dimenhydrinate, diphénhydramine, gentamycine, héparine, hydromorphone, imipenem avec cilastatine, lactionate d'érythromycine, lorazépam, mépéridine, métoclopramide, métronidazole, morphine, multivitamines en perfusion, nafcilline, oxacilline, pénicilline G potassique, pentobarbital, perphénazine, phosphate de déxaméthasone sodique, pipéracilline, ranitidine, succinate d'hydrocortisone sodique, succinate de méthylprednisolone sodique, sulfate de magnésium, tétracycline, théophylline, ticarcilline, tobramycine ou vancomycine.

- ■ **Incompatibilités (tubulure en Y):** Dobutamine, dopamine, ondansétron ou vérapamil.

- ■ **Incompatibilités en addition au soluté:** Produits du sang, solutions qui contiennent des protéines, dobutamine ou dopamine.

- ■ **Usage topique:** Appliquer sur les lésions cutanées seulement; ne pas administrer dans les yeux.

Enseignement au patient et à ses proches

- ■ **Directives générales:** Inciter le patient à suivre scrupuleusement la posologie recommandée pendant toute la durée du traitement. S'il n'a pu prendre le médicament au moment habituel, il doit le prendre le plus rapidement possible sauf si c'est presque l'heure prévue pour la dose suivante. Avertir le patient qu'il ne faut pas remplacer une dose manquée par une double dose. L'acyclovir ne doit pas être utilisé plus fréquemment ni plus longtemps qu'il n'a été prescrit.

☐ Signaler au patient que l'application concomitante de crèmes, de lotions et d'onguents en vente libre peut retarder la guérison et provoquer la dissémination des lésions.

☐ Prévenir le patient que l'acyclovir ne guérit pas le virus étant donné que celui-ci reste à l'état latent dans les ganglions. Le médicament ne prévient pas, non plus, la transmission de l'infection à d'autres personnes.

☐ Inciter le patient à utiliser des préservatifs pendant les rapports sexuels et à éviter les rapports sexuels pendant que les lésions sont présentes.

☐ Expliquer au patient qu'il est important de maintenir une bonne hygiène orale et de se faire régulièrement nettoyer les dents par le dentiste afin de prévenir l'augmentation de la sensibilité, des saignements ou l'hyperplasie des gencives.

☐ Prévenir le patient qu'il doit consulter le médecin si les symptômes ne sont pas soulagés après un traitement topique d'une durée de sept jours ou si l'acyclovir par voie orale ne diminue pas la fréquence ou la gravité des récurrences.

☐ Prévenir les patientes qui souffrent d'herpès génital qu'elles devraient se soumettre tous les ans à un test de Papanicolaou étant donné qu'elles sont davantage prédisposées au cancer du col.

■ **Usage topique:** Expliquer au patient qu'il doit appliquer l'onguent toutes les 3 h, de 4 à 6 fois par jour pendant 10 jours, en quantité suffisante pour couvrir toutes les lésions. Un ruban de 1,5 cm d'onguent recouvre environ 25 cm^2 de peau. Utiliser un doigtier ou un gant de caoutchouc lors de l'application afin d'éviter la contamination d'autres parties du corps ou la transmission de l'infection à d'autres personnes. Garder les parties atteintes propres et sèches. Pour prévenir l'irritation, recommander au patient de porter des vêtements amples.

☐ Expliquer au patient qu'il doit éviter le contact du médicament avec l'œil ou la région oculaire. Lui demander de signaler au médecin, sans délai, tous les symptômes oculaires inexpliqués, étant donné qu'une infection oculaire par l'herpèsvirus peut mener à la cécité.

VÉRIFICATION DES RÉSULTATS

L'efficacité du traitement peut être démontrée par : ■ la formation de croûtes et la cicatrisation des lésions cutanées ■ la diminution de la fréquence et de la gravité des récurrences ■ le raccourcissement du délai de cicatrisation complète des lésions provoquées par le zona et le soulagement de la douleur.

ADÉNOSINE
(Adenocard)

CLASSIFICATION :
Antiarythmique – divers
Grossesse – catégorie C

INDICATIONS

Conversion des tachyarythmies ventriculaires paroxystiques en rythme sinusal normal lorsque les manœuvres vagales échouent.

ACTION

■ Rétablissement du rythme sinusal normal en bloquant la réentrée dans le nœud AV ■ Ralentissement du temps de conduction par le nœud AV. **Effets thérapeutiques:** ■ Rétablissement du rythme sinusal normal.

PHARMACOCINÉTIQUE

Absorption: Par suite de l'administration IV, l'absorption est virtuellement complète.

Distribution: L'adénosine est captée par les érythrocytes et l'endothélium vasculaire.

Métabolisme et excrétion: Clearance rapide par transformation en inosine et en monophosphate d'adénosine.

Demi-vie: Moins de 10 s.

CONTRE-INDICATIONS ET PRÉCAUTIONS

Contre-indications: ■ Hypersensibilité ■ Bloc AV du 2e ou du 3e degré ou syndrome du sinus malade, sauf en présence d'un stimulateur cardiaque artificiel qui fonctionne bien.

Précautions: ■ Antécédents d'asthme (risque de bronchospasme) ■ Grossesse, allaitement et enfants (l'innocuité du médicament n'a pas été établie).

RÉACTIONS INDÉSIRABLES ET EFFETS SECONDAIRES

SNC: céphalées, étourdissements, vertiges, appréhension, pression crânienne.

ORLO: vision trouble, constriction de la gorge.

Resp.: essoufflements, pression thoracique, hyperventilation.

CV: bouffées vasomotrices, arythmies transitoires, palpitations, douleurs thoraciques, hypotension.

GI: nausées, goût métallique.

Tég.: transpiration, sensation de brûlure, rougeur du visage.

Loc.: douleurs cervicales et lombaires.

SN: picotements, engourdissements.

Divers: sensation de pression dans l'aine, sensation de lourdeur dans les bras.

INTERACTIONS

Médicament–médicament: ■ La **carbamazépine** peut accroître le risque de bloc cardiaque évolutif ■ Le **dipyridamole** potentialise les effets de l'adénosine (il est recommandé de diminuer la dose d'adénosine) ■ Les effets de l'adénosine peuvent être diminués par la **théophylline** ou la **caféine** (des doses plus élevées d'adénosine pourraient s'avérer nécessaires) ■ La **nicotine** (cigarettes, gommes ou timbre cutané à la nicotine) peut augmenter le risque de tachycardie.

VOIES D'ADMINISTRATION ET POSOLOGIE

IV (adultes): 6 mg par bolus IV rapide; en l'absence de résultats, répéter l'administration 1 ou 2 min plus tard en injectant rapidement un bolus de 12 mg (ne pas dépasser 12 mg par dose).

PHARMACODYNAMIE

	DÉBUT D'ACTION	PIC	DURÉE
IV	3 – 4 s	inconnu	1 – 2 min

SOINS INFIRMIERS

ÉVALUATION DE LA SITUATION

□ Mesurer souvent la fréquence cardiaque (toutes les 15 à 30 s) et suivre de près l'ÉCG tout au long du traitement. Une fois que le rythme sinusal normal est rétabli, des arythmies transitoires (contractions ventriculaires prématurées, contractions auriculaires prématurées, tachycardie sinusale, bradycardie sinusale, extrasystoles, bloc du nœud AV) peuvent se manifester, mais elles ne durent généralement que quelques secondes.

□ Mesurer la pression artérielle tout au long de l'administration.

□ Suivre de près l'état de la respiration (murmure vésiculaire et fréquence respiratoire) après l'administration.

A

Un bronchospasme peut se manifester chez les patients ayant des antécédents d'asthme.

DIAGNOSTICS INFIRMIERS POSSIBLES

■ **Énoncés diagnostiques**
□ Diminution du débit cardiaque.
□ Prise en charge inefficace du programme thérapeutique.
□ *Risque élevé d'accident.*

■ **Facteurs favorisants**
□ Informations incomplètes.
□ *Manque de connaissances sur les effets secondaires du médicament.*
□ *Manque de connaissances sur les effets hypotensifs du médicament lors des changements brusques de position.*

INTERVENTIONS INFIRMIÈRES

■ **Directives générales :** Si l'adénosine est réfrigérée, des cristaux peuvent se former. Pour les dissoudre, laisser à la température ambiante. Il ne faut utiliser que les solutions translucides. Jeter toute portion inutilisée.
■ **IV directe :** Administrer sans diluer en 1 ou 2 s par IV directe ou par une tubulure IV proximale. Poursuivre avec un rinçage rapide au soluté pour s'assurer que le médicament injecté pénètre dans la circulation générale. Une administration lente risque d'élever la fréquence cardiaque en réaction à la vasodilatation.

ENSEIGNEMENT AU PATIENT ET À SES PROCHES

■ Conseiller au patient de changer lentement de position pour réduire l'hypotension orthostatique. Des doses supérieures à 12 mg diminuent la pression artérielle en réduisant la résistance vasculaire périphérique.
□ Recommander au patient de signaler au médecin les symptômes suivants : rougeur du visage, essoufflements, étourdissements.

VÉRIFICATION DES RÉSULTATS

L'efficacité du traitement peut être démontrée par : la conversion de la tachycardie supraventriculaire en rythme sinusal normal.

ALBUMINE
Plasbumin-5, Plasbumin-25, (Albuminar), (Albumisol), (Albuteine), (Buminate), (Albumine humaine)

CLASSIFICATION :
Dérivé du sang

Grossesse – catégorie C

INDICATIONS

■ Augmentation du volume plasmatique et maintien du débit cardiaque lorsque le volume liquidien diminue, à savoir en cas de choc, d'hémorragie et de brûlures
■ Substitution passagère de l'albumine en cas de maladie associée à de faibles concentrations de protéines plasmatiques, comme le syndrome néphrotique aigu ou une maladie hépatique en phase terminale, pour soulager ou réduire l'œdème
■ Maladie hémolytique du nouveau-né.

ACTION

■ L'albumine crée une pression osmotique colloïdale qui favorise le retour des liquides des tissus extravasculaires vers l'espace intravasculaire
■ L'albumine est le principal composant des protéines plasmatiques
■ L'albumine peut lier les médicaments et d'autres substances comme la bilirubine. **Effets thérapeutiques :**
■ Déplacement des liquides des tissus extravasculaires vers l'espace intravasculaire.

PHARMACOCINÉTIQUE

Absorption : Par suite de l'administration par voie IV, l'absorption est virtuellement complète.

A

Distribution: Limitée à l'espace intravasculaire à moins que la perméabilité des capillaires ne soit accrue.

Métabolisme et excrétion: Le métabolisme a normalement lieu dans le foie; l'agent est probablement décomposé dans le foie également.

Demi-vie: Inconnue.

CONTRE-INDICATIONS ET PRÉCAUTIONS

Contre-indications: ■ Réactions allergiques à l'albumine ■ Anémie grave ■ Insuffisance cardiaque ■ Volume intravasculaire normal ou accru.

Précautions: Maladies hépatique ou rénale graves ■ Déshydratation (l'administration d'une quantité supplémentaire de liquides peut s'avérer nécessaire).

RÉACTIONS INDÉSIRABLES ET EFFETS SECONDAIRES

SNC: céphalées.

CV: hypertension, hypotension, surcharge en liquides, ŒDÈME PULMONAIRE, tachycardie.

GI: nausées, vomissements, salivation accrue.

Tég.: urticaire, rash.

Loc.: douleurs lombaires.

Divers: fièvre, frissons, bouffées vasomotrices.

INTERACTIONS

Médicament – médicament: Aucune interaction notable.

VOIES D'ADMINISTRATION ET POSOLOGIE

Remarque: L'albumine existe en solution à 5 et à 25 %. La dose doit être soigneusement adaptée à chaque personne et à chaque maladie que l'on traite.

- **IV (adultes):** 25 g; on peut répéter l'administration en l'espace de 15 à 30 min; ne pas dépasser 125 g en 24 h ou 250 g en 48 h.
- **IV (enfants):** 25 g ou 25 à 50 % de la dose administrée chez l'adulte.
- **IV (prématurés):** 1 g/kg sous forme de solution à 25 % à administrer avant la transfusion, le cas échéant.

PHARMACODYNAMIE (pression oncotique)

	DÉBUT D'ACTION	PIC	DURÉE
IV	15 – 30 min	inconnu	inconnue

☀ SOINS INFIRMIERS

ÉVALUATION DE LA SITUATION

- **Directives générales:** Mesurer les signes vitaux et la pression veineuse centrale; effectuer le bilan des ingesta et des excreta avant le traitement et, à intervalles fréquents, pendant toute sa durée. En cas de fièvre, de tachycardie ou d'hypotension, arrêter la perfusion et prévenir immédiatement le médecin. On devrait éventuellement administrer des antihistaminiques pour supprimer cette réaction d'hypersensibilité. Une perfusion trop rapide peut également provoquer l'hypotension.
- ☐ Pendant et après l'administration, surveiller l'apparition des signes suivants de surcharge vasculaire: pression veineuse centrale élevée, râles et crépitations, dyspnée, hypertension, turgescence des jugulaires.
- **Patients ayant subi une intervention chirurgicale:** Après l'administration, les risques d'hémorragie sont accrus à cause de l'élévation de la pression du sang et de l'augmentation du volume sanguin. Noter que l'albumine ne contient pas de facteurs de coagulation.
- **Étude des examens diagnostiques et biochimiques:** Les concentrations sériques de protéines devraient augmenter lors de l'albuminothérapie.
- ☐ Noter les concentrations sériques de sodium; l'albumine pourrait élever ces concentrations.
- ☐ Les perfusions d'albumine sérique normale peuvent entraîner une fausse

A

élévation des concentrations de phosphatase alcaline.
- **Hémorragie:** Noter l'hémoglobine et l'hématocrite. Ces valeurs peuvent diminuer à cause de l'hémodilution.

DIAGNOSTICS INFIRMIERS POSSIBLES
- **Énoncés diagnostiques**
- ☐ Diminution du débit cardiaque.
- ☐ Déficit de volume liquidien.
- ☐ Excès de volume liquidien.
- ☐ *Risque élevé de mode de respiration inefficace.*

- **Facteurs favorisants**
- ☐ *Manque de connaissances sur les moyens de prévenir les effets secondaires du médicament.*

INTERVENTIONS INFIRMIÈRES
- **Directives générales:** Suivre les recommandations du fabricant concernant l'administration et utiliser l'appareillage fourni. Administrer par un cathéter IV ou par une aiguille de gros calibre (au moins 20).
- ☐ Les solutions doivent être translucides et de couleur ambre; ne pas administrer des solutions troubles ou précipitées. Garder à la température ambiante.
- ☐ L'administration de l'albumine sérique normale ne comporte aucun danger de transmission de l'infection par le VIH ou de l'hépatite sérique. Aucune épreuve de compatibilité croisée n'est nécessaire.
- ☐ Sur le plan osmotique, 25 g d'albumine sérique normale équivalent à 2 unités de plasma frais surgelé; 100 mL d'albumine sérique normale à 25 % fournissent la même quantité de protéines plasmatiques que 500 mL de plasma ou 2 L de sang entier. L'albumine sérique normale à 5 % est isotonique et équivaut sur le plan osmotique à une quantité égale de plasma. La valeur osmotique de la solution d'albumine à 25 % est cinq fois supérieure à celle du plasma. Un litre

d'albumine sérique normale contient de 130 à 160 mmol de sodium, raison pour laquelle la mention «albumine à faible teneur en sel» n'apparaît plus sur l'étiquette.
- ☐ L'administration de quantités importantes d'albumine sérique normale devrait éventuellement s'accompagner de l'administration de sang entier pour prévenir l'anémie. Si l'on a administré plus de 1 L de solution d'albumine sérique normale à 5 % ou si une hémorragie survient, l'administration de sang entier ou concentré pourrait s'avérer nécessaire. Il faut suivre de près l'hydratation et administrer, au besoin, des quantités supplémentaires de liquide.
- **Perfusion continue:** Administrer l'albumine sérique normale à 5 % sans la diluer. L'albumine sérique normale à 25 % peut être administrée non diluée ou diluée dans une solution de NaCl à 0,9 % ou de dextrose à 5 % dans de l'eau. La perfusion doit être terminée en l'espace de 4 h.
- ☐ *Vitesse d'administration:* La vitesse d'administration est déterminée par la concentration de la solution, le volume sanguin, l'indication et la réaction du patient. Chez les patients dont le volume sanguin est normal, l'albumine sérique normale à 5 % devrait être administrée à un débit de 2 à 4 mL/min et l'albumine sérique normale à 25 %, à un débit de 1 mL/min. Chez les enfants, le débit doit être habituellement de 25 ou de 50 % inférieur.
- ☐ *Choc avec hypovolémie:* On peut administrer l'albumine sérique normale à 5 ou 25 % aussi rapidement qu'elle est tolérée et répéter l'administration, au besoin, dans les 15 à 30 min qui suivent.
- ☐ *Brûlures:* Le débit après les 24 premières heures devrait être réglé de façon à maintenir une concentration d'albumine plasmatique de 2,5 g/

100 mL ou une concentration totale de protéines sériques de 5,2 g/100 mL.

□ *Hypoprotéinémie*: L'albumine sérique normale à 25 % est la solution la plus appropriée, étant donné sa forte teneur en protéines. La vitesse d'administration ne devrait pas dépasser 3 mL/min pour la solution à 25 %, ou de 5 à 10 mL/min, pour la solution à 5 %, pour prévenir la surcharge circulatoire et l'œdème pulmonaire. Ce traitement favorise l'élévation passagère des protéines plasmatiques jusqu'au moment où l'hypoprotéinémie peut être corrigée.

■ **Compatibilités en addition au soluté:** Solution de NaCl à 0,9 %, dextrose à 5 % dans de l'eau ou dans une solution de NaCl à 0,9 % ou à 0,45 %, dextrose à 5 % dans une solution de Ringer ou de lactate Ringer.

ENSEIGNEMENT AU PATIENT ET À SES PROCHES

□ Expliquer au patient la raison pour laquelle on lui administre cet agent.

□ Inciter le patient à signaler au médecin les signes et les symptômes d'une réaction d'hypersensibilité.

VÉRIFICATION DES RÉSULTATS

L'efficacité du traitement peut être démontrée par : ■ l'élévation de la pression artérielle et du volume sanguin lors du traitement du choc et des brûlures ■ l'augmentation du débit urinaire, qui traduit l'élimination des liquides des tissus extravasculaires ■ l'élévation des concentrations de protéines plasmatiques chez les patients souffrant d'hypoprotéinémie.

ALFENTANIL
Alfenta, (Rapifen)

CLASSIFICATION:
analgésique narcotique – agoniste

Stupéfiant

Grossesse – catégorie C

INDICATIONS

■ Adjuvant analgésique administré en doses croissantes successives pour maintenir l'anesthésie par association de barbituriques, protoxyde d'azote et oxygène ■ Analgésie, en administration par perfusion IV continue, en association avec du protoxyde d'azote et de l'oxygène pendant le maintien de l'anesthésie générale ■ Anesthésie d'induction primaire lorsqu'il est nécessaire de conserver l'intubation endotrachéale et la ventilation.

ACTION

■ Liaison aux récepteurs des opiacés du SNC modifiant la réaction à la douleur et sa perception, et entraînant une dépression généralisée du système nerveux central. **Effets thérapeutiques :** ■ Soulagement de la douleur modérée à grave ■ Anesthésie.

PHARMACOCINÉTIQUE

Absorption : Par suite de l'administration IV, l'absorption du médicament est virtuellement complète.

Distribution : L'alfentanil pénètre difficilement dans les tissus adipeux. Il traverse le placenta et pénètre dans le lait maternel.

Métabolisme et excrétion : Métabolisme hépatique à plus de 95 %.

Demi-vie : De 60 à 130 min.

CONTRE-INDICATIONS ET PRÉCAUTIONS

Contre-indications : ■ Hypersensibilité ■ Intolérance connue.

Précautions : ■ Personnes âgées ■ Patients débilités ou gravement malades ■ Diabète ■ Maladies pulmonaire ou hépatique graves ■ Tumeur du SNC ■ Pression intracrânienne accrue ■ Traumatisme crânien ■ Insuffisance surrénalienne ■ Douleur abdominale non diagnostiquée ■ Hypothyroïdisme ■ Alcoolisme ■ Maladie cardiaque ■ Grossesse, allaitement et enfants de moins de 12 ans (l'innocuité du médicament n'a pas été établie).

RÉACTIONS INDÉSIRABLES ET EFFETS SECONDAIRES

SNC: étourdissements, somnolence.

ORLO: vision trouble.

CV: bradycardie, tachycardie, hypotension, hypertension, arythmies.

Resp.: apnée.

GI: nausées, vomissements.

Loc.: rigidité des muscles thoraciques, rigidité des muscles squelettiques.

INTERACTIONS

Médicament – médicament: ■ L'usage simultané d'**alcool**, d'**antihistaminiques**, d'**antidépresseurs** et d'**autres hypnosédatifs** peut entraîner une dépression accrue du SNC ■ Éviter l'administration d'**inhibiteurs de la MAO** pendant les 14 jours qui précèdent le traitement avec ce médicament ■ La **cimétidine** ou l'**érythromycine** peuvent retarder le réveil ■ L'administration simultanée de **benzodiazépines** peut augmenter le risque d'hypotension ■ La **nalbuphine** et la **pentazocine** peuvent réduire les propriétés analgésiques du médicament.

VOIES D'ADMINISTRATION ET POSOLOGIE

Injection par doses successives croissantes (durée de l'anesthésie < 30 min)

Période d'induction
■ **IV (adultes):** de 5 à 20 µg/kg.

Période d'entretien
■ **IV (adultes):** 2,5 µg/kg par doses croissantes ou de 0,5 à 1 µg/kg/min (dose totale: de 5 à 40 µg/kg).

Injection par doses croissantes successives (durée de l'anesthésie de 30 à 60 min)

Période d'induction
■ **IV (adultes):** de 20 à 50 µg/kg.

Période d'entretien
■ **IV (adultes):** de 5 à 15 µg/kg, par doses croissantes (jusqu'à une dose totale de 75 µg/kg).

Perfusion continue (durée de l'anesthésie > 45 min)

Induction
■ **IV (adultes):** de 50 à 75 µg/kg.

Dose d'entretien
■ **IV (adultes):** de 0,5 à 3,0 µg/kg/min (vitesse moyenne de la perfusion de 0,5 à 1,5 µg/kg/min). La vitesse de la perfusion doit être diminuée de 30 à 50 % après la première heure du traitement d'entretien. Si l'effet de l'anesthésie commence à s'épuiser, on peut augmenter la vitesse de perfusion jusqu'à 4 µg/kg/min ou administrer des bolus de 7 mg/kg.

Anesthésie d'induction (durée de l'anesthésie > 45 min)
■ **IV (adultes):** de 130 à 245 µg/kg, suivis de 0,5 à 1,5 µg/kg/min ou d'une anesthésie générale.

PHARMACODYNAMIE (analgésie et dépression respiratoire)

	DÉBUT D'ACTION	PIC	DURÉE
IV	immédiat	1 – 1,5 min	5 – 10 min

⁂ SOINS INFIRMIERS

ÉVALUATION DE LA SITUATION

☐ Suivre de près les signes vitaux, particulièrement la fonction respiratoire et l'ÉCG durant et après l'administration. Signaler immédiatement au médecin toute modification importante.

■ **Étude des examens diagnostiques et biochimiques:** Le médicament peut élever les concentrations sériques d'amylase et de lipase.

■ **Toxicité et surdosage:** Les symptômes de toxicité comprennent la dépression respiratoire, l'hypotension, les

arythmies, la bradycardie et l'asysto-
lie. On peut renverser la dépression
respiratoire avec de la naloxone. La
bradycardie peut être traitée avec de
l'atropine. Au cours de l'administration de l'alfentanil, garder à portée de
la main des antagonistes narcotiques,
de l'oxygène et le matériel de réanimation.

DIAGNOSTICS INFIRMIERS POSSIBLES

■ **Énoncés diagnostiques**
□ Douleur.
□ Altération de la perception visuelle et
auditive.
□ Mode de respiration inefficace.
□ *Risque élevé d'anxiété.*
□ *Risque élevé d'accident.*

■ **Facteurs favorisants**
□ *Manque de connaissances sur les
sensations auxquelles il faudrait
s'attendre.*
□ *Perturbation de la vigilance.*
□ *Manque de connaissances sur les
effets hypotensifs du médicament
lors des changements brusques de
position.*

INTERVENTIONS INFIRMIÈRES

■ **Directives générales :** On peut administrer des benzodiazépines avant d'administrer l'alfentanil pour réduire la
dose nécessaire à l'induction et la durée de la perte de connaissance. Cette
association peut accroître le risque
d'hypotension.
□ La durée d'action de l'alfentanil est
brève. Pour soulager les douleurs
postopératoires, il faudrait amorcer le
traitement analgésique dès le début
de la période de réveil.
■ **IV directe :** Lors de l'administration de
petits volumes, utiliser une seringue à
tuberculine pour s'assurer qu'on déli-
vre la dose exacte.
□ *Vitesse d'administration :* L'injection
doit prendre de 90 s à 3 min. L'administration IV lente peut réduire la fréquence et la gravité de la rigidité

musculaire, de la bradycardie ou de
l'hypotension. Pour diminuer la rigidité musculaire, on peut administrer
simultanément des agents de blocage
neuromusculaires.

■ **Perfusion continue :** Pour administrer
en perfusion continue, diluer jusqu'à
une concentration de 25 à 80 µg/mL
(20 mL d'alfentanil dans 230 mL de
diluant forment une solution de
40 µg/mL) dans une solution de
NaCl à 0,9 %, de dextrose à 5 % dans
de l'eau, de dextrose à 5 % dans une
solution de NaCl à 0,9 % ou dans une
solution de lactate Ringer.
□ Arrêter la perfusion IV au moins 10 à
15 min avant la fin de l'intervention
chirurgicale.

ENSEIGNEMENT AU PATIENT ET
À SES PROCHES

□ Avant l'intervention chirurgicale, expliquer au patient le mode d'administration des agents anesthésiques et
les sensations auxquelles il doit s'attendre.
□ Expliquer au patient que l'alfentanil
peut provoquer de la somnolence et
des étourdissements. Lui recommander de demander de l'aide lorsqu'il
doit se déplacer et de ne pas fumer
lorsqu'il est seul.
□ Recommander au patient de changer
de position lentement pour réduire
les risques d'hypotension orthostatique.
□ Prévenir le patient ayant subi une intervention chirurgicale dans le service de consultations externes, qu'il
ne doit pas prendre d'alcool ni
d'autres dépresseurs du SNC dans les
24 h qui suivent l'administration de
l'alfentanil.

VÉRIFICATION DES RÉSULTATS

**L'efficacité du traitement peut être démontrée
par :** ■ une sensation générale d'apaisement ■ la diminution de l'activité motrice ■ l'analgésie profonde.

A

ALLOPURINOL
Apo-Allopurinol, Purinol, Zyloprim, (Lopurin)

CLASSIFICATION:
Traitement de la goutte – inhibiteur de la xanthine-oxydase

Grossesse – catégorie C

INDICATIONS

■ Traitement de la goutte primaire ■ Traitement de la néphropathie urique primaire ou secondaire ■ Traitement et prophylaxie de la néphropathie uratique aiguë ■ Traitement de l'hyperuricémie secondaire qui peut survenir au cours du traitement des tumeurs ou de la leucémie.

ACTION

■ Inhibition de la production d'acide urique. **Effets thérapeutiques:** ■ Diminution des concentrations sériques d'acide urique.

PHARMACOCINÉTIQUE

Absorption: Bonne absorption (80 %) par suite de l'administration PO.

Distribution: Le médicament se répartit dans tous les liquides tissulaires.

Métabolisme et excrétion: L'allopurinol est transformé en oxypurinol, composé actif ayant une longue demi-vie. L'allopurinol et l'oxypurinol sont excrétés principalement par les reins.

Demi-vie: De 2 à 3 h (oxypurinol 24 h).

CONTRE-INDICATIONS ET PRÉCAUTIONS

Contre-indications: ■ Hypersensibilité ■ Grossesse ou allaitement.

Précautions: Crises aiguës de goutte ■ Insuffisance rénale (réduire la dose) ■ Déshydratation (assurer une hydratation adéquate).

RÉACTIONS INDÉSIRABLES ET EFFETS SECONDAIRES

Tég.: rash, urticaire.

GI: nausées, vomissements, diarrhée, hépatite.

GU: insuffisance rénale.

Hémat.: aplasie médullaire.

Divers: réactions d'hypersensibilité.

INTERACTIONS

Médicament – médicament: ■ L'administration concomitante d'allopurinol et de **mercaptopurine** ou d'**azathioprine** intensifie les effets médullodépressifs de ces médicaments. Il faudrait réduire la posologie de ces médicaments ■ L'administration concomitante d'**ampicilline** augmente le risque de rash ■ L'administration concomitante d'**hypoglycémiants oraux** ou d'**anticoagulants oraux** augmente les effets de ces médicaments ■ L'administration concomitante de **diurétiques thiazidiques** augmente les risques de réactions d'hypersensibilité.

VOIES D'ADMINISTRATION ET POSOLOGIE

■ **PO (adultes):** de 200 à 800 mg/jour (les doses > 300 mg doivent être fractionnées et administrées deux fois par jour).

■ **PO (enfants de 6 à 10 ans):** 10 mg/kg/jour.

PHARMACODYNAMIE
(effet hypo-uricémique)

	DÉBUT D'ACTION	PIC	DURÉE*
PO	2 jours	1 – 3 semaines	1 – 2 semaines

* Après l'arrêt du traitement à l'allopurinol.

SOINS INFIRMIERS

ÉVALUATION DE LA SITUATION

□ Suivre de près la douleur et l'enflure des articulations. L'ajout de colchicine ou d'anti-inflammatoires non stéroïdiens peut s'avérer nécessaire pour contrer une crise aiguë. La fréquence des crises aiguës peut augmenter au cours des premiers mois du traitement.

☐ Effectuer le bilan des ingesta et des excreta. En présence d'insuffisance rénale, le médicament peut s'accumuler dans les tissus et exercer des effets toxiques. Assurer une consommation suffisante de liquides (de 2 500 à 3 000 mL par jour, au minimum) pour réduire le risque de formation de calculs rénaux.

■ **Étude des examens diagnostiques et biochimiques :** Les concentrations urinaires et sériques d'acide urique commencent habituellement à diminuer 2 ou 3 jours après le début du traitement.

☐ Noter la glycémie chez les patients qui reçoivent des hypoglycémiants oraux. Le médicament peut déclencher un épisode d'hypoglycémie.

☐ Noter les résultats des analyses de sang ainsi que ceux des tests de l'exploration fonctionnelle rénale et hépatique, avant l'administration initiale et à intervalles réguliers tout au long du traitement. L'allopurinol peut entraîner l'élévation des concentrations de phosphatase alcaline, de TGOS (AST) et de TGPS (ALT). La diminution du nombre de leucocytes et de plaquettes peut être signe d'aplasie médullaire. Des concentrations sériques élevées d'urée et de créatinine ainsi que la diminution de la clearance de la créatinine peuvent être des indices de toxicité rénale, qui est habituellement renversée lors de l'arrêt du traitement.

DIAGNOSTICS INFIRMIERS POSSIBLES

■ **Énoncés diagnostiques**

☐ Douleur.

☐ Prise en charge inefficace du programme thérapeutique.

☐ *Risque élevé de déficit de volume liquidien.*

■ **Facteurs favorisants**

☐ Informations incomplètes.

☐ *Manque de connaissances sur les moyens de prévenir les effets secondaires affectant les reins.*

INTERVENTIONS INFIRMIÈRES

PO : L'allopurinol peut être administré après les repas pour réduire l'irritation gastrique. Dans le cas des patients ayant des difficultés de déglutition, on peut briser le comprimé et l'administrer avec des liquides ou le mélanger à la nourriture.

ENSEIGNEMENT AU PATIENT ET À SES PROCHES

☐ Expliquer au patient qu'il doit suivre scrupuleusement la posologie recommandée. S'il a oublié de prendre le médicament au moment habituel, il doit le prendre aussitôt que possible. Si le médecin a prescrit une prise uni-quotidienne, il ne faut pas prendre la dose manquée le jour suivant. Si le médicament doit être pris plusieurs fois par jour, on peut augmenter la dose suivante jusqu'à 300 mg.

☐ Le médecin peut prescrire un régime alcalin. L'acidification de l'urine avec des doses massives de vitamine C ou d'autres acides peut augmenter le risque de formation de calculs rénaux (voir l'annexe K). Prévenir le patient qu'il doit augmenter sa consommation de liquides.

☐ Conseiller au patient de signaler rapidement au médecin les symptômes suivants : démangeaisons, rash, fièvre, nausées et vomissements.

☐ Prévenir le patient que les quantités importantes d'alcool augmentent les concentrations d'acide urique et peuvent diminuer l'efficacité de l'allopurinol.

☐ Insister sur l'importance d'un suivi médical permettant de déterminer l'efficacité du médicament et ses effets secondaires.

VÉRIFICATION DES RÉSULTATS

L'efficacité du traitement peut être démontrée par: la diminution des concentrations sériques et urinaires d'acide urique. L'amélioration pourrait ne pas être notable avant un délai de 2 jours à 3 semaines.

ALPRAZOLAM

Apo-Alpraz, Novo-Alprazol, Nu-Alpraz, Xanax

CLASSIFICATION:
Hypnosédatif- benzodiazépine

Grossesse – catégorie D

INDICATIONS

■ Traitement de l'anxiété ■ Maîtrise des crises de panique. **Usages non approuvés:** ■ Traitement d'appoint de la dépression.

ACTION

■ Effet anxiolytique à de nombreux niveaux du SNC ■ Dépression du SNC, probablement attribuable à la potentialisation de l'acide gamma-aminobutyrique (GABA), un neurotransmetteur inhibiteur. **Effets thérapeutiques:** ■ Soulagement de l'anxiété.

PHARMACOCINÉTIQUE

Absorption: L'absorption depuis le tractus gastro-intestinal est lente mais complète.
Distribution: L'agent se répartit dans tout l'organisme et traverse la barrière hémato-encéphalique. Il traverse probablement le placenta et pénètre dans le lait maternel.
Métabolisme et excrétion: L'agent est métabolisé par le foie et transformé en composé actif qui est ensuite rapidement métabolisé.
Demi-vie: De 12 à 15 h.

CONTRE-INDICATIONS ET PRÉCAUTIONS

Contre-indications: ■ Hypersensibilité ■ Risque de réactions de sensibilité croisée avec d'autres benzodiazépines ■ Patients présentant une dépression préexistante du SNC ■ Douleurs graves, impossibles à soulager ■ Glaucome à angle étroit ■ Grossesse et allaitement.

Précautions: ■ Dysfonction hépatique (réduire la dose) ■ Patients suicidaires ou ayant des antécédents de toxicomanie ■ Personnes âgées ou patients débilités (réduire la dose).

RÉACTIONS INDÉSIRABLES ET EFFETS SECONDAIRES

SNC: vertiges, étourdissements, léthargie, sensation « droguée », excitation paradoxale, confusion, dépression, céphalées.

ORLO: vision trouble.

GI: nausées, vomissements, diarrhée, constipation.

Tég.: rash.

Divers: tolérance aux effets du médicament, dépendance psychologique, dépendance physique.

INTERACTIONS

Médicament – médicament: ■ L'usage concomitant d'**alcool**, d'**antidépresseurs**, d'**antihistaminiques** et d'**analgésiques narcotiques** entraîne une dépression accrue du SNC ■ La **cimétidine**, les **contraceptifs oraux**, le **disulfirame**, la **fluoxétine**, l'**isoniazide**, le **kétoconazole**, le **métoprolol**, le **propoxyphène**, le **propranolol** ou l'**acide valproïque** peuvent ralentir le métabolisme de l'alprazolam et en accroître les effets ■ Le médicament peut diminuer l'efficacité de la **lévodopa** ■ La **rifampine** ou les **barbituriques** peuvent accélérer le métabolisme de l'alprazolam et en diminuer l'efficacité ■ La **théophylline** peut diminuer les effets sédatifs de l'alprazolam.

VOIES D'ADMINISTRATION ET POSOLOGIE

Anxiété
■ **PO (adultes):** de 0,25 à 0,5 mg, 2 ou 3 fois/jour (ne pas dépasser 3 mg/jour).

Panique
■ **PO (adultes):** 0,5 mg, 3 fois/jour (ne pas dépasser 10 mg/jour).

PHARMACODYNAMIE (sédation)

	DÉBUT D'ACTION	PIC	DURÉE
PO	1 – 2 h	1 – 2 h	jusqu'à 24 h

⁕SOINS INFIRMIERS

ÉVALUATION DE LA SITUATION
□ Déterminer le degré d'anxiété et ses manifestations ainsi que l'état de la conscience avant le traitement et à intervalles réguliers pendant toute sa durée.
□ Suivre de près les symptômes suivants: somnolence, sensation de tête légère et étourdissements. Ces symptômes disparaissent habituellement au fur et à mesure que le traitement avance. Réduire la dose s'ils persistent.
□ Le traitement prolongé à des doses élevées peut entraîner une dépendance psychologique ou physique. Réduire la quantité du médicament dont le patient peut disposer.

DIAGNOSTICS INFIRMIERS POSSIBLES
■ **Énoncés diagnostiques**
□ Anxiété.
□ Risque élevé d'accident.
□ Prise en charge inefficace du programme thérapeutique.

■ **Facteurs favorisants**
□ Informations incomplètes.
□ *Perturbation de la vigilance.*

INTERVENTIONS INFIRMIÈRES
PO: Si le patient a des difficultés de déglutition, on peut briser les comprimés et les administrer avec des aliments ou des liquides.

ENSEIGNEMENT AU PATIENT ET À SES PROCHES
□ Expliquer au patient qu'il doit respecter scrupuleusement la posologie recommandée; l'avertir qu'il ne doit jamais sauter de dose, ni remplacer une dose manquée par une double dose. S'il n'a pu prendre le médicament au moment habituel, il doit le prendre en l'espace de une heure; sinon, il doit sauter cette dose et revenir au programme habituel. Si le médicament s'avère moins efficace après quelques semaines, il faut prévenir le médecin, sans augmenter les doses. Le sevrage brusque peut provoquer la transpiration, des vomissements, des crampes musculaires, des tremblements et des convulsions.
□ Prévenir le patient que l'alprazolam peut parfois provoquer de la somnolence ou des étourdissements. Lui conseiller de ne pas conduire et d'éviter les activités qui exigent sa vigilance jusqu'à ce qu'on ait la certitude que le médicament n'entraîne pas ces effets chez lui.
□ Prévenir le patient qu'il ne doit pas consommer d'alcool ni prendre des dépresseurs du SNC en même temps que ce médicament. Lui conseiller de consulter le médecin ou le pharmacien avant de prendre un médicament en vente libre en même temps que l'alprazolam.

VÉRIFICATION DES RÉSULTATS
L'efficacité du traitement peut être démontrée par: la diminution de la sensation d'anxiété et une capacité accrue d'adaptation. La prise de ce médicament ne doit pas se prolonger au-delà de 4 mois sans réévaluer le besoin de poursuivre le traitement.

A

ALPROSTADIL

Prostin VR, (Prostaglandine E$_1$), (Prostin VR pédiatrique)

CLASSIFICATION:
Hormone – prostaglandine

Grossesse – catégorie inconnue

INDICATIONS

Maintien d'une ouverture provisoire du canal artériel chez le nouveau-né dont la survie dépend d'un canal artériel ouvert jusqu'au moment où l'on peut effectuer une intervention chirurgicale.

ACTION

■ Relaxation directe du muscle lisse du canal artériel ■ Les autres effets sont les suivants: □ vasodilatation □ inhibition de l'agrégation plaquettaire □ stimulation des muscles lisses intestinaux et utérins. **Effets thérapeutiques:** ■ Maintien d'une ouverture provisoire du canal artériel chez les nouveau-nés qui présentent une malformation cardiaque et chez lesquels la perméabilité doit être assurée pour l'oxygénation du sang et l'irrigation corporelle.

PHARMACOCINÉTIQUE

Absorption: Par suite de l'administration par voie IV, l'absorption est virtuellement complète.

Distribution: Inconnue.

Métabolisme et excrétion: Une fraction qui peut aller jusqu'à 80 % subit un métabolisme pulmonaire rapide.

Demi-vie: De 5 à 10 min.

CONTRE-INDICATIONS ET PRÉCAUTIONS

Contre-indications: Syndrome de détresse respiratoire.

Précautions: Nouveau-nés prédisposés aux saignements.

RÉACTIONS INDÉSIRABLES ET EFFETS SECONDAIRES

SNC: CONVULSIONS, hémorragie cérébrale, irritabilité, énervement, léthargie.

CV: bradycardie, hypotension.

Resp.: APNÉE, respiration sifflante, hypercapnie, dépression respiratoire, altération de la fréquence respiratoire (alternance de respirations lentes et rapides).

GI: diarrhée, régurgitation gastrique, hyperbilirubinémie.

GU: anurie, hématurie.

Tég.: rougeur de la peau.

HÉ: hypokaliémie.

Hémat.: coagulation intravasculaire disséminée, anémie, thrombocytopénie, saignement.

Métab.: hypoglycémie.

Loc.: hyperextension du cou, rigidité.

Divers: fièvre, hypothermie, septicémie, péritonie.

INTERACTIONS

Médicament – médicament: Inconnues.

VOIES D'ADMINISTRATION ET POSOLOGIE

IV, intra-artérielle ou intra-aortique (nouveau-nés): 0,1 µg/kg/min, initialement, jusqu'à ce qu'on ait pu obtenir une réponse satisfaisante; diminuer ensuite jusqu'à une dose d'entretien de $^1/_{100}$ à $^1/_{10}$ de la dose initiale. (En l'absence d'une réponse, on peut augmenter la dose initiale jusqu'à 0,4 µg/kg.)

PHARMACODYNAMIE (amélioration des concentrations de gaz du sang artériel et du débit sanguin pulmonaire)

	DÉBUT D'ACTION	PIC	DURÉE
IV (ccsc)[*]	1,5 – 3 h	1,5 – 3 h	durée de la perfusion
IV (ccac)[†]	15 à 30 min	30 min	durée de la perfusion

[*] Cardiopathie congénitale sans cyanose.
[†] Cardiopathie congénitale avec cyanose.

SOINS INFIRMIERS

ÉVALUATION DE LA SITUATION

☐ Mesurer la température rectale, la fréquence respiratoire, le pouls et la pression artérielle et suivre de près l'ÉCG, constamment pendant toute la durée du traitement.

☐ Chez les nouveau-nés qui présentent une anomalie de la crosse de l'aorte, mesurer également la pression de l'artère pulmonaire et de l'aorte descendante ainsi que le débit urinaire. Palper fréquemment le pouls fémoral pour déterminer l'état de la circulation au niveau des membres inférieurs. On peut mesurer la pression artérielle au niveau des membres inférieurs et supérieurs simultanément.

☐ Ausculter fréquemment le murmure vésiculaire et les bruits du cœur. Suivre de près l'état neurologique. Les nouveau-nés qui pèsent moins de 2 kg sont exposés à des risques plus élevés d'effets secondaires respiratoires, cardiovasculaires et neurologiques. Garder un respirateur à portée de la main. Déceler l'apparition de l'insuffisance cardiaque. Observer les convulsions.

☐ Pendant l'administration intra-aortique et intra-artérielle, suivre de près les rougeurs du visage et des bras, qui peuvent indiquer que le cathéter s'est déplacé et qu'il faut le remettre en place.

■ **Étude des examens diagnostiques et biochimiques :** Noter les concentrations des gaz du sang artériel avant le traitement et à intervalles réguliers pendant toute sa durée. En cas de cyanose, le PaO_2 devrait augmenter en l'espace de 30 min. En l'absence de cyanose, l'acidose métabolique devrait être corrigée en l'espace de 4 à 11 h.

☐ Le médicament peut rarement entraîner la diminution des concentrations sériques de glucose ou l'élévation des concentrations sériques de bilirubine. Il peut augmenter ou diminuer les concentrations sériques de potassium.

■ **Toxicité et surdosage :** Les symptômes de surdosage sont les suivants : rougeurs, hypotension, bradycardie, fièvre, diminution de la fréquence respiratoire ou apnée. Arrêter la perfusion en cas d'apnée ou de bradycardie.

DIAGNOSTICS INFIRMIERS POSSIBLES

■ **Énoncés diagnostiques**

☐ Diminution du débit cardiaque.

☐ Diminution de l'irrigation tissulaire.

☐ *Risque élevé de défaillance dans l'exercice du rôle de l'aidant naturel.*

☐ *Risque élevé d'intoxication.*

■ **Facteurs favorisants**

☐ *Manque de connaissances sur les moyens de prévenir les effets secondaires du médicament.*

☐ *Manque de connaissances sur les modalités du traitement.*

INTERVENTIONS INFIRMIÈRES

■ **Directives générales :** On peut administrer l'agent par voie IV au moyen d'une tubulure centrale ou périphérique ; par voie intra-artérielle, au moyen d'un cathéter artériel installé dans le nombril ou d'un cathéter artériel pulmonaire ; ou encore par perfusion intra-aortique.

☐ Le traitement ne doit habituellement pas se prolonger au-delà de 24 à 48 h. L'obturation du canal artériel commence habituellement une heure ou deux après l'arrêt du traitement.

☐ Signaler au médecin l'apparition de fièvre ou d'hypotension. Ces effets secondaires peuvent disparaître lorsqu'on diminue la vitesse de perfusion.

■ **Perfusion continue :** Teneur de la solution : 500 µg/mL. Diluer dans une solution de NaCl à 0,9 % ou dans une solution de dextrose à 5 % dans de l'eau. La dilution de 1 mL (500 µg) d'alprostadil dans 250 mL de liquide IV donne une concentration finale de 2 µg/mL ; la dilution dans 100 mL de liquide IV donne 5 µg/mL ; dans 50 mL de liquide IV, 10 µg/mL ; dans 25 mL de liquide IV, 20 µg/mL. Ne pas diluer dans des solutions contenant de l'alcool benzylique. La préparation est stable pendant 24 h à la température ambiante.

□ Pour s'assurer que l'on administre les doses exactes, utiliser une pompe de perfusion.

□ Ne pas utiliser l'agent en admixtion.

ENSEIGNEMENT AU PATIENT ET À SES PROCHES

Expliquer aux parents le but du traitement à l'alprostadil et la raison pour laquelle on doit assurer une surveillance constante du nouveau-né.

VÉRIFICATION DES RÉSULTATS

L'efficacité du traitement chez le nouveau-né souffrant d'une cardiopathie congénitale peut être démontrée par : ■ le maintien de la perméabilité du canal artériel, révélé par une meilleure oxygénation en présence d'une maladie cyanogène ■ l'amélioration de la circulation dans les membres inférieurs ■ la correction de l'acidose métabolique ■ l'amélioration du débit urinaire en présence d'une maladie qui ne s'accompagne pas de cyanose.

ALTEPLASE
Activase rt-PA

CLASSIFICATION :
Thrombolytique

Grossesse – catégorie C

INDICATIONS

■ Traitement intensif de l'infarctus du myocarde (dans les 4 à 6 h qui suivent l'apparition des douleurs thoraciques).

Usages non approuvés : ■ Traitement de l'embolie pulmonaire massive aiguë associée à l'obstruction du débit sanguin pulmonaire ou à une hémodynamique instable.

ACTION

■ Stimulation de la transformation du plasminogène, emprisonné dans les thrombus, en plasmine, par la liaison à la fibrine. **Effets thérapeutiques :** ■ Lyse des thrombus coronaires et limitation subséquente de l'étendue de l'infarctus ■ Lyse des embolies pulmonaires qui mettent la vie en danger.

PHARMACOCINÉTIQUE

Absorption : Par suite de l'administration IV, l'absorption est virtuellement complète.
Distribution : Inconnue.
Métabolisme et excrétion : Métabolisme hépatique rapide de plus de 80 % de l'agent.
Demi-vie : 35 min.

CONTRE-INDICATIONS ET PRÉCAUTIONS

Contre-indications : ■ Hémorragie interne manifeste ■ Antécédents d'accident vasculaire cérébral ■ Traumatisme ou chirurgie intracrânienne ou intramédullaire récents (au cours des 2 derniers mois) ■ Néoplasme intracrânien ■ Hypertension grave rebelle ■ Malformation artérioveineuse ■ Antécédents hémorragiques.

Précautions : ■ Chirurgie majeure, traumatisme, hémorragie gastro-intestinale ou génito-urinaire récents (au cours des 10 derniers jours) ■ Maladie vasculaire cérébrale ■ Hypertension rebelle ■ Thrombus dans le cœur gauche ■ Maladie hépatique ou rénale grave ■ Maladie hémorragique ophtalmique ■ Phlébite septique ■ Personnes âgées (> 75 ans) ■ Enfants, grossesse et allaitement (l'innocuité du médicament n'a pas été établie). **Extrême prudence :** ■ Postpartum immédiat (moins de 10 jours)

A

- Patients recevant des anticoagulants par voie orale.

RÉACTIONS INDÉSIRABLES ET EFFETS SECONDAIRES

SNC: HÉMORRAGIE INTRACRÂNIENNE, céphalées.
CV: arythmie (par suite du rétablissement de l'irrigation), hypotension.
ORLO: épistaxis, saignement des gencives.
GI: HÉMORRAGIE GASTRO-INTESTINALE, HÉMORRAGIE RÉTROPÉRITONÉALE, nausées, vomissements.
GU: HÉMORRAGIE DES VOIES GÉNITO-URINAIRES.
Tég.: ecchymoses, urticaire, démangeaisons, rougeurs.
Hémat.: SAIGNEMENTS.
Loc.: douleurs musculosquelettiques.
Divers: fièvre, réactions d'hypersensibilité.

INTERACTIONS

Médicament – médicament: L'administration concomitante d'**aspirine**, d'**anticoagulants oraux**, d'**héparine**, d'**anti-inflammatoires non stéroïdiens** ou de **dipyridamole** peut augmenter le risque de saignement, bien que ces agents soient souvent utilisés en association ou en séquence.

VOIES D'ADMINISTRATION ET POSOLOGIE

Infarctus aigu du myocarde

Remarque: voir le tableau des vitesses de perfusion de l'annexe D. On a associé des doses supérieures à 150 mg à des risques accrus d'hémorragie intracrânienne.

- **IV (adultes > 65 kg):** 60 mg pendant la première heure (administrer de 6 à 7 mg de cette dose sous forme de bolus, pendant les deux premières minutes), 20 mg, pendant la deuxième heure et 20 mg, pendant la troisième heure, jusqu'à concurrence d'une dose totale de 100 mg.
- **IV (adultes < 65 kg):** Administrer une dose totale de 1,25 mg/kg en 3 h dont

0,75 mg/kg pendant la première heure (administrer de 0,075 à 0,125 mg/kg de cette dose sous forme de bolus, pendant les deux premières minutes), 0,25 mg/kg, pendant la deuxième heure et 0,25 mg/kg, pendant la troisième heure.

Embolie pulmonaire

- **IV (adultes):** 100 mg en 2 h. Administrer ensuite de l'héparine.

PHARMACODYNAMIE (rétablissement de l'irrigation en cas d'occlusion des artères coronaires)

	DÉBUT D'ACTION	PIC	DURÉE
IV	inconnu	20 min – 2 h (moyenne : 45 min)	inconnue

SOINS INFIRMIERS

ÉVALUATION DE LA SITUATION

☐ Prendre les signes vitaux toutes les 15 min jusqu'au moment où l'état du patient se stabilise ; ensuite toutes les heures. Prévenir le médecin si la pression artérielle systolique est > 180 mm Hg ou si la pression diastolique est > 110 mm Hg. Ne pas administrer l'alteplase si l'on ne peut pas maîtriser l'hypertension. Signaler au médecin l'apparition de l'hypotension. L'hypotension peut être provoquée par le médicament, l'hémorragie ou le choc cardiogénique.

☐ Suivre constamment l'ÉCG. Consigner dans les dossiers les modifications du segment ST. Prévenir le médecin en cas d'arythmie. On a signalé que le rétablissement de l'irrigation peut induire un rythme idioventriculaire accéléré, la bradycardie, une pause cardiaque et des arythmies ventriculaires. Le médecin peut prescrire un traitement antiarythmique prophylactique pendant l'administration de l'alteplase ou après ce traitement.

A

□ Déterminer l'intensité, les caractéristiques, le siège et le schéma d'irradiation des douleurs thoraciques. Surveiller l'apparition des symptômes connexes suivants : nausées, vomissements, diaphorèse. Administrer des analgésiques selon la prescription médicale. Prévenir le médecin en cas de douleurs thoraciques irréductibles ou récurrentes.

□ Ausculter fréquemment les bruits du cœur et le murmure vésiculaire. Prévenir le médecin si les signes suivants d'insuffisance cardiaque se manifestent : râles et crépitations, dyspnée, bruit B_3 du cœur, turgescence des jugulaires, pression veineuse centrale élevée.

□ Déceler les signes de saignement et d'hémorragie. Examiner tous les points de ponction toutes les 15 min. L'agent peut provoquer une hémorragie interne, y compris l'hémorragie intracrânienne. Déceler la présence du sang occulte dans les selles et dans tous les liquides corporels par la méthode au gaïac. Suivre de près l'état neurologique. Mesurer les pouls périphériques.

□ Guetter l'apparition de l'urticaire qui peut indiquer une réaction d'hypersensibilité et prévenir immédiatement le médecin.

■ **Étude des examens diagnostiques et biochimiques :** Noter les résultats suivants : temps de prothrombine, temps de céphaline (PTT), fibrinogène, produits de dégradation de la fibrine, numération globulaire, numération plaquettaire et dosage de la CPK-MB, pour pouvoir déterminer l'efficacité du traitement et prévenir l'hémorragie. Cependant, l'élévation des concentrations de CPK-MB peut être reliée au nettoyage de la région où l'irrigation a été rétablie. En cas d'hémorragie, demander au médecin de transmettre ses directives concernant le groupe sanguin et les compatibilités.

■ **Toxicité et surdosage :** L'alteplase est rapidement éliminé de l'organisme ; arrêter immédiatement l'administration de l'agent en cas d'hémorragie grave.

DIAGNOSTICS INFIRMIERS POSSIBLES

■ **Énoncés diagnostiques**
□ Douleur.
□ Diminution de l'irrigation tissulaire cardiopulmonaire.
□ Risque élevé d'accident.
□ *Risque élevé d'hémorragie.*

■ **Facteurs favorisants**
□ *Manque de connaissances sur les moyens de prévenir les saignements.*

INTERVENTIONS INFIRMIÈRES

■ **Directives générales :** Éviter l'administration d'injections IM avant et durant la période d'anticoagulation. Éviter toute ponction veineuse superflue. Appliquer une pression sur les points de ponction artérielle et veineuse pendant au moins 30 min. Éviter toute ponction veineuse dans les veines non compressibles (veines jugulaires et sous-clavières).

□ Demander au patient de garder le lit. Éviter tous les procédés superflus tels que le rasage et le brossage vigoureux des dents pendant 24 h.

□ Le médecin peut recommander d'administrer de l'héparine, de l'aspirine ou les deux à la fois en même temps que l'altepase et après celle-ci.

■ **IV :** Avant le traitement, installer deux tubulures IV : l'une destinée à l'alteplase et l'autre aux perfusions supplémentaires.

□ L'emballage des fioles contient de l'eau stérile pour injection (sans agents de conservation) qu'il faut utiliser comme diluant. Ne pas utiliser de l'eau bactériostatique pour injection. Reconstituer les fioles de 20 mg avec 20 mL et celles de 50 mg avec 50 mL, à l'aide d'une aiguille de calibre 18. Éviter les mouvements excessifs ou vigoureux au cours de la dilution ;

pour mélanger, tourner ou renverser délicatement la fiole. Une mousse peut se former lors de la reconstitution. Il suffit de laisser reposer la solution pendant plusieurs minutes pour dissiper les bulles. La solution deviendra transparente ou jaune pâle. Elle reste stable pendant 8 h à la température ambiante.

- **Perfusion intermittente:** La solution peut être administrée sous sa forme reconstituée (1 mg/mL) ou diluée de nouveau, immédiatement avant l'administration, dans des quantités égales de solution de NaCl à 0,9 % ou de dextrose à 5 % dans l'eau. Ne pas utiliser l'agent en admixtion.
- □ *Infarctus du myocarde:* Administrer la dose standard en 3 h. Pendant la première heure, il faut assurer la perfusion de 60 % de la dose totale par pompe à perfusion. Pendant la deuxième heure, il faut assurer la perfusion de 20 % de la dose totale et, pendant la troisième heure, la perfusion de 20 %. Rincer la tubulure avec 25 à 30 mL de soluté à la fin de la perfusion pour s'assurer que le patient a reçu toute la dose.
- *Embolie pulmonaire:* Administrer la dose en 2 h.
- **Compatibilité (tubulure en Y):** Lidocaïne.
- **Incompatibilités (tubulure en Y):** Dobutamine, dopamine, héparine ou nytroglycérine.

ENSEIGNEMENT AU PATIENT ET À SES PROCHES

- □ Expliquer au patient et à ses proches le but du traitement à l'alteplase et la raison pour laquelle il faut exercer une surveillance étroite.
- □ Recommander au patient de prévenir le médecin dès que des signes d'hypersensibilité ou une hémorragie se manifestent.

VÉRIFICATION DES RÉSULTATS

L'efficacité du traitement peut être démontrée par: ■ le rétablissement de l'irrigation des coronaires, prouvé par cathétérisme cardiaque ■ l'amélioration sur le plan clinique de la fonction ventriculaire ■ la diminution de l'incidence des symptômes d'insuffisance cardiaque sans saignements ■ la lyse des emboles pulmonaires avec amélioration de l'hémodynamique.

ALTRÉTAMINE

(Hexaméthylmélamine), (Hexalen), (Hexastat)

CLASSIFICATION:
Antinéoplasique – divers

Grossesse – catégorie D

INDICATIONS

Traitement du cancer ovarien persistant ou récurrent, rebelle au traitement par des agents de première ligne (cisplatine ou association d'agents alkylants).

ACTION

■ Mécanisme inconnu, mais qui semble arrêter la synthèse de l'ADN. **Effets thérapeutiques:** ■ Destruction des cellules à réplication rapide et, particulièrement, des cellules malignes.

PHARMACOCINÉTIQUE

Absorption: Par suite de l'administration par voie orale, le médicament est bien absorbé. Conversion rapide par le foie en métabolites dotés d'effets antinéoplasiques.

Distribution: Concentrations élevées dans le foie, les reins et l'intestin grêle. Faible pénétration dans le cerveau.

Métabolisme et excrétion: Le médicament (99 %) est presque entièrement métabolisé par le foie.

Demi-vie: De 4,7 à 10,2 h.

CONTRE-INDICATIONS ET PRÉCAUTIONS

Contre-indications: ■ Hypersensibilité ■ Grossesse et allaitement.

Précautions: ■ Enfants (l'innocuité du médicament n'a pas été établie) ■ Maladies neurologiques préexistantes ■ Femmes en âge de procréer ■ Infections ■ Réserve médullaire réduite ■ Autres maladies chroniques débilitantes.

RÉACTIONS INDÉSIRABLES ET EFFETS SECONDAIRES

SNC: CONVULSIONS, fatigue.
GI: nausées, vomissements, anorexie, toxicité hépatique.
GU: toxicité, suppression de la fonction des gonades.
Tég.: alopécie (< 1 %), rash, prurit.
End.: suppression de la fonction des gonades.
Hémat.: anémie, leucopénie, thrombocytopénie.
SN: neuropathie périphérique.

INTERACTIONS

Médicament – médicament: L'administration concomitante d'**inhibiteurs de la MAO** peut déclencher l'hypotension orthostatique.

VOIES D'ADMINISTRATION ET POSOLOGIE

PO (adultes): 260 mg/m^2/jour en 4 doses fractionnées, pendant 14 ou 21 jours, par cycle de 28 jours. Il est recommandé de réduire la posologie jusqu'à 200 mg/m^2/jour, en 4 doses fractionnées, à administrer après les repas et au coucher, après un arrêt de traitement de 14 jours ou plus dans les cas suivants: intolérance gastro-intestinale, aplasie médullaire grave, toxicité neurologique évolutive.

PHARMACODYNAMIE
(effets sur la numération globulaire lors de cures de 14 ou de 21 jours)

	DÉBUT D'ACTION	PIC	DURÉE
PO	inconnu	3 – 4 semaines	6 semaines

SOINS INFIRMIERS

ÉVALUATION DE LA SITUATION

☐ Fréquemment, des nausées et des vomissements surviennent graduellement. Cependant, une tolérance à ces effets peut être notée après quelques semaines de traitement. Pour contrer ces réactions, on peut administrer des antiémétiques ou réduire la dose. Dans de rares cas, il faut arrêter le traitement. Noter la quantité de vomissures et prévenir le médecin si elle est supérieure à celle indiquée dans les directives de prévention de la déshydratation.

☐ Surveiller tout au long du traitement les signes suivants d'anémie: fatigue accrue, dyspnée, hypotension orthostatique.

☐ Suivre de près la fièvre, les frissons, les maux de gorge et les signes d'infections. Signaler ces symptômes au médecin.

☐ Surveiller l'apparition des signes suivants d'hémorragie: saignements des gencives, formation d'ecchymoses, pétéchies, présence de sang occulte dans les selles, l'urine et les vomissures. Éviter les injections IM et la prise de la température rectale. Appliquer une pression sur les points de ponction veineuse pendant 10 min.

☐ Observer les signes suivants de neuropathie périphérique: engourdissements, picotements, paresthésie, avant le début de chaque cure et à intervalles réguliers pendant toute sa durée. L'administration concomitante de pyridoxine permet de soulager la neuropathie périphérique. Habituellement, celle-ci disparaît après l'arrêt du traitement.

■ **Étude des examens diagnostiques et biochimiques:** Noter le nombre de globules sanguins et de plaquettes avant chaque cure et mensuellement ou selon l'état clinique de la patiente. Le nadir de la leucopénie et de la thrombocytopénie se produit en l'espace de 3 à 4 semaines, lors des traitements de 21 jours, avec rétablissement en l'espace de 6 semaines, et en l'espace de 6 à 8 semaines, lors d'un traitement continu. Interrompre l'administration pendant 14 jours ou plus et reprendre le traitement à raison de 200 mg/m^2/jour, en 4 doses fractionnées dans les cas suivants : intolérance gastro-intestinale rebelle au traitement habituel, nombre de leucocytes $< 2,0 \times 10^9$/L, de granulocytes $< 1,0 \times 10^9$/L et de plaquettes $< 75 \times 10^9$/L ou toxicité neurologique évolutive.

DIAGNOSTICS INFIRMIERS POSSIBLES

■ **Énoncés diagnostiques**
□ Risque élevé d'infection.
□ Risque élevé d'accident.
□ Prise en charge inefficace du programme thérapeutique.
□ *Risque élevé de complications médicales.*

■ **Facteurs favorisants**
□ Informations incomplètes.
□ *Manque de connaissances sur les modalités du traitement.*
□ *Manque de connaissances sur les effets secondaires du médicament.*

INTERVENTIONS INFIRMIÈRES

PO : Administrer le médicament après les repas et au coucher.

ENSEIGNEMENT AU PATIENT ET À SES PROCHES

■ **Directives générales :** Recommander à la patiente de signaler rapidement au médecin les symptômes suivants : fièvre, maux de gorge, signes d'infection, saignements des gencives, formation d'ecchymoses, pétéchies, présence de sang dans les selles, l'urine ou les vomissements, fatigue accrue, dyspnée ou étourdissements lors des changements de position. Conseiller à la patiente d'éviter les foules et les personnes contagieuses. Lui recommander d'utiliser une brosse à dents à poils doux et de prendre garde aux chutes. La prévenir qu'il ne faut pas consommer de boissons alcoolisées ni prendre des médicaments à base d'aspirine, étant donné que ces substances peuvent déclencher une hémorragie gastro-intestinale.

□ Informer la patiente qu'elle doit prévenir le médecin en cas d'engourdissement des membres ou de picotement dans les membres.
□ Prévenir la patiente qu'elle ne doit pas se faire vacciner sans avoir consulté le médecin au préalable.
□ Inciter la patiente à prendre des mesures de contraception.
□ Souligner le besoin de se soumettre à des examens diagnostiques et biochimiques périodiques permettant de déceler les effets secondaires du médicament.

VÉRIFICATION DU TRAITEMENT

L'efficacité du traitement peut être démontrée par : la diminution de la tumeur et la prévention de la propagation des métastases.

ALUMINIUM, ACÉTATE D'

Acid Mantle, (Bluboro), (solution de Burow), (solution modifiée de Burow), (Domeboro), (Pedi-Boro)
Remarque : Au Canada, pour reconstituer la solution de Burow, on utilise Buro-Sol en poudre.

CLASSIFICATION :

Astringent – usage topique
Grossesse – catégorie C

INDICATIONS

Soulagement symptomatique des inflammations cutanées bénignes.

A

ACTION

- Astringent ; effet calmant par rafraîchissement et vasoconstriction. **Effets thérapeutiques :** ■ Soulagement des inflammations cutanées douloureuses.

PHARMACOCINÉTIQUE

Absorption : De petites quantités du médicament peuvent être absorbées par voie systémique.
Distribution : Inconnue.
Métabolisme et excrétion : Inconnus.
Demi-vie : Inconnue.

CONTRE-INDICATIONS ET PRÉCAUTIONS

Contre-indications : ■ Hypersensibilité à l'aluminium ou à l'acétate d'aluminium ■ Application dans les yeux ou sur la région périoculaire ■ Usage externe seulement.
Précautions : Troubles cutanés où l'irritation continue à se propager.

RÉACTIONS INDÉSIRABLES ET EFFETS SECONDAIRES

Divers : hypersensibilité.

INTERACTIONS

Médicament – médicament : L'agent peut inactiver la **collagénase** appliquée simultanément.

VOIES D'ADMINISTRATION ET POSOLOGIE

- **Solution topique (adultes et enfants) :** solution de 1 :20 ou de 1 :40 ; faire tremper toutes les 15 à 30 min, pendant 4 à 8 h.
- **Crème :** appliquer selon les besoins.

PHARMACODYNAMIE (soulagement de l'inflammation)

	DÉBUT D'ACTION	PIC	DURÉE
usage topique	dès l'application	inconnu	au cours de l'application

SOINS INFIRMIERS

ÉVALUATION DE LA SITUATION

Inspecter la peau pour déceler l'érythème, les excoriations, les phlyctènes, la macération ou les exsudations.

DIAGNOSTICS INFIRMIERS POSSIBLES

- **Énoncés diagnostiques**
- □ Douleur.
- □ Risque élevé d'infection.
- □ Prise en charge inefficace du programme thérapeutique.

- **Facteurs favorisants**
- □ Informations incomplètes.

INTERVENTIONS INFIRMIÈRES

- **Usage topique :** Préparer la solution en mélangeant le contenu d'un sachet à 1 L d'eau tiède (ou suivre le mode d'emploi indiqué par le fabricant). Il ne faut utiliser que la partie de la solution qui est transparente. Ne pas appliquer les précipités sur la peau.
- □ L'effet calmant est attribuable au rafraîchissement et à la vasoconstriction. Ne pas appliquer des pansements occlusifs pour ne pas atténuer l'évaporation, ce qui pourrait entraîner la macération de la peau.
- □ Pour prévenir les frissons et l'hypothermie, ne pas appliquer sur plus de un tiers du corps à la fois. Protéger le patient contre les courants d'air.
- □ La solution transparente, ne contenant pas de précipité, est stable pendant 7 jours à la température ambiante.

ENSEIGNEMENT AU PATIENT ET À SES PROCHES

- □ Montrer au patient comment préparer la solution et comment appliquer les compresses.
- □ Prévenir le patient qu'il ne faut pas appliquer la solution près des yeux ou sur les muqueuses.

□ Recommander au patient de contacter le médecin si l'irritation cutanée se propage ou s'aggrave.

VÉRIFICATION DES RÉSULTATS

L'efficacité du traitement peut être démontrée par : la résolution de l'irritation cutanée.

ALUMINIUM, HYDROXYDE D'

Alu-tab, Amphojel, Basalgel, (AlternaGEL), (Alucap), (Aluminet), (Dialume), (Nephrox)

CLASSIFICATION :
Antiacide ; électrolyte de substitution – hypophosphatémique

Grossesse – catégorie inconnue

INDICATIONS

■ Agent gastro-intestinal d'agglutination du phosphate ■ Traitement d'appoint des ulcères duodénaux et gastriques ■ Hyperacidité, indigestion, œsophagite.

ACTION

■ Liaison au phosphate dans le tractus gastro-intestinal ■ Neutralisation de l'acide gastrique et inactivation de la pepsine. **Effets thérapeutiques :** ■ Diminution des concentrations sériques de phosphate ■ Guérison des ulcères et diminution de la douleur provoquée par les ulcères ou l'hyperacidité gastrique ■ À cause de l'incidence accrue de constipation, éviter d'administrer ce médicament seul, pour traiter des maladies ulcéreuses ■ L'agent est souvent présenté sous forme d'association d'antiacides avec des composés contenant du magnésium.

PHARMACOCINÉTIQUE

Absorption : Lors d'un usage prolongé, de petites quantités d'aluminium sont absorbées par voie systémique.

Distribution : Les petites quantités d'aluminium absorbées se répartissent dans tous les tissus, traversent le placenta et pénètrent dans le lait maternel. Lors d'un usage prolongé, l'aluminium se concentre dans le SNC.

Métabolisme et excrétion : La plus grande partie de l'hydroxyde d'aluminium se lie au phosphate dans le tractus gastro-intestinal et est excrétée dans les fèces. Les petites quantités absorbées sont excrétées par les reins chez les patients dont la fonction rénale est normale.

Demi-vie : Inconnue.

CONTRE-INDICATIONS ET PRÉCAUTIONS

Contre-indications : Douleurs abdominales graves de cause inconnue.

Précautions : ■ Hypercalcémie ■ Hypophosphatémie ■ Grossesse (on considère généralement que l'administration de l'agent est sans danger ; éviter le traitement prolongé avec des doses massives).

RÉACTIONS INDÉSIRABLES ET EFFETS SECONDAIRES

GI : constipation.
HÉ : hypophosphatémie.

INTERACTIONS

Médicament – médicament : ■ L'absorption des **tétracyclines**, de la **chlorpromazine**, des **sels ferreux**, de l'**isoniazide** et des **fluoroquinolones** peut être diminuée ■ L'agent peut diminuer les concentrations sanguines de **salicylates** ■ Les concentrations de **quinidine**, de **mexilétine** et d'**amphétamine** peuvent être accrues si la quantité d'antiacide ingérée est suffisante pour élever le pH de l'urine.

VOIES D'ADMINISTRATION ET POSOLOGIE

Agent hypophosphatémique
■ **PO (adultes) :** de 1,9 à 4,8 g, 3 ou 4 fois par jour.

A

- **PO (enfants):** de 50 à 150 mg/kg en 24 h – adapter la posologie pour atteindre une concentration normale de phosphate sérique.

Antiacide
- **PO (adultes):** de 300 à 1 800 mg (de 5 à 30 mL), de 3 à 6 fois par jour.

PHARMACODYNAMIE

	DÉBUT D'ACTION	PIC	DURÉE
PO (agent hypophosphatémique)	plusieurs heures ou jours	plusieurs jours ou semaines	plusieurs jours
PO (antiacide)	15 – 30 min	30 min	30 min – 3 h

SOINS INFIRMIERS

ÉVALUATION DE LA SITUATION

- ☐ Déterminer le siège, la durée et les caractéristiques de la douleur gastrique ainsi que les facteurs qui la déclenchent.
- ■ **Étude des examens diagnostiques et biochimiques:** Noter les concentrations sériques de calcium et de phosphate à intervalles réguliers pendant un traitement prolongé à l'hydroxyde d'aluminium.
- ☐ L'agent peut augmenter les concentrations sériques de gastrine et diminuer les concentrations sériques de phosphate.
- ☐ Lors du traitement des maladies ulcéreuses graves, rechercher le sang occulte dans les selles et les vomissures par la méthode au gaïac et noter le pH des sécrétions gastriques.

DIAGNOSTICS INFIRMIERS POSSIBLES

- ■ **Énoncés diagnostiques**
- ☐ Douleur.
- ☐ Constipation.
- ☐ Prise en charge inefficace du programme thérapeutique.
- ☐ *Risque élevé d'altération de l'absorption d'autres médicaments pris par voie orale.*

- ■ **Facteurs favorisants**
- ☐ Informations incomplètes.
- ☐ *Manque de connaissances sur la méthode d'administration du médicament.*

INTERVENTIONS INFIRMIÈRES

- ■ **Directives générales:** Les antiacides entraînent la dissolution et l'absorption prématurées des comprimés à enrobage entérique et peuvent entraver l'absorption d'autres médicaments administrés par voie orale. Espacer d'au moins une heure les prises d'hydroxyde d'aluminium et des autres médicaments par voie orale.
- ☐ Demander au patient de bien croquer les comprimés avant de les avaler afin que le médicament ne pénètre pas dans l'intestin grêle avant sa dissolution. Servir ensuite au patient un demi-verre d'eau.
- ☐ Bien agiter les préparations liquides avant de les verser. Afin d'assurer le passage du médicament dans l'estomac, demander au patient de boire de l'eau après l'administration.
- ☐ Les préparations sous forme de liquide semblent plus efficaces que les comprimés.
- ■ **Hypophosphatémie:** Pour diminuer les concentrations de phosphate, demander au patient de boire un verre d'eau ou de jus de fruits après lui avoir administré le médicament.
- ■ **Antiacide:** On peut administrer le médicament en même temps que des antiacides contenant du magnésium pour réduire le risque de constipation (sauf chez les patients souffrant d'une insuffisance rénale). Administrer 1 et 3 h après les repas et au coucher pour obtenir un effet antiacide maximal.
- ☐ Lors du traitement de l'ulcère gastroduodénal, on peut administrer l'hydroxyde d'aluminium toutes les heures ou deux, pendant que le patient est éveillé, ou on peut le diluer dans deux ou trois parties de lait ou d'eau et l'administrer par sonde

gastrique, toutes les 30 min, pendant 12 h ou plus par jour. Le médecin peut demander de faire clamper la sonde nasogastrique après l'administration du médicament.

ENSEIGNEMENT AU PATIENT ET À SES PROCHES

- **Directives générales:** Conseiller au patient de suivre scrupuleusement la posologie recommandée. S'il doit prendre le médicament à des heures fixes et s'il n'a pas pu le prendre au moment habituel, il doit le prendre aussitôt que possible, à moins que ce ne soit presque l'heure prévue pour la dose suivante; il ne faut jamais doubler les doses.
- □ Conseiller au patient de vérifier sur l'étiquette la teneur en sodium de l'agent. Les patients souffrant d'insuffisance cardiaque ou d'hypertension et ceux qui doivent suivre un régime hyposodé ne devraient prendre que les préparations à faible teneur en sodium.
- □ Prévenir le patient que l'hydroxyde d'aluminium peut avoir des effets constipants.
- **Agent hypophosphatémique:** Expliquer au patient qui prend de l'hydroxyde d'aluminium pour traiter l'hyperphosphatémie qu'il doit consommer des aliments à faible teneur en phosphate.
- **Antiacide:** Prévenir le patient qu'il doit consulter le médecin s'il doit prendre des antiacides pendant plus de 2 semaines ou si le trouble est récurrent. Lui recommander de consulter le médecin si la douleur épigastrique n'est pas soulagée ou si des symptômes de saignement gastrique (selles goudronneuses noires, vomissures ayant l'aspect du marc de café) se manifestent.

VÉRIFICATION DES RÉSULTATS

L'efficacité du traitement peut être démontrée par: ■ la diminution des concentrations sériques de phosphate ■ le soulagement de la douleur et de l'irritation gastro-intestinales et l'augmentation du pH des sécrétions gastriques. Puisqu'il n'y a pas de corrélation entre la disparition des symptômes d'ulcère gastroduodénal et la cicatrisation de l'ulcère, il faut poursuivre l'administration des antiacides pendant au moins 4 à 6 semaines après la disparition de tous les symptômes.

AMANTADINE

PMS-Amantadine, Symmetrel, (Symadine)

CLASSIFICATION:
Agent antiparkinsonien; antiviral

Grossesse – catégorie C

INDICATIONS

■ Prophylaxie et traitement des infections par le virus grippal A. **Usages non approuvés:** ■ Traitement symptomatique initial et traitement d'appoint de la maladie de Parkinson.

ACTION

■ Prévention de la pénétration du virus grippal A dans la cellule hôte ■ Potentialisation de l'action de la dopamine dans le SNC. **Effets thérapeutiques:** ■ Prévention et diminution des symptômes de l'infection par le virus grippal A ■ Soulagement des symptômes de la maladie de Parkinson.

PHARMACOCINÉTIQUE

Absorption: Bonne absorption depuis le tractus gastro-intestinal.

Distribution: L'agent se répartit dans divers tissus et liquides corporels. Il traverse la barrière hémato-encéphalique et pénètre dans le lait maternel.

Métabolisme et excrétion: L'agent est excrété à l'état inchangé dans l'urine.

Demi-vie: 24 h.

CONTRE-INDICATIONS ET PRÉCAUTIONS

Contre-indications: Hypersensibilité.

Précautions: ■ Antécédents de convulsions ■ Maladie hépatique ■ Troubles psychiatriques ■ Cardiopathie ■ Insuffisance rénale (réduire la dose) ■ Risque accru de prédisposition à la rubéole ■ Grossesse et allaitement (l'innocuité du médicament n'a pas été établie).

RÉACTIONS INDÉSIRABLES ET EFFETS SECONDAIRES

SNC: vertiges, ataxie, insomnie, dépression, psychose, anxiété, somnolence, confusion.

CV: hypotension, insuffisance cardiaque, œdème.

ORLO: sécheresse de la bouche (xérostomie), vision trouble.

GU: rétention urinaire.

Tég.: rash, tachetures.

Hémat.: leucopénie, neutropénie.

Resp.: dyspnée.

INTERACTIONS

Médicament – médicament: L'administration concomitante d'**antihistaminiques**, de **phénothiazines**, de **quinidine**, de **disopyramide** et d'**antidépresseurs tricycliques** peut entraîner des effets anticholinergiques additifs (xérostomie, vision trouble, constipation).

VOIES D'ADMINISTRATION ET POSOLOGIE

Maladie de Parkinson
■ **PO (adultes):** 100 mg, 2 fois/jour.

Infection par le virus grippal A
■ **PO (adultes et enfants > 9 ans):** 100 mg, 2 fois/jour
■ **PO (enfants de 1 à 9 ans):** de 4,5 à 9,0 mg/kg/jour, jusqu'à concurrence de 150 mg/jour en une seule dose quotidienne ou en 2 doses fractionnées.

PHARMACODYNAMIE (effet antiparkinsonien)

	DÉBUT D'ACTION	PIC	DURÉE
PO	10 – 15 min	1 – 4 h	12 – 24 h

✳ SOINS INFIRMIERS

ÉVALUATION DE LA SITUATION

■ **Directives générales:** Mesurer la pression artérielle à intervalles réguliers. Suivre de près l'apparition de l'hypotension orthostatique induite par le médicament.

□ Effectuer le bilan quotidien des ingesta et des excreta chez les personnes âgées. Le médicament peut provoquer la rétention urinaire. Signaler au médecin tout écart important ou la distension de la vessie.

□ Prendre les signes vitaux et suivre de près l'état de la conscience à intervalles réguliers au cours des quelques premiers jours d'adaptation de la posologie chez les patients qui reçoivent plus de 200 mg par jour, étant donné que les risques d'effets secondaires sont plus grands.

□ Observer l'apparition des signes suivants d'insuffisance cardiaque: œdème périphérique, gain pondéral, dyspnée, râles et crépitations, turgescence des jugulaires, particulièrement lors d'un traitement prolongé ou en présence d'antécédents d'insuffisance cardiaque.

□ Déceler la confusion, les hallucinations et les sautes d'humeur. Prévenir le médecin si ces signes de toxicité se manifestent.

□ Surveiller l'apparition de tachetures cutanées rouges diffuses (livedo reticularis) surtout sur les membres inférieurs ou lors de l'exposition au froid. Ces effets secondaires courants disparaissent au fur et à mesure que le traitement se poursuit mais ils pourraient ne disparaître complètement que plusieurs semaines après l'arrêt du traitement.

- **Maladie de Parkinson :** Suivre de près l'akinésie, la rigidité, les tremblements et les troubles de la démarche avant le traitement et pendant toute sa durée.
- **Prophylaxie ou traitement de la grippe :** Suivre de près l'état de la fonction respiratoire (fréquence des respirations, murmure vésiculaire, crachats) et mesurer la température à intervalles réguliers. Un traitement de soutien est indiqué si ces symptômes se manifestent.
- **Toxicité et surdosage :** Les symptômes de toxicité comprennent la stimulation du SNC (confusion, sautes d'humeur, tremblements, convulsions, arythmie, hypotension). Il n'existe pas d'antidote spécifique, bien qu'on ait déjà utilisé la physostigmine pour renverser les effets sur le SNC.

DIAGNOSTICS INFIRMIERS POSSIBLES

- **Énoncés diagnostiques**
- ☐ Altération de la mobilité physique.
- ☐ Risque élevé d'infection.
- ☐ Prise en charge inefficace du programme thérapeutique.
- ☐ *Risque élevé d'atteinte à l'intégrité de la muqueuse buccale.*

- **Facteurs favorisants**
- ☐ Informations incomplètes.
- ☐ *Perturbation de la vigilance.*
- ☐ *Manque de connaissances sur les effets hypotensifs du médicament lors des changements brusques de position.*
- ☐ *Manque de connaissances sur les moyens de prévenir ou de réduire la sécheresse de la bouche.*

INTERVENTIONS INFIRMIÈRES

- **PO :** Ne pas administrer la dernière dose avant l'heure du coucher étant donné que le médicament peut provoquer l'insomnie chez certains patients.

☐ Administrer l'amantadine en doses fractionnées pour diminuer les effets secondaires sur le SNC.

☐ Chez les patients qui ont des difficultés à avaler des comprimés, mélanger le contenu des capsules avec des aliments ou des liquides. Le médicament existe également sous forme de sirop.

ENSEIGNEMENT AU PATIENT ET À SES PROCHES

- **Directives générales :** Prévenir le patient qu'il doit prendre le médicament 24 h sur 24 en suivant scrupuleusement la posologie recommandée et qu'il ne doit pas sauter de dose ni remplacer une dose manquée par une double dose. S'il n'a pas pu prendre le médicament au moment habituel, il ne doit pas le prendre dans les 4 h qui précèdent l'heure prévue pour la dose suivante.

☐ L'amantadine peut provoquer des étourdissements ou des troubles de la vision. Conseiller au patient de ne pas conduire et d'éviter les activités qui exigent sa vigilance jusqu'à ce qu'on ait la certitude que le médicament n'entraîne pas ces effets chez lui.

☐ Recommander au patient de changer de position lentement pour réduire les risques d'hypotension orthostatique.

☐ Expliquer au patient que pour diminuer la sécheresse de la bouche, il doit se rincer fréquemment la bouche, pratiquer une bonne hygiène orale et consommer de la gomme à mâcher ou des bonbons sans sucre.

☐ Conseiller au patient de consulter le médecin ou le pharmacien avant de prendre un médicament en vente libre en même temps que l'amantadine, et particulièrement des médicaments contre le rhume ; lui déconseiller la consommation de boissons alcoolisées.

A

☐ Demander au patient et à ses proches de signaler au médecin l'apparition des symptômes de grippe (lorsque le médicament est utilisé en prophylaxie) ou la confusion, les sautes d'humeur, les difficultés de miction, l'œdème et les essoufflements. Il devrait également prévenir le médecin si les symptômes de la maladie de Parkinson s'aggravent.

■ **Maladie de Parkinson :** Expliquer au patient que le sevrage doit être graduel ; le sevrage brusque peut déclencher une crise parkinsonienne.

VÉRIFICATION DES RÉSULTATS

L'efficacité du traitement peut être démontrée par : ■ l'absence ou la diminution des symptômes de l'infection par le virus grippal A ■ la diminution de l'akinésie et de la rigidité. L'effet thérapeutique complet peut ne se manifester qu'après 2 semaines de traitement.

AMIKACINE
Amikin

CLASSIFICATION :
Anti-infectieux – aminoside

Grossesse – catégorie D

INDICATIONS

Traitement des infections graves à bactéries à Gram négatif et des infections par les staphylocoques, lorsque les pénicillines ou les autres médicaments moins toxiques sont contre-indiqués.

ACTION

■ Inhibition de la synthèse des protéines de la cellule bactérienne au niveau du ribosome 30S. **Effets thérapeutiques :** ■ Effet bactéricide contre les bactéries sensibles. **Spectre d'action :** ■ Action notable contre les micro-organismes suivants : *Pseudomonas æruginosa* ☐ *Klebsiella*

pneumoniæ ☐ *Escherichia coli* ☐ *Proteus* ☐ *Serratia* et *Acenitobacter*, en cas de résistance à la gentamycine ou à la tobramycine ■ Lors du traitement des infections aux entérocoques, il faut assurer une synergie par une pénicilline.

PHARMACOCINÉTIQUE

Absorption : Bonne absorption par suite de l'administration par voie IM.

Distribution : Le médicament se répartit dans les tissus par le liquide extracellulaire. Il traverse le placenta et pénètre en quantités minimes dans le liquide céphalorachidien.

Métabolisme et excrétion : L'excrétion est surtout rénale (> 90 %). Des adaptations posologiques s'imposent en présence d'une dysfonction rénale quelle qu'elle soit. Des quantités minimes sont métabolisées dans le foie.

Demi-vie : De 2 à 3 h (prolongée en cas d'insuffisance rénale).

CONTRE-INDICATIONS ET PRÉCAUTIONS

Contre-indications : ■ Hypersensibilité ■ Risques de réactions de sensibilité croisée avec les autres aminosides.

Précautions : ■ Insuffisance rénale, quelle qu'elle soit (adapter la posologie ; il est conseillé de suivre de près les concentrations sanguines pour prévenir la néphrotoxicité et la neurotoxicité pour la VIIIe paire crânienne) ■ Grossesse, allaitement, nouveau-nés et jeunes enfants (l'innocuité du médicament n'a pas été établie) ■ Maladies neuromusculaires, telle la myasthénie grave.

RÉACTIONS INDÉSIRABLES ET EFFETS SECONDAIRES

ORLO : neurotoxicité pour la VIIIe paire crânienne (vestibule et limaçon osseux).

GU : néphrotoxicité.

SN : blocage neuromusculaire accru.

Divers : réactions d'hypersensibilité.

INTERACTIONS

Médicament – médicament : ■ L'amikacine est inactivée par les **pénicillines** lors d'une administration concomitante à des patients souffrant d'insuffisance rénale ■ Risque de paralysie respiratoire après l'administration d'**anesthésiques par inhalation (éther, cyclopropane, halothane ou protoxyde d'azote)** ou de **bloqueurs neuromusculaires (tubocurarine, succinylcholine)** ■ Neurotoxicité accrue pour la VIIIe paire crânienne (effets ototoxiques) lors de l'administration simultanée de **diurétiques de l'anse (acide éthacrynique, furosémide)** ■ Incidence accrue de néphrotoxicité lors de l'administration concomitante d'autres **médicaments doués de propriétés néphrotoxiques (cisplatine)**.

VOIES D'ADMINISTRATION ET POSOLOGIE

- **IM et IV (adultes, enfants et nourrissons plus âgés) :** 15 mg/kg/jour en doses fractionnées toutes les 12 h, jusqu'à concurrence de 1,5 g/jour.
- **IM et IV (enfants) :** 15 mg/kg par jour en doses fractionnées, toutes les 8 à 12 h.
- **IM et IV (nouveau-nés et très jeunes nourrissons) :** initialement, 10 mg/kg, ensuite, 7,5 mg/kg toutes les 12 h.

PHARMACODYNAMIE
(pic des concentrations sanguines)

	DÉBUT D'ACTION	PIC
IM	rapide	0,75 – 1,5 h
IV	rapide	fin de la perfusion

SOINS INFIRMIERS

ÉVALUATION DE LA SITUATION

- Observer le patient, au début du traitement et pendant toute sa durée, à la recherche des signes suivants d'infection : altération des signes vitaux ; aspect de la plaie, des crachats, de l'urine et des selles ; accroissement du nombre de leucocytes.
- Prélever des échantillons pour les cultures et les antibiogrammes avant le début du traitement. La première dose peut être administrée avant même que les résultats soient connus.
- Mesurer par audiogramme la fonction de la VIIIe paire de nerfs crâniens avant l'administration initiale et tout au long du traitement. La perte de l'ouïe se situe habituellement au niveau des sons à haute fréquence. Le diagnostic et l'intervention rapides sont essentiels pour prévenir la surdité permanente. Observer également le patient à la recherche des symptômes suivants de dysfonction vestibulaire : vertiges, ataxie, nausées, vomissements. La persistance de pics de concentrations sériques d'amikacine élevés peut se traduire par une dysfonction au niveau de la VIIIe paire de nerfs crâniens.
- Effectuer le bilan quotidien des ingesta et des excreta et peser le patient tous les jours pour évaluer l'hydratation et la fonction rénale.
- Observer le patient à la recherche des signes suivants de surinfection : fièvre, infection des voies respiratoires supérieures, démangeaisons ou pertes vaginales, malaise accru, diarrhée. Signaler ces réactions au médecin.
- **Étude des examens diagnostiques et biochimiques :** Suivre de près la fonction rénale en notant les résultats des analyses des urines, la densité de l'urine, les concentrations d'urée et de créatinine ainsi que la clearance de la créatinine, avant l'administration initiale du médicament et tout au long du traitement.
- Le médicament peut entraîner une élévation des concentrations d'urée, de TGOS (AST), de TGPS (ALT), de phosphatase alcaline sérique, de bilirubine, de créatinine et de lipoprotéines de basse densité (LDL).
- Le médicament peut diminuer les concentrations sériques de calcium,

de magnésium, de potassium et de sodium.

- **Toxicité et surdosage :** Étudier les concentrations sanguines thérapeutiques à intervalles réguliers pendant toute la durée du traitement. Pour interpréter correctement les résultats, il est important de bien choisir le moment où l'on étudie les concentrations sanguines. Pour déterminer les pics, prélever l'échantillon de sang 1 h après l'injection IM et de 15 à 30 min après la fin de la perfusion IV. Pour déterminer les creux, prélever l'échantillon juste avant l'administration de la dose suivante. Les pics acceptables se situent entre 30 et 35 μg/mL ; les creux ne devraient pas dépasser 5 à 10 μg/mL.

DIAGNOSTICS INFIRMIERS POSSIBLES

- **Énoncés diagnostiques**
- ☐ Risque élevé d'infection.
- ☐ Altération de la perception auditive.
- ☐ *Risque élevé d'altération de la fonction rénale.*
- **Facteurs favorisants**
- ☐ *Atteinte à la fonction vestibulaire.*
- ☐ *Manque de connaissances sur les modalités du traitement.*

INTERVENTIONS INFIRMIÈRES

- **Directives générales :** Assurer une bonne hydratation (de 1 500 à 2 000 mL de liquides par jour) pendant tout le traitement.
- **Perfusion intermittente :** Diluer 500 mg d'amikacine dans 250 mL de solution de dextrose à 5 % ou à 10 % dans de l'eau, de solution de NaCl à 0,9 %, de dextrose à 5 % dans une solution de NaCl à 0,9 %, à 0,45 % ou à 0,25 % ou de solution de lactate Ringer. La solution peut prendre une couleur jaune pâle sans que sa puissance en soit affectée. Elle est stable à la température ambiante pendant 24 h. Rincer la tubulure avec une solution de dextrose à 5 % dans de l'eau ou de NaCl à 0,9 % après l'administration.

- ☐ *Vitesse d'administration :* Administrer la perfusion en 30 à 60 min (pendant 1 à 2 h chez les nouveau-nés).
- ☐ Administrer chaque médicament séparément ; ne pas faire d'admixtions. Espacer l'administration des aminosides et des pénicillines de une heure au moins pour prévenir l'inactivation.
- **Association incompatible dans la même seringue :** Héparine.
- **Compatibilités (tubulure en Y) :** Énalaprilate, furosémide, morphine, ondansétron, sulfate de magnésium.
- **Compatibilités en addition au soluté :** Amobarbital, acide ascorbique, bicarbonate de sodium, bléomycine, céfoxitine, chloramphénicol, chlorphéniramine, chlorure de calcium, cimétidine, clindamycine, dimenhydrinate, diphenhydramine, épinéphrine, ergonovine, gluconate de calcium, hydrocortisone, métronidazole, norépinéphrine, pentobarbital, phénobarbital, phytonadione, polymyxine B, prochlorpérazine, prométhazine, sécobarbital, succinylcholine, vancomycine ou vérapamil.
- **Incompatibilités en addition au soluté :** Amphotéricine B, ampicilline, céfazoline, céphalothine, céphapirine, chlorothiazide, héparine, méthicilline, phénytoïne, sulfadiazine ou thiopental.

ENSEIGNEMENT AU PATIENT ET À SES PROCHES

Recommander au patient de signaler au médecin les signes d'hypersensibilité, les acouphènes, le vertige ou la surdité.

VÉRIFICATION DES RÉSULTATS

La réponse clinique peut être déterminée par : la résolution des signes et des symptômes d'infection. En l'absence d'une réponse en l'espace de 3 à 5 jours, il faut faire des prélèvements pour une nouvelle mise en cultures.

AMILORIDE
Midamor

CLASSIFICATION:
Diurétique d'épargne potassique

Grossesse – catégorie B

INDICATIONS

■ Seul ou en association dans le traitement des patients atteints de cirrhose avec ascite ou œdème ■ En association avec d'autres diurétiques dans le traitement des patients hypokaliémiques atteints d'œdème cardiaque ou d'hypertension chez lesquels le maintien d'une kaliémie normale est important.

ACTION

■ L'amiloride favorise l'excrétion du bicarbonate de sodium et du calcium tout en conservant les ions potassium et hydrogène. **Effets thérapeutiques :** ■ Effet antihypertenseur et diurétique faible par rapport aux autres diurétiques ■ Conservation du potassium.

PHARMACOCINÉTIQUE

Absorption : Absorption variable depuis le tractus gastro-intestinal (entre 15 et 50 %).

Distribution : Inconnue ; le médicament semble bien se répartir dans les compartiments extravasculaires.

Métabolisme et excrétion : Élimination rénale d'une fraction de 50 % du médicament à l'état inchangé ; une fraction de 40 % est excrétée dans les selles (médicament non absorbé).

Demi-vie : De 6 à 9 h.

CONTRE-INDICATIONS ET PRÉCAUTIONS

Contre-indications : ■ Hypersensibilité ■ Insuffisance rénale.

Précautions : ■ Dysfonction hépatique ■ Personnes âgées ■ Patients débilités ■ Grossesse, allaitement et enfants (l'innocuité du médicament n'a pas été établie).

RÉACTIONS INDÉSIRABLES ET EFFETS SECONDAIRES

SNC : céphalées, étourdissements.

CV : arythmies.

GI : nausées, vomissements, anorexie, diarrhée, crampes, constipation, flatulence.

GU : impuissance.

HÉ : hyperkaliémie, hyponatrémie, hypochlorémie.

Hémat. : dyscrasie, anémie mégaloblastique.

Loc. : crampes musculaires.

INTERACTIONS

Médicament – médicament : ■ Hypotension additive lors de l'administration d'autres **antihypertenseurs** ou de **dérivés nitrés** et de l'ingestion d'**alcool** ■ L'administration concomitante d'**inhibiteurs de l'enzyme de conversion de l'angiotensine (ECA)** ou de **suppléments de potassium** peut provoquer l'hyperkaliémie ■ L'administration de l'amiloride peut diminuer l'excrétion du **lithium** et entraîner une toxicité.

PRÉSENTATION

L'amiloride est également présenté en association avec l'hydrochlorodiazide (Moduret) ; voir l'annexe A.

VOIES D'ADMINISTRATION ET POSOLOGIE

PO (adultes) : de 5 à 10 mg par jour (jusqu'à 20 mg).

PHARMACODYNAMIE
(effets sur l'excrétion des électrolytes)

	DÉBUT D'ACTION	PIC	DURÉE
PO	2 h	6 – 10 h	24 h

A

☀ SOINS INFIRMIERS

ÉVALUATION DE LA SITUATION

☐ Effectuer le bilan quotidien des ingesta et des excreta et peser le patient tous les jours.

☐ Si le médicament est administré en traitement d'appoint de l'hypertension, mesurer la pression artérielle avant l'administration.

☐ Il est recommandé de suivre l'ÉCG à intervalles réguliers chez les patients qui reçoivent un traitement prolongé.

☐ Surveiller l'apparition des signes suivants d'hyperkaliémie : fatigue, faiblesse musculaire, paresthésie, paralysie flasque, arythmies cardiaques. Les patients souffrant de diabète sucré ou de maladie rénale et les personnes âgées sont davantage prédisposés à ces symptômes.

■ **Étude des examens diagnostiques et biochimiques :** Examiner le bilan électrolytique, la glycémie et les concentrations d'urée et de créatinine à intervalles réguliers pendant tout le traitement. Ne pas administrer le médicament et informer le médecin si une hyperkaliémie survient. Les patients présentant des concentrations élevées d'urée et de créatinine sont davantage prédisposés à l'hyperkaliémie. L'amiloride peut entraîner une élévation des concentrations de magnésium et d'acide urique et peut diminuer les concentrations sériques de sodium et de chlorure.

☐ L'amiloride peut élever la glycémie chez les diabétiques. Arrêter l'administration de l'amiloride 3 jours avant un test de tolérance au glucose.

DIAGNOSTICS INFIRMIERS POSSIBLES

■ **Énoncés diagnostiques**

☐ Excès de volume liquidien.

☐ Prise en charge inefficace du programme thérapeutique.

☐ *Risque élevé d'accident.*

■ **Facteurs favorisants**

☐ Informations incomplètes.

☐ *Perturbation de la vigilance.*

INTERVENTIONS INFIRMIÈRES

■ **PO :** Administrer le médicament dans la matinée pour ne pas perturber le cycle du sommeil.

☐ Administrer l'amiloride avec des aliments ou du lait pour réduire l'irritation gastrique.

ENSEIGNEMENT AU PATIENT À SES PROCHES

☐ Expliquer au patient qu'il doit respecter scrupuleusement la posologie recommandée et continuer à prendre le médicament, même s'il se sent bien. S'il ne peut pas prendre le médicament au moment habituel, lui recommander de le prendre dès que possible à moins qu'il ne soit presque l'heure prévue pour la dose suivante ; l'avertir qu'il ne doit jamais remplacer une dose manquée par une dose double.

☐ Montrer au patient et à ses proches comment mesurer la pression artérielle et leur recommander de prendre cette mesure toutes les semaines.

☐ Conseiller au patient d'éviter les substituts de sel et les aliments riches en potassium, sauf recommandation médicale contraire (voir l'annexe K).

☐ Inciter le patient à appliquer d'autres mesures de réduction de l'hypertension : perdre du poids, réduire sa consommation de sel, diminuer le stress, faire régulièrement de l'exercice et cesser de fumer. L'amiloride stabilise la pression artérielle mais ne guérit pas l'hypertension.

☐ Conseiller au patient de consulter le médecin ou le pharmacien avant de prendre des médicaments en vente libre, comme des décongestionnants, des préparations contre la toux ou le rhume, ou des anorexigènes, en même temps que l'amiloride en raison des risques d'hypertension.

A

□ Prévenir le patient que l'amiloride peut provoquer des étourdissements. Lui conseiller de ne pas conduire et d'éviter les activités qui exigent sa vigilance jusqu'à ce qu'on ait la certitude que le médicament n'entraîne pas cet effet chez lui.

□ Recommander au patient qui doit suivre un traitement dentaire ou subir une intervention chirurgicale d'avertir le dentiste ou le médecin qu'il suit un traitement médicamenteux.

□ Conseiller au patient de signaler au médecin les symptômes suivants : crampes ou faiblesse musculaire, fatigue ou faiblesse.

VÉRIFICATION DES RÉSULTATS

L'efficacité du traitement peut être démontrée par : la diminution de la pression artérielle et l'augmentation de la diurèse, tout en maintenant les concentrations de potassium sérique dans des limites acceptables.

AMINOGLUTÉTHIMIDE
Cytadren

CLASSIFICATION :
Antinéoplasique – divers
Grossesse – catégorie D

INDICATIONS

■ Suppression de courte durée de la fonction surrénalienne chez les patients atteints du syndrome de Cushing ■ Traitement palliatif du carcinome métastatique du sein chez la femme ménopausée. **Usages non approuvés :** ■ Cancer avancé de la prostate.

ACTION

■ Inhibition de la synthèse des hormones corticosurrénaliennes incluant les glucocorticoïdes, les minéralocorticoïdes, les œstrogènes et les androgènes ■ Diminution de la propagation des tumeurs sensibles aux hormones, incluant le cancer du sein et de la prostate. **Effets thérapeutiques :** ■ Diminution de la production d'hormones corticosurrénaliennes en cas de syndrome de Cushing ■ Diminution de la propagation du cancer du sein chez les femmes ménopausées et du cancer de la prostate.

PHARMACOCINÉTIQUE

Absorption : Bonne absorption par suite de l'administration PO.
Distribution : Inconnue.
Métabolisme et excrétion : Une fraction de 50 % du médicament est métabolisée par le foie tandis que le reste est éliminé à l'état inchangé par les reins.
Demi-vie : De 11 à 16 h, initialement ; de 2 à 9 h après 2 semaines de traitement.

CONTRE-INDICATIONS ET PRÉCAUTIONS

Contre-indications : Hypersensibilité au glutéthimide ou à l'aminoglutéthimide.
Précautions : ■ Grossesse (bien qu'on ait connu des grossesses normales, le médicament peut nuire au fœtus) ■ Allaitement ou enfants (l'innocuité du médicament n'a pas été établie) ■ Stress, comprenant les traumatismes, les interventions chirurgicales ou une maladie aiguë (l'administration de doses plus élevées de minéralocorticoïdes et d'hydrocortisone pourrait s'avérer nécessaire).

RÉACTIONS INDÉSIRABLES ET EFFETS SECONDAIRES

SNC : étourdissements, céphalées, vertiges, faiblesse.
CV : hypotension.
GI : nausées, anorexie, vomissements, hépatite médicamenteuse.
Tég. : éruption morbilliforme, prurit, urticaire.
End. : suppression de la fonction surrénalienne, insuffisance surrénalienne, hypothyroïdie, virilisation et hirsutisme chez la femme.
Loc. : myalgie.
Divers : fièvre.

INTERACTIONS

Médicament – médicament : ■ L'aminoglutéthimide accélère le métabolisme et diminue l'efficacité du **dexaméthasone** ■ L'agent diminue les effets de la **warfarine**, de la **théophylline**, de la **digitoxine** et de la **médroxyprogestérone** ■ L'**alcool** potentialise les effets de l'aminoglutéthimide.

VOIES D'ADMINISTRATION ET POSOLOGIE

Syndrome de Cushing

■ **PO (adultes) :** 250 mg, 4 fois/jour (à des intervalles de 6 h), dose qu'on peut augmenter de 250 mg/jour à des intervalles de 1 à 2 semaines, jusqu'à concurrence de 2 g/ jour.

Cancer métastatique du sein

■ 250 mg, 2 fois/jour la 1ère semaine, 250 mg, 3 fois/jour la 2e semaine, 250 mg, 4 fois/jour la 3e semaine, jusqu'à concurrence de 2 g par jour.

PHARMACODYNAMIE (suppression de la fonction surrénalienne)

	DÉBUT D'ACTION	PIC	DURÉE
PO	3 – 5 jours	inconnu	36 – 72 h *

* Rétablissement de la fonction surrénalienne après arrêt du traitement de courte durée ; si le traitement est prolongé le délai peut être plus long (jusqu'à un an).

SOINS INFIRMIERS

ÉVALUATION DE LA SITUATION

☐ Tout au long du traitement, surveiller les modifications suivantes des manifestations du syndrome de Cushing : faciès lunaire, cou de bison, hypertension, fragilité, hirsutisme, sautes d'humeur, sensibilité accrue aux infections.

☐ Mesurer la pression artérielle, à intervalles réguliers, tout au long du traitement.

☐ Surveiller l'apparition du rash tout au long du traitement. La réduction de la dose ou l'interruption du traitement peuvent s'avérer nécessaires en cas d'apparition d'un rash grave.

■ **Étude des examens diagnostiques et biochimiques :** Suivre de près les concentrations plasmatiques de cortisol tout au long du traitement. On peut ajuster les doses d'après ces concentrations.

☐ L'agent peut provoquer l'hypothyroïdie. Noter les résultats des tests de l'exploration fonctionnelle thyroïdienne à intervalles réguliers, tout au long du traitement.

☐ Le médicament peut élever les concentrations de TGOS (AST), de phosphatase alcaline et de bilirubine.

☐ Noter la numération globulaire et les concentrations d'électrolytes sériques, à intervalles réguliers, tout au long du traitement.

DIAGNOSTICS INFIRMIERS POSSIBLES

■ **Énoncés diagnostiques**
☐ Risque élevé d'accident.
☐ Prise en charge inefficace du programme thérapeutique.

■ **Facteurs favorisants**
☐ Informations incomplètes.
☐ *Perturbation de la vigilance.*

INTERVENTIONS INFIRMIÈRES

■ **Directives générales :** Il faut amorcer le traitement en milieu hospitalier et le continuer jusqu'à l'établissement d'un plan thérapeutique stable.

☐ Une minéralocorticoïdothérapie substitutive (fludrocortisone) ou une glucocorticoïdothérapie substitutive (hydrocortisone) peut s'avérer nécessaire.

■ **PO :** Administrer toutes les 6 h, 24 h sur 24.

ENSEIGNEMENT AU PATIENT ET À SES PROCHES

☐ Prévenir le patient que l'aminoglutéthimide peut provoquer des étourdissements ou de la somnolence. Lui conseiller de ne pas conduire et d'éviter les activités qui exigent sa vigilance jusqu'à ce qu'on ait la certitude que le médicament n'entraîne pas ces effets chez lui.

☐ Conseiller au patient d'avertir le médecin si le rash, les évanouissements, la faiblesse ou les céphalées deviennent prononcés.

☐ Prévenir le patient que des nausées et une perte d'appétit peuvent survenir durant les 2 premières semaines de traitement. Lui conseiller d'informer le médecin si ces symptômes persistent ou s'intensifient.

☐ Recommander au patient de ne pas boire d'alcool pendant qu'il suit un traitement à l'aminogluthémide.

VÉRIFICATION DES RÉSULTATS

L'efficacité du traitement peut être démontrée par : ■ la suppression de la fonction surrénalienne chez les patients souffrant du syndrome de Cushing ■ la diminution de la propagation des métastases en cas de cancer avancé du sein survenant après la ménopause ou de cancer de la prostate.

AMINOPHYLLINE

Aminophylline, Phyllocontin, (Amoline), (Somophyllin), (Truphylline)

CLASSIFICATION :

Bronchodilatateur – inhibiteur de la phosphodiestérase

Grossesse – catégorie C

INDICATIONS

■ Bronchodilatation lors du traitement des obstructions réversibles des voies respiratoires attribuables à l'asthme ou à la bronchopneumopathie chronique obstructive. **Usages non approuvé :** ■ Myocardiotonique et analeptique respiratoire pour traiter l'apnée du nouveau-né.

ACTION

■ Inhibition de la phosphodiestérase, entraînant des concentrations élevées d'adénosine monophosphate cyclique (AMPc) dans les tissus. Les concentrations élevées d'AMPc entraînent : ☐ la bronchodilatation ☐ la stimulation du SNC ☐ des effets inotropes et chronotropes positifs ☐ la diurèse ☐ des sécrétions d'acide gastrique. L'aminophylline est un sel de théophylline ; après l'administration, elle libère de la théophylline libre. **Effets thérapeutiques :** ■ Bronchodilatation.

PHARMACOCINÉTIQUE

Absorption : Bonne absorption par suite de l'administration PO. L'absorption des préparations à action prolongée est lente mais complète.

Distribution : Le médicament se répartit dans tout l'organisme sous forme de théophylline. Il traverse le placenta et on le trouve dans le lait maternel à une concentration correspondant à 70 % des concentrations plasmatiques.

Métabolisme et excrétion : Pendant le métabolisme hépatique, l'aminophylline est transformée en caféine, qui peut s'accumuler dans les tissus, chez les nouveau-nés. Les métabolites sont excrétés par les reins.

Demi-vie : De 3 à 13 h (théophylline) ; prolongée chez les personnes âgées (> 60 ans), les nouveau-nés et les patients souffrant d'insuffisance cardiaque ou de maladie hépatique ; plus courte chez les fumeurs et les enfants.

CONTRE-INDICATIONS ET PRÉCAUTIONS

Contre-indications : ■ Arythmies non maîtrisées ■ Hyperthyroïdie.

Précautions : ■ Personnes âgées (> 60 ans) ■ Insuffisance cardiaque ou maladie hépatique (diminuer la dose) ■ Grossesse (précédents d'usage sans apparition d'effets nocifs).

A

RÉACTIONS INDÉSIRABLES ET EFFETS SECONDAIRES

SNC : nervosité, anxiété, céphalées, insomnie, CONVULSIONS.
CV : tachycardie, palpitations, arythmies, angine de poitrine.
GI : nausées, vomissements, anorexie, crampes.
SN : tremblements.

INTERACTIONS

Médicament – médicament : ■ L'administration simultanée d'**amines sympathomimétiques** entraîne des effets secondaires additifs sur l'appareil cardiovasculaire et le SNC ■ L'aminophylline peut diminuer l'effet thérapeutique du **lithium** ■ Le tabac, les **amines sympathomimétiques**, les **barbituriques**, la **phénytoïne**, le **kétoconazole** et la **rifampine** peuvent accroître le métabolisme du médicament et en diminuer l'efficacité ■ L'**érythromycine**, les **bêtabloquants**, la **cimétidine**, le **vaccin antigrippal**, les **contraceptifs oraux**, les **glucocorticoïdes**, le **disulfirame**, l'**interféron**, la **mexilétine**, le **thiabendazole**, les **fluoroquinolones** et les doses élevées d'**allopurinol** diminuent le métabolisme du médicament et peuvent provoquer une toxicité ■ L'administration concomitante d'**halotane** augmente le risque d'arythmie ■ L'**isoniazide**, la **carbamazépine** et les **diurétiques de l'anse** peuvent augmenter ou diminuer les concentrations de théophylline. **Médicament – aliments :** ■ La consommation régulière et excessive d'**aliments grillés sur le charbon de bois** peut diminuer l'efficacité de l'aminophylline ■ La consommation excessive d'**aliments ou boissons** (cola, café, chocolat) **à base de xanthine** peut augmenter le risque d'effets secondaires sur l'appareil cardiovasculaire ou le SNC.

PRÉSENTATION

Le médicament est présenté sous forme de comprimés, de comprimés à libération prolongée et de solution injectable.

VOIES D'ADMINISTRATION ET POSOLOGIE

Remarque : Pour déterminer la posologie de l'aminophylline, il faut se guider d'après les concentrations sériques de théophylline. La dose d'attaque devrait être diminuée ou éliminée si une préparation à la théophylline a été administrée durant les 24 h précédentes. L'aminophylline est composée à 85 % de théophylline.

- **PO (adultes) :** dose d'attaque – comprimés à libération prolongée : de 225 à 350 mg, toutes les 12 h.

- **IV (adultes) :** dose d'attaque – 6 mg/kg, par perfusion en 30 min, suivie de 0,2 à 0,9 mg/kg/h, en perfusion continue.

- **IV (enfants) :** dose d'attaque – 5,6 mg/kg, suivie de 1 mg/kg/h en perfusion continue.

- **IV (nouveau-nés > 8 semaines) (É.-U.) :** dose initiale – 1 mg/kg (théophylline) pour augmenter de 10 µmol/mL les concentrations plasmatiques ; ensuite de 1 à 3 mg/kg (théophylline), toutes les 6 h.

- **IV (nouveau-nés de 4 à 8 semaines) (É.-U.) :** dose initiale – 1 mg/kg (théophylline) pour augmenter de 10 µmol/mL les concentrations plasmatiques de médicament ; ensuite de 1 à 2 mg/kg (théophylline), toutes les 8 h.

- **IV (nouveau-nés à terme de moins de 4 semaines) (É.-U.) :** dose initiale – 1 mg/kg (théophylline) pour augmenter de 10 µmol/mL les concentrations plasmatiques de médicament ; ensuite de 1 à 2 mg/kg (théophylline), toutes les 12 h.

- **IV (nouveau-nés prématurés) (É.-U.) :** dose initiale – 1 mg/kg (théophylline) pour augmenter de 10 µmol/mL les concentrations plasmatiques de médicament ; ensuite 1 mg/kg (théophylline), toutes les 12 h.

A

PHARMACODYNAMIE

	DÉBUT D'ACTION	PIC*	DURÉE
PO	15 – 60 min	1 – 2 h	6 – 8 h
PO/IV	rapide	fin de la perfusion	6 – 8 h

* Pic des concentrations plasmatiques.

SOINS INFIRMIERS

ÉVALUATION DE LA SITUATION

- **Directives générales:** Mesurer la pression artérielle, le pouls et la fréquence des respirations; ausculter le murmure vésiculaire avant d'administrer le médicament et pendant tout le traitement.
- ☐ Chez les patients ayant des antécédents de troubles cardiovasculaires, suivre de près les douleurs thoraciques et les modifications suivantes de l'ÉCG: contractions auriculaires prématurées, tachycardie supraventriculaire, extrasystoles ventriculaires, tachycardie ventriculaire. Garder à portée de la main le matériel de réanimation.
- ☐ Effectuer le bilan des ingesta et des excreta pour déceler l'intensification de la diurèse.
- **Analeptique respiratoire:** Observer les nouveau-nés à la recherche de symptômes d'apnée, de bradycardie ou de cyanose.
- **Toxicité et surdosage:** Examiner régulièrement les concentrations de médicament. Les concentrations plasmatiques thérapeutiques se situent entre 55 et 110 µmol/L. Des concentrations supérieures à 110 µmol/L sont reliées à des signes de toxicité.
- ☐ Surveiller l'apparition des signes suivants de toxicité: anorexie, nausées, vomissements, agitation, insomnie, tachycardie, arythmies, convulsions. En informer le médecin sans délai.

DIAGNOSTICS INFIRMIERS POSSIBLES

- ■ **Énoncés diagnostiques**
- ☐ Dégagement inefficace des voies respiratoires.
- ☐ Intolérance à l'activité.
- ☐ Prise en charge inefficace du programme thérapeutique.
- ☐ *Risque élevé d'intoxication.*
- ■ **Facteurs favorisants**
- ☐ Informations incomplètes.
- ☐ *Présence de sécrétions bronchiques visqueuses difficiles à évacuer.*
- ☐ *Manque de connaissances sur les modalités du traitement.*

INTERVENTIONS INFIRMIÈRES

- **Directives générales:** Administrer l'aminophylline 24 h sur 24 pour maintenir des concentrations thérapeutiques dans le plasma.
- ☐ Interroger le patient pour savoir s'il a reçu de la théophylline sous quelque forme que ce soit durant les 24 h qui précèdent l'administration de la dose d'attaque.
- ☐ Administrer les comprimés oraux à libération immédiate au moins 4 h après l'arrêt de l'administration IV. Commencer l'administration des comprimés à libération prolongée immédiatement après l'arrêt de l'administration IV.
- **PO:** Administrer les préparations par voie orale avec des aliments ou un grand verre d'eau pour réduire l'irritation gastro-intestinale. Les aliments ralentissent mais ne réduisent pas l'absorption du médicament. Signaler au patient qu'il ne doit pas briser, broyer ni croquer les comprimés à libération prolongée.
- **IM:** Éviter la voie IM étant donné que l'injection est douloureuse et qu'elle peut provoquer des lésions tissulaires.
- **IV:** On peut diluer l'aminophylline dans une solution de dextrose à 5, à 10 ou à 20 % dans de l'eau, de NaCl à 0,9 ou à 0,45 %, de dextrose à 5 %

dans une solution de NaCl à 0,9, à 0,45 ou à 0,25 %, ou dans une solution de lactate Ringer. Le mélange réfrigéré est stable pendant 24 h.

☐ Ne pas administrer de solutions précipitées ou de solutions ayant changé de couleur. Rincer la tubulure principale avant l'administration de l'aminophylline. Il n'est pas recommandé d'effectuer l'admixtion des solutions pour perfusion à cause des nombreuses incompatibilités.

☐ En cas d'extravasation, l'injection locale de procaïne à 1 % et l'application de chaleur peuvent soulager la douleur et favoriser la vasodilatation.

☐ *Vitesse d'administration :* Ne pas dépasser un débit de 25 mg/min. Administrer par une pompe à perfusion pour s'assurer que le patient reçoit la posologie exacte. L'administration rapide peut provoquer de l'hypotension, des arythmies, une syncope et la mort.

■ **IV directe :** Ne pas administrer à un débit supérieur à 25 mg/min.

■ **Perfusion intermittente :** Diluer dans 100 à 200 mL de solution IV compatible.

■ **Perfusion continue :** Habituellement, on administre un petit volume d'aminophylline en dose d'attaque ; les volumes plus importants sont ensuite administrés en perfusion continue.

■ **Associations compatibles dans la même seringue :** Héparine, métoclopramide, pentobarbital ou thiopental.

■ **Compatibilités (tubulure en Y) :** Amrinone, atracurium, chlorure de potassium, cimétidine, énalaprilate, héparine sodique avec succinate d'hydrocortisone sodique, morphine, nétilmicine, ranitidine, tolazoline ou vécuronium.

■ **Incompatibilités (tubulure en Y) :** Dobutamine, hydralazine, ondansétron.

■ **Compatibilités en addition au soluté :** Amobarbital, bicarbonate de sodium, brétylium, chloramphénicol, chlorure de potassium, dexaméthasone, diphenhydramine, dopamine, esmolol, gluconate de calcium, héparine, hydrocortisone, iodure de sodium, lactobionate d'érythromycine, lidocaïne, méthyldopa, métronidazole, pentobarbital, ranitidine, sécobarbital, terbutaline ou vérapamil.

■ **Incompatibilités en addition au soluté :** Acide ascorbique, bléomycine, céphalothine, céfotaxime, chlorpromazine, cimétidine, clindamycine, codéine, dimenhydrinate, dobutamine, doxorubicine, doxycycline, épinéphrine, gluceptate d'érythromycine, hydralazine, hydroxyzine, insuline, isoprotérénol, mépéridine, méthicilline, morphine, nafcilline, nitroprusside, norépinéphrine, oxytétracycline, papavérine, pénicilline G, pentazocine, phénobarbital, phénytoïne, prochlorpérazine, promazine, prométhazine, sulfisoxazole, tétracycline ou vancomycine.

ENSEIGNEMENT AU PATIENT ET À SES PROCHES

☐ Expliquer au patient qu'il est important de ne prendre que les doses recommandées aux heures prescrites. S'il n'a pu prendre le médicament au moment habituel, il doit le prendre dès que possible, à moins que ce ne soit presque l'heure prévue pour la dose suivante.

☐ Recommander au patient de boire suffisamment de liquides (2 L par jour, au minimum) pour diminuer la viscosité des sécrétions des voies respiratoires.

☐ Conseiller au patient de consulter le médecin ou le pharmacien avant de prendre un médicament en vente libre pour traiter la toux, le rhume ou les difficultés respiratoires en même temps que l'aminophylline. Ces médicaments peuvent intensifier les effets secondaires de l'aminophylline et déclencher des arythmies.

□ Recommander au patient de cesser de fumer. Une modification dans l'usage du tabac peut dicter la modification de la posologie.

□ Recommander au patient de réduire la consommation d'aliments et de boissons (boissons à base de cola, café, chocolat) à base de xanthine et de ne pas manger tous les jours des aliments grillés sur le charbon de bois.

□ Recommander au patient de ne pas changer de marque ou de forme de préparation sans consulter le médecin.

□ Recommander au patient de prévenir immédiatement le médecin si la dose habituelle de médicament ne produit pas les résultats escomptés, si les symptômes s'aggravent après le traitement ou si des effets toxiques se manifestent.

□ Insister sur l'importance de faire analyser les concentrations sériques tous les 6 à 12 mois.

VÉRIFICATION DES RÉSULTATS

L'efficacité du traitement peut être démontrée par : ■ l'amélioration de la respiration et le dégagement des champs pulmonaires à l'auscultation ■ la stimulation respiratoire et myocardiaque en cas d'apnée du nourrisson.

AMIODARONE
Cordarone

CLASSIFICATION :
Antiarythmique – classe III
Grossesse – catégorie C

INDICATIONS

Traitement et prophylaxie des arythmies ventriculaires qui peuvent être mortelles et qui ne répondent pas aux autres traitements.

ACTION

■ Prolongation du potentiel d'action et de la période réfractaire dans les tissus du myocarde ■ Inhibition de la stimulation adrénergique ■ Ralentissement du rythme sinusal, allongement des intervalles PR et QT et diminution de la résistance vasculaire périphérique. **Effets thérapeutiques :** ■ Réduction des arythmies ventriculaires.

PHARMACOCINÉTIQUE

Absorption : L'absorption à partir du tractus gastro-intestinal est lente et variable (de 35 à 65 %).

Distribution : Le médicament se répartit et s'accumule lentement dans la plupart des tissus. Il traverse le placenta et pénètre dans le lait maternel.

Métabolisme et excrétion : Métabolisme hépatique, excrétion dans la bile. Excrétion rénale minime.

Demi-vie : De 13 à 107 jours.

CONTRE-INDICATIONS ET PRÉCAUTIONS

Contre-indications : ■ Dysfonction marquée du nœud sinusal ■ Bloc A-V du 2e et du 3e degré ■ Bradycardie (en l'absence d'un stimulateur cardiaque, le médicament a déjà provoqué des syncopes) ■ Grossesse et allaitement.

Précautions : ■ Troubles thyroïdiens ■ Maladie pulmonaire ou hépatique grave ■ Enfants (l'innocuité du médicament n'a pas été établie).

RÉACTIONS INDÉSIRABLES ET EFFETS SECONDAIRES

SNC : malaise, fatigue, vertiges, insomnie, céphalées.

Resp. : FIBROSE PULMONAIRE.

CV : insuffisance cardiaque, bradycardie, AGGRAVATION DES ARYTHMIES.

Tég. : photosensibilité.

ORLO : microdépôts cornéens, photophobie, sécheresse des yeux (alacrymie), altération du goût, altération de l'odorat.

End. : hypothyroïdie, hyperthyroïdie.

A

GI : <u>nausées</u>, <u>vomissements</u>, <u>constipation</u>, <u>anorexie</u>, LÉSIONS HÉPATIQUES, douleurs abdominales.

GU : diminution de la libido.

SN : <u>tremblements</u>, <u>mouvements involontaires</u>, <u>perte de la coordination</u>, <u>neuropathie périphérique</u>, <u>paresthésie</u>.

INTERACTIONS

Médicament – médicament : ■ L'amiodarone élève les concentrations sanguines de **digoxine** et peut entraîner une toxicité (diminuer la dose de 50 %). Le médicament élève les concentrations sanguines d'**autres antiarythmiques de classe I** (**quinidine**, **procaïnamide**, **mexilétine** ou **flécaïnide** ; diminuer la dose de 30 à 50 %) ■ L'amiodarone élève les concentrations sanguines de **phénytoïne** ■ L'amiodarone intensifie l'activité de la **warfarine** (diminuer la dose de 33 à 50 %) ■ Lors de l'administration concomitante de **bêtabloquants** ou d'**inhibiteurs calciques**, le risque de bradyarythmies, d'arrêt sinusal ou de bloc AV est accru ■ L'**oxygène** concentré, administré après une intervention chirurgicale, peut augmenter le risque de fibrose pulmonaire.

VOIES D'ADMINISTRATION ET POSOLOGIE

PO (adultes) : de 800 à 1 600 mg/jour en 1 ou 2 doses, pendant 1 à 3 semaines ; ensuite, de 600 à 800 mg/jour en 1 ou 2 doses, pendant 1 mois et, enfin, de 200 à 400 mg/jour (parfois 600 mg), comme dose d'entretien.

PHARMACODYNAMIE
(réduction des arythmies ventriculaires)

	DÉBUT D'ACTION	PIC	DURÉE
PO	1 – 3 semaines	inconnu	plusieurs semaines ou mois

☀ SOINS INFIRMIERS

ÉVALUATION DE LA SITUATION

☐ Suivre de près l'ÉCG au début du traitement. Mesurer le rythme et la fréquence cardiaques tout au long du traitement. Les anomalies électrocardiographiques suivantes peuvent se produire : allongement de l'intervalle PR, léger élargissement de l'espace QRS, réduction de l'amplitude de l'onde T avec élargissement, bifurcation et apparition d'une onde U. L'allongement de l'intervalle QT peut traduire une aggravation de l'arythmie. Signaler sans délai au médecin l'apparition de la bradycardie ou l'aggravation des arythmies.

☐ Observer l'apparition des signes suivants de toxicité pulmonaire : râles et crépitations, diminution des bruits respiratoires, frottement pleural, fatigue, dyspnée, toux, douleur pleurale, fièvre. Ces symptômes peuvent dicter l'arrêt du traitement.

☐ Demander au patient de se soumettre à des examens ophtalmologiques avant le traitement ou si les symptômes visuels suivants se manifestent : photophobie, halos autour des lumières, acuité visuelle réduite.

☐ Surveiller les signes de dysfonction de la thyroïde, particulièrement au cours du traitement initial. La léthargie, l'œdème des mains, des pieds et de la région périorbitaire ainsi qu'une peau pâle et froide évoquent l'hypothyroïdie. Dans ce cas, une diminution des doses ou l'arrêt du traitement et l'administration d'une hormonothérapie thyroïdienne substitutive peuvent s'imposer. La tachycardie, la perte de poids ainsi qu'une peau chaude, rouge et moite évoquent l'hyperthyroïdie ; ces symptômes peuvent dicter l'arrêt du traitement et l'administration d'antithyroïdiens.

■ **Étude des examens diagnostiques et biochimiques :** Interpréter les résultats des tests de l'exploration fonctionnelle hépatique, pulmonaire et thyroïdienne et des tests neurologiques avant l'administration du médicament et à intervalles réguliers pendant toute la durée du traitement. À cause de la longue demi-vie d'élimination de l'amiodarone, les effets du médicament persistent longtemps après l'ajustement de la posologie ou l'abandon du traitement.

☐ Le médicament peut élever les concentrations de TGOS (AST), de TGPS (ALT) et de phosphatase alcaline sérique.

DIAGNOSTICS INFIRMIERS POSSIBLES

■ **Énoncés diagnostiques**

☐ Diminution du débit cardiaque.

☐ Perturbation des échanges gazeux.

☐ Prise en charge inefficace du programme thérapeutique.

☐ *Risque élevé d'accident.*

☐ *Risque élevé de perturbation situationnelle de l'estime de soi.*

■ **Facteurs favorisants**

☐ Informations incomplètes.

☐ *Altération de la perception visuelle.*

☐ *Altération de l'image corporelle.*

INTERVENTIONS INFIRMIÈRES

■ **Directives générales:** Pendant le traitement initial à l'amiodarone, les patients doivent être hospitalisés et suivis de près.

☐ L'hypokaliémie peut diminuer l'efficacité de l'amiodarone ou provoquer des arythmies supplémentaires, il faut donc la corriger avant le début du traitement.

☐ Aider le patient pendant qu'il se déplace afin de prévenir les chutes attribuables aux troubles neurologiques. La neuropathie périphérique (faiblesse des muscles proximaux, picotements, engourdissements) ainsi que les tremblements et la démarche anormale sont des effets secondaires

qui se manifestent couramment lors du traitement initial.

■ **PO:** Administrer avec des aliments ou en doses fractionnées en présence d'une intolérance gastro-intestinale.

ENSEIGNEMENT AU PATIENT ET À SES PROCHES

☐ Expliquer au patient qu'il doit respecter scrupuleusement la posologie recommandée. S'il n'a pu prendre le médicament au moment habituel, il doit sauter cette dose. L'inciter à prévenir le médecin s'il a sauté plus de deux doses.

☐ Montrer au patient comment mesurer son pouls. Lui conseiller de prendre le pouls tous les jours et de signaler au médecin toute anomalie.

☐ Expliquer au patient que des réactions de photosensibilité peuvent se produire s'il se tient près d'une fenêtre ensoleillée, s'il porte des vêtements trop légers ou s'il utilise des écrans solaires qui ne le protègent pas totalement. Lui recommander de porter des vêtements de protection et d'appliquer un écran solaire total pendant les 4 mois qui suivent le traitement.

☐ Expliquer au patient que la couleur bleuâtre que peuvent prendre son visage, son cou et ses bras est un effet secondaire possible du médicament lors d'un traitement prolongé. Ces symptômes sont réversibles et disparaissent en l'espace de quelques mois. Lui conseiller de signaler ce symptôme au médecin.

☐ Recommander au patient qui doit suivre un traitement dentaire ou subir une intervention chirurgicale d'avertir le dentiste ou le médecin qu'il suit un traitement médicamenteux.

☐ Insister sur l'importance d'un suivi médical régulier, comprenant des radiographies thoraciques et des tests de l'exploration fonctionnelle pulmonaire, tous les 3 à 6 mois, ainsi que d'examens ophtalmiques après 6 mois de traitement et, ensuite, tous les ans.

VÉRIFICATION DES RÉSULTATS

L'efficacité du traitement peut être démontrée par : la suppression des arythmies ventriculaires mortelles. Les effets pharmacologiques du médicament peuvent ne pas être manifestes avant 1 à 3 semaines de traitement. Les effets indésirables ne disparaissent parfois qu'en l'espace de 4 mois.

AMITRIPTYLINE

Apo-Amitriptyline, Elavil, Levate, Novotriptyne, PMS-Amitriptyline, (Amitril), (Emitrip), (Endep), (Enovil), (Meravil)

CLASSIFICATION :
Antidépresseur tricyclique

INDICATIONS

■ Traitement de diverses formes de dépression, souvent conjointement à la psychothérapie ■ Traitement de l'énurésie fonctionnelle chez certains enfants. **Usages non approuvés :** ■ Traitement des divers syndromes douloureux chroniques.

ACTION

■ Potentialisation des effets de la sérotonine et de la noradrénaline au niveau du SNC ■ L'amitriptyline est également douée de propriétés anticholinergiques importantes. **Effets thérapeutiques :** ■ Effet antidépresseur qui peut ne pas se manifester avant plusieurs semaines.

PHARMACOCINÉTIQUE

Absorption : Bonne absorption à partir du tractus gastro-intestinal.
Distribution : Le médicament se répartit dans tout l'organisme.
Métabolisme et excrétion : L'amitriptyline subit un fort métabolisme hépatique. Certains métabolites sont actifs sur le plan pharmacologique. Le médicament traverse plusieurs cycles entérohépatiques et il est sécrété dans les sucs gastriques. Il semble traverser le placenta et pénétrer dans le lait maternel.
Demi-vie : De 10 à 50 h.

CONTRE-INDICATIONS ET PRÉCAUTIONS

Contre-indications : ■ Glaucome à angle étroit ■ Grossesse et allaitement.
Précautions : ■ Personnes âgées ■ Maladie cardiovasculaire préexistante ■ Hommes âgés, souffrant d'une hypertrophie de la prostate (plus grande prédisposition à la rétention urinaire) ■ Antécédents de convulsions (le seuil de crise peut être abaissé).

RÉACTIONS INDÉSIRABLES ET EFFETS SECONDAIRES

SNC : somnolence, sédation, léthargie, fatigue.
ORLO : sécheresse de la bouche (xérostomie), sécheresse des yeux (alacrymie), vision trouble.
CV : hypotension, modifications de l'ÉCG, ARYTHMIES.
Tég. : photosensibilité.
End. : gynécomastie, modifications de la glycémie.
GI : constipation, iléus paralytique, hépatite.
GU : rétention urinaire.
Hémat. : dyscrasie.

INTERACTIONS

Médicament – médicament : ■ L'amitriptyline peut provoquer l'hypotension, la tachycardie et des réactions qui peuvent être mortelles lors de l'administration concomitante d'**inhibiteurs de la MAO** (éviter l'administration conjointe ; interrompre le traitement deux semaines avant d'administrer l'amitriptyline) ■ Le médicament peut entraver la réponse thérapeutique aux **antihypertenseurs** ■ L'amitriptyline peut provoquer une hypertension grave lorsqu'elle est administrée simultanément à la **clonidine**

(éviter l'administration conjointe) ∎ Effets dépresseurs additifs sur le système nerveux central lors de l'usage concomitant d'**autres dépresseurs du SNC** dont l'**alcool**, les **antihistaminiques**, les **analgésiques narcotiques** et les **hypnosédatifs** ∎ Les effets secondaires **adrénergiques** et **anticholinergiques** peuvent être additifs lors de l'administration d'**autres agents doués de ces propriétés** ∎ La **cimétidine**, la **fluoxétine**, les **phénothiazines** ou les **contraceptifs oraux** augmentent les concentrations d'amitriptyline et peuvent provoquer une toxicité ∎ Le médicament peut provoquer le syndrome cérébral organique lors de l'administration conjointe du **disulfirame** ∎ Le **tabac** peut accélérer le métabolisme du médicament et en diminuer l'efficacité.

VOIES D'ADMINISTRATION ET POSOLOGIE

Dépression
∎ **PO (adultes):** de 30 à 100 mg par jour en une seule dose, administrée au coucher, ou en doses fractionnées. On peut augmenter graduellement la dose jusqu'à 300 mg par jour.

Énurésie
∎ **PO (enfants de 5 à 11 ans):** de 10 à 20 mg par jour, 1 h avant le coucher.
∎ **PO (enfants plus âgés):** de 10 à 20 mg par jour, 1 h avant le coucher. On peut augmenter la dose jusqu'à 25 à 50 mg, au besoin.

PHARMACODYNAMIE
(effet antidépresseur)

	DÉBUT D'ACTION	PIC	DURÉE
PO	2–3 semaines	2–6 semaines	plusieurs jours ou semaines

SOINS INFIRMIERS

ÉVALUATION DE LA SITUATION
☐ Noter l'état de la conscience et l'affect du patient. Rester à l'affût des tendances suicidaires, particulièrement pendant la première étape du traitement. Diminuer la quantité de médicament dont le patient peut disposer.
☐ Mesurer la pression artérielle et le pouls avant l'administration du médicament et pendant toute sa durée. Signaler au médecin les chutes importantes de pression artérielle (de 10 à 20 mm Hg) ou une élévation soudaine de la fréquence du pouls.
∎ **Étude des examens diagnostiques et biochimiques:** Examiner la numération et la formule leucocytaires, les résultats des tests d'exploration fonctionnelle hépatique et la glycémie, à intervalles réguliers. Le médicament peut élever les concentrations sériques de bilirubine et de phosphatase alcaline. Il peut provoquer l'aplasie médullaire. La concentration de glucose sérique peut augmenter ou diminuer.

DIAGNOSTICS INFIRMIERS POSSIBLES
∎ **Énoncés diagnostiques**
☐ Stratégies d'adaptation individuelle inefficaces.
☐ Risque élevé d'accident.
☐ Prise en charge inefficace du programme thérapeutique.
☐ *Risque élevé de constipation.*

∎ **Facteurs favorisants**
☐ Informations incomplètes.
☐ *Perturbation de la vigilance.*
☐ *Manque de connaissances sur les moyens de prévenir les effets secondaires du médicament.*
☐ *Difficulté à suivre le traitement.*

INTERVENTIONS INFIRMIÈRES
∎ **Directives générales:** Augmenter les doses au coucher étant donné que l'amitriptyline peut provoquer la sédation. L'adaptation des doses doit se faire lentement sur plusieurs semaines ou mois. On peut administrer la dose totale au coucher.

A

- **PO :** Administrer le médicament avec ou immédiatement après les repas pour diminuer l'irritation gastrique. On peut broyer les comprimés et les administrer avec des aliments ou des liquides.

ENSEIGNEMENT AU PATIENT ET À SES PROCHES

□ Expliquer au patient qu'il doit respecter scrupuleusement la posologie recommandée. Le prévenir que les effets du médicament peuvent ne pas se manifester avant 2 semaines au moins. Le sevrage brusque peut provoquer des nausées, des céphalées et un malaise.

□ Prévenir le patient que l'amitriptyline peut provoquer des étourdissements et rendre la vision trouble. Lui conseiller de ne pas conduire et d'éviter les activités qui exigent sa vigilance jusqu'à ce qu'on ait la certitude que le médicament n'entraîne pas ces effets chez lui.

□ Prévenir le patient que l'hypotension orthostatique, la sédation et la confusion sont des effets courants de l'amitriptyline au cours de l'étape initiale du traitement, particulièrement chez les personnes âgées. Protéger le patient des chutes et lui recommander de changer lentement de position.

□ Recommander au patient de ne pas boire d'alcool et de ne pas prendre d'autres médicaments dépresseurs du SNC pendant toute la durée du traitement et pendant les 3 à 7 jours qui suivent l'arrêt de la médication.

□ Conseiller au patient de prévenir le médecin en cas de rétention urinaire, de sécheresse de la bouche ou de constipation persistante. Lui expliquer que les bonbons ou la gomme à mâcher sans sucre peuvent diminuer la sécheresse de la bouche et qu'une consommation accrue de liquides et d'aliments riches en fibres peut prévenir la constipation. Si ces symptômes persistent, une réduction de la dose ou l'abandon du traitement pourraient s'avérer nécessaires.

□ Recommander au patient d'utiliser des écrans solaires et des vêtements protecteurs afin de prévenir les réactions de photosensibilité.

□ Inciter le patient à surveiller son alimentation, car le médicament peut lui donner plus d'appétit, ce qui risque d'entraîner un gain pondéral indésirable.

□ Prévenir le patient que son urine peut devenir bleu-vert.

□ Recommander au patient qui doit suivre un traitement dentaire ou subir une intervention chirurgicale d'avertir le dentiste ou le médecin qu'il suit un traitement médicamenteux.

□ Prévenir le patient que le traitement de la dépression est habituellement prolongé. Insister sur l'importance d'un suivi régulier permettant de déterminer les bienfaits du traitement et de déceler les effets secondaires.

VÉRIFICATION DES RÉSULTATS

L'efficacité du traitement peut être démontrée par : ■ un sentiment de mieux-être □ un regain d'intérêt pour l'entourage □ l'amélioration de l'appétit □ un regain d'énergie □ l'amélioration du sommeil ■ la réduction du nombre d'épisodes d'énurésie ■ la diminution des symptômes douloureux chroniques. Les pleins effets thérapeutiques pourraient ne se manifester que 2 semaines à 1 mois après le début du traitement.

AMOBARBITAL

Amytal, Novamobarb

CLASSIFICATION :

Hypnosédatif – barbiturique ; anticonvulsivant

Drogue contrôlée

Grossesse – catégorie D

A

INDICATIONS

■ Sédation préopératoire et autres circonstances où la sédation peut s'avérer nécessaire ■ État hypnotique ■ Traitement des convulsions ■ Subnarcose, cure de sommeil.

ACTION

■ Dépression du SNC à tous les niveaux : □ Dépression de la zone sensorielle du cortex □ Diminution de l'activité motrice □ Modification de la fonction cérébrale ■ Inhibition de la transmission à l'intérieur du SNC et élévation du seuil de convulsions. **Effets thérapeutiques :** ■ Effet anticonvulsivant ■ Sédation.

PHARMACOCINÉTIQUE

Absorption : Le médicament est bien absorbé par suite de l'administration PO ou IM.

Distribution : Le médicament se répartit rapidement dans tout l'organisme et se concentre dans le cerveau, le foie et les reins. Il traverse facilement le placenta et pénètre en petites quantités dans le lait maternel.

Métabolisme et excrétion : La plus grande partie de médicament est métabolisée par le foie.

Demi-vie : De 16 à 40 h.

CONTRE-INDICATIONS ET PRÉCAUTIONS

Contre-indications : ■ Hypersensibilité ■ Patients comateux ■ Dépression préexistante du SNC ■ Douleurs graves, réfractaires à tout traitement ■ Grossesse et allaitement.

Précautions : ■ Dysfonction hépatique ■ Insuffisance rénale grave ■ Patients suicidaires ■ Antécédents de dépendance aux barbituriques ■ Personnes âgées (réduire la dose) ■ Sédation profonde (usage de courte durée seulement).

RÉACTIONS INDÉSIRABLES ET EFFETS SECONDAIRES

SNC : étourdissements, léthargie, vertiges, dépression, sensation ébrieuse, excitation, délirium, syncope.

Resp. : dépression respiratoire, LARYNGOSPASME (ADMINISTRATION IV SEULEMENT), BRONCHOSPASME (ADMINISTRATION IV SEULEMENT).

CV : hypotension, bradycardie.

GI : nausées, vomissements, diarrhée, constipation.

Tég. : rash, urticaire, photosensibilité, dermatite exfoliative.

Locaux : phlébite au point d'injection IV, douleur au point d'injection IM.

Divers : réactions d'hypersensibilité comprenant le SYNDROME DE STEVENS JOHNSON.

Loc. : myalgie, arthralgie.

INTERACTIONS

Médicament – médicament : ■ Effets dépressifs additifs sur le système nerveux central lors de l'usage concomitant d'autres **dépresseurs du SNC** comprenant l'**alcool**, les **antidépresseurs**, les **antihistaminiques**, les **narcotiques** et les **autres hypnosédatifs** ■ La sédation peut être prolongée lors de l'administration concomitante d'**inhibiteurs de la MAO** ■ Le médicament induit les enzymes hépatiques qui métabolisent les autres médicaments en diminuant ainsi leur efficacité. Il s'agit des médicaments suivants : **contraceptifs oraux, chloramphénicol, acébutolol, propranolol, métroprolol, timolol, doxycycline, glucocorticoïdes, antidépresseurs tricycliques, phénothiazines** et **quinidine**.

VOIES D'ADMINISTRATION ET POSOLOGIE

Effet sédatif

■ **PO (adultes) :** de 30 à 300 mg, en doses fractionnées.

■ **IM et IV :** de 30 à 50 mg, 2 ou 3 fois par jour.

A

- **PO (enfants) (É.-U.):** 2 mg/kg par jour ou 70 mg/m^2 par jour, en 4 doses fractionnées.

Effet hypnotique
- **PO (adultes):** de 60 à 200 mg, au coucher.
- **IM et IV (adultes):** de 60 à 200 mg (ne pas dépasser 500 mg).
- **IM (enfants) (É.-U.):** de 2 à 3 mg/kg.

Sédation avant anesthésie
- **PO (adultes):** 200 mg, 1 à 2 h avant l'intervention.

Traitement anticonvulsivant
- **IM et IV (enfants < 6 ans) (É.-U.):** de 3 à 5 mg/kg ou 125 mg/m^2 par dose.
- **IV (adultes et enfants > 6 ans) (É.-U.):** de 60 à 500 mg (ne pas dépasser 1 g).

PHARMACODYNAMIE (sédation)

	DÉBUT D'ACTION	PIC	DURÉE
PO	45 – 60 min	inconnu	6 – 8 h
IM	30 – 45 min	inconnu	6 – 8 h
IV	plusieurs minutes	inconnu	6 – 8 h

SOINS INFIRMIERS

ÉVALUATION DE LA SITUATION

- **Directives générales:** Suivre de près l'état respiratoire, mesurer souvent le pouls et la pression artérielle chez les patients qui reçoivent de l'amobarbital par voie IV.
- □ Le traitement prolongé peut entraîner une dépendance psychologique et physique. Diminuer la quantité de médicament dont le patient peut disposer, particulièrement s'il est déprimé ou suicidaire ou s'il a des antécédents de toxicomanie.
- **Sédation profonde:** Observer les habitudes de sommeil avant l'administration initiale et à intervalles réguliers, pendant toute la durée du traitement. Les doses hypnotiques d'amobarbital suppriment le sommeil paradoxal.

Les patients peuvent connaître une intensification de l'activité onirique après l'arrêt du traitement.
- **Convulsions:** Déterminer le siège, la durée et les caractéristiques des convulsions. Prendre les précautions qui s'imposent.

DIAGNOSTICS INFIRMIERS POSSIBLES

- **Énoncés diagnostiques**
- □ Perturbation des habitudes de sommeil.
- □ Risque élevé d'accident.
- □ Prise en charge inefficace du programme thérapeutique.
- □ *Risque élevé de mode de respiration inefficace.*

- **Facteurs favorisants**
- □ Informations incomplètes.
- □ *Perturbation de la vigilance.*
- □ *Manque de connaissances sur la méthode d'administration du médicament.*

INTERVENTIONS INFIRMIÈRES

- **Directives générales:** Retirer les cigarettes et surveiller les déplacements du patient après l'administration du médicament.
- **PO:** La vitesse d'absorption est accrue si le médicament est pris à jeun.
- **IM et IV:** Reconstituer le médicament avec de l'eau stérile pour injection pour obtenir une concentration de 100 mg/mL. Tourner la fiole pour mélanger le contenu; ne pas agiter. On peut effectuer une dilution supplémentaire dans une solution de dextrose à 5, à 10 ou à 20 % dans de l'eau, de dextrose à 5 % dans une solution de NaCl à 0,9 %, de dextrose à 5 % dans une solution de lactate Ringer; dans une solution de NaCl à 0,9 ou à 3 % ou dans une solution de lactate Ringer pour injection. Utiliser les solutions dans les 30 min qui suivent la reconstitution. Ne pas administrer la solution si elle ne devient pas entièrement transparente dans

les 5 min qui suivent la reconstitution ou si un précipité se forme après que la solution s'est clarifiée.

- **IM:** Ne pas administrer par voie SC. Administrer les injections IM profondément dans le muscle fessier pour diminuer l'irritation des tissus. Ne pas injecter plus de 5 mL dans un seul point afin de réduire le risque d'irritation tissulaire.

- **IV directe:** Administrer dans la plus grosse veine possible pour prévenir la thrombose. La solution est très alcaline; éviter l'extravasation, car elle peut provoquer la lésion et la nécrose des tissus. En cas d'extravasation, le médecin peut prescrire une infiltration de solution de procaïne à 5 % dans la région affectée et l'application d'une chaleur humide.

- □ *Vitesse d'administration:* Administrer à un débit maximal de 100 mg/min chez les adultes ou de 60 mg/m²/min chez les enfants. Ajuster lentement la dose jusqu'à l'obtention de la réaction désirée. L'administration rapide peut provoquer la dépression respiratoire, l'apnée, le laryngospasme, le bronchospasme ou l'hypotension. Garder à portée de la main le matériel de réanimation et de respiration artificielle.

- **Compatibilités en addition au soluté:** Amikacine, aminophylline ou bicarbonate de sodium.

- **Incompatibilités en addition au soluté:** Céfazoline, céphalothine, chlorpromazine, cimétidine, clindamycine, codéine, diphenhydramine, dropéridol, hydroxyzine, insuline ordinaire, lévorphanol, mépéridine, méthadone, morphine, norépinéphrine, pentazocine, procaïne, streptomycine, tétracycline ou vancomycine.

ENSEIGNEMENT AU PATIENT ET À SES PROCHES

□ Expliquer au patient qu'il doit respecter scrupuleusement la posologie recommandée et qu'il ne doit jamais augmenter la dose sans avoir consulté le médecin au préalable. Prévenir le patient qui suit un traitement prolongé qu'il ne doit pas arrêter de prendre le médicament sans avoir consulté le médecin. Il faut souvent interrompre graduellement le traitement, sur 5 ou 6 jours, pour prévenir les symptômes de sevrage.

□ Expliquer au patient l'importance de préparer un cadre propice au sommeil: la pièce doit être sombre et calme; la nicotine et la caféine sont à proscrire.

□ Prévenir le patient que l'amobarbital peut provoquer de la somnolence diurne. Lui conseiller de ne pas conduire et d'éviter les activités qui exigent sa vigilance jusqu'à ce qu'on ait la certitude que le médicament n'entraîne pas cet effet chez lui.

□ Recommander au patient de changer lentement de position pour réduire les risques de chute.

□ Mettre en garde le patient contre la consommation d'alcool et de dépresseurs du SNC en même temps que ce médicament.

□ Recommander à la patiente de signaler au médecin sans délai une grossesse présumée.

□ Demander au patient d'informer le médecin des symptômes suivants: maux de gorge, fièvre, stomatite, ecchymoses ou saignements inhabituels, pétéchies.

VÉRIFICATION DES RÉSULTATS

L'efficacité du traitement peut être démontrée par: ■ l'amélioration du sommeil sans sédation diurne excessive. Les effets du médicament peuvent ne pas se manifester avant 2 jours. Habituellement, le traitement ne doit jamais durer plus de 2 semaines ■ la sédation ■ la maîtrise des convulsions.

A

AMOXAPINE
Asendin

CLASSIFICATION:
Antidépresseur tricyclique

Grossesse – catégorie C

INDICATIONS
Traitement de diverses formes de dépression s'accompagnant d'anxiété, souvent en association avec une psychothérapie.

ACTION
■ Potentialisation des effets de la sérotonine et de la noradrénaline au niveau du SNC. L'amoxapine est également douée de propriétés anticholinergiques importantes ■ Effet anxiolytique attribuable aux propriétés sédatives de l'agent. **Effets thérapeutiques:** ■ Effet antidépresseur qui peut ne se manifester que graduellement, en l'espace de plusieurs semaines.

PHARMACOCINÉTIQUE
Absorption: Bonne absorption par suite de l'administration PO.
Distribution: Le médicament se répartit dans tout l'organisme. On en trouve des concentrations élevées dans le cerveau, les poumons, la rate et le cœur. L'amoxapine pénètre dans le lait maternel.
Métabolisme et excrétion: L'amoxapine subit un fort métabolisme hépatique. Au moins deux métabolites, la 8-hydroxyamoxapine et la 7-hydroxyamoxapine, sont doués d'un pouvoir antidépresseur.
Demi-vie: Amoxapine: 8 h; 8-hydroxyamoxapine: 30 h; 7-hydroxyamoxapine: 6,5 h.

CONTRE-INDICATIONS ET PRÉCAUTIONS
Contre-indications: ■ Glaucome à angle étroit ■ Grossesse et allaitement.
Précautions: ■ Personnes âgées (réduire la posologie) ■ Maladie cardiovasculaire préexistante ■ Hommes âgés (plus grande de prédisposition à la rétention urinaire) ■ Antécédents de convulsions (le seuil de crise peut être abaissé) ■ Enfants de moins de 16 ans (l'innocuité du médicament n'a pas été établie).

RÉACTIONS INDÉSIRABLES ET EFFETS SECONDAIRES
SNC: somnolence, léthargie, sédation, fatigue, réactions extrapyramidales, dyskinésie tardive.
CV: hypotension, modifications de l'ÉCG, ARYTHMIES.
ORLO: sécheresse de la bouche (xérostomie), sécheresse des yeux (alacrymie), vision trouble.
GI: constipation, iléus paralytique.
GU: rétention urinaire, enflure des testicules.
Tég.: photosensibilité, rash.
End.: gynécomastie, dysfonctionnement sexuel.
Hémat.: dyscrasie sanguine.
Divers: fièvre, gain pondéral.

INTERACTIONS
Médicament–médicament: ■ L'amoxapine peut provoquer l'hypotension, la tachycardie et des réactions qui peuvent être mortelles lors de l'administration concomitante d'**inhibiteurs de la MAO** (éviter l'administration conjointe, interrompre le traitement deux semaines avant d'administrer l'amoxapine) ■ L'amoxapine peut entraver la réponse thérapeutique aux **antihypertenseurs** ■ Le médicament peut provoquer une hypertension grave lorsqu'il est administré simultanément à la **clonidine** (éviter l'administration conjointe) ■ Effets dépresseurs additifs sur le système nerveux central lors de l'usage concomitant d'autres **dépresseurs du SNC** dont l'**alcool**, les **antihistaminiques**, les **analgésiques** et les **hypnosédatifs** ■ Les effets secondaires **adrénergiques** et **cholinergiques** peuvent être additifs lors de l'administration d'**autres agents doués de ces propriétés** ■ La **cimétidine**, la **fluoxétine**, les **phé-**

nothiazines ou les **contraceptifs oraux** augmentent les concentrations plasmatiques de l'amoxapine et peuvent provoquer une toxicité ■ Le médicament peut provoquer le syndrome cérébral organique lors de l'administration conjointe de **disulfirame** ■ Le **tabac** peut accélérer le métabolisme du médicament et en diminuer l'efficacité.

VOIES D'ADMINISTRATION ET POSOLOGIE

PO (adultes): initialement, de 100 à 150 mg par jour en doses fractionnées, augmenter jusqu'à 200 à 300 mg par jour, jusqu'à la fin de la première semaine (ne pas dépasser 400 mg par jour chez les patients en consultation externe ou 600 mg chez les patients hospitalisés). Une fois la dose optimale déterminée, on peut administrer le médicament en une dose uniquotidienne au coucher; la dose unique maximale ne doit pas dépasser 300 mg.

PHARMACODYNAMIE
(effet antidépresseur)

	DÉBUT D'ACTION	PIC	DURÉE
PO	1–2 semaines	2–6 semaines	plusieurs jours ou semaines

✲ SOINS INFIRMIERS

ÉVALUATION DE LA SITUATION

■ **Directives générales:** Noter l'état de la conscience et l'affect du patient. Rester à l'affût des tendances suicidaires, particulièrement pendant la première étape du traitement. Diminuer la quantité de médicament dont le patient peut disposer.

☐ Déceler l'apparition d'effets secondaires extrapyramidaux (mouvements d'émiettement, bouche ouverte laissant s'échapper la salive, tremblements, rigidité, faciès figé, démarche traînante, agitation, spasmes musculaires, mouvements de torsion) et des symptômes suivants de dyskinésie

tardive: mouvements incontrôlés du visage, de la bouche, de la langue ou des mâchoires et mouvements involontaires des membres. Signaler immédiatement au médecin ces symptômes. La réduction de la dose ou l'arrêt du traitement peuvent s'avérer nécessaires. Le médecin peut prescrire des médicaments antiparkinsoniens pour contrecarrer les effets extrapyramidaux. La dyskinésie tardive peut être irréversible.

☐ Surveiller l'apparition d'un rash médicamenteux ou de la fièvre. Signaler immédiatement au médecin ces symptômes d'une réaction d'hypersensibilité.

■ **Étude des examens diagnostiques et biochimiques:** Le médicament peut élever les concentrations sériques de prolactine.

☐ Examiner la numération et la formule globulaires pendant un traitement prolongé. Le médicament peut provoquer dans de rares cas l'aplasie médullaire.

☐ Lors d'un traitement prolongé, examiner à intervalles réguliers les résultats des tests de l'exploration fonctionnelle hépatique, pancréatique et rénale.

DIAGNOSTICS INFIRMIERS POSSIBLES

■ **Énoncés diagnostiques**

☐ Stratégies d'adaptation individuelle inefficaces.

☐ Risque élevé d'accident.

☐ Prise en charge inefficace du programme thérapeutique.

■ **Facteurs favorisants**

☐ Informations incomplètes.

☐ *Manque de connaissances sur les moyens de prévenir les effets secondaires du médicament.*

☐ *Difficulté à suivre le traitement.*

INTERVENTIONS INFIRMIÈRES

■ **Directives générales:** Augmenter les doses au coucher étant donné que le

A

médicament peut provoquer la sédation. L'ajustement des doses doit se faire lentement sur plusieurs semaines ou mois. On peut administrer la dose totale au coucher.

■ **PO**: Administrer le médicament avec les repas ou immédiatement après pour diminuer l'irritation gastrique.

ENSEIGNEMENT AU PATIENT ET À SES PROCHES

☐ Expliquer au patient qu'il doit respecter scrupuleusement la posologie recommandée. Le sevrage brusque peut provoquer des nausées, des céphalées et un malaise.

☐ Expliquer au patient que l'amoxapine peut provoquer des étourdissements et rendre la vision trouble. Lui conseiller de ne pas conduire et d'éviter les activités qui exigent sa vigilance jusqu'à ce qu'on ait la certitude que le médicament n'entraîne pas ces effets chez lui.

☐ Recommander au patient d'éviter de boire de l'alcool et de prendre d'autres médicaments dépresseurs du système nerveux central pendant toute la durée du traitement et pendant les 3 à 7 jours qui suivent l'arrêt de la médication.

☐ Conseiller au patient de prévenir le médecin en cas de sécheresse de la bouche et de constipation persistantes ou de rétention urinaire, de mouvements incontrôlés ou de rigidité. Lui expliquer que les bonbons ou la gomme à mâcher sans sucre peuvent diminuer la sécheresse de la bouche et qu'une consommation accrue de liquides et d'aliments riches en fibres peut prévenir la constipation. Si ces symptômes persistent, une réduction de la dose ou l'abandon du traitement pourraient s'avérer nécessaires.

☐ Conseiller au patient de prévenir le médecin en cas de gonflement des seins ou de dysfonctionnement sexuel.

☐ Recommander au patient d'utiliser des écrans solaires et de porter des vêtements protecteurs pour prévenir les réactions de photosensibilité.

☐ Inciter le patient à surveiller son alimentation, car le médicament peut lui donner plus d'appétit, ce qui risque d'entraîner un gain pondéral indésirable.

☐ Recommander au patient qui doit suivre un traitement dentaire ou subir une intervention chirurgicale d'avertir le dentiste ou le médecin qu'il suit un traitement médicamenteux.

☐ Prévenir le patient que le traitement de la dépression est habituellement prolongé. Insister sur l'importance d'un suivi régulier permettant de déterminer les bienfaits du traitement et de déceler les effets secondaires.

VÉRIFICATION DES RÉSULTATS

L'efficacité du traitement peut être démontrée par : ■ un sentiment de mieux-être ■ un regain d'intérêt pour l'entourage ■ l'amélioration de l'appétit ■ un regain d'énergie ■ l'amélioration du sommeil ■ la diminution de l'anxiété. Chez certains patients, la réponse initiale peut se manifester en l'espace de 4 à 7 jours. Chez la plupart des patients, elle se manifeste dans les 2 semaines qui suivent le début du traitement.

AMOXICILLINE

Amoxil, Apo-Amoxi, Novamoxin, Nu-Amoxi, Pro-Amox, (Polymox), (Sumox), (Trimox)

CLASSIFICATION :
Anti-infectieux, pénicilline à spectre étendu

Grossesse – catégorie B

INDICATIONS

■ Traitement d'un grand nombre d'infections comprenant : ☐ les infections de la peau et des tissus mous ☐ l'otite moyenne □ la sinusite □ les infections des voies respiratoires □ les infections génito-urinaires □ la méningite □ la septicémie □ la gonorrhée ■ Prophylaxie de l'endocardite.

ACTION

■ Liaison à la paroi de la cellule bactérienne entraînant la destruction de la bactérie. **Effets thérapeutiques :** ■ Effet bactéricide contre les bactéries sensibles. **Spectre d'action :** ■ L'amoxicilline est active contre : les streptocoques □ les pneumocoques □ les entérocoques □ *Haemophilus influenzae* □ *Escherichia coli* □ *Proteus mirabilis* □ *Neisseria meningitidis* □ *Neisseria gonorrhoeæ* □ *Shigella* □ *Salmonella*.

PHARMACOCINÉTIQUE

Absorption : Bonne absorption à partir du duodénum (de 75 à 90 %). L'amoxicilline résiste mieux à l'inactivation par les acides que les autres pénicillines.

Distribution : Le médicament diffuse rapidement dans la plupart des tissus et liquides corporels. La pénétration dans le liquide céphalorachidien est accrue en présence d'une inflammation des méninges. L'amoxicilline traverse le placenta et pénètre en petites quantités dans le lait maternel.

Métabolisme et excrétion : Une fraction de 70 % du médicament est excrétée à l'état inchangé dans l'urine ; une fraction de 30 % est métabolisée par le foie.

Demi-vie : De 1 à 1,3 h.

CONTRE-INDICATIONS ET PRÉCAUTIONS

Contre-indications : Hypersensibilité à la pénicilline.

Précautions : ■ Insuffisance rénale grave (réduire la dose) ■ Grossesse et allaitement (précédents d'usage) ■ Mononucléose infectieuse (incidence accrue de rash).

RÉACTIONS INDÉSIRABLES ET EFFETS SECONDAIRES

SNC : CONVULSIONS (doses élevées).
Tég. : rash, urticaire.
GI : nausées, vomissements, diarrhée.
Hémat. : dyscrasie.
Divers : surinfection, réactions allergiques incluant la maladie sérique.

INTERACTIONS

Médicament – médicament : ■ Le **probénécide** diminue l'excrétion rénale et augmente les concentrations sanguines d'amoxicilline. Une association médicamenteuse est parfois utilisée à cette fin ■ L'amoxicilline peut potentialiser les effets des **anticoagulants oraux** ■ Le médicament peut diminuer l'efficacité des **contraceptifs oraux.**

VOIES D'ADMINISTRATION ET POSOLOGIE

■ **PO (adultes) :** de 250 à 500 mg, toutes les 8 h.
■ **PO (enfants) :** de 25 à 50 mg/kg/jour, en doses fractionnées, toutes les 8 h.

Gonorrhée
■ **PO (adultes) :** 3 g plus 1 g de probénécide en une seule dose.
■ **PO (enfants > 2 ans) (É.-U.) :** 50 mg/kg plus 25 mg/kg de probénécide en une seule dose.

PHARMACODYNAMIE (pics sanguins)

	DÉBUT D'ACTION	PIC
PO	30 min	1 – 2 h

☀ SOINS INFIRMIERS

ÉVALUATION DE LA SITUATION

□ Surveiller, au début du traitement et pendant toute sa durée, les signes suivants d'infection : altération des signes vitaux ; aspect de la plaie, des crachats, de l'urine et des selles ;

A

accroissement du nombre de leuco-cytes.

☐ Recueillir les antécédents du patient avant d'amorcer le traitement afin de déterminer ses réactions antérieures à une pénicilline ou à une céphalo-sporine. Même les personnes n'ayant jamais manifesté une sensibilité à la pénicilline peuvent présenter une réaction allergique.

☐ Suivre de près les signes et les symp-tômes suivants d'anaphylaxie : rash, prurit, œdème laryngé, respiration sifflante. Signaler immédiatement ces symptômes au médecin.

☐ Prélever des échantillons pour les cultures et les antibiogrammes avant le début du traitement. La première dose peut être administrée avant même que les résultats soient connus.

■ **Étude des examens diagnostiques et bio-chimiques :** Le médicament peut en-traîner des résultats faussement positifs lors du dosage du glucose dans l'urine par la méthode du sulfate de cuivre (Clinitest). Pour le dosage du glucose dans l'urine, recourir plu-tôt aux méthodes Clinistix ou Tes-tape.

☐ Le médicament peut entraîner l'élé-vation des concentrations de TGOS (AST) et de TGPS (ALT).

DIAGNOSTICS INFIRMIERS POSSIBLES

■ **Énoncés diagnostiques**

☐ Risque élevé d'infection.

☐ Prise en charge inefficace du pro-gramme thérapeutique.

☐ Non-observance du traitement médi-camenteux.

☐ *Risque élevé de diarrhée.*

■ **Facteurs favorisants**

☐ Informations incomplètes.

☐ Doute quant aux bienfaits du médica-ment.

☐ *Manque de connaissances sur les moyens de prévenir les effets secon-daires du médicament.*

INTERVENTIONS INFIRMIÈRES

PO : Administrer le médicament 24 h sur 24. L'administrer avec des aliments pour diminuer les effets secondaires gastro-intestinaux. On peut vider le contenu des capsules dans un verre de liquide. Les comprimés à croquer devraient être broyés ou croqués avant d'être avalés avec du liquide. Le médicament est éga-lement présenté sous forme de poudre qu'on peut reconstituer pour obtenir une suspension orale. Jeter la suspension re-constituée réfrigérée après 14 jours.

ENSEIGNEMENT AU PATIENT ET À SES PROCHES

☐ Expliquer au patient qu'il doit pren-dre le médicament 24 h sur 24 et qu'il doit finir toute la quantité qui lui a été prescrite, même s'il se sent mieux. In-sister sur le fait qu'il peut être dange-reux de donner ce médicament à une autre personne.

☐ Conseiller au patient de signaler au médecin l'allergie et les signes sui-vants de surinfection : excroissance pileuse sur la langue, pertes et dé-mangeaisons vaginales, selles molles ou nauséabondes.

☐ Recommander au patient de prévenir le médecin si les symptômes ne sont pas soulagés ou si les nausées et la diarrhée persistent même si le médi-cament est pris avec des aliments.

☐ Expliquer au patient ayant des anté-cédents de cardite rhumatismale ou de remplacement valvulaire qu'il est important de suivre un traitement antimicrobien prophylactique avant de se soumettre à une intervention médicale ou dentaire effractive.

VÉRIFICATION DES RÉSULTATS

La réponse clinique peut être déterminée par : ■ la disparition des signes et des symptô-mes d'infection. Le temps de résolution dépend du micro-organisme infectant et du siège de l'infection ■ la prophylaxie de l'endocardite.

A

AMOXICILLINE AVEC CLAVULANATE

Clavulin, (Augmentin)

CLASSIFICATION:

Anti-infectieux – pénicilline à spectre étendu

Grossesse – catégorie B

INDICATIONS

■ Traitement d'un grand nombre d'infections comprenant : □ les infections de la peau et des tissus mous □ l'otite moyenne □ la sinusite □ les infections des voies respiratoires □ les infections génito-urinaires □ la méningite □ la septicémie.

ACTION

■ Liaison à la paroi de la cellule bactérienne, entraînant la destruction de la bactérie. L'association avec le clavulanate augmente la résistance à l'action de la pénicillinase, enzyme produite par les bactéries, qui est capable d'inactiver certaines pénicillines. **Effets thérapeutiques :** ■ Effet bactéricide contre les bactéries sensibles. **Spectre d'action :** ■ Le médicament est actif contre : □ les streptocoques □ les pneumocoques □ les entérocoques □ *Hæmophilus influenzæ* □ *Escherichia coli* □ *Klebsiella pneumoniæ* □ *Proteus mirabilis* □ *Neisseria meningitidis* □ *Neisseria gonorrhoeæ* □ *Shigella* □ *Salmonella* □ *Staphylococcus aureus*.

PHARMACOCINÉTIQUE

Absorption : Bonne absorption à partir du duodénum (de 75 à 90 %). L'agent résiste mieux à l'inactivation par les acides que les autres pénicillines.

Distribution : Le médicament diffuse rapidement dans la plupart des tissus et liquides corporels. La pénétration dans le liquide céphalorachidien est accrue en présence d'une inflammation des méninges. Le médicament traverse le placenta et pénètre en petites quantités dans le lait maternel.

Métabolisme et excrétion : Une fraction de 70 % du médicament est excrétée à l'état inchangé dans l'urine ; une fraction de 30 % est métabolisée par le foie.

Demi-vie : De 1 à 1,3 h.

CONTRE-INDICATIONS ET PRÉCAUTIONS

Contre-indications : Hypersensibilité à la pénicilline.

Précautions : ■ Insuffisance rénale grave (réduire la dose) ■ Mononucléose infectieuse (incidence accrue de rash).

RÉACTIONS INDÉSIRABLES ET EFFETS SECONDAIRES

SNC : CONVULSIONS (doses élevées).

Tég. : rash, urticaire.

GI : nausées, vomissements, diarrhée.

Hémat. : dyscrasie.

Divers : surinfection, réactions allergiques incluant la maladie sérique.

INTERACTIONS

Médicament – médicament : ■ ■ Le **probénécide** diminue l'excrétion rénale et augmente les concentrations sanguines d'amoxicilline. Une association médicamenteuse est parfois utilisée à cette fin ■ L'agent peut potentialiser les effets des **anticoagulants oraux** ■ Un traitement simultané à l'**allopurinol** peut augmenter les risques de rash ■ Le médicament peut diminuer l'efficacité des **contraceptifs oraux.**

VOIES D'ADMINISTRATION ET POSOLOGIE

Remarque : Deux comprimés à 250 mg ne sont pas l'équivalent de un comprimé à 500 mg, étant donné que les deux renferment la même quantité de clavulanate.

■ **PO (adultes) :** de 250 à 500 mg d'amoxicilline avec 125 mg de clavulanate, toutes les 8 h.

- **PO** (enfants ≤ **40 kg**) : de 25 à 50 mg/kg par jour en 3 doses fractionnées, toutes les 8 h.

PHARMACODYNAMIE
(pics sanguins)

	DÉBUT D'ACTION	PIC
PO	30 min	1 – 2 h

✳ SOINS INFIRMIERS

ÉVALUATION DE LA SITUATION

- Surveiller, au début du traitement et pendant toute sa durée, les signes suivants d'infection : altération des signes vitaux ; aspect de la plaie, des crachats, de l'urine et des selles ; accroissement du nombre de leucocytes.

- Recueillir les antécédents du patient avant d'amorcer le traitement afin de déterminer ses réactions antérieures à une pénicilline ou à une céphalosporine. Même les personnes n'ayant jamais manifesté une sensibilité à la pénicilline peuvent présenter une réaction.

- Surveiller les signes et les symptômes suivants d'anaphylaxie : rash, prurit, œdème laryngé, respiration sifflante. Signaler immédiatement ces symptômes au médecin.

- Prélever des échantillons pour les cultures et les antibiogrammes avant le début du traitement. La première dose peut être administrée avant même que les résultats soient connus.

- **Étude des examens diagnostiques et biochimiques :** Le médicament peut entraîner des résultats faussement positifs lors du dosage du glucose dans l'urine par la méthode du sulfate de cuivre (Clinitest). Pour le dosage du glucose dans l'urine, recourir plutôt aux méthodes Clinistix ou Testape.

- Le médicament peut entraîner l'élévation des concentrations de TGOS (AST) et de TPGS (ALT).

DIAGNOSTICS INFIRMIERS POSSIBLES

- **Énoncés diagnostiques**
- Risque élevé d'infection.
- Prise en charge inefficace du programme thérapeutique.
- Non-observance du traitement médicamenteux.
- *Risque élevé de diarrhée.*

- **Facteurs favorisants**
- Informations incomplètes.
- Doute quant aux bienfaits du médicament.
- *Manque de connaissances sur les moyens de prévenir les effets secondaires du médicament.*

INTERVENTIONS INFIRMIÈRES

PO : Administrer le médicament 24 h sur 24. L'administrer avec des aliments pour diminuer les effets secondaires gastro-intestinaux. Le médicament est présenté sous forme de comprimé ou de poudre qu'on peut reconstituer pour obtenir une suspension orale. Jeter la suspension reconstituée réfrigérée après 14 jours.

ENSEIGNEMENT AU PATIENT ET À SES PROCHES

- Expliquer au patient qu'il doit prendre le médicament 24 h sur 24 et qu'il doit finir toute la quantité qui lui a été prescrite, même s'il se sent mieux. Insister sur le fait qu'il peut être dangereux de donner ce médicament à une autre personne.

- Conseiller au patient de signaler au médecin l'allergie et les signes suivants de surinfection : excroissance pileuse sur la langue, pertes et démangeaisons vaginales, selles molles ou nauséabondes.

- Recommander au patient de prévenir le médecin si les symptômes ne sont pas soulagés ou si les nausées et la diarrhée persistent même si le médicament est pris avec des aliments.

VÉRIFICATION DES RÉSULTATS

La réponse clinique peut être déterminée par: la disparition des signes et des symptômes d'infection. Le temps de résolution dépend du micro-organisme infectant et du siège de l'infection.

AMPHÉTAMINE
Dexedrine (sulfate de dextroamphétamine)

CLASSIFICATION:
Stimulant du système nerveux central

Drogue contrôlée

Grossesse – catégorie C

INDICATIONS

■ Traitement de la narcolepsie □ Traitement d'appoint du trouble déficitaire de l'attention ■ Traitement d'appoint de l'épilepsie et du syndrome parkinsonien.

ACTION

■ Stimulation du SNC par la libération de la noradrénaline des terminaisons nerveuses. Les effets pharmacologiques sont les suivants: □ stimulation du SNC et de la respiration □ vasoconstriction □ mydriase (dilatation des pupilles) □ contraction du sphincter de la vessie. **Effets thérapeutiques:** ■ Activité motrice accrue, éveil mental et diminution de la fatigue chez les patients narcoleptiques ■ Amélioration des capacités de concentration en cas de trouble déficitaire de l'attention.

PHARMACOCINÉTIQUE

Absorption: Bonne absorption par suite de l'administration PO.

Distribution: Le médicament diffuse rapidement dans les tissus; on en trouve des concentrations élevées dans le cerveau et le liquide céphalorachidien. Il traverse le placenta et pénètre dans le lait maternel. L'amphétamine peut être embryotoxique.

Métabolisme et excrétion: Le métabolisme hépatique est faible. L'excrétion urinaire dépend du pH. L'urine alcaline favorise la réabsorption du médicament et en prolonge l'action.

Demi-vie: De 10 à 30 h (selon le pH de l'urine).

CONTRE-INDICATIONS ET PRÉCAUTIONS

Contre-indications: ■ Grossesse et allaitement ■ États d'hyperexcitation comprenant l'hyperthyroïdie ■ Personnalités psychotiques ■ Tendances suicidaires ou homicides ■ Pharmacodépendance ■ Glaucome.

Précautions: ■ Maladie cardiovasculaire ■ Hypertension ■ Diabète sucré ■ Personnes âgées et patients débilités ■ Usage continu (risques de dépendance psychologique ou de toxicomanie).

RÉACTIONS INDÉSIRABLES ET EFFETS SECONDAIRES

SNC: agitation, tremblements, hyperactivité, insomnie, irritabilité, étourdissements, céphalées.

CV: tachycardie, palpitations, hypertension, hypotension.

Tég.: urticaire.

GI: nausées, vomissements, anorexie, sécheresse de la bouche (xérostomie), crampes, diarrhée, constipation, goût métallique.

GU: impuissance, augmentation de la libido.

Divers: dépendance psychique, toxicomanie.

INTERACTIONS

Médicament – médicament: ■ Effets adrénergiques additifs lors de l'administration d'**autres agents adrénergiques (sympathomimétiques)** ■ L'administration concomitante d'**inhibiteurs de la monoamine oxydase** peut déclencher une crise hypertensive ■ L'**alcalinisation de**

l'urine (**bicarbonate de sodium, acétazolamide**) diminue l'excrétion de l'amphétamine et en augmente l'effet ■ L'**acidification de l'urine** (**chlorure d'ammonium** ou les doses massives d'**acide ascorbique**) diminuent l'effet de l'amphétamine ■ Les **phénothiazines** peuvent diminuer l'effet de l'amphétamine ■ Le médicament peut contrecarrer les effets des **antihypertenseurs** ■ Les **antidépresseurs tricycliques** peuvent augmenter l'effet de l'amphétamine. **Médicament – aliments:** ■ Les **aliments qui acidifient l'urine** (**jus de canneberge**) peuvent réduire l'effet de l'amphétamine.

PRÉSENTATION

L'amphétamine est présentée sous forme de comprimés et de capsules.

VOIES D'ADMINISTRATION ET POSOLOGIE

Narcolepsie

- **PO (adultes):** de 5 à 60 mg par jour en une seule dose (spansules) ou en doses fractionnées.
- **PO (enfants > 12 ans):** 10 mg par jour; augmenter par paliers de 10 mg à des intervalles de une semaine.
- **PO (enfants de 6 à 12 ans):** 5 mg par jour; augmenter par paliers de 5 mg à des intervalles de une semaine.

Trouble déficitaire de l'attention

- **PO (enfants > 6 ans):** 5 mg par jour; augmenter par paliers de 5 mg à des intervalles de une semaine.
- **PO (enfants de 3 à 5 ans):** 2,5 mg par jour; augmenter par paliers de 2,5 mg à des intervalles de une semaine.

PHARMACODYNAMIE
(stimulation du SNC)

	DÉBUT D'ACTION	PIC	DURÉE
PO	1 – 2 h	inconnu	4 – 10 h

SOINS INFIRMIERS

ÉVALUATION DE LA SITUATION

- ☐ Mesurer la pression artérielle, le pouls et la fréquence respiratoire avant l'administration du médicament et à des intervalles réguliers pendant tout le traitement.
- ☐ Peser le patient deux fois par semaine et signaler au médecin toute perte pondérale importante. Mesurer à intervalles réguliers la taille des enfants; prévenir le médecin en cas d'arrêt de la croissance.
- ☐ Observer la fréquence des épisodes de narcolepsie et les consigner dans les dossiers.
- ☐ Noter la durée de l'attention, la maîtrise des impulsions et les interactions avec autrui chez les enfants souffrant de trouble déficitaire de l'attention.
- ☐ L'amphétamine peut entraîner un faux sentiment d'euphorie et de bien-être. Prévoir des repos fréquents et surveiller l'apparition d'une dépression rebond lorsque les effets du médicament se sont épuisés.
- ☐ L'usage de l'amphétamine comporte des risques élevés de dépendance et de toxicomanie. L'accoutumance est rapide; ne pas augmenter la dose.

DIAGNOSTICS INFIRMIERS POSSIBLES

■ **Énoncés diagnostiques**
- ☐ Altération des opérations de la pensée.
- ☐ Prise en charge inefficace du programme thérapeutique.
- ☐ *Risque élevé d'accident.*

■ **Facteurs favorisants**
- ☐ Informations incomplètes.
- ☐ *Perturbation de la vigilance.*

INTERVENTIONS INFIRMIÈRES

■ **Directives générales:** Administrer la dose efficace la plus faible.

- **PO:** Il ne faut pas briser, broyer ni croquer les capsules à libération prolongée.

ENSEIGNEMENT AU PATIENT ET À SES PROCHES

☐ Recommander au patient de prendre le médicament au moins 6 h avant l'heure du coucher pour éviter la perturbation du sommeil. S'il n'a pas pu prendre le médicament au moment habituel, il doit le prendre dès que possible jusqu'à 6 h avant l'heure du coucher. Il ne faut jamais doubler les doses. Insister sur le fait qu'il ne faut pas modifier la posologie sans consulter le médecin. Le sevrage brusque après un traitement à des doses élevées peut provoquer une fatigue extrême et la dépression.

☐ Expliquer au patient que pour diminuer la sécheresse buccale induite par le médicament, il peut se rincer fréquemment la bouche et consommer de la gomme à mâcher ou des bonbons sans sucre.

☐ Conseiller au patient de ne pas consommer des quantités importantes de caféine.

☐ Prévenir le patient que le médicament peut altérer son jugement. Lui conseiller d'être prudent lorsqu'il conduit ou lorsqu'il s'engage dans des activités qui exigent sa vigilance.

☐ Informer le patient que le médecin peut prescrire des périodes d'arrêt temporaire de la médication afin d'évaluer les bienfaits du traitement et de diminuer la dépendance.

☐ Recommander au patient de signaler au médecin si les symptômes suivants s'aggravent : nervosité, agitation, insomnie, étourdissements, anorexie, sécheresse de la bouche (xérostomie).

VÉRIFICATION DES RÉSULTATS

L'efficacité du traitement peut être démontrée par : ■ la diminution des symptômes narcoleptiques ■ une meilleure capacité de concentration et l'amélioration des inter-actions sociales ■ une meilleure maîtrise de l'épilepsie et du syndrome parkinsonien.

AMPHOTÉRICINE B
Fungizone

CLASSIFICATION :
Antifongique
Grossesse – catégorie inconnue

INDICATIONS

Traitement des infections fongiques manifestes, évolutives et qui risquent d'être mortelles.

ACTION

■ Liaison à la membrane de la cellule fongique favorisant la libération, puis la destruction du contenu cellulaire. **Effets thérapeutiques :** ■ Action fongistatique contre les micro-organismes sensibles. **Spectre d'action :** ■ L'amphotéricine B est active contre : l'aspergillose ■ la blastomycose ■ la forme disséminée de candidose ■ la coccidioïdomycose ■ la cryptococcose ■ l'histoplasmose ■ la mucormycose ■ la sporotrichose.

PHARMACOCINÉTIQUE

Absorption : Le médicament administré PO n'exerce aucune activité. Les préparations topiques sont peu absorbées.

Distribution : Par suite de l'administration par voie IV, le médicament diffuse rapidement dans les liquides et les tissus corporels. Il pénètre en faibles quantités dans le liquide céphalorachidien.

Métabolisme et excrétion : L'élimination est très lente. On peut déceler le médicament dans l'urine jusqu'à 7 semaines après l'arrêt du traitement.

Demi-vie : Deux phases : la première est de 24 à 48 h et la deuxième, de 15 jours.

A

CONTRE-INDICATIONS ET PRÉCAUTIONS

Contre-indications: Hypersensibilité.

Précautions: ■ Insuffisance rénale ■ Anomalies électrolytiques ■ Grossesse et allaitement (l'innocuité du médicament n'a pas été établie).

RÉACTIONS INDÉSIRABLES ET EFFETS SECONDAIRES

SNC: céphalées.
CV: hypotension, arythmies.
HÉ: hypokaliémie.
GI: nausées, vomissements, diarrhée.
GU: néphrotoxicité, hématurie.
Hémat.: anémie, dyscrasie.
Locaux: phlébite.
Divers: fièvre, frissons, RÉACTIONS D'HYPERSENSIBILITÉ.
Loc.: myalgie, arthralgie.
SN: neuropathie périphérique.
Resp.: dyspnée, respiration sifflante.

INTERACTIONS

Médicament – médicament: ■ Risque accru de toxicité lors de l'administration concomitante d'**aminosides** et d'**autres agents néphrotoxiques** ■ Les **diurétiques**, les **glucocorticoïdes**, la **mézlocilline**, la **pipéracilline** ou la **ticarcilline** peuvent potentialiser l'hypokaliémie.

VOIES D'ADMINISTRATION ET POSOLOGIE

■ **IV (adultes):** administrer une dose d'épreuve de 1 à 5 mg, ensuite la dose initiale de 0,25 mg/kg, lentement pendant 6 h; augmenter lentement les doses quotidiennes jusqu'à 0,5 mg/kg (on peut administrer jusqu'à 1 mg/kg par jour ou jusqu'à 1,5 mg/kg tous les 2 jours).

■ **IV (enfants) (É.-U.):** initialement, perfusion de 0,25 mg/kg en 6 h; augmenter par paliers de 0,25 mg/kg tous les 2 jours jusqu'à un maximum de 1 mg/kg par jour.

■ **Voie intrathécale (adultes):** de 25 à 100 µg (de 0,025 à 0,1 mg) toutes les 48 à 72 h; augmenter jusqu'à 500 µg (0,5 mg) selon la tolérance et jusqu'à une dose totale de 15 mg au maximum (voie d'administration non approuvée).

■ **Préparation topique (É.-U.):** onguent, lotion ou crème à 3 %: appliquer de 2 à 4 fois par jour.

■ **Irrigation de la vessie (adultes):** 50 µg/mL en instillation intermittente ou continue (voie d'administration non approuvée).

PHARMACODYNAMIE
(concentrations sanguines)

	DÉBUT D'ACTION	PIC
IV	rapide	fin de la perfusion

⁂ SOINS INFIRMIERS

ÉVALUATION DE LA SITUATION

☐ Ce médicament ne doit être administré par voie IV qu'aux patients hospitalisés ou aux patients qui sont suivis de près par le médecin. Avant d'administrer ce médicament, le diagnostic doit être confirmé par des cultures.

☐ Au cours de l'administration de la dose d'épreuve et pendant les deux premières heures après chaque dose, surveiller l'apparition des symptômes suivants: fièvre, frissons, céphalées, anorexie, nausées, vomissements. L'administration préalable d'aspirine, de corticostéroïdes, d'antihistaminiques et d'antiémétiques et le maintien de l'équilibre sodique peuvent diminuer ces réactions. La réaction fébrile disparaît habituellement dans les 4 h qui suivent la fin de la perfusion.

☐ Observer fréquemment le point d'injection pour déceler la thrombophlébite ou les écoulements. Le médicament est extrêmement irritant pour les tissus. L'ajout d'héparine à la solution IV peut diminuer les risques de thrombophlébite.

□ Mesurer le pouls et la pression artérielle toutes les 15 à 30 min au cours de l'administration de la dose d'épreuve et de la dose initiale. Noter quotidiennement l'état de la fonction respiratoire (murmure vésiculaire, dyspnée). Signaler au médecin tout changement.

□ Effectuer le bilan quotidien des ingesta et des excreta et peser le patient tous les jours. L'hydratation suffisante (de 2 à 3 L de liquides par jour) peut réduire le risque de néphrotoxicité.

■ **Étude des examens diagnostiques et biochimiques:** Examiner toutes les semaines l'hématocrite et les concentrations d'hémoglobine, de magnésium ainsi que d'urée et de créatinine sériques et, deux fois par semaine, les concentrations de potassium. Une hypokaliémie mortelle peut survenir après l'administration de chaque dose. Si les concentrations d'urée sont supérieures à 14 mmol/L ou si les concentrations de créatinine sont supérieures à 270 µmol/L, il faut diminuer les doses ou arrêter le traitement jusqu'au moment où la fonction rénale s'améliore. Le médicament peut diminuer les concentrations d'hémoglobine et de magnésium, ainsi que l'hématocrite.

□ Examiner à intervalles réguliers, pendant toute la durée du traitement, les résultats des tests d'exploration fonctionnelle hépatique. Une élévation des concentrations de bromosulphaléine, de phosphatase alcaline ou de bilirubine peut dicter l'abandon du traitement.

DIAGNOSTICS INFIRMIERS POSSIBLES

■ **Énoncés diagnostiques**

□ Risque élevé d'infection.

□ Prise en charge inefficace du programme thérapeutique.

□ *Risque élevé d'accident.*

■ **Facteurs favorisants**

□ Informations incomplètes.

□ *Manque de connaissances sur la méthode d'administration du médicament.*

□ *Inflammation locale du tissu vasculaire.*

□ *Manque de connaissances sur les antécédents d'hypersensibilité du patient.*

INTERVENTIONS INFIRMIÈRES

■ **IV:** Reconstituer le contenu de la fiole à 50 mg avec 10 mL d'eau stérile sans agent bactériostatique. La concentration doit équivaloir à 5 mg/mL. Bien agiter jusqu'à ce que la solution devienne transparente. Poursuivre la dilution à raison de 1 mg par au moins 10 mL de solution de dextrose à 5 % dans de l'eau (pH > 4,2) pour obtenir une concentration de 100 µg/mL. Ne pas utiliser d'autres diluants. Ne pas injecter la solution qui contient un précipité. Utiliser une aiguille de calibre 20; changer d'aiguille à chaque étape de la dilution. Porter des gants pendant la préparation.

□ Entreposer dans un endroit sombre. La solution reconstituée est stable pendant 24 h à température ambiante et pendant 1 semaine au réfrigérateur.

■ **Dose d'épreuve:** Administrer 1 mg dilué dans 20 mL de solution de dextrose à 5 % dans de l'eau, pendant 10 à 30 min, pour déterminer la tolérance du patient. Si le traitement est interrompu pendant 7 jours, recommencer en administrant la dose la plus faible possible.

■ **Perfusion intermittente:** Administrer de préférence dans une veine centrale. Si l'on doit administrer en périphérie, changer de point d'injection lors de l'administration de chaque dose pour prévenir la phlébite. Si l'on utilise une membrane de filtration, le diamètre moyen des pores doit être d'au moins 1 μ. Agiter toutes les demi-heures les sacs de solution suspendus. Une exposition de courte durée à la lumière (de 8 à 24 h) ne modifie pas notablement la puissance du médicament.

□ Administrer séparément. Il ne faut pas effectuer d'admixtion avec des antibiotiques ni administrer par un raccordement en série avec ces médicaments. Éviter l'extravasation.

■ *Vitesse d'administration:* Administrer lentement par une pompe de perfusion en 6 à 8 h.

■ **Association compatible dans la même seringue:** Héparine.

■ **Incompatibilités (tubulure en Y):** Foscarnet ou ondansétron.

■ **Compatibilités en addition au soluté:** Bicarbonate de sodium, héparine, hydrocortisone ou méthylprednisolone.

■ **Incompatibilités en addition au soluté:** Amikacine, chlorure de calcium, chlorure de potassium, chlorpromazine, cimétidine, diphénhydramine, dopamine, édétate de calcium disodique, gentamicine, gluconate de calcium, kanamycine, méthyldopa, oxytétracycline, pénicilline G, polymyxine B, prochlorpérazine, solutés salins, tétracycline ou vérapamil.

■ **Irrigation de la vessie:** On peut administrer l'amphotéricine B en irrigation continue par une branche de la sonde destinée au traitement des infections fongiques de la vessie.

■ **Préparation topique:** Enfiler des gants, appliquer librement et faire bien pénétrer la préparation topique dans la peau. Ne pas recouvrir de pansements occlusifs. Arrêter le traitement si les lésions s'aggravent ou si des signes d'hypersensibilité se manifestent.

ENSEIGNEMENT AU PATIENT ET À SES PROCHES

■ **Directives générales:** Expliquer au patient la raison pour laquelle il doit poursuivre le traitement IV ou le traitement topique pendant une période prolongée.

■ **IV:** Informer le patient des risques d'effets secondaires et de douleur au point d'introduction du cathéter.

■ **Préparation topique:** Prévenir le patient que les préparations topiques peuvent tacher les vêtements. On peut enlever les taches de crème ou de lotion avec du savon et de l'eau chaude et celle d'onguent, avec des détersifs liquides.

VÉRIFICATION DES RÉSULTATS

L'efficacité du traitement peut être démontrée par: la résolution des signes et des symptômes d'infection. Plusieurs semaines ou mois de traitement peuvent être nécessaires afin de prévenir une rechute.

AMPICILLINE

Ampicin, Apo-Ampi, Novo-Ampicillin, Nu-Ampi, Penbritine, (Ampilean), (NaMPICIL), (Omnipen), (Principen), (Polycillin), (Supen), (Totacillin)

CLASSIFICATION:
Anti-infectieux – pénicilline

Grossesse – catégorie B

INDICATIONS

■ Traitement d'un grand nombre d'infections comprenant: □ l'otite moyenne □ la sinusite □ les infections des voies respiratoires □ les infections génito-urinaires □ la méningite □ la septicémie □ la gonorrhée ■ Prophylaxie de l'endocardite.

ACTION

■ Liaison à la paroi de la cellule bactérienne, entraînant la destruction de la bactérie. **Effets thérapeutiques:** ■ Effet bactéricide contre les bactéries sensibles. **Spectre d'action:** ■ L'ampicilline est active contre: □ les streptocoques □ les pneumocoques □ les entérocoques □ *Haemo-*

philus influenzæ □ *Escherichia coli* □ *Proteus mirabilis* □ *Neisseria meningitidis* □ *Neisseria gonorrhoeae* □ *Shigella* □ *Salmonella.*

PHARMACOCINÉTIQUE

Absorption: Absorption modérée à partir du duodénum (de 30 à 50 %).

Distribution: L'ampicilline diffuse rapidement dans la plupart des tissus et liquides corporels. La pénétration dans le liquide céphalorachidien est accrue en présence d'une inflammation des méninges. Le médicament traverse le placenta et pénètre en petites quantités dans le lait maternel.

Métabolisme et excrétion: Métabolisme hépatique variable (entre 12 et 50 %). L'excrétion rénale de la fraction à l'état inchangé est également variable et dépend de la voie d'administration (de 25 à 60 % après administration PO; de 50 à 85 % après administration IM).

Demi-vie: De 1 à 1,5 h.

CONTRE-INDICATIONS ET PRÉCAUTIONS

Contre-indications: Hypersensibilité à la pénicilline.

Précautions: ■ Insuffisance rénale grave (réduire la dose) ■ Grossesse et allaitement (précédents d'usage) ■ Mononucléose infectieuse (incidence accrue de rash).

RÉACTIONS INDÉSIRABLES ET EFFETS SECONDAIRES

SNC: CONVULSIONS (doses élevées).

Tég.: <u>rash</u>, urticaire.

GI: nausées, vomissements, <u>diarrhée</u>.

Hémat.: dyscrasie.

Divers: surinfection, réactions allergiques incluant l'ANAPHYLAXIE et la maladie sérique.

INTERACTIONS

Médicament – médicament: ■ Le **probénécide** diminue l'excrétion rénale et augmente les concentrations sanguines

d'ampicilline. Une association médicamenteuse est parfois utilisée à cette fin ■ L'ampicilline peut potentialiser les effets des **anticoagulants oraux** ■ Un traitement simultané à l'**allopurinol** peut augmenter les risques de rash ■ Le médicament peut diminuer l'efficacité des **contraceptifs oraux.**

VOIES D'ADMINISTRATION ET POSOLOGIE

- **PO (adultes et enfants > 20 kg):** de 250 à 500 mg, toutes les 6 à 8 h.
- **PO (enfants < 5 kg):** de 250 à 500 mg par jour divisés en 4 prises égales, administrées toutes les 6 h.
- **PO (enfants de 5 à 20 kg):** de 25 à 100 mg/kg par jour en 4 prises égales, administrées toutes les 6 h.
- **IM et IV (adultes):** 500 mg, 4 à 6 fois par jour (des doses plus élevées peuvent être utilisées); 2 g toutes les 6 h, par voie IV, dans les cas de méningite.
- **IM et IV (enfants < 40 kg) (É.-U.):** de 25 à 50 mg/kg par jour en doses fractionnées, toutes les 6 à 8 h (jusqu'à 100 à 200 mg/kg par jour).
- **IM et IV (nouveau-nés de 7 à 28 jours) (É.-U.):** de 50 à 100 mg/kg par jour en doses fractionnées, toutes les 8 h (jusqu'à 200 à 300 mg/kg par jour).
- **IM et IV (nouveau-nés < 7 jours) (É.-U.):** de 5 à 100 mg/kg par jour en doses fractionnées, toutes les 12 h (jusqu'à 200 mg/kg par jour).

PHARMACODYNAMIE (pics sanguins)

	DÉBUT D'ACTION	PIC
PO	rapide	1,5 – 2 h
IM	rapide	1 h
IV	rapide	fin de la perfusion

SOINS INFIRMIERS

ÉVALUATION DE LA SITUATION

□ Surveiller, au début du traitement et pendant toute sa durée, les signes

A

suivants d'infection: altération des signes vitaux; aspect de la plaie, des crachats, de l'urine et des selles; accroissement du nombre de leucocytes.

□ Recueillir les antécédents du patient avant d'amorcer le traitement afin de déterminer ses réactions antérieures à une pénicilline ou à une céphalosporine. Même les personnes n'ayant jamais manifesté une sensibilité à la pénicilline peuvent présenter une réaction allergique.

□ Prélever des échantillons pour les cultures et les antibiogrammes avant le début du traitement. La première dose peut être administrée avant même que les résultats soient connus.

□ Surveiller les signes et les symptômes suivants d'anaphylaxie: rash, prurit, œdème laryngé, respiration sifflante. Si ces symptômes se manifestent, arrêter l'administration du médicament et avertir le médecin. Garder à portée de la main de l'épinéphrine, un antihistaminique et le matériel de réanimation pour parer à une éventuelle réaction anaphylactique.

□ Examiner la peau tous les jours à la recherche d'une éruption cutanée caractéristique induite par l'ampicilline. Il s'agit d'une éruption non allergique maculaire ou maculopapulaire, légèrement prurigineuse d'un rouge mat.

■ **Étude des examens diagnostiques et biochimiques:** Le médicament peut entraîner des résultats faussement positifs lors du dosage du glucose dans l'urine par la méthode du sulfate de cuivre (Clinitest). Pour le dosage du glucose dans l'urine, recourir plutôt aux méthodes Clinistix ou Tes-tape.

□ Le médicament peut entraîner l'élévation des concentrations de TGOS (AST) et de TGPS (ALT).

DIAGNOSTICS INFIRMIERS POSSIBLES

■ **Énoncés diagnostiques**

□ Risque élevé d'infection.

□ Prise en charge inefficace du programme thérapeutique.

□ Non-observance du traitement médicamenteux.

□ *Risque élevé de diarrhée.*

□ *Risque élevé de réaction allergique.*

■ **Facteurs favorisants**

□ Informations incomplètes.

□ Doute quant aux bienfaits du médicament.

□ *Manque de connaissances sur les moyens de prévenir les effets secondaires du médicament.*

□ *Manque de connaissances sur les antécédents d'hypersensibilité du patient.*

INTERVENTIONS INFIRMIÈRES

■ **PO:** Administrer la préparation orale avec un grand verre d'eau, 24 h sur 24, à jeun, au moins 1 h avant ou 2 h après les repas. On peut ouvrir les capsules et les mélanger avec de l'eau. La suspension orale reconstituée garde sa pleine puissance pendant 7 jours à température ambiante et pendant 14 jours au réfrigérateur.

■ **IM et IV:** Reconstituer l'ampicilline pour l'administration par voies IM ou IV en ajoutant 1,2 à 2,1 mL d'eau stérile, par fiole de 125 mg; 2,0 mL, par fiole de 250 mg; 1,8 mL, par fiole de 500 mg; 3,5 mL, par fiole de 1 g et 6,8 mL, par fiole de 2 g.

■ **IV directe:** On peut administrer la solution en 3 à 5 min (de 125 à 500 mg) ou en 10 à 15 min (de 1 à 2 g) dans l'heure qui suit la reconstitution. Une administration plus rapide peut provoquer des convulsions.

■ **Perfusion intermittente:** Diluer dans 50 mL ou plus de solution de NaCl à 0,9 %, de dextrose à 5 % dans de l'eau ou dans une solution de NaCl à 0,45 % ou de solution de lactate Ringer, jusqu'à l'obtention d'une concentration inférieure à 30 mg/mL et administrer en l'espace de 4 h.

A

- **Associations compatibles dans la même seringue:** Chloramphénicol, colistiméthate, héparine ou procaïne.
- **Associations incompatibles dans la même seringue:** Érythromycine, gentamicine, kanamycine, lincomycine, oxytétracycline, streptomycine ou tétracycline.
- **Compatibilités (tubulure en Y):** Chlorure de potassium, énalaprilate, foscarnet, héparine associée à du succinate d'hydrocortisone sodique, hydromorphone, mépéridine, morphine, sulfate de magnésium ou tolazoline.
- **Incompatibilités (tubulure en Y):** Épinéphrine, hydralazine, ondansétron.
- **Compatibilités en addition au soluté:** Héparine ou vérapamil.
- **Incompatibilités en addition au soluté:** Amikacine, aminophylline, amphotéricine B, chlorpromazine, clindamycine, dopamine, érythromycine, gentamicine, gluconate de calcium, hydralazine, hydrocortisone, kanamycine, lidocaïne, méthicilline, nafcilline, norépinéphrine, oxacilline, pénicilline, prochlorpérazine, tétracycline ou ticarcilline. Le médicament est incompatible avec les aminosides; ne pas effectuer d'admixtion. Espacer d'au moins une heure les deux administrations pour prévenir l'inactivation.

ENSEIGNEMENT AU PATIENT ET À SES PROCHES

- **Directives générales:** Expliquer au patient qu'il doit prendre le médicament 24 h sur 24 et qu'il doit finir toute la quantité qui lui a été prescrite, même s'il se sent mieux. Insister sur le fait qu'il peut être dangereux de donner ce médicament à une autre personne.
- ☐ Conseiller au patient de signaler l'allergie et les signes suivants de surinfection: excroissance pileuse sur la langue, pertes et démangeaisons vaginales, selles molles ou nauséabondes.
- ☐ Recommander à la patiente qui prend un contraceptif oral de recourir à un moyen de contraception supplémentaire durant le traitement avec l'ampicilline.
- ☐ Recommander au patient de prévenir le médecin si les symptômes ne sont pas soulagés.
- ☐ Expliquer au patient ayant des antécédents de cardite rhumatismale ou de remplacement valvulaire qu'il est important de suivre un traitement antimicrobien prophylactique avant de se soumettre à une intervention médicale ou dentaire effractive.

VÉRIFICATION DES RÉSULTATS

La réponse clinique peut être déterminée par:
- la disparition des signes et des symptômes d'infection. Le temps de résolution dépend du micro-organisme infectant et du siège de l'infection ■ la prophylaxie de l'endocardite.

AMPICILLINE AVEC SULBACTAME
(Unasyn)

CLASSIFICATION:
Anti-infectieux – pénicilline

Grossesse – catégorie B (ampicilline)

INDICATIONS

- Traitement d'un grand nombre d'infections de la peau, des structures dermiques et des tissus mous comprenant: ☐ l'otite moyenne ☐ la sinusite ☐ les infections des voies respiratoires ☐ les infections génito-urinaires ☐ la méningite ☐ la septicémie.

ACTION

- Liaison à la paroi de la cellule bactérienne, entraînant la destruction de la cellule. L'ajout de sulbactame augmente la résistance à la pénicillinase, enzyme produite par les bactéries, qui est capable d'inactiver l'ampicilline. **Effets thérapeutiques:** ■ Effet bactéricide contre les bactéries sensibles. **Spectre d'action:** ■ Le médicament est actif contre: □ les streptocoques □ les pneumocoques □ les entérocoques □ *Hæmophilus influenzæ* □ *Escherichia coli* □ *Proteus mirabilis* □ *Neisseria meningitidis* □ *Neisseria gonorrhoeæ* □ *Shigella* □ *Salmonella* □ L'usage de ce médicament devrait être réservé aux infections provoquées par des souches produisant la pénicillinase.

PHARMACOCINÉTIQUE

Absorption: Bonne absorption à partir des points d'injection IM.
Distribution: L'ampicilline diffuse rapidement dans la plupart des liquides et des tissus corporels. La pénétration dans le liquide céphalorachidien est accrue en présence d'une inflammation des méninges. Le médicament traverse le placenta et pénètre en petites quantités dans le lait maternel.
Métabolisme et excrétion: Métabolisme hépatique variable (entre 12 et 50 %). L'excrétion rénale de la fraction à l'état inchangé est également variable et dépend de la voie d'administration (de 25 à 60 %, après administration PO ; de 50 à 85 %, après administration IM).
Demi-vie: De 1 à 1,5 heure.

CONTRE-INDICATIONS ET PRÉCAUTIONS

Contre-indications: Hypersensibilité à la pénicilline ou au sulbactame.
Précautions: ■ Insuffisance rénale grave (réduire la dose) ■ Grossesse et allaitement (ampicilline) – précédents d'usage ■ Mononucléose infectieuse (incidence accrue de rash) ■ Enfants de moins de 12 ans (l'innocuité du médicament n'a pas été établie).

RÉACTIONS INDÉSIRABLES ET EFFETS SECONDAIRES

SNC: CONVULSIONS (doses élevées).
Tég.: rash, urticaire.

GI: nausées, vomissements, diarrhée.
Hémat.: dyscrasie.
Locaux: douleur au point d'injection IM, douleur au point d'injection IV.
Divers: surinfection, réactions allergiques incluant l'ANAPHYLAXIE et la maladie sérique.

INTERACTIONS

Médicament – médicament: ■ Le **probénécide** diminue l'excrétion rénale et augmente les concentrations sanguines d'ampicilline. Une association médicamenteuse est parfois utilisée à cette fin ■ L'ampicilline peut potentialiser les effets des **anticoagulants oraux** ■ Un traitement simultané à l'**allopurinol** peut augmenter les risques de rash ■ Le médicament peut diminuer l'efficacité des **contraceptifs oraux.**

VOIES D'ADMINISTRATION ET POSOLOGIE

IM et IV (adultes): de 1,5 à 3 g (1 g d'ampicilline plus 0,5 g de sulbactame ; 2 g d'ampicilline plus 1 g de sulbactame), toutes les 6 h (ne pas administrer plus de 4 g de sulbactame par jour).

PHARMACODYNAMIE (pics sanguins)

	DÉBUT D'ACTION	PIC
IM	rapide	1 h
IV	immédiat	fin de la perfusion

SOINS INFIRMIERS

ÉVALUATION DE LA SITUATION

□ Surveiller, au début du traitement et pendant toute sa durée, les signes suivants d'infection: altération des signes vitaux ; aspect de la plaie, des crachats, de l'urine et des selles ; accroissement du nombre de leucocytes.

□ Recueillir les antécédents du patient avant d'amorcer le traitement afin de déterminer ses réactions antérieures à une pénicilline ou à une céphalosporine. Même les personnes n'ayant jamais manifesté une sensibilité aux pénicillines peuvent présenter une réaction allergique.

☐ Prélever des échantillons pour les cultures et les antibiogrammes avant le début du traitement. La première dose peut être administrée avant même que les résultats soient connus.

☐ Surveiller les signes et les symptômes suivants d'anaphylaxie : rash, prurit, œdème laryngé, respiration sifflante. Si ces symptômes se manifestent, arrêter l'administration du médicament et avertir immédiatement le médecin. Garder à portée de la main de l'épinéphrine, un antihistaminique et le matériel de réanimation pour parer à une éventuelle réaction anaphylactique.

■ **Étude des examens diagnostiques et biochimiques :** Le médicament peut entraîner des résultats faussement positifs lors du dosage du glucose dans l'urine par la méthode du sulfate de cuivre (Clinitest). Pour le dosage du glucose dans l'urine, recourir plutôt aux méthodes Clinistix ou Tes-tape.

☐ Le médicament peut entraîner l'élévation des concentrations de TGOS (AST), de TGPS (ALT), de LDH, de phosphatase alcaline, de monocytes, de granulocytes basophiles, d'éosinophiles, d'urée et de créatinine. Après administration, on peut retrouver des cylindres hématiques et des cylindres hyalins dans les urines.

☐ Le médicament peut diminuer l'hématocrite et les concentrations d'hémoglobine, d'érythrocytes, de polynucléaires neutrophiles, de plaquettes, d'albumine sérique et de protéines totales.

DIAGNOSTICS INFIRMIERS POSSIBLES

■ **Énoncés diagnostiques**

☐ Risque élevé d'infection.

☐ Prise en charge inefficace du programme thérapeutique.

☐ *Risque élevé de douleur.*

☐ *Risque élevé de réaction allergique.*

■ **Facteurs favorisants**

☐ Informations incomplètes.

☐ *Manque de connaissances sur la méthode d'administration du médicament.*

☐ *Inflammation locale du tissu vasculaire.*

☐ *Manque de connaissances sur les antécédents d'hypersensibilité du patient.*

INTERVENTIONS INFIRMIÈRES

■ **IM :** Reconstituer pour administration par voie IM en ajoutant 3,2 mL d'eau stérile ou du chlorhydrate de lidocaïne à 0,5 % ou à 2 % à une fiole de 1,5 g, ou 6,4 mL à une fiole de 3 g. Administrer la préparation dans l'heure qui suit, en injectant profondément dans une masse musculaire bien développée.

■ **IV :** Reconstituer en ajoutant au moins 4 mL d'eau stérile par 1,5 g, jusqu'à l'obtention d'une concentration de 375 mg/mL (250 mg d'ampicilline et 125 mg de sulbactame). La mousse devrait se dissiper si on laisse la solution au repos. N'administrer que les solutions transparentes.

■ **IV directe :** On peut administrer la solution en 10 à 15 min (de 1 à 2 g) dans l'heure qui suit la reconstitution. Une administration plus rapide peut provoquer des convulsions.

■ **Perfusion intermittente :** Diluer immédiatement dans 50 à 100 mL ou plus de solution de NaCl à 0,9 %, de dextrose à 5 % dans de l'eau, de dextrose à 5 % dans une solution de NaCl à 0,45 % ou de solution de lactate Ringer. La solution est stable entre 2 à 8 h à température ambiante ou entre 3 et 72 h au réfrigérateur, selon la concentration et les diluants.

A

□ *Vitesse d'administration:* De 15 à 30 min.
- **Compatibilités (tubulure en Y):** Énaprilate, mépéridine, morphine.
- **Incompatibilité (tubulure en Y):** Ondansétron.
- **Incompatibilités en addition au soluté:** Le médicament est incompatible avec les aminosides; ne pas effectuer d'admixtion. Espacer les deux administrations d'au moins 1 h pour prévenir l'inactivation.

ENSEIGNEMENT AU PATIENT ET À SES PROCHES

□ Conseiller au patient de signaler l'allergie et les signes suivants de surinfection: excroissance pileuse sur la langue, pertes et démangeaisons vaginales, selles molles ou nauséabondes.
□ Recommander à la patiente qui prend un contraceptif oral de recourir à un moyen de contraception supplémentaire durant le traitement par l'association ampicilline/sulbactame.
□ Recommander au patient de prévenir le médecin si les symptômes ne sont pas soulagés.

VÉRIFICATION DES RÉSULTATS

La réponse clinique peut être déterminée par: la disparition des signes et des symptômes d'infection. Le temps de résolution complète dépend du micro-organisme infectant et du siège de l'infection.

AMRINONE
Inocor

CLASSIFICATION:
Agent inotrope
Grossesse – catégorie C

INDICATIONS

Traitement de courte durée de l'insuffisance cardiaque rebelle au traitement habituel par des glucosides cardiotoniques, des diurétiques et des vasodilatateurs.

ACTION

- Augmentation de la contractilité du myocarde ■ Diminution de la précharge et de la postcharge par un effet direct de dilatation du muscle lisse vasculaire. **Effets thérapeutiques:** ■ Augmentation du débit cardiaque (effet inotrope).

PHARMACOCINÉTIQUE

Absorption: Par suite de l'administration par voie IV, la biodisponibilité de l'amrinone est totale.
Distribution: Inconnue.
Métabolisme et excrétion: Une fraction de 50 % du médicament est métabolisée par le foie. Une fraction de 10 à 40 % est excrétée à l'état inchangé par les reins.
Demi-vie: De 3,6 à 5,8 h (prolongée en cas d'insuffisance cardiaque).

CONTRE-INDICATIONS ET PRÉCAUTIONS

Contre-indications: ■ Hypersensibilité à l'amrinone ou aux bisulfites ■ Myocardiopathie obstructive.
Précautions: ■ Flutter ou fibrillation auriculaire (la fréquence ventriculaire peut augmenter; un prétraitement par des dérivés digitaliques pourrait s'avérer nécessaire) ■ Enfants de moins de 18 ans (l'innocuité du médicament n'a pas été établie).

RÉACTIONS INDÉSIRABLES ET EFFETS SECONDAIRES

CV: arythmie, hypotension.
Resp.: dyspnée.
GI: nausées, vomissements, diarrhée, hépatotoxicité.
HÉ: hypokaliémie.
Hémat.: thrombocytopénie.
Divers: réactions d'hypersensibilité, fièvre.

INTERACTIONS

Médicament – médicament: ■ Les effets inotropes peuvent être additifs lors de l'administration concomitante de **dérivés digitaliques** ■ L'hypotension peut être aggravée par l'administration du **disopyramide**.

VOIES D'ADMINISTRATION ET POSOLOGIE

Remarque: La vitesse de perfusion est indiquée au tableau de l'annexe D.

IV (adultes): dose de charge de 0,75 mg/kg; on peut répéter, au besoin, en l'espace de 30 min; administrer ensuite par perfusion à un débit de 5 à 10 µg/kg/min (la dose quotidienne totale ne doit pas dépasser 10 mg/kg).

PHARMACODYNAMIE (effet inotrope)

	DÉBUT D'ACTION	PIC	DURÉE[*]
IV	2 – 5 min	10 min	0,5 – 2 h

[*] Après la fin de la perfusion.

✲ SOINS INFIRMIERS

ÉVALUATION DE LA SITUATION

□ Au cours de l'administration de ce médicament, mesurer souvent la pression artérielle, le pouls, la fréquence respiratoire, l'index cardiaque, la pression capillaire pulmonaire et la pression veineuse centrale. Suivre de près l'ÉCG. Avertir immédiatement le médecin si une hypotension médicamenteuse survient.

□ Effectuer le bilan quotidien des ingesta et des excreta et peser le patient tous les jours. Observer le patient pour déterminer si les signes et les symptômes suivants d'insuffisance cardiaque ont disparu: œdème périphérique, dyspnée, râles et crépitations, gain pondéral. Pour assurer une pression de remplissage adéquate

du cœur, il faut parfois augmenter avec prudence l'apport de liquides.

□ Suivre de près les réactions suivantes d'hypersensibilité: pleurite, péricardie, ascite. Si une telle réaction se manifeste, arrêter d'administrer le médicament et avertir immédiatement le médecin.

■ **Étude des examens diagnostiques et biochimiques:** Examiner à intervalles réguliers pendant toute la durée du traitement la numération plaquettaire, les électrolytes sériques, la concentration des enzymes hépatiques et les résultats de tests de l'exploration fonctionnelle rénale. Si le nombre de plaquettes est inférieur à 150×10^9, en informer rapidement le médecin. Une augmentation de la concentration des enzymes hépatiques peut être un indice d'hépatotoxicité. Le médicament peut diminuer les concentrations de potassium.

DIAGNOSTICS INFIRMIERS POSSIBLES

■ **Énoncés diagnostiques**

□ Diminution du débit cardiaque.

□ Intolérance à l'activité.

□ Excès de volume liquidien.

□ *Risque élevé d'accident.*

■ **Facteurs favorisants**

□ *Manque de connaissances sur les effets hypotensifs du médicament lors des changements brusques de position.*

□ *Essoufflement et fatigue.*

INTERVENTIONS INFIRMIÈRES

■ **Directives générales:** Corriger l'hypokaliémie avant d'administrer l'amrinone.

□ Chez les patients souffrant de fibrillation ou de flutter auriculaires, on devrait éventuellement administrer des dérivés digitaliques avant le traitement, car l'amrinone augmente la conduction auriculoventriculaire.

■ **IV directe:** Administrer la dose de charge pendant 2 à 3 min. Une dose

A

de charge supplémentaire peut être administrée 30 min plus tard.

- **Perfusion continue :** Diluer l'amrinone uniquement dans une solution de NaCl à 0,9 % ou à 0,45 % pour obtenir une concentration de 1 à 3 mg/mL. La dilution dans des préparations de dextrose peut entraîner la décomposition de l'amrinone. Cependant, on peut administrer la solution par une tubulure en Y ou directement dans la tubulure d'une solution de dextrose déjà amorcée. Administrer par une pompe à perfusion pour s'assurer que le patient reçoit la dose exacte. Il faut changer de tubulure chaque fois qu'on change de concentration de solution. La solution doit être d'une couleur jaune clair. Utiliser les solutions reconstituées dans les 24 h qui suivent la préparation.

□ *Vitesse d'administration :* Ajuster le débit selon la réaction du patient.

- **Compatibilités (tubulure en Y) :** Aminophylline, atropine, bitartrate de métaraminol, brétylium, chlorure de calcium, chlorure de potassium, cimétidine, dobutamine, dopamine, épinéphrine, isoprotérénol, lidocaïne, nitroglycérine, nitroprusside, norépinéphrine, phényléphrine, procaïnamide, succinate d'hydrocortisone sodique, succinate de méthylprednisolone sodique ou vérapamil.

- **Incompatibilités (tubulure en Y) :** Bicarbonate de sodium ou furosémide.

ENSEIGNEMENT AU PATIENT ET À SES PROCHES

□ Recommander au patient de signaler immédiatement l'aggravation de la dyspnée ou de la douleur thoracique, ainsi que l'apparition d'une réaction d'hypersensibilité.

□ Recommander au patient de changer lentement de position pour réduire l'hypotension orthostatique induite par le médicament.

VÉRIFICATION DES RÉSULTATS

L'efficacité du traitement peut être démontrée par : ■ l'élévation de l'index cardiaque et l'augmentation de la diurèse ■ la diminution de la pression capillaire pulmonaire, de la dyspnée et de l'œdème.

AMYLE, NITRITE D'

CLASSIFICATION :
Anti-angineux, antidote – empoisonnement dû aux cyanures

Grossesse – catégorie X

INDICATIONS

■ Traitement d'urgence de l'angine de poitrine. **Usages non approuvés :** ■ Traitement d'urgence de l'empoisonnement dû aux cyanures ■ Diagnostic du souffle cardiaque.

ACTION

■ Réduction de la pression artérielle systémique (réduction de la postcharge) ■ Formation de methémoglobine qui se combine au cyanure pour former un composé non toxique (cyanmethémoglobine). **Effets thérapeutiques :** ■ Soulagement de l'angine de poitrine ■ Prévention d'une issue fatale lors de l'empoisonnement dû aux cyanures.

PHARMACOCINÉTIQUE

Absorption : Le nitrite d'amyle est bien absorbé par la muqueuse nasale.
Distribution : Le médicament se répartit dans tout l'organisme.
Métabolisme et excrétion : Le nitrite d'amyle se combine pour former la methémoglobine.
Demi-vie : Inconnue.

CONTRE-INDICATIONS ET PRÉCAUTIONS

Contre-indications : ■ Hypersensibilité ■ Pression intracrânienne accrue ■ Ané-

mie grave ■ Aucune contre-indication en cas d'empoisonnement dû au cyanure.

Précautions: ■ Hypotension ■ Hypovolémie ■ Péricardite constrictive ou tamponade cardiaque ■ Glaucome ■ Hyperthyroïdisme ■ Trauma crânien récent ■ Hémorragie cérébrale ■ Infarctus du myocarde récent ■ Empoisonnement dû aux cyanures chez les enfants (l'ajustement des doses doit se baser sur les concentrations de methémoglobine).

RÉACTIONS INDÉSIRABLES ET EFFETS SECONDAIRES

SNC: céphalées, étourdissements, évanouissement, faiblesse.
Resp.: essoufflement.
CV: hypotension, tachycardie.
Tég.: cyanose des lèvres, des ongles ou de la paume des mains (ces réactions sont des indices de methémoglobinémie).

INTERACTIONS

Médicament – médicament: ■ Effets additifs sur l'hypotension, lors de l'administration de **médicaments antihypertenseurs** ■ Le nitrite d'amyle diminue les effets de l'**histamine**, de l'**acétylcholine** et de la **norépinephrine** ■ Les **agents adrénergiques (sympathomimétiques)** dont l'**épinéphrine**, l'**éphédrine** et la **phényléphrine** diminuent les effets antiangineux du nitrite d'amyle ■ Le médicament bloque les effets alpha-adrénergiques de l'**épinéphrine** provoquant de l'hypotension et de la tachycardie.

VOIES D'ADMINISTRATION ET POSOLOGIE

Angine de poitrine
■ **Inhalation (adultes):** Briser une ampoule (Aspirol, Vaporole) et en faire inhaler le contenu. On peut répéter l'administration en l'espace de 3 à 5 min.

Empoisonnement dû aux cyanures
■ **Inhalation (adultes et enfants):** Faire inhaler pendant 15 à 30 s/min jusqu'à

ce que le nitrite de sodium soit prêt à être administré.

PHARMACODYNAMIE (anti-angineux)

	DÉBUT D'ACTION	PIC	DURÉE
inhalation	30 s	inconnu	3 à 5 min

☀ SOINS INFIRMIERS

ÉVALUATION DE LA SITUATION

■ **Directives générales:** Mesurer la fréquence cardiaque et la pression artérielle avant l'administration et à intervalles réguliers pendant tout le traitement.
■ **Angine:** Déterminer le siège, la durée et l'intensité des douleurs thoraciques et les facteurs qui les déclenchent, avant et après l'administration.
■ **Empoisonnement dû aux cyanures:** Déterminer la provenance du cyanure et observer l'apparition des signes suivants d'intoxication: tachycardie, céphalées, somnolence, hypotension, coma, convulsions.
■ **Souffle cardiaque:** Mesurer la fréquence cardiaque avant et pendant l'administration.

DIAGNOSTICS INFIRMIERS POSSIBLES

■ **Énoncés diagnostiques**
□ Douleur.
□ Risque élevé d'accident.
□ Prise en charge inefficace du programme thérapeutique.

■ **Facteurs favorisants**
□ Informations incomplètes.
□ *Manque de connaissances sur les effets hypotensifs du médicament lors des changements brusques de position.*

INTERVENTIONS INFIRMIÈRES

■ **Directives générales:** Les ampoules sont enveloppées dans du tissu absorbant. Ne pas l'enlever. Briser l'ampoule entre les doigts et l'approcher

des narines du patient. Demander au patient de rester assis pendant l'administration et immédiatement après.

- **Angine :** Ajuster les doses selon la réponse du patient.

- **Empoisonnement dû aux cyanures :** Commencer le traitement au premier signe de toxicité si l'empoisonnement dû aux cyanures est établi ou fortement soupçonné.

  □ *Adultes ou enfants :* Briser une ampoule à 0,3 mL/min et demander au patient d'inhaler les vapeurs pendant 15 à 30 s jusqu'au moment où l'on est prêt à administrer du nitrite de sodium par perfusion IV.

- **Souffle cardiaque :** Faire inhaler le nitrite d'amyle jusqu'au moment où la tachycardie réflexe s'installe ; ensuite, arrêter immédiatement l'administration.

ENSEIGNEMENT AU PATIENT ET À SES PROCHES

□ Expliquer au patient le but du traitement et la méthode d'administration.

□ Recommander au patient de changer lentement de position pour réduire l'hypotension orthostatique.

VÉRIFICATION DES RÉSULTATS

L'efficacité du traitement peut être démontrée par : ■ le soulagement de l'angine de poitrine ■ le soulagement des signes et des symptômes d'empoisonnement dû aux cyanures ■ la modification de l'intensité du souffle cardiaque.

ANISTREPLASE

Complexe plasminogène – streptokinase anisoylé (APSAC), (Eminax)

CLASSIFICATION :
Thrombolytique

Grossesse – catégorie C

INDICATIONS

Traitement d'urgence de l'infarctus du myocarde pour favoriser la lyse des thrombus des coronaires, préservant ainsi la fonction ventriculaire.

ACTION

■ Complexe inactif de plasminogène et de streptokinase. Après administration, l'activation contrôlée du complexe entraîne la transformation du plasminogène en plasmine et la fibrinolyse subséquente. **Effets thérapeutiques :** ■ Lyse des thrombus des coronaires avec préservation de la fonction ventriculaire.

PHARMACOCINÉTIQUE

Absorption : Par suite de l'administration IV, l'absorption est virtuellement complète.
Distribution : Inconnue.
Métabolisme et excrétion : L'agent est inactivé par la liaison aux inactivateurs de la plasmine.
Demi-vie : De 70 à 120 min.

CONTRE-INDICATIONS ET PRÉCAUTIONS

Contre-indications : ■ Hémorragie interne active ■ Antécédents d'accident vasculaire cérébral ■ Traumatisme intracrânien ou intramédullaire récent (depuis < 2 mois) ■ Néoplasme intracrânien ■ Hypertension grave, non maîtrisée ■ Malformation artérioveineuse ■ Prédisposition établie au saignement ■ Hypersensibilité à l'anistreplase ou à la streptokinase.

Précautions : ■ Hémorragie gastro-intestinale ou génito-urinaire, traumatisme, chirurgie majeure récente (depuis < 10 jours) ■ Hypertension non maîtrisée ■ Thrombus dans le cœur gauche ■ Maladie hépatique ou rénale grave ■ Maladies ophtalmiques hémorragiques ■ Phlébite septique ■ Personnes âgées (> 75 ans) ■ Grossesse, allaitement, enfants (l'innocuité de l'agent n'a pas été établie) ■ Infection streptococcique récente ou traitement récent par l'anistreplase ou la

streptokinase (entre 5 jours et 6 mois) – une résistance peut se manifester par suite de la formation d'anticorps; une augmentation de la dose peut s'avérer nécessaire. **Extrême prudence : ■** Postpartum immédiat (< 10 jours) ■ Traitement anticoagulant PO, administré simultanément.

RÉACTIONS INDÉSIRABLES ET EFFETS SECONDAIRES

SNC : HÉMORRAGIE INTRACRÂNIENNE.
ORLO : épistaxis, saignement des gencives.
Resp. : hémoptysie.
CV : arythmies, hypotension.
GI : HÉMORRAGIE GASTRO-INTESTINALE, HÉMORRAGIE RÉTROPÉRITONÉALE.
GU : HÉMORRAGIE GÉNITO-URINAIRE.
Hémat. : SAIGNEMENTS.
Divers : réactions allergiques comprenant l'ANAPHYLAXIE, fièvre.

INTERACTIONS :

Médicament – médicament : L'administration concomitante d'**acide acétylsalicylique**, d'**anti-inflammatoires non stéroïdiens**, d'**anticoagulants oraux**, d'**héparine** ou de **dipyridamole** peut augmenter le risque de saignement, bien qu'on administre souvent ces agents simultanément ou en séquence.

VOIES D'ADMINISTRATION ET POSOLOGIE

IV (adultes) : 30 unités en 2 à 5 min.

PHARMACODYNAMIE (fibrinolyse)

	DÉBUT D'ACTION	PIC	DURÉE
IV	inconnu	45 min	6 h*

* L'état hyperfibrinolytique généralisé peut persister pendant 2 jours.

SOINS INFIRMIERS

ÉVALUATION DE LA SITUATION

■ **Directives générales :** Administrer le traitement dès l'apparition des symptômes.

□ Surveiller les signes vitaux, y compris la température, après la fin du traitement.

□ Suivre de près l'hémorragie. Une hémorragie patente peut se produire au siège des interventions effractives ou aux orifices corporels. Une hémorragie interne peut également se produire (état neurologique affaibli, douleurs abdominales avec des vomissures ayant l'aspect du marc de café, selles noires goudronneuses, douleurs articulaires). En cas d'hémorragie, arrêter d'administrer le médicament et prévenir le médecin sans délai.

□ Interroger le patient au sujet d'une réaction antérieure à l'anistreplase ou à la streptokinase. Surveiller les réactions d'hypersensibilité suivantes : modification de la couleur de la peau du visage, rash, dyspnée, œdème périorbitaire, respiration sifflante. Signaler rapidement ces réactions au médecin. Garder de l'épinéphrine, un antihistaminique et le matériel de réanimation à portée de la main pour contrer une éventuelle réaction anaphylactique.

□ Demander au patient s'il n'a pas contracté récemment une infection streptococcique. L'anistreplase pourrait ne pas être efficace si elle est administrée dans les 5 jours à 6 mois qui suivent une telle infection.

■ **Thrombose des coronaires :** Suivre constamment l'ÉCG. Prévenir le médecin en cas d'arythmie importante. Vérifier les concentrations d'enzymes cardiaques. Le médecin peut prescrire, dans les 7 à 10 jours qui suivent la fin du traitement, une angiographie des coronaires, une scintigraphie du myocarde ou les deux à la fois.

■ **Étude des examens diagnostiques et biochimiques :** Vérifier, avant l'administration et à intervalles fréquents tout au long du traitement, l'hématocrite, les concentrations d'hémoglobine, la numération plaquettaire, le temps de prothrombine, le temps de thrombine, le temps de saignement et le temps de céphaline-kaolin (APTT). On peut également noter avant l'administration ou après la fin du traitement le dosage des produits de dégradation de la fibrine.

☐ Obtenir le groupe sanguin et les compatibilités sanguines et garder du sang à portée de la main pour contrer l'hémorragie.

■ **Toxicité et surdosage:** En cas de saignement local, appliquer une pression sur l'emplacement. En cas de saignement interne ou grave, les facteurs de coagulation et la masse sanguine peuvent être rétablis par des perfusions de sang entier, d'hématies concentrées, de plasma frais congelé, de cryoprécipités, de plaquettes ou de desmopressine ou de toutes ces substances à la fois. Ne pas administrer du dextran en raison de son activité antiplaquettaire. Si l'on est en train d'administrer de l'héparine, arrêter ce type de traitement et envisager l'administration de protamine. On peut utiliser comme antidote de l'acide aminocaproïque (Amicar).

DIAGNOSTICS INFIRMIERS POSSIBLES

■ **Énoncés diagnostiques**
☐ Diminution de l'irrigation du tissu cardiaque.
☐ Risque élevé d'accident.
☐ Prise en charge inefficace du programme thérapeutique.
☐ *Risque élevé d'hémorragie.*

■ **Facteurs favorisants**
☐ Informations incomplètes.
☐ *Réactions d'hypersensibilité et saignements.*

INTERVENTIONS INFIRMIÈRES

■ **Directives générales:** Les interventions effractives, comme les injections intramusculaires ou les ponctions artérielles, devraient être évitées pendant ce traitement. Dans le cas où l'on doit malgré tout faire de tels gestes thérapeutiques, appliquer une pression sur les points de ponction IV, pendant au moins 15 min, et sur les points de ponction artérielle, pendant au moins 30 min.

☐ L'anticoagulation par voie systémique avec de l'héparine doit être habituellement amorcée plusieurs heures après la fin du traitement thrombolytique. Pour empêcher l'agrégation plaquettaire, on peut également administrer de l'acide acétylsalicylique.

☐ Le médecin peut prescrire de l'acétaminophène pour enrayer la fièvre.

■ **IV directe:** Reconstituer avec 5 mL d'eau stérile (qu'on introduit directement près des parois de la fiole) et tourner délicatement. Ne pas agiter pour réduire la formation de mousse. Ne pas faire des dilutions supplémentaires. Utiliser la solution reconstituée dans les 30 min qui suivent la préparation.

☐ *Vitesse d'administration:* Administrer en 2 à 5 min dans une veine ou dans une tubulure IV.

■ **Incompatibilités (tubulure en Y) et autres incompatibilités:** Ne pas mélanger avec d'autres médicaments; ne pas administrer d'autres agents simultanément par une tubulure en Y.

ENSEIGNEMENT AU PATIENT ET À SES PROCHES

☐ Expliquer au patient le but du traitement. Lui recommander de signaler les réactions d'hypersensibilité (rash, dyspnée), les saignements et la formation d'ecchymoses.

☐ Expliquer au patient qu'il doit rester alité et qu'il doit éviter de manipuler les tubulures pour se protéger des accidents.

VÉRIFICATION DES RÉSULTATS

L'efficacité du traitement peut être démontrée par: ■ la lyse des thrombus ■ le rétablissement du débit coronarien.

A

APRACLONIDINE
Iopidine, (Aplonidine)

CLASSIFICATION:
Gouttes ophtalmiques – agoniste alpha-adrénergique

Grossesse – catégorie C

INDICATIONS
Traitement de la pression intraoculaire élevée chez les patients ayant subi une intervention chirurgicale au laser à l'argon (trabéculoplastie, iridotomie).

ACTION
■ Réduction de la formation d'humeur aqueuse grâce à la stimulation des récepteurs alpha-adrénergiques de l'œil. **Effets thérapeutiques:** ■ Abaissement de l'hypertension intraoculaire.

PHARMACOCINÉTIQUE
Absorption: Par suite de l'administration des gouttes ophtalmiques, on note une certaine absorption systémique.
Distribution: Inconnue.
Métabolisme et excrétion: Inconnus.
Demi-vie: Inconnue.

CONTRE-INDICATIONS ET PRÉCAUTIONS
Contre-indications: Hypersensibilité à l'apraclonidine, à la clonidine ou au chlorure de benzalkonium.
Précautions: Grossesse, allaitement ou enfants de moins de 21 ans (l'innocuité du médicament n'a pas été établie).

RÉACTIONS INDÉSIRABLES ET EFFETS SECONDAIRES
ORLO: élévation de la paupière supérieure, blêmissement de la conjonctive, mydriase, irritation oculaire.

INTERACTIONS
Médicament – médicament: L'effet sur l'abaissement de la pression intraoculaire peut être additif lors de l'administration concomitante de **bêtabloquants** (**gouttes ophtalmiques**).

VOIES D'ADMINISTRATION ET POSOLOGIE
Gouttes ophtalmiques (adultes): Une goutte dans l'œil, une heure avant l'intervention chirurgicale; répéter l'application à la fin de l'intervention.

PHARMACODYNAMIE (abaissement de l'hypertension intraoculaire)

	DÉBUT D'ACTION	PIC	DURÉE
gouttes ophtalmiques	1 h	3 à 5 h	12 h

☀ SOINS INFIRMIERS

ÉVALUATION DE LA SITUATION
Mesurer le pouls et la pression artérielle. L'absorption systémique peut entraîner une légère diminution du pouls ou de la pression artérielle.

DIAGNOSTICS INFIRMIERS POSSIBLES
■ **Énoncés diagnostiques**
□ Prise en charge inefficace du programme thérapeutique.
□ *Risque élevé d'altération de la perception visuelle.*
□ *Risque élevé d'anxiété.*
■ **Facteurs favorisants**
□ Informations incomplètes.
□ *Manque de connaissances sur la méthode d'administration du médicament.*

INTERVENTIONS INFIRMIÈRES
Directives générales: La méthode d'instillation des préparations ophtalmiques est indiquée à l'annexe H.

ENSEIGNEMENT AU PATIENT ET À SES PROCHES
Recommander au patient de signaler l'élévation involontaire de la paupière supérieure ou l'irritation oculaire.

A

L'efficacité du traitement peut être démontrée par : la prévention de l'hypertension intraoculaire pendant ou après une chirurgie ophtalmique au laser.

ARGENT, SULFADIAZINE D'

Dermazin, Flamazine, SSD, (Silvadene), (Thermazene)

CLASSIFICATION :
Anti-infectieux topique

Grossesse – catégorie C

INDICATIONS

Principalement, prévention et traitement de l'infection en présence de brûlures du 2e et du 3e degré.

ACTION

■ Production de concentrations bactéricides d'argent et de sulfadiazine par suite de la division de la molécule ■ Effet sur la membrane et la paroi cellulaires. **Effets thérapeutiques :** ■ Action bactéricide contre les micro-organismes présents dans les plaies formées à la suite de brûlures. **Spectre d'action :** ■ La sulfadiazine d'argent est active contre une grande variété de micro-organismes pathogènes à Gram positif ou à Gram négatif, certains champignons et des bactéries anaérobies.

PHARMACOCINÉTIQUE

Absorption : Par suite de l'application topique, de petites quantités d'argent sont absorbées par voie systémique. Une fraction de sulfadiazine allant jusqu'à 10 % est également absorbée.
Distribution : Inconnue.
Métabolisme et excrétion : La sulfadiazine absorbée est excrétée à l'état inchangé par les reins.
Demi-vie : Inconnue.

CONTRE-INDICATIONS ET PRÉCAUTIONS

Contre-indications : ■ Nourrissons de moins de 2 mois (risque d'ictère nucléaire) ■ Grossesse près du terme (risque accru d'ictère nucléaire chez le nouveau-né) ■ Déficit en G-6-PD.
Précautions : ■ Hypersensibilité aux sulfamides, à l'argent ou aux parabènes ■ Risque de réactions de sensibilité croisée avec les dérivés thiazidiques, les hypoglycémiants oraux de type sulfonylurée ou les inhibiteurs de l'anhydrase carbonique ■ Insuffisance hépatique ou rénale ■ Grossesse (à utiliser seulement si les brûlures recouvrent moins de 20 % de la surface corporelle).

RÉACTIONS INDÉSIRABLES ET EFFETS SECONDAIRES

GU : cristallurie.
Tég. : douleurs, brûlures, démangeaisons.
Hémat. : leucopénie.

INTERACTIONS

Médicament – médicament : L'argent peut inactiver les **enzymes protéolytiques (fibrinolysine, désoxyribonucléase)** contenues dans les préparations topiques, appliquées simultanément.

VOIES D'ADMINISTRATION ET POSOLOGIE

Préparation topique (adultes et enfants) : appliquer la crème à 1 %, 1 ou 2 fois/jour, en une couche de 3 à 5 mm d'épaisseur.

PHARMACODYNAMIE
(effet anti-infectieux)

	DÉBUT D'ACTION	PIC	DURÉE
préparation topique	dès l'application	inconnu	aussi longtemps que la crème est en contact avec la peau

SOINS INFIRMIERS

ÉVALUATION DE LA SITUATION

■ Observer les tissus brûlés, avant le traitement et pendant toute sa durée, à la recherche de signes d'infection (écoulements purulents, humidité excessive, odeur caractéristique et résultats des cultures) et d'un état infectieux (accroissement du nombre de leucocytes, fièvre ou choc).

☐ Examiner la peau traitée et les tissus environnants pour déceler les signes suivants de réaction d'hypersensibilité : rash, démangeaisons ou brûlures.

■ **Étude des examens diagnostiques et biochimiques :** Noter, à intervalles réguliers, les résultats des tests de l'exploration fonctionnelle rénale et la numération globulaire lors de l'application de l'agent sur grandes surfaces, car l'absorption systémique peut entraîner une néphrite et une leucopénie réversible. La diminution du nombre de neutrophiles est à son maximum 4 jours après le début du traitement ; les concentrations reviennent habituellement à la normale après 2 ou 3 jours.

DIAGNOSTICS INFIRMIERS POSSIBLES

■ **Énoncés diagnostiques**
☐ Risque élevé d'infection.
☐ Atteinte à l'intégrité de la peau.
☐ Prise en charge inefficace du programme thérapeutique.

■ **Facteurs favorisants**
☐ Informations incomplètes.
☐ *Manque de connaissances sur la méthode d'administration du médicament.*

INTERVENTIONS INFIRMIÈRES

■ **Directives générales :** En général, appliquer la préparation après avoir débridé et nettoyé la plaie. Administrer un analgésique en prémédication.

■ **Préparation topique :** La crème est blanche ; la jeter si elle devient foncée.

☐ Appliquer la crème en utilisant une méthode aseptique. Il faut en recouvrir toute la plaie avec une couche de 3 à 5 mm d'épaisseur. Appliquer de nouveau la crème aux endroits où elle s'est enlevée à cause des mouvements du patient ; la brûlure devrait être constamment recouverte d'une couche de crème. On peut appliquer un pansement sur la plaie ou la laisser à découvert, selon les directives du médecin.

ENSEIGNEMENT AU PATIENT ET À SES PROCHES

Expliquer au patient et à ses proches le but du traitement. Leur indiquer que le médicament ne tachera pas la peau.

VÉRIFICATION DES RÉSULTATS

L'efficacité du traitement peut être déterminée par : la prévention et la prise en charge de l'infection en présence de brûlures du 2e et du 3e degré. Le traitement doit se poursuivre jusqu'à la cicatrisation de la plaie ou à la réparation de la peau par une greffe.

ASPARAGINASE
Kidrolase, (Elspar)

CLASSIFICATION :
Antinéoplasique – enzyme
Grossesse – catégorie C

INDICATIONS

Élément d'une chimiothérapie d'association de la leucémie lymphocytaire aiguë, lorsque les médicaments de premiers choix ne donnent pas les résultats escomptés.

ACTION

■ Catalyseur de la transformation de l'asparagine (un acide aminé) en acide aspartique et en ammoniaque ■ Inhibition de l'asparagine dans les cellules leucémiques. **Effets thérapeutiques :** ■ Destruction des cellules leucémiques.

PHARMACOCINÉTIQUE

Absorption: Le médicament est absorbé par suite de l'injection IM, mais non pas à partir du tractus gastro-intestinal.

Distribution: La plus grande partie du médicament reste dans l'espace intravasculaire; faible pénétration dans le liquide céphalorachidien.

Métabolisme et excrétion: Séquestration lente dans le système réticuloendothélial.

Demi-vie: IV, de 8 à 30 h; IM, de 39 à 49 h.

CONTRE-INDICATIONS ET PRÉCAUTIONS

Contre-indications: Hypersensibilité préalable.

Précautions: ■ Antécédents de réactions d'hypersensibilité ■ Maladie hépatique grave ■ Néphropathie ■ Maladie pancréatique ■ Dépression du système nerveux central ■ Anomalies de coagulation ■ Patientes en âge de procréer ■ Maladies chroniques débilitantes.

RÉACTIONS INDÉSIRABLES ET EFFETS SECONDAIRES

SNC: dépression, somnolence, fatigue, CONVULSIONS, coma, céphalées, confusion, irritabilité, agitation, étourdissements, hallucinations.

GI: nausées, vomissements, anorexie, crampes, perte de poids, pancréatite, hépatotoxicité.

Tég.: rash, urticaire.

End.: hyperglycémie.

Hémat.: anomalies de coagulation, hypoplasie médullaire transitoire.

Métab.: hyperuricémie, hyperammonémie.

Divers: réactions d'hypersensibilité incluant l'ANAPHYLAXIE.

INTERACTIONS

Médicament – médicament: ■ L'asparaginase peut abolir l'effet antinéoplasique du **méthotrexate** ■ Le médicament peut augmenter l'hépatotoxicité d'autres médicaments hépatotoxiques ■ L'effet hyperglycémiant est additif lors de l'administration concomitante de **glucocorticoïdes** ■ L'administration par voie IV de l'asparaginase simultanément à la **vincristine** ou immédiatement avant celle-ci peut augmenter la neurotoxicité du médicament.

VOIES D'ADMINISTRATION ET POSOLOGIE

Remarque: On peut également administrer le médicament selon d'autres schémas thérapeutiques.

Monothérapie en cas de leucémie lymphocytaire aiguë:

■ **Administration quotidienne (méthode usuelle et la moins susceptible de provoquer des effets secondaires):** de 200 à 1 000 UI/kg par jour pendant 28 jours. Après cette période, si l'on a obtenu une rémission complète, on passe au traitement d'entretien; sinon, le traitement d'induction peut être poursuivi pendant 14 jours supplémentaires.

■ **Administration intermittente:** 3 injections par semaine pendant 4 semaines, aux doses de 400 UI/kg les lundi et mercredi et 600 UI/kg, le vendredi. Après cette période, le traitement d'entretien est amorcé si le patient est en rémission. Sinon le traitement peut être poursuivi pendant 14 jours supplémentaires.

PHARMACODYNAMIE (inhibition de l'asparagine)

	DÉBUT D'ACTION	PIC*	DURÉE
IM	immédiat	14 – 24 h	23 – 33 jours
IV	immédiat	inconnu	23 – 33 jours

* Concentrations plasmatiques d'asparaginase.

SOINS INFIRMIERS

ÉVALUATION DE LA SITUATION

☐ Prendre les signes vitaux avant l'administration et à intervalles fréquents pendant toute la durée du traitement. Prévenir le médecin si la fièvre ou des frissons se manifestent.

☐ Effectuer le bilan des ingesta et des excreta. Signaler au médecin tout écart important. Recommander au patient de boire de 2 à 3 L de liquides par jour pour favoriser l'excrétion de l'acide urique. Le médecin peut prescrire de l'allopurinol ou un agent alcalinisant de l'urine pour prévenir la formation des calculs d'urate.

☐ Surveiller les réactions suivantes d'hypersensibilité : urticaire, diaphorèse, boursouflure du visage, douleurs articulaires, hypotension, bronchospasme. Garder de l'épinéphrine et le matériel de réanimation à portée de la main. Les réactions peuvent survenir jusqu'à 2 h après l'administration.

☐ Surveiller l'intensité des nausées et des vomissements ainsi que l'appétit du patient. Peser le patient toutes les semaines. Demander au médecin s'il conseille d'administrer un antiémétique avant l'asparaginase.

☐ Observer l'affect et les signes neurologiques du patient. Signaler au médecin les symptômes dépressifs, la somnolence ou les hallucinations. Ces symptômes disparaissent habituellement en l'espace de 2 à 3 jours après l'arrêt du traitement.

■ **Étude des examens diagnostiques et biochimiques :** Étudier la numération globulaire avant le traitement et à intervalles réguliers pendant toute sa durée. Le médicament peut modifier les résultats des examens de coagulation. Le nombre de plaquettes peut augmenter et les temps de prothrombine, de céphaline (PTT) et de thrombine peuvent s'allonger. Le médicament peut élever les concentrations d'urée.

☐ L'hépatotoxicité peut se manifester par une élévation des concentrations de TGOS (AST), de TGPS (ALT), de phosphatase alcaline, de bilirubine ou de cholestérol. Les résultats des tests de l'exploration fonctionnelle hépatique se rétablissent habituellement après le traitement. Le médicament peut provoquer une pancréatite ; noter les concentrations élevées d'amylase ou de glucose.

☐ L'asparaginase peut diminuer les concentrations sériques de calcium.

☐ Le médicament peut élever les concentrations sériques et urinaires d'acide urique.

☐ L'asparaginase peut modifier les résultats des tests de l'exploration fonctionnelle thyroïdienne.

DIAGNOSTICS INFIRMIERS POSSIBLES

■ **Énoncés diagnostiques**

☐ Risque élevé d'accident.

☐ Risque élevé d'infection.

☐ Prise en charge inefficace du programme thérapeutique.

☐ *Risque élevé d'hémorragie.*

■ **Facteurs favorisants**

☐ Informations incomplètes.

☐ *Manque de connaissances sur les moyens de prévenir les effets secondaires du médicament.*

INTERVENTIONS INFIRMIÈRES

■ **Directives générales :** Les solutions sont habituellement préparées par le pharmacien. Les méthodes de préparation et de mise au rebut sont indiquées à l'annexe I.

☐ En cas de coagulopathie, appliquer une pression sur les points de ponction veineuse. Éviter les injections IM.

■ **Dose d'épreuve :** Déterminer la sensibilité par une intradermoréaction avant d'administrer la dose initiale. Espacer les administrations de plus de une semaine. Reconstituer la fiole avec 5 mL d'eau stérile ou de solution de NaCl à 0,9 % pour injection (sans agents de conservation). Ajouter 0,1 mL de cette solution de 2 000 UI/mL à 9,9 mL de plus de diluant pour

A

obtenir une solution de 20 UI/mL. Injecter 0,1 mL (2 UI) par voie intradermique. Observer le point d'injection pendant une heure, pour déceler l'apparition d'une papule. La papule est l'indice d'une réaction positive. Le médecin peut recommander un traitement de désensibilisation.

- **Traitement de désensibilisation:** Commencer par l'administration IV de 1 UI toutes les 10 min. Doubler les doses toutes les 10 min, jusqu'à l'administration de la dose quotidienne totale si aucune réaction d'hypersensibilité ne se manifeste.
- **IM:** Préparer la dose destinée à l'administration IM en ajoutant 2 mL de solution de NaCl à 0,9 % pour injection (sans agents de conservation) à une fiole de 10 000 UI. Agiter délicatement. Ne jamais administrer plus de 2 mL par point d'injection.
- **IV directe:** Préparer la dose par voie IV en diluant le contenu de la fiole à 10 000 UI avec 5 mL d'eau stérile ou de solution de NaCl à 0,9 % (sans agents de conservation). Si des fibres gélatineuses se forment, l'administration par un filtre de 5 μ ne modifie pas la puissance du médicament. L'administration par un filtre de 0,2 μ pourrait entraîner une perte de puissance. La solution reconstituée doit être transparente. Jeter la solution si elle est trouble. La solution est stable pendant 8 h au réfrigérateur.
- *Vitesse d'administration:* Administrer par une tubulure en Y à écoulement rapide par laquelle on fait passer une solution de dextrose à 5 % dans de l'eau ou une solution de NaCl à 0,9 %, en au moins 30 min. Maintenir la perfusion IV pendant 2 h après l'administration de la dose.

ENSEIGNEMENT AU PATIENT ET À SES PROCHES

□ Demander au patient de signaler au médecin les symptômes suivants: douleurs abdominales, nausées et vomissements graves, jaunisse, fièvre, frissons, maux de gorge, saignement ou formation d'ecchymoses, soif ou miction excessives, aphtes. Recommander au patient d'éviter les foules et les personnes contagieuses. Lui conseiller d'utiliser une brosse à dents à poils doux et un rasoir électrique et de prendre garde aux chutes. Recommander également au patient d'éviter de boire des boissons alcoolisées et de ne pas prendre des médicaments contenant de l'aspirine, étant donné que ces substances peuvent déclencher une hémorragie gastrique.

□ Expliquer à la patiente le besoin de prendre des mesures contraceptives.

□ Prévenir le patient qu'il ne doit recevoir aucun vaccin sans demander au préalable l'avis du médecin. Prévenir le patient que le traitement peut modifier le calendrier vaccinal.

□ Expliquer au patient le besoin de se soumettre à intervalles réguliers à des examens diagnostiques permettant de surveiller les effets secondaires.

VÉRIFICATION DES RÉSULTATS

L'efficacité du traitement peut être démontrée par: le rétablissement de l'hématopoïèse chez les patients souffrant de leucémie.

ASPIRINE

AAS, Acide acétylsalicylique, Anacin, Apo-ASA, Asaphen, Aspergum, Aspirin Bayer, Coryphène, Entrophen, Novasen, PMS-AAS, Supasa, (Arthrinol), (Artria), (Astrine), (Easprine), (Ecotrin), (Halprin), (Measurin), (Riphene), (Sal-Adult), (Sal-Infant), (Triaphen), (ZORprin)

CLASSIFICATION:

Analgésique non narcotique; anti-inflammatoire non stéroïdien, antipyrétique, antiagrégant plaquettaire

Grossesse – catégorie D

INDICATIONS

■ Traitement des maladies inflammatoires dont: □ la polyarthrite rhumatoïde □ l'arthrose ■ Traitement de la douleur légère à modérée ■ Traitement de la fièvre de diverses étiologies ■ Prophylaxie des accès ischémiques transitoires ou d'accidents vasculaires cérébraux chez les hommes ■ Prophylaxie de l'infarctus du myocarde.

ACTION

■ Analgésie et réduction de l'inflammation et de la fièvre par l'inhibition de la production de prostaglandines ■ Diminution de l'agrégation plaquettaire. **Effets thérapeutiques:** ■ Analgésie ■ Réduction de l'inflammation ■ Abaissement de la fièvre ■ Diminution de l'incidence des accès ischémiques transitoires et de l'infarctus du myocarde.

PHARMACOCINÉTIQUE

Absorption: Le médicament est bien absorbé à partir de l'intestin grêle supérieur. L'absorption des préparations à enrobage entérique n'est pas très fiable. L'absorption par suite de l'administration par voie rectale est lente et variable. **Distribution:** Le médicament se répartit rapidement dans tout l'organisme. Il traverse le placenta et pénètre dans le lait maternel. **Métabolisme et excrétion:** Métabolisme hépatique important. Les métabolites inactifs sont excrétés par les reins. **Demi-vie:** De 2 à 3 h pour les doses faibles. Lors de l'administration de doses plus élevées, la demi-vie peut se prolonger jusqu'à 15 à 30 h à cause de la saturation du métabolisme hépatique.

CONTRE-INDICATIONS ET PRÉCAUTIONS

Contre-indications: ■ Hypersensibilité à l'acide acétylsalicylique, à la tartrazine et aux autres salicylates ■ Risque de sensibilité croisée avec d'autres agents anti-inflammatoires non stéroïdiens ■ Troubles hémorragiques ou thrombocytopénie. **Précautions:** ■ Antécédents d'hémorragie digestive ou d'ulcère ■ Maladie hépatique ou rénale grave ■ Grossesse (le médicament peut entraîner des réactions indésirables chez le fœtus et chez la mère) ■ Allaitement (l'innocuité du médicament n'a pas été établie) ■ Automédication sans surveillance médicale pendant plus de 10 jours dans le cas de l'adulte ou pendant plus de 5 jours dans le cas de l'enfant.

RÉACTIONS INDÉSIRABLES ET EFFETS SECONDAIRES

ORLO: acouphènes, surdité.
GI: dyspepsie, brûlures épigastriques, douleurs épigastriques, nausées, vomissements, anorexie, douleurs abdominales, hémorragie digestive, hépatotoxicité.
Hémat.: anémie, hémolyse.
Divers: œdème pulmonaire lésionnel, réactions allergiques comprenant l'ANAPHYLAXIE et ŒDÈME LARYNGÉ.

INTERACTIONS

Médicament – médicament: ■ L'acide acétylsalicylique peut potentialiser les effets des **anticoagulants oraux**, de l'**héparine** ou des **agents thrombolytiques** ■ Le médicament peut augmenter l'activité des **pénicillines**, de la **phénytoïne**, du **méthotrexate**, de l'**acide valproïque**, des **hypoglycémiants oraux** et des **sulfamides** ■ Le médicament peut contrecarrer les effets bénéfiques du **probénécide** ou du **sulfinpyrazone** ■ Les **glucocorticoïdes** peuvent diminuer les concentrations sériques de salicylate ■ L'**acidification de l'urine** augmente la réabsorption et peut élever les concentrations sériques des salicylates ■ L'**alcalinisation de l'urine** ou l'ingestion d'une quantité importante d'**antiacides** favorise l'excrétion du salicylate et en diminue les concentrations sériques ■ Le médicament peut atténuer la réponse thérapeutique aux **diurétiques**, aux **antihypertenseurs** ou

A

aux **anti-inflammatoires non stéroïdiens** ■ L'acide acétylsalicylique peut augmenter le risque d'hémorragie lors de l'administration concomitante de **céfamandole**, de **céfopérazone**, de **céfotétane**, de **moxalactame**, d'**acide valproïque** ou de **plicamycine** ■ L'administration concomitante d'**anti-inflammatoires non stéroïdiens** augmente le risque d'irritation gastro-intestinale ■ Risque de neurotoxicité pour la VIIIe paire crânienne (effet ototoxique) lors de l'administration concomitante de **vancomycine**. **Médicament – aliments :** ■ Les aliments qui **acidifient l'urine** (voir l'annexe K) peuvent augmenter la réabsorption du salicylate et en accroître les concentrations sériques.

PRÉSENTATION

L'acide acétylsalicylique est présenté sous diverses formes : comprimés, caplets, comprimés à croquer, gomme à mâcher, comprimés à enrobage entérique, comprimés effervescents et aspirine tamponnée. L'acide acétylsalicylique existe également sous forme d'association avec un grand nombre d'autres médicaments (voir l'annexe A).

VOIES D'ADMINISTRATION ET POSOLOGIE

Analgésie et antipyrèse

■ **PO et PR (adultes):** de 325 à 1 000 mg toutes les 4 à 6 h, selon les besoins (ne pas dépasser 4 g par jour).

■ **PO et PR (enfants de 2 à 11 ans):** de 10 à 15 mg/kg, toutes les 6 h sans dépasser 2,4 g par jour.

Anti-inflammatoire

■ **PO (adultes):** de 2,6 à 5,2 g par jour en doses fractionnées.

■ **PO (enfants):** de 60 à 125 mg/kg par jour, en doses fractionnées.

Prévention des accès ischémiques transitoires

■ **PO (adultes):** 1,3 g par jour en 2 à 4 doses fractionnées.

Prévention de l'infarctus du myocarde

■ **PO (adultes):** 325 mg par jour (on a déjà utilisé des doses plus faibles).

PHARMACODYNAMIE

	DÉBUT D'ACTION	PIC	DURÉE
PO	5 – 30 min	1 – 3 h	3 – 6 h
PR	1 – 2 h	4 – 5 h	7 h

☀ SOINS INFIRMIERS

ÉVALUATION DE LA SITUATION

■ **Directives générales :** Les patients souffrant d'asthme, d'allergies ou de polypes nasaux ou encore ceux qui sont allergiques à la tartrazine sont davantage prédisposés aux réactions d'hypersensibilité.

■ **Douleur :** Suivre de près la douleur et ses effets sur la mobilité. Déterminer le type de douleur, son siège et son intensité avant et 30 à 60 min après l'administration du médicament.

■ **Fièvre :** Mesurer la fièvre et noter les signes connexes suivants : diaphorèse, tachycardie, malaises, frissons.

■ **Étude des examens diagnostiques et biochimiques :** L'aspirine allonge le temps de saignement pendant 4 à 7 jours et, à des doses élevées, elle peut allonger le temps de prothrombine, entraîner des résultats faussement négatifs à l'épreuve de glycosurie par dosage enzymatique (Clinistix, Tes-tape), ou des résultats faussement positifs au dosage de la glycosurie par la méthode du sulfate de cuivre (Clinitest).

■ **Toxicité et surdosage :** Surveiller l'apparition des acouphènes, de l'hyperventilation, de l'agitation, de la confusion mentale, de la léthargie, de la constipation et de la transpiration. Si ces symptômes se manifestent, arrêter l'administration du médicament et en prévenir immédiatement le médecin.

DIAGNOSTICS INFIRMIERS POSSIBLES

■ **Énoncés diagnostiques**

☐ Douleur.

☐ Altération de la mobilité physique.

☐ Prise en charge inefficace du programme thérapeutique.

☐ *Risque élevé d'hémorragie gastrique.*

■ **Facteurs favorisants**

☐ Informations incomplètes.

☐ *Manque des connaissances sur les moyens de prévenir les effets secondaires affectant l'appareil gastrointestinal.*

☐ *Douleurs articulaires.*

INTERVENTIONS INFIRMIÈRES

■ **PO:** Administrer l'aspirine après les repas ou avec des aliments ou un antiacide pour réduire l'irritation gastrique. Les aliments ralentissent mais ne modifient pas la quantité totale absorbée.

☐ Prévenir le patient qu'il ne doit pas broyer ni croquer les comprimés à délitement entérique (Entrophen). Lui recommander de ne pas prendre des antiacides dans les 2 h qui suivent la prise de comprimés à enrobage entérique. Les comprimés à croquer peuvent être mâchés, dissous dans un liquide ou avalés tels quels.

ENSEIGNEMENT AU PATIENT ET À SES PROCHES

■ **Directives générales:** Conseiller au patient de prendre l'acide acétylsalicylique avec un grand verre d'eau et de rester par la suite assis pendant 15 à 30 min.

☐ Recommander au patient de signaler les acouphènes, les saignements inhabituels des gencives, la formation d'ecchymoses, les selles noires goudronneuses ou la fièvre qui dure plus de 3 jours.

☐ Conseiller au patient d'éviter de boire de l'alcool pendant son traitement afin de réduire les risques d'irritation gastrique.

☐ Expliquer au patient qui suit un régime hyposodé qu'il ne doit jamais prendre des comprimés effervescents ou des préparations d'acide acétylsalicylique tamponnées.

☐ Prévenir le patient qu'il doit jeter les comprimés ayant une odeur vinaigrée.

☐ Recommander au patient qui suit un traitement prolongé d'avertir le dentiste ou le médecin avant de subir une intervention chirurgicale qu'il prend de l'acide acétylsalicylique. Parfois, il devra interrompre la prise du médicament pendant la semaine qui précède cette intervention.

☐ Prévenir le patient que les centres épidémiologiques mettent en garde contre l'administration d'acide acétylsalicylique aux enfants et aux adolescents souffrant de varicelle, de syndrome grippal ou de maladie virale étant donné le risque d'apparition du syndrome de Reye.

■ **Accès ischémique transitoire ou infarctus du myocarde:** Prévenir le patient qui reçoit l'acide acétylsalicylique en prophylaxie de ne prendre que la dose prescrite. On n'a pas pu démontrer que des doses plus grandes procurent des avantages supplémentaires.

VÉRIFICATION DES RÉSULTATS

L'efficacité du traitement peut être démontrée par: ■ le soulagement de la douleur légère à modérée ■ l'amélioration du mouvement articulaire ■ la baisse de la fièvre ■ la prévention des accès ischémiques transitoires ■ la prévention de l'infarctus du myocarde.

ASTÉMIZOLE
Hismanal, (Hismanyl)

CLASSIFICATION:
Antihistaminique

Grossesse – catégorie C

INDICATIONS

■ Soulagement des symptômes allergiques provoqués par la libération d'histamine ■ Maximum d'efficacité dans le traitement de la rhinite allergique saisonnière, de la conjonctivite allergique et de l'urticaire chronique idiopathique ■ Effet sédatif moindre que les autres antihistaminiques.

ACTION

■ Blocage des effets suivants de l'histamine : □ vasodilatation □ augmentation des sécrétions de suc gastrique □ élévation de la fréquence cardiaque □ hypotension. **Effets thérapeutiques :** ■ Soulagement des symptômes associés à un excès d'histamine qui caractérisent habituellement les états allergiques. Le médicament ne bloque pas la libération de l'histamine.

PHARMACOCINÉTIQUE

Absorption : Bonne absorption par suite de l'administration PO.
Distribution : Inconnue.
Métabolisme et excrétion : Le médicament est surtout métabolisé par le foie et transformé partiellement en desméthylastémizole, métabolite doué d'effets antihistaminiques.
Demi-vie : Astémizole, 100 h; desméthylastémizole, 12 jours.

CONTRE-INDICATIONS ET PRÉCAUTIONS

Contre-indications : ■ Hypersensibilité ■ Allongement de l'intervalle QT ■ Accès aigu d'asthme ■ Allaitement (usage à éviter).
Précautions : ■ Glaucome à angle étroit ■ Maladie hépatique ■ Personnes âgées (davantage prédisposées à des réactions indésirables) ■ Grossesse (l'innocuité du médicament n'a pas été établie).

RÉACTIONS INDÉSIRABLES ET EFFETS SECONDAIRES

SNC : somnolence, ataxie, étourdissements, incapacité de se concentrer, céphalées, fatigue, stimulation.

ORLO : conjonctivite, pharyngite.
Resp. : toux.
GI : sécheresse de la bouche (xérostomie), nausées, diarrhée, douleurs abdominales, météorisme.
Tég. : rash, eczéma.
Loc. : douleur des articulations.
Divers : gain pondéral.

INTERACTIONS

Médicament – médicament : ■ L'érythromycine et le kétoconazole inhibent le métabolisme de l'astémizole, produisant ainsi des concentrations plasmatiques élevées d'astémizole et de desméthylastémizole. Des effets cardiaques graves et des arythmies peuvent survenir. L'administration concomitante de l'astémizole et d'érythromycine ou de kétoconazole est contre-indiquée ■ Effet additif sur la dépression du système nerveux central lors de l'administration d'autres **dépresseurs du SNC** dont l'**alcool**, les **narcotiques** et les **hypnosédatifs** ■ Les **inhibiteurs de la MAO** intensifient et prolongent les effets anticholinergiques des antihistaminiques. **Médicament – aliments :** ■ Les **aliments** diminuent l'absorption de l'astémizole.

VOIES D'ADMINISTRATION ET POSOLOGIE

■ **PO (adultes) :** 10 mg par jour. (Pour obtenir des effets plus rapides, on peut administrer 30 mg le premier jour, 20 mg le deuxième jour et, ensuite, 10 mg par jour).
■ **Enfants de 6 à 12 ans :** 5 mg, 1 fois par jour.
■ **Enfants de moins de 6 ans :** 2 mg/10 kg, 1 fois par jour.

PHARMACODYNAMIE
(effets antihistaminiques)

	DÉBUT D'ACTION	PIC	DURÉE
PO	2 – 3 jours	inconnu	plusieurs semaines

SOINS INFIRMIERS

ÉVALUATION DE LA SITUATION

☐ Avant l'administration initiale et à intervalles réguliers pendant toute la durée du traitement, surveiller l'apparition des symptômes suivants d'allergie : rhinite, conjonctivite, éruptions urticariennes.

☐ Ausculter le murmure vésiculaire et noter les caractéristiques des sécrétions bronchiques. Maintenir l'apport de liquides entre 1 500 et 2 000 mL par jour pour diminuer la viscosité des sécrétions.

■ **Étude des examens diagnostiques et biochimiques :** Le médicament peut donner des résultats faussement négatifs aux tests cutanés allergologiques.

DIAGNOSTICS INFIRMIERS POSSIBLES

■ **Énoncés diagnostiques**

☐ Dégagement inefficace des voies respiratoires.

☐ Risque élevé d'accident.

☐ Prise en charge inefficace du programme thérapeutique.

■ **Facteurs favorisants**

☐ Informations incomplètes.

☐ *Perturbation de la vigilance.*

INTERVENTIONS INFIRMIÈRES

PO : Administrer les doses à jeun.

ENSEIGNEMENT AU PATIENT ET À SES PROCHES

☐ Recommander au patient de prendre le médicament 1 h avant ou 2 h après les repas.

☐ Prévenir le patient que l'astémizole peut provoquer de la somnolence. Lui conseiller de ne pas conduire et d'éviter les activités qui exigent sa vigilance jusqu'à ce qu'on ait la certitude que le médicament n'entraîne pas cet effet chez lui.

☐ Expliquer au patient que le médicament peut accroître l'appétit. Les patients qui suivent un traitement prolongé devraient éventuellement limiter l'apport énergétique et augmenter leurs activités afin d'éviter un gain pondéral indésirable.

☐ Expliquer au patient que pour soulager la sécheresse de la bouche, il devrait pratiquer une bonne hygiène orale, se rincer fréquemment la bouche avec de l'eau et consommer des bonbons ou de la gomme à mâcher sans sucre. Conseiller au patient de consulter le dentiste si la sécheresse de la bouche persiste pendant plus de 2 semaines.

☐ Recommander au patient de consulter son médecin si les symptômes persistent.

VÉRIFICATION DES RÉSULTATS

L'efficacité du traitement peut être démontrée par : la diminution des symptômes allergiques.

ATÉNOLOL

Apo-Atenolol, Novo-Atenolol, Tenormin

CLASSIFICATION :

Antihypertenseur – bêtabloquant ; bêtabloquant sélectif ; anti-angineux

Grossesse – catégorie C

INDICATIONS

■ Hypertension – monothérapie ou traitement d'association avec d'autres agents ■ Traitement de l'angine de poitrine. **Usages non approuvés :** ■ Réduction des arythmies ; traitement de la myocardiopathie hypertrophique, du prolapsus mitral, du phéochromocytome, des céphalées vasculaires, des tremblements et de la thyrotoxicose ■ Prophylaxie de l'infarctus du myocarde.

ACTION

■ Blocage de la stimulation des récepteurs bêta$_1$ adrénergiques (myocardiques). Les doses thérapeutiques n'affectent habituellement pas les récepteurs

A

bêta$_2$ (pulmonaires, vasculaires ou utérins). **Effets thérapeutiques :** ■ Ralentissement de la fréquence cardiaque ■ Abaissement de la pression artérielle ■ Prévention de l'infarctus du myocarde.

PHARMACOCINÉTIQUE

Absorption : Le médicament n'est pas complètement absorbé à partir du tractus gastro-intestinal (de 50 à 60 %).
Distribution : Une petite fraction de médicament seulement traverse la barrière hémato-encéphalique. L'aténolol traverse le placenta et pénètre dans le lait maternel.
Métabolisme et excrétion : Une fraction de 40 à 50 % est excrétée à l'état inchangé par les reins. Le reste est excrété dans les fèces sous forme de médicament non absorbé.
Demi-vie : De 6 à 9 h.

CONTRE-INDICATIONS ET PRÉCAUTIONS

Contre-indications : ■ Insuffisance cardiaque non compensée ■ Œdème pulmonaire ■ Choc cardiogène ■ Bradycardie ■ Bloc cardiaque ■ Allaitement.
Précautions : ■ Thyrotoxicose (le médicament peut en masquer les symptômes) ■ Diabète sucré (le médicament peut masquer les symptômes d'hypoglycémie) ■ Insuffisance rénale (réduire la dose) ■ Grossesse et enfants (l'innocuité du médicament n'a pas été établie).

RÉACTIONS INDÉSIRABLES ET EFFETS SECONDAIRES

SNC : fatigue, faiblesse, étourdissements, dépression, perte de mémoire, modification des opérations de la pensée, cauchemars, somnolence.
ORLO : sécheresse des yeux (alacrymie), vision trouble.
Resp. : bronchospasme, respiration sifflante.
CV : BRADYCARDIE, INSUFFISANCE CARDIAQUE, OÈDEME PULMONAIRE, vasoconstriction périphérique, hypotension.

GI : constipation, diarrhée, nausées.
GU : impuissance, perte de la libido.
End. : hyperglycémie.

INTERACTIONS

Médicament – médicament : ■ Les anesthésiques généraux, la **phénytoïne** administrée par voie IV et le **vérapamil** peuvent exercer des effets additifs sur la dépression du myocarde ■ Effet additif sur la bradycardie lors de l'administration concomitante de **dérivés digitaliques** ■ Les **antihypertenseurs** ou les **dérivés nitrés**, administrés simultanément, peuvent entraîner des effets hypotenseurs additifs ■ L'administration simultanée d'**épinéphrine** peut provoquer une stimulation des récepteurs alpha-adrénergiques à laquelle rien ne s'oppose ■ L'administration simultanée de **dérivés de la thyroïde** peut diminuer l'efficacité de l'aténolol.

PRÉSENTATION

Le médicament existe également en association avec la chlorthalidone (Tenoretic) ; voir l'annexe A.

VOIES D'ADMINISTRATION ET POSOLOGIE

PO (adultes) : de 50 à 200 mg, une fois par jour.

PHARMACODYNAMIE
(effet antihypertenseur)

	DÉBUT D'ACTION	PIC	DURÉE
PO	60 min	2 à 4 h	24 h

☼ SOINS INFIRMIERS

ÉVALUATION DE LA SITUATION

☐ Mesurer la pression artérielle et le pouls à intervalles fréquents pendant la période d'adaptation posologique et à intervalles réguliers pendant toute la durée du traitement.

□ Effectuer le bilan quotidien des ingesta et des excreta et peser le patient tous les jours. Surveiller les signes et les symptômes suivants de surcharge volémique : œdème périphérique, dyspnée, râles ou crépitations, gain pondéral, turgescence des jugulaires.

■ **Étude des examens diagnostiques et biochimiques :** L'aténolol peut élever les concentrations sériques d'acide urique, d'urée, de lipoprotéines et de triglycérides.

DIAGNOSTICS INFIRMIERS POSSIBLES

■ **Énoncés diagnostiques**

□ Intolérance à l'activité.

□ Diminution du débit cardiaque.

□ Prise en charge inefficace du programme thérapeutique.

□ *Risque élevé d'accident.*

■ **Facteurs favorisants**

□ Informations incomplètes.

□ *Perturbation de la vigilance.*

□ *Essoufflement et fatigue.*

INTERVENTIONS INFIRMIÈRES

■ **Directives générales :** Mesurer le pouls apexien avant d'administrer le médicament. S'il est inférieur à 50 battements par minute, ne pas administrer et en informer le médecin.

■ **PO :** L'aténolol peut être administré sans égard aux repas. En cas de difficultés de déglutition, on peut broyer les comprimés et les mélanger avec des liquides.

ENSEIGNEMENT AU PATIENT ET À SES PROCHES

□ Expliquer au patient qu'il doit respecter scrupuleusement la posologie recommandée et qu'il doit continuer à prendre le médicament, même s'il se sent bien. L'avertir qu'il ne doit jamais sauter une dose ni remplacer une dose manquée par une double dose. S'il n'a pu prendre son médicament au moment habituel, il doit le prendre aussitôt que possible, mais au moins 8 h avant l'heure prévue pour la dose suivante. Un sevrage brusque peut provoquer de l'hypertension, une ischémie du myocarde ou des arythmies mortelles.

□ Montrer au patient et à ses proches comment prendre le pouls et la pression artérielle. Leur demander de mesurer le pouls tous les jours et la pression artérielle toutes les semaines. Leur recommander de signaler au médecin tout changement important.

□ Prévenir le patient que l'aténolol peut parfois provoquer de la somnolence. Lui conseiller de ne pas conduire et d'éviter les activités qui exigent sa vigilance jusqu'à ce qu'on ait la certitude que le médicament n'entraîne pas cet effet chez lui.

□ Recommander au patient de changer lentement de position pour réduire l'hypotension orthostatique.

□ Inciter le patient à appliquer d'autres mesures de réduction de l'hypertension : perdre du poids, réduire sa consommation de sel, diminuer le stress, faire régulièrement de l'exercice, boire avec modération et cesser de fumer. L'aténolol stabilise la pression artérielle mais ne guérit pas l'hypertension.

□ Prévenir le patient que le médicament peut le rendre plus sensible au froid.

□ Conseiller au patient de consulter un médecin ou un pharmacien avant de prendre un médicament en vente libre en même temps que l'aténolol.

□ Recommander au patient diabétique de bien mesurer sa glycémie, particulièrement lorsqu'il se sent fatigué, faible ou irritable, ou lorsqu'il ressent un malaise.

□ Recommander au patient qui doit suivre un traitement dentaire ou subir une intervention chirurgicale d'avertir le dentiste ou le médecin qu'il suit un traitement médicamenteux.

□ Conseiller au patient de porter un bracelet d'identité où sont inscrits son problème de santé et son traitement médicamenteux.

□ Recommander au patient de signaler au médecin les symptômes suivants de surcharge liquidienne : ralentissement du pouls, étourdissements, confusion, dépression, rash, fièvre, mal de gorge, ainsi que les saignements inhabituels et la formation d'ecchymoses.

VÉRIFICATION DES RÉSULTATS

L'efficacité du traitement peut être démontrée par : ■ la baisse de la pression artérielle ■ la diminution de la fréquence des crises d'angine et l'augmentation de la tolérance à l'effort.

ATRACURIUM
Tracrium

CLASSIFICATION :
Bloqueur neuromusculaire de type non dépolarisant

Grossesse – catégorie C

INDICATIONS
Paralysie des muscles squelettiques après induction de l'anesthésie.

ACTION
■ Inhibition de la neurotransmission par blocage de l'effet de l'acétylcholine à la jonction neuromusculaire. **Effets thérapeutiques :** ■ Paralysie des muscles squelettiques.

PHARMACOCINÉTIQUE
Absorption : Par suite de l'administration IV, l'absorption est virtuellement complète.
Distribution : Le médicament se répartit dans l'espace extracellulaire et traverse le placenta.

Métabolisme et excrétion : Métabolisme plasmatique.
Demi-vie : 20 min.

CONTRE-INDICATIONS ET PRÉCAUTIONS
Contre-indication : Hypersensibilité à l'atracurium, à l'acide benzènesulfonique ou à l'alcool benzylique.
Précautions : ■ Antécédents de maladie pulmonaire ■ Insuffisance rénale ou hépatique ■ Personnes âgées ou débilitées ■ Déséquilibres électrolytiques ■ Traitement avec un dérivé digitalique ■ Myasthénie grave ou syndromes myasthéniques (administrer avec une extrême prudence) ■ Accouchement par césarienne (précédents d'usage).

RÉACTIONS INDÉSIRABLES ET EFFETS SECONDAIRES
CV : bradycardie, hypotension.
Resp. : respiration sifflante, augmentation des sécrétions bronchiques.
Tég. : rougeur de la peau, érythème, prurit, urticaire.
Divers : réactions allergiques comprenant l'ANAPHYLAXIE.

INTERACTIONS
Médicament – médicament : L'intensité et la durée de la paralysie peuvent être prolongées par l'administration préalable de **succinylcholine**, d'une **anesthésie générale**, d'**aminosides**, de **polymyxine B**, de **colistine**, de **clindamycine**, de **lidocaïne**, de **quinidine**, de **procaïnamide**, de **bêta-bloquants**, de **diurétiques d'épargne potassique** ou de **magnésium**.

VOIES D'ADMINISTRATION ET POSOLOGIE
■ **IV (adultes et enfants > 2 ans) :** initialement, de 0,4 à 0,5 mg/kg (de 0,25 à 0,35 mg/kg si l'atracurium est administré après une anesthésie en régime stable à l'aide d'enflurane ou d'isoflurane, ou de 0,3 à 0,4 mg/kg, s'il est administré après la succinylcholine) ;

ensuite, de 0,08 à 0,1 mg/kg, selon les besoins.

- **IV (enfants de 1 mois à 2 ans) (É.-U.):** initialement, de 0,3 à 0,4 mg/kg (pendant l'anesthésie à l'halothane).

PHARMACODYNAMIE
(blocage neuromusculaire)

	DÉBUT D'ACTION	PIC	DURÉE
IV	2 – 2,5 min	5 min	30 – 40 min

SOINS INFIRMIERS

ÉVALUATION DE LA SITUATION

- ☐ Suivre de près la fonction respiratoire pendant toute la durée du traitement à l'atracurium. L'atracurium ne devrait être administré que par les personnes sachant pratiquer l'intubation endotrachéale ; garder à portée de la main le matériel nécessaire à cette intervention.
- ☐ Évaluer la réponse neuromusculaire à l'atracurium pendant l'intervention par une stimulation des nerfs périphériques. La paralysie des muscles est initialement sélective et elle se produit habituellement dans l'ordre suivant : muscles releveurs des paupières, muscles masticateurs, muscles des membres, muscles abdominaux, muscles de la glotte, muscles intercostaux et diaphragme. Le rétablissement de la fonction musculaire se produit habituellement dans l'ordre inverse.
- ☐ Pendant la période de récupération, surveiller l'apparition des symptômes de faiblesse musculaire et de détresse respiratoire.
- **Toxicité et surdosage :** En cas de surdosage, stimuler les nerfs périphériques pour déterminer le degré de blocage neuromusculaire. Maintenir la perméabilité des voies aériennes et la ventilation jusqu'au rétablissement de la respiration normale.

- ☐ On peut administrer des agents anticholinestérasiques (édrophonium, néostigmine, pyridostigmine) pour contrecarrer les effets de l'atracurium. L'atropine est habituellement administrée avant les agents anticholinestérasiques ou simultanément à eux pour contrecarrer les effets muscariniques.
- ☐ L'administration de liquides et de vasodépresseurs peut être nécessaire pour traiter l'hypotension grave et le choc.

DIAGNOSTICS INFIRMIERS POSSIBLES

- **Énoncés diagnostiques**
- ☐ Mode de respiration inefficace.
- ☐ Altération de la communication verbale.
- ☐ Peur.

- **Facteurs favorisants**
- ☐ *Manque de connaissances sur les modalités du traitement.*
- ☐ *Manque de connaissances sur les effets secondaires du médicament.*

INTERVENTIONS INFIRMIÈRES

- **Directives générales :** Ajuster la posologie selon la réaction du patient.
- ☐ L'atracurium ne modifie pas l'état de la conscience ni le seuil de la douleur. Il faut toujours assurer une anesthésie adéquate lorsque l'atracurium est utilisé lors d'une intervention chirurgicale en tant qu'adjuvant.
- ☐ Garder le médicament au réfrigérateur.
- **IM :** Éviter cette voie d'administration à cause des risques d'irritation cutanée.
- **IV directe :** Administrer la dose IV initiale sous forme de bolus en l'espace de 1 min.
- **Perfusion intermittente :** Il est habituellement nécessaire d'administrer une dose d'entretien, 20 à 45 min après la dose initiale.
- ☐ Faire une dilution supplémentaire dans une solution de dextrose à 5 %

dans de l'eau, dans une solution de NaCl à 0,9 % ou dans une solution de dextrose à 5 % et de NaCl à 0,9 % et administrer toutes les 15 à 25 min ou par perfusion continue.

■ **Perfusion continue:** Administrer la dose d'entretien par perfusion. Ajuster la dose selon la réaction du patient.

■ **Compatibilités (tubulure en Y):** Aminophylline, céfazoline, céfuroxime, cimétidine, cotrimoxazole, dobutamine, dopamine, épinéphrine, esmolol, fentanyl, gentamicine, héparine, isoproténrol, lorazépam, midazolam, morphine, nitroglycérine, nitroprusside sodique, ranitidine, succinate d'hydrocortisone sodique ou vancomycine.

■ **Incompatibilité (tubulure en Y):** Diazépam.

■ **Incompatibilités en addition au soluté:** L'atracurium est incompatible avec la plupart des barbituriques et avec le bicarbonate de sodium; ne pas administrer ces médicaments dans la même seringue ni par la même aiguille lors d'une perfusion.

ENSEIGNEMENT AU PATIENT ET À SES PROCHES

□ Expliquer toutes les interventions au patient qui reçoit un traitement à l'atracurium sans anesthésie générale étant donné que ce médicament, administré seul, ne modifie pas l'état de la conscience.

□ Expliquer au patient que ses capacités de communication se rétabliront lorsque les effets du médicament s'épuiseront.

VÉRIFICATION DES RÉSULTATS

L'efficacité du traitement peut être démontrée par: la suppression adéquate des soubresauts musculaires, testée par la stimulation de nerfs périphériques, et une paralysie musculaire subséquente.

ATROPINE

Atropine, Atropisol, Dipotic's Atropine, Isopto Atropine, R.O.-Atropine

CLASSIFICATION:

Anticholinergique – antimuscarinique; antiarythmique – divers; gouttes ophtalmiques – mydriatique

Grossesse – catégorie C

INDICATIONS

■ **IM:** Administration préopératoire pour inhiber la salivation et les sécrétions excessives des voies respiratoires ■ **IV:** Traitement de la bradycardie sinusale ■ **IV:** Rétablissement de la fréquence cardiaque et de la pression artérielle chez le patient anesthésié ■ **IV:** Diminution de la gravité d'un bloc AV consécutif à une augmentation du tonus vagal ■ **Préparations ophtalmiques:** Mydriase, réfraction cycloplégique et traitement de certaines maladies inflammatoires de l'iris et de l'uvée ■ **IV:** Renversement des effets muscariniques indésirables des agents anticholinestérasiques (néostigmine, physostigmine ou pyridostigmine) ■ **IM et IV:** Traitement de l'empoisonnement dû aux anticholinestérasiques (insecticides organophosphorés) ■ **IV et IM:** Antidote en cas d'intoxications « rapides » dues à des champignons contenant de la muscarine.

ACTION

■ Inhibition de l'effet de l'acétylcholine aux sites des récepteurs postganglionnaires qui se trouvent dans: □ les muscles lisses □ les glandes exocrines □ le système nerveux central (activité antimuscarinique) ■ Les faibles doses diminuent: □ la transpiration □ la salivation □ les sécrétions des voies respiratoires ■ Les doses moyennes entraînent: □ la mydriase (dilatation des pupilles) □ la cycloplégie (paralysie de l'accommodation) □ l'élévation de la fréquence cardiaque ■ Les doses élevées diminuent la motilité du tractus gastro-intestinal et des voies génito-urinaires. **Effets thérapeutiques:** ■ Élévation de la fréquence cardiaque ■ Diminution des sécrétions du tractus gastro-intestinal et des voies respiratoires ■ Renversement des effets de la muscarine ■ Effets spasmolytiques possibles sur les voies biliaire et génito-urinaires.

PHARMACOCINÉTIQUE

Absorption: Bonne absorption par suite de l'administration PO, SC ou IM.

Distribution: Le médicament se répartit dans tout l'organisme et traverse rapidement la barrière hémato-encéphalique. Il traverse le placenta et pénètre dans le lait maternel.

Métabolisme et excrétion: La plus grande partie du médicament est métabolisée par le foie; une fraction de 30 à 50 % est excrétée à l'état inchangé par les reins.

Demi-vie: De 13 à 38 h.

CONTRE-INDICATIONS ET PRÉCAUTIONS

Contre-indications: ■ Hypersensibilité ■ Glaucome à angle étroit ■ Hémorragie aiguë ■ Tachycardie secondaire à l'insuffisance cardiaque ou à la thyrotoxicose.

Précautions: ■ Personnes âgées et très jeunes enfants (prédisposition accrue aux réactions indésirables) ■ Infections intra-abdominales ■ Hypertrophie de la prostate ■ Maladies rénale, hépatique, pulmonaire ou cardiaque chroniques ■ Grossesse et allaitement (l'innocuité du médicament n'a pas été établie).

RÉACTIONS INDÉSIRABLES ET EFFETS SECONDAIRES

SNC: <u>somnolence</u>, confusion.

ORLO: sécheresse des yeux (alacrymie), <u>vision trouble</u>, mydriase, cycloplégie.

CV: palpitations, <u>tachycardie</u>.

GI: <u>sécheresse de la bouche</u> (xérostomie), constipation.

GU: <u>retard de la miction avec effort pour uriner</u>, rétention urinaire.

Divers: diminution de la transpiration.

INTERACTIONS

Médicament – médicament: ■ Effets anticholinergiques additifs lors de l'administration d'autres **composés anticholinergiques** comprenant les **antihistaminiques**, les **antidépresseurs tricycliques**, la **quinidine** et le **disopyramide** ■ Les anticholinergiques peuvent modifier l'absorption d'autres **médicaments administrés PO** en ralentissant la motilité du tractus gastro-intestinal ■ Les **antiacides** diminuent l'absorption des anticholinergiques ■ L'atropine peut aggraver les lésions de la muqueuse gastro-intestinale chez les patients qui prennent des comprimés de **chlorure de potassium PO**.

PRÉSENTATION

L'atropine existe en association avec des barbituriques et des narcotiques (voir l'annexe A).

VOIES D'ADMINISTRATION ET POSOLOGIE

Remarque: Le sulfate d'atropine injectable peut être administré par voie SC, IM ou IV. La posologie moyenne chez l'adulte est de 0,5 mg, soit entre 0,4 et 0,6 mg.

Pré-anesthésie

■ **IM et SC (adultes et enfants > 40 kg):** de 0,4 à 0,6 mg, de 30 à 60 min avant l'intervention.

■ **IM et SC (enfants de 30 à 40 kg) (É.-U.):** 0,4 mg, de 30 à 60 min avant l'intervention.

■ **IM et SC (enfants de 18 à 30 kg) (É.-U.):** 0,3 mg, de 30 à 60 min avant l'intervention.

■ **IM et SC (enfants de 11 à 18 kg) (É.-U.):** 0,2 mg, de 30 à 60 min avant l'intervention.

■ **IM et SC (enfants de 8 à 11 kg) (É.-U.):** 0,15 mg, de 30 à 60 min avant l'intervention.

■ **IM et SC (enfants de 3 à 7 kg) (É.-U.):** 0,1 mg, de 30 à 60 min avant l'intervention.

A

Bradycardie

- **IV (adultes):** de 0,4 à 1 mg; on peut répéter l'administration, selon les besoins, à intervalles de 1 ou 2 h, les doses maximales pouvant aller jusqu'à 2 mg.
- **IV (enfants) (É.-U.):** 0,01 mg/kg (dose maximale: 0,4 mg); répéter l'administration, selon les besoins, toutes les 4 à 6 h.

Réfraction cycloplégique

- **Gouttes ophtalmiques (adultes):** 1 ou 2 gouttes de solution à 1 %, 1 h avant l'examen.
- **Gouttes ophtalmiques (enfants):** 1 ou 2 gouttes de solution à 0,5 %, 2 ou 3 fois par jour, pendant 1 à 3 jours avant l'examen et 1 h après l'examen.

Renversement des effets muscariniques indésirables des anticholinestérasiques

- **IV (adultes) (É.-U.):** de 0,6 à 1,2 mg par 0,5 à 2,5 mg de méthylsulfate de néostigmine ou de 10 à 20 mg de bromure de pyridostigmine simultanément aux anticholinestérasiques.

Empoisonnement dû aux insecticides organophosphorés

- **IM et IV (adultes):** 2 ou 3 mg; répéter l'administration selon les besoins ou jusqu'à l'apparition de signes de surdosage atropinique.
- **IM et IV (enfants) (É.-U.):** 0,05 mg/kg toutes les 10 à 30 min, selon les besoins.

PHARMACODYNAMIE (voies IM, SC, IV = inhibition de la salivation; préparations ophtalmiques = mydriase)

	DÉBUT D'ACTION	PIC	DURÉE
IM, SC	rapide	15 – 50 min	4 – 6 h
IV	immédiat	2 – 4 min	4 – 6 h
gouttes ophtalmiques	30 – 40 min	jusqu'à 24 h	1 – 2 semaines

SOINS INFIRMIERS

ÉVALUATION DE LA SITUATION

- **Directives générales:** Prendre fréquemment les signes vitaux et suivre l'ÉCG pendant toute la durée du traitement par voie IV. Signaler immédiatement au médecin toute modification importante de la fréquence cardiaque ou de la pression artérielle ainsi que l'aggravation de l'angine.
- ☐ Effectuer le bilan des ingesta et des excreta chez les personnes âgées ou chez les patients ayant subi une intervention chirurgicale, car l'atropine peut provoquer la rétention urinaire.
- ☐ Surveiller régulièrement l'apparition des signes de distension abdominale et ausculter les bruits intestinaux. Si la constipation pose des problèmes, augmenter la consommation de liquides et d'aliments riches en fibres.
- **Toxicité et surdosage:** En cas de surdosage, administrer de la physostigmine comme antidote.

DIAGNOSTICS INFIRMIERS POSSIBLES

- **Énoncés diagnostiques**
- ☐ Diminution du débit cardiaque.
- ☐ Atteinte à l'intégrité de la muqueuse buccale.
- ☐ Constipation.
- ☐ *Risque élevé d'accident.*

- **Facteurs favorisants**
- ☐ *Manque de connaissances sur les moyens de prévenir ou de réduire la sécheresse de la bouche.*
- ☐ *Perturbation de la vigilance.*
- ☐ *Altération de la perception visuelle.*

INTERVENTIONS INFIRMIÈRES

- **IM:** Une forte rougeur du visage et du tronc peut se produire de 15 à 20 min après l'administration IM. En pédiatrie, cette réaction, qui n'est pas nocive, porte le nom de « rougeur atropinique ».

A

- **IV directe :** Administrer l'atropine par voie IV sans la diluer, ou la diluer avec 10 mL d'eau stérile.
- *Vitesse d'administration :* Administrer à un débit de 0,6 mg/min. Ne pas ajouter l'atropine à des solutions IV. Injecter par une tubulure en Y ou par un robinet à trois voies. Administrée par voie IV à des doses inférieures à 0,4 mg ou pendant plus de 1 min, l'atropine peut provoquer une bradycardie paradoxale qui disparaît habituellement en l'espace de 2 min environ.
- **Associations compatibles dans la même seringue :** Benzquinamide, butorphanol, chlorpromazine, cimétidine, dimenhydrinate, diphenhydramine, dropéridol, fentanyl, glycopyrrolate, héparine, hydromorphone, hydroxyzine, mépéridine, métoclopramide, midazolam, morphine, nalbuphine, pentazocine, perphénazine, prochlorpérazine, promazine, prométhazine, propiomazine, ranitidine ou scopolamine.
- **Compatibilités (tubulure en Y) :** Amrinone, chlorure de potassium, famotidine, héparine, nafcilline, succinate d'hydrocortisone sodique.
- **Compatibilités en addition au soluté :** Bicarbonate de sodium, dobutamine, nétilmicine ou vérapamil.
- **Gouttes ophtalmiques :** La méthode d'administration des préparations ophtalmiques est indiquée à l'annexe H.
- **Pommade ophtalmique :** Voir l'annexe H.

ENSEIGNEMENT AU PATIENT ET À SES PROCHES

- **Directives générales :** Expliquer au patient qu'il doit suivre scrupuleusement la posologie recommandée. S'il n'a pu prendre le médicament au moment habituel, il doit le prendre dès que possible à moins que ce ne soit presque l'heure prévue pour la dose suivante. Il ne faut jamais doubler les doses.

- ☐ Le médicament peut provoquer de la somnolence. Recommander au patient de ne pas conduire et d'éviter les autres activités qui exigent sa vigilance jusqu'à ce qu'on ait la certitude que le médicament n'entraîne pas cet effet chez lui.
- ☐ Expliquer au patient que pour soulager la sécheresse de la bouche, il peut se rincer fréquemment la bouche, consommer des bonbons ou de la gomme à mâcher sans sucre et pratiquer une bonne hygiène orale.
- ☐ Prévenir le patient que l'atropine peut altérer la thermorégulation. Un coup de chaleur peut survenir au cours d'exercices physiques vigoureux pratiqués dans un milieu surchauffé.
- ☐ Conseiller au patient de consulter le médecin ou le pharmacien avant de prendre un médicament en vente libre en même temps que l'atropine.
- ☐ Informer le patient qui souffre d'hypertrophie bénigne de la prostate que l'atropine peut provoquer la rétention urinaire et un retard de la miction avec effort pour uriner. Lui recommander de signaler au médecin les modifications du jet de la miction.
- **Préparations ophtalmiques :** Prévenir le patient que les gouttes et la pommade peuvent rendre passagèrement la vision trouble et affaiblir sa capacité d'apprécier les distances. Lui conseiller de porter des lunettes de soleil pour se protéger les yeux contre la lumière vive.
- ☐ Enseigner au patient et à ses proches les méthodes d'instillation des préparations ophtalmiques, selon les besoins.

VÉRIFICATION DES RÉSULTATS

L'efficacité du traitement peut être démontrée par : ■ l'accélération de la fréquence cardiaque ■ la sécheresse de la bouche (xérostomie) ■ la dilatation des pupilles ■ le renversement des effets de la muscarine.

A

AURANOFINE
Ridaura

CLASSIFICATION:
Anti-inflammatoire – composé d'or

Grossesse – catégorie C

INDICATIONS

Traitement de la polyarthrite rhumatoïde évolutive rebelle au traitement classique.

ACTION

■ Inhibition du processus inflammatoire ■ Propriétés d'immunomodulation. **Effets thérapeutiques:** ■ Soulagement de la douleur et de l'inflammation ■ Ralentissement du processus pathologique en cas de polyarthrite rhumatoïde.

PHARMACOCINÉTIQUE

Absorption: Une fraction de 20 à 25 % est absorbée à partir du tractus gastro-intestinal.

Distribution: Le médicament se répartit dans tout l'organisme et semble se concentrer dans les articulations touchées par l'arthrite. Il pénètre dans le lait maternel.

Métabolisme et excrétion: Une fraction de 60 à 90 % est lentement excrétée par les reins (jusqu'à 15 mois); une fraction de 10 à 40 % est excrétée dans les selles.

Demi-vie: Or: 26 jours dans le sang et de 40 à 128 jours dans les tissus.

CONTRE-INDICATIONS ET PRÉCAUTIONS

Contre-indications: ■ Hypersensibilité ■ Insuffisance hépatique ou rénale grave ■ Antécédents d'intoxication par les métaux lourds ■ Antécédents de réactions indésirables à la chrysothérapie ■ Antécédents de colite ou de dermatite exfoliative ■ Diabète sucré non maîtrisé ■ Tuberculose ■ Insuffisance cardiaque ■ Lupus érythémateux disséminé ■ Radiothérapie récente ■ Grossesse ou allaitement ■ Patients débilités.

Précautions: ■ Antécédents de dyscrasie ■ Hypertension ■ Rash ■ Dès les premiers signes de toxicité, d'éruption cutanée, de protéinurie ou de stomatite, arrêter l'administration.

RÉACTIONS INDÉSIRABLES ET EFFETS SECONDAIRES

ORLO: dépôts d'or sur la cornée, ulcération de la cornée.

SNC: étourdissements, syncope, céphalées.

CV: bradycardie.

Resp.: pneumonite.

GI: diarrhée, goût métallique, stomatite.

GU: protéinurie, néphrotoxicité.

Tég.: rash, dermatite, prurit, réactions de photosensibilité.

Hémat.: thrombocytopénie, ANÉMIE APLASIQUE, AGRANULOCYTOSE, leucopénie, éosinophilie.

Divers: réactions allergiques incluant l'anaphylaxie, œdème angioneurotique, réactions nitritoïdes.

INTERACTIONS

Médicament – médicament: Les effets toxiques sur la moelle osseuse peuvent être additifs lors de l'administration d'autres **agents qui provoquent une hypoplasie médullaire (antinéoplasiques, radiothérapie).**

VOIES D'ADMINISTRATION ET POSOLOGIE

PO (adultes): 6 mg/jour en 1 ou 2 doses; jusqu'à 9 mg/jour, en 3 doses fractionnées.

PHARMACODYNAMIE
(effet anti-inflammatoire)

	DÉBUT D'ACTION	PIC	DURÉE
PO	3 – 6 mois	inconnu	plusieurs mois

SOINS INFIRMIERS

ÉVALUATION DE LA SITUATION

◻ Avant le traitement et à intervalles réguliers pendant toute sa durée, déterminer l'amplitude des mouvements et le degré de tuméfaction et de douleur des articulations atteintes.

■ **Étude des examens diagnostiques et biochimiques:** Étudier les résultats des tests d'exploration fonctionnelle rénale, hépatique et hématopoïétique et des analyses des urines avant l'administration initiale et tous les mois pendant toute la durée du traitement. Prévenir immédiatement le médecin si le nombre de leucocytes est $< 4 \times 10^9$/L, le taux de polynucléaires éosinophiles > 5 %, le nombre de granulocytes $< 1,5 \times 10^9$/L ou celui de plaquettes $< 100 \times 10^9$/L. Ces valeurs peuvent indiquer des réactions graves d'hypersensibilité et devraient s'améliorer après l'arrêt du traitement. La protéinurie ou l'hématurie peuvent dicter l'abandon du traitement.

◻ L'auranofine peut donner des résultats faussement positifs au test cutané qui vérifie l'allergie tuberculinique.

■ **Toxicité et surdosage:** En cas de signes de surdosage, on administre habituellement des glucocorticoïdes pour renverser les effets de l'auranofine. Si les glucocorticoïdes s'avèrent inefficaces, on peut administrer du dimercaprol (BAL), un agent chélateur qui augmente l'excrétion de l'or.

DIAGNOSTICS INFIRMIERS POSSIBLES

■ **Énoncés diagnostiques**

◻ Altération de la mobilité physique.

◻ Diarrhée.

◻ Prise en charge inefficace du programme thérapeutique.

◻ *Risque élevé d'intoxication.*

■ **Facteurs favorisants**

◻ Informations incomplètes.

◻ *Manque de connaissances sur les moyens de prévenir les effets secondaires du médicament.*

INTERVENTIONS INFIRMIÈRES

PO: Administrer les doses avec des aliments pour réduire l'irritation gastrique.

ENSEIGNEMENT AU PATIENT ET À SES PROCHES

◻ Conseiller au patient de respecter scrupuleusement la posologie recommandée et de ne pas sauter ni doubler les doses. S'il n'a pu prendre le médicament au moment habituel, il doit le prendre dès que possible à moins que ce ne soit presque l'heure prévue pour la dose suivante. Un traitement concomitant avec des salicylates ou d'autres anti-inflammatoires non stéroïdiens ou des corticostéroïdes est habituellement nécessaire, particulièrement au cours des quelques premiers mois de chrysothérapie. Recommander au patient de continuer la physiothérapie et de se reposer suffisamment. Lui expliquer que la lésion articulaire ne peut pas être guérie. Le but du traitement est de ralentir ou d'arrêter le processus pathologique.

◻ Inciter le patient à pratiquer une bonne hygiène orale pour réduire l'incidence de la stomatite.

◻ Conseiller au patient d'utiliser des écrans solaires et de porter des vêtements protecteurs pour prévenir les réactions de photosensibilité.

◻ Recommander au patient de signaler immédiatement au médecin les symptômes suivants de leucopénie: fièvre, maux de gorge, signes d'infection; ou de thrombocythopénie: saignement des gencives, formation d'ecchymoses, pétéchies, présence de sang dans les selles, l'urine ou les vomissements.

◻ Inciter la patiente à prendre des mesures de contraception pendant qu'elle reçoit ce médicament. Insister sur le

A

fait qu'elle doit informer le médecin aussitôt qu'elle pense être enceinte.

- ☐ Recommander au patient de signaler immédiatement au médecin les symptômes suivants d'intoxication par l'or : prurit, rash, goût métallique, stomatite, diarrhée. Pour supprimer la diarrhée, on peut diminuer la dose.
- ☐ Insister sur l'importance d'un suivi médical régulier permettant de déterminer les bienfaits du traitement et d'examiner les résultats des analyses du sang et des urines pour contrer les effets secondaires.

VÉRIFICATION DES RÉSULTATS

L'efficacité du traitement peut être démontrée par : ■ la diminution de la tuméfaction et de la rigidité des articulations ■ l'augmentation de la mobilité. Parfois, il faut poursuivre le traitement pendant 3 à 6 mois avant que ses bienfaits ne deviennent manifestes.

AUROTHIOGLUCOSE
Solganal

CLASSIFICATION :
Anti-inflammatoire – composé d'or

Grossesse – catégorie C

INDICATIONS
Traitement de la polyarthrite rhumatoïde évolutive rebelle au traitement classique.

ACTION
■ Inhibition du processus inflammatoire ■ Propriétés d'immunomodulation. **Effets thérapeutiques :** ■ Soulagement de la douleur et de l'inflammation ■ Ralentissement du processus pathologique en cas de polyarthrite rhumatoïde.

PHARMACOCINÉTIQUE
Absorption : Par suite de l'administration par voie IM, l'absorption est lente et irrégulière.

Distribution : Le médicament se répartit dans tout l'organisme et semble se concentrer dans les articulations touchées par l'arthrite. Il pénètre dans le lait maternel.

Métabolisme et excrétion : Une fraction de 60 à 90 % est lentement excrétée par les reins (jusqu'à 15 mois) ; une fraction de 10 à 40 % est excrétée dans les selles.

Demi-vie : Or : 26 jours dans le sang, de 40 à 128 jours dans les tissus.

CONTRE-INDICATIONS ET PRÉCAUTIONS
Contre-indications : ■ Hypersensibilité ■ Insuffisance hépatique ou rénale grave ■ Antécédents d'intoxication par les métaux lourds ■ Antécédents de réactions indésirables à la chrysothérapie ■ Antécédents de colite ■ Antécédents de dermatite exfoliative ■ Diabète sucré non maîtrisé ■ Tuberculose ■ Insuffisance cardiaque ■ Lupus érythémateux disséminé ■ Radiothérapie récente ■ Grossesse ou allaitement ■ Patients débilités. **Précautions :** ■ Antécédents de dyscrasie ■ Hypertension ■ Rash ■ Dès les premiers signes de toxicité, d'éruption cutanée, de protéinurie ou de stomatite, arrêter l'administration ■ Enfants de moins de 6 ans (l'innocuité du médicament n'a pas été établie).

RÉACTIONS INDÉSIRABLES ET EFFETS SECONDAIRES
SNC : <u>étourdissements</u>, syncope, céphalées.

ORLO : dépôts d'or sur la cornée, ulcération de la cornée.

CV : bradycardie.

Resp. : pneumonite.

GI : <u>goût métallique</u>, difficultés de déglutition, <u>stomatite</u>, nausées, vomissements, <u>diarrhée</u>, <u>douleurs abdominales</u>, <u>crampes</u>, anorexie, dyspepsie, flatulence, hépatite.

GU : <u>protéinurie</u>, néphrotoxicité.

Tég. : <u>rash</u>, <u>dermatite</u>, prurit, réactions de photosensibilité.

Hémat.: thrombocytopénie, ANÉMIE APLA-SIQUE, AGRANULOCYTOSE, leucopénie, éosinophilie.

SN: neuropathie.

Divers: réactions allergiques incluant l'ANAPHYLAXIE, œdème angioneurotique, réactions nitritoïdes.

INTERACTIONS

Médicament – médicament: Les effets toxiques sur la moelle osseuse peuvent être additifs lors de l'administration d'autres **agents qui provoquent une hypoplasie médullaire (antinéoplasiques, radiothérapie).**

VOIES D'ADMINISTRATION ET POSOLOGIE

- **IM (adultes):** 10 mg la première semaine, 25 mg la deuxième et la troisième semaines, ensuite de 25 à 50 mg par semaine jusqu'à concurrence de 800 mg à 1 g; ensuite, si l'état du patient s'est amélioré et s'il ne présente aucun signe d'intoxication, de 25 à 50 mg toutes les 3 à 4 semaines.

- **IM (enfants de 6 à 12 ans):** 2,5 mg la première semaine, 6,25 mg la deuxième et la troisième semaines, ensuite 12,5 mg par semaine, jusqu'à concurrence de 200 à 250 mg; ensuite, une dose d'entretien de 6,25 à 12,5 mg toutes les 3 à 4 semaines.

PHARMACODYNAMIE
(effet anti-inflammatoire)

	DÉBUT D'ACTION	PIC	DURÉE
IM	6 – 8 semaines	inconnu	plusieurs mois

SOINS INFIRMIERS

ÉVALUATION DE LA SITUATION

- **Directives générales:** Avant l'administration et à intervalles réguliers pendant tout le traitement, déterminer l'amplitude des mouvements articulaires et le degré de tuméfaction et de douleur des articulations atteintes.

- Observer l'apparition des signes reliés aux réactions nitroïdes suivantes: rougeur de la peau, évanouissement, étourdissements, transpiration, nausées, vomissements, céphalées, vision trouble, faiblesse, malaise. Une telle réaction peut survenir instantanément ou dans les 10 min qui suivent l'injection. Elle est passagère et ne dicte habituellement pas l'abandon du traitement.

- **Étude des examens diagnostiques et biochimiques:** Étudier les résultats des tests d'exploration fonctionnelle rénale, hépatique et hématopoïétique et des analyses des urines avant l'administration initiale et, à intervalles réguliers, pendant toute la durée du traitement. Examiner les résultats des analyses des urines avant chaque injection. La protéinurie ou l'hématurie peuvent dicter l'abandon du traitement. Noter la numération globulaire et plaquettaire avant une injection sur deux ou toutes les 2 à 3 semaines. Prévenir sans délai le médecin si le nombre de leucocytes est inférieur à 4×10^9/L, le taux de polynucléaires éosinophiles est supérieur à 5 %, le nombre de granulocytes est inférieur à $1,5 \times 10^9$/L ou celui des plaquettes est inférieur à 100×10^9/L. Ces valeurs peuvent indiquer des réactions graves d'hypersensibilité et devraient s'améliorer après l'arrêt du traitement.

- L'aurothioglucose peut modifier le dosage de l'iode protéique par la méthode chlorique.

- **Toxicité et surdosage:** En cas de signes de surdosage, on administre habituellement des glucocorticoïdes pour renverser les effets de l'aurothioglucose. Si les glucocorticoïdes s'avèrent inefficaces, on peut administrer du dimercaprol (BAL), un agent chélateur qui augmente l'excrétion de l'or.

A

DIAGNOSTICS INFIRMIERS POSSIBLES

■ **Énoncés diagnostiques**

▫ Altération de la mobilité physique.

▫ Diarrhée.

▫ Prise en charge inefficace du programme thérapeutique.

▫ *Risque élevé d'intoxication.*

■ **Facteurs favorisants**

▫ Informations incomplètes.

▫ *Manque de connaissances sur les moyens de prévenir les effets secondaires du médicament.*

INTERVENTIONS INFIRMIÈRES

IM : Immerger la fiole dans un bain-marie chaud et bien agiter la suspension pour en faciliter le retrait. Utiliser une aiguille de 3,75 à 5 cm, de calibre 20. N'administrer que dans le muscle fessier. Ne jamais administrer l'aurothioglucose par voie IV. Demander au patient de garder la position couchée pendant les 10 min qui suivent l'injection et observer pendant 15 min l'apparition des signes reliés à une réaction nitroïde.

ENSEIGNEMENT AU PATIENT ET À SES PROCHES

▫ Expliquer au patient qu'il est important de continuer le traitement. Au début, les injections sont administrées une fois par semaine. Plus tard, elles sont espacées de 3 ou de 4 semaines. Un traitement concomitant avec des salicylates ou d'autres anti-inflammatoires non stéroïdiens ou des corticostéroïdes est habituellement nécessaire, particulièrement au cours des quelques premiers mois de chrysothérapie. Recommander au patient de continuer la physiothérapie et de se reposer suffisamment. Lui expliquer que la lésion articulaire ne peut pas être guérie. Le but du traitement est de ralentir ou d'arrêter le processus pathologique.

▫ Inciter le patient à pratiquer une bonne hygiène orale pour réduire l'incidence de la stomatite.

▫ Conseiller au patient d'utiliser des écrans solaires et de porter des vêtements protecteurs pour prévenir les réactions de photosensibilité.

▫ Recommander au patient de signaler immédiatement au médecin les symptômes suivants de leucopénie : fièvre, maux de gorge, signes d'infection ; ou de thrombocytopénie : saignement des gencives, formation d'ecchymoses, pétéchies, présence de sang dans les selles, l'urine ou les vomissements.

▫ Inciter la patiente à prendre des mesures de contraception pendant qu'elle reçoit ce médicament. Insister sur le fait qu'elle doit informer le médecin aussitôt qu'elle pense être enceinte.

▫ Recommander au patient de signaler immédiatement au médecin les symptômes suivants d'intoxication par l'or : prurit, rash, goût métallique, stomatite, diarrhée.

▫ Insister sur le besoin d'un suivi médical régulier permettant de déterminer les bienfaits du traitement et d'examiner les résultats des analyses du sang et des urines pour contrer les effets secondaires.

VÉRIFICATION DES RÉSULTATS

L'efficacité du traitement peut être démontrée par : ■ la diminution de la tuméfaction et de la rigidité des articulations ■ l'augmentation de la mobilité. Parfois, il faut poursuivre le traitement pendant 3 à 6 mois avant que ses bienfaits ne deviennent manifestes.

AZATADINE
Optimine

CLASSIFICATION :
Antihistaminique

Grossesse – catégorie B

INDICATIONS

Soulagement des symptômes d'allergie provoquée par la libération d'histamine.

Maximum d'efficacité dans le traitement des allergies respiratoires et des dermatoses allergiques.

ACTION

■ Blocage des effets suivants de l'histamine: □ vasodilatation □ augmentation des sécrétions du tractus gastro-intestinal □ élévation de la fréquence cardiaque □ hypotension ■ Propriétés antisérotoninergiques. **Effets thérapeutiques:** ■ Soulagement des symptômes associés aux excès d'histamine qui caractérisent habituellement les allergies. L'azatadine ne bloque pas la libération de l'histamine.

PHARMACOCINÉTIQUE

Absorption: Bonne absorption par suite de l'administration PO.
Distribution: Le médicament traverse probablement le placenta.
Métabolisme et excrétion: Fort métabolisme hépatique. Une fraction de 20 % du médicament est excrétée à l'état inchangé par les reins.
Demi-vie: 12 h.

CONTRE-INDICATIONS ET PRÉCAUTIONS

Contre-indications: ■ Hypersensibilité ■ Crise aiguë d'asthme ■ Allaitement (administration à éviter).
Précautions: ■ Glaucome à angle étroit ■ Maladie hépatique ■ Personnes âgées (plus grande prédisposition aux réactions indésirables) ■ Femmes enceintes ou enfants de moins de 6 ans (l'innocuité du médicament n'a pas été établie) ■ Hyperthyroïdisme ■ Hypertension.

RÉACTIONS INDÉSIRABLES ET EFFETS SECONDAIRES

SNC: somnolence, sédation, étourdissements, céphalées, excitations, convulsions.
CV: hypotension, hypertension, palpitations, arythmies, tachycardie, oppression thoracique.

ORLO: vision trouble, acouphènes, congestion nasale.
Resp.: sécrétions bronchiques épaissies, respiration sifflante.
GI: sécheresse de la bouche (xérostomie), vomissements, diarrhée, constipation, douleurs épigastriques, anorexie.
GU: retard de la miction avec effort pour uriner, rétention urinaire, apparition précoce des règles.
Hémat.: anémie, thrombocytopénie, agranulocytose.
Tég.: transpiration.

INTERACTIONS

Médicament – médicament: ■ Effet additif sur la dépression du système nerveux central lors de l'usage concomitant d'**autres dépresseurs du SNC** comprenant l'**alcool**, les **analgésiques narcotiques** et les **hypnosédatifs** ■ Les **inhibiteurs de la MAO** intensifient et prolongent les effets anticholinergiques des antihistaminiques.

PRÉSENTATION

L'azatadine existe aussi en association avec la pseudoéphédrine (voir l'annexe A).

VOIES D'ADMINISTRATION ET POSOLOGIE

■ **PO (adultes et enfants > 12 ans):** de 1 à 2 mg, deux fois par jour.
■ **PO (enfants de 6 à 12 ans):** de 0,5 à 1 mg, deux fois par jour.

PHARMACODYNAMIE (effets antihistaminiques)

	DÉBUT D'ACTION	PIC	DURÉE
PO	15 – 60 min	inconnu	12 h

⁂ SOINS INFIRMIERS

ÉVALUATION DE LA SITUATION

■ **Directives générales:** Avant le traitement et à intervalles réguliers pendant toute sa durée, surveiller les symptômes suivants d'allergie : rhinite, conjonctivite, éruptions urticariennes.

☐ Ausculter le murmure vésiculaire et déterminer les caractéristiques des sécrétions bronchiques. Maintenir la consommation de liquides entre 1 500 et 2 000 mL par jour pour diminuer la viscosité des sécrétions.

■ **Étude des examens diagnostiques et biochimiques :** L'azatadine peut entraîner des résultats faussement négatifs aux tests cutanés allergologiques. Interrompre l'administration des antihistaminiques au moins 72 h avant ces tests.

DIAGNOSTICS INFIRMIERS POSSIBLES

■ **Énoncés diagnostiques**

☐ Dégagement inefficace des voies respiratoires.

☐ Risque élevé d'accident.

☐ Prise en charge inefficace du programme thérapeutique.

☐ *Risque élevé d'atteinte à l'intégrité de la muqueuse buccale.*

■ **Facteurs favorisants**

☐ Informations incomplètes.

☐ *Manque de connaissances sur les moyens d'éliminer les sécrétions bronchiques épaisses.*

☐ *Manque de connaissances sur les moyens de prévenir ou de réduire la sécheresse de la bouche.*

☐ *Perturbation de la vigilance.*

INTERVENTIONS INFIRMIÈRES

PO : Administrer les comprimés avec des aliments ou du lait pour diminuer l'irritation gastro-intestinale.

ENSEIGNEMENT AU PATIENT ET À SES PROCHES

☐ Conseiller au patient de suivre scrupuleusement la posologie recommandée.

☐ Prévenir le patient que l'azatadine peut provoquer de la somnolence. Lui conseiller de ne pas conduire et

d'éviter les activités qui exigent sa vigilance jusqu'à ce qu'on ait la certitude que le médicament n'entraîne pas cet effet chez lui.

☐ Recommander au patient d'éviter de boire de l'alcool ou de prendre des dépresseurs du SNC en même temps que ce médicament.

☐ Recommander au patient de pratiquer une bonne hygiène orale, de se rincer fréquemment la bouche avec de l'eau et de consommer des bonbons ou de la gomme à mâcher sans sucre pour soulager la sécheresse de la bouche. Recommander au patient de consulter le dentiste si la sécheresse de la bouche persiste pendant plus de 2 semaines.

☐ Les personnes âgées sont prédisposées à l'hypotension orthostatique. Conseiller au patient de changer lentement de position.

☐ Recommander au patient de consulter le médecin si les symptômes persistent.

VÉRIFICATION DES RÉSULTATS

L'efficacité du traitement peut être démontrée par : la diminution des symptômes allergiques.

AZATHIOPRINE
Imuran

CLASSIFICATION :
Immunosuppresseur

Grossesse – catégorie inconnue

INDICATIONS

■ Traitement d'appoint pour la prévention du rejet d'homogreffe rénale ■ Traitement des poussées graves de polyarthrite rhumatoïde chronique, réfractaire au traitement traditionnel, avec ou sans autres agents qui modifient l'évolution de la maladie, tels les sels d'or.

ACTION

■ Effet antagoniste sur le métabolisme de la purine avec inhibition subséquente de la synthèse de l'ADN et de l'ARN. **Effets thérapeutiques:** ■ Suppression de l'immunité à médiation cellulaire et formation d'anticorps modifiés.

PHARMACOCINÉTIQUE

Absorption: Absorption rapide par suite de l'administration PO.
Distribution: Élimination rapide. Le médicament traverse le placenta.
Métabolisme et excrétion: Pendant le métabolisme, l'azathioprine est transformé en mercaptopurine qui subit, par la suite, un nouveau métabolisme. L'excrétion rénale du médicament à l'état inchangé est minime.
Demi-vie: 3 h.

CONTRE-INDICATIONS ET PRÉCAUTIONS

Contre-indications: ■ Hypersensibilité ■ Grossesse ou allaitement.
Précautions: ■ Infections ■ Tumeurs malignes ■ Réserve médullaire diminuée ■ Radiothérapie antérieure ou concomitante ■ Autres maladies chroniques débilitantes ■ Patientes en âge de procréer.

RÉACTIONS INDÉSIRABLES ET EFFETS SECONDAIRES

ORLO: rétinopathie.
GI: nausées, vomissements, diarrhée, anorexie, inflammation des muqueuses, hépatotoxicité, pancréatite.
Tég.: rash, alopécie.
Hémat.: leucopénie, anémie, pancytopénie, thrombocytopénie.
Loc.: arthralgie.
Resp.: œdème pulmonaire.
Divers: fièvre, frissons, maladie sérique, maladie de Raynaud.

INTERACTIONS

Médicament – médicament: ■ Effet myélodépressif additif lors de l'administration concomitante d'**antinéoplasiques** ou d'**agents myélodépresseurs** ■ L'**allopurinol** inhibe le métabolisme de l'azathioprine en augmentant sa toxicité. Lors d'un traitement simultané à l'allopurinol, il faudrait diminuer la dose d'azathioprine de 25 à 33 %.

VOIES D'ADMINISTRATION ET POSOLOGIE

Prévention des rejets d'allogreffe rénale
■ **PO et IV (adultes et enfants):** initialement, de 3 à 5 mg/kg/jour; dose d'entretien de 1 à 3 mg/kg/jour.

Polyarthrite rhumatismale
■ **PO (adultes):** 1 mg/kg/jour pendant 6 à 8 semaines, augmenter la dose de 0,5 mg/kg toutes les 4 semaines jusqu'au moment où une réponse se manifeste ou jusqu'à 2,5 mg/kg/jour.

PHARMACODYNAMIE

	DÉBUT D'ACTION	PIC	DURÉE
PO (anti-inflamatoire)	6 – 8 semaines	12 semaines	inconnue
IV (immuno-suppresseur)	plusieurs jours ou semaines	inconnu	plusieurs jours ou semaines

SOINS INFIRMIERS

ÉVALUATION DE LA SITUATION

■ **Directives générales:** Pendant toute la durée du traitement, surveiller les signes suivants d'infection: altération des signes vitaux, aspect des crachats, de l'urine ou des selles; accroissement du nombre de leucocytes.
□ Effectuer le bilan quotidien des ingesta et des excreta et peser le patient tous les jours. La diminution du débit urinaire peut entraîner l'intoxication par ce médicament.
■ **Polyarthrite rhumatoïde:** Avant le traitement et à intervalles réguliers pendant

toute sa durée, évaluer l'amplitude des mouvements articulaires, le degré de tuméfaction, la douleur et la force des articulations atteintes ainsi que la capacité du patient d'entreprendre diverses activités.

■ **Étude des examens diagnostiques et biochimiques:** Étudier les résultats des tests de l'exploration fonctionnelle des reins, du foie et des organes formateurs du sang avant l'administration initiale et, ensuite, hebdomadairement, pendant le premier mois de traitement, deux fois par mois, pendant les 2 ou 3 mois qui suivent et tous les mois par la suite, pendant toute la durée du traitement.

☐ Prévenir le médecin si le nombre de leucocytes est inférieur à $3 \times 10^9/L$ ou si le nombre de plaquettes est inférieur à $100 \times 10^9/L$; dans ce cas, une réduction de la dose pourrait s'imposer.

☐ La diminution de l'hémoglobine peut être indice d'hypoplasie médullaire.

☐ L'hépatotoxicité peut se traduire par une augmentation de concentrations de phosphatase alcaline, de bilirubine, de TGOS (AST), de TGPS (ALT) et d'amylase.

☐ Le médicament peut diminuer les concentrations sériques et urinaires d'acide urique et les concentrations plasmatiques d'albumine.

DIAGNOSTICS INFIRMIERS POSSIBLES

■ **Énoncés diagnostiques**

☐ Risque élevé d'infection.

☐ Prise en charge inefficace du programme thérapeutique.

☐ *Risque élevé d'altération des mécanismes de protection.*

■ **Facteurs favorisants**

☐ Informations incomplètes.

☐ *Manque de connaissances sur les moyens de prévenir le rejet de l'organe transplanté.*

☐ *Difficulté à suivre un traitement prolongé.*

INTERVENTIONS INFIRMIÈRES

■ **Directives générales:** Le patient ayant subi une transplantation doit être isolé des membres du personnel et des visiteurs qui pourraient être contagieux. Maintenir l'isolement de protection selon les besoins.

■ **PO:** Administrer le médicament avec ou après les repas, ou en doses fractionnées, pour réduire les nausées.

■ **IV:** Reconstituer la dose de 100 mg avec 10 mL d'eau stérile pour injection. Agiter délicatement la fiole jusqu'à dissolution complète de la solution. Les solutions reconstituées peuvent être administrées jusqu'à 24 h après la préparation.

■ **Perfusion intermittente:** On peut effectuer une dilution supplémentaire dans 50 mL de solution de NaCl à 0,9 % ou à 0,45 %, ou dans une solution de dextrose à 5 % dans de l'eau. Ne pas effectuer d'admixtion.

☐ *Vitesse d'administration:* La perfusion de chaque dose doit durer au moins 30 min.

ENSEIGNEMENT AU PATIENT ET À SES PROCHES

■ **Directives générales:** Conseiller au patient de prendre l'azathioprine en respectant scrupuleusement la posologie recommandée. Expliquer au patient qui doit prendre une seule dose par jour que s'il n'a pas pu prendre son médicament dans la journée, il doit sauter cette dose. S'il prend le médicament plusieurs fois par jour, il doit le prendre le plus rapidement possible ou doubler la dose suivante. Recommander au patient d'avertir le médecin s'il n'a pu prendre plusieurs doses ou si les vomissements surviennent rapidement après qu'il a pris le médicament. Prévenir le patient qu'il ne doit pas abandonner le traitement sans avoir consulté le médecin au préalable.

☐ Recommander au patient de signaler immédiatement au médecin l'apparition d'une infection, le saignement des gencives, la formation d'ecchymoses, ainsi que les signes et les symptômes de dysfonctionnement hépatique (douleurs abdominales, prurit, selles couleur de glaise) ou de rejet de l'organe transplanté.

☐ Expliquer au patient qu'il doit suivre ce traitement toute sa vie pour prévenir le rejet de l'organe transplanté.

☐ Conseiller au patient de consulter le médecin ou le pharmacien avant de prendre un médicament en vente libre en même temps que ce médicament.

☐ Expliquer au patient qu'il doit éviter tout contact avec des personnes contagieuses ou avec celles ayant reçu depuis peu de temps un vaccin par voie orale contre le virus de la polio.

☐ Prévenir la patiente que le médicament peut être doué de propriétés tératogènes. Lui conseiller de prendre des mesures contraceptives pendant toute la durée du traitement et pendant au moins 4 mois après sa fin.

☐ Insister sur l'importance des examens médicaux de suivi et des examens diagnostiques.

■ **Polyarthrite rhumatoïde :** Prévenir le patient qu'un traitement concomitant par des salicylates, des anti-inflammatoires non stéroïdiens ou des glucocorticoïdes peut s'imposer. Lui recommander de continuer la physiothérapie et de se reposer suffisamment. Expliquer au patient que les lésions articulaires ne peuvent pas être guéries ; le but du traitement est de ralentir ou d'arrêter l'évolution de la maladie.

VÉRIFICATION DES RÉSULTATS

L'efficacité du traitement peut être démontrée par : ■ la prévention du rejet de l'organe transplanté ■ la diminution de la rigidité, de la douleur et de la tuméfaction des articulations affectées en l'espace de 6 à 8 semaines (en cas de polyarthrite rhumatoïde). Si aucune amélioration ne se manifeste en l'espace de 12 semaines, il faut arrêter le traitement.

AZTRÉONAM
(Azactam)

CLASSIFICATION :
Anti-infectieux – monobactame
Grossesse – catégorie B

INDICATIONS

■ Traitement des infections graves provoquées par les bactéries à Gram négatif comprenant : ☐ les infections des os et des articulations ☐ la septicémie ■ les infections de la peau et des structures dermiques ☐ les infections intra-abdominales ☐ les infections gynécologiques ☐ les infections des voies respiratoires ☐ les infections des voies urinaires.

ACTION

■ Liaison à la membrane de la paroi de la cellule bactérienne provoquant la destruction de la bactérie. **Effets thérapeutiques :** ■ Effet bactéricide sur les micro-organismes sensibles. **Spectre d'action :** ■ Activité marquée uniquement contre les micro-organismes aérobies Gram négatif suivants : ☐ *Escherichia coli* ☐ *Serratia* ☐ *Klebsiella* ☐ *Enterobacter* ☐ *Shigella* ☐ *Providencia* ☐ *Salmonella* ☐ *Neisseria gonorrhoeae* ☐ *Haemophilus influenzae* ■ Activité notable contre *Pseudomonas aeruginosa* incluant les souches résistantes aux autres médicaments ■ Absence d'effet sur : ☐ *Staphylococcus aureus* ☐ les entérocoques ☐ *Bacteroides fragilis*.

A

PHARMACOCINÉTIQUE

Absorption: Bonne absorption par suite de l'administration par voie IM.

Distribution: Le médicament se répartit dans tout l'organisme; il traverse le placenta et pénètre à faible concentration dans le lait maternel.

Métabolisme et excrétion: Une fraction de 65 à 75 % du médicament est excrétée à l'état inchangé par les reins. De petites quantités sont métabolisées par le foie.

Demi-vie: De 1,5 à 2,2 h (prolongée en cas d'insuffisance rénale).

CONTRE-INDICATIONS ET PRÉCAUTIONS

Contre-indications: ■ Hypersensibilité ■ Sensibilité croisée possible avec les pénicillines ou les céphalosporines.

Précautions: ■ Insuffisance rénale (réduire la dose) ■ Grossesse, allaitement et jeunes enfants (l'innocuité du médicament n'a pas été établie).

RÉACTIONS INDÉSIRABLES ET EFFETS SECONDAIRES

SNC: CONVULSIONS.

GI: modification du goût (voie IV seulement), diarrhée, nausées, vomissements.

Tég.: rash.

Locaux: phlébite au point d'injection IV, douleur au point d'injection IM.

Divers: surinfection, réactions allergiques comprenant l'ANAPHYLAXIE.

INTERACTIONS

Médicament – médicament: L'aztréonam peut exercer des effets synergiques ou antagonistes lorsqu'il est combiné à d'autres **anti-infectieux**.

VOIES D'ADMINISTRATION ET POSOLOGIE

IM et IV (adultes): de 0,5 à 2 g toutes les 6 à 12 h.

PHARMACODYNAMIE
(concentrations sanguines)

	DÉBUT D'ACTION	PIC
IV	rapide	60 min
IM	rapide	fin de la perfusion

SOINS INFIRMIERS

ÉVALUATION DE LA SITUATION

■ **Directives générales:** Au début du traitement et pendant toute sa durée, surveiller les signes suivants d'infection: altération des signes vitaux; aspect de la plaie, des crachats, de l'urine et des selles; accroissement du nombre de leucocytes.

□ Recueillir les antécédents du patient avant d'amorcer le traitement afin de déterminer ses réactions antérieures à une pénicilline ou à une céphalosporine. Même les personnes n'ayant jamais manifesté de réactions allergiques à ces médicaments peuvent présenter une réaction d'hypersensibilité à l'aztréonam.

□ Prélever des échantillons pour les cultures et les antibiogrammes avant le début du traitement. La première dose peut être administrée avant même que les résultats soient connus.

■ **Étude des examens diagnostiques et biochimiques:** Le médicament peut entraîner l'élévation des concentrations de TGOS (AST), de TGPS (ALT), de phosphatase alcaline, de la LDH et de la créatinine sérique. Il peut allonger le temps de prothrombine (PT) et le temps de céphaline (PTT) et entraîner l'éosinophilie et des résultats positifs au test de Coombs.

DIAGNOSTICS INFIRMIERS POSSIBLES

■ **Énoncés diagnostiques**

□ Risque élevé d'infection.

□ Prise en charge inefficace du programme thérapeutique.

□ *Risque élevé de douleur.*

□ *Risque élevé d'altération de la perception gustative.*

■ **Facteurs favorisants**

□ Informations incomplètes.

□ *Manque de connaissances sur la méthode d'administration IV.*

INTERVENTIONS INFIRMIÈRES

■ **Directives générales:** Aussitôt qu'on a ajouté le diluant à la fiole, agiter vigoureusement. Usage unique; jeter toute portion inutilisée.

■ **IM:** Pour l'administration IM, utiliser la fiole à 15 mL et diluer à raison de 1 g d'aztréonam pour au moins 3 mL de solution de NaCl à 0,9 %, d'eau stérile ou d'eau bactériostatique pour injection. La solution est stable pendant 48 h à température ambiante ou pendant 7 jours au réfrigérateur.

□ Injecter dans une masse musculaire bien développée.

■ **IV directe:** Lors de l'administration IV directe, ajouter de 6 à 10 mL d'eau stérile à la fiole de 15 mL.

□ *Vitesse d'administration:* Administrer lentement, en 3 à 5 min, par injection directe ou dans la tubulure où passe une solution compatible.

■ **Perfusion intermittente:** Diluer le contenu de la fiole à 15 mL avec au moins 3 mL d'eau stérile par gramme d'aztréonam. Effectuer une dilution supplémentaire dans 50 à 100 mL de solution de NaCl à 0,9 %, de solution de Ringer ou de solution de lactate Ringer, de solution de dextrose à 5 % ou à 10 % dans de l'eau, de dextrose à 5 % dans une solution de NaCl à 0,9 %, à 0,45 % ou à 0,25 %, ou de solution de lactate de sodium à 5 % ou de mannitol à 10 %. La concentration finale ne doit pas être supérieure à 20 mg/mL. La solution est stable pendant 48 h à température ambiante et pendant 7 jours au réfrigérateur. La solution peut être incolore ou d'un jaune paille clair. Au repos, elle peut virer au rose sans que cela modifie sa puissance.

□ *Vitesse d'administration:* La perfusion intermittente doit durer de 20 à 60 min.

■ **Association compatible dans la même seringue:** Clindamycine.

■ **Compatibilités (tubulure en Y):** Ciprofloxacine, énalaprilate, foscarnet, ondansétron ou zidovudine.

■ **Incompatibilité (tubulure en Y):** Vancomycine.

■ **Compatibilités en addition au soluté:** Céfazoline, ciprofloxacine, clindamycine, gentamicine ou tobramycine. L'admixtion est stable pendant 48 h à température ambiante ou pendant 7 jours au réfrigérateur.

□ On peut mélanger l'aztréonam avec de l'ampicilline dans une solution de NaCl à 0,9 %. L'admixtion est stable pendant 24 h à température ambiante ou pendant 48 h au réfrigérateur. On peut également mélanger l'aztréonam à de l'ampicilline dans une solution de dextrose à 5 % dans de l'eau. Cette admixtion est stable pendant 2 h à température ambiante ou pendant 8 h au réfrigérateur.

■ **Incompatibilités en addition au soluté:** Céphradine, métronidazole ou nafcilline.

ENSEIGNEMENT AU PATIENT ET À SES PROCHES

□ Prévenir le patient que la perfusion IV peut entraîner une légère modification du goût.

□ Conseiller au patient de signaler l'allergie et les signes suivants de surinfection: excroissances pileuses sur la langue, démangeaisons ou pertes vaginales, selles molles ou nauséabondes.

VÉRIFICATION DES RÉSULTATS

L'efficacité du traitement peut être démontrée par: la disparition des signes et des symptômes d'infection. Le temps de résolution dépend du micro-organisme infectant et du siège de l'infection.

B

BACITRACINE
Baciguent, Bacitin, (Ak-tracin), (Baci-IM), (Baci-Rx), (Ocu-tracin), (Ziba-Rx)

CLASSIFICATION:
Anti-infectieux – divers

Grossesse – catégorie inconnue

INDICATIONS

■ **IM**: Traitement de la pneumonie à staphylocoques ou de l'empyème du nourrisson ■ **Préparation ophtalmique**: Traitement de la conjonctivite provoquée par des micro-organismes sensibles ■ **Préparation topique**: Traitement des infections cutanées mineures et prophylaxie des infections cutanées superficielles provenant d'une excoriation. **Usages non approuvés: PO**: ■ Traitement de la colite entraînée par l'antibiothérapie.

ACTION

■ Inhibition de la synthèse de la paroi cellulaire de la bactérie. **Effets thérapeutiques**: ■ Action bactériostatique ou bactéricide contre les micro-organismes sensibles (selon la concentration). **Spectre d'activité**: ■ Action contre un grand nombre de bactéries à Gram positif, incluant: □ les streptocoques □ les staphylocoques □ les coques anaérobies □ *Corynebacterium* □ *Clostridium* ■ Action notable également contre: □ les gonocoques □ les méningocoques □ les bacilles fusiformes □ *Actinomyces israelii* □ les tréponèmes pâles.

PHARMACOCINÉTIQUE

Absorption: Bonne absorption par suite de l'administration IM. Absorption minime par suite de l'administration de la préparation orale, ophtalmique et topique.

Distribution: Le médicament se répartit dans tout l'organisme. Il ne pénètre pas dans le SNC.

Métabolisme et excrétion: Une fraction de 10 à 40 % du médicament est excrétée à l'état inchangé par le rein. Par suite de l'administration PO, la plus grande partie de la bacitracine est excrétée dans les fèces.

Demi-vie: Inconnue.

CONTRE-INDICATIONS ET PRÉCAUTIONS

Contre-indications: ■ Hypersensibilité ■ Grossesse ■ Dysfonction rénale.

Précautions: ■ Antécédents de maladie rénale ■ Myasthénie grave (le médicament peut renforcer le blocage neuromusculaire).

RÉACTIONS INDÉSIRABLES ET EFFETS SECONDAIRES

ORLO: irritation, picotements et brûlures oculaires (préparation ophtalmique).

GI: anorexie, nausées, vomissements, diarrhée.

GU: néphrite interstitielle aiguë, nécrose glomérulaire, protéinurie, oligurie, insuffisance rénale.

Tég.: rash.

Hémat.: dyscrasie, éosinophilie.

Locaux: douleur, induration au point d'injection IM.

Divers: fièvre, réactions anaphylactoïdes, surinfection.

INTERACTIONS

Médicament – médicament: ■ Effets néphrotoxiques additifs lors de l'administration simultanée d'autres **agents qui peuvent exercer ce type d'effets** ■ Effets additifs sur le blocage neuromusculaire lors de l'administration simultanée de **bloqueurs neuromusculaires** et d'**agents anesthésiques**.

VOIES D'ADMINISTRATION ET POSOLOGIE

■ **IM (nourrissons < 2,5 kg)**: 900 unités/kg par jour en 2 ou 3 doses fractionnées (la durée du traitement ne devrait pas dépasser 12 jours).

B

- **IM (nourrissons > 2,5 kg)**: 1 000 unités/kg par jour en 2 ou 3 doses fractionnées (la durée du traitement ne devrait pas dépasser 12 jours).
- **PO**: de 20 000 à 25 000 unités, toutes les 6 h, pendant 7 à 10 jours.
- **Préparation ophtalmique (adultes et enfants)**: appliquer jusqu'à 3 fois par jour ou suivre les directives du médecin.
- **Préparation topique (adultes et enfants)**: appliquer plusieurs fois par jour.

PHARMACODYNAMIE

	DÉBUT D'ACTION	PIC	DURÉE
IM	rapide	1 – 2 h	inconnue

SOINS INFIRMIERS

ÉVALUATION DE LA SITUATION

- ☐ Au début du traitement et pendant toute sa durée, suivre de près les signes suivants d'infection: altération des signes vitaux; aspect de la plaie, des crachats, de l'urine et des selles; accroissement du nombre de leucocytes.
- ☐ Prélever des échantillons pour les cultures et les antibiogrammes avant le début du traitement. La première dose peut être administrée avant même que les résultats soient connus.
- ☐ Surveiller les signes et les symptômes suivants d'anaphylaxie: rash, prurit, œdème laryngé, respiration sifflante. Si ces réactions se manifestent, arrêter l'administration du médicament et avertir immédiatement le médecin. Garder à la portée de la main de l'épinéphrine, un antihistaminique et le matériel de réanimation pour parer à une éventuelle réaction anaphylactique.
- ☐ Noter la fréquence et l'aspect des selles. Signaler au médecin la diarrhée ou les vomissements, car la déshydra-

tation augmente le risque de toxicité rénale.
- ☐ Déterminer si le patient est allergique à la néomycine, car les sujets qui présentent une telle allergie pourraient manifester une sensibilité croisée à la bacitracine.
- ☐ En cas d'administration IM, suivre de près les symptômes suivants de surinfection: excroissance pileuse sur la langue, démangeaisons ou pertes vaginales, selles molles ou nauséabondes.
- **Étude des examens diagnostiques et biochimiques**: Noter l'état de la fonction rénale et examiner les résultats des analyses des urines avant et, à intervalles réguliers, pendant l'administration IM. L'albuminurie, l'hématurie et la présence de cylindres dans l'urine peuvent être indices de néphrite interstitielle aiguë ou de nécrose glomérulaire. Noter quotidiennement la concentration d'urée.
- ☐ Mesurer le pH de l'urine. Le médecin peut parfois prescrire du bicarbonate de sodium pour maintenir le pH alcalin (> 6) et réduire ainsi le risque de toxicité rénale.

DIAGNOSTICS INFIRMIERS POSSIBLES

- **Énoncés diagnostiques**
- ☐ Atteinte à l'intégrité de la peau.
- ☐ Risque élevé d'infection.
- ☐ Prise en charge inefficace du programme thérapeutique.
- ☐ *Risque élevé d'anxiété.*
- ☐ *Risque élevé de déficit de volume liquidien.*
- ☐ *Risque élevé d'altération de l'élimination urinaire.*

- **Facteurs favorisants**
- ☐ Informations incomplètes.
- ☐ *Douleur au point d'injection.*
- ☐ *Manque de connaissances sur les modalités du traitement.*
- ☐ *Manque de connaissances sur la méthode d'administration du médicament.*

B

□ *Manque de connaissances sur les effets secondaires du médicament.*

□ *Manque de connaissances sur les moyens de prévenir les effets secondaires affectant l'appareil gastro-intestinal.*

□ *Modification de l'état liquidien ou des volumes circulants.*

INTERVENTIONS INFIRMIÈRES

■ **IM:** Dissoudre la poudre de bacitracine dans une solution de NaCl à 0,9 % contenant du chlorhydrate de procaïne à 2 %. La concentration de l'antibiotique dans la solution ne doit pas être inférieure à 5 000 unités/mL ni supérieure à 10 000 unités/mL. Le contenu de la fiole de 50 000 unités peut être reconstitué avec 9,8 mL de solution de NaCl à 0,9 % contenant du chlorhydrate de procaïne à 2 % pour obtenir une concentration de 5 000 unités/mL. La solution réfrigérée reste stable pendant une semaine.

□ Le traitement IM ne doit pas dépasser 12 jours, à cause des effets nocifs sur les reins.

□ Injecter dans le quadrant supérieur externe de la région fessière. Assurer la rotation des points d'injection. Éviter d'administrer le médicament par voie IV à cause des risques de phlébite.

■ **Préparation ophtalmique:** Voir à l'annexe H la méthode d'administration des pommades ophtalmiques.

■ **Préparation topique:** La préparation topique est en vente libre. Laver les lésions et les assécher par tapotements, avant d'appliquer une couche mince de préparation.

ENSEIGNEMENT AU PATIENT ET À SES PROCHES

■ **Préparation ophtalmique:** Montrer au patient comment appliquer la pommade ophtalmique. Lui recommander d'utiliser le médicament pendant toute la période prescrite. Insister sur le fait qu'il doit éviter de toucher avec l'applicateur toute surface, quelle qu'elle soit. Lui expliquer les méthodes de prévention de la contamination: laver le linge séparément, bien se laver les mains et éviter de frotter l'œil infecté. Lui expliquer également qu'il faut essuyer l'œil en partant du canthus interne vers le canthus externe. Inciter le patient à signaler au médecin les démangeaisons, les brûlures et l'irritation oculaires. Insister sur le fait qu'il peut être dangereux de donner ce médicament à une autre personne.

■ **Préparation topique:** Montrer au patient la méthode appropriée de nettoyage des plaies ou des lésions cutanées. Lui recommander d'appliquer la préparation en une couche mince et de prévenir le médecin si les symptômes ne s'améliorent pas.

VÉRIFICATION DES RÉSULTATS

La réponse clinique peut être déterminée par: la disparition des signes et des symptômes d'infection. Le temps de résolution dépend du micro-organisme infectant et du siège de l'infection.

BACLOFEN
Lioresal

CLASSIFICATION:
Relaxant des muscles squelettiques – action centrale

Grossesse – catégorie inconnue

INDICATIONS

■ Traitement de la spasticité réversible attribuable à la sclérose en plaques ou aux lésions de la moelle épinière. **Usages non approuvés:** ■ Soulagement des douleurs provoquées par la névralgie essentielle du trijumeau.

ACTION

■ Inhibition des réflexes au niveau de la moelle épinière. **Effets thérapeutiques:** ■ Soulagement de la spasticité musculaire; amélioration possible de la fonction intestinale et vésiculaire.

PHARMACOCINÉTIQUE

Absorption: Par suite de l'administration par voie orale, l'agent est rapidement et presque entièrement absorbé.

Distribution: Le baclofen se répartit dans tout l'organisme et traverse le placenta.

Métabolisme et excrétion: Une fraction de 70 à 80 % est éliminée à l'état inchangé par les reins.

Demi-vie: De 2,5 à 4 h.

CONTRE-INDICATIONS ET PRÉCAUTIONS

Contre-indications: Hypersensibilité.

Précautions: ■ Patients chez lesquels la spasticité permet de maintenir la posture et l'équilibre ■ Grossesse, allaitement et enfants (l'innocuité du médicament n'a pas été établie) ■ Épilepsie (le médicament peut abaisser le seuil des convulsions) ■ Personnes âgées (prédisposition accrue aux effets secondaires exercés sur le SNC) ■ Insuffisance rénale (une réduction de la dose peut s'avérer nécessaire).

RÉACTIONS INDÉSIRABLES ET EFFETS SECONDAIRES

SNC: somnolence, étourdissements, faiblesses, fatigue, céphalées, confusion, insomnie, ataxie, dépression.

ORLO: congestion nasale, acouphènes.

CV: hypotension, œdème.

GI: nausées, constipation.

GU: mictions fréquentes.

Tég.: rash, prurit.

Métab.: hyperglycémie, gain pondéral.

Divers: réactions d'hypersensibilité, transpiration.

INTERACTIONS

Médicament – médicament: ■ Effet additif sur la dépression du SNC, lors de l'usage concomitant d'autres **dépresseurs du SNC** dont l'**alcool**, les **antihistaminiques**, les **analgésiques narcotiques** et les **hypnosédatifs** ■ L'administration simultanée d'**inhibiteurs de la MAO** peut aggraver la dépression du SNC ou l'hypotension.

VOIES D'ADMINISTRATION ET POSOLOGIE

PO (adultes): 5 mg, 3 fois par jour. On peut augmenter tous les 3 jours, à raison de 5 mg par dose jusqu'à un maximum de 80 mg par jour (la dose quotidienne totale peut également être administrée en doses fractionnées, 4 fois par jour).

PHARMACODYNAMIE (effets sur la spasticité)

	DÉBUT D'ACTION	PIC	DURÉE
PO	plusieurs heures ou semaines	inconnu	inconnue

⁂ SOINS INFIRMIERS

ÉVALUATION DE LA SITUATION

☐ Noter le degré de spasticité musculaire avant le début du traitement et, à intervalles réguliers, pendant toute sa durée.

☐ Suivre de près la somnolence, les étourdissements ou l'ataxie et en prévenir le médecin. Une modification de la dose peut soulager ces troubles.

■ **Étude des examens diagnostiques et biochimiques:** Le médicament peut entraîner l'élévation des concentrations sériques de glucose, de phosphatase alcaline, de TGOS (AST) et de TGPS (ALT).

DIAGNOSTICS INFIRMIERS POSSIBLES

■ **Énoncés diagnostiques**

☐ Altération de la mobilité physique.

□ Risque élevé d'accident.
□ Prise en charge inefficace du programme thérapeutique.

■ **Facteurs favorisants**
□ Informations incomplètes.
□ *Perturbation de la vigilance.*
□ *Fatigue et faiblesse.*
□ *Manque de connaissances sur les effets secondaires du médicament et sur les moyens de les prévenir.*
□ *Manque de connaissances sur les modalités du traitement.*
□ *Manque de connaissances sur les effets hypotensifs du médicament lors des changements brusques de position.*

INTERVENTIONS INFIRMIÈRES

PO : Administrer le médicament avec du lait ou avec des aliments pour réduire l'irritation gastrique.

ENSEIGNEMENT AU PATIENT ET À SES PROCHES

□ Expliquer au patient qu'il doit respecter scrupuleusement la posologie recommandée. S'il n'a pas pu prendre son médicament au moment habituel, il doit le prendre dans l'heure qui suit ; il ne faut jamais remplacer une dose manquée par une double dose. Mettre en garde le patient contre l'arrêt brusque du traitement en raison du risque de réactions de sevrage aiguës : hallucinations, spasticité accrue, convulsions, confusion, états psychotique, maniaque ou paranoïde, agitation.
□ Prévenir le patient que le baclofen peut parfois provoquer de la somnolence et des étourdissements ; lui conseiller de ne pas conduire et d'éviter les activités qui exigent sa vigilance jusqu'à ce qu'on ait la certitude que le médicament n'entraîne pas ces effets chez lui.
□ Conseiller au patient de changer de position lentement afin de réduire les risques d'hypotension orthostatique.

□ Avertir le patient qu'il ne doit pas consommer de l'alcool ou des dépresseurs du SNC en même temps que ce médicament.
□ Recommander au patient de prévenir le médecin si les symptômes suivants persistent : besoin urgent et fréquent d'uriner, mictions douloureuses, constipation, nausées, céphalées, insomnie, acouphènes, dépression ou confusion. L'informer qu'il doit signaler rapidement au médecin les signes et les symptômes suivants d'hypersensibilité : rash, démangeaisons.

VÉRIFICATION DES RÉSULTATS

L'efficacité du traitement peut être démontrée par : ■ la diminution de la spasticité musculaire et de la douleur musculosquelettique connexe, accompagnée de la capacité accrue de mener à bien les activités de la vie quotidienne ■ le soulagement de la douleur chez le patient souffrant de névralgie essentielle du trijumeau. Parfois, le plein effet du traitement peut ne se manifester qu'après plusieurs semaines.

BCG (bacille de Calmette et Guérin)

ImmuCyst, Vaccin BCG lyophilisé (Connaught), Vaccin BCG lyophilisé intradermique (IAF BioVac), (TheraCys [préparation de vaccin vivant]), (TICE BCG [vaccin percutané]), (Vaccin BCG intradermique)

CLASSIFICATION :
Antinéoplasique – modulateur du système immunitaire ; prophylaxie de la tuberculose
Grossesse – catégorie C

INDICATIONS

■ **Voie intravésicale :** Traitement *in situ* du cancer de la vessie, par instillation, chez les patients qui ne sont pas de bons candidats pour une chirurgie radicale

■ **Voie intradermique:** Immunisation des personnes n'ayant pas été infectées par le bacille de la tuberculose, mais qui sont directement exposées à des patients atteints de tuberculose évolutive.

ACTION

■ Souche de *Mycobacterium bovis* atténuée et lyophilisée ■ Réaction inflammatoire locale au niveau des parois de la vessie, ce qui réduit ou élimine les lésions cancéreuses locales (voie intravésicale) ■ Production de macrophages, qui diminueront la multiplication des mycobactéries virulentes, par la stimulation du système réticulo-endothélial (inoculation intradermique). **Effets thérapeutiques:** ■ **Voie intravésicale:** Élimination des cellules tumorales résiduelles et prévention de la récurrence ■ **Voie intradermique:** Immunisation contre la tuberculose et diminution des complications graves de la tuberculose primaire chez les enfants.

PHARMACOCINÉTIQUE

Absorption: Le degré d'absorption systémique suivant l'instillation dans la vessie est inconnu. Par suite de l'administration intradermique, le vaccin BCG est absorbé par voie générale.
Distribution: La répartition dans l'organisme est inconnue.
Métabolisme et excrétion: Inconnus.
Demi-vie: Inconnue.

CONTRE-INDICATIONS ET PRÉCAUTIONS

Contre-indications: ■ Suppression du système immunitaire par suite d'une maladie sous-jacente, d'un traitement par des antinéoplasiques ou des glucocorticoïdes ou d'une immunothérapie ■ Fièvre ■ Infection non traitée ■ Sujets tuberculinopositifs (test de Mantoux) ou atteints de tuberculose active (Vaccin BCG) ■ ImmuCyst est contre-indiqué pour l'immunisation contre la tuberculose.
Précautions: ■ Grossesse, allaitement et enfants (l'innocuité de l'agent n'a pas été établie) ■ Traitement anti-infectieux en cours ■ Faible capacité de la vessie (irritation accrue lors de l'instillation) ■ Résection transurétrale récente (de 1 à 2 semaines) (risque accru d'infection disséminée).

RÉACTIONS INDÉSIRABLES ET EFFETS SECONDAIRES

Instillation dans la vessie
SNC: malaise, fatigue.
CV: hypotension.
GI: nausées, vomissements, hépatite, douleurs abdominales.
GU: dysurie, hématurie, mictions fréquentes, mictions impérieuses, infection, douleurs génitales, toxicité rénale, prostatite granulomateuse, incontinence, urétrite, inflammation des organes génitaux, nycturie, capacité réduite de la vessie.
Hémat.: anémie, leucopénie, coagulopathie.
Loc.: myalgie, arthralgie, arthrite.
Divers: fièvre, frissons, syndrome pseudo-grippal, infections, incluant la SEPTICÉMIE et l'INFECTION DISSÉMINÉE PAR LES BCG.

Voies intradermique et percutanée
Divers: granulome au point d'inoculation intradermique, irritation prolongée ou nécrose au point d'inoculation, lymphadénopathie, ostéomyélite, lymphadénite, INFECTION DISSÉMINÉE PAR LES BCG.

INTERACTIONS

Médicament – médicament: ■ Les **agents immunosuppresseurs** ou la **radiothérapie** diminueront la réponse immunitaire appropriée aux BCG administrés par voie intradermique et augmenteront le risque d'infection disséminée provoquée par les BCG, sans égard à la voie d'administration ■ Altération possible de la réponse immunitaire aux autres **vaccins vivants** ■ L'agent diminue le métabolisme de la **théophylline** et augmente le risque de toxicité par ce médicament ■ L'agent diminue l'efficacité de la **rifampine,** de l'**isoniazide** ou de la **streptomycine,** lors d'une administration concomitante.

VOIES D'ADMINISTRATION ET POSOLOGIE

Traitement et prophylaxie du cancer de la vessie

■ **Voie intravésicale (adultes) :** ImmuCyst : 81 mg (3 fioles de 27 mg) par semaine, pendant 6 semaines.

Immunisation active contre la tuberculose

Voie intradermique

■ **Vaccin BCG lyophilisé (Connaught) (adultes et enfants > 12 mois) :** 0,1 mL ; (**enfants < 12 mois) :** 0,05 mL.
■ **Vaccin BCG lyophylisé intradermique (IAF BioVac) :** 0,1 mL du vaccin reconstitué (voir Interventions infirmières – préparation intradermique).

PHARMACODYNAMIE

	DÉBUT D'ACTION	PIC	DURÉE
voie intravésicale*	rapide	inconnu	inconnue
voie intradermique†	rapide	inconnu	prolongée (plusieurs années)

* Effet antinéoplasique.
† Réponse des anticorps.

✺ SOINS INFIRMIERS

ÉVALUATION DE LA SITUATION

■ **Instillation dans la vessie :** Observer fréquemment les symptômes au niveau du tractus urinaire tout au long du traitement. Prévenir le médecin si les symptômes persistent ou s'aggravent ou si le patient présente une hématurie, des mictions fréquentes ou une dysurie.
□ Surveiller les signes suivants d'infection généralisée par le BCG : fièvre,

malaise grave. Prévenir le médecin si ces symptômes se manifestent.
□ Après l'administration du BCG, suivre à intervalles réguliers l'apparition de la toux. Il s'agit d'un signe d'infection généralisée par le BCG qui peut mettre la vie du patient en danger.
■ **Préparation intradermique :** Examiner le point d'injection. Les lésions cutanées initiales apparaissent 7 à 10 jours après l'inoculation intradermique. Répéter le test à la tuberculine 2 à 3 mois plus tard ; vacciner de nouveau si le patient est tuberculino-négatif.
■ **Préparation intradermique :** Une petite papule indurée apparaît au bout de 1 à 3 semaines. Une ulcération peut survenir. Si de petits abcès à froid apparaissent, ils se résorbent en général spontanément. Dans quelques cas, l'abcès deviendra mou et pourra s'ouvrir spontanément, formant un ulcère. Si un abcès se forme, on peut le perforer avec une seringue à aiguille fine afin d'éviter l'ulcération et la formation d'une cicatrice.

DIAGNOSTICS INFIRMIERS POSSIBLES

■ **Énoncés diagnostiques**
□ Altération de l'élimination urinaire.
□ Risque élevé d'infection.
□ Prise en charge inefficace du programme thérapeutique.
□ *Risque élevé d'anxiété.*

■ **Facteurs favorisants**
□ Informations incomplètes.
□ *Douleur.*
□ *Manque de connaissances sur les effets secondaires du médicament.*
□ *Manque de connaissances sur les modalités du traitement.*
□ *Modification de l'état liquidien ou des volumes circulants.*

INTERVENTIONS INFIRMIÈRES

■ **Instillation dans la vessie :** Le patient doit être à jeun pendant les 4 h qui précèdent l'instillation ; il devrait uriner immédiatement avant l'intervention.

□ Réfrigérer le BCG thérapeutique et le diluant. Ne pas utiliser le vaccin après la date de péremption inscrite sur la fiole, car il pourrait être inactivé. Utiliser immédiatement après la reconstitution ou en moins de 2 h. Ne pas utiliser une solution contenant des petits flocons ou des agrégats qu'on ne peut pas disperser en mélangeant délicatement. Ne pas exposer à la lumière du soleil ; limiter l'exposition à la lumière artificielle.

□ Immédiatement après l'instillation, jeter tout le matériel qui aurait pu être touché par les bacilles dans des sacs de plastique portant la mention « déchets infectés » et mettre au rebut en suivant la même méthode que celle prescrite pour les déchets biologiques dangereux.

□ Introduire la sonde et instiller le médicament par une méthode aseptique. Procéder avec prudence afin de réduire le traumatisme de la muqueuse vésicale.

□ Au cours de la première heure qui suit l'instillation, le patient doit rester couché sur le dos, ensuite, sur le ventre et sur chaque côté, en changeant de position toutes les 15 min. Après la première heure, il peut se lever, mais il doit retenir la solution pendant une heure de plus (2 h au total). Si le patient est incapable de retenir la solution pendant 2 h, lui permettre d'uriner en position assise. À la fin des 2 h, demander au patient d'uriner en position assise.

□ Assurer une hydratation appropriée tout au long de l'intervention.

□ Toute l'urine éliminée pendant les 6 h qui suivent l'instillation doit être désinfectée avec un volume équivalent de solution d'hypochlorite à 5 % (eau de javel non diluée pour usage domestique) ; laisser reposer l'urine ainsi traitée pendant 15 min avant d'actionner la chasse d'eau.

□ *ImmuCyst :* Ne pas retirer le bouchon de caoutchouc de la fiole. Préparer la solution juste avant l'utilisation. Porter un masque et des gants pendant la manipulation de l'agent. Reconstituer *seulement* avec le diluant fourni afin d'assurer une dispersion adéquate des micro-organismes. Diluer de nouveau la solution reconstituée provenant des 3 fioles (1 dose) dans 50 mL de soluté salin stérile sans agents de conservation pour obtenir un volume final de 53 mL.

■ **Préparation intradermique :** Le vaccin BCG ne doit pas être administré en même temps qu'un autre vaccin. Le vaccin DCT (diphtérie, coqueluche, tétanos) sera injecté 15 jours avant ou après la vaccination par le BCG. On évitera d'injecter le vaccin DCT dans une région voisine de celle où l'on a administré le vaccin BCG. On doit attendre 1 mois après l'injection de vaccins rivaux avant d'administrer le vaccin BCG.

ENSEIGNEMENT AU PATIENT ET À SES PROCHES

□ Recommander au patient de signaler au médecin si les symptômes s'aggravent ou persistent après un certain nombre de traitements ou si les réactions suivantes se manifestent : présence de sang dans l'urine, fièvre et frissons, miction impérieuse, miction plus fréquente, douleurs articulaires, nausées et vomissements, miction douloureuse, toux ou rash.

□ Inciter le patient à s'asseoir pour uriner après l'instillation de la solution.

VÉRIFICATION DES RÉSULTATS

L'efficacité du traitement peut être démontrée par : ■ l'élimination des cellules tumorales résiduelles et la prévention de la récurrence ■ l'immunité à la tuberculose et la diminution des complications graves de la tuberculose primaire chez les enfants.

B

BÉCLOMÉTHASONE

Beclodisk, Becloforte, Beclovent, Beclovent inhalateur, Beclovent rotacaps, Beconase, Beconase Aq., Propaderm, Vancenase, Vanceril

CLASSIFICATION:
Glucocorticoïde – action prolongée

Grossesse – catégorie C

INDICATIONS

■ **Inhalation:** Traitement de l'asthme chronique corticodépendant, grâce à ses effets anti-inflammatoires et immuno-suppresseurs. L'inhalation peut diminuer le besoin en corticostéroïdes à action générale ou permet d'en éviter l'utilisation ■ **Vaporisateur nasal:** Traitement de la rhinite allergique et d'autres formes d'inflammations nasales chroniques, y compris les polypes nasaux ■ **Préparation topique:** Traitement des affections cutanées à composante inflammatoire.

ACTION

■ Effet anti-inflammatoire local puissant pouvant modifier la réponse immunitaire. **Effets thérapeutiques:** ■ Diminution des symptômes associés à l'asthme chronique et à la rhinite allergique ■ Diminution des symptômes inflammatoires d'une lésion cutanée.

PHARMACOCINÉTIQUE

Absorption: L'action est surtout locale. Des quantités minimes peuvent être avalées lors de l'administration, mais l'absorption par voie systémique est extrêmement réduite aux doses recommandées.

Distribution: L'action est locale; une fraction de 10 à 25 % de la dose inhalée se dépose aux lieux d'action dans les voies respiratoires.

Métabolisme et excrétion: Le médicament est presque entièrement éliminé dans les fèces, le reste est rapidement métabolisé. Le béclométhasone traverse le placenta.
Demi-vie: 15 h.

CONTRE-INDICATIONS ET PRÉCAUTIONS

Contre-indications: Allergie au fluorocarbone (gaz propulseurs).

Précautions: ■ Risque de suppression de la fonction surrénale lors d'un traitement prolongé à des doses plus élevées que celles recommandées ■ Traitement par des corticostéroïdes à action systémique (ne jamais en interrompre brusquement l'utilisation lorsque l'on amorce le traitement par vaporisation ou par inhalation).

RÉACTIONS INDÉSIRABLES ET EFFETS SECONDAIRES

ORLO: brûlure nasale, irritation nasale, saignement de nez, crises d'éternuement (après l'utilisation du vaporisateur), infections fongiques oropharyngées (par suite de l'inhalation).

Resp.: respiration sifflante, bronchospasme (après inhalation).

Tég.: miliaire, folliculite, pyodermie, atrophie cutanée, vergetures (par suite de l'utilisation topique).

INTERACTIONS

Médicament – médicament: Aucune interaction importante aux doses recommandées.

VOIES D'ADMINISTRATION ET POSOLOGIE

■ **Inhalation**

Aérosol-doseur 250 µg/dose
Adultes: 1 inhalation, 2 à 4 fois par jour.
Enfants: l'usage n'est pas recommandé chez les enfants de moins de 16 ans (ne pas dépasser 4 inhalations par jour).

Aérosol-doseur 50 µg/dose
Adultes: 2 à 4 inhalations, 3 ou 4 fois par jour (ne pas dépasser 20 inhalations par jour).

Enfants (de 6 à 14 ans): 2 inhalations, 2 ou 3 fois par jour, et jusqu'à 4 fois par jour, au besoin (ne pas dépasser 10 inhalations par jour).

Enfants (de 3 à 5 ans): 1 inhalation, 2 fois par jour (ne pas dépasser 3 inhalations par jour).

Rotocaps et Beclodisk

Adultes: 200 µg, 3 ou 4 fois par jour (ne pas dépasser 5 inhalations par jour).

Enfants (de 6 à 14 ans): 100 µg, 2 ou 3 fois par jour (ne pas dépasser 5 inhalations par jour).

- **Vaporisateur (adultes):** 2 vaporisations dans chaque narine, 2 fois par jour. Dose quotidienne maximale : 12 vaporisations.

- **Vaporisateur (enfants de 6 à 11 ans):** 1 vaporisation dans chaque narine, 3 fois par jour. Dose quotidienne maximale : 8 vaporisations.

- **Préparation topique:** appliquer une couche mince, 1 ou 2 fois par jour.

PHARMACODYNAMIE
(activité anti-inflammatoire)

	DÉBUT D'ACTION	PIC	DURÉE
inhalation	plusieurs jours ou semaines	1 à 4 semaines	inconnue
vaporisateur	plusieurs jours ou semaines	1 à 4 semaines	inconnue

SOINS INFIRMIERS

ÉVALUATION DE LA SITUATION

- **Directives générales:** Lorsqu'on substitue cette forme de traitement aux corticostéroïdes à action systémique administrés par voie orale ou lorsqu'on arrête le traitement à la béclométhasone, suivre de près les symptômes de sevrage suivants: douleurs musculaires et articulaires, fatigue, étourdissements, hypotension. Si ces symp-

tômes se manifestent, en prévenir le médecin immédiatement.

- **Inhalation:** Noter à intervalles réguliers, tout au long du traitement, l'état de la fonction respiratoire : fréquence respiratoire, difficultés respiratoires, murmure vésiculaire. Examiner fréquemment les muqueuses buccales pour déceler les signes suivants de candidose : taches blanchâtres, muqueuses rougies et douloureuses. Signaler au médecin les maux de gorge, l'enrouement et la toux.

- **Vaporisateur:** Déterminer la gravité de la congestion nasale et les caractéristiques des écoulements. Après l'administration, le patient peut ressentir des brûlures et de l'irritation nasales.

DIAGNOSTICS INFIRMIERS POSSIBLES

- **Énoncés diagnostiques**
- ☐ Dégagement inefficace des voies respiratoires.
- ☐ Atteinte à l'intégrité de la muqueuse buccale.
- ☐ Prise en charge inefficace du programme thérapeutique.
- ☐ *Risque élevé d'infection.*
- ☐ *Risque élevé d'accident.*

- **Facteurs favorisants**
- ☐ Informations incomplètes.
- ☐ *Manque de connaissances sur les modalités du traitement.*
- ☐ *Manque de connaissances sur les effets secondaires du médicament.*
- ☐ *Manque de connaissances sur la méthode d'administration du médicament.*
- ☐ *Manque de connaissances sur les moyens de prévenir ou de réduire la sécheresse de la bouche.*

INTERVENTIONS INFIRMIÈRES

- **Inhalation:** Si le patient prend des bronchodilatateurs par inhalation, les administrer plusieurs minutes avant le béclométhasone afin d'ouvrir les voies aériennes et d'assurer le transport des corticostéroïdes au lieu d'action. N'administrer les autres médicaments par inhalation que 5 min plus tard.

- **Vaporisateur:** En présence de sécrétions, le médecin peut prescrire des décongestionnants ou des antihistaminiques qu'il faut administrer avant la vaporisation.

ENSEIGNEMENT AU PATIENT ET À SES PROCHES

- **Directives générales:** Conseiller au patient de porter en tout temps un bracelet d'identité où sont inscrits son problème de santé et son traitement.
- ☐ Recommander au patient de signaler immédiatement au médecin les symptômes d'infection buccale ou nasale, car ils peuvent dicter l'abandon du traitement.
- **Inhalation:** Expliquer au patient les différentes méthodes d'inhalation selon l'appareil utilisé (voir l'annexe H).
- ☐ Mettre en garde le patient contre la prise de doses plus élevées ou d'une plus grande fréquence d'inhalations que celle recommandée. Prévenir le médecin si la dose prescrite est inefficace. Des doses supérieures à 1 600 µg par jour peuvent entraîner une insuffisance surrénalienne.
- ☐ Prévenir le patient que ce médicament est réservé au traitement prophylactique. En cas de crise aiguë d'asthme, il faut souvent administrer, en plus, des corticostéroïdes à action générale.
- ☐ Conseiller au patient de se rincer la bouche et de se gargariser avec de l'eau chaude ou un rince-bouche afin de réduire l'enrouement et la sécheresse de la bouche.
- **Vaporisateur:** Recommander au patient de se moucher délicatement, puis de pencher la tête vers l'arrière, de placer l'embout du vaporisateur dans une narine pendant qu'il comprime légèrement l'autre, de vapori-

ser en inhalant et d'expirer par la bouche.

VÉRIFICATION DES RÉSULTATS

L'efficacité du traitement peut être démontrée par: ■ l'amélioration de la fonction pulmonaire en cas d'asthme bronchique chronique ■ le soulagement des symptômes de rhinite saisonnière ou chronique ■ la disparition des symptômes inflammatoires cutanés ■ la prévention de la récurrence des polypes nasaux. Parfois, il faut attendre de 1 à 4 semaines avant que les effets se manifestent chez les patients qui ne reçoivent pas de corticostéroïdes à action générale.

BÉNAZAPRIL
(Lotensin)

CLASSIFICATION:
Antihypertenseur – inhibiteur de l'enzyme de conversion de l'angiotensine (ECA)

Grossesse – catégorie D

INDICATIONS
Hypertension – en monothérapie ou en association avec des diurétiques de type thiazidique.

ACTION
■ Blocage de la sécrétion d'angiotensine II, vasoconstricteur puissant qui stimule la production de l'aldostérone, par inhibition de sa transformation en forme active; une vasodilatation générale s'ensuit. **Effets thérapeutiques:** ■ Abaissement de la pression artérielle chez les patients hypertendus.

PHARMACOCINÉTIQUE
Absorption: Par suite de l'administration PO, une fraction de 37 % est absorbée.
Distribution: Le mode de répartition du médicament n'est pas complètement élucidé. Il traverse le placenta et on en

trouve des quantités infimes dans le lait maternel.

Métabolisme et excrétion: Au cours du métabolisme hépatique, le médicament est transformé en bénazaprilate, métabolite actif.

Demi-vie: De 10 à 11 h (bénazaprilate); prolongée en cas d'insuffisance rénale.

CONTRE-INDICATIONS ET PRÉCAUTIONS

Contre-indications: ■ Hypersensibilité ■ Risque de sensibilité croisée avec les autres inhibiteurs de l'ECA.

Précautions: ■ Insuffisance rénale, hypovolémie, hyponatrémie, patients âgés (réduire la dose) ■ Sténose aortique ■ Maladie vasculaire du collagène (risque accru d'effets rénaux indésirables) ■ Insuffisance cérébrovasculaire ou cardiaque ■ Grossesse (risque de malformation fœtale, hypotension, oligurie ou hypokaliémie du nouveau-né) ■ Allaitement et enfants (l'innocuité du médicament n'a pas été établie) ■ Anesthésie ou intervention chirurgicale (risque d'exacerbation de l'hypotension).

Extrême prudence: Antécédents familiaux d'œdème angioneurotique héréditaire.

RÉACTIONS INDÉSIRABLES ET EFFETS SECONDAIRES

SNC: étourdissements, céphalées, fatigue.
Resp.: toux.
CV: hypotension, tachycardie, angine de poitrine.
GI: anorexie, perte du goût, nausées.
GU: protéinurie, insuffisance rénale.
Tég.: rash, prurit.
HÉ: hyperkaliémie.
Hémat.: LEUCOPÉNIE, AGRANULOCYTOSE.
Divers: fièvre, œdème du visage ou des lèvres.

INTERACTIONS

Médicament – médicament: ■ Les **antihypertenseurs**, les **dérivés nitrés** et les **phénothiazines** ainsi que l'ingestion d'**alcool** peuvent entraîner un effet hypotenseur additif ■ L'administration simultanée de **suppléments potassiques** ou de **diurétiques d'épargne potassique** peut entraîner l'hyperkaliémie ■ Les **antiinflammatoires non stéroïdiens** peuvent atténuer l'effet antihypertenseur du bénazapril ■ Le médicament peut augmenter les concentrations sériques de **digoxine** ■ Le bénazapril peut augmenter le risque de toxicité par le **lithium** ■ L'administration simultanée d'**allopurinol** peut augmenter le risque de réactions d'hypersensibilité.

VOIES D'ADMINISTRATION ET POSOLOGIE

Hypertension

PO (adultes): dose initiale: de 5 à 10 mg, une fois par jour; augmenter graduellement jusqu'à une dose d'entretien de 20 à 40 mg par jour en une seule prise ou en 2 prises fractionnées.

PHARMACODYNAMIE (effet sur la pression artérielle[*])

	DÉBUT D'ACTION	PIC	DURÉE
PO	1 h	2 – 4 h	12 – 24 h

[*] Les pleins effets du médicament peuvent ne pas se manifester avant plusieurs semaines.

☀ SOINS INFIRMIERS

ÉVALUATION DE LA SITUATION

☐ Mesurer souvent la pression artérielle et le pouls pendant la période initiale d'ajustement de la posologie et, à intervalles réguliers, pendant toute la durée du traitement. Avertir le médecin s'il y a des changements importants.

■ **Étude des examens diagnostiques et biochimiques:** Noter à intervalles réguliers les concentrations sériques d'urée, de créatinine et d'électrolytes. Le médicament peut entraîner l'élévation des concentrations sériques de potassium, l'élévation passagère des concentrations sériques d'urée et de créatinine et la diminution des concentrations de sodium.

DIAGNOSTICS INFIRMIERS POSSIBLES

■ Énoncés diagnostiques

☐ Diminution du débit cardiaque.

☐ Prise en charge inefficace du programme thérapeutique.

☐ Non-observance du traitement médicamenteux.

☐ *Risque élevé d'accident.*

☐ *Risque élevé de déséquilibre hydro-électrolytique.*

■ Facteurs favorisants

☐ Informations incomplètes.

☐ Doute quant aux bienfaits du médicament.

☐ *Manque de connaissances sur la méthode d'administration du médicament.*

☐ *Manque de connaissances sur les effets secondaires du médicament et sur les moyens de les prévenir.*

☐ *Difficulté à s'adapter aux changements nécessaires dans les habitudes de vie.*

☐ *Manque de connaissances sur le régime alimentaire à suivre.*

☐ *Manque de connaissances sur les bienfaits de l'exercice.*

☐ *Manque de connaissances sur les effets hypotensifs du médicament lors des changements brusques de position.*

☐ *Perturbation de la vigilance.*

INTERVENTIONS INFIRMIÈRES

P0 : On peut observer une chute rapide de la pression artérielle après l'administration de la première dose. L'interruption du traitement par les diurétiques, 2 ou 3 jours avant le début du traitement par le bénazapril, peut diminuer les risques d'hypotension. Reprendre le traitement par les diurétiques si le bénazapril ne maîtrise pas la pression artérielle.

ENSEIGNEMENT AU PATIENT ET À SES PROCHES

☐ Conseiller au patient de respecter scrupuleusement la posologie recommandée et de continuer à prendre le médicament, même s'il se sent bien. S'il n'a pas pu prendre le médicament au moment habituel, il doit le prendre aussitôt que possible à moins qu'il ne soit presque l'heure de prendre la dose suivante ; l'avertir qu'il ne doit jamais remplacer une dose manquée par une double dose. Le bénazapril stabilise la pression artérielle mais ne guérit pas l'hypertension. Prévenir le patient qu'il ne doit arrêter le traitement au bénazapril que sur recommandation du médecin.

☐ Inciter le patient à appliquer d'autres mesures de réduction de l'hypertension : perdre du poids, cesser de fumer, boire avec modération, faire de l'exercice régulièrement et diminuer le stress.

☐ Montrer au patient et à ses proches comment mesurer la pression artérielle. Leur demander de mesurer la pression artérielle au moins une fois par semaine et de signaler au médecin tout changement important.

☐ Recommander au patient d'éviter de consommer des substituts de sel ou des aliments à forte teneur en potassium ou en sodium, sauf si le médecin le recommande (voir l'annexe K).

☐ Conseiller au patient de changer de position lentement afin de réduire les risques d'hypotension orthostatique, particulièrement après l'administration de la dose initiale ; lui expliquer que les exercices physiques ou la chaleur peuvent augmenter les effets hypotensifs du bénazapril.

☐ Conseiller au patient de consulter le médecin ou le pharmacien avant de prendre un médicament en vente libre, particulièrement des médicaments contre le rhume. Lui recommander également d'éviter la consommation de trop grandes quantités de thé, de café ou de boissons à base de cola.

☐ Prévenir le patient que le bénazapril peut parfois provoquer des étourdissements. Lui conseiller de ne pas conduire et d'éviter les activités qui exigent sa vigilance jusqu'à ce qu'on ait la certitude que le médicament n'entraîne pas cet effet chez lui.

□ Recommander au patient qui doit suivre un traitement dentaire ou subir une intervention chirurgicale d'avertir le dentiste ou le médecin qu'il suit un traitement médicamenteux.

□ Recommander au patient de signaler au médecin les symptômes suivants : rash, aphtes, maux de gorge, fièvre, œdème des mains ou des pieds, extrasystoles, douleurs thoraciques, toux sèche, œdème du visage, des yeux, des lèvres ou de la langue, difficultés respiratoires ou altération persistante du goût.

□ Insister sur l'importance des examens de suivi permettant d'évaluer l'efficacité du traitement.

VÉRIFICATION DES RÉSULTATS

L'efficacité du traitement peut être démontrée par : la baisse de la pression artérielle sans manifestation d'effets indésirables.

BENZOCAÏNE

Anbesol, Auralgan, Bionet, Cépacol, Dermoplast, Foille, Ivarest, Lanacaïne, Onrectal, Orajel, Solarcaïne, Topicaïne, Vagisil, (Aerocaine), (Aerotherm), (Americaine), (Benzocol), (BiCozine), (Chiggerex), (Chloraseptic pour enfants), (Colrex), (Dermacoat), (Ethylaminobenzoate), (Hurricaine), (Oracine), (Rhulicaine), (Rid-a-Pain), (Semets), (Spec-T), (T-Caine), (Tyrobenz)

CLASSIFICATION :

Anesthésique topique

Grossesse – catégorie C

INDICATIONS

■ **Peau (effet local) :** Soulagement du prurit ou de la douleur provoquée par des brulûres, des infections fongiques et des éruptions bénignes dont : □ la varicelle □ la miliaire □ l'érythème fessier du nourrisson □ les excoriations □ les ecchymoses □ les petites plaies ou les incisions incluant l'épisiotomie □ les coups de soleil □ les éruptions provoquées par le sumac vénéneux □ les piqûres d'insectes □ l'eczéma □ les maux d'oreille ■ **Muqueuses :** Soulagement passager des maux de gorge, des aphtes bénins, des hémorroïdes ou des démangeaisons vaginales. **Usages non approuvés : ■ Agent de désensibilisation des organes génitaux chez l'homme :** Prévention de l'éjaculation précoce.

ACTION

■ Inhibition de la conduction de l'influx des nerfs sensoriels. **Effets thérapeutiques : ■** Anesthésie locale accompagnée d'un soulagement subséquent de la douleur ou du prurit ■ Prévention de l'éjaculation précoce.

PHARMACOCINÉTIQUE

Absorption : Le médicament est peu absorbé par la peau intacte ; l'absorption augmente en présence d'excoriations ; elle augmente également proportionnellement à l'étendue de la région traitée.

Distribution : Inconnue.

Métabolisme et excrétion : Les petites quantités, qui pourraient être absorbées, sont principalement métabolisées dans le plasma.

Demi-vie : Inconnue.

CONTRE-INDICATIONS ET PRÉCAUTIONS

Contre-indications : ■ Hypersensibilité ■ Risque de sensibilité croisée avec les autres anesthésiques locaux ■ Hypersensibilité à l'un des ingrédients dont les stabilisants, les colorants ou les véhicules ■ Infection active, non traitée, présente dans les régions atteintes ■ Administration dans les yeux.

Précautions : ■ Excoriations étendues de la peau ou des muqueuses ■ Administration

B

prolongée (déconseillée) ■ Application orale ou nasotrachéale (diminution du réflexe pharyngé) ■ Personnes âgées, patients débilités et enfants (réduire la dose) ■ Enfants âgés de moins de 2 ans (l'innocuité du médicament n'a pas été établie).

RÉACTIONS INDÉSIRABLES ET EFFETS SECONDAIRES

ORLO: diminution du réflexe pharyngé, altération du goût.

Tég.: dermatite de contact, urticaire, œdème, brûlures, picotements, sensibilité, irritation.

Divers: réaction allergique incluant le CHOC ANAPHYLACTIQUE.

INTERACTIONS

Médicament – médicament: L'administration concomitante d'**inhibiteurs de la cholinestérase** augmente le risque de toxicité générale.

PRÉSENTATION

Ce médicament existe sous diverses formes: gel, pastilles, solution et lotion.

VOIES D'ADMINISTRATION ET POSOLOGIE

Anesthésie locale

■ **Administration topique ou application sur les muqueuses (adultes et enfants):** appliquer la préparation ou administrer les pastilles 3 ou 4 fois par jour, selon les besoins.

Désensibilisation des organes génitaux chez l'homme

■ **Usage topique (adultes):** appliquer la préparation de 3 à 7,5 % dans une base hydrosoluble avant le rapport sexuel.

PHARMACODYNAMIE (effet anesthésique après application sur les muqueuses)

	DÉBUT D'ACTION	PIC	DURÉE
préparation topique	< 1 min	1 min	30 – 60 min

SOINS INFIRMIERS

ÉVALUATION DE LA SITUATION

☐ Déterminer le type de douleur, son siège et son intensité, avant et quelques minutes après l'administration de la benzocaïne.

☐ Examiner la peau et les muqueuses atteintes avant le traitement et, à intervalles réguliers, pendant toute sa durée. Prévenir le médecin en présence de signes d'infection ou d'irritation.

DIAGNOSTICS INFIRMIERS POSSIBLES

■ **Énoncés diagnostiques**
☐ Douleur.
☐ Prise en charge inefficace du programme thérapeutique.
☐ *Risque élevé d'anxiété.*
☐ *Risque élevé d'accident.*

■ **Facteurs favorisants**
☐ Informations incomplètes.
☐ *Manque de connaissances sur la méthode d'administration du médicament.*
☐ *Manque de connaissances sur les modalités du traitement.*
☐ *Manque de connaissances sur les effets secondaires du médicament.*

INTERVENTIONS INFIRMIÈRES

■ **Préparation topique:** Préparation sans alcool pour soulager les douleurs provoquées par la dentition chez les nourrissons. Appliquer sur la gencive à l'aide d'un bâtonnet ou des doigts.

■ **Gouttes otiques:** Avant l'administration des gouttes, s'assurer que la membrane tympanique est intacte.

ENSEIGNEMENT AU PATIENT ET À SES PROCHES

■ **Directives générales:** Montrer au patient comment appliquer la préparation. Insister sur le fait qu'il doit éviter tout contact avec les yeux.

B

□ Recommander au patient d'arrêter l'utilisation du médicament en présence d'érythème, de rash ou d'irritation sur la région traitée.

□ Conseiller au patient qui applique la solution autour de la bouche de s'abstenir de fumer jusqu'à ce que la solution soit sèche.

■ **Gel pour soulager la douleur provoquée par la dentition :** Conseiller aux parents de prévenir le pédiatre si la douleur est excessive ou si elle se prolonge. Conseiller aux parents de ne pas nourrir l'enfant immédiatement après l'application afin de prévenir la suffocation due au réflexe pharyngé diminué.

■ **Pastilles :** Recommander au patient de laisser fondre la pastille lentement dans la bouche. Lui conseiller de consulter le médecin si les maux de gorge persistent pendant plus de 2 jours. Ne pas administrer ce médicament à des jeunes enfants en raison des risques de suffocation.

■ **Agent de désensibilisation des organes génitaux chez l'homme :** Conseiller au patient d'interroger sa partenaire au sujet des allergies aux anesthésiques locaux, aux sulfamides, aux teintures capillaires et aux écrans solaires, afin d'éviter les risques de réactions d'hypersensibilité.

□ Expliquer au patient que la benzocaïne ne devrait pas modifier la réponse de sa partenaire. Lui recommander d'appliquer la benzocaïne sur le gland et le corps du pénis avant le rapport sexuel et de se laver le pénis après, afin d'enlever les restes de médicament.

VÉRIFICATION DES RÉSULTATS

L'efficacité du traitement peut être démontrée par : ■ le soulagement passager de la douleur provoquée par des irritations bénignes de la peau ou des muqueuses ■ la prévention de l'éjaculation précoce.

BENZQUINAMIDE
(Emete-con)

CLASSIFICATION :
Antiémétique

Grossesse – catégorie inconnue

INDICATIONS

Prévention et traitement des nausées et des vomissements provoquées par l'anesthésie ou une intervention chirurgicale.

ACTION

■ Effet dépresseur sur la zone réflexogène chémoréceptrice du SNC. **Effets thérapeutiques :** ■ Soulagement des nausées et des vomissements.

PHARMACOCINÉTIQUE

Absorption : Par suite de l'administration IM, l'absorption est rapide.
Distribution : Le médicament se répartit dans tout l'organisme.
Métabolisme et excrétion : La plus grande partie du médicament est métabolisée par le foie. Des quantités infimes sont excrétées à l'état inchangé dans l'urine.
Demi-vie : De 30 à 40 min.

CONTRE-INDICATIONS ET PRÉCAUTIONS

Contre-indications : ■ Hypersensibilité ■ Grossesse (éviter l'usage).
Précautions : ■ Antécédents de maladie cardiovasculaire ■ Allaitement et enfants (l'innocuité du médicament n'a pas été établie).

RÉACTIONS INDÉSIRABLES ET EFFETS SECONDAIRES

SNC : <u>somnolence</u>, insomnie, agitation, tremblements.
ORLO : vision trouble, salivation accrue, sécheresse de la bouche (xérostomie).
CV : hypotension, hypertension, arythmie.
GI : nausées, vomissements, crampes.

B

INTERACTIONS

Médicament – médicament: ■ Effet additif sur la dépression du SNC lors de l'usage concomitant d'autres **dépresseurs du SNC** tels que l'**alcool**, les **antihistaminiques**, les **analgésiques narcotiques** et les **hypnosédatifs** ■ Le médicament peut provoquer de l'hypertension chez les patients qui prennent des **vasopresseurs** ou de l'**épinéphrine**.

VOIES D'ADMINISTRATION ET POSOLOGIE

- **IM (adultes):** 50 mg (de 0,5 à 1,0 mg/kg); on peut répéter l'administration 1 h plus tard et, par la suite, selon les besoins, toutes les 3 ou 4 h.
- **IV (adultes):** 25 mg (de 0,2 à 0,4 mg/kg).

PHARMACODYNAMIE
(effet antiémétique)

	DÉBUT D'ACTION	PIC	DURÉE
IM	15 min	30 min	3 – 4 h
IV	15 min	inconnu	3 – 4 h

SOINS INFIRMIERS

ÉVALUATION DE LA SITUATION

☐ Suivre de près les nausées et les vomissements, ausculter les bruits intestinaux et observer les douleurs abdominales avant et après l'administration du médicament. Le benzquinamide peut masquer les signes d'abdomen aigu.

☐ Déterminer l'état de l'hydratation du patient et effectuer le bilan des ingesta et des excreta. Chez les patients souffrant de nausées et de vomissements graves, il faut parfois administrer des solutés par voie IV en plus de l'antiémétique.

☐ Après l'administration IV, surveiller les arythmies et les variations de la pression artérielle.

DIAGNOSTICS INFIRMIERS POSSIBLES

■ **Énoncés diagnostiques**
☐ Déficit du volume liquidien.
☐ Déficit nutritionnel.
☐ Risque élevé d'accident.
☐ *Risque élevé d'anxiété.*

■ **Facteurs favorisants**
☐ *Perturbation de la vigilance.*
☐ *Manque de connaissances sur les effets hypotensifs du médicament lors des changements brusques de position.*
☐ *Manque de connaissances sur les moyens de prévenir ou de réduire la sécheresse de la bouche.*

INTERVENTIONS INFIRMIÈRES

■ **Directives générales:** On peut administrer ce médicament en traitement prophylactique au moins 15 min avant le réveil après l'anesthésie.

☐ Reconstituer le médicament avec 2,2 mL d'eau stérile ou d'eau bactériostatique pour injection, pour obtenir 2 mL de solution à une concentration de 25 mg/mL. Ne pas reconstituer avec une solution de NaCl à 0,9 % en raison du risque de formation d'un précipité. La solution reconstituée est stable à la température ambiante pendant 14 jours si elle est gardée à l'abri de la lumière. Ne pas réfrigérer.

■ **IM:** Injecter le médicament profondément dans la masse musculaire. N'injecter dans le muscle deltoïde que si ce dernier est suffisamment développé. Il faut choisir de préférence la voie IM, car le benzquinamide administré par voie IV peut provoquer des arythmies. Aspirer soigneusement la solution pour ne pas administrer par inadvertance par voie IV.

■ **IV directe:** Ne pas administrer la solution par une tubulure IV par laquelle on fait passer un soluté salin.

☐ *Vitesse d'administration:* Administrer lentement 1 mL (25 mg) en 30 à

60 s, dans une tubulure en Y ou dans un robinet à 3 voies.

- **Associations compatibles dans la même seringue :** Atropine, dropéridol avec du fentanyl, glycopyrrolate, hydroxyzine, kétamine, mépéridine, midazolam, morphine, naloxone, pentazocine, propranolol ou scopolamine.
- **Associations incompatibles dans la même seringue :** Chlordiazépoxide, chlorure de sodium, diazépam, pentobarbital, phénobarbital, sécobarbital ou thiopental.
- **Compatibilité (tubulure en Y) :** Foscarnet.

ENSEIGNEMENT AU PATIENT ET À SES PROCHES

☐ Recommander au patient de demander de l'aide lorsqu'il doit se déplacer, car ce médicament peut provoquer de la somnolence et de la sédation.

☐ Recommander au patient de changer lentement de position afin de réduire le risque d'hypotension orthostatique.

☐ Avertir le patient que ce médicament peut provoquer la sécheresse de la bouche. Lui conseiller de se rincer fréquemment la bouche, de pratiquer une bonne hygiène orale et de consommer de la gomme à mâcher ou des bonbons sans sucre afin de réduire cet effet.

☐ Recommander au patient et aux personnes clés dans sa vie de prendre les mesures habituelles qui permettent de diminuer les nausées : commencer par prendre quelques gorgées de liquide, consommer des repas légers, pauvres en matières grasses, pratiquer une bonne hygiène orale et éliminer les stimuli nocifs venant de l'extérieur.

VÉRIFICATION DES RÉSULTATS

L'efficacité du traitement peut être démontrée par : la diminution des nausées et des vomissements dans les 15 à 30 min qui suivent l'administration du médicament.

BENZTROPINE
Apo-Benztropine, Cogentin, PMS-Benztropine, (Bensylate), (benztropine)

CLASSIFICATION :
Anticholinergique – divers ;
antiparkinsonien – anticholinergique

Grossesse – catégorie C

INDICATIONS

Traitement d'appoint de toutes les formes de la maladie de Parkinson, incluant les effets extrapyramidaux induits par les médicaments et les réactions dystoniques aiguës.

ACTION

- Blocage de l'activité cholinergique dans le SNC, en partie responsable des symptômes de la maladie de Parkinson
- Rétablissement de l'équilibre naturel des neurotransmetteurs du SNC. **Effets thérapeutiques :** ■ Diminution de la rigidité et des tremblements.

PHARMACOCINÉTIQUE

Absorption : Par suite de l'administration PO et IM, l'absorption est rapide et complète.
Distribution : Inconnue.
Métabolisme et excrétion : Inconnus.
Demi-vie : Inconnue.

CONTRE-INDICATIONS ET PRÉCAUTIONS

Contre-indications : ■ Hypersensibilité ■ Enfants de moins de 3 ans ■ Glaucome à angle étroit ■ Dyskinésie tardive.
Précautions : ■ Personnes âgées (risque accru de réactions indésirables) ■ Grossesse et allaitement (l'innocuité du médicament n'a pas été établie).

RÉACTIONS INDÉSIRABLES ET EFFETS SECONDAIRES

SNC : confusion, faiblesses, hallucinations, céphalées, sédation, dépression, étourdissements.

B

ORLO: sécheresse des yeux (alacrymie), vision trouble, mydriase.

CV: tachycardie, arythmie, palpitations, hypotension.

GI: constipation, sécheresse de la bouche (xérostomie), nausées, iléus.

GU: rétention urinaire, retard de la miction.

Divers: réduction de la sécrétion de sueur.

INTERACTIONS

Médicament – médicament: ■ Effets anticholinergiques additifs, lors de l'administration concomitante de **médicaments doués de propriétés anticholinergiques**, tels que les **antihistaminiques**, les **phénothiazines**, la **quinidine**, le **disopyramide** et les **antidépresseurs tricycliques** ■ La benztropine contrecarre les effets cholinergiques du **béthanécol** ■ Les **antiacides** et les **antidiarrhéiques** peuvent diminuer l'absorption de la benztropine.

VOIES D'ADMINISTRATION ET POSOLOGIE

Parkinsonisme
■ **PO (adultes):** de 0,5 à 6 mg par jour en une seule dose, au coucher, ou en doses fractionnées de 2 à 4 fois par jour.

Réactions dystoniques aiguës
■ **IM et IV (adultes):** dose initiale de 2 mg, puis 1 à 2 mg PO, 2 fois par jour.

Effets extrapyramidaux induits par les médicaments
■ **PO, IM et IV (adultes):** de 1 à 4 mg, 1 ou 2 fois par jour.

PHARMACODYNAMIE
(activité antidyskinétique)

	DÉBUT D'ACTION	PIC	DURÉE
PO	1 – 2 h	plusieurs jours	24 h
IM, IV	quelques minutes	inconnu	24 h

✳ SOINS INFIRMIERS

ÉVALUATION DE LA SITUATION

■ **Directives générales:** Avant le traitement et pendant toute sa durée, suivre de près les symptômes parkinsoniens et extrapyramidaux suivants: akinésie, rigidité, tremblements, mouvements d'émiettement, faciès figé, démarche traînante, spasmes musculaires, mouvements de torsion et bouche ouverte laissant s'échapper la salive (sialorrhée).

☐ Noter quotidiennement le mode d'élimination intestinale. Suivre de près la constipation, la douleur et la distension abdominales ou l'absence de bruits intestinaux. Signaler rapidement au médecin tout résultat anormal.

☐ Effectuer le bilan quotidien des ingesta et des excreta et observer le patient à la recherche des signes suivants de rétention urinaire: dysurie, distension abdominale, mictions peu fréquentes et faibles quantités d'urine, incontinence par regorgement.

☐ Chez les patients souffrant de maladie mentale, le risque d'exacerbation des symptômes de leur trouble est accru au début du traitement par ce médicament. Interrompre l'administration de l'agent et prévenir le médecin si des changements de comportement importants se produisent.

■ **Voie parentérale:** Mesurer attentivement le pouls et la pression artérielle et demander au patient de garder le lit pendant l'heure qui suit l'administration de l'agent. Lui conseiller de changer lentement de position afin de réduire les risques d'hypotension orthostatique.

DIAGNOSTICS INFIRMIERS POSSIBLES

■ **Énoncés diagnostiques**
☐ Altération de la mobilité physique.
☐ Risque élevé d'accident.

- □ Prise en charge inefficace du programme thérapeutique.
- □ *Risque élevé de constipation.*
- □ *Risque élevé d'agitation.*
- □ *Risque élevé d'atteinte à l'intégrité de la muqueuse buccale.*

- ■ **Facteurs favorisants**
- ■ Informations incomplètes.
- ■ *Perturbation de la vigilance.*
- ■ *Manque de connaissances sur les effets hypotensifs du médicament lors des changements brusques de position.*
- ■ *Manque de connaissances sur les moyens de stimuler la fonction intestinale.*
- ■ *Manque de connaissances sur les effets secondaires du médicament et sur les moyens de les prévenir.*
- ■ *Manque de connaissances sur les moyens de prévenir ou de réduire la sécheresse de la bouche.*

INTERVENTIONS INFIRMIÈRES

- ■ **PO:** Administrer l'agent avec des aliments ou immédiatement après les repas afin de réduire l'irritation gastrique. En cas de difficultés de déglutition, on peut broyer les comprimés et les administrer avec des aliments.
- ■ **IM:** Ce médicament n'est administré par voie parentérale que dans les cas d'urgence.
- ■ **IV directe:** La voie IV est rarement utilisée, car les effets se manifestent aussi rapidement lors de l'administration IM.
- □ *Vitesse d'administration:* Administrer la solution à un débit de 1 mg/min.
- ■ **Association compatible dans la même seringue:** Métoclopramide.

ENSEIGNEMENT AU PATIENT ET À SES PROCHES

- □ Conseiller au patient de respecter rigoureusement la posologie recommandée. S'il n'a pas pu prendre son médicament au moment habituel, il doit le prendre dès que possible, mais pas plus tard que 2 h avant l'heure prévue pour la dose suivante. Avant d'arrêter le traitement à la benztropine, on doit diminuer graduellement la dose pour éviter les réactions suivantes de sevrage: anxiété, tachycardie, insomnie, symptômes parkinsoniens ou extrapyramidaux de rebond.
- □ Prévenir le patient que la benztropine peut provoquer de la somnolence et des étourdissements. Lui conseiller de ne pas conduire et d'éviter les activités qui exigent sa vigilance jusqu'à ce qu'on ait la certitude que le médicament n'entraîne pas ces effets chez lui.
- □ Conseiller au patient de se rincer fréquemment la bouche, de pratiquer une bonne hygiène buccale et de consommer de la gomme à mâcher ou des bonbons sans sucre pour diminuer la sécheresse de la bouche. Lui recommander de consulter le médecin si la sécheresse de la bouche persiste (on pourrait lui prescrire des substituts de salive). Lui recommander également de prévenir le dentiste si la sécheresse de la bouche l'empêche de porter sa prothèse dentaire.
- □ Conseiller au patient de changer lentement de position afin de réduire les risques d'hypotension orthostatique.
- □ Recommander au patient de signaler au médecin les symptômes suivants: difficultés de miction, constipation ou douleurs abdominales.
- □ Conseiller au patient de consulter le médecin ou le pharmacien avant de prendre un médicament en vente libre, particulièrement des préparations contre le rhume, et d'éviter de consommer des boissons alcoolisées.
- □ Avertir le patient que le médicament peut diminuer la sécrétion de la sueur et qu'il y a risque d'hyperthermie par temps chaud. Lui conseiller de prévenir le médecin s'il lui est impossible de rester dans une pièce climatisée par temps chaud.

B

- Conseiller au patient de ne pas prendre des antiacides ou des antidiarrhéiques dans les 2 h qui suivent la prise de ce médicament.
- Insister sur l'importance des examens de suivi réguliers.

VÉRIFICATION DES RÉSULTATS

L'efficacité du traitement peut être démontrée par : la diminution de la sialorrhée et de la rigidité et l'amélioration de la démarche et de l'équilibre. Les effets thérapeutiques se manifestent habituellement dans les 2 ou 3 jours qui suivent le début du traitement.

BÉPRIDIL

(Vascor)

CLASSIFICATION :

Inhibiteur calcique ; antiangineux ; vasodilatateur coronarien

Grossesse – catégorie C

INDICATIONS

Traitement de l'angine de poitrine induite par l'effort, due à une insuffisance coronarienne, chez les patients qui ne répondent pas au traitement classique. Précédents d'administration en association avec des bêtabloquants ou des dérivés nitrés.

ACTION

- Inhibition de l'influx des ions calcium dans les cellules des muscles lisses vasculaires et myocardiques, ce qui entraîne l'inhibition du couplage excitation-contraction et de la contraction subséquente
- Diminution possible de la conduction dans les nœuds AV et sino-auriculaire. **Effets thérapeutiques :** ■ Vasodilatation coronarienne accompagnée d'une diminution subséquente de la fréquence et de la gravité des crises d'angine de poitrine.

PHARMACOCINÉTIQUE

Absorption : Le médicament est bien absorbé par suite de l'administration PO.

Distribution : Le bépridil traverse le placenta et pénètre dans le lait maternel ; sa répartition, pour le reste de l'organisme, n'a pas été élucidée.

Métabolisme et excrétion : Le médicament est surtout métabolisé par le foie. Les métabolites inactifs sont excrétés par les reins.

Demi-vie : 42 h (après l'arrêt du traitement par des doses multiples).

CONTRE-INDICATIONS ET PRÉCAUTIONS

Contre-indications : ■ Hypersensibilité ■ Arythmie ventriculaire grave (l'agent peut être proarythmogène) ■ Hypotension ■ Insuffisance cardiaque ■ Syndrome de dysfonctionnement sinusal (sauf en présence d'un stimulateur cardiaque) ■ Bloc cardiaque du 2e et du 3e degré ■ Allongement congénital ou d'origine médicamenteuse de l'intervalle QT sur l'ÉCG ■ Infarctus du myocarde récent (< 3 mois).

Précautions : ■ Insuffisance hépatique ou rénale ■ Bloc de branche gauche ■ Bradycardie sinusale (< 50 bpm) ■ Grossesse, allaitement ou enfants (l'innocuité du médicament n'a pas été établie).

RÉACTIONS INDÉSIRABLES ET EFFETS SECONDAIRES

SNC : céphalées, faiblesses, étourdissements, somnolence, insomnie, nervosité.

ORLO : sécheresse de la bouche (xérostomie), acouphènes.

Resp. : dyspnée, infection des voies respiratoires.

CV : INSUFFISANCE CARDIAQUE, ARYTHMIES VENTRICULAIRES, allongement de l'intervalle QT, palpitations.

GI : nausées, dyspepsie, anorexie, diarrhée, douleurs abdominales, constipation.

Hémat. : AGRANULOCYTOSE.

SN: tremblements, paresthésie.
Divers: syndrome pseudogrippal.

INTERACTIONS

Médicament – médicament: ■ L'administration concomitante d'**antiarythmiques**, d'**antidépresseurs** et de **dérivés digitaliques** peut augmenter le risque d'arythmies ventriculaires ■ Le médicament augmente les concentrations sériques de **digoxine**.

VOIES D'ADMINISTRATION ET POSOLOGIE

PO (adultes): 200 mg, une fois par jour; on peut augmenter cette dose après 10 jours jusqu'à 300 mg par jour (ne pas dépasser 400 mg par jour).

PHARMACODYNAMIE

	DÉBUT D'ACTION	PIC	DURÉE
PO	8 jours*	inconnu	24 h

* Début des effets antiangineux à l'état d'équilibre lors d'une administration prolongée.

☀ SOINS INFIRMIERS

ÉVALUATION DE LA SITUATION

□ Déterminer le siège, la durée et l'intensité des douleurs angineuses ainsi que les facteurs qui déclenchent l'angor.

□ Mesurer le pouls avant d'administrer le médicament. Suivre l'ÉCG à intervalles réguliers chez le patient recevant un traitement prolongé.

□ Effectuer le bilan quotidien des ingesta et des excreta et peser le patient tous les jours. Observer régulièrement le patient à la recherche des signes et des symptômes suivants d'insuffisance cardiaque: œdème périphérique, râles ou crépitations, dyspnée, gain pondéral, turgescence des jugulaires.

□ Chez les patients recevant des dérivés digitaliques en même temps que le bépridil, il faut analyser régulière-

ment les concentrations sériques de ces agents et surveiller les signes et les symptômes de toxicité digitalique.

■ **Étude des examens diagnostiques et biochimiques:** Noter la numération leucocytaire à intervalles réguliers chez les patients qui suivent un traitement prolongé.

DIAGNOSTICS INFIRMIERS POSSIBLES

■ **Énoncés diagnostiques**
□ Diminution du débit cardiaque.
□ Douleur.
□ Prise en charge inefficace du programme thérapeutique.
□ *Risque élevé d'accident.*

■ **Facteurs favorisants**
□ Informations incomplètes.
□ *Perturbation de la vigilance.*
□ *Manque de connaissances sur les modalités du traitement.*
□ *Manque de connaissances sur les effets secondaires du médicament.*

INTERVENTIONS INFIRMIÈRES

PO: Si l'irritation gastrique devient gênante, on peut administrer le médicament avec des aliments.

ENSEIGNEMENT AU PATIENT ET À SES PROCHES

□ Recommander au patient de respecter scrupuleusement la posologie recommandée. L'avertir qu'il ne doit jamais sauter une dose, ni remplacer une dose manquée par une double dose. Avant d'arrêter le traitement au bépridil, il faut diminuer la dose graduellement.

□ Inciter le patient qui suit simultanément un traitement par des dérivés nitrés ou un bêtabloquant à continuer de prendre les deux médicaments selon la prescription et d'avoir recours à la nitroglycérine sublinguale, selon les besoins, en cas de crise d'angine.

□ Prévenir le patient que le bépridil peut parfois provoquer des étourdissements. Lui conseiller de ne pas

B

conduire et d'éviter les activités qui exigent sa vigilance jusqu'à ce qu'on ait la certitude que le médicament n'entraîne pas cet effet chez lui.

□ Conseiller au patient de ne pas boire d'alcool et de consulter le médecin ou le pharmacien avant de prendre un médicament en vente libre en même temps que le bépridil.

□ Inciter le patient à prévenir le médecin si les douleurs thoraciques ne sont pas soulagées par le traitement, si elles s'aggravent ou si elles s'accompagnent de diaphorèse ou encore s'il souffre d'essoufflements ou de céphalées graves persistantes. Lui recommander de signaler également au médecin les symptômes suivants : extrasystoles, dyspnée, œdème des mains et des pieds, étourdissements prononcés, nausées ou constipation.

VÉRIFICATION DES RÉSULTATS

L'efficacité du traitement peut être démontrée par : ■ la diminution de la fréquence et de la gravité des crises d'angine □ un besoin moindre de recourir à des dérivés nitrés □ l'augmentation de la tolérance à l'effort et de la sensation de bien-être.

BÉTAMÉTHASONE

Beben, Betacort, Betaderm, Betnesol, Betnovate, Celestoderm, Celestone, Celestone Soluspan, Diprosone, Ectosone, Occlucort, Prevex B, Rholosone, Rhoprosone, Taro-Sone, Valisone, (Alphatrex), (Betameth), (Betatrex), (Beta-Val), (Betnelan), (Cel-U-Jec), (Dermabet), (Metaderm), (Novabetamet), (Prelestone), (Selestoject), (Valnac)

CLASSIFICATION :
Glucocorticoïde – action prolongée

Grossesse – catégorie C (préparations topiques), inconnue (voie générale)

INDICATIONS

■ Traitement général et local d'une grande variété de maladies dont les infections inflammatoires chroniques, l'allergie, les troubles hématologiques, les néoplasies et les maladies auto-immunes ■ Ce médicament ne convient pas à un traitement administré un jour sur deux.

ACTION

■ Suppression de l'inflammation et de la réponse immunitaire normale. Nombreux effets métaboliques intenses (voir Réactions indésirables et Effets secondaires). Suppression de la fonction surrénalienne à des doses orales de 0,6 mg par jour, administrées sur une période prolongée. **Effets thérapeutiques :** ■ Suppression de l'inflammation et modification de la réponse immunitaire normale.

PHARMACOCINÉTIQUE

Absorption : Par suite de l'administration PO, le médicament est bien absorbé. Le sel de phosphate sodique est rapidement absorbé après l'administration IM. La suspension d'acétate est absorbée lentement. Lorsque le médicament est injecté localement, l'absorption est lente mais complète. Par suite d'un traitement topique, l'agent est également absorbé par voie systémique.

Distribution : Le médicament traverse le placenta. De petites quantités pénètrent dans le lait maternel.

Métabolisme et excrétion : Le médicament est surtout métabolisé par le foie.

Demi-vie : De 3 à 5 h (dans le plasma), de 36 à 54 h (dans les tissus) ; la suppression de la fonction surrénalienne dure 3,25 jours.

CONTRE-INDICATIONS ET PRÉCAUTIONS

Contre-indications : ■ Infections aiguës non traitées, à l'exception de certaines formes de méningites ■ Allaitement (éviter l'usage prolongé) ■ Sevrage brusque déconseillé.

Précautions: ■ Traitement prolongé (risque de suppression de la fonction surrénalienne) ■ Stress (administrer des doses supplémentaires) ■ Glaucome ■ Diabète sucré ■ Grossesse (l'innocuité du médicament n'a pas été établie) ■ Enfants (le traitement prolongé peut entraîner le ralentissement de la croissance; il est recommandé d'administrer des glucocorticoïdes à action brève ou intermédiaire) ■ Administrer la plus faible dose pendant le délai le plus court possible ■ Certaines préparations contiennent des bisulfites ou de la tartrazine; administrer avec prudence chez les patients hypersensibles.

RÉACTIONS INDÉSIRABLES ET EFFETS SECONDAIRES

SNC: céphalées, agitation, psychoses, dépression, euphorie, modification de la personnalité, pression intracrânienne accrue (enfants seulement).

ORLO: cataractes, pression intraoculaire accrue.

CV: hypertension.

GI: nausées, vomissements, anorexie, ulcère gastroduodénal, gain d'appétit.

Tég.: retard de la cicatrisation des plaies, pétéchies, ecchymoses, fragilité cutanée, hirsutisme, acné.

End.: suppression de la fonction surrénalienne, hyperglycémie.

HÉ: hypokaliémie, alcalose hypokaliémique, rétention de liquides.

Hémat.: thromboembolie, thrombophlébite.

Loc.: atrophie musculaire, douleurs musculaires, nécrose aseptique des articulations, ostéoporose.

Divers: prédisposition accrue aux infections, aspect cushingoïde (faciès lunaire, bosse de bison).

INTERACTIONS

Médicament – médicament: ■ Effets hypokaliémiques additifs lors de l'administration concomitante de **diurétiques**, d'**amphotéricine B**, de **mézlocilline** ou de **ticarcilline** ■ L'hypokaliémie peut augmenter le risque de toxicité **digitalique** ■ Les **barbituriques**, la **phénytoïne** et la **rifampine** accélèrent le métabolisme et peuvent diminuer l'efficacité du médicament ■ Le traitement à la bétaméthasone peut augmenter les besoins en **insuline** ou en **hypoglycémiants oraux**.

PRÉSENTATION

Les préparations destinées à l'usage topique sont présentées sous forme de crème, de lotion, d'onguent et de solution pour lavement.

VOIES D'ADMINISTRATION ET POSOLOGIE

Remarque: Une dose de 0,6 mg de bétaméthasone équivaut à une dose de 20 mg d'hydrocortisone.

Insuffisance corticosurrénale
■ **PO (enfants) (É.-U.):** 17,5 µg/kg (500 µg/m^2) par jour, en 3 doses fractionnées.
■ **IM (enfants) (É.-U.):** 17,5 µg/kg (500 µg/m^2) par jour, en 3 doses fractionnées, tous les 3 jours; ou 5,8 à 8,75 µg/kg (de 166 à 250 µg/m^2) par jour, en une seule dose.

Autres usages par voie orale
■ **PO (adultes):** de 1 à 8 mg par jour en une seule dose ou en doses fractionnées.
■ **PO (enfants):** de 62,5 à 250 µg/kg (1,875 à 7,5 mg/m^2) par jour, en 3 ou 4 doses fractionnées.

Phosphate sodique de bétaméthasone et acétate de bétaméthasone (Celestone Soluspan)
■ **Administration intrasynoviale (adultes):** de 1 à 2 mL par semaine. On peut répéter l'administration selon les besoins.
■ **Administration intra-articulaire (adultes):** de 0,25 à 2 mL (la dose administrée dépend du type d'articulation); on peut répéter l'administration selon les besoins.
■ **Administration intralésionnelle (adultes):** 0,2 mL/cm^2 de peau traitée, injecter

B

directement dans le derme. On recommande une quantité maximale de 1 mL, à intervalles de une semaine.

Préparations topiques

- **Usage topique (adultes):** 1 à 3 fois par jour.
- **Usage topique (enfants):** une fois par jour.
- **Lavement:** un lavement administré tous les soirs, pendant 2 à 4 semaines.

Préparations oto-ophtalmiques:

Gouttes ophtalmiques: 1 ou 2 gouttes, toutes les 1 à 2 h.

Gouttes otiques: 2 ou 3 gouttes, toutes les 2 à 3 h.

PHARMACODYNAMIE
(effet anti-inflammatoire)

	DÉBUT D'ACTION	PIC	DURÉE
PO	inconnu	1 – 2 h	3,25 jours
IM (acétate et phosphate)	1 – 3 h	inconnu	1 semaine
administration intrasynoviale, intra-articulaire	inconnu	inconnu	1 – 2 semaines
administration intralésionnelle	inconnu	inconnu	1 semaine
administration topique	plusieurs heures	inconnu	8 – 24 h

SOINS INFIRMIERS

ÉVALUATION DE LA SITUATION

- **Directives générales:** Surveiller les signes d'insuffisance surrénalienne avant le traitement et à intervalles réguliers pendant toute sa durée.
- ☐ Effectuer le bilan des ingesta et des excreta et peser le patient tous les jours. Surveiller les symptômes suivants de surcharge liquidienne: œdème, gain pondéral constant, râles et crépitations ou dyspnée.
- **Intra-articulaire:** Suivre de près les douleurs, l'œdème et l'amplitude des mouvements des articulations atteintes.

- **Préparations topiques:** Examiner la peau affectée avant l'application de la préparation et quotidiennement pendant toute la durée du traitement. Noter le degré de l'inflammation et de prurit.
- **Étude des examens diagnostiques et biochimiques:** *Voie systémique* – Mesurer les concentrations sériques d'électrolytes et de glucose. La bétaméthasone peut provoquer l'hyperglycémie, particulièrement chez les diabétiques. L'agent peut entraîner l'hypokaliémie.
- ☐ Analyser les selles par la méthode au gaïac. Signaler rapidement au médecin la présence de sang occulte.
- ☐ Le médecin peut prescrire des analyses périodiques de la fonction surrénalienne afin d'évaluer le degré de suppression de l'axe hypothalamo-hypophyso-surrénalien lors d'un traitement par voie générale ou d'un usage topique prolongé.

DIAGNOSTICS INFIRMIERS POSSIBLES

- **Énoncés diagnostiques**
- ☐ Atteinte à l'intégrité de la peau.
- ☐ Risque élevé d'infection.
- ☐ Prise en charge inefficace du programme thérapeutique.
- ☐ *Risque élevé d'anxiété.*
- ☐ *Risque élevé d'intolérance à l'activité.*
- ☐ *Risque élevé d'accident.*

- **Facteurs favorisants**
- ☐ Informations incomplètes.
- ☐ *Manque de connaissances sur la méthode d'administration du médicament.*
- ☐ *Douleurs articulaires.*
- ☐ *Manque de connaissances sur les effets secondaires du médicament.*
- ☐ *Manque de connaissances sur les modalités du traitement.*
- ☐ *Manque de connaissances sur le régime alimentaire à suivre.*

B

INTERVENTIONS INFIRMIÈRES

- **Directives générales:** On peut mélanger la suspension de phosphate sodique de bétaméthasone et d'acétate de bétaméthasone à un volume égal de chlorhydrate de procaïne à 1 % ou de chlorhydrate de lidocaïne à 1 % lors des injections dans une articulation, un tendon ou une bourse.

- **PO:** Administrer le médicament avec des aliments pour réduire l'irritation gastrique. Lorsque le patient prend le médicament une fois par jour, l'administrer dans la matinée, pour suivre les sécrétions naturelles de cortisol.

- **Usage topique:** Appliquer la préparation sur une peau propre, légèrement humide. Enfiler des gants lors de l'application. Ne pas recouvrir d'un pansement occlusif.

- **Usage oto-ophtalmique:** La méthode d'administration des gouttes ou des pommades ophtalmiques est indiquée à l'annexe H.

ENSEIGNEMENT AU PATIENT ET À SES PROCHES

- **Directives générales:** Montrer au patient comment prendre le médicament. Insister sur l'importance d'éviter tout contact avec les yeux. Conseiller au patient de prendre le médicament en respectant scrupuleusement la posologie recommandée. S'il n'a pas pu prendre le médicament au moment habituel, il doit le prendre dès que possible à moins que ce ne soit presque l'heure prévue pour la dose suivante. Ne pas doubler les doses. Le sevrage brusque peut entraîner les symptômes suivants d'insuffisance surrénalienne: anorexie, nausées, faiblesse, fatigue, hypotension, hypoglycémie. Si ces réactions se manifestent, il faut en informer immédiatement le médecin, car elles peuvent être mortelles.

- **Lavement rectal:** Installer le patient sur le côté gauche, les genoux repliés. Enlever le bouchon de la canule et le lubrifier avec de la vaseline. Introduire doucement la canule dans le rectum jusqu'à moitié en laissant pendre le sachet afin d'éviter toute perte de liquide. Rouler le sachet sur lui-même comme un tube dentifrice de façon à introduire la solution en l'espace de 1 ou 2 min. Demander au patient de se tourner sur le ventre et de garder cette position pendant 3 à 5 min avant de s'endormir dans la position habituelle.

- Expliquer au patient que ce médicament a des effets immunosuppresseurs et qu'il peut masquer les symptômes d'infection. Lui conseiller d'éviter tout contact avec des personnes contagieuses et de signaler immédiatement au médecin tout signe d'infection.

- Conseiller au patient de ne pas se faire vacciner avant d'avoir consulté le médecin au préalable.

- Recommander au patient de signaler au médecin les symptômes suivants: douleurs abdominales graves, selles goudronneuses, douleurs inhabituelles, œdème, gain pondéral, fatigue, douleurs osseuses, ecchymoses, lésions qui ne cicatrisent pas, troubles visuels ou modification du comportement.

- Insister sur la nécessité d'un suivi médical régulier permettant d'évaluer l'efficacité du médicament et ses effets secondaires possibles. Le médecin peut recommander des examens diagnostiques et des examens de la vue à intervalles réguliers.

- Recommander au patient de prévenir le médecin si les symptômes de la maladie sous-jacente récidivent ou s'aggravent.

- Conseiller au patient de toujours porter sur lui une pièce d'identité où sont inscrits son problème de santé et son traitement médicamenteux pour parer à toute urgence dans le cas où il serait incapable de communiquer ses antécédents médicaux.

- **Traitement prolongé :** Inciter le patient à adopter un régime riche en protéines, en calcium et en potassium et pauvre en sodium et en hydrates de carbone (voir l'annexe K). Lui conseiller de s'abstenir de consommer de l'alcool au cours du traitement.

VÉRIFICATION DES RÉSULTATS

L'efficacité du traitement peut être démontrée par : la diminution des symptômes initiaux avec très peu d'effets secondaires systémiques.

BÉTAXOLOL
Betoptic, (Kerlone)

CLASSIFICATION :
Traitement du glaucome – bêtabloquant

Grossesse – catégorie C

INDICATIONS

Préparation ophtalmique : Abaissement de la pression intraoculaire chez les patients souffrant de glaucome chronique à angle ouvert.

ACTION

- Diminution de la production d'humeur aqueuse. **Effets thérapeutiques :** ■ Abaissement de la pression intraoculaire.

PHARMACOCINÉTIQUE

Absorption : L'absorption systémique de la préparation ophtalmique est minime.
Distribution : Inconnue
Métabolisme et excrétion : La plus grande partie du médicament est métabolisée par le foie. Par suite de l'administration par voie générale, une fraction de 20 % est excrétée à l'état inchangé par les reins.
Demi-vie : De 15 à 20 h.

CONTRE-INDICATIONS ET PRÉCAUTIONS

Contre-indications : ■ Hypersensibilité au chlorure de benzalkonium ou à l'édétate disodique ■ Insuffisance cardiaque non compensée ■ Choc cardiogène ■ Bradycardie ■ Bloc cardiaque.
Précautions : Enfants, grossesse ou allaitement (l'innocuité du médicament n'a pas été établie).

RÉACTIONS INDÉSIRABLES ET EFFETS SECONDAIRES

SNC : insomnie, névrose dépressive.
ORLO : picotements oculaires, larmoiement, érythème, démangeaisons, kératite, taches sur la cornée, asymétrie pupillaire, photophobie.
Resp. : bronchospasme.

INTERACTIONS

Médicament – médicament : ■ L'administration concomitante de **bêtabloquants à action générale** peut entraîner un blocage bêta-adrénergique additif ■ Le médicament doit être administré avec prudence chez les patients qui reçoivent de la **réserpine** ou des **psychotropes adrénergiques**.

VOIES D'ADMINISTRATION ET POSOLOGIE

Préparation ophtalmique (adultes) : Une goutte dans l'œil affecté ou dans les deux yeux, 2 fois par jour.

PHARMACODYNAMIE

	DÉBUT D'ACTION	PIC	DURÉE
préparation ophtalmique	30 min	2 h	12 h

SOINS INFIRMIERS

ÉVALUATION DE LA SITUATION

Prendre la pression intraoculaire au cours du premier mois de traitement et à intervalles réguliers par la suite.

DIAGNOSTICS INFIRMIERS POSSIBLES

■ **Énoncés diagnostiques**

□ Prise en charge inefficace du programme thérapeutique.

□ *Risque élevé d'anxiété.*

□ *Risque élevé de constipation.*

■ **Facteurs favorisants**

□ Informations incomplètes.

□ *Manque de connaissances sur les effets secondaires du médicament.*

□ *Manque de connaissances sur la méthode d'administration du médicament.*

□ *Manque de connaissances sur les moyens de stimuler la fonction intestinale.*

INTERVENTIONS INFIRMIÈRES

■ La méthode d'administration des gouttes ophtalmiques est indiquée à l'annexe H.

□ Lorsque le bétaxolol est substitué à d'autres agents destinés au traitement du glaucome, continuer d'administrer tous les médicaments le premier jour de traitement au bétaxolol. Diminuer hebdomadairement la dose des autres médicaments, un par un, selon la réponse du patient.

□ Pour stabiliser la pression intraoculaire, on peut administrer le bétaxolol simultanément à des agonistes muscariniques (pilocarpine, échothiophate, carbachol), à des bêta-agonistes (épinéphrine pour usage ophtalmique, dipivéfrine), ou à des inhibiteurs de l'anhydrase carbonique par voie générale (acétazolamide).

ENSEIGNEMENT AU PATIENT ET À SES PROCHES

■ **Directives générales :** Conseiller au patient de suivre scrupuleusement la posologie recommandée.

□ Recommander au patient de signaler au médecin les symptômes suivants : faiblesse, respiration sifflante, dyspnée.

□ Insister sur l'importance des examens réguliers de suivi permettant d'évaluer les bienfaits du traitement.

■ Montrer au patient comment administrer les gouttes (voir l'annexe H). Insister sur l'importance d'éviter tout contact entre l'applicateur et une autre surface quelle qu'elle soit.

□ Conseiller au patient de porter des lunettes de soleil et d'éviter de s'exposer à une lumière intense afin de prévenir la photophobie.

VÉRIFICATION DES RÉSULTATS

L'efficacité du traitement peut être démontrée par : la baisse de la pression intraoculaire.

BÉTHANÉCHOL
Duvoid, Myotonachol, PMS-Béthanechol, Urecholine, (Urolax)

CLASSIFICATION :
Agent cholinergique – action directe
Grossesse – catégorie C

INDICATIONS

■ Traitement de la rétention urinaire non obstructive postpartum ou en période postopératoire ou traitement de la rétention urinaire entraînée par une vessie neurogène ■ Adjuvant au traitement du reflux gastro-œsophagien avec pyrosis, réfractaire au traitement classique.

ACTION

■ Stimulation des récepteurs cholinergiques. Les effets du médicament comprennent : □ la contraction de la vessie □ la diminution de la capacité de la vessie □ l'augmentation de la fréquence des ondes péristaltiques urétérales □ l'augmentation du tonus et du péristaltisme du tractus gastro-intestinal □ l'augmentation de la pression du sphincter œsophagien inférieur □ l'augmentation des sécrétions gastriques. **Effets thérapeutiques :** ▪ Vidange de la vessie.

PHARMACOCINÉTIQUE

Absorption : L'absorption étant faible par suite de l'administration PO, il faut administrer des doses plus élevées PO que par voie SC.
Distribution : Le médicament ne traverse pas la barrière hémato-encéphalique.
Métabolisme et excrétion : Inconnus.
Demi-vie : Inconnue.

CONTRE-INDICATIONS ET PRÉCAUTIONS

Contre-indications : ▪ Hypersensibilité ▪ Obstruction mécanique des voies gastro-intestinales ou génito-urinaires.
Précautions : ▪ Antécédents d'asthme ▪ Ulcère ▪ Maladie cardiovasculaire ▪ Épilepsie ▪ Hyperthyroïdie ▪ Enfants, grossesse et allaitement (l'innocuité du médicament n'a pas été établie) ▪ Sensibilité aux agents cholinergiques ou à leurs effets.

RÉACTIONS INDÉSIRABLES ET EFFETS SECONDAIRES

SNC : malaises, céphalées.
ORLO : larmoiement, myosis.
Resp. : bronchospasme.
CV : hypotension, bradycardie, SYNCOPE ACCOMPAGNÉE D'ARRÊT CARDIAQUE, bloc cardiaque.
GI : gêne abdominale, diarrhée, nausées, vomissements, salivation.
GU : miction impérieuse.
Divers : hypothermie, bouffées vasomotrices, transpiration.

INTERACTIONS

Médicament – médicament : ▪ La **quinidine** et le **procaïnamide** peuvent contrecarrer les effets cholinergiques du béthanéchol ▪ Le béthanéchol peut exercer des effets cholinergiques additifs lors de l'administration simultanée d'**inhibiteurs de la cholinestérase** ▪ L'administration simultanée de **ganglioplégiques** peut entraîner une hypotension grave ▪ L'administration simultanée de **bloqueurs neuromusculaires du type dépolarisant** est déconseillée.

VOIES D'ADMINISTRATION ET POSOLOGIE

- **PO (adultes) :** pour déterminer la dose minimale efficace, on peut administrer de 5 à 10 mg/h jusqu'à l'obtention d'une réponse ou jusqu'à concurrence d'une dose totale de 50 mg. La dose d'entretien est de 10 à 50 mg, 3 ou 4 fois par jour (on a déjà administré des doses allant jusqu'à 50 à 100 mg, 4 fois par jour).
- **SC (adultes) :** pour déterminer la dose minimale efficace, on peut administrer 2,5 mg toutes les 15 à 30 min jusqu'à l'obtention d'une réponse ou jusqu'à concurrence de 4 doses. La dose d'entretien est de 2,5 à 5 mg, 3 ou 4 fois par jour et jusqu'à 7,5 à 10 mg, toutes les 4 h, dans le cas d'une vessie neurogène.
- **Reflux gastro-œsophagien avec pyrosis :** 25 mg, 4 fois par jour, une demi-heure avant les repas et au coucher.

PHARMACODYNAMIE (effets sur les muscles vésiculaires)

	DÉBUT D'ACTION	PIC	DURÉE
PO	30 – 90 min	1 h	6 h
SC	5 – 15 min	15 – 30 min	2 h

SOINS INFIRMIERS

ÉVALUATION DE LA SITUATION

☐ Mesurer la pression artérielle, le pouls et la fréquence respiratoire avant d'administrer le médicament et pendant au moins 1 h après l'administration SC.
☐ Effectuer le bilan des ingesta et des excreta. Palper l'abdomen pour déterminer si la vessie est distendue. Prévenir le médecin si le médicament ne soulage pas les symptômes de la

maladie pour laquelle il a été prescrit. Celui-ci peut prescrire un cathétérisme pour l'analyse de l'urine résiduelle postmictionnelle.

■ **Étude des examens diagnostiques et biochimiques:** Le médicament peut entraîner l'élévation des concentrations d'amylase et de lipase sériques, de TGOS (AST) et de bilirubine sérique.

■ **Toxicité et surdosage:** Suivre de près les signes suivants de toxicité médicamenteuse: transpiration, bouffées vasomotrices, crampes abdominales, nausées, salivation. En cas de surdosage, administrer du sulfate d'atropine (antidote spécifique).

DIAGNOSTICS INFIRMIERS POSSIBLES

■ **Énoncés diagnostiques**
□ Altération de l'élimination urinaire.
□ Prise en charge inefficace du programme thérapeutique.
□ *Risque élevé d'agitation.*
□ *Risque élevé d'intoxication.*
□ *Risque élevé d'accident.*

■ **Facteurs favorisants**
□ Informations incomplètes.
□ *Distension vésicale.*
□ *Manque de connaissances sur les modalités du traitement.*
□ *Manque de connaissances sur les moyens de prévenir les effets secondaires du médicament.*
□ *Manque de connaissances sur les effets hypotensifs du médicament lors des changements brusques de position.*

INTERVENTIONS INFIRMIÈRES

■ **Directives générales:** Il est d'usage d'administrer une dose d'épreuve avant le traitement d'entretien.
□ Les doses orales et SC *ne sont pas* interchangeables.

■ **PO:** Administrer le médicament à jeun, 1 h avant ou 2 h après les repas, afin de prévenir les nausées et les vomissements.

■ **SC:** La solution parentérale est destinée à l'administration SC seulement.

Ne pas administrer le médicament par voie IM ou IV, en raison du risque d'hyperstimulation cholinergique (collapsus cardiovasculaire, chute de la pression artérielle, crampes abdominales, diarrhée sanguinolente, choc et arrêt cardiaque).

□ Ne pas administrer les solutions qui ont changé de couleur ou qui contiennent un précipité.

ENSEIGNEMENT AU PATIENT ET À SES PROCHES

□ Conseiller au patient de respecter scrupuleusement la posologie recommandée. S'il n'a pas pu prendre le médicament au moment habituel, il doit le prendre dans l'heure qui suit; sinon, il faut suivre l'horaire habituel. Il ne faut jamais prendre une double dose.

□ Conseiller au patient de changer lentement de position afin de réduire le risque d'hypotension orthostatique.

□ Inciter le patient à signaler à son médecin les symptômes suivants: gêne abdominale, salivation ou bouffées vasomotrices.

VÉRIFICATION DES RÉSULTATS

L'efficacité du traitement peut être démontrée par: ■ l'amélioration du tonus et de la fonction de la vessie ■ la diminution de la distension abdominale ■ la diminution du pyrosis.

BIPÉRIDÈNE
Akineton

CLASSIFICATION:
Antiparkinsonien – anticholinergique
Grossesse – catégorie C

INDICATIONS

Traitement d'appoint de toutes les formes de la maladie de Parkinson, incluant les

B

effets extrapyramidaux induits par les médicaments et les réactions dystoniques aiguës.

ACTION

■ Blocage de l'activité cholinergique qui s'exerce dans le SNC, activité qui est en partie responsable des symptômes de la maladie de Parkinson ■ Rétablissement de l'équilibre naturel des neurotransmetteurs du SNC. **Effets thérapeutiques:** ■ Diminution de la rigidité et des tremblements.

PHARMACOCINÉTIQUE

Absorption: Le médicament est bien absorbé par suite de l'administration PO.
Distribution: Inconnue.
Métabolisme et excrétion: Inconnus.
Demi-vie: Inconnue.

CONTRE-INDICATIONS ET PRÉCAUTIONS

Contre-indications: ■ Hypersensibilité ■ Glaucome à angle étroit ■ Obstruction intestinale ■ Mégacôlon ■ Dyskinésie tardive.
Précautions: ■ Personnes âgées (risque accru de réactions indésirables) ■ Hypertrophie de la prostate ■ Crises convulsives ■ Arythmies cardiaques ■ Grossesse et allaitement (l'innocuité du médicament n'a pas été établie).

RÉACTIONS INDÉSIRABLES ET EFFETS SECONDAIRES

SNC: confusion, faiblesses, hallucinations, céphalées, sédation, dépression, étourdissements.
ORLO: sécheresse des yeux (alacrymie), vision trouble, mydriase.
CV: tachycardie, arythmies, palpitations, hypotension.
GI: constipation, sécheresse de la bouche (xérostomie), nausées, iléus.
GU: rétention urinaire, retard de la miction.
Divers: réduction de la sécrétion de sueur.

INTERACTIONS

Médicament – médicament: ■ Effets anticholinergiques additifs, lors de l'administration concomitante d'autres **médicaments doués de propriétés anticholinergiques** tels que les **antihistaminiques**, les **phénothiazines**, la **quinidine**, le **disopyramide** et les **antidépresseurs tricycliques** ■ La bipéridène contrecarre les effets cholinergiques du **béthanéchol** ■ L'administration simultanée d'**antiacides** ou d'**antidiarrhéiques** peut diminuer l'absorption de la bipéridène.

VOIES D'ADMINISTRATION ET POSOLOGIE

Syndrome parkinsonien
■ **PO (adultes):** initialement, 2 mg, 3 ou 4 fois par jour (ne pas dépasser 16 mg par jour).

Réactions extrapyramidales
■ **PO (adultes):** 2 mg, 1 à 3 fois par jour.

PHARMACODYNAMIE (soulagement des symptômes parkinsoniens ou extrapyramidaux)

	DÉBUT D'ACTION	PIC	DURÉE
PO	inconnu	inconnu	inconnue

SOINS INFIRMIERS

ÉVALUATION DE LA SITUATION

■ **Directives générales:** Avant le traitement et pendant toute sa durée, suivre de près les symptômes parkinsoniens et extrapyramidaux suivants: akinésie, rigidité, tremblements, mouvements d'émiettement, faciès figé, démarche traînante, spasmes musculaires, mouvements de torsion et bouche ouverte laissant s'échapper la salive (sialorrhée).

□ Noter quotidiennement le mode d'élimination intestinale. Suivre de près la constipation, la distension ou les douleurs abdominales et l'absence de bruits intestinaux. Signaler rapidement au médecin toute anomalie.

☐ Effectuer le bilan quotidien des ingesta et des excreta et observer le patient à la recherche des signes suivants de rétention urinaire : dysurie, distension abdominale, mictions peu fréquentes, faibles quantités d'urine, incontinence par regorgement.

DIAGNOSTICS INFIRMIERS POSSIBLES

■ Énoncés diagnostiques

☐ Altération de la mobilité physique.

☐ Risque élevé d'infection.

☐ Prise en charge inefficace du programme thérapeutique.

☐ *Risque élevé d'accident.*

☐ *Risque élevé de constipation.*

☐ *Risque élevé d'atteinte à l'intégrité de la muqueuse buccale.*

☐ *Risque élevé d'altération de l'élimination urinaire.*

■ Facteurs favorisants

☐ Informations incomplètes.

☐ *Altération de la perception visuelle.*

☐ *Manque de connaissances sur les moyens de stimuler la fonction intestinale.*

☐ *Manque de connaissances sur les moyens de prévenir ou de réduire la sécheresse de la bouche.*

☐ *Modification de l'état liquidien ou des volumes circulants.*

☐ *Manque de connaissances sur les modalités du traitement.*

☐ *Perturbation de la vigilance.*

☐ *Manque de connaissances sur les effets hypotensifs du médicament lors des changements brusques de position.*

☐ *Manque de connaissances sur les effets secondaires du médicament.*

INTERVENTIONS INFIRMIÈRES

PO : Administrer le médicament avec des aliments ou immédiatement après les repas afin de réduire l'irritation gastrique.

ENSEIGNEMENT AU PATIENT ET À SES PROCHES

☐ Conseiller au patient de respecter scrupuleusement la posologie recommandée. S'il n'a pas pu prendre le médicament au moment habituel, il doit le prendre dès que possible, mais pas plus tard que 2 h avant l'heure prévue pour la dose suivante. Avant d'arrêter le traitement, on doit diminuer graduellement la dose de médicament pour éviter les réactions suivantes de sevrage : anxiété, tachycardie, insomnie, symptômes parkinsoniens ou extrapyramidaux de rebond.

☐ Prévenir le patient que la bipéridène peut provoquer de la somnolence, des étourdissements ou une vision trouble. Lui conseiller de ne pas conduire et d'éviter les activités qui exigent sa vigilance jusqu'à ce qu'on ait la certitude que le médicament n'entraîne pas ces effets chez lui.

☐ Recommander au patient de changer lentement de position pour réduire les risques d'hypotension orthostatique.

☐ Conseiller au patient de se rincer fréquemment la bouche, de pratiquer une bonne hygiène orale et de consommer de la gomme à mâcher ou des bonbons sans sucre pour diminuer la sécheresse de la bouche. Lui recommander de consulter le médecin si la sécheresse de la bouche persiste (on pourrait lui prescrire des substituts de salive). Lui recommander également de prévenir le dentiste si la sécheresse de la bouche l'empêche de porter sa prothèse dentaire.

☐ Recommander au patient ou à ses proches de prévenir le médecin en cas de miction difficile, de constipation persistante, de modifications persistantes de l'acuité visuelle ou de modification de l'état de la conscience.

☐ Conseiller au patient de consulter le médecin ou le pharmacien avant de

B

prendre un médicament en vente libre, et particulièrement des préparations contre le rhume. Lui conseiller également de limiter sa consommation de boissons alcoolisées.

□ Avertir le patient que le médicament peut diminuer la sécrétion de la sueur et qu'il y a risque d'hyperthermie par temps chaud. Lui conseiller de prévenir le médecin s'il lui est impossible de rester dans une pièce climatisée par temps chaud.

□ Conseiller au patient de ne pas prendre des antiacides ou des antidiarrhéiques dans les 2 h qui suivent la prise de bipéridène.

□ Insister sur l'importance des examens de suivi réguliers.

VÉRIFICATION DES RÉSULTATS

L'efficacité du traitement peut être démontrée par : ■ la diminution de la sialorrhée et de la rigidité qui caractérisent la maladie de Parkinson ■ la disparition des symptômes extrapyramidaux induits par les médicaments.

BISACODYL

Apo-Bisacodyl, Bisacolax, Dulcolax, Laxit, Mucinum, Petites pilules Carter's, (Bisco-Lax), (Clysodrast), (Dacodyl), (Deficol), (Theralax)

CLASSIFICATION :
Laxatif – stimulant

Grossesse – catégorie inconnue

INDICATIONS

■ Traitement de la constipation, particulièrement lorsqu'elle est entraînée par : □ l'alitement prolongé □ des médicaments constipants □ un transit intestinal lent □ le syndrome du côlon irritable ■ Évacuation intestinale avant un examen radiologique ou une intervention chirurgicale ■ Élément de la pharmacothéra-

pie des troubles intestinaux chez les patients atteints d'une lésion de la moelle épinière.

ACTION

■ Stimulation du péristaltisme ■ Modification du transport des liquides et des électrolytes favorisant l'accumulation de liquides dans le côlon. **Effets thérapeutiques :** ■ Évacuation des matières accumulées dans le côlon.

PHARMACOCINÉTIQUE

Absorption : Par suite de l'administration PO, l'absorption est minime. Le médicament agit au niveau du côlon seulement.
Distribution : De petites quantités de métabolites sont excrétées dans le lait maternel.
Métabolisme et excrétion : Les petites quantités absorbées sont métabolisées par le foie.
Demi-vie : Inconnue.

CONTRE-INDICATIONS ET PRÉCAUTIONS

Contre-indications : ■ Hypersensibilité ■ Douleurs abdominales ■ Obstruction ■ Nausées ou vomissements, particulièrement lorsqu'ils sont accompagnés de fièvre ou d'autres signes d'abdomen aigu.
Précautions : ■ Maladie cardiovasculaire grave ■ Fissures anales ou rectales ■ Doses massives ou traitement prolongé (risque d'accoutumance) ■ Grossesse ou allaitement (précédents d'usage).

RÉACTIONS INDÉSIRABLES ET EFFETS SECONDAIRES

GI : nausées, crampes abdominales, diarrhée, brûlures rectales.
Loc. : faiblesse musculaire (administration prolongée).
HÉ : hypokaliémie (administration prolongée).
Divers : entéropathie exsudative, tétanie (administration prolongée).

B

INTERACTIONS

Médicament – médicament: ■ Les **antiacides** peuvent dissoudre l'enrobage des comprimés à enrobage entérique ■ Le bisacodyl peut réduire l'absorption d'autres **médicaments administrés PO** en raison de la motilité accrue et du transit intestinal réduit.

VOIES D'ADMINISTRATION ET POSOLOGIE

■ **PO (adultes):** de 5 à 15 mg (jusqu'à 30 mg).
■ **PO (enfants > 6 ans):** de 5 à 10 mg ou 0,3 mg/kg.
■ **PR – suppositoires (adultes et enfants > 6 ans):** 10 mg.
■ **PR – suppositoires (enfants < 6 ans et nourrissons):** 5 mg.
■ **PR – lavement (adultes et enfants > 6 ans):** le contenu d'un microlavement (10 mg).
■ **PR – lavement (enfants < 6 ans):** la moitié du contenu d'un microlavement (5 mg).

PHARMACODYNAMIE
(évacuation des matières intestinales)

	DÉBUT D'ACTION	PIC	DURÉE
PO	6 – 12 h	inconnu	inconnue
PR	15 – 60 min	inconnu	inconnue

☀ SOINS INFIRMIERS

ÉVALUATION DE LA SITUATION

■ **Directives générales:** Déterminer le degré de distension abdominale, ausculter les bruits intestinaux, noter les habitudes normales d'élimination.
□ Noter la couleur, la consistance et la quantité des selles.

DIAGNOSTICS INFIRMIERS POSSIBLES

■ **Énoncés diagnostiques**
□ Constipation.
□ Prise en charge inefficace du programme thérapeutique.

□ *Risque élevé de diarrhée.*
□ *Risque élevé de déséquilibre hydroélectrolytique.*
□ *Risque élevé d'accident.*
■ **Facteurs favorisants**
□ Informations incomplètes.
□ *Manque de connaissances sur les modalités du traitement.*
□ *Modification de l'état liquidien ou des volumes circulants.*
□ *Manque de connaissances sur le régime alimentaire à suivre.*
□ *Manque de connaissances sur les bienfaits de l'exercice.*

INTERVENTIONS INFIRMIÈRES

■ **Directives générales:** Administrer le médicament au coucher pour favoriser la défécation le lendemain matin.
■ **PO:** Les préparations orales administrées à jeun produisent des résultats plus rapides.
□ Il ne faut pas broyer ni croquer les comprimés à enrobage entérique. Demander au patient de les prendre avec un grand verre d'eau ou de jus.
□ Si le patient a pris du lait ou des antiacides, éviter d'administrer la préparation orale dans l'heure qui suit, car le comprimé risque d'être prématurément dissous, ce qui peut entraîner une irritation gastrique ou duodénale.
■ **PR:** Administrer le suppositoire ou le lavement au moment où l'élimination est souhaitée. Lubrifier le suppositoire avec de l'eau ou un lubrifiant hydrosoluble avant de l'administrer. Inciter le patient à retenir le suppositoire ou le lavement pendant 15 à 30 min avant d'évacuer les selles.

ENSEIGNEMENT AU PATIENT ET À SES PROCHES

□ Prévenir le patient que les laxatifs ne sont destinés qu'à un traitement de courte durée (sauf pour le patient souffrant de lésions de la moelle épinière). Lui expliquer que le traitement prolongé peut entraîner un déséquilibre électrolytique et l'accoutumance.

☐ Recommander au patient d'augmenter sa consommation de liquides pendant le traitement et de boire de 1 500 à 2 000 mL par jour au minimum pour prévenir la déshydratation.

☐ Recommander au patient de prendre d'autres mesures qui favorisent l'élimination intestinale : augmenter la consommation d'aliments riches en fibres, boire plus de liquides, faire de l'exercice. Expliquer au patient que chaque personne a ses propres habitudes d'élimination et qu'il est tout aussi normal de déféquer 3 fois par jour que 3 fois par semaine.

☐ Recommander au patient souffrant de maladie cardiaque d'éviter les efforts de défécation (manœuvre de Valsalva).

☐ Prévenir le patient que le bisacodyl est déconseillé si la constipation s'accompagne de douleur abdominale, de fièvre, de nausées ou de vomissements.

Vérification des résultats

L'efficacité du traitement peut être démontrée par : ■ l'émission de selles molles et bien moulées ■ l'évacuation des matières accumulées dans le côlon chez le patient qui doit subir une intervention chirurgicale ou un examen radiologique ou chez celui qui souffre d'une lésion de la moelle épinière.

BISMUTH, SOUS-SALICYLATE DE
Pepto-Bismol

CLASSIFICATION :
Antidiarrhéique – antiacide

Grossesse – catégorie inconnue

INDICATIONS

■ Traitement d'appoint de la diarrhée légère à modérée ■ Traitement des nausées, des crampes abdominales, des brûlures d'estomac et de l'indigestion qui peuvent accompagner les maladies diarrhéiques. **Usages non approuvés :** ■ Traitement et prévention de la diarrhée des voyageurs (*Escherichia coli* entérotoxigènes).

ACTION

■ Effet favorable sur l'adsorption intestinale de liquides et d'électrolytes ■ Diminution de la synthèse des prostaglandines intestinales. **Effets thérapeutiques :** ■ Soulagement de la diarrhée.

PHARMACOCINÉTIQUE

Absorption : Le médicament n'est pas absorbé.
Distribution : Aucune.
Métabolisme et excrétion : Le médicament est excrété à l'état inchangé dans les fèces.
Demi-vie : Inconnue.

CONTRE-INDICATIONS ET PRÉCAUTIONS

Contre-indications : ■ Personnes âgées souffrant de fécalome ■ Enfants ou adolescents qui souffrent de varicelle ou de maladie pseudogrippale ou qui sont en convalescence (en raison du contenu en salicylate) ■ Hypersensibilité à l'acide acétylsalicylique.
Précautions : ■ Nourrissons, personnes âgées ou patients débilités (risque de formation d'un fécalome) ■ Examen radiologique de l'appareil gastro-intestinal (le bismuth est opaque aux rayons X) ■ Grossesse ou allaitement (l'innocuité du médicament n'a pas été établie) ■ Diabète sucré ■ Goutte.

RÉACTIONS INDÉSIRABLES ET EFFETS SECONDAIRES

GI : constipation, fécalome, selles grisnoir.

INTERACTIONS

Médicament – médicament: ■ L'administration simultanée d'**aspirine** peut exacerber les signes de toxicité par les salicylate. ■ Le sous-salicylate de bismuth peut diminuer l'absorption de la **tétracycline**. ■ Le médicament peut modifier l'effet des **anticoagulants oraux**.

VOIES D'ADMINISTRATION ET POSOLOGIE

- **PO (adultes):** 2 comprimés ou 30 mL; on peut répéter l'administration toutes les 30 à 60 min, jusqu'à concurrence de 8 doses en 24 h.
- **PO (enfants de 10 à 14 ans):** 1 comprimé ou 15 mL; on peut répéter l'administration toutes les 30 à 60 min, jusqu'à concurrence de 8 doses en 24 h.
- **PO (enfants de 5 à 9 ans):** 7,5 mL; on peut répéter l'administration toutes les 30 à 60 min, jusqu'à concurrence de 8 doses en 24 h.
- **PO (enfants de 2 à 4 ans):** 5 mL; on peut répéter l'administration toutes les 30 à 60 min, jusqu'à concurrence de 8 doses en 24 h.
- **PO (enfants < 2 ans):** sur recommandation du médecin seulement.

PHARMACODYNAMIE (soulagement de la diarrhée et des autres symptômes gastro-intestinaux)

	DÉBUT D'ACTION	PIC	DURÉE
PO	en l'espace de 24 h	inconnu	inconnue

☀ SOINS INFIRMIERS

ÉVALUATION DE LA SITUATION

- ☐ Observer la fréquence et la consistance des selles, noter la présence des nausées et de l'indigestion et ausculter les bruits intestinaux avant l'administration initiale et pendant tout le traitement.

- ☐ Effectuer le bilan hydroélectrolytique et suivre la turgescence de la peau pour déceler les signes de déshydratation qui risque de survenir si la diarrhée est prolongée.

DIAGNOSTICS INFIRMIERS POSSIBLES

■ **Énoncés diagnostiques**
- ☐ Diarrhée.
- ☐ Constipation.
- ☐ Prise en charge inefficace du programme thérapeutique.
- ☐ *Risque élevé de déficit de volume liquidien.*
- ☐ *Risque élevé d'anxiété.*

■ **Facteurs favorisants**
- ☐ Informations incomplètes.
- ☐ *Manque de connaissances sur les moyens de prévenir les effets secondaires affectant l'appareil gastro-intestinal.*
- ☐ *Manque de connaissances sur les effets secondaires du médicament et sur les moyens de les prévenir.*

INTERVENTIONS INFIRMIÈRES

PO: Bien agiter la préparation liquide avant l'administration. Les comprimés à croquer peuvent être mâchés ou dissous avant d'être avalés.

ENSEIGNEMENT AU PATIENT ET À SES PROCHES

- ☐ Conseiller au patient de respecter scrupuleusement la posologie recommandée.
- ☐ Expliquer au patient que le médicament peut rendre passagèrement les selles et la langue de couleur grisnoire.
- ☐ Prévenir le patient qu'il doit cesser de prendre le sous-salicylate de bismuth avec des produits à base d'acide acétylsalicylique si les oreilles lui tintent.
- ☐ Conseiller au patient de prévenir le médecin si la diarrhée persiste pendant plus de 2 jours ou si elle s'accompagne d'une forte fièvre.

B

□ Prévenir le patient que les centres épidémiologiques mettent en garde contre l'administration de préparations de salicylates aux enfants ou aux adolescents souffrant de varicelle, de maladie virale ou de syndrome pseudogrippal étant donné le risque d'apparition du syndrome de Reye.

VÉRIFICATION DES RÉSULTATS

L'efficacité du traitement peut être démontrée par: ■ la diminution de la diarrhée ■ la diminution des symptômes d'indigestion ■ la prévention de la diarrhée des voyageurs.

BLÉOMYCINE

Blenoxane

CLASSIFICATION:
Antinéoplasique – antibiotique antitumoral

Grossesse – catégorie inconnue

INDICATIONS

■ Monothérapie ou traitement d'association avec d'autres agents antinéoplasiques des cancers suivants: □ Lymphomes □ Épithéliomes épidermoïdes □ Épithéliomes testiculaires: embryome testiculaire, choriocarcinome, tératocarcinome. **Usages non approuvés:** ■ Administration intrapleurale afin de prévenir la réaccumulation de liquide pleural.

ACTION

■ Inhibition de la synthèse de l'ADN et de l'ARN. **Effets thérapeutiques:** ■ Élimination des cellules à réplication rapide, particulièrement les cellules malignes.

PHARMACOCINÉTIQUE

Absorption: Le médicament n'est pas absorbé depuis le tractus gastro-intestinal. Par contre, il est bien absorbé à partir des points d'injection IM et SC. Il est également absorbé par suite de l'administration intrapleurale et intrapéritonéale.

Distribution: Le médicament se répartit dans tout l'organisme et se concentre principalement dans la peau, les poumons, le péritoine, les reins et le système lymphatique.

Métabolisme et excrétion: Une fraction de 60 à 70 % du médicament est excrétée à l'état inchangé par les reins.

Demi-vie: 2 h (prolongée en cas d'insuffisance rénale).

CONTRE-INDICATIONS ET PRÉCAUTIONS

Contre-indications: Hypersensibilité.

Précautions: ■ Insuffisance rénale (réduire la dose) ■ Insuffisance pulmonaire ■ Femmes en âge de procréer ■ Maladie débilitante chronique non maligne ■ Personnes âgées (risque accru de toxicité pulmonaire).

RÉACTIONS INDÉSIRABLES ET EFFETS SECONDAIRES

SNC: faiblesse, désorientation, comportement agressif.

Resp.: pneumopathie inflammatoire, FIBROSE PULMONAIRE.

CV: hypotension, vasoconstriction périphérique.

GI: nausées, vomissements, anorexie, stomatite.

Tég.: réaction toxique cutanée, urticaire, érythème, hyperpigmentation, alopécie, rash, vésiculation.

Hémat.: thrombocytopénie, leucopénie, anémie.

Locaux: douleur dans la région tumorale, phlébite au point d'injection IV.

Métab.: perte de poids.

Divers: fièvre, frissons, RÉACTIONS ANAPHYLACTOÏDES.

INTERACTIONS

Médicament – médicament: ■ La **radiothérapie** et les **autres agents antinéoplasiques**, administrés simultanément, peuvent augmenter la toxicité hématologique ■ L'administration simultanée de **cisplatine** diminue l'élimination de la bléomycine et peut en augmenter la toxicité ■ L'administration simultanée d'autres **agents antinéoplasiques** ou d'une **radiothérapie** thoracique peut augmenter le risque de toxicité pulmonaire.

VOIES D'ADMINISTRATION ET POSOLOGIE

Remarque: Les patients souffrant de lymphome devraient recevoir initialement deux doses d'épreuve de 2 unités ou moins.

■ **IV, IM et SC (adultes):** initialement de 0,25 à 0,5 unités/kg (de 10 à 20 unités/m²), une ou deux fois par semaine. Si la réponse est satisfaisante, on peut administrer des doses d'entretien plus faibles (1 unité par jour par voie SC ou 5 unités par semaine par voie IV ou IM).

■ **Voie intrapleurale (adultes):** de 60 à 120 unités instillées dans la cavité pleurale.

PHARMACODYNAMIE (réponse tumorale)

	DÉBUT D'ACTION	PIC	DURÉE
IV, IM et SC	2 – 3 semaines	inconnu	inconnue

☀ SOINS INFIRMIERS

ÉVALUATION DE LA SITUATION

☐ Mesurer les signes vitaux avant le traitement et à intervalles fréquents pendant toute sa durée.

☐ Suivre de près la fièvre et les frissons qui peuvent se manifester de 2 à 6 h après l'administration et durer de 4 à 6 h. Consulter le médecin au sujet d'un traitement antipyrétique.

☐ Surveiller les réactions anaphylactiques suivantes: fièvre, frissons, hypotension et respiration sifflante. Gar-

der les médicaments et le matériel de réanimation à portée de la main. Les patients qui présentent un lymphome sont particulièrement prédisposés à une telle réaction.

☐ Suivre de près la fonction respiratoire pour déceler la dyspnée, les râles ou les crépitations. La toxicité pulmonaire se produit principalement chez les personnes âgées (de 70 ans ou plus) ayant reçu une dose supérieure ou égale à 400 unités. Cette toxicité peut survenir de 4 à 10 semaines après le traitement. Le médecin peut recommander à intervalles réguliers des tests de l'exploration fonctionnelle pulmonaire et l'évaluation de la capacité de diffusion à l'aide de monoxyde de carbone afin de déceler la toxicité pulmonaire dès les premiers signes. Elle peut également survenir à des doses plus faibles chez les patients ayant également reçu d'autres agents antinéoplasiques ou ayant subi une radiothérapie thoracique.

☐ Suivre de près les nausées, les vomissements et l'appétit. Peser le patient toutes les semaines. Modifier l'alimentation selon sa tolérance. Demander au médecin s'il recommande d'administrer un antiémétique avant le traitement.

■ **Étude des examens diagnostiques et biochimiques:** Noter la numération globulaire avant le traitement et à intervalles réguliers pendant toute sa durée. La bléomycine peut provoquer une thrombocytopénie et une leucopénie légères (le nadir se produit après 2 semaines).

☐ Noter l'état des fonctions rénale et hépatique avant le traitement et à intervalles réguliers pendant toute sa durée.

DIAGNOSTICS INFIRMIERS POSSIBLES

■ **Énoncés diagnostiques**

☐ Risque élevé d'accident.

☐ Perturbation situationnelle de l'estime de soi.

B

□ Prise en charge inefficace du programme thérapeutique.
□ *Risque élevé d'anxiété.*
□ *Risque élevé d'intoxication.*
□ *Risque élevé de déficit nutritionnel*
□ *Risque élevé d'atteinte à l'intégrité de la peau.*
□ *Risque élevé d'atteinte à l'intégrité de la muqueuse buccale.*
□ *Risque élevé de douleur au point d'injection IV.*
□ *Risque élevé de perturbation des échanges gazeux.*

■ **Facteurs favorisants**
□ Informations incomplètes.
□ *Manque de connaissances sur les effets secondaires du médicament et sur les moyens de les prévenir.*
□ *Manque de connaissances sur les modalités du traitement.*
□ *Manque de connaissances sur les effets secondaires affectant l'appareil gastro-intestinal.*
□ *Altération de l'image corporelle.*
□ *Manque de connaissances sur les moyens de prévenir ou de réduire la sécheresse de la bouche.*
□ *Manque de connaissances sur le régime alimentaire à suivre.*

INTERVENTIONS INFIRMIÈRES
■ **Directives générales :** Préparer les solutions sous une hotte biologique de sécurité. Porter des vêtements protecteurs avec des gants et un masque pendant la manipulation de ce médicament. Mettre au rebut le matériel dans les contenants réservés à cet effet (voir l'annexe I).
□ Le médecin peut prescrire initialement au patient souffrant de lymphome 2 doses d'épreuve de 2 unités. Suivre de près le patient pour déceler les réactions anaphylactiques.
□ Le médecin peut administrer le médicament par une sonde introduite par thoracotomie. Aider le patient à se placer dans la position recommandée.
□ La solution reconstituée est stable pendant 8 h à la température ambiante et pendant 14 jours au réfrigérateur.

■ **IM et SC :** Diluer le contenu de la fiole avec 1 à 5 mL d'eau stérile pour injection, de solution de NaCl à 0,9 %, de solution de dextrose à 5 % dans de l'eau ou d'eau bactériostatique pour injection. Ne pas reconstituer la solution avec des diluants contenant de l'alcool benzylique lorsqu'on doit l'administrer à un nouveau-né.

■ **IV directe :** Préparer les doses IV et intra-artérielles en diluant 15 unités dans 5 mL de solution de dextrose à 5 % ou de solution de NaCl à 0,9 %.

□ *Vitesse d'administration :* Administrer lentement, en 10 min.

■ **Perfusion intermittente :** La solution peut être diluée de nouveau dans 50 à 100 mL de solution de dextrose à 5 % ou de solution de NaCl à 0,9 %.

■ **Associations compatibles dans la même seringue :** Cisplatine, cyclophosphamide, doxorubicine, dropéridol, fluorouracile, furosémide, héparine, leucovorine calcique, méthotrexate, métoclopramide, mitomycine, vinblastine ou vincristine.

■ **Compatibilités (tubulure en Y) :** Cisplatine, cyclophosphamide, doxorubicine, dropéridol, fluorouracile, héparine, leucovorine calcique, méthotrexate, métoclopramide, mitomycine, ondansétron, vinblastine ou vincristine.

■ **Compatibilités en addition au soluté :** Amikacine, céphapirine, dexaméthasone, diphenhydramine, fluorouracile, gentamicine, héparine, phénytoïne, phosphate d'hydrocortisone sodique, streptomycine, tobramycine, vinblastine ou vincristine.

■ **Incompatibilités en addition au soluté :** Acide ascorbique (injections), aminophylline, céfazoline, céphalothine, diazépam, méthotrexate, mitomycine, nafcilline, pénicilline, succinate d'hydrocortisone sodique ou terbutaline.

ENSEIGNEMENT AU PATIENT ET À SES PROCHES

- ☐ Conseiller au patient de signaler au médecin les symptômes suivants : fièvre, frissons, respiration sifflante, lipothymie, diaphorèse, essoufflements, nausées et vomissements prolongés ou aphtes buccaux.

- ☐ Inciter le patient à ne pas fumer pour ne pas aggraver la toxicité pulmonaire.

- ☐ Expliquer au patient que la toxicité cutanée peut se manifester sous forme d'hypersensibilité cutanée ou d'hyperpigmentation (particulièrement dans les plis cutanés et les régions d'irritation cutanée), de rash et d'épaississement de la peau.

- ☐ Recommander au patient d'examiner ses muqueuses buccales pour déceler l'érythème et les ulcérations. En cas d'ulcération, lui conseiller de remplacer la brosse à dents par une éponge et de se rincer la bouche avec de l'eau après avoir bu ou mangé. Dans le cas où les douleurs empêchent le patient de manger, le médecin peut lui prescrire une solution de lidocaïne visqueuse.

- ☐ Expliquer au patient qu'il risque de perdre ses cheveux. Explorer avec lui les stratégies lui permettant de s'adapter à ce changement.

- ☐ Inciter la patiente à prendre des mesures contraceptives.

- ☐ Prévenir le patient qu'il ne doit pas se faire vacciner sans recommandation expresse du médecin.

- ☐ Expliquer au patient la nécessité d'examens biochimiques réguliers permettant de déceler les effets secondaires du médicament.

VÉRIFICATION DES RÉSULTATS

L'efficacité du traitement peut être démontrée par : la diminution de la taille de la tumeur sans signe d'hypersensibilité ni de toxicité pulmonaire.

BRÉTYLIUM
Bretylate, (Bretylol)

CLASSIFICATION :
Antiarythmique – classe III

Grossesse – catégorie inconnue

INDICATIONS

Traitement de dernier recours des arythmies ventriculaires mortelles, en particulier la tachycardie et la fibrillation ventriculaires réfractaires aux traitements médicamenteux classiques.

ACTION

■ Initialement, libération de noradrénaline, ensuite blocage de ce neurotransmetteur. **Effets thérapeutiques :** ■ Suppression de la tachycardie et de la fibrillation ventriculaires.

PHARMACOCINÉTIQUE

Absorption : Le médicament est bien absorbé par suite de l'administration IM.

Distribution : Concentrations élevées dans les régions d'innervation adrénergique.

Métabolisme et excrétion : Le médicament est entièrement éliminé à l'état inchangé par les reins.

Demi-vie : De 5 à 10 h (prolongée en cas d'insuffisance rénale).

CONTRE-INDICATIONS ET PRÉCAUTIONS

Contre-indications : Aucune contre-indication importante.

Précautions : ■ Intoxication digitalique soupçonnée (risque accru d'arythmies) ■ Patients ayant un débit cardiaque fixe (risque d'hypotension grave dictant un traitement de soutien) ■ Insuffisance rénale (réduire la dose) ■ Grossesse, allaitement et enfants (l'innocuité du médicament n'a pas été établie).

RÉACTIONS INDÉSIRABLES ET EFFETS SECONDAIRES

SNC: syncope, lipothymie, vertiges, étourdissements.

ORLO: congestion nasale.

CV: hypotension orthostatique, hypertension transitoire, bradycardie, angine.

GI: nausées, vomissements (surtout lors d'administration IV rapide chez les patients conscients), diarrhée.

INTERACTIONS

Médicament–médicament: ■ Le traitement d'association avec d'autres **antiarythmiques** peut produire un effet additif ou antagoniste ■ L'administration du brétylium est à éviter en cas d'intoxication **digitalique** soupçonnée (la libération initiale de noradrénaline peut aggraver les arythmies).

VOIES D'ADMINISTRATION ET POSOLOGIE

Remarque: Le tableau des vitesses de perfusion se trouve à l'annexe D.

Fibrillation ventriculaire

■ **IV (adultes):** traitement initial: administrer un bolus IV de 5 mg/kg en 15 à 30 secondes; en l'absence de toute réponse, augmenter jusqu'à 10 mg/kg et répéter selon les besoins (ne pas dépasser 30 mg/kg/24 h). Traitement d'entretien: diluer et perfuser à un débit de 1 à 2 mg/min *ou* diluer et perfuser de 5 à 10 mg/kg en 10 à 30 min, toutes les 6 h.

Autres arythmies ventriculaires

■ **IV (adultes):** diluer et perfuser de 5 à 10 mg/kg en 10 à 30 min, toutes les 6 à 8 h.

■ **IM (adultes):** de 5 à 10 mg/kg, répéter toutes les 1 à 2 h si les arythmies persistent et, ensuite, toutes les 6 à 8 h.

Usage chez les enfants (non approuvé)

■ **IM (enfants):** une seule dose de 2 à 5 mg/kg.

PHARMACODYNAMIE
(suppression des arythmies)

	DÉBUT D'ACTION	PIC	DURÉE
IM	15 min – 1 h (fibrillation) 20 min – 6 h (tachycardie ventriculaire, extrasystoles ventriculaires)	inconnu	6 – 24 h
IV	quelques minutes (fibrillation) 20 min – 6 h (tachycardie ventriculaire, extrasystoles ventriculaires)	fin de la perfusion	6 – 24 h

SOINS INFIRMIERS

ÉVALUATION DE LA SITUATION

☐ Pendant le traitement par ce médicament, les patients doivent être hospitalisés dans une unité de soins où l'on peut suivre de près la pression artérielle et l'ÉCG. Surveiller constamment l'apparition des arythmies et les modifications de la pression artérielle. Une augmentation transitoire des arythmies et de la pression artérielle peut se produire dans l'heure qui suit l'administration initiale.

☐ Suivre de près l'apparition de l'hypotension orthostatique. Garder le patient en position couchée jusqu'à ce qu'une tolérance à l'hypotension s'installe. Conseiller au patient de changer lentement de position et l'aider lors de ses déplacements. Avertir le médecin si la pression systolique est < 75 mm Hg ou si des symptômes apparaissent. L'administration de dopamine, de dobutamine ou de norépinéphrine et la restauration du volume sanguin peuvent s'avérer nécessaires.

DIAGNOSTICS INFIRMIERS POSSIBLES

■ **Énoncés diagnostiques**
☐ Diminution du débit cardiaque.

□ Risque élevé d'accident.

□ *Risque élevé d'exacerbation des effets secondaires.*

■ **Facteurs favorisants**

□ *Administration trop rapide du médicament par voie IV.*

□ *Manque de connaissances sur les effets hypotensifs du médicament lors des changements brusques de position.*

INTERVENTIONS INFIRMIÈRES

■ **Directives générales :** Avant d'arrêter le traitement, réduire la dose graduellement, sur une période de 3 à 5 jours, sous étroite surveillance électrocardiographique. On peut amorcer en même temps le traitement d'entretien avec un antiarythmique PO.

■ **IM :** Ne pas diluer le brétylium destiné aux injections IM. Pour prévenir l'atrophie et la nécrose des tissus musculaires par suite d'injections répétées, assurer la rotation fréquente des points d'injection IM. On peut répéter l'injection toutes les heures ou toutes les 2 h si l'arythmie persiste.

■ **IV directe :** En cas de fibrillation ventriculaire, administrer le médicament non dilué ; l'arythmie disparaît habituellement en l'espace de quelques min. Répéter l'administration 15 à 30 min plus tard si l'arythmie persiste. Ne jamais dépasser 30 mg/kg/24 h. Utiliser les méthodes habituelles de réanimation incluant la réanimation cardiorespiratoire et la défibrillation électrique synchronisée (cardioversion électrique), avant et après l'injection.

□ *Vitesse d'administration :* Administrer l'agent en 15 à 30 s.

■ **Perfusion intermittente :** En présence d'autres types d'arythmie ventriculaire, diluer 500 mg de préparation dans le dextrose injectable USP ou dans du chlorure de sodium injecta-

ble USP afin d'obtenir une solution ayant un volume minimal de 50 mL.

□ *Vitesse d'administration :* Administrer la solution en 10 à 30 min. Une perfusion plus rapide, chez des patients conscients, peut entraîner des nausées et des vomissements. La perfusion peut être répétée 1 ou 2 h plus tard, selon les besoins. La tachycardie ventriculaire disparaît habituellement en moins de 20 min.

■ **Perfusion continue :** On peut diluer le brétylium dans n'importe quel volume de solution (1 g dans 1 000 mL équivaut à 1 mg/mL).

□ *Vitesse d'administration :* Perfuser 1 à 2 mg/min de solution diluée. Administrer la préparation à l'aide d'une pompe à perfusion pour s'assurer que le patient reçoit la dose exacte. (Le tableau des vitesses de perfusion se trouve à l'annexe D.)

■ **Compatibilités (tubulure en Y) :** Amrinone, dobutamine, famotidine, isoprotérénol ou ranitidine.

■ **Compatibilités en addition au soluté :** Aminophylline, bicarbonate de sodium à 5 %, chlorure de calcium, chlorure de potassium, digoxine, dopamine, esmolol, gluconate de calcium, insuline, lidocaïne, mannitol à 20 %, quinidine ou vérapamil.

■ **Incompatibilité en addition au soluté :** Phénytoïne sodique.

ENSEIGNEMENT AU PATIENT ET À SES PROCHES

Inciter le patient à changer lentement de position afin de réduire les effets de l'hypotension orthostatique induite par le médicament.

VÉRIFICATION DES RÉSULTATS

La réponse clinique peut être démontrée par : ■ la suppression des arythmies ventriculaires présentes ■ la prévention de nouveaux épisodes d'arythmie.

B

BROMOCRIPTINE
Parlodel

CLASSIFICATION:
Agent antiparkinsonien; inhibiteur de la prolactine

Grossesse – catégorie inconnue

INDICATIONS

■ Médicament adjuvant à la lévodopa dans le traitement de la maladie de Parkinson ■ Traitement de l'hyperprolactinémie (aménorrhée/galactorrhée) incluant la stérilité associée chez la femme ■ Suppression de la lactation ■ Traitement de l'acromégalie ■ Traitement des adénomes à prolactine ■ Traitement de l'hypogonadisme prolactinodépendant chez l'homme.

ACTION

■ Activation des récepteurs de la dopamine du SNC ■ Réduction des sécrétions de prolactine. **Effets thérapeutiques:** ■ Soulagement de la rigidité et des tremblements qui caractérisent la maladie de Parkinson ■ Rétablissement de la fécondité chez les femmes souffrant d'hyperprolactinémie ■ Suppression de la lactation ■ Diminution des sécrétions de somatotrophine en cas d'acromégalie.

PHARMACOCINÉTIQUE

Absorption: Le médicament est peu absorbé depuis le tractus gastro-intestinal (30 %).

Distribution: Inconnue.

Métabolisme et excrétion: Le médicament est entièrement métabolisé par le foie et excrété principalement dans les fèces par élimination biliaire.

Demi-vie: Biphasique – phase initiale: de 4 à 4,5 h, seconde phase: de 45 à 50 h.

CONTRE-INDICATIONS ET PRÉCAUTIONS

Contre-indications: ■ Hypersensibilité à la bromocriptine ou aux alcaloïdes de l'ergot ■ Enfants de moins de 15 ans.

Précautions: ■ Cardiopathie ■ Troubles mentaux ■ Risque de rétablissement rapide de la fonction ovarienne (prendre des mesures contraceptives supplémentaires lorsque la correction n'est pas souhaitée) ■ Grossesse (l'innocuité du médicament n'a pas été établie) ■ Insuffisance hépatique grave (réduire la dose).

RÉACTIONS INDÉSIRABLES ET EFFETS SECONDAIRES

SNC: céphalées, étourdissements, somnolence, insomnie, confusion, hallucinations, cauchemars.

ORLO: sensations de brûlures oculaires, troubles visuels, congestion nasale.

Resp.: infiltrats pulmonaires, épanchement pleural.

CV: hypotension.

GI: nausées, vomissements, anorexie, douleurs abdominales, sécheresse de la bouche (xérostomie), goût métallique.

Tég.: urticaire.

Loc.: crampes dans les jambes.

Divers: angiospasme digital (acromégalie seulement).

INTERACTIONS

Médicament – médicament: ■ Effet hypotensif additif, lors de l'administration simultanée d'**antihypertenseurs** ■ Effet dépressif additif sur le SNC, lors de l'administration simultanée d'**antihistaminiques**, d'**analgésiques narcotiques**, d'**hypnosédatifs** ou lors de l'ingestion d'**alcool** ■ Effets neurologiques additifs, lors d'une administration concomitante de **lévodopa** ■ Les effets de la bromocriptine sur les concentrations de prolactine peuvent être contrecarrés par les **phénothiazines**, l'**halopéridol**, la **méthyldopa**, les **antidépresseurs tricycliques** et la **réserpine**.

VOIES D'ADMINISTRATION ET POSOLOGIE

Syndrome parkinsonien
- **PO (adultes):** la dose initiale est de 1,25 mg au coucher. Ensuite, la dose recommandée est de 2,5 mg par jour, en 2 doses fractionnées. La posologie doit être augmentée par paliers de 2,5 mg par jour, à intervalles de 2 à 4 semaines (ne pas dépasser 40 mg par jour). La dose quotidienne habituelle est de 10 mg par jour.

Hyperprolactinémie
- **PO (adultes):** la dose initiale est de 1,25 à 2,5 mg au coucher; augmenter graduellement la dose après 2 ou 3 jours de traitement pour atteindre 2,5 mg, 2 ou 3 fois par jour.

Lactation du postpartum
- **PO (adultes):** 2,5 mg, 2 fois par jour, pendant 2 à 3 semaines.

Acromégalie
- **PO (adultes):** la dose initiale est de 1,25 à 2,5 mg au coucher; augmenter graduellement la dose pendant 2 à 4 semaines jusqu'à concurrence de 10 à 20 mg par jour. La dose maximale recommandée est de 20 mg par jour, en 4 doses fractionnées.

Adénomes à prolactine
- **PO (adultes):** 1,25 mg, 2 ou 3 fois par jour; augmenter graduellement (dose moyenne d'entretien: de 5 à 7,5 mg par jour).

Hypogonadisme prolactinodépendant chez l'homme
- **PO (adultes):** la dose initiale est de 1,25 à 2,5 mg au coucher; augmenter graduellement après 2 ou 3 jours de traitement jusqu'à concurrence de 2,5 mg, 2 ou 3 fois par jour.

PHARMACODYNAMIE (suppression des tremblements dans la maladie de Parkinson)

	DÉBUT D'ACTION	PIC	DURÉE
PO	30 – 90 min	1 – 2 h	8 – 12 h

SOINS INFIRMIERS

ÉVALUATION DE LA SITUATION
- **Directives générales:** Surveiller l'allergie aux dérivés de l'ergot.
- ☐ Mesurer la pression artérielle avant le traitement et à intervalles réguliers pendant toute sa durée. Inciter le patient à rester couché au cours de l'administration de la première dose de bromocriptine et plusieurs heures après, étant donné qu'une hypotension grave peut survenir. Suivre de près les déplacements du patient pendant le traitement initial pour prévenir les accidents.
- **Maladie de Parkinson:** Avant le traitement et pendant toute sa durée, suivre de près les symptômes suivants: akinésie, rigidité, tremblements, mouvements d'émiettements, faciès figé, démarche traînante, spasmes musculaires, mouvements de torsion et bouche ouverte laissant s'échapper la salive (sialorrhée).
- **Suppression de la lactation:** Examiner les seins de la patiente pour en évaluer la fermeté ainsi que l'intensité de la douleur et la galactogénèse.
- **Étude des examens diagnostiques et biochimiques:** Le médicament peut entraîner l'élévation des concentrations d'urée, de TGOS (ALT), de TGPS (AST), de créatine-kinase, de phosphatase alcaline et d'acide urique. Ces élévations sont habituellement passagères et n'ont aucun effet sur le plan clinique.

DIAGNOSTICS INFIRMIERS POSSIBLES
- **Énoncés diagnostiques**
- ☐ Altération de la mobilité physique.
- ☐ Risque élevé d'accident.
- ☐ Prise en charge inefficace du programme thérapeutique.

- **Facteurs favorisants**
- ☐ Informations incomplètes.
- ☐ *Perturbation de la vigilance.*

□ *Manque de connaissances sur les effets hypotensifs du médicament lors des changements brusques de position.*

□ *Manque de connaissances sur les modalités du traitement.*

INTERVENTIONS INFIRMIÈRES

- **Directives générales:** Pour le traitement de la maladie de Parkinson, le médicament est souvent administré avec de la lévodopa ou avec une association de carbidopa et de lévodopa.

- **PO:** Administrer le médicament avec des aliments ou du lait afin de réduire l'irritation gastrique. Le patient peut croquer les comprimés s'il éprouve des difficultés de déglutition.

ENSEIGNEMENT AU PATIENT ET À SES PROCHES

- **Directives générales:** Inciter le patient à suivre scrupuleusement la posologie recommandée. S'il n'a pas pu prendre le médicament au moment habituel, il doit le prendre au moins 4 h avant l'heure prévue pour la dose suivante; sinon il doit sauter cette dose. Il ne faut pas doubler les doses.

□ Prévenir le patient que la bromocriptine peut provoquer de la somnolence et des étourdissements. Lui conseiller de ne pas conduire et d'éviter les activités qui exigent sa vigilance jusqu'à ce qu'on ait la certitude que le médicament n'entraîne pas ces effets chez lui.

□ Mettre en garde le patient contre la consommation concomitante d'alcool pendant le traitement.

□ Recommander au patient de prévenir le médecin si les essoufflements s'aggravent, car le traitement prolongé peut augmenter le risque d'infiltrats pulmonaires et d'épanchement pleural.

□ Recommander à la patiente de demander conseil au médecin au sujet d'une méthode de contraception non hormonale. L'inciter à prévenir immédiatement le médecin si elle pense être enceinte.

□ Insister sur l'importance des examens réguliers de suivi permettant de déterminer l'efficacité du traitement et de déceler les effets secondaires.

- **Tumeurs hypophysaires:** Conseiller au patient qui reçoit la bromocriptine pour le traitement d'une tumeur hypophysaire de prévenir immédiatement le médecin s'il note les signes suivants indiquant une augmentation de la masse tumorale: vision trouble, céphalées soudaines, nausées graves et vomissements.

- **Stérilité:** Conseiller à la patiente qui suit un traitement contre la stérilité de prendre tous les jours sa température basale afin de déterminer le moment de l'ovulation.

- **Suppression de la lactation:** Expliquer à la patiente que le traitement dure habituellement de 2 à 3 semaines. Un engorgement mammaire léger à modéré peut se produire après l'arrêt du traitement.

VÉRIFICATION DES RÉSULTATS

L'efficacité du traitement peut être démontrée par: ▪ la diminution des tremblements, de la rigidité et de la bradykinésie ▪ l'amélioration de l'équilibre et de la démarche des patients atteints de la maladie de Parkinson ▪ la diminution des concentrations sériques de somatotrophine chez les patients acromégales ▪ la diminution de l'engorgement mammaire et de la galactorrhée ▪ la reprise normale des cycles ovulatoires et le rétablissement de la fécondité. Chez les patientes souffrant d'aménorrhée et de galactorrhée, les règles reviennent habituellement dans les 6 à 8 semaines et la galactorrhée disparaît dans les 8 à 12 semaines qui suivent le début du traitement.

BROMPHÉNIRAMINE

Dimetane, (Brombay), (Bromphen), (Chlorphed), (Codimal-A), (Conjec-B), (Copene-B), (Dehist), (Diamine), (Histaject Modified), (Nasahist B), (ND Stat Revised), (Oraminic II), (Veltane)

CLASSIFICATION:
Antihistaminique

Grossesse – catégorie B

INDICATIONS

Soulagement des symptômes d'allergies entraînées par la libération d'histamine; efficacité maximale: rhinites allergiques et dermatoses allergiques.

ACTION

■ Blocage des effets suivants de l'histamine: □ vasodilatation □ augmentation des sécrétions du tractus gastro-intestinal □ augmentation du débit cardiaque □ hypotension. **Effets thérapeutiques:** ■ Soulagement des symptômes associés à l'excès d'histamine, qui caractérisent habituellement les maladies allergiques. Le médicament ne bloque pas la libération d'histamine.

PHARMACOCINÉTIQUE

Absorption: Le médicament est bien absorbé par suite de l'administration PO.
Distribution: Le médicament se répartit dans tout l'organisme. Des quantités infimes sont excrétées dans le lait maternel. La bromphéniramine traverse la barrière hémato-encéphalique.
Métabolisme et excrétion: La bromphéniramine est fortement métabolisée par le foie.
Demi-vie: De 12 à 35 h.

CONTRE-INDICATIONS ET PRÉCAUTIONS

Contre-indications: ■ Hypersensibilité ■ Crises aiguës d'asthme ■ Allaitement (usage à éviter)

Précautions: ■ Glaucome à angle étroit ■ Maladie hépatique ■ Personnes âgées (plus grande prédisposition à des réactions indésirables) ■ Grossesse (l'innocuité du médicament n'a pas été établie).

RÉACTIONS INDÉSIRABLES ET EFFETS SECONDAIRES

SNC: somnolence, sédation, agitation (chez les enfants), étourdissements.
CV: hypotension, hypertension, palpitations, arythmies.
ORLO: vision trouble.
GI: sécheresse de la bouche (xérostomie), obstruction, constipation.
GU: retard de la miction, rétention urinaire.
Tég.: transpiration.
Divers: réactions d'hypersensibilité (voie IV).

INTERACTIONS

Médicament – médicament: ■ L'usage simultané de **dépresseurs du SNC** incluant l'**alcool**, les **narcotiques** et les **hypnosédatifs** peut provoquer des effets dépressifs additifs sur le SNC ■ Les **inhibiteurs de la MAO** intensifient et prolongent les effets anticholinergiques des antihistaminiques.

PRÉSENTATION

Le médicament est présenté en comprimés, en élixir et en comprimés à libération prolongée.

VOIES D'ADMINISTRATION ET POSOLOGIE

■ **PO (adultes):** de 4 à 8 mg, 3 ou 4 fois par jour (ne pas dépasser 24 mg par jour) ou de 8 à 12 mg de la préparation à libération prolongée, toutes les 8 à 12 h.
■ **PO (enfants de 6 à 12 ans):** 4 mg, 3 ou 4 fois par jour ou de 8 à 12 mg de la préparation à libération prolongée, toutes les 12 h.
■ **PO (enfants de 3 à 6 ans):** 2 mg, 3 ou 4 fois par jour.

B

PHARMACODYNAMIE
(soulagement des symptômes allergiques)

	DÉBUT D'ACTION	PIC	DURÉE
PO	15 – 30 min	1 – 2 h	6 – 8 h*

* La durée d'action est plus longue (8 – 12 h) dans le cas des préparations orales à libération prolongée.

☀ SOINS INFIRMIERS

ÉVALUATION DE LA SITUATION

- **Allergies:** Avant le traitement et à intervalles réguliers pendant toute sa durée, rechercher les symptômes allergiques suivants: rhinite, conjonctivite, urticaire.
- ☐ Ausculter le murmure vésiculaire et noter les caractéristiques des sécrétions bronchiques. Maintenir l'apport de liquide entre 1 500 et 2 000 mL par jour pour diminuer la viscosité des sécrétions.
- **Étude des examens diagnostiques et biochimiques:** La bromphéniramine peut entraîner des résultats faussement négatifs aux tests cutanés allergologiques. Interrompre l'administration des antihistaminiques au moins 72 h avant ces tests.

DIAGNOSTICS INFIRMIERS POSSIBLES

- **Énoncés diagnostiques**
- ☐ Dégagement inefficace des voies respiratoires.
- ☐ Risque élevé d'accident.
- ☐ Prise en charge inefficace du programme thérapeutique.
- ☐ *Risque élevé d'atteinte à l'intégrité de la muqueuse buccale.*
- **Facteurs favorisants**
- ☐ Informations incomplètes.
- ☐ *Perturbation de la vigilance.*
- ☐ *Manque de connaissances sur les modalités du traitement.*
- ☐ *Manque de connaissances sur les moyens de prévenir ou de réduire la sécheresse de la bouche.*

INTERVENTIONS INFIRMIÈRES

PO: Administrer les préparations PO avec des aliments ou du lait pour diminuer l'irritation gastrique. Les comprimés à libération prolongée devraient être avalés tels quels; il ne faut pas les broyer, les briser, ni les mâcher.

ENSEIGNEMENT AU PATIENT ET À SES PROCHES

- ☐ Conseiller au patient de suivre scrupuleusement la posologie recommandée et de ne jamais doubler les doses.
- ☐ Prévenir le patient que la bromphéniramine peut provoquer de la somnolence; lui conseiller de ne pas conduire et d'éviter les activités qui exigent sa vigilance jusqu'à ce qu'on ait la certitude que le médicament n'entraîne pas cet effet chez lui.
- ☐ Mettre en garde le patient contre l'usage concomitant d'alcool ou d'autres dépresseurs du SNC.
- ☐ Conseiller au patient de pratiquer une bonne hygiène orale, de se rincer la bouche fréquemment avec de l'eau et de consommer de la gomme ou des bonbons sans sucre pour diminuer la sécheresse de la bouche.
- ☐ Inciter le patient à prévenir le médecin si les symptômes persistent.

VÉRIFICATION DES RÉSULTATS

L'efficacité du traitement peut être démontrée par: la diminution des symptômes allergiques.

BUMÉTANIDE
(Bumex)

CLASSIFICATION:
Diurétique de l'anse

Grossesse – catégorie C

INDICATIONS

- Traitement de l'œdème dû à l'insuffisance cardiaque ou à une maladie hé-

patique ou rénale. **Usages non approuvés :**
■ Hypertension – en monothérapie ou
en association avec des antihypertenseurs.

ACTION

■ Inhibition de la réabsorption du sodium et des chlorures de l'anse de Henle
et du tubule contourné distal ■ Augmentation de l'excrétion rénale de l'eau, du
sodium, des chlorures, du magnésium,
de l'hydrogène et du calcium ■ Effet
vasodilatateur sur les vaisseaux rénaux
et périphériques ■ Efficacité inaltérée
même en présence d'une insuffisance rénale. **Effets thérapeutiques :** ■ Diurèse et
élimination subséquente des liquides en
excès (œdème, épanchement pleural) ;
également abaissement de la pression artérielle.

PHARMACOCINÉTIQUE

Absorption : Le médicament est rapidement et complètement absorbé par suite
de l'administration PO ou IM.
Distribution : Inconnue.
Métabolisme et excrétion : Le médicament
est partiellement métabolisé par le foie.
Une fraction de 50 % est éliminée à l'état
inchangé par le rein. Une fraction de
20 % est excrétée dans les fèces.
Demi-vie : De 1 à 1,5 h.

CONTRE-INDICATIONS ET PRÉCAUTIONS

Contre-indications : ■ Hypersensibilité
■ Risque de sensibilité croisée avec les
sulfamides ■ Grossesse ou allaitement
■ Anurie ou azotémie accrue.
Précautions : ■ Maladie hépatique grave
■ Déplétion électrolytique ■ Diabète
sucré.

RÉACTIONS INDÉSIRABLES ET EFFETS SECONDAIRES

SNC : étourdissements, céphalées, encé-
phalopathie.
CV : hypotension.
Tég. : rash.
ORLO : surdité, acouphènes.

HÉ : alcalose métabolique, hypovolémie,
déshydratation, hyponatrémie, hypokaliémie, hypochlorémie, hypomagnésémie.
GI : nausées, vomissements, diarrhée,
constipation, sécheresse de la bouche
(xérostomie).
GU : mictions fréquentes.
Métab. : hyperglycémie, hyperuricémie.
Loc. : crampes musculaires.

INTERACTIONS

Médicament – médicament : ■ Effet hypotensif additif lors de l'administration simultanée d'**antihypertenseurs** ou de **dérivés nitrés** ou de la consommation d'**alcool**
■ Effet hypokaliémique additif, lors de
l'administration simultanée d'**autres diurétiques**, de **ticarcilline**, de **mézlocilline**, de **pipéracilline**, d'**amphotéricine
B** et de **glucocorticoïdes** ■ L'hypokaliémie peut augmenter la toxicité **digitalique** ■ Le bumétanide diminue l'excrétion du **lithium** et peut entraîner une
intoxication ■ Risque accru de neurotoxicité pour la VIIIe paire crânienne (effet ototoxique) lors de l'administration
concomitante d'**aminosides**.

VOIES D'ADMINISTRATION ET POSOLOGIE

Remarque : 1 mg de bumétanide équivaut à environ 40 mg de furosémide.
■ **PO (adultes) :** de 0,5 à 2 mg par jour
   (jusqu'à 10 mg par jour ; de plus fortes
   doses peuvent s'avérer nécessaires en
   cas d'insuffisance rénale).
■ **IM et IV (adultes) :** de 0,5 à 1 mg ; on
   peut administrer 1 ou 2 doses supplémentaires toutes les 2 à 3 h (ne pas
   dépasser 10 mg/24 h).

PHARMACODYNAMIE (début de la diurèse)

	DÉBUT D'ACTION	PIC	DURÉE
PO	30 – 60 min	1 – 2 h	3 – 6 h
IM	40 min	1 – 2 h	4 – 6 h
IV	en quelques minutes	15 – 45 min	3 – 6 h

B

☀ SOINS INFIRMIERS

ÉVALUATION DE LA SITUATION

☐ Suivre de près l'état de l'hydratation pendant toute la durée du traitement. Peser le patient tous les jours, effectuer le bilan quotidien des ingesta et des excreta, déterminer l'étendue et l'emplacement de l'œdème, ausculter le murmure vésiculaire et inspecter la peau et les muqueuses. Prévenir le médecin en cas de soif incoercible, de sécheresse de la bouche, de léthargie, de faiblesse, d'hypotension ou d'oligurie.

☐ Mesurer la pression artérielle et le pouls avant et pendant l'administration du médicament.

☐ Surveiller chez le patient qui reçoit des aminosides les signes et les symptômes suivants : anorexie, nausées, vomissements, crampes musculaires, paresthésie, confusion. Prévenir le médecin si ces symptômes se manifestent.

☐ Déterminer le degré de la perte de l'acuité auditive ; l'audiométrie est recommandée chez les patients en traitement prolongé. La surdité survient le plus souvent après l'administration par voie IV d'une dose élevée ou après une injection IV trop rapide chez les patients dont la fonction rénale est diminuée ou chez ceux qui prennent simultanément d'autres médicaments ototoxiques.

☐ Interroger le patient au sujet d'une allergie préalable aux sulfamides.

■ **Étude des examens diagnostiques et biochimiques :** Noter les concentrations d'électrolytes, les résultats des tests de l'exploration fonctionnelle rénale et hépatique, la glycémie et les concentrations d'acide urique, avant le traitement et à intervalles réguliers pendant toute sa durée. Le bumétanide peut entraîner la diminution des concentrations d'électrolytes (particulièrement du potassium), et l'élévation de la glycémie, des concentrations d'urée, d'acide urique sérique et de phosphate urinaire.

DIAGNOSTICS INFIRMIERS POSSIBLES

■ **Énoncés diagnostiques**

☐ Excès de volume liquidien.

☐ Déficit de volume liquidien.

☐ Prise en charge inefficace du programme thérapeutique.

☐ *Risque élevé d'accident.*

☐ *Risque élevé d'altération de l'élimination urinaire.*

☐ *Risque élevé de déséquilibre hydroélectrolytique.*

☐ *Risque élevé d'atteinte à l'intégrité de la muqueuse buccale.*

☐ *Risque élevé d'altération de la perception auditive.*

■ **Facteurs favorisants**

■ Informations incomplètes.

■ *Manque de connaissances sur les effets hypotensifs du médicament lors des changements brusques de position.*

■ *Modification de l'état liquidien ou des volumes circulants.*

■ *Manque de connaissances sur les moyens de prévenir ou de réduire la sécheresse de la bouche.*

■ *Manque de connaissances sur les modalités du traitement.*

■ *Manque de connaissances sur les moyens de prévenir les effets secondaires du médicament.*

■ *Administration trop rapide du médicament par voie IV.*

■ *Manque de connaissances sur le régime alimentaire à suivre.*

■ *Difficulté à s'adapter aux changements nécessaires dans les habitudes de vie.*

INTERVENTIONS INFIRMIÈRES

■ **Directives générales :** Administrer le médicament le matin pour ne pas interrompre le cycle du sommeil.

☐ Afin d'assurer la continuité du traitement de l'œdème, administrer l'agent un jour sur deux ou pendant 3 ou 4 jours consécutifs en prévoyant un arrêt de la médication pendant une journée ou deux.

- **PO :** Administrer le médicament avec des aliments ou du lait afin de réduire l'irritation gastrique.

- **IV directe :** Administrer le médicament pendant 1 à 2 min. On peut répéter l'administration toutes les 2 à 3 h, sans dépasser 10 mg par jour.

- **Perfusion intermittente :** Diluer le médicament dans une solution de dextrose à 5 % dans de l'eau, de NaCl à 0,9 % ou de lactate Ringer et administrer par une tubulure en Y ou par un robinet à 3 voies. Utiliser la solution reconstituée en l'espace de 24 h.

- **Incompatibilité en addition au soluté :** Dobutamine.

ENSEIGNEMENT AU PATIENT ET À SES PROCHES

- **Directives générales :** Conseiller au patient de respecter scrupuleusement la posologie recommandée. S'il n'a pas pu prendre le médicament au moment habituel, il doit le prendre dès que possible sans jamais doubler les doses. Conseiller au patient qui suit un traitement antihypertenseur de continuer à prendre le médicament même s'il se sent mieux. Le bumétanide stabilise la pression artérielle mais ne guérit pas l'hypertension.

- ☐ Conseiller au patient de changer lentement de position pour réduire le risque d'hypotension orthostatique. Expliquer au patient que la consommation d'alcool, l'effort par temps chaud ou la station debout pendant de longues périodes peuvent aggraver l'hypotension orthostatique durant le traitement au bumétanide.

- ☐ Conseiller au patient de demander au médecin s'il doit suivre un régime alimentaire riche en potassium (voir l'annexe K).

- ☐ Conseiller au patient de consulter le médecin ou le pharmacien avant de prendre un médicament en vente libre en même temps que ce diurétique.

- ☐ Recommander au patient qui doit suivre un traitement dentaire ou subir une intervention chirurgicale d'avertir le dentiste ou le médecin qu'il suit un traitement médicamenteux.

- ☐ Recommander au patient de signaler immédiatement au médecin les symptômes suivants : faiblesse musculaire, crampes, nausées, étourdissements, engourdissements ou picotement des membres.

- ☐ Insister sur l'importance des examens de suivi réguliers.

- **Hypertension :** Inciter le patient à appliquer d'autres mesures de réduction de l'hypertension : perdre du poids, faire régulièrement de l'exercice, réduire sa consommation de sel, diminuer le stress, boire avec modération de l'alcool et cesser de fumer.

VÉRIFICATION DES RÉSULTATS

L'efficacité du traitement peut être démontrée par : ■ la diminution de l'œdème ■ la diminution du volume de l'abdomen ■ l'augmentation des excreta urinaires ■ la baisse de la pression artérielle.

BUPRÉNORPHINE
(Buprenex)

CLASSIFICATION :
Analgésique narcotique – agoniste/ antagoniste

Stupéfiant

Grossesse – catégorie C

INDICATIONS

Soulagement de la douleur modérée à grave.

ACTION

■ Liaison aux récepteurs des opiacés du SNC ■ Modification de la perception de la douleur et de la réaction aux stimuli douloureux avec dépression généralisée du SNC ■ Propriétés antagonistes partielles qui peuvent entraîner des symptômes de sevrage aux narcotiques en cas de pharmacodépendance physique.

Effets thérapeutiques : ■ Diminution de l'intensité de la douleur.

PHARMACOCINÉTIQUE

Absorption : Bonne absorption à partir des points d'injection IM.

Distribution : Le médicament traverse le placenta et pénètre dans le lait maternel.

Métabolisme et excrétion : Le médicament est surtout métabolisé par le foie.

Demi-vie : De 2 à 3 h.

CONTRE-INDICATIONS ET PRÉCAUTIONS

Contre-indications : Hypersensibilité.

Précautions : ■ Pression intracrânienne accrue ■ Maladies rénale, hépatique ou pulmonaire graves ■ Hypothyroïdie ■ Insuffisance surrénalienne ■ Alcoolisme ■ Personnes âgées ou patients débilités (réduire la dose) ■ Douleurs abdominales non diagnostiquées ■ Hypertrophie de la prostate ■ Grossesse, travail de l'accouchement, allaitement ou enfants (l'innocuité du médicament n'a pas été établie).

RÉACTIONS INDÉSIRABLES ET EFFETS SECONDAIRES

SNC : sédation, confusion, céphalées, euphorie, sensation de flottement, rêves bizarres, hallucinations, dysphorie, étourdissements.

ORLO : myosis (doses élevées), vision trouble, diplopie.

Resp. : dépression respiratoire.

CV : hypotension, hypertension, palpitations.

GI : nausées, vomissements, constipation, iléus, sécheresse de la bouche (xérostomie).

GU : rétention urinaire.

Tég. : transpiration, sensation de peau moite et froide.

Divers : transpiration, tolérance aux effets du médicament, dépendance physique, dépendance psychologique.

INTERACTIONS

Médicament – médicament : ■ La buprénorphine doit être administrée avec prudence chez les patients recevant des **inhibiteurs de la MAO** (dépression accrue du SNC et de l'appareil respiratoire et hypotension ; diminuer la dose de buprénorphine de 50 %, et, au besoin, diminuer la dose de l'inhibiteur de la MAO) ■ Effet dépressif additif sur le SNC, lors de l'usage simultané d'**antihistaminiques**, d'**antidépresseurs**, d'**hyposédatifs** ou d'**alcool** ■ L'administration du médicament peut déclencher des symptômes de sevrage chez les **toxicomanes** présentant une dépendance physique aux analgésiques narcotiques et qui n'ont pas été désintoxiqués ■ La buprénorphine peut réduire l'efficacité d'autres **analgésiques narcotiques**.

VOIES D'ADMINISTRATION ET POSOLOGIE

■ **IM et IV (adultes) :** de 0,3 à 0,6 mg, toutes les 4 à 6 h, selon les besoins.

PHARMACODYNAMIE (soulagement de la douleur)

	DÉBUT D'ACTION	PIC	DURÉE
IM	15 min	60 min	6 h
IV	rapide	rapide	6 h

SOINS INFIRMIERS

ÉVALUATION DE LA SITUATION

□ Noter le type de douleur, son siège et son intensité, avant l'administration du médicament et 15 min après l'administration par voie IM ou 5 min après l'administration par voie IV.

☐ Mesurer la pression artérielle, le pouls et les respirations avant l'administration du médicament et à intervalles réguliers pendant tout le traitement. Une dose de 0,3 mg de buprénorphine produit une dépression respiratoire presque équivalente à celle entraînée par 10 mg de morphine.

☐ Bien que le risque de dépendance soit faible, l'administration prolongée de ce médicament peut entraîner la pharmacodépendance physique et psychologique ainsi que la tolérance aux effets du médicament, ce qui ne doit pas empêcher le patient de recevoir une quantité suffisante d'analgésique. La dépendance psychologique est rare chez la plupart des patients qui reçoivent des analgésiques narcotiques pour des raisons médicales. Lors d'un traitement prolongé, il faut parfois administrer des doses de plus en plus élevées pour soulager la douleur.

☐ En raison de ses propriétés antagonistes, le médicament peut induire chez les toxicomanes présentant une dépendance physique aux analgésiques narcotiques les symptômes de sevrage suivants: vomissements, agitation, crampes abdominales, pression artérielle accrue et fièvre. Ces symptômes peuvent se manifester jusqu'à 15 jours après l'abandon du traitement et persister pendant 1 à 2 semaines.

■ **Étude des examens diagnostiques et biochimiques:** Le médicament peut entraîner l'élévation des concentrations sériques d'amylase et de lipase.

■ **Toxicité et surdosage:** En cas de surdosage, la dépression respiratoire peut être partiellement renversée par la naloxone (Narcan) qui est l'antidote. Le médecin peut également prescrire du doxapram en tant qu'analeptique respiratoire.

DIAGNOSTICS INFIRMIERS POSSIBLES

■ **Énoncés diagnostiques**

☐ Douleur.

☐ Risque élevé d'accident.

☐ *Risque élevé d'altération de la perception visuelle.*

☐ *Risque élevé d'anxiété.*

☐ *Risque élevé de prise en charge inefficace du programme thérapeutique.*

☐ *Risque élevé d'exacerbation des effets secondaires.*

■ **Facteurs favorisants**

☐ *Perturbation de la vigilance.*

☐ *Manque de connaissances sur les effets secondaires du médicament et sur les moyens de les prévenir.*

☐ *Manque de connaissances sur les modalités du traitement.*

☐ *Administration trop rapide du médicament par voie IV.*

INTERVENTIONS INFIRMIÈRES

■ **Directives générales:** Pour augmenter l'effet analgésique de la buprénorphine, avant de l'administrer, expliquer au patient la valeur thérapeutique de ce médicament.

☐ Les doses administrées selon un horaire fixe peuvent être plus efficaces que celles administrées au besoin. L'analgésie s'avère plus efficace si le médicament est administré avant que la douleur ne devienne intense.

☐ Les analgésiques non narcotiques, administrés simultanément, peuvent exercer des effets analgésiques additifs, ce qui permet de diminuer les doses de narcotique.

■ **IM:** Administrer les injections par voie IM profondément dans un muscle bien développé. Assurer la rotation des points d'injection.

■ **IV directe:** On peut administrer le médicament par voie IV sans le diluer. Injecter lentement. L'administration rapide peut entraîner une dépression respiratoire, de l'hypotension et l'arrêt cardiaque.

- **Association compatible dans la même seringue:** Midazolam.
- **Compatibilités en addition au soluté:** Solution de NaCl à 0,9 %, solution de dextrose à 5 % dans de l'eau, solution de dextrose à 5 % dans une solution de NaCl à 0,9 %, solution de lactate Ringer, atropine, diphenhydramine, dropéridol, glycopyrrolate, halopéridol, hydroxyzine, prométhazine ou scopolamine.
- **Incompatibilités en addition au soluté:** Diazépam ou lorazépam.

ENSEIGNEMENT AU PATIENT ET À SES PROCHES

□ Expliquer au patient ce qu'on entend par administration au besoin et à quel moment il doit demander un analgésique.

□ Prévenir le patient que la buprénorphine peut provoquer des étourdissements et de la somnolence. Lui recommander de demander de l'aide lorsqu'il se déplace et lui conseiller de ne pas conduire et d'éviter les activités qui exigent sa vigilance jusqu'à ce qu'on ait la certitude que le médicament n'entraîne pas ces effets chez lui.

□ Recommander au patient de se tourner dans le lit, de tousser et de faire des exercices de respiration profonde toutes les 2 h pour prévenir l'atélectasie.

□ Conseiller au patient de pratiquer une bonne hygiène orale, de se rincer la bouche fréquemment avec de l'eau et de consommer de la gomme ou des bonbons sans sucre pour diminuer la sécheresse de la bouche.

□ Recommander au patient de changer lentement de position pour diminuer le risque d'hypotension orthostatique.

□ Mettre en garde le patient contre l'usage concomitant d'alcool ou d'autres dépresseurs du SNC.

VÉRIFICATION DES RÉSULTATS

L'efficacité du traitement peut être démontrée par: la diminution de l'intensité de la douleur sans altération importante du niveau de la conscience ni de la fonction respiratoire.

BUPROPION
(Wellbutrin)

CLASSIFICATION:
Antidépresseur – divers

Grossesse – catégorie B

INDICATIONS

Traitement de la dépression, souvent en association avec une psychothérapie.

ACTION

- Diminution du recaptage de la dopamine par les neurones du SNC ■ Diminution du recaptage de la sérotonine et de la noradrénaline (action moindre que celle des antidépresseurs tricycliques). **Effets thérapeutiques:** ■ Diminution des symptômes de la dépression.

PHARMACOCINÉTIQUE

Absorption: Bien que le médicament soit bien absorbé, sa biodisponibilité semble faible en raison d'une clearance hépatique considérable et rapide.

Distribution: Inconnue.

Métabolisme et excrétion: Le bupropion est fortement métabolisé par le foie. Une fraction du médicament est transformée en métabolites actifs.

Demi-vie: 14 h (les métabolites actifs peuvent avoir des demi-vies plus longues).

CONTRE-INDICATIONS ET PRÉCAUTIONS

Contre-indications: ■ Hypersensibilité ■ Antécédents de convulsions, de boulimie et d'anorexie mentale ■ Traitement concomitant aux inhibiteurs de la MAO.

Précautions: ■ Antécédents de traumatisme crânien ■ Insuffisance rénale ou hépatique (une réduction de la dose est recommandée) ■ Grossesse, allaitement ou enfants (l'innocuité du médicament n'a pas été établie) ■ Infarctus du myocarde récent ■ État cardiovasculaire instable.

RÉACTIONS INDÉSIRABLES ET EFFETS SECONDAIRES

SNC: CONVULSIONS, agitation, insomnie, psychoses, manie, céphalées.
GI: sécheresse de la bouche (xérostomie), nausées, vomissements, modification de l'appétit, gain de poids, perte de poids.
SN: tremblements.

INTERACTIONS

Médicament – médicament: ■ L'administration simultanée de **lévodopa** ou d'un **inhibiteur de la MAO** peut accroître le risque de réactions indésirables ■ L'administration simultanée de **phénothiazines** ou d'**antidépresseurs** et le sevrage aux **benzodiazépines** ou le sevrage **alcoolique** peuvent accroître le risque de convulsions.

VOIES D'ADMINISTRATION ET POSOLOGIE

PO (adultes): initialement 100 mg, 2 fois par jour (matin et soir); on peut augmenter cette dose après 3 jours jusqu'à 100 mg, 3 fois par jour, selon la réponse du patient. En l'absence de réponse après 4 semaines de traitement, la posologie peut être augmentée jusqu'à un maximum de 450 mg par jour en doses fractionnées. (Il ne faut jamais dépasser 150 mg par dose; espacer les doses d'au moins 6 h si la posologie est de 300 mg par jour, ou d'au moins 4 h, si la posologie est de 450 mg par jour).

PHARMACODYNAMIE
(effet antidépresseur)

	DÉBUT D'ACTION	PIC	DURÉE
PO	jusqu'à 4 semaines	inconnu	inconnue

☀SOINS INFIRMIERS

ÉVALUATION DE LA SITUATION

☐ Suivre de près les changements d'humeur. Signaler au médecin l'aggravation de l'anxiété, de l'agitation ou de l'insomnie.

☐ Surveiller les tendances suicidaires, particulièrement durant le traitement initial. Réduire la quantité de médicament dont le patient peut disposer.

DIAGNOSTICS INFIRMIERS POSSIBLES

■ **Énoncés diagnostiques**

☐ Stratégies d'adaptation individuelles inefficaces.

☐ Prise en charge inefficace du programme thérapeutique.

☐ *Risque élevé d'agitation.*

☐ *Risque élevé d'accident.*

☐ *Risque élevé de perturbation des habitudes du sommeil.*

☐ *Risque élevé d'atteinte à l'intégrité de la muqueuse buccale.*

■ **Facteurs favorisants**

☐ Informations incomplètes.

☐ *Difficulté à s'adapter aux changements nécessaires dans les habitudes de vie.*

☐ *Manque de connaissances sur les effets secondaires du médicament et sur les moyens de les prévenir.*

☐ *Perturbation de la vigilance.*

☐ *Manque de connaissances sur les moyens de prévenir ou de réduire la sécheresse de la bouche.*

INTERVENTIONS INFIRMIÈRES

■ **PO:** Administrer les doses à des intervalles égaux tout au long de la journée afin de réduire les risques de convulsions.

☐ Initialement, on peut administrer le bupropion en association avec des sédatifs pour réduire l'agitation. Après la première semaine, l'adminis-

B

tration des sédatifs peut habituellement être arrêtée.

☐ Pour diminuer l'insomnie, ne pas administrer le médicament au coucher.

ENSEIGNEMENT AU PATIENT ET À SES PROCHES

☐ Conseiller au patient de respecter scrupuleusement la posologie recommandée. S'il n'a pas pu prendre le médicament au moment habituel, il ne doit pas prendre cette dose et revenir à l'horaire habituel. Lui recommander de ne jamais prendre une double dose.

☐ Prévenir le patient que le bupropion peut altérer sa capacité de jugement, ainsi que ses capacités motrices et cognitives. Lui recommander de ne pas conduire et d'éviter les activités qui exigent sa vigilance jusqu'à ce qu'on ait la certitude que le médicament n'entraîne pas ces effets chez lui.

☐ Conseiller au patient d'éviter la consommation d'alcool pendant le traitement et de consulter le médecin avant de prendre d'autres médicaments en même temps que le bupropion.

☐ Expliquer au patient qu'il peut soulager la sécheresse de la bouche en se rinçant souvent la bouche, en pratiquant une bonne hygiène orale et en consommant des bonbons ou de la gomme à mâcher sans sucre. Si la sécheresse de la bouche persiste pendant plus de 2 semaines, lui recommander de consulter le médecin ou le dentiste qui pourra lui prescrire des substituts de salive.

☐ Conseiller à la patiente de prévenir le médecin si elle souhaite devenir enceinte ou si elle pense l'être.

☐ Expliquer au patient l'importance des examens de suivi qui permettent de déterminer les bienfaits du traitement. Encourager le patient à s'engager dans une psychothérapie.

VÉRIFICATION DES RÉSULTATS

L'efficacité du traitement peut être démontrée par : ■ une sensation de mieux-être ■ un regain d'intérêt à l'égard de l'entourage. Pour contrer les épisodes aigus de dépression, il faut parfois poursuivre le traitement pendant plusieurs mois.

BUSPIRONE
BuSpar

CLASSIFICATION :
Anxiolytique

Grossesse – catégorie B

INDICATIONS
Traitement de l'anxiété.

ACTION
■ Liaison aux récepteurs sérotoninergiques et dopaminiques du cerveau ■ Accélération du métabolisme cérébral de la noradrénaline. **Effets thérapeutiques :** ■ Apaisement de l'anxiété.

PHARMACOCINÉTIQUE
Absorption : Le médicament est rapidement absorbé.

Distribution : Inconnue.

Métabolisme et excrétion : La buspirone est fortement métabolisée par le foie. Une fraction de 20 à 40 % est excrétée dans les fèces.

Demi-vie : De 2 à 3 h.

CONTRE-INDICATIONS ET PRÉCAUTIONS
Contre-indications : Hypersensibilité.

Précautions : ■ Patients recevant d'autres anxiolytiques (l'administration des autres agents devrait être arrêtée graduellement afin de prévenir les symptômes de sevrage ou l'anxiété rebond) ■ Maladie hépatique grave ■ Grossesse, allaitement et enfants (l'innocuité du médicament n'a pas été établie) ■ Patients recevant d'autres psychostimulants.

RÉACTIONS INDÉSIRABLES ET EFFETS SECONDAIRES

SNC: étourdissements, insomnie, agitation, somnolence, sensation de tête légère, excitation, céphalées, modifications de la personnalité, fatigue, faiblesse.
ORLO: acouphènes, maux de gorge, vision trouble, congestion nasale, altération du goût ou de l'odorat, conjonctivite.
Resp.: hyperventilation, essoufflement, congestion thoracique.
CV: douleurs thoraciques, palpitations, tachycardie, syncope, hypotension, hypertension.
GI: nausées, sécheresse de la bouche (xérostomie), diarrhée, constipation, douleurs abdominales, vomissements.
GU: mictions fréquentes, retard de la miction, dysurie, modification de la libido.
Tég.: rash, prurit, œdème, rougeurs du visage, apparition d'ecchymoses au moindre traumatisme, chute des cheveux, peau sèche, phlyctènes.
End.: troubles du cycle menstruel.
Loc.: myalgie.
SN: paresthésie, engourdissements, manque de coordination, tremblements.
Divers: transpiration, peau moite et froide, fièvre.

INTERACTIONS

Médicament – médicament: ■ L'administration simultanée d'**inhibiteurs de la MAO** peut entraîner l'hypertension ■ La buspirone peut augmenter le risque d'apparition des effets hépatiques induits par la **trazodone** ■ La consommation simultanée d'**alcool** est déconseillée.

VOIES D'ADMINISTRATION ET POSOLOGIE

PO (adultes): initialement, 5 mg, 2 ou 3 fois par jour; augmenter la dose de 5 mg par jour, à des intervalles de 2 ou 3 jours jusqu'à concurrence de 45 mg par jour en doses fractionnées. La dose habituelle est de 20 à 30 mg par jour.

PHARMACODYNAMIE (apaisement de l'anxiété)

	DÉBUT D'ACTION	PIC	DURÉE
PO	7 – 14 jours	3 – 4 semaines	inconnue

SOINS INFIRMIERS

ÉVALUATION DE LA SITUATION

■ **Directives générales:** Déterminer le degré d'anxiété et la fréquence des épisodes avant le traitement et à intervalles réguliers pendant toute sa durée.

□ La buspirone ne semble pas entraîner de dépendance physique ou psychologique ni de tolérance. Toutefois, chez le patient ayant des antécédents de toxicomanie ou de pharmacodépendance, il faudrait surveiller l'accoutumance ou la tolérance aux effets du médicament et limiter la quantité de médicament dont il peut disposer.

DIAGNOSTICS INFIRMIERS POSSIBLES

■ **Énoncés diagnostiques**
□ Anxiété.
□ Risque élevé d'accident.
□ Prise en charge inefficace du programme thérapeutique.
□ *Risque élevé d'intolérance à l'activité.*

■ **Facteurs favorisants**
□ Informations incomplètes.
□ *Perturbation de la vigilance.*
□ *Altération de la perception visuelle.*
□ *Fatigue et faiblesse.*
□ *Manque de connaissances sur les modalités du traitement.*
□ *Manque de connaissances sur les effets secondaires du médicament.*

B

INTERVENTIONS INFIRMIÈRES

- **Directives générales:** Lorsque l'on substitue la buspirone à un autre anxiolytique, il faut en diminuer graduellement les doses, car la buspirone ne peut pas prévenir les symptômes de sevrage.
- **PO:** Afin de réduire les risques d'irritation gastrique, administrer la buspirone avec des aliments. Les aliments ralentissent l'absorption du médicament, mais n'en modifient pas la quantité totale absorbée.

ENSEIGNEMENT AU PATIENT ET À SES PROCHES

- □ Inciter le patient à respecter scrupuleusement la posologie recommandée. S'il n'a pas pu prendre le médicament au moment habituel, il doit le prendre aussitôt que possible, à moins que ce ne soit presque l'heure de prendre la dose suivante. Il ne faut jamais doubler les doses. Insister sur le fait qu'il ne faut prendre que la quantité prescrite. L'effet anxiolytique peut ne pas se manifester avant 1 ou 2 semaines de traitement.
- □ Expliquer au patient que la buspirone peut provoquer des étourdissements ou de la somnolence. Lui conseiller de ne pas conduire ou d'éviter les activités qui exigent sa vigilance jusqu'à ce qu'on ait la certitude que le médicament n'entraîne pas ces effets chez lui.
- □ Recommander au patient d'éviter de boire de l'alcool et de ne pas prendre d'autres dépresseurs du SNC en même temps que la buspirone.
- □ Conseiller au patient de consulter le médecin ou le pharmacien avant de prendre un médicament en vente libre avec la buspirone.
- □ Conseiller au patient de signaler au médecin tout mouvement anormal persistant, tel que la dystonie, l'agitation motrice, les mouvements involontaires des muscles cervicaux ou fa-

ciaux; inciter la patiente à prévenir le médecin si elle pense être enceinte.
- □ Insister sur l'importance des examens de suivi permettant d'évaluer les bienfaits du traitement.

VÉRIFICATION DES RÉSULTATS

L'efficacité du traitement peut être démontrée par: ■ une sensation de mieux-être ■ la diminution de la sensation subjective d'anxiété. La buspirone est habituellement administrée en traitement de courte durée (de 3 à 4 semaines). Si elle est prescrite en traitement prolongé, son efficacité doit être évaluée à intervalles réguliers.

BUSULFAN
Myleran

CLASSIFICATION:
Antinéoplasique – agent alkylant
Grossesse – catégorie D

INDICATIONS

Traitement de la leucémie chronique myélocytique et myéloïde et des troubles médullaires.

ACTION

■ Blocage des fonctions de l'acide nucléique et de la synthèse protéique (effet non spécifique sur le cycle cellulaire). **Effets thérapeutiques:** ■ Destruction des cellules à croissance rapide, particulièrement les cellules malignes.

PHARMACOCINÉTIQUE

Absorption: Le médicament est rapidement absorbé depuis le tractus gastro-intestinal.
Distribution: Inconnue.
Métabolisme et excrétion: Le busulfan est fortement métabolisé par le foie.
Demi-vie: Inconnue.

CONTRE-INDICATIONS ET PRÉCAUTIONS

Contre-indications: ■ Hypersensibilité ■ Absence de réponse à des cures antérieures ■ Grossesse ou allaitement.

Précautions: ■ Patientes en âge de procréer ■ Infections actives ■ Diminution de l'hématopoïèse médullaire ■ Autres maladies débilitantes chroniques.

RÉACTIONS INDÉSIRABLES ET EFFETS SECONDAIRES

Resp.: FIBROSE PULMONAIRE.

GI: nausées, vomissements, hépatite.

Tég.: alopécie.

End.: gynécomastie, suppression de la fonction des gonades.

Hémat.: aplasie médullaire.

Métab.: hyperuricémie.

INTERACTIONS

Médicament – médicament: La **radiothérapie** ou d'autres **agents antinéoplasiques**, administrés simultanément, peuvent aggraver l'aplasie médullaire.

VOIES D'ADMINISTRATION ET POSOLOGIE

■ **PO (adultes):** la dose initiale est de 0,06 mg/kg jusqu'à un maximum de 4 mg par jour. Administrer jusqu'à ce qu'on obtienne des améliorations cliniques et hématologiques. La dose d'entretien peut varier entre 1 et 3 mg par jour.

■ **PO (enfants) (É.-U.):** de 0,06 à 0,12 mg/kg, par jour, ou de 1,8 à 4,6 mg/m^2, par jour.

PHARMACODYNAMIE (effets sur la numération globulaire)

	DÉBUT D'ACTION	PIC	DURÉE
PO	10 – 15 jours	plusieurs semaines	jusqu'à 1 mois*

* Le nombre de leucocytes peut ne revenir à la normale que 20 mois plus tard.

⁂ SOINS INFIRMIERS

ÉVALUATION DE LA SITUATION

☐ Suivre de près la fièvre, les maux de gorge et les signes d'infection. Si ces symptômes se manifestent, en informer le médecin immédiatement.

☐ Suivre de près les saignements: gencives qui saignent, formation d'ecchymoses, pétéchies, présence de sang occulte dans les selles, dans l'urine et dans les vomissements. Éviter les injections IM, la prise de la température par voie rectale ou l'administration de médicaments contenant de l'acide acétylsalicylique. Exercer une pression sur les points de ponction veineuse pendant au moins 10 min.

☐ Effectuer le bilan quotidien des ingesta et des excreta et peser le patient tous les jours. Prévenir le médecin si des modifications importantes surviennent.

☐ Surveiller les signes et les symptômes de goutte suivants: concentration accrue d'acide urique, douleurs articulaires, œdème. Inciter le patient à boire au moins 2 L de liquide par jour. On peut administrer de l'allopurinol pour diminuer les concentrations d'acide urique. Le médecin peut recommander l'alcalinisation de l'urine pour augmenter l'excrétion de l'acide urique.

☐ Une anémie peut survenir. Observer le patient pour déceler la fatigue accrue, la dyspnée et l'hypotension orthostatique.

■ **Étude des examens diagnostiques et biochimiques:** Suivre de près la numération et la formule leucocytaires avant l'administration initiale et toutes les semaines pendant la durée du traitement. Le nadir de la leucopénie se produit en l'espace de 10 à 30 jours. Les taux se rétablissent habituellement en l'espace de 12 à 20 semaines. Prévenir le médecin si le nombre de leucocytes est inférieur à 15×10^9/L ou s'il chute brusquement. Si le nombre de plaquettes est inférieur à 150×10^9/L, prendre les mesures qui s'imposent pour contrer la thrombocytopénie.

☐ Noter les résultats des tests de l'exploration fonctionnelle hépatique et les concentrations sériques d'urée, de créatinine et d'acide urique avant le traitement et à intervalles réguliers pendant toute sa durée.

☐ Le busulfan peut entraîner des résultats faussement positifs aux études cytologiques des tissus des seins, de la vessie, du col et des poumons.

DIAGNOSTICS INFIRMIERS POSSIBLES

■ **Énoncés diagnostiques**

☐ Perturbation situationnelle de l'estime de soi.

☐ Risque élevé d'accident.

☐ Risque élevé d'infection.

☐ *Risque élevé d'altération de l'élimination urinaire.*

☐ *Risque élevé de prise en charge inefficace du programme thérapeutique.*

■ **Facteurs favorisants**

☐ *Manque de connaissances sur les effets secondaires du médicament et sur les moyens de les prévenir.*

☐ *Difficulté à s'adapter aux changements nécessaires dans les habitudes de vie.*

☐ *Altération de l'image corporelle.*

☐ *Modification de l'état liquidien ou des volumes circulants.*

INTERVENTIONS INFIRMIÈRES

PO: Administrer le médicament 1 h avant ou 2 h après les repas.

ENSEIGNEMENT AU PATIENT ET À SES PROCHES

☐ Encourager le patient à suivre scrupuleusement la posologie recommandée même si les nausées et les vomissements deviennent gênants. Consulter le médecin si les vomissements se produisent peu de temps après la prise de la dose. Si le patient ne peut pas prendre le médicament au moment habituel, il ne doit pas prendre cette dose; il ne faut jamais prendre une dose double.

☐ Recommander au patient de signaler les saignements inhabituels. Lui expliquer les précautions à prendre pour prévenir la thrombocytopénie: utiliser une brosse à dents à poils souples et un rasoir électrique, prendre garde aux chutes. Lui recommander de ne pas consommer de boissons alcoolisées et de ne pas prendre des médicaments contenant de l'acide acétylsalicylique, étant donné les risques de saignements gastriques.

☐ Expliquer au patient qu'il doit éviter les foules et les personnes contagieuses. Lui recommander de signaler immédiatement au médecin tout symptôme d'infection.

☐ Expliquer au patient qu'il risque de perdre ses cheveux. Explorer avec lui les stratégies lui permettant de s'adapter à ce changement.

☐ Expliquer à la patiente la nécessité d'utiliser des méthodes de contraception pendant le traitement. Il faut prendre des mesures contraceptives même si l'aménorrhée survient.

☐ Expliquer au patient qu'il ne doit pas se faire vacciner sans recommandation expresse du médecin.

☐ Recommander au patient de signaler au médecin les signes et les symptômes suivants: formation d'ecchymoses ou saignements inhabituels; douleurs lombaires, gastriques ou articulaires. Conseiller au patient qui suit un traitement prolongé de signaler immédiatement au médecin la toux, les essoufflements et la fièvre. Il devrait également prévenir le médecin si la peau devient plus foncée, et si la diarrhée, les étourdissements, la fatigue, l'anorexie, la confusion ou les nausées et les vomissements s'aggravent.

VÉRIFICATION DES RÉSULTATS

L'efficacité du traitement peut être démontrée par : ■ la diminution du nombre de leucocytes jusqu'aux limites normales ■ la diminution des sécrétions nocturnes de sueur ■ l'augmentation de l'appétit ■ une sensation de mieux-être. On arrête le traitement lorsque le nombre de leucocytes atteint 50×10^9/L.

BUTALBITAL, COMPOSÉ DE

butalbital, acide acétylsalicylique, caféine

Fiorinal, Tecnal, (B-A-C), (Fiorgan PF), (Isollyl Improved), (Lanorinal), (Lorprn), (Marnal)

CLASSIFICATION :

Analgésique non narcotique associé à des barbituriques

Drogue contrôlée

Grossesse – catégorie D

INDICATIONS

Traitement de la douleur légère à modérée.

ACTION

■ Soulagement de la douleur par l'ingrédient analgésique (acide acétylsalicylique) ; effet sédatif exercé par l'ingrédient barbiturique (butalbital) ; effet bénéfique probable en présence de céphalées vasculaires, grâce à la caféine. **Effets thérapeutiques :** ■ Diminution de l'intensité de la douleur avec une certaine sédation.

PHARMACOCINÉTIQUE

Absorption : Tous les ingrédients sont bien absorbés.

Distribution : Tous les ingrédients se répartissent dans tout l'organisme, ils traversent le placenta et pénètrent dans le lait maternel.

Métabolisme et excrétion : Tous les ingrédients sont surtout métabolisés par le foie.

Demi-vie : Acide acétylsalicylique : de 2 à 3 h (faibles doses) ; butalbital : inconnue.

CONTRE-INDICATIONS ET PRÉCAUTIONS

Contre-indications : ■ Hypersensibilité à l'acide acétylsalicylique ou au butalbital ■ Risque de sensibilité croisée avec d'autres agents anti-inflammatoires non stéroïdiens ou des barbituriques ■ Troubles hémorragiques ou thrombopénie (ne pas administrer d'acide acétylsalicylique) ■ Coma ou dépression du SNC préexistante (usage déconseillé) ■ Douleurs intenses, rebelles à tout traitement ■ Grossesse ou allaitement ■ Maladie cardiovasculaire grave (ne pas administrer les préparations qui renferment de la caféine).

Précautions : ■ Tendances suicidaires ou antécédents de toxicomanie ou de pharmacodépendance ■ Personnes âgées (réduire la dose) ■ Usage réservé à un traitement de courte durée ■ Enfants (l'innocuité du médicament n'a pas été établie).

RÉACTIONS INDÉSIRABLES ET EFFETS SECONDAIRES

SNC : caféine – agitation, irritabilité, insomnie ; **butalbital** – somnolence, léthargie, vertiges, dépression, sensation de tête légère, excitation, délirium.

ORLO : acide acétylsalicylique – acouphènes, surdité.

Resp. : butalbital – dépression respiratoire.

CV : caféine – tachycardie, palpitations.

GI : acide acétylsalicylique – dyspepsie, brûlures d'estomac, épigastralgie, nausées, vomissements, anorexie, douleurs abdominales, HÉMORRAGIE GASTRIQUE, hépatotoxicité ; **caféine** – brûlures d'estomac, épigastralgie ; **butalbital** – nausées, vomissements, diarrhée, constipation.

B

Tég.: acide acétylsalicylique – rash, dermatite.

Hémat.: acide acétylsalicylique – allongement du temps de saignement, anémie, hémolyse.

Divers: acide acétylsalicylique – œdème pulmonaire non cardiogène, réactions allergiques incluant l'ANAPHYLAXIE et le LARYNGOSPASME; butalbital – réactions d'hypersensibilité incluant l'ŒDÈME ANGIONEUROTIQUE et la maladie sérique, dépendance physique, dépendance psychologique.

INTERACTIONS

Médicament – médicament: ■ *Acide acétylsalicylique* – la préparation peut potentialiser l'effet des **anticoagulants oraux** ■ La préparation peut augmenter les effets des **pénicillines**, de la **phénytoïne**, du **méthotrexate**, de l'**acide valproïque**, des **hypoglycémiants oraux** et des **sulfamides**, administrés simultanément ■ La préparation peut contrecarrer les effets bénéfiques des **agents uricosuriques** ■ La préparation peut diminuer les effets de la plupart des **anti-inflammatoires non stéroïdiens** ■ Les **glucocorticoïdes** peuvent diminuer les concentrations de salicylates ■ L'**acidification de l'urine** peut augmenter les concentrations de salicylates ■ L'**alcalinisation de l'urine** peut diminuer les concentrations de salicylates ■ La préparation peut atténuer la réponse thérapeutique aux **diurétiques** ■ *Butalbital* – Effet dépresseur additif sur le SNC, lors de l'usage concomitant d'**autres dépresseurs du SNC**, incluant l'**alcool**, les **antihistaminiques**, les **antidépresseurs**, les **analgésiques narcotiques** et les **hypnosédatifs** ■ Le butalbital peut accélérer le métabolisme hépatique et diminuer l'efficacité d'autres médicaments dont les **contraceptifs oraux**, le **chloramphénicol**, l'**acébutolol**, le **propranolol**, le **métoprolol**, le **timolol**, la **doxycycline**, les **glucocorticoïdes**, les **antidépresseurs tricycliques**, les **phénothiazines**, le **phénylbutazone** et la

quinidine ■ Les **inhibiteurs de la MAO**, la **primidone** et l'**acide valproïque** peuvent bloquer le métabolisme et augmenter l'efficacité du butalbital ■ Le butalbital peut augmenter l'hépatotoxicité du **cyclophosphamide.**

PRÉSENTATION

Le médicament est présenté en association avec de l'acide acétylsalicylique et de la codéine (voir l'annexe A).

VOIES D'ADMINISTRATION ET POSOLOGIE

PO (adultes): 1 ou 2 capsules ou comprimés toutes les 3 à 4 h, selon les besoins, pour soulager la douleur (jusqu'à 6 comprimés ou capsules par jour).

PHARMACODYNAMIE

	DÉBUT D'ACTION	PIC	DURÉE
PO	15 – 30 min	1 – 2 h	2 – 6 h

☼ SOINS INFIRMIERS

ÉVALUATION DE LA SITUATION

☐ Déterminer le type de douleur, son siège et son intensité, avant l'administration du médicament et 60 min après.

☐ L'usage prolongé de cet agent peut entraîner une dépendance physique et psychologique ainsi qu'une tolérance aux effets du médicament, ce qui ne doit pas empêcher le patient de recevoir une quantité suffisante d'analgésique. La dépendance psychologique est rare chez la plupart des patients qui reçoivent des préparations de butalbital pour des raisons médicales.

■ **Étude des examens diagnostiques et biochimiques:** L'acide acétylsalicylique allonge le temps de saignement de 4 à 7 jours et, à des doses massives, il peut allonger le temps de prothrombine.

□ Le médicament peut entraîner des résultats faussement négatifs au dosage de la glycémie par la méthode à la glucose-oxydase (Clinistix, Tes-Tape) et des résultats faussement positifs au dosage de la glycosurie par la méthode au sulfate de cuivre (Clinitest).

DIAGNOSTICS INFIRMIERS POSSIBLES

■ **Énoncés diagnostiques**

□ Douleur.

□ Risque élevé d'accident.

□ *Risque élevé de prise en charge inefficace du programme thérapeutique.*

□ *Risque élevé d'atteinte à l'intégrité des tissus.*

■ **Facteurs favorisants**

□ *Perturbation de la vigilance.*

□ *Manque de connaissances sur les moyens de prévenir les effets secondaires affectant l'appareil gastro-intestinal.*

□ *Manque de connaissances sur la méthode d'administration du médicament.*

INTERVENTIONS INFIRMIÈRES

■ **Directives générales:** Pour augmenter l'effet analgésique de ce médicament, avant de l'administrer, en expliquer au patient la valeur thérapeutique.

□ Les doses administrées selon un horaire fixe sont plus efficaces que celles administrées sur demande. L'analgésie est plus forte si le médicament est administré avant que la douleur ne devienne intense.

□ Après un traitement prolongé, interrompre l'administration graduellement pour prévenir les symptômes de sevrage.

■ **PO:** Administrer les préparations avec des aliments ou du lait afin de réduire l'irritation gastrique.

ENSEIGNEMENT AU PATIENT ET À SES PROCHES

□ Conseiller au patient de respecter scrupuleusement la posologie recom-

mandée. Ne pas augmenter la dose étant donné le risque d'accoutumance au butalbital. Si le médicament semble moins efficace après quelques semaines, il faut consulter le médecin.

□ Expliquer au patient ce qu'on entend par administration sur demande et à quel moment il doit demander un analgésique.

□ Prévenir le patient que les composés de butalbital peuvent provoquer des étourdissements et de la somnolence. Lui conseiller de ne pas conduire et d'éviter les activités qui exigent sa vigilance jusqu'à ce qu'on ait la certitude que le médicament n'entraîne pas ces effets chez lui.

□ Recommander au patient de ne pas boire d'alcool et de ne pas prendre d'autres dépresseurs du SNC en même temps que ce médicament.

□ Jeter les comprimés à base d'acide acétylsalicylique qui dégagent une odeur vinaigrée.

□ Prévenir le patient que les centres épidémiologiques mettent en garde contre l'administration de l'acide acétylsalicylique aux enfants ou aux adolescents atteints de varicelle, de maladie virale ou d'un syndrome pseudo-grippal étant donné le risque d'apparition du syndrome de Reye.

VÉRIFICATION DES RÉSULTATS

L'efficacité du traitement peut être démontrée par: la diminution de l'intensité de la douleur sans modification importante de l'état de la conscience.

BUTORPHANOL
(Stadol)

CLASSIFICATION:
Analgésique narcotique – agoniste/antagoniste

Grossesse – catégorie inconnue

B

INDICATIONS

■ Soulagement de la douleur modérée à grave ■ Analgésie au cours du travail de l'accouchement ■ Sédation avant une intervention chirurgicale ■ Supplément dans le cadre d'une anesthésie de base.

ACTION

■ Liaison aux récepteurs des opiacés du SNC ■ Modification de la perception de la douleur et de la réaction aux stimuli douloureux avec une dépression généralisée du SNC ■ Propriétés antagonistes partielles qui peuvent entraîner des symptômes de sevrage aux narcotiques en cas de pharmacodépendance physique. **Effets thérapeutiques:** ■ Diminution de l'intensité de la douleur.

PHARMACOCINÉTIQUE

Absorption: Bonne absorption à partir des points d'injection IM.
Distribution: Le butorphanol traverse le placenta et pénètre dans le lait maternel.
Métabolisme et excrétion: Le médicament est presque entièrement métabolisé par le foie. Une fraction de 11 à 14 % est excrétée dans les fèces. Des quantités infimes sont excrétées par les reins à l'état inchangé.
Demi-vie: De 3 à 4 h.

CONTRE-INDICATIONS ET PRÉCAUTIONS

Contre-indications: ■ Hypersensibilité ■ Toxicomanes présentant une dépendance physique aux analgésiques narcotiques (risque de symptômes de sevrage).
Précautions: ■ Traumatisme crânien ■ Pression intracrânienne accrue ■ Maladies rénale, hépatique ou pulmonaire graves ■ Hypothyroïdie ■ Insuffisance surrénalienne ■ Alcoolisme ■ Personnes âgées ou patients débilités (réduire la dose) ■ Douleurs abdominales non diagnostiquées ■ Hypertrophie de la prostate ■ Grossesse, allaitement ou enfants (l'innocuité du médicament n'a pas été établie, mais il a été déjà utilisé au cours du

travail de l'accouchement; risque de dépression respiratoire chez le nouveau-né).

RÉACTIONS INDÉSIRABLES ET EFFETS SECONDAIRES

SNC: sédation, confusion, céphalées, euphorie, sensation de flottement, rêves bizarres, hallucinations, dysphorie.
ORLO: myosis (doses élevées), vision trouble, diplopie.
Resp.: dépression respiratoire.
CV: hypotension, hypertension, palpitations.
GI: nausées, vomissements, constipation, iléus, sécheresse de la bouche (xérostomie).
GU: rétention urinaire.
Tég.: transpiration, sensation de peau moite et froide.
Divers: tolérance aux effets du médicament, dépendance physique, dépendance psychologique.

INTERACTIONS

Médicament – médicament: ■ Le butorphanol doit être administré avec une extrême prudence chez les patients recevant des **inhibiteurs de la MAO**, car il peut entraîner des réactions graves et même mortelles; réduire la dose initiale de butorphanol à 25 % de la dose habituelle ■ L'usage simultané d'**alcool** ou d'**antihistaminiques**, d'**antidépresseurs** et d'**hypnosédatifs** peut entraîner un effet dépressif additif sur le SNC ■ L'administration du médicament peut déclencher des symptômes de sevrage chez les toxicomanes présentant une dépendance physique aux **analgésiques narcotiques** et qui n'ont pas été désintoxiqués ■ Le butorphanol peut diminuer les effets des **analgésiques narcotiques** administrés simultanément.

VOIES D'ADMINISTRATION ET POSOLOGIE

■ **IM (adultes):** 2 mg, toutes les 3 à 4 h, selon les besoins (écart posologique de 1 à 4 mg).

- **IV (adultes):** de 0,5 à 2,0 mg, toutes les 3 à 4 h, selon les besoins (écart posologique de 0,5 à 2 mg).

PHARMACODYNAMIE
(analgésie)

	DÉBUT D'ACTION	PIC	DURÉE
IM	1 – 3 min	30 – 60 min	3 – 4 h
IV	1 min	4 – 5 min	2 – 4 h

SOINS INFIRMIERS

ÉVALUATION DE LA SITUATION

- ☐ Noter le type de douleur, son siège et son intensité, avant l'administration du médicament et 30 à 60 min après l'administration IM ou 5 min après l'administration IV.
- ☐ Mesurer la pression artérielle, le pouls et la fréquence respiratoire, avant l'administration du médicament et à intervalles réguliers pendant tout le traitement. Une dose de 2 mg de butorphanol produit une dépression respiratoire presque équivalente à celle entraînée par 10 mg de morphine. La dépression ne s'aggrave pas, mais elle dure plus longtemps lors de l'administration d'une dose plus élevée.
- ☐ Bien que le risque de dépendance soit faible, l'administration prolongée de cet agent peut entraîner une pharmacodépendance physique et psychologique ainsi qu'une tolérance aux effets du médicament, ce qui ne doit pas empêcher le patient de recevoir une quantité suffisante d'analgésique. La dépendance psychologique est rare chez la plupart des patients qui reçoivent le butorphanol pour des raisons médicales. Lors d'un traitement prolongé, il faut parfois administrer des doses de plus en plus élevées pour soulager la douleur.
- ☐ En raison de ses propriétés antagonistes, le médicament peut induire chez les toxicomanes présentant une dépendance physique aux narcotiques les symptômes de sevrage suivants: vomissements, agitation, crampes abdominales, pression artérielle accrue et fièvre.
- **Étude des examens diagnostiques et biochimiques:** Le médicament peut entraîner une élévation des concentrations sériques d'amylase et de lipase.
- **Toxicité et surdosage:** En cas de surdosage, la dépression respiratoire peut être partiellement renversée par la naloxone (Narcan) qui est l'antidote. Le médecin peut également prescrire du doxapram en tant qu'analeptique respiratoire.

DIAGNOSTICS INFIRMIERS POSSIBLES

- **Énoncés diagnostiques**
- ☐ Douleur.
- ☐ Risque élevé d'accident.
- ☐ Altération de la perception visuelle et auditive.
- ☐ *Risque élevé de perturbation des échanges gazeux.*

- **Facteurs favorisants**
- ☐ *Perturbation de la vigilance.*
- ☐ *Manque de connaissances sur les effets secondaires du médicament.*
- ☐ *Mode de respiration inefficace.*
- ☐ *Manque de connaissances sur la méthode d'administration du médicament.*
- ☐ *Manque de connaissances sur les effets hypotensifs du médicament lors des changements brusques de position.*

INTERVENTIONS INFIRMIÈRES

- **Directives générales:** Pour augmenter l'effet analgésique du butorphanol, avant de l'administrer, expliquer au patient la valeur thérapeutique de ce médicament.
- ☐ Les doses administrées selon un horaire fixe peuvent être plus efficaces que celles administrées au besoin. L'analgésie est plus efficace si le médicament est administré avant que la douleur ne devienne intense.

C

☐ Les analgésiques non narcotiques administrés simultanément peuvent exercer des effets analgésiques additifs, ce qui permet de diminuer les doses de narcotique.

■ **IM:** Administrer les injections par voie IM profondément dans un muscle bien développé. Assurer la rotation des points d'injection.

■ **IV directe:** On peut administrer ce médicament par voie IV sans le diluer.

☐ *Vitesse d'administration:* Administrer en 3 à 5 min.

☐ L'administration rapide peut entraîner une dépression respiratoire, de l'hypotension et l'arrêt cardiaque.

■ **Associations compatibles dans la même seringue:** Atropine, chlorpromazine, cimétidine, diphenhydramine, dropéridol, fentanyl, hydroxyzine, mépéridine, midazolam, morphine, pentazocine, perphénazine, prochlorpérazine, prométhazine, scopolamine ou tiéthylpérazine.

■ **Associations incompatibles dans la même seringue:** Dimenhydrinate ou pentobarbital.

■ **Compatibilité (tubulure en Y):** Énalaprilate.

ENSEIGNEMENT AU PATIENT ET À SES PROCHES

☐ Expliquer au patient ce qu'on entend par administration au besoin et à quel moment il doit demander un analgésique.

☐ Prévenir le patient que le butorphanol peut provoquer des étourdissements et de la somnolence. Lui recommander de demander de l'aide lorsqu'il se déplace et lui conseiller de ne pas conduire et d'éviter les activités qui exigent sa vigilance jusqu'à ce qu'on ait la certitude que le médicament n'entraîne pas ces effets chez lui.

☐ Recommander au patient de se tourner dans le lit, de tousser et de faire des exercices de respiration profonde toutes les 2 h pour prévenir l'atélectasie.

☐ Recommander au patient de changer lentement de position pour diminuer le risque d'hypotension orthostatique.

☐ Mettre en garde le patient contre l'usage concomitant d'alcool ou d'autres dépresseurs du SNC.

VÉRIFICATION DES RÉSULTATS

L'efficacité du traitement peut être démontrée par: la diminution de l'intensité de la douleur sans altération importante du niveau de la conscience ni de la fonction respiratoire.

CALCITONINE – saumon
Calcimar, (Miacalcin)

CALCITONINE humaine
(Cibacalcine)

CLASSIFICATION:
Hormone; supplément d'électrolytes – traitement de l'hypocalcémie

Grossesse – catégorie C

INDICATIONS

■ Traitement de la maladie osseuse de Paget (calcitonine humaine et saumon)
■ Traitement d'appoint de l'hypercalcémie (calcitonine saumon seulement).
Usages non approuvés: ■ Traitement de l'ostéoporose postménopausique (calcitonine saumon seulement).

ACTION

■ Diminution de la concentration de calcium sérique par un effet direct sur les os, les reins et le tractus gastro-intestinal
■ Activation de l'excrétion rénale du calcium ■ Durée d'action prolongée de la forme saumon qui est aussi la forme la plus puissante à poids égal. **Effets thérapeutiques:** ■ Inhibition de la résorption osseuse accélérée ■ Diminution des concentrations de calcium sérique.

PHARMACOCINÉTIQUE

Absorption: La calcitonine étant détruite dans le tractus gastro-intestinal, il faut l'administrer par voie parentérale. L'absorption est complète à partir des points d'injection IM et SC.

Distribution: Inconnue. La calcitonine ne semble pas traverser le placenta.

Métabolisme et excrétion: Le métabolisme dans les reins, le sang et les tissus est rapide.

Demi-vie: Calcitonine humaine: 60 min; calcitonine saumon: de 70 à 90 min.

CONTRE-INDICATIONS ET PRÉCAUTIONS

Contre-indications: ■ Hypersensibilité aux protéines de saumon ou aux diluants de gélatine (extraits de saumon) ■ Grossesse et allaitement (l'usage de l'agent n'est pas conseillé).

Précautions: Enfants (l'innocuité de l'agent n'a pas été établie).

RÉACTIONS INDÉSIRABLES ET EFFETS SECONDAIRES

SNC: céphalées.

GI: nausées, vomissements, diarrhée, goût bizarre.

GU: mictions fréquentes.

Tég.: rash.

Locaux: réactions au point d'injection.

Divers: réactions allergiques comprenant l'ANAPHYLAXIE (plus courante avec les extraits de saumon), enflure, picotements et sensibilité des mains, bouffées vasomotrices.

INTERACTIONS

Médicament – médicament: Aucune interaction notable.

VOIES D'ADMINISTRATION ET POSOLOGIE

Calcitonine saumon

Remarque: Avant le traitement, effectuer un test cutané en injectant par voie intradermique 1 UI. (1 UI = 1 unité CRM).

Maladie de Paget
■ **IM et SC (adultes):** initialement, 100 UI par jour, ensuite de 50 à 100 UI par jour, ou tous les 2 jours comme dose d'entretien.

Hypercalcémie
■ **IM et SC (adultes):** initialement, 4 UI/kg toutes les 12 h; on peut augmenter la dose jusqu'à 8 UI/kg toutes les 12 h et, dans certains cas, jusqu'à 8 UI/kg, toutes les 6 h.

Ostéoporose
■ **IM et SC (adultes):** 100 UI par jour.

Calcitonine humaine

Maladie de Paget
■ **Voie SC (adultes):** de 0,25 à 0,5 mg par jour ou 2 ou 3 fois par semaine en une seule dose quotidienne; jusqu'à 1 mg par jour, en 2 doses fractionnées.

PHARMACODYNAMIE
(effet de la calcitonine saumon sur les concentrations sériques de calcium; l'amélioration clinique en cas de maladie de Paget peut ne se manifester qu'après plusieurs mois de traitement continu)

	DÉBUT D'ACTION	PIC	DURÉE
IM	15 min	4 h	8 – 24 h
SC	15 min	4 h	8 – 24 h

☀ SOINS INFIRMIERS

ÉVALUATION DE LA SITUATION

☐ Observer l'apparition des signes suivants d'hypersensibilité: rash, fièvre, éruptions urticariennes, anaphylaxie, maladie sérique. Garder de l'épinéphrine, des antihistamines et de l'oxygène à portée de la main pour parer à une éventuelle réaction anaphylactique.

□ Au cours de l'administration des premières doses de calcitonine, observer l'apparition des signes suivants de tétanie hypocalcémique : nervosité, irritabilité, paresthésie, soubresauts musculaires, spasmes tétaniques, convulsions. Garder à portée de la main du calcium destiné à l'administration par voie parentérale, comme du gluconate de calcium, pour parer à cette éventualité.

■ **Étude des examens diagnostiques et biochimiques :** Noter à intervalles réguliers pendant tout le traitement les concentrations sériques de phosphatase alcaline et de calcium. Ces concentrations devraient se normaliser dans les quelques mois qui suivent le début du traitement.

□ Examiner à intervalles réguliers durant tout le traitement les sédiments d'urine pour déceler la présence de cylindres urinaires.

DIAGNOSTICS INFIRMIERS POSSIBLES

■ **Énoncés diagnostiques**

□ Douleur.

□ Risque élevé d'accident.

□ Prise en charge inefficace du programme thérapeutique.

□ *Risque élevé de réaction allergique.*

■ **Facteurs favorisants**

□ Informations incomplètes.

□ *Manque de connaissances sur les effets secondaires du médicament.*

□ *Inflammation locale du tissu vasculaire ou infiltration du médicament dans les tissus avoisinants.*

□ *Manque de connaissances sur les signes d'hypoglycémie et d'hyperglycémie et sur les moyens de les prévenir.*

INTERVENTIONS INFIRMIÈRES

■ **Directives générales :** Avant le début du traitement, déterminer la sensibilité à la calcitonine saumon en administrant par voie intradermique une dose d'épreuve dans la face intérieure de l'avant-bras. Pour préparer une dose d'épreuve, faire une dilution de 10 UI/mL en prélevant 0,05 mL dans une seringue à tuberculine que l'on remplira jusqu'à concurrence de 1 mL avec une solution de NaCl à 0,9 % pour injection. Bien mélanger et jeter 0,9 mL. Administrer 0,1 mL et observer le point d'injection pendant 15 min. La présence d'un érythème plus que léger ou d'une papule signifie que le patient est allergique.

□ Garder la solution au réfrigérateur.

■ **IM et SC :** Observer le point d'injection pour déceler la rougeur, l'enflure ou la douleur. Assurer la rotation des points d'injection. La voie SC est la voie d'administration préférée. Administrer par voie IM si la dose est supérieure à 2 mL. Utiliser plusieurs points d'injection pour diminuer le risque de réaction inflammatoire.

ENSEIGNEMENT AU PATIENT ET À SES PROCHES

■ **Directives générales :** Conseiller au patient de respecter scrupuleusement la posologie recommandée. S'il n'a pu prendre le médicament au moment habituel et si le médecin lui a prescrit 2 doses par jour, il ne doit s'auto-administrer l'injection que dans les 2 h qui suivent l'heure habituelle. Si le médecin lui a prescrit une seule dose par jour, il ne doit s'auto-administrer la dose manquée que le jour même. S'il doit s'autoadministrer le médicament tous les 2 jours, il doit s'injecter la dose manquée dès que possible et reprendre ensuite le programme recommandé d'un jour sur deux. Il ne faut jamais doubler les doses.

□ Faire une démonstration de la méthode d'autoadministration de l'injection.

□ Recommander au patient de signaler rapidement au médecin toute réaction allergique et les signes suivants d'hypercalcémie récidivante : douleur profonde des os ou du flanc, calculs rénaux, anorexie, nausées, vomissements, soif, léthargie.

☐ Expliquer au patient que les bouffées vasomotrices et la sensation de chaleur qui apparaissent après l'injection sont passagères et ne durent habituellement qu'environ une heure.

☐ Expliquer au patient que les nausées qui se manifestent après l'injection ont tendance à diminuer avec le temps, même si l'on poursuit le traitement.

☐ Recommander au patient de ne consommer des aliments à faible teneur de calcium que si le médecin a prescrit un tel régime (voir l'annexe K). Les femmes souffrant d'ostéoporose postménopausique devraient consommer des aliments riches en calcium et en vitamine D.

■ **Ostéoporose:** Expliquer au patient qui reçoit de la calcitonine pour le traitement de l'ostéoporose que l'exercice semble arrêter, voire même renverser le processus de résorption osseuse. Lui recommander de demander au médecin, avant de s'engager dans un programme d'exercices, s'il lui faut restreindre ses activités physiques.

VÉRIFICATION DES RÉSULTATS

L'efficacité du traitement peut être démontrée par: ■ la diminution des concentrations sériques de calcium ■ la diminution des douleurs osseuses ■ le ralentissement de l'évolution de l'ostéoporose postménopausique.

CALCITRIOL

1,25 dihydroxycholécalciférol, Calcijex, Rocaltrol, Vitamine D$_3$

CLASSIFICATION:
Vitamine liposoluble

Grossesse – catégorie C

INDICATIONS

■ Traitement de l'hypocalcémie chez les patients souffrant d'insuffisance rénale chronique ■ Traitement de l'hypoparathyroïdie ou de la pseudohypoparathyroïdie ■ Traitement du rachitisme vitaminorésistant (PO seulement).

ACTION

■ Forme synthétique active de la vitamine D$_3$ ■ Activation de l'absorption de calcium du tractus gastro-intestinal ■ Régulation de l'homéostasie du calcium avec l'hormone parathyroïdienne et la calcitonine. **Effets thérapeutiques:** ■ Normalisation des concentrations de calcium sérique chez les patients hypocalcémiques souffrant d'insuffisance rénale chronique et qui reçoivent une dialyse. Le calcitriol peut aussi réduire les concentrations élevées d'hormone parathyroïdienne.

PHARMACOCINÉTIQUE

Absorption: Le calcitriol est bien absorbé par suite de l'administration PO.
Distribution: Le calcitriol est surtout emmagasiné dans le foie. Il traverse le placenta.
Métabolisme et excrétion: Le médicament est métabolisé par le foie et excrété principalement dans la bile.
Demi-vie: De 3 à 8 h.

CONTRE-INDICATIONS ET PRÉCAUTIONS

Contre-indications: ■ Hypercalcémie ■ Toute autre preuve de toxicité par la vitamine D.
Précautions: ■ Sarcoïdose ■ Hyperthyroïdie ■ Grossesse, allaitement ou enfants (l'innocuité du médicament n'a pas été établie).

RÉACTIONS INDÉSIRABLES ET EFFETS SECONDAIRES

Remarque: Les effets indésirables du calcitriol sont surtout des manifestations de toxicité (hypercalcémie).
SNC: faiblesse, céphalées, somnolence.
ORLO: photophobie, conjonctivite, rhinorrhée.

C

CV: hypertension, arythmie.
GI: nausées, vomissements, sécheresse de la bouche (xérostomie), constipation, goût métallique, polydipsie, anorexie, perte de poids.
GU: polyurie, nycturie, diminution de la libido, albuminurie.
Tég.: prurit.
HÉ: hypercalcémie.
Métab.: hyperthermie.
Loc.: douleurs musculaires, douleurs osseuses.

INTERACTIONS

Médicament – médicament: ■ Administrer avec prudence aux patients qui reçoivent des **dérivés digitaliques**, des **antiacides contenant du magnésium** ou des **diurétiques thiazidiques** ■ L'absorption du médicament peut être diminuée par l'administration concomitante de **cholestyramine** ou de **colestipol** ■ Les **glucocorticoïdes** peuvent contrecarrer les effets du calcitriol. **Médicament – aliments:** ■ La consommation d'aliments riches en **calcium** (voir la liste à l'annexe K) peut provoquer une hypercalcémie.

VOIES D'ADMINISTRATION ET POSOLOGIE

Hypocalcémie chez les patients souffrant d'insuffisance rénale chronique
■ **PO (adultes):** initialement, 0,25 µg par jour ou tous les 2 jours; augmenter par paliers de 0,25 µg par jour, à des intervalles de 2 à 4 semaines. La posologie habituelle se situe entre 0,5 et 1 µg par jour.
■ **IV (adultes):** 0,5 µg (0,01 µg/kg), 3 fois par semaine. On peut augmenter la dose par paliers de 0,25 à 0,5 µg, à des intervalles de 2 à 4 semaines. La dose habituelle se situe entre 0,5 à 3 µg, 3 fois par semaine (de 0,01 à 0,05 µg/kg, 3 fois par semaine).

Hypoparathyroïdie ou pseudohypoparathyroïdie
■ **PO (adultes):** 0,25 µg par jour; on peut augmenter la dose de 0,25 µg à des intervalles de 2 à 4 semaines (la posologie habituelle se situe entre 0,5 et 2,0 µg par jour).
■ **PO (enfants):** traitement initial: de 0,03 à 0,05 µg/kg par jour. Traitement d'entretien: de 0,014 à 0,040 µg/kg par jour.

Rachitisme vitaminorésistant
■ **PO (adultes):** 0,25 µg par jour; on peut augmenter la dose de 0,25 µg à des intervalles de 2 à 4 semaines.
■ **PO (enfants):** traitement initial: 0,01 ou 0,02 µg/kg par jour. Traitement d'entretien: de 0,01 à 0,05 µg/kg par jour.

PHARMACODYNAMIE

	DÉBUT D'ACTION	PIC	DURÉE
PO	2–6 h	2–6 h	1–5 jours
IV	inconnu	inconnu	inconnue

 SOINS INFIRMIERS

ÉVALUATION DE LA SITUATION

☐ Avant l'administration du médicament et pendant tout le traitement, déceler la présence de faiblesse ou de douleurs osseuses.
☐ Observer attentivement les signes suivants d'hypocalcémie: paresthésie, soubresauts musculaires, laryngospasme, coliques, arythmie cardiaque et signe de Chvostek ou signe de Trousseau.
■ **Étude des examens diagnostiques et biochimiques:** Au cours du traitement initial, il faut mesurer la calcémie hebdomadairement.
☐ Examiner à intervalles réguliers les concentrations sériques d'urée, de créatinine, de phosphatase alcaline et d'hormone parathyroïdienne, la clearance de la créatinine ainsi que la présence de calcium dans les urines de 24 h.
☐ Noter les concentrations sériques de phosphates avant l'administration et

à intervalles réguliers pendant tout le traitement. La phosphatémie doit être normalisée avant le début du traitement au calcitriol. C'est la raison pour laquelle on administre du carbonate d'aluminium ou de l'hydroxyde d'aluminium aux patients dialysés.

☐ Une chute des concentrations de phosphatase alcaline peut indiquer l'apparition de l'hypercalcémie. Le surdosage est associé au produit de la multiplication de la concentration sérique de calcium par celle du phosphate ($Ca \times P$) supérieur à 5,6 et des concentrations élevées d'urée, de TGOS (AST) et de TGPS (ALT).

☐ Le calcitriol peut entraîner des concentrations faussement élevées de cholestérol.

■ **Toxicité et surdosage:** La toxicité se manifeste sous forme d'hypercalcémie, d'hypercalciurie ou d'hyperphosphatémie. Observer l'apparition des symptômes suivants: nausées, vomissements, anorexie, faiblesse, constipation, céphalées, douleurs osseuses et goût métallique. Les symptômes tardifs sont la polyurie, la polydipsie, la photophobie, la rhinorrhée, le prurit et l'arythmie cardiaque. Signaler immédiatement au médecin ces signes d'excès de vitamine D. Pour traiter ce type d'hypervitaminose, il faut habituellement interrompre l'administration du calcitriol, instaurer un régime pauvre en calcium et n'utiliser que des solutions exemptes de calcium chez les patients soumis à la dialyse.

DIAGNOSTICS INFIRMIERS POSSIBLES

■ **Énoncés diagnostiques**

☐ Déficit nutritionnel.

☐ Prise en charge inefficace du programme thérapeutique.

☐ *Risque élevé de réponse insuffisante au traitement.*

☐ *Risque élevé d'intoxication.*

■ **Facteurs favorisants**

☐ Informations incomplètes.

☐ *Manque de connaissances sur le régime alimentaire à suivre.*

☐ *Manque de connaissances sur les modalités du traitement.*

INTERVENTIONS INFIRMIÈRES

■ **PO:** On peut administrer le calcitriol sans égard aux repas.

■ Pour protéger les patients qui manifestent des symptômes d'hypocalcémie, remonter et rembourrer les ridelles du lit; garder le lit en position basse.

ENSEIGNEMENT AU PATIENT ET À SES PROCHES

☐ Conseiller au patient de respecter scrupuleusement la posologie recommandée. S'il n'a pas pu prendre le médicament au moment habituel, il doit le prendre aussitôt que possible. Il ne faut jamais doubler les doses.

☐ Recommander au patient les modifications diététiques appropriées. Les aliments riches en vitamine D sont l'huile et le foie de poisson, le lait vitaminé, le pain et les produits céréaliers. Les aliments riches en calcium sont les produits laitiers, les sardines et le saumon en conserve, le brocoli, le chou chinois, le tofu, la mélasse et les diverses crèmes de légumes. Les patients souffrant d'insuffisance rénale doivent choisir les aliments en fonction du régime qui leur a été prescrit. Le médecin peut prescrire la prise simultanée de suppléments calciques (voir l'annexe K).

☐ Expliquer au patient les symptômes du surdosage et lui recommander de signaler immédiatement au médecin leur apparition.

VÉRIFICATION DES RÉSULTATS

L'efficacité du traitement peut être démontrée par: ■ la normalisation des concentrations sériques de calcium et d'hormone parathyroïdienne ■ la diminution de la faiblesse et des douleurs osseuses chez les patients souffrant d'ostéodystrophie et d'insuffisance rénale.

CALCIUM, CARBONATE DE

Apo-Cal, Calcite 500, Calsan, Caltrate, Nu-Cal, Os-cal, Tums, (BioCal), (Calciday), (Cal-Sup), (Gencalc), (Nephro-calci), (Oysco), (Oystca), (Suplical), (Titrilac)

CLASSIFICATION:
Électrolyte – sel de calcium

Grossesse – catégorie C

INDICATIONS

■ Traitement et prévention de la déplétion calcique caractérisant les maladies associées à l'hypocalcémie dont : □ l'hypoparathyroïdie □ la pseudohypoparathyroïdie □ le rachitisme □ l'ostéomalacie □ la carence en vitamine D □ l'hyperphosphatémie □ la tétanie du nouveau-né ■ Traitement d'appoint pour prévenir l'ostéoporose postménopausique ■ Précédents d'usage comme antiacide. **Usages non approuvés** : ■ Traitement de la carence calcique associée à : □ la diarrhée chronique □ la pancréatite.

ACTION

■ Élément essentiel pour le fonctionnement du système nerveux et de l'appareil locomoteur ■ Maintien de la perméabilité de la membrane cellulaire et des capillaires ■ Activation de la transmission des influx nerveux et de la contraction des muscles squelettiques et cardiaques et des muscles lisses ■ Élément essentiel pour la formation osseuse et la coagulation du sang. **Effets thérapeutiques** : ■ Substitution du calcium dans les maladies de carence.

PHARMACOCINÉTIQUE

Absorption : L'absorption à partir du tractus gastro-intestinal ne peut se faire qu'en présence de la vitamine D.
Distribution : Pénétration rapide dans le liquide extracellulaire. Le calcium traverse le placenta et pénètre dans le lait maternel.
Métabolisme et excrétion : L'excrétion est surtout fécale ; une fraction de 20 % est éliminée par les reins.
Demi-vie : Inconnue.

CONTRE-INDICATIONS ET PRÉCAUTIONS

Contre-indications : ■ Hypercalcémie ■ Calculs rénaux ■ Fibrillation ventriculaire.
Précautions : ■ Patients recevant des dérivés digitaliques ■ Insuffisance respiratoire grave ■ Maladie rénale ■ Maladie cardiaque.

RÉACTIONS INDÉSIRABLES ET EFFETS SECONDAIRES

GI : nausées, vomissements, constipation.
GU : hypercalciurie, calculs.
HÉ : hypercalcémie.

INTERACTIONS

Médicament – médicament : ■ L'hypercalcémie augmente le risque de toxicité par les **dérivés digitaliques** ■ L'utilisation prolongée de calcium avec des **antiacides** peut provoquer, en présence d'une insuffisance rénale, le syndrome du lait et des alcalins (syndrome de Burnett) ■ La prise PO, avec des **tétracyclines**, diminue l'absorption de ces dernières. **Médicament – aliments** : ■ Les **produits céréaliers**, les **épinards** ou la **rhubarbe** peuvent diminuer l'absorption des suppléments de calcium.

VOIES D'ADMINISTRATION ET POSOLOGIE

Remarque : Les doses sont exprimées en grammes ou en moles de l'élément calcium. Teneur : 40 % de l'élément calcium par poids ou 10 mmol/g.

Prévention de l'hypocalcémie, traitement des carences, ostéoporose

- **PO (adultes):** de 1 à 2 g par jour, en doses fractionnées, 3 ou 4 fois par jour.

Supplément

- **PO (enfants):** de 45 à 65 mg/kg par jour.

Hypocalcémie du nouveau-né

- **PO (nourrissons):** de 50 à 150 mg/kg (ne pas dépasser 1 g).

PHARMACODYNAMIE
(effets sur les concentrations sériques de calcium)

	DÉBUT D'ACTION	PIC	DURÉE
PO	plusieurs heures ou jours	inconnu	inconnue

SOINS INFIRMIERS

ÉVALUATION DE LA SITUATION

- **Supplément de calcium:** Observer l'apparition des signes suivants d'hypocalcémie : paresthésie, soubresauts musculaires, laryngospasme, coliques, arythmies cardiaques, signe de Chvostek ou de Trousseau. Signaler au médecin leur apparition.
- **Antiacide:** Lorsqu'on administre le carbonate de calcium en tant qu'antiacide, observer l'apparition des symptômes suivants : pyrosis, indigestion, douleur abdominale. Inspecter l'abdomen ; ausculter les bruits intestinaux.
- **Étude des examens diagnostiques et biochimiques:** Examiner les concentrations sériques de calcium. Dans le traitement de l'hyperphosphatémie chez les patients souffrant d'insuffisance rénale, surveiller les concentrations de phosphate.
- **Toxicité et surdosage:** Surveiller l'apparition des nausées, des vomisse-

ments, de l'anorexie, de la soif, d'une constipation grave, d'un iléus paralytique et de la bradycardie. Signaler immédiatement au médecin ces signes d'hypercalcémie.

DIAGNOSTICS INFIRMIERS POSSIBLES

- **Énoncés diagnostiques**
- □ Déficit nutritionnel.
- □ Risque élevé d'accident.
- □ Prise en charge inefficace du programme thérapeutique.
- □ *Risque élevé de constipation.*
- □ *Risque élevé de réponse insuffisante au traitement.*

- **Facteurs favorisants**
- □ Informations incomplètes.
- □ *Manque de connaissances sur les moyens de stimuler la fonction intestinale.*
- □ *Manque de connaissances sur le régime alimentaire à suivre.*
- □ *Ostéoporose et déséquilibre hydroélectrolytique.*

INTERVENTIONS INFIRMIÈRES

- **Directives générales:** Le médecin peut prescrire la prise simultanée de vitamine D aux patients qui reçoivent du carbonate de calcium comme supplément calcique.
- **PO:** Administrer 1 h après les repas et au coucher.
- □ Demander au patient de bien mâcher les comprimés à croquer avant de les avaler et de boire ensuite un grand verre d'eau.
- □ Ne pas administrer avec des aliments riches en acide oxalique (épinards, rhubarbe), en acide phytique (son, produits céréaliers) ou en phosphore (lait ou produits laitiers). La consommation simultanée de produits laitiers peut provoquer l'apparition du syndrome de Burnett (nausées, vomissements, confusion, céphalées).

ENSEIGNEMENT AU PATIENT ET À SES PROCHES

- **Directives générales:** Recommander au patient de ne pas prendre des comprimés à délitement entérique 1 h avant de prendre le carbonate de calcium ou 1 h après l'avoir pris étant donné le risque de dissolution prématurée de ces comprimés.
- ▫ Prévenir le patient que le carbonate de calcium peut provoquer la constipation. Lui expliquer les méthodes permettant de prévenir la constipation: augmenter la consommation des aliments riches en fibres et la consommation de liquides, faire de l'exercice. Recommander au patient de consulter le médecin à propos de l'utilisation de laxatifs. Une constipation grave peut être signe de toxicité.
- **Supplément de calcium:** Encourager le patient à suivre un régime ayant une teneur appropriée en vitamine D et en calcium.
- **Ostéoporose:** Expliquer au patient que l'exercice semble arrêter, voire même renverser le processus de résorption osseuse. Lui recommander de demander au médecin, avant de s'engager dans un programme d'exercices, s'il lui faut restreindre ses activités physiques.

VÉRIFICATION DES RÉSULTATS

L'efficacité du traitement peut être démontrée par: ■ l'augmentation des concentrations sériques de calcium ■ la diminution des signes et des symptômes d'hypocalcémie ■ la suppression de l'indigestion ■ la normalisation de l'hyperphosphatémie chez les patients souffrant d'insuffisance rénale.

CALCIUM, CHLORURE DE

CLASSIFICATION:
Électrolyte – sel de calcium
Grossesse – catégorie C

INDICATIONS

■ Traitement et prévention de la déplétion calcique caractérisant les maladies associées à l'hypocalcémie dont: ▫ l'hypoparathyroïdie ▫ la pseudohypoparathyroïdie ▫ le rachitisme ▫ l'ostéomalacie ▫ la carence en vitamine D ▫ l'hyperphosphatémie ▫ la tétanie du nouveau-né ▫ la réanimation cardiaque ■ Traitement de certains empoisonnements aux métaux lourds. **Usages non approuvés:** ■ Traitement de la carence calcique associée à: ▫ l'achlorhydrie ▫ la diarrhée chronique ▫ la pancréatite.

ACTION

■ Élément essentiel pour le fonctionnement du système nerveux et de l'appareil locomoteur ■ Maintien de la perméabilité de la membrane cellulaire et des capillaires ■ Activation de la transmission des influx nerveux et de la contraction des muscles squelettiques et cardiaques et des muscles lisses ■ Élément essentiel pour la formation osseuse et la coagulation du sang. **Effets thérapeutiques:** ■ Substitution du calcium dans les maladies de carence.

PHARMACOCINÉTIQUE

Absorption: L'absorption à partir du tractus gastro-intestinal ne peut se faire qu'en présence de la vitamine D.
Distribution: Pénétration rapide dans le liquide extracellulaire. Le calcium traverse le placenta et pénètre dans le lait maternel.
Métabolisme et excrétion: L'excrétion est surtout fécale; une fraction de 20 % est éliminée par les reins.
Demi-vie: Inconnue.

CONTRE-INDICATIONS ET PRÉCAUTIONS

Contre-indications: ■ Hypercalcémie ■ Calculs rénaux ■ Fibrillation ventriculaire.
Précautions: ■ Patients recevant des dérivés digitaliques ■ Insuffisance respira-

toire grave ■ Maladie rénale ■ Maladie cardiaque.

RÉACTIONS INDÉSIRABLES ET EFFETS SECONDAIRES

SNC: picotements, syncope.

CV: bradycardie, arythmies, arrêt cardiaque.

GI: nausées, vomissements, constipation.

GU: hypercalciurie, calculs.

Locaux: phlébite au point d'injection IV.

INTERACTIONS

Médicament – médicament: ■ L'hypercalcémie augmente le risque de toxicité par les **dérivés digitaliques** ■ L'utilisation prolongée de calcium avec des **antiacides** peut provoquer, en présence d'une insuffisance rénale, le syndrome du lait et des alcalins (syndrome de Burnett).

VOIES D'ADMINISTRATION ET POSOLOGIE

Remarque: Les doses sont exprimées en grammes ou en moles de l'élément calcium. Teneur: 27 % de l'élément calcium par poids ou 6,80 mmol/g.

Traitement d'urgence de l'hypocalcémie

- **IV (adultes):** de 3,50 à 7,00 mmol.
- **IV (enfants):** de 0,50 à 3,50 mmol.
- **IV (nourrissons):** < 0,50 mmol.

Hypermagnésémie: de 2,40 à 5,00 mmol; répéter selon la réponse du patient.

Tétanie hypocalcémique

- **IV (adultes):** de 2,25 à 8,00 mmol par jour.
- **IV (enfants):** de 0,25 à 0,35 mmol/kg, 3 ou 4 fois par jour.
- **IV (nourrissons):** 0,70 mmol/kg par jour, en doses fractionnées.

Réanimation cardiaque

- **IV (adultes):** 3,4 mmol en 1 ou 2 min et répéter au besoin 1 ou 2 min plus tard.
- **IV (enfants):** 0,14 mmol/kg.

PHARMACODYNAMIE
(effets sur les concentrations sériques de calcium)

	DÉBUT D'ACTION	PIC	DURÉE
IV	immédiat	immédiat	0,5 – 2 h

✳SOINS INFIRMIERS

ÉVALUATION DE LA SITUATION

☐ Observer attentivement l'apparition des signes suivants d'hypocalcémie: paresthésie, soubresauts musculaires, laryngospasme, coliques, arythmies cardiaques et signe de Chvostek ou de Trousseau.

☐ Prendre souvent la pression artérielle et le pouls; surveiller l'ÉCG pendant toute la durée du traitement. Le médicament peut entraîner la vasodilatation et, par conséquent, de l'hypotension, une bradycardie, des arythmies et l'arrêt cardiaque.

☐ Vérifier la perméabilité de la tubulure au point d'injection IV. L'extravasation peut provoquer la cellulite, la nécrose et la desquamation tissulaire.

☐ Surveiller le patient prenant des dérivés digitaliques pour déceler les signes de toxicité digitalique.

■ **Étude des examens diagnostiques et biochimiques:** Vérifier les concentrations d'électrolytes (particulièrement les concentrations de calcium) avant l'administration, et à intervalles réguliers pendant tout le traitement. Le chlorure de calcium peut entraîner des concentrations faussement basses de magnésium sérique et urinaire.

☐ Vérifier les concentrations digitaliques chez les patients recevant du calcium avec des dérivés digitaliques étant donné que l'hypercalcémie augmente le risque de toxicité cardiaque.

■ **Toxicité et surdosage:** Surveiller l'apparition des nausées, des vomissements, de l'anorexie, de la soif, de la faiblesse, de la constipation, d'un iléus paralytique et de la bradycardie. Signaler immédiatement au médecin ces signes d'hypercalcémie.

DIAGNOSTICS INFIRMIERS POSSIBLES

- **Énoncés diagnostiques**
- ☐ Déficit nutritionnel.
- ☐ Prise en charge inefficace du programme thérapeutique.
- ☐ *Risque élevé d'accident.*
- ☐ *Risque élevé de réponse insuffisante au traitement.*
- ☐ *Risque élevé de douleur au point d'injection IV.*

- **Facteurs favorisants**
- ☐ Informations incomplètes.
- ☐ *Manque de connaissances sur les signes d'hypocalcémie et d'hypercalcémie et sur les moyens de les prévenir.*
- ☐ *Manque de connaissances sur le régime alimentaire à suivre.*
- ☐ *Inflammation locale du tissu vasculaire ou infiltration du médicament dans les tissus avoisinants.*

INTERVENTIONS INFIRMIÈRES

- **Directives générales :** Ne pas administrer par voie IM ni SC.
- ☐ En cas d'arrêt cardiaque, l'administration de chlorure de calcium est maintenant limitée aux patients souffrant d'hyperkaliémie, d'hypocalcémie et de toxicité par les inhibiteurs calciques. Le médecin doit préciser la forme de calcium qu'il souhaite administrer. On peut trouver sur le chariot de réanimation du chlorure de calcium et du gluconate de calcium. Les doses en millilitres ne sont pas équivalentes. Les doses devraient être exprimées en millimoles.
- ☐ Le chlorure de calcium existe également sous forme de préparation destinée à l'administration intracardiaque.
- ☐ Pour protéger les patients qui manifestent des symptômes d'hypocalcémie, remonter et rembourrer les ridel-

les du lit ; garder le lit en position basse.

- **IV :** Réchauffer les solutions IV à la température du corps et les administrer par une aiguille de petit calibre dans une grosse veine pour diminuer les risques de phlébite. Ne pas administrer dans une veine du cuir chevelu.
- ☐ En cas d'infiltration, arrêter l'administration IV. Demander au médecin s'il est approprié d'infiltrer localement du chlorhydrate de procaïne à 1 % ou de l'hyaluronidase ou d'appliquer de la chaleur.
- ☐ Le débit maximal chez l'adulte est de 0,35 à 0,75 mmol/min (de 0,5 à 1 mL de solution à 10 %) ; chez les enfants, il est de 0,5 mL/min. L'administration rapide peut entraîner des picotements, une sensation de chaleur et un goût métallique. Arrêter la perfusion si ces symptômes se manifestent et la reprendre à un débit plus lent lorsqu'ils disparaissent.
- **IV directe :** On peut administrer le chlorure de calcium sans dilution préalable par injection IV directe.
- **Perfusion intermittente ou continue :** On peut diluer le chlorure de calcium dans une solution de dextrose à 5 % ou à 10 % dans de l'eau ; dans une solution de NaCl à 0,9 % ; dans une solution de dextrose à 5 % et de NaCl à 0,25 %, à 0,45 % ou à 0,9 % ; ou dans une solution de dextrose à 5 % et de lactate Ringer.
- **Compatibilités (tubulure en Y) :** Amrinone, dobutamine, épinéphrine, esmolol ou morphine.
- **Incompatibilité (tubulure en Y) :** Bicarbonate de sodium.
- **Compatibilités en addition au soluté :** Acide ascorbique, amikacine, bicarbonate de sodium, brétylium, céphapirine, chloramphénicol, dopamine, hydrocortisone, isoprotérénol, lidocaïne, méthicilline, norépinéphrine,

pénicilline, pentobarbital, phénobarbital ou vérapamil.

- **Incompatibilités en addition au soluté :** Amphotéricine B, céphalothine, chlorphénarimine, phosphates, sulfates et tartrates.

ENSEIGNEMENT AU PATIENT ET À SES PROCHES

☐ Recommander au patient de rester couché pendant 15 à 30 min après l'administration IV.

☐ Encourager le patient souffrant d'hypocalcémie chronique à suivre un régime contenant des aliments riches en vitamine D : huile et foie de poisson, lait vitaminé, pain et produits céréaliers et des aliments riches en calcium : lait, légumes feuillus, sardines, huîtres, pétoncles (voir l'annexe K).

VÉRIFICATION DES RÉSULTATS

L'efficacité du traitement peut être démontrée par : ■ l'élévation des concentrations sériques de calcium ■ la diminution des symptômes d'hypocalcémie.

CALCIUM DISODIQUE, ÉDÉTATE DE

Versénate de calcium disodique, (édathamil de calcium disodique), (édétate calcique), (édétate de calcium disodique), (édétate de calcium sodique), (EDTA calcique)

CLASSIFICATION :
Antidote – agent de chélation

Grossesse – catégorie inconnue

INDICATIONS

■ Traitement de l'intoxication aiguë et chronique par le plomb (saturnisme) incluant l'encéphalopathie et la maladie rénale ■ Traitement de l'intoxication par d'autres métaux lourds ■ Élimination des produits radioactifs et des produits de scission nucléaire. **Usages non approuvés :** ■ Diagnostic de l'intoxication par le plomb.

ACTION

■ Élimination des quantités toxiques de plomb ou d'autres cations divalents ou trivalents, par leur fixation au calcium contenu dans l'édétate de calcium disodique, ce qui forme un complexe soluble qui peut être excrété par les reins. **Effets thérapeutiques :** ■ Élimination des quantités toxiques de plomb du sang et des autres tissus.

PHARMACOCINÉTIQUE

Absorption : Bonne absorption par suite de l'administration IM.

Distribution : L'antidote se répartit dans les liquides extracellulaires. Il ne traverse pas la barrière hémato-encéphalique.

Métabolisme et excrétion : L'agent est rapidement excrété par les reins à l'état inchangé ou sous forme de complexe de plomb.

Demi-vie : IM – de 20 à 60 min ; IV – 1,5 h.

CONTRE-INDICATIONS ET PRÉCAUTIONS

Contre-indications : Anurie.

Précautions : ■ Maladie rénale sous-jacente (réduire la dose si la concentration sérique de créatinine est supérieure à 180 µmol/L) ■ Arythmies cardiaques ■ Grossesse ou allaitement (l'innocuité du médicament n'a pas été établie) ■ Encéphalopathie provoquée par l'accumulation de plomb (administrer avec du dimercaprol).

RÉACTIONS INDÉSIRABLES ET EFFETS SECONDAIRES

SNC : céphalées, malaise, fatigue.

ORLO : éternuements, sécrétion et écoulement de larmes, congestion nasale.

CV : modification du tracé de l'ÉCG (ondes T inversées), hypotension.

GI : nausées, vomissements.

GU : toxicité rénale, glycosurie.

HÉ: hypercalcémie.

Locaux: <u>douleur</u> au point d'injection IM, phlébite au point d'injection IV.

Loc.: myalgie, arthralgie, crampes dans les jambes.

SN: engourdissements, picotements.

Divers: soif excessive, fièvre, frissons, réaction semblable à celle provoquée par l'histamine.

INTERACTIONS

Médicament – médicament: ■ Risque accru de toxicité digitalique lors de l'administration simultanée de **dérivés digitaliques** ■ Les **glucocorticoïdes** augmentent la toxicité rénale de l'antidote ■ L'antidote diminue la durée d'action des préparations d'**insuline zinc**.

VOIES D'ADMINISTRATION ET POSOLOGIE

Diagnostic de l'intoxication par le plomb
(Mesure de la protoporphyrine érythrocytaire libre [PEL])

■ **IM, IV (adultes):** 500 mg/m^2 (ne pas dépasser 1 g).

■ **IV (enfants):** 500 mg/m^2.

■ **IM (enfants):** 500 mg/m^2 en une seule dose ou 500 mg/m^2 toutes les 12 h, en 2 doses, ou 1 seule dose de 50 mg/kg (ne pas dépasser 1 g).

Intoxication par le plomb

■ **IM (adultes):** de 50 à 75 mg/kg par jour, en 2 doses fractionnées pendant un maximum de 5 jours; ne pas administrer plus de 2 cures successives; espacer les cures d'au moins 2 jours.

■ **IM (enfants):** de 50 à 75 mg/kg par jour, en 2 ou 3 doses fractionnées pendant 3 à 5 jours (un second traitement peut être amorcé après une interruption de 4 jours ou plus).

■ **IV (adultes et enfants):** de 50 à 75 mg/kg par jour, en 2 doses fractionnées pendant un maximum de 5 jours (ne pas administrer plus de 2 cures successives; espacer les cures d'au moins 2 jours).

Remarque: Dans les cas d'encéphalopathie saturnine, l'édétate de calcium disodique en association avec le dimercaprol (BAL) constituerait le traitement de choix.

PHARMACODYNAMIE
(excrétion du plomb dans l'urine)

	DÉBUT D'ACTION	PIC	DURÉE
IM	inconnu	inconnu	inconnue
IV	1 h	24 – 48 h	inconnue

SOINS INFIRMIERS

ÉVALUATION DE LA SITUATION

☐ Demander au patient et à ses proches les preuves d'intoxication par le plomb, avant d'administrer le médicament et à intervalles réguliers tout au long du traitement. L'intoxication aiguë par le plomb est caractérisée par les symptômes suivants: goût métallique, douleur abdominale de type colique, vomissements, diarrhée, oligurie et coma. Les symptômes d'intoxication chronique varient selon la gravité du cas et comprennent l'anorexie, la formation d'une ligne bleue foncée le long des gencives, des vomissements intermittents, la paresthésie, l'encéphalopathie, les convulsions et le coma.

☐ Effectuer un bilan quotidien rigoureux des ingesta et des excreta et peser le patient tous les jours. Prévenir le médecin si les valeurs changent. En présence d'anurie, arrêter l'administration de l'édétate de calcium disodique jusqu'à ce que la diurèse soit rétablie par hydratation par voie IV.

☐ Examiner attentivement l'état neurologique: état de la conscience, réaction et mouvements pupillaires. Prévenir le médecin immédiatement en cas de changement. La perfusion doit être lente; une perfusion trop rapide peut augmenter la pression intracrânienne. Le médecin peut également recommander de limiter l'apport de liquides afin de prévenir l'élévation de la pression intracrânienne.

□ Mesurer fréquemment les signes vitaux et suivre de près l'ÉCG. Prévenir le médecin en cas d'hypotension ou d'inversion de l'onde T. Prévenir également le médecin si les symptômes suivants se manifestent : fièvre, frissons, malaise ou congestion nasale. Cette réaction semblable à celle provoquée par l'histamine se résorbe habituellement dans les 48 h.

■ **Étude des examens diagnostiques et biochimiques :** Mesurer les concentrations de plomb dans le sérum et dans l'urine avant l'administration du médicament et à intervalles réguliers tout au long du traitement. Attendre au moins 1 h après la perfusion d'édétate de calcium disodique avant de prélever un échantillon pour mesurer la concentration de plomb sérique.

□ Examiner quotidiennement les résultats des analyses des urines et les concentrations sériques de créatinine, d'urée, de phosphatase alcaline, de calcium et de phosphore. Le plomb et l'édétate de calcium disodique sont des substances néphrotoxiques. Prévenir le médecin en cas d'hématurie, de protéinurie ou de la présence de grandes cellules épithéliales rénales dans l'urine.

□ L'édétate de calcium disodique peut élever la glycosurie.

DIAGNOSTICS INFIRMIERS POSSIBLES

■ **Énoncés diagnostiques**

□ Risque élevé d'intoxication.

□ Incapacité d'organiser et d'entretenir le domicile.

□ Prise en charge inefficace du programme thérapeutique.

□ *Risque élevé de douleur au point d'injection IV.*

□ *Risque élevé d'anxiété.*

□ *Risque élevé d'altération de l'élimination urinaire.*

■ **Facteurs favorisants**

□ Informations incomplètes.

□ *Inflammation locale du tissu vasculaire ou infiltration du médicament dans les tissus avoisinants.*

□ *Douleur au point d'injection.*

□ *Manque de connaissances sur les modalités du traitement.*

INTERVENTIONS INFIRMIÈRES

■ **Directives générales :** Administrer l'antidote par voie IM ou IV ; l'administration PO peut augmenter l'absorption du plomb.

□ En présence de concentrations sériques de plomb supérieures ou égales à 100 µg/dL, ou d'une encéphalopathie par le plomb, on peut administrer également du dimercaprol (BAL). Injecter ces médicaments en des points différents.

■ **IM :** La voie IM est la voie d'administration qu'il faudrait privilégier chez les enfants et les patients souffrant d'encéphalopathie par le plomb. Pour réduire la douleur au point d'injection, le médecin recommande habituellement d'ajouter du chlorhydrate de procaïne à 1 % (1 mL de procaïne pour 1 mL d'édétate de calcium disodique, pour obtenir une concentration finale de procaïne de 0,5 %). Administrer la préparation par injection IM profonde dans un muscle bien développé ; masser le point d'injection. Assurer la rotation des points d'injection.

■ **Perfusion intermittente :** Diluer le contenu de l'ampoule de 5 mL dans 250 à 500 mL de solution de dextrose à 5 % dans de l'eau ou de NaCl à 0,9 %, pour obtenir une concentration finale de 2 à 4 mg/mL.

□ *Vitesse d'administration :* Administrer la préparation en au moins 1 h chez les adultes asymptomatiques et en 2 h chez les patients symptomatiques. Administrer la solution par une pompe de perfusion afin de régler le débit de manière précise.

- **Perfusion continue :** On peut également administrer l'antidote en une seule perfusion quotidienne d'une durée de 8 à 24 h.
- **Compatibilité en addition au soluté :** nétilmicine.
- **Incompatibilités en addition au soluté :** solution de dextrose à 10 % dans de l'eau, solution de lactate Ringer, amphotéricine B ou hydralazine.

ENSEIGNEMENT AU PATIENT ET À SES PROCHES

□ Insister sur l'importance des examens de suivi permettant de mesurer les concentrations de plomb. Des traitements supplémentaires peuvent s'avérer nécessaire.

□ Recommander au patient de consulter les services de santé publics pour déterminer les sources possibles d'intoxication par le plomb à domicile, au travail ou ailleurs.

VÉRIFICATION DES RÉSULTATS

L'efficacité du traitement peut être démontrée par : ■ la diminution des symptômes d'intoxication par le plomb ■ la diminution des concentrations sériques de plomb au-dessous de 50 µg/dL, bien que la limite normale supérieure soit de 29 µg/dL.

CALCIUM, GLUCEPTATE DE

CLASSIFICATION :
Électrolyte – sel de calcium
Grossesse – catégorie C

INDICATIONS

■ Traitement et prévention de la déplétion calcique caractérisant les maladies associées à l'hypocalcémie dont : □ l'hypoparathyroïdie □ la pseudohypopara-

thyroïdie □ le rachitisme □ l'ostéomalacie □ la carence en vitamine D □ l'hyperphosphatémie ■ la tétanie du nouveau-né. **Usages non approuvés :** ■ Traitement de la carence calcique associée à : □ l'achlorhydrie □ la diarrhée chronique □ la pancréatite.

ACTION

■ Élément essentiel pour le fonctionnement du système nerveux et de l'appareil locomoteur ■ Maintien de la perméabilité de la membrane cellulaire et des capillaires ■ Activation de la transmission des influx nerveux et de la contraction des muscles squelettiques et cardiaques et des muscles lisses ■ Élément essentiel pour la formation osseuse et la coagulation du sang. **Effets thérapeutiques :** ■ Substitution du calcium dans les maladies de carence.

PHARMACOCINÉTIQUE

Absorption : L'absorption à partir du tractus gastro-intestinal ne peut se faire qu'en présence de la vitamine D.
Distribution : Pénétration rapide dans le liquide extracellulaire. Le calcium traverse le placenta et pénètre dans le lait maternel.
Métabolisme et excrétion : L'excrétion est surtout fécale ; une fraction de 20 % est éliminée par les reins.
Demi-vie : Inconnue.

CONTRE-INDICATIONS ET PRÉCAUTIONS

Contre-indications : ■ Hypercalcémie ■ Calculs rénaux ■ Fibrillation ventriculaire.
Précautions : ■ Patients recevant des dérivés digitaliques ■ Insuffisance respiratoire grave ■ Maladie rénale ■ Maladie cardiaque.

RÉACTIONS INDÉSIRABLES ET EFFETS SECONDAIRES

SNC : picotements, syncope.
CV : bradycardie, arythmies, arrêt cardiaque.

GI: nausées, vomissements, constipation.
GU: hypercalciurie, calculs.
Locaux: phlébite au point d'injection IV.

INTERACTIONS

Médicament – médicament: ■ L'hypercalcémie augmente le risque de toxicité par les **dérivés digitaliques** ■ L'utilisation prolongée de calcium avec des **antiacides** peut provoquer, en présence d'une insuffisance rénale, le syndrome du lait et des alcalins (syndrome de Burnett).

VOIES D'ADMINISTRATION ET POSOLOGIE

Remarque: Les doses sont exprimées en grammes ou en moles de l'élément calcium. Teneur: 8,2 % de calcium par poids ou 2,05 mmol/g.

Traitement d'urgence de l'hypocalcémie
■ **IV (adultes):** de 3,50 à 7,00 mmol.
■ **IV (enfants):** de 0,50 à 3,50 mmol.
■ **IV (nourrissons):** < 0,50 mmol.

Tétanie hypocalcémique
■ **IV (adultes):** de 2,25 à 8,00 mmol par jour.
■ **IV (enfants):** de 0,25 à 0,35 mmol/kg, 3 ou 4 fois par jour.
■ **IV (nourrissons):** 0,70 mmol/kg par jour, en doses fractionnées.

PHARMACODYNAMIE
(effets sur les concentrations sériques de calcium)

	DÉBUT D'ACTION	PIC	DURÉE
IV	immédiat	immédiat	0,5 – 2 h

☀ SOINS INFIRMIERS

ÉVALUATION DE LA SITUATION

☐ Observer attentivement le patient pour déceler les signes suivants d'hypocalcémie: paresthésie, soubresauts musculaires, laryngospasme, coliques, arythmies cardiaques et signe de Chvostek ou de Trousseau.

☐ Mesurer souvent la pression artérielle et le pouls; suivre l'ÉCG pendant toute la durée du traitement. Le médicament peut entraîner la vasodilatation et, par voie de conséquence, de l'hypotension, une bradycardie, des arythmies et l'arrêt cardiaque.

☐ Vérifier la perméabilité de la tubulure au point d'injection IV. L'extravasation peut provoquer la cellulite, la nécrose et la desquamation tissulaire. En cas d'extravasation, on peut infiltrer dans la région de la procaïne à 1 % ou de l'hyaluronidase pour diminuer le vénospasme. L'application de chaleur sur le point d'injection peut également s'avérer bénéfique.

☐ Suivre de près le patient prenant des dérivés digitaliques, pour déceler les signes de toxicité digitalique.

■ **Étude des examens diagnostiques et biochimiques:** Vérifier les concentrations d'électrolytes (particulièrement les concentrations de calcium) et les concentrations d'albumine avant l'administration et à intervalles réguliers pendant tout le traitement. Le gluceptate de calcium peut entraîner des concentrations faussement basses de magnésium sérique et urinaire.

☐ Vérifier les concentrations digitaliques chez les patients recevant du calcium avec des dérivés digitaliques étant donné que l'hypercalcémie augmente le risque de toxicité cardiaque.

■ **Toxicité et surdosage:** Surveiller l'apparition des nausées, des vomissements, de l'anorexie, de la soif, de la faiblesse, de la constipation, d'un iléus paralytique et de la bradycardie. Signaler immédiatement au médecin ces signes d'hypercalcémie.

DIAGNOSTICS INFIRMIERS POSSIBLES

■ **Énoncés diagnostiques**
☐ Déficit nutritionnel.
☐ Prise en charge inefficace du programme thérapeutique.
☐ *Risque élevé d'accident.*

C

□ *Risque élevé de réponse insuffisante au traitement.*
□ *Risque élevé de douleur au point d'injection IV.*
□ *Risque élevé d'exacerbation des effets secondaires.*

■ **Facteurs favorisants**
□ Informations incomplètes.
□ *Manque de connaissances sur les signes d'hypocalcémie et d'hypercalcémie et sur les moyens de les prévenir.*
□ *Manque de connaissances sur le régime alimentaire à suivre.*
□ *Inflammation locale du tissu vasculaire ou infiltration du médicament dans les tissus avoisinants.*
□ *Manque de connaissances sur les modalités du traitement par voie IV.*

INTERVENTIONS INFIRMIÈRES

■ **Directives générales :** Les doses en milligrammes de chlorure, de gluconate et de gluceptate de calcium ne sont pas équivalentes. Elles devraient être exprimées en mmol de calcium.
■ Pour protéger les patients qui manifestent des symptômes d'hypocalcémie, remonter et rembourrer les ridelles du lit ; garder le lit en position basse.
■ **IM :** Dans les situations d'urgence, on peut administrer le gluceptate de calcium par voie IM si les veines sont inaccessibles. Chez l'enfant, n'administrer que dans la cuisse. Chez l'adulte, n'administrer que dans le muscle fessier.
■ **IV :** Réchauffer les solutions IV à la température du corps et les administrer par une aiguille de petit calibre dans une grosse veine pour diminuer les risques de phlébite. Ne pas administrer dans une veine du cuir chevelu.
□ *Vitesse d'administration :* L'administration rapide peut provoquer des picotements, une sensation de chaleur et un goût métallique. Arrêter la perfusion si ces symptômes se manifes-

tent et la reprendre à un débit plus lent lorsqu'ils disparaissent.
■ **IV directe :** Administrer par injection IV directe à un débit inférieur à 2 mL (0,90 mmol) à la minute chez l'adulte et à 0,5 mL (0,23 mmol) à la minute, chez l'enfant. Lors de l'exsanguino-transfusion chez le nouveau-né, administrer 0,5 mL (0,23 mmol) après chaque dose de 100 mL de sang citraté.
■ **Perfusion intermittente :** On peut effectuer une dilution supplémentaire dans une solution de dextrose à 5 ou à 10 % dans de l'eau ; dans une solution de NaCl à 0,9 % ou à 0,45 %, ou encore dans une solution de dextrose à 5 % et de lactate Ringer ou, enfin, dans une solution de lactate Ringer. La solution doit être transparente. Ne pas administrer si des cristaux se sont formés.
■ **Comptabilités (tubulure en Y) :** Dobutamine, épinéphrine ou morphine.
■ **Incompatibilité (tubulure en Y) :** Bicarbonate de sodium.
■ **Compatibilités en addition au soluté :** Acide ascorbique, bicarbonate de sodium, isoprotérénol, lidocaïne, norépinéphrine ou phytonadione.
■ **Incompatibilités en addition au soluté :** Céfamandole, céfazoline, céphalothine, prednisolone, prochlorpérazine, sulfate de magnésium, tobramycine, phosphates, sulfates ou tartrates.

ENSEIGNEMENT AU PATIENT ET À SES PROCHES

□ Recommander au patient de rester couché pendant 15 à 30 min après l'administration IV.
□ Encourager le patient souffrant d'hypocalcémie chronique à consommer des aliments riches en vitamine D : huile et foie de poisson, lait vitaminé, pain et produits céréaliers et des aliments riches en calcium : lait, légumes feuillus, sardines, huîtres, pétoncles (voir l'annexe K).

VÉRIFICATION DES RÉSULTATS

L'efficacité du traitement peut être démontrée par : ■ l'élévation des concentrations sériques de calcium ■ la diminution des symptômes d'hypocalcémie.

CALCIUM, GLUCONATE DE

Kalcinate

CLASSIFICATION :
Électrolyte – sel de calcium

Grossesse – catégorie C

INDICATIONS

■ Traitement et prévention de la déplétion calcique caractérisant les maladies associées à l'hypocalcémie dont : □ l'hypoparathyroïdie □ la pseudohypoparathyroïdie □ le rachitisme □ l'ostéomalacie □ la carence en vitamine D □ l'hyperphosphatémie □ la tétanie du nouveau-né ■ Traitement d'appoint dans la prévention de l'ostéoporose postménopausique ■ Traitement de certains empoisonnements aux métaux lourds ■ Traitement des arythmies dues à l'hyperkaliémie. **Usages non approuvés :** ■ Traitement de la carence calcique associée à : □ l'achlorhydrie □ la diarrhée chronique □ la pancréatite.

ACTION

■ Élément essentiel pour le fonctionnement du système nerveux et de l'appareil locomoteur ■ Maintien de la perméabilité de la membrane cellulaire et des capillaires ■ Activation de la transmission des influx nerveux et de la contraction des muscles squelettiques et cardiaques et des muscles lisses ■ Élément essentiel pour la formation osseuse et la coagulation du sang. **Effets thérapeutiques :** ■ Substitution du calcium dans les maladies de carence.

PHARMACOCINÉTIQUE

Absorption : L'absorption à partir du tractus gastro-intestinal ne peut se faire qu'en présence de la vitamine D.

Distribution : Pénétration rapide dans le liquide extracellulaire. Le calcium traverse le placenta et pénètre dans le lait maternel.

Métabolisme et excrétion : L'excrétion est surtout fécale ; une fraction de 20 % du calcium est éliminée par les reins.

Demi-vie : Inconnue.

CONTRE-INDICATIONS ET PRÉCAUTIONS

Contre-indications : ■ Hypercalcémie ■ Calculs rénaux ■ Fibrillation ventriculaire.

Précautions : ■ Patients recevant des dérivés digitaliques ■ Insuffisance respiratoire grave ■ Maladie rénale ■ Maladie cardiaque.

RÉACTIONS INDÉSIRABLES ET EFFETS SECONDAIRES

SNC : (voie IV) – picotements, syncope.

CV : (voie IV) – bradycardie, <u>arythmies</u>, <u>arrêt cardiaque</u>.

GI : nausées, vomissements, <u>constipation</u>, goût métallique.

GU : hypercalciurie, calculs.

Locaux : <u>phlébite</u> au point d'injection IV.

INTERACTIONS

Médicament – médicament : ■ L'hypercalcémie augmente le risque de toxicité par les **dérivés digitaliques** ■ L'utilisation prolongée de calcium avec des **antiacides** peut provoquer, en présence d'une insuffisance rénale, le syndrome du lait et des alcalins (syndrome de Burnett) ■ La prise PO avec des **tétracyclines** diminue l'absorption de ces dernières. **Médicament – aliments :** ■ Les **produits céréaliers**, les **épinards** ou la **rhubarbe** peuvent diminuer l'absorption des suppléments de calcium administrés PO.

VOIES D'ADMINISTRATION ET POSOLOGIE

Remarque : Les doses sont exprimées en grammes ou en moles de l'élément calcium. Teneur : 9 % de l'élément calcium par poids ou 2,25 mmol/g.

Traitement d'urgence de l'hypocalcémie, traitement des carences, ostéoporose

■ **PO (adultes) :** de 1 à 2 g par jour.

Supplément

■ **PO (enfants) :** de 45 à 65 mg/kg par jour.

Hypocalcémie du nouveau-né

■ **PO (nourrissons) :** de 50 à 150 mg/kg (ne pas dépasser 1 g).

Traitement d'urgence de l'hypocalcémie

■ **IV (adultes) :** de 3,50 à 7,00 mmol.
■ **IV (enfants) :** de 0,50 à 3,50 mmol.
■ **IV (nourrissons) :** < 0,50 mmol.

Tétanie hypocalcémique

■ **IV (adultes) :** de 2,25 à 8,00 mmol par jour.
■ **IV (enfants) :** de 0,25 à 0,35 mmol/kg, 3 ou 4 fois par jour.
■ **IV (nouveau-nés) :** 0,70 mmol/kg par jour, en doses fractionnées.

PHARMACODYNAMIE
(effets sur les concentrations sériques de calcium)

	DÉBUT D'ACTION	PIC	DURÉE
PO	inconnu	inconnu	inconnue
IV	immédiat	immédiat	0,5 – 2 h

☼ SOINS INFIRMIERS

ÉVALUATION DE LA SITUATION

■ **Directives générales :** Observer attentivement le patient pour déceler les signes suivants d'hypocalcémie : paresthésie, soubresauts musculaires, laryngospasme, coliques, arythmies cardiaques et signe de Chvostek ou de Trousseau.

□ Suivre de près le patient prenant des dérivés digitaliques, pour déceler les signes de toxicité cardiaque.

■ **IV :** Mesurer souvent la pression artérielle et le pouls ; suivre l'ÉCG pendant toute la durée de l'administration. Le médicament peut entraîner la vasodilatation et, par voie de conséquence, de l'hypotension, une bradycardie, des arythmies et l'arrêt cardiaque.

□ Vérifier la perméabilité de la tubulure au point d'injection. L'extravasation peut provoquer la cellulite, la nécrose et la desquamation tissulaire.

■ **Étude des examens diagnostiques et biochimiques :** Vérifier les concentrations d'électrolytes (particulièrement les concentrations de calcium) et les concentrations d'albumine avant l'administration et à intervalles réguliers pendant tout le traitement. Le gluconate de calcium peut entraîner des concentrations faussement basses de magnésium sérique et urinaire.

□ Vérifier les concentrations digitaliques chez les patients recevant du calcium avec des dérivés digitaliques étant donné que l'hypercalcémie augmente le risque de toxicité cardiaque.

■ **Toxicité et surdosage :** Surveiller l'apparition des nausées, des vomissements, de l'anorexie, de la soif, de la faiblesse, de la constipation, d'un iléus paralytique et de la bradycardie. Signaler immédiatement au médecin ces signes d'hypercalcémie.

DIAGNOSTICS INFIRMIERS POSSIBLES

■ **Énoncés diagnostiques**
□ Déficit nutritionnel.
□ Prise en charge inefficace du programme thérapeutique.
□ *Risque élevé d'accident.*
□ *Réponse insuffisante au traitement.*
□ *Risque élevé de douleur au point d'injection IV.*
□ *Risque élevé d'exacerbation des effets secondaires.*
□ *Risque élevé de constipation.*

■ **Facteurs favorisants**
☐ Informations incomplètes.
☐ *Manque de connaissances sur les signes d'hypocalcémie et d'hypercalcémie et sur les moyens de les prévenir.*
☐ *Manque de connaissances sur le régime alimentaire à suivre.*
☐ *Inflammation locale du tissu vasculaire ou infiltration du médicament dans les tissus avoisinants.*
☐ *Manque de connaissances sur les modalités du traitement par voie IV.*
☐ *Manque de connaissances sur les moyens de stimuler la fonction intestinale.*

INTERVENTIONS INFIRMIÈRES
■ **Directives générales**: Les doses en milligrammes de chlorure, de gluconate et de gluceptate de calcium ne sont pas équivalentes. Elles devraient être exprimées en millimoles de calcium.
☐ En cas d'arrêt cardiaque, l'administration du calcium est maintenant limitée aux patients souffrant d'hyperkaliémie, d'hypocalcémie et de toxicité par les inhibiteurs calciques. Le médecin doit préciser la forme de calcium qu'il souhaite administrer. On peut trouver sur le chariot de réanimation du chlorure de calcium et du gluconate de calcium. Les doses en millilitres ne sont pas équivalentes.
☐ Pour protéger les patients qui manifestent des symptômes d'hypocalcémie, remonter et rembourrer les ridelles du lit; garder le lit en position basse.
■ **PO**: Administrer le calcium PO de 1 h à 1 h 30 après les repas. Demander au patient de bien mâcher les comprimés à croquer avant de les avaler et de boire ensuite un grand verre d'eau.
☐ Le gluconate de calcium est présenté en association avec des vitamines et d'autres minéraux.
■ **IM et SC**: Éviter la voie SC.
■ **IM**: L'administration IM du gluconate de calcium n'est acceptable que si la voie IV est inaccessible. Réserver cette voie aux situations d'urgence. Ne pas administrer par voie IM chez les nouveau-nés et les enfants.
■ **IV**: Réchauffer la solution à la température du corps et l'administrer par une aiguille de petit calibre dans une grosse veine pour diminuer les risques de phlébite. Ne pas administrer dans une veine du cuir chevelu. L'injection peut provoquer une sensation de brûlure, la vasodilatation périphérique et une chute de la pression artérielle.
☐ La solution doit être transparente. Ne pas l'utiliser si des cristaux se sont formés.
☐ Demander au patient de rester couché pendant 30 min à 1 h après l'administration IV.
■ **IV directe**: Administrer lentement par injection IV directe.
☐ *Vitesse d'administration*: Le débit maximal d'administration chez l'adulte est de 1,5 à 3 mL (de 0,35 à 0,75 mmol) à la minute. L'administration rapide peut provoquer des picotements, une sensation de chaleur ou un goût métallique. Arrêter la perfusion si ces symptômes se manifestent et la reprendre à un débit plus lent lorsqu'ils disparaissent. Administrer lentement; des concentrations élevées peuvent provoquer l'arrêt cardiaque.
■ **Perfusion continue**: On peut effectuer une dilution supplémentaire dans 1 000 mL de solution de dextrose à 5 %, à 10 % ou à 20 % dans de l'eau; de solution de dextrose à 5 % et de NaCl à 0,9 %, de solution de NaCl à 0,9 %; de solution de dextrose à 5 % et de lactate Ringer ou de solution de lactate Ringer.
■ **Association incompatible dans la même seringue**: Métoclopramide.
■ **Compatibilités (tubulure en Y)**: Céfazoline, chlorure de potassium, dobutamine, énalaprilate, épinéphrine,

héparine avec succinate d'hydrocortisone sodique, labétolol, nétilmicine ou tolazoline.

■ **Compatibilités en addition au soluté:** Acide ascorbique, amikacine, aminophylline, brétylium, céphapirine, chloramphénicol, chlorure de potassium, corticotrophine, dimenhydrinate, érythromycine, héparine, hydrocortisone, lidocaïne, méthicilline, norépinéphrine, pénicilline G, phénobarbital, sulfate de magnésium, vancomycine ou vérapamil.

■ **Incompatibilités en addition au soluté:** Amphotéricine, céfamandole, céfazoline, céphalothine, clindamycine, dobutamine ou prednisolone.

ENSEIGNEMENT AU PATIENT ET À SES PROCHES

□ Recommander au patient de rester couché de 30 min à 1 h après l'administration IV.

□ Si le médecin le recommande, encourager le patient à consommer des aliments riches en vitamine D: huile et foie de poisson, lait vitaminé, pain et produits céréaliers et des aliments riches en calcium: lait, légumes feuillus, sardines, huîtres, pétoncles (voir l'annexe C).

□ Expliquer au patient qu'il ne doit pas prendre les préparations de calcium par voie orale en même temps que des produits céréaliers, des épinards et de la rhubarbe, car ces aliments entravent l'absorption du calcium.

□ Expliquer au patient recevant du calcium pour le traitement de l'ostéoporose que l'exercice semble arrêter, voire même renverser la résorption osseuse. Lui recommander de demander au médecin, avant de s'engager dans un programme d'exercices, s'il lui faut restreindre ses activités physiques.

□ Recommander au patient de signaler immédiatement au médecin les signes d'hypocalcémie et d'hypercalcémie.

□ Prévenir le patient que le calcium peut provoquer la constipation. Lui expliquer les méthodes permettant de prévenir la constipation: augmenter la consommation d'aliments riches en fibres et de liquides et faire de l'exercice. Recommander au patient de consulter le médecin à propos de l'utilisation de laxatifs. Une constipation grave peut être un signe de toxicité.

VÉRIFICATION DES RÉSULTATS

L'efficacité du traitement peut être démontrée par: ■ l'élévation des concentrations sériques de calcium □ la diminution des signes et des symptômes d'hypocalcémie ■ la stabilisation des modifications osseuses entraînées par l'ostéoporose.

CALCIUM, LACTATE DE

CLASSIFICATION:
Électrolyte – sel de calcium
Grossesse – catégorie C

INDICATIONS

■ Traitement et prévention de la déplétion calcique caractérisant les maladies associées à l'hypocalcémie dont: □ l'hypoparathyroïdie □ la pseudohypoparathyroïdie □ le rachitisme □ l'ostéomalacie □ la carence en vitamine D □ l'hyperphosphatémie □ la tétanie du nouveauné ■ Traitement d'appoint pour prévenir l'ostéoporose postménopausique. **Usages non approuvés:** ■ Traitement de la carence calcique associée à: □ l'achlorhydrie □ la diarrhée chronique □ la pancréatite.

ACTION

■ Élément essentiel pour le fonctionnement du système nerveux et de l'appareil locomoteur ■ Maintien de la perméabilité de la membrane cellulaire et des capillaires ■ Activation de la transmission des influx nerveux et de la contraction des muscles squelettiques et cardiaques et des muscles lisses ■ Élément essentiel pour la formation osseuse et la coagulation du sang. **Effets thérapeutiques :** ■ Substitution du calcium dans les maladies de carence.

PHARMACOCINÉTIQUE

Absorption : L'absorption à partir du tractus gastro-intestinal ne peut se faire qu'en présence de la vitamine D.
Distribution : Pénétration rapide dans le liquide extracellulaire. Le calcium traverse le placenta et pénètre dans le lait maternel.
Métabolisme et excrétion : L'excrétion est surtout fécale ; une fraction de 20 % est éliminée par les reins.
Demi-vie : Inconnue.

CONTRE-INDICATIONS ET PRÉCAUTIONS

Contre-indications : ■ Hypercalcémie ■ Calculs rénaux ■ Fibrillation ventriculaire.
Précautions : ■ Patients recevant des dérivés digitaliques ■ Insuffisance respiratoire grave ■ Maladie rénale ■ Maladie cardiaque.

RÉACTIONS INDÉSIRABLES ET EFFETS SECONDAIRES

GI : nausées, vomissements, constipation.
GU : hypercalciurie, calculs.
HÉ : hypercalcémie.

INTERACTIONS

Médicament – médicament : ■ L'hypercalcémie augmente le risque de toxicité par les **dérivés digitaliques** ■ L'utilisation prolongée de calcium avec des **antiacides** peut provoquer, en présence d'une insuffisance rénale, le syndrome du lait et des alcalins (syndrome de Burnett) ■ La prise par voie orale, avec des **tétracyclines**, diminue l'absorption de ces dernières. **Médicament – aliments :** ■ Les **produits céréaliers**, les **épinards** ou la **rhubarbe** peuvent diminuer l'absorption des suppléments de calcium.

VOIES D'ADMINISTRATION ET POSOLOGIE

Remarque : Les doses sont exprimées en grammes ou en moles de l'élément calcium. Teneur : 13 % de l'élément calcium par poids ou 3,25 mmol/g.

Traitement d'urgence de l'hypocalcémie, traitement des carences, ostéoporose
■ **PO (adultes) :** de 1 à 2 g par jour.

Supplément
■ **PO (enfants) :** de 45 à 65 mg/kg par jour.

Hypocalcémie du nouveau-né
■ **PO (nouveau-nés) :** de 50 à 150 mg/kg (ne pas dépasser 1 g).

PHARMACODYNAMIE (effets sur les concentrations sériques de calcium)

	DÉBUT D'ACTION	PIC	DURÉE
PO	inconnu	inconnu	inconnue

☀SOINS INFIRMIERS

ÉVALUATION DE LA SITUATION

■ **Directives générales :** Observer l'apparition des signes suivants d'hypocalcémie : paresthésie, soubresauts musculaires, laryngospasme, coliques, arythmies cardiaques et signe de Chvostek ou de Trousseau, et les signaler au médecin.
■ **Étude des examens diagnostiques et biochimiques :** Examiner les concentrations de sodium, de chlorure, de potassium, de magnésium, d'albumine et de calcium avant l'administration et à intervalles réguliers pendant toute la durée du traitement. L'agent peut entraîner des concentrations faussement basses de magnésium sérique et urinaire.

C

□ Suivre de près les patients prenant simultanément des dérivés digitaliques, car l'hypercalcémie augmente le risque de toxicité cardiaque.

■ **Toxicité et surdosage:** Surveiller l'apparition des nausées, des vomissements, de l'anorexie, de la soif, de la faiblesse, de la constipation, d'un iléus paralytique et de la bradycardie. Signaler immédiatement au médecin ces signes d'hypercalcémie.

DIAGNOSTICS INFIRMIERS POSSIBLES

■ **Énoncés diagnostiques**

□ Déficit nutritionnel.

□ Risque élevé d'accident.

□ Prise en charge inefficace du programme thérapeutique.

□ *Risque élevé de constipation.*

□ *Risque élevé de réponse insuffisante au traitement.*

■ **Facteurs favorisants**

□ Informations incomplètes.

□ *Manque de connaissances sur les moyens de stimuler la fonction intestinale.*

□ *Manque de connaissances sur le régime alimentaire à suivre.*

□ *Manque de connaissances sur les signes d'hypocalcémie et d'hypercalcémie et sur les moyens de les prévenir.*

INTERVENTIONS INFIRMIÈRES

■ **Directives générales:** Le médecin peut prescrire de la vitamine D aux patients qui reçoivent des suppléments de calcium.

■ **PO:** Administrer le médicament de 1 h à 1 h 30 après les repas.

□ Demander au patient de bien mâcher les comprimés à croquer et de boire après un grand verre d'eau.

□ La consommation simultanée de produits laitiers peut provoquer l'apparition de syndrome de Burnett (nausées, vomissements, confusion, céphalées).

ENSEIGNEMENT AU PATIENT ET À SES PROCHES

□ Si le médecin le recommande, encourager le patient à consommer des aliments riches en vitamine D: huile et foie de poisson, lait vitaminé, pain et produits céréaliers et des aliments riches en calcium: lait, légumes feuillus, sardines, huîtres, pétoncles (voir l'annexe K).

□ Expliquer au patient qu'il ne doit pas prendre des préparations de calcium par voie orale en même temps que des produits céréaliers, des épinards et de la rhubarbe, car ces aliments entravent l'absorption du calcium.

□ Expliquer au patient recevant du calcium pour le traitement de l'ostéoporose que l'exercice semble arrêter, voire même renverser la résorption osseuse. Lui recommander de demander au médecin, avant de s'engager dans un programme d'exercices, s'il lui faut restreindre ses activités physiques.

□ Recommander au patient de signaler immédiatement au médecin les signes d'hypocalcémie et d'hypercalcémie.

□ Prévenir le patient que le calcium peut provoquer la constipation. Lui expliquer les méthodes permettant de prévenir la constipation: augmenter la consommation d'aliments riches en fibres et de liquides et faire de l'exercice. Recommander au patient de consulter le médecin à propos de l'utilisation de laxatifs. Une constipation grave peut être un signe de toxicité.

VÉRIFICATION DES RÉSULTATS

L'efficacité du traitement peut être démontrée par: ■ l'élévation des concentrations sériques de calcium □ la stabilisation des symptômes d'hypocalcémie □ la stabilisation des modifications osseuses entraînées par l'ostéoporose.

CAPSAÏCINE

Axsain (crème à 0,075 %),
Zostrix (crème à 0,025 %)

CLASSIFICATION:
Analgésique – topique

Grossesse – catégorie inconnue

INDICATIONS

■ Crème à 0,025 % – Traitement temporaire de la névralgie, après cicatrisation des lésions ouvertes provoquées par le zona, ou de la douleur associée à la polyarthrite rhumatoïde ou à l'arthrose
■ Crème à 0,075 % – Traitement des névralgies associées à la neuropathie diabétique ou de la douleur postopératoire et traitement temporaire de la douleur associée à la polyarthrite rhumatoïde ou à l'arthrose.

ACTION

■ Suppression ou prévention des nouvelles accumulations d'une substance chimique (la substance P) qui transmet les impulsions douloureuses des nerfs périphériques au SNC. **Effets thérapeutiques:** ■ Soulagement de la gêne entraînée par les syndromes douloureux qui traduisent l'atteinte des nerfs périphériques.

PHARMACOCINÉTIQUE

Absorption: Inconnue.
Distribution: Inconnue.
Métabolisme et excrétion: Inconnus.
Demi-vie: Inconnue.

CONTRE-INDICATIONS ET PRÉCAUTIONS

Contre-indications: ■ Hypersensibilité ■ Usage près des yeux, sur une lésion ouverte ou sur une peau écorchée.
Précautions: Grossesse, allaitement, enfants de moins de 2 ans (l'innocuité du médicament n'a pas été établie).

RÉACTIONS INDÉSIRABLES ET EFFETS SECONDAIRES

Tég.: brûlures passagères.
Divers: hypersensibilité à la capsaïcine ou aux autres ingrédients de la préparation.

INTERACTIONS

Médicament – médicament: Aucune interaction connue.

VOIES D'ADMINISTRATION ET POSOLOGIE

Application topique: appliquer sur les régions affectées 3 ou 4 fois par jour au maximum.

PHARMACODYNAMIE

	DÉBUT D'ACTION	PIC	DURÉE
application topique	inconnu	inconnu	inconnue

SOINS INFIRMIERS

ÉVALUATION DE LA SITUATION

□ Déterminer l'intensité et l'emplacement de la douleur avant l'administration et à intervalles réguliers pendant toute la durée du traitement.

DIAGNOSTICS INFIRMIERS POSSIBLES

■ **Énoncés diagnostiques**
□ Douleur.
□ Prise en charge inefficace du programme thérapeutique.

■ **Facteurs favorisants**
□ Informations incomplètes.

INTERVENTIONS INFIRMIÈRES

■ **Préparation topique:** Appliquer sur les régions affectées 3 ou 4 fois par jour au maximum. Ne pas appliquer près des yeux ni sur une peau écorchée ou irritée. Ne pas serrer le pansement.

C

ENSEIGNEMENT AU PATIENT ET À SES PROCHES

☐ Faire une démonstration de la méthode d'application. Lors de l'application de la capsaïcine, il faut porter des gants ou se laver les mains immédiatement après.

☐ Prévenir le patient qu'il peut ressentir des brûlures passagères lors de l'application, particulièrement s'il utilise la préparation moins de 3 ou de 4 fois par jour.

☐ Recommander au patient d'arrêter le traitement et de prévenir le médecin si la douleur persiste au-delà de 14 à 28 jours ; si elle disparaît et réapparaît en l'espace de quelques jours ou si des signes d'infection se manifestent.

VÉRIFICATION DES RÉSULTATS

L'efficacité du traitement peut être démontrée par : ■ la diminution de la douleur associée à : ☐ la neuropathie postherpétique ☐ la neuropathie diabétique ☐ la polyarthrite rhumatoïde ☐ l'arthrose.

CAPTOPRIL

Apo-Capto, Capoten, Novo-captopril, Nu-Capto, Syn-Captopril

CLASSIFICATION :
Antihypertenseur – inhibiteur de l'enzyme de conversion de l'angiotensine

Grossesse – catégorie C

INDICATIONS

■ Hypertension – en monothérapie ou en association avec d'autres antihypertenseurs ■ Traitement de l'insuffisance cardiaque en association avec d'autres médicaments.

ACTION

■ Inhibition de la production d'angiotensine II, vasoconstricteur puissant qui stimule la production d'aldostérone, en empêchant sa transformation en principe actif, ce qui provoque une vasodilatation systémique. **Effets thérapeutiques :** ■ Baisse de la pression artérielle chez les patients souffrant d'hypertension ■ Réduction de la précharge et de la postcharge chez les patients souffrant d'insuffisance cardiaque.

PHARMACOCINÉTIQUE

Absorption : Absorption rapide (75 %) à partir du tractus gastro-intestinal. Les aliments diminuent l'absorption du captopril.

Distribution : Le médicament se répartit dans tout l'organisme, mais ne traverse pas la barrière hémato-encéphalique. Il traverse le placenta. On le retrouve en petites quantités dans le lait maternel.

Métabolisme et excrétion : Une fraction de 50 % est métabolisée par le foie et une fraction de 50 % est excrétée à l'état inchangé par les reins.

Demi-vie : < 2 h.

CONTRE-INDICATIONS ET PRÉCAUTIONS

Contre-indications : ■ Hypersensibilité ■ Risque de réactions de sensibilité croisée avec les autres inhibiteurs de l'ECA. **Précautions :** ■ Insuffisance rénale (réduire la dose) ■ Sténose aortique ■ Insuffisance cardiaque ou cérébrovasculaire ■ Grossesse (risque de malformation chez le fœtus ; risque d'hypotension, d'oligurie ou d'hyperkaliémie chez le nouveau-né) ■ Allaitement et enfants (l'innocuité du médicament n'a pas été établie) ■ Interventions chirurgicales et anesthésie (risque d'exacerbation de l'hypotension).

RÉACTIONS INDÉSIRABLES ET EFFETS SECONDAIRES

SNC : étourdissements.
Resp. : toux.
CV : hypotension, tachycardie, angine de poitrine.
GI : anorexie, perte de la perception du goût.

GU: <u>protéinurie</u>, insuffisance rénale
Tég.: <u>rash</u>.
Hémat.: LEUCOPÉNIE, AGRANULOCYTOSE.
Divers: fièvre.

INTERACTIONS

Médicament – médicament: ■ Effets additifs sur l'hypotension lors de l'administration concomitante d'autres **antihypertenseurs**, de **phénothiazines** et de **vasodilatateurs** ainsi que lors de l'ingestion d'**alcool** ■ L'usage concomitant de **suppléments de potassium** ou de **diurétiques d'épargne potassique** peut entraîner l'hyperkaliémie ■ L'action antihypertensive peut être diminuée par les **anti-inflammatoires non stéroïdiens** ■ Les **antiacides** peuvent diminuer l'absorption du captopril ■ Le captopril augmente les concentrations de **digoxine** ou de **lithium** et peut accroître les risques de toxicité induite par ces médicaments ■ Le **probénécide** diminue l'élimination du captopril et en augmente les concentrations ■ L'administration concomitante d'**allopurinol** augmente les risques de réactions d'hypersensibilité.

VOIES D'ADMINISTRATION ET POSOLOGIE

Hypertension

■ **PO (adultes):** dose initiale de 25 mg, 2 ou 3 fois par jour; on peut augmenter cette dose à des intervalles de 1 ou de 2 semaines, jusqu'à 150 mg, 3 fois par jour.

Insuffisance cardiaque

■ **PO (adultes):** de 6,25 à 25 mg, 3 fois par jour (écart posologique de 12,5 à 450 mg par jour).

PHARMACODYNAMIE
(effet sur la pression artérielle)[*]

	DÉBUT D'ACTION	PIC	DURÉE
PO	15 – 60 min	60 – 90 min	6 – 12 h

[*] Les pleins effets du traitement peuvent ne pas se manifester avant plusieurs semaines.

☀ SOINS INFIRMIERS

ÉVALUATION DE LA SITUATION

☐ **Directives générales:** Mesurer souvent la pression artérielle et le pouls au cours de la période initiale d'ajustement de la posologie, et à intervalles réguliers pendant le traitement. Signaler au médecin tout changement important.

☐ En cas de traitement concomitant aux diurétiques, peser le patient toutes les semaines et suivre de près les signes suivants pour déterminer si la surcharge liquidienne a été maîtrisée: œdème périphérique, râles et crépitations, dyspnée, gain pondéral, turgescence des jugulaires.

■ **Étude des examens diagnostiques et biochimiques:** Étant donné les risques de protéinurie et de syndrome néphrotique auxquels sont exposés les patients qui suivent un traitement au captopril, le médecin peut recommander d'effectuer à intervalles réguliers le dosage des protéines urinaires.

☐ Noter à intervalles réguliers les concentrations sériques d'urée et de créatinine ainsi que l'ionogramme. Les concentrations sériques de potassium peuvent être accrues et les concentrations d'urée et de créatinine passagèrement accrues alors que les concentrations de sodium peuvent être réduites.

☐ Examiner la numération et la formule leucocytaires avant l'administration initiale, toutes les deux semaines pendant les trois premiers mois de traitement et à intervalles réguliers, par la suite, pendant toute sa durée.

☐ Le captopril peut entraîner des résultats faussement positifs lors du dosage des cétones dans l'urine.

DIAGNOSTICS INFIRMIERS POSSIBLES

■ **Énoncés diagnostiques**
☐ Diminution du débit cardiaque.

C

□ Prise en charge inefficace du programme thérapeutique.
□ Non-observance du traitement médicamenteux.
□ *Risque élevé d'accident.*

■ **Facteurs favorisants**
□ Informations incomplètes.
□ Doute quant aux bienfaits du médicament.
□ *Perturbation de la vigilance.*
□ *Manque de connaissances sur les effets hypotensifs du médicament lors des changements brusques de position.*

INTERVENTIONS INFIRMIÈRES

■ **Directives générales:** Une chute brusque de la pression artérielle au cours des trois premières heures après l'administration de la première dose peut dicter l'expansion volumique avec du soluté salin normal, mais, en général, cela ne justifie pas l'arrêt du traitement.

■ **PO:** Administrer 1 h avant ou 2 h après les repas, étant donné que les aliments diminuent l'absorption du médicament de 30 à 40 %. On peut réduire le médicament en poudre si le patient éprouve des difficultés de déglutition. Les comprimés peuvent avoir une odeur de soufre.

□ On peut préparer une solution orale en réduisant en poudre un comprimé à 25 mg et en le dissolvant dans 25 à 100 mL d'eau. Bien mélanger pendant au moins 5 min et administrer dans les 30 min.

ENSEIGNEMENT AU PATIENT ET À SES PROCHES

□ Expliquer au patient qu'il doit respecter scrupuleusement la posologie recommandée et continuer de prendre le médicament même s'il se sent mieux. S'il n'a pu prendre son médicament au moment habituel, il doit le prendre aussitôt que possible, mais non pas si c'est presque l'heure prévue pour la dose suivante. Il ne faut jamais doubler les doses. Le médicament stabilise la pression artérielle, mais ne guérit pas l'hypertension. Prévenir le patient qu'il ne doit arrêter le traitement que sur recommandation du médecin.

□ Inciter le patient à appliquer d'autres mesures de réduction de l'hypertension: perdre du poids, cesser de fumer, boire avec modération, faire de l'exercice et diminuer le stress.

□ Montrer au patient et à ses proches comment prendre la pression artérielle. Leur demander de mesurer la pression artérielle au moins une fois par semaine et leur recommander de signaler au médecin tout changement important.

□ Conseiller au patient d'éviter les substituts de sel ou les aliments riches en potassium ou en sodium, sauf avis médical contraire (voir l'annexe K).

□ Prévenir le patient que le captopril peut provoquer une altération du goût qui se rétablit en l'espace de 8 à 12 semaines même si le traitement est poursuivi.

□ Recommander au patient de changer lentement de position pour réduire les risques d'hypotension orthostatique, particulièrement après la première dose. Prévenir le patient que l'exercice par temps chaud peut augmenter les effets hypotenseurs du médicament.

□ Conseiller au patient de consulter le médecin ou le pharmacien avant de prendre un médicament en vente libre, particulièrement un médicament contre le rhume, en même temps que le captopril. Lui conseiller de ne pas boire en quantités excessives du thé, du café ou des boissons à base de cola.

□ Prévenir le patient que le captopril peut provoquer des étourdissements. Lui conseiller de ne pas conduire et d'éviter les activités qui exigent sa vigilance jusqu'à ce qu'on ait la certitude que le médicament n'entraîne pas cet effet chez lui.

☐ Recommander au patient qui doit suivre un traitement dentaire ou subir une intervention chirurgicale d'avertir le dentiste ou le médecin qu'il suit un traitement médicamenteux.

☐ Recommander au patient de signaler au médecin les symptômes suivants: rash, maux de gorge, fièvre, palpitations, douleur thoracique, enflure du visage, des yeux, des lèvres, de la langue ou difficultés respiratoires.

☐ Insister sur l'importance des examens de suivi permettant d'évaluer les bienfaits du traitement.

VÉRIFICATION DES RÉSULTATS

L'efficacité du traitement peut être démontrée par: ■ la baisse de la pression artérielle sans apparition d'effets secondaires ■ la diminution des signes et des symptômes d'insuffisance cardiaque. Parfois, les pleins effets du médicament ne se manifestent pas avant plusieurs semaines de traitement.

CARBACHOL

Isopto Carbochol, Miostat

CLASSIFICATION:
Agent ophtalmique – myotique; cholinergique à action directe

Grossesse – catégorie inconnue

INDICATIONS

■ Induction du myosis au cours d'une intervention ophtalmique ■ Traitement du glaucome chronique à angle ouvert.

ACTION

■ Stimulation directe des récepteurs cholinergiques de l'œil, induisant le myosis et favorisant l'accommodation (contraction des muscles ciliaires) ■ Augmentation du débit d'humeur aqueuse. **Effets thérapeutiques:** ■ Myosis ■ Baisse de la pression intraoculaire.

PHARMACOCINÉTIQUE

Absorption: Par suite de l'administration intraoculaire, l'absorption peut être minime.
Distribution: La distribution par voie systémique, par suite de l'administration intraoculaire, est inconnue.
Métabolisme et excrétion: Après administration intraoculaire, le métabolisme et l'excrétion sont inconnus.
Demi-vie: Inconnue.

CONTRE-INDICATIONS ET PRÉCAUTIONS

Contre-indications: ■ Hypersensibilité ■ Hypersensibilité au chlorure de benzalkonium ou à l'hydroxypropylméthylcellulose ■ Iritis aigu ■ Certaines formes de glaucome secondaire ■ Maladies inflammatoires de la chambre antérieure de l'œil.
Précautions: ■ Risque de décollement ou de déchirement de la rétine ■ Enfants (l'innocuité du médicament n'a pas été établie) ■ Abrasions de la cornée suivant la tonométrie ou un traumatisme (risque d'absorption par voie systémique) ■ Bien que les risques de troubles généralisés soient faibles, administrer avec prudence dans les cas suivants: ☐ insuffisance cardiaque aiguë ☐ asthme ☐ ulcère gastroduodénal ☐ hyperthyroïdie ☐ obstruction des voies urinaires ☐ maladie de Parkinson.

RÉACTIONS INDÉSIRABLES ET EFFETS SECONDAIRES

ORLO: opacité passagère du cristallin, vision trouble, douleurs oculaires, douleur des sourcils, altération de la vision nocturne.
CV: bradycardie, hypotension.
Resp.: difficultés respiratoires.
GI: crampes abdominales.
Tég.: rougeur du visage, transpiration.

INTERACTIONS

Médicament – médicament : ■ Le carbachol peut devenir inefficace lors de l'administration concomitante de **flurbiprofène à usage ophtalmique** ■ Les **anesthésiques locaux** peuvent affaiblir les barrières épithéliales et favoriser l'absorption par voie systémique.

VOIES D'ADMINISTRATION ET POSOLOGIE

- ■ **Usage ophtalmique (adultes) :** 1 ou 2 gouttes d'une solution de 0,75 à 3 %, toutes les 4 à 8 h.
- ■ **Voie intraoculaire (adultes) :** instiller au maximum 0,5 mL d'une solution à 0,01 % dans la chambre antérieure.

PHARMACODYNAMIE (myosis)

	DÉBUT D'ACTION	PIC	DURÉE
gouttes ophtalmiques	10 – 20 min	< 4 h[*]	4 – 8 h[*]

[*] Traduit également les effets sur la pression intraoculaire.

✳ SOINS INFIRMIERS

ÉVALUATION DE LA SITUATION

- ☐ Mesurer le pouls et la pression artérielle, ausculter le murmure vésiculaire. Signaler au médecin l'apparition de l'hypotension, de la bradycardie ou du bronchospasme.
- ☐ Observer l'apparition des symptômes suivants d'absorption par voie systémique : nausées, vomissements, diarrhée, crampes abdominales, besoin impérieux d'uriner, essoufflement, transpiration excessive, salivation. Signaler au médecin ces symptômes.
- ■ **Toxicité et surdosage :** Les effets généraux peuvent être renversés avec de l'atropine.

DIAGNOSTICS INFIRMIERS POSSIBLES

- ■ **Énoncés diagnostiques**
- ☐ Prise en charge inefficace du programme thérapeutique.

- ☐ *Risque élevé d'anxiété.*
- ☐ *Risque élevé d'accident.*
- ■ **Facteurs favorisants**
- ☐ Informations incomplètes.
- ☐ *Manque de connaissances sur la méthode d'instillation des gouttes ophtalmiques.*
- ☐ *Altération de la vision nocturne.*

INTERVENTIONS INFIRMIÈRES

- ■ **Directives générales :** Pendant une intervention chirurgicale, le médecin peut administrer l'agent par injection intraoculaire. Les fioles sont réservées à une seule administration.
- ■ **Gouttes ophtalmiques :** La méthode d'instillation des gouttes ophtalmiques est indiquée à l'annexe H.

ENSEIGNEMENT AU PATIENT ET À SES PROCHES

- ☐ Faire la démonstration de la méthode d'instillation des gouttes. Expliquer au patient qu'il ne faut toucher aucune surface avec l'applicateur.
- ☐ Prévenir le patient qu'il doit prendre le médicament en respectant scrupuleusement la posologie recommandée. S'il n'a pu prendre son médicament au moment habituel, il doit le prendre aussitôt que possible à moins que ce ne soit presque l'heure prévue pour la dose suivante.
- ☐ Expliquer au patient que sa pupille se rétrécira, ce qui peut entraîner des troubles de la vision et des douleurs à l'œil ou aux sourcils. Recommander au patient de ne pas conduire la nuit puisque sa vision nocturne peut être altérée.
- ☐ Recommander au patient de prévenir le médecin si les symptômes suivants persistent : modifications de la vision, douleurs à l'œil ou aux sourcils ou céphalées. Il doit également prévenir le médecin si des symptômes d'absorption par voie systémique se manifestent.

C

□ Insister sur l'importance des examens réguliers de suivi permettant de mesurer la pression intraoculaire.

VÉRIFICATION DES RÉSULTATS

L'efficacité du traitement peut être démontrée par: le myosis entraînant la baisse de la pression intraoculaire.

CARBAMAZÉPINE

Apo-Carbamazépine, Novo-Carbamaz, Tegretol, (Epitol), (Mazepine)

CLASSIFICATION:
Anticonvulsivant

Grossesse – catégorie C

INDICATIONS

■ Prophylaxie des crises tonico-cloniques, des crises partielles avec symptomatologie complexe et des crises qui surviennent en cas d'épilepsie psychomotrice (temporale) ■ Soulagement symptomatique de la douleur provoquée par la névralgie du trijumeau. **Usages non approuvés:** ■ Autres formes de douleurs névralgiques ■ Prophylaxie et traitement des maladies de type bipolaire et d'autres maladies psychiatriques ■ Traitement du diabète insipide.

ACTION

■ Diminution de la transmission synaptique dans le SNC. **Effets thérapeutiques:** ■ Prévention des crises ■ Diminution de l'intensité de la douleur provoquée par la névralgie du trijumeau.

PHARMACOCINÉTIQUE

Absorption: Absorption lente mais complète à partir du tractus gastro-intestinal. **Distribution:** Le médicament diffuse rapidement dans l'organisme et traverse la barrière hémato-encéphalique. Il traverse le placenta et pénètre dans le lait maternel.

Métabolisme et excrétion: Le médicament est fortement métabolisé par le foie. **Demi-vie:** De 14 à 30 h, sinon plus.

CONTRE-INDICATIONS ET PRÉCAUTIONS

Contre-indications: ■ Hypersensibilité ■ Aplasie médullaire.
Précautions: ■ Maladie cardiaque ■ Maladie hépatique ■ Hommes âgés souffrant d'hypertrophie de la prostate ■ Pression intraoculaire accrue ■ Grossesse et allaitement (l'innocuité du médicament n'a pas été établie).

RÉACTIONS INDÉSIRABLES ET EFFETS SECONDAIRES

SNC: vertiges, somnolence, fatigue, ataxie, psychose.
ORLO: vision trouble, opacité de la cornée, sécheresse de la bouche (xérostomie).
Resp.: pneumonite.
CV: insuffisance cardiaque, syncope, hypertension, hypotension.
GI: hépatite.
GU: retard de la miction, effort pour uriner.
Tég.: rash, urticaire, photosensibilité.
Hémat.: ANÉMIE APLASIQUE, AGRANULOCYTOSE, THROMBOCYTOPÉNIE, leucopénie, leucocytose, éosinophilie.
Divers: fièvre, frissons, lymphadénopathie.

INTERACTIONS

Médicament – médicament: ■ La carbamazépine peut diminuer l'efficacité des **glucocorticoïdes**, de la **doxycycline**, de la **quinidine**, de la **warfarine**, des **contraceptifs oraux**, des **barbituriques**, des **benzodiazépines** et des **autres anticonvulsivants** en accélérant leur métabolisme ■ Les **inhibiteurs de la MAO** (usage dans les 14 jours qui suivent l'administration de la carbamazépine) peuvent provoquer l'hyperpyrexie, l'hypertension, des convulsions et la mort

C

■ Le **vérapamil**, le **diltiazem**, le **propoxyphène** et l'**érythromycine** peuvent élever les concentrations de carbamazépine et provoquer une toxicité ■ L'agent peut augmenter le risque d'hépatotoxicité par l'**isoniazide**.

VOIES D'ADMINISTRATION ET POSOLOGIE

Anticonvulsivant

■ **PO (adultes):** commencer par une dose de 100 à 200 mg, 1 ou 2 fois par jour; augmenter par paliers de 200 mg par jour jusqu'à l'atteinte d'une concentration thérapeutique. L'écart posologique se situe entre 800 et 1 200 mg par jour en doses fractionnées, administrées toutes les 6 à 8 h. Ne pas dépasser 1 g par jour chez les adolescents de 12 à 15 ans.

■ **PO (enfants de 5 à 12 ans):** 100 mg par jour, en 2 à 4 doses fractionnées, qu'on augmente par paliers de 100 mg jusqu'à l'atteinte d'une concentration thérapeutique. Ne pas dépasser 1 g par jour.

Névralgie du trijumeau

■ **PO (adultes):** 200 mg par jour, en 2 doses fractionnées; augmenter les doses jusqu'au moment où la douleur est soulagée. L'écart posologique se situe entre 200 et 1 200 mg par jour (en 2 ou 3 doses fractionnées).

Antipsychotique

■ **PO (adultes):** de 200 à 400 mg par jour, en 2 à 4 doses fractionnées initialement; on peut augmenter graduellement les doses à des intervalles hebdomadaires (ne pas dépasser 1,6 g par jour).

Antidiurétique (diabète insipide)

■ **PO (adultes):** de 300 à 600 mg par jour, en 3 ou 4 doses fractionnées, si le médicament est administré seul; de 200 à 400 mg par jour, en 3 ou 4 doses fractionnées, s'il est administré en association avec d'autres agents.

PHARMACODYNAMIE

	DÉBUT D'ACTION	PIC	DURÉE
PO	2 – 4 jours*	2 – 12 h	inconnue plusieurs heures

* Début de l'effet anticonvulsivant; le soulagement de la douleur névralgique prend de 8 à 72 h.

SOINS INFIRMIERS

ÉVALUATION DE LA SITUATION

■ **Convulsions:** Déterminer le siège, la durée et les caractéristiques des convulsions.

■ **Névralgie du trijumeau:** Suivre de près la douleur faciale. Demander au patient de reconnaître les stimuli qui peuvent déclencher la douleur (aliments chauds ou froids, draps, toucher).

■ **Troubles psychiatriques:** Observer l'état de la conscience et le comportement du patient.

■ **Étude des examens diagnostiques et biochimiques:** Examiner toutes les semaines, au cours des trois premiers mois, et tous les mois par la suite, la numération globulaire comprenant la numération plaquettaire et réticulocytaire ainsi que les concentrations sériques de fer pour déceler les signes d'anomalies hématologiques qui peuvent mener à la mort. Arrêter l'administration en cas d'hypoplasie médullaire.

■ Il faut effectuer à intervalles réguliers des tests d'exploration fonctionnelle hépatique, des analyses des urines ainsi que le dosage de l'urée. Le médicament peut élever les concentrations de TGOS (AST), de TGPS (ALT), de bilirubine sérique et d'urée ainsi que la protéinurie et la glycosurie.

■ La fonction thyroïdienne et les concentrations sériques de calcium peuvent diminuer lors de l'administration de la carbamazépine.

- La carbamazépine peut entraîner des résultats faussement négatifs aux tests de grossesse par le dosage de la gonadotrophine chorionique humaine.
- **Toxicité et surdosage :** Vérifier à intervalles réguliers les concentrations sériques pendant tout le traitement. Les concentrations thérapeutiques se situent entre 17 et 52 μmol/L.

DIAGNOSTICS INFIRMIERS POSSIBLES

- **Énoncés diagnostiques**
  - □ Risque élevé d'accident.
  - □ Douleur.
  - □ Prise en charge inefficace du programme thérapeutique.
  - □ *Risque élevé d'atteinte à l'intégrité de la muqueuse buccale.*

- **Facteurs favorisants**
  - □ Informations incomplètes.
  - □ *Perturbation de la vigilance et fatigue.*
  - □ *Manque de connaissances sur les moyens de prévenir les effets secondaires du médicament.*
  - □ *Manque de connaissances sur les moyens de prévenir ou de réduire la sécheresse de la bouche.*

INTERVENTIONS INFIRMIÈRES

- **Directives générales :** Prendre les précautions qui s'imposent en cas de convulsions.
- **PO :** Administrer le médicament avec des aliments pour diminuer l'irritation gastrique. On peut broyer les comprimés si le patient éprouve des difficultés de déglutition. La carbamazépine est également présentée sous forme de comprimés à croquer.

ENSEIGNEMENT AU PATIENT ET À SES PROCHES

- **Directives générales :** Expliquer au patient qu'il doit prendre la carbamazépine 24 h sur 24, en respectant rigoureusement la posologie recommandée. S'il n'a pu prendre le médicament au moment habituel, il doit le prendre aussitôt que possible, mais non pas juste avant l'heure prévue pour la dose suivante. Il ne faut jamais doubler la dose. Lui recommander de prévenir le médecin s'il n'a pas pu prendre plusieurs doses de suite. Le sevrage doit être graduel, afin de prévenir les convulsions et l'état de mal épileptique.

- □ Prévenir le patient que la carbamazépine peut provoquer des étourdissements et de la somnolence. Lui conseiller de ne pas conduire et d'éviter les activités qui exigent sa vigilance jusqu'à ce qu'on ait la certitude que le médicament n'entraîne pas ces effets chez lui.

- □ Conseiller au patient de signaler immédiatement au médecin les symptômes suivants : fièvre, maux de gorge, stomatite, apparition d'ecchymoses au moindre traumatisme, pétéchies, saignements inhabituels, douleurs abdominales, frissons, selles de couleur pâle, urine de couleur foncée ou jaunisse.

- □ Recommander au patient d'éviter de boire de l'alcool et de prendre des dépresseurs du SNC en même temps que la carbamazépine.

- □ Inciter le patient à utiliser des écrans solaires et à porter des vêtements protecteurs pour prévenir les réactions de photosensibilité.

- □ Expliquer au patient qu'il peut réduire la sécheresse buccale en se rinçant souvent la bouche, en pratiquant une bonne hygiène orale et en consommant des bonbons et de la gomme à mâcher sans sucre. Il peut également utiliser des substituts de salive. Lui recommander de consulter le dentiste si la sécheresse de la bouche persiste au-delà de deux semaines.

- □ Inciter la patiente à utiliser pendant le traitement à la carbamazépine une méthode contraceptive qui n'est pas à base d'hormone.

- Recommander au patient qui doit suivre un traitement dentaire ou subir une intervention chirurgicale d'avertir le dentiste ou le médecin qu'il suit un traitement médicamenteux.
- Insister sur l'importance des examens diagnostiques de suivi et des examens ophtalmologiques permettant de déceler les effets secondaires du médicament.
- **Crises épileptiques :** Conseiller au patient de porter sur lui en tout temps un bracelet d'identité où sont inscrits son problème de santé et son traitement médicamenteux.

VÉRIFICATION DES RÉSULTATS

La réponse clinique peut être indiquée par : ■ l'absence ou la réduction des convulsions ■ la diminution de la douleur névralgique du trijumeau ; réévaluer tous les trois mois l'état des patients souffrant de névralgie du trijumeau pour déterminer la dose minimale efficace ■ la stabilisation du diabète insipide ■ l'amélioration de l'affect et de l'état de la conscience des patients souffrant de troubles psychiatriques.

CARBÉNICILLINE

Geonpen oral, Pyopène, (Geocillin)

CLASSIFICATION :
Anti-infectieux – pénicilline à spectre étendu

Grossesse – catégorie B

INDICATIONS

Traitement des infections généralisées graves, des infections des voies urinaires, des péritonites, des méningites, des pneumonies ou d'autres infections provoquées par les micro-organismes sensibles.

ACTION

■ Liaison à la membrane de la paroi de la cellule bactérienne provoquant la destruction de la bactérie. **Effets thérapeutiques :** ■ Effet bactéricide contre les bactéries sensibles. Le spectre est plus large que celui des autres pénicillines. **Spectre d'action :** La carbénicilline est active contre : □ *Pseudomonas aeruginosa* □ *Escherichia coli* □ *Proteus mirabilis* □ *Proteus vulgaris* □ *Morganella morganii* □ *Pseudomonas* □ *Enterobacter* □ les entérocoques ■ Elle est également active contre certaines autres bactéries anaérobies, comprenant les bactéroïdes ■ La carbénicilline n'a pas d'effet contre les staphylocoques qui produisent de la bêta-lactamase.

PHARMACOCINÉTIQUE

Absorption : La forme orale est rapidement mais incomplètement absorbée (indanyl-carbénicilline). La carbénicilline est bien absorbée depuis les points d'injection IM.

Distribution : Le médicament diffuse rapidement dans l'organisme. Il ne pénètre à fortes concentrations dans le liquide céphalorachidien qu'en présence d'une inflammation des méninges. Il traverse le placenta et pénètre à faibles concentrations dans le lait maternel.

Métabolisme et excrétion : Le médicament est métabolisé dans le plasma et les tissus et se transforme en carbénicilline libre. Lorsque le médicament est administré par voie parentérale, une fraction de 80 à 99 % est excrétée à l'état inchangé par les reins.

Demi-vie : De 0,8 à 1 h (prolongée en cas d'insuffisance rénale).

CONTRE-INDICATIONS ET PRÉCAUTIONS

Contre-indications : Hypersensibilité aux pénicillines ou aux céphalosporines.

Précautions : ■ Insuffisance rénale (réduire la dose) ■ Maladie hépatique grave

C

■ Grossesse ou allaitement (l'innocuité du médicament n'a pas été établie).

RÉACTIONS INDÉSIRABLES ET EFFETS SECONDAIRES

GI: nausées, diarrhée.
Tég.: rash, urticaire, douleur au point d'injection IM.
Hémat.: dyscrasie.
Divers: surinfection, réactions d'hypersensibilité comprenant l'ANAPHYLAXIE et la maladie sérique.

INTERACTIONS

Médicament – médicament: Le **probénécide** diminue l'excrétion rénale et augmente les concentrations sanguines.

VOIES D'ADMINISTRATION ET POSOLOGIE

■ **PO (adultes):** de 0,5 à 1 g (indanyl-carbénicilline), toutes les 6 h.

Infections massives et graves

■ **IV (adultes):** de 300 à 400 mg/kg par jour par injection IV ou en perfusion, avec ou sans probénécide ; la dose de probénécide est de 1 g, 3 fois par jour, le cas échéant.

Infections de gravité moyenne

■ **IV et IM (adultes):** 1 g toutes les 4 h.
■ **IV et IM (enfants):** de 100 à 300 mg/kg par jour.

PHARMACODYNAMIE
(concentrations sanguines)

	DÉBUT D'ACTION	PIC
PO	30 min	30 – 120 min

☀ SOINS INFIRMIERS

ÉVALUATION DE LA SITUATION

☐ Suivre, au début du traitement et pendant toute sa durée, les signes suivants d'infection : altération des signes vitaux ; aspect de la plaie, des crachats, de l'urine et des selles ;

accroissement du nombre de leucocytes.

☐ Recueillir les antécédents du patient avant d'amorcer le traitement, afin de déterminer sa réaction à un traitement antérieur aux pénicillines ou aux céphalosporines. Même les personnes n'ayant jamais manifesté de sensibilité aux pénicillines peuvent présenter une réaction allergique.

☐ Prélever des échantillons pour les cultures et les antibiogrammes avant le début du traitement. La première dose peut être administrée avant même que les résultats soient connus.

☐ Observer le patient à la recherche des signes et des symptômes suivants d'anaphylaxie : rash, prurit, œdème laryngé, respiration sifflante. Si ces réactions se manifestent, arrêter l'administration du médicament et avertir immédiatement le médecin. Garder à portée de la main de l'épinéphrine, un antihistaminique et le matériel de réanimation pour parer à une éventuelle réaction anaphylactique.

■ **Étude des examens diagnostiques et biochimiques:** Vérifier, avant l'administration et à intervalles réguliers pendant toute la durée du traitement, les résultats des tests de l'exploration fonctionnelle hépatique et rénale, la numération globulaire, les concentrations sériques de potassium et le temps de saignement.

☐ Le médicament peut élever les concentrations de TGOS (AST) et de TGPS (ALT).

DIAGNOSTICS INFIRMIERS POSSIBLES

■ **Énoncés diagnostiques**
☐ Risque élevé d'infection.
☐ Prise en charge inefficace du programme thérapeutique.
☐ Non-observance du traitement médicamenteux.
☐ *Risque élevé de réaction allergique.*

■ **Facteurs favorisants**
☐ Informations incomplètes.

C

□ Doute quant aux bienfaits du médicament.

□ *Manque de connaissances sur les réactions d'hypersensibilité du patient.*

INTERVENTIONS INFIRMIÈRES

- **PO:** Administrer 24 h sur 24, à jeun, au moins une heure avant ou deux heures après les repas, avec un grand verre d'eau.

- **IM:** Reconstituer les doses destinées à l'administration par voie IM avec 2 mL d'eau stérile pour injection et bien agiter.

- **IV:** Ajouter 5 mL d'eau stérile pour injection au flacon de 1 g ou 9,5 mL au flacon de 5 g et bien agiter. Une réaction exothermique survient lorsque la poudre est dissoute.

- La solution pour injection est stable pendant 24 h à la température ambiante et pendant 72 h au réfrigérateur.

ENSEIGNEMENT AU PATIENT ET À SES PROCHES

□ Expliquer au patient qu'il doit prendre le médicament 24 h sur 24 et qu'il doit utiliser toute la quantité qui lui a été prescrite, même s'il se sent mieux. Insister sur le fait qu'il peut être dangereux de donner ce médicament à une autre personne.

□ Conseiller au patient de signaler l'allergie ainsi que les signes suivants de surinfection: excroissance pileuse sur la langue, démangeaisons ou pertes vaginales, selles molles ou nauséabondes.

□ Recommander au patient de prévenir le médecin si les symptômes ne s'améliorent pas.

VÉRIFICATION DES RÉSULTATS

La réponse clinique peut être déterminée par: la disparition des signes et des symptômes d'infection. Le temps de la résolution dépend du micro-organisme infectant et du siège de l'infection.

CARBIDOPA AVEC LÉVODOPA
Sinemet, Sinemet CR

CLASSIFICATION:
Antiparkinsonien – inhibiteur de la décarboxylase; agoniste dopaminergique

Grossesse – catégorie inconnue

INDICATIONS

Traitement de la maladie de Parkinson et d'autres formes de parkinsonisme. Le médicament n'est pas efficace pour le traitement des réactions extrapyramidales médicamenteuses.

ACTION

- La lévodopa est transformée en dopamine dans le SNC où elle sert de neurotransmetteur. La carbidopa prévient la destruction de la lévodopa en périphérie; ainsi une plus grande partie de médicament circule dans le SNC. **Effets thérapeutiques:** ■ Soulagement des tremblements et de la rigidité qui caractérisent le syndrome parkinsonien.

PHARMACOCINÉTIQUE

Absorption: Les deux médicaments sont bien absorbés par suite de l'administration par voie orale. La formule à libération contrôlée est absorbée plus lentement.

Distribution: Les deux médicaments se répartissent dans tout l'organisme. La lévodopa, administrée seule, pénètre dans le SNC en faible concentration. La carbidopa ne traverse pas la barrière hémato-encéphalique, mais traverse le placenta et pénètre dans le lait maternel.

Métabolisme et excrétion: La lévodopa est principalement métabolisée par le tractus gastro-intestinal et le foie. Une fraction de 30 % de carbidopa est excrétée à l'état inchangé par les reins.

Demi-vie: Lévodopa – 1 h; carbidopa – de 1 à 2 h.

CONTRE-INDICATIONS ET PRÉCAUTIONS

Contre-indications: ■ Hypersensibilité ■ Glaucome à angle étroit ■ Patients recevant des inhibiteurs de la MAO ■ Mélanome malin ■ Lésions cutanées non diagnostiquées ■ Allaitement.

Précautions: ■ Antécédents de cardiopathie, de troubles psychiatriques ou d'ulcère gastroduodénal ■ Grossesse et enfants de moins de 18 ans (l'innocuité du médicament n'a pas été établie).

RÉACTIONS INDÉSIRABLES ET EFFETS SECONDAIRES

SNC: mouvements involontaires, perte de la mémoire, anxiété, troubles psychiatriques, hallucinations, étourdissements, somnolence.

ORLO: mydriase, vision trouble.

CV: hypertension, hypotension.

GI: nausées, vomissements, anorexie, sécheresse de la bouche (xérostomie), hépatotoxicité.

Tég.: mélanome.

Hémat.: anémie hémolytique, leucopénie.

INTERACTIONS

Médicament – médicament: ■ L'usage simultané d'**inhibiteurs de la MAO** (dans les 14 jours) peut déclencher une crise hypertensive ■ Les **phénothiazines**, l'**halopéridol**, la **papavérine**, la **phénytoïne** et la **réserpine** ainsi que la **pyridoxine** à des doses élevées peuvent s'opposer à l'effet bénéfique de la lévodopa ■ L'administration concomitante de **méthyldopa**, de **guanéthidine** ou d'**antidépresseurs tricycliques** peut entraîner des effets hypotensifs additifs. **Médicament – aliments:** ■ La consommation d'aliments riches en **pyridoxine** peut renverser l'effet bénéfique de la lévodopa.

VOIES D'ADMINISTRATION ET POSOLOGIE

Remarque: Les comprimés de carbidopa avec lévodopa contiennent $^{10}/_{100}$, $^{25}/_{100}$ ou $^{25}/_{250}$ mg de carbidopa et de lévodopa, respectivement.

Sinemet:

■ **PO (adultes):** de $^{75}/_{300}$ à $^{150}/_{1\,500}$ mg par jour, en 3 ou 4 doses fractionnées. On peut augmenter la dose jusqu'à $^{200}/_{2\,000}$ mg par jour.

Sinemet CR:

■ **PO (adultes):** La dose habituelle est de 1 comprimé, deux fois par jour, à des intervalles d'au moins 6 h. On a déjà administré de 2 à 8 comprimés par jour, en doses fractionnées, à des intervalles de 4 à 12 h pendant la période d'éveil. Espacer de 3 jours les ajustements de la posologie.

PHARMACODYNAMIE (effet antiparkinsonien)

	DÉBUT D'ACTION	PIC	DURÉE
PO **carbidopa**	inconnu	inconnu	5 – 24 h
PO **lévodopa**	10 – 15 min	inconnu	de 5 à 24 h, sinon plus

❋ SOINS INFIRMIERS

ÉVALUATION DE LA SITUATION

☐ Avant l'administration et pendant tout le traitement, suivre l'apparition des symptômes parkinsoniens suivants: akinésie, rigidité, tremblements, mouvements d'émiettement, démarche traînante, faciès rigide, torsions, bouche ouverte laissant échapper la salive (sialorrhée).

☐ Mesurer souvent la pression artérielle et le pouls pendant la période d'ajustement de la posologie.

☐ Suivre l'apparition des signes suivants de toxicité: soubresauts musculaires involontaires, grimaces, clignements spasmodiques, protrusion exagérée de la langue, modifications du comportement. Prévenir rapidement le

C

médecin si ces symptômes se manifestent.

- **Étude des examens diagnostiques et biochimiques :** Le médicament peut entraîner des résultats faussement positifs au test de Coombs ainsi que des concentrations faussement élevées d'acide urique sérique et urinaire, de gonadotrophines sériques, de noradrénaline urinaire et de protéines urinaires.

□ Le médicament peut modifier les résultats des tests de glycosurie et d'acétonurie. Le test de la glycosurie par la méthode du sulfate de cuivre (Clinitest) et l'examen de la cétonurie par la méthode du bâtonnet peuvent révéler des résultats faussement positifs. Le dosage de la glycosurie par la méthode de la glucose – oxydase (Tes-Tape) peut donner des résultats faussement négatifs.

□ Les patients suivant un traitement prolongé doivent se soumettre à intervalles réguliers à des tests de l'exploration fonctionnelle hépatique et rénale et à des analyses permettant de déterminer la numération globulaire. Le médicament peut élever les concentrations d'urée, de TGOS (AST), de TGPS (ALT), de bilirubine, de phosphatase alcaline, de LDH ainsi que la concentration d'iode lié aux protéines.

DIAGNOSTICS INFIRMIERS POSSIBLES

- **Énoncés diagnostiques**
□ Altération de la mobilité physique.
□ Risque élevé d'accident.
□ Prise en charge inefficace du programme thérapeutique.
□ *Risque élevé de réponse insuffisante au traitement.*

- **Facteurs favorisants**
□ Informations incomplètes.
□ *Perturbation de la vigilance.*
□ *Manque de connaissances sur le régime alimentaire à suivre.*

INTERVENTIONS INFIRMIÈRES

- **Directives générales :** Pour l'association carbidopa/lévodopa, les chiffres qui suivent le nom du médicament représentent la teneur en mg de chacun des médicaments, respectivement.

□ Il faut attendre 8 h après la dernière dose de lévodopa avant de lui substituer la carbidopa/lévodopa. L'ajout de la carbidopa réduit le besoin en lévodopa de 75 %. L'administration de la carbidopa, peu de temps après une dose complète de lévodopa, peut entraîner l'intoxication.

□ Demander au médecin s'il faut continuer d'administrer le médicament aux patients qui doivent garder le jeûne ou qui doivent subir incessamment une intervention chirurgicale.

- **PO :** Administrer le médicament peu de temps après les repas pour réduire l'irritation gastrique. Si l'on administre le médicament avant les repas ou lors des repas, on risque d'en retarder les effets.

□ Les comprimés à libération contrôlée peuvent être administrés tels quels ou scindés en deux. Il ne faut cependant pas les réduire en poudre ni les mâcher.

ENSEIGNEMENT AU PATIENT ET À SES PROCHES

□ Expliquer au patient qu'il doit respecter scrupuleusement la posologie recommandée. S'il n'a pu prendre son médicament au moment habituel, il doit le prendre aussitôt que possible mais au moins 2 h avant l'heure prévue pour la dose suivante. L'avertir qu'il ne doit jamais doubler une dose.

□ Expliquer au patient qu'il peut réduire l'irritation gastrique s'il prend le médicament avec ou après les repas, mais que les aliments riches en protéines peuvent altérer les effets de la lévodopa. Conseiller au patient de répartir l'apport protéique quotidien entre tous les repas pour assurer un

C

apport protéique adéquat et pour maintenir l'efficacité du médicament.

☐ Prévenir le patient que le médicament peut provoquer de la somnolence ou des étourdissements. Lui conseiller de ne pas conduire et d'éviter les activités qui exigent sa vigilance jusqu'à ce qu'on ait la certitude que le médicament n'entraîne pas ces effets chez lui.

☐ Recommander au patient de changer lentement de position pour réduire l'hypotension orthostatique.

☐ Expliquer au patient qu'il peut réduire la sécheresse buccale en se rinçant souvent la bouche, en pratiquant une bonne hygiène orale et en consommant des bonbons ou de la gomme à mâcher sans sucre.

☐ Conseiller au patient de suivre de près les lésions cutanées et de signaler rapidement au médecin tout changement, étant donné que la carbidopa avec lévodopa peut activer le mélanome malin.

☐ Conseiller au patient de consulter le médecin ou le pharmacien avant de prendre un médicament en vente libre, et particulièrement un médicament contre le rhume, en même temps que la carbidopa avec lévodopa.

☐ Prévenir le patient que l'urine ou la sueur peuvent prendre une couleur foncée mais que cet effet n'est pas nuisible.

☐ Recommander au patient de signaler au médecin les symptômes suivants : palpitations, rétention urinaire, mouvements involontaires, modifications du comportement ou nausées et vomissements graves.

VÉRIFICATION DES RÉSULTATS

L'efficacité du traitement peut être démontrée par : la disparition des signes et des symptômes parkinsoniens. Les effets thérapeutiques deviennent habituellement manifestes après deux ou trois semaines de traitement, mais parfois seulement après un laps de temps de six mois. Chez les patients qui prennent ce médicament pendant plusieurs années, l'effet peut diminuer. La réaction au médicament peut être accrue après un arrêt temporaire de la médication.

CARBOPLATINE

Paraplatin, Paraplatin-AQ

CLASSIFICATION :
Antinéoplasique – agent alkylant

Grossesse – catégorie D

INDICATIONS

Traitement du cancer de l'ovaire comme agent de première ligne ou de seconde ligne si les autres traitements échouent.

ACTION

■ Inhibition de la synthèse de l'ADN produisant des ponts intercaténaires dans l'ADN des cellules mères (action non spécifique sur le cycle cellulaire). **Effets thérapeutiques :** ■ Destruction des cellules à réplication rapide et particulièrement des cellules malignes.

PHARMACOCINÉTIQUE

Absorption : Seule l'administration par voie IV entraîne une biodisponibilité complète.

Distribution : Inconnue.

Métabolisme et excrétion : Le médicament est excrété principalement par les reins.

Demi-vie : De 2,6 à 5,9 h (prolongée en présence d'une insuffisance rénale).

CONTRE-INDICATIONS ET PRÉCAUTIONS

Contre-indications : ■ Hypersensibilité au carboplatine, au cisplatine ou au mannitol ■ Grossesse ou allaitement.

C

Précautions : ■ Surdité ■ Anomalies électrolytiques ■ Patientes en âge de procréer ■ Infection évolutive ■ Réserve médullaire diminuée ■ Autres maladies chroniques débilitantes ■ Insuffisance rénale (il est recommandé de diminuer la dose).

RÉACTIONS INDÉSIRABLES ET EFFETS SECONDAIRES

SNC : faiblesse.

ORLO : neurotoxicité pour la VIIIe paire crânienne (effet ototoxique).

GI : vomissements, nausées, douleurs abdominales, diarrhée, constipation, hépatite, stomatite.

GU : néphrotoxicité, suppression de la fonction des gonades.

Tég. : rash, alopécie.

HÉ : hyponatrémie, hypocalcémie, hypomagnésémie, hypokaliémie.

Hémat. : leucopénie, thrombocytopénie, anémie.

SN : neuropathie périphérique.

Divers : réactions d'hypersensibilité incluant l'ANAPHYLAXIE.

INTERACTIONS

Médicament – médicament : ■ Effet additif sur la néphrotoxicité et la toxicité pour la VIIIe paire crânienne lors de l'administration concomitante d'autres **médicaments néphrotoxiques** et **ototoxiques** (**aminosides**, **diurétiques de l'anse**) ■ Effet additif sur l'aplasie médullaire lors de l'administration concomitante d'autres **médicaments qui dépriment la moelle osseuse** ou d'une **radiothérapie**.

VOIES D'ADMINISTRATION ET POSOLOGIE

IV (adultes) : 400 mg/m² en une seule dose qu'on peut répéter à des intervalles de 4 semaines selon la réponse.

PHARMACODYNAMIE (effets sur la numération globulaire)

	DÉBUT D'ACTION	PIC	DURÉE
IV	inconnu	21 jours	28 jours

SOINS INFIRMIERS

ÉVALUATION DE LA SITUATION

■ Suivre de près les nausées et les vomissements. Des nausées et des vomissements légers à modérément graves se produisent souvent 6 à 12 h après le traitement et peuvent persister pendant 24 h. Consulter le médecin à propos de l'administration prophylactique d'antiémétiques. Adapter le régime alimentaire selon la tolérance de la patiente pour maintenir l'équilibre hydro-électrolytique et pour assurer un apport nutritionnel suffisant.

☐ Examiner les résultats de la numération plaquettaire pendant toute la durée du traitement. Suivre de près les saignements : saignement des gencives, formation d'ecchymoses, pétéchies, sang occulte dans les selles, l'urine et les vomissements. Éviter les injections IM et la prise de la température rectale. Appliquer une pression sur les points de ponction veineuse pendant 10 min.

☐ Surveiller l'apparition de la fièvre, des frissons, des maux de gorge et des signes d'infection et en informer le médecin.

☐ Une anémie peut survenir. Suivre de près la fatigue accrue, la dyspnée, l'hypotension orthostatique.

☐ Surveiller la patiente à la recherche des signes suivants d'anaphylaxie : rash, urticaire, prurit, respiration sifflante, tachycardie, hypotension. Arrêter l'administration du médicament immédiatement et en prévenir le médecin. Garder à la portée de la main de l'épinéphrine et le matériel de réanimation.

■ **Étude des examens diagnostiques et biochimiques :** Noter la numération globulaire, la formule leucocytaire et les résultats des examens de coagulation avant l'administration et à intervalles

C

réguliers pendant tout le traitement. Le nadir de la thrombocytopénie se produit dans les 14 à 28 jours. Interrompre l'administration des doses subséquentes jusqu'au moment où le nombre des polynucléaires neutrophiles est supérieur à $2,0 \times 10^9$/L et celui des plaquettes, à 100×10^9/L.

☐ Déterminer l'état de la fonction rénale et hépatique avant l'administration et à intervalles réguliers pendant toute la durée du traitement.

DIAGNOSTICS INFIRMIERS POSSIBLES

■ **Énoncés diagnostiques**

☐ Risque élevé d'infection.

☐ Risque élevé d'accident.

☐ Prise en charge inefficace du programme thérapeutique.

☐ *Risque élevé de réaction allergique.*

☐ *Risque élevé de déshydratation.*

☐ *Risque élevé d'hémorragie.*

☐ *Risque élevé de perturbation situationnelle de l'estime de soi.*

☐ *Risque élevé d'anxiété.*

■ **Facteurs favorisants**

☐ Informations incomplètes.

☐ *Manque de connaissances sur les moyens de prévenir les effets secondaires du médicament.*

☐ *Fatigue et faiblesse.*

☐ *Altération de l'image corporelle.*

INTERVENTIONS INFIRMIÈRES

■ **Directives générales:** Ne pas utiliser des aiguilles ou un matériel en aluminium au cours de la préparation ou de l'administration étant donné que l'aluminium produit une réaction au contact du médicament.

☐ Préparer les solutions sous une hotte biologique de sécurité. Porter des gants, un vêtement protecteur et un masque pendant la manipulation de ce médicament.

☐ Jeter le matériel dans les contenants réservés à la mise au rebut (voir l'annexe I).

■ **Perfusion intermittente:** Reconstituer la solution jusqu'à une concentration de 10 mg/mL avec de l'eau stérile pour injection, avec une solution de dextrose à 5 % dans l'eau ou une solution de NaCl à 0,9 % pour injection. On peut effectuer des dilutions supplémentaires avec une solution de dextrose à 5 % dans l'eau ou une solution de NaCl à 0,9 % jusqu'à l'obtention d'une concentration de 0,5 mg/mL. La solution est stable pendant 8 h à la température ambiante.

☐ *Vitesse d'administration:* Administrer sous forme de bolus IV en 15 à 60 min.

■ **Incompatibilité (tubulure en Y):** Ondansétron.

ENSEIGNEMENT AU PATIENT ET À SES PROCHES

☐ Recommander à la patiente de signaler rapidement au médecin la fièvre, les maux de gorge, les signes d'infection, le saignement des gencives, la formation d'ecchymoses, les pétéchies, la présence du sang dans les selles, l'urine ou les vomissements, la fatigue accrue, la dyspnée ou l'hypotension orthostatique. Expliquer à la patiente qu'elle doit éviter les foules et les personnes contagieuses. Lui recommander d'utiliser une brosse à dents à poils doux et la mettre en garde contre les chutes. Prévenir la patiente qu'elle ne doit pas consommer de boissons alcoolisées ni prendre des médicaments contenant de l'acide acétylsalicylique, car ces substances peuvent déclencher une hémorragie digestive.

☐ Recommander à la patiente de signaler rapidement au médecin les symptômes suivants: engourdissement des membres ou picotements au niveau des membres ou du visage, diminution de la coordination motrice, perte de l'ouïe ou acouphènes, enflure inhabituelle ou gain pondéral. Le risque de toxicité pour la VIIIe paire crânienne (effet ototoxique) et de néphrotoxicité sont moindres que lorsque l'on administre du cisplatine.

☐ Recommander à la patiente de ne pas se faire vacciner sans que le médecin ne le lui recommande expressément.

☐ Insister sur le besoin de prendre des mesures contraceptives (si la patiente n'est pas devenue stérile par suite d'un traitement chirurgical ou d'une radiothérapie).

☐ Recommander à la patiente d'inspecter ses muqueuses buccales à la recherche d'érythème ou d'aphtes. En cas d'aphtes, recommander à la patiente d'en informer le médecin, de se rincer la bouche à l'eau après avoir mangé et d'utiliser une brosse-éponge pour se brosser les dents. Le médecin peut lui recommander d'utiliser de la soie dentaire imprégnée de lidocaïne visqueuse si la douleur l'empêche de s'alimenter.

☐ Parler avec la patiente du risque de perdre ses cheveux. Inventorier avec elle les stratégies lui permettant de s'adapter à ces changements.

☐ Expliquer à la patiente qu'elle doit se soumettre à des examens diagnostiques et biochimiques à intervalles réguliers pour pouvoir contrer les effets secondaires du médicament.

VÉRIFICATION DES RÉSULTATS

L'efficacité du traitement peut être démontrée par: la diminution de la taille de la tumeur ovarienne ou de la propagation des métastases.

CARBOPROST
(Prostin/15M)

CLASSIFICATION:
Abortif – prostaglandines; ocytocique
Grossesse – catégorie C

INDICATIONS

■ Induction de l'avortement pendant le deuxième trimestre de la grossesse ■ Traitement de l'hémorragie qui suit l'accouchement (hémorragie de la délivrance), impossible à réprimer par le traitement classique.

ACTION

■ Déclenchement des contractions de l'utérus par la stimulation directe du myomètre. Ramollissement et dilatation du col. **Effets thérapeutiques:** ■ Expulsion du fœtus ■ Répression de l'hémorragie qui suit l'accouchement.

PHARMACOCINÉTIQUE

Absorption: Bonne absorption par suite de l'administration par voie IM.
Distribution: Inconnue.
Métabolisme et excrétion: Le médicament est métabolisé par les enzymes tissulaires.
Demi-vie: Inconnue.

CONTRE-INDICATIONS ET PRÉCAUTIONS

Contre-indications: ■ Hypersensibilité ■ Salpingite aiguë ■ Maladie pulmonaire, rénale ou hépatique en évolution.
Précautions: ■ Cicatrices utérines ■ Asthme ■ Hypotension ■ Hypertension ■ Cardiopathie ■ Maladie surrénale ■ Anémie ■ Jaunisse ■ Diabète sucré.

RÉACTIONS INDÉSIRABLES ET EFFETS SECONDAIRES

SNC: céphalées.
Resp.: respiration sifflante.
GI: diarrhée, vomissements, nausées, douleurs abdominales, crampes.
GU: RUPTURE DE L'UTÉRUS.
Tég.: bouffées vasomotrices, rougeur du visage.
Divers: fièvre, frissons, grelottements.

INTERACTIONS

Médicament – médicament: Le carboprost augmente les effets d'autres **ocytociques**.

VOIES D'ADMINISTRATION ET POSOLOGIE

Dose d'épreuve
■ **IM (adultes):** 0,1 mg.

Abortif
- **IM (adultes) :** 0,25 mg, toutes les 1,5 à 3,5 h. On peut augmenter la dose par paliers de 0,5 mg, si les doses 0,25 mg ne produisent pas la réponse souhaitée (ne pas administrer au-delà de deux jours de traitement continu ; ne pas dépasser une dose totale de 12 mg).

Traitement antihémorragique :
- **IM (adultes) :** 0,25 mg ; on peut répéter l'administration toutes les 15 à 90 min (la dose totale ne doit pas dépasser 2 mg).

PHARMACODYNAMIE
(le pic représente le délai moyen d'induction de l'avortement)

	DÉBUT D'ACTION	PIC	DURÉE
IM	inconnu	16 h	inconnue

SOINS INFIRMIERS

ÉVALUATION DE LA SITUATION
- ☐ Noter la fréquence, la durée et la force des contractions ainsi que le tonus utérin au repos. Prévenir le médecin si les contractions sont absentes ou si elles durent plus de 1 min.
- ☐ Prendre la température, le pouls et la pression artérielle à intervalles réguliers pendant toute la durée du traitement. Les doses élevées peuvent provoquer l'hypertension. Il arrive fréquemment que la température commence à s'élever de 1 à 16 h après le début du traitement et que la fièvre dure pendant plusieurs heures.
- ☐ Ausculter le murmure vésiculaire. La respiration sifflante et une sensation d'oppression thoracique peuvent indiquer une réaction d'hypersensibilité.
- ☐ Suivre de près les nausées, les vomissements et la diarrhée. Les vomissements et la diarrhée surviennent chez les deux tiers des patientes. Le médecin peut recommander l'administra-tion préalable d'un antiémétique ou d'un antidiarrhéique.
- ☐ Noter la quantité et le type d'écoulements vaginaux. Signaler immédiatement au médecin les symptômes suivants d'hémorragie : saignement accru, hypotension, pâleur, tachycardie.

DIAGNOSTICS INFIRMIERS POSSIBLES
- **Énoncés diagnostiques**
- ☐ Prise en charge inefficace du programme thérapeutique.
- ☐ *Risque élevé d'hémorragie.*
- ☐ *Risque élevé de déshydratation.*
- ☐ *Risque élevé d'anxiété.*

- **Facteurs favorisants**
- ☐ Informations incomplètes.
- ☐ *Vomissements et diarrhée.*
- ☐ *Douleurs abdominales.*

INTERVENTIONS INFIRMIÈRES
- **Directives générales :** Éviter le contact du médicament avec la peau. En cas d'éclaboussures, laver la peau immédiatement.
- ☐ Le médecin peut recommander la prémédication avec de la mépéridine pour soulager les crampes utérines.
- ☐ Garder au réfrigérateur.
- **IM et SC :** Administrer les injections IM profondément dans le muscle. On peut répéter l'administration toutes les 1,5 – 3,5 h. Assurer la rotation des points d'injection.

ENSEIGNEMENT AU PATIENT ET À SES PROCHES
- **Directives générales :** Expliquer à la patiente la raison des examens vaginaux (pour observer les traumatismes du col).
- ☐ Recommander à la patiente de signaler immédiatement au médecin les symptômes suivants : frissons, écoulements vaginaux nauséabonds, douleur abdominale basse ou hémorragie accrue.

C

VÉRIFICATION DES RÉSULTATS

L'efficacité du traitement peut être démontrée par : ■ l'avortement sans rétention fœtale ■ la répression de l'hémorragie qui suit l'accouchement ou de l'hémorragie du postabortum.

CARISOPRODOL

Soma, (Rela), (Sodol), (Soprodol), (Soridol)

CLASSIFICATION :
Relaxant musculo-squelettique (myorelaxant) à action centrale

Grossesse – catégorie inconnue

INDICATIONS

Complément pharmaceutique au repos et à la physiothérapie pour traiter le spasme musculaire associé à des maladies musculo-squelettiques aiguës douloureuses.

ACTION

■ Relaxation des muscles squelettiques, probablement grâce à la dépression du SNC. **Effets thérapeutiques :** ■ Relaxation des muscles squelettiques.

PHARMACOCINÉTIQUE

Absorption : Par suite de l'administration par voie orale, le médicament semble être bien absorbé.
Distribution : Le carisoprodol traverse le placenta et on le retrouve à des concentrations élevées dans le lait maternel.
Métabolisme et excrétion : Le médicament est principalement métabolisé par le foie.
Demi-vie : 8 h.

CONTRE-INDICATIONS ET PRÉCAUTIONS

Contre-indications : ■ Hypersensibilité au carisoprodol ou au méprobamate ■ Porphyrie ou porphyrie soupçonnée.

Précautions : ■ Maladies rénale ou hépatique graves ■ Grossesse et allaitement ou enfants de moins de 12 ans (l'innocuité du médicament n'a pas été établie).

RÉACTIONS INDÉSIRABLES ET EFFETS SECONDAIRES

SNC : étourdissements, somnolence, ataxie, vertiges, agitation, irritabilité, céphalées, dépression, syncope, insomnie.
Resp. : crises d'asthme.
CV : tachycardie, hypotension.
GI : nausées, vomissements, hoquets, douleurs épigastriques.
Tég. : rash, rougeurs.
Hémat. : éosinophilie, leucopénie.
Divers : idiosyncrasie grave, fièvre, CHOC ANAPHYLACTIQUE.

INTERACTIONS

Médicament – médicament : Le carisoprodol exerce un effet additif sur la dépression du SNC lors de l'usage concomitant d'autres **dépresseurs du SNC** comprenant l'**alcool**, les **antihistaminiques**, les **analgésiques narcotiques** et les **hypnosédatifs**.

VOIES D'ADMINISTRATION ET POSOLOGIE

PO (adultes) : 350 mg, 4 fois par jour.

PHARMACODYNAMIE (relaxation des muscles squelettiques)

	DÉBUT D'ACTION	PIC	DURÉE
PO	30 min	inconnu	4 – 6 h

☼ SOINS INFIRMIERS

ÉVALUATION DE LA SITUATION

☐ Noter l'intensité de la douleur, le degré de rigidité des muscles et l'amplitude des mouvements avant l'administration et à intervalles réguliers pendant tout le traitement.

□ Surveiller les symptômes idiosyncrasiques qui peuvent se manifester dans les minutes ou les heures qui suivent l'administration de la première dose. Il s'agit des symptômes suivants : faiblesse extrême, quadriplégie, étourdissements, ataxie, dysarthrie, troubles de la vue, agitation, euphorie, confusion et désorientation. Ces symptômes disparaissent habituellement plusieurs heures plus tard.

DIAGNOSTICS INFIRMIERS POSSIBLES

■ **Énoncés diagnostiques**
□ Douleur.
□ Altération de la mobilité physique.
□ Risque élevé d'accident.
□ *Risque élevé de réaction allergique.*

■ **Facteurs favorisants**
□ *Perturbation de la vigilance.*

INTERVENTIONS INFIRMIÈRES

■ **Directives générales :** Assurer les mesures de sécurité selon les besoins. Suivre de près les déplacements et le transport des patients.
■ **PO :** Administrer le carisoprodol avec des aliments pour réduire l'irritation gastrique. Administrer la dernière dose au coucher.

ENSEIGNEMENT AU PATIENT ET À SES PROCHES

□ Conseiller au patient de respecter scrupuleusement la posologie recommandée. Lui expliquer que s'il ne peut prendre le médicament au moment habituel, il doit le prendre dans l'heure qui suit. Sinon il doit reprendre son schéma posologique habituel. Il ne faut jamais remplacer une dose manquée par une double dose.
□ Inciter le patient à appliquer les autres mesures prescrites pour contrer les spasmes musculaires : repos, physiothérapie, application de chaleur, etc.
□ Prévenir le patient que le médicament peut parfois provoquer des étourdissements ou de la somnolence. Lui conseiller de ne pas conduire et d'éviter les activités qui exigent sa vigilance jusqu'à ce qu'on ait la certitude que le médicament n'entraîne pas ces effets chez lui.
□ Recommander au patient de changer lentement de position pour réduire les risques d'hypotension orthostatique.
□ Conseiller au patient d'éviter de boire de l'alcool et de prendre d'autres dépresseurs du SNC en même temps que ce médicament.
□ Recommander au patient de signaler au médecin les réactions idiosyncrasiques ou les signes suivants d'allergie : rash, éruptions urticariennes, enflure de la langue ou des lèvres, dyspnée.

VÉRIFICATION DES RÉSULTATS

L'efficacité du traitement peut être démontrée par : ■ la réduction des spasmes musculaires et de la douleur musculosquelettique ■ l'augmentation de l'amplitude du mouvement.

CARMUSTINE
BiCNU, (BCNU)

CLASSIFICATION :
Antinéoplasique – agent alkylant

Grossesse – catégorie D

INDICATIONS

■ Adjuvant à la chirurgie et à la radiothérapie ou en association avec d'autres agents chimiothérapeutiques pour traiter les néoplasmes suivants : □ les tumeurs du cerveau □ le myélome multiple □ la maladie de Hodgkin □ les autres lymphomes.

ACTION

■ Inhibition de la synthèse de l'ADN et de l'ARN (cycle cellulaire non spécifique). **Effets thérapeutiques :** ■ Destruction

C

des cellules à réplication rapide, particulièrement des cellules malignes.

PHARMACOCINÉTIQUE

Absorption: Par suite de l'administration IV, l'absorption est virtuellement complète.

Distribution: Préparation très liposoluble qui pénètre rapidement dans le liquide céphalorachidien. Le médicament pénètre dans le lait maternel.

Métabolisme et excrétion: Métabolisme rapide; certains métabolites exercent une activité antinéoplasique.

Demi-vie: Inconnue.

CONTRE-INDICATIONS ET PRÉCAUTIONS

Contre-indications: ■ Hypersensibilité ■ Grossesse ou allaitement.

Précautions: ■ Patientes en âge de procréer ■ Infections ■ Réserve médullaire diminuée ■ Autres maladies chroniques débilitantes.

RÉACTIONS INDÉSIRABLES ET EFFETS SECONDAIRES

Resp.: infiltrats pulmonaires, fibrose pulmonaire.

GI: <u>nausées</u>, <u>vomissements</u>, diarrhée, œsophagite, anorexie, <u>hépatoxicité</u>.

GU: insuffisance rénale.

Tég.: alopécie.

Hémat.: <u>leucopénie</u>, <u>thrombocytopénie</u>, anémie.

Locaux: douleur au point d'injection IV.

INTERACTIONS

Médicament – médicament: ■ Effet additif sur l'hypoplasie médullaire lors de l'administration concomitante d'**antinéoplasiques** ou d'une **radiothérapie** ■ L'usage du **tabac** augmente le risque de toxicité pulmonaire.

VOIES D'ADMINISTRATION ET POSOLOGIE

■ **IV (adultes et enfants):** 200 mg/m² en une seule dose, toutes les 6 semaines,

ou de 75 à 100 mg/m² par jour, pendant 2 jours, toutes les 6 semaines, ou 40 mg/m² par jour, pendant 5 jours, toutes les 6 semaines.

PHARMACODYNAMIE (effet sur la numération plaquettaire)

	DÉBUT D'ACTION	PIC	DURÉE
IV	plusieurs jours	4 – 5 semaines	6 semaines

SOINS INFIRMIERS

ÉVALUATION DE LA SITUATION

☐ Prendre les signes vitaux avant l'administration initiale et fréquemment pendant toute la durée du traitement.

☐ Surveiller l'apparition de la fièvre, des frissons, des maux de gorge et des signes d'infection. Prévenir le médecin de l'apparition de ces symptômes.

☐ Suivre de près la fonction respiratoire pour déceler l'apparition de dyspnée ou de toux. Une toxicité pulmonaire se produit habituellement lors de l'accumulation de doses élevées ou à la suite de plusieurs cycles de traitement. Prévenir immédiatement le médecin si ces symptômes se manifestent.

☐ Examiner la numération plaquettaire pendant tout le traitement. Suivre de près les saignements: saignement des gencives, formation d'ecchymoses, pétéchies, présence de sang occulte dans les selles, l'urine et les vomissements. Éviter les injections IM, la prise de la température rectale et l'administration d'agents à base d'acide acétylsalicylique. Appliquer une pression sur les points de ponction veineuse pendant 10 min.

☐ Une anémie peut survenir. Surveiller l'apparition des symptômes suivants: fatigue, dyspnée et hypotension orthostatique.

C

□ Observer de près le point d'injection IV. La carmustine irrite les tissus. Recommander au patient de prévenir l'infirmière dès qu'il ressent une douleur au point d'injection IV. Arrêter immédiatement l'administration en cas d'infiltration. Demander au médecin s'il y a lieu d'appliquer de la glace sur le point d'injection. Le médicament peut entraîner une hyperpigmentation de la peau sur le trajet de la veine.

□ Effectuer le bilan des ingesta et des excreta. Observer l'appétit du patient ainsi que sa consommation d'aliments. Surveiller les nausées et les vomissements qui peuvent survenir dans les 2 h suivant l'administration et persister pendant 6 h. L'administration d'un antiémétique avant le traitement et à intervalles réguliers pendant toute sa durée ainsi que la modification du régime alimentaire selon les aliments que le patient peut tolérer peuvent favoriser le maintien de l'équilibre hydro-électrolytique et de la nutrition.

■ **Étude des examens diagnostiques et biochimiques :** Noter la numération globulaire et la formule leucocytaire avant l'administration initiale et à intervalles réguliers pendant tout le traitement. Le nadir de la thrombocytopénie se produit en l'espace de 4 à 5 semaines et celui de la leucopénie, en l'espace de 5 à 6 semaines. Arrêter l'administration et prévenir le médecin si le nombre de plaquettes est inférieur à 100×10^9/L et celui des leucocytes, à $4,0 \times 10^9$/L. L'anémie est habituellement légère.

□ Le médicament peut entraîner une élévation légère et réversible des concentrations de TGOS (AST), de phosphatase alcaline et de la bilirubine.

□ Examiner les résultats des tests de l'exploration fonctionnelle rénale ; prévenir le médecin si la concentration d'urée est élevée.

DIAGNOSTICS INFIRMIERS POSSIBLES

■ **Énoncés diagnostiques**

□ Risque élevé d'infection.

□ Perturbation situationnelle de l'estime de soi.

□ Prise en charge inefficace du programme thérapeutique.

□ *Risque élevé d'hémorragie.*

□ *Risque élevé de douleur au point d'injection IV*

□ *Risque élevé de déséquilibre hydroélectrolytique.*

□ *Risque élevé d'exacerbation des effets secondaires.*

■ **Facteurs favorisants**

□ Informations incomplètes.

□ *Altération de l'image corporelle.*

□ *Inflammation locale du tissu vasculaire ou infiltration du médicament dans les tissus avoisinants.*

□ *Nausées et vomissements.*

□ *Administration trop rapide du médicament par voie IV.*

INTERVENTIONS INFIRMIÈRES

■ **Directives générales :** Préparer les solutions sous une hotte biologique de sécurité. Porter des gants, un vêtement protecteur et un masque pendant les manipulations. Jeter le matériel dans les contenants réservés à la mise au rebut. Le contact du médicament avec la peau peut provoquer une hyperpigmentation passagère (voir l'annexe I).

■ **Perfusion intermittente :** Diluer le contenu de la fiole à 100 mg dans 3 mL d'alcool éthylique pour dilution. Diluer cette solution avec 27 mL d'eau stérile pour injection. Effectuer une dilution supplémentaire dans un contenant en verre avec 500 mL de solution de dextrose à 5 % dans de l'eau ou de solution de NaCl à 0,9 %.

□ La solution est transparente et incolore. Ne pas utiliser les fioles renfermant une pellicule huileuse, qui est un indice de décomposition. Les solutions reconstituées sont stables pendant 24 h si elles sont réfrigérées et protégées de la lumière. Les solutions ne contiennent pas d'agents de conservation et elles sont destinées à un usage unique.

☐ On peut rincer la tubulure IV avec 5 à 10 mL de solution de NaCl à 0,9 %, avant et après la perfusion de la carmustine.

☐ *Vitesse d'administration :* Administrer la dose en 1 à 2 h. Une perfusion rapide peut provoquer des douleurs locales, des brûlures au point d'injection et des rougeurs de la peau. La rougeur du visage peut persister pendant 4 h.

■ **Compatibilité (tubulure en Y):** Ondansétron.

■ **Incompatibilité en addition au soluté :** Bicarbonate de sodium.

ENSEIGNEMENT AU PATIENT ET À SES PROCHES

☐ Recommander au patient de signaler au médecin les symptômes suivants : fièvre, frissons, maux de gorge, signes d'infection, saignement des gencives, formation d'ecchymoses, pétéchies, présence de sang dans l'urine, les selles ou les vomissements. Expliquer au patient qu'il doit éviter les foules et les personnes contagieuses. Conseiller au patient d'utiliser une brosse à dents à poils souples et un rasoir électrique. Lui recommander d'éviter de consommer des boissons alcoolisées et des agents contenant de l'acide acétylsalicylique.

☐ Inciter le patient à prévenir le médecin en cas d'essoufflement ou d'une exacerbation de la toux. Lui recommander de ne pas fumer étant donné que les fumeurs sont davantage prédisposés à la toxicité pulmonaire.

☐ Demander au patient d'inspecter sa muqueuse buccale à la recherche d'érythème ou d'aphtes. En cas d'aphtes, recommander au patient d'utiliser une brosse-éponge pour se brosser les dents et de se rincer la bouche à l'eau après avoir mangé et bu. Lui recommander de consulter le médecin si la douleur l'empêche de s'alimenter.

☐ Évoquer avec le patient le risque de perte des cheveux. Inventorier avec lui les stratégies lui permettant de s'adapter à ce changement.

☐ Expliquer à la patiente pourquoi elle doit prendre des mesures contraceptives.

☐ Conseiller au patient de ne pas se faire vacciner sans que le médecin ne le lui recommande expressément.

☐ Expliquer au patient qu'il doit se soumettre à intervalles réguliers à des examens diagnostiques et biochimiques pour pouvoir contrer les effets secondaires du médicament.

VÉRIFICATION DES RÉSULTATS

L'efficacité du traitement peut être démontrée par : la diminution de la taille des tumeurs et de la prolifération tumorale ou l'amélioration des paramètres hématologiques en présence de tumeurs non différenciées.

CARTÉOLOL
(Cartrol)

CLASSIFICATION :
Bêtabloquant – non sélectif ; antihypertenseur bêtabloquant

Grossesse – catégorie C

INDICATIONS

Hypertension – en monothérapie ou en association avec d'autres agents.

ACTION

■ Inhibition de la stimulation des récepteurs bêta$_1$ (myocardiques) ou bêta$_2$ (pulmonaires, vasculaires ou utérins) ■ Légère activité sympathomimétique intrinsèque (ASI) ■ Légère activité sympathomimétique intrinsèque (ASI). **Effets thérapeutiques:** ■ Réduction de la fréquence cardiaque et de la pression artérielle.

PHARMACOCINÉTIQUE

Absorption: Par suite de l'administration par voie orale, une fraction de 85 % du médicament est absorbée.
Distribution: Inconnue.
Métabolisme et excrétion: Métabolisme hépatique jusqu'à un certain degré avec transformation en au moins un métabolite actif (8-hydroxycartélol). Une fraction de 50 à 70 % est excrétée à l'état inchangé par les reins.
Demi-vie: Le cartéolol, de 6 à 8 h, le 8-hydroxycartéolol, de 8 à 12 h (pour les deux substances, prolongée en cas d'insuffisance rénale).

CONTRE-INDICATIONS ET PRÉCAUTIONS

Contre-indications: ■ Insuffisance cardiaque non compensée ■ Œdème pulmonaire ■ Choc cardiogène ■ Bradycardie ■ Bloc cardiaque ■ Bronchopneumopathie chronique obstructive ou asthme.
Précautions: ■ Thyrotoxicose ou hypoglycémie (le médicament peut en masquer les symptômes) ■ Diabète sucré (le médicament peut masquer les symptômes d'hypoglycémie) ■ Insuffisance rénale (il est conseillé de réduire la dose) ■ Grossesse ou allaitement (le médicament peut donner un score bas au test d'apgar et provoquer l'apnée, la bradycardie et l'hypoglycémie du nouveau-né) ■ Enfants (l'innocuité du médicament n'a pas été établie).

RÉACTIONS INDÉSIRABLES ET EFFETS SECONDAIRES

SNC: fatigue, faiblesse, somnolence, dépression, perte de la mémoire, modification des opérations de la pensée.
ORLO: sécheresse des yeux (alacrymie), vision trouble, congestion nasale.

Resp.: bronchospasme, respiration sifflante.
CV: BRADYCARDIE, INSUFFISANCE CARDIAQUE, ŒDÈME PULMONAIRE, hypotension, vasoconstriction périphérique, douleurs thoraciques.
GI: diarrhée, nausées.
GU: impuissance, diminution de la libido.
Tég.: rash, prurit.
End.: hyperglycémie, hypoglycémie.
Loc.: crampes musculaires, douleurs lombaires.
SN: paresthésie.
Divers: phénomène de Raynaud.

INTERACTIONS

Médicament – médicament: ■ Les **anesthésiques**, la **phénytoïne par voie parentérale** et le **vérapamil**, administrés simultanément, peuvent entraîner une dépression myocardique additive ■ Les **dérivés digitaliques**, administrés simultanément, peuvent entraîner des effets bradycardiques additifs ■ Risque d'effets hypotensifs additifs lors de l'administration concomitante d'autres **antihypertenseurs** et de **dérivés nitrés** ou de l'ingestion d'**alcool** ■ L'administration concomitante d'**amphétamines**, de **cocaïne**, d'**éphédrine**, d'**épinéphrine**, de **norépinéphrine**, de **phényléphrine** ou de **pseudoéphédrine** peut entraîner une stimulation alpha adrénergique excessive, l'hypertension ou la bradycardie ■ Le cartéolol peut contrecarrer les effets bénéfiques sur les récepteurs bêta$_1$ cardiaques de la **dopamine** ou de la **dobutamine** ■ Les extraits de **thyroïde**, administrés simultanément, peuvent diminuer l'efficacité du médicament ■ L'**insuline** peut prolonger l'hypoglycémie.

VOIES D'ADMINISTRATION ET POSOLOGIE

■ **PO (adultes):** 2,5 mg par jour en une seule dose; on peut augmenter jusqu'à 10 mg par jour (la dose habituelle est de 2,5 à 5 mg par jour).

PHARMACODYNAMIE

	DÉBUT D'ACTION	PIC	DURÉE
PO	inconnu	2 – 4 semaines	inconnue

☀ SOINS INFIRMIERS

ÉVALUATION DE LA SITUATION

- ☐ Mesurer la pression artérielle et le pouls à intervalles fréquents au cours de la période d'ajustement de la posologie, et à intervalles réguliers, pendant toute la durée du traitement. Si le pouls est inférieur à 50 battements par minute, ne pas administrer le médicament et en informer le médecin.
- ■ Effectuer le bilan quotidien des ingesta et des excreta et peser le patient tous les jours. Suivre de près l'apparition des signes suivants de surcharge liquidienne: œdème périphérique, dyspnée, râles et crépitations, fatigue, gain pondéral, turgescence des jugulaires.

DIAGNOSTICS INFIRMIERS POSSIBLES

■ Énoncés diagnostiques
- ☐ Diminution du débit cardiaque.
- ☐ Prise en charge inefficace du programme thérapeutique.
- ☐ Non-observance du traitement médicamenteux.
- ☐ *Risque élevé d'accident.*

■ Facteurs favorisants
- ☐ Informations incomplètes.
- ☐ Doute quant aux bienfaits du médicament.
- ☐ *Faiblesse et fatigue.*
- ☐ *Manque de connaissances sur le régime alimentaire à suivre et sur les modalités du traitement.*

INTERVENTIONS INFIRMIÈRES

- ■ **PO:** Administrer en une seule dose quotidienne. Des doses supérieures à 10 mg n'augmentent pas habituellement l'efficacité du médicament et peuvent même diminuer la réponse antihypertensive.

ENSEIGNEMENT AU PATIENT ET À SES PROCHES

- ☐ Expliquer au patient qu'il doit respecter scrupuleusement la posologie recommandée et continuer à prendre le médicament même s'il se sent bien. L'avertir qu'il ne doit jamais sauter une dose ni remplacer une dose manquée par une double dose. S'il n'a pu prendre le médicament au moment habituel, il doit le prendre aussitôt que possible, mais au moins 4 h avant l'heure prévue pour la dose suivante. Un sevrage brusque peut provoquer des arythmies mortelles, de l'hypertension ou une ischémie du myocarde.
- ☐ Montrer au patient et à ses proches comment prendre le pouls et la pression artérielle. Leur demander de mesurer le pouls tous les jours et la pression artérielle deux fois par semaine. Recommander au patient de ne pas prendre le médicament et d'informer le médecin si le pouls est inférieur à 50 battements par minute ou si sa pression artérielle change considérablement.
- ☐ Prévenir le patient que le médicament peut parfois provoquer des étourdissements ou de la somnolence. Lui conseiller de ne pas conduire et d'éviter les activités qui exigent sa vigilance jusqu'à ce qu'on ait la certitude que le médicament n'entraîne pas ces effets chez lui.
- ☐ Inciter le patient à appliquer d'autres mesures de réduction de l'hypertension: perdre du poids, réduire sa consommation de sel, diminuer le stress, faire régulièrement de l'exercice, boire modérément et cesser de fumer. Le cartéolol stabilise la pression artérielle mais ne guérit pas l'hypertension.

- ☐ Prévenir le patient que le médicament peut le rendre plus sensible au froid.
- ☐ Conseiller au patient de consulter le médecin ou le pharmacien avant de prendre un médicament en vente libre en même temps que le cartéolol. Le patient qui prend des médicaments antihypertenseurs devrait également éviter les excès de café, de thé et de boissons à base de cola.
- ☐ Recommander au patient diabétique de mesurer minutieusement sa glycémie, particulièrement lorsqu'il se sent fatigué, faible ou irritable ou lorsqu'il ressent un malaise.
- ☐ Recommander au patient de signaler au médecin les symptômes suivants : ralentissement du pouls, fièvre, étourdissements, sensation de tête légère, confusion, état dépressif, rash, maux de gorge, formation d'ecchymoses ou hémorragies inhabituelles.
- ☐ Recommander au patient qui doit suivre un traitement dentaire ou subir une intervention chirurgicale d'avertir le dentiste ou le médecin qu'il suit un traitement médicamenteux.
- ☐ Conseiller au patient de porter sur lui en tout temps une pièce d'identité où sont inscrits son problème de santé et son traitement médicamenteux.

VÉRIFICATION DES RÉSULTATS

L'efficacité du traitement peut être démontrée par : la baisse de la pression artérielle.

CASANTHRANOL

CASCARA

CASCARA SAGRADA

CLASSIFICATION :
Laxatif stimulant
Grossesse – catégorie inconnue

INDICATIONS

Traitement de la constipation. L'agent est particulièrement utile lorsque la constipation est due à un alitement prolongé ou à la prise de médicaments constipants.

ACTION

■ Stimulation du péristaltisme ■ Modification du transport des liquides et des électrolytes entraînant l'accumulation de liquides dans le côlon. **Effets thérapeutiques :** ■ Évacuation des matières du côlon. Le cascara, ou *cascara sagrada*, est un dérivé naturel de l'écorce du nerprun. Le casanthranol est l'ingrédient actif extrait du cascara.

PHARMACOCINÉTIQUE

Absorption : Absorption minime. La transformation en principe actif a lieu dans le côlon.
Distribution : Inconnue.
Métabolisme et excrétion : Les faibles quantités absorbées sont métabolisées par le foie.
Demi-vie : Inconnue.

CONTRE-INDICATIONS ET PRÉCAUTIONS

Contre-indications : ■ Hypersensibilité ■ Douleurs abdominales, obstruction, nausées ou vomissements, particulièrement lorsqu'ils s'accompagnent de fièvre ou d'autres signes d'abdomen aigu ■ Grossesse ou allaitement.
Précautions : ■ Maladie cardiovasculaire grave ■ Fissures anales ou rectales ■ Utilisation excessive ou prolongée, car elle peut entraîner la dépendance.

RÉACTIONS INDÉSIRABLES ET EFFETS SECONDAIRES

GI : nausées, crampes abdominales, diarrhée.
GU : modification de la couleur de l'urine.
HÉ : hypokaliémie (lors de l'administration prolongée).

C

INTERACTIONS

Médicament – médicament: Le casanthranol peut diminuer l'absorption des **médicaments par voie orale** administrés simultanément à cause de la motilité accrue et du temps de transit réduit.

PRÉSENTATION

Le médicament existe sous forme de comprimés et de solution. Il existe également en association avec du docusate (voir l'annexe A).

VOIES D'ADMINISTRATION ET POSOLOGIE

Casanthranol
- **PO (adultes):** de 30 à 90 mg, une fois par jour.
- **PO (enfants de 2 à 11 ans):** 50 % de la dose pour adultes.
- **PO (enfants plus jeunes et nourrissons):** 25 % de la dose pour adultes.

Cascara sagrada
- **PO (adultes):** de 300 mg à 1 g, une fois par jour.
- **PO (enfants 2 à 11 ans):** 50 % de la dose pour adultes.
- **PO (enfants plus jeunes et nourrissons):** 25 % de la dose pour adultes.

Extrait de cascara sagrada
- **PO (adultes):** de 200 à 400 mg, une fois par jour.
- **PO (enfants 2 à 11 ans):** 50 % de la dose pour adultes.
- **PO (enfants plus jeunes et nourrissons):** 25 % de la dose pour adultes.

Extrait liquide de cascara sagrada
- **PO (adultes):** de 0,5 à 1 mL, une fois par jour.
- **PO (enfants 2 à 11 ans):** 50 % de la dose pour adultes.
- **PO (enfants plus jeunes et nourrissons):** 25 % de la dose pour adultes.

Extrait liquide de cascara aromatisé
- **PO (adultes):** de 2 à 6 mL, une fois par jour.
- **PO (enfants de 2 à 11 ans):** 50 % de la dose pour adultes.

- **PO (enfants plus jeunes et nourrissons):** 25 % de la dose pour adultes.

PHARMACODYNAMIE
(évacuation du côlon)

	DÉBUT D'ACTION	PIC	DURÉE
PO	6 – 12 h	inconnu	inconnue

✴ SOINS INFIRMIERS

ÉVALUATION DE LA SITUATION

☐ Suivre de près la distension abdominale et la présence de bruits intestinaux; noter les habitudes d'élimination.

☐ Noter la couleur, la consistance et la quantité de selles produites.

DIAGNOSTICS INFIRMIERS POSSIBLES

- **Énoncés diagnostiques**
☐ Constipation.
☐ Diarrhée.
☐ Prise en charge inefficace du programme thérapeutique.

- **Facteurs favorisants**
☐ Informations incomplètes.
☐ *Manque de connaissances sur les moyens de stimuler la fonction intestinale.*

INTERVENTIONS INFIRMIÈRES

- **PO:** Demander au patient de prendre le médicament avec un grand verre d'eau. Administrer au coucher pour favoriser l'élimination, 6 à 12 h plus tard. Administrer à jeun pour obtenir des résultats plus rapides.

ENSEIGNEMENT AU PATIENT ET À SES PROCHES

☐ Prévenir le patient que les laxatifs devraient être pris pendant une courte période seulement. Un traitement prolongé peut provoquer des déséquilibres électrolytiques et la dépendance.

□ Inciter le patient à appliquer d'autres mesures favorisant l'élimination intestinale : manger des aliments riches en fibres, augmenter la consommation de liquides, faire de l'exercice. Chaque personne a ses propres habitudes d'élimination ; il est tout aussi normal de déféquer 3 fois par jour que 3 fois par semaine.

□ Prévenir le patient que ce médicament peut rendre l'urine rose, rouge, violette ou brune.

□ Recommander au patient souffrant de cardiopathie d'éviter les efforts de défécation (manœuvre de Valsalva).

□ Conseiller au patient de ne pas prendre de laxatifs en présence d'une douleur abdominale, de nausées, de vomissements ou de fièvre.

VÉRIFICATION DES RÉSULTATS

L'efficacité du traitement peut être démontrée par : l'évacuation de selles molles et bien moulées.

CÉFACLOR
Ceclor

CLASSIFICATION :
Anti-infectieux – céphalosporine de la deuxième génération

Grossesse – catégorie B

INDICATIONS

■ Traitement des infections suivantes provoquées par des micro-organismes sensibles : □ otite moyenne □ infections des voies respiratoires inférieures et supérieures □ infection de la peau et des tissus mous □ infection des voies urinaires. **Usage non approuvé :** ■ Infections des os et des articulations.

ACTION

■ Liaison à la membrane de la paroi de la cellule bactérienne entraînant la destruction de la bactérie. **Effets thérapeutiques :** ■ Action bactéricide contre les bactéries sensibles. **Spectre d'action :** ■ Le médicament est actif contre un grand nombre de cocci à Gram positif dont : □ *Streptococcus pneumoniæ* □ les streptocoques bêta-hémolytiques du groupe A □ les staphylocoques produisant de la pénicillinase ■ Le médicament est également très actif contre plusieurs autres micro-organismes à Gram négatif comprenant : □ *Hæmophilus influenzæ* □ *Acinetobacter* □ *Enterobacter* □ *Escherichia coli* □ *Klebsiella pneumoniæ* □ *Neisseria gonorrhoeæ* (comprenant les souches produisant de la pénicillinase) □ *Providencia* □ *Proteus* □ *Serratia* ■ Cette céphalosporine n'a pas d'effet sur : □ les staphylocoques résistant à la méthicilline □ les entérocoques.

PHARMACOCINÉTIQUE

Absorption : Bonne absorption par suite de l'administration par voie orale.
Distribution : L'agent se répartit dans tout l'organisme. Il ne pénètre qu'en quantité infime dans le liquide céphalorachidien ; il traverse le placenta et pénètre dans le lait maternel à faible concentration.
Métabolisme et excrétion : Le médicament est excrété à l'état pratiquement inchangé par les reins.
Demi-vie : De 0,6 à 0,9 h (prolongée en cas d'insuffisance rénale).

CONTRE-INDICATIONS ET PRÉCAUTIONS

Contre-indications : ■ Hypersensibilité aux céphalosporines ■ Réactions graves d'hypersensibilité aux pénicillines.
Précautions : ■ Insuffisance rénale (réduire la dose si l'insuffisance rénale est grave) ■ Grossesse et allaitement (l'innocuité du médicament n'a pas été établie, mais on l'a déjà utilisé lors d'interventions obstétricales).

RÉACTIONS INDÉSIRABLES ET EFFETS SECONDAIRES

GI : nausées, vomissements, crampes, diarrhée, COLITE PSEUDO-MEMBRANEUSE.

C

Tég.: rash, urticaire.

Hémat.: dyscrasie, anémie hémolytique.

Divers: surinfection, réactions allergiques comprenant l'ANAPHYLAXIE et la maladie séreuse.

INTERACTIONS

Médicament – médicament: Le **probénécide** diminue l'excrétion et accroît les concentrations sériques de céfaclor.

PRÉSENTATION

Le céfaclor est présenté sous forme de capsules ou de suspension orale.

VOIES D'ADMINISTRATION ET POSOLOGIE

- **PO (adultes):** de 250 à 500 mg, toutes les 8 à 12 h.
- **PO (enfants > 1 mois):** de 20 à 40 mg/kg par jour en doses fractionnées, toutes les 8 à 12 h.

PHARMACODYNAMIE
(concentrations sanguines)

	DÉBUT D'ACTION	PIC
PO	rapide	30 – 60 min

✳ SOINS INFIRMIERS

ÉVALUATION DE LA SITUATION

- ☐ Au début du traitement et pendant toute sa durée, suivre l'apparition des signes suivants d'infection: altération des signes vitaux, aspect de la plaie, des crachats, de l'urine et des selles; accroissement du nombre de leucocytes.
- ☐ Avant d'amorcer le traitement, recueillir les antécédents du patient afin de déterminer ses réactions antérieures à une pénicilline ou à une céphalosporine. Même les personnes n'ayant jamais manifesté de sensibilité aux pénicillines peuvent présenter une réaction allergique.
- ☐ Prélever des échantillons pour les cultures et les antibiogrammes avant le début du traitement. La première dose peut être administrée avant même que les résultats soient connus.
- ☐ Surveiller les signes et les symptômes suivants d'anaphylaxie: rash, prurit, œdème laryngé, respiration sifflante. Si ces réactions se manifestent, arrêter l'administration du médicament et avertir immédiatement le médecin. Garder à portée de la main de l'épinéphrine, un antihistaminique et le matériel de réanimation pour parer à une éventuelle réaction anaphylactique.
- ■ **Étude des examens diagnostiques et biochimiques:** Le céfaclor peut entraîner des résultats faussement positifs au test de Coombs et au dosage du glucose dans l'urine lorsqu'on utilise la méthode au sulfate de cuivre (Clinitest). Pour doser le glucose dans l'urine, recourir plutôt à la méthode à la glucose-oxydase (Clinistix ou Tes-Tape).
- ☐ Le médicament peut entraîner l'élévation des concentrations d'urée, de créatinine, de TGOS (AST), de TGPS (ALT) et de phosphatase alcaline.

DIAGNOSTICS INFIRMIERS POSSIBLES

- ■ **Énoncés diagnostiques**
- ☐ Risque élevé d'infection.
- ☐ Diarrhée.
- ☐ Prise en charge inefficace du programme thérapeutique.
- ☐ *Risque élevé de réaction allergique.*
- ☐ *Risque élevé de déficit de volume liquidien.*

- ■ **Facteurs favorisants**
- ☐ Informations incomplètes.
- ☐ *Déshydratation.*

INTERVENTIONS INFIRMIÈRES

- ■ **PO:** Administrer 24 h sur 24, sans égard aux repas. En cas d'irritation gastrique, administrer avec des aliments. Les aliments ralentissement l'absorption, mais n'affectent pas la quantité de médicament absorbé.

☐ Bien agiter la suspension avant de l'administrer. La suspension est stable pendant 14 jours au réfrigérateur.

ENSEIGNEMENT AU PATIENT ET À SES PROCHES

☐ Expliquer au patient qu'il doit prendre le médicament à intervalles réguliers 24 h sur 24, et qu'il doit utiliser toute la quantité qui lui a été prescrite, même s'il se sent mieux. Insister sur le fait qu'il peut être dangereux de donner ce médicament à une autre personne.

☐ Montrer au patient qui reçoit la suspension comment mesurer correctement la dose.

☐ Recommander au patient de signaler au médecin l'allergie et les signes suivants de surinfection : excroissance pileuse sur la langue, démangeaisons ou pertes vaginales, selles molles ou nauséabondes.

☐ Recommander au patient de contacter le médecin en cas de fièvre et de diarrhée, particulièrement si les selles renferment du sang, du pus ou du mucus. Conseiller au patient de ne pas traiter la diarrhée sans consulter au préalable le médecin ou le pharmacien.

VÉRIFICATION DES RÉSULTATS

La réponse clinique au traitement peut être déterminée par : la disparition des signes et des symptômes d'infection. Le temps de résolution dépend du microorganisme infectant et du siège de l'infection.

CÉFADROXIL
Duricef, (Ultracef)

CLASSIFICATION :
Anti-infectieux – céphalosporine de la première génération
Grossesse – catégorie B

INDICATIONS

■ Traitement des infections suivantes : ☐ infections graves de la peau et des tissus mous ☐ infections des voies urinaires ☐ pharyngites et amygdalites streptococciques (streptocoques A) ☐ infections des voies respiratoires inférieures. **Usage non approuvé :** ■ Traitement des infections des os et des articulations.

ACTION

■ Liaison à la membrane de la paroi de la cellule bactérienne, entraînant la destruction de la bactérie. **Effets thérapeutiques :** ■ Action bactéricide contre les bactéries sensibles. **Spectre d'action :** ■ Le céfadroxil est actif contre un grand nombre de cocci à Gram positif dont : ☐ *Streptococcus pneumoniæ* ☐ les streptocoques bêta-hémolytiques du groupe A ☐ les staphylocoques produisant de la pénicillinase ■ Le céfadroxil est modérément actif contre plusieurs agents à Gram négatif comprenant : ☐ *Klebsiella pneumoniæ* ☐ *Proteus mirabilis* ☐ *Escherichia coli* ■ Le céfadroxil n'a pas d'effet sur : ☐ les staphylocoques résistant à la méthicilline ☐ *Bacteroides fragilis* ☐ les entérocoques.

PHARMACOCINÉTIQUE

Absorption : Bonne absorption par suite de l'administration par voie orale.
Distribution : L'agent se répartit dans tout l'organisme, traverse le placenta et pénètre dans le lait maternel à faible concentration. Il pénètre en quantité infime dans le liquide céphalorachidien.
Métabolisme et excrétion : Le médicament est excrété à l'état pratiquement inchangé par les reins.
Demi-vie : De 1,1 à 2 h.

CONTRE-INDICATIONS ET PRÉCAUTIONS

Contre-indications : ■ Hypersensibilité aux céphalosporines ■ Réactions graves d'hypersensibilité aux pénicillines.

Précautions : ■ Insuffisance rénale (réduire la dose) ■ Grossesse ou allaitement (l'innocuité du médicament n'a pas été établie).

RÉACTIONS INDÉSIRABLES ET EFFETS SECONDAIRES

GI : nausées, vomissements, crampes, diarrhée, COLITE PSEUDO-MEMBRANEUSE.
Tég. : rash, urticaire.
GU : néphrite interstitielle.
Hémat. : dyscrasie, anémie hémolytique.
Divers : surinfection, réactions allergiques comprenant l'ANAPHYLAXIE et la maladie sérique.

INTERACTIONS

Médicament – médicament : Le **probénécide** diminue l'excrétion et accroît les concentrations sériques de céfadroxil.

PRÉSENTATION

Le céfadroxil est présenté sous forme de capsules.

VOIES D'ADMINISTRATION ET POSOLOGIE

■ **PO (adultes) :** de 1 à 2 g par jour en une dose ou en doses fractionnées, toutes les 12 h.
■ **PO (enfants) (É.-U.) :** 15 mg/kg, deux fois par jour.

PHARMACODYNAMIE
(concentrations sanguines)

	DÉBUT D'ACTION	PIC
PO	rapide	1,5 – 2 h

☀ SOINS INFIRMIERS

ÉVALUATION DE LA SITUATION

☐ Au début du traitement et pendant toute sa durée, surveiller l'apparition des signes suivants d'infection : altération des signes vitaux, aspect de la plaie, des crachats, de l'urine et des selles ; accroissement du nombre de leucocytes.

■ Avant d'amorcer le traitement, recueillir les antécédents du patient, afin de déterminer ses réactions antérieures à une pénicilline ou à une céphalosporine. Même les personnes n'ayant jamais manifesté de sensibilité aux pénicillines peuvent présenter une réaction allergique.

■ Prélever des échantillons pour les cultures et les antibiogrammes avant le début du traitement. La première dose peut être administrée avant même que les résultats soient connus.

☐ Observer l'apparition des signes et des symptômes suivants d'anaphylaxie : rash, prurit, œdème laryngé, respiration sifflante. Si ces réactions se manifestent, arrêter l'administration du médicament et avertir immédiatement le médecin. Garder à portée de la main de l'épinéphrine, un antihistaminique et le matériel de réanimation pour parer à une éventuelle réaction anaphylactique.

■ **Étude des examens diagnostiques et biochimiques :** Le céfadroxil peut entraîner des résultats faussement positifs au test de Coombs et au dosage du glucose dans l'urine lorsqu'on utilise la méthode au sulfate de cuivre (Clinitest). Pour doser le glucose dans l'urine, recourir plutôt à la méthode à la glucose-oxydase (Clinistix ou Tes-Tape).

☐ Le médicament peut entraîner l'élévation passagère des concentrations de TGOS (AST), de TGPS (ALT) et de phosphatase alcaline.

DIAGNOSTICS INFIRMIERS POSSIBLES

■ **Énoncés diagnostiques**
☐ Risque élevé d'infection.
☐ Prise en charge inefficace du programme thérapeutique.
☐ Non-observance du traitement médicamenteux.
☐ *Risque élevé de réaction allergique.*
☐ *Risque élevé de déshydratation.*

■ **Facteurs favorisants**
☐ Informations incomplètes.

- ☐ Doute quant aux bienfaits du médicament.
- ☐ *Vomissements et diarrhée.*

INTERVENTIONS INFIRMIÈRES

- **PO:** Administrer 24 h sur 24, sans égard aux repas. En cas d'irritation gastrique, administrer avec des aliments.

ENSEIGNEMENT AU PATIENT ET À SES PROCHES

- ☐ Expliquer au patient qu'il doit prendre le médicament à intervalles réguliers 24 h sur 24, et qu'il doit utiliser toute la quantité qui lui a été prescrite, même s'il se sent mieux. Insister sur le fait qu'il peut être dangereux de donner ce médicament à une autre personne.
- ☐ Recommander au patient de signaler au médecin l'allergie et les signes suivants de surinfection : excroissance pileuse sur la langue, démangeaisons ou pertes vaginales, selles molles ou nauséabondes.
- Recommander au patient de contacter le médecin en cas de fièvre et de diarrhée, particulièrement si les selles renferment du sang, du pus ou du mucus. Conseiller au patient de ne pas traiter la diarrhée sans consulter au préalable le médecin ou le pharmacien.

VÉRIFICATION DES RÉSULTATS

La réponse clinique au traitement peut être déterminée par: la disparition des signes et des symptômes d'infection. Le temps de résolution dépend du micro-organisme infectant et du siège de l'infection.

CÉFAMANDOLE
Mandol

CLASSIFICATION:
Anti-infectieux – céphalosporine de la deuxième génération

Grossesse – catégorie B

INDICATIONS

- Traitement des infections suivantes provoquées par des micro-organismes sensibles : ☐ infections des voies respiratoires inférieures ☐ infections de la peau et des tissus mous ☐ infections des os et des articulations ☐ infection des voies urinaires et infections gynécologiques ☐ septicémie ☐ infections intra-abdominales et infections de la voie biliaire ■ Précédents d'administration prophylactique en tant qu'anti-infectieux en période périopératoire.

ACTION

- Liaison à la membrane de la paroi de la cellule bactérienne entraînant la destruction de la bactérie. **Effets thérapeutiques:** ■ Action bactéricide contre les bactéries sensibles. **Spectre d'action:** ■ Le céfamandole est actif contre un grand nombre de cocci à Gram positif dont : ☐ *Streptococcus pneumoniæ* ☐ les streptocoques bêta-hémolytiques du groupe A ☐ les staphylocoques produisant de la pénicillinase ■ Le céfamandole est également très actif contre plusieurs autres micro-organismes à Gram négatif comprenant : ☐ *Hæmophilus influenzæ* ☐ *Acinetobacter* ☐ *Enterobacter* ☐ *Escherichia coli* ☐ *Klebsiella pneumoniæ* ☐ *Neisseria gonorrhoeae* (comprenant les souches produisant de la pénicillinase) ☐ *Providencia* ☐ *Proteus* ☐ *Serratia* ■ Le céfamandole n'a pas d'effet sur : ☐ les staphylocoques résistant à la méthicilline ☐ les entérocoques.

PHARMACOCINÉTIQUE

Absorption: Bonne absorption par suite de l'administration par voie IM.

Distribution: L'agent se répartit dans tout l'organisme. Il pénètre en quantité infime dans le liquide céphalorachidien, traverse le placenta et pénètre dans le lait maternel à faible concentration.

Métabolisme et excrétion: Le médicament est excrété à l'état pratiquement inchangé par les reins.

Demi-vie: De 0,5 à 1,2 h (prolongée en cas d'insuffisance rénale).

CONTRE-INDICATIONS ET PRÉCAUTIONS

Contre-indications: ■ Hypersensibilité aux céphalosporines ■ Réactions graves d'hypersensibilité aux pénicillines.

Précautions: ■ Insuffisance rénale (réduire la dose) ■ Grossesse et allaitement (l'innocuité du médicament n'a pas été établie, mais on l'a déjà utilisé lors d'interventions obstétricales).

RÉACTIONS INDÉSIRABLES ET EFFETS SECONDAIRES

GI: nausées, vomissements, crampes, diarrhée, COLITE PSEUDO-MEMBRANEUSE.

Tég.: rash, urticaire.

Hémat.: dyscrasie, anémie hémolytique, hémorragie.

Locaux: phlébite au point d'injection IV, douleur au point d'injection IM.

Divers: surinfection, réactions allergiques comprenant l'ANAPHYLAXIE et la maladie sérique.

INTERACTIONS

Médicament – médicament: ■ Le **probénécide** diminue l'excrétion et accroît les concentrations sériques de céfamandole ■ L'**alcool,** consommé dans les 48 à 72 h suivant l'administration, peut entraîner une réaction similaire à celle provoquée par le disulfirame ■ Les **anticoagulants,** les **agents thrombolytiques,** les **anti-inflammatoires non stéroïdiens,** la **plicamycine** ou l'**acide valproïque** peuvent augmenter le risque d'hémorragie.

VOIES D'ADMINISTRATION ET POSOLOGIE

■ **IM et IV (adultes):** de 500 à 1 000 mg, toutes les 4 à 8 h.
■ **IM et IV (enfants > 1 mois):** de 50 à 100 mg/kg par jour, en doses fractionnées, toutes les 4 à 8 h.

PHARMACODYNAMIE (concentrations sanguines)

	DÉBUT D'ACTION	PIC
IM	rapide	30 – 120 min
IV	rapide	fin de la perfusion

SOINS INFIRMIERS

ÉVALUATION DE LA SITUATION

■ **Directives générales:** Au début du traitement et pendant toute sa durée, surveiller l'apparition des signes suivants d'infection: altération des signes vitaux, aspect de la plaie, des crachats, de l'urine et des selles; accroissement du nombre de leucocytes.

☐ Avant d'amorcer le traitement, recueillir les antécédents du patient, afin de déterminer ses réactions antérieures à une pénicilline ou à une céphalosporine. Même les personnes n'ayant jamais manifesté une sensibilité aux pénicillines peuvent présenter une réaction allergique.

☐ Prélever des échantillons pour les cultures et les antibiogrammes avant le début du traitement. La première dose peut être administrée avant même que les résultats soient connus.

☐ Observer le patient à la recherche des signes et des symptômes suivants d'anaphylaxie: rash, prurit, œdème laryngé, respiration sifflante. Si ces réactions se manifestent, arrêter l'administration du médicament et avertir immédiatement le médecin. Garder à la portée de la main de l'épinéphrine, un antihistaminique et le matériel de réanimation pour parer à une éventuelle réaction anaphylactique.

■ **Étude des examens diagnostiques et biochimiques:** Noter quotidiennement le temps de prothrombine et surveiller les signes d'hémorragie (présence de sang occulte dans les selles par la méthode au gaïac ; hématurie ; saignement des gencives, formation d'ecchymoses) en raison des risques d'hypoprothrombinémie ; ces risques sont plus élevés chez les patients âgés ou débilités. Pour arrêter les saignements, le cas échéant, administrer de la vitamine K. On peut aussi recourir à l'administration prophylactique de vitamine K, à raison de 10 mg par semaine.

☐ Le médicament peut entraîner l'élévation passagère des concentrations d'urée, de TGOS (AST), de TGPS (ALT), de LDH et de phosphatase alcaline.

☐ Le céfamandole peut entraîner des résultats faussement positifs au test de Coombs et au dosage du glucose dans l'urine lorsqu'on utilise la méthode au sulfate de cuivre (Clinitest). Pour doser le glucose dans l'urine, recourir plutôt à la méthode à la glucose-oxydase (Clinistix ou Tes-Tape).

DIAGNOSTICS INFIRMIERS POSSIBLES

■ **Énoncés diagnostiques**

☐ Risque élevé d'infection.

☐ Diarrhée.

☐ Prise en charge inefficace du programme thérapeutique.

☐ *Risque élevé de réaction allergique.*

☐ *Risque élevé de déshydratation.*

☐ *Risque élevé d'hémorragie.*

☐ *Risque élevé de douleur au point d'injection IV.*

■ **Facteurs favorisants**

☐ Informations incomplètes.

☐ *Vomissements et diarrhée.*

☐ *Inflammation locale du tissu vasculaire ou infiltration du médicament dans les tissus avoisinants.*

INTERVENTIONS INFIRMIÈRES

■ **Directives générales :** La couleur de la solution peut varier de jaune pâle à ambre. Ne pas utiliser les solutions ayant une couleur différente ou celles qui contiennent un précipité.

☐ Lors de la reconstitution, un gaz se forme. On peut disperser ce gaz avant de retirer le médicament de la fiole ou on peut s'en servir pour faciliter le retrait du médicament en retournant la fiole par-dessus la seringue et en laissant la solution s'écouler dans l'aiguille.

☐ La poudre se dissout difficilement. Il sera plus facile de dissoudre la poudre si la fiole est inversée pendant que l'on ajoute le diluant. Agiter vigoureusement jusqu'à dissolution complète.

■ **IM :** Reconstituer les doses destinées à l'administration par voie IM avec 2 ou 3 mL d'eau stérile ou d'eau bactériostatique pour injection ou avec une solution de NaCl à 0,9 % pour injection. Le médecin pourrait recommander une dilution supplémentaire avec du chlorhydrate de lidocaïne de 0,5 à 2 % pour réduire la douleur au point d'injection. Injecter en profondeur dans une masse musculaire bien développée ; bien masser.

■ **IV :** Changer le point d'injection toutes les 48 à 72 h afin de prévenir la phlébite.

☐ Le fabricant recommande d'arrêter l'administration d'autres solutions IV pendant l'administration par voie IV des céphalosporines.

■ **IV directe :** Diluer chaque gramme avec 10 mL d'eau stérile pour injection, de solution de dextrose à 5 % dans de l'eau ou de solution de NaCl à 0,9 %.

☐ *Vitesse d'administration :* Administrer lentement en 3 à 5 min. Observer le point d'injection pour déceler la phlébite.

■ **Perfusion intermittente :** On peut effectuer une dilution supplémentaire de la solution reconstituée avec 100 mL de solution de NaCl à 0,9 %, de solution de dextrose à 5 % ou à 10 %

dans de l'eau, de solution de dextrose à 5 % et de NaCl à 0,25 %, à 5 %, à 0,45 % ou à 0,9 % ou de dextrose à 5 % dans une solution de lactate Ringer. La solution est stable pendant 24 h à la température ambiante et pendant 72 h au réfrigérateur.

☐ *Vitesse d'administration :* La perfusion intermittente doit durer de 15 à 30 min.

- **Perfusion continue :** Pour administrer le médicament en perfusion continue, le diluer jusqu'à 1 000 mL.

- **Association compatible dans la même seringue :** Héparine.

- **Associations incompatibles dans la même seringue :** Cimétidine, gentamicine ou tobramycine.

- **Compatibilités (tubulure en Y) :** Acyclovir, cyclophosphamide, hydromorphone, mépéridine et morphine ou perphénazine ou sulfate de magnésium.

- **Incompatibilité (tubulure en Y) :** Hydroxyéthyle d'amidon (hetastarch).

- **Compatibilités en addition au soluté :** Clindamycine, émulsions lipidiques, mannitol ou vérapamil.

- **Incompatibilités en addition au soluté :** Calcium, cimétidine, gentamicine, solution de lactate Ringer, solution de Ringer ou tobramycine.

ENSEIGNEMENT AU PATIENT ET À SES PROCHES

☐ Conseiller au patient de signaler au médecin l'allergie et les signes suivants de surinfection : excroissance pileuse sur la langue, démangeaisons ou pertes vaginales, selles molles ou nauséabondes.

☐ Mettre en garde le patient contre la consommation d'alcool pendant le traitement à la céfamandole, en raison des risques de réactions semblables à celles produites par le disulfirame : crampes abdominales, nausées, vomissements, hypotension, palpitations, dyspnée, tachycardie, transpiration, bouffées vasomotrices.

Prévenir le patient qu'il doit éviter de prendre de l'alcool ou des médicaments qui en contiennent pendant le traitement et plusieurs jours après.

☐ Recommander au patient de contacter le médecin en cas de fièvre ou de diarrhée, particulièrement si les selles renferment du sang, du pus ou du mucus. Conseiller au patient de ne pas traiter la diarrhée sans consulter au préalable le médecin ou le pharmacien.

VÉRIFICATION DES RÉSULTATS

La réponse clinique au traitement peut être déterminée par : la disparition des signes et des symptômes d'infection. Le temps de résolution dépend du microorganisme infectant et du siège de l'infection.

CÉFAZOLINE
Ancef, Gen-Cefazolin, Kefzol, (Zolicel)

CLASSIFICATION :
Anti-infectieux – céphalosporine de la première génération

Grossesse – catégorie B

INDICATIONS

- Traitement des infections suivantes : ☐ infections des voies respiratoires ☐ infections graves de la peau et des tissus mous ☐ infections des voies urinaires ☐ infection des os et des articulations ☐ septicémies dues aux micro-organismes sensibles ☐ endocardite ■ Précédents d'administration pour traiter des infections intra-abdominales et les infections des voies biliaires ; administration prophylactique en tant qu'anti-infectieux en période périopératoire.

ACTION

- Liaison à la membrane de la paroi de la cellule bactérienne entraînant la destruction de la bactérie. **Effets thérapeutiques:** ■ Action bactéricide contre les bactéries sensibles. **Spectre d'action:** ■ La céfazoline est active contre un grand nombre de cocci à Gram positif dont: □ *Streptococcus pneumoniæ* □ les streptocoques bêta-hémolytiques du groupe A □ les staphylocoques produisant de la pénicillinase ■ La céfazoline a des effets limités sur certains germes à Gram négatif dont: □ *Klebsiella pneumoniæ* □ *Proteus mirabilis* □ *Escherichia coli* ■ La céfazoline n'a pas d'effet sur: □ les staphylocoques résistant à la méthicilline □ *Bacteroides fragilis* □ les entérocoques.

PHARMACOCINÉTIQUE

Absorption: Bonne absorption par suite de l'administration par voie IM.
Distribution: L'agent se répartit dans tout l'organisme. Il pénètre en quantité infime dans le liquide céphalorachidien, traverse le placenta et pénètre dans le lait maternel à faible concentration.
Métabolisme et excrétion: Le médicament est excrété à l'état pratiquement inchangé par les reins.
Demi-vie: De 1,2 à 2,2 h.

CONTRE-INDICATIONS ET PRÉCAUTIONS

Contre-indications: ■ Hypersensibilité aux céphalosporines ■ Réactions graves d'hypersensibilité aux pénicillines.
Précautions: ■ Insuffisance rénale (réduire la dose) ■ Patients de plus de 50 ans (risque accru de toxicité rénale) ■ Grossesse ou allaitement (l'innocuité du médicament n'a pas été établie).

RÉACTIONS INDÉSIRABLES ET EFFETS SECONDAIRES

SNC: convulsions (doses élevées).
GI: nausées, vomissements, crampes, diarrhée, COLITE PSEUDO-MEMBRANEUSE.
GU: néphrotoxicité.
Tég.: rash, urticaire.
Hémat.: dyscrasie, anémie hémolytique.

Locaux: phlébite au point d'injection IV, douleur au point d'injection IM.
Divers: surinfection, réactions allergiques comprenant l'ANAPHYLAXIE et la maladie sérique.

INTERACTIONS

Médicament – médicament: ■ Le **probénécide** diminue l'excrétion et accroît les concentrations sériques de céfazoline ■ Le médicament peut potentialiser les effets néphrotoxiques d'autres **agents néphrotoxiques (aminosides).**

VOIES D'ADMINISTRATION ET POSOLOGIE

- ■ **IM et IV (adultes):** de 250 mg à 1 g, toutes les 6 à 8 h.
- ■ **IM et IV (enfants et nourrissons > 1 mois):** de 25 à 50 mg/kg par jour, en doses fractionnées, toutes les 6 à 8 h.

PHARMACODYNAMIE (concentrations sanguines)

	DÉBUT D'ACTION	PIC
IM	rapide	1 – 2 h
IV	rapide	fin de la perfusion

SOINS INFIRMIERS

ÉVALUATION DE LA SITUATION

- ■ **Directives générales:** Au début du traitement et pendant toute sa durée, surveiller l'apparition des signes suivants d'infection: altération des signes vitaux, aspect de la plaie, des crachats, de l'urine et des selles; accroissement du nombre de leucocytes.
- □ Avant d'amorcer le traitement avec la céfazoline, recueillir les antécédents du patient afin de déterminer ses réactions antérieures à une pénicilline ou à une céphalosporine. Même les personnes n'ayant jamais manifesté une sensibilité aux pénicillines

peuvent présenter une réaction allergique.

□ Prélever des échantillons pour les cultures et les antibiogrammes avant le début du traitement. La première dose peut être administrée avant même que les résultats soient connus.

□ Surveiller les signes et les symptômes suivants d'anaphylaxie : rash, prurit, œdème laryngé, respiration sifflante. Si ces réactions se manifestent, arrêter l'administration du médicament et avertir immédiatement le médecin. Garder à portée de la main de l'épinéphrine, un antihistaminique et le matériel de réanimation pour parer à une éventuelle réaction anaphylactique.

□ Effectuer le bilan quotidien des ingesta et des excreta et peser le patient tous les jours. Les patients souffrant d'insuffisance rénale, les personnes âgées de plus de 50 ans ainsi que celles qui prennent d'autres médicaments néphrotoxiques sont exposés au risque de néphrotoxicité lors d'un traitement avec des doses élevées.

■ **Étude des examens diagnostiques et biochimiques :** La céfazoline peut entraîner des résultats faussement positifs au test de Coombs et au dosage du glucose dans l'urine lorsqu'on utilise la méthode au sulfate de cuivre (Clinitest). Pour doser le glucose dans l'urine, recourir plutôt à la méthode à la glucose-oxydase (Clinistix ou Tes-Tape).

□ Le médicament peut entraîner l'élévation passagère des concentrations d'urée, de TGOS (AST), de TGPS (ALT) et de phosphatase alcaline.

DIAGNOSTICS INFIRMIERS POSSIBLES

■ **Énoncés diagnostiques**

□ Risque élevé d'infection.

□ Diarrhée.

□ Prise en charge inefficace du programme thérapeutique.

□ *Risque élevé de réaction allergique.*

□ *Risque élevé de déshydratation.*

□ *Risque élevé de douleur au point d'injection IV.*

■ **Facteurs favorisants**

□ Informations incomplètes.

□ *Vomissements et diarrhée.*

□ *Inflammation locale du tissu vasculaire ou infiltration du médicament dans les tissus avoisinants.*

INTERVENTIONS INFIRMIÈRES

■ **Directives générales :** Ne pas utiliser de solution trouble ou de solution contenant un précipité.

■ **IM :** Reconstituer les doses destinées à l'administration par voie IM en diluant le contenu de la fiole de 250 mg ou de 500 mg avec 2 mL d'eau stérile ou d'eau bactériostatique pour injection ou de solution de NaCl à 0,9 % pour injection et, pour la fiole de 1 g, utiliser 2,5 mL de diluant, pour obtenir des concentrations de 125, 225 ou 330 mg/mL, respectivement. Injecter en profondeur dans une masse musculaire bien développée ; bien masser.

■ **IV :** Changer le point d'injection toutes les 48 à 72 h afin de prévenir la phlébite. Le fabricant recommande de ne pas administrer d'autres solutions IV au cours de l'administration par voie IV des céphalosporines.

■ **IV directe :** Diluer avec 10 mL d'eau stérile pour injection.

□ *Vitesse d'administration :* Administrer lentement, en 3 à 5 min. Observer le point d'injection pour déceler la phlébite.

■ **Perfusion intermittente :** La solution reconstituée de 500 mg ou de 1 g peut être diluée dans 50 à 100 mL de solution de NaCl à 0,9 %, de solution de dextrose à 5 % ou à 10 % dans de l'eau, de solution de dextrose à 5 % avec du NaCl à 0,25 %, à 0,45 % ou à 0,9 %, de dextrose à 5 % dans du lactate Ringer ou de solution de lactate Ringer. La solution est stable pendant 24 h à la température ambiante et pendant 96 h au réfrigérateur.

□ *Vitesse d'administration:* La perfusion doit durer de 30 à 60 min.

■ **Associations compatibles dans la même seringue:** Héparine ou vitamines du complexe B.

■ **Associations incompatibles dans la même seringue:** Acide ascorbique pour injection, cimétidine ou lidocaïne.

■ **Compatibilités (tubulure en Y):** Acyclovir, atracurium, cyclophosphamide, énalaprilate, esmolol, famotidine, foscarnet, gluconate de calcium, hydromorphone, labétolol, lidocaïne, mépéridine, morphine, multivitamines, ondansétron, pancuronium, perphénazine, sulfate de magnésium ou vécuronium.

■ **Compatibilités en addition au soluté:** Aztréonam, clindamycine, métronidazole ou vérapamil.

■ **Incompatibilités en addition au soluté:** Amikacine, amobarbital, bléomycine, colistiméthate, érythromycine, gluceptate de calcium, gluconate de calcium, kanamycine, oxytétracycline, pentobarbital, polymyxine B ou tétracycline.

ENSEIGNEMENT AU PATIENT ET À SES PROCHES

□ Recommander au patient de signaler l'allergie et les signes suivants de surinfection: excroissance pileuse sur la langue, démangeaisons et pertes vaginales, selles molles ou nauséabondes.

□ Recommander au patient de contacter le médecin en cas de fièvre ou de diarrhée, particulièrement si les selles renferment du sang, du pus ou du mucus. Conseiller au patient de ne pas traiter la diarrhée sans consulter au préalable le médecin ou le pharmacien.

VÉRIFICATION DES RÉSULTATS

La réponse clinique au traitement peut être déterminée par: la disparition des signes et des symptômes d'infection. Le temps de résolution dépend du micro-organisme infectant et du siège de l'infection.

C

CÉFIXIME
Suprax

CLASSIFICATION:
Anti-infectieux – céphalosporine de la troisième génération

Grossesse – catégorie B

INDICATIONS

■ Traitement des infections suivantes provoquées par des micro-organismes sensibles: □ infections des voies urinaires non compliquées □ otite moyenne □ sinusite □ bronchite (aiguë et exacerbée) □ pharyngite ou amygdalite.

ACTION

■ Liaison à la membrane de la paroi de la cellule bactérienne entraînant la destruction de la bactérie. **Effets thérapeutiques:** ■ Action bactéricide contre les bactéries sensibles. **Spectre d'action:** ■ Le spectre est similaire à celui des céphalosporines de la deuxième génération. Toutefois, l'action contre les staphylocoques est moindre alors que celle contre les bactéries à Gram négatif est accrue, englobant dans le spectre même des micro-organismes qui résistent aux céphalosporines de la première et de la deuxième génération ■ Action marquée contre les micro-organismes suivants: □ *Hæmophilus influenzae* (incluant les souches produisant de la pénicillinase) □ *Escherichia coli* □ *Branhamella catarrhalis* □ *Proteus mirabilis*.

PHARMACOCINÉTIQUE

Absorption: Une fraction de 40 à 50 % est absorbée par suite de l'administration par voie orale (la suspension produit des concentrations sanguines plus élevées que les comprimés).

Distribution: Le médicament se répartit dans tout l'organisme.

Métabolisme et excrétion: Une fraction de 50 % est excrétée à l'état inchangé par les reins; une fraction de plus de 10 % est excrétée dans la bile.

Demi-vie: De 180 à 240 min (prolongée en cas d'insuffisance rénale).

CONTRE-INDICATIONS ET PRÉCAUTIONS

Contre-indications: ■ Hypersensibilité aux céphalosporines ■ Réactions graves d'hypersensibilité aux pénicillines.

Précautions: ■ Insuffisance rénale (il est conseillé de réduire la dose) ■ Grossesse ou allaitement (l'innocuité du médicament n'a pas été établie).

RÉACTIONS INDÉSIRABLES ET EFFETS SECONDAIRES

SNC: céphalées, étourdissements.

GI: diarrhée, douleurs abdominales, nausées, dyspepsie, flatulence, COLITE PSEUDO-MEMBRANEUSE.

Tég.: rash, urticaire.

Divers: surinfection, réactions allergiques comprenant l'ANAPHYLAXIE, fièvre.

INTERACTIONS

Médicament – médicament: Aucune interaction notable.

VOIES D'ADMINISTRATION ET POSOLOGIE

■ **PO (adultes et enfants > 12 ans ou > 50 kg):** 400 mg par jour en une seule dose ou 200 mg, toutes les 12 h.

■ **PO (enfants):** 8 mg/kg par jour en une seule dose ou en deux doses fractionnées, toutes les 12 h; pour traiter l'otite moyenne, administrer la suspension seulement.

PHARMACODYNAMIE (concentrations sanguines)

	DÉBUT D'ACTION	PIC
PO	rapide	2 – 6 h

✳ SOINS INFIRMIERS

ÉVALUATION DE LA SITUATION

☐ Au début du traitement et pendant toute sa durée, surveiller l'apparition des signes suivants d'infection: altération des signes vitaux, aspect de la plaie, des crachats, de l'urine et des selles; accroissement du nombre de leucocytes.

☐ Avant d'amorcer le traitement, recueillir les antécédents du patient afin de déterminer ses réactions antérieures à une pénicilline ou à une céphalosporine. Même les personnes n'ayant jamais manifesté de sensibilité aux pénicillines peuvent présenter une réaction allergique.

☐ Prélever des échantillons pour les cultures et les antibiogrammes avant le début du traitement. La première dose peut être administrée avant même que les résultats soient connus.

☐ Suivre les signes et les symptômes suivants d'anaphylaxie: rash, prurit, œdème laryngé, respiration sifflante. Si ces réactions se manifestent, arrêter l'administration du médicament et avertir immédiatement le médecin. Garder à portée de la main de l'épinéphrine, un antihistaminique et le matériel de réanimation pour parer à une éventuelle réaction anaphylactique.

■ **Étude des examens diagnostiques et biochimiques:** La céfixime peut entraîner des résultats faussement positifs au test de Coombs et au dosage du glucose dans l'urine lorsqu'on utilise la méthode au sulfate de cuivre (Clinitest). Pour doser le glucose dans l'urine, recourir plutôt à la méthode à

la glucose-oxydase (Clinistix ou Tes-Tape).
□ Le médicament peut entraîner l'élévation des concentrations d'urée, de créatinine, de TGOS (AST), de TGPS (ALT) et de phosphatase alcaline.

DIAGNOSTICS INFIRMIERS POSSIBLES

■ **Énoncés diagnostiques**

□ Risque élevé d'infection.
□ Diarrhée.
□ Prise en charge inefficace du programme thérapeutique.
□ *Risque élevé de réaction allergique.*
□ *Risque élevé de déshydratation.*
□ *Risque élevé de douleur au point d'injection IV.*

■ **Facteurs favorisants**

□ Informations incomplètes.
□ *Vomissements et diarrhée.*
□ *Inflammation locale du tissu vasculaire ou infiltration du médicament dans les tissus avoisinants.*

INTERVENTIONS INFIRMIÈRES

■ **Directives générales:** La céfixime est présentée sous forme de comprimés ou de suspension orale.
■ **PO:** Administrer 24 h sur 24. Bien agiter la suspension avant de l'administrer.

ENSEIGNEMENT AU PATIENT ET À SES PROCHES

□ Expliquer au patient qu'il doit prendre le médicament à intervalles réguliers, 24 h sur 24, et utiliser toute la quantité qui lui a été prescrite, même s'il se sent mieux. Insister sur le fait qu'il peut être dangereux de donner ce médicament à une autre personne.
□ Montrer au patient qui reçoit la suspension comment mesurer correctement la dose.
□ Recommander au patient de signaler au médecin l'allergie et les signes suivants de surinfection: excroissance pileuse sur la langue, démangeaisons ou pertes vaginales, selles molles ou nauséabondes.
□ Recommander au patient de contacter le médecin en cas de fièvre et de diarrhée, particulièrement si les selles renferment du sang, du pus ou du mucus. Conseiller au patient de ne pas traiter la diarrhée sans consulter au préalable le médecin ou le pharmacien.

VÉRIFICATION DES RÉSULTATS

La réponse clinique au traitement peut être déterminée par: la disparition des signes et des symptômes d'infection. Le temps de résolution dépend du microorganisme infectant et du siège de l'infection.

CEFMÉTAZOLE
(Zefazone)

CLASSIFICATION:
Céphalosporine de la deuxième génération
Grossesse – catégorie B

INDICATIONS

■ Traitement des infections suivantes provoquées par des micro-organismes sensibles: □ infection des voies respiratoires inférieures □ infection de la peau et des tissus mous □ infections intraabdominales et infections des voies urinaires □ Précédents d'utilisation périopératoire en tant qu'anti-infectieux lors des interventions suivantes: □ césariennes □ hystérectomies par voie abdominale ou par voie vaginale □ cholécystectomies □ interventions rectocoliques.

ACTION

■ Liaison à la membrane de la paroi de la cellule bactérienne entraînant la destruction de la bactérie. **Effets thérapeutiques:** ■ Action bactéricide contre les bactéries sensibles. **Spectre d'action:** ■ Le médicament est actif contre un grand nombre de cocci à Gram positif dont : □ *Streptococcus pneumoniae* □ les streptocoques bêta-hémolytiques du groupe A □ les staphylocoques produisant de la pénicillinase ■ Le médicament est également très actif contre plusieurs autres micro-organismes à Gram négatif comprenant : □ *Haemophilus influenzae* □ *Acinetobacter* □ *Enterobacter* □ *Escherichia coli* □ *Klebsiella pneumoniae* □ *Neisseria gonorrhoeae* (comprenant les souches produisant de la pénicillinase) □ *Providencia* □ *Proteus* □ *Serratia* ■ Il est également actif contre *Bacteroides fragilis* ■ Cette céphalosporine n'a pas d'effet sur : □ les staphylocoques résistant à la méthicilline □ les entérocoques.

PHARMACOCINÉTIQUE

Absorption : Par suite de l'administration par voie IV, l'absorption est virtuellement complète.

Distribution : L'agent se répartit dans tout l'organisme. Il pénètre en quantité infime dans le liquide céphalorachidien, traverse le placenta et pénètre dans le lait maternel à faible concentration.

Métabolisme et excrétion : Une fraction de 85 % est excrétée à l'état inchangé par les reins.

Demi-vie : De 0,8 à 1,8 h (prolongée en cas d'insuffisance rénale).

CONTRE-INDICATIONS ET PRÉCAUTIONS

Contre-indications : ■ Hypersensibilité aux céphalosporines ■ Réactions graves d'hypersensibilité aux pénicillines.

Précautions : ■ Insuffisance rénale (réduire la dose) ■ Grossesse et allaitement (l'innocuité du médicament n'a pas été établie, mais on l'a déjà utilisé lors d'interventions obstétriques) ■ Enfants < 12 ans.

RÉACTIONS INDÉSIRABLES ET EFFETS SECONDAIRES

GI : nausées, vomissements, crampes, diarrhée, COLITE PSEUDO-MEMBRANEUSE.

Tég. : rash, urticaire.

Hémat. : dyscrasie, anémie hémolytique, saignements, ecchymoses.

Locaux : phlébite au point d'injection IV.

Divers : surinfection, réactions allergiques comprenant l'ANAPHYLAXIE et la maladie sérique.

INTERACTIONS

Médicament – médicament : ■ Le **probénécide** diminue l'excrétion et accroît les concentrations sanguines de cefmétazole ■ L'**alcool** consommé dans les 48 à 72 h suivant l'administration peut entraîner une réaction similaire à celle provoquée par le disulfirame ■ Les **anticoagulants**, les **agents thrombolytiques**, les **anti-inflammatoires non stéroïdiens**, la **plicamycine** ou l'**acide valproïque** peuvent accroître le risque d'hémorragie.

VOIES D'ADMINISTRATION ET POSOLOGIE

IV (adultes) : de 1 à 2 g toutes les 6 à 12 h.

PHARMACODYNAMIE

	DÉBUT	PIC
IV	rapide	fin de la perfusion

☀ SOINS INFIRMIERS

ÉVALUATION DE LA SITUATION

- ■ **Directives générales :** Au début du traitement et pendant toute sa durée, surveiller l'apparition des signes suivants d'infection : altération des signes vitaux, aspect de la plaie, des crachats, de l'urine et des selles ; accroissement du nombre de leucocytes.

- □ Avant d'amorcer le traitement, recueillir les antécédents du patient, afin de déterminer ses réactions antérieures à une pénicilline ou à une céphalosporine. Même les personnes n'ayant jamais manifesté une sensibi-

C

lité aux pénicillines peuvent présenter une réaction allergique.

☐ Prélever des échantillons pour les cultures et les antibiogrammes avant le début du traitement. La première dose peut être administrée avant même que les résultats soient connus.

☐ Suivre les signes et les symptômes suivants d'anaphylaxie: rash, prurit, œdème laryngé, respiration sifflante. Si ces réactions se manifestent, arrêter l'administration du médicament et avertir immédiatement le médecin. Garder à portée de la main de l'épinéphrine, un antihistaminique et le matériel de réanimation pour parer à une éventuelle réaction anaphylactique.

■ **Étude des examens diagnostiques et biochimiques:** Vérifier quotidiennement le temps de prothrombine et surveiller les signes d'hémorragie (présence de sang occulte dans les selles par la méthode au gaïac; hématurie; saignement des gencives, formation d'ecchymoses) en raison des risques d'hypoprothrombinémie. Ces risques sont plus élevés chez les patients âgés ou débilités. Pour arrêter les saignements, le cas échéant, administrer de la vitamine K. On peut aussi recourir à l'administration prophylactique de vitamine K, à raison de 10 mg par semaine.

DIAGNOSTICS INFIRMIERS POSSIBLES

■ **Énoncés diagnostiques**

☐ Risque élevé d'infection.

☐ Diarrhée.

☐ Prise en charge inefficace du programme thérapeutique.

☐ *Risque élevé de réaction allergique.*

☐ *Risque élevé de déshydratation.*

☐ *Risque élevé d'hémorragie.*

☐ *Risque élevé de douleur au point d'injection IV.*

■ **Facteurs favorisants**

☐ Informations incomplètes.

☐ *Vomissements et diarrhée.*

☐ *Inflammation locale du tissu vasculaire ou infiltration du médicament dans les tissus avoisinants.*

INTERVENTIONS INFIRMIÈRES

■ **IV:** Changer le point d'injection toutes les 48 à 72 h afin de prévenir la phlébite ☐ Le fabricant recommande d'arrêter l'administration d'autres solutions IV pendant l'administration par voie IV des céphalosporines.

■ **Perfusion intermittente:** Reconstituer avec de l'eau stérile, de l'eau bactériostatique ou de solution de NaCl à 0,9 % pour injection. La solution reconstituée peut être diluée une fois de plus jusqu'à des concentrations de 1 à 20 mg/mL dans une solution de NaCl à 0,9 %, de dextrose à 5 % dans de l'eau ou de solution de lactate Ringer. La solution est stable pendant 24 h à la température ambiante ou pendant 7 jours au réfrigérateur.

☐ *Vitesse d'administration:* Administrer la préparation en 30 à 60 min.

ENSEIGNEMENT AU PATIENT ET À SES PROCHES

☐ Conseiller au patient de signaler au médecin l'allergie et les signes suivants de surinfection: excroissance pileuse sur la langue, démangeaisons ou pertes vaginales, selles molles ou nauséabondes.

☐ Mettre en garde le patient contre la consommation d'alcool pendant le traitement au cefmétazole, en raison des risques de réactions semblables à celles produites par le disulfirame: crampes abdominales, nausées, vomissements, hypotension, palpitations, dyspnée, tachycardie, transpiration, bouffées vasomotrices. Prévenir le patient qu'il doit éviter de prendre de l'alcool ou des médicaments qui en contiennent pendant le traitement et plusieurs jours après.

☐ Recommander au patient de contacter le médecin en cas de fièvre ou de diarrhée, particulièrement si les selles renferment du sang, du pus ou du mucus. Conseiller au patient de ne pas traiter la diarrhée sans consulter au préalable le médecin ou le pharmacien.

VÉRIFICATION DES RÉSULTATS

La réponse clinique au traitement peut être déterminé par: la disparition des signes et des symptômes d'infection. Le temps de résolution dépend du micro-organisme infectant et du siège de l'infection.

CÉFONICIDE (Monocide)

CLASSIFICATION:
Anti-infectieux – céphalosporine de la deuxième génération

Grossesse – catégorie B

INDICATIONS

■ Traitement des infections suivantes provoquées par des micro-organismes sensibles: □ infections des voies respiratoires □ infections de la peau et des tissus mous □ infections des os et des articulations □ infection des voies urinaires et infections gynécologiques □ septicémie □ infections intra-abdominales et infections de la voie biliaire. ■ Précédents d'administration prophylactique en tant qu'anti-infectieux en période périopératoire.

ACTION

■ Liaison à la membrane de la paroi de la cellule bactérienne entraînant la destruction de la bactérie. **Effets thérapeutiques:** ■ Action bactéricide contre les bactéries sensibles. **Spectre d'action:** ■ Le céfonicide est actif contre un grand nombre de cocci à Gram positif dont: □ *Streptococcus pneumoniæ* □ les streptocoques bêta-hémolytiques du groupe A □ les staphylocoques produisant de la pénicillinase ■ Le céfonicide est égale-

ment très actif contre plusieurs autres micro-organismes à Gram négatif comprenant: □ *Hæmophilus influenzæ* □ *Acinetobacter* □ *Enterobacter* □ *Escherichia coli* □ *Klebsiella pneumoniæ* □ *Neisseria gonorrhoeæ* (comprenant les souches produisant de la pénicillinase) □ *Providencia* □ *Proteus* □ *Serratia* ■ Le céfonicide est également actif contre: □ *Bacteroides fragilis* ■ Le céfonicide n'a pas d'effet sur: □ les staphylocoques résistant à la méthicilline □ les entérocoques.

PHARMACOCINÉTIQUE

Absorption: Bonne absorption par suite de l'administration IM.
Distribution: L'agent se répartit dans tout l'organisme. Il pénètre en quantité infime dans le liquide céphalorachidien, traverse le placenta et pénètre dans le lait maternel à faible concentration.
Métabolisme et excrétion: Le médicament est surtout excrété à l'état inchangé par les reins.
Demi-vie: 4,5 h (prolongée en cas d'insuffisance rénale).

CONTRE-INDICATIONS ET PRÉCAUTIONS

Contre-indications: ■ Hypersensibilité aux céphalosporines ■ Réactions graves d'hypersensibilité aux pénicillines.
Précautions: ■ Insuffisance rénale (réduire la dose) ■ Grossesse et allaitement (l'innocuité du médicament n'a pas été établie, mais on a déjà utilisé le céfonicide lors d'interventions obstétricales).

RÉACTIONS INDÉSIRABLES ET EFFETS SECONDAIRES

Tég.: <u>rash</u>, urticaire.
GI: <u>nausées</u>, <u>vomissements</u>, crampes, <u>diarrhée</u>, COLITE PSEUDO-MEMBRANEUSE.
Hémat.: dyscrasie, anémie hémolytique.
Locaux: <u>phlébite</u> au point d'injection IV, douleur au point d'injection IM.
Divers: surinfection, réactions allergiques incluant l'ANAPHYLAXIE et la maladie sérique.

C

INTERACTIONS

Médicament – médicament: Le **probéni-cide** diminue l'excrétion et accroît les concentrations sanguines de céfonicide.

VOIES D'ADMINISTRATION ET POSOLOGIE

■ **IM et IV (adultes):** de 0,5 à 2 g par jour, en une seule dose.

PHARMACODYNAMIE
(concentrations sanguines)

	DÉBUT D'ACTION	PIC
IM	rapide	60 min
IV	rapide	fin de la perfusion

SOINS INFIRMIERS

ÉVALUATION DE LA SITUATION

■ **Directives générales:** Au début du traitement et pendant toute sa durée, surveiller l'apparition des signes suivants d'infection: altération des signes vitaux, aspect de la plaie, des crachats, de l'urine et des selles; accroissement du nombre de leucocytes.

□ Avant d'amorcer le traitement avec le céfonicide, recueillir les antécédents du patient, afin de déterminer ses réactions antérieures à une pénicilline ou à une céphalosporine. Même les personnes n'ayant jamais manifesté une sensibilité aux pénicillines peuvent présenter une réaction allergique.

□ Prélever des échantillons pour les cultures et les antibiogrammes avant le début du traitement. La première dose peut être administrée avant même que les résultats soient connus.

□ Suivre de près les signes et les symptômes suivants d'anaphylaxie: rash, prurit, œdème laryngé, respiration sifflante. Si ces réactions se manifestent, arrêter l'administration du médicament et avertir immédiatement le médecin. Garder à portée de la main de l'épinéphrine, un antihistaminique et le matériel de réanimation pour parer à une éventuelle réaction anaphylactique.

□ Effectuer le bilan quotidien des ingesta et des excreta et peser le patient tous les jours. Les patients souffrant d'insuffisance rénale, les personnes âgées de plus de 50 ans, ainsi que celles qui prennent d'autres médicaments néphrotoxiques sont exposés au risque de néphrotoxicité lors d'un traitement avec des doses élevées.

■ **Étude des examens diagnostiques et biochimiques:** Le céfonicide peut entraîner des résultats faussement positifs au test de Coombs et au dosage du glucose dans l'urine lorsqu'on utilise la méthode au sulfate de cuivre (Clinitest). Pour doser le glucose dans l'urine, recourir plutôt à la méthode à la glucose-oxydase (Clinistix ou Tes-Tape).

□ Le médicament peut entraîner l'élévation passagère des concentrations de TGOS (AST), de TGPS (ALT), de LDH et de phosphatase alcaline.

DIAGNOSTICS INFIRMIERS POSSIBLES

■ **Énoncés diagnostiques**

□ Risque élevé d'infection.

□ Diarrhée.

□ Prise en charge inefficace du programme thérapeutique.

□ *Risque élevé de réaction allergique.*

□ *Risque élevé de déshydratation.*

□ *Risque élevé de douleur au point d'injection IV.*

■ **Facteurs favorisants**

□ Informations incomplètes.

□ *Vomissements et diarrhée.*

□ *Inflammation locale du tissu vasculaire ou infiltration du médicament dans les tissus avoisinants.*

INTERVENTIONS INFIRMIÈRES

■ **Directives générales:** Reconstituer les doses pour l'administration par voies

C

IM et IV avec 2 mL d'eau stérile pour injection par flacon de 500 mg et avec 2,5 mL par flacon de 1 g pour obtenir des concentrations de 220 et de 325 mg/mL, respectivement. La couleur de la solution peut varier d'incolore à ambre clair.

- **IM:** Administrer les doses par voie IM dans une masse musculaire bien développée; bien masser. Lors de l'administration de la dose de 2 g, diviser en deux et injecter séparément dans deux masses musculaires bien développées.

- **IV:** Changer le point d'injection IV toutes les 48 à 72 h afin de prévenir la phlébite. Ne pas administrer d'autres solutions IV pendant l'administration par voie IV des céphalosporines.

- **IV directe:** On peut administrer le médicament par IV directe lentement pendant 3 à 5 min. Observer le point d'injection pour déceler la phlébite.

- **Perfusion intermittente:** La solution reconstituée peut être diluée une fois de plus dans 50 à 100 mL de solution de dextrose à 5 % ou à 10 % dans de l'eau, de dextrose à 5 % dans une solution de lactate Ringer, de solution de dextrose à 5 % et de NaCl à 0,25 %, à 0,45 % ou à 0,9 %, de solution de NaCl à 0,9 % ou de solution de Ringer ou lactate Ringer. La solution est stable pendant 24 h à la température ambiante et pendant 72 h au réfrigérateur.

- □ *Vitesse d'administration:* Administrer en 30 min.
- **Compatibilité (tubulure en Y):** Acyclovir.
- **Compatibilité en addition au soluté:** Clindamycine.
- **Incompatibilité en addition au soluté:** Ne pas mélanger à des aminosides.

ENSEIGNEMENT AU PATIENT ET À SES PROCHES

- □ Recommander au patient de signaler l'allergie et les signes suivants de surinfection: excroissance pileuse sur la langue, démangeaisons et pertes vaginales, selles molles ou nauséabondes.

- □ Recommander au patient de contacter le médecin en cas de fièvre ou de diarrhée, particulièrement si les selles renferment du sang, du pus ou du mucus. Conseiller au patient de ne pas traiter la diarrhée sans consulter au préalable le médecin ou le pharmacien.

VÉRIFICATION DES RÉSULTATS

La réponse clinique au traitement peut être déterminée par: la disparition des signes et des symptômes d'infection. Le temps de résolution dépend du microorganisme infectant et du siège de l'infection.

CÉFOPÉRAZONE
Cefobid

CLASSIFICATION:
Anti-infectieux – céphalosporine de la troisième génération

Grossesse – catégorie B

INDICATIONS

- Traitement des infections suivantes:
□ infections de la peau et des tissus mous
□ infections des voies urinaires et infections gynécologiques □ infections des voies respiratoires inférieures □ infections aiguës des voies biliaires □ septicémies. **Usages non approuvés:** ■ Traitement des: □ infections des os et des articulations □ infections intra-abdominales.

ACTION

- Liaison à la membrane de la paroi de la cellule bactérienne entraînant la destruction de la bactérie. **Effets thérapeutiques:** ■ Action bactéricide contre les bactéries sensibles. **Spectre d'action:** L'action contre les staphylocoques est moins forte que celle des céphalosporines de la deuxième génération ; toutefois, l'action contre les bactéries à Gram négatif est accrue, englobant dans le spectre même des micro-organismes qui résistent aux céphalosporines de la première et de la deuxième génération ■ Action marquée contre les micro-organismes suivants : □ *Citrobacter* □ *Enterobacter* □ *Escherichia coli* □ *Klebsiella pneumoniæ* □ *Neisseria* □ *Proteus* □ *Providencia* □ *Serratia* ■ *Pseudomonas æruginosa* □ *Hæmophilus influenzæ* ■ Action modérée contre les anaérobies y compris *Bacteroides fragilis*.

PHARMACOCINÉTIQUE

Absorption : Bonne absorption par suite de l'administration par voie IM.

Distribution : L'agent se répartit dans tout l'organisme ; il traverse le placenta et pénètre dans le lait maternel à faible concentration.

Métabolisme et excrétion : Le médicament est excrété dans la bile.

Demi-vie : De 1,6 à 2 h.

CONTRE-INDICATIONS ET PRÉCAUTIONS

Contre-indications : ■ Hypersensibilité aux céphalosporines ■ Réactions graves d'hypersensibilité aux pénicillines.

Précautions : ■ Insuffisance hépatique grave (réduire la dose) ■ Grossesse, allaitement et enfants de moins de 12 ans (l'innocuité du médicament n'a pas été établie).

RÉACTIONS INDÉSIRABLES ET EFFETS SECONDAIRES

Tég. : <u>rash</u>, urticaire.

GI : <u>nausées</u>, <u>vomissements</u>, <u>diarrhée</u>, crampes, COLITE PSEUDO-MEMBRANEUSE.

Hémat. : dyscrasie, anémie hémolytique, saignements.

Locaux : <u>phlébite</u> au point d'injection IV, <u>douleur</u> au point d'injection IM.

Divers : surinfection, réactions allergiques incluant l'ANAPHYLAXIE et la maladie sérique.

INTERACTIONS

Médicament – médicament : ■ Le **probénécide** diminue l'excrétion et accroît les concentrations sériques de céfopérazone ■ L'**alcool**, consommé dans les 48 à 72 h suivant l'administration, peut entraîner une réaction similaire à celle provoquée par le disulfirame ■ Les **anticoagulants**, les **agents thrombolytiques**, les **anti-inflammatoires non stéroïdiens**, la **plicamycine** ou l'**acide valproïque**, administrés simultanément, peuvent augmenter le risque d'hémorragie.

VOIES D'ADMINISTRATION ET POSOLOGIE

IV et IM (adultes) : de 2 à 9 g par jour, en doses fractionnées, toutes les 8 à 12 h.

PHARMACODYNAMIE (concentrations sanguines)

	DÉBUT D'ACTION	PIC
IM	rapide	1 – 2 h
IV	rapide	fin de la perfusion

☀ SOINS INFIRMIERS

ÉVALUATION DE LA SITUATION

■ **Directives générales :** Au début du traitement et pendant toute sa durée, surveiller l'apparition des signes suivants d'infection : altération des signes vitaux ; aspect de la plaie, des crachats, de l'urine et des selles ; accroissement du nombre de leucocytes.

□ Avant d'amorcer le traitement, recueillir les antécédents du patient, afin de déterminer ses réactions antérieures à une pénicilline ou à une céphalosporine. Même les personnes n'ayant jamais manifesté de sensibilité aux pénicillines peuvent présenter une réaction allergique.

C

□ Prélever des échantillons pour les cultures et les antibiogrammes avant le début du traitement. La première dose peut être administrée avant même que les résultats soient connus.

□ Suivre les signes et les symptômes suivants d'anaphylaxie : rash, prurit, œdème laryngé, respiration sifflante. Si ces réactions se manifestent, arrêter l'administration du médicament et avertir immédiatement le médecin. Garder à portée de la main de l'épinéphrine, un antihistaminique et le matériel de réanimation pour parer à une éventuelle réaction anaphylactique.

■ **Étude des examens diagnostiques et biochimiques :** Vérifier quotidiennement le temps de prothrombine et surveiller les signes d'hémorragie (présence de sang occulte dans les selles par la méthode au gaïac, hématurie, saignement des gencives, formation d'ecchymoses) en raison des risques d'hypoprothrombinémie qui sont plus élevés chez les patients âgés ou débilités. Pour arrêter les saignements, le cas échéant, administrer de la vitamine K. On peut aussi recourir à l'administration prophylactique de vitamine K, à raison de 10 mg par semaine.

□ La céfopérazone peut entraîner des résultats faussement positifs au test de Coombs et au dosage du glucose dans l'urine lorsqu'on utilise la méthode au sulfate de cuivre (Clinitest). Pour doser le glucose, recourir plutôt à la méthode à la glucose-oxydase (Clinistix ou Tes-Tape).

□ Le médicament peut entraîner l'élévation des concentrations d'urée, de TGOS (AST), de TGPS (ALT) et de phosphatase alcaline. Établir à intervalles réguliers les pics et les creux des concentrations sanguines chez les patients présentant une altération des fonctions hépatique, biliaire ou rénale.

DIAGNOSTICS INFIRMIERS POSSIBLES

■ **Énoncés diagnostiques**
□ Risque élevé d'infection.
□ Diarrhée.
□ Prise en charge inefficace du programme thérapeutique.
□ *Risque élevé de réaction allergique.*
□ *Risque élevé de déshydratation.*
□ *Risque élevé d'hémorragie.*
□ *Risque élevé de douleur au point d'injection IV.*

■ **Facteurs favorisants**
□ Informations incomplètes.
□ *Vomissements et diarrhée.*
□ *Inflammation locale du tissu vasculaire ou infiltration du médicament dans les tissus avoisinants.*

INTERVENTIONS INFIRMIÈRES

■ **Directives générales :** La couleur de la solution varie de l'incolore à jaune paille.

■ **IM :** Reconstituer le contenu d'une fiole de 1 g et de 2 g avec, respectivement, 3,5 mL et 7,0 mL d'eau stérile ou d'eau bactériostatique pour injection. Le médecin pourrait recommander une dilution de plus avec, respectivement, 1 ou 1,8 mL de lidocaïne à 2 %, afin de réduire la douleur au point d'injection. Laisser reposer la fiole jusqu'à ce que la mousse se dissipe.

□ Injecter en profondeur dans une masse musculaire bien développée ; bien masser.

■ **IV :** Changer de point d'injection toutes les 48 à 72 h afin de prévenir la phlébite.

□ Le fabricant recommande d'arrêter l'administration d'autres solutions IV pendant l'administration par voie IV des céphalosporines.

■ **IV directe :** Le fabricant ne recommande pas l'administration IV directe.

■ **Perfusion intermittente :** Pour l'administration par voie IV, reconstituer avec au moins 3,5 mL d'eau stérile ou d'eau bactériostatique pour injection ou de solution de NaCl à 0,9 % par gramme. Ne pas utiliser de solutions renfermant de l'alcool benzylique lorsque l'agent est administré à un nouveau-né. Bien agiter et laisser reposer après la reconstitution jusqu'à ce que le liquide devienne transparent.

- Diluer de nouveau chaque gramme dans 20 à 40 mL de solution de NaCl à 0,9 %, de solution de dextrose à 5 ou à 10 % dans l'eau, de solution de dextrose à 5 % et de NaCl à 0,25 % ou à 0,9 % ou de solution de dextrose à 5 % et de lactate Ringer ou de solution de lactate Ringer. La solution est stable pendant 24 h à la température ambiante et pendant 72 h au réfrigérateur.
- □ *Vitesse d'administration :* La perfusion intermittente doit durer de 15 à 30 min. Observer le point d'injection pour déceler la phlébite.
- **Perfusion continue :** La concentration du médicament administré par perfusion continue devrait se situer entre 2 et 25 mg/mL.
- **Association compatible dans la même seringue :** Héparine.
- **Compatibilités (tubulure en Y) :** Acyclovir, cyclophosphamide, énalaprilate, esmolol, famotidine, foscarnet, hydromorphone, morphine ou sulfate de magnésium.
- **Incompatibilités (tubulure en Y) :** Hydroxyéthyle d'amidon (hetastarch), labétalol, mépéridine, ondansétron, perphénazine ou prométhazine.
- **Incompatibilités en addition au soluté :** Ne pas mélanger à des aminosides, à des hydrolysats de protéines ni à des acides aminés.

ENSEIGNEMENT AU PATIENT ET À SES PROCHES

□ Conseiller au patient de signaler l'allergie et les signes suivants de surinfection : excroissance pileuse sur la langue, démangeaisons ou pertes vaginales, selles molles ou nauséabondes.

□ Mettre le patient en garde contre la consommation d'alcool pendant le traitement à la céfopérazone, en raison du risque d'apparition de réactions semblables à celles provoquées par le disulfirame : crampes abdominales, nausées, vomissements, hypotension, palpitations, dyspnée, tachycardie, transpiration, bouffées vasomotrices. Prévenir le patient qu'il doit éviter de prendre de l'alcool ou des médicaments qui en contiennent pendant le traitement et plusieurs jours après sa fin.

□ Recommander au patient de contacter le médecin en cas de fièvre ou de diarrhée, particulièrement si les selles renferment du sang, du pus ou du mucus. Conseiller au patient de ne pas traiter la diarrhée sans consulter au préalable le médecin ou le pharmacien.

VÉRIFICATION DES RÉSULTATS

La réponse clinique au traitement peut être déterminée par : la disparition des signes et des symptômes d'infection. Le temps de résolution dépend du microorganisme infectant et du siège de l'infection.

CÉFORANIDE
(Precef)

CLASSIFICATION :
Anti-infectieux – céphalosporine de la deuxième génération

Grossesse – catégorie B

INDICATIONS

Traitement des infections suivantes provoquées par des micro-organismes sensibles : □ infections des voies respiratoires □ infections de la peau et des tissus mous □ infections des os et des articulations □ infections des voies urinaires et infections gynécologiques □ septicémies ■ Précédents d'usage prophylactique en tant qu'anti-infectieux en période périopératoire.

ACTION

■ Liaison à la membrane de la paroi de la cellule bactérienne entraînant la destruction de la bactérie. **Effets thérapeutiques:** ■ Action bactéricide contre les bactéries sensibles. **Spectre d'action:** Action contre de nombreux cocci à Gram positif dont: □ *Streptococcus pneumoniae* □ Streptocoques bêta-hémolytiques du groupe A □ Staphylocoques produisant de la pénicillinase ■ Action marquée contre plusieurs autres microorganismes à Gram négatif importants dont: □ *Haemophilus influenzae* □ *Acinetobacter* □ *Enterobacter* □ *Escherichia coli* □ *Klebsiella pneumoniae* □ *Neisseria gonorrhoeae* (incluant les souches produisant la pénicillinase) □ *Providencia* □ *Proteus* □ *Serratia* □ La céforadine est également active contre *Bacteroides fragilis* □ La céforadine n'a pas d'effet sur □ les staphylocoques résistant à la méthicilline □ les entérocoques.

PHARMACOCINÉTIQUE

Absorption: Bonne absorption par suite de l'administration IM.
Distribution: L'agent se répartit dans tout l'organisme; il pénètre en quantité infime dans le liquide céphalorachidien, traverse le placenta et pénètre dans le lait maternel à faible concentration.
Métabolisme et excrétion: Le médicament est surtout excrété à l'état inchangé par les reins.
Demi-vie: 2,9 h (prolongée en cas d'insuffisance rénale).

CONTRE-INDICATIONS ET PRÉCAUTIONS

Contre-indications: ■ Hypersensibilité aux céphalosporines ■ Réactions graves d'hypersensibilité aux pénicillines.

Précautions: ■ Insuffisance rénale (réduire la dose) ■ Grossesse et allaitement (l'innocuité du médicament n'a pas été établie, mais il a déjà été utilisé lors d'interventions obstétricales).

RÉACTIONS INDÉSIRABLES ET EFFETS SECONDAIRES

Tég.: rash, urticaire.
GI: nausées, vomissements, crampes, diarrhée, COLITE PSEUDO-MEMBRANEUSE.
Hémat.: dyscrasie, anémie hémolytique.
Locaux: phlébite au point d'injection IV, douleur au point d'injection IM.
Divers: surinfection, réactions allergiques incluant l'ANAPHYLAXIE et la maladie sérique.

INTERACTIONS

Médicament – médicament: Le probénécide diminue l'excrétion et accroît les concentrations sériques de céforanide.

VOIES D'ADMINISTRATION ET POSOLOGIE

■ **IV et IM (adultes):** de 1 à 2 g par jour, en doses fractionnées, toutes les 12 h.
■ **IV et IM (enfants):** de 20 à 40 mg/kg par jour, en doses fractionnées, toutes les 12 h.

PHARMACODYNAMIE (concentrations sanguines)

	DÉBUT D'ACTION	PIC
IM	rapide	60 min
IV	rapide	fin de la perfusion

☀ SOINS INFIRMIERS

ÉVALUATION DE LA SITUATION

■ Au début du traitement et pendant toute sa durée, surveiller l'apparition des signes suivants d'infection: altération des signes vitaux; aspect de la plaie, des crachats, de l'urine et des selles; accroissement du nombre de leucocytes.

C

□ Avant d'amorcer le traitement, recueillir les antécédents du patient afin de déterminer ses réactions antérieures à une pénicilline ou à une céphalosporine. Même les personnes n'ayant jamais manifesté de sensibilité aux pénicillines peuvent présenter une réaction allergique.

□ Prélever des échantillons pour les cultures et les antibiogrammes avant le début du traitement. La première dose peut être administrée avant même que les résultats soient connus.

□ Suivre les signes et les symptômes suivants d'anaphylaxie : rash, prurit, œdème laryngé, respiration sifflante. Si ces réactions se manifestent, arrêter l'administration du médicament et avertir immédiatement le médecin. Garder à portée de la main de l'épinéphrine, un antihistaminique et le matériel de réanimation pour parer à une éventuelle réaction anaphylactique.

■ **Étude des examens diagnostiques et biochimiques :** Le céforanide peut entraîner des résultats faussement positifs au test de Coombs.

□ Le médicament peut entraîner une élévation des concentrations d'urée, de créatinine, de TGOS (AST), de TGPS (ALT) et de phosphatase alcaline.

DIAGNOSTICS INFIRMIERS POSSIBLES

■ **Énoncés diagnostiques**

□ Risque élevé d'infection.

□ Diarrhée.

□ Prise en charge inefficace du programme thérapeutique.

□ *Risque élevé de réaction allergique.*

□ *Risque élevé de déshydratation.*

□ *Risque élevé de douleur au point d'injection IV.*

■ **Facteurs favorisants**

□ Informations incomplètes.

□ *Vomissements et diarrhée.*

□ *Inflammation locale du tissu vasculaire ou infiltration du médicament dans les tissus avoisinants.*

INTERVENTIONS INFIRMIÈRES

■ **Directives générales :** La solution peut être trouble ; la laisser reposer pour s'éclaircir. La couleur de la solution peut varier de jaune pâle à ambre.

■ **IM :** Reconstituer le contenu d'une fiole de 500 mg et de 1 g avec, respectivement, 1,7 mL et 3,2 mL d'eau stérile ou d'eau bactériostatique pour injection ou de solution de NaCl à 0,9 %. Agiter immédiatement.

□ Injecter en profondeur dans une masse musculaire bien développée ; bien masser.

■ **IV :** Changer de point d'injection toutes les 48 à 72 h afin de prévenir la phlébite.

□ Le fabricant recommande d'arrêter l'administration d'autres solutions IV pendant l'administration par voie IV des céphalosporines.

■ **IV directe :** Reconstituer le contenu d'une fiole de 500 mg et de 1 g avec, respectivement, 5 mL et 10 mL d'eau stérile ou d'eau bactériostatique ou de solution de NaCl à 0,9 % pour injection.

□ *Vitesse d'administration :* L'administration doit se faire lentement, en 3 à 5 min. Observer le point d'injection pour déceler la phlébite.

■ **Perfusion intermittente :** La solution reconstituée peut être diluée de nouveau dans au moins 1 g/10 mL de solution de NaCl à 0,9 %, de solution de dextrose à 5 ou à 10 % dans de l'eau, de solution de dextrose à 5 % et de NaCl à 0,25 % ou à 0,45 %, de solution de dextrose à 5 % et de lactate Ringer ou de solution de lactate Ringer. La solution est stable pendant 24 h à la température ambiante.

■ *Vitesse d'administration :* La perfusion intermittente doit durer 30 min.

■ **Compatibilités (tubulure en Y) :** Acyclovir, cyclophosphamide, hydromorphone, mépéridine, morphine, ondansétron, perphénazine ou sulfate de magnésium.

- **Incompatibilités en addition au soluté:** Ne pas mélanger à des aminosides.

ENSEIGNEMENT AU PATIENT ET À SES PROCHES

☐ Conseiller au patient de signaler l'allergie et les signes suivants de surinfection: excroissance pileuse sur la langue, démangeaisons ou pertes vaginales, selles molles ou nauséabondes.

☐ Recommander au patient de contacter le médecin en cas de fièvre ou de diarrhée, particulièrement si les selles renferment du sang, du pus ou du mucus. Conseiller au patient de ne pas traiter la diarrhée sans consulter au préalable le médecin ou le pharmacien.

VÉRIFICATION DES RÉSULTATS

La réponse clinique au traitement peut être déterminée par: la disparition des signes et des symptômes d'infection. Le temps de résolution dépend du micro-organisme infectant et du siège de l'infection.

CÉFOTAXIME
Claforan

CLASSIFICATION:
Anti-infectieux – céphalosporine de la troisième génération

Grossesse – catégorie B

INDICATIONS

Traitement des: ☐ infections de la peau et des tissus mous ☐ infections des voies urinaires et infections gynécologiques ☐ infections des voies respiratoires inférieures ☐ infections intra-abdominales ☐ gonorrhées simples ☐ septicémies et méningites provoquées par des micro-organismes sensibles ■ Précédents d'usage prophylactique en tant qu'anti-infectieux en période périopératoire. **Usage non approuvé:** ■ Traitement des infections des os et des articulations.

ACTION

■ Liaison à la membrane de la paroi de la cellule bactérienne entraînant la destruction de la bactérie. **Effets thérapeutiques:** ■ Action bactéricide contre les bactéries sensibles. **Spectre d'action:** L'action contre les staphylocoques est moins forte que celle des céphalosporines de la deuxième génération; toutefois, l'action contre les bactéries à Gram négatif est accrue, englobant dans le spectre même des micro-organismes qui résistent aux céphalosporines de la première et de la deuxième génération ■ Action marquée notable contre les micro-organismes suivants: ☐ *Citrobacter* ☐ *Enterobacter* ☐ *Escherichia coli* ☐ *Klebsiella pneumoniae* ☐ *Neisseria* ☐ *Proteus* ☐ *Providencia* ☐ *Serratia* ■ *Pseudomonas aeruginosa* ☐ *Haemophilus influenzae* ■ Action modérée contre les anaérobies y compris *Bacteroides fragilis*.

PHARMACOCINÉTIQUE

Absorption: Bonne absorption par suite de l'administration par voie IM.
Distribution: L'agent se répartit dans tout l'organisme; il traverse le placenta et pénètre dans le lait maternel à faible concentration. Il pénètre suffisamment dans le liquide céphalorachidien pour traiter la méningite.
Métabolisme et excrétion: Le médicament est partiellement métabolisé et partiellement excrété dans l'urine.
Demi-vie: De 0,9 à 1,7 h.

CONTRE-INDICATIONS ET PRÉCAUTIONS

Contre-indications: ■ Hypersensibilité aux céphalosporines ■ Réactions graves d'hypersensibilité aux pénicillines.
Précautions: ■ Grossesse et allaitement (l'innocuité du médicament n'a pas été

établie) ▪ Insuffisance rénale (réduire la dose).

RÉACTIONS INDÉSIRABLES ET EFFETS SECONDAIRES

Tég.: rash, urticaire.
GI: nausées, vomissements, diarrhée, crampes, COLITE PSEUDO-MEMBRANEUSE.
Hémat.: dyscrasie, anémie hémolytique.
Locaux: phlébite au point d'injection IV, douleur au point d'injection IM.
Divers: surinfection, réactions allergiques incluant l'ANAPHYLAXIE et la maladie sérique.

INTERACTIONS

Médicament – médicament: Le **probénécide** diminue l'excrétion et accroît les concentrations sériques de céfotaxime.

VOIES D'ADMINISTRATION ET POSOLOGIE

- **IV et IM (adultes):** de 1 à 2 g, toutes les 4 à 12 h (jusqu'à 12 g par jour).
- **IV et IM (enfants de un mois à 12 ans, pesant moins de 50 kg):** de 50 à 180 mg/kg par jour, en doses fractionnées, toutes les 4 à 6 h.
- **IV (nouveau-nés de 1 à 4 semaines):** 50 mg/kg, toutes les 8 h.
- **IV (nouveau-nés de moins de 1 semaine):** 50 mg/kg, toutes les 12 h.

Gonorrhée simple
- **IM (adultes):** 1 g en une seule dose.

PHARMACODYNAMIE
(concentrations sanguines)

	DÉBUT D'ACTION	PIC
IM	rapide	0,5 h
IV	rapide	fin de la perfusion

☀SOINS INFIRMIERS

ÉVALUATION DE LA SITUATION

☐ Au début du traitement et pendant toute sa durée, observer l'apparition des signes suivants d'infection: altération des signes vitaux; aspect de la plaie, des crachats, de l'urine et des selles; accroissement du nombre de leucocytes.

☐ Avant d'amorcer le traitement, recueillir les antécédents du patient, afin de déterminer ses réactions antérieures à une pénicilline ou à une céphalosporine. Même les personnes n'ayant jamais manifesté de sensibilité aux pénicillines peuvent présenter une réaction allergique.

☐ Prélever des échantillons pour les cultures et les antibiogrammes avant le début du traitement. La première dose peut être administrée avant même que les résultats soient connus.

☐ Suivre les signes et les symptômes suivants d'anaphylaxie: rash, prurit, œdème laryngé, respiration sifflante. Si ces réactions se manifestent, arrêter l'administration du médicament et avertir immédiatement le médecin. Garder à portée de la main de l'épinéphrine, un antihistaminique et le matériel de réanimation pour parer à une éventuelle réaction anaphylactique.

- **Étude des examens diagnostiques et biochimiques:** Le céfotaxime peut entraîner des résultats faussement positifs au test de Coombs.

- Le médicament peut entraîner une élévation passagère des concentrations d'uré, de TGOS (AST), de TGPS (ALT), de LDH et de phosphatase alcaline.

DIAGNOSTICS INFIRMIERS POSSIBLES

- **Énoncés diagnostiques**
- ☐ Risque élevé d'infection.
- ☐ Diarrhée.
- ☐ Prise en charge inefficace du programme thérapeutique.
- ☐ *Risque élevé de réaction allergique.*
- ☐ *Risque élevé de déshydratation.*
- ☐ *Risque élevé de douleur au point d'injection IV.*

C

- **Facteurs favorisants**
□ Informations incomplètes.
□ *Vomissements et diarrhée.*
□ *Inflammation locale du tissu vasculaire ou infiltration du médicament dans les tissus avoisinants.*

INTERVENTIONS INFIRMIÈRES

- **Directives générales :** La couleur de la solution reconstituée peut varier de jaune pâle à ambre.
□ Changer de point d'injection IV toutes les 48 à 72 h afin de prévenir la phlébite.
- Le fabricant recommande d'arrêter l'administration d'autres solutions IV pendant l'administration par voie IV des céphalosporines.
- **IM :** Reconstituer le contenu d'une fiole de 500 mg, de 1 g ou de 2 g avec, respectivement, 2, 3 ou 5 mL d'eau stérile ou d'eau bactériostatique pour injection. Bien agiter pour dissoudre.
□ Injecter en profondeur dans une masse musculaire bien développée ; bien masser.
- **IV directe :** Diluer dans 10 mL d'eau stérile ou d'eau bactériostatique pour injection. Ne pas utiliser de solutions renfermant de l'alcool benzylique lorsque l'agent est administré à un nouveau-né.
□ *Vitesse d'administration :* L'administration doit se faire lentement, en 3 à 5 min. Observer le point d'injection pour déceler la phlébite.
- **Perfusion intermittente :** La solution reconstituée peut être diluée de nouveau dans 50 à 100 mL de solution de dextrose à 5 ou à 10 % dans l'eau, de solution de lactate Ringer, de solution de dextrose à 5 % et de NaCl à 0,25 %, à 0,45 % ou à 0,9 % ou de solution de NaCl à 0,9 %. La solution est stable pendant 24 h à la température ambiante et pendant 5 jours au réfrigérateur.
□ *Vitesse d'administration :* La perfusion doit durer 30 min.

- **Association compatible dans la même seringue :** Héparine.
- **Compatibilités (tubulure en Y) :** Acyclovir, cyclophosphamide, famotidine, hydromorphone, mépéridine, morphine, ondansétron, perphénazine ou sulfate de magnésium.
- **Incompatibilité (tubulure en Y) :** Hydroxyéthyle d'amidon (hetastarch).
- **Compatibilités en addition au soluté :** Clindamycine, métronidazole ou vérapamil.
- **Incompatibilités en addition au soluté :** Ne pas mélanger à des aminosides.

ENSEIGNEMENT AU PATIENT ET À SES PROCHES

□ Conseiller au patient de signaler l'allergie et les signes suivants de surinfection : excroissance pileuse sur la langue, démangeaisons ou pertes vaginales, selles molles ou nauséabondes.
□ Recommander au patient de contacter le médecin en cas de fièvre ou de diarrhée, particulièrement si les selles renferment du sang, du pus ou du mucus. Conseiller au patient de ne pas traiter la diarrhée sans consulter au préalable le médecin ou le pharmacien.

VÉRIFICATION DES RÉSULTATS

La réponse clinique au traitement peut être déterminée par : la disparition des signes et des symptômes d'infection. Le temps de résolution dépend du micro-organisme infectant et du siège de l'infection.

CÉFOTÉTANE
Cefotan

CLASSIFICATION :
Anti-infectieux – céphalosporine de la deuxième génération
Grossesse – catégorie B

INDICATIONS

■ Traitement des infections suivantes provoquées par des micro-organismes sensibles : ■ infections des voies respiratoires inférieures □ infections de la peau et des tissus mous □ infections des os et des articulations □ infections gynécologiques □ infections intra-abdominales ■ Précédents d'usage prophylactique en tant qu'anti-infectieux en période périopératoire. **Usages non approuvés :** ■ Traitement des : □ infections urinaires □ infections des voies biliaires □ septicémies.

ACTION

■ Liaison à la membrane de la cellule bactérienne entraînant la destruction de la bactérie. **Effets thérapeutiques :** ■ Action bactéricide contre les bactéries sensibles. **Spectre d'action :** Action contre de nombreux cocci à Gram positif dont : □ *Streptococcus pneumoniæ* □ Streptocoques bêta-hémolytique du groupe A □ Staphylocoques produisant de la pénicillinase ■ Action marquée contre plusieurs autres micro-organismes importants à Gram négatif dont : □ *Hæmophilus influenzæ* □ *Acinetobacter* □ *Enterobacter* □ *Escherichia coli* □ *Klebsiella pneumoniæ* □ *Neisseria gonorrhoeæ* (incluant les souches produisant la pénicillinase) □ *Providencia* □ *Proteus* ■ *Serratia* ■ La céfotétane est également active contre *Bacteroides fragilis* ■ La céfotétane n'a pas d'effet sur : □ les staphylocoques résistant à la méthicilline □ les entérocoques.

PHARMACOCINÉTIQUE

Absorption : Bonne absorption par suite de l'administration par voie IM.
Distribution : L'agent se répartit dans tout l'organisme ; il pénètre en quantité infime dans le liquide céphalorachidien, traverse le placenta et pénètre dans le lait maternel à faible concentration.
Métabolisme et excrétion : Le médicament est surtout excrété à l'état inchangé par les reins.

Demi-vie : De 3 à 4,6 h (prolongée en cas d'insuffisance rénale).

CONTRE-INDICATIONS ET PRÉCAUTIONS

Contre-indications : ■ Hypersensibilité aux céphalosporines ■ Réactions graves d'hypersensibilité aux pénicillines.
Précautions : ■ Insuffisance rénale grave (réduire la dose) ■ Grossesse et allaitement (l'innocuité du médicament n'a pas été établie, mais il a déjà été utilisé lors d'interventions obstétriques).

RÉACTIONS INDÉSIRABLES ET EFFETS SECONDAIRES

Tég. : rash, urticaire.
GI : nausées, vomissements, crampes, diarrhée, COLITE PSEUDO-MEMBRANEUSE.
Hémat. : dyscrasie, anémie hémolytique, saignements.
Locaux : phlébite au point d'injection IV, douleur au point d'injection IM.
Divers : surinfection, réactions allergiques incluant l'ANAPHYLAXIE et la maladie sérique.

INTERACTIONS

Médicament – médicament : ■ Le probénécide diminue l'excrétion et accroît les concentrations sériques de céfotétane. ■ L'**alcool**, consommé dans les 48 à 72 h suivant l'administration, peut entraîner une réaction similaire à celle provoquée par le disulfirame ■ Les **anticoagulants**, les **agents thrombolytiques**, les **anti-inflammatoires non stéroïdiens**, la **plicamycine** ou l'**acide valproïque**, administrés simultanément, peuvent augmenter le risque d'hémorragie.

VOIES D'ADMINISTRATION ET POSOLOGIE

IV et IM (adultes) : de 1 à 6 g par jour en doses fractionnées, toutes les 12 h (on peut administrer de 1 à 2 g, toutes les 24 h, en présence d'infection des voies urinaires).

C

PHARMACODYNAMIE
(concentrations sanguines)

	DÉBUT D'ACTION	PIC
IM	rapide	1 – 3 h
IV	rapide	fin de la perfusion

SOINS INFIRMIERS

ÉVALUATION DE LA SITUATION

- **Directives générales:** Au début du traitement et pendant toute sa durée, surveiller l'apparition des signes suivants d'infection: altération des signes vitaux; aspect de la plaie, des crachats, de l'urine et des selles; accroissement du nombre de leucocytes.
- □ Avant d'amorcer le traitement, recueillir les antécédents du patient, afin de déterminer ses réactions antérieures à une pénicilline ou à une céphalosporine. Même les personnes n'ayant jamais manifesté de sensibilité aux pénicillines peuvent présenter une réaction allergique.
- □ Prélever des échantillons pour les cultures et les antibiogrammes avant le début du traitement. La première dose peut être administrée avant même que les résultats soient connus.
- □ Suivre de près les signes et les symptômes suivants d'anaphylaxie: rash, prurit, œdème laryngé, respiration sifflante. Si ces réactions se manifestent, arrêter l'administration du médicament et avertir immédiatement le médecin. Garder à portée de la main de l'épinéphrine, un antihistaminique et le matériel de réanimation pour parer à une éventuelle réaction anaphylactique.
- **Étude des examens diagnostiques et biochimiques:** Vérifier quotidiennement le temps de prothrombine et surveiller les signes d'hémorragie (présence de sang occulte dans les selles par la méthode au gaïac; hématurie, saignement des gencives, formation d'ecchymoses) en raison des risques d'hypoprothrombinémie qui sont plus élevés chez les patients âgés ou débilités. Pour arrêter les saignements, le cas échéant, administrer de la vitamine K. On peut aussi recourir à l'administration prophylactique de vitamine K, à raison de 10 mg par semaine.
- □ La céfotétane peut entraîner des résultats faussement positifs au test de Coombs et au dosage du glucose dans l'urine lorsqu'on utilise la méthode au sulfate de cuivre (Clinitest). Pour doser le glucose dans l'urine, recourir plutôt à la méthode à la glucose-oxydase (Clinistix ou Tes-Tape).
- □ Le médicament peut provoquer une élévation passagère des concentrations d'urée, de TGOS (AST), de TGPS (ALT), de LDH et de phosphatase alcaline.
- Ne pas prélever de sang dans les 2 h suivant l'administration, car les concentrations de créatinine dans le sang et dans les urines pourraient être faussement élevées.

DIAGNOSTICS INFIRMIERS POSSIBLES

- **Énoncés diagnostiques**
- □ Risque élevé d'infection.
- □ Diarrhée.
- □ Prise en charge inefficace du programme thérapeutique.
- □ *Risque élevé de réaction allergique.*
- □ *Risque élevé de déshydratation.*
- □ *Risque élevé d'hémorragie.*
- □ *Risque élevé de douleur au point d'injection IV.*
- **Facteurs favorisants**
- □ Informations incomplètes.
- □ *Vomissements et diarrhée.*
- □ *Inflammation locale du tissu vasculaire ou infiltration du médicament dans les tissus avoisinants.*

INTERVENTIONS INFIRMIÈRES

- **Directives générales:** La couleur de la solution reconstituée peut varier d'incolore à jaune.

- **IM:** Reconstituer le contenu d'une fiole de 1 g et de 2 g avec, respectivement, 2 mL et 3 mL d'eau stérile ou d'eau bactériostatique pour injection ou de solution de NaCl à 0,9 % pour injection. Le médecin pourrait recommander une dilution supplémentaire avec de la lidocaïne à 0,5 ou à 1 %, afin de réduire la douleur au point d'injection.
- □ Injecter en profondeur dans une masse musculaire bien développée ; bien masser.
- **IV:** Changer de point d'injection toutes les 48 à 72 h afin de prévenir la phlébite.
- □ Le fabricant recommande d'arrêter l'administration d'autres solutions IV pendant l'administration par voie IV des céphalosporines.
- **IV directe:** Diluer 1 g dans au moins 10 mL.
- □ *Vitesse d'administration:* L'administration doit se faire lentement sur une période de 3 à 5 min. Observer le point d'injection pour déceler la phlébite.
- **Perfusion intermittente:** Diluer de nouveau dans 50 à 100 mL de solution de dextrose à 5 % dans de l'eau ou de solution de NaCl à 0,9 %. La solution est stable pendant 24 h à la température ambiante et pendant 72 h au réfrigérateur.
- □ *Vitesse d'administration:* La perfusion intermittente doit durer de 30 à 60 min.
- **Compatibilités (tubulure en Y):** Famotidine, mépéridine ou morphine.
- **Incompatibilités en addition au soluté:** Ne pas mélanger à des aminosides.

ENSEIGNEMENT AU PATIENT ET À SES PROCHES

- **Directives générales:** Conseiller au patient de signaler l'allergie et les signes suivants de surinfection: excroissance pileuse sur la langue, démangeaisons ou pertes vaginales, selles molles ou nauséabondes.
- □ Mettre le patient en garde contre la consommation d'alcool pendant le traitement au céfotétane puisque ce médicament peut entraîner des réactions semblables à celles provoquées par le disulfirame: crampes abdominales, nausées, vomissements, hypotension, palpitations, dyspnée, tachycardie, transpiration, bouffées vasomotrices. Prévenir le patient qu'il doit éviter de prendre de l'alcool ou des médicaments qui en contiennent pendant le traitement et plusieurs jours après sa fin.
- □ Recommander au patient de contacter le médecin en cas de fièvre ou de diarrhée, particulièrement si les selles renferment du sang, du pus ou du mucus. Conseiller au patient de ne pas traiter la diarrhée sans consulter au préalable le médecin ou le pharmacien.

VÉRIFICATION DES RÉSULTATS

La réponse clinique au traitement peut être déterminée par: la disparition des signes et des symptômes d'infection. Le temps de résolution dépend du micro-organisme infectant et du siège de l'infection.

CÉFOXITINE
Mefoxin

CLASSIFICATION:
Anti-infectieux – céphalosporine de la deuxième génération

Grossesse – catégorie B

INDICATIONS

- Traitement des infections suivantes provoquées par des micro-organismes sensibles: □ infections des voies respiratoires inférieures □ infections de la peau et des tissus mous □ infections des os et des articulations □ infections des voies urinaires et infections gynécologiques

C

□ infections intra-abdominales □ septicémies ■ Précédents d'usage prophylactique en tant qu'anti-infectieux en période périopératoire.

ACTION

■ Liaison à la membrane de la paroi de la cellule bactérienne entraînant la destruction de la bactérie. **Effets thérapeutiques:** ■ Action bactéricide contre les bactéries sensibles. **Spectre d'action:** Action contre de nombreux cocci à Gram positif dont □ *Streptococcus pneumoniae* □ Streptocoques bêta-hémolytiques du groupe A □ Staphylocoques produisant de la pénicillinase ■ Action marquée contre plusieurs autres microorganismes à Gram négatif dont □ *Haemophilus influenzae* □ *Acinetobacter* □ *Enterobacter* □ *Escherichia coli* □ *Klebsiella pneumoniae* □ *Neisseria gonorrhoeae* (incluant les souches produisant la pénicillinase) □ *Providencia* □ *Proteus* □ *Serratia* ■ La céfoxitine est également active contre *Bacteroides fragilis* ■ La céfoxitine n'a pas d'effet sur □ les staphylocoques résistant à la méthicilline □ les entérocoques.

PHARMACOCINÉTIQUE

Absorption: Bonne absorption par suite de l'administration par voie IM.
Distribution: L'agent se répartit dans tout l'organisme. Il pénètre en quantité infime dans le liquide céphalorachidien, traverse le placenta et pénètre dans le lait maternel à faible concentration.
Métabolisme et excrétion: Le médicament est surtout excrété à l'état inchangé par les reins.
Demi-vie: De 0,7 à 1,1 h (prolongée en cas d'insuffisance rénale).

CONTRE-INDICATIONS ET PRÉCAUTIONS

Contre-indications: ■ Hypersensibilité aux céphalosporines ■ Réactions graves d'hypersensibilité aux pénicillines.
Précautions: ■ Insuffisance rénale grave (réduire la dose) ■ Grossesse et allaitement (l'innocuité du médicament n'a pas été établie, mais il a déjà été utilisé lors d'interventions obstétricales).

RÉACTIONS INDÉSIRABLES ET EFFETS SECONDAIRES

Tég.: rash, urticaire.
GI: nausées, vomissements, crampes, diarrhée, COLITE PSEUDO-MEMBRANEUSE.
Hémat.: dyscrasie, anémie hémolytique.
Locaux: phlébite au point d'injection IV, douleur au point d'injection IM.
Divers: surinfection, réactions allergiques incluant l'ANAPHYLAXIE et la maladie sérique.

INTERACTIONS

Médicament – médicament: Le probénécide diminue l'excrétion et accroît les concentrations sériques de céfoxitine.

VOIES D'ADMINISTRATION ET POSOLOGIE

■ **IV et IM (adultes):** de 1 à 2 g, toutes les 6 à 8 h (l'administration IM est douloureuse).
■ **IV et IM (prématurés pesant > 1 500 g):** de 20 à 40 mg/kg, toutes les 12 h en IV.
■ **IV et IM (nouveau-nés):** de la naissance à 7 jours: de 20 à 40 mg/kg, toutes les 12 h en IV. De 7 jours à 1 mois: de 20 à 40 mg/kg, toutes les 8 h en IV.
■ **IV et IM (nourrissons et enfants):** de 20 à 40 mg/kg, toutes les 6 à 8 h, en IM ou en IV.

PHARMACODYNAMIE (concentrations sanguines)

	DÉBUT D'ACTION	PIC
IM	rapide	30 min
IV	rapide	fin de la perfusion

SOINS INFIRMIERS

ÉVALUATION DE LA SITUATION

□ Au début du traitement et pendant toute sa durée, surveiller l'apparition

C

des signes suivants d'infection : altération des signes vitaux ; aspect de la plaie, des crachats, de l'urine et des selles ; accroissement du nombre de leucocytes.

☐ Avant d'amorcer le traitement, recueillir les antécédents du patient, afin de déterminer ses réactions antérieures à une pénicilline ou à une céphalosporine. Même les personnes n'ayant jamais manifesté de sensibilité aux pénicillines peuvent présenter une réaction allergique.

☐ Prélever des échantillons pour les cultures et les antibiogrammes avant le début du traitement. La première dose peut être administrée avant même que les résultats soient connus.

☐ Suivre les signes et les symptômes suivants d'anaphylaxie : rash, prurit, œdème laryngé, respiration sifflante. Si ces réactions se manifestent, arrêter l'administration du médicament et avertir immédiatement le médecin. Garder à portée de la main de l'épinéphrine, un antihistaminique et le matériel de réanimation pour parer à une éventuelle réaction anaphylactique.

■ **Étude des examens diagnostiques et biochimiques :** La céfoxitine peut entraîner des résultats faussement positifs au test de Coombs et au dosage du glucose dans l'urine lorsqu'on utilise la méthode au sulfate de cuivre (Clinitest). Pour doser le glucose urinaire, recourir plutôt à la méthode à la glucose-oxydase (Clinistix ou Tes-Tape).

☐ Le médicament peut provoquer une élévation passagère des concentrations d'urée, de TGOS (AST), de TGPS (ALT), de LDH et de phosphatase alcaline.

☐ Ne pas prélever de sang dans les 2 h suivant l'administration, car les concentrations de créatinine dans le sang et dans les urines pourraient être faussement élevées.

DIAGNOSTICS INFIRMIERS POSSIBLES

■ **Énoncés diagnostiques**
☐ Risque élevé d'infection.
☐ Diarrhée.
☐ Prise en charge inefficace du programme thérapeutique.
☐ *Risque élevé de réaction allergique.*
☐ *Risque élevé de déshydratation.*
☐ *Risque élevé de douleur au point d'injection IV.*

■ **Facteurs favorisants**
☐ Informations incomplètes.
☐ *Vomissements et diarrhée.*
☐ *Inflammation locale du tissu vasculaire ou infiltration du médicament dans les tissus avoisinants.*

INTERVENTIONS INFIRMIÈRES

■ **Directives générales :** La poudre peut devenir plus foncée, mais cela n'affecte en rien la puissance de l'antibiotique.

■ **IM :** Reconstituer le contenu d'une fiole de 1 ou 2 g avec respectivement 2 mL ou 4 mL d'eau stérile pour injection. Le médecin pourrait recommander une dilution supplémentaire avec de la lidocaïne à 0,5 ou à 1 % afin de réduire la douleur au point d'injection.

☐ Injecter en profondeur dans une masse musculaire bien développée ; bien masser.

■ **IV :** Changer de point d'injection toutes les 48 à 72 h afin de prévenir la phlébite.

☐ Le fabricant recommande d'arrêter l'administration d'autres solutions IV pendant l'administration par voie IV des céphalosporines.

■ **IV directe :** Reconstituer le contenu d'une fiole de 1 g ou de 2 g avec, respectivement, 10 mL ou 20 mL d'eau stérile pour injection. Bien agiter et laisser reposer jusqu'à ce que la solution devienne transparente.

☐ *Vitesse d'administration :* Administrer lentement, en 3 à 5 min.

C

- **Perfusion intermittente :** La solution reconstituée peut être diluée de nouveau dans 50 ou 100 mL de solution de dextrose à 5 ou à 10 % dans de l'eau, de solution de dextrose à 5 % et de NaCl à 0,25 %, à 0,45 % ou à 0,9 %, de solution de NaCl à 0,9 %, de solution de dextrose à 5 % et de lactate Ringer, de solution de dextrose à 5 % et de bicarbonate de sodium à 0,02 % ou de solution de Ringer ou de solution de lactate Ringer. La solution est stable pendant 24 h à la température ambiante et pendant 72 h au réfrigérateur.
- *Vitesse d'administration :* La perfusion intermittente doit durer de 15 à 30 min. Observer le point d'injection pour déceler la phlébite.
- **Perfusion continue :** On peut diluer la céfoxitine dans 500 ou 1 000 mL de l'une des solutions ci-dessus mentionnées.
- **Association compatible dans la même seringue :** Héparine.
- **Compatibilités (tubulure en Y) :** Acyclovir, cyclophosphamide, famotidine, foscarnet, hydromorphone, mépéridine, morphine, ondansétron, perphénazine ou sulfate de magnésium.
- **Incompatibilités (tubulure en Y) :** Hydroxyéthyle d'amidon (hetastarch).
- **Compatibilités en addition au soluté :** Bicarbonate de sodium, cimétidine, clindamycine, héparine, insuline, métronidazole, perfusion de multivitamines ou vérapamil.
- **Incompatibilités en addition au soluté :** Ne pas mélanger à des aminosides.

ENSEIGNEMENT AU PATIENT ET À SES PROCHES

- Conseiller au patient de signaler l'allergie et les signes suivants de surinfection : excroissance pileuse sur la langue, démangeaisons ou pertes vaginales, selles molles ou nauséabondes.
- Recommander au patient de contacter le médecin en cas de fièvre ou de diarrhée, particulièrement si les selles renferment du sang, du pus ou du mucus. Conseiller au patient de ne pas traiter la diarrhée sans consulter au préalable le médecin ou le pharmacien.

VÉRIFICATION DES RÉSULTATS

La réponse clinique au traitement peut être déterminée par : La disparition des signes et des symptômes d'infection. Le temps de résolution dépend du microorganisme infectant et du siège de l'infection.

CEFTAZIDIME

Ceptaz, Fortaz, Tazidime, (Magnacef), (Tazicef)

CLASSIFICATION :
Anti-infectieux – céphalosporine de la troisième génération

Grossesse – catégorie B

INDICATIONS

- Traitement des infections suivantes :
  □ infections de la peau et des tissus mous
  □ infections des os et des articulations
  □ infections des voies urinaires □ infections des voies respiratoires inférieures
  □ péritonites □ septicémies et méningites provoquées par des micro-organismes sensibles. **Usage non approuvé :** ■ Traitement des infections gynécologiques.

ACTION

- Liaison à la membrane de la paroi de la cellule bactérienne entraînant la destruction de la bactérie. **Effets thérapeutiques :** ■ Action bactéricide contre les bactéries sensibles. **Spectre d'action :** L'action contre les staphylocoques est moins forte que celle des céphalosporines de la deuxième génération ; toutefois, l'action contre les bactéries à Gram négatif est accrue, englobant dans le spectre même

C

les micro-organismes qui résistent aux céphalosporines de la première et de la deuxième génération ■ Action marquée contre les micro-organismes suivants : □ *Citrobacter* □ *Enterobacter* □ *Escherichia coli* □ *Klebsiella pneumoniæ* □ *Neisseria* □ *Proteus* □ *Providencia* □ *Serratia* □ *Pseudomonas æruginosa* □ *Hæmophilus influenzæ* ■ Action modérée contre les anaérobies y compris *Bacteroides fragilis*.

PHARMACOCINÉTIQUE

Absorption : Bonne absorption par suite de l'administration IM.

Distribution : L'agent se répartit dans tout l'organisme ; il traverse le placenta et pénètre dans le lait maternel à faible concentration. Il pénètre suffisamment dans le liquide céphalorachidien pour traiter la méningite.

Métabolisme et excrétion : Une fraction de plus de 90 % du médicament est excrétée à l'état inchangé par les reins.

Demi-vie : De 1,4 à 2 h (prolongée en cas d'insuffisance rénale).

CONTRE-INDICATIONS ET PRÉCAUTIONS

Contre-indications : ■ Hypersensibilité aux céphalosporines ■ Réactions graves d'hypersensibilité aux pénicillines ■ Hypersensibilité à la L-arginine (Ceptaz seulement).

Précautions : ■ Insuffisance rénale (réduire la dose) ■ Patients de plus de 50 ans (risque accru de néphrotoxicité) ■ Grossesse et allaitement (l'innocuité du médicament n'a pas été établie).

RÉACTIONS INDÉSIRABLES ET EFFETS SECONDAIRES

Tég. : rash, urticaire.

GI : nausées, vomissements, diarrhée, crampes, COLITE PSEUDO-MEMBRANEUSE.

Hémat. : dyscrasie, anémie hémolytique.

Locaux : phlébite au point d'injection IV, douleur au point d'injection IM.

Divers : surinfection, réactions allergiques incluant l'ANAPHYLAXIE et la maladie sérique.

INTERACTIONS

Médicament – médicament : Le **probénécide** diminue l'excrétion et accroît les concentrations sériques de ceftazidime.

VOIES D'ADMINISTRATION ET POSOLOGIE

- ■ **IV et IM (adultes) :** de 500 mg à 2 g, toutes les 8 à 12 h (de 250 à 500 mg, toutes les 12 h en cas d'infection des voies urinaires).

Infection autre que la méningite
- ■ **IV (enfants de 1 mois à 2 mois) :** de 25 à 50 mg/kg par jour, en deux doses fractionnées.
- ■ **IV (enfants de 2 mois à 12 ans) :** 30 à 100 mg/kg par jour, en trois doses fractionnées.

Méningite
- ■ **IV (enfants de 1 mois à 12 ans) :** 50 mg/kg, toutes les 8 h.

PHARMACODYNAMIE
(concentrations sanguines)

	DÉBUT D'ACTION	PIC
IM	rapide	1 h
IV	rapide	fin de la perfusion

✳ SOINS INFIRMIERS

ÉVALUATION DE LA SITUATION

- ■ Au début du traitement et pendant toute sa durée, surveiller l'apparition des signes suivants d'infection : altération des signes vitaux ; aspect de la plaie, des crachats, de l'urine et des selles ; accroissement du nombre de leucocytes.
- □ Avant d'amorcer le traitement, recueillir les antécédents du patient, afin de déterminer ses réactions antérieures à une pénicilline ou à une céphalosporine. Même les personnes

C

n'ayant jamais manifesté de sensibilité aux pénicillines peuvent présenter une réaction allergique.

□ Prélever des échantillons pour les cultures et les antibiogrammes avant le début du traitement. La première dose peut être administrée avant même que les résultats soient connus.

□ Observer l'apparition des signes et des symptômes suivants d'anaphylaxie : rash, prurit, œdème laryngé, respiration sifflante. Si ces réactions se manifestent, arrêter l'administration du médicament et avertir immédiatement le médecin. Garder à portée de la main de l'épinéphrine, un antihistaminique et le matériel de réanimation pour parer à une éventuelle réaction anaphylactique.

■ **Étude des examens diagnostiques et biochimiques :** La ceftazidime peut entraîner des résultats faussement positifs au test de Coombs et au dosage du glucose dans l'urine lorsqu'on utilise la méthode au sulfate de cuivre (Clinitest). Pour doser le glucose dans l'urine recourir plutôt à la méthode à la glucose-oxydase (Clinistix ou Tes-Tape).

□ Le médicament peut entraîner l'élévation des concentrations d'urée, de TGOS (AST), de TGPS (ALT), de LDH et de phosphatase alcaline. Établir à intervalles réguliers les pics et les creux des concentrations sanguines chez les patients présentant une altération des fonctions hépatique, biliaire ou rénale.

DIAGNOSTICS INFIRMIERS POSSIBLES

■ **Énoncés diagnostiques**

□ Risque élevé d'infection.
□ Diarrhée.
□ Prise en charge inefficace du programme thérapeutique.
□ *Risque élevé de réaction allergique.*
□ *Risque élevé de déshydratation.*
□ *Risque élevé d'anxiété.*
□ *Risque élevé de surinfection.*

■ **Facteurs favorisants**

□ Informations incomplètes.
□ *Manque de connaissances sur les moyens de prévenir les effets secondaires affectant l'appareil gastro-intestinal.*
□ *Douleur au point d'injection IV.*
□ *Manque de connaissances sur les modalités du traitement.*

INTERVENTIONS INFIRMIÈRES

■ **Directives générales :** Pendant la dilution, le gaz carbonique qui se forme dans la fiole produit une pression positive ; il peut être nécessaire de libérer l'air de la fiole après la dissolution afin d'en préserver la stérilité. Cette démarche n'est pas nécessaire pour la formule à base de L-arginine (Ceptaz).

□ La couleur de la solution peut varier de jaune pâle à ambre ; une solution de couleur plus foncée et la présence de poudre n'altèrent pas la puissance du médicament.

■ **IM :** Reconstituer le contenu de la fiole de 500 mg, avec 1,5 mL, et le contenu de la fiole de 1 g, avec 3 mL d'eau stérile ou d'eau bactériostatique pour injection. Le médecin pourrait recommander une dilution supplémentaire avec de la lidocaïne à 0,5 ou à 1 % pour réduire la douleur au moment de l'injection.

□ Injecter en profondeur dans une masse musculaire bien développée ; bien masser.

■ **IV :** Changer de point d'injection toutes les 48 à 72 h afin de prévenir la phlébite.

□ Le fabricant recommande d'arrêter l'administration d'autres solutions IV pendant l'administration par voie IV des céphalosporines.

■ **IV directe :** Reconstituer le contenu de la fiole de 500 mg avec 5 mL d'eau stérile pour injection et le contenu de la fiole de 1 g et de 2 g avec 10 mL. Ne pas utiliser de solutions renfermant de l'alcool benzylique lorsque l'agent est administré à un nouveau-né.

□ *Vitesse d'administration :* L'administration doit se faire lentement, en 3 à 5 min.

■ **Perfusion intermittente :** Diluer de nouveau la solution reconstituée dans au moins 10 mL de solution de NaCl à 0,9 %, de solution de dextrose à 5 ou à 10 % dans de l'eau, de solution de dextrose à 5 % et de NaCl à 0,25 %, à 0,45 % ou à 0,9 % ou de solution de lactate Ringer par gramme de ceftazidime. La solution est stable pendant 12 h à la température ambiante et pendant 48 h au réfrigérateur.

□ *Vitesse d'administration :* La perfusion intermittente doit durer de 30 à 60 min. Observer le point d'injection pour déceler la phlébite.

■ **Compatibilités (tubulure en Y) :** Acyclovir, ciprofloxacine, énalaprilate, esmolol, foscarnet, labétalol, ondansétron ou zidovudine.

■ **Compatibilités en addition au soluté :** Ciprofloxacine, clindamycine ou métronidazole.

■ **Incompatibilités en addition au soluté :** Ne pas mélanger à des aminosides ou à du bicarbonate de sodium.

ENSEIGNEMENT AU PATIENT ET À SES PROCHES

□ Conseiller au patient de signaler l'allergie et les signes suivants de surinfection : excroissance pileuse sur la langue, démangeaisons ou pertes vaginales, selles molles ou nauséabondes.

□ Recommander au patient de signaler au médecin la fièvre ou la diarrhée, particulièrement si les selles contiennent du sang, du pus ou du mucus. Conseiller au patient de ne pas traiter la diarrhée sans consulter au préalable le médecin ou le pharmacien.

VÉRIFICATION DES RÉSULTATS

La réponse clinique au traitement peut être déterminée par : la disparition des signes et des symptômes d'infection. Le temps de résolution dépend du micro-organisme infectant et du siège de l'infection.

CEFTIZOXIME
Cefizox

CLASSIFICATION :
Anti-infectieux – céphalosporine de la troisième génération

Grossesse – catégorie B

INDICATIONS

■ Traitement des infections suivantes :
□ infections de la peau et des tissus mous □ infections des os et des articulations □ infections des voies urinaires □ infections des voies respiratoires inférieures □ infections intra-abdominales □ septicémies provoquées par des micro-organismes sensibles. **Usages non approuvés :** ■ Traitement des : □ infections gynécologiques □ méningites.

ACTION

■ Liaison à la membrane de la paroi de la cellule bactérienne entraînant la destruction de la bactérie. **Effets thérapeutiques :** ■ Action bactéricide contre les bactéries sensibles. **Spectre d'action :** L'action contre les staphylocoques est moins forte que celle des céphalosporines de la deuxième génération ; toutefois, l'action contre les bactéries à Gram négatif est accrue, englobant dans le spectre même les micro-organismes qui résistent aux céphalosporines de la première et de la deuxième génération ■ Action marquée contre les micro-organismes suivants : □ *Citrobacter* □ *Enterobacter* □ *Escherichia coli* □ *Klebsiella pneumoniæ* □ *Neisseria* □ *Proteus* □ *Providencia* □ *Serratia* □ *Pseudomonas æruginosa* □ *Hæmophilus influenzæ* ■ Action modérée contre les anaérobies y compris *Bacteroides fragilis.*

PHARMACOCINÉTIQUE

Absorption: Bonne absorption par suite de l'administration IM.

Distribution: L'agent se répartit dans tout l'organisme; il traverse le placenta et pénètre dans le lait maternel à faible concentration. Il pénètre suffisamment dans le liquide céphalorachidien pour traiter la méningite.

Métabolisme et excrétion: Une fraction de plus de 90 % du médicament est excrétée à l'état inchangé par les reins.

Demi-vie: De 1,4 à 1,9 h.

CONTRE-INDICATIONS ET PRÉCAUTIONS

Contre-indications: ■ Hypersensibilité aux céphalosporines ■ Réactions graves d'hypersensibilité aux pénicillines.

Précautions: ■ Insuffisance rénale (réduire la dose) ■ Grossesse et allaitement (l'innocuité du médicament n'a pas été établie).

RÉACTIONS INDÉSIRABLES ET EFFETS SECONDAIRES

GI: nausées, vomissements, diarrhée, crampes, COLITE PSEUDO-MEMBRANEUSE.

Tég.: rash, urticaire.

Hémat.: dyscrasie, anémie hémolytique.

Locaux: phlébite au point d'injection IV, douleur au point d'injection IM.

Divers: surinfection, réactions allergiques incluant l'ANAPHYLAXIE et la maladie sérique.

INTERACTIONS

Médicament – médicament: Le **probénécide** diminue l'excrétion et accroît les concentrations sériques de ceftizoxime.

VOIES D'ADMINISTRATION ET POSOLOGIE

- **IV et IM (adultes):** de 500 mg à 4 g, toutes les 8 à 12 h.
- **IV et IM (enfants > 6 mois):** 50 mg/kg, toutes les 6 à 8 h.

PHARMACODYNAMIE
(concentrations sanguines)

	DÉBUT D'ACTION	PIC
IM	rapide	0,5 – 1,5 h
IV	rapide	fin de la perfusion

☀ SOINS INFIRMIERS

ÉVALUATION DE LA SITUATION

- ■ Au début du traitement et pendant toute sa durée, surveiller l'apparition des signes suivants d'infection: altération des signes vitaux; aspect de la plaie, des crachats, de l'urine et des selles; accroissement du nombre de leucocytes.

- ☐ Avant d'amorcer le traitement, recueillir les antécédents du patient, afin de déterminer ses réactions antérieures à une pénicilline ou à une céphalosporine. Même les personnes n'ayant jamais manifesté de sensibilité aux pénicillines peuvent présenter une réaction allergique.

- ☐ Prélever des échantillons pour les cultures et les antibiogrammes avant le début du traitement. La première dose peut être administrée avant même que les résultats soient connus.

- ☐ Surveiller l'apparition des signes et des symptômes suivants d'anaphylaxie: rash, prurit, œdème laryngé, respiration sifflante. Si ces réactions se manifestent, arrêter l'administration du médicament et avertir immédiatement le médecin. Garder à portée de la main de l'épinéphrine, un antihistaminique et le matériel de réanimation pour parer à une éventuelle réaction anaphylactique.

- ■ **Étude des examens diagnostiques et biochimiques:** Le médicament peut entraîner des résultats faussement positifs au test de Coombs.

- ☐ Le médicament peut entraîner l'élévation des concentrations d'urée, de

TGOS (AST), de TGPS (ALT) et de phosphatase alcaline.

DIAGNOSTICS INFIRMIERS POSSIBLES

■ **Énoncés diagnostiques**
□ Risque élevé d'infection.
□ Diarrhée.
□ Prise en charge inefficace du programme thérapeutique.
□ *Risque élevé de réaction allergique.*
□ *Risque élevé de déshydratation.*
□ *Risque élevé d'anxiété.*
□ *Risque élevé de surinfection.*

■ **Facteurs favorisants**
□ Informations incomplètes.
□ *Manque de connaissances sur les moyens de prévenir les effets secondaires affectant l'appareil gastrointestinal.*
□ *Douleur au point d'injection IV.*
□ *Manque de connaissances sur les modalités du traitement.*

INTERVENTIONS INFIRMIÈRES

■ **Directives générales:** La couleur de la solution peut varier de jaune à ambre.
■ **IM:** Reconstituer le contenu d'une fiole de 1 g ou de 2 g avec, respectivement, 3 mL ou 6 mL d'eau stérile pour injection afin d'obtenir une concentration de 270 mg/mL.
□ Injecter en profondeur dans une masse musculaire bien développée; bien masser.
■ **IV:** Changer de point d'injection toutes les 48 à 72 h afin de prévenir la phlébite.
□ Le fabricant recommande d'arrêter l'administration d'autres solutions IV pendant l'administration par voie IV des céphalosporines.
■ **IV directe:** Reconstituer le contenu d'une fiole de 1 g ou de 2 g avec, respectivement, 10 mL ou 20 mL d'eau stérile pour injection.
□ *Vitesse d'administration:* L'administration doit se faire lentement, en 3 à 5 min.

■ **Perfusion intermittente:** Diluer de nouveau dans 50 à 100 mL de solution de dextrose à 5 ou à 10 % dans de l'eau, de solution de NaCl à 0,9 %, de solution de dextrose à 5 % et de NaCl à 0,25 %, à 0,45 % ou à 0,9 % ou de solution de lactate Ringer. La solution est stable pendant 24 h à la température ambiante et pendant 48 h au réfrigérateur.
□ *Vitesse d'administration:* La perfusion intermittente doit durer 30 min. Observer le point d'injection pour déceler la phlébite.
■ **Compatibilités (tubulure en Y):** Acyclovir, énalaprilate, esmolol, famotidine, foscarnet, hydromorphone, labétalol, mépéridine, morphine ou ondansétron.
■ **Compatibilités en addition au soluté:** Clindamycine.
■ **Incompatibilités en addition au soluté:** Ne pas mélanger à des aminosides.

ENSEIGNEMENT AU PATIENT ET À SES PROCHES

□ Conseiller au patient de signaler l'allergie et les signes suivants de surinfection: excroissance pileuse sur la langue, démangeaisons ou pertes vaginales, selles molles ou nauséabondes.
□ Recommander au patient de contacter le médecin en cas de fièvre ou de diarrhée, particulièrement si les selles renferment du sang, du pus ou du mucus. Conseiller au patient de ne pas traiter la diarrhée sans consulter au préalable le médecin ou le pharmacien.

VÉRIFICATION DES RÉSULTATS

La réponse clinique au traitement peut être déterminée par: la disparition des signes et des symptômes d'infection. Le temps de résolution dépend du microorganisme infectant et du siège de l'infection.

C

CEFTRIAXONE
Rocephin

CLASSIFICATION:
Anti-infectieux – céphalosporine de la troisième génération

Grossesse – catégorie B

INDICATIONS

■ Traitement des infections suivantes : □ infections de la peau et des tissus mous □ infections des os et des articulations □ infections des voies urinaires □ gonorrhée □ infections des voies respiratoires inférieures □ infections intra-abdominales □ méningites provoquées par les micro-organismes sensibles ■ Précédents d'usage prophylactique en tant qu'anti-infectieux en période périopératoire.

ACTION

■ Liaison à la membrane de la paroi de la cellule bactérienne entraînant la destruction de la bactérie. **Effets thérapeutiques :** ■ Action bactéricide contre les bactéries sensibles. **Spectre d'action :** L'action contre les staphylocoques est moins forte que celle des céphalosporines de la deuxième génération ; toutefois, l'action contre les bactéries à Gram négatif est accrue, englobant dans le spectre même les micro-organismes qui résistent aux céphalosporines de la première et de la deuxième génération ■ Action marquée contre les micro-organismes suivants : □ Citrobacter □ Enterobacter □ Escherichia coli □ Klebsiella pneumoniæ □ Neisseria □ Proteus □ Providencia □ Serratia □ Pseudomonas æruginosa □ Hæmophilus influenzæ ■ Action modérée contre les anaérobies y compris Bacteroides fragilis.

PHARMACOCINÉTIQUE

Absorption : Bonne absorption par suite de l'administration IM.

Distribution : L'agent se répartit dans tout l'organisme ; il traverse le placenta et pénètre dans le lait maternel à faible concentration. Il pénètre suffisamment dans le liquide céphalorachidien pour traiter la méningite.

Métabolisme et excrétion : Le médicament est partiellement métabolisé et partiellement excrété dans les urines.

Demi-vie : De 5,4 à 10,9 h.

CONTRE-INDICATIONS ET PRÉCAUTIONS

Contre-indications : ■ Hypersensibilité aux céphalosporines ■ Réactions graves d'hypersensibilité aux pénicillines.

Précautions : Grossesse et allaitement (l'innocuité du médicament n'a pas été établie).

RÉACTIONS INDÉSIRABLES ET EFFETS SECONDAIRES

GI : nausées, vomissements, diarrhée, crampes, COLITE PSEUDO-MEMBRANEUSE.

Tég. : rash, urticaire.

Hémat. : dyscrasie, anémie hémolytique.

Locaux : phlébite au point d'injection IV, douleur au point d'injection IM.

Divers : surinfection, réactions allergiques incluant l'ANAPHYLAXIE et la maladie sérique.

INTERACTIONS

Médicament – médicament : Le **probénécide** diminue l'excrétion et accroît les concentrations sériques de ceftriaxone.

VOIES D'ADMINISTRATION ET POSOLOGIE

■ **IV et IM (adultes) :** de 1 à 2 g par jour, en une seule prise ou toutes les 12 h.

■ **IV et IM (enfants) :** de 50 à 75 mg/kg par jour, en doses fractionnées, toutes les 12 h (100 mg/kg par jour pour traiter la méningite).

Gonorrhée
■ **IM (adultes) :** 250 mg en une seule dose.

PHARMACODYNAMIE
(concentrations sanguines)

	DÉBUT D'ACTION	PIC
IM	rapide	1 – 2 h
IV	rapide	fin de la perfusion

SOINS INFIRMIERS

ÉVALUATION DE LA SITUATION

- Au début du traitement et pendant toute sa durée, surveiller l'apparition des signes suivants d'infection : altération des signes vitaux ; aspect de la plaie, des crachats, de l'urine et des selles ; accroissement du nombre de leucocytes.

□ Avant d'amorcer le traitement, recueillir les antécédents du patient, afin de déterminer ses réactions antérieures à une pénicilline ou à une céphalosporine. Même les personnes n'ayant jamais manifesté de sensibilité aux pénicillines peuvent présenter une réaction allergique.

□ Prélever des échantillons pour les cultures et les antibiogrammes avant le début du traitement. La première dose peut être administrée avant même que les résultats soient connus.

□ Surveiller l'apparition des signes et des symptômes suivants d'anaphylaxie : rash, prurit, œdème laryngé, respiration sifflante. Si ces réactions se manifestent, arrêter l'administration du médicament et avertir immédiatement le médecin. Garder à portée de la main de l'épinéphrine, un antihistaminique et le matériel de réanimation pour parer à une éventuelle réaction anaphylactique.

- **Étude des examens diagnostiques et biochimiques :** La ceftriaxone peut entraîner l'élévation des concentrations d'urée, de créatinine de TGOS (AST), de TGPS (ALT), de bilirubine et de phosphatase alcaline.

□ Le médicament peut entraîner des résultats faussement positifs au test de Coombs et au dosage du glucose dans l'urine lorsqu'on utilise la méthode au sulfate de cuivre (Clinitest). Pour doser le glucose dans l'urine recourir plutôt à la méthode à la glucose-oxydase (Clinistix ou Tes-Tape).

DIAGNOSTICS INFIRMIERS POSSIBLES

- **Énoncés diagnostiques**
□ Risque élevé d'infection.
□ Diarrhée.
□ Prise en charge inefficace du programme thérapeutique.
□ *Risque élevé de réaction allergique.*
□ *Risque élevé de déshydratation.*
□ *Risque élevé d'anxiété.*
□ *Risque élevé de surinfection.*

- **Facteurs favorisants**
□ Informations incomplètes.
□ *Manque de connaissances sur les moyens de prévenir les effets secondaires affectant l'appareil gastro-intestinal.*
□ *Douleur au point d'injection IV.*
□ *Manque de connaissances sur les modalités du traitement.*

INTERVENTIONS INFIRMIÈRES

- **Directives générales :** La couleur de la solution reconstituée peut varier de jaune pâle à ambre.
- **IM :** Reconstituer le contenu d'une fiole de 250 mg, de 1 g ou de 2 g avec, respectivement, 0,9 mL, 3,6 mL ou 7,2 mL d'eau stérile ou d'eau bactériostatique pour injection, de solution de dextrose à 5 % dans de l'eau ou de solution de NaCl à 0,9 % pour injection. Le médecin pourrait recommander une dilution supplémentaire avec de la lidocaïne à 1 %, afin de réduire la douleur au point d'injection.
□ Injecter en profondeur dans une masse musculaire bien développée ; bien masser.

C

- ■ **IV** : Changer de point d'injection toutes les 48 à 72 h afin de prévenir la phlébite.
- □ Le fabricant recommande d'arrêter l'administration d'autres solutions IV pendant l'administration par voie IV des céphalosporines.
- ■ **Perfusion intermittente** : Reconstituer le contenu d'une fiole de 250 mg, de 1 g ou de 2 g avec, respectivement, 2,4 mL, 9,6 mL ou 19,2 mL d'eau stérile pour injection, de solution de dextrose à 5 % dans de l'eau ou de solution de NaCl à 0,9 %. Ne pas utiliser de solutions renfermant de l'alcool benzylique lorsque l'agent est administré à un nouveau-né.
- □ On peut diluer de nouveau la solution dans 50 à 100 mL de solution de NaCl à 0,9 %, de solution de dextrose à 5 ou à 10 % dans de l'eau, de solution de dextrose à 5 % et de NaCl à 0,45 % ou de solution de lactate Ringer. La solution est stable pendant 24 h à la température ambiante.
- □ *Vitesse d'administration* : La perfusion intermittente doit durer de 30 à 60 min. Observer le point d'injection pour déceler la phlébite.
- ■ **Compatibilités (tubulure en Y) :** Acyclovir ou zidovudine.
- ■ **Compatibilités en addition au soluté :** Acides aminés ou bicarbonate de sodium.
- ■ **Incompatibilités en addition au soluté :** Ne pas mélanger à des aminosides ou à la clindamycine.

ENSEIGNEMENT AU PATIENT ET À SES PROCHES

- ■ Conseiller au patient de signaler l'allergie et les signes suivants de surinfection : excroissance pileuse sur la langue, démangeaisons ou pertes vaginales, selles molles ou nauséabondes.
- □ Recommander au patient de contacter le médecin en cas de fièvre ou de diarrhée, particulièrement si les selles renferment du sang, du pus ou du mucus. Conseiller au patient de ne pas traiter la diarrhée sans consulter au préalable le médecin ou le pharmacien.

VÉRIFICATION DES RÉSULTATS

La réponse clinique au traitement peut être déterminée par : la disparition des signes et des symptômes d'infection. Le temps de résolution dépend du microorganisme infectant et du siège de l'infection.

CÉFUROXIME
Ceftin, Kefurox, Zinacef

CLASSIFICATION :
Anti-infectieux – céphalosporine de la deuxième génération

Grossesse – catégorie B

INDICATIONS

■ Traitement des infections suivantes provoquées par des micro-organismes sensibles : ■ infections des voies respiratoires inférieures et supérieures □ infections de la peau et des tissus mous □ infections des os et des articulations □ infections des voies urinaires □ gonorrhée □ méningites ■ Précédents d'usage prophylactique en tant qu'anti-infectieux en période périopératoire. **Usages non approuvés :** ■ Traitement des : □ infections gynécologiques □ septicémies.

ACTION

■ Liaison à la membrane de la paroi de la cellule bactérienne entraînant la destruction de la bactérie. **Effets thérapeutiques :** ■ Action bactéricide contre les bactéries sensibles. **Spectre d'action :** Action contre de nombreux cocci à Gram positif dont : □ *Streptococcus pneumoniæ* □ Streptocoques bêta-hémolytiques du groupe A □ Staphylocoques produisant de la pénicillinase ■ Action accrue contre plusieurs autres micro-organismes à Gram négatif dont : □ *Hæmophilus influenzæ* □ *Acinetobacter* □ *Enterobacter* □ *Escherichia coli* □ *Klebsiella pneumoniæ* □ *Neisseria gonorrhoeæ* (incluant les souches produisant la pénicillinase) □ *Providencia* □ *Proteus* □ *Serratia* ■ Action contre *Bacteroides fragilis* ■ Le médicament n'a pas d'effet sur : □ les staphylocoques résistant à la méthicilline □ les entérocoques.

PHARMACOCINÉTIQUE

Absorption : Bonne absorption par suite de l'administration IM. L'absorption par suite de l'administration PO est améliorée par la présence d'aliments dans le tractus gastro-intestinal (52 % avec les aliments et 37 % à jeun).

Distribution : L'agent se répartit dans tout l'organisme ; il pénètre suffisamment dans le liquide céphalorachidien pour traiter la méningite, traverse le placenta et pénètre dans le lait maternel à faible concentration.

Métabolisme et excrétion : Le médicament est excrété à l'état pratiquement inchangé par les reins.

Demi-vie : 1,3 h (prolongée en cas d'insuffisance rénale).

CONTRE-INDICATIONS ET PRÉCAUTIONS

Contre-indications : ■ Hypersensibilité aux céphalosporines ■ Réactions graves d'hypersensibilité aux pénicillines.

Précautions : ■ Insuffisance rénale grave (réduire la dose) ■ Grossesse et allaitement (l'innocuité du médicament n'a pas été établie, mais il a déjà été utilisé lors d'interventions obstétriques).

RÉACTIONS INDÉSIRABLES ET EFFETS SECONDAIRES

GI : nausées, vomissements, crampes, diarrhée, COLITE PSEUDO-MEMBRANEUSE.

Tég. : rash, urticaire.

Hémat. : dyscrasie, anémie hémolytique.

Locaux : phlébite au point d'injection IV, douleur au point d'injection IM.

Divers : surinfection, réactions allergiques incluant l'ANAPHYLAXIE et la maladie sérique.

INTERACTIONS

Médicament – médicament : Le **probénécide** diminue l'excrétion et accroît les concentrations sanguines de céfuroxime.

VOIES D'ADMINISTRATION ET POSOLOGIE

- **PO (adultes et enfants > 12 ans) :** de 125 à 500 mg, deux fois par jour ; (1 g en dose unique pour traiter la gonorrhée).

- **IV et IM (adultes) :** de 750 à 1 500 mg, toutes les 8 h ; (jusqu'à 3 g, toutes les 8 h en cas de méningite ; 1,5 g par voie IM en dose unique en cas de gonorrhée).

- **PO (enfants < 12 ans) :** 125 mg, deux fois par jour (otite moyenne : 250 mg, deux fois par jour, chez les enfants de plus de 2 ans) (É.-U.).

- **IV et IM (enfants et nourrissons) :** de 30 à 100 mg/kg par jour, en doses fractionnées, toutes les 6 à 8 h (méningite : de 200 à 240 mg/kg par jour).

- **IV (nouveau-nés jusqu'à 1 mois) :** de 30 à 100 mg/kg par jour, toutes les 8 à 12 h (100 mg/kg par jour en cas de méningite).

PHARMACODYNAMIE (concentrations sanguines)

	DÉBUT D'ACTION	PIC
PO	rapide	2 h
IM	rapide	15 – 60 min
IV	rapide	fin de la perfusion

SOINS INFIRMIERS

ÉVALUATION DE LA SITUATION

- Au début du traitement et pendant toute sa durée, surveiller l'apparition des signes suivants d'infection : altération des signes vitaux ; aspect de la plaie, des crachats, de l'urine et des selles ; accroissement du nombre de leucocytes.

☐ Avant d'amorcer le traitement, recueillir les antécédents du patient afin de déterminer ses réactions antérieures à une pénicilline ou à une céphalosporine. Même les personnes n'ayant jamais manifesté de sensibilité aux pénicillines peuvent présenter une réaction allergique.

☐ Prélever des échantillons pour les cultures et les antibiogrammes avant le début du traitement. La première dose peut être administrée avant même que les résultats soient connus.

☐ Surveiller l'apparition des signes et des symptômes suivants d'anaphylaxie : rash, prurit, œdème laryngé, respiration sifflante. Si ces réactions se manifestent, arrêter l'administration du médicament et avertir immédiatement le médecin. Garder à portée de la main de l'épinéphrine, un antihistaminique et le matériel de réanimation pour parer à une éventuelle réaction anaphylactique.

■ **Étude des examens diagnostiques et biochimiques :** Le céfuroxime peut entraîner des résultats faussement positifs au test de Coombs et au dosage du glucose dans l'urine lorsqu'on utilise la méthode au sulfate de cuivre (Clinitest). Pour doser le glucose dans l'urine recourir plutôt à la méthode à la glucose-oxydase (Clinistix ou Tes-Tape).

■ Le médicament peut entraîner des résultats faussement négatifs lors du dosage de la glycémie par le ferricyanure. Pour le dosage du glucose dans le sang, recourir plutôt à la méthode enzymatique (glucose ou hexokinase).

■ Le médicament peut entraîner l'élévation des concentrations d'urée, de créatinine, de TGOS (AST), de TGPS (ALT), de phosphatase alcaline et de

bilirubine ainsi qu'une diminution des concentrations d'hémoglobine et de l'hématocrite.

DIAGNOSTICS INFIRMIERS POSSIBLES

■ **Énoncés diagnostiques**

☐ Risque élevé d'infection.

☐ Diarrhée.

☐ Prise en charge inefficace du programme thérapeutique.

☐ *Risque élevé de réaction allergique.*

☐ *Risque élevé de déshydratation.*

☐ *Risque élevé de surinfection.*

■ **Facteurs favorisants**

☐ Informations incomplètes.

☐ *Manque de connaissances sur les moyens de prévenir les effets secondaires affectant l'appareil gastro-intestinal.*

☐ *Manque de connaissances sur les modalités du traitement.*

INTERVENTIONS INFIRMIÈRES

■ **Directives générales :** La couleur de la solution reconstituée peut varier de jaune pâle à ambre. Ne pas utiliser les solutions troubles ni celles qui renferment un précipité.

■ **PO :** On peut broyer les comprimés et les mélanger à la nourriture, mais ils ont ainsi un goût amer prononcé et persistant. Il faut envisager une autre méthode d'administration chez les enfants qui ne peuvent avaler les comprimés.

■ **IM :** Reconstituer le contenu de la fiole de 750 mg avec 3,6 mL d'eau stérile pour injection.

☐ Injecter en profondeur dans une masse musculaire bien développée ; bien masser.

■ **IV :** Changer de point d'injection toutes les 48 à 72 h afin de prévenir la phlébite.

☐ Le fabricant recommande d'arrêter l'administration d'autres solutions IV pendant l'administration par voie IV des céphalosporines.

- **IV directe:** Reconstituer le contenu d'une fiole de 750 mg ou de 1,5 g avec, respectivement, 7,5 mL ou 14 mL d'eau stérile pour injection afin d'obtenir une concentration de 90 mg/mL.

- *Vitesse d'administration:* L'administration doit se faire lentement, en 3 à 5 min.

- **Perfusion intermittente:** La solution reconstituée peut être diluée de nouveau dans 100 mL de solution de NaCl à 0,9 %, de solution de dextrose à 5 % ou à 10 % dans de l'eau, ou de solution de dextrose à 5 % et de NaCl à 0,45 % ou à 0,9 %. La solution est stable pendant 12 h à la température ambiante et pendant 48 h au réfrigérateur.

- *Vitesse d'administration:* La perfusion intermittente doit durer 30 min. Observer le point d'injection pour déceler la phlébite.

- **Perfusion continue:** La solution peut aussi être diluée dans 500 à 1 000 mL de solution pour une perfusion continue (voir plus haut).

- **Compatibilités (tubulure en Y):** Acyclovir, foscarnet, hydromorphone, mépéridine, morphine ou perphénazine.

- **Compatibilités en addition au soluté:** Clindamycine ou métronidazole.

- **Incompatibilités en addition au soluté:** Ne pas mélanger à des aminosides.

ENSEIGNEMENT AU PATIENT ET À SES PROCHES

- Expliquer au patient qu'il doit prendre le médicament à intervalles réguliers, 24 h sur 24, et qu'il doit utiliser toute la quantité qui lui a été prescrite, même s'il se sent mieux. Insister sur le fait qu'il peut être dangereux de donner ce médicament à une autre personne.

- Conseiller au patient de signaler l'allergie et les signes suivants de surinfection: excroissance pileuse sur la langue, démangeaisons ou pertes vaginales, selles molles ou nauséabondes.

- Recommander au patient de contacter le médecin en cas de fièvre ou de diarrhée, particulièrement si les selles renferment du sang, du pus ou du mucus. Conseiller au patient de ne pas traiter la diarrhée sans consulter au préalable le médecin ou le pharmacien.

VÉRIFICATION DES RÉSULTATS

La réponse clinique au traitement peut être déterminée par: la disparition des signes et des symptômes d'infection. Le temps de résolution dépend du microorganisme infectant et du siège de l'infection.

CÉPHALEXINE
Apo-cephalex, Keflex, Novo-Lexin, Nu-Cephalex, (Ceporex), (Keflet), (Keftab)

CLASSIFICATION:
Anti-infectieux – céphalosporine de la première génération

Grossesse – catégorie B

INDICATIONS

- Traitement des infections suivantes: □ infections graves de la peau et des tissus mous □ infections des voies urinaires □ infections des os et des articulations □ infections des voies respiratoires, incluant l'otite moyenne. **Usage non approuvé:** ■ Traitement des septicémies.

ACTION

- Liaison à membrane de la paroi de la cellule bactérienne entraînant la destruction de la bactérie. **Effets thérapeutiques:** ■ Action bactéricide contre les bactéries sensibles. **Spectre d'action:** Action contre de nombreux cocci à Gram positif dont: □ *Streptococcus pneumoniae* □ Streptocoques bêta-hémolytiques du groupe A □ Staphylocoques produisant de la pénicillinase ■ Action marquée contre certains micro-organismes à Gram négatif dont: □ *Klebsiella pneumoniæ* □ *Proteus mirabilis* ■ *Escherichia coli* ■ La céphalexine n'a pas d'effet sur: □ les staphylocoques résistant à la méthicilline □ *Bacteroides fragilis* □ les entérocoques.

PHARMACOCINÉTIQUE

Absorption: Bonne absorption par suite de l'administration par voie orale.

Distribution: L'agent se répartit dans tout l'organisme; il traverse le placenta et pénètre dans le lait maternel à faible concentration; il pénètre en quantité infime dans le liquide céphalorachidien.

Métabolisme et excrétion: Le médicament est excrété à l'état pratiquement inchangé par les reins.

Demi-vie: De 0,5 à 1,2 h; céphradine, de 0,7 à 2 h.

CONTRE-INDICATIONS ET PRÉCAUTIONS

Contre-indications: ■ Hypersensibilité aux céphalosporines ■ Réactions graves d'hypersensibilité aux pénicillines.

Précautions: ■ Insuffisance rénale grave (réduire la dose) ■ Patients de plus de 50 ans (risque accru de néphrotoxicité) ■ Grossesse et allaitement (l'innocuité du médicament n'a pas été établie).

RÉACTIONS INDÉSIRABLES ET EFFETS SECONDAIRES

GI: nausées, vomissements, crampes, diarrhée, COLITE PSEUDO-MEMBRANEUSE.
GU: néphrotoxicité.
Tég.: rash, urticaire.
Hémat.: dyscrasie, anémie hémolytique.
Divers: surinfection, réactions allergiques incluant l'ANAPHYLAXIE et la maladie sérique.

INTERACTIONS

Médicament – médicament: ■ Le **probénécide** diminue l'excrétion et accroît les concentrations sanguines de céphalexine ■ La céphalexine peut potentialiser la toxicité rénale induite par d'autres **agents néphrotoxiques (aminosides)**.

VOIES D'ADMINISTRATION ET POSOLOGIE

- **PO (adultes):** de 250 à 1 000 mg par jour, toutes les 6 h.
- **PO (enfants):** de 25 à 50 mg/kg par jour, en doses fractionnées, toutes les 6 h.

PHARMACODYNAMIE
(concentrations sanguines)

	DÉBUT D'ACTION	PIC
PO	rapide	1 h

SOINS INFIRMIERS

ÉVALUATION DE LA SITUATION

- Au début du traitement et pendant toute sa durée, surveiller l'apparition des signes suivants d'infection: altération des signes vitaux; aspect de la plaie, des crachats, de l'urine et des selles; accroissement du nombre de leucocytes.
- □ Avant d'amorcer le traitement, recueillir les antécédents du patient afin de déterminer ses réactions antérieures à une pénicilline ou à une céphalosporine. Même les personnes n'ayant jamais manifesté de sensibilité aux pénicillines peuvent présenter une réaction allergique.
- □ Prélever des échantillons pour les cultures et les antibiogrammes avant le début du traitement. La première dose peut être administrée avant même que les résultats soient connus.
- □ Surveiller les signes et les symptômes suivants d'anaphylaxie: rash, prurit, œdème laryngé, respiration sifflante. Si ces réactions se manifestent, arrêter l'administration du médicament et avertir immédiatement le médecin. Garder à portée de la main de l'épinéphrine, un antihistaminique et le

matériel de réanimation pour parer à une éventuelle réaction anaphylactique.

☐ Effectuer le bilan quotidien des ingesta et des excreta et peser le patient tous les jours. La néphrotoxicité peut se manifester chez les patients de plus de 50 ans recevant de fortes doses ou chez ceux qui présentent une insuffisance rénale ou qui prennent d'autres agents néphrotoxiques.

■ **Étude des examens diagnostiques et biochimiques:** La céphalexine peut entraîner des résultats faussement positifs au test de Coombs et au dosage du glucose dans l'urine lorsqu'on utilise la méthode au sulfate de cuivre (Clinitest). Pour doser le glucose dans l'urine recourir plutôt à la méthode à la glucose-oxydase (Clinistix ou Tes-Tape).

☐ Le médicament peut entraîner l'élévation des concentrations de TGOS (AST), de TGPS (ALT) et de phosphatase alcaline.

DIAGNOSTICS INFIRMIERS POSSIBLES

■ **Énoncés diagnostiques**
☐ Risque élevé d'infection.
☐ Diarrhée.
☐ Prise en charge inefficace du programme thérapeutique.
☐ *Risque élevé de réaction allergique.*
☐ *Risque élevé de déshydratation.*
☐ *Risque élevé de surinfection.*

■ **Facteurs favorisants**
☐ Informations incomplètes.
☐ *Manque de connaissances sur les moyens de prévenir les effets secondaires affectant l'appareil gastro-intestinal.*
☐ *Manque de connaissances sur les modalités du traitement.*

INTERVENTIONS INFIRMIÈRES

■ **PO:** Administrer avec des aliments ou du lait afin de réduire l'irritation gastro-intestinale. Les aliments ralentissent l'absorption, mais ne la diminuent pas.

☐ Le médicament est aussi présenté sous forme de suspension. Garder les suspensions orales au réfrigérateur.

ENSEIGNEMENT AU PATIENT ET À SES PROCHES

☐ Expliquer au patient qu'il doit prendre toute la quantité de médicament qui lui a été prescrite, même s'il se sent mieux. Insister sur le fait qu'il peut être dangereux de donner ce médicament à une autre personne.

☐ Conseiller au patient de signaler l'allergie et les signes suivants de surinfection: excroissance pileuse sur la langue, démangeaisons ou pertes vaginales, selles molles ou nauséabondes.

☐ Recommander au patient de contacter le médecin en cas de fièvre ou de diarrhée, particulièrement si les selles renferment du sang, du pus ou du mucus. Conseiller au patient de ne pas traiter la diarrhée sans consulter au préalable le médecin ou le pharmacien.

VÉRIFICATION DES RÉSULTATS

La réponse clinique au traitement peut être déterminée par: la disparition des signes et des symptômes d'infection. Le temps de résolution dépend du micro-organisme infectant et du siège de l'infection.

CÉPHALOTHINE

Keflin, (Ceporacin), (Keflin neutral), (Seffin Neutral)

CLASSIFICATION:

Anti-infectieux – céphalosporine de la première génération

Grossesse – catégorie B

INDICATIONS

■ Traitement des infections suivantes:
☐ infections graves de la peau et des tissus

mous □ infections des voies respiratoires □ infections des voies urinaires □ infections des os et des articulations □ endocardites □ méningites ■ septicémies provoquées par des micro-organismes sensibles ■ Précédents d'usage prophylactique en tant qu'anti-infectieux en période périopératoire.

ACTION

■ Liaison à la paroi de la membrane de la cellule bactérienne entraînant la destruction de la bactérie. **Effets thérapeutiques:** ■ Action bactéricide contre les bactéries sensibles. **Spectre d'action:** Action contre de nombreux cocci à Gram positif dont: □ *Streptococcus pneumoniæ* □ Streptocoques bêta-hémolytiques du groupe A □ Staphylocoques produisant de la pénicillinase ■ Action contre certaines autres souches à Gram négatif dont: □ *Klebsiella pneumoniae* □ *Proteus mirabilis* ■ *Escherichia coli* ■ La céphalotine n'a pas d'effet sur □ les staphylocoques résistant à la méthicilline □ *Bacteroides fragilis* □ les entérocoques.

PHARMACOCINÉTIQUE

Absorption: Bonne absorption par suite de l'administration IM.
Distribution: L'agent se répartit dans tout l'organisme; il traverse le placenta et pénètre dans le lait maternel à faible concentration. Il pénètre en quantité infime dans le liquide céphalorachidien.
Métabolisme et excrétion: Le médicament est excrété à l'état pratiquement inchangé par les reins.
Demi-vie: De 0,5 à 1 h.

CONTRE-INDICATIONS ET PRÉCAUTIONS

Contre-indications: ■ Hypersensibilité aux céphalosporines ■ Réactions graves d'hypersensibilité aux pénicillines.
Précautions: ■ Insuffisance rénale grave (réduire la dose) ■ Patients de plus de 50 ans (risque accru de néphrotoxicité)

■ Grossesse et allaitement (l'innocuité du médicament n'a pas été établie).

RÉACTIONS INDÉSIRABLES ET EFFETS SECONDAIRES

GI: nausées, vomissements, diarrhée, crampes, COLITE PSEUDO-MEMBRANEUSE.
GU: néphrotoxicité.
Tég.: rash, urticaire.
Hémat.: dyscrasie, anémie hémolytique.
Locaux: phlébite au point d'injection IV, douleur au point d'injection IM.
Divers: surinfection, réactions allergiques incluant l'ANAPHYLAXIE et la maladie sérique.

INTERACTIONS

Médicament – médicament: ■ Le **probénécide** diminue l'excrétion et accroît les concentrations sanguines de céphalotine ■ La céphalotine peut potentialiser la toxicité rénale induite par d'autres **agents néphrotoxiques (aminosides)**.

VOIES D'ADMINISTRATION ET POSOLOGIE

■ **IV et IM (adultes):** de 500 mg à 2 g par jour, toutes les 4 à 6 h.
■ **IV et IM (enfants):** de 80 à 160 mg/kg par jour, en doses fractionnées, toutes les 6 h.

PHARMACODYNAMIE (concentrations sanguines)

	DÉBUT D'ACTION	PIC
IM	rapide	0,5 h
IV	rapide	fin de la perfusion

SOINS INFIRMIERS

ÉVALUATION DE LA SITUATION

□ Au début du traitement et pendant toute sa durée, surveiller l'apparition des signes suivants d'infection: altération des signes vitaux; aspect de la plaie, des crachats, de l'urine et des fèces; accroissement du nombre de leucocytes.

☐ Avant d'amorcer le traitement, recueillir les antécédents du patient, afin de déterminer ses réactions antérieures à une pénicilline ou à une céphalosporine. Même les personnes n'ayant jamais manifesté de sensibilité aux pénicillines peuvent présenter une réaction allergique.

☐ Prélever des échantillons pour les cultures et les antibiogrammes avant le début du traitement. La première dose peut être administrée avant même que les résultats soient connus.

☐ Surveiller les signes et les symptômes suivants d'anaphylaxie: rash, prurit, œdème laryngé, respiration sifflante. Si ces réactions se manifestent, arrêter l'administration du médicament et avertir immédiatement le médecin. Garder à portée de la main de l'épinéphrine, un antihistaminique et le matériel de réanimation pour parer à une éventuelle réaction anaphylactique.

☐ Effectuer le bilan quotidien des ingesta et des excreta et peser le patient tous les jours. La néphrotoxicité peut se manifester chez les patients de plus de 50 ans recevant de fortes doses ou chez ceux qui présentent une insuffisance rénale ou qui prennent d'autres agents néphrotoxiques.

■ **Étude des examens diagnostiques et biochimiques:** La céphalothine peut entraîner des résultats faussement positifs au test de Coombs et au dosage du glucose dans l'urine lorsqu'on utilise la méthode au sulfate de cuivre (Clinitest). Pour doser le glucose dans l'urine recourir plutôt à la méthode à la glucose-oxydase (Clinistix ou Tes-Tape).

☐ Le médicament peut entraîner l'élévation des concentrations d'urée, de TGOS (AST), de TGPS (ALT) et de phosphatase alcaline.

DIAGNOSTICS INFIRMIERS POSSIBLES

■ **Énoncés diagnostiques**
☐ Risque élevé d'infection.
☐ Diarrhée.
☐ Prise en charge inefficace du programme thérapeutique.
☐ *Risque élevé de réaction allergique.*
☐ *Risque élevé de déshydratation.*
☐ *Risque élevé d'anxiété.*
☐ *Risque élevé de surinfection.*

■ **Facteurs favorisants**
☐ Informations incomplètes.
☐ *Manque de connaissances sur les moyens de prévenir les effets secondaires affectant l'appareil gastro-intestinal.*
☐ *Douleur au point d'injection IV.*
☐ *Manque de connaissances sur les modalités du traitement.*

INTERVENTIONS INFIRMIÈRES

■ **Directives générales:** La couleur de la solution peut devenir plus foncée sans que cela n'affecte sa puissance. Ne pas utiliser les solutions troubles ni celles qui renferment un précipité.

■ **IM:** Reconstituer le contenu d'une fiole de 1 g avec 4,5 mL d'eau stérile pour injection.
☐ Injecter en profondeur dans une masse musculaire bien développée; bien masser.

■ **IV:** Changer de point d'injection toutes les 48 à 72 h afin de prévenir la phlébite.

■ Arrêter l'administration d'autres solutions IV pendant l'administration par voie IV des céphalosporines.

■ On peut ajouter de 10 à 25 mg d'hydrocortisone aux perfusions renfermant de 4 à 6 g ou plus de céphalothine afin de réduire les risques de thrombophlébite.

■ **IV directe:** Diluer 1 g dans au moins 10 mL d'eau stérile pour injection, de solution de dextrose à 5 % dans l'eau ou de solution de NaCl à 0,9 %.
☐ *Vitesse d'administration:* Administrer lentement, en 3 à 5 min.

- **Perfusion intermittente :** La solution reconstituée de 1 ou de 2 g peut être diluée de nouveau dans 50 mL de solution de dextrose à 5 ou à 10 % dans de l'eau, de solution de dextrose à 5 % et de NaCl à 0,9 %, de dextrose à 5 % dans une solution de lactate Ringer, de solution de lactate Ringer ou de solution de NaCl à 0,9 %. Si la solution n'est pas gardée au réfrigérateur, il faut l'administrer immédiatement après la préparation. La solution est stable pendant 72 h au réfrigérateur.
  - *Vitesse d'administration :* La perfusion intermittente doit durer de 15 à 30 min. Surveiller l'apparition de signes d'inflammation au point d'injection afin de prévenir la phlébite.
- **Perfusion continue :** On peut aussi diluer dans 500 à 1 000 mL de solution pour une perfusion continue (voir plus haut).
- **Association compatible dans la même seringue :** Cimétidine.
- **Association incompatible dans la même seringue :** Métoclopramide.
- **Compatibilités (tubulure en Y) :** Chlorure de potassium, cyclophosphamide, famotidine, héparine, hydromorphone, mépéridine, morphine, multivitamines, perphénazine ou sulfate de magnésium.
- **Compatibilités en addition au soluté :** Acide ascorbique, bicarbonate de sodium, bitartrate de métaraminol, chloramphénicol, chlorhydrate de procaïne, chlorure de potassium, clindamycine, fluorouracile, isoprotérénol, méthicilline, méthotrexate, phosphate sodique de prédnisolone, succinate d'hydrocortisone sodique ou sulfate de magnésium.
- **Incompatibilités en addition au soluté :** Amikacine, aminophylline, amobarbital, bléomycine, chlorure de calcium, colistiméthate, diphenhydramine, doxorubicine, érythromycine, gentamicine, gluceptate de calcium, gluconate de calcium, kanamycine, oxytétracycline, pénicilline G sodique, pentobarbital, phénobarbital, polymyxine B, prochlorpérazine ou tétracycline. Ne pas mélanger à des aminosides.

ENSEIGNEMENT AU PATIENT ET À SES PROCHES

- ☐ Conseiller au patient de signaler l'allergie et les signes suivants de surinfection : excroissance pileuse sur la langue, démangeaisons ou pertes vaginales, selles molles ou nauséabondes.
- Recommander au patient de contacter le médecin en cas de fièvre ou de diarrhée, particulièrement si les selles renferment du sang, du pus ou du mucus. Conseiller au patient de ne pas traiter la diarrhée sans consulter au préalable le médecin ou le pharmacien.

VÉRIFICATION DES RÉSULTATS

La réponse clinique au traitement peut être déterminée par : la disparition des signes et des symptômes d'infection. Le temps de résolution dépend du microorganisme infectant et du siège de l'infection.

CÉPHAPIRINE
(Cefadyl)

CLASSIFICATION :
Anti-infectieux – céphalosporine de la première génération

Grossesse – catégorie B

INDICATIONS

- Traitement des infections suivantes :
  ☐ infections graves de la peau et des tissus mous ☐ infections des voies urinaires ☐ infections des os et des articulations ☐ endocardites ☐ septicémies provoquées par des micro-organismes sensibles ■ Pré-

cédents d'usage prophylactique en tant qu'anti-infectieux en période périopératoire.

ACTION

■ Liaison à la membrane de la paroi de la cellule bactérienne entraînant la destruction de la bactérie. **Effets thérapeutiques:** ■ Action bactéricide contre les bactéries sensibles. **Spectre d'action:** Action contre de nombreux cocci à Gram positif dont: □ *Streptococcus pneumoniæ* □ Streptocoques bêta-hémolytiques du groupe A □ Staphylocoques produisant de la pénicillinase ■ Action contre certaines autres souches à Gram négatif dont: □ *Klebsiella pneumoniæ* □ *Proteus mirabilis* □ *Escherichia coli* ■ La céphapirine n'a pas d'effet sur: □ les staphylocoques résistant à la méthicilline □ *Bacteroides fragilis* □ les entérocoques.

PHARMACOCINÉTIQUE

Absorption: Bonne absorption par suite de l'administration par voie IM.
Distribution: L'agent se répartit dans tout l'organisme; il traverse le placenta et pénètre dans le lait maternel à faible concentration. Il pénètre en quantité infime dans le liquide céphalorachidien.
Métabolisme et excrétion: Le médicament est excrété à l'état pratiquement inchangé par les reins.
Demi-vie: De 0,4 à 0,8 h.

CONTRE-INDICATIONS ET PRÉCAUTIONS

Contre-indications: ■ Hypersensibilité aux céphalosporines ■ Réactions graves d'hypersensibilité aux pénicillines.
Précautions: ■ Insuffisance rénale grave (réduire la dose) ■ Grossesse et allaitement (l'innocuité du médicament n'a pas été établie).

RÉACTIONS INDÉSIRABLES ET EFFETS SECONDAIRES

GI: nausées, vomissements, crampes, diarrhée.

Tég.: rash, urticaire.
Hémat.: dyscrasie, anémie hémolytique, saignements.
Locaux: phlébite au point d'injection IV, douleur au point d'injection IM.
Divers: surinfection, réactions allergiques incluant l'ANAPHYLAXIE et la maladie sérique.

INTERACTIONS

Médicament – médicament: Le **probénécide** diminue l'excrétion et accroît les concentrations sanguines de céphapirine.

VOIES D'ADMINISTRATION ET POSOLOGIE

■ **IV et IM (adultes):** de 500 à 1 000 mg, toutes les 4 à 6 h.
■ **IV et IM (enfants > 3 mois):** de 40 à 80 mg/kg par jour, en doses fractionnées, toutes les 6 h.

PHARMACODYNAMIE (concentrations sanguines)

	DÉBUT D'ACTION	PIC
IM	rapide	0,5 h
IV	rapide	fin de la perfusion

SOINS INFIRMIERS

ÉVALUATION DE LA SITUATION

□ Au début du traitement et pendant toute sa durée, surveiller l'apparition des signes suivants d'infection: altération des signes vitaux; aspect de la plaie, des crachats, de l'urine et des selles; accroissement du nombre de leucocytes.

□ Avant d'amorcer le traitement, recueillir les antécédents du patient, afin de déterminer ses réactions antérieures à une pénicilline ou à une céphalosporine. Même les personnes n'ayant jamais manifesté de sensibilité aux pénicillines peuvent présenter une réaction allergique.

C

□ Prélever des échantillons pour les cultures et les antibiogrammes avant le début du traitement. La première dose peut être administrée avant même que les résultats soient connus.

□ Suivre de près les signes et les symptômes suivants d'anaphylaxie : rash, prurit, œdème laryngé, respiration sifflante. Si ces réactions se manifestent, arrêter l'administration du médicament et avertir immédiatement le médecin. Garder à portée de la main de l'épinéphrine, un antihistaminique et le matériel de réanimation pour parer à une éventuelle réaction anaphylactique.

■ **Étude des examens diagnostiques et biochimiques :** La céphapirine peut entraîner des résultats faussement positifs au test de Coombs et au dosage du glucose dans l'urine lorsqu'on utilise la méthode au sulfate de cuivre (Clinitest). Pour doser le glucose dans l'urine recourir plutôt à la méthode à la glucose-oxydase (Clinistix ou Tes-Tape).

■ Le médicament peut entraîner une élévation passagère des concentrations d'urée, de TGOS (AST), de TGPS (ALT), de phosphatase alcaline et de bilirubine.

DIAGNOSTICS INFIRMIERS POSSIBLES

■ **Énoncés diagnostiques**
□ Risque élevé d'infection.
□ Diarrhée.
□ Prise en charge inefficace du programme thérapeutique.
□ *Risque élevé de réaction allergique.*
□ *Risque élevé de déshydratation.*
□ *Risque élevé d'anxiété.*
□ *Risque élevé de surinfection.*

■ **Facteurs favorisants**
□ Informations incomplètes.
□ *Manque de connaissances sur les moyens de prévenir les effets secondaires affectant l'appareil gastrointestinal.*
□ *Douleur au point d'injection IV.*

□ *Manque de connaissances sur les modalités du traitement.*

INTERVENTIONS INFIRMIÈRES

■ **Directives générales :** Les changements de couleur de la solution n'affectent en rien la puissance du médicament.

■ **IM :** Reconstituer le contenu d'une fiole de 1 ou 2 g avec, respectivement, 1 ou 2 mL d'eau stérile ou d'eau bactériostatique pour injection.

□ Injecter en profondeur dans une masse musculaire bien développée ; bien masser.

■ **IV :** Changer de point d'injection toutes les 48 à 72 h afin de prévenir la phlébite.

■ Arrêter l'administration d'autres solutions IV pendant l'administration par voie IV des céphalosporines.

■ **IV directe :** Diluer 1 g dans au moins 10 mL d'eau stérile pour injection, de solution de dextrose à 5 % dans de l'eau ou de solution de NaCl à 0,9 %.

□ *Vitesse d'administration :* Administrer lentement, en 3 à 5 min.

■ **Perfusion intermittente :** La solution reconstituée peut être diluée de nouveau dans 50 à 100 mL de solution de NaCl à 0,9 %, de solution de dextrose à 5, à 10 ou à 20 % dans de l'eau, de solution de dextrose à 5 % et de NaCl à 0,25 %, à 0,45 % ou à 0,9 % ou de dextrose à 5 % dans une solution de lactate Ringer. La solution est stable pendant 24 h à la température ambiante et pendant 10 jours au réfrigérateur.

□ *Vitesse d'administration :* La perfusion intermittente doit durer de 15 à 20 min. Surveiller l'apparition de signes d'inflammation au point d'injection afin de prévenir la phlébite.

■ **Perfusion continue :** On peut aussi diluer dans 500 à 1 000 mL de solution pour effectuer une perfusion continue (voir plus haut).

■ **Compatibilités (tubulure en Y) :** Acyclovir, chlorure de potassium, cyclophosphamide, famotidine, héparine, hydromorphone, mépéridine, morphine, multivitamines, perphénazine, succinate d'hydrocortisone sodique ou sulfate de magnésium.

- **Compatibilités en addition au soluté :** Bicarbonate de sodium, bitartrate de métaraminol, bléomycine, chloramphénicol, chlorure de calcium, chlorure de potassium, diphenhydramine, gluconate de calcium, héparine, maléate d'ergonovine, oxacilline, pénicilline G potassique, pentobarbital, phénobarbital, phosphate sodique d'hydrocortisone, phytonadione, succinate sodique d'hydrocortisone, succinylcholine, vérapamil ou warfarine.
- **Incompatibilités en addition au soluté :** Acide ascorbique, amikacine, épinéphrine, gentamicine, kanamycine, mannitol, norépinéphrine, oxytétracycline, phénytoïne, tétracycline ou thiopental. Ne pas mélanger à des aminosides.

ENSEIGNEMENT AU PATIENT ET À SES PROCHES

□ Conseiller au patient de signaler l'allergie et les signes suivants de surinfection : excroissance pileuse sur la langue, démangeaisons ou pertes vaginales, selles molles ou nauséabondes.

- Recommander au patient de contacter le médecin en cas de fièvre ou de diarrhée, particulièrement si les selles renferment du sang, du pus ou du mucus. Conseiller au patient de ne pas traiter la diarrhée sans consulter au préalable le médecin ou le pharmacien.

VÉRIFICATION DES RÉSULTATS

La réponse clinique au traitement peut être déterminée par : la disparition des signes et des symptômes d'infection. Le temps de résolution dépend du microorganisme infectant et du siège de l'infection.

CÉPHRADINE
Velosef, (Anspor)

CLASSIFICATION :
Anti-infectieux – céphalosporine de la première génération
Grossesse – catégorie B

INDICATIONS

- Traitement des infections suivantes : □ infections graves de la peau et des tissus mous □ infections des voies urinaires □ infections des voies respiratoires □ otites moyennes ■ Précédents d'usage prophylactique en tant qu'anti-infectieux en période périopératoire. **Usages non approuvés :** ■ Traitement des : □ infections des os et des articulations □ septicémies.

ACTION

- Liaison à la paroi de la membrane de la cellule bactérienne entraînant la destruction de la bactérie. **Effets thérapeutiques :** ■ Action bactéricide contre les bactéries sensibles. **Spectre d'action :** Action contre de nombreux cocci à Gram positif dont : □ *Streptococcus pneumoniæ* □ Streptocoques bêta-hémolytiques du groupe A □ Staphylocoques produisant de la pénicillinase ■ Action contre certaines souches à Gram négatif dont : □ *Klebsiella pneumoniæ* □ *Proteus mirabilis* □ *Escherichia coli* ■ La céphradine n'a pas d'effet sur □ les staphylocoques résistant à la méthicilline □ *Bacteroides fragilis* □ les entérocoques.

PHARMACOCINÉTIQUE

Absorption : Bonne absorption par suite de l'administration par voie orale.

Distribution : L'agent se répartit dans tout l'organisme ; il traverse le placenta et pénètre dans le lait maternel à faible concentration. Il pénètre en quantité infime dans le liquide céphalorachidien.

Métabolisme et excrétion: Le médicament est excrété à l'état pratiquement inchangé par les reins.

Demi-vie: De 0,7 à 2 h.

CONTRE-INDICATIONS ET PRÉCAUTIONS

Contre-indications: ■ Hypersensibilité aux céphalosporines ■ Réactions graves d'hypersensibilité aux pénicillines.

Précautions: ■ Insuffisance rénale grave (réduire la dose) ■ Grossesse et allaitement (l'innocuité du médicament n'a pas été établie).

RÉACTIONS INDÉSIRABLES ET EFFETS SECONDAIRES

GI: nausées, vomissements, crampes, diarrhée, COLITE PSEUDO-MEMBRANEUSE.

Tég.: rash, urticaire.

Hémat.: dyscrasie, anémie hémolytique.

Divers: surinfection, réactions allergiques incluant l'ANAPHYLAXIE et la maladie sérique.

INTERACTIONS

Médicament – médicament: Le **probénécide** diminue l'excrétion et accroît les concentrations sanguines de céphradine.

VOIES D'ADMINISTRATION ET POSOLOGIE

PO (adultes): de 250 à 500 mg, toutes les 6 h, ou de 500 mg à 1 g, toutes les 12 h.

PHARMACODYNAMIE (concentrations sanguines)

	DÉBUT D'ACTION	PIC
IV	rapide	fin de la perfusion

☀ SOINS INFIRMIERS

ÉVALUATION DE LA SITUATION

□ Au début du traitement et pendant toute sa durée, surveiller l'apparition des signes suivants d'infection: altération des signes vitaux; aspect de la plaie, des crachats, de l'urine et des selles; accroissement du nombre de leucocytes.

□ Avant d'amorcer le traitement, recueillir les antécédents du patient, afin de déterminer ses réactions antérieures à une pénicilline ou à une céphalosporine. Même les personnes n'ayant jamais manifesté de sensibilité aux pénicillines peuvent présenter une réaction allergique.

□ Prélever des échantillons pour les cultures et les antibiogrammes avant le début du traitement. La première dose peut être administrée avant même que les résultats soient connus.

□ Suivre de près les signes et les symptômes suivants d'anaphylaxie: rash, prurit, œdème laryngé, respiration sifflante. Si ces réactions se manifestent, arrêter l'administration du médicament et avertir immédiatement le médecin. Garder à portée de la main de l'épinéphrine, un antihistaminique et le matériel de réanimation pour parer à une éventuelle réaction anaphylactique.

■ **Étude des examens diagnostiques et biochimiques:** La céphradine peut entraîner des résultats faussement positifs au test de Coombs et au dosage du glucose dans l'urine lorsqu'on utilise la méthode au sulfate de cuivre (Clinitest). Pour doser le glucose dans l'urine recourir plutôt à la méthode à la glucose-oxydase (Clinistix ou Tes-Tape).

■ Le médicament peut provoquer une élévation passagère des concentrations d'urée, de TGOS (AST), de TGPS (ALT), de LDH, de phosphatase alcaline et de bilirubine.

DIAGNOSTICS INFIRMIERS POSSIBLES

■ **Énoncés diagnostiques**

□ Risque élevé d'infection.

□ Diarrhée.

□ Prise en charge inefficace du programme thérapeutique.

□ *Risque élevé de réaction allergique.*

- *Risque élevé de déshydratation.*
- *Risque élevé d'anxiété.*
- *Risque élevé de surinfection.*

■ **Facteurs favorisants**

- Informations incomplètes.
- *Manque de connaissances sur les moyens de prévenir les effets secondaires affectant l'appareil gastro-intestinal.*
- *Douleur au point d'injection IV.*
- *Manque de connaissances sur les modalités du traitement.*

INTERVENTIONS INFIRMIÈRES

PO : Administrer le médicament avec des aliments ou du lait afin de réduire les risques d'irritation gastro-intestinale.

ENSEIGNEMENT AU PATIENT ET À SES PROCHES

- Expliquer au patient qu'il doit prendre toute la quantité de médicament qui lui a été prescrite, même s'il se sent mieux. Insister sur le fait qu'il peut être dangereux de donner ce médicament à une autre personne.
- Conseiller au patient de signaler l'allergie et les signes suivants de surinfection : excroissance pileuse sur la langue, démangeaisons ou pertes vaginales, selles molles ou nauséabondes.
- Recommander au patient de contacter le médecin en cas de fièvre ou de diarrhée, particulièrement si les selles renferment du sang, du pus ou du mucus. Conseiller au patient de ne pas traiter la diarrhée sans consulter au préalable le médecin ou le pharmacien.

VÉRIFICATION DES RÉSULTATS

La réponse clinique au traitement peut être déterminée par : la disparition des signes et des symptômes d'infection. Le temps de résolution dépend du microorganisme infectant et du siège de l'infection.

CHARBON ACTIVÉ

Charac Tol, Charcodote, Charcodote aqueux, Charcodote TFS, (Acta-Char), (Acta-Char Liquide A), (Actidose-Aqua), (Arm-a-Char), (Charac), (Charcocaps), (InstaChar), (InstaChar aqueux en suspension), (LiquiChar), (SuperChar), (SuperChar aqueux)

CLASSIFICATION :

Antidote – absorbant ; antidiarrhéique – absorbant, traitement des flatulences

Grossesse – catégorie C

INDICATIONS

■ Traitement d'urgence de l'empoisonnement par de nombreuses substances absorbées par voie orale, après induction du vomissement et lavages gastriques. **Usages non approuvés :** ■ Soulagement de la flatulence (l'efficacité du traitement n'a pas été prouvée) ■ Traitement de la diarrhée (l'efficacité du traitement n'a pas été prouvée).

ACTION

■ Liaison des médicaments et des substances chimiques qui se trouvent dans l'appareil gastro-intestinal ■ Diminution possible du volume des gaz intestinaux et absorption des diverses toxines provoquant la diarrhée. **Effets thérapeutiques :** ■ Diminution de l'absorption intestinale des médicaments ou des produits chimiques en cas de surdosage, en prévenant ainsi l'intoxication.

PHARMACOCINÉTIQUE

Absorption : Nulle.
Distribution : Nulle.
Métabolisme et excrétion : Le médicament est excrété à l'état inchangé dans les fèces.
Demi-vie : Inconnue.

CONTRE-INDICATIONS ET PRÉCAUTIONS

Contre-indications : Aucune connue.

Précautions : ■ Empoisonnement dû aux cyanures, aux produits corrosifs, à l'éthanol, au méthanol, aux distillats à base de pétrole, aux solvants organiques, aux acides minéraux ou au fer ■ Examen endoscopique (difficulté d'interprétation des résultats).

RÉACTIONS INDÉSIRABLES ET EFFETS SECONDAIRES

GI : vomissements, constipation, diarrhée, selles noires.

INTERACTIONS

Médicament – médicament : Le charbon adsorbe les **autres médicaments** dont le **sirop d'ipéca** et les **laxatifs**, ce qui empêche leur absorption systémique à partir de l'appareil gastro-intestinal. **Médicament – aliments :** Le **lait**, les **crèmes glacées** et les **sorbets** diminuent la capacité du charbon d'absorber les autres agents.

PRÉSENTATION

Comprimés, capsules, poudre et solution aqueuse (l'agent est mélangé dans de l'eau ou dans du sorbitol et la solution est sucrée pour en rendre le goût plus agréable).

VOIES D'ADMINISTRATION ET POSOLOGIE

Antidote
■ **PO (adultes et enfants) :** de 12,5 à 50 g ou 1g/kg ou de 5 à 10 fois la quantité de poison ingérée si celle-ci est connue.

Traitement de la flatulence et de la diarrhée
■ **PO (adultes) :** de 520 à 975 mg, 3 fois par jour, après les repas (ne pas administrer plus de 4,16 g par jour).

PHARMACODYNAMIE
(antidote)

	DÉBUT D'ACTION	PIC	DURÉE
PO	quelques minutes	inconnu	4 – 12 h

☀ SOINS INFIRMIERS

ÉVALUATION DE LA SITUATION

■ **Directives générales :** Examiner l'état neurologique du patient et administrer le médicament lorsque celui-ci est éveillé (à moins que ses voies respiratoires ne soient protégées).

□ Consulter les ouvrages de références, les centres antipoison ou le médecin pour connaître les symptômes de toxicité des agents ingérés.

□ Mesurer la pression artérielle, le pouls, la fréquence respiratoire et le débit urinaire, et examiner l'état neurologique du patient d'après les réactions que l'agent toxique en question peut provoquer. Prévenir le médecin si les symptômes persistent ou s'aggravent.

■ **Empoisonnement :** Se renseigner sur le type de médicament ou de poison et sur le moment de l'ingestion.

■ **Flatulence :** Examiner l'abdomen à intervalles réguliers tout au long du traitement. Noter l'ampleur de la distension, les bruits intestinaux, le tympanisme et l'intensité de la douleur.

■ **Diarrhée :** Noter la quantité, la fréquence et la consistance des selles.

■ **Étude des examens diagnostiques et biochimiques :** L'administration prolongée de cet agent peut entraver l'absorption des nutriments essentiels, ce qui peut entraîner une réduction des concentrations de minéraux ou d'électrolytes.

DIAGNOSTICS INFIRMIERS POSSIBLES

■ **Énoncés diagnostiques**
□ Stratégies d'adaptation individuelle inefficaces.
□ Risque élevé d'accident.
□ Diarrhée.
□ *Risque élevé de constipation.*

■ **Facteurs favorisants**
□ *Manque de connaissances sur les modalités du traitement.*

INTERVENTIONS INFIRMIÈRES

■ **Traitement de l'empoisonnement:** L'efficacité du charbon activé est plus grande s'il est administré dans les 30 min qui suivent l'ingestion du médicament ou du poison. Pour réduire l'absorption subséquente des médicaments qui peuvent être éliminés par voie entérohépatique, on peut répéter l'administration de l'agent.

□ Avant d'administrer le charbon activé, faire boire au patient du sirop d'ipéca et attendre qu'il ait fini de vomir.

□ Le médicament est plus efficace sous forme de poudre et il s'agit de la présentation qu'on devrait choisir. Ne pas administrer des comprimés ou des capsules pour traiter l'empoisonnement.

■ **PO:** Mélanger la dose avec 175 à 225 mL d'eau et administrer la solution. On peut la mélanger à du jus, à du cacao ou à du chocolat en poudre pour en améliorer le goût. Ne pas administrer avec des produits laitiers (lait, crème glacée ou sorbet). On peut ajouter de l'eau pour diluer davantage la solution lors de l'administration par sonde nasogastrique.

□ L'ingestion rapide peut provoquer des vomissements. Si le patient vomit peu de temps après avoir ingéré du charbon activé, demander au médecin si l'on peut administrer une nouvelle dose.

□ Ne pas administrer d'autres médicaments par voie orale pendant les 2 h qui précèdent ou qui suivent l'administration du charbon activé.

□ La solution de charbon activé provoque la constipation; le médecin peut prescrire un laxatif, comme le sorbitol ou le citrate de magnésium, pour accélérer l'élimination du médicament. Ces agents provoquent la diarrhée. Certaines préparations contiennent du sorbitol.

ENSEIGNEMENT AU PATIENT ET À SES PROCHES

■ **Directives générales:** Prévenir le patient que ses selles deviendront noires.

■ **Empoisonnement:** Expliquer au patient les méthodes de prévention de l'empoisonnement; recommander de s'informer auprès d'un centre antipoison, du médecin ou du personnel du service des urgences avant de prendre ce médicament. En cas d'empoisonnement, le patient devrait apporter un échantillon de la substance ingérée au service des urgences afin qu'on puisse en connaître la nature.

■ **Flatulence:** Conseiller au patient de prévenir le médecin si les symptômes persistent pendant plus d'une semaine.

■ **Diarrhée:** Inciter le patient à prévenir le médecin si la diarrhée persiste pendant plus de deux jours ou si elle s'accompagne de fièvre.

VÉRIFICATION DES RÉSULTATS

L'efficacité du traitement peut être démontrée par: ■ la prévention ou la résolution des effets secondaires toxiques de l'agent ingéré ■ le soulagement de la flatulence en l'espace d'une semaine ■ la résolution de la diarrhée dans les deux jours qui suivent le début du traitement.

CHLORAL, HYDRATE DE
Novo-Chlorhydrate, PMS-Chloral hydrate, (Aquachloral)

CLASSIFICATION:
Hypnosédatif
Annexe IV (FDA)

Grossesse – catégorie C

INDICATIONS

■ Sédation et induction du sommeil pendant une brève période (l'efficacité du médicament diminue après 2 semaines de traitement) ■ Sédation ou soulagement de l'anxiété préopératoire (adjuvant à l'anesthésie) ■ Soulagement de la douleur postopératoire en association avec un analgésique (adjuvant à l'analgésie).

ACTION

■ Métabolisation en trichloroéthanol, qui est l'ingrédient actif. L'hydrate de chloral est doué de propriétés de dépression généralisée du SNC. **Effets thérapeutiques:** ■ Sédation ou induction du sommeil.

PHARMACOCINÉTIQUE

Absorption: Bonne absorption par suite de l'administration par voie orale ou rectale.

Distribution: L'agent se répartit dans tout l'organisme. Il traverse le placenta et pénètre à faible concentration dans le lait maternel.

Métabolisme et excrétion: Lors du métabolisme hépatique, transformation en trichloroéthanol, le métabolite actif. Le trichloroéthanol est métabolisé à son tour par le foie et les reins en composés inactifs.

Demi-vie: De 8 à 10 h (trichloroéthanol)

CONTRE-INDICATIONS ET PRÉCAUTIONS

Contre-indications: ■ Hypersensibilité ■ Coma ou dépression préexistante du SN ■ Douleur grave, rebelle à tout traitement ■ Grossesse et allaitement ■ Œsophagite, gastrite ou ulcère ■ Rectite (administration par voie rectale).

Précautions: ■ Altération de la fonction hépatique ■ Insuffisance rénale grave ■ Comportement suicidaire ou antécédents de toxicomanie ou de pharmacodépendance ■ Personnes âgées (réduire la dose).

RÉACTIONS INDÉSIRABLES ET EFFETS SECONDAIRES

SNC: sédation excessive, sensation de tête légère, désorientation, céphalées, irritabilité, étourdissements, incoordination.

Resp.: dépression respiratoire.

Tég.: rash.

GI: nausées, vomissements, diarrhée, flatulence.

Divers: tolérance à l'effet du médicament, dépendance psychologique, dépendance physique.

INTERACTIONS

Médicament – médicament: ■ Effets additifs sur la dépression du SNC lors de l'usage concomitant d'autres **dépresseurs du SNC** incluant l'**alcool**, les **antihistaminiques**, les **antidépresseurs**, les **hypnosédatifs** et les **analgésiques narcotiques** ■ L'hydrate de chloral peut potentialiser l'effet des **anticoagulants oraux** ■ Administré dans les 24 h qui suivent un traitement par voie IV au **furosémide**, l'hydrate de chloral peut entraîner la diaphorèse, des fluctuations de la pression artérielle et des bouffées vasomotrices.

VOIES D'ADMINISTRATION ET POSOLOGIE

Anxiété, sédation
■ **PO et PR (adultes):** 250 mg, 3 fois par jour.
■ **PO et PR (enfants):** 25 mg/kg par jour en doses fractionnées.

Insomnie
■ **PO et PR (adultes):** de 500 à 1 000 mg, au coucher.
■ **PO et PR (enfants):** 50 mg/kg.

Usage préopératoire
■ **PO (adultes):** de 500 à 1 000 mg, 30 min avant l'intervention.

Sédation avant l'électroencéphalogramme
■ **PO (enfants) (É.-U.):** de 25 à 50 mg/kg.

PHARMACODYNAMIE (sédation)

	DÉBUT D'ACTION	PIC	DURÉE
PO	30 min	inconnu	4 – 8 h
PR	0,5 – 1 h	inconnu	4 – 8 h

C

SOINS INFIRMIERS

ÉVALUATION DE LA SITUATION

- Évaluer l'état de la conscience, les habitudes de sommeil et le risque de pharmacodépendance avant d'administrer le médicament. Un traitement prolongé peut entraîner la dépendance physique et psychologique. Limiter la quantité de médicament dont peut disposer le patient.
- Évaluer l'état de la vigilance au moment où l'effet atteint son pic. Prévenir le médecin en l'absence d'une sédation satisfaisante ou si des réactions paradoxales surviennent.
- **Étude des examens diagnostiques et biochimiques:** Le médicament peut fausser les résultats du dosage de l'urine lorsqu'on utilise la méthode au sulfate de cuivre (Clinitest). Pour doser le glucose urinaire, recourir plutôt à la méthode à la glucose-oxydase (Ketodiastix ou Tes-Tape).
- L'hydrate de chloral peut fausser les résultats du dosage des 17-hydroxycorticostéroïdes et des catécholamines urinaires.

DIAGNOSTICS INFIRMIERS POSSIBLES

- **Énoncés diagnostiques**
- Perturbation des habitudes de sommeil.
- Anxiété.
- Risque élevé d'accident.
- *Risque élevé de déshydratation.*
- *Difficulté à suivre le traitement.*
- **Facteurs favorisants**
- *Manque de connaissances sur les moyens de prévenir les effets secondaires affectant l'appareil gastrointestinal.*
- *Manque de connaissances sur les effets secondaires du médicament.*
- *Perturbation de la vigilance.*

INTERVENTIONS INFIRMIÈRES

- **Directives générales:** Avant l'administration, atténuer les stimulations venant de l'extérieur et assurer le confort du patient pour accroître l'efficacité du médicament.
- Prévenir les accidents. Soulever les ridelles du lit. Aider le patient lorsqu'il se déplace. Retirer les cigarettes lors de l'administration de doses hypnotiques.
- **PO:** Il faut avaler les capsules telles quelles avec un grand verre d'eau ou de jus pour réduire l'irritation gastrique. Demander au patient de ne pas les mâcher. Diluer le sirop dans un demi-verre d'eau ou de jus.
- **PR:** Si le suppositoire est trop mou, le mettre au réfrigérateur pendant 30 min ou laisser couler de l'eau froide sur l'emballage d'aluminium avant de l'ouvrir.

ENSEIGNEMENT AU PATIENT ET À SES PROCHES

- Conseiller au patient de prendre l'hydrate de chloral en suivant scrupuleusement la posologie recommandée. S'il n'a pas pu prendre le médicament au moment habituel, il devrait sauter cette dose; il ne faut jamais remplacer une dose manquée par une double dose. Le sevrage abrupt, après un traitement de deux semaines ou plus, peut entraîner l'excitation du SN, des tremblements, de l'anxiété, des hallucinations et le délirium.
- Prévenir le patient que l'hydrate de chloral entraîne de la somnolence et des étourdissements. Lui conseiller de ne pas conduire et d'éviter les activités qui exigent sa vigilance jusqu'à ce qu'on ait la certitude que le médicament n'entraîne pas ces effets chez lui.
- Prévenir le patient que la consommation concomitante d'alcool peut entraîner un effet additif se traduisant par de la tachycardie, de la vasodilatation, des bouffées vasomotrices, des céphalées, de l'hypotension et par une dépression marquée du SNC.

C

Lui conseiller d'éviter de boire de l'alcool et de prendre des dépresseurs du SNC en même temps que l'hydrate de chloral.

□ Conseiller au patient d'arrêter le traitement et de prévenir le médecin si les symptômes suivants se manifestent : rash, étourdissements, irritabilité, altération des opérations de la pensée, céphalées ou incoordination motrice.

VÉRIFICATION DES RÉSULTATS

L'efficacité du traitement peut être démontrée par : ■ la sédation ■ l'amélioration du sommeil.

CHLORAMBUCIL
Leukeran

CLASSIFICATION :
Antinéoplasique – agent alkylant
Grossesse – catégorie D

INDICATIONS

Traitement de la leucémie lymphoïde chronique, des lymphomes (y compris les lymphosarcomes), de la maladie de Brill-Symmers (lymphome gigantofolliculaire) et de la maladie de Hodgkin (en monothérapie et en association).

ACTION

■ Inhibition de la synthèse des protéines cellulaires (effet non spécifique sur le cycle cellulaire). **Effets thérapeutiques :** ■ Destruction des cellules à réplication rapide, particulièrement des cellules malignes.

PHARMACOCINÉTIQUE

Absorption : Le médicament est rapidement et totalement absorbé depuis le tractus gastro-intestinal.

Distribution : Le médicament traverse le placenta.

Métabolisme et excrétion : Le médicament est fortement métabolisé par le foie.

Demi-vie : 1,5 h.

CONTRE-INDICATIONS ET PRÉCAUTIONS

Contre-indications : ■ Hypersensibilité ■ Antécédents de résistance au médicament ■ Grossesse et allaitement.

Précautions : ■ Patientes en âge de procréer ■ Infection ■ Toute autre maladie chronique débilitante.

RÉACTIONS INDÉSIRABLES ET EFFETS SECONDAIRES

Resp. : fibrose pulmonaire.

GI : nausées, vomissements, stomatite (rare).

GU : diminution du nombre des spermatozoïdes, stérilité.

Tég. : rash, dermatite, alopécie (rare).

Hémat. : anémie, leucopénie, thrombocytopénie.

Métab. : hyperuricémie.

Divers : réactions allergiques, risque de formation de tumeurs secondaires.

INTERACTIONS

Médicament – médicament : ■ Les **myélosuppresseurs (antinéoplasiques)** peuvent entraîner une aplasie médullaire additive ■ Le médicament peut réduire la réponse des anticorps aux **vaccins vivants** et augmenter le risque de réactions indésirables.

VOIES D'ADMINISTRATION ET POSOLOGIE

■ **PO (adultes) :** de 0,1 à 0,2 mg/kg par jour pendant 4 à 8 semaines, puis adapter la dose selon la numération globulaire ; la dose d'entretien habituelle est de 2 mg par jour.

■ **PO (enfants) (É.-U.) :** de 0,1 à 0,2 mg/kg par jour ou 4,5 mg/m^2 par jour.

PHARMACODYNAMIE
(effets sur la numération leucocytaire)

	DÉBUT D'ACTION	PIC	DURÉE
PO	7 – 14 jours	7 – 14 jours	14 – 28 jours

✳ SOINS INFIRMIERS

ÉVALUATION DE LA SITUATION

☐ Surveiller l'apparition de la fièvre, des maux de gorge et des signes d'infection. En informer immédiatement le médecin, le cas échéant.

☐ Suivre de près les différents types de saignements : saignement des gencives ; formation d'ecchymoses, pétéchies, présence de sang occulte dans les selles, dans l'urine et dans les vomissures (méthode au gaïac). Éviter les injections IM et la prise de température dans le rectum. Appliquer une pression sur tous les points de ponction veineuse pendant au moins 10 min.

☐ Effectuer le bilan des ingesta et des excreta et peser le patient tous les jours. Prévenir le médecin de tout écart important entre les valeurs totales.

☐ Observer les symptômes suivants de goutte : concentration accrue d'acide urique, douleurs articulaires et œdème. Inciter le patient à boire au moins deux litres de liquide par jour. On peut administrer de l'allopurinol pour diminuer les concentrations d'acide urique. Le médecin peut recommander l'alcalinisation de l'urine pour augmenter l'excrétion de l'acide urique.

■ L'anémie peut survenir. Suivre de près la fatigue accrue, la dyspnée et l'hypotension orthostatique.

■ **Étude des examens diagnostiques et biochimiques :** Examiner la numération globulaire et la formule leucocytaire avant le début du traitement et heb-domadairement pendant toute sa durée. Prévenir le médecin si le nombre de granulocytes diminue considérablement. La leucopénie survient habituellement vers la troisième semaine de traitement et persiste pendant une semaine ou deux après un traitement de courte durée. Le nadir de la leucopénie se produit entre le 7e et le 14e jour suivant l'administration d'une seule dose élevée, les concentrations se rétablissant de 2 à 3 semaines plus tard. Le nombre de polynucléaires neutrophiles peut diminuer pendant les 10 jours qui suivent la prise de la dernière dose. Noter les numérations plaquettaires pendant toute la durée du traitement. La thrombocytopénie survient habituellement vers la troisième semaine de traitement et se maintient pendant une semaine ou deux après un traitement de courte durée. Le nadir de la thrombocytopénie se produit une semaine ou deux après l'administration d'une seule dose, les concentrations se rétablissant de 2 à 3 semaines plus tard. Prendre les mesures nécessaires en cas de thrombocytopénie si le nombre de plaquettes est inférieur à 150×10^9/L.

☐ Noter les résultats des tests d'exploration fonctionnelle hépatique et les concentrations d'urée, de créatinine et d'acide urique avant le traitement et à intervalles réguliers pendant toute sa durée. Le médicament peut entraîner l'élévation des concentrations de TGPS (ALT) et de phosphatase alcaline, ce qui peut être un indice d'hépatotoxicité.

DIAGNOSTICS INFIRMIERS POSSIBLES

■ **Énoncés diagnostiques**

☐ Risque élevé d'accident.

☐ Risque élevé d'infection.

☐ Prise en charge inefficace du programme thérapeutique.

☐ *Risque élevé d'hémorragie.*

C

□ *Risque élevé de perturbation situationnelle de l'estime de soi.*

□ *Risque élevé d'intolérance à l'activité.*

■ **Facteurs favorisants**

□ Informations incomplètes.

□ *Altération de l'image corporelle.*

□ *Douleurs articulaires.*

□ *Manque de connaissances sur les moyens de prévenir les effets secondaires du médicament.*

INTERVENTIONS INFIRMIÈRES

■ **PO**: Administrer le médicament ou bien une heure avant ou bien deux heures après les repas. Le pharmacien peut préparer une suspension lorsque le patient éprouve des difficultés de déglutition.

ENSEIGNEMENT AU PATIENT ET À SES PROCHES

□ Expliquer au patient qu'il doit suivre scrupuleusement la posologie recommandée même si les nausées et les vomissements le gênent considérablement. Demander des conseils au médecin si les vomissements surviennent peu de temps après la prise du médicament. Si le patient n'a pu prendre le médicament au moment habituel, et si la prise est uniquotidienne, il doit le prendre aussitôt que possible dans la même journée. Si le médicament doit être pris en doses fractionnées, il doit le prendre aussitôt que possible à moins que ce ne soit presque l'heure prévue pour la dose suivante. Il ne faut jamais remplacer une dose manquée par une double dose.

□ Recommander au patient de signaler les saignements inhabituels. Lui expliquer les mesures à prendre en cas de thrombocytopénie: utiliser une brosse à dents à poils souples et un rasoir électrique; prendre garde aux chutes; ne pas boire d'alcool ni prendre des médicaments contenant de l'acide acétylsalicylique (aspirine) étant donné le risque de saignements gastriques.

□ Expliquer au patient qu'il doit éviter les foules et les personnes contagieuses. Lui recommander de signaler immédiatement au médecin les symptômes d'infection.

□ Recommander au patient d'observer ses muqueuses buccales à la recherche de rougeurs ou d'aphtes. En cas d'aphtes, conseiller au patient de remplacer la brosse à dent par une brosse-éponge, de se rincer la bouche avec de l'eau après avoir bu ou mangé et de consulter le médecin si les douleurs l'empêchent de manger.

□ Conseiller au patient qui suit un traitement prolongé de signaler immédiatement au médecin la toux, les essoufflements et la fièvre.

□ Recommander au patient de prévenir le médecin si les nausées et les vomissements persistent. Le médecin peut lui prescrire un antiémétique, bien que ces effets secondaires durent en général moins de 24 h et qu'ils semblent s'atténuer malgré la poursuite du traitement.

□ Expliquer au patient qu'il risque de perdre ses cheveux. Explorer avec lui et avec ses proches les méthodes lui permettant de s'adapter à ce changement de son image corporelle.

□ Prévenir la patiente que le chlorambucil peut provoquer une suppression irréversible de la fonction des gonades; lui conseiller cependant de continuer à prendre des mesures de contraception. Lui recommander d'informer le médecin sans délai si elle pense être enceinte.

□ Expliquer au patient qu'il ne doit pas se faire vacciner sans recommandation expresse du médecin.

VÉRIFICATION DES RÉSULTATS

L'efficacité du traitement peut être démontrée par: ■ l'amélioration des paramètres hématopoïétiques dans le cas de la leucémie ■ la diminution de la taille de la tumeur et le ralentissement de la propagation des métastases. Les effets thérapeutiques de ce médicament sont habituellement manifestes vers la troisième semaine de traitement.

CHLORAMPHÉNICOL

Ak Chlor, Chloromycetin, Diochloram, Novo-Chlorocap, Ophtho-Chloram, Pentamycetin, Sopamycetin, Spersanicol

CLASSIFICATION :
Anti-infectieux – divers

Grossesse – catégorie inconnue

INDICATIONS

■ **PO et IV :** Traitement des infections graves suivantes provoquées par des microorganismes sensibles lorsqu'on ne peut pas administrer des agents moins toxiques : □ Infections de la peau et des tissus mous □ Infections intra-abdominales □ Infections du SNC □ Méningite □ Bactériémie ■ **Usage topique, auriculaire et ophtalmique :** □ Traitement local des infections superficielles provoquées par les micro-organismes sensibles.

ACTION

■ Inhibition de la synthèse protéique chez les bactéries sensibles au niveau du ribosome 50 S. **Effets thérapeutiques :** ■ Action bactériostatique contre les micro-organismes sensibles. **Spectre d'action :** Action contre de nombreux micro-organismes aérobies à Gram positif incluant : □ *Streptococcus pneumoniæ* et autres streptocoques ■ Action contre les micro-organismes à Gram négatif suivants : □ *Hæmophilus influenzæ* □ *Neisseria meningitidis* ■ *Salmonella* □ *Shigella* ■ Action contre les micro-organismes anaérobies suivants : □ *Bacteroides fragilis* □ *Bacteroides melani-*

nogenicus ■ Inhibition des autres micro-organismes suivants : □ *Rickettsie* □ *Chlamydia* □ *Mycloplasma.*

PHARMACOCINÉTIQUE

Absorption : Bonne absorption par suite de l'administration par voie orale.

Distribution : L'agent se répartit dans tout l'organisme ; il traverse la barrière hémato-encéphalique atteignant dans le liquide céphalorachidien des concentrations de 60 % des valeurs sériques. Il traverse facilement le placenta et pénètre dans le lait maternel.

Métabolisme et excrétion : Le médicament est principalement métabolisé par le foie ; une fraction de moins de 10 % est excrétée à l'état inchangé par les reins.

Demi-vie : De 1,5 à 3,5 h.

CONTRE-INDICATIONS ET PRÉCAUTIONS

Contre-indications : ■ Hypersensibilité ■ Antécédents de réaction toxique.

Précautions : ■ Nouveau-nés ■ Maladies hépatique ou rénale graves (risque accru de réactions indésirables) ■ Personnes âgées (risque accru de réactions indésirables) ■ Névrite ou diminution du nombre de globules sanguins (arrêter l'administration) ■ Grossesse et allaitement (l'innocuité du médicament n'a pas été établie).

RÉACTIONS INDÉSIRABLES ET EFFETS SECONDAIRES

SNC : dépression, confusion, céphalées.

ORLO : névrite optique, vision trouble.

GI : nausées, vomissements, diarrhée, goût amer (voie IV seulement).

Tég. : rash.

Hémat. : aplasie médullaire, ANÉMIE APLASIQUE.

SN : névrite périphérique.

Divers : PANCYTOPÉNIE (syndrome gris) chez le nouveau-né, fièvre.

C

INTERACTIONS

Médicament – médicament: ■ Le chloramphénicol inhibe la capacité du foie de métaboliser les médicaments et peut accentuer les effets des médicaments suivants: **hypoglycémiants oraux**, **anticoagulants oraux** et **phénytoïne**. ■ Le **phénobarbital** ou la **rifampine** peuvent diminuer les concentrations sanguines de choramphénicol. ■ Le chloramphénicol peut retarder la réponse thérapeutique à la **vitamine B$_{12}$** ou à l'**acide folique**. ■ Les autres **agents myélodépressifs (antinéoplasiques)**, administrés simultanément, peuvent avoir des effets additifs sur l'aplasie médullaire. ■ L'usage prolongé de grandes quantités d'**acétaminophène** peut accroître la demi-vie et la toxicité du chloramphénicol.

VOIES D'ADMINISTRATION ET POSOLOGIE

■ **PO et IV (adultes, enfants et nouveau-nés > 7 jours):** 50 mg/kg par jour, en doses fractionnées, toutes les 6 h.
■ **PO et IV (nouveau-nés < 7 jours et pesant < 2 kg):** 25 mg/kg, toutes les 12 h.
■ **Usage ophtalmique (adultes et enfants):** 1 ou 2 gouttes de solution ophtalmique ou petite quantité d'onguent, toutes les 3 à 6 h.
■ **Usage auriculaire (adultes et enfants):** 2 ou 3 gouttes, 2 fois par jour.
■ **Usage topique (adultes et enfants):** crème à 1 %, 3 ou 4 fois par jour.

PHARMACODYNAMIE
(concentrations sanguines)

	DÉBUT D'ACTION	PIC
PO	rapide	1 – 3 h
IV	rapide	fin de la perfusion

☀ SOINS INFIRMIERS

ÉVALUATION DE LA SITUATION

■ **Directives générales:** Au début du traitement et pendant toute sa durée, surveiller l'apparition des signes suivants d'infection: altération des signes vitaux; aspect de la plaie, des crachats, de l'urine et des selles; accroissement du nombre de leucocytes.
■ N'administrer ce médicament par voie générale qu'aux patients hospitalisés ou à ceux faisant l'objet d'une étroite surveillance médicale. Le diagnostic médical doit être confirmé par le résultat des cultures avant d'amorcer le traitement.
■ Surveiller quotidiennement l'apparition des signes suivants d'aplasie médullaire: pétéchies, maux de gorge, fatigue, saignements inhabituels, formation d'ecchymoses. Les risques de réactions indésirables sont accrus chez les patients présentant un dysfonctionnement rénal ou hépatique, les nourrissons, les enfants et les personnes âgées.
■ **Prématurés et nouveau-nés:** Surveiller l'apparition des signes suivants de pantocytopénie (syndrome gris): distension abdominale, somnolence, basse température, cyanose, hypotension et détresse respiratoire.
■ **Étude des examens diagnostiques et biochimiques:** Examiner la numération globulaire et plaquettaire tous les deux jours pendant toute la durée du traitement. Arrêter l'administration du médicament aux premiers signes d'anémie, de réticulocytopénie, de leucopénie ou de thrombocytopénie. Prévenir immédiatement le médecin.
□ Le médicament peut entraîner des résultats faussement positifs au dosage du glucose dans l'urine lorsqu'on utilise la méthode au sulfate de cuivre (Clinitest). Pour doser le glucose, recourir plutôt à la méthode à la glucose-oxydase (Ketodiastix ou TesTape).
■ **Toxicité et surdosage:** Noter les concentrations sériques toutes les semaines. Concentrations thérapeutiques: pic, de 5 à 20 µg/mL.

C

DIAGNOSTICS INFIRMIERS POSSIBLES

■ **Énoncés diagnostiques**

□ Risque élevé d'infection.

□ Prise en charge inefficace du programme thérapeutique.

□ *Risque élevé de surinfection.*

■ **Facteurs favorisants**

□ Informations incomplètes.

□ *Manque de connaissances sur les modalités du traitement.*

INTERVENTIONS INFIRMIÈRES

■ **Directives générales:** Le médicament doit être administré à intervalles réguliers 24 h sur 24.

■ **PO:** Administrer les doses par voie orale avec un verre d'eau, 1 h avant ou 2 h après les repas. Administrer la suspension orale aux patients qui éprouvent des difficultés de déglutition.

■ **IV directe:** Diluer 1 g dans 10 mL d'eau stérile pour injection ou de dextrose à 5 % dans de l'eau afin d'obtenir une concentration de 10 %. Ne pas utiliser de solutions renfermant de l'alcool benzylique lorsque l'agent est administré à un nouveau-né.

■ *Vitesse d'administration:* Administrer lentement, en au moins 1 min.

■ **Perfusion intermittente:** La solution reconstituée peut être diluée de nouveau dans 50 à 100 mL de dextrose à 5 ou à 10 % dans de l'eau, de dextrose à 5 % dans une solution de NaCl à 0,9 %, à 0,45 % ou à 0,25 %, de dextrose à 5 % dans une solution de lactate Ringer, de solution de NaCl à 0,45 % ou à 0,9 % ou de solution de lactate Ringer. Des cristaux peuvent se former dans la solution ; bien agiter pour les dissoudre. Ne pas administrer les solutions troubles.

■ *Vitesse d'administration:* La perfusion intermittente doit durer de 30 à 60 min.

■ **Associations compatibles dans la même seringue:** Ampicilline, héparine, méthicilline ou pénicilline G sodique.

■ **Associations incompatibles dans la même seringue:** Glycopyrrolate ou métoclopramide.

■ **Compatibilités (tubulure en Y):** Acyclovir, cyclophosphamide, énalaprilate, esmolol, foscarnet, hydromorphone, labétalol, mépéridine, morphine, perphénazine ou sulfate de magnésium.

■ **Compatibilités en addition au soluté:** Acide ascorbique, amikacine, aminophylline, bicarbonate de sodium, céphalothine, céphapirine, chlorure de calcium, chlorure de potassium, colistiméthate, corticotropine, cyanocobalamine, dimenhydrinate, dopamine, éphédrine, gluconate de calcium, héparine, kanamycine, lidocaïne, métaraminol, méthicilline, méthyldopa, méthylprednisolone, métronidazole, nafcilline, oxacilline, oxytocine, pénicilline G, pentobarbital, phényléphrine, phytonadione, protéines plasmatiques, promazine, ranitidine, succinate sodique d'hydrocortisone, sulfate de magnésium, thiopental ou vérapamil.

■ **Incompatibilités en addition au soluté:** Chlorpromazine, érythromycine, hydroxyzine, oxytétracycline, phénytoïne, polymyxine B, prochlorpérazine, prométhazine, tétracycline ou vancomycine.

■ **Usage ophtalmique:** La méthode d'instillation des gouttes ophtalmiques est indiquée à l'annexe H.

□ La préparation ophtalmique existe en association avec de l'hydrocortisone et de la polymyxine B (voir l'annexe A).

■ **Usage topique:** Nettoyer la région à traiter avec de l'eau savonneuse avant d'appliquer la crème.

ENSEIGNEMENT AU PATIENT ET À SES PROCHES

■ **Directives générales:** Conseiller au patient de respecter scrupuleusement la

C

posologie recommandée et de prendre toute la quantité de médicament qui lui a été prescrite même s'il se sent mieux. S'il n'a pu prendre son médicament au moment habituel, il doit le prendre dès que possible à moins que ce ne soit presque l'heure prévue pour la dose suivante. Il ne faut jamais remplacer une dose manquée par une double dose. Insister sur le fait qu'il peut être dangereux de donner ce médicament à une autre personne.

☐ Recommander au patient de contacter le médecin en cas de saignements inhabituels, de formation d'ecchymoses, de fièvre, de maux de gorge, de nausées, de diarrhée, d'engourdissements, de picotements, de sensation de brûlure ou de faiblesse aux mains et aux pieds et d'arrêter de prendre le chloramphénicol dès l'apparition de ces symptômes.

☐ Inciter le patient à signaler les signes suivants de surinfection : stomatite, démangeaisons périanales, pertes vaginales, fièvre.

☐ Insister sur l'importance d'un suivi médical régulier. L'aplasie médullaire peut se manifester plusieurs semaines ou mois après l'arrêt de la pharmacothérapie.

■ **IV :** Expliquer au patient que le goût amer qui apparaît 15 à 20 s après l'injection disparaîtra dans 2 à 3 min.

■ **Usage ophtalmique :** Expliquer au patient que les gouttes ophtalmiques peuvent troubler la vue pendant quelques minutes après l'instillation.

VÉRIFICATION DES RÉSULTATS

La réponse clinique au traitement peut être déterminée par : la disparition des signes et des symptômes d'infection. Le temps de résolution dépend du microorganisme infectant et du siège de l'infection.

CHLORDIAZÉPOXIDE

Apo-chlordiazépoxide, Librium, Novopoxide, Solium, (Libritabs), (Lipoxide), (Mitram), (Reposans), (Sereen)

CLASSIFICATION :

Anxiolytique ;
hypnosédatif – benzodiazépine
Annexe IV (FDA)
Grossesse – catégorie D

INDICATIONS

■ Traitement d'appoint de l'anxiété, de l'insomnie provoquée par la tension et de l'appréhension pré et postopératoire ■ Traitement des symptômes du sevrage alcoolique ■ Soulagement du spasme musculaire provoqué par une tension émotive.

ACTION

■ Effet anxiolytique à de nombreux niveaux du SNC ■ Dépression du SNC probablement par la potentialisation de l'acide gamma-aminobutyrique (GABA), neurotransmetteur inhibiteur. **Effets thérapeutiques :** ■ Sédation ■ Soulagement de l'anxiété.

PHARMACOCINÉTIQUE

Absorption : Bonne absorption depuis le tractus gastro-intestinal. L'absorption depuis les points d'injection IM peut être lente et imprévisible.

Distribution : L'agent se répartit dans tout l'organisme ; il traverse la barrière hémato-encéphalique et le placenta et pénètre dans le lait maternel.

Métabolisme et excrétion : Le médicament est fortement métabolisé par le foie. Certains produits du métabolisme dépriment le SNC.

Demi-vie : De 5 à 30 h.

CONTRE-INDICATIONS ET PRÉCAUTIONS

Contre-indications : ■ Hypersensibilité ■ Risque de réactions de sensibilité croisée avec d'autres benzodiazépines ■ Coma ou dépression préexistante du SNC ■ Douleurs graves, rebelles à tout traitement ■ Glaucome à angle fermé ■ Grossesse et allaitement.

Précautions: ■ Altération de la fonction hépatique ■ Insuffisance rénale grave ■ Comportement suicidaire ou antécédents de toxicomanie ou de pharmacodépendance ■ Personnes âgées ou patients débilités (réduire la dose).

RÉACTIONS INDÉSIRABLES ET EFFETS SECONDAIRES

SNC: étourdissements, somnolence, sensation de tête légère, excitation paradoxale, céphalées.

ORLO: vision trouble.

GI: nausées, vomissements, diarrhée, constipation.

Tég.: rash.

Locaux: douleur au point d'injection IM.

Divers: tolérance à l'effet du médicament, dépendance psychologique, dépendance physique.

INTERACTIONS

Médicament – médicament: ■ Effets additifs sur la dépression du SNC lors de l'usage concomitant d'**alcool**, d'**antidépresseurs**, d'**antihistaminiques** et d'**analgésiques narcotiques** ■ La **cimétidine**, les **contraceptifs oraux**, le **disulfirame**, la **fluoxétine**, l'**isoniazide**, le **kétoconazole**, le **métoprolol**, le **propoxyphène**, le **propanolol** ou l'**acide valproïque** peuvent ralentir le métabolisme du chlordiazépoxide et en intensifier les effets ■ Le chlordiazépoxide peut réduire l'efficacité de la **lévodopa** ■ La **rifampine** et les **barbituriques** peuvent accélérer le métabolisme du chlordiazépoxide et en diminuer l'efficacité ■ Les effets sédatifs du chlordiazépoxide peuvent être réduits par la **théophylline**.

VOIES D'ADMINISTRATION ET POSOLOGIE

Sevrage alcoolique
■ **PO (adultes):** de 50 à 100 mg; on peut répéter l'administration jusqu'à concurrence de 300 mg par jour, jusqu'à ce que l'agitation soit apaisée.
■ **IM et IV (adultes):** dose initiale de 50 à 100 mg, qu'on peut répéter, le cas échéant, dans les 2 à 4 h.

Anxiété
■ **PO (adultes):** de 5 à 25 mg, 2 à 4 fois par jour.
■ **PO (enfants > 6 ans) (É.-U.):** 5 mg, 2 à 4 fois par jour, jusqu'à 10 mg, 3 fois par jour.
■ **IM et IV (adultes):** dose initiale de 50 à 100 mg, puis de 25 à 50 mg, 3 ou 4 fois par jour, selon les besoins.

Sédation préopératoire
■ **PO (adultes):** de 5 à 10 mg, 3 ou 4 fois par jour pendant les 24 h qui précèdent l'intervention chirurgicale.
■ **IM (adultes):** de 50 à 100 mg, 1 h avant l'intervention chirurgicale.

PHARMACODYNAMIE (sédation)

	DÉBUT D'ACTION	PIC	DURÉE
PO	1 – 2 h	0,5 – 4 h	jusqu'à 24 h
IM	15 – 30 min	inconnu	inconnue
IV	1 – 5 min	inconnu	0,25 – 1 h

SOINS INFIRMIERS

ÉVALUATION DE LA SITUATION

■ **Directives générales:** Noter le degré d'anxiété et de sédation (ataxie, étourdissements et trouble de l'élocution) à intervalles réguliers pendant tout le traitement.

□ Mesurer souvent la pression artérielle, le pouls et la fréquence respiratoire pendant l'administration par voie parentérale. Signaler immédiatement au médecin tout changement notable.

C

□ Le traitement prolongé avec des doses élevées peut entraîner la dépendance psychologique ou physique. Limiter la quantité de médicament dont peut disposer le patient.

■ **Sevrage:** Surveiller l'apparition des symptômes suivants: tremblements, agitation, délirium et hallucinations. Protéger le patient contre les accidents.

■ **Étude des examens diagnostiques et biochimiques:** Chez les patients suivant un traitement prolongé, il faut effectuer, à intervalles réguliers, des numérations globulaires et des tests d'exploration fonctionnelle hépatique. Le médicament peut entraîner l'élévation des concentrations de bilirubine, de TGOS (AST) et de TGPS (ALAT).

DIAGNOSTICS INFIRMIERS POSSIBLES

■ **Énoncés diagnostiques**
□ Anxiété.
□ Risque élevé d'accident.
□ Prise en charge inefficace du programme thérapeutique.
□ *Risque élevé d'apparition de symptômes de sevrage.*

■ **Facteurs favorisants**
□ Informations incomplètes.
□ *Perturbation de la vigilance.*
□ *Manque de connaissances sur les modalités du traitement.*

INTERVENTIONS INFIRMIÈRES

■ **Directives générales:** Utiliser la solution parentérale immédiatement après la reconstitution et jeter toute portion inutilisée.
□ Après l'administration parentérale, garder le patient en position couchée et continuer de l'observer pendant 3 h.
■ Le chlordiazépoxide existe également en association avec du bromure de clidinium (voir l'annexe A).
■ **PO:** Administrer le médicament après les repas ou avec du lait pour réduire l'irritation gastro-intestinale. Les comprimés peuvent être broyés et pris avec des aliments ou des liquides si le patient éprouve des difficultés de déglutition. Ne pas ouvrir les capsules.

■ **IM:** Reconstituer seulement dans 2 mL du diluant fourni par le fabricant. Ne pas utiliser la solution si elle est opalescente ou trouble. Agiter délicatement pour réduire la formation de bulles. Administrer lentement dans un muscle bien développé pour réduire la douleur au point d'injection. La solution reconstituée avec le diluant réservé à l'administration IM ne doit pas être administrée par voie IV.

■ **IV directe:** Reconstituer 100 mg dans 5 mL de solution de NaCl à 0,9 % ou d'eau stérile pour injection. Ne pas utiliser le diluant destiné à l'administration IM.
□ *Vitesse d'administration:* Administrer la dose prescrite lentement, en au moins 1 min. L'administration rapide peut provoquer l'apnée, l'hypotension, la bradycardie ou l'arrêt cardiaque.

■ **Association incompatible dans la même seringue:** Benzquinamide.

■ **Compatibilités (tubulure en Y):** Héparine, succinate sodique d'hydrocortisone ou chlorure de potassium.

ENSEIGNEMENT AU PATIENT ET À SES PROCHES

■ Conseiller au patient de prendre le médicament en respectant scrupuleusement la posologie recommandée. L'inciter à consulter le médecin si le médicament est moins efficace après quelques semaines, sans qu'il augmente la dose de sa propre initiative. Après un traitement prolongé, le retrait du médicament doit se faire graduellement. L'arrêt brusque du traitement peut entraîner les symptômes de sevrage suivants: insomnie, irritation, nervosité, tremblements.

■ Prévenir le patient que le chlordiazépoxide peut provoquer de la somnolence et des étourdissements. Lui conseiller de ne pas conduire et d'éviter les activités qui exigent sa vigilance jusqu'à ce qu'on ait la certitude que le médicament n'entraîne pas ces effets chez lui.

■ Recommander au patient d'éviter de boire de l'alcool ou de prendre des dépresseurs du SNC en même temps que cet agent. Lui conseiller de consulter le médecin ou le pharmacien avant de prendre un médicament en vente libre en même temps que le chlordiazépoxide.

■ Conseiller à la patiente de prévenir le médecin si elle pense être enceinte.

VÉRIFICATION DES RÉSULTATS

L'efficacité du traitement peut être démontrée par : ■ la diminution du sentiment d'anxiété ■ une meilleure capacité d'adaptation ■ la diminution des tremblements et un enchaînement des idées plus logique, lors du traitement des symptômes du sevrage alcoolique.

CHLOROQUINE
Aralen, Novochloroquine

CLASSIFICATION :
Antipaludéen – parasiticide

Grossesse – catégorie inconnue

INDICATIONS

■ Traitement suppressif et prophylactique de la malaria ■ Traitement de l'amibiase extra-intestinale (hépatique). **Usages non approuvés :** ■ Traitement de la polyarthrite rhumatoïde grave et du lupus érythémateux disséminé.

ACTION

■ Inhibition de la synthèse protéique des micro-organismes sensibles par inhibition de la polymérase de l'ADN et de l'ARN. **Effets thérapeutiques :** ■ Destruction des plasmodies qui provoquent la malaria ■ Élimination de l'amibiase ■ Amélioration de l'arthrite inflammatoire.

PHARMACOCINÉTIQUE

Absorption : Bonne absorption par suite de l'administration par voie orale.

Distribution : L'agent se répartit dans tout l'organisme et atteint de fortes concentrations tissulaires. Il traverse le placenta et pénètre dans le lait maternel.

Métabolisme et excrétion : Une fraction de 30 % du médicament est métabolisée par le foie. Le métabolite exerce aussi un effet antiplasmodial. Une fraction de 70 % est excrétée à l'état inchangé par les reins.

Demi-vie : De 72 à 120 h.

CONTRE-INDICATIONS ET PRÉCAUTIONS

Contre-indications : ■ Hypersensibilité ■ Hypersensibilité aux autres composés de la 4-aminoquinoline (hydroxychloroquine) ■ Lésions oculaires provoquées par la chloroquine ou les autres composés de la 4-aminoquinoline ■ Enfants (forme parentérale).

Précautions : ■ Maladie hépatique ■ Alcoolisme ■ Traitement par des médicaments hépatotoxiques ■ Psoriasis ■ Insuffisance en G-6-PD ■ Aplasie médullaire ■ Grossesse (précédents d'usage même si l'innocuité n'a pas été établie).

RÉACTIONS INDÉSIRABLES ET EFFETS SECONDAIRES

SNC : céphalées, fatigue, nervosité, anxiété, irritation, modification de la personnalité, confusion, CONVULSIONS, étourdissements.

ORLO : troubles visuels, kératite, rétinopathie, neurotoxicité pour la VIIIe paire crânienne (effet ototoxique).

CV : hypotension, modifications de l'ÉCG.

GI : gêne épigastrique, anorexie, nausées, vomissements, crampes abdominales, diarrhée.

GU : urine de couleur jaune rouille ou brune.

Tég. : modifications de la pigmentation, alopécie, prurit, photosensibilité, éruptions cutanées, dermatose.

C

Hémat.: leucopénie, thrombocytopénie, agranulocytose, ANÉMIE APLASIQUE.

SN: névrite périphérique, neuromyopathie.

INTERACTIONS

Médicament – médicament: ■ L'administration concomitante d'autres **agents hépatotoxiques** peut accroître le risque d'hépatotoxicité ■ La **pénicillamine** augmente le risque de toxicité hématologique ■ L'administration concomitante d'**agents doués de propriétés toxidermiques** peut accroître le risque de toxidermie ■ L'administration concomitante d'un **vaccin antirabique** obtenu sur cellules diploïdes humaines peut réduire le titrage des anticorps de la rage ■ L'administration d'**acidifiants urinaires** peut accroître l'excrétion urinaire de la chloroquine et en réduire l'efficacité. **Médicament – aliments:** ■ Les **aliments qui acidifient l'urine** (voir l'annexe K) peuvent augmenter l'excrétion du médicament et en diminuer l'efficacité.

VOIES D'ADMINISTRATION ET POSOLOGIE

Malaria (traitement suppressif ou prophylactique)

■ **PO (adultes):** 500 mg (300 mg de base), une fois par semaine. Il faudrait commencer le traitement 2 semaines avant d'entrer dans la région impaludée et le poursuivre pendant 8 semaines après l'avoir quittée.

■ **PO (enfants):** 5 mg base/kg, une fois par semaine. Il faudrait commencer le traitement 2 semaines avant d'entrer dans la région impaludée et le poursuivre pendant 8 semaines après l'avoir quittée. Dose maximale de 500 mg (300 mg de base) par jour, sans égard au poids.

Malaria (crise aiguë dénuée de complications)

■ **PO (adultes):** Initialement 1 g (600 mg de base), suivi de 500 mg (300 mg de base) de 6 à 8 h plus tard et d'une dose supplémentaire de 500 mg (300 mg de base) pendant 2 jours consécutifs. Dose totale: 2,5 g de phosphate de chloroquine ou 1,5 g de base en 3 jours.

■ **PO (nourrissons et enfants):** Une dose représentant 25 mg de base/kg est administrée en 3 jours comme suit:
Première dose: 10 mg de base/kg (mais sans dépasser 600 mg de base en une seule dose).
Deuxième dose: 5 mg de base/kg (mais sans dépasser 300 mg de base en une seule dose) 6 h après la première dose.
Troisième dose: 5 mg de base/kg, 18 h après la deuxième dose.
Quatrième dose: 5 mg de base/kg, 24 h après la troisième dose.

Amibiase extra-intestinale

■ **PO (adultes):** 1 g (600 mg de base), une fois par jour pendant 2 jours, puis 500 mg (300 mg de base), une fois par jour pendant au moins 2 à 3 semaines.

■ **PO (enfants) (É.-U.):** 10 mg/kg, une fois par jour, pendant au moins 2 à 3 semaines (dose maximale de 300 mg par jour).

PHARMACODYNAMIE
(le début d'action antipaludique est rapide; les effets anti-inflammatoires peuvent ne pas se manifester avant 6 mois de traitement)

	DÉBUT D'ACTION	PIC	DURÉE
PO	rapide	1 – 2 h	plusieurs jours-semaines

 SOINS INFIRMIERS

ÉVALUATION DE LA SITUATION

■ **Directives générales:** Recueillir des données sur les symptômes qui se sont manifestés avant l'administration du médicament.

□ Évaluer le réflexe tendineux régulièrement afin de déceler toute faiblesse

C

musculaire. Parfois, il faut arrêter le traitement si celle-ci se manifeste.

- **Malaria, amibiase ou lupus érythémateux :** Surveiller quotidiennement l'amélioration des signes et des symptômes de la maladie pendant toute la durée du traitement.
- **Polyarthrite rhumatoïde :** Noter mensuellement l'intensité de la douleur articulaire et les limites du mouvement.
- **Étude des examens diagnostiques et biochimiques :** Examiner régulièrement les numérations globulaire et plaquettaire pendant toute la durée du traitement. Les numérations leucocytaire et plaquettaire peuvent chuter.

DIAGNOSTICS INFIRMIERS POSSIBLES

- **Énoncés diagnostiques**
- ☐ Risque élevé d'infection.
- ☐ Douleur.
- ☐ Prise en charge inefficace du programme thérapeutique.
- ☐ *Risque élevé d'accident.*
- ☐ *Risque élevé d'altération de la perception visuelle.*

- **Facteurs favorisants**
- ☐ Informations incomplètes.
- ☐ *Perturbation de la vigilance.*
- ☐ *Manque de connaissances sur les moyens de réduire la photosensibilité et sur l'importance d'un suivi ophtalmologique.*

INTERVENTIONS INFIRMIÈRES

- **Directives générales :** Dans le cas d'un traitement prophylactique de la malaria, la prise de la chloroquine doit commencer 2 semaines avant l'exposition anticipée et se poursuivre pendant les 8 semaines qui suivent le jour où on quitte la région impaludée.
- **PO :** Administrer avec du lait ou des aliments afin de réduire les troubles gastro-intestinaux.
- Dans le cas des patients qui éprouvent des difficultés de déglutition, on peut broyer les comprimés et introduire la poudre dans des capsules

vides. Le pharmacien peut aussi préparer une suspension.

ENSEIGNEMENT AU PATIENT ET À SES PROCHES

- ☐ Expliquer au patient qu'il doit respecter scrupuleusement la posologie recommandée et continuer à prendre le médicament même s'il se sent mieux. S'il n'a pas pu prendre le médicament au moment habituel, il doit le prendre aussitôt que possible. Par ailleurs, s'il doit prendre le médicament plusieurs fois par jour, il doit prendre la dose oubliée dans l'heure suivant le moment habituel ou sauter cette dose. Il ne faut jamais remplacer une dose manquée par une double dose.
- ☐ Dans le cas où le médicament est pris en prophylaxie, il faut déterminer les moyens de réduire l'exposition aux moustiques : utiliser un insectifuge, porter des chemises à manches longues et des pantalons, utiliser une moustiquaire.
- ☐ Prévenir le patient que le médicament peut provoquer des étourdissements et de la somnolence. Lui conseiller de ne pas conduire et d'éviter les activités qui exigent sa vigilance jusqu'à ce qu'on ait la certitude que le médicament n'entraîne pas ces effets chez lui.
- ☐ Recommander au patient d'éviter de boire de l'alcool pendant qu'il prend de la chloroquine.
- ☐ Prévenir le patient qu'il doit garder la chloroquine hors de la portée des enfants. On a signalé des décès d'enfants après l'ingestion de 3 ou 4 comprimés.
- ☐ Expliquer au patient recevant un traitement de longue durée à doses élevées, l'importance d'un suivi ophtalmique régulier. L'informer que le risque de lésions oculaires peut être réduit par le port de verres fumés lorsque la lumière est vive. Lui conseiller de porter des vêtements protecteurs et d'utiliser un écran solaire

pour réduire les risques de dermatoses.

☐ Prévenir le patient que la chloroquine peut rendre l'urine rouille ou brune.

☐ Recommander au patient de signaler immédiatement au médecin les symptômes suivants : maux de gorge, fièvre, saignements ou ecchymoses inhabituels, vision trouble, difficultés de lecture, modifications de la vue, tintements d'oreille, troubles auditifs, modifications de l'état de la conscience ou faiblesse musculaire. La plupart de ces réactions indésirables sont reliées à la dose.

■ **Polyarthrite rhumatoïde :** Conseiller au patient de signaler au médecin l'absence d'amélioration dans les quelques jours suivant le début du traitement. La pleine efficacité du traitement peut ne pas être manifeste avant 6 mois.

VÉRIFICATION DES RÉSULTATS

L'efficacité du traitement peut être démontrée par : ■ la prophylaxie ou l'amélioration des signes et des symptômes de paludisme ■ l'amélioration des signes et des symptômes d'amibiase ■ l'amélioration des symptômes d'arthrite rhumatoïde ■ l'amélioration des symptômes de lupus érythémateux.

CHLORPHÉNIRAMINE

Chlor-Tripolon, Novo-phéniram, (Aller-Chlor), (Chlo-Amine), (Chlorate), (Chlor-Niramine), (Chlor-Pro), (Chlor-Trimeton), (Chlorotab), (Generallerate), (Pfeiffer's Allergy), (Phenetron), (Teldrin), (Trimegen)

CLASSIFICATION :
Antihistaminique

Grossesse – catégorie B

INDICATIONS

■ Soulagement des symptômes d'allergies attribuables à la libération de l'histamine ; l'agent est particulièrement efficace dans le traitement des rhinites et des dermatoses allergiques ■ Traitement des allergies graves ou des réactions d'hypersensibilité incluant l'anaphylaxie et les réactions aux transfusions.

ACTION

■ Inhibition des effets suivants de l'histamine : ☐ vasodilatation ☐ augmentation des sécrétions gastro-intestinales ☐ élévation de la fréquence cardiaque ☐ hypotension. **Effets thérapeutiques :** ■ Soulagement des symptômes associés à un excès d'histamine, qui caractérisent habituellement les affections allergiques. L'agent n'inhibe pas la libération de l'histamine.

PHARMACOCINÉTIQUE

Absorption : Bonne absorption par suite de l'administration par voie orale ou parentérale.

Distribution : L'agent se répartit dans tout l'organisme. Une très faible quantité est excrétée dans le lait maternel. Il traverse la barrière hémato-encéphalique.

Métabolisme et excrétion : Le médicament est fortement métabolisé par le foie.

Demi-vie : De 12 à 15 h.

CONTRE-INDICATIONS ET PRÉCAUTIONS

Contre-indications : ■ Hypersensibilité ■ Crise aiguë d'asthme ■ Allaitement (éviter l'administration).

Précautions : ■ Glaucome à angle fermé ■ Maladie hépatique ■ Personnes âgées (plus grande prédisposition aux réactions indésirables) ■ Grossesse (l'innocuité du médicament n'a pas été établie).

RÉACTIONS INDÉSIRABLES ET EFFETS SECONDAIRES

SNC : somnolence, sédation, excitation (enfants), étourdissements.

C

CV: hypotension, hypertension, palpitations, arythmies.

ORLO: vision trouble.

GI: sécheresse de la bouche (xérostomie), occlusion intestinale, constipation.

GU: retard de la miction avec effort pour uriner, rétention urinaire.

INTERACTIONS

Médicament – médicament: ■ Effets additifs sur la dépression du SNC lors de l'usage concomitant d'autres **dépresseurs du SNC**, dont l'**alcool**, les **analgésiques narcotiques** et les **hypnosédatifs** ■ Les **inhibiteurs de la MAO** prolongent et accentuent les propriétés anticholinergiques des antihistaminiques ■ Effets anticholinergiques additifs lors de l'administration simultanée de **médicaments doués de propriétés anticholinergiques** incluant les **antihistaminiques**, les **antidépresseurs**, l'**atropine**, l'**halopéridol**, les **phénothiazines**, la **quinidine** et le **disopyramide**.

PRÉSENTATION

Le médicament est présenté sous forme de comprimés, de comprimés à libération prolongée, de sirop et de solution injectable (par voie IV). Il existe également en association avec des décongestionnants (voir l'annexe A).

VOIES D'ADMINISTRATION ET POSOLOGIE

- **PO (adultes):** 4 mg, toutes les 4 à 6 h, ou de 8 à 12 mg de la préparation à libération prolongée, toutes les 8 à 12 h (ne pas dépasser 24 mg par jour).
- **PO (enfants de 6 à 12 ans) (É.-U.):** 2 mg, toutes les 4 à 6 h, ou 8 mg de la préparation à libération prolongée, une fois par jour (ne pas dépasser 12 mg par jour).
- **PO (enfants de 2 à 6 ans) (É.-U.):** 1 mg, toutes les 4 à 6 h.
- **IV (adultes)::** Pour la prophylaxie des réactions transfusionnelles, injecter 10 mg par voie IV (ne pas dépasser 40 mg par jour).

PHARMACODYNAMIE
(effets antihistaminiques)

	DÉBUT D'ACTION	PIC	DURÉE
PO	15 – 30 min	1 – 2 h	4 – 12 h
IV	rapide	inconnu	4 – 12 h

✳ SOINS INFIRMIERS

ÉVALUATION DE LA SITUATION

☐ Avant l'administration initiale du médicament et à intervalles réguliers pendant tout le traitement, surveiller l'apparition des symptômes suivants d'allergie : rhinite, conjonctivite et urticaire.

☐ Mesurer le pouls et la pression artérielle avant d'amorcer l'administration par voie IV et tout au long du traitement.

☐ Ausculter le murmure vésiculaire et noter les caractéristiques des sécrétions bronchiques. Maintenir l'apport de liquides entre 1 500 et 2 000 mL par jour pour diminuer la viscosité des sécrétions.

■ **Étude des examens diagnostiques et biochimiques:** Le médicament peut entraîner des résultats faussement négatifs aux tests allergologiques cutanés ; arrêter le traitement 4 jours avant les tests.

DIAGNOSTICS INFIRMIERS POSSIBLES

■ **Énoncés diagnostiques**

☐ Dégagement inefficace des voies respiratoires.

☐ Risque élevé d'accident.

☐ Prise en charge inefficace du programme thérapeutique.

☐ *Risque élevé d'atteinte à l'intégrité de la muqueuse buccale.*

■ **Facteurs favorisants**

☐ Informations incomplètes.

☐ *Perturbation de la vigilance.*

☐ *Manque de connaissances sur les moyens de prévenir ou de réduire la sécheresse de la bouche.*

C

□ *Manque de connaissances sur les moyens d'évacuer les sécrétions visqueuses.*

INTERVENTIONS INFIRMIÈRES

■ **PO:** Administrer le médicament avec des aliments ou du lait afin de réduire l'irritation gastro-intestinale. Les comprimés à libération prolongée doivent être avalés, sans être broyés, scindés ou mâchés.

■ **IV directe:** La solution peut être administrée sans dilution.

□ *Vitesse d'administration:* La dose de 10 mg doit être administrée en 1 min.

■ **Compatibilités en addition au soluté:** Amikacine ou solutions IV standard.

■ **Incompatibilités en addition au soluté:** Chlorure de calcium, kanamycine, norépinéphrine ou pentobarbital.

ENSEIGNEMENT AU PATIENT ET À SES PROCHES

□ Expliquer au patient qu'il doit respecter scrupuleusement la posologie recommandée.

□ Prévenir le patient que la chlorphéniramine peut provoquer de la somnolence. Lui conseiller de ne pas conduire et d'éviter les activités qui exigent sa vigilance jusqu'à ce qu'on ait la certitude que le médicament n'entraîne pas cet effet chez lui.

□ Mettre en garde le patient contre la consommation d'alcool ou d'autres dépresseurs du SNC en même temps que la chlorphéniramine.

□ Conseiller au patient de pratiquer une bonne hygiène orale, de se rincer la bouche avec de l'eau, de mâcher de la gomme ou de sucer des bonbons sans sucre pour diminuer la sécheresse de la bouche.

□ Demander au patient de prévenir le médecin si les symptômes allergiques persistent.

VÉRIFICATION DES RÉSULTATS

L'efficacité du traitement peut être démontrée par: la diminution des symptômes allergiques.

CHLORPROMAZINE
Chlorpromanyl, Largactil, Novo-chlorpromazine, (Thorazine), (Thor-Prom)

CLASSIFICATION:
Antipsychotique – phénothiazine; antiémétique – phénothiazine

Grossesse – catégorie inconnue

INDICATIONS

■ Traitement des troubles psychotiques aigus et chroniques incluant les symptômes de la maladie maniaco-dépressive, la phase maniaque et les troubles de comportement graves chez l'enfant ■ Soulagement des nausées et des vomissements. **Usages non approuvés:** ■ Maîtrise du hoquet incoercible ■ Sédation préopératoire.

ACTION

■ Modification des effets de la dopamine sur le SNC ■ Action anticholinergique et alpha-adrénolytique marquée. **Effets thérapeutiques:** ■ Diminution des signes et des symptômes de psychose ■ Soulagement des nausées et des vomissements ■ Maîtrise du hoquet incoercible.

PHARMACOCINÉTIQUE

Absorption: Par suite de l'administration par voie orale, l'absorption est variable. Bonne absorption par suite de l'administration IM.

Distribution: L'agent se répartit dans tout l'organisme; on en trouve de fortes concentrations dans le SNC. Il traverse le placenta et pénètre dans le lait maternel.

Métabolisme et excrétion: Le médicament est fortement métabolisé par le foie et la muqueuse gastro-intestinale. Il est transformé en composés doués d'effets antipsychotiques.

Demi-vie: 30 h.

CONTRE-INDICATIONS ET PRÉCAUTIONS

Contre-indications: ■ Hypersensibilité ■ Hypersensibilité aux sulfites (solution injectable) ■ Risque de sensibilité croisée lors de l'administration d'autres phénothiazines ■ Glaucome à angle étroit ■ Aplasie médullaire ■ Maladie hépatique grave ■ Maladie cardiovasculaire grave.

Précautions: ■ Personnes âgées ou patients débilités (réduire la dose) ■ Grossesse et allaitement (l'innocuité du médicament n'a pas été établie) ■ Diabète ■ Maladie respiratoire ■ Hypertrophie de la prostate ■ Tumeurs du SNC ■ Épilepsie ■ Occlusion intestinale.

RÉACTIONS INDÉSIRABLES ET EFFETS SECONDAIRES

SNC: sédation, réactions extrapyramidales, dyskinésie tardive.

ORLO: sécheresse des yeux (alacrymie), vision trouble, opacité du cristallin.

CV: hypotension, tachycardie.

GI: constipation, sécheresse de la bouche (xérostomie), occlusion intestinale, anorexie, hépatite.

GU: rétention urinaire.

Tég.: rash, photosensibilité, modification de la pigmentation.

End.: galactorrhée.

Hémat.: AGRANULOCYTOSE, leucopénie.

Métab.: hyperthermie.

Divers: réactions allergiques.

INTERACTIONS

Médicament – médicament: ■ Les antihypertenseurs, administrés simultanément, peuvent exercer des effets additifs sur l'hypotension. ■ Effets additifs sur la dépression du SNC lors de l'usage concomitant d'autres **dépresseurs du SNC** sont l'**alcool**, les **antidépresseurs**, les **antihistaminiques**, les **inhibiteurs de la MAO**, les **analgésiques narcotiques**, les **hypnosédatifs** ou les **anesthésiques généraux.** ■ Le **phénobarbital** peut accélérer le métabolisme de la chlorpromazine et en réduire l'efficacité. ■ L'administration concomitante de **lithium** peut provoquer l'une ou l'autre des réactions suivantes: encéphalopathie aiguë, diminution de l'absorption de la chlorpromazine, augmentation de l'excrétion du lithium, risque accru de réactions extrapyramidales. Elle peut aussi masquer les signes précoces de toxicité au **lithium**. ■ Les **antiacides** ou les **antidiarrhéiques adsorbants (kaoline)** peuvent diminuer l'absorption de la chlorpromazine. ■ L'administration simultanée d'**antithyroïdiens** peut accroître le risque d'agranulocytose. ■ La chlorpromazine peut réduire les effets antiparkinsoniens de la **lévodopa** et de la **bromocriptine**. ■ La chlorpromazine diminue l'effet vasopresseur de l'**épinéphrine** et de la **norépinéphrine**. ■ La chlorpromazine diminue l'effet antihypertenseur de la **guanéthidine**. ■ L'administration concomitante de **bêtabloquants** peut entraîner l'inhibition du métabolisme de l'un des médicaments ou des deux à la fois provoquant une réaction accrue. ■ Risque accru d'effets anticholinergiques lors de l'administration simultanée d'**agents doués de propriétés anticholinergiques** dont les **antihistaminiques**, les **antidépresseurs tricycliques**, la **quinidine** ou le **disopyramide**.

PRÉSENTATION

Le médicament est présenté sous forme de comprimés, de sirop, de suppositoires et de solution injectable.

VOIES D'ADMINISTRATION ET POSOLOGIE

Psychoses

■ **PO (adultes):** de 10 à 25 mg, de 2 à 4 fois par jour; augmenter par paliers de 20 à 50 mg par jour tous les 3 ou 4 jours jusqu'à concurrence de 300 à 800 mg par jour, en 1 dose ou en 2 à 4 doses fractionnées (la dose habituelle est de 200 mg par jour; des doses de 1 à 2 g peuvent être nécessaires chez certains patients).

- **PO (enfants):** 0,50 mg/kg, toutes les 4 à 6 h.
- **IM (adultes):** dose d'attaque de 25 à 50 mg, pouvant être répétée une heure plus tard; augmenter jusqu'à un maximum de 400 mg, toutes les 4 à 6 h, au besoin (des doses de 1 à 2 g par jour peuvent être nécessaires chez certains patients).
- **IM (enfants > 6 mois):** 0,50 mg/kg ou 15 mg/m², toutes les 6 à 8 h (dose maximale de 40 mg par jour chez les enfants de 6 mois à 5 ans ou de 75 mg par jour chez les enfants de 6 à 12 ans, sauf dans les cas rebelles).

Nausées et vomissements (É.-U.)
- **PO (adultes):** de 10 à 25 mg, toutes les 4 à 6 h.
- **PO (enfants > 6 mois):** 0,55 mg/kg ou 15 mg/m², toutes les 6 à 8 h.
- **IM (adultes):** de 25 à 50 mg, toutes les 3 à 4 h.
- **IM (enfants):** 0,55 mg/kg ou 15 mg/m², toutes les 6 à 8 h.
- **PR (adultes):** de 50 à 100 mg, toutes les 6 à 8 h.
- **PR (enfants):** 1,1 mg/kg, toutes les 6 à 8 h.

Nausées et vomissements pendant une intervention chirurgicale (É.-U.)
- **IM (adultes):** 12,5 mg; on peut répéter cette dose 30 min plus tard.
- **IM (enfants):** 0,275 mg; on peut répéter cette dose 30 min plus tard.
- **IV (adultes):** 25 mg en perfusion lente à une vitesse n'excédant pas 1 mg/min.
- **IV (enfants):** 0,275 mg/kg en perfusion lente à une vitesse n'excédant pas 1 mg toutes les 2 min.

Sédation préopératoire (É.-U.)
- **IM (adultes):** de 12,5 à 25 mg, 1 à 2 h avant l'intervention.
- **IM (enfants):** 0,55 mg/kg, 1 à 2 h avant l'intervention.

Hoquet incoercible
- **PO (adultes):** de 25 à 50 mg, 3 ou 4 fois par jour.
- **IM (adultes):** de 25 à 50 mg, 3 ou 4 fois par jour si la pharmacothérapie par voie orale est inefficace.
- **IV (adultes):** de 25 à 50 mg en perfusion lente à une vitesse n'excédant pas 1 mg/min.

PHARMACODYNAMIE
(effets antipsychotiques, antiémétiques et sédatifs)

	DÉBUT D'ACTION	PIC	DURÉE
PO	30 – 60 min	inconnu	4 – 6 h
PR	1 – 2 h	inconnu	3 – 4 h
IM	inconnu	inconnu	4 – 8 h
IV	rapide	inconnu	inconnue

SOINS INFIRMIERS

ÉVALUATION DE LA SITUATION

- **Directives générales:** Évaluer l'état de la conscience du patient (orientation, humeur, comportement) avant l'administration initiale et à intervalles réguliers pendant tout le traitement.
- ☐ Mesurer la pression artérielle (en position assise, debout et couchée), suivre de près l'électrocardiogramme, prendre le pouls et la fréquence respiratoire avant l'administration initiale et souvent pendant la période d'adaptation de la posologie. Le médicament peut entraîner des modifications des ondes Q et T.
- ☐ Observer le patient attentivement lorsqu'on lui administre le médicament pour s'assurer qu'il l'a bien avalé.
- ☐ Noter la consommation de liquides et l'élimination intestinale. Accroître l'apport en liquide et en aliments

riches en fibres pour réduire la constipation.

□ Surveiller l'apparition des symptômes extrapyramidaux (mouvements d'émiettement, bouche ouverte laissant s'échapper la salive [sialorrhée], tremblements, rigidité et démarche traînante) et des symptômes de dyskinésie tardive (mouvements incontrôlés du visage, de la bouche, de la langue ou de la mâchoire et mouvements involontaires des membres). Informer immédiatement le médecin de l'apparition de ces symptômes.

■ **Sédation préopératoire:** Évaluer le degré d'anxiété avant et après l'administration.

■ **Étude des examens diagnostiques et biochimiques:** Noter à intervalles réguliers la numération globulaire, les résultats des tests de l'exploration fonctionnelle hépatique et des examens oculaires. Le médicament peut provoquer une diminution de l'hématocrite et des concentrations d'hémoglobine, de leucocytes, de granulocytes et de plaquettes. Il peut entraîner l'élévation des concentrations de bilirubine, de TGOS (AST), de TGPS (ALT) et de phosphatase alcaline.

□ La chlorpromazine peut entraîner des résultats faussement positifs ou négatifs aux tests de grossesse et des résultats faussement négatifs au dosage de la bilirubine urinaire.

DIAGNOSTICS INFIRMIERS

■ **Énoncés diagnostiques**

□ Altération des opérations de la pensée.

□ Prise en charge inefficace du programme thérapeutique.

□ Non-observance du traitement médicamenteux.

□ *Risque élevé d'accident.*

□ *Risque élevé d'atteinte à l'intégrité de la muqueuse buccale.*

□ *Risque élevé de perturbation situationnelle de l'estime de soi.*

□ *Risque élevé d'anxiété.*

■ **Facteurs favorisants**

□ Informations incomplètes.

□ Doute quant aux bienfaits du médicament.

□ *Manque de connaissances sur les moyens de prévenir ou de réduire la sécheresse de la bouche.*

□ *Perturbation de la vigilance.*

□ *Altération de l'image corporelle.*

□ *Manque de connaissances sur les effets hypotensifs du médicament lors des changements brusques de position.*

□ *Manque de connaissances sur les moyens de prévenir la photosensibilité.*

□ *Manque de connaissences sur les effets secondaires du médicament.*

INTERVENTIONS INFIRMIÈRES

■ **Directives générales:** Recommander au patient de rester couché pendant au moins 30 min après l'administration parentérale afin de réduire les effets hypotensifs de la chlorpromazine.

□ Éviter les éclaboussures sur les mains, étant donné les risques de dermatite de contact.

□ Interrompre le traitement aux phénothiazines 48 h avant une myélographie au métrizamide et ne le reprendre que 24 h plus tard, car ces médicaments abaissent le seuil de convulsion.

■ **PO:** Administrer le médicament avec des aliments, du lait ou un grand verre d'eau afin de diminuer l'irritation gastrique. Les comprimés peuvent être broyés.

■ **PR:** Si le suppositoire est trop mou, le mettre au réfrigérateur ou le passer à l'eau froide avant de le retirer de son emballage.

■ **IM:** Ne pas injecter par voie SC. Administrer en profondeur dans un muscle bien développé. On peut diluer l'agent dans une solution de NaCl à 0,9 % ou de procaïne à 2 % si le médecin le prescrit. Même si la solution prend une couleur jaune citron, sa puissance n'est en rien altérée. Ne pas administrer la solution si elle a fortement changé de couleur ou si elle renferme un précipité.

- **IV directe :** Diluer dans une solution de NaCl à 0,9 % pour obtenir une concentration de 1 mg/mL.
- *Vitesse d'administration :* Administrer lentement à une vitesse de 1 mg, toutes les 1 à 2 min.
- **Perfusion continue :** Diluer 25 à 50 mg dans 500 à 1 000 mL de dextrose à 5 ou à 10 % dans de l'eau, de solution de NaCl à 0,45 % ou à 0,9 %, de solution de Ringer ou de solution de lactate Ringer ou, pour les cas de hoquet incoercible, de dextrose dans une solution de Ringer ou de dextrose dans une solution de lactate Ringer.
- **Associations compatibles dans la même seringue :** Atropine, butorphanol, diphenhydramine, doxapram, dropéridol, fentanyl, glycopyrrolate, hydromorphone, hydroxyzine, mépéridine, métoclopramide, midazolam, morphine, pentazocine, perphénazine, promazine, prochlorpérazine, prométhazine ou scopolamine.
- **Associations incompatibles dans la même seringue :** Cimétidine, dimenhydrinate, héparine, pentobarbital ou thiopental.
- **Compatibilités (tubulure en Y) :** Chlorure de potassium, héparine, ondansétron ou succinate sodique d'hydrocortisone.
- **Compatibilités en addition au soluté :** Acide ascorbique, éthacrynate ou nétilmicine.
- **Incompatibilités en addition au soluté :** Aminophylline, amphotéricine B, ampicilline, chloramphénicol, chlorothiazide, méthicilline, méthohexital, pénicilline G ou phénobarbital.

ENSEIGNEMENT AU PATIENT ET À SES PROCHES

- □ Expliquer au patient qu'il doit respecter scrupuleusement la posologie prescrite ; l'avertir qu'il ne doit jamais sauter une dose ni remplacer une dose manquée par une double dose. Le sevrage brusque peut provoquer une gastrite, des nausées, des vomissements, des étourdissements, des céphalées, de la tachycardie et de l'insomnie.
- □ Informer le patient qu'il risque de manifester des symptômes extrapyramidaux ou une dyskinésie tardive. Lui recommander de signaler immédiatement ces symptômes au médecin.
- □ Recommander au patient de changer lentement de position afin de réduire les risques d'hypotension orthostatique.
- □ Prévenir le patient que la chlorpromazine peut provoquer de la somnolence. Lui conseiller de ne pas conduire et d'éviter les activités qui exigent sa vigilance jusqu'à ce qu'on ait la certitude que le médicament n'entraîne pas cet effet chez lui.
- □ Mettre en garde le patient contre la consommation d'alcool ou d'autres dépresseurs du SNC avec ce médicament.
- □ Recommander au patient d'utiliser des crèmes solaires et de porter des vêtements protecteurs lors des expositions au soleil car, sur les surfaces exposées, la couleur de la pigmentation peut changer temporairement (allant de jaune brun au mauve gris). Lui recommander également d'éviter les températures extrêmes, les exercices vigoureux, les sorties par temps chaud, les douches ou les bains chauds, car ce médicament altère la thermorégulation.
- □ Conseiller au patient de se rincer fréquemment la bouche, de pratiquer une bonne hygiène orale et de consommer de la gomme ou des bonbons sans sucre pour soulager la sécheresse de la bouche. Lui recommander de consulter un médecin ou un den-

tiste si la sécheresse de la bouche persiste pendant plus de 2 semaines.

□ Expliquer au patient qu'il ne doit pas prendre la chlorpromazine dans les deux heures suivant la prise d'antiacides ou d'antidiarrhéiques.

□ Informer le patient que la chlorpromazine peut faire virer l'urine au rose ou au rouge brun.

□ Recommander au patient qui doit suivre un traitement dentaire ou subir une intervention chirurgicale d'avertir le dentiste ou le médecin qu'il suit un traitement médicamenteux.

□ Informer le patient qu'il doit prévenir sans délai le médecin en cas de maux de gorge, de fièvre, de saignements ou d'ecchymoses inhabituels, de rash, de faiblesse, de tremblements, de troubles de la vue, d'urine de couleur foncée ou de selles grises.

□ Insister sur l'importance des examens réguliers de suivi et de la psychothérapie, le cas échéant.

VÉRIFICATION DES RÉSULTATS

L'efficacité du traitement peut être démontrée par : la diminution de l'excitation et un moindre recours au comportement paranoïde ou au repli sur soi ; les effets thérapeutiques peuvent ne pas se manifester avant 7 à 8 semaines ■ le soulagement des nausées et des vomissements ■ le soulagement du hoquet ■ la sédation préopératoire.

CHLORPROPAMIDE

Apo-chlorpropamide, Diabinese, Novo-propamide, (Glucamide)

CLASSIFICATION :

Hypoglycémiant oral – sulfonylurée

Grossesse – catégorie C

INDICATIONS

Traitement du diabète sucré non insulinodépendant de l'adulte (DNID, diabète de type II, diabète de l'adulte, diabète non cétosique) lorsque la diétothérapie est inefficace. Une certaine fonction pancréatique doit cependant subsister.

ACTION

■ Abaissement de la glycémie par la stimulation de la sécrétion endogène de l'insuline par le pancréas et par l'augmentation de la sensibilité à l'insuline des sites récepteurs ■ Réduction possible de la production hépatique de glucose. **Effets thérapeutiques :** ■ Abaissement de la glycémie chez les diabétiques (DNID).

PHARMACOCINÉTIQUE

Absorption : Bonne absorption par suite de l'administration par voie orale.
Distribution : inconnue.
Métabolisme et excrétion : Métabolisme hépatique (d'une fraction allant jusqu'à 80 %).
Demi-vie : 36 h (entre 25 et 60 h).

CONTRE-INDICATIONS ET PRÉCAUTIONS

Contre-indications : ■ Hypersensibilité ■ Risque de sensibilité croisée avec d'autres sulfamides ■ Diabète sucré insulinodépendant (DID, diabète de type I, diabète juvénile, diabète labile, cétose diabétique) ■ Insuffisance rénale grave ■ Insuffisance hépatique grave ■ Dysfonctionnement de la thyroïde ou autres dysfonctionnements endocriniens.
Précautions : ■ Maladie cardiovasculaire grave (risque accru d'insuffisance cardiaque ■ Personnes âgées (une réduction de la dose peut être nécessaire) ■ Modifications possibles des besoins en hypoglycémiants en présence d'infection, de stress ou de modifications diététiques.

RÉACTIONS INDÉSIRABLES ET EFFETS SECONDAIRES

SNC : céphalées, faiblesse.
CV : insuffisance cardiaque.

GI: nausées, vomissements, diarrhée, crampes, hépatite.
Hémat.: ANÉMIE APLASIQUE, leucopénie, pancytopénie, thrombocytopénie.
Tég.: photosensibilité, rash.
End.: hypoglycémie, syndrome d'antidiurèse inappropriée (SIADH).
HÉ: hyponatrémie.

INTERACTIONS

Médicament–médicament: ■ L'**alcool** peut entraîner une réaction similaire à celle provoqué par le disulfirame. ■ L'**alcool**, les **glucocorticoïdes**, la **rifampine** et les **diurétiques thiazidiques** peuvent diminuer l'efficacité du chlorpropamide. ■ Les **androgènes (testostérone)**, le **chloramphénicol**, le **clofibrate**, la **guanéthidine**, les **inhibiteurs de la MAO**, le **phénylbutazone**, les **salicylates** et les **sulfamides** peuvent augmenter l'effet hypoglycémiant du chlorpropamide. ■ L'administration concomitante d'**anticoagulants oraux** peut modifier la réponse au traitement (une adaptation posologique des deux médicaments peut être nécessaire). ■ L'administration concomitante de **bêtabloquants** peut prolonger l'hypoglycémie et en masquer les signes et les symptômes.

VOIES D'ADMINISTRATION ET POSOLOGIE

■ **PO (adultes):** de 250 à 500 mg par jour en 1 dose ou en 2 doses fractionnées; certains diabétiques répondent à des doses de 100 mg ou moins.

PHARMACODYNAMIE
(effet hypoglycémiant)

	DÉBUT D'ACTION	PIC	DURÉE
PO	1 h	3 – 6 h	24 h

SOINS INFIRMIERS

ÉVALUATION DE LA SITUATION

■ Surveiller l'apparition des signes et des symptômes suivants de réactions d'hypoglycémie: transpiration, faim, faiblesse, étourdissements, tremblements, tachycardie, anxiété. La durée d'action prolongée du médicament accroît le risque d'hypoglycémie récurrente. Surveiller étroitement, pendant 3 à 5 jours, les patients qui ont subi un épisode d'hypoglycémie.

□ Surveiller l'apparition des signes d'allergie aux sulfamidés.

□ Effectuer le bilan des ingesta et des excreta et peser le patient tous les jours. Signaler immédiatement au médecin la présence d'œdème périphérique, de râles et de crépitations ainsi qu'un écart marqué dans les valeurs totales.

■ **Étude des examens diagnostiques et biochimiques:** Mesurer quotidiennement la glycémie ou la glycosurie, la cétonémie et la cétonurie.

□ Examiner les concentrations de sodium sérique, l'osmolarité plasmatique et la numération globulaire, à intervalles réguliers pendant toute la durée du traitement.

DIAGNOSTICS INFIRMIERS POSSIBLES

■ **Énoncés diagnostiques**
□ Excès nutritionnel.
□ Prise en charge inefficace du programme thérapeutique.
□ Non-observance du traitement médicamenteux.
□ *Risque élevé de réaction allergique.*
□ *Risque élevé d'accident.*

■ **Facteurs favorisants**
□ Informations incomplètes.
□ Doute quant aux bienfaits du médicament.
□ *Manque de connaissances sur les signes d'hypoglycémie et d'hyperglycémie et sur les moyens de les prévenir.*
□ *Manque de connaissances sur le régime alimentaire à suivre.*
□ *Manque de connaissances sur les effets secondaires du médicament.*

C

INTERVENTIONS INFIRMIÈRES

- **Directives générales:** On peut passer d'un autre agent hypoglycémiant ou de l'insuline administrée à une dose inférieure à 40 unités par jour au chlorpropamide, sans devoir adapter graduellement la dose de ce dernier. Si la dose d'insuline est supérieure à 40 unités par jour, il faut effectuer la substitution graduellement en administrant le chlorpropamide et 50 % de la dose précédente d'insuline pendant les premiers jours. Noter la glycémie ou la glycosurie et la cétonémie ou la cétonurie au moins trois fois par jour pendant la période de transition.
- **PO:** On peut administrer le médicament une fois par jour, le matin, ou en 2 doses fractionnées. Administrer aux repas afin d'assurer un équilibrage optimal du diabète et de réduire l'irritation gastrique. Ne pas administrer après le dernier repas de la journée.
- ☐ Si le patient éprouve des difficultés de déglutition, broyer les comprimés et les administrer avec des liquides.

ENSEIGNEMENT AU PATIENT ET À SES PROCHES

- ☐ Conseiller au patient de prendre le médicament tous les jours à la même heure. S'il n'a pu prendre le médicament au moment habituel, il doit le prendre dès que possible, à moins que ce ne soit presque l'heure prévue pour la dose suivante. Ne pas administrer si le patient est incapable de manger.
- ☐ Expliquer au patient que la chlorpropamide équilibre l'hyperglycémie, mais ne guérit pas le diabète. Le traitement est de longue durée.
- ☐ Expliquer au patient les signes d'hypoglycémie et d'hyperglycémie. En cas d'hypoglycémie, recommander au patient de prendre un verre de jus d'orange ou deux ou trois cuillerées à

thé de sucre, de miel ou de sirop de maïs dans de l'eau et de contacter immédiatement le médecin.

- ☐ Inciter le patient à suivre le régime alimentaire, le traitement médical et le programme d'exercices prescrits afin de prévenir les épisodes d'hypoglycémie ou d'hyperglycémie.
- ☐ Faire une démonstration du dosage du glucose sanguin ou du glucose et des corps cétoniques urinaires. Insister sur le fait qu'il est important de prélever deux échantillons consécutifs d'urine pour s'assurer que les résultats sont justes. Ces résultats doivent être notés attentivement pendant des périodes de stress ou pendant une maladie. Il faut immédiatement prévenir le médecin si des modifications importantes dans les résultats surviennent.
- ☐ Conseiller au patient de consulter le médecin ou le pharmacien avant de prendre d'autres médicaments et particulièrement des agents à base d'acide acétylsalicylique (aspirine) ou d'alcool, en même temps que le chlorpropamide.
- ☐ Prévenir le patient que la consommation simultanée d'alcool peut entraîner une réaction semblable à celle provoqué par le disulfirame: crampes abdominales, nausées, bouffées vasomotrices, céphalées et hypoglycémie.
- ☐ Recommander au patient d'utiliser des écrans solaires et de porter des vêtements protecteurs pour prévenir les réactions de photosensibilité.
- ☐ Recommander au patient qui doit suivre un traitement dentaire ou subir une intervention chirurgicale d'avertir le dentiste ou le médecin qu'il suit un traitement médicamenteux.
- ☐ Inciter le patient à toujours avoir sur lui du sucre et à porter en tout temps un bracelet d'identité où sont inscrits son problème de santé et son traitement médicamenteux.

▫ Recommander au patient d'informer immédiatement le médecin en cas de gain pondéral inhabituel, d'enflure aux chevilles, de somnolence, d'essoufflement, de crampes musculaires, de faiblesse, de maux de gorge, de rash ou de saignements ou d'ecchymoses inhabituels.

▫ Insister sur l'importance d'un suivi médical régulier.

VÉRIFICATION DES RÉSULTATS

L'efficacité du traitement peut être démontrée par : l'équilibrage de la glycémie sans survenue d'épisodes d'hypoglycémie ou d'hyperglycémie.

CHLORTHALIDONE

Apo-chlorthalidone, Hygroton, Novothalidone, (Thalitone), (Uridon)

CLASSIFICATION :
Antihypertenseur – diurétique ; diurétique thiazidique

Grossesse – catégorie B

INDICATIONS

■ Hypertension légère à modérée – en monothérapie ou en association ■ Traitement d'appoint de l'œdème attribuable à l'insuffisance cardiaque, à la cirrhose hépatique, à la corticothérapie, au syndrome néphrotique ou à la grossesse.

ACTION

■ Augmentation de l'excrétion du sodium et de l'eau ■ Effet favorable sur l'excrétion du chlorure, du potassium, du magnésium et du bicarbonate ■ Dilatation artériolaire possible. **Effets thérapeutiques :** ■ Abaissement de la pression artérielle chez les patients hypertendus ■ Diurèse avec diminution de l'œdème.

PHARMACOCINÉTIQUE

Absorption : Bonne absorption par suite de l'administration PO.

Distribution : Le médicament se répartit dans les compartiments extracellulaires. Il traverse le placenta et pénètre dans le lait maternel.

Métabolisme et excrétion : Une fraction de 30 à 60 % du médicament est excrétée à l'état inchangé par les reins.

Demi-vie : 54 h.

CONTRE-INDICATIONS ET PRÉCAUTIONS

Contre-indications : ■ Hypersensibilité ■ Risque de sensibilité croisée avec les composés sulfamidés ■ Anurie ■ Allaitement.

Précautions : ■ Insuffisance rénale ■ Insuffisance hépatique grave ■ Grossesse (risque de jaunisse ou de thrombocytopénie chez le nouveau-né).

RÉACTIONS INDÉSIRABLES ET EFFETS SECONDAIRES

SNC : somnolence, léthargie.
CV : hypotension.
GI : anorexie, nausées, vomissements, crampes, hépatite.
Tég. : rash, photosensibilité.
End. : hyperglycémie.
HÉ : hypokaliémie, alcalose hypochlorémique, hyponatrémie, hypercalcémie, hypophosphatémie, hypomagnésémie, déshydratation, hypovolémie.
Hémat. : dyscrasie.
Métab. : hyperuricémie, hyperlipidémie.
Loc. : crampes musculaires.
Divers : pancréatite.

INTERACTIONS

Médicament – médicament : ■ Effets additifs sur l'hypotension lors de l'administration concomitante d'autres **antihypertenseurs** ou de **dérivés nitrés** et lors de l'ingestion d'**alcool** ■ Effets additifs sur l'hypokaliémie, lors de l'administration concomitante de **glucocorticoïdes**, d'**amphotéricine B**, de **mezlocilline**, de **pipéracilline** ou de **ticarcilline** ■ La chlorthalidone diminue l'excrétion du

lithium, pouvant provoquer de ce fait une toxicité ■ La **cholestyramine** diminue l'absorption de la chlorthalidone. **Médicament – aliments:** ■ Les aliments peuvent augmenter le taux d'absorption de la chlorthalidone.

PRÉSENTATION

La chlorthalidone est aussi présentée en association avec la clonidine, l'aténolol et la réserpine (voir l'annexe A).

VOIES D'ADMINISTRATION ET POSOLOGIE

Hypertension
■ **PO (adultes):** de 25 à 50 mg par jour.
■ **PO (enfants) (É.-U.):** 2 mg/kg, trois fois par semaine.

PHARMACODYNAMIE
(effet diurétique)

	DÉBUT D'ACTION	PIC	DURÉE
PO	2 h	2 – 6 h	24 – 72 h

☀ SOINS INFIRMIERS

ÉVALUATION DE LA SITUATION

■ **Directives générales:** Prendre la pression artérielle, effectuer le bilan des ingesta et des excreta, peser le patient, et examiner ses pieds, ses jambes et la région sacrée tous les jours pour déceler l'œdème.

□ Observer le patient, particulièrement s'il prend des dérivés digitaliques, pour déceler les signes et les symptômes suivants: anorexie, nausées, vomissements, crampes musculaires, paresthésie et confusion. Le risque d'intoxication digitalique est plus élevé chez les patients prenant des dérivés digitaliques à cause de l'effet de déplétion potassique du diurétique.

□ Observer le patient à la recherche de signes d'allergie aux sulfamidés.

■ **Étude des examens diagnostiques et biochimiques:** Examiner la glycémie et les concentrations d'électrolytes (particulièrement de potassium), d'urée et d'acide urique, avant l'administration initiale et à intervalles réguliers pendant toute la durée du traitement.

□ La chlorthalidone peut élever la glycémie et la glycosurie chez les diabétiques.

□ Le médicament peut élever les concentrations sériques de bilirubine, de calcium et d'acide urique et diminuer les concentrations sériques de magnésium, de potassium et de sodium.

□ La chlorthalidone peut élever les concentrations sériques de cholestérol, de lipoprotéines de basse densité et de triglycérides.

DIAGNOSTICS INFIRMIERS POSSIBLES

■ **Énoncés diagnostiques**
□ Excès de volume liquidien.
□ Déficit de volume liquidien.
□ Prise en charge inefficace du programme thérapeutique.
□ *Risque élevé d'accident.*
□ *Risque élevé de réaction allergique.*

■ **Facteurs favorisants**
□ Informations incomplètes.
□ *Manque de connaissances sur le régime alimentaire à suivre.*
□ *Manque de connaissances sur les effets hypotensifs du médicament lors des changements brusques de position.*

INTERVENTIONS INFIRMIÈRES

■ **Directives générales:** Administrer le matin pour prévenir l'interruption du cycle du sommeil.

■ **PO:** Administrer avec des aliments ou du lait pour réduire l'irritation gastrique. Pour faciliter la déglutition, on peut broyer les comprimés et les mélanger à un liquide.

C

□ Pour le traitement continu de l'œdème, on peut recourir à un schéma posologique intermittent.

ENSEIGNEMENT AU PATIENT ET À SES PROCHES

□ Expliquer au patient qu'il doit prendre le médicament à la même heure tous les jours. S'il n'a pu prendre le médicament au moment habituel, il doit le prendre dès que possible, sauf si c'est presque l'heure prévue pour la dose suivante. L'inciter à continuer de prendre le médicament même s'il se sent mieux.

□ Prévenir le patient que la chlorthalidone stabilise la pression artérielle, mais ne guérit pas l'hypertension.

□ Inciter le patient à prendre d'autres mesures de réduction de l'hypertension : perdre du poids, faire régulièrement de l'exercice, diminuer le stress, boire avec modération et cesser de fumer.

□ Demander au patient de se peser deux fois par semaine et de signaler au médecin tout changement de poids important. Montrer au patient souffrant d'hypertension comment prendre sa pression et lui recommander de la mesurer toutes les semaines.

□ Conseiller au patient de changer lentement de position pour réduire le risque d'hypotension orthostatique. Lui expliquer que l'alcool peut aggraver l'hypotension orthostatique.

□ Recommander au patient d'utiliser des écrans solaires (mais d'éviter ceux qui renferment de l'acide p-aminobenzoïque) et de porter des vêtements protecteurs pour prévenir les réactions de photosensibilité.

□ Conseiller au patient de suivre un régime alimentaire riche en potassium (voir l'annexe K).

□ Conseiller au patient de consulter le médecin ou le pharmacien avant de prendre un médicament en vente libre en même temps que la chlorthalidone.

□ Recommander au patient de signaler au médecin les symptômes suivants : faiblesse musculaire, crampes, nausées ou étourdissements.

□ Recommander au patient qui doit suivre un traitement dentaire ou subir une intervention chirurgicale d'avertir le dentiste ou le médecin qu'il suit un traitement médicamenteux.

□ Insister sur l'importance des examens de suivi réguliers.

VÉRIFICATION DES RÉSULTATS

L'efficacité du traitement peut être démontrée par : ■ l'augmentation du débit urinaire ■ la diminution de l'œdème ■ la baisse de la pression artérielle.

CHOLESTYRAMINE
Questran, Questran léger, (Cholybar)

CLASSIFICATION:
Hypolipémiant – chélateur des acides biliaires

Grossesse – catégorie inconnue

INDICATIONS

■ Traitement d'appoint dans la prise en charge de l'hypercholestérolémie primaire ■ Soulagement du prurit dû à des concentrations élevées d'acides biliaires ■ Traitement symptomatique de la diarrhée induite par les acides biliaires en cas de syndrome de l'intestin court.

ACTION

■ Liaison aux acides biliaires du tractus gastro-intestinal, formation d'un complexe insoluble, ce qui entraîne l'élimination accrue du cholestérol. **Effets thérapeutiques : ■** Diminution des concentrations plasmatiques de cholestérol et de lipoprotéines de basse densité.

PHARMACOCINÉTIQUE

Absorption: Le médicament agit dans le tractus gastro-intestinal. L'absorption est nulle.

Distribution: aucune.

Métabolisme et excrétion: Le médicament se lie aux acides biliaires formant un complexe insoluble qui est éliminé dans les fèces.

Demi-vie: Inconnue.

CONTRE-INDICATIONS ET PRÉCAUTIONS

Contre-indications: ■ Hypersensibilité ■ Obstruction biliaire totale ■ Hypersensibilité au propylène glycol (Questran) ou à l'aspartame (Questran léger) ■ Phénylcétonurie (Questran léger).

Précautions: ■ Antécédents de constipation (la cholestyramine entraîne une constipation grave) ■ Association avec tout autre médicament administré par voie orale (risque d'altération de l'absorption).

RÉACTIONS INDÉSIRABLES ET EFFETS SECONDAIRES

ORLO: irritation de langue.

GI: nausées, vomissements, constipation, fécalome, hémorroïdes, flatulence, irritation périanale, stéatorrhée, gêne abdominale.

Tég.: rash, irritation.

HÉ: acidose hyperchlorémique.

Hémat.: saignements.

Métab.: carence en vitamine A, D et K.

INTERACTIONS

Médicament – médicament: ■ Diminution de l'absorption des médicaments suivants administrés par voie orale: **acétaminophène, amiodarone, glucocorticoïdes, dérivés digitaliques, méthotrexate, naproxène, phénylbutazone, piroxicam, propranolol, diurétiques thiazidiques, agents thyroïdiens, ursodiol, anticoagulants oraux** et **vitamines liposolubles (A, D, E** et **K)** ■ La cholestyramine peut accentuer les effets des **anticoagulants oraux** en raison de la déplétion de la

vitamine K ■ L'agent peut diminuer l'absorption d'autres **médicaments administrés par voie orale**.

PRÉSENTATION

La cholestyramine est présentée sous forme de poudre.

VOIES D'ADMINISTRATION ET POSOLOGIE

PO (adultes): 4 g, de 1 à 6 fois par jour.

PHARMACODYNAMIE (effets hypocholestérolémiants)

	DÉBUT D'ACTION	PIC	DURÉE
PO	24 à 48 h	1 – 3 semaines	2 – 4 semaines

☼ SOINS INFIRMIERS

ÉVALUATION DE LA SITUATION

■ **Hypercholestérolémie:** Recueillir des données sur l'alimentation du patient, notamment sur sa consommation de matières grasses.

■ **Prurit:** Évaluer la gravité des démangeaisons et l'intégrité de la peau.

■ **Étude des examens diagnostiques et biochimiques:** Examiner les concentrations sériques de cholestérol et de triglycérides avant l'administration initiale et à intervalles réguliers pendant tout le traitement. Arrêter d'administrer l'agent en cas d'élévation paradoxale des concentrations de cholestérol.

□ La cholestyramine peut entraîner l'élévation des concentrations de TGOS (AST), de phosphate, de chlorure et de phosphatase alcaline et la diminution des concentrations sériques de calcium, de sodium et de potassium.

DIAGNOSTICS INFIRMIERS POSSIBLES

■ **Énoncés diagnostiques**

□ Constipation.

□ Prise en charge inefficace du programme thérapeutique.

☐ Non-observance du traitement médicamenteux.

☐ *Risque élevé de réponse insuffisante au traitement.*

☐ *Risque élevé d'hémorragie.*

■ **Facteurs favorisants**

☐ Informations incomplètes.

☐ Doute quant aux bienfaits du médicament.

☐ *Manque de connaissances sur le régime alimentaire à suivre.*

☐ *Manque de connaissances sur les modalités du traitement.*

INTERVENTIONS INFIRMIÈRES

☐ Le médecin peut prescrire aux patients suivant un traitement prolongé des vitamines (A,D,K) et de l'acide folique en préparation parentérale ou miscible à l'eau.

■ **PO:** Les autres médicaments doivent être pris 1 h avant ou de 4 à 6 h après la cholestyramine.

ENSEIGNEMENT AU PATIENT ET À SES PROCHES

☐ Expliquer au patient qu'il doit respecter scrupuleusement la posologie recommandée et qu'il ne doit pas sauter de dose ni remplacer une dose manquée par une double dose.

☐ Recommander au patient de prendre le médicament avant les repas. Il faut mélanger la cholestyramine avec 120 à 180 mL d'eau, de lait, de jus de fruits ou d'une autre boisson non gazéifiée et rincer le verre avec une petite quantité de boisson supplémentaire de façon à prendre toute la dose de médicament. On peut aussi mélanger la cholestyramine avec des soupes très liquides, des céréales ou des fruits pulpeux (compote de pommes, purée d'ananas). Avant de mélanger, laisser la poudre reposer et s'imbiber pendant 1 ou 2 min. Ne pas prendre le médicament à l'état sec. Les modifications de couleur n'altèrent pas la stabilité du médicament.

☐ Expliquer au patient que pendant qu'il suit le traitement, il doit aussi observer certaines restrictions alimentaires (réduction de la consommation de matières grasses, de cholestérol, de glucides et d'alcool), suivre un programme d'exercices et arrêter de fumer.

☐ Expliquer au patient qu'il risque de souffrir de constipation. Pour réduire la constipation, il devrait éventuellement augmenter sa consommation de liquides et de fibres alimentaires, faire de l'exercice et prendre des laxatifs émollients ou autres. Recommander au patient de prévenir le médecin si la constipation, les nausées, la flatulence et les brûlures d'estomac persistent ou si les selles deviennent mousseuses et nauséabondes.

☐ Conseiller au patient de signaler au médecin la présence de saignements ou d'ecchymoses inhabituels, de pétéchies ou de selles noires ou goudronneuses. Un traitement avec de la vitamine K peut s'avérer nécessaire.

VÉRIFICATION DES RÉSULTATS

L'efficacité du traitement peut être démontrée par: ■ la baisse des concentrations sériques de cholestérol-LDL (liée aux lipoprotéines de basse densité). Les concentrations de cholestérol devraient commencer à diminuer dans les 48 h, mais pourraient ne pas se stabiliser avant une année. On arrête habituellement le traitement si la réaction clinique n'est pas notable après trois mois ■ la diminution des démangeaisons. Le soulagement survient habituellement entre 1 et 3 semaines après le début du traitement.

CHOLINE ET MAGNÉSIUM, TRISALICYLATE DE
Trilisate

C

Analgésique non narcotique;
anti-inflammatoire non stéroïdien;
antipyrétique

Grossesse – catégorie C

INDICATIONS

■ Traitement des maladies inflammatoires incluant : □ la polyarthrite rhumatoïde □ l'arthrose. **Usages non approuvés:**
■ Traitement de la fièvre ■ Soulagement de la douleur légère à modérée.

ACTION

■ Analgésie et réduction de l'inflammation par l'inhibition de la synthèse des prostaglandines ■ Contrairement à l'aspirine, le médicament n'exerce aucun effet sur la fonction plaquettaire. **Effets thérapeutiques:** ■ Analgésie entraînant la réduction de la douleur légère à modérée ■ Diminution de l'inflammation ■ Soulagement de la fièvre.

PHARMACOCINÉTIQUE

Absorption: Bonne absorption par suite de l'administration par voie orale.
Distribution: L'agent se répartit rapidement dans tout l'organisme. Il traverse le placenta et pénètre dans le lait maternel.
Métabolisme et excrétion: Métabolisme hépatique important. Les métabolites inactifs sont excrétés par les reins.
Demi-vie: De 2 à 3 h pour les doses faibles. Pour les doses élevées, de 15 à 30 h en raison de la saturation du métabolisme hépatique.

CONTRE-INDICATIONS ET PRÉCAUTIONS

Contre-indications: Hypersensibilité à l'aspirine ou à d'autres anti-inflammatoires non stéroïdiens (les réactions de sensibilité croisée sont moins graves que lors d'un traitement à l'aspirine).
Précautions: ■ Insuffisance rénale (risque de toxicité au magnésium) ■ Insuffisance hépatique grave ■ Grossesse (risque de réactions indésirables chez le fœtus et la mère) ■ Allaitement (l'innocuité du médicament n'a pas été établie) ■ Enfants ou adolescents souffrant d'une infection virale (risque accru d'apparition du syndrome de Reye).

RÉACTIONS INDÉSIRABLES ET EFFETS SECONDAIRES

ORLO: acouphènes, surdité.
GI: dyspepsie, brûlures d'estomac, épigastralgie, nausées, vomissements, anorexie, douleurs abdominales, SAIGNEMENTS GASTRO-INTESTINAUX, hépatotoxicité.
Divers: œdème pulmonaire lésionnel, réactions allergiques incluant l'ANAPHYLAXIE ou l'ŒDÈME LARYNGÉ.

INTERACTIONS

Médicament – médicament: ■ Le trisalycilate de choline et de magnésium peut potentialiser les effets des **anticoagulants oraux**, de l'**héparine** ou des **thrombolytiques** (l'effet est moins marqué que dans le cas de l'aspirine) ■ L'agent peut intensifier l'action des **pénicillines**, de la **phénytoïne**, du **méthotrexate**, de l'**acide valproïque**, des **hypoglycémiants oraux** et des **sulfamides** ■ Le médicament peut contrecarrer les effets bénéfiques du **probénécide** ou du **sulfinpyrazone** ■ Le trisalicylate de choline et de magnésium peut diminuer l'efficacité des **agents anti-inflammatoires non stéroïdiens** administrés simultanément (à l'exception du kétoprofène) ■ Les **glucocorticoïdes** peuvent diminuer les concentrations sériques de salicylates ■ L'**acidification de l'urine** favorise la réabsorption et peut entraîner l'élévation des concentrations sériques de salicylates ■ L'**alcalinisation de l'urine** ou l'ingestion de quantités importantes d'**antiacides** favorise l'excrétion et réduit les concentrations sériques de salicylates ■ L'effet thérapeutique des **diurétiques** et des **antihypertenseurs** peut être diminué ■ Risque accru de saignement lors de l'administration concomitante de **céfamandole**, de **céfopérazone**, de **céfotétane**, de **moxalactam**, d'**acide valproïque** ou de **plicamycine** ■ Risque accru d'irritation gastro-intestinale lors de l'administration d'**anti-inflammatoires non stéroïdiens** ■ Risque accru de neurotoxicité pour la VIIIe paire crânienne (effet ototoxique) lors de l'administration concomitante de **vancomycine**. **Médicament – aliments:** ■ Les **aliments pouvant acidifier l'urine** (voir l'annexe K) peuvent accentuer la réabsorption des salicylates et en accroître les concentrations sériques.

PRÉSENTATION

Le médicament est présenté sous forme de comprimés.

VOIES D'ADMINISTRATION ET POSOLOGIE

Remarque: La teneur des comprimés est exprimée en mg de salicylates: un comprimé à 500 mg de salicylates équivaut à 650 mg d'aspirine.

- **PO (adultes):** de 2 à 3 g de salicylates par jour, en 2 ou 3 doses fractionnées.
- **PO (enfants > 37 kg) (É.-U.):** 2,2 g de salicylates par jour, en 2 doses fractionnées.
- **PO (enfants < 37 kg) (É.-U.):** 50 mg de salicylates/kg par jour, en 2 doses fractionnées.

PHARMACODYNAMIE (analgésie et diminution de la fièvre)

	DÉBUT D'ACTION	PIC	DURÉE
PO	5 – 30 min	1 – 3 h	3 – 6 h

* L'effet antirhumatismal peut ne se manifester qu'après 2 à 3 semaines de traitement.

☀ SOINS INFIRMIERS

ÉVALUATION DE LA SITUATION

- **Directives générales:** Les patients souffrant d'asthme, d'allergie et de polypes nasaux ou ceux qui sont allergiques à la tartrazine sont davantage prédisposés à des réactions d'hypersensibilité aux salicylates.
- **Douleur:** Noter le type de douleur, son siège et son intensité ainsi que l'amplitude du mouvement des articulations avant le traitement et 1 à 3 h après l'administration du médicament.
- **Fièvre:** Prendre la température et noter les signes connexes suivants: diaphorèse, tachycardie, malaise et frissons.
- **Toxicité et surdosage:** Surveiller l'apparition d'acouphènes, d'une hyperventilation, de l'agitation, de la confusion mentale, de la léthargie, de la diarrhée et de la transpiration. Si ces symptômes se manifestent, arrêter l'administration du médicament et prévenir immédiatement le médecin.

DIAGNOSTICS INFIRMIERS POSSIBLES

- **Énoncés diagnostiques**
- ☐ Douleur.
- ☐ Altération de la mobilité physique.
- ☐ Prise en charge inefficace du programme thérapeutique.
- ☐ *Risque élevé de réaction allergique.*
- ☐ *Risque élevé d'irritation gastro-intestinale.*

- **Facteurs favorisants**
- ☐ Informations incomplètes.
- ☐ *Douleurs articulaires.*
- ☐ *Manque de connaissances sur les moyens de prévenir les effets secondaires affectant l'appareil gastro-intestinal.*

INTERVENTIONS INFIRMIÈRES

PO: Administrer après les repas, avec des aliments ou avec un antiacide pour réduire l'irritation gastrique. Les aliments ralentissent l'absorption du médicament; ils ne la réduisent pas..

ENSEIGNEMENT AU PATIENT ET À SES PROCHES

- Conseiller au patient de prendre le médicament avec un grand verre d'eau et d'éviter de se coucher pendant 15 à 30 min.

C

- ▫ Recommander au patient de signaler les acouphènes, les saignements des gencives et les ecchymoses inhabituels, les selles noires et goudronneuses ou la fièvre persistant pendant plus de 3 jours.
- ▫ Conseiller au patient de ne pas boire d'alcool pendant qu'il prend ce médicament afin de réduire le risque d'irritation gastrique.
- ▫ Recommander au patient qui doit subir une intervention chirurgicale pendant qu'il suit un traitement prolongé avec ce médicament d'en avertir le dentiste ou le médecin.
- ■ Les centres épidémiologiques mettent en garde contre l'administration de salicylates aux enfants et aux adolescents qui souffrent de varicelle, de syndrome grippal ou de maladies virales en raison du risque d'apparition du syndrome de Reye.

VÉRIFICATION DES RÉSULTATS

L'efficacité du traitement peut être démontrée par : ■ le soulagement de la douleur légère à modérée ■ la mobilité accrue des articulations ■ la baisse de la fièvre.

CHOLINE, SALICYLATE DE

(Arthropan)

CLASSIFICATION :

*Analgésique non narcotique ;
anti-inflammatoire non-stéroïdien ;
antipyrétique*

Grossesse – catégorie inconnue

INDICATIONS

■ Soulagement de la douleur légère à modérée ■ Traitement des maladies inflammatoires incluant : ▫ la polyarthrite rhumatoïde ▫ l'arthrose ■ Traitement de la fièvre.

ACTION

■ Analgésie et réduction de l'inflammation par l'inhibition de la synthèse des prostaglandines ■ Contrairement à l'aspirine, le médicament n'exerce aucun effet sur la fonction plaquettaire. **Effets thérapeutiques :** ■ Analgésie entraînant la réduction de la douleur légère à modérée ■ Diminution de l'inflammation ■ Soulagement de la fièvre.

PHARMACOCINÉTIQUE

Absorption : Bonne absorption par suite de l'administration par voie orale.

Distribution : L'agent se répartit rapidement dans tout l'organisme. Il traverse le placenta et pénètre dans le lait maternel.

Métabolisme et excrétion : Métabolisme hépatique important. Les métabolites inactifs sont excrétés par les reins.

Demi-vie : De 2 à 3 h pour les doses faibles. Pour les doses élevées, de 15 à 30 h en raison de la saturation du métabolisme hépatique.

CONTRE-INDICATIONS ET PRÉCAUTIONS

Contre-indications : Hypersensibilité à l'aspirine ou à d'autres anti-inflammatoires non stéroïdiens (les réactions de sensibilité croisée sont moins graves que lors d'un traitement à l'aspirine).

Précautions : ■ Insuffisance rénale (risque de toxicité au magnésium) ■ Insuffisance hépatique grave ■ Grossesse (risque de réactions indésirables chez le fœtus et la mère) ■ Allaitement (l'innocuité du médicament n'a pas encore été établie) ■ Enfants ou adolescents souffrant d'une infection virale (risque accru d'apparition du syndrome de Reye).

RÉACTIONS INDÉSIRABLES ET EFFETS SECONDAIRES

ORLO : acouphènes, surdité.

GI : dyspepsie, brûlures d'estomac, épigastralgie, nausées, vomissements, anorexie, douleurs abdominales, SAIGNEMENTS GASTRO-INTESTINAUX, hépatotoxicité.

Divers : œdème pulmonaire lésionnel, réactions allergiques incluant l'ANAPHYLAXIE ou l'ŒDÈME LARYNGÉ.

INTERACTIONS

Médicament – médicament: ■ Le salicylate de choline peut potentialiser les effets des **anticoagulants oraux**, de l'**héparine** ou des **thrombolytiques** (l'effet est moins marqué que dans le cas de l'aspirine) ■ L'agent peut intensifier l'action des **pénicillines**, de la **phénytoïne**, du **méthotrexate**, de l'**acide valproïque**, des **hypoglycémiants oraux** et des **sulfamidés** ■ Le médicament peut contrecarrer les effets bénéfiques du **probénécide** ou du **sulfinpyrazone** ■ Le salicylate de choline peut diminuer l'efficacité des **agents anti-inflammatoires non stéroïdiens** administrés simultanément (à l'exception du kétoprofène) ■ Les **glucocorticoïdes** peuvent diminuer les concentrations sériques de salicylates ■ L'**acidification de l'urine** favorise la réabsorption et peut entraîner une élévation des concentrations sériques de salicylates ■ L'**alcalinisation de l'urine** ou l'ingestion de quantités importantes d'**antiacides** favorise l'excrétion et réduit les concentrations sériques de salicylates ■ L'effet thérapeutique des **diurétiques** et des **antihypertenseurs** peut être diminué ■ Risque accru de saignement lors de l'administration concomitante de **céfamandole**, de **céfopérazone**, de **céfotétane**, de **moxalactam**, d'**acide valproïque** ou de **plicamycine** ■ Risque accru d'irritation gastro-intestinale lors de l'administration d'**anti-inflammatoires non stéroïdiens** ■ Risque accru de neurotoxicité pour la VIIIe paire crânienne (effet ototoxique) lors de l'administration concomitante de **vancomycine**. **Médicament – aliments:** ■ Les **aliments pouvant acidifier l'urine** (voir l'annexe K) peuvent accentuer la réabsorption des salicylates et en accroître les concentrations sériques.

PRÉSENTATION

Le salicylate de choline est présenté sous forme de comprimés et de préparations liquides.

VOIES D'ADMINISTRATION ET POSOLOGIE

Remarque: 5 mL de liquide équivalent à 870 mg de salicylate ou à 650 mg d'aspirine.

Analgésique – antipyrétique

- **PO (adultes):** de 435 à 669 mg, toutes les 3 h, ou de 435 à 870 mg, toutes les 4 h, ou de 870 à 1 338 mg, toutes les 6 h, selon les besoins.
- **PO (enfants):** 2 g/m^2 par jour, en 4 à 6 doses fractionnées, selon les besoins.
- **PO (enfants de 11 à 12 ans):** de 435 à 652,5 mg, toutes les 4 h, selon les besoins.
- **PO (enfants de 9 à 11 ans):** de 435 à 543,8 mg, toutes les 4 h, selon les besoins.
- **PO (enfants de 6 à 9 ans):** 435 mg, toutes les 4 h, selon les besoins.
- **PO (enfants de 4 à 6 ans):** 326,5 mg, toutes les 4 h, selon les besoins.
- **PO (enfants de 2 à 4 ans):** 217,5 mg, toutes les 4 h, selon les besoins.

Anti-inflammatoire

- **PO (adultes):** de 4,8 à 7,2 g par jour, en doses fractionnées.
- **PO (enfants):** de 107 à 133 mg/kg par jour, en doses fractionnées.

PHARMACODYNAMIE (analgésie et soulagement de la fièvre)*

	DÉBUT D'ACTION	PIC	DURÉE
PO	5 – 30 min	1 – 3 h	3 – 6 h

* L'effet antirhumatismal peut ne se manifester qu'après 2 à 3 semaines de traitement.

SOINS INFIRMIERS

ÉVALUATION DE LA SITUATION

- **Directives générales:** Les patients souffrant d'asthme, d'allergie et de polypes nasaux ou ceux qui sont allergiques à la tartrazine sont davantage prédisposés à des réactions d'hypersensibilité aux salicylates.

■ **Douleur:** Noter le type de douleur, son siège et son intensité ainsi que l'amplitude du mouvement des articulations avant le traitement et 1 à 3 h après l'administration du médicament.

■ **Fièvre:** Prendre la température et noter les signes connexes suivants: diaphorèse, tachycardie, malaise et frissons.

■ **Toxicité et surdosage:** Surveiller l'apparition d'acouphènes, d'une hyperventilation, de l'agitation, de la confusion mentale, de la léthargie, de la diarrhée et de la transpiration. Si ces symptômes se manifestent, arrêter l'administration du médicament et prévenir immédiatement le médecin.

DIAGNOSTICS INFIRMIERS POSSIBLES

■ **Énoncés diagnostiques**
□ Douleur.
□ Altération de la mobilité physique.
□ Prise en charge inefficace du programme thérapeutique.
□ *Risque élevé de réaction allergique.*
□ *Risque élevé d'irritation gastro-intestinale.*

■ **Facteurs favorisants**
□ Informations incomplètes.
□ *Douleurs articulaires.*
□ *Manque de connaissances sur les moyens de prévenir les effets secondaires affectant l'appareil gastro-intestinal.*

INTERVENTIONS INFIRMIÈRES

PO: Administrer le médicament après les repas, avec des aliments ou avec un antiacide pour réduire l'irritation gastrique. Les aliments ralentissent, mais ne réduisent pas l'absorption de ce médicament.

ENSEIGNEMENT AU PATIENT ET À SES PROCHES

■ Conseiller au patient de prendre le médicament avec un grand verre d'eau et d'éviter de se coucher pendant 15 à 30 min.

□ Recommander au patient de signaler au médecin les acouphènes, les saignements des gencives et les ecchymoses inhabituels, les selles noires et goudronneuses ou la fièvre persistant pendant plus de 3 jours.

□ Conseiller au patient de ne pas boire d'alcool pendant qu'il prend ce médicament afin de réduire le risque d'irritation gastrique.

□ Recommander au patient qui doit subir une intervention chirurgicale pendant qu'il suit un traitement prolongé avec ce médicament d'en avertir le dentiste ou le médecin.

■ Les centres épidémiologiques mettent en garde contre l'administration de salicylates aux enfants et aux adolescents qui souffrent de varicelle, de syndrome grippal ou de maladies virales en raison du risque d'apparition du syndrome de Reye.

VÉRIFICATION DES RÉSULTATS

L'efficacité du traitement peut être démontrée par: ■ le soulagement de la douleur légère à modérée ■ la mobilité accrue des articulations ■ la baisse de la fièvre.

CIMÉTIDINE
Apo-Cimetidine, Novo-cimétine, Peptol, Tagamet

CLASSIFICATION:
Antagoniste des récepteurs H$_2$ de l'histamine; traitement de l'ulcère gastroduodénal

Grossesse – catégorie B

INDICATIONS

■ Traitement des poussées d'ulcère duodénal et des ulcères gastriques bénins
■ Prophylaxie de l'ulcère duodénal
■ Traitement du reflux gastro-œsophagien

C

■ Traitement de l'hypergastrinémie (syndrome de Zollinger-Ellison) ■ Traitement de l'hémorragie digestive haute ■ Prophylaxie des ulcères de stress ou de la pneumonie de déglutition.

ACTION

■ Inhibition de l'activité de l'histamine au niveau des récepteurs H_2 situés surtout dans les cellules pariétales de l'estomac, ce qui se traduit par le blocage de la sécrétion d'acide gastrique. **Effets thérapeutiques :** ■ Guérison et prophylaxie des ulcères ■ Réduction des symptômes de reflux œsophagien ■ Diminution de la sécrétion d'acides gastriques.

PHARMACOCINÉTIQUE

Absorption : Bonne absorption par suite de l'administration par voies orale ou IM.
Distribution : L'agent se répartit dans tout l'organisme ; il pénètre dans le lait maternel et traverse probablement le placenta.
Métabolisme et excrétion : Une fraction de 30 % du médicament est métabolisée par le foie, le reste est excrété à l'état inchangé par les reins.
Demi-vie : 2 h (prolongée en présence d'insuffisance rénale).

CONTRE-INDICATIONS ET PRÉCAUTIONS

Contre-indications : Hypersensibilité.
Précautions : ■ Personnes âgées (prédisposition accrue aux réactions indésirables sur le SNC ; il est recommandé de réduire la dose) ■ Insuffisance rénale (prédisposition accrue aux réactions indésirables sur le SNC ; il est recommandé de réduire la dose) ■ Grossesse ou allaitement.

RÉACTIONS INDÉSIRABLES ET EFFETS SECONDAIRES

SNC : confusion, étourdissements, céphalées, somnolence.
CV : bradycardie.

GI : nausées, diarrhée, constipation, hépatite.
GU : néphrite, diminution du nombre de spermatozoïdes.
Tég. : rash, érythrodermie, urticaire.
End. : gynécomastie.
Hémat. : AGRANULOCYTOSE, ANÉMIE APLASIQUE, neutropénie, trombocytopénie, anémie.
Locaux : douleur au point d'injection IM.
Loc. : douleurs musculaires.

INTERACTIONS

Médicament – médicament : ■ La cimétidine inhibe les enzymes participant au métabolisme hépatique de plusieurs médicaments, ce qui peut entraîner une augmentation des concentrations sériques et de la toxicité des agents suivants : **anticoagulants oraux**, **lidocaïne**, **phénytoïne** et **théophylline** ■ La cimétidine peut exercer un effet similaire mais moins prévisible lors de l'administration concomitante des agents suivants : **métronidazole**, **triamtérène**, **métoprolol**, **mexilétine**, **flécaïnide**, **procaïnamide**, **quinidine**, **quinine**, **caféine**, **certaines benzodiazépines (diazépam, chlordiazépoxide)**, **succinylcholine**, **analgésiques narcotiques**, **pentoxiphylline**, **carbamazépine**, **chloroquine**, **inhibiteurs calciques**, **certaines sulfonylurées (glyburide, glipizide)** et **certains antidépresseurs tricycliques** ■ Le médicament peut accentuer les propriétés myélodépressives de la **carmustine** ■ Les **antiacides** peuvent réduire l'absorption de la cimétidine ■ Le **tabagisme** réduit l'efficacité de la cimétidine ■ La cimétidine diminue l'absorption des **sels de fer**, de l'**indométhacine**, du **kétoconazole** et des **tétracyclines** ■ L'agent peut réduire les effets pharmacologiques de la **tocaïnide**.

PRÉSENTATION

La cimétidine est présentée sous forme de comprimés et de solutions orale et injectable.

C

VOIES D'ADMINISTRATION ET POSOLOGIE

Traitement de courte durée de l'ulcère duodénal et de l'ulcère gastrique non malin

- **PO (adultes):** 300 mg, 4 fois par jour, 800 mg, au coucher, 600 mg, 2 fois par jour, ou 400 mg, 2 fois par jour, pendant un maximum de 8 semaines (ne pas dépasser 2,4 g par jour).
- **PO (enfants) (É.-U.):** de 20 à 40 mg/kg par jour, en 4 doses fractionnées.
- **IM et IV (adultes):** 300 mg, toutes les 6 h (ne pas dépasser 2,4 g par jour).
- **IM et IV (enfants):** de 20 à 25 mg/kg par jour, en doses fractionnées, toutes les 4 à 6 h.
- **Perfusion IV (adultes) (É.-U.):** 900 mg administrés en 24 h; on peut administrer au préalable en bolus une dose de 150 mg.

Prophylaxie des récidives de crises d'ulcère duodénal ou gastrique

- **PO (adultes):** 400 mg, au coucher ou 300 mg, 2 fois par jour au petit déjeuner et au coucher.

Maladies caractérisées par une hypersécrétion gastrique (syndrome de Zollinger-Ellison)

- **PO, IM et IV (adultes):** 300 mg, toutes les 6 h.

Reflux gastro-œsophagien, hémorragies digestives hautes

- **PO (adultes):** 300 mg, 4 fois par jour, 600 mg, 2 fois par jour ou 800 mg, au coucher.

Prophylaxie des ulcères de stress

- **PO (adultes):** 300 mg, toutes les 6 h (ou plus, selon les besoins, afin de maintenir un pH gastrique > 4).

Prophylaxie de la pneumonie de déglutition

- **IM et IV (adultes):** 300 mg par voie IM, une heure avant l'anesthésie, puis 300 mg par voie IV, toutes les 4 h, jusqu'au moment où le patient reprend conscience.

PHARMACODYNAMIE (suppression des sécrétions d'acide gastrique)

	DÉBUT D'ACTION	PIC	DURÉE
PO	30 min	45 – 90 min	4 – 5 h
IM et IV	10 min	30 min	4 – 5 h

✳ SOINS INFIRMIERS

ÉVALUATION DE LA SITUATION

☐ Suivre de près la douleur épigastrique ou abdominale et la présence de sang occulte ou franc dans les selles, les vomissures et les échantillons prélevés par aspiration gastrique.

☐ Observer les personnes âgées et les patients débilités pour déceler les signes de confusion. Prévenir immédiatement le médecin s'ils se manifestent.

- **Étude des examens diagnostiques et biochimiques:** Examiner la numération globulaire et la formule leucocytaire à intervalles réguliers, pendant toute la durée du traitement.

☐ La cimétidine peut entraîner une élévation transitoire des concentrations sériques de transaminase et de créatinine. Les concentrations de prolactine dans le sang peuvent s'élever à la suite de l'administration par bolus IV La cimétidine peut également diminuer les concentrations d'hormone parathyroïdienne.

☐ Les effets de la cimétidine s'opposent à ceux de la pentagastrine et de l'histamine lors de l'analyse de l'acidité gastrique. Ne pas administrer le médicament dans les 24 h qui précèdent cette analyse.

☐ La cimétidine peut entraîner des résultats faussement négatifs aux tests cutanés effectués au moyen d'extraits d'allergène. Ne pas administrer le médicament pendant les 24 h qui précèdent ce test.

C

DIAGNOSTICS INFIRMIERS POSSIBLES

■ **Énoncés diagnostiques**
□ Douleur.
□ Prise en charge inefficace du programme thérapeutique.
□ *Risque élevé de constipation.*
□ *Risque élevé de réponse insuffisante au traitement.*
□ *Risque élevé d'accident.*

■ **Facteurs favorisants**
□ Informations incomplètes.
□ *Manque de connaissances sur le régime alimentaire à suivre.*
□ *Manque de connaissances sur les moyens de stimuler la fonction intestinale.*
□ *Perturbation de la vigilance.*

INTERVENTIONS INFIRMIÈRES

■ **PO :** Administrer la cimétidine aux repas ou immédiatement après et au coucher pour en prolonger l'effet. Si les comprimés sont administrés en même temps que des antiacides, espacer les prises d'au moins 1 h.
□ Les comprimés dégagent une odeur particulière.
□ **IV directe :** Diluer 300 mg dans 20 mL de solution de NaCl à 0,9 % pour injection.
□ *Vitesse d'administration :* L'administration doit se faire en au moins 2 min. L'administration rapide peut entraîner de l'hypotension et des arythmies.
■ **Perfusion intermittente :** Diluer 300 mg dans 50 mL de solution de NaCL à 0,9 %, de dextrose à 5 et à 10 % dans de l'eau, de dextrose à 5 % dans une solution de lactate Ringer, de dextrose à 5 % dans une solution de NaCl à 0,9 %, à 0,45 % ou à 0,25 %, de solution de Ringer, de solution de lactate Ringer ou de solution de bicarbonate de sodium. La solution diluée est stable pendant 48 h à la température ambiante. La préparation conservée au réfrigérateur peut devenir trouble, mais sa puissance

n'est pas altérée. Ne pas administrer la solution si elle change de couleur ou si elle renferme un précipité.
□ *Vitesse d'administration :* L'administration doit se faire en 15 à 20 min.
■ **Perfusion continue (É.-U.) :** Diluer 900 mg de cimétidine dans 100 à 1 000 mL d'une solution compatible (voir perfusion intermittente).
□ *Vitesse d'administration :* La vitesse habituelle est de 37,5 mg/h ; il faut cependant adapter la vitesse d'administration à chaque cas particulier.
■ **Associations compatibles dans la même seringue :** Acétate de sodium, atropine, butorphanol, céphalothine, chlorure de sodium, diazépam, diphenhydramine, doxapram, dropéridol, eau stérile, fentanyl, glycopyrrolate, héparine, hydromorphone, hydroxyzine, lactate de sodium, lorazépam, mépéridine, midazolam, morphine, nafcilline, nalbuphine, pénicilline G sodique, pentazocine, perphénazine, prochlorpérizine, promazine, prométhazine ou scopolamine.
■ **Associations incompatibles dans la même seringue :** Céfamandole, céfazoline, chlorpromazine, pentobarbital ou sécobarbital.
■ **Compatibilités (tubulure en Y) :** Acyclovir, aminophylline, amrinone, atracurium, énalaprilate, esmolol, foscarnet, héparine, hydroxyéthyle d'amidon, labétalol, ondansétron, pancuromium, tolazoline, vécuronium ou zidovudine.
■ **Compatibilités en addition au soluté :** Acétazolamide, amikacine, aminophylline, bitartrate de métaraminol, céfoxitine, chlorothiazide, chlorure de potassium, clindamycine, colistiméthate, dexaméthasone, digoxine, épinéphrine, éthacrynate, érythromycine, furosémide, gentamicine, insuline, isoprotérénol, lidocaïne, lincomycine, méthylprednisolone, nitroprussiate sodique, norépinéphrine, pénicilline G potassique, phytona-

dione, polymyxine B, quinidine, sulfate de protamine, tétracycline, vérapamil ou vitamines du complexe B.
- **Incompatibilité en addition au soluté:** Amphotéricine B.

ENSEIGNEMENT AU PATIENT ET À SES PROCHES

- **Directives générales:** Expliquer au patient qu'il doit respecter scrupuleusement la posologie recommandée et continuer à prendre la cimétidine même s'il se sent mieux. S'il n'a pas pu prendre le médicament au moment habituel, il doit le prendre aussitôt que possible, à moins que ce ne soit presque l'heure prévue pour la prise suivante. L'avertir qu'il ne doit jamais doubler la dose.
- ☐ Expliquer au patient que le tabac entrave l'effet de la cimétidine. L'encourager à cesser de fumer ou, au moins, à ne pas fumer après la prise de la dernière dose de la journée.
- ☐ Prévenir le patient que la cimétidine peut provoquer de la somnolence ou des étourdissements. Lui conseiller de ne pas conduire et d'éviter les activités qui exigent sa vigilance jusqu'à ce qu'on ait la certitude que le médicament n'entraîne pas ces effets chez lui.
- ☐ Conseiller au patient d'éviter de boire de l'alcool et de prendre des préparations contenant de l'aspirine et des aliments qui peuvent aggraver l'irritation gastrique.
- ☐ Recommander au patient de signaler rapidement au médecin les symptômes suivants: selles noires ou goudronneuses, fièvre, maux de gorge, diarrhée, étourdissements, rash, confusion ou hallucinations.

VÉRIFICATION DES RÉSULTATS

L'efficacité du traitement peut être démontrée par: ■ la diminution des douleurs abdominales ou la prévention de l'hémorragie ou de l'irritation gastrique. (La ci-catrisation des ulcères duodénaux peut être révélée par les radiographies ou l'endoscopie. Il faut poursuivre le traitement de l'ulcère pendant au moins 4 semaines pour traiter l'ulcère duodénal et au moins 6 semaines pour traiter l'ulcère gastrique non malin.) ■ la diminution des symptômes du reflux œsophagien.

CIPROFLOXACINE
Ciloxan, Cipro

CLASSIFICATION:
Anti-infectieux – fluoroquinolone

Grossesse – catégorie C

INDICATIONS

■ **PO et IV:** traitement des infections suivantes provoquées par les micro-organismes sensibles: ☐ infections des voies respiratoires ☐ infections de la peau et des tissus mous ☐ infections des os et des articulations ☐ infections des voies urinaires ■ **PO:** diarrhée infectieuse ■ **IV:** septicémie ■ **Gouttes ophtalmiques:** Traitement des ulcères de la cornée et des conjonctivites.

ACTION

■ Inhibition de la synthèse de l'ADN par l'inhibition de l'ADN gyrase. **Effets thérapeutiques:** Destructions des bactéries sensibles. **Spectre d'action:** Action contre de nombreux cocci à Gram positif dont: ☐ les staphylocoques (incluant *Staphylococcus épidermidis* et les souches *Staphylococcus aureus* résistant à la méthicilline) ☐ *Streptococcus pyogenes* ☐ *Streptococcus pneumoniæ* ■ Action marquée contre les micro-organismes à Gram négatif dont: ☐ *E. Coli* ☐ les espèces *Klebsiella* ☐ *Enterobacter* ☐ *Salmonella* ☐ *Shigella* ☐ *Proteus vulgaris* ☐ *Providencia stuartii* ☐ *Providencia retgerii* ■ *Morganella morganii* ☐ *Pseudomonas æruginoa* ☐ *Serratia* ■ les espèces *Hæmophilus* ☐ *Acinetobacter*

C

□ *Neisseria gonorrhoeæ et meningiti-dis* □ *Branhamella catarrhalis* □ *Yersinia* □ *Vibrio* □ *Brucella* □ *Campylobacter* □ les espèces *Aeromonas*.

PHARMACOCINÉTIQUE

Absorption: Bonne absorption (70 %) par suite de l'administration par voie orale.

Distribution: L'agent se répartit dans tout l'organisme; on le trouve à fortes concentrations dans les tissus.

Métabolisme et excrétion: Une fraction de 15 % du médicament est métabolisée par le foie. Une fraction de 40 à 50 % est excrétée à l'état inchangé par les reins.

Demi-vie: 4 h (prolongée en cas de maladie rénale).

CONTRE-INDICATIONS ET PRÉCAUTIONS

Contre-indications: ■ Hypersensibilité ■ Risque d'hypersensibilité croisée avec d'autres fluoroquinolones ■ Enfants de moins de 18 ans ■ Grossesse ■ Hypersensibilité au chlorure de benzalkonium ou à l'acide édétique disodique (EDTA) (gouttes ophtalmiques seulement).

Précautions: ■ Maladie sous-jacente du SNC ■ Allaitement (l'innocuité du médicament n'a pas été établie) ■ Insuffisance rénale grave (réduire la dose).

RÉACTIONS INDÉSIRABLES ET EFFETS SECONDAIRES

SNC: tremblements, agitation, confusion, hallucinations, CONVULSIONS, étourdissements.

ORLO: gouttes ophtalmiques – formation de croûtes, de cristaux ou de squames sur le bord de la paupière, sensation de corps étranger, démangeaisons, hypérémie conjonctivale.

GI: nausées, diarrhée, vomissements, douleurs épigastriques; gouttes ophtalmiques – mauvais goût dans la bouche.

GU: cristallurie, cylindrurie, hématurie.

Tég.: rash, photosensibilité.

Locaux: phlébite au point d'injection IV (particulièrement si la durée de la perfusion est inférieure à 30 min).

Divers: réactions allergiques incluant l'ANAPHYLAXIE.

INTERACTIONS

Médicament – médicament: ■ Le médicament élève les concentrations sériques de **théophylline**, ce qui peut entraîner la toxicité ■ L'administration simultanée d'**antiacides**, de **sels de fer**, de **sucralfate** ou de **sulfate de zinc** réduit l'absorption de la ciprofloxacine ■ **Les médicaments qui alcalinisent l'urine** augmentent le risque de cristallurie ■ La ciprofloxacine peut accroître la toxicité rénale de la **cyclosporine** ■ La **nitrofurantoïne** peut réduire l'efficacité de la ciprofloxacine ■ Le **probénécide** accroît les concentrations sanguines de ciprofloxacine ■ La ciprofloxacine peut augmenter les effets des **anticoagulants oraux** ■ Les **antinéoplasiques** peuvent réduire les concentrations sanguines de ciprofloxacine.

VOIES D'ADMINISTRATION ET POSOLOGIE

■ **IV (adultes):** de 200 à 400 mg, toutes les 12 h (perfusion en 60 min).

■ **PO (adultes):** de 250 à 750 mg, toutes les 12 h.

■ **Gouttes ophtalmiques (adultes):** 1 ou 2 gouttes, toutes les 15 à 30 min jusqu'à ce que l'infection soit maîtrisée, puis 1 ou 2 gouttes, de 4 à 6 fois par jour.

PHARMACODYNAMIE
(concentrations sanguines)

	DÉBUT D'ACTION	PIC
PO	rapide	1 – 2 h
IV	rapide	fin de la perfusion

SOINS INFIRMIERS

ÉVALUATION DE LA SITUATION

☐ Au début du traitement et pendant toute sa durée, surveiller l'apparition des signes suivants d'infection : altération des signes vitaux, aspect de la plaie, des crachats, de l'urine et des selles ; accroissement du nombre de leucocytes.

☐ Prélever des échantillons pour les cultures et les antibiogrammes avant le début du traitement. La première dose peut être administrée avant même que les résultats soient connus.

☐ Effectuer le bilan des ingesta et des excreta. Les ingesta devraient être d'au moins 2 000 à 3 000 mL par jour afin de prévenir la cristallurie.

■ **Étude des examens diagnostiques et biochimiques :** La ciprofloxacine peut entraîner l'élévation des concentrations de TGOS (AST), de TGPS (ALT), de phosphatase alcaline, de bilirubine, d'urée, de créatinine et de LDH.

☐ Le médicament peut entraîner l'élévation ou la diminution du nombre de plaquettes dans le sang et la diminution du nombre d'érythrocytes et de leucocytes.

DIAGNOSTICS INFIRMIERS POSSIBLES

■ **Énoncés diagnostiques**

☐ Risque élevé d'infection.

☐ Prise en charge inefficace du programme thérapeutique.

☐ Non-observance du traitement médicamenteux.

☐ *Risque élevé de réaction allergique.*

☐ *Risque élevé de déshydratation.*

☐ *Risque élevé d'accident.*

■ **Facteurs favorisants**

☐ Informations incomplètes.

☐ Doute quant aux bienfaits du médicament.

☐ *Vomissements et diarrhée.*

☐ *Perturbation de la vigilance.*

INTERVENTIONS INFIRMIÈRES

■ **PO :** Administrer le médicament à jeun ou 2 h après les repas. En cas d'irritation gastrique, administrer aux repas. Les aliments ralentissent et peuvent diminuer légèrement l'absorption.

☐ Si le médecin a prescrit la prise simultanée d'antiacides, il faut les administrer au moins 2 h avant ou 2 h après la ciprofloxacine.

■ **Perfusion intermittente :** Diluer la ciprofloxacine pour obtenir une concentration de 1 à 2 mg/mL dans une solution de NaCl à 0,9 % ou de dextrose à 0,5 % dans de l'eau. La solution est stable pendant 14 jours au réfrigérateur ou à la température ambiante.

☐ Il faut interrompre l'administration d'autres solutions pendant qu'on administre la ciprofloxacine.

☐ *Vitesse d'administration :* La perfusion intermittente doit durer au moins 30 min. Injecter dans une grosse veine afin de réduire l'irritation veineuse.

■ **Gouttes ophtalmiques :** La méthode d'instillation des gouttes ophtalmiques est indiquée à l'annexe H.

ENSEIGNEMENT AU PATIENT ET À SES PROCHES

☐ Expliquer au patient qu'il doit respecter scrupuleusement la posologie recommandée et continuer à prendre le médicament même s'il se sent mieux. Insister sur le fait qu'il peut être dangereux de donner ce médicament à une autre personne.

☐ Prévenir le patient que la ciprofloxacine peut provoquer une sensation de tête légère et des étourdissements. Lui conseiller de ne pas conduire et d'éviter les activités qui exigent sa vigilance jusqu'à ce qu'on ait la certitude que le médicament n'entraîne pas ces effets chez lui.

☐ Recommander au patient d'utiliser des écrans solaires et de porter des

C

vêtements protecteurs pour prévenir les réactions de photosensibilité.

▫ Conseiller au patient de signaler l'allergie et les signes suivants de surinfection : excroissance pileuse sur la langue, démangeaisons ou pertes vaginales, selles molles ou nauséabondes.

▫ Recommander au patient de prévenir le médecin si son état ne s'améliore pas.

VÉRIFICATION DES RÉSULTATS

La réponse clinique au traitement peut être déterminée par : la disparition des signes et des symptômes d'infection. Le temps de résolution dépend du microorganisme infectant et du siège de l'infection.

CISPLATINE
Platinol, Platinol-AQ, (Abiplatin), (CDDP)

CLASSIFICATION :
Antinéoplasique – agent alkylant

Grossesse – catégorie inconnue

INDICATIONS

■ En monothérapie ou en association (avec d'autres antinéoplasiques, la chirurgie ou la radiothérapie) dans les cas suivants : ▫ cancer métastatique des testicules et des ovaires ▫ cancer avancé de la vessie. **Usages non approuvés :** ▫ cancer de la tête et du cou ▫ cancer cervical ▫ cancer des poumons.

ACTION

Inhibition de la synthèse de l'ADN produisant des liaisons intercaténaires dans l'ADN des cellules mères (effet non spécifique sur le cycle cellulaire). **Effets thérapeutiques :** Destruction des cellules à réplication rapide et particulièrement des cellules malignes.

PHARMACOCINÉTIQUE

Absorption : Par suite de l'administration par voie IV, l'absorption est virtuellement complète.

Distribution : L'agent se répartit dans tout l'organisme ; l'accumulation se poursuit pendant plusieurs mois après l'administration.

Métabolisme et excrétion : Le médicament est surtout excrété par les reins.

Demi-vie : De 30 à 100 h.

CONTRE-INDICATIONS ET PRÉCAUTIONS

Contre-indications : ■ Hypersensibilité ■ Grossesse ou allaitement.

Précautions : ■ Maladie rénale (réduire la dose) ■ Surdité ■ Troubles électrolytiques ■ Patientes en âge de procréer ■ Infection évolutive ■ Aplasie médullaire ■ Maladies chroniques débilitantes.

RÉACTIONS INDÉSIRABLES ET EFFETS SECONDAIRES

SNC : CONVULSIONS.

ORLO : neurotoxicité pour la VIIIe paire crânienne (effet ototoxique), acouphènes.

GI : nausées graves, vomissements, diarrhée, hépatotoxicité.

GU : toxicité rénale, stérilité.

HÉ : hypomagnésémie, hypokaliémie, hypocalcémie.

Hémat. : anémie, leucopénie, thrombocytopénie.

Locaux : phlébite au point d'injection IV.

Métab. : hyperuricémie.

SN : neuropathie périphérique.

Divers : réactions anaphylactiques.

INTERACTIONS

Médicament – médicament : ■ Effet additif sur la neurotoxicité et la toxicité pour la VIIIe paire crânienne lors de l'administration concomitante d'autres **médicaments néphrotoxiques** et **ototoxiques (aminosides, diurétiques de l'anse)** ■ Les autres **antinéoplasiques** ou la **radiothérapie** peuvent aggraver l'aplasie médullaire.

VOIES D'ADMINISTRATION ET POSOLOGIE

■ **IV (adultes):** de 15 à 20 mg/m^2, tous les jours pendant 5 jours ou de 50 à 75 mg/m^2 en une seule dose; répéter l'administration toutes les 3 à 4 semaines.

PHARMACODYNAMIE
(effets sur les numérations globulaires)

	DÉBUT D'ACTION	PIC	DURÉE
IV	inconnu	18 – 23 jours	39 jours

SOINS INFIRMIERS

ÉVALUATION DE LA SITUATION

☐ Prendre fréquemment la pression artérielle, le pouls, la fréquence respiratoire et la température pendant l'administration du médicament. Informer le médecin de tout changement marqué.

☐ Effectuer le bilan des ingesta et des excreta et noter la densité de l'urine à intervalles réguliers pendant toute la durée du traitement. Prévenir le médecin dès que des écarts entre les valeurs totales surviennent. Afin de réduire les risque de toxicité rénale, maintenir une diurèse d'au moins 100 mL/h pendant 4 h avant le début de l'administration et pendant au moins 24 h après.

☐ Encourager le patient à boire de 2 000 à 3 000 mL de liquides par jour pour favoriser l'excrétion d'acide urique. Le médecin peut prescrire de l'allopurinol et un agent d'alcalinisation de l'urine pour prévenir la maladie rénale urique.

☐ Vérifier fréquemment la perméabilité de la tubulure. L'extravasation peut provoquer l'ulcération et la nécrose des tissus.

☐ Les nausées et vomissements graves et prolongés peuvent survenir dans l'heure qui suit le traitement et persister pendant 24 h. Administrer des antiémétiques par voie parentérale de 30 à 45 min avant le début du traitement et à intervalles régulier pendant les 24 h qui suivent, selon les besoins. Noter la quantité de vomissures et prévenir le médecin si elles dépassent celles dictées par les directives de la prévention de la déshydratation.

☐ Surveiller l'apparition de la fièvre, des frissons, des maux de gorge et des signes d'infection et en informer le médecin.

☐ Vérifier les résultats de la numération plaquettaire pendant toute la durée du traitement. Suivre de près les saignements: saignements des gencives, formation d'ecchymoses, pétéchies, sang occulte (par la méthode au gaïac) dans les selles, l'urine et les vomissures. Éviter l'administration d'injections par voie IM et la prise de la température rectale. Appliquer une pression sur les points de vénoponction pendant 10 min.

☐ L'anémie peut survenir. Suivre de près la fatigue accrue, la dyspnée et l'hypotension orthostatique.

☐ Suivre de près les signes suivants d'anaphylaxie: œdème facial, respiration sifflante, tachycardie, hypotension. Au premier signe, arrêter immédiatement l'administration du médicament et prévenir le médecin. Garder à portée de la main de l'épinéphrine et le matériel de réanimation.

☐ Le médicament peut entraîner la neurotoxicité pour la VIIIe paire crânienne (effet ototoxique), particulièrement chez les enfants, ainsi qu'une néphrotoxicité. Suivre de près les étourdissements, les acouphènes, la surdité, la perte de la coordination ou

C

la sensation de picotement dans les membres ou d'engourdissement des mains et des pieds. Ces symptômes peuvent être irréversibles. En informer immédiatement le médecin.

■ **Étude des examens diagnostiques et biochimiques:** Vérifier la numération globulaire avant l'administration et à intervalles réguliers pendant toute la durée du traitement. Le nadir de la leucopénie, de la thrombocytopénie et de l'anémie se produit dans les 18 à 23 jours. Interrompre l'administration des doses subséquentes jusqu'au moment où le nombre de leucocytes est supérieur à $4,0 \times 10^9$/L et des plaquettes, à 100×10^9/L.

□ Déterminer l'état de la fonction hépatique et rénale avant l'administration et à intervalles réguliers pendant toute la durée du traitement. Le médicament peut entraîner la néphrotoxicité (concentrations accrues d'urée et de créatinine et diminution des concentrations de calcium, de magnésium, de phosphate et de potassium). Ne pas administrer de nouvelles doses avant que les concentrations d'urée ne soient inférieures à 8,9 mmol/L et celles de la créatinine sérique, à 135 µmol/L. Le médicament peut provoquer une élévation des concentrations d'acide urique. L'hépatotoxicité peut se manifester par l'augmentation des concentrations de TGOS (AST), de TGPS (AST) et de bilirubine.

DIAGNOSTICS INFIRMIERS POSSIBLES

■ **Énoncés diagnostiques**

□ Risque élevé d'infection.

□ Risque élevé d'accident.

□ Prise en charge inefficace du programme thérapeutique.

□ *Risque élevé de réaction allergique.*

□ *Risque élevé de déshydratation.*

□ *Risque élevé d'intoxication.*

□ *Risque élevé de douleur au point d'injection IV.*

■ **Facteurs favorisants**

□ Informations incomplètes.

□ *Vomissements.*

□ *Perturbation de la vigilance.*

□ *Faiblesse généralisée.*

□ *Manque de connaissances sur les modalités du traitement.*

□ *Inflammation locale du tissu vasculaire ou infiltration du médicament dans les tissus avoisinants.*

□ *Altération de la perception auditive.*

□ *Altération de la fonction rénale.*

INTERVENTIONS INFIRMIÈRES

■ **Directives générales:** Hydrater le patient avec au moins 1 à 2 litres de liquide IV de 8 à 12 h avant d'amorcer le traitement par le cisplatine.

□ Ne pas utiliser d'aiguilles ou de matériel en aluminium au cours de la préparation de la solution ou de son administration. L'aluminium réagit avec le cisplatine formant un précipité noir ou brun qui rend le médicament inefficace.

□ Les fioles de poudre intactes doivent être conservées au réfrigérateur.

□ Préparer les solutions sous une hotte biologique de sécurité. Porter des gants, un vêtement protecteur et un masque pendant la manipulation du cisplatine. Mettre au rebut le matériel dans des contenants réservés à cet effet (voir l'annexe I).

■ **Perfusion intermittente:** Il est recommandé de diluer l'agent dans 2 litres de dextrose à 5 % dans une solution de NaCl à 0,3 ou à 0,45 % renfermant 37,5 g de mannitol.

□ *Vitesse d'administration:* La perfusion doit durer de 6 à 8 h.

■ **Perfusion continue:** Le cisplatine a déjà été administré en perfusion continue pendant une période allant de 24 h à 5 jours; grâce à cette méthode, les nausées et les vomissements ont diminué.

■ **Compatibilités (même seringue et tubulure en Y):** Le cisplatine est compatible dans une même seringue pendant une durée limitée et lors de l'injection dans la tubulure en Y d'un appareillage IV amorcée avec les médicaments suivants: bléomycine, cyclophosphamide, doxorubicine, dropéridol, fluorouracile, furosémide, héparine, leucovorine calcique, méthotrexate, métoclopramide, mitomycine, ondansétron, vinblastine ou vincristine.

■ **Compatibilités en addition au soluté:** Étoposide, hydroxyzine, sulfate de magnésium, mannitol, solution de NaCl à 0,9 % ou dextrose à 5 % dans une solution de NaCl à 0,9 %.

■ **Incompatibilités en addition au soluté:** Bicarbonate de sodium, fluorouracile ou métoclopramide.

ENSEIGNEMENT AU PATIENT ET À SES PROCHES

□ Inciter le patient à signaler immédiatement la douleur au point d'injection.

□ Recommander au patient de signaler rapidement au médecin la fièvre, les maux de gorge, les signes d'infection, le saignement des gencives, la formation d'ecchymoses, les pétéchies; la présence de sang dans les selles, l'urine et les vomissures; la fatigue accrue, la dyspnée ou l'hypotension orthostatique.

□ Expliquer au patient qu'il doit éviter les foules et les personnes contagieuses. Lui recommander d'utiliser une brosse à dents à poils doux et un rasoir électrique et de prendre garde aux chutes. Prévenir le patient qu'il ne doit pas boire des boissons alcoolisées ni prendre de médicaments renfermant de l'aspirine, car ces substances peuvent déclencher une hémorragie digestive.

□ Recommander au patient de signaler rapidement au médecin l'engourdissement des mains et des pieds ou les picotements au niveau des membres ou du visage, la surdité, les bourdonnements d'oreilles, l'enflure inhabituelle ou les douleurs articulaires.

□ Recommander au patient de ne pas se faire vacciner sans recommandation expresse du médecin.

□ Conseiller à la patiente de prendre des mesures de contraception même si le cisplatine peut entraîner la stérilité.

□ Insister sur l'importance d'examens diagnostiques à intervalles réguliers, permettant de suivre de près les effets secondaires.

VÉRIFICATION DES RÉSULTATS

L'efficacité du traitement peut être déterminée par: ■ la diminution de la taille de la tumeur et le ralentissement de la propagation des métastases ■ le traitement ne doit être administré que toutes les 3 ou 4 semaines et seulement si les constantes biologiques s'inscrivent dans les limites acceptables et si le patient ne manifeste pas de signes de neurotoxicité pour la VIIIe paire crânienne (effet ototoxique) ou d'autres réactions indésirables graves.

CLARITHROMYCINE
Biaxin

CLASSIFICATION:
Anti-infectieux – macrolides
Grossesse – catégorie C

INDICATIONS

■ Traitement des infections suivantes provoquées par les micro-organismes sensibles: □ infections des voies respiratoires supérieures dont la pharyngite, l'amygdalite et la sinusite streptococciques □ infections des voies respiratoires inférieures dont la bronchite et la pneumonie □ infections sans complications de la peau et des tissus mous.

C

ACTION

■ Inhibition de la synthèse protéique au niveau du ribosome bactérien 50 S. **Effets thérapeutiques:** Action bactériostatique contre les bactéries sensibles. **Spectre d'action:** ■ Action contre les micro-organismes aérobies à Gram positif suivants: □ *Staphylococcus aureus* (staphylocoques dorés) □ *Streptococcus pneumoniæ* □ *Streptococcus pyogenes* (streptococcoques du groupe A) ■ Action contre les micro-organismes aérobies à Gram négatif suivants: □ *Haemophilus influenzae* □ *Moraxella catarrhalis* ■ La clarithromycine est également active contre: □ *Mycoplasma* □ *Legionella* ■ La clarithromycine n'a pas d'effet sur □ les staphylocoques dorés résistant à la méthicilline.

PHARMACOCINÉTIQUE

Absorption: Par suite de l'administration par voie orale, l'absorption est rapide (50 %).
Distribution: L'agent se répartit dans tous les tissus et les liquides de l'organisme. Les concentrations tissulaires peuvent être plus élevées que les concentrations sériques.
Métabolisme et excrétion: Une fraction de 10 à 15 % du médicament est transformée pendant le métabolisme hépatique en 14-hydroxy-clarithromycine, métabolite exerçant une action anti-infectieuse. Une fraction de 20 à 30 % du médicament est excrétée à l'état inchangé dans l'urine.
Demi-vie: Dose de 250 mg: de 3 à 4 h; dose de 500 mg: de 5 à 7 h.

CONTRE-INDICATIONS ET PRÉCAUTIONS

Contre-indications: Hypersensibilité à la clarithromycine, à l'érythromycine ou à d'autres macrolides anti-infectieux.
Précautions: ■ Grossesse (éviter d'administrer cet agent, sauf s'il n'y a aucune solution de rechange) ■ Allaitement et enfants de moins de 12 ans (l'innocuité du médicament n'a pas été établie) ■ Insuffisance rénale ou hépatique grave (réduire la dose).

RÉACTIONS INDÉSIRABLES ET EFFETS SECONDAIRES

SNC: céphalées.
GI: nausées, altération du goût, dyspepsie, douleurs et gêne abdominale.
Hémat.: leucopénie, allongement du temps de prothrombine.

INTERACTIONS

Médicament – médicament: ■ Possibilité d'élévation des concentrations sériques et risque accru de toxicité lors de l'administration concomitante de **théophylline** ou de **carbamazépine** ■ Risque d'intensification des effets des **anticoagulants oraux** ■ Risque d'élévation des concentrations sériques de **digoxine** ■ Risque d'intensification des effets du **triazolam**.

VOIES D'ADMINISTRATION ET POSOLOGIE

PO (adultes): de 250 à 500 mg, deux fois par jour.

PHARMACODYNAMIE (concentrations sériques)

	DÉBUT D'ACTION	PIC
PO	inconnu	2 h

SOINS INFIRMIERS

ÉVALUATION DE LA SITUATION

■ Au début du traitement et pendant toute sa durée, surveiller l'apparition des signes suivants d'infection: altération des signes vitaux; aspect de la plaie, des crachats, de l'urine et des selles; accroissement du nombre de leucocytes.

□ Prélever des échantillons pour les cultures et les antibiogrammes avant le début du traitement. La première dose peut être administrée avant même que les résultats soient connus.

■ **Étude des examens diagnostiques et biochimiques:** La clarithromycine peut entraîner une élévation des concentrations sériques de bilirubine, de TGOS (AST), de TGPS (ALT), de LDH et de phosphatase alcaline.

□ Le médicament peut rarement entraîner un allongement du temps de prothrombine et une élévation des concentration d'urée et de créatinine sériques. Il peut parfois entraîner la diminution du nombre de leucocytes.

DIAGNOSTICS INFIRMIERS POSSIBLES

■ **Énoncés diagnostiques**
□ Risque élevé d'infection.
□ Prise en charge inefficace du programme thérapeutique.
□ Non-observance du traitement médicamenteux.
□ *Risque élevé de réponse insuffisante au traitement.*

■ **Facteurs favorisants**
□ Informations incomplètes.
□ Doute quant aux bienfaits du médicament.
□ *Manque de connaissances sur les modalités du traitement.*

INTERVENTIONS INFIRMIÈRES

PO: Administrer le médicament, 24 h sur 24, sans égard aux repas. Les aliments ralentissent l'absorption du médicament, mais ne modifient pas la quantité absorbée.

ENSEIGNEMENT AU PATIENT ET AUX PERSONNES À SES PROCHES

□ Expliquer au patient qu'il doit prendre le médicament à intervalles réguliers, 24 h sur 24, et qu'il doit utiliser toute la quantité qui lui a été prescrite, même s'il se sent mieux. S'il n'a pas pu prendre le médicament au moment habituel, il doit le prendre en espaçant uniformément les doses suivantes de la journée. Expliquer au patient qu'il peut être dangereux de donner ce médicament à d'autres personnes.

□ Conseiller au patient de signaler l'allergie et les signes suivants de surinfection: excroissance pileuse sur la langue, démangeaisons ou pertes vaginales, selles molles ou nauséabondes.

□ Recommander au patient de contacter le médecin en cas de fièvre ou de diarrhée, particulièrement si les selles renferment du sang, du pus ou du mucus. Conseiller au patient de ne pas traiter la diarrhée sans consulter au préalable le médecin ou le pharmacien.

□ Recommander à la patiente d'informer le médecin si elle pense être enceinte ou si elle souhaite le devenir.

□ Inciter le patient à prévenir le médecin si les symptômes ne s'améliorent pas.

VÉRIFICATION DES RÉSULTATS

La réponse clinique au traitement est déterminée par: la disparition des signes et des symptômes d'infection. Le temps de résolution dépend du micro-organisme infectant et du siège de l'infection.

CLÉMASTINE
Tavist

CLASSIFICATION:
Antihistaminique
Grossesse – catégorie B

INDICATIONS

Soulagement des symptômes d'allergie entraînés par la libération de l'histamine. Le médicament est particulièrement efficace pour traiter l'urticaire allergique et l'angio-œdème.

ACTION

■ Inhibition des effets suivants de l'histamine : □ vasodilatation □ augmentation des sécrétions de suc gastrique □ élévation de la fréquence cardiaque □ hypotension. **Effets thérapeutiques :** ■ Soulagement des symptômes associés à un excès d'histamine, qui caractérisent habituellement les maladies allergiques. La clémastine ne bloque pas la libération de l'histamine.

PHARMACOCINÉTIQUE

Absorption : Bonne absorption par suite de l'administration par voie orale.
Distribution : La clémastine pénètre dans le lait maternel à fortes concentrations.
Métabolisme et excrétion : Le médicament est fortement métabolisé par le foie.
Demi-vie : Inconnue.

CONTRE-INDICATIONS ET PRÉCAUTIONS

Contre-indications : ■ Hypersensibilité ■ Crise d'asthme aiguë ■ Allaitement (éviter l'administration).
Précautions : ■ Glaucome à angle étroit ■ Maladie hépatique ■ Personnes âgées (prédispositiion accrue aux réactions indésirables) ■ Grossesse ou enfants de moins de 6 ans (l'innocuité du médicament n'a pas été établie).

RÉACTIONS INDÉSIRABLES ET EFFETS SECONDAIRES

SNC : somnolence, sédation, étourdissements, excitation paradoxale (enfants).
CV : hypotension, hypertension, palpitations, arythmies.
ORLO : vision trouble.
GI : sécheresse de la bouche (xérostomie), occlusion intestinale, constipation.
GU : retard de la miction avec effort pour uriner, rétention urinaire.
Tég. : transpiration.

INTERACTIONS

Médicament – médicament : ■ Effets additifs sur la dépression du SNC lors de l'usage concomitant d'autres **dépresseurs du SNC**, dont l'**alcool**, les **analgésiques narcotiques** et les **hypnosédatifs** ■ Les **inhibiteurs de la MAO** intensifient et prolongent les effets anticholinergiques des antihistaminiques.

PRÉSENTATION

Le médicament est présenté sous forme de comprimés et de sirop.

VOIES D'ADMINISTRATION ET POSOLOGIE

Remarque : Adapter la posologie aux besoins de chaque patient.
■ **PO (adultes et enfants > 12 ans) :** de 2 à 6 mg par jour.
■ **PO (enfants de 5 à 12 ans) :** de 1 à 6 mg par jour.

PHARMACODYNAMIE
(effets antihistaminiques)

	DÉBUT D'ACTION	PIC	DURÉE
PO	15 – 60 min	1 – 2 h	12 h

 SOINS INFIRMIERS

ÉVALUATION DE LA SITUATION

□ Avant l'administration initiale et à intervalles réguliers pendant toute la durée du traitement, surveiller l'apparition des symptômes suivants d'allergie : rhinite, conjonctivite, éruptions urticariennes et urticaire.

□ Ausculter le murmure vésiculaire et noter les caractéristiques des sécrétions bronchiques. Maintenir l'apport de liquides entre 1 500 et 2 000 mL par jour pour diminuer la viscosité des sécrétions.

■ **Étude des examens diagnostiques et biochimiques :** Le médicament peut donner des résultats faussement négatifs aux tests cutanés allergologiques ; arrêter le traitement 3 jours avant les tests.

■ **Toxicité et surdosage :** Surveiller chez l'enfant l'apparition des symptômes suivants de toxicité: excitation, hyperréflexie, hallucinations, tremblements, ataxie, fièvre, convulsions, pupilles fixes dilatées, sécheresse de la bouche (xérostomie) et rougeur du visage. La dose entraînant des crises convulsives est proche de la dose létale. Les adultes sont davantage prédisposés à la somnolence.

DIAGNOSTICS INFIRMIERS POSSIBLES

■ Énoncés diagnostiques

□ Dégagement inefficace des voies respiratoires.

□ Risque élevé d'accident.

□ Prise en charge inefficace du programme thérapeutique.

□ *Risque élevé d'intoxication chez l'enfant.*

■ Facteurs favorisants

□ Informations incomplètes.

□ *Perturbation de la vigilance.*

□ *Manque de connaissances sur les modalités du traitement.*

INTERVENTIONS INFIRMIÈRES

PO: Administrer la clémastine avec des aliments ou du lait afin de réduire l'irritation gastro-intestinale.

ENSEIGNEMENT AU PATIENT ET À SES PROCHES

□ Conseiller au patient de respecter scrupuleusement la posologie recommandée et de ne pas dépasser la dose recommandée. S'il n'a pu prendre le médicament au moment habituel, il doit le prendre dès que possible, à moins que ce ne soit presque l'heure prévue pour la dose suivante. Il ne faut jamais doubler la dose.

□ Prévenir le patient que la clémastine peut provoquer de la somnolence. Lui conseiller de ne pas conduire et d'éviter les activités qui exigent sa vigilance jusqu'à ce qu'on ait la certitude que le médicament n'entraîne pas cet effet chez lui.

□ Mettre en garde le patient contre la consommation simultanée d'alcool ou d'autres dépresseurs du SNC.

□ Expliquer au patient que, pour soulager la sécheresse de la bouche, il devrait pratiquer une bonne hygiène orale, se rincer la bouche avec de l'eau et consommer de la gomme à mâcher ou des bonbons sans sucre. Recommander au patient d'informer le dentiste si la sécheresse de la bouche persiste pendant plus de 2 semaines.

□ Les personnes âgées sont davantage prédisposées au risque d'hypotension orthostatique. Recommander au patient de changer lentement de position.

□ Inciter le patient à prévenir le médecin si les symptômes persistent ou si les troubles suivants se manifestent: difficulté de miction, troubles de la vue, confusion, sécheresse prononcée de la bouche, du nez et de la gorge, étourdissements. Recommander aux parents de contacter le médecin si l'enfant présente les symptômes suivants: troubles du sommeil, excitation ou irritabilité inhabituelles, essoufflements ou rougeur du visage.

VÉRIFICATION DES RÉSULTATS

L'efficacité du traitement peut être démontrée par: la diminution des symptômes allergiques.

CLINDAMYCINE
Dalacin C, Dalacin T, (Cleocin)

CLASSIFICATION:
Anti-infectieux – divers

Grossesse – catégorie inconnue

INDICATIONS

■ **PO, IM et IV:** Traitement des infections graves suivantes provoquées par les micro-organismes sensibles: □ infections de la peau et des tissus mous □ infections des voies respiratoires □ septicémie □ infections intra-abdominales □ infections gynécologiques □ ostéomyélite ■ Prophylaxie de l'endocardite ■ **Administration topique**: Traitement de l'acné vulgaire.

ACTION

■ Inhibition de la synthèse protéique au niveau du ribosome bactérien 50 S. **Effets thérapeutiques**: ■ Action bactéricide ou bactériostatique selon la sensibilité et la concentration. **Spectre d'action**: Action contre la plupart des *cocci* aérobies à Gram positif dont : □ les staphylocoques □ *Streptococcus pneumoniae* □ les autres streptocoques, mais non pas les entérocoques ■ Action prononcée contre de nombreux micro-organismes anaérobies dont *Bacteroides fragilis*.

PHARMACOCINÉTIQUE

Absorption: Bonne absorption par suite de l'administration par voies orale et IM. Absorption minimale par la suite de l'administration topique.
Distribution: L'agent se répartit dans l'organisme. Il pénètre faiblement la barrière hémato-encéphalique. Il traverse le placenta et pénètre dans le lait maternel.
Métabolisme et excrétion: Le médicament est surtout métabolisé par le foie.
Demi-vie: De 2 à 3 h.

CONTRE-INDICATIONS ET PRÉCAUTIONS

Contre-indications: ■ Hypersensibilité ■ Antécédents de colite pseudomembraneuse ■ Insuffisance hépatique grave ■ Diarrhée.
Précautions: Grossesse et allaitement (l'innocuité du médicament n'a pas été établie).

RÉACTIONS INDÉSIRABLES ET EFFETS SECONDAIRES

SNC: étourdissements, vertiges, céphalées.
CV: hypotension, arythmies.

Tég.: rash.
GI: diarrhée, nausées, vomissements, COLITE PSEUDO-MEMBRANEUSE, goût amer (voie IV seulement).
Locaux: phlébite au point d'injection IV.

INTERACTIONS

Médicament – médicament: ■ Le **kaolin** peut réduire l'absorption gastrointestinale ■ La clindamycine peut intensifier l'effet de blocage neuromusculaire d'autres **agents de blocage neuromusculaires** ■ **Préparation topique**: l'administration simultanée d'**agents irritants**, **abrasifs** ou **exfoliants** peut accentuer l'irritation ■ **Préparation topique**: Le médicament contrecarre les effets des préparations topiques d'**érythromycine**.

VOIES D'ADMINISTRATION ET POSOLOGIE

■ **PO (adultes)**: de 150 à 450 mg, toutes les 6 h.
■ **PO (enfants)**: de 8 à 25 mg/kg par jour, toutes les 6 h à 8 h.
■ **IM et IV (adultes)**: de 300 à 600 mg, toutes les 6 à 8 h (on a administré par voie IV jusqu'à 4,8 g par jour; il n'est pas recommandé d'administrer des doses supérieures à 600 mg par voie IM au même point d'injection).
■ **IM et IV (enfants) (É.-U.)**: de 15 à 40 mg/kg par jour, en doses fractionnées, toutes les 6 h à 8 h.
■ **IM et IV (nouveau-nés) (É.-U.)**: de 15 à 20 mg/kg par jour, en doses fractionnées, toutes les 6 h à 8 h.
■ **Préparation topique**: solution à 1 %, appliquer 2 fois par jour.

PHARMACODYNAMIE (concentrations sanguines)

	DÉBUT D'ACTION	PIC
PO	rapide	45 min
IM	rapide	1,3 h
IV	rapide	fin de la perfusion

⁂ SOINS INFIRMIERS

ÉVALUATION DE LA SITUATION

- Au début du traitement et pendant toute sa durée, surveiller l'apparition des signes suivants d'infection : altération des signes vitaux ; aspect de la plaie, des crachats, de l'urine et des selles ; accroissement du nombre de leucocytes.
- ☐ Prélever des échantillons pour les cultures et les antibiogrammes avant le début du traitement. La première dose peut être administrée avant même que les résultats soient connus.
- ☐ Observer le mode d'élimination intestinale. La diarrhée, les crampes abdominales, la fièvre et la présence de sang dans les selles sont des signes de colite pseudo-membraneuse induite par le médicament. En informer immédiatement le médecin. Ces symptômes peuvent survenir même plusieurs semaines après l'arrêt du traitement.
- ☐ Surveiller les signes suivants d'hypersensibilité : rash, urticaire.
- **Étude des examens diagnostiques et biochimiques :** Noter la numération globulaire ; la clindamycine peut entraîner une diminution transitoire du nombre de leucocytes, d'éosinophiles et de plaquettes.
- ☐ Le médicament peut entraîner l'élévation des concentrations de phosphatase alcaline, de bilirubine, de créatine-kinase, de TGOS (AST), de TGPS (ALT).

DIAGNOSTICS INFIRMIERS POSSIBLES

- **Énoncés diagnostiques**
- ☐ Risque élevé d'infection.
- ☐ Diarrhée.
- ☐ Prise en charge inefficace du programme thérapeutique.
- ☐ *Risque élevé de déshydratation.*

- **Facteurs favorisants**
- ☐ Informations incomplètes.
- ☐ *Diarrhée.*

INTERVENTIONS INFIRMIÈRES

- **PO :** Administrer avec un grand verre d'eau. Le médicament peut être administré aux repas. Bien agiter la préparation liquide. Ne pas conserver au réfrigérateur. La solution est stable pendant 14 jours à la température ambiante.
- **IM :** Ne pas administrer plus de 600 mg en une seule injection IM.
- **Perfusion intermittente :** Ne pas administrer par voie IV en bolus non dilué. Diluer 300 mg dans au moins 50 mL de solution de dextrose à 5 ou à 10 % dans l'eau, de dextrose à 5 % dans une solution de NaCl à 0,45 ou à 0,9 %, de dextrose à 5 % dans une solution de Ringer pour injection, de solution de NaCl à 0,9 % ou de solution de lactate Ringer pour injection. La solution est stable pendant 24 h à la température ambiante. Des cristaux peuvent se former dans la solution conservée au réfrigérateur, mais ils se dissolvent à la température ambiante. N'administrer la solution que lorsque tous les cristaux se sont dissous.
- ☐ *Vitesse d'administration :* Administrer 300 mg en au moins 10 min. Ne pas administrer plus de 1 200 mg lors d'une seule perfusion d'une heure.
- **Perfusion continue :** On peut d'abord administrer en une seule perfusion rapide, suivie d'une perfusion IV continue.
- **Associations compatibles dans la même seringue :** Amikacine, aztréonam, gentamicine ou héparine.
- **Association incompatible dans la même seringue :** Tobramycine.
- **Compatibilités (tubulure en Y) :** Cyclophosphamide, énalapril, esmolol, foscarnet, hydromorphone, labétolol, mépéridine, morphine, ondansétron, perphénazine, préparations multivitaminiques, sulfate de magnésium ou zidovudine.

C

- **Compatibilités en addition au soluté:** Amikacine, aztréonam, bicarbonate de sodium, céfamandole, céfazoline, céfonicide, céfopérazone, céfoxatime, céfoxitine, ceftazidime, ceftizoxime, céfuroxime, céphalotine, chlorure de potassium, cimétidine, héparine, kanamycine, méthylprednisolone, métoclopramide, métronidazole, netilmicine, pénicilline G, pipéracilline, succinate d'hydrocortisone sodique, tobramycine ou vérapamil.

- **Incompatibilités en addition au soluté:** Aminophylline, barbituriques, ceftriaxone, gluconate de calcium, phénytoïne, ranitidine ou sulfate de magnésium.

- **Préparation topique:** Éviter tout contact avec les yeux, les muqueuses et les plaies ouvertes. En cas de contact accidentel, rincer généreusement la partie atteinte à l'eau froide.

□ Nettoyer les régions touchées avec de l'eau chaude et du savon, rincer et assécher délicatement avant l'application. Appliquer sur toute la région touchée.

ENSEIGNEMENT AU PATIENT ET À SES PROCHES

□ **Directives générales:** Expliquer au patient qu'il doit prendre le médicament à intervalles réguliers, 24 h sur 24, et qu'il doit utiliser toute la quantité qui lui a été prescrite, même s'il se sent mieux. S'il n'a pu prendre son médicament au moment habituel, il doit le prendre dès que possible. S'il est presque l'heure prévue pour la dose suivante, espacer les doses de 2 à 4 h. Expliquer au patient qu'il peut être dangereux de donner ce médicament à d'autres personnes.

□ Recommander au patient d'informer immédiatement le médecin si les symptômes suivants se manifestent: diarrhée, crampes abdominales, fièvre ou présence de sang dans les selles. Lui conseiller de ne pas utiliser

d'antidiarrhéiques sans recommandation du médecin.

□ Conseiller au patient de signaler l'allergie et les signes suivants de surinfection: excroissance pileuse sur la langue, démangeaisons ou pertes vaginales, selles molles ou nauséabondes.

□ Inciter le patient à prévenir le médecin si les symptômes ne s'améliorent pas en quelques jours.

□ Expliquer au patient ayant des antécédents de cardite rhumatismale ou de remplacement valvulaire l'importance de suivre un traitement antimicrobien prophylactique avant de se soumettre à une intervention médicale ou dentaire effractive.

- **IV:** Prévenir le patient que le goût amer se manifestant au cours de l'administration par voie IV ne comporte aucun danger particulier.

- **Préparation topique:** Expliquer au patient que la solution de clindamycine destinée à l'administration topique est inflammable (le véhicule étant l'alcool isopropylique). Insister sur le fait qu'il ne faut pas appliquer la préparation pendant qu'on fume ni en se tenant près d'une flamme ou d'une source de chaleur.

□ Conseiller au patient d'informer le médecin si la peau se dessèche excessivement.

□ Recommander au patient d'attendre 30 min après avoir lavé ou rasé la surface avant d'appliquer la préparation.

VÉRIFICATION DES RÉSULTATS

La réponse clinique au traitement peut être déterminée par: ■ la disparition des signes et des symptômes d'infection; le temps de résolution dépend du micro-organisme infectant et du siège de l'infection ■ la prophylaxie de l'endocardite ■ l'amélioration des lésions acnéiques. Une amélioration devrait être notable dans les 6 semaines suivant le début du traitement, mais les pleins avantages pourraient ne pas être manifestes avant 8 à 12 semaines.

CLOFAZIMINE
(Lamprene)

CLASSIFICATION:
Anti-infectieux – divers

Grossesse – catégorie C

INDICATIONS

■ En association avec d'autres agents – traitement de la lèpre (maladie de Hansen). **Usages non approuvés:** ■ En association avec d'autres agents, traitement des infections mycobactériennes atypiques (*Mycobacterium avium intracellulare*) chez les patients atteints du Sida.

ACTION

■ Liaison à l'ADN mycobactérien entraînant l'inhibition de la synthèse et de la croissance des protéines mycobactériennes. **Effets thérapeutiques:** ■ Effet bactéricide lent contre les mycobactéries sensibles ■ Le médicament est également doué de propriétés anti-inflammatoires et immunodépressives.

PHARMACOCINÉTIQUE

Absorption: Par suite de l'administration par voie orale, l'absorption est incomplète. L'ampleur de l'absorption dépend du type de formulation et de la dose.
Distribution: Le médicament diffuse dans les tissus adipeux et réticulo-endothéliaux où il se concentre sous forme de cristaux. La clofazimine ne pénètre pas dans le liquide céphalorachidien. Elle traverse le placenta et pénètre dans le lait maternel.
Métabolisme et excrétion: Une fraction de 35 à 75 % du médicament est excrétée à l'état inchangé dans les fèces. De petites quantités sont éliminées par la bile.
Demi-vie: 8 jours (70 jours dans les tissus).

CONTRE-INDICATIONS ET PRÉCAUTIONS

Contre-indications: Hypersensibilité.

Précautions: ■ Précédents d'usage pendant la grossesse (on a observé un changement de couleur de la peau du nouveau-né) ■ Allaitement (changement de couleur de la peau du nouveau-né) ■ Enfants de moins de 12 ans (l'innocuité du médicament n'a pas été établie) ■ Douleur abdominale ou diarrhée ■ Idées suicidaires.

RÉACTIONS INDÉSIRABLES ET EFFETS SECONDAIRES

SNC: anxiété, dépression, étourdissements, somnolence, fatigue.

ORLO: couleur brun-rouge de la conjonctive, de la cornée et des larmes, sécheresse des yeux (alacrymie), brûlures, démangeaisons, irritation, larmoiement, perte de l'acuité visuelle.

GI: INFARCTUS SPLÉNIQUE, OCCLUSION INTESTINALE, HÉMORRAGIES GASTRO-INTESTINALES, douleurs abdominales, douleurs épigastriques, diarrhée, nausées, vomissements, anorexie, constipation.

Tég.: peau sèche, couleur brun-rosée de la peau, rash, phototoxicité.

Divers: couleur brun-rouge de la sueur, des crachats, de l'urine, du lait maternel, des selles, des sécrétions nasales et du sperme.

INTERACTIONS

Médicament – médicament: ■ La **dapsone** peut abolir les effets anti-inflammatoires de la clofazimine ■ L'**isoniazide** réduit les concentrations cutanées et accroît l'excrétion urinaire de la clofazimine.

VOIES D'ADMINISTRATION ET POSOLOGIE

Lèpre

■ **PO (adultes):** de 50 à 100 mg par jour (jusqu'à 300 mg par jour).

Infections mycobactériennes atypiques:

■ **PO (adultes):** 100 mg, toutes les 8 h.

PHARMACODYNAMIE

	DÉBUT D'ACTION	PIC	DURÉE
PO	inconnu	inconnu	inconnue

SOINS INFIRMIERS

ÉVALUATION DE LA SITUATION

- **Directives générales:** Surveiller la dépression ou les idées suicidaires si la peau du patient change de couleur.
- **Lèpre:** Examiner les lésions cutanées à intervalles réguliers pendant toute la durée du traitement.
- **Sida:** Prendre les signes vitaux, ausculter le murmure vésiculaire et évaluer l'état de l'appareil respiratoire chez les patients souffrant d'infections mycobactériennes atypiques.
- **Étude des examens diagnostiques et biochimiques:** La clofazimine peut accélérer la vitesse de sédimentation des érythrocytes.
- ☐ Le médicament peut entraîner l'élévation des concentrations sériques de glucose, de TGOS (AST) et de bilirubine. Il peut entraîner la diminution des concentrations sériques de potassium.

DIAGNOSTICS INFIRMIERS POSSIBLES

- **Énoncés diagnostiques**
- ☐ Atteinte à l'intégrité de la peau.
- ☐ Perturbation situationnelle de l'estime de soi.
- ☐ Prise en charge inefficace du programme thérapeutique.
- ☐ *Risque élevé de déshydratation.*
- ☐ *Risque élevé d'hémorragie.*
- ☐ *Risque élevé d'accident.*
- ☐ *Risque élevé de réponse insuffisante au traitement.*
- **Facteurs favorisants**
- ☐ Informations incomplètes.
- ☐ *Altération de l'image corporelle.*
- ☐ *Perturbation de la vigilance.*
- ☐ *Manque de connaissances sur les modalités du traitement.*
- ☐ *Vomissements et diarrhée.*

INTERVENTIONS INFIRMIÈRES

- **PO:** Administrer le médicament aux repas ou avec du lait.

ENSEIGNEMENT AU PATIENT ET À SES PROCHES

- ☐ Conseiller au patient de respecter scrupuleusement la posologie recommandée et de prendre le médicament tous les jours, à la même heure; le traitement peut durer des années. S'il n'a pu prendre le médicament au moment habituel, il doit le prendre dès que possible à moins qu'il ne soit presque l'heure prévue pour la dose suivante. Il ne faut pas doubler les doses.
- ☐ Prévenir le patient que la clofazimine peut provoquer une perte de l'acuité visuelle, des étourdissements ou de la somnolence. Lui conseiller de ne pas conduire et d'éviter les activités qui exigent sa vigilance jusqu'à ce qu'on ait la certitude que le médicament n'entraîne pas ces effets chez lui.
- ☐ Informer le patient diabétique que la clofazimine peut entraîner une élévation des résultats des épreuves de glycémie.
- ☐ Recommander au patient d'utiliser des écrans solaires et de porter des vêtements protecteurs pour prévenir les réactions de photosensibilité.
- ☐ Conseiller au patient d'appliquer une crème, une lotion ou une huile pour traiter la peau rugueuse, sèche ou squameuse.
- ☐ Expliquer au patient qu'un changement réversible de la couleur de la peau allant de rouge ou rose au brun-noir peut se manifester dans les quelques semaines suivant le début du traitement. Après l'arrêt du traitement, plusieurs mois ou plusieurs années peuvent s'écouler avant que la peau ne reprenne sa couleur naturelle. Le médicament peut également entraîner une modification de la couleur des selles, du bord des paupières,

des crachats, de la sueur, des larmes et de l'urine.

☐ Recommander au patient d'informer immédiatement le médecin en cas de douleurs abdominales, de diarrhée, de nausées ou de vomissements, de jaunisse, de selles goudronneuses, de perte de l'acuité visuelle, de modification de la couleur de la peau ou de dépression mentale.

☐ Conseiller au patient de prévenir le médecin si son état ne s'améliore pas en 1 à 3 mois.

VÉRIFICATION DES RÉSULTATS

L'efficacité du traitement peut être démontrée par: ■ l'amélioration des lésions cutanées; parfois jusqu'à 6 mois peuvent s'écouler avant que les pleins effets thérapeutiques ne se manifestent ■ la résolution des symptômes de l'infection mycobactérienne atypique.

CLOFIBRATE
Atromide-S, Novo-fibrate, (Claripe)

CLASSIFICATION:
Hypolipidémiant

Grossesse – catégorie inconnue

INDICATIONS

■ Adjuvant de la diétothérapie lors du traitement de l'hyperlipidémie associée à des concentrations élevées de triglycérides. **Usages non approuvés:** ■ Traitement du diabète insipide d'origine centrale (une certaine fonction de l'hypophyse doit subsister).

ACTION

■ Diminution de la synthèse hépatique des lipoprotéines de très basse densité (VLDL) et accélération de leur transformation en lipoprotéines de basse densité (LDL). **Effets thérapeutiques:** ■ Abaissement des concentrations de triglycérides et de lipoprotéines de très basse densité.

PHARMACOCINÉTIQUE

Absorption: Absorption lente mais complète par suite de la transformation du médicament dans le tractus gastro-intestinal en un composé actif.

Distribution: L'agent se répartit dans l'espace extracellulaire. Il traverse le placenta.

Métabolisme et excrétion: Le médicament est surtout métabolisé par le foie. Une fraction de 10 à 20 % est excrétée à l'état inchangé par les reins.

Demi-vie: De 6 à 25 h.

CONTRE-INDICATIONS ET PRÉCAUTIONS

Contre-indications: ■ Hypersensibilité ■ Insuffisance rénale ou hépatique graves ■ Cirrhose biliaire ■ Grossesse, allaitement et enfants de moins de 14 ans.

Précautions: ■ Insuffisance rénale ou hépatique ■ Syndrome grippal (myalgie, fièvre) – arrêter le traitement.

RÉACTIONS INDÉSIRABLES ET EFFETS SECONDAIRES

SNC: fatigue, faiblesse.

CV: arythmies, angine.

GI: <u>nausées</u>, <u>vomissements</u>, <u>diarrhée</u>, douleur abdominale, flatulence, polyphagie, gain pondéral, lithiase biliaire, hépatite.

GU: perte de la libido, insuffisance rénale.

Tég.: rash.

Hémat.: dyscrasie.

Loc.: myalgie, arthralgie.

INTERACTIONS

Médicament – médicament: ■ Le médicament intensifie les effets des **anticoagulants oraux** ■ Le clofibrate peut déplacer les autres **médicaments fortement liés aux protéines**, dont la **furosémide** et les **hypoglycémiants oraux**, et en intensifier les effets ■ La **cholestyramine** peut ralentir l'absorption du composé actif du clofibrate.

C

VOIES D'ADMINISTRATION ET POSOLOGIE

Hypolipidémiant
- **PO (adultes) :** 1 g, 2 fois par jour.

Diabète insipide
- **PO (adultes) :** 6 à 8 g par jour en 2 à 4 doses fractionnées.

PHARMACODYNAMIE
(effet hypolipémiant)

	DÉBUT D'ACTION	PIC	DURÉE
PO	2 – 5 jours	3 semaines	2 – 3 semaines

SOINS INFIRMIERS

ÉVALUATION DE LA SITUATION

- **Directives générales :** Recueillir les données sur les habitudes alimentaires du patient, notamment sur sa consommation de matières grasses et d'alcool.
- Peser le patient à la première visite puis, une fois par semaine pendant toute la durée du traitement.
- **Étude des examens diagnostiques et biochimiques :** Noter les concentrations sériques de triglycérides et de cholestérol. Examiner les concentrations des LDL et des VLDL avant l'administration, toutes les 2 semaines au début du traitement et, mensuellement, par la suite. Ne pas administrer en cas d'élévation paradoxale des concentrations de lipides.
- Le clofibrate peut entraîner l'élévation des concentrations de la créatine-kinase et de l'amylasémie et la diminution des concentrations de fibrinogène plasmatique.
- Examiner les résultats des épreuves d'exploration fonctionnelle hépatique avant le traitement, mensuellement pendant les 2 premiers mois, tous les deux mois jusqu'au moment où une réaction clinique se manifeste, puis tous les quatre mois. L'élévation des concentrations de TGOS

(AST) et de TGPS (ALT) peut être un indice d'hépatotoxicité.
- Noter à intervalles réguliers la numération globulaire et les concentrations d'électrolytes pendant toute la durée du traitement. Informer le médecin si l'anémie ou la leucopénie se manifestent.

DIAGNOSTICS INFIRMIERS POSSIBLES

- **Énoncés diagnostiques**
- Prise en charge inefficace du programme thérapeutique.
- Non-observance du traitement médicamenteux.
- *Risque élevé de déshydratation.*

- **Facteurs favorisants**
- Informations incomplètes.
- Doute quant aux bienfaits du médicament.
- *Manque de connaissances sur le régime alimentaire à suivre et sur les bienfaits de l'exercice.*
- *Vomissements et diarrhée.*

INTERVENTIONS INFIRMIÈRES

PO : Administrer le médicament avec des aliments ou du lait afin de réduire l'irritation gastrique.

ENSEIGNEMENT AU PATIENT ET À SES PROCHES

- Conseiller au patient de respecter scrupuleusement la posologie recommandée. S'il n'a pu prendre son médicament au moment habituel, il doit le prendre dès que possible sauf si c'est presque l'heure prévue pour la dose suivante.
- Expliquer au patient que le traitement médicamenteux ne peut être efficace que s'il suit en même temps un régime alimentaire pauvre en matières grasses, en cholestérol et en glucides, s'il évite de boire de l'alcool, s'il fait de l'exercice et s'il cesse de fumer.
- Conseiller au patient d'informer le médecin sans délai si l'un des symptômes suivants se manifeste : douleur

thoracique, dyspnée, extrasystoles, douleurs gastriques graves accompagnées de nausées et de vomissements, fièvre, frissons, maux de gorge, hématurie, dysurie, œdème aux membres inférieurs ou gain pondéral.

☐ Expliquer à la patiente que ce médicament pourrait être doué de propriétés tératogènes. Lui conseiller de prendre des mesures contraceptives pendant le traitement et au moins 2 mois après l'avoir arrêté.

VÉRIFICATION DES RÉSULTATS

L'efficacité du traitement peut être démontrée par: la baisse des concentrations sériques de cholestérol et de triglycérides. On peut habituellement observer des résultats dans les trois semaines qui suivent le début du traitement. Il faut habituellement arrêter le traitement si aucune réponse clinique ne se manifeste après trois mois.

CLOMIPHÈNE
Clomid, Serophene

CLASSIFICATION:
Hormone – stimulation de l'ovulation
Grossesse – catégorie inconnue

INDICATIONS

■ Stimulation de l'ovulation chez les femmes qui n'ovulent pas et qui désirent devenir enceintes. Les fonctions de l'hypophyse antérieure, de la thyroïde et des surrénales doivent être intactes. **Usages non approuvés:** ■ Stérilité masculine entraînée par l'oligospermie.

ACTION

■ Stimulation de la libération des gonadotrophines hypophysaires, de l'hormone folliculostimulante et de l'hormone lutéinisante entraînant l'ovulation et la formation du corps jaune. **Effets thérapeutiques:** ■ Stimulation de l'ovulation.

PHARMACOCINÉTIQUE

Absorption: Bonne absorption par suite de l'administration par voie orale.
Distribution: Inconnue.
Métabolisme et excrétion: Le médicament semble subir le métabolisme hépatique et traverser un nouveau cycle entérohépatique; il est ensuite éliminé par la bile. Il est excrété dans les fèces.
Demi-vie: 5 jours.

CONTRE-INDICATIONS ET PRÉCAUTIONS

Contre-indications: ■ Maladie hépatique ■ Kyste de l'ovaire ■ Grossesse.
Précautions: ■ Sensibilité connue aux gonadotrophines hypophysaires ■ Polykystose ovarienne.

RÉACTIONS INDÉSIRABLES ET EFFETS SECONDAIRES

SNC: nervosité, agitation, céphalées, insomnie, sensation de tête légère, fatigue.
ORLO: vision brouillée, scotome, photophobie, troubles visuels.
CV: rougeurs, bouffées vasomotrices.
GI: distension, ballonnements, douleurs abdominales, nausées, vomissements, appétit accru.
GU: mictions fréquentes, augmentation du volume urinaire.
Tég.: rash, urticaire, dermatite allergique, alopécie réversible.
End.: hypertrophie des ovaires, formation de kystes, sensibilité mammaire, grossesses plurigemellaires.
Métab.: gain pondéral.

INTERACTIONS

Médicament – médicament: Aucune interaction notable.

VOIES D'ADMINISTRATION ET POSOLOGIE

PO (adultes): 50 mg par jour pendant 5 jours; en l'absence d'ovulation, entreprendre une deuxième cure, 30 jours après la première, à raison de 100 mg par

C

jour pendant 5 jours. On peut administrer un maximum de trois cures.

PHARMACODYNAMIE (ovulation)

	DÉBUT D'ACTION	PIC	DURÉE
PO	5 – 14 jours	inconnu	inconnue

SOINS INFIRMIERS

ÉVALUATION DE LA SITUATION

☐ Il faut effectuer un examen pelvien avant d'amorcer le traitement afin de déterminer la taille des ovaires.

☐ Il est recommandé de pratiquer une biopsie de l'endomètre chez les patientes plus âgées avant l'administration du clomiphène afin d'écarter la présence d'un cancer de l'endomètre.

☐ Effectuer les tests d'exploration fonctionnelle hépatique avant le début du traitement.

■ **Étude des examens diagnostiques et biochimiques :** Afin de déterminer si le clomiphène induit l'ovulation, on peut avoir recours aux examens diagnostiques suivants : dosage de l'excrétion des œstrogènes, études histologiques de l'endomètre lors de la phase lutéale, dosage des concentrations sériques de progestérone et excrétion urinaire de prégnandiol.

☐ Le médicament peut entraîner une élévation des concentrations sériques de thyroxine et de globuline fixant la thyroxine.

DIAGNOSTICS INFIRMIERS POSSIBLES

■ **Énoncés diagnostiques**

☐ Prise en charge inefficace du programme thérapeutique.

☐ *Risque élevé d'accident.*

☐ *Risque élevé d'intoxication oculaire.*

■ **Facteurs favorisants**

☐ Informations incomplètes.

☐ *Perturbation de la vigilance.*

☐ *Manque de connaissances sur les modalités du traitement.*

INTERVENTIONS INFIRMIÈRES

Directives générales : Le traitement par le clomiphène commence habituellement le cinquième jour du cycle menstruel.

ENSEIGNEMENT AU PATIENT ET À SES PROCHES

☐ Inciter la patiente à prendre le clomiphène tous les jours, à la même heure. Si elle n'a pu prendre le médicament au moment habituel, elle doit le prendre dès que possible. Elle doit doubler la dose s'il est l'heure de prendre la dose suivante. Lui conseiller de prévenir le médecin si elle n'a pu prendre plusieurs doses de suite.

☐ Inciter la patiente à s'engager dans des rapports sexuels un jour sur deux en commençant 48 h avant le début du traitement.

☐ Montrer à la patiente comment prendre la température basale. La température basale doit être notée tous les jours, avant la cure et pendant toute sa durée. Insister sur l'importance d'observer tous les aspects du traitement.

☐ Renseigner la patiente, avant le traitement, de la possibilité d'une grossesse plurigémellaire (triplés, quadruplés et quintuplés).

☐ Le clomiphène peut entraîner des troubles de la vue ou des étourdissements. Conseiller à la patiente de ne pas conduire et d'éviter les activités qui exigent sa vigilance jusqu'à ce qu'on ait la certitude que le médicament n'entraîne pas ces effets chez elle.

☐ Recommander à la patiente d'informer le médecin immédiatement si elle pense être enceinte. Le clomiphène est contre-indiqué en cas de grossesse.

☐ Expliquer à la patiente l'importance des examens ophtalmologiques permettant de déceler tout signe de toxicité oculaire si le traitement est administré pendant plus de un an.

□ Conseiller à la patiente de signaler immédiatement au médecin les ballonnements, les douleurs gastriques ou pelviennes, la vision trouble, la jaunisse, les bouffées vasomotrices persistantes, la sensibilité mammaire, les céphalées ou les nausées et les vomissements.

□ Insister sur l'importance d'un suivi médical étroit pendant toute la durée du traitement.

VÉRIFICATION DES RÉSULTATS

L'efficacité du traitement peut être démontrée par: l'ovulation, attestée par l'excrétion d'œstrogènes, la courbe thermique biphasique, l'excrétion urinaire de prégnandiol à des concentrations correspondant à la phase postovulatoire et les modifications histologiques de l'endomètre. Faute d'une grossesse après 3 ou 4 cures de clomiphène, il faut remettre en question le diagnostic.

CLOMIPRAMINE

Anafranil

CLASSIFICATION:

Antidépresseur – divers; traitement des obsessions

Grossesse – catégorie inconnue

INDICATIONS

■ Traitement de la dépression ■ Traitement des troubles obsessionnels-compulsifs.

ACTION

■ Potentialisation des effets de la sérotonine (effets antiobsessionnels) et de la noradrénaline sur le SNC. La clomipramine est aussi douée de propriétés anticholinergiques. **Effets thérapeutiques:** ■ Amélioration de l'humeur ■ Diminution du comportement obsessionnel-compulsif.

PHARMACOCINÉTIQUE

Absorption: Bonne absorption depuis le tractus gastro-intestinal.

Distribution: L'agent se répartit dans tout l'organisme.

Métabolisme et excrétion: La clomipramine est surtout métabolisée par le foie. Une fraction du médicament est transformée en desméthyclomipramine, un métabolite actif sur le plan pharmacologique. La clomipramine subit un cycle entérohépatique et est sécrétée dans les liquides gastriques. Elle semble pénétrer dans le lait maternel.

Demi-vie: De 21 à 31 h.

CONTRE-INDICATIONS ET PRÉCAUTIONS

Contre-indications: ■ Hypersensibilité ■ Grossesse et allaitement ■ Glaucome à angle étroit ■ Infarctus du myocarde récent.

Précautions: ■ Antécédents de crises convulsives (le seuil convulsif peut être abaissé) ■ Enfants de moins de 10 ans (l'innocuité du médicament n'a pas été établie) ■ Personnes âgées ■ Administration concomitante d'un inhibiteur de la MAO ou de clonidine (l'administration de la clomipramine est à éviter dans la mesure du possible) ■ Antécédents de maladie cardiovasculaire ■ Hypertrophie de la prostate chez les hommes âgés (prédisposition accrue à la rétention urinaire) ■ Hyperthyroïdie (risque accru d'arythmies).

RÉACTIONS INDÉSIRABLES ET EFFETS SECONDAIRES

SNC: CONVULSIONS, sédation, somnolence, léthargie, faiblesse, comportement agressif.

ORLO: sécheresse des yeux (alacrymie), sécheresse de la bouche (xérostomie), vision trouble, troubles vestibulaires.

CV: hypotension, ARYTHMIES, modifications de l'électrocardiogramme.

GI: constipation, éructations.

C

GU: rétention urinaire, dysfonctionnement sexuel chez l'homme.
Tég.: photosensibilité, peau sèche.
End.: gynécomastie.
Hémat.: anémie.
Loc.: faiblesse musculaire.
SN: réactions extrapyramidales.
Divers: hyperthermie, gain pondéral.

INTERACTIONS

Médicament – médicament: ■ L'administration concomitante d'un **inhibiteur de la MAO** peut entraîner l'hypotension ou la tachycardie ■ La clomipramine peut entraver la réponse thérapeutique aux **antihypertenseurs** ■ Effets additifs sur la dépression du SNC lors de l'usage concomitant d'autres **dépresseurs du SNC** dont l'**alcool**, les **antihistaminiques**, les **analgésiques narcotiques** et les **hypnosédatifs** ■ Les effets secondaires **anticholinergiques** et **adrénergiques** peuvent être additifs lors de l'administration concomitante d'autres **agents doués de ces propriétés** ■ La **fluoxétine**, les **phénothiazines**, la **cimétidine** ou les **contraceptifs oraux**, administrés simultanément, peuvent accentuer les effets et la toxicité de la clomipramine ■ La **nicotine** (sous forme de cigarettes ou de gomme à mâcher) peut accélérer le métabolisme de la clomipramine et en réduire l'efficacité ■ L'administration simultanée de **disulfirame** peut provoquer le syndrome organique cérébral.

VOIES D'ADMINISTRATION ET POSOLOGIE

Dépression

■ **PO (adultes):** Initialement, 25 mg par jour; augmenter jusqu'à 150 mg sur une période de 2 semaines. Cette dose peut être augmentée sur une période de plusieurs semaines jusqu'à un maximum de 300 mg.

Troubles obsessionnels-compulsifs

■ **PO (adultes):** Initialement, 25 mg par jour; augmenter jusqu'à 100 à 150 mg par jour, en doses fractionnées, sur une période de 2 semaines. Cette dose peut être augmentée sur une période de plusieurs semaines jusqu'à un maximum de 250 mg par jour, en prises fractionnées. Une fois la dose thérapeutique atteinte, on peut administrer la dose quotidienne en une seule fois, au coucher.

■ **PO (enfants et adolescents):** Initialement, 25 mg par jour; augmenter jusqu'à 3 mg/kg par jour ou jusqu'à 100 à 150 mg par jour (selon la valeur la plus basse), en doses fractionnées, sur une période de 2 semaines. Cette dose peut être augmentée graduellement jusqu'à 3 mg/kg par jour ou jusqu'à 200 mg par jour (selon la valeur la plus basse), en prises fractionnées. Une fois la dose thérapeutique atteinte, on peut administrer la dose quotidienne en une seule fois, au coucher.

PHARMACODYNAMIE

	DÉBUT D'ACTION	PIC	DURÉE
PO	1 – 6 semaines	inconnu	inconnue

SOINS INFIRMIERS

ÉVALUATION DE LA SITUATION

☐ Examiner l'état de la conscience et l'affect du patient. Noter la fréquence des comportements obsessionnels-compulsifs; déterminer jusqu'à quel point de tels pensées et comportements peuvent entraver les activités quotidiennes.

☐ Observer attentivement l'apparition des symptômes extrapyramidaux suivants: mouvements d'émiettement, bouche ouverte laissant s'échapper la salive (sialorrhée), tremblements, rigidité, faciès figé, démarche traînante, agitation, spasmes musculaires, mouvements de torsion. Signaler immédiatement au médecin l'apparition de ces symptômes. Une réduction de la dose ou l'arrêt du traitement peuvent s'avérer nécessaires. Le médecin pourrait prescrire un antiparkinsonien pour maîtriser les effets extrapyramidaux.

DIAGNOSTICS INFIRMIERS POSSIBLES

■ **Énoncés diagnostiques**

☐ Stratégies d'adaptation individuelle inefficaces.

☐ Risque élevé d'accident.

☐ Prise en charge inefficace du programme thérapeutique.

☐ *Risque élevé d'atteinte à l'intégrité de la muqueuse buccale.*

■ **Facteurs favorisants**

☐ Comportements obsessionnels compulsifs.

☐ Informations incomplètes.

☐ *Manque de connaissances sur les moyens de prévenir ou de réduire la sécheresse de la bouche.*

INTERVENTIONS INFIRMIÈRES

PO: Administrer le médicament aux repas ou immédiatement après afin de diminuer l'irritation gastrique. Une fois la dose thérapeutique atteinte, la dose totale peut être administrée en une seule fois, au coucher.

ENSEIGNEMENT AU PATIENT ET À SES PROCHES

☐ Expliquer au patient qu'il doit respecter scrupuleusement la posologie recommandée. Le sevrage brusque peut provoquer des nausées, des céphalées et des malaises.

☐ Prévenir le patient que la clomipramine peut provoquer de la somnolence et une vision trouble. Lui conseiller de ne pas conduire et d'éviter les activités qui exigent sa vigilance jusqu'à ce qu'on ait la certitude que le médicament n'entraîne pas ces effets chez lui.

☐ Mettre en garde le patient contre la consommation d'alcool ou d'autres dépresseurs du SNC pendant le traitement et de 3 à 7 jours après l'avoir arrêté.

☐ Recommander au patient de prévenir le médecin si la sécheresse de la bouche ou la constipation persistent ou si la rétention urinaire, des mouvements incontrôlables ou la rigidité surviennent. Lui conseiller de consommer de la gomme à mâcher ou des bonbons sans sucre afin de soulager la sécheresse de la bouche et d'augmenter sa consommation d'eau ou de fibres alimentaires afin de prévenir la constipation. Si ces symptômes persistent, il faudrait éventuellement réduire la dose de médicament ou arrêter le traitement.

☐ Recommander au patient de signaler au médecin l'hypertrophie des tissus mammaires ou tout dysfonctionnement sexuel.

☐ Recommander au patient d'utiliser des écrans solaires et de porter des vêtements protecteurs pour prévenir les réactions de photosensibilité.

☐ Expliquer au patient la nécessité de surveiller son alimentation puisque l'augmentation possible de l'appétit peut entraîner un gain pondéral.

☐ Recommander au patient qui doit suivre un traitement dentaire ou subir une intervention chirurgicale d'avertir le dentiste ou le médecin qu'il suit un traitement médicamenteux.

☐ Expliquer au patient l'importance des examens réguliers de suivi permettant d'évaluer l'efficacité du traitement et de déceler les effets secondaires.

VÉRIFICATION DES RÉSULTATS

L'efficacité du traitement peut être démontrée par : ■ l'amélioration de l'humeur ■ la diminution du comportement obsessionnel-compulsif.

C

CLONAZÉPAM
Rivotril, (Klonopin)

CLASSIFICATION:
Anticonvulsivant – benzodiazépine

Grossesse – catégorie inconnue

INDICATIONS

■ Traitement d'appoint ou monothérapie dans les cas suivants: □ petit mal □ petit mal variant (syndrome de Lennox-Gastaut) □ crises myocloniques akinésiques.

ACTION

■ Effets anticonvulsivants et sédatifs sur le SNC. Le mécanisme d'action demeure inconnu, mais il est probablement similaire à celui des benzodiazépines (chlordiazépoxide, diazépam). **Effets thérapeutiques:** ■ Prévention des crises convulsives.

PHARMACOCINÉTIQUE

Absorption: Bonne absorption depuis le tractus gastro-intestinal.

Distribution: Le médicament semble traverser la barrière hémato-encéphalique et le placenta.

Métabolisme et excrétion: Le médicament est surtout métabolisé par le foie.

Demi-vie: De 18 à 50 h.

CONTRE-INDICATIONS ET PRÉCAUTIONS

Contre-indications: ■ Hypersensibilité au clonazépam ou à d'autres benzodiazépines ■ Maladie hépatique grave.

Précautions: ■ Glaucome à angle étroit ■ Maladie respiratoire chronique ■ Grossesse ou allaitement (l'innocuité du médicament n'a pas été établie) ■ Enfants (les effets à long terme sur la croissance et le développement demeurent inconnus) ■ Sevrage brusque déconseillé.

RÉACTIONS INDÉSIRABLES ET EFFETS SECONDAIRES

SNC: somnolence, ataxie, hypotonie, modifications du comportement.
ORLO: mouvements oculaires anormaux, diplopie, nystagmus.
Resp.: augmentation des sécrétions.
CV: palpitations.
GI: constipation, diarrhée, hépatite.
GU: dysurie, nycturie, rétention urinaire.
Hémat.: anémie, leucopénie, thrombocytopénie, éosinophilie.
Divers: fièvre.

INTERACTIONS

Médicament – médicament: ■ L'alcool, les **antidépresseurs**, les **antihistaminiques** et les **analgésiques narcotiques** administrés simultanément accentuent la dépression du SNC ■ La **cimétidine**, les **contraceptifs oraux**, le **disulfirame**, la **fluoxétine**, l'**isoniazide**, le **kétoconazole**, le **métoprolol**, le **propoxyphène**, le **propanolol** ou l'**acide valproïque** peuvent ralentir le métabolisme du clonazépam et en accroître l'effet ■ Le clonazépam peut diminuer l'efficacité de la **lévodopa** ■ La **rifampine** ou les **barbituriques** peuvent accélérer le métabolisme du clonazépam et en diminuer l'efficacité ■ La **théophylline** peut diminuer les effets sédatifs du clonazépam ■ Le clonazépam peut élever les concentrations sériques de **phénytoïne** ■ La **phénytoïne** peut abaisser les concentrations sériques de clonazépam.

VOIES D'ADMINISTRATION ET POSOLOGIE

■ **PO (adultes):** La dose quotidienne initiale ne doit pas dépasser 1,5 mg, en 3 prises fractionnées; cette dose peut être augmentée par paliers de 0,5 à 1 mg, tous les 3 jours. La dose d'entretien ne doit pas dépasser 20 mg par jour.

■ **PO (enfants de 10 ans et moins ou pesant jusqu'à 30 kg):** Dose quotidienne initiale de 0,01 à 0,03 mg/kg (ne pas dépasser 0,05 mg/kg), en 2 ou 3 doses fractionnées ; ne pas augmenter de plus de 0,5 mg, tous les 3 jours, jusqu'à l'atteinte de concentrations thérapeutiques dans le sang. La dose quotidienne ne doit pas dépasser 0,2 mg/kg.

PHARMACODYNAMIE
(activité anticonvulsivante)

	DÉBUT D'ACTION	PIC	DURÉE
PO	20 – 60 min	1 – 2 h	6 – 12 h

SOINS INFIRMIERS

ÉVALUATION DE LA SITUATION

- ☐ Noter l'intensité, la durée et le siège des convulsions.
- ☐ Surveiller la somnolence, l'instabilité ou les gestes maladroits. Ces symptômes sont reliés à la dose et ils sont plus graves au début du traitement ; ils peuvent s'affaiblir ou disparaître au cours d'un traitement prolongé.
- ■ **Étude des examens diagnostiques et biochimiques :** Examiner, à intervalles réguliers pendant toute la durée d'un traitement prolongé, les résultats des tests de l'exploration fonctionnelle hépatique et les numérations globulaire et plaquettaire.
- ☐ Le médicament peut diminuer le nombre d'érythrocytes, de leucocytes et de plaquettes. Il peut aussi élever les concentrations de TGOS (AST), de TGPS (ALT) et de phosphatase alcaline.

DIAGNOSTICS INFIRMIERS POSSIBLES

- ■ **Énoncés diagnostiques**
- ☐ Risque élevé d'accident.
- ☐ Prise en charge inefficace du programme thérapeutique.
- ☐ *Risque élevé d'exacerbation des symptômes.*
- ■ **Facteurs favorisants**
- ☐ Informations incomplètes.
- ☐ *Perturbation de la vigilance.*
- ☐ *Manque de connaissances sur les modalités du traitement.*
- ☐ *Arrêt brusque du traitement.*

INTERVENTIONS INFIRMIÈRES

- ■ **Directives générales :** Prendre les précautions qui s'imposent au début du traitement ou lors des adaptations posologiques.
- ■ **PO :** Administrer le médicament avec des aliments afin de réduire l'irritation gastrique. On peut broyer les comprimés si le patient éprouve des difficultés de déglutition.

ENSEIGNEMENT AU PATIENT ET À SES PROCHES

- ☐ Expliquer au patient qu'il doit respecter scrupuleusement la posologie recommandée. S'il n'a pu prendre son médicament au moment habituel, il doit le prendre dans l'heure qui suit, sinon il doit sauter la dose ; il ne faut jamais doubler les doses. Le sevrage brusque peut entraîner un état de mal épileptique, des tremblements, des nausées, des vomissements et des crampes musculaires et abdominales.
- ☐ Prévenir le patient que le clonazépam peut provoquer de la somnolence ou des étourdissements. Lui conseiller de ne pas conduire et d'éviter les activités qui exigent sa vigilance jusqu'à ce qu'on ait la certitude que le médicament n'entraîne pas ces effets chez lui.
- ☐ Recommander au patient d'éviter de boire de l'alcool et de prendre d'autres dépresseurs du SNC en même temps que le clonazépam.
- ☐ Recommander au patient qui doit suivre un traitement dentaire ou subir une intervention chirurgicale d'avertir le dentiste ou le médecin qu'il suit un traitement médicamenteux.
- ☐ Recommander au patient et à ses proches de signaler au médecin la fatigue inhabituelle, les hémorragies, les maux de gorge, la fièvre, les selles couleur de glaise, le jaunissement de la peau

ou les modifications du comportement.

☐ Insister sur l'importance des examens réguliers de suivi permettant d'évaluer l'efficacité du traitement.

☐ Conseiller au patient de porter constamment sur lui une pièce d'identité où sont inscrits son problème de santé et son traitement médicamenteux.

VÉRIFICATION DES RÉSULTATS

L'efficacité du traitement peut être démontrée par : la diminution de la fréquence ou la suppression des crises sans sédation excessive. Un ajustement de la posologie peut s'avérer nécessaire après plusieurs mois de traitement.

CLONIDINE
Apo-clonidine, Catapres, Dixarit, Nu-clonidine, (Catapress-TTS)

CLASSIFICATION :
Antihypertenseur – agent sympathomimétique à action centrale

Grossesse – catégorie C

INDICATIONS

■ Hypertension légère à modérée – en monothérapie ou en association avec d'autres antihypertenseurs. Traitement de l'hypertension grave en association avec un diurétique. **Usages non approuvés :** ■ Traitement du sevrage narcotique, prophylaxie des céphalées vasculaires, traitement de la dysménorrhée et du syndrome de la ménopause.

ACTION

■ Stimulation des récepteurs alpha-adrénergiques du SNC qui se traduit par l'inhibition du centre cardio-accélérateur et du centre vasoconstricteur. **Effets thérapeutiques :** ■ Baisse de la pression artérielle.

PHARMACOCINÉTIQUE

Absorption : Bonne absorption depuis le tractus gastro-intestinal.

Distribution : L'agent se répartit dans tout l'organisme. Il traverse la barrière hémato-encéphalique et pénètre dans le lait maternel.

Métabolisme et excrétion : Le médicament est surtout métabolisé par le foie. Une fraction de 30 % est éliminée à l'état inchangé par les reins.

Demi-vie : De 12 à 20 h.

CONTRE-INDICATIONS ET PRÉCAUTIONS

Contre-indications : Hypersensibilité.

Précautions : ■ Maladie cardiaque grave ■ Maladie cérébrovasculaire ■ Insuffisance rénale ■ Grossesse, allaitement ou enfants (l'innocuité du médicament n'a pas été établie) ■ Personnes âgées (réduire la dose) ■ Sevrage brusque déconseillé.

RÉACTIONS INDÉSIRABLES ET EFFETS SECONDAIRES

SNC : somnolence, cauchemars, nervosité, dépression.

CV : hypotension, bradycardie, palpitations.

GI : sécheresse de la bouche (xérostomie), constipation.

GU : impuissance.

Tég. : rash.

HÉ : rétention sodique.

Métab. : gain pondéral.

Divers : syndrome de sevrage.

INTERACTIONS

Médicament – médicament : ■ Sédation accrue lors de l'usage concomitant de **dépresseurs du SNC** dont l'**alcool**, les **antihistaminiques**, les **analgésiques narcotiques** et les **hypnosédatifs** ■ Effets hypotenseurs additifs lors de l'administration concomitante d'autres **antihypertenseurs** et de **dérivés nitrés** ■ Accentuation de la bradycardie lors de l'administration de **dépresseurs du myo-**

C

carde dont les **bêtabloquants** ▪ Les **inhibiteurs de la MAO**, les **amphétamines** ou les **antidépresseurs tricycliques** peuvent réduire l'effet antihypertenseur de la clonidine ▪ Le syndrome de sevrage peut être amplifié par l'administration simultanée d'**antidépresseurs tricycliques** ou l'abandon du traitement par les **bêtabloquants** (il faut stopper l'administration des bêtabloquants plusieurs jours avant d'arrêter le traitement avec la clonidine).

PRÉSENTATION

Le médicament est également présenté en association avec la chlorthalidone (voir l'annexe A).

VOIES D'ADMINISTRATION ET POSOLOGIE

Hypertension

▪ **PO (adultes):** Dose initiale de 0,05 à 0,1 mg, quatre fois par jour. La dose d'entretien habituelle se situe entre 0,2 à 1,2 mg par jour, en 2 ou 3 doses fractionnées.

Urgence hypertensive

▪ **PO (adultes):** Dose initiale de 0,1 à 0,2 mg, puis de 0,05 à 0,1 mg, toutes les heures, jusqu'à la stabilisation de la pression artérielle, ou jusqu'à concurrence de 0,5 à 0,7 mg. Amorcer ensuite le traitement d'entretien.

Sevrage narcotique

▪ **PO (adultes):** Dose initiale de 0,3 à 1,2 mg par jour; on peut réduire la dose de 50 % par jour, pendant 3 jours; arrêter ensuite le traitement ou diminuer la dose de 0,1 à 0,2 mg par jour.

Prophylaxie des céphalées vasculaires

▪ **PO (adultes):** 0,025 mg, 2 à 4 fois par jour (jusqu'à 0,15 mg par jour en doses fractionnées).

Dysménorrhée

▪ **PO (adultes):** 0,025 mg, deux fois par jour, pendant 14 jours avant et pendant les règles.

Syndrome de la ménopause

▪ **PO (adultes):** de 0,025 à 0,075, deux fois par jour.

PHARMACODYNAMIE
(effet antihypertenseur)

	DÉBUT D'ACTION	PIC	DURÉE
PO	30 – 60 min	2 – 4 h	8 h

SOINS INFIRMIERS

ÉVALUATION DE LA SITUATION

▪ **Directives générales:** Effectuer le bilan quotidien des ingesta et des excreta et peser le patient tous les jours. Observer le patient tous les jours pour déceler la formation d'un œdème, particulièrement au début du traitement.

▪ **Hypertension:** Mesurer souvent la pression artérielle et le pouls pendant la période d'adaptation de la posologie et à intervalles réguliers pendant tout le traitement. Informer le médecin de tout changement important.

▪ **Sevrage narcotique:** Surveiller l'apparition des signes et des symptômes suivants de sevrage narcotique: tachycardie, fièvre, nez qui coule, diarrhée, transpiration, nausées, vomissements, irritabilité, crampes d'estomac, frissons, pupilles excessivement dilatées, faiblesse, troubles du sommeil, chair de poule.

▪ **Étude des examens diagnostiques et biochimiques:** Le médicament peut entraîner une élévation transitoire de la glycémie.

DIAGNOSTICS INFIRMIERS POSSIBLES

▪ **Énoncés diagnostiques**

☐ Risque élevé d'accident.

☐ Prise en charge inefficace du programme thérapeutique.

☐ Non-observance du traitement médicamenteux.

□ *Risque élevé d'exacerbation des symptômes.*

□ *Risque élevé de réponse insuffisante au traitement.*

■ **Facteurs favorisants**

□ Informations incomplètes.

□ Doute quant aux bienfaits du médicament.

□ *Perturbation de la vigilance.*

□ *Manque de connaissances sur les effets hypotensifs du médicament lors des changements brusques de position.*

□ *Arrêt brusque du traitement.*

□ *Manque de connaissances sur le régime aliemntaire à suivre.*

INTERVENTIONS INFIRMIÈRES

PO: Administrer la dernière dose de la journée au coucher.

ENSEIGNEMENT AU PATIENT ET À SES PROCHES

■ **Directives générales:** Expliquer au patient qu'il doit prendre la clonidine à la même heure tous les jours même s'il se sent mieux. La clonidine stabilise la pression artérielle, mais ne guérit pas l'hypertension. Si le patient n'a pu prendre le médicament au moment habituel, il doit le prendre dès que possible. S'il n'a pas pu prendre plusieurs doses consécutives, lui conseiller de consulter le médecin. L'arrêt du traitement par la clonidine par voie orale doit se faire sur une période de 2 à 4 jours afin de prévenir l'hypertension rebond.

□ Inciter le patient à suivre d'autres mesures de réduction de l'hypertension : perdre du poids, réduire sa consommation de sel, arrêter de fumer, boire avec modération, faire régulièrement de l'exercice et diminuer le stress. Conseiller au patient de limiter sa consommation de thé, de café et de boissons à base de cola.

□ Montrer au patient et à ses proches comment mesurer la pression artérielle. Leur demander de prendre la pression artérielle au moins une fois par semaine et leur recommander de signaler au médecin tout changement important.

□ Prévenir le patient que la clonidine peut provoquer des étourdissements. Lui conseiller de ne pas conduire et d'éviter les activités qui exigent sa vigilance jusqu'à ce qu'on ait la certitude que le médicament n'entraîne pas cet effet chez lui.

□ Recommander au patient de changer lentement de position pour prévenir l'hypotension orthostatique. Prévenir le patient que l'alcool, une station debout prolongée, l'exercice et la chaleur peuvent intensifier les effets hypotensifs de la clonidine.

□ Conseiller au patient souffrant de sécheresse de la bouche de se rincer fréquemment la bouche, de maintenir une bonne hygiène buccale et de consommer de la gomme à mâcher ou des bonbons sans sucre. Si ce symptôme persiste pendant plus de deux semaines, recommander au patient de consulter le médecin ou le dentiste.

□ Mettre en garde le patient contre la consommation concomitante d'alcool ou d'autres dépresseurs du SNC.

□ Conseiller au patient de consulter le médecin ou le pharmacien avant de prendre un médicament en vente libre, et particulièrement des médicaments contre le rhume, la toux et les allergies.

□ Recommander au patient qui doit suivre un traitement dentaire ou subir une intervention chirurgicale de prévenir le dentiste ou le médecin qu'il suit un traitement antihypertenseur.

VÉRIFICATION DES RÉSULTATS

L'efficacité du traitement peut être démontrée par : ■ la baisse de la pression artérielle ■ la diminution des signes et des symptômes de sevrage narcotique ■ la prévention des céphalées vasculaires ■ la diminution de la fréquence des dysménorrhées ■ la diminution des symptômes du syndrome de la ménopause.

CLORAZÉPATE

Apo-Clorazepate, Novo-clopate, Tranxene, (Cloraze-Caps)

CLASSIFICATION:

Anxiolytique ;
hypnosédatif – benzodiazépine ;
anticonvulsivant

Grossesse – catégorie inconnue

INDICATIONS

■ Soulagement des symptômes d'angoisse et de tension chez les patients psychonévrosés ■ Traitement du syndrome de sevrage alcoolique. **Usage non approuvé :** ■ Traitement des crises partielles avec symptomatologie élémentaire.

ACTION

■ Effet anxiolytique et dépression du SNC à de nombreux niveaux, par la stimulation des récepteurs inhibiteurs du GABA ■ Relaxation des muscles squelettiques par l'inhibition des voies polysynaptiques afférentes ■ Effets anticonvulsivants, accentuation de l'inhibition présynaptique. **Effets thérapeutiques :** ■ Soulagement des symptômes d'angoisse et de tension ■ Sédation ■ Prévention des crises.

PHARMACOCINÉTIQUE

Absorption : Bonne absorption depuis le tractus gastro-intestinal.
Distribution : L'agent se répartit dans tout l'organisme. Il traverse le placenta et pénètre dans le lait maternel.
Métabolisme et excrétion : Le médicament est métabolisé par le foie. Une fraction du clorazépate est métabolisée en composés actifs.
Demi-vie : 48 h.

CONTRE-INDICATIONS ET PRÉCAUTIONS

Contre-indications : ■ Hypersensibilité ■ Risque de sensibilité croisée avec d'autres benzodiazépines ■ Dépression préexistante du SNC ■ Douleur grave, rebelles à tout traitement ■ Glaucome à angle étroit ■ Grossesse ou allaitement.

Précautions : ■ Dysfonction hépatique préexistante ■ Comportement suicidaire ou antécédents de toxicomanie ou de pharmacodépendance ■ Personnes âgées ou patients débilités (réduire la dose) ■ Maladie pulmonaire grave.

RÉACTIONS INDÉSIRABLES ET EFFETS SECONDAIRES

SNC : étourdissements, somnolence, léthargie, sensation de tête légère, excitation paradoxale, dépression, céphalées.
ORLO : vision trouble.
Resp. : dépression respiratoire.
GI : nausées, vomissements, diarrhée, constipation.
Tég. : rash.
Divers : tolérance aux effets du médicament, dépendance psychologique, dépendance physique.

INTERACTIONS

Médicament – médicament : ■ Effets additifs sur la dépression du SNC lors de l'usage concomitant d'**alcool**, d'**antidépresseurs**, d'**antihistaminiques** et d'**analgésiques narcotiques** ■ La **cimétidine**, les **contraceptifs oraux**, le **disulfirame**, la **fluoxétine**, l'**isoniazide**, le **kétoconazole**, le **métoprolol**, le **propoxyphène**, le **propanolol** et l'**acide valproïque** diminuent le métabolisme du clorazépate et en intensifient les effets ■ Le clorazépate peut réduire l'efficacité de la **lévodopa** ■ La **rifampine** et les **barbituriques** accélèrent le métabolisme du clorazépate et en diminuent l'efficacité ■ La **théophylline** peut réduire les effets sédatifs du clorazépate.

PRÉSENTATION

Le médicament est présenté sous forme de comprimés et de capsules à libération prolongée. Les capsules à libération prolongée ne doivent pas être administrées lors du traitement initial.

VOIES D'ADMINISTRATION ET POSOLOGIE

Anxiété
- **PO (adultes):** de 7,5 à 15 mg, 2 à 4 fois par jour.

Sevrage alcoolique
- **PO (adultes):** de 30 mg à 90 mg en doses fractionnées le premier jour. Réduire graduellement la dose pendant les jours suivants.

Anticonvulsivant
- **PO (adultes):** 7,5 mg, 3 fois par jour. On peut augmenter la dose jusqu'à 7,5 mg par jour, toutes les semaines. La dose quotidienne ne doit pas dépasser 90 mg.
- **PO (enfants de 9 à 12 ans):** 7,5 mg, deux fois par jour. On peut augmenter la dose jusqu'à 7,5 mg, toutes les semaines. La dose quotidienne ne doit pas dépasser 60 mg.

PHARMACODYNAMIE (sédation)

	DÉBUT D'ACTION	PIC	DURÉE
PO	1 – 2 h	1 – 2 h	jusqu'à 24 h

☀ SOINS INFIRMIERS

ÉVALUATION DE LA SITUATION
- **Directives générales:** Le traitement prolongé avec des doses élevées peut entraîner la dépendance psychologique ou physique. Limiter la quantité de médicament dont peut disposer le patient.
- **Angoisse et tension:** Noter le degré d'angoisse et de tension ainsi que leurs manifestations avant le traitement et à intervalles réguliers pendant toute sa durée.

- **Sevrage alcoolique:** Surveiller l'apparition des symptômes suivants: tremblements, agitation, délirium et hallucinations. Protéger le patient contre les accidents.
- **Convulsions:** Noter l'intensité, la durée et le siège des convulsions.
- **Étude des examens diagnostiques et biochimiques:** Chez les patients recevant des doses élevées, il faut évaluer à intervalles réguliers les fonctions rénale, hépatique et hématologique. Le médicament peut entraîner l'élévation des concentrations sériques de bilirubine, de TGOS (AST), de TGPS (ALT) et de phosphatase alcaline.

DIAGNOSTICS INFIRMIERS POSSIBLES
- **Énoncés diagnostiques**
  - ☐ Anxiété.
  - ☐ Risque élevé d'accident.
  - ☐ Prise en charge inefficace du programme thérapeutique.
- **Facteurs favorisants**
  - ☐ Informations incomplètes.
  - ☐ *Perturbation de la vigilance.*

INTERVENTIONS INFIRMIÈRES
- **PO:** Administrer le médicament avec des aliments ou une boisson pour réduire l'irritation gastrique. Les capsules doivent être avalées telles quelles, sans les ouvrir.
- ☐ Ne pas administrer des antiacides dans l'heure qui suit la prise du clorazépate, car son absorption pourrait être retardée.

ENSEIGNEMENT AU PATIENT ET À SES PROCHES
- **Directives générales:** Expliquer au patient qu'il doit respecter scrupuleusement la posologie recommandée et qu'il ne doit ni sauter de dose ni remplacer une dose manquée par une double dose. Le sevrage brusque peut entraîner les symptômes suivants: état de mal épileptique, tremblements, nausées, vomissements, crampes musculaires et abdominales.

- □ Prévenir le patient que le clorazépate peut provoquer de la somnolence et des étourdissements. Lui conseiller de ne pas conduire et d'éviter les activités qui exigent sa vigilance jusqu'à ce qu'on ait la certitude que le médicament n'entraîne pas ces effets chez lui.
- □ Recommander au patient d'éviter la consommation d'alcool ou de dépresseurs du SNC pendant le traitement au clorazépate.
- □ Conseiller à la patiente de prévenir immédiatement le médecin si elle pense être enceinte.
- □ Recommander au patient qui doit suivre un traitement dentaire ou subir une intervention chirurgicale de prévenir le dentiste ou le médecin qu'il suit un traitement.
- □ Insister sur l'importance des examens de suivi permettant de déterminer l'efficacité du traitement.
- ■ **Crises épileptiques :** Conseiller au patient de porter constamment sur lui une pièce d'identité où sont inscrits son problème de santé et son traitement médicamenteux.

VÉRIFICATION DES RÉSULTATS

L'efficacité du traitement peut être démontrée par : ■ une sensation de mieux-être □ la diminution du sentiment d'angoisse ■ la maîtrise des symptômes aigus du sevrage alcoolique ■ la diminution ou l'arrêt des crises d'épilepsie sans sédation excessive.

CLOTRIMAZOLE
Canesten, Clotrimaderm, Myclo, (Gyne Lotrimin), (Lotrimin), (Mycelex)

CLASSIFICATION :
Antifongique – imidazole

Grossesse – catégorie B

INDICATIONS

■ Traitement des infections suivantes provoquées par des champignons sensibles : □ infections fongiques superficielles □ candidoses cutanée et vulvovaginale. **Usage non approuvé :** ■ Candidose oropharyngée.

ACTION

■ Atteinte à la perméabilité de la cellule fongique entraînant la destruction du contenu intracellulaire. Modification du métabolisme des cellules fongiques. **Effets thérapeutiques :** ■ Effet fongicide ou fongistatique, selon le micro-organisme infectant et la concentration de la préparation. **Spectre d'action :** Action contre un bon nombre de champignons dont □ *Candida albicans* □ *Tricophyton rubrum* □ *Malassezia furfur.*

PHARMACOCINÉTIQUE

Absorption : Seulement de petites quantités de médicament sont absorbées lors de l'administration des préparations topiques ou vaginales.

Distribution : Inconnue. L'action est surtout locale.

Métabolisme et excrétion : Action locale. Élimination inconnue.

Demi-vie : Inconnue.

CONTRE-INDICATIONS ET PRÉCAUTIONS

Contre-indications : ■ Hypersensibilité ■ Risque de réactions de sensibilité croisée avec d'autres antifongiques à base d'imidazole.

Précautions : Précédents d'administration pendant le deuxième et le troisième trimestre de la grossesse sans manifestation d'effets secondaires.

RÉACTIONS INDÉSIRABLES ET EFFETS SECONDAIRES

GU : préparation vaginale – irritation vaginale.

Tég. : irritation, prurit, brûlures.

Divers : hépatite.

C

INTERACTIONS

Médicament – médicament: Aucune interaction notable.

PRÉSENTATION

Le clotrimazole est présenté sous forme de crème et de solution topiques ainsi que de crème et d'ovules vaginaux.

VOIES D'ADMINISTRATION ET POSOLOGIE

- **Préparation topique (adultes et enfants):** crème ou solution à 1 %, application 2 fois par jour.
- **Préparation vaginale (adultes):** ovule vaginal de 100 mg, tous les jours, pendant 6 jours, ou de 200 mg, pendant 3 jours (usage déconseillé pendant la grossesse) ou ovule vaginal de 500 mg, traitement à dose unique (infections sans complications, seulement) ou 5 g de crème à 1 %, tous les jours, pendant 6 jours ou 5 g de crème à 2 %, tous les jours pendant 3 jours.

PHARMACODYNAMIE
(action antifongique)

	DÉBUT D'ACTION	PIC	DURÉE
préparation topique	dès l'application	inconnu	inconnue
préparation vaginale	dès l'application	inconnu	jusqu'à 72 h

SOINS INFIRMIERS

ÉVALUATION DE LA SITUATION

- □ Inspecter les territoires cutanés affectés avant l'administration du médicament et à intervalles réguliers pendant tout le traitement. Si l'irritation cutanée s'aggrave, il peut être nécessaire d'arrêter le traitement.
- ■ **Étude des examens diagnostiques et biochimiques:** Le clotrimazole peut entraîner l'élévation des concentrations de TGOS (AST), de TGPS (ALT), de phosphatase alcaline et de bilirubine sérique.

DIAGNOSTICS INFIRMIERS POSSIBLES

- ■ **Énoncés diagnostiques**
- □ Atteinte à l'intégrité de la peau.
- □ Prise en charge inefficace du programme thérapeutique.
- □ *Risque élevé de contamination.*

- ■ **Facteurs favorisants**
- □ Informations incomplètes.
- □ *Manque de connaissances sur les modalités du traitement.*

INTERVENTIONS INFIRMIÈRES

- ■ **Préparation topique:** Avant d'appliquer le médicament, se renseigner auprès du médecin à propos de la méthode de nettoyage qu'il préconise. Appliquer parcimonieusement avec une main gantée.
- ■ **Préparation vaginale:** Administrer les préparations vaginales au coucher afin de prolonger le contact avec les muqueuses. Les applicateurs sont fournis avec le médicament. Le médecin peut prescrire au patient de prendre en même temps des bains de siège et des douches vaginales.

ENSEIGNEMENT AU PATIENT ET À SES PROCHES

- ■ **Directives générales:** Expliquer au patient qu'il doit respecter scrupuleusement la posologie recommandée, même s'il se sent mieux. S'il n'a pas pu appliquer son médicament au moment habituel, il doit le faire dès que possible à moins que ce ne soit presque l'heure prévue pour la dose suivante. Il ne faut pas doubler les doses.
- □ Recommander au patient de prévenir le médecin si l'irritation de la peau s'aggrave ou si aucune réaction thérapeutique ne se manifeste.
- ■ **Préparation topique:** Recommander au patient de changer, après chaque application, les vêtements qui ont touché la région infectée. Il ne doit pas appliquer de pansements occlusifs, sauf si le médecin le recommande expressément, ni utiliser d'autres lotions

ou onguents topiques sans avoir consulté le médecin au préalable.

☐ Conseiller au patient qui reçoit la préparation pour le traitement de la teigne (tinea corporis) de porter des vêtements légers et amples et des souliers légers qui ne serrent pas le pied, de ne pas laver ses vêtements avec ceux d'autres personnes et de veiller à ce que la peau reste propre et sèche.

■ **Préparation vaginale :** Montrer à la patiente quelle est la méthode d'application appropriée des crèmes ou des ovules vaginaux. Il faut rester allongée pendant au moins 30 min après l'introduction de l'ovule. Recommander le port de serviettes hygiéniques pour ne pas tacher les vêtements et la literie.

☐ Conseiller à la patiente de demander au médecin si elle doit prendre des douches vaginales pendant le traitement. Les préparations vaginales peuvent entraîner une irritation de la peau chez le partenaire sexuel. Recommander à la patiente de s'abstenir de tout rapport sexuel pendant le traitement ou de demander à son partenaire de porter un condom.

VÉRIFICATION DES RÉSULTATS

L'efficacité du traitement peut être démontrée par : ■ la diminution de la gêne et de l'irritation cutanée ☐ la disparition des signes et des symptômes de l'infection. Le temps de résolution dépend du micro-organisme infectant et du siège de l'infection.

CLOXACILLINE

Apo-Cloxi, Novo-Cloxin, Nu-Cloxi, Orbénine, Tegopen, (Cloxapen)

CLASSIFICATION :
Anti-infectieux – pénicilline résistante à la pénicillinase

Grossesse – catégorie B

INDICATIONS

■ Traitement des infections suivantes provoquées par les souches sensibles de streptocoques ou de staphylocoques produisant de la pénicillinase : ☐ infections des voies respiratoires ☐ sinusite ☐ infections de la peau et des tissus mous ☐ endocardite ☐ septicémie ☐ infections des os et des articulations.

ACTION

■ Liaison à la membrane de la paroi de la cellule entraînant la destruction de la bactérie. La cloxacilline résiste à l'action de la pénicillinase, enzyme capable d'inactiver la pénicilline. **Effets thérapeutiques :** ■ Action bactéricide contre les micro-organismes sensibles. **Spectre d'action :** ■ L'action contre la plupart des cocci aérobies à Gram positif est moins forte que celle de la pénicilline ■ Action notable contre les micro-organismes suivants : ☐ souches de *Staphylococcus aureus* produisant de la pénicillinase ☐ *Staphylococcus epidermis* ■ La cloxacilline n'a pas d'effet sur les staphylocoques résistant à la méthicilline.

PHARMACOCINÉTIQUE

Absorption : Par suite de l'administration par voie orale, l'absorption est modérée (de 37 à 60 %). Bonne absorption depuis les points d'injections IM.
Distribution : L'agent se répartit dans tout l'organisme ; il pénètre en quantité infime dans le liquide céphalorachidien, traverse le placenta et pénètre dans le lait maternel.
Métabolisme et excrétion : Une fraction du médicament (de 9 à 22 %) est métabolisée par le foie et une autre fraction (de 30 à 45 %) est excrétée à l'état inchangé par les reins.
Demi-vie : De 0,5 à 1,1 h (prolongée en cas d'insuffisance hépatique et rénale graves).

CONTRE-INDICATIONS ET PRÉCAUTIONS

Contre-indications : Hypersensibilité aux pénicillines.

C

Précautions : ■ Insuffisance rénale ou hépatique graves (réduire la dose) ■ Grossesse et allaitement (l'innocuité du médicament n'a pas été établie) ■ Patients gravement malades ou patients souffrant de nausées ou de vomissements (administrer par voie parentérale).

RÉACTIONS INDÉSIRABLES ET EFFETS SECONDAIRES

SNC : CONVULSIONS (doses élevées).

GI : nausées, vomissements, diarrhée, hépatite.

GU : néphrite interstitielle.

Tég. : rash, urticaire.

Hémat. : dyscrasie.

Divers : surinfection, réactions allergiques incluant l'ANAPHYLAXIE et la maladie sérique.

INTERACTIONS

Médicament – médicament : ■ Le **probénécide** diminue l'excrétion et accroît les concentrations de cloxacilline dans le sang ■ La cloxacilline peut modifier les effets des **anticoagulants oraux**. **Médicament-aliments :** ■ Les **aliments** et les **jus acides** réduisent l'absorption de la cloxacilline.

VOIES D'ADMINISTRATION ET POSOLOGIE

- **PO (adultes et enfants > 20 kg) :** de 250 à 500 mg, toutes les 6 h.
- **IM et IV (adultes) :** de 250 à 1 500 mg, toutes les 6 h.
- **IM et IV (enfants < 20 kg) :** de 25 à 50 mg/ kg par jour, en doses fractionnées, toutes les 6 h.

PHARMACODYNAMIE (concentrations sanguines)

	DÉBUT D'ACTION	PIC
PO	30 min	30 – 120 min
IM	rapide	30 min
IV	rapide	fin de la perfusion

☼ SOINS INFIRMIERS

ÉVALUATION DE LA SITUATION

☐ Au début du traitement et pendant toute sa durée, surveiller l'apparition des signes suivants d'infection : altération des signes vitaux ; aspect de la plaie, des crachats, de l'urine et des selles ; accroissement du nombre de leucocytes.

☐ Avant d'amorcer le traitement, recueillir les antécédents du patient afin de déterminer ses réactions antérieures à une pénicilline ou à une céphalosporine. Même les personnes n'ayant jamais manifesté de sensibilité aux pénicillines peuvent présenter une réaction allergique.

☐ Prélever des échantillons pour les cultures et les antibiogrammes avant le début du traitement. La première dose peut être administrée avant même que les résultats soient connus.

☐ Suivre les signes et les symptômes suivants d'anaphylaxie : rash, prurit, œdème laryngé, respiration sifflante, douleurs abdominales. Si ces réactions se manifestent, arrêter l'administration du médicament et avertir immédiatement le médecin. Garder à portée de la main de l'épinéphrine, un antihistaminique et le matériel de réanimation pour parer à une éventuelle réaction anaphylactique.

■ **Étude des examens diagnostiques et biochimiques :** Examiner la numération globulaire, les concentrations sériques d'urée et de créatinine, les résultats des analyses d'urine et des tests de l'exploration fonctionnelle hépatique à intervalles réguliers pendant tout le traitement.

☐ La cloxacilline peut entraîner l'élévation des concentrations de TGOS (AST).

DIAGNOSTICS INFIRMIERS POSSIBLES

■ **Énoncés diagnostiques**

☐ Risque élevé d'infection.

□ Prise en charge inefficace du programme thérapeutique.
□ Non-observance du traitement médicamenteux.
□ *Risque élevé de réaction allergique.*
□ *Risque élevé de déshydratation.*

■ **Facteurs favorisants**
□ Informations incomplètes.
□ Doute quant aux bienfaits du médicament.
□ *Vomissements et diarrhée.*

INTERVENTIONS INFIRMIÈRES

■ **PO:** La cloxacilline doit être administrée à intervalles réguliers, 24 h sur 24, à jeun, au moins 1 h avant les repas ou 2 h après. Demander au patient de prendre la cloxacilline avec un grand verre d'eau; les jus acides peuvent réduire l'absorption des pénicillines.
□ Utiliser des récipients gradués pour mesurer les préparations liquides. Bien agiter. La solution est stable pendant 14 jours au réfrigérateur.
■ **IM:** Ajouter 1,7 mL d'eau stérile pour injection au contenu d'une fiole de 250 mg et 1,9 mL, au contenu d'une fiole de 500 mg. Bien agiter jusqu'à dissolution complète.
■ **IV:** Diluer avec 4,9 mL d'eau stérile pour injection le contenu de la fiole de 250 mg ou avec 4,8 mL, le contenu de la fiole de 500 mg.
■ **Perfusion intermittente:** Diluer jusqu'à l'obtention d'une concentration de 1 à 2 mg/mL dans une solution de NaCl à 0,9 %, de dextrose à 5 % dans de l'eau, de dextrose à 5 % et de NaCl à 0,9 % ou de lactate Ringer.
■ **Associations compatibles dans la même seringue:** Chloramphénicol, colistiméthate, lidocaïne, lincomycine ou procaïne.
■ **Associations incompatibles dans la même seringue:** Érythromycine, gentamicine, polymyxine B ou tétracycline.
■ **Compatibilités en addition au soluté:** Amikacine, chlorure de potassium, dicloxacilline, furosémide, héparine ou hydrocortisone.
■ **Incompatibilités en addition au soluté:** Chlorpromazine, gentamicine ou tétracycline.

ENSEIGNEMENT AU PATIENT ET À SES PROCHES

□ Expliquer au patient qu'il doit prendre toute la quantité de médicament qui lui a été prescrite à intervalles réguliers, 24 h sur 24, même s'il se sent mieux. S'il n'a pas pu prendre son médicament au moment habituel, il doit le prendre dès que possible. Insister sur le fait qu'il peut être dangereux de donner ce médicament à une autre personne.
□ Recommander au patient de signaler au médecin les allergies et les signes de surinfection suivants: excroissance noire et pileuse sur la langue, démangeaisons ou pertes vaginales, selles molles ou nauséabondes.
□ Recommander au patient d'informer le médecin de l'apparition de la fièvre et de la diarrhée, particulièrement si les selles contiennent du pus, du sang ou des mucosités. Recommander au patient de ne pas traiter la diarrhée sans avoir consulté au préalable le médecin ou le pharmacien.
□ Conseiller au patient de consulter le médecin si les symptômes persistent.

VÉRIFICATION DES RÉSULTATS

La réponse clinique au traitement peut être déterminée par: la disparition des signes et symptômes d'infection. Le temps de résolution dépend du micro-organisme infectant et du siège de l'infection.

CLOZAPINE
Clozaril

CLASSIFICATION:
Antipsychotique – divers

Grossesse – catégorie B

C

INDICATIONS

Traitement symptomatique des patients schizophrènes qui ne répondent pas aux antipsychotiques classiques ou qui ne peuvent pas les tolérer.

ACTION

■ Liaison aux récepteurs dopaminergiques du SNC ■ Propriétés anticholinergiques et alpha-adrénolytiques ■ Moins d'effets extrapyramidaux et moins de réactions de dyskinésie tardive que ceux produits par les traitements antipsychotiques classiques, mais risque élevé d'anomalies hématologiques. **Effets thérapeutiques:** ■ Diminution du comportement schizophrénique.

PHARMACOCINÉTIQUE

Absorption: Bonne absorption par suite de l'administration par voie orale.
Distribution: L'agent se répartit rapidement dans tout l'organisme; il traverse la barrière hémato-encéphalique et le placenta. Une fraction de 95 % se lie aux protéines plasmatiques.
Métabolisme et excrétion: Métabolisme de premier passage hépatique de la plus grande partie du médicament.
Demi-vie: De 8 à 12 h.

CONTRE-INDICATIONS ET PRÉCAUTIONS

Contre-indications: ■ Hypersensibilité ■ Aplasie médullaire ■ Allaitement ■ Dépression grave du SNC ou coma.
Précautions: ■ Hypertrophie de la prostate (administrer avec une extrême prudence) ■ Glaucome à angle étroit (administrer avec une extrême prudence) ■ Enfants de moins de 16 ans (l'innocuité du médicament n'a pas été établie) ■ Maladies cardiaque, rénale ou hépatique ■ Trouble convulsif.

RÉACTIONS INDÉSIRABLES ET EFFETS SECONDAIRES

SNC: sédation, CONVULSIONS, étourdissements.

ORLO: troubles de la vue, sécheresse de la bouche (xérostomie), salivation accrue.
CV: hypotension, tachycardie, modifications de l'ECG, hypertension.
GI: constipation, nausées, vomissements, malaises abdominaux.
Tég.: transpiration, rash.
Hémat.: AGRANULOCYTOSE, LEUCOPÉNIE.
SN: réactions extrapyramidales.
Divers: fièvre, gain pondéral.

INTERACTIONS

Médicament – médicament: ■ Effets anticholinergiques additifs lors de l'administration concomitante d'autres **agents doués de propriétés anticholinergiques**, dont les **antihistaminiques**, la **quinidine**, la **disopyramide** et les **antidépresseurs** ■ Effets additifs sur la dépression du SNC lors de l'usage concomitant d'**alcool**, d'**antidépresseurs**, d'**antihistaminiques**, d'**analgésiques narcotiques** ou d'**hypnosédatifs** ■ Effets hypotensifs additifs lors de l'administration concomitante d'**antihypertenseurs** et de **dérivés nitrés** et de l'ingestion d'**alcool** ■ Risque accru d'aplasie médullaire lors de l'administration concomitante d'**antinéoplasiques** ou d'une **radiothérapie** ■ Le **lithium**, administré simultanément, peut élever le risque d'effets indésirables sur le SNC, dont les risques de convulsions.

VOIES D'ADMINISTRATION ET POSOLOGIE

PO (adultes): Dose initiale de 25 mg, 1 ou 2 fois par jour; augmenter par paliers de 25 à 50 mg par jour pendant une période de 2 semaines pour atteindre la dose cible de 300 à 450 mg par jour. On peut augmenter la dose jusqu'à concurrence de 100 mg par jour, 1 ou 2 fois par semaine; ne pas dépasser 900 mg par jour.

PHARMACODYNAMIE

	DÉBUT D'ACTION	PIC	DURÉE
PO	inconnu	plusieurs semaines	4 – 12 h

C

☀ SOINS INFIRMIERS

ÉVALUATION DE LA SITUATION

☐ Déterminer, avant le traitement et à intervalles réguliers pendant toute sa durée, l'état de la conscience du patient : délire, hallucinations, comportement.

☐ Mesurer le pouls et la pression artérielle (en position assise, en station debout et en décubitus) avant l'administration initiale et fréquemment pendant la période initiale d'adaptation de la posologie.

■ Observer attentivement le patient pendant qu'il prend le médicament pour s'assurer qu'il l'a bien avalé.

■ Surveiller l'apparition des symptômes extrapyramidaux suivants : akathisie (agitation, dystonie), spasmes musculaires et mouvements de contorsion ou pseudoparkinsonisme (faciès figé, rigidité, tremblements, bouche ouverte laissant s'échapper la salive [sialorrhée], démarche traînante et dysphagie). Signaler immédiatement au médecin l'apparition de ces symptômes, car la réduction de la dose ou l'arrêt du traitement pourraient s'imposer. Le médecin pourrait également prescrire un agent antiparkinsonien (trihexiphénidyle, benztropine) pour maîtriser ces symptômes.

☐ Bien qu'on n'ait jamais signalé un tel effet avec la clozapine, suivre de près l'apparition de la dyskinésie tardive qui se traduit par des mouvements rythmiques des mâchoires, de la bouche et des membres. Avertir immédiatement le médecin si ces symptômes se manifestent, car de tels effets secondaires peuvent être irréversibles.

☐ Suivre la fréquence des défécations et noter la consistance des selles. Une consommation accrue de fibres alimentaires et de liquides peut aider à réduire la constipation.

☐ La clozapine abaisse le seuil de convulsion. Prendre les précautions de mise dans le cas du patient ayant des antécédents de trouble convulsif.

☐ Une fièvre passagère peut se manifester, particulièrement au cours des 3 premières semaines de traitement. Elle se résorbe habituellement d'elle-même, mais elle peut parfois dicter l'arrêt du traitement. Suivre de près l'apparition des symptômes suivants du syndrome malin des neuroleptiques : fièvre, dépression respiratoire, tachycardie, convulsions, diaphorèse, hypertension ou hypotension, pâleur, fatigue. Signaler immédiatement au médecin l'apparition de ces symptômes.

■ **Étude des examens diagnostiques et biochimiques :** Noter la numération et la formule leucocytaires avant d'amorcer le traitement et la numération leucocytaire toutes les semaines, pendant le traitement et 4 semaines après avoir arrêté l'administration de la clozapine. En raison du risque d'agranulocytose, on fournit une provision de 1 semaine à la fois par l'intermédiaire d'un réseau de distribution. Le patient doit se soumettre à une analyse hématologique hebdomadaire avant qu'on lui remette une nouvelle provision pour la semaine suivante. Si le nombre de leucocytes est inférieur à $3,0 \times 10^9$/L ou le taux de polynucléaires neutrophiles, à $1,5 \times 10^9$/L, interrompre l'administration de la clozapine et observer le patient à la recherche de signes et de symptômes d'infection.

■ **Toxicité et surdosage :** En cas de surdosage, il faut administrer du charbon activé et assurer un traitement de soutien. Observer le patient pendant plusieurs jours en raison du risque d'effets tardifs.

☐ Ne pas administrer de l'épinéphrine et ses dérivés pour traiter l'hypotension ni de la quinidine et du procaïnamide pour réduire les arythmies.

DIAGNOSTICS INFIRMIERS POSSIBLES

■ **Énoncés diagnostiques**

□ Risque élevé de violence envers soi ou envers les autres.

□ Altération des opérations de la pensée.

□ Risque élevé d'accident.

□ *Risque élevé d'exacerbation des effets secondaires du médicament.*

■ **Facteurs favorisants**

□ Manque de confiance et panique.

□ Anxiété.

□ *Perturbation de la vigilance.*

□ *Arrêt brusque du traitement.*

INTERVENTIONS INFIRMIÈRES

PO: Administrer les capsules avec des aliments pour réduire l'irritation gastrique.

ENSEIGNEMENT AU PATIENT ET À SES PROCHES

□ Expliquer au patient qu'il doit respecter scrupuleusement la posologie recommandée. Les patients suivant un traitement prolongé doivent être sevrés graduellement sur une période de 1 à 2 semaines.

□ Mettre en garde le patient contre le risque de symptômes extrapyramidaux. L'inciter à avertir immédiatement le médecin si ces symptômes se manifestent.

□ Recommander au patient de changer lentement de position afin de réduire les risques d'hypotension orthostatique.

□ Prévenir le patient que la clozapine peut provoquer des convulsions et de la somnolence. Lui conseiller de ne pas conduire et d'éviter les activités qui exigent sa vigilance jusqu'à ce qu'on ait la certitude que le médicament n'entraîne pas ces effets chez lui.

□ Mettre en garde le patient contre la consommation d'alcool ou d'autres dépresseurs du SNC ou de médica- ments en vente libre sans avoir consulté au préalable le médecin.

□ Conseiller au patient de se rincer fréquemment la bouche, de pratiquer une bonne hygiène orale et de consommer de la gomme à mâcher ou des bonbons sans sucre pour soulager la sécheresse de la bouche.

□ Recommander au patient qui doit suivre un traitement dentaire ou subir une intervention chirurgicale d'avertir le dentiste ou le médecin qu'il suit un traitement médicamenteux.

□ Conseiller au patient d'informer rapidement le médecin de l'apparition des symptômes suivants: maux de gorge, fièvre, léthargie, faiblesse, malaises ou symptômes pseudo-grippaux. La patiente doit avertir le médecin si elle est enceinte ou désire le devenir.

□ Insister sur l'importance des examens réguliers de suivi, des examens de la vue, des examens diagnostiques et de la psychothérapie.

VÉRIFICATION DES RÉSULTATS

L'efficacité du traitement peut être démontrée par: la diminution de l'idéation psychotique.

CODÉINE
(Paveral)

CLASSIFICATION:
Analgésique narcotique – agoniste; antitussif

Stupéfiant

Grossesse – catégorie C

INDICATIONS

■ En monothérapie ou en association avec des analgésiques non narcotiques dans le traitement de la douleur légère à modérée ■ Traitement de la toux (faibles doses). **Usage non approuvé:** ■ Traitement de la diarrhée.

ACTION

■ Liaison aux récepteurs opiacés du SNC. Modification de la perception des stimuli douloureux et de la réaction à la douleur tout en produisant une dépression généralisée du SNC ■ Réduction du réflexe de la toux ■ Diminution de la motilité du tractus gastro-intestinal. **Effets thérapeutiques:** ■ Diminution de l'intensité de la douleur ■ Suppression du réflexe de la toux ■ Diminution de la diarrhée.

PHARMACOCINÉTIQUE

Absorption: Une fraction de 50 % est absorbée depuis le tractus gastro-intestinal. Le médicament est entièrement absorbé à partir des points d'injection IM. Les doses orale et parentérale ne sont pas équivalentes.

Distribution: L'agent se répartit dans tout l'organisme. Il traverse le placenta et pénètre dans le lait maternel.

Métabolisme et excrétion: Le médicament est surtout métabolisé par le foie. Une fraction de 10 % est transformée en morphine. Une faible fraction (de 5 à 15 %) est excrétée à l'état inchangé par les reins.

Demi-vie: De 2,5 à 4 h.

CONTRE-INDICATIONS ET PRÉCAUTIONS

Contre-indications: ■ Hypersensibilité ■ Grossesse et allaitement (éviter l'administration prolongée).

Précautions: ■ Traumatisme crânien ■ Pression intracrânienne accrue ■ Maladies hépatique, rénale ou pulmonaire graves ■ Hypothyroïdisme ■ Insuffisance surrénale ■ Alcoolisme ■ Personnes âgées ou patients débilités (réduire la dose) ■ Douleurs abdominales non diagnostiquées ■ Hypertrophie de la prostate ■ Précédents d'utilisation pendant le travail de l'accouchement; risque de dépression respiratoire chez le nouveau-né.

RÉACTIONS INDÉSIRABLES ET EFFETS SECONDAIRES

SNC: sédation, confusion, céphalées, euphorie, sensation de flottement, rêves bizarres, hallucinations, dysphorie, hypotension, bradycardie.
ORLO: myosis, diplopie, vision trouble.
Resp.: dépression respiratoire.
GI: nausées, vomissements, constipation.
GU: rétention urinaire.
Tég.: transpiration, rougeur de la peau.
Divers: tolérance à l'effet du médicament, dépendance physique, dépendance psychologique.

INTERACTIONS

Médicament – médicament: ■ Administrer avec prudence chez les patients prenant des **inhibiteurs de la MAO** (la dose initiale doit être réduite à 25 % de la dose habituelle) ■ Effet additif sur la dépression du SNC lors de l'usage concomitant d'**alcool**, d'**antidépresseurs**, d'**antihistaminiques** et d'**hypnosédatifs** ■ L'administration concomitante d'**antagonistes partiels (buprénorphine, butorphanol, nalbuphine ou pentazocine)** peut déclencher un syndrome de sevrage chez les patients ayant une dépendance physique à la codéine ■ Risque de diminution de l'effet analgésique lors de l'administration simultanée de **nalbuphine** ou de **pentazocine**.

PRÉSENTATION

La codéine est présentée sous forme de comprimés, de divers sirops et élixirs antitussifs ainsi que sous forme de solution injectable. Elle est aussi présentée en association avec des analgésiques narcotiques (aspirine, acétaminophène; n° 2 = 15 mg, n° 3 = 30 mg, n° 4 = 60 mg de codéine). La codéine fait partie des stupéfiants.

VOIES D'ADMINISTRATION ET POSOLOGIE

Analgésie

■ **PO, IM, SC (adultes):** de 30 à 60 mg, toutes les 4 h, selon les besoins.

C

- **PO, IM, SC (enfants):** 0,5 mg/kg, toutes les 4 à 6 h, selon les besoins jusqu'à 3 mg/kg par jour.

Antitussif
- **PO, IM, SC (adultes):** de 10 à 20 mg, toutes les 4 à 6 h, selon les besoins (ne pas dépasser 120 mg par jour).
- **PO, IM, SC (enfants de 6 à 12 ans):** de 5 à 10 mg, toutes les 4 à 6 h, selon les besoins (ne pas dépasser 60 mg par jour).
- **PO, IM, SC (enfants de 2 à 6 ans):** 1 mg/kg par jour en doses fractionnées, toutes les 4 à 6 h (ne pas dépasser 30 mg par jour).

Antidiarrhéique
- **PO (adultes):** 30 mg, jusqu'à 4 fois par jour.

PHARMACODYNAMIE (analgésie)

	DÉBUT D'ACTION	PIC	DURÉE
PO	30 – 45 min	60 – 120 min	4 h
IM	10 – 30 min	30 – 60 min	4 h
SC	10 – 30 min	inconnu	4 h

 SOINS INFIRMIERS

ÉVALUATION DE LA SITUATION

- **Directives générales:** Mesurer la pression artérielle, le pouls et la fréquence respiratoire avant l'administration et à intervalles réguliers tout au long du traitement.
- ☐ Déterminer les habitudes d'élimination intestinale à intervalles réguliers. Pour réduire les effets constipants du médicament, augmenter l'apport de liquides et de fibres alimentaire ou administrer des laxatifs émollients ou d'un autre type.
- **Douleur:** Noter le type de douleur, son siège et son intensité avant l'administration du médicament et 60 min après.
- ☐ L'usage prolongé peut entraîner la dépendance physique et psychologique ainsi qu'une tolérance à l'effet du médicament, mais cela ne doit pas empêcher le patient de recevoir une quantité suffisante d'analgésique. La psychodépendance est rare chez la plupart des patients qui reçoivent de la codéine pour des raisons médicales. Le risque de dépendance est moins grand qu'avec la morphine. Lors d'un traitement prolongé, il faut parfois administrer des doses de plus en plus élevées pour soulager la douleur.
- **Toux:** Noter la fréquence et la nature de la toux, ausculter le murmure vésiculaire tout au long du traitement antitussif.
- **Étude des examens diagnostiques et biochimiques:** La codéine peut entraîner l'élévation des concentrations plasmatiques d'amylase et de lipase.
- **Toxicité et surdosage:** En cas de surdosage, l'antidote est la naloxone (Narcan).

DIAGNOSTICS INFIRMIERS POSSIBLES

- **Énoncés diagnostiques**
- ☐ Douleur.
- ☐ Altération de la perception visuelle et auditive.
- ☐ Risque élevé d'accident.
- ☐ *Risque élevé de constipation.*
- **Facteurs favorisants**
- ☐ *Perturbation de la vigilance.*
- ☐ *Manque de connaissances sur les moyens de stimuler la fonction intestinale.*
- ☐ *Manque de connaissances sur les effets hypotensifs du médicament lors des changements brusques de position.*

INTERVENTIONS INFIRMIÈRES

- **Directives générales:** Expliquer au patient le rôle thérapeutique du médicament, avant de l'administrer, pour en augmenter l'effet analgésique.
- ☐ Les doses administrées selon un horaire fixe peuvent être plus efficaces que celles administrées sur demande.

Le médicament s'avère plus efficace s'il est administré avant que la douleur ne devienne intense.

☐ Les analgésiques non narcotiques, administrés simultanément, peuvent exercer des effets analgésiques additifs, ce qui permet parfois de diminuer la dose de narcotique.

☐ Après un traitement prolongé, interrompre l'administration graduellement pour prévenir les symptômes de sevrage.

■ **PO:** Administrer avec des aliments ou du lait pour réduire l'irritation gastrique.

■ **IM et SC:** Ne pas administrer la solution si elle a fortement changé de couleur ou si elle renferme un précipité.

■ **Associations compatibles dans la même seringue:** Glycopyrrolate ou hydroxyzine.

ENSEIGNEMENT AU PATIENT ET À SES PROCHES

☐ Expliquer au patient ce qu'on entend par administration sur demande et à quel moment il doit réclamer l'analgésique.

☐ Prévenir le patient que la codéine peut provoquer des étourdissements et de la somnolence. Lui recommander de demander de l'aide lorsqu'il se déplace et de ne pas fumer lorsqu'il est seul. Lui conseiller de ne pas conduire et d'éviter les activités qui exigent sa vigilance jusqu'à ce qu'on ait la certitude que le médicament n'entraîne pas ces effets chez lui.

☐ Recommander au patient de changer lentement de position pour diminuer le risque d'hypotension orthostatique.

☐ Recommander au patient de ne pas boire d'alcool et de ne pas prendre d'autres dépresseurs du SNC en même temps que la codéine.

☐ Recommander au patient de tourner dans le lit, de tousser et de faire des exercices de respiration profonde toutes les deux heures pour prévenir l'atélectasie.

VÉRIFICATION DES RÉSULTATS

L'efficacité du traitement peut être démontrée par: ■ la diminution de l'intensité de la douleur sans modification importante de l'état de la conscience ou de l'état de la respiration ■ la suppression de la toux ■ la maîtrise de la diarrhée.

COLCHICINE

CLASSIFICATION:
Agent pour le traitement de la goutte

Grossesse – catégorie C (forme IV – catégorie D)

INDICATIONS

■ Traitement des accès aigus d'arthrite goutteuse (crises de goutte) (doses élevées) ■ Prévention des accès récurrents de goutte (doses faibles). **Usage non approuvé:** ■ Traitement de la cirrhose hépatique et de la fièvre familiale périodique.

ACTION

■ Diminution de la production d'acide lactique par les leucocytes et diminution de la formation de dépôts de cristaux d'urate et de la réaction inflammatoire qui s'en suit. **Effets thérapeutiques:** ■ Atténuation de la douleur et de l'inflammation lors d'accès aigus de goutte ■ Prévention de la récurrence des accès de goutte.

PHARMACOCINÉTIQUE

Absorption: La colchicine est absorbée depuis le tractus gastro-intestinal; ensuite elle pénètre de nouveau dans le tractus à partir des sécrétions biliaires et elle peut être absorbée une fois de plus.

Distribution: Le médicament se concentre dans les leucocytes.

Métabolisme et excrétion: Le médicament est partiellement métabolisé par le foie. Il est sécrété avec la bile dans le tractus gastro-intestinal et est éliminé dans les

C

fèces. Une petite quantité est excrétée dans l'urine.

Demi-vie: 20 min (plasma), 60 h (leucocytes).

CONTRE-INDICATIONS ET PRÉCAUTIONS

Contre-indications: ■ Hypersensibilité ■ Grossesse ■ Insuffisance rénale ou maladie gastro-intestinale graves.

Précautions: ■ Personnes âgées ou patients débilités (risque de toxicité cumulative) ■ Administration IV (ne pas utiliser cette voie lors d'un traitement de longue durée) ■ Allaitement ou enfants (l'innocuité du médicament n'a pas été établie).

RÉACTIONS INDÉSIRABLES ET EFFETS SECONDAIRES

GI: nausées, vomissements, douleur abdominale, diarrhée.

GU: anurie, hématurie, lésions rénales.

Tég.: alopécie.

Hémat.: AGRANULOCYTOSE, ANÉMIE APLASIQUE, leucopénie, thrombocytopénie.

Locaux: phlébite au point d'injection IV.

SN: névrite périphérique.

INTERACTIONS

Médicament – médicament: La colchicine peut entraîner la malabsorption réversible de la **vitamine B$_{12}$**.

VOIES D'ADMINISTRATION ET POSOLOGIE

Accès aigu d'arthrite goutteuse (crise de goutte)

■ **PO (adultes):** de 1,0 à 1,2 mg au début, puis de 0,5 à 0,6 mg, toutes les 2 h, jusqu'au soulagement des symptômes ou jusqu'à ce que des effets gastro-intestinaux surviennent (dose totale cumulative habituelle pour contrer un accès aigu: de 4 à 8 mg).

■ **IV (adultes) (É.-U.):** dose initiale de 1 à 3 mg, toutes les 6 h, jusqu'à l'obtention d'une réponse thérapeutique (la dose quotidienne totale ne doit pas dépasser 4 mg).

Prévention des accès récurrents de goutte

■ **PO (adultes):** de 0,5 à 0,6 mg, 1 à 4 fois par semaine dans les cas bénins ou modérés; 1 ou 2 fois par jour dans les cas graves.

PHARMACODYNAMIE (effet anti-inflammatoire)

	DÉBUT D'ACTION	PIC	DURÉE
PO	12 h	24 – 72 h	inconnue
IV	6 – 12 h	24 – 72 h	inconnue

⁂ SOINS INFIRMIERS

ÉVALUATION DE LA SITUATION

☐ Suivre de près les douleurs articulaires, l'enflure et la mobilité des articulations pendant tout le traitement. Au début du traitement, noter la réponse thérapeutique toutes les heures ou deux.

☐ Effectuer le bilan des ingesta et des excreta. Inciter le patient à boire beaucoup de liquides pour favoriser un débit urinaire d'au moins 2 000 mL par jour.

■ **Étude des examens diagnostiques et biochimiques:** Noter la numération globulaire au début du traitement et à intervalles réguliers pendant toute sa durée chez les patients suivant un traitement de longue durée; prévenir le médecin si le nombre de globules sanguins chute considérablement.

☐ La colchicine peut entraîner l'élévation des concentrations de TGOS (AST) et de phosphatase alcaline.

☐ Le médicament peut entraîner des résultats faussement positifs au dosage de l'hémoglobine urinaire.

☐ La colchicine peut fausser les résultats du dosage des 17-hydroxycorticostéroïdes dans l'urine.

■ **Toxicité et surdosage:** Surveiller l'apparition des symptômes suivants de toxicité : faiblesse, malaises abdominaux, nausées, vomissements, diarrhée. Si ces symptômes se manifestent, arrêter le traitement et prévenir le médecin.

DIAGNOSTICS INFIRMIERS POSSIBLES

■ **Énoncés diagnostiques**

□ Douleur.

□ Altération de la mobilité physique.

□ Prise en charge inefficace du programme thérapeutique.

□ *Risque élevé de déshydratation.*

□ *Risque élevé d'intoxication.*

□ *Risque élevé de douleur au point d'injection IV.*

■ **Facteurs favorisants**

□ Informations incomplètes.

□ *Douleurs articulaires.*

□ *Vomissements et diarrhée.*

□ *Manque de connaissances sur les modalités du traitement.*

□ *Nécrose des tissus.*

□ *Inflammation locale du tissu vasculaire et infiltration du médicament dans les tissus avoisinants.*

INTERVENTIONS INFIRMIÈRES

■ **Directives générales :** Le médecin peut prescrire un traitement intermittent avec un arrêt de la médication de 3 jours entre les cures afin de réduire le risque de toxicité.

■ **PO :** Administrer avec des aliments pour réduire l'irritation gastrique.

■ **IV :** Ne pas administrer par voie SC ou IM en raison des risques de lésion ou de nécrose tissulaires. Observer régulièrement le point d'injection IV pour prévenir l'extravasation. En cas d'extravasation, consulter le médecin à propos des mesures à prendre : application de chaleur ou de froid sur la région touchée ou administration d'un analgésique.

■ **IV directe :** Le médicament peut être administré non dilué ou dilué dans 10 à 20 mL de solution de NaCl à 0,9 % sans agent bactériostatique ou d'eau stérile pour injection. Ne pas administrer les solutions troubles.

□ *Vitesse d'administration :* Administrer chacune des doses en 2 à 5 min.

■ **Incompatibilités en addition au soluté :** dextrose. Ne pas diluer dans du dextrose ; ne pas injecter dans une tubulure qui laisse passer du dextrose.

ENSEIGNEMENT AU PATIENT ET À SES PROCHES

□ Expliquer au patient le schéma posologique. Insister sur l'importance de prendre le médicament au moment prévu ; d'amorcer le traitement ou d'augmenter la dose à la manifestation des premiers signes de crise ; et d'arrêter le traitement ou de reprendre le schéma prophylactique lorsque la crise a été maîtrisée. Si le patient n'a pas pu prendre le médicament au moment habituel, il doit le prendre aussitôt que possible à moins que ce ne soit presque l'heure prévue pour la dose suivante. Il ne faut jamais remplacer une dose manquée par une double dose.

□ Inciter le patient à suivre les recommandations du médecin concernant la perte de poids, le régime alimentaire et la consommation d'alcool.

□ Conseiller au patient de signaler immédiatement au médecin les nausées, les vomissements, les douleurs abdominales, la diarrhée, les saignements et les ecchymoses inhabituels, les maux de gorge, la fatigue, les malaises ou le rash. Interrompre le traitement si des symptômes gastriques se manifestent.

□ Une intervention chirurgicale peut déclencher un accès aigu de goutte. Recommander au patient de consulter le médecin au sujet de la prise de colchicine 3 jours avant l'intervention chirurgicale ou le traitement dentaire.

VÉRIFICATION DES RÉSULTATS

L'efficacité du traitement peut être démontrée par : ■ l'atténuation de la douleur et de l'inflammation des articulations touchées dans les 12 h □ le soulagement des symptômes dans les 24 à 48 h ■ la prévention des accès aigus de goutte.

COLESTIPOL
Colestid

CLASSIFICATION :
Hypolipidémiant – chélateur des acides biliaires

Grossesse – catégorie inconnue

INDICATIONS

■ Médicament d'appoint dans le traitement de l'hypercholestérolémie primaire. **Usage non approuvé :** ■ Soulagement du prurit dû à des concentrations élevées d'acides biliaires.

ACTION

■ Liaison aux acides biliaires du tractus gastro-intestinal et formation d'un complexe insoluble, ce qui entraîne une élimination accrue du cholestérol. **Effets thérapeutiques :** ■ Diminution des concentrations plasmatiques de cholestérol et de lipoprotéines de basse densité.

PHARMACOCINÉTIQUE

Absorption : Le médicament agit dans le tractus gastro-intestinal. L'absorption est nulle.

Distribution : Aucune.

Métabolisme et excrétion : Le médicament se lie aux acides biliaires formant un complexe insoluble qui est éliminé dans les fèces.

Demi-vie : Inconnue.

CONTRE-INDICATIONS ET PRÉCAUTIONS

Contre-indications : ■ Hypersensibilité ■ Obstruction biliaire totale.

Précautions : Antécédents de constipation (le colestipol entraîne une constipation grave).

RÉACTIONS INDÉSIRABLES ET EFFETS SECONDAIRES

ORLO : irritation de langue.

GI : <u>nausées</u>, vomissements, <u>constipation</u>, fécalome, hémorroïdes, flatulence, irritation périanale, stéatorrhée, <u>gêne abdominale</u>.

Tég. : rash, irritation.

HÉ : acidose hyperchlorémique.

Hémat. : saignements.

Métab. : carence en vitamine A, D et K.

INTERACTIONS

Médicament – médicament : ■ Le colestipol peut diminuer l'absorption des médicaments suivants administrés par voie orale : **acétaminophène, amiodarone, glucocorticoïdes, dérivés digitaliques, méthotrexate, naproxène, phénylbutazone, piroxicam, propranolol, diurétiques thiazidiques, agents thyroïdiens, chénodiol, ursodiol, anticoagulants** et **vitamines liposolubles (A, D, E et K)** ■ Le colestipol peut accentuer les effets des **anticoagulants oraux** en raison de la déplétion de la vitamine K ■ L'agent peut diminuer l'absorption d'autres **médicaments administrés par voie orale**.

VOIES D'ADMINISTRATION ET POSOLOGIE

■ **PO (adultes) :** de 15 à 30 g par jour, en 2 à 4 prises.
■ **PO (enfants > 6 ans) (É.-U.) :** 80 mg/kg, 3 fois par jour.

PHARMACODYNAMIE
(effets hypocholestérolémiants)

	DÉBUT D'ACTION	PIC	DURÉE
PO	24 – 48 h	1 mois	1 mois

SOINS INFIRMIERS

ÉVALUATION DE LA SITUATION

- Recueillir des données sur l'alimentation du patient, notamment sur sa consommation de matières grasses.
- **Étude des examens diagnostiques et biochimiques:** Examiner les concentrations sériques de cholestérol et de triglycérides avant l'administration initiale et à intervalles réguliers pendant tout le traitement. Ne pas administrer en cas d'élévation paradoxale des concentrations de cholestérol.
- ☐ Le colestipol peut entraîner l'élévation des concentrations de TGOS (AST), de phosphate, de chlorure et de phosphatase alcaline et la diminution des concentrations sériques de calcium, de sodium et de potassium.

DIAGNOSTICS INFIRMIERS POSSIBLES

Énoncés diagnostiques

- ☐ Constipation.
- ☐ Prise en charge inefficace du programme thérapeutique.
- ☐ Non-observance du traitement médicamenteux.
- ☐ *Risque élevé de réponse insuffisante au traitement.*

Facteurs favorisants

- ☐ Informations incomplètes.
- ☐ Doute quant aux bienfaits du médicament.
- ☐ *Manque de connaissances sur les moyens de stimuler la fonction intestinale.*
- ☐ *Manque de connaissances sur le régime alimentaire à suivre.*

INTERVENTIONS INFIRMIÈRES

- ☐ **Directives générales:** Le médecin peut prescrire aux patients suivant un traitement prolongé, des vitamines (A,D,K) et de l'acide folique en préparation parentérale ou miscible à l'eau.

- ■ **PO:** Les autres médicaments doivent être pris 1 h avant ou de 4 à 6 h après le colestipol.

ENSEIGNEMENT AU PATIENT ET À SES PROCHES

- ☐ Expliquer au patient qu'il doit respecter scrupuleusement la posologie recommandée et qu'il ne doit pas sauter de dose ni remplacer une dose manquée par une double dose.

- ☐ Recommander au patient de prendre le médicament avant les repas. Le colestipol doit être mélangé à un grand verre d'eau, de jus de fruits ou de boisson gazéifiée. Il faut ensuite agiter délicatement le mélange et rincer le verre avec une petite quantité de liquide supplémentaire de façon à prendre toute la dose. On peut aussi mélanger le colestipol avec des soupes très liquides, des céréales ou des fruits pulpeux (compote de pommes, purée d'ananas). Avant de mélanger, laisser la poudre reposer à la surface et s'hydrater pendant 1 ou 2 min. Ne pas prendre le médicament à l'état sec. Les variations de couleur ne modifient pas la stabilité du colestipol.

- ☐ Expliquer au patient que pendant qu'il suit le traitement, il doit aussi observer certaines restrictions alimentaires (réduire sa consommation de matières grasses, de cholestérol, de glucides et d'alcool), suivre un programme d'exercices et arrêter de fumer.

- ☐ Expliquer au patient qu'il risque de souffrir de constipation. Pour réduire la constipation, il pourrait augmenter sa consommation de liquides et de fibres alimentaires, faire de l'exercice et prendre des laxatifs émollients et d'autre type. Recommander au patient de prévenir le médecin si la constipation, les nausées, la flatulence et les brûlures d'estomac persistent ou si les selles deviennent mousseuses et nauséabondes.

C

□ Conseiller au patient de signaler au médecin la présence de saignements ou d'ecchymoses inhabituels, de pétéchies ou de selles noires ou goudronneuses. Un traitement avec de la vitamine K peut s'avérer nécessaire.

VÉRIFICATION DES RÉSULTATS

L'efficacité du traitement peut être démontrée par: la baisse des concentrations sériques de cholestérol. Les concentrations de cholestérol devraient commencer à diminuer dans les 48 h, mais pourraient ne pas se stabiliser avant 1 an. On arrête habituellement le traitement en l'absence d'une réaction clinique après 3 mois.

COLFOSCÉRIL, PALMITATE DE

dipalmitoylphosphatidylcholine, DPPC, Exosurf Néonatal

CLASSIFICATION:
Surfactant pulmonaire

Grossesse – catégorie inconnue

INDICATIONS

Traitement et prophylaxie du syndrome de détresse respiratoire (SDR, maladie des membranes hyalines) chez les prématurés.

ACTION

■ Remplacement du surfactant pulmonaire endogène chez les prématurés, permettant une activité alvéolaire normale. L'alcool cétylique qui entre dans la composition de la préparation favorise la diffusion du colfoscéril au niveau des interfaces air-liquide alors que le tyloxapal, qui est un surfactant, disperse le colfoscéril et l'alcool cétylique. **Effets thérapeutiques:** ■ Diminution de la fréquence du syndrome de détresse respiratoire chez les prématurés ainsi que de la mortalité et des complications attribuables à ce syndrome.

PHARMACOCINÉTIQUE

Absorption: L'administration doit s'effectuer directement au lieu d'action. L'absorption systémique est inconnue.
Distribution: L'agent se répartit rapidement dans les tissus pulmonaires.
Métabolisme et excrétion: L'agent emprunte les voies du surfactant où il est recyclé et réutilisé.
Demi-vie: Inconnue.

CONTRE-INDICATIONS ET PRÉCAUTIONS

Contre-indications: Aucune contre-indication connue.
Précautions: Aucune précaution particulière.

RÉACTIONS INDÉSIRABLES ET EFFETS SECONDAIRES

Resp.: hémorragie pulmonaire, apnée.
CV: bradycardie, hypotension, vasoconstriction.
Divers: risque accru de septicémie après le traitement.

INTERACTIONS

Médicament – médicament: aucune interaction connue.

VOIES D'ADMINISTRATION ET POSOLOGIE

Traitement prophylactique
■ **Voie intratrachéale (prématurés):** 5 mL/kg en 2 demi-doses de 2,5 mL/kg dès que possible après la naissance; administrer 2 doses supplémentaires, 12 et 24 h plus tard.

Traitement de secours
■ **Voie intratrachéale (prématurés):** 5 mL/kg en 2 demi-doses de 2,5 mL/kg dès que le diagnostic de syndrome de détresse respiratoire est posé; administrer une seconde dose 12 h plus tard.

PHARMACODYNAMIE

	DÉBUT D'ACTION	PIC	DURÉE
voie intratrachéale	rapide	inconnu	12 h

SOINS INFIRMIERS

ÉVALUATION DE LA SITUATION

- Suivre de près l'électrocardiogramme, la fréquence cardiaque, la couleur de la peau, l'amplitude thoracique, l'expression faciale, la saturation percutanée en oxygène et la perméabilité de la canule endotrachéale tout au long de l'administration. Rester au chevet du patient pour l'observer pendant au moins 30 min après l'administration.

- **Étude des examens diagnostiques et biochimiques:** Noter la gazométrie à intervalles réguliers pour prévenir l'hyperoxie et l'hypocapnie.

- **Toxicité et surdosage:** En présence d'une amélioration marquée de l'amplitude thoracique, réduire immédiatement la pression inspiratoire maximale du ventilateur afin d'empêcher la surdistension et les fuites pulmonaires pouvant mener à une issue fatale.

- ☐ Si la peau de l'enfant prématuré devient rose et si la saturation percutanée en oxygène dépasse 95 %, réduire aussitôt la concentration d'oxygène dans le mélange gazeux inspiré (FiO_2) petit à petit, mais à intervalles fréquents, afin de prévenir l'hyperoxie.

- ☐ Si les concentrations artérielles ou percutanées de CO_2 sont inférieures à 30 mmHg, réduire immédiatement la vitesse du ventilateur afin de prévenir l'hypocapnie.

DIAGNOSTICS INFIRMIERS OU PROBLÈMES POTENTIELS DE SOINS INFIRMIERS

Aucun en particulier.

INTERVENTIONS INFIRMIÈRES

- **Directives générales:** L'administration du colfoscéril est réservée au personnel médical connaissant à fond la prise en charge clinique des troubles des voies aériennes chez les nouveau-nés.

- ☐ Effectuer une aspiration endotrachéale avant l'instillation de la préparation. Vérifier la position de la canule endotrachéale avant l'instillation. Ne pas effectuer d'aspiration dans les 2 h suivant l'instillation sauf en cas de nécessité clinique.

- ☐ Arrêter l'administration du médicament si un reflux survient après l'instillation et augmenter la pression inspiratoire maximale du ventilateur de 4 à 5 cm H_2O jusqu'à ce que la canule endotrachéale redevienne perméable.

- ☐ Si la saturation percutanée en oxygène chute de plus de 20 % pendant l'instillation, arrêter d'administrer, et augmenter la pression inspiratoire maximale de 4 à 5 cm H_2O et la FiO_2 pendant 1 à 2 min, au besoin.

- **Inhalation:** Reconstituer *seulement* avec le diluant fourni (eau stérile pour injection sans agents de conservation). Remplir une seringue de 10 ou 12 mL avec 8 mL de diluant et utiliser une aiguille de calibre 18 ou 19. Faire pénétrer l'eau stérile dans le flacon sous l'effet du vide. Aspirer la plus grande quantité possible des 8 mL en maintenant le vide, puis lâcher brusquement le piston de la seringue. Répéter l'opération 3 ou 4 fois pour bien mélanger le contenu. Ne pas utiliser la solution si le vide n'a pas pu être maintenu.

- ☐ Aspirer la dose totale à administrer en dessous de la marque de la couche de mousse. La solution reconstituée a l'aspect d'une suspension d'un blanc laiteux. Si la suspension n'est pas homogène, agiter ou tourner délicatement la solution. Ne pas utiliser en présence de gros flocons ou de particules.

- ☐ Instiller par un adaptateur endotrachéal spécial.

- ☐ *Vitesse d'administration:* Instiller lentement chaque demi-dose en 1 ou 2 min, en petites quantités synchronisées avec l'inspiration. Après l'administration de la première demi-dose de 2,5 mL/kg par la canule située dans le plan sagittal-médian, tourner la tête et le torse du nouveau-né de 45° vers la droite et continuer la ventilation assistée pendant 30 s. Replacer la canule. Administrer ensuite la seconde demi-dose en 1 à 2 min, tourner la tête et le torse du nouveau-né de 45° vers la gauche et continuer la ventilation assistée pendant 30 s. Remettre la canule en place.

ENSEIGNEMENT AU PATIENT ET À SES PROCHES

Expliquer aux parents l'objectif du traitement.

VÉRIFICATION DES RÉSULTATS

L'efficacité du traitement peut être déterminée par : ■ la prévention du syndrome de détresse respiratoire ■ l'amélioration de la compliance pulmonaire □ l'amélioration de l'oxygénation □ la normalisation de la gazométrie.

COLISTINE
(Coly-Mycin S), (Polymixine E)

COLISTIMÉTHATE
Coly-Mycin M

CLASSIFICATION :
Anti-infectieux – polymyxine
Grossesse – catégorie inconnue

INDICATIONS

Colistiméthate : ■ Traitement des infections suivantes provoquées par des micro-organisme sensibles : □ infections graves à Gram négatif (seulement lorsque les agents moins toxiques sont contre-indiqués) □ infections des voies urinaires dues à des souches résistantes de *Pseudomonas æruginosa*. **Colistine :**

■ Traitement, chez les nourrissons et les enfants, des gastro-entérites provoquées par des souches entéropathogènes de *Escherichia coli* ou de *Shigella* (on lui préfère habituellement d'autres agents ou traitements).

ACTION

■ Liaison à la membrane de la paroi de la cellule bactérienne entraînant la fuite du contenu intracellulaire. **Effets thérapeutiques :** ■ Action bactéricide contre les bactéries sensibles. **Spectre d'action :** ■ Action contre la plupart des bactéries à Gram négatif, dont □ *E. Coli* □ *Shigella* ■ La colistine et le colistiméthate n'ont pas d'effet sur les *Proteus*.

PHARMACOCINÉTIQUE

Absorption : Absorption minime par suite de l'administration par voie orale.

Distribution : L'agent se répartit dans tout l'organisme par suite de l'administration parentérale. Il ne pénètre pas dans le liquide céphalorachidien. Il traverse le placenta et pénètre dans le lait maternel.

Métabolisme et excrétion : Par suite de l'hydrolyse, le colistiméthate est transformé en colistine. Le reste du sort métabolique demeure inconnu.

Demi-vie : De 1,5 à 8 h (prolongée en cas d'insuffisance rénale).

CONTRE-INDICATIONS ET PRÉCAUTIONS

Contre-indications : Hypersensibilité.

Précautions : Insuffisance rénale (adapter la dose de la préparation parentérale).

RÉACTIONS INDÉSIRABLES ET EFFETS SECONDAIRES

Remarque : Ces effets ne surviennent que lors de l'administration de doses supérieures à celles recommandées.

SNC : neurotoxicité

GU : toxicité rénale.

INTERACTIONS

Médicament – médicament: ■ Intensification du blocage neuromusculaire lors de l'administration de **bloqueurs neuromusculaires** en même temps que ces médicaments ■ Toxicité rénale et neurotoxicité additives lors de l'administration d'**agents néphrotoxiques** et **neurotoxiques**.

PRÉSENTATION

Ces agents sont présentés en association avec la néomycine et l'hydrocortisone (voir l'annexe A).

VOIES D'ADMINISTRATION ET POSOLOGIE

■ **PO (enfants) (É.-U.):** de 5 à 15 mg/kg par jour en 3 doses fractionnées.
■ **IM et IV (adultes et enfants):** de 2,5 à 5 mg/kg par jour, en 2 à 4 doses fractionnées (réduire la dose en présence d'insuffisance rénale).

PHARMACODYNAMIE
(concentrations sanguines)

	DÉBUT D'ACTION	PIC
IM	inconnu	2 h
IV	rapide	fin de la perfusion

SOINS INFIRMIERS

ÉVALUATION DE LA SITUATION

■ **Directives générales:** Au début du traitement et pendant toute sa durée, surveiller l'apparition des signes suivants d'infection: altération des signes vitaux; inflammation de la membrane tympanique, otalgie; aspect de la plaie, des crachats, de l'urine et des selles; accroissement du nombre de leucocytes.

□ Prélever des échantillons pour les cultures et les antibiogrammes avant le début du traitement. La première

dose peut être administrée avant même que les résultats soient connus.

■ **Diarrhée:** Déterminer l'état de l'hydratation: effectuer le bilan quotidien des excreta et des ingesta, peser le patient tous les jours, examiner la turgescence de la peau et l'humidité des muqueuses. Prévenir immédiatement le médecin s'il y a déshydratation.

■ **Étude des examens diagnostiques et biochimiques:** Ces médicaments peuvent entraîner la toxicité rénale; noter les concentrations sériques d'urée et de créatinine.

DIAGNOSTICS INFIRMIERS POSSIBLES

■ **Énoncés diagnostiques**
□ Risque élevé d'infection.
□ Déficit de volume liquidien.
□ Prise en charge inefficace du programme thérapeutique.

■ **Facteurs favorisants**
□ Informations incomplètes.
□ *Diarrhée.*

INTERVENTIONS INFIRMIÈRES

■ **PO:** Bien agiter la suspension avant de mesurer la dose. La solution est stable pendant 2 semaines au réfrigérateur.

■ **IM et IV:** Reconstituer le contenu de la fiole de 150 mg avec 2 mL d'eau stérile pour injection. Tourner délicatement pour ne pas faire mousser la solution.

■ **IV directe:** Administrer lentement la dose initiale (la moitié de la dose quotidienne), en 3 à 5 min.

■ **Perfusion continue:** La deuxième dose (la seconde moitié de la dose quotidienne) peut être diluée dans une solution de dextrose à 5 % dans de l'eau ou de dextrose à 5 % dans une solution de NaCl à 0,25 %, à 45 % ou à 0,9 %.

□ *Vitesse d'administration:* Administrer lentement la seconde dose, 1 à 2 h après avoir administré la dose

C

initiale à un débit de 5 à 6 mg à l'heure.

- **Associations compatibles dans la même seringue:** Ampicilline, méthicilline ou pénicilline G sodique.
- **Compatibilités en addition au soluté:** Acide ascorbique, amikacine, chloramphénicol, cimétidine, diphenhydramine, héparine, méthicilline, oxytétracycline, pénicilline G potassique et sodique, phénobarbital, polymyxine B ou tétracycline.
- **Incompatibilités en addition au soluté:** Céfazoline, céphalothine, érythromycine, kanamycine ou succinate d'hydrocortisone sodique.

ENSEIGNEMENT AU PATIENT ET À SES PROCHES

- **Directives générales:** Recommander au patient de prendre le médicament à intervalles réguliers, 24 h sur 24, et d'utiliser toute la quantité qui lui a été prescrite, même s'il se sent mieux. Expliquer au patient qu'il peut être dangereux de donner ce médicament à d'autres personnes.
- ☐ Conseiller au patient de signaler les allergies et les signes suivants de surinfection: excroissance pileuse sur la langue, démangeaisons ou pertes vaginales, selles molles et nauséabondes.
- ☐ Inciter le patient à prévenir le médecin si les symptômes ne s'améliorent pas.
- **Diarrhée:** Insister sur l'importance de mesurer la dose avec la mesure graduée fournie. Expliquer les précautions à prendre pour empêcher la propagation de la diarrhée: lavage des mains, préparation des aliments, etc. Expliquer les risques et les symptômes de déshydratation, passer en revue les restrictions alimentaires.

VÉRIFICATION DES RÉSULTATS

La réponse clinique au traitement peut être déterminée par: la disparition des signes et des symptômes d'infection.

CONTRACEPTIFS HORMONAUX

Contraceptifs oraux monophasiques

noréthindrone – mestranol
Norinyl 1/50, Ortho-Novum 1/50, (Genora 1/50), (Nevola 1/50M), (Norethin 1/50M)

noréthindrone – éthinylestradiol
Brevicon 1/35, Brevicon 0,5/35, Loestrin 21 1,5/30, Minestrin 1/20, Norlestrin 1/50, Ortho 0,5/35, Ortho 1/35, (Genora 0,5/35), (Genora 1/35), (Loestrin 21 1/20), (Modicon N.E.E. 1/35), (Nevola 0,5/35E), (Nevola 1/35E), (Norcept-E 1/35), (Norethin 1/35E), (Norinyl 1 + 35), (Norlestrin 2,5/50), (Ovcon-35), (Ovcon-50)

éthynodiol – éthinylestradiol
Demulen 30, Demulen 50, (Demulen 1/35)

norgestrel – éthinylestradiol
Ovral, (Lo-Ovral)

lévonorgestrel – éthinylestradiol
MinOvral, Triphasil, Triquilar, (Levlen), (Nordette)

morgestimate – éthinylestradiol
Cyclen

désogestrel – éthinylestradiol
Marvelon

Contraceptifs oraux biphasiques

noréthindrone – éthinylestradiol
Ortho 10/11, (Nevola 10/11)

Contraceptifs oraux triphasiques

noréthindrone – éthinylestradiol
Ortho-777, Synphasic, (Tri-Norinyl)

norgestrel – éthinylestradiol
(Tri-Levlen)

C

Contraceptifs oraux à base de progestatifs seulement

noréthindrone
Micronor, Nor-Q.D.

norgestrel
(Ovrette)

Implant contraceptif

lévonorgestrel
(Norplant)

CLASSIFICATION:
Hormones – œstrogènes, progestatifs, contraceptifs

Grossesse – catégorie X

INDICATIONS

Prévention de la grossesse.

ACTION

■ **Contraceptifs oraux monophasiques:** Production d'une dose fixe d'œstrogènes et de progestatifs pendant un cycle de 21 jours. Inhibition de l'ovulation par la suppression de l'hormone folliculo-stimulante et de l'hormone lutéinisante. Le contraceptif peut modifier la muqueuse du col cervical et la cavité endométriale, empêchant la fécondation de l'ovule par le spermatozoïde et l'implantation de l'œuf ■ **Contraceptifs oraux biphasiques:** Inhibition de l'ovulation par la suppression de l'hormone folliculo-stimulante et de l'hormone lutéinisante. Le contraceptif peut modifier la muqueuse du col cervical et la cavité endométriale, empêchant la fécondation de l'ovule par le spermatozoïde et l'implantation de l'œuf. De plus, les plus petites doses de progestatifs pendant la phase 1 permettent la prolifération de l'endomètre. Les doses plus importantes, pendant la phase 2, font passer l'endomètre de la phase proliférative à la phase sécrétoire ■ **Contraceptifs oraux triphasiques:** Inhibition de l'ovulation par la suppression de l'hormone folliculo-stimulante et de l'hormone lutéinisante. Le contraceptif peut modifier la muqueuse du col cervical et la cavité endométriale, empêchant la fécondation de l'ovule par le spermatozoïde et l'implantation de l'œuf. Les doses variables d'œstrogènes et de progestatifs peuvent mieux simuler les fluctuations hormonales naturelles ■ **Contraceptifs à base de progestatifs seulement et implant contraceptif:** Le mécanisme d'action demeure inconnu. Le contraceptif peut modifier la muqueuse du col cervical et la cavité endométriale, empêchant la fécondation de l'ovule par le spermatozoïde et l'implantation de l'œuf. L'ovulation peut également être supprimée. **Effets thérapeutiques:** ■ Prévention de la grossesse.

PHARMACOCINÉTIQUE

Absorption: Bonne absorption par suite de l'administration par voie orale.
Distribution: Inconnue.
Métabolisme et excrétion: Ces agents sont surtout métabolisés par le foie.
Demi-vie: Inconnue.

CONTRE-INDICATIONS ET PRÉCAUTIONS

Contre-indications: ■ Antécédents de thromboembolie, de maladie cardiovasculaire, de maladie cérébrovasculaire, de tumeurs hépatiques ou de cholécystite ■ Allaitement (éviter l'administration).
Précautions: ■ Intervention chirurgicale (interrompre l'administration de 2 à 4 semaines avant l'intervention) ■ Antécédents de tabagisme ou patientes âgées de plus de 30 à 35 ans (risque accru de maladie cardiovasculaire ou de thromboembolie) ■ Présence d'autres facteurs de risque cardiovasculaire (obésité, hyperglycémie, taux lipidiques élevés, hypertension) ■ Antécédents de diabète sucré, de maladies hémorragiques ou de céphalées.

C

RÉACTIONS INDÉSIRABLES ET EFFETS SECONDAIRES

SNC: migraines, dépression.

ORLO: intolérance aux verres de contact, thrombose rétinienne, névrite optique.

CV: EMBOLIE PULMONAIRE, THROMBOSE CORONAIRE, HÉMORRAGIE CÉRÉBRALE, THROMBOSE CÉRÉBRALE, thrombophlébite, thromboembolie, maladie de Raynaud, hypertension, œdème.

GI: nausées, vomissements, crampes abdominales, ballonnement, cholécystite, ictère cholostatique, tumeurs hépatiques.

GU: saignements intermenstruels, saignotements, dysménorrhée, aménorrhée.

Tég.: chloasma, rash.

End.: hyperglycémie.

Divers: modification du poids.

INTERACTIONS

Médicament – médicament: ■ Les pénicillines, le **chloramphénicol**, la **dihydroergotamine**, l'**huile minérale**, la **néomycine orale**, les **sulfamidés**, les **barbituriques** (les préparations de butalbital exceptées), la **carbamazépine**, les **glucocorticoïdes (systémiques)**, la **griséofulvine**, le **phénylbutazone**, la **phénytoïne**, la **primidone**, la **rifampine** ou les **tétracyclines** ainsi que l'**alcoolisme** peuvent réduire l'efficacité des contraceptifs oraux ■ Risque accru de toxicité hépatique lors de l'administration concomitante de **dantrolène** (œstrogènes seulement) ■ Le **tabac** augmente le risque de troubles thromboemboliques (œstrogènes seulement) ■ Les contraceptifs oraux peuvent altérer l'efficacité de la **bromocriptine** ■ Les contraceptifs oraux peuvent modifier les effets de la **warfarine** (les augmenter ou les réduire).

VOIES D'ADMINISTRATION ET POSOLOGIE

Contraceptifs oraux monophasiques

■ **PO (adultes):** Cycle de 21 jours : prendre le premier comprimé sept jours après le premier jour des règles, puis continuer d'administrer un comprimé tous les jours, pendant 21 jours ; ne pas administrer pendant 7 jours et recommencer. Le cycle peut aussi commencer le premier jour des règles et être maintenu pendant 21 jours ; puis ne pas administrer pendant 7 jours et recommencer. Certains conditionnements de contraceptifs destinés à une cure de 28 jours contiennent 7 comprimés de placebo.

Contraceptifs oraux biphasiques

■ **PO (adultes):** Administration en deux phases. Lors de la première phase, de 10 jours, la dose de progestatifs est plus faible et, lors de la deuxième phase, elle est plus élevée. La dose d'œstrogènes reste constante pendant toute la période (21 jours). Ne pas administrer pendant 7 jours, ensuite recommencer le cycle. Certains conditionnements de contraceptifs destinés à une cure de 28 jours contiennent 7 comprimés de placebo.

Contraceptifs oraux triphasiques

■ **PO (adultes):** La dose de progestatifs varie tout au long du cycle de 21 jours. La dose d'œstrogènes varie ou demeure la même. Certains conditionnements destinés à une cure de 28 jours contiennent 7 comprimés de placebo.

Contraceptifs oraux à base de progestatifs seulement

■ **PO (adultes):** Il faut amorcer le traitement le premier jour des règles, et prendre les contraceptifs tous les jours sans interruption.

PHARMACODYNAMIE (prévention de la grossesse)

	DÉBUT D'ACTION	PIC	DURÉE
PO	1 mois	1 mois	1 mois*
voie percutanée	1 mois	1 mois	5 ans

* Seulement pendant le mois où le contraceptif est pris.

☀ SOINS INFIRMIERS

ÉVALUATION DE LA SITUATION

☐ Mesurer la pression artérielle avant le traitement et pendant toute sa durée.

■ **Étude des examens diagnostiques et biochimiques :** Interpréter les tests d'exploration de la fonction hépatique à intervalles réguliers pendant tout le traitement.

☐ *Œstrogènes seulement :* Ces hormones peuvent entraîner l'élévation des concentrations sériques de glucose, de sodium, de triglycérides, de lipoprotéines de haute densité (HDL), de phospholipides, de cortisone, de prothrombine et des facteurs VII, VIII, IX et X. Elles peuvent aussi entraîner la diminution des concentrations sériques de folate, de pyridoxine et d'antithrombine III.

☐ Ces hormones peuvent fausser l'interprétation des tests de l'exploration de la fonction thyroïdienne, entraîner de fausses élévations de l'agrégation plaquettaire induite par la noradrénaline et de fausses diminutions des résultats du test à la métopirone.

☐ *Progestatifs seulement :* Ces hormones peuvent entraîner l'élévation des concentrations de phosphatase alcaline, de lipoprotéines de basse densité (LDL) et d'azote urinaire. Elles peuvent entraîner la diminution des concentrations d'acides aminés et de lipoprotéines de haute densité (HDL).

☐ *Association œstroprogestative :* Ces agents peuvent entraîner la diminution des concentrations de prégnandiol urinaire et l'élévation des concentrations de protéines sériques.

DIAGNOSTICS INFIRMIERS POSSIBLES

■ **Énoncés diagnostiques**

☐ Prise en charge inefficace du programme thérapeutique.

☐ *Risque élevé de réponse insuffisante au traitement.*

■ **Facteurs favorisants**

☐ Informations incomplètes.

☐ *Manque de connaissances sur les modalités du traitement.*

INTERVENTIONS INFIRMIÈRES

■ **PO :** Administrer le médicament avec les repas ou immédiatement après, afin de réduire les nausées.

ENSEIGNEMENT AU PATIENT ET À SES PROCHES

☐ Recommander à la patiente de prendre le médicament tous les jours, à la même heure. Les comprimés doivent être pris en séquence et conservés dans la plaquette d'origine.

☐ *Si la patiente oublie de prendre une dose,* elle doit prendre le comprimé dès que possible, ou à la rigueur prendre 2 comprimés le lendemain, puis reprendre le schéma habituel. *Si elle oublie de prendre 2 doses consécutives,* elle doit prendre 2 comprimés par jour les 2 jours suivants, puis reprendre le schéma habituel ; elle doit aussi recourir à un autre moyen de contraception pour le reste du cycle. *Si elle oublie de prendre 3 doses consécutives,* elle doit arrêter de prendre les contraceptifs et utiliser un autre moyen de contraception jusqu'au début des règles ou jusqu'à ce que le diagnostic de grossesse soit écarté ; elle peut ensuite recommencer la cure en utilisant une nouvelle plaquette. *Schéma posologique de 28 jours :* si la posologie est respectée pendant les 21 premiers jours de traitement, mais si la patiente oublie de prendre l'un des 7 comprimés suivants (placebo), elle doit prendre le premier comprimé de la nouvelle plaquette à la date prévue.

☐ Inciter la patiente à adopter une autre méthode contraceptive pendant les 3 premières semaines où elle prend des contraceptifs oraux.

C

□ Conseiller à la patiente de recourir à une deuxième méthode de contraception pendant les cycles où elle prend des *contraceptifs oraux* avec de l'alcool (en grande quantité), des barbituriques (les préparations de butalbital exceptées), de la carbamazépine, du chloramphénicol, de la dihydroergotamine, des glucocorticoïdes (systémiques), de la griséofulvine, de l'huile minérale, de la néomycine par voie orale, des pénicillines, de la rifampine, des sulfamidés ou de la tétracycline.

□ Expliquer à la patiente le schéma posologique et le traitement d'entretien. L'arrêt brusque de la médication peut entraîner une hémorragie de retrait.

□ Si les nausées deviennent gênantes, conseiller à la patiente de consommer des aliments solides.

□ Recommander à la patiente de signaler au médecin les signes et les symptômes de rétention hydrique (enflure des chevilles et des pieds, gain pondéral) ; de maladie thromboembolique (douleur, enflure et sensibilité d'un membre, céphalées, douleurs thoraciques, vision trouble) ; de dépression ; de dysfonctionnement hépatique (couleur jaunâtre de la peau ou des yeux, prurit, urine foncée, selles de couleur pâle) ou les saignements vaginaux anormaux.

□ Prévenir la patiente qu'elle doit arrêter de prendre le médicament si elle pense être enceinte et en informer immédiatement le médecin.

□ Mettre en garde la patiente, particulièrement si elle a plus de 35 ans, contre l'usage concomitant du tabac, car l'œstrogénothérapie peut accroître le risque de réactions indésirables graves.

□ Recommander à la patiente d'utiliser des écrans solaires et de porter des vêtements protecteurs pour prévenir l'hyperpigmentation.

□ Recommander à la patiente qui doit suivre un traitement dentaire ou subir une intervention chirurgicale d'avertir le dentiste ou le médecin qu'elle suit un traitement médicamenteux.

□ Insister sur l'importance d'un suivi médical régulier incluant la prise de la pression artérielle, l'examen des seins, de l'abdomen et du pelvis et le test de Papanicolaou tous les 6 à 12 mois.

VÉRIFICATION DES RÉSULTATS

L'efficacité du traitement peut être démontrée par : la prévention de la grossesse.

CORTICOTROPHINE
ACTH, Acthar, H.P. Acthar gel, (Cortrophin-Zinc)

CLASSIFICATION :
Hormone – adrénocorticotrophine

Grossesse – catégorie C

INDICATIONS

■ Diagnostic des troubles de la fonction corticosurrénalienne ■ Traitement anti-inflammatoire ou immunosuppresseur lorsque le traitement habituel aux glucocorticoïdes s'est avéré inefficace. **Usage non approuvé :** ■ Myasthénie grave.

ACTION

■ Normalement synthétisée par l'hypophyse, cette hormone stimule la production surrénalienne de glucocorticoïdes (hydrocortisone) et de minéralocorticoïdes (rétention sodique). L'hormone ne peut agir que si la faculté de réponse des surrénales est intacte ■ Action similaire à celle des glucocorticoïdes : suppression de la réponse immunitaire normale et de l'inflammation ■ Bon nombre d'effets métaboliques intenses ■ Effets similaires à ceux d'un minéralocorticoïde puissant (rétention sodique) ■ Suppression de la fonction surrénalienne (usage prolongé). **Effets thérapeutiques :** ■ Production de corticostéroïdes.

PHARMACOCINÉTIQUE

Absorption: L'hormone est rapidement absorbée depuis les points d'injection IM et SC. Les préparations à action retard ou à base d'hydroxyde de zinc sont absorbées plus lentement depuis les points d'injection IM ou SC.

Distribution: L'agent est extrait du plasma et se répartit dans de nombreux tissus. Il ne traverse pas le placenta.

Métabolisme et excrétion: Le sort métabolique de l'agent demeure inconnu.

Demi-vie: 15 min (plasma).

CONTRE-INDICATIONS ET PRÉCAUTIONS

Contre-indications: ■ Hypersensibilité aux protéines d'origine porcine ■ Infections graves, sauf le choc septique ou la méningite tuberculeuse.

Précautions: ■ Enfants (l'administration prolongée peut freiner la croissance) ■ Traitement prolongé (risque d'inhibition du fonctionnement surrénalien) ■ Sevrage brusque déconseillé ■ Périodes de stress (infection, intervention chirurgicale) – administrer au besoin des doses supplémentaires ■ Administrer la plus faible dose possible pendant le laps de temps le plus court possible ■ Grossesse ou allaitement (l'innocuité du médicament n'a pas encore été établie).

RÉACTIONS INDÉSIRABLES ET EFFETS SECONDAIRES (usage prolongé)

SNC: psychoses, dépression, euphorie.

ORLO: cataractes, pression intraoculaire accrue.

CV: œdème, hypertension, insuffisance cardiaque, thromboembolie.

GI: nausées, vomissements, gain d'appétit, gain pondéral, ulcère gastroduodénal.

Tég.: pétéchies, ecchymoses, fragilité cutanée, ralentissement de la cicatrisation des plaies, hirsutisme, acné.

End.: troubles du cycle menstruel, hyperglycémie, ralentissement de la croissance chez les enfants, INHIBITION DU FONCTIONNEMENT DES SURRÉNALES.

HÉ: hypokaliémie, rétention sodique, alcalose métabolique, hypocalcémie.

Locaux: atrophie au point d'injection IM (préparation retard).

Loc.: faiblesse, myopathie, nécrose aseptique des articulations, ostéoporose.

Divers: sensibilité accrue aux infections, pancréatite, apparence cushingoïde (faciès lunaire, bosse de bison).

INTERACTIONS

Médicament – médicament: ■ Effet hypokaliémique additif lors de l'administration concomitante d'**amphotéricine B**, de **mezlocilline**, de **pipéracilline**, de **ticarcilline** ou de **diurétiques** ■ L'hypokaliémie peut accroître le risque de **toxicité digitalique** ■ La corticotrophine peut augmenter les besoins en **insuline** et en **hypoglycémiants oraux** ■ La **phénytoïne**, le **phénobarbital** et la **rifampine** accélèrent le métabolisme de la corticotrophine et peuvent en réduire l'efficacité ■ Les **contraceptifs oraux** peuvent inhiber le métabolisme de la corticotrophine.

VOIES D'ADMINISTRATION ET POSOLOGIE

Anti-inflammatoire – immunosuppresseur

■ **IM et SC (adultes):** 20 unités, quatre fois par jour (jusqu'à 120 unités par jour pour le traitement de la myasthénie grave) ou de 40 à 80 unités de préparation retard sous forme de gel, toutes les 24 à 48 h, ou 40 unités de la préparation d'hydroxyde de zinc (réservée à l'usage IM), toutes les 12 à 24 h.

■ **IM et SC (enfants) (É.-U.):** 1,6 unité/kg par jour ou 50 unités/m^2 par jour en 3 ou 4 doses fractionnées ou 0,8 unité/kg par jour ou 25 unités/m^2 par jour de la préparation retard, en 1 ou 2 doses fractionnées.

Myasthénie grave

- **IV (adultes):** 100 mg de corticotrophine pour injection; perfusion en 8 h par jour pendant 10 jours; répéter après une fenêtre de 5 à 10 jours.

Diagnostic de troubles de la fonction corticosurrénalienne

- **IV (adultes):** de 10 à 25 unités; perfusion en 8 h.
- **IM (adultes):** 25 unités.

PHARMACODYNAMIE
(effets sur les concentrations plasmatiques d'hydrocortisone)

	DÉBUT D'ACTION	PIC	DURÉE
IM (hydroxyde de zinc)	inconnu	7 – 24 h	31 – 48 h
IM (préparation retard sous forme de gélatine)	inconnu	3 – 12 h	10 – 25 h
IV	inconnu	1 h	inconnue

⁂ SOINS INFIRMIERS

ÉVALUATION DE LA SITUATION

- ☐ Observer le patient ayant des antécédents d'allergie pour déceler les réactions suivantes d'hypersensibilité: respiration sifflante, rash ou urticaire, bradycardie, irritabilité, crises convulsives, nausées et vomissements. Ces réactions sont plus fréquentes lors d'un traitement prolongé ou de l'administration SC. Administrer aux patients allergiques aux protéines d'origine porcine une dose-test par voie intradermique avant d'administrer la dose thérapeutique ou diagnostique.
- ■ Effectuer le bilan quotidien des ingesta et des excreta et peser le patient tous les jours. Suivre de près l'apparition d'un œdème périphérique, de râles et de crépitations, ou de dyspnée ainsi qu'un gain de poids constant. Prévenir le médecin si ces symptômes surviennent.
- ■ **Étude des examens diagnostiques et biochimiques:** Lorsque l'agent est utilisé pour le diagnostic d'insuffisance surrénalienne, on doit mesurer les concentrations plasmatiques de cortisol et les concentrations urinaires des 17-cétostéroïdes et des 17-hydroxy-cétostéroïdes avant et après l'administration de la corticotrophine. Une élévation des concentrations plasmatiques et urinaires des stéroïdes témoigne de l'efficacité du traitement.
- ☐ Chez les patients suivant un traitement prolongé, il faut mesurer à intervalles réguliers les paramètres hématologiques, les concentrations sériques d'électrolytes, la glycémie et la glycosurie. La corticotrophine peut diminuer le nombre de leucocytes. Elle peut provoquer l'hyperglycémie, surtout chez les diabétiques. La corticotrophine diminue les concentrations sériques de potassium et de calcium et élève les concentrations sériques de sodium.
- ☐ Prévenir immédiatement le médecin si on a décelé du sang occulte dans les selles par la méthode au gaïac.
- ☐ La corticotrophine peut élever les concentrations sériques de cholestérol et de lipides et diminuer les concentrations d'iode lié aux protéines et de thyroxine.
- ☐ La corticotrophine inhibe les réactions aux tests cutanés allergologiques.

DIAGNOSTICS INFIRMIERS POSSIBLES

- ■ **Énoncés diagnostiques**
- ☐ Risque élevé d'infection.
- ☐ Prise en charge inefficace du programme thérapeutique.
- ☐ *Risque élevé d'accident.*

- ■ **Facteurs favorisants**
- ☐ Informations incomplètes.

□ *Manque de connaissances sur les modalités du traitement.*

□ *Manque de connaissances sur les signes d'hypoglycémie et d'hyperglycémie et sur les moyens de les prévenir.*

INTERVENTIONS INFIRMIÈRES

■ **Directives générales :** Reconstituer la fiole de 40 unités avec 1 à 2 mL d'eau stérile ou de solution de NaCl à 0,9 % pour injection. Réfrigérer la solution reconstituée et utiliser dans les 24 h.

■ **IM et SC :** Bien agiter la suspension avant de la retirer de la fiole.

□ Garder la préparation retard au réfrigérateur. Utiliser une aiguille de calibre 22. Injecter en profondeur dans le muscle ; bien masser. Changer de point d'injection. Prévenir le patient que l'injection est douloureuse.

■ **IV :** Ne pas administrer les préparations retard ou les préparations à base d'hydroxyde zinc par voie IV. S'assurer que l'usage IV est indiqué sur la fiole.

■ **IV directe :** Administrer en 2 min.

■ **Perfusion intermittente :** Diluer de 10 à 25 unités dans 500 mL de dextrose à 5 % dans de l'eau, de dextrose à 5 % dans une solution de NaCl à 0,9 %, dans une solution de NaCl à 0,9 % ou dans une solution de lactate Ringer.

□ *Vitesse d'administration :* Administrer en 8 h. Le médecin peut également prescrire la perfusion de 40 unités en 12 à 48 h.

■ **Compatibilités en addition au soluté :** Chloramphénicol, chlorure de potassium, cytarabine (pendant 8 h), dimenhydrate, gluceptate d'érythromycine, gluconate de calcium, héparine, méthicilline, norépinéphrine, oxytétracycline, pénicilline G potassique, succinate d'hydrocortisone sodique, tétracycline ou vancomycine.

■ **Incompatibilités en addition au soluté :** Aminophylline ou bicarbonate de sodium.

ENSEIGNEMENT AU PATIENT ET À SES PROCHES

■ **Directives générales :** Prévenir le patient que la corticotrophine supprime la réponse immunitaire et peut masquer les symptômes d'infection. Lui conseiller d'éviter tout contact avec les personnes contagieuses et de signaler immédiatement au médecin toute infection possible.

□ Inventorier les effets secondaires de la corticotrophine. Recommander au patient de prévenir rapidement le médecin en cas de crampes abdominales graves ou de selles goudronneuses. Le patient devrait également signaler les symptômes suivants : enflure inhabituelle, gain de poids, lassitude, douleur osseuse, formation d'ecchymoses, plaies qui ne cicatrisent pas, troubles visuels ou modifications de comportement.

□ Inciter le patient suivant un traitement prolongé à adopter un régime alimentaire riche en protéines, en calcium et en potassium, et pauvre en sodium et en glucides (voir l'annexe K).

□ Recommander au patient de prévenir le médecin si les symptômes d'une maladie sous-jacente resurgissent ou s'aggravent.

□ Recommander au patient de consulter le médecin avant de recevoir un vaccin quel qu'il soit.

■ **Agent diagnostique :** Expliquer au patient l'utilité de la corticotrophine et le besoin de subir ce genre d'examen.

VÉRIFICATION DES RÉSULTATS

L'efficacité du traitement peut être démontrée par : ■ la possibilité d'établir une distinction entre l'insuffisance corticosurrénale primaire et secondaire ■ la diminution des symptômes ■ la rémission dans le cas de myasthénie grave.

CORTISONE

Cortone

CLASSIFICATION:
Glucocorticoïde à action brève

Grossesse – catégorie C

INDICATIONS

Traitement de l'insuffisance corticosur-rénalienne. Usage limité dans d'autres cas en raison des propriétés de minéralo-corticoïdes.

ACTION

■ Suppression de la réponse immuni-taire normale et de l'inflammation ■ Ef-fets métaboliques variés et puissants ■ Effets similaires à ceux d'un minéralo-corticoïde puissant (rétention sodique) ■ Suppression de la fonction surréna-lienne lors de l'administration prolongée de doses supérieures à 20 mg par jour. **Effets thérapeutiques:** ■ Remplacement du cortisol en présence d'une insuffisance surrénalienne.

PHARMACOCINÉTIQUE

Absorption: L'absorption se fait depuis le tractus gastro-intestinal, mais d'impor-tantes quantités sont rapidement inacti-vées. Après l'absorption, le médicament est transformé en hydrocortisone. L'ab-sorption depuis les points d'injection IM est lente.

Distribution: Le médicament se répartit dans tout l'organisme. Il traverse le pla-centa et pénètre probablement dans le lait maternel.

Métabolisme et excrétion: La cortisone est transformée par le foie en hydrocorti-sone.

Demi-vie: 30 min.

CONTRE-INDICATIONS ET PRÉCAUTIONS

Contre-indications: Infections graves.

Précautions: ■ Enfants (l'utilisation pro-longée peut arrêter la croissance) ■ Trai-tement prolongé à des doses supérieures à 20 mg par jour (suppression de la fonc-tion surrénalienne) ■ Période de stress (infection, intervention chirurgicale) – administrer, au besoin, des doses sup-plémentaires aux patients suivant un traitement prolongé ■ Grossesse ou al-laitement (l'innocuité du médicament n'a pas été établie).

RÉACTIONS INDÉSIRABLES ET EFFETS SECONDAIRES

SNC: psychoses, dépression, euphorie.
ORLO: cataractes, pression intraoculaire accrue.
CV: œdème, hypertension, insuffisance cardiaque, thromboembolie.
GI: nausées, vomissements, gain d'appé-tit, gain de poids, hémorragie gastrique, ulcère gastroduodénal.
Tég.: pétéchies, ecchymoses, fragilité cu-tanée, ralentissement de la cicatrisation des plaies, hirsutisme, acné.
End.: troubles du cycle menstruel, hyper-glycémie, ralentissement de la croissance chez les enfants, INHIBITION DU FONC-TIONNEMENT DES SURRÉNALES.
HÉ: hypokaliémie, rétention sodique, al-calose métabolique, hypocalcémie.
Locaux: atrophie au point d'injection IM (préparations retard).
Loc.: faiblesse, myopathie, nécrose asep-tique des articulations, ostéoporose.
Divers: sensibilité accrue aux infections, pancréatite, aspect cushingoïde (faciès lunaire, bosse de bison).

INTERACTIONS

Médicament – médicament: ■ Effet hypo-kaliémique additif, lors de l'administra-tion concomitante d'**amphotéricine B**, de **mézlocilline**, de **pipéracilline**, de **ticarcilline** ou de **diurétiques** ■ L'hy-pokaliémie peut accroître le risque de toxicité **digitalique** ■ La cortisone peut augmenter les besoins en **insuline** ou en **hypoglycémiants oraux** ■ La **phény-**

toïne, le **phénobarbital** et la **rifampine** accélèrent le métabolisme de la cortisone et peuvent en réduire l'efficacité

■ Les **contraceptifs oraux** peuvent inhiber le métabolisme de la cortisone.

VOIES D'ADMINISTRATION ET POSOLOGIE

PO et IM (adultes): de 25 à 300 mg par jour.

PHARMACODYNAMIE
(le pic correspond aux concentrations sanguines; la durée correspond à la durée de l'inhibition du fonctionnement des surrénales ou de l'effet anti-inflammatoire)

	DÉBUT D'ACTION	PIC	DURÉE
PO	rapide	2 h	1,25 – 1,5 jour
IM	lent	20 – 48 h	1,25 – 1,5 jour

✺ SOINS INFIRMIERS

ÉVALUATION DE LA SITUATION

□ Avant le traitement et à intervalles réguliers pendant toute sa durée, surveiller l'apparition des signes suivants d'insuffisance surrénalienne: hypotension, perte de poids, faiblesse, nausées, vomissements, anorexie, léthargie, confusion, agitation.

□ Effectuer le bilan quotidien des ingesta et des excreta et peser le patient tous les jours. Suivre de près l'apparition d'un œdème périphérique, de râles et de crépitations ou de la dyspnée ainsi qu'un gain de poids constant. Prévenir le médecin si ces symptômes surviennent.

□ Noter à intervalles réguliers la croissance chez les enfants.

■ **Étude des examens diagnostiques et biochimiques:** Chez les patients qui suivent un traitement prolongé, il faut mesurer régulièrement les paramètres hématologiques, les électrolytes sériques, la glycémie et la glycosurie. La cortisone peut entraîner la diminution du nombre de leucocytes et provoquer l'hyperglycémie, particulièrement chez les diabétiques. La cortisone peut également diminuer les concentrations sériques de potassium et de calcium et augmenter celles de sodium.

□ Prévenir rapidement le médecin si on a décelé du sang occulte dans les selles par la méthode au gaïac.

□ La cortisone peut élever les concentrations sériques de cholestérol et de lipides et diminuer les concentrations sériques d'iode lié au protéines et de thyroxine.

□ La cortisone peut supprimer les réactions aux tests cutanés allergologiques.

□ Le médecin peut prescrire à intervalles réguliers des tests de l'exploration fonctionnelle surrénalienne pour déterminer le degré auquel l'axe hypothalamo-hypophyso-surrénalien a été supprimé.

DIAGNOSTICS INFIRMIERS POSSIBLES

■ **Énoncés diagnostiques**

□ Risque élevé d'infection.

□ Prise en charge inefficace du programme thérapeutique.

□ *Risque élevé d'accident.*

□ *Risque élevé d'exacerbation des symptômes.*

■ **Facteurs favorisants**

□ Informations incomplètes.

□ *Manque de connaissances sur les modalités du traitement.*

□ *Manque de connaissances sur les signes d'hypoglycémie et d'hyperglycémie et sur les moyens de les prévenir.*

□ *Arrêt brusque du traitement.*

INTERVENTIONS INFIRMIÈRES

■ **Directives générales:** Si le médicament doit être pris tous les jours ou tous les deux jours, administrer la dose le matin pour faire coïncider la prise avec les sécrétions naturelles de cortisol.

C

- **PO:** Administrer le médicament avec des aliments pour réduire l'irritation gastrique.
- **IM et SC:** Bien agiter la suspension avant de la retirer de la fiole. Ne pas administrer par voie IM lorsqu'il faut obtenir un effet rapide. Ne pas diluer ni mélanger avec d'autres solutions. Ne pas administrer par voie IV.

ENSEIGNEMENT AU PATIENT ET À SES PROCHES

- ☐ Conseiller au patient de respecter scrupuleusement la posologie recommandée et de ne jamais sauter une dose ni remplacer une dose manquée par une double dose. L'arrêt brusque du traitement peut entraîner les signes suivants d'insuffisance surrénalienne: anorexie, nausées, fatigue, faiblesse, hypotension, dyspnée et hypoglycémie. Si l'un de ces signes se manifeste, il faut prévenir le médecin immédiatement, car cette réaction peut être mortelle.
- ☐ Inciter le patient qui suit un traitement prolongé à consommer des aliments riches en protéines, en calcium et en potassium et pauvres en sodium et en glucides (voir l'annexe K).
- ☐ Prévenir le patient que la cortisone supprime la réponse immunitaire et qu'elle peut masquer les symptômes d'infection. Lui conseiller d'éviter tout contact avec des personnes contagieuses et de signaler au médecin toute infection possible.
- ☐ Inventorier les effets secondaires de la cortisone. Recommander au patient de prévenir rapidement le médecin en cas de douleurs abdominales graves ou de selles goudronneuses. Le patient devrait également signaler au médecin les symptômes suivants: enflure inhabituelle, gain de poids, fatigue, douleurs osseuses, formation d'ecchymoses, plaies qui ne cicatrisent pas, troubles visuels ou modification du comportement.

- ☐ Recommander au patient qui doit suivre un traitement dentaire ou subir une intervention chirurgicale d'avertir le dentiste ou le médecin qu'il suit un traitement médicamenteux.
- ☐ Conseiller au patient d'informer le médecin si les symptômes de la maladie sous-jacente ressurgissent ou s'aggravent.
- ☐ Conseiller au patient de toujours porter sur lui une pièce d'identité où sont inscrits son problème de santé et son traitement pour les cas d'urgence où il se sent incapable d'exposer ses antécédents.
- ☐ Recommander au patient de consulter le médecin avant de recevoir un vaccin quel qu'il soit.
- ☐ Insister sur l'importance des examens de suivi permettant d'évaluer l'efficacité du traitement et les effets secondaires.

VÉRIFICATION DES RÉSULTATS

L'efficacité du traitement peut être démontrée par: la diminution des symptômes accompagnée de peu d'effets secondaires reliés au médicament.

COSYNTROPHINE

Cortrosyn, Synacthen, (Tetracosactrin)

CLASSIFICATION:
Hormone – adrénocorticotrophine

Grossesse – catégorie C

INDICATIONS

Diagnostic des troubles adrénocorticaux.

ACTION

- Forme synthétique de la corticotrophine, la cosyntrophine stimule la production surrénalienne de glucocorticoïdes (hydrocortisone) et de minéralocorticoïdes (aldostérone). L'hormone ne peut agir que si la faculté de réponse des surrénales est intacte ■ Action similaire à celle des glucocorticoïdes : suppression de la réponse immunitaire normale et de l'inflammation ■ Bon nombre d'effets métaboliques intenses ■ Effets similaires à ceux d'un minéralocorticoïde puissant (rétention sodique). **Effets thérapeutiques :** ■ Production de corticostéroïdes.

PHARMACOCINÉTIQUE

Absorption : L'hormone est rapidement absorbée. Les préparations à action retard sous forme de gel ou à base d'hydroxyde de zinc sont absorbées plus lentement.

Distribution : L'agent est extrait du plasma et se répartit dans de nombreux tissus. Il ne traverse pas le placenta.

Métabolisme et excrétion : Le sort métabolique de l'agent demeure inconnu.

Demi-vie : 15 min (plasma).

CONTRE-INDICATIONS ET PRÉCAUTIONS

Contre-indications : ■ Hypersensibilité ■ Infections graves.

Précautions : Grossesse ou allaitement (l'innocuité du médicament n'a pas été établie).

RÉACTIONS INDÉSIRABLES ET EFFETS SECONDAIRES

Divers : réactions d'hypersensibilité y compris l'ANAPHYLAXIE.

INTERACTIONS

Médicament – médicament : ■ Les œstrogènes peuvent inhiber le métabolisme de la cosynotrophine ■ Les **glucocorticoïdes** peuvent biaiser les résultats de l'épreuve.

VOIES D'ADMINISTRATION ET POSOLOGIE

■ **IM et IV (adultes) :** 0,25 mg ; établir les concentrations plasmatiques de cortisol avant l'administration et 30 min après.

■ **IM et IV (enfants < 2 ans) :** 0,125 mg ; établir les concentrations plasmatiques de cortisol avant l'administration et 30 min après.

PHARMACODYNAMIE (effets sur les concentrations de cortisol plasmatique)

	DÉBUT D'ACTION	PIC	DURÉE
IM et IV	inconnu	7 – 24 h	31 – 48 h

SOINS INFIRMIERS

ÉVALUATION DE LA SITUATION

☐ En cas d'antécédents d'allergie, surveiller l'apparition des réactions suivantes d'hypersensibilité : respiration sifflante, rash ou urticaire, bradycardie, irritabilité, crises convulsives, nausées et vomissements. Le risque de ces réactions est moins élevé avec la cosyntrophine qu'avec la corticotrophine.

■ **Étude des examens diagnostiques et biochimiques :** Les concentrations sériques de cortisol doivent être mesurées avant l'administration ainsi que 30 et 60 min suivant l'administration de cosyntrophine. La réponse thérapeutique se manifeste par une élévation des concentrations plasmatiques de cortisol d'au moins 195 mmol/L par rapport aux concentrations initiales ou par une concentration finale de 500 mmol/L. L'administration de glucocorticoïdes le jour de l'épreuve, peut biaiser les résultats de l'épreuve entraînant une élévation des concentrations plasmatiques initiales de cortisol.

DIAGNOSTICS INFIRMIERS POSSIBLES

■ **Énoncés diagnostiques**

☐ Prise en charge inefficace du programme thérapeutique.

☐ *Risque élevé de réaction allergique.*

C

■ **Facteurs favorisants**

□ Informations incomplètes.

□ *Antécédents d'allergie.*

INTERVENTIONS INFIRMIÈRES

■ **Directives générales:** La cosyntrophine peut être administrée par voie IM, par IV directe et par perfusion IV

□ Reconstituer la fiole de 250 µg avec 1 mL de solution de NaCl à 0,9 % pour injection.

□ La solution est stable pendant 24 h à la température ambiante et pendant 21 jours au réfrigérateur.

■ **IV directe:** Administrer en 2 min.

■ **Perfusion intermittente:** Diluer de nouveau dans une solution de dextrose à 5 % dans de l'eau ou dans une solution de NaCl à 0,9 %. La solution est stable pendant 12 h à la température ambiante.

□ *Vitesse d'administration:* Administrer à une vitesse de 40 µg à l'heure en 6 h.

ENSEIGNEMENT AU PATIENT ET À SES PROCHES

Expliquer au patient quelle est l'utilité de la cosyntrophine et pour quelle raison il doit subir ce genre d'examen.

VÉRIFICATION DES RÉSULTATS

L'efficacité du traitement peut être démontrée par: la possibilité d'établir une distinction entre l'insuffisance corticosurrénale primaire et secondaire.

CO-TRIMOXAZOLE

Apo-Sulfatrim, Bactrim, Novo-Trimel, Nu-Cotrimox, Roubac, Septra, SMX/TMP, triméthoprime-sulfaméthoxazole, TMP/SMX, (Protin), (Sulfomethaprim), (Sulmeprim), (Uroplus)

CLASSIFICATION:

Anti-infectieux – sulfamide

Grossesse – catégorie C

INDICATIONS

Traitement des infections suivantes provoquées par les micro-organismes sensibles: □ otite moyenne □ infections des voies urinaires □ fièvre thyphoïde □ pneumonies à *Pneumocystis carinii* □ infections des voies génitales (uréthrite gonococcique) □ infections de l'appareil respiratoire supérieur et inférieur (en particulier la bronchite chronique) □ méningite □ infections de la peau et des tissus mous □ infections gastro-intestinales. **Usages non approuvés:** ■ Infections des voies biliaires, ostéomyélite, pararickettsioses, endocardite, infections intra-abdominales, nocardiose, prophylaxie de la fièvre rhumatismale.

ACTION

■ L'association médicamenteuse inhibe le métabolisme bactérien de l'acide folique à deux étapes différentes. **Effets thérapeutiques:** ■ Action bactéricide contre les bactéries sensibles. **Spectre d'action:** ■ Action contre de nombreuses souches aérobies à Gram positif dont: □ *Streptococcus pneumoniæ* □ *Staphylococcus aureus* □ les streptocoques bêta-hémolytiques du groupe A □ Nocardia □ les entérocoques ■ Action contre de nombreux micro-organisme aérobies à Gram négatif, dont: □ *Acinetobacter* □ *Enterobacter* □ *Klebsiella pneumoniæ* □ *Escherichia coli* □ *Proteus mirabilis* □ *Shigella* □ *Salmonella* ■ Action marquée contre: □ *Hæmophilus influenzæ* (incluant les souches résistant à l'ampicilline) ■ *Pneumocystis carinii*, faisant partie des protozoaires, est aussi sensible au co-trimoxazole ■ Le cotromoxazole n'a pas d'effet sur *Pseudomonas æruginosa.*

PHARMACOCINÉTIQUE

Absorption: Bonne absorption depuis le tractus gastro-intestinal.

Distribution: L'agent se répartit dans tout l'organisme; il pénètre dans le liquide céphalorachidien, traverse le placenta et pénètre dans le lait maternel.

Métabolisme et excrétion: Une fraction de 40 à 50 % de la dose orale de timéthoprime est excrétée à l'état inchangé dans l'urine en 24 h. Une fraction d'environ 60 % de la dose orale de sulfaméthoxazole est excrétée dans l'urine en 48 h.

Demi-vie: Triméthoprime: de 8 à 11 h; sulfaméthoxazole: de 7 à 12 h.

CONTRE-INDICATIONS ET PRÉCAUTIONS

Contre-indications: ■ Hypersensibilité aux sulfamidés ou au triméthoprime ■ Anémie mégaloblastique secondaire à la carence en folate ■ Grossesse, allaitement ou enfants de moins de 2 mois ■ Insuffisance rénale grave.

Précautions: ■ Insuffisance rénale ou hépatique (réduire la dose) ■ Sida (incidence accrue de réactions indésirables).

RÉACTIONS INDÉSIRABLES ET EFFETS SECONDAIRES

SNC: céphalées, insomnie, fatigue, dépression, hallucinations.

GI: nausées, vomissements, stomatite, diarrhée, NÉCROSE HÉPATIQUE.

GU: cristallurie.

Tég.: rash, ÉRYTHRODERMIE BULLEUSE AVEC ÉPIDERMOLYSE, photosensibilité.

Hémat.: ANÉMIE APLASIQUE, AGRANULOCYTOSE, leucopénie, thrombocytopénie, anémie mégaloblastique, anémie hémolytique.

Locaux: phlébite au point d'injection IV.

Divers: réactions allergiques, dont le SYNDROME DE STEVENS-JOHNSON et l'ÉRYTHÈME POLYMORPHE, fièvre.

INTERACTIONS

Médicament – médicament: ■ Le co-trimoxazole peut prolonger la demi-vie de la **phénytoïne**, en réduire la clearance et exacerber la carence en acide folique provoquée par cet agent ■ L'agent peut intensifier les effets des **hypoglycémiants**

oraux et des **anticoagulants oraux** ■ La co-trimoxazole peut accentuer la toxicité du **méthotrexate** ■ L'administration concomitante de **diurétiques thiazidiques** peut accroître le risque de thrombocytopénie (personnes âgées) ■ Le co-trimoxazole réduit l'efficacité de la **cyclosporine** et accroît le risque de toxicité rénale.

PRÉSENTATION

Le médicament est présenté sous forme de comprimés à simple et à double teneur. Les comprimés à simple teneur renferment 80 mg de triméthoprime et 400 mg de sulfaméthoxazole. Les comprimés à double teneur renferment 160 mg de triméthoprime et 800 mg de sulfaméthoxazole.

VOIES D'ADMINISTRATION ET POSOLOGIE

Otite moyenne

■ **PO (enfants > 2 mois):** de 7,5 à 8 mg/kg de triméthoprime et 40 mg/kg de sulfaméthoxazole par jour, en doses fractionnées, toutes les 12 h.

Pneumonie à Pneumocystis carinii

■ **PO et IV (adultes et enfants):** 5 mg/kg de triméthoprime et 25 mg de sulfaméthoxazole par jour, toutes les 6 h.

Infections bactériennes

■ **PO (adultes):** 160 mg de triméthoprime et 800 mg de sulfaméthoxazole, toutes les 12 h.

■ **PO (enfants):** 3 mg de triméthoprime et 15 mg de sulfaméthoxazole par jour, en doses fractionnées, toutes les 12 h.

Infections bactériennes graves

■ **IV (enfants):** de 5 à 10 mg/kg de triméthoprine et de 25 à 50 mg/kg de sulfaméthoxazole par jour, en doses fractionnées, toutes les 6, 8 ou 12 h.

■ **IV (adultes):** de 160 à 240 mg de triméthoprime et de 800 à 1 200 mg de sulfaméthoxazole toutes les 6, 8 ou 12 h.

Prophylaxie et porteurs de salmonelle

- **PO (adultes):** 80 mg de triméthoprime et 400 mg de sulfaméthoxazole, toutes les 12 h.

Gonorrhée sans complications

- **PO (adultes et enfants):** 160 mg de triméthoprime et 800 mg de sulfaméthoxazole, 4 fois par jour, pendant 2 jours.

PHARMACODYNAMIE (concentrations sanguines)

	DÉBUT D'ACTION	PIC
PO	rapide	2 – 4 h
IV	rapide	fin de la perfusion

SOINS INFIRMIERS

ÉVALUATION DE LA SITUATION

- ☐ Au début du traitement et pendant toute sa durée, surveiller l'apparition des signes suivants d'infections: altération des signes vitaux; aspect de la plaie, des crachats et des selles; accroissement du nombre de leucocytes.
- ☐ Prélever des échantillons pour les cultures et les antibiogrammes avant le début du traitement. La première dose peut être administrée avant même que les résultats soient connus.
- ☐ Observer le patient à la recherche de signes d'allergie aux sulfamidés.
- ☐ Effectuer le bilan quotidien des ingesta et des excreta. L'apport de liquides doit être suffisant pour maintenir un débit urinaire d'au moins 1 200 à 1 500 mL par jour afin de prévenir la cristallurie et la formation de calculs.
- **Étude des examens diagnostiques et biochimiques:** Effectuer la numération globulaire et les analyses des urines à intervalles réguliers pendant toute la durée du traitement.
- ☐ Le médicament peut entraîner l'élévation des concentrations sériques de bilirubine, de créatinine et de phosphatase alcaline.

DIAGNOSTICS INFIRMIERS POSSIBLES

- **Énoncés diagnostiques**
- ☐ Risque élevé d'infection.
- ☐ Prise en charge inefficace du programme thérapeutique.
- ☐ Non-observance du traitement médicamenteux.
- ☐ *Risque élevé de réaction allergique.*
- ☐ *Risque élevé d'atteinte à l'intégrité de la peau.*
- **Facteurs favorisants**
- ☐ Informations incomplètes.
- ☐ Doute quant aux bienfaits du médicament.
- ☐ *Manque de connaissances sur les moyens de réduire la photosensibilité.*

INTERVENTIONS INFIRMIÈRES

- ☐ Ne pas administrer le médicament par voie IM.
- **PO:** Administrer le co-trimoxazole à intervalles réguliers, 24 h sur 24, à jeun, au moins 1 h avant ou 2 h après les repas, avec un grand verre d'eau. Utiliser une mesure graduée pour les préparations liquides.
- **Perfusion intermittente:** Diluer le contenu de la fiole de 5 mL dans 125 mL de dextrose à 5 % dans l'eau. La quantité de diluant peut être réduite à 75 mL s'il faut restreindre l'apport liquidien. Ne pas utiliser les solutions troubles ni celles qui renferment un précipité. Ne pas mélanger à d'autres solutions ou médicaments. La solution est stable à la température ambiante pendant 6 h en dilution standard et pendant 2 h lorsque la quantité de diluant est réduite. Ne pas conserver au réfrigérateur.
- ☐ *Vitesse d'administration:* Administrer en 60 à 90 min. Ne pas administrer rapidement ni par bolus.
- **Association compatible dans la même seringue:** Héparine.

- **Compatibilités (tubulure en Y) :** Acyclovir, atracurium, cyclophosphamide, énalapril, esmolol, hydromorphone, labétolol, mépéridine, morphine, pancuronium, perphénazine, sulfate de magnésium, vécuronium ou zidovudine.
- **Incompatibilité (tubulure en Y) :** Foscarnet.
- **Compatibilités en addition au soluté :** Dextrose à 5 % dans une solution de NaCl à 0,45 % ou solution de NaCl à 0,45 %.
- **Incompatibilités en addition au soluté :** Vérapamil.

ENSEIGNEMENT AU PATIENT ET À SES PROCHES

☐ Expliquer au patient qu'il doit prendre toute la quantité de médicament qui lui a été prescrite, à intervalles réguliers, 24 h sur 24, même s'il se sent mieux. S'il n'a pas pu prendre le médicament au moment habituel, il doit le prendre dès que possible. Insister sur le fait qu'il peut être dangereux de donner ce médicament à une autre personne.

☐ Recommander au patient d'utiliser des écrans solaires et de porter des vêtements protecteurs pour prévenir les réactions de photosensibilité.

☐ Recommander au patient de signaler au médecin la présence de rash, de maux de gorge, de fièvre, d'aphtes, de saignements ou d'ecchymoses inhabituels.

☐ Recommander au patient de prévenir le médecin si son état ne s'améliore pas dans les quelques jours suivant le début du traitement.

VÉRIFICATION DES RÉSULTATS

La réponse clinique au traitement peut être déterminée par : la disparition des signes et des symptômes de l'infection. Le temps de résolution dépend du microorganisme infectant et du siège de l'infection.

CROMOLYN
Cromoglycate, Intal, Nalcrom, Opticrom, Rynacrom, (Fivent), (Gastrochrom), (Nasalcrom), (Vistacrom)

CLASSIFICATION :
Antihistaminique – stabilisateur des mastocytes

Grossesse – catégorie B

INDICATIONS

■ **PO :** Allergie gastro-intestinale ■ **Inhalation, gouttes ophtalmiques, solution nasale :** Traitement d'appoint à la prophylaxie des allergies incluant les rhinites, les conjonctivites et l'asthme ■ Précédents d'usage prophylactique de la préparation à inhaler pour soulager les bronchospasmes induits par l'effort.

ACTION

■ Prévention de la libération de l'histamine et de la substance à réaction différée de l'anaphylaxie des mastocytes sensibilisés. **Effets thérapeutiques :** ■ Diminution des symptômes d'allergie gastrointestinale tels que la diarrhée, les bouffées vasomotrices, les céphalées, les vomissements, l'urticaire, les douleurs abdominales, les nausées et les démangeaisons ■ Diminution de la fréquence et de l'intensité des réactions allergiques incluant la rhinite, la conjonctivite et l'asthme.

PHARMACOCINÉTIQUE

Absorption : Absorption médiocre par suite de l'administration par toutes les voies ; l'action est locale. Après l'inhalation, on peut retrouver de petites quantités de médicament dans la circulation générale ; par les autre voies d'administration, les quantités sont encore plus négligeables.

Distribution : Puisque seules de petites quantités sont absorbées, la distribution du médicament demeure inconnue. Il

C

traverse difficilement les membranes biologiques.

Métabolisme et excrétion: Les petites quantités absorbées sont excrétées à l'état inchangé dans la bile et l'urine.

Demi-vie: 80 min.

CONTRE-INDICATIONS ET PRÉCAUTIONS

Contre-indications: ■ Hypersensibilité ■ Crises aiguës d'asthme.

Précautions: ■ Grossesse et allaitement (l'innocuité du médicament n'a pas encore été établie) ■ Enfants de moins de 2 ans (la voie orale est réservée aux cas de mastocytose grave) ■ Absence de soulagement et risque d'aggravation des crises aiguës de bronchospasme (inhalation).

RÉACTIONS INDÉSIRABLES ET EFFETS SECONDAIRES

SNC: toutes les voies – céphalées; voie orale – irritabilité, troubles du sommeil.

ORLO: voie nasale – irritation nasale, éternuements; gouttes ophtalmiques – brûlures oculaires, picotements, goût désagréable.

GI: voie orale – diarrhée, douleurs abdominales.

Resp.: inhalation – irritation de la gorge et de la trachée, toux, bronchospasme.

Tég.: toutes les voies – rash, érythème, urticaire.

Loc.: voie orale – myalgie.

Divers: réactions allergiques, incluant l'ANAPHYLAXIE ou l'aggravation des affections traitées.

INTERACTIONS

Médicament – médicament: Aucune interaction notable.

PRÉSENTATION

Le médicament est présenté sous forme de capsules orales, d'aérosol pour inhalation, de solution pour nébuliseur et de gouttes ophtalmiques.

VOIES D'ADMINISTRATION ET POSOLOGIE

■ **PO (adultes):** 200 mg, 4 fois par jour.
■ **PO (enfants de 2 à 12 ans):** 100 mg, 4 fois par jour.
■ **PO (enfants < 2 ans):** 20 mg/kg par jour en 4 doses fractionnées; on peut augmenter jusqu'à 30 mg/kg par jour.
■ **Inhalation (adultes et enfants > 5 ans):** 20 mg, 4 fois par jour, solution pour nébuliseur, ou 2 jets d'aérosol (800 µg/jet). Pour la prophylaxie du bronchospasme, administrer 2 jets de 10 à 15 min avant que le patient ne s'engage dans l'une des activités qui déclenchent le trouble.
■ **Solution nasale (adultes et enfants > 6 ans):** 1 jet (5,2 mg) dans chaque narine, 3 à 4 fois par jour (jusqu'à 6 fois par jour).
■ **Gouttes ophtalmiques (adultes et enfants > 4 ans):** 1 ou 2 gouttes (1,6 mg par goutte) dans chaque œil, de 4 à 6 fois par jour.

PHARMACODYNAMIE (effets sur les symptômes)

	DÉBUT D'ACTION	PIC	DURÉE
PO	inconnu	2 – 3 semaines	inconnue
inhalation	moins de 1 semaine	2 – 4 semaines	inconnue
préparation nasale	moins de 1 semaine	2 – 4 semaines	inconnue
gouttes ophtalmiques	moins de 1 semaine	2 – 4 semaines	inconnue

⁂ SOINS INFIRMIERS

ÉVALUATION DE LA SITUATION

■ **PO:** Avant et pendant toute la durée du traitement, surveiller l'apparition des signes suivants de mastocytose: diarrhée, bouffées vasomotrices, céphalées, vomissements, urticaire, douleurs abdominales, nausées et démangeaisons.

- **Inhalation:** Examiner les résultats des tests de l'exploration fonctionnelle pulmonaire avant d'amorcer le traitement chez les patients asthmatiques.
- □ Noter le murmure vésiculaire et la fonction respiratoire avant le début du traitement et à intervalles réguliers pendant toute sa durée.
- **Gouttes ophtalmiques:** Examiner les yeux à la recherche de rougeurs, de lésions et d'irritation.
- **Atomiseur nasal:** Observer le patient à la recherche de symptômes suivants de rhinite: congestion nasale, rhinorrhée.

DIAGNOSTICS INFIRMIERS POSSIBLES

- **Énoncés diagnostiques**
- □ Dégagement inefficace des voies respiratoires.
- □ Prise en charge inefficace du programme thérapeutique.
- □ *Risque élevé d'exacerbation des symptômes.*
- **Facteurs favorisants**
- □ Informations incomplètes.
- □ *Arrêt brusque du traitement.*

INTERVENTIONS INFIRMIÈRES

- □ On peut diminuer la dose des autres antiasthmatiques après 2 à 4 semaines de traitement.
- **PO:** Administrer à intervalles réguliers, 30 min avant les repas et au coucher. On peut réduire la dose dès qu'on note une réponse thérapeutique.
- □ Ouvrir les capsules et verser dans un demi-verre d'eau chaude. Mélanger jusqu'à ce que l'agent soit complètement dissous et que la solution devienne transparente. Ajouter une quantité égale d'eau froide tout en mélangeant. Ne pas mélanger à des jus de fruits, du lait ni des aliments. Demander au patient de boire toute l'eau.
- **Inhalation:** Le médicament doit être utilisé en prophylaxie et non pour le traitement des crises aiguës d'asthme ou de l'état de mal asthmatique.
- □ Le médecin peut recommander un traitement préalable avec un bronchodilatateur pour accroître l'effet du produit inhalé.
- **Gouttes ophtalmiques:** La méthode d'instillation des gouttes ophtalmiques est indiqué à l'annexe H.

ENSEIGNEMENT AU PATIENT ET À SES PROCHES

- **Directives générales:** Recommander au patient de prendre le médicament à intervalles réguliers. S'il n'a pu le prendre au moment habituel, il doit le faire dès que possible et espacer les autres prises à intervalles réguliers. Il ne faut jamais doubler la dose ni interrompre le traitement sans avoir consulter le médecin, car les symptômes pourraient s'intensifier.
- □ Si le cromolyn est prescrit avant le contact avec un allergène connu ou avant l'effort, expliquer au patient qu'il doit prendre le médicament de 10 à 15 min avant, mais de ne pas le prendre plus de 60 min à l'avance.
- **PO:** Expliquer au patient qu'il doit prendre le médicament au moins 30 min avant les repas et qu'il ne doit pas mélanger le cromolyn à des jus de fruits, à du lait ou à des aliments. Préciser qu'il doit boire tout le liquide afin de prévenir les rechutes.
- **Aérosol doseur:** Montrer au patient comment utiliser l'aérosol doseur. Bien agiter le flacon, expirer, entourer fermement l'embout avec les lèvres, administrer au cours de la deuxième moitié de l'inhalation et retenir la respiration aussi longtemps que possible après l'inhalation afin de s'assurer que le médicament a été instillé profondément. Ne pas inhaler à plus de deux reprises à la fois; espacer les inhalations de 1 à 2 min. Nettoyer l'appareil, au moins une fois par jour, sous un jet d'eau tiède.

C

☐ Recommander au patient de faire des gargarismes et de se rincer la bouche après chaque prise afin de réduire le risque de sécheresse de la bouche, d'irritation de la gorge et d'enrouement.

☐ Recommander au patient de signaler au médecin la réapparition des symptômes d'asthme.

■ **Gouttes ophtalmiques:** Montrer au patient comment administrer les gouttes ophtalmiques. Lui conseiller d'informer le médecin si l'irritation oculaire s'aggrave; une sensation passagère de brûlure, suivant immédiatement l'administration, n'est pas inhabituelle.

■ **Atomiseur nasal:** Expliquer au patient qu'il doit dégager les narines avant l'administration et inhaler le médicament par le nez.

VÉRIFICATION DES RÉSULTATS

La réponse thérapeutique, notable dans les 2 à 4 semaines qui suivent le début du traitement, peut être déterminée par: ■ la diminution des symptômes de mastocytose ■ la réduction des symptômes d'asthme ■ la diminution des symptômes de conjonctivite ■ la diminution des symptômes de rhinite.

CYANOCOBALAMINE

Bedoz, Rubion, Rubramin, vitamine B_{12}, (Anacobin), (Berubigen), (Betalin 12), (Cyanabin), (Redisol)

CLASSIFICATION:

Vitamine – hydrosoluble; antianémique

Grossesse – catégorie C

INDICATIONS

■ Traitement et prévention de la carence en vitamine B_{12} ■ Traitement de l'anémie pernicieuse et d'autres anémies macrocytaires mégaloblastiques.

ACTION

■ Coenzyme nécessaire lors de nombreux processus métaboliques incluant le métabolisme des acides gras et des hydrates de carbone et la synthèse des protéines ■ Élément indispensable à la formation d'érythrocytes. **Effets thérapeutiques:** ■ Correction des manifestations d'anémie pernicieuse (indices mégaloblastiques, lésions gastro-intestinales et atteinte neurologique) ■ Prévention de la carence en vitamine B_{12}.

PHARMACOCINÉTIQUE

Absorption: L'absorption depuis le tractus gastro-intestinal ne peut se faire en l'absence de facteur intrinsèque et de calcium. Bonne absorption par suite de l'administration par voies IM et SC.

Distribution: Le médicament est emmagasiné dans le foie. Il traverse le placenta et pénètre dans le lait maternel.

Métabolisme et excrétion: Les quantités excessives sont éliminées à l'état inchangé dans l'urine.

Demi-vie: 6 jours (400 jours dans le foie).

CONTRE-INDICATIONS ET PRÉCAUTIONS

Contre-indications: ■ Hypersensibilité ■ Atrophie héréditaire du nerf optique ■ Prématurés (éviter les préparations contenant de l'alcool benzylique en raison du risque de « gasp mortel » [inspiration agonique terminale]).

Précautions: ■ Maladie cardiaque ■ Urémie, carence en acide folique, infection concomitante, carence en fer (modification de la réponse à la vitamine B_{12}).

RÉACTIONS INDÉSIRABLES ET EFFETS SECONDAIRES

SNC: thrombose vasculaire périphérique.
GI: diarrhée.
Tég.: démangeaisons, enflure, urticaire.
HÉ: hypokaliémie.
Locaux: douleur au point d'injection IM.
Divers: réactions d'hypersensibilité incluant l'ANAPHYLAXIE.

INTERACTIONS

Médicament – médicament: ■ Le **chloramphénicol** et les **antinéoplasiques** peuvent diminuer la réponse hématologique à la vitamine B_{12} ■ Les **aminosides**, la **colchicine**, les **suppléments potassiques à action retard**, les **anticonvulsivants**, la **cimétidine** ainsi que les quantités excessives d'**alcool** ou de **vitamine C** peuvent diminuer l'absorption de la vitamine B_{12} par voie orale.

VOIES D'ADMINISTRATION ET POSOLOGIE

Carence en vitamine B_{12}

■ **IM et SC (adultes):** 30 µg par jour pendant 5 à 10 jours (on a déjà administré jusqu'à 1 000 µg par jour), puis 100 µg par mois.

■ **IM et SC (enfants) (É.-U.):** de 1 à 5 mg par jour, en une seule dose, pendant au moins 2 semaines, puis 60 µg par mois.

Supplément alimentaire

■ **PO (adultes et enfants) (É.-U.):** de 1 à 25 µg par jour (on a déjà administré jusqu'à 100 µg par jour).

PHARMACODYNAMIE
(réticulocytose)

	DÉBUT D'ACTION	PIC	DURÉE
PO	inconnu	inconnu	inconnue
IM et SC	inconnu	3 – 10 jours	inconnue

☀ SOINS INFIRMIERS

ÉVALUATION DE LA SITUATION

☐ Avant le traitement et pendant toute sa durée, surveiller l'apparition des signes suivants de carence en vitamine B_{12}: pâleur, neuropathie, psychose, langue rougie et tuméfiée.

■ **Étude des examens diagnostiques et biochimiques:** Examiner les concentrations plasmatiques d'acide folique, la numération réticulocytaire et les concentrations plasmatiques de vitamine B_{12} avant l'administration initiale et entre le cinquième et le septième jour de traitement. Chez les patients recevant de la vitamine B_{12} pour le traitement de l'anémie mégaloblastique, il faut déterminer les concentrations sériques de potassium au cours des 48 premières heures de traitement, en raison des risques d'hypokaliémie.

DIAGNOSTICS INFIRMIERS POSSIBLES

■ **Énoncés diagnostiques**

☐ Déficit nutritionnel.

☐ Risque élevé d'intolérance à l'activité.

☐ Prise en charge inefficace du programme thérapeutique.

☐ *Risque élevé de réaction allergique.*

☐ *Risque élevé de réponse insuffisante au traitement.*

■ **Facteurs favorisants**

☐ Informations incomplètes.

☐ *Manque de connaissances sur les modalités du traitement.*

☐ *Manque de connaissances sur le régime alimentaire à suivre.*

INTERVENTIONS INFIRMIÈRES

■ **Directives générales:** On administre habituellement la vitamine B_{12} en association avec d'autres vitamines, car il est rare que le patient ne présente que ce seul type de carence vitaminique.

☐ L'administration de la vitamine B_{12} par voie orale n'est utile que dans le cas de carences nutritionnelles. Le médicament doit être administré par voie parentérale en présence d'une maladie de l'intestin grêle, d'un syndrome de malabsorption, d'une gastrectomie ou d'une résection iléale.

■ **PO:** Administrer la vitamine aux repas afin d'accroître l'absorption.

☐ On peut mélanger la cyanocobalamine à des jus de fruit. Demander au patient de boire la préparation aussitôt que le mélange a été fait puisque l'acide ascorbique altère la stabilité de cet agent.

- **IV:** La voie IV n'est pas recommandée. Toutefois, on peut mélanger la cyonocobalamine à une solution destinée à l'administration parentérale totale.
- **Compatibilités (tubulure en Y):** Chlorure de potassium, héparine ou succinate d'hydrocortisone sodique.
- **Compatibilités en addition au soluté:** Solutions de dextrose avec une solution de Ringer ou une solution de lactate Ringer, solutions de dextrose avec des solutés salins, solution de dextrose à 5 % ou à 10 % dans l'eau, solution de NaCl à 0,45 % et à 0,9 %, solution de Ringer ou de lactate Ringer, acide ascorbique, bitartrate de métaraminol ou chloramphénicol.

ENSEIGNEMENT AU PATIENT ET À SES PROCHES

- ☐ Encourager le patient à respecter scrupuleusement les recommandations diététiques du médecin. Lui expliquer que la meilleure source de vitamines est une alimentation bien équilibrée. Lui recommander de suivre un régime comprenant des aliments provenant des 4 principaux groupes alimentaires.
- ☐ Expliquer au patient que les aliments riches en vitamine B_{12} comprennent les viandes, les fruits de mer, le jaune d'œuf et les fromages fermentés; une petite quantité seulement est perdue lors de la cuisson normale des aliments.
- ☐ Recommander aux patients prenant des suppléments vitaminiques de ne pas dépasser l'apport quotidien recommandé (voir l'annexe L). L'efficacité des mégadoses dans le traitement de diverses affections n'a pas été démontrée et leur administration peut entraîner des effets secondaires.
- ☐ Expliquer au patient ayant subi une gastrectomie ou une résection iléale

qu'il doit prendre des suppléments de vitamine B_{12} tout au long de sa vie.
- ☐ Insister sur l'importance des examens de suivi permettant d'évaluer les bienfaits du traitement.

VÉRIFICATION DES RÉSULTATS

L'efficacité du traitement peut être démontrée par: ■ la résolution des symptômes de carence en vitamine B_{12} ■ l'augmentation du nombre de réticulocytes.

CYCLIZINE
Marzine, (Marezine)

CLASSIFICATION:
Antiémétique – antihistaminique

Grossesse – catégorie B

INDICATIONS

■ Vomissements postopératoires ■ Vomissements associés à certaines maladies infantiles ■ Vomissements induits par les médicaments ■ Prévention et traitement des étourdissements, des nausées et des vomissements associés au mal des transports.

ACTION

■ Effets anticholinergiques centraux engendrant une diminution de la fonction vestibulaire et labyrinthique ■ Propriétés antihistaminiques et dépression possible de la zone gâchette chimioréceptrice de la substance médullaire. **Effets thérapeutiques:** ■ Soulagement des étourdissements, des nausées et des vomissements.

PHARMACOCINÉTIQUE

Absorption: L'absorption par suite de l'administration par voie orale demeure inconnue.

Distribution: L'agent se répartit dans la plupart des tissus.

Métabolisme et excrétion: Le médicament est probablement métabolisé par le foie.

Demi-vie: Inconnue.

C

CONTRE-INDICATIONS ET PRÉCAUTIONS

Contre-indications: ■ Hypersensibilité ■ Enfants (administration IM).

Précautions: ■ Personnes âgées et enfants (risque accru de réactions indésirables) ■ Hypertrophie de la prostate ■ Glaucome ■ Occlusion intestinale.

RÉACTIONS INDÉSIRABLES ET EFFETS SECONDAIRES

SNC: somnolence, étourdissements, nervosité, agitation, insomnie.

ORLO: vision trouble, sécheresse des yeux (alacrymie), sécheresse nasale.

CV: hypotension (voie IM), tachycardie.

GI: sécheresse de la bouche (xérostomie), anorexie, dérangement stomacal.

GU: rétention urinaire, mictions fréquentes.

Tég.: rash.

Divers: réactions d'hypersensibilité, incluant l'ANAPHYLAXIE.

INTERACTIONS

Médicament – médicament: ■ Effets additifs sur la dépression du SNC lors de l'usage concomitant d'autres **dépresseurs du SNC**, y compris l'**alcool**, les **antihistaminiques**, les **antidépresseurs**, les **analgésiques narcotiques** et les **hypnosédatifs** ■ Effets anticholinergiques additifs, incluant la sécheresse de la bouche, la sécheresse des yeux, la vision trouble et la constipation, lors de l'administration concomitante d'autres **agents doués de propriétés anticholinergiques**, y compris les **antihistaminiques**, les **antidépresseurs**, la **quinidine** et le **dysopyramide**.

VOIES D'ADMINISTRATION ET POSOLOGIE

■ **IM (adultes):** 50 mg, toutes les 4 à 6 h.
■ **IM (enfants de 6 à 12 ans):** 1 mg/kg ou 33 mg/m^2, 3 fois par jour (usage non approuvé).

Vomissements postopératoires
■ **IM (adultes):** 50 mg, dans les 15 à 30 min qui précèdent la fin de l'intervention; on peut répéter l'administration 3 fois par jour pendant les quelques jours suivant l'intervention.
■ **IM (enfants de 6 à 10 ans):** 25 mg, dans les 15 à 30 min qui précèdent la fin de l'intervention; on peut répéter l'administration 3 fois par jour pendant les quelques jours suivant l'intervention.
■ **IM (enfants < 6 ans):** 12,5 mg, dans les 15 à 30 min qui précèdent la fin de l'intervention; on peut répéter l'administration 3 fois par jour pendant les quelques jours suivant l'intervention.
■ **IV:** Voir « Interventions infirmières ».

PHARMACODYNAMIE

	DÉBUT D'ACTION	PIC	DURÉE
IM	30 – 60 min	inconnu	4 – 6 h

☀ SOINS INFIRMIERS

ÉVALUATION DE LA SITUATION

■ Noter les nausées et les vomissements, ausculter les bruits intestinaux et observer les douleurs abdominales avant et après l'administration. Effectuer le bilan hydrique ainsi que celui des ingesta et des excreta. Chez les patients souffrant de nausées et de vomissements graves, il faut parfois administrer des liquides par voie IV en même temps que l'antiémétique.
■ **Étude des examens diagnostiques et biochimiques:** Le médicament peut modifier les résultats des tests cutanés allergologiques. Arrêter l'administration de la cyclizine 72 h avant le test.

DIAGNOSTICS INFIRMIERS POSSIBLES

■ **Énoncés diagnostiques**
□ Déficit de volume liquidien.
□ Déficit nutritionnel.

C

□ Risque élevé d'accident.
□ *Risque élevé de réaction allergique.*

■ **Facteurs favorisants**
□ *Nausées et vomissements.*
□ *Perturbation de la vigilance.*

INTERVENTIONS INFIRMIÈRES

■ **IM:** On peut administrer la cyclizine en prophylaxie, de 15 à 30 min avant la sortie de l'anesthésie.
■ **IV:** On peut administrer la préparation par voie IV si elle est diluée dans au moins 10 mL d'eau stérile ou de soluté salin normal et injectée lentement, 20 min avant la fin de l'intervention.
■ **Associations compatibles dans la même seringue:** Atropine, codéine, hydromorphone, mépéridine, morphine, pyridoxine, ranitidine, scopolamine, streptomycine ou tétracycline.

ENSEIGNEMENT AU PATIENT ET À SES PROCHES

□ Expliquer au patient et à ses proches les mesures qui permettent habituellement de diminuer les nausées: commencer par prendre quelques gorgées de liquides, consommer des repas légers, pauvres en matières grasses, pratiquer une bonne hygiène orale et éliminer les stimuli nocifs du milieu environnant.
□ Prévenir le patient que la cyclizine peut provoquer des étourdissements. Lui conseiller de ne pas conduire et d'éviter les activités exigeant sa vigilance jusqu'à ce qu'on ait la certitude que le médicament n'entraîne pas cet effet chez lui.
□ Prévenir le patient que la cyclizine peut entraîner la sécheresse buccale. Lui conseiller de se rincer fréquemment la bouche, de pratiquer une bonne hygiène orale et de consommer de la gomme à mâcher ou des bonbons sans sucre pour soulager cet effet.
□ Mettre en garde le patient contre la consommation concomitante d'alcool ou d'autres dépresseurs du SNC.

VÉRIFICATION DES RÉSULTATS

L'efficacité du traitement peut être démontrée par: ■ la prévention et le traitement du mal des transports ■ la prévention et le traitement des nausées et des vomissements postopératoires.

CYCLOBENZAPRINE
Flexeril

CLASSIFICATION:
Relaxant des muscles squelettiques – action centrale

Grossesse – catégorie B

INDICATIONS

En association avec d'autres mesures thérapeutiques (physiothérapie, repos au lit) pour soulager les spasmes musculaires associés aux troubles aigus et douloureux de l'appareil locomoteur.

ACTION

■ Diminution de l'activité musculaire tonique et somatique au niveau du tronc cérébral. La structure de la cyclobenzaprine ressemble à celle des antidépresseurs tricycliques. **Effets thérapeutiques:** ■ Soulagement de la spasticité musculaire et de l'hyperactivité sans perte des fonctions.

PHARMACOCINÉTIQUE

Absorption: Bonne absorption depuis le tractus gastro-intestinal.
Distribution: Inconnue.
Métabolisme et excrétion: Le médicament est surtout métabolisé par le foie.
Demi-vie: De 1 à 3 jours.

CONTRE-INDICATIONS ET PRÉCAUTIONS

Contre-indications: ■ Hypersensibilité ■ Administration d'un inhibiteur de la MAO dans les 14 jours qui précèdent ce traitement ■ Infarctus du myocarde récent ■ Maladie cardiovasculaire grave ou symptomatique ■ Troubles de la conduction cardiaque ■ Hyperthyroïdie.

Précautions: ■ Maladie cardiovasculaire ■ Grossesse, allaitement et enfants (l'innocuité du médicament n'a pas été établie) ■ Traitement prolongé (limiter le traitement à 2 à 3 semaines).

RÉACTIONS INDÉSIRABLES ET EFFETS SECONDAIRES

SNC: somnolence, étourdissements, fatigue, céphalées, nervosité, confusion.

ORLO: sécheresse de la bouche (xérostomie), vision trouble.

CV: arythmies.

GI: constipation, goût désagréable, dyspepsie, nausée.

GU: rétention urinaire.

INTERACTIONS

Médicament – médicament: ■ Effet additif sur la dépression du SNC, lors de l'usage concomitant d'autres **dépresseurs du SNC** dont l'**alcool**, les **antihistaminiques**, les **analgésiques narcotiques** et les **hypnosédatifs** ■ Effets anticholinergiques additifs lors de l'administration concomitante d'**autres médicaments doués de propriétés anticholinergiques**, dont les **antihistaminiques**, les **antidépresseurs**, l'**atropine**, l'**halopéridol** et les **phénothiazines** ■ L'administration de cyclobenzaprine dans les 14 jours suivant un traitement avec des **inhibiteurs de la MAO** est contre-indiquée en raison du risque de crise hyperthermique, de convulsions ou de mort ■ La cyclobenzaprine peut atténuer la réponse au **guanadrel** ou à la **guanéthidine**.

VOIES D'ADMINISTRATION ET POSOLOGIE

PO (adultes): 10 mg, 3 fois par jour (écart posologique entre 20 et 40 mg par jour; ne pas dépasser 60 mg par jour).

PHARMACODYNAMIE
(relaxation musculaire)

	DÉBUT D'ACTION	PIC	DURÉE
PO	1 h	4 – 6 h	12 – 24 h

* Le plein effet du médicament peut ne pas se manifester avant 1 ou 2 semaines.

SOINS INFIRMIERS

ÉVALUATION DE LA SITUATION

Déterminer l'intensité de la douleur, la rigidité musculaire et l'amplitude des mouvements avant le début du traitement et à intervalles réguliers pendant toute sa durée.

DIAGNOSTICS INFIRMIERS POSSIBLES

■ **Énoncés diagnostiques**
□ Douleur.
□ Altération de la mobilité physique.
□ Risque élevé d'accident.
□ *Risque élevé de constipation.*

■ **Facteurs favorisants**
□ *Perturbation de la vigilance.*
□ *Manque de connaissances sur les moyens de stimuler la fonction intestinale.*

INTERVENTIONS INFIRMIÈRES

PO: Administrer le médicament avec des aliments pour réduire l'irritation gastrique.

ENSEIGNEMENT AU PATIENT ET À SES PROCHES

□ Expliquer au patient qu'il doit respecter scrupuleusement la posologie recommandée et qu'il ne doit pas augmenter la dose. S'il n'a pas pu prendre le médicament au moment habituel, il doit le prendre dans l'heure qui suit; sinon il faut reprendre l'horaire habituel. Le prévenir qu'il ne faut jamais remplacer une dose manquée par une double dose.
□ Prévenir le patient que la cyclobenzaprine peut parfois provoquer de la

C

somnolence, des étourdissements et une vision trouble. Lui conseiller de ne pas conduire et d'éviter les activités qui exigent sa vigilance jusqu'à ce qu'on ait la certitude que le médicament n'entraîne pas ces effets chez lui.

□ Mettre en garde le patient contre la consommation d'alcool ou de dépresseurs du SNC en même temps que ce médicament.

□ Expliquer au patient qu'il risque de souffrir de constipation. Pour le soulager, lui conseiller d'augmenter sa consommation de liquides et de fibres alimentaires et de prendre des émollients fécaux.

□ Recommander au patient de contacter le médecin si les symptômes suivants de rétention urinaire se manifestent : abdomen distendu, sensation de plénitude, incontinence par regorgement, élimination de petites quantités d'urine.

□ Conseiller au patient de pratiquer une bonne hygiène orale, de se rincer fréquemment la bouche et de consommer de la gomme ou des bonbons sans sucre pour soulager la sécheresse de la bouche.

VÉRIFICATION DES RÉSULTATS

L'efficacité du traitement peut être démontrée par : le soulagement des spasmes musculaires en cas de troubles aigus de l'appareil locomoteur. Le plein effet du médicament peut ne se manifester que 1 ou 2 semaines après le début du traitement.

CYCLOPENTOLATE

Ak-Pentolate, Cyclogyl, (1-Pentolate), (Pentolair)

CLASSIFICATION :
Gouttes ophtalmiques – mydriatique ; anticholinergique ; cycloplégique

Grossesse – catégorie inconnue

INDICATIONS

Induction de la mydriase et de la cycloplégie permettant l'examen ophtalmique.

ACTION

■ Inhibition de l'effet de l'acétylcholine dans les yeux, entraînant la mydriase et la cycloplégie. **Effets thérapeutiques :** ■ Mydriase et cycloplégie.

PHARMACOCINÉTIQUE

Absorption : De petites quantités peuvent être absorbées par voie systémique.
Distribution : Inconnue.
Métabolisme et excrétion : Inconnus.
Demi-vie : Inconnue.

CONTRE-INDICATIONS ET PRÉCAUTIONS

Contre-indications : ■ Hypersensibilité ■ Glaucome à angle fermé.
Précautions : Enfants (risque accru de réactions psychotiques).

RÉACTIONS INDÉSIRABLES ET EFFETS SECONDAIRES

SNC : réaction psychotique (enfants).
ORLO : sensation de brûlure, pression intraoculaire accrue, réactions d'hypersensibilité.

INTERACTIONS

Médicament – médicament : Aucune interaction notable.

PRÉSENTATION

Le cyclopentolate est présenté sous forme de solution à 1 %.

VOIES D'ADMINISTRATION ET POSOLOGIE

Cycloplégie
■ **Gouttes ophtalmiques (adultes) :** 1 goutte de solution à 1 %, puis une deuxième goutte, 5 min plus tard, de 40 à 50 min avant l'examen.
■ **Gouttes ophtalmiques (enfants) :** 1 goutte de solution à 1 %, puis une deuxième

goutte, 10 min plus tard, de 40 à 50 min avant l'examen.

Mydriase
■ **Gouttes ophtalmiques (adultes):** 1 goutte de solution à 1 %, instillée toutes les 6 à 8 h.

PHARMACODYNAMIE

	DÉBUT D'ACTION	PIC	DURÉE
gouttes ophtalmiques (mydriase)	rapide	15 – 60 min	24 h (jusqu'à plusieurs jours)
gouttes ophtalmiques (cycloplégie)	rapide	25 – 75 min	6 – 24 h

❋ SOINS INFIRMIERS

ÉVALUATION DE LA SITUATION

■ **Directives générales:** Surveiller l'apparition des symptômes d'absorption systémique suivants: tachycardie, bouffées vasomotrices, sécheresse de la bouche (xérostomie), somnolence ou confusion. Prévenir le médecin si ces symptômes se manifestent.
■ **Enfants:** Suivre de près les signes suivants de réaction psychotique : ataxie, discours incohérent, désorientation, hallucinations, agitation, tachycardie. Prévenir immédiatement le médecin si ces symptômes se manifestent.

DIAGNOSTICS INFIRMIERS POSSIBLES

■ **Énoncés diagnostiques**
□ Altération de la perception visuelle.
□ Prise en charge inefficace du programme thérapeutique.
□ *Risque élevé d'accident.*

■ **Facteurs favorisants**
□ Informations incomplètes.
□ *Altération momentanée de la perception visuelle.*

INTERVENTIONS INFIRMIÈRES

La méthode d'instillation des gouttes ophtalmiques est indiquée à l'annexe H.

ENSEIGNEMENT AU PATIENT ET À SES PROCHES

□ Avant d'instiller le médicament, prévenir le patient qu'il peut ressentir des brûlures.
□ Prévenir le patient que les gouttes ophtalmiques peuvent troubler temporairement la vision et affaiblir la capacité d'apprécier les distances. Lui conseiller de porter des lunettes de soleil pour se protéger les yeux contre la lumière vive.

VÉRIFICATION DES RÉSULTATS

L'efficacité du traitement peut être démontrée par: la mydriase et la cycloplégie en vue de préparer le patient à un examen ophtalmique.

CYCLOPHOSPHAMIDE
Cytoxan, Procytox, (Neosar)

CLASSIFICATION:
Antinéoplasique – agent alkylant; immunosuppresseur
Grossesse – catégorie C

INDICATIONS

■ En monothérapie ou en association avec d'autres agents chimiothérapeutiques, la radiothérapie ou la chirurgie, pour le traitement des affections suivantes: □ Maladie de Hodgkin □ Lymphome malin □ Myélome multiple □ Leucémie □ Mycosis fongoïde □ Neuroblastome □ Cancer de l'ovaire □ Cancer du sein et diverses autres tumeurs □ Rétinoblastome. **Usages non approuvés:** ■ Immunosuppresseur dans le traitement de la polyarthrite rhumatoïde grave ou de la granulomatose de Wegener ■ Traitement du syndrome néphrotique pur chez les enfants.

ACTION

■ Inhibition de la réplication de l'ADN et de la transcription de l'ARN, ce qui perturbe en fin de compte la synthèse des protéines (action non spécifique sur le cycle cellulaire). **Effets thérapeutiques :** ■ Destruction des cellules à réplication rapide et particulièrement des cellules malignes ■ Effets immunosuppresseurs lors de l'administration de doses plus faibles.

PHARMACOCINÉTIQUE

Absorption : Bonne absorption de la molécule mère inactive depuis le tractus gastro-intestinal. Transformation en médicament actif par le foie.

Distribution : L'agent se répartit dans tout l'organisme. Il traverse en petites quantités la barrière hémato-encéphalique. Il traverse le placenta et pénètre dans le lait maternel.

Métabolisme et excrétion : Transformation en médicament actif par le foie. Une fraction de 30 % est excrétée à l'état inchangé par les reins.

Demi-vie : De 4 à 6,5 h.

CONTRE-INDICATIONS ET PRÉCAUTIONS

Contre-indications : ■ Hypersensibilité ■ Grossesse et allaitement.

Précautions : ■ Patientes en âge de procréer ■ Infection évolutive ■ Diminution de la réserve de moelle osseuse ■ Autres maladies chroniques débilitantes.

RÉACTIONS INDÉSIRABLES ET EFFETS SECONDAIRES

CV : FIBROSE DU MYOCARDE, hypotension.

Resp. : fibrose pulmonaire.

GI : anorexie, nausées, vomissements.

GU : cystite hémorragique, hématurie.

Tég. : alopécie.

End. : syndrome d'antidiurèse inappropriée (SIADH), suppression de la fonction des gonades.

Hémat. : anémie, thrombocytopénie, leucopénie.

Métab. : hyperuricémie.

Divers : néoplasmes secondaires.

INTERACTIONS

Médicament – médicament : ■ L'administration concomitante de **phénobarbital** ou de **rifampine** peut accentuer la toxicité du cyclophosphamide ■ L'administration concomitante d'**allopurinol** peut intensifier l'aplasie médullaire ■ Le cyclophosphamide peut prolonger l'effet curarisant de la **succinylcholine** ■ Effet cardiotoxique additif lors de l'administration concomitante d'autres **agents cardiotoxiques (doxorubicine)** ■ Effet additif sur l'aplasie médullaire lors de l'administration concomitante d'autres **antinéoplasiques** ou d'une **radiothérapie** ■ Le cyclophosphamide peut potentialiser les effets des **anticoagulants oraux** ■ Le cyclophosphamide peut diminuer la réponse des anticorps aux **vaccins vivants** et augmenter le risque de réactions indésirables.

VOIES D'ADMINISTRATION ET POSOLOGIE

Chimiothérapie d'induction

- ■ **IV (adultes) :** de 40 à 50 mg/kg (de 1,5 à 1,8 g/m^2) en doses fractionnées, pendant 2 à 5 jours (précédents d'administration de doses allant jusqu'à 100 mg/kg).

- ■ **IV (enfants) (É.-U.) :** de 2 à 8 mg/kg par jour (de 60 à 250 mg/m^2).

- ■ **PO (adultes) :** de 1 à 5 mg/kg par jour.

- ■ **PO (enfants) (É.-U.) :** de 2 à 8 mg/kg par jour (de 60 à 250 mg/m^2).

Chimiothérapie d'entretien

- ■ **IV (adultes) :** de 10 à 15 mg/kg (de 350 à 550 mg/m^2), tous les 7 à 10 jours ou de 3 à 5 mg/kg, deux fois par semaine (de 110 à 185 mg/m^2).

- ■ **PO (adultes) :** de 1 à 5 mg/kg par jour.

- ■ **PO (enfants) (É.-U.) :** de 2 à 5 mg/kg par jour (de 50 à 150 mg/m^2), deux fois par semaine.

PHARMACODYNAMIE
(effets sur la numération globulaire)

	DÉBUT D'ACTION	PIC	DURÉE
PO	7 jours	10 – 14 jours	21 jours
IV	7 jours	10 – 14 jours	21 jours

✳ SOINS INFIRMIERS

ÉVALUATION DE LA SITUATION

☐ Mesurer la pression artérielle, le pouls, la fréquence respiratoire et la température à intervalles réguliers pendant l'administration. Informer le médecin de tout changement marqué.

☐ Mesurer la diurèse à intervalles réguliers pendant le traitement. Inciter l'adulte à boire au moins 3 000 mL de liquides par jour et l'enfant, entre 1 000 et 2 000 mL de liquides par jour pour réduire le risque de cystite hémorragique.

☐ Surveiller l'apparition des signes et des symptômes suivants d'infection : fièvre, frissons, maux de gorge. En informer le médecin, le cas échéant.

☐ Étudier la numération plaquettaire tout au long du traitement. Suivre de près les saignements : gencives qui saignent, formation d'ecchymoses, pétéchies, sang occulte dans les selles, dans l'urine et dans les vomissements. Éviter les injections IM et la prise de température dans le rectum ; appliquer une pression sur les points de ponction veineuse pendant 10 min.

☐ Noter les nausées, les vomissements et l'appétit du patient. Peser le patient toutes les semaines. On peut administrer un antiémétique 30 min avant le médicament afin de réduire les effets gastro-intestinaux. On peut diminuer l'anorexie et la perte de poids en servant fréquemment des repas légers.

☐ Encourager le patient à boire de 2 000 à 3 000 mL de liquides par jour pour favoriser l'excrétion d'acide urique.

Le médecin peut prescrire un agent alcalinisant pour prévenir la maladie rénale.

☐ L'anémie peut survenir. Suivre de près la fatigue accrue, la dyspnée et l'hypotension orthostatique.

☐ Suivre de près l'état de la fonction cardiaque et respiratoire du patient pour déceler la dyspnée, les râles et les crépitations, le gain de poids et l'œdème. Une toxicité pulmonaire peut survenir à la suite d'un traitement de longue durée. La cardiotoxicité peut se manifester au début du traitement et elle se caractérise par des symptômes d'insuffisance cardiaque.

■ **Étude des examens diagnostiques et biochimiques :** Examiner la numération globulaire et la formule leucocytaire avant l'administration et à intervalles réguliers pendant tout le traitement. Le nadir de la leucopénie se produit dans les 7 à 12 jours, les concentrations se rétablissant dans les 17 à 21 jours. Le nombre de leucocytes devrait se maintenir entre 2,5 et $4,0 \times 10^9$/L. Le cyclophosphamide peut aussi entraîner la trombocytopénie (le nadir survient dans les 10 à 15 jours) et rarement l'anémie.

☐ Noter les concentrations sériques d'urée, de créatinine et d'acide urique avant l'administration et à intervalles réguliers pendant toute la durée du traitement afin de déceler la toxicité rénale.

☐ Noter les concentrations de TGPS (ALT), de TGOS (AST), de lacticodéshydrogénase et de bilirubine sérique avant l'administration et à intervalles réguliers pendant toute la durée du traitement afin de déceler l'hépatotoxicité.

☐ Effectuer des analyses d'urines avant d'amorcer le traitement et à intervalles réguliers par la suite afin de déceler l'hématurie ou tout changement de densité, indices du syndrome d'antidiurèse inappropriée (SIADH).

C

□ Le médicament peut inhiber les réactions positives aux tests épicutanés qui décèlent les candidoses, les oreillons, les trichophytoses et aux tests à la tuberculine purifiée. Le cyclophosphamide peut aussi entraîner des résultats faussement positifs au test de Papanicolaou.

DIAGNOSTICS INFIRMIERS POSSIBLES

■ **Énoncés diagnostiques**

□ Risque élevé d'infection.

□ Perturbation situationnelle de l'estime de soi.

□ Prise en charge inefficace du programme thérapeutique.

□ *Risque élevé de déshydratation.*

□ *Risque élevé d'hémorragie.*

□ *Risque élevé d'accident.*

□ *Risque élevé de déséquilibre hydro-électrolytique et de déficit nutritionnel.*

■ **Facteurs favorisants**

□ Informations incomplètes.

□ *Vomissements et nausées.*

□ *Altération de l'image corporelle.*

□ *Perturbation de la vigilance et fatigue.*

INTERVENTIONS INFIRMIÈRES

■ **PO**: Administrer le médicament à jeun. En cas d'irritation gastrique, on peut administrer le médicament avec des aliments.

□ Préparer les solutions orales en diluant la poudre pour injection dans un élixir aromatique pour obtenir une concentration de 1 à 5 mg de cyclophosphamide par millilitre. Les solutions reconstituées doivent être conservées au réfrigérateur et administrées dans les deux semaines.

■ **IV**: Préparer les solutions à injecter sous une hotte biologique de sécurité. Porter des gants, un vêtement protecteur et un masque pendant la manipulation du cyclophosphamide. Mettre au rebut le matériel dans les contenants réservés à cet effet (voir l'annexe I).

□ Préparer les solutions à injecter en diluant chaque 100 mg dans 5 mL d'eau stérile ou d'eau bactériostatique pour injection renfermant des parabènes. Agiter doucement la solution et la laisser reposer jusqu'à ce qu'elle devienne transparente. Administrer les solutions préparées sans eau bactériostatique dans les 6 h. Les solutions préparées avec de l'eau bactériostatique sont stables pendant 24 h à la température ambiante et pendant 6 jours au réfrigérateur.

■ **IV directe**: Administrer la solution reconstituée à un débit de 100 mg/min.

■ **Perfusion intermittente**: Diluer de nouveau le médicament dans un volume allant jusqu'à 250 mL de solution de dextrose à 5 % dans de l'eau, de solution de NaCl à 0,9 %, de solution de dextrose à 5 % dans de l'eau avec du NaCl à 0,9 % ou à 0,45 %, de solution de lactate Ringer ou de solution de dextrose et de Ringer.

■ **Associations compatibles dans la même seringue**: Bléomycine, cisplatine, doxapram, doxorubicine, dropéridol, fentanyl, fluorouracile, furosémide, héparine, leucovorine calcique, méthotrexate, métoclopramide, mitomycine, vinblastine ou vincristine.

■ **Compatibilités (tubulure en Y)**: Compatibilités lors de l'injection dans une tubulure en Y avec les agents suivants: amikacine, ampicilline, bléomycine, céfamandole, céfazoline, céfopérazone, céforanide, céfotaxime, céfoxitine, céfuroxime, céphalothine, céphapirine, chloremphénicol, cisplatine, clyndamicine, co-trimoxazole, doxorubicine, doxycycline, dropéridol, érythromycine, fluorouracile, furosémide, gentamicine, héparine, kanamycine, leucovorine calcique, méthotrexate, métoclopramide, métronidazole, mezlocilline, minocycline, mitomycine, moxalactame, nafcilline, ondansétron, oxacilline, pénicilline G potassique, pipéracilline, tétracycline, ticarcilline, tobramycine, vancomycine, vinblastine ou vincristine.

ENSEIGNEMENT AU PATIENT ET À SES PROCHES

☐ Recommander au patient de prendre le médicament tôt le matin. Lui expliquer qu'il doit boire suffisamment de liquides pendant les 72 h qui suivent le traitement. Le patient doit uriner fréquemment afin de réduire l'irritation de la vessie entraînée par les métabolites excrétés par les reins. Lui recommander de signaler immédiatement au médecin la présence d'hématurie. L'inciter à contacter le médecin s'il a dû sauter une dose.

☐ Recommander au patient de signaler rapidement au médecin la fièvre, les maux de gorge, les signes d'infection, le saignement des gencives, la formation d'ecchymoses, les pétéchies; la présence de sang dans les selles, l'urine ou les vomissements; toute enflure inhabituelle, la douleur des articulations, l'essoufflement ou la confusion. Expliquer au patient qu'il doit éviter les foules et les personnes contagieuses. Lui recommander d'utiliser une brosse à dents à poils doux, un rasoir électrique et de prendre garde aux chutes. Prévenir le patient qu'il ne doit pas boire de boissons alcoolisées ni prendre de médicaments contenant de l'aspirine, car ces substances peuvent déclencher une hémorragie digestive.

☐ Expliquer à la patiente que ce médicament peut entraîner la stérilité, des troubles du cycle menstruel ou même l'arrêt des règles. Ce médicament est aussi tératogène. La patiente doit donc continuer de prendre des mesures contraceptives pendant au moins 4 mois après l'arrêt du traitement.

☐ Expliquer au patient qu'il risque de perdre ses cheveux. Explorer avec lui les stratégies lui permettant de s'adapter à ces changements. Le médicament peut aussi rendre la peau et les ongles de couleur brune.

☐ Expliquer au patient qu'il ne doit pas se faire vacciner sans recommandation expresse du médecin.

VÉRIFICATION DES RÉSULTATS

L'efficacité du traitement peut être démontrée par : ■ la diminution de la taille de la tumeur ou de la propagation des métastases ■ l'amélioration du bilan hématopoïétique en cas de leucémie. Le traitement d'entretien est amorcé si le nombre de leucocytes se maintient entre 2,5 à $4,0 \times 10^9$/L et si aucun effet secondaire grave ne se manifeste.

CYCLOSPORINE
Ciclosporine, cyclosporine A, Sandimmune

CLASSIFICATION :
Immunosuppresseur

Grossesse – catégorie C

INDICATIONS

■ Prévention et traitement du rejet de greffe à la suite d'une transplantation d'organe ou de moelle osseuse ■ Traitement du psoriasis grave lorsque les traitements traditionnels se sont avérés inefficaces.

ACTION

■ Suppression de la réponse immunitaire naturelle (cellulaire et humorale) par inhibition de l'interleukine-2, facteur nécessaire au déclenchement de l'activité des cellules T. **Effets thérapeutiques :** ■ Prévention des réactions de rejet.

PHARMACOCINÉTIQUE

Absorption : Par suite de l'administration par voie orale, l'absorption est variable (de l'ordre de 10 à 60 %). Effet de premier passage hépatique marqué.

C

Distribution : L'agent se répartit dans tout l'organisme, surtout dans le liquide extracellulaire et les globules sanguins. Il traverse le placenta et pénètre dans le lait maternel.

Métabolisme et excrétion : La cyclosporine est fortement métabolisée par le foie ; elle est excrétée par la bile et en petites quantités (6 %) par les reins.

Demi-vie : De 19 à 27 h.

CONTRE-INDICATIONS ET PRÉCAUTIONS

Contre-indications : ■ Hypersensibilité à la cyclosporine ou à l'huile de ricin polyoxéthylée (véhicule de la solution IV) ■ Grossesse et allaitement, sauf lorsque les bienfaits du médicament dépassent les risques auxquels sont exposés la mère et l'enfant ■ Traitement au disulfirame (les préparations orales et IV renferment de l'alcool). **Psoriasis :** □ Hypertension non maîtrisée □ Affection maligne □ Immunodéficience primaire ou secondaire.

Précautions : ■ Insuffisance hépatique grave (réduire la dose) ■ Insuffisance rénale ■ Infection évolutive.

RÉACTIONS INDÉSIRABLES ET EFFETS SECONDAIRES

SNC : tremblements, CONVULSIONS, céphalées, bouffées vasomotrices, confusion, troubles psychiatriques.

CV : hypertension.

Tég. : hirsutisme, hyperplasie gingivale, acné.

GI : nausées, vomissements, diarrhée, anorexie, malaises abdominaux.

GU : toxicité rénale.

HÉ : hypomagnésémie, hyperkaliémie.

Hémat. : leucopénie, anémie, thrombocytopénie.

Métab. : hyperuricémie, hyperlipidémie.

SN : paresthésie, hyperesthésie.

Divers : hépatotoxicité, infections, réactions d'hypersensibilité, hyperlipidémie.

INTERACTIONS

Médicament – médicament : ■ Risque accru de toxicité rénale lors de l'administra-tion concomitante d'**amphotéricine B**, d'**aminosides**, de **fluoroquinolone**, d'**érythromycine**, de **kétoconazole**, d'**anti-inflammatoires non stéroïdiens**, de **melphalan** ou de **sulfamidés** ■ Les concentrations sanguines et le risque de toxicité de la cyclosporine sont accrus lors de l'administration concomitante de **stéroïdes anaboliques**, de **contraceptifs oraux**, d'**érythromycine**, de **cimétidine**, de **fluconazole**, de **kétoconazole**, de **miconazole** et d'**inhibiteurs calciques** ■ Effet immunosuppresseur additif lors de l'administration concomitante d'autres **immunosuppresseurs (cyclophosphamide, azathioprine, glucocorticoïdes)** ou de **vérapamil** ■ Les **barbituriques**, la **phénytoïne**, la **rifampine**, la **carbamazépine** ou les **sulfamidés** peuvent diminuer l'effet de la cyclosporine ■ Effet hyperkaliémique additif lors de l'administration concomitante de **diurétiques d'épargne potassique**, de **suppléments potassiques** ou d'**inhibiteurs de l'ECA** ■ La **digoxine** accroît les concentrations sériques et le risque de toxicité (réduire la dose de digoxine de moitié) ■ La cyclosporine prolonge l'effet des **bloqueurs neuromusculaires** ■ Le risque de crise convulsive est accru lors de l'administration concomitante d'**imipénem/cislatin** ■ La cyclosporine peut diminuer la réponse des anticorps aux **vaccins vivants** et augmenter le risque de réactions indésirables.

VOIES D'ADMINISTRATION ET POSOLOGIE

Transplantation

Remarque : De nombreux schémas posologiques sont utilisés.

■ **PO (adultes et enfants) :** 15 à 17,5 mg/kg par jour (administrer la première dose au cours des 4 à 12 h qui précèdent la transplantation) pendant 1 à 2 semaines ; réduire la dose de 5 % toutes les semaines jusqu'à l'obtention d'une dose d'entretien de 5 à 10 mg/kg par jour.

C

- **IV (adultes et enfants):** dose initiale de 3 à 5 mg/kg par jour (un tiers de la dose orale); administrer par voie orale dès que possible.

Psoriasis
- **PO:** 2,5 mg/kg par jour, en 2 prises. Augmenter graduellement la dose de 0,5 à 1 mg/kg par jour jusqu'à concurrence de 5 mg/kg par jour.

PHARMACODYNAMIE (concentrations sanguines)

	DÉBUT D'ACTION	PIC	DURÉE
PO	inconnu	3,5 h	inconnue
IV	inconnu	fin de la perfusion	inconnue

❊ SOINS INFIRMIERS

ÉVALUATION DE LA SITUATION

- **Directives générales:** Surveiller pendant toute la durée du traitement les symptômes de rejet d'organe.
- ☐ Effectuer le bilan quotidien des ingesta et des excreta; peser le patient et prendre sa pression artérielle tous les jours pendant toute la durée du traitement. Informer le médecin en cas de changement marqué.
- **IV:** Surveiller l'apparition des signes et des symptômes suivants d'hypersensibilité: respiration sifflante, dyspnée, rougeur du visage et du cou. Lors de l'administration de la préparation par voie IV, garder à porter de la main de l'oxygène, de l'épinéphrine et le matériel nécessaire au traitement d'une réaction anaphylactique.
- **Étude des examens diagnostiques et biochimiques:** Noter les concentrations sériques de cyclosporine à intervalles réguliers pendant toute la durée du traitement. Lors du traitement initial, on peut adapter la dose quotidiennement selon les concentrations sériques. On a signalé que des concentrations sanguines minimales de 250 à 800 ng/mL ou plasmatiques de 50 à

300 ng/mL, 24 h après l'administration d'une dose, réduisent les effets secondaires et les épisodes de rejet.
- ☐ Une toxicité rénale peut survenir; surveiller à intervalles réguliers les concentrations sériques d'urée et de créatinine. Prévenir le médecin si ces concentrations s'élèvent de façon marquée. La cyclosporine peut diminuer les concentrations sériques de magnésium.
- ☐ Le médicament peut entraîner l'hépatotoxicité; suivre de près l'élévation des concentrations de TGOS (AST), de TGPS (ALT), de phosphatase alcaline, d'amylase et de bilirubine.
- ☐ La cyclosporine peut entraîner l'élévation des concentrations sériques de potassium et d'acide urique.
- Le médicament peut entraîner l'élévation des concentrations sériques de lipides.

DIAGNOSTICS INFIRMIERS POSSIBLES

- **Énoncés diagnostiques**
- ☐ Risque élevé d'infection.
- ☐ Prise en charge inefficace du programme thérapeutique.
- ☐ *Risque élevé de réaction allergique.*
- ☐ *Risque élevé d'intoxication.*

- **Facteurs favorisants**
- ☐ Informations incomplètes.
- ☐ *Manque de connaissances sur les modalités du traitement.*
- ☐ *Manque de connaissances sur les moyens de prévenir ou de réduire les effets secondaires du médicament.*

INTERVENTIONS INFIRMIÈRES

- **Directives générales:** On doit administrer la cyclosporine avec d'autres immunosuppresseurs. Éloigner les personnes contagieuses des patients ayant subi une greffe. Maintenir l'isolement de protection, au besoin.
- **PO:** Prélever la solution orale à l'aide de la pipette fournie. Mélanger la solution orale avec du lait, du chocolat au lait ou du jus d'orange, gardés de

préférence à la température ambiante. Bien mélanger et demander au patient de boire immédiatement. Utiliser un contenant en verre et rincer avec le diluant afin de s'assurer que le patient a pris toute la dose. Administrer les doses orales avec des aliments. Après l'utilisation, essuyer la pipette sans la laver.

- **Perfusion intermittente:** Diluer, immédiatement avant l'administration, 1 mL (50 mg) de concentré IV dans 20 à 100 mL de solution de dextrose à 5 % dans de l'eau ou de solution de NaCl à 0,9 % pour injection. La dilution dans une solution de dextrose à 5 % dans de l'eau est stable pendant 24 h. La préparation diluée dans une solution de NaCl à 0,9 % est stable pendant 6 h dans un contenant en polychlorure de vinyle et pendant 12 h, dans un contenant en verre.

- *Vitesse d'administration:* La perfusion doit se faire lentement, en 2 à 6 h, à l'aide d'une pompe à perfusion.

- **Perfusion continue:** Administrer en 24 h.

ENSEIGNEMENT AU PATIENT ET À SES PROCHES

☐ Expliquer au patient qu'il doit prendre le médicament à la même heure tous les jours en respectant scrupuleusement la posologie recommandée. Le prévenir qu'il ne doit pas sauter de dose ni remplacer une dose manquée par une double dose. S'il n'a pu prendre le médicament au moment habituel, le prendre le plus rapidement possible dans les 12 h qui suivent. Prévenir le patient qu'il ne doit pas abandonner le traitement sans avoir consulté le médecin au préalable.

■ Expliquer au patient qu'il doit suivre ce traitement toute sa vie durant pour prévenir le rejet de l'organe transplanté. Passer en revue les symptômes de rejet d'un organe greffé et insister sur le fait qu'il faut prévenir le médecin dès que ces symptômes se manifestent.

☐ Indiquer au patient les effets secondaires les plus courants: toxicité rénale, élévation de la pression artérielle, tremblement des mains, hirsutisme facial, hyperplasie gingivale.

☐ Montrer au patient comment mesurer la pression artérielle à domicile. Lui conseiller de prévenir le médecin s'il note un changement marqué de la pression artérielle ou l'hématurie, des mictions fréquentes, l'urine trouble ou la diminution de la diurèse.

☐ Inciter le patient à pratiquer une bonne hygiène buccale. Une hygiène buccale méticuleuse et des soins dentaires réguliers réduisent l'inflammation et l'hyperplasie gingivales.

☐ Conseiller au patient de consulter le médecin ou le pharmacien avant de prendre un médicament en vente libre ou de recevoir un vaccin en même temps que la cyclosporine.

☐ Recommander à la patiente de prévenir le médecin si elle croit être enceinte ou si elle souhaite le devenir.

☐ Insister sur l'importance des examens médicaux et des examens diagnostiques de suivi.

VÉRIFICATION DES RÉSULTATS

L'efficacité du traitement peut être déterminée par: ■ la prévention du rejet des tissus transplantés ■ l'amélioration des lésions de psoriasis.

CYPROHEPTADINE
Periactin

CLASSIFICATION:
Antihistaminique

Grossesse – catégorie B

INDICATIONS

■ Soulagement des symptômes d'allergie entraînés par la libération de l'histamine.

Le médicament est particulièrement efficace pour traiter □ les rhinites allergiques □ les dermatoses allergiques □ l'urticaire due à l'exposition au froid ■ Suppression des céphalées vasculaires ■ Stimulation de l'appétit.

ACTION

■ Inhibition des effets suivants de l'histamine : □ vasodilatation □ augmentation des sécrétions gastriques □ élévation de la fréquence cardiaque □ hypotension ■ Inhibition des effets de la sérotonine entraînant un gain d'appétit et le soulagement des céphalées vasculaires. **Effets thérapeutiques :** ■ Soulagement des symptômes associés à un excès d'histamine, qui caractérisent habituellement les maladies allergiques, incluant l'urticaire due à l'exposition au froid ■ Stimulation de l'appétit.

PHARMACOCINÉTIQUE

Absorption : Le médicament semble être bien absorbé par suite de l'administration par voie orale.
Distribution : Inconnue.
Métabolisme et excrétion : Le médicament est presque entièrement métabolisé par le foie.
Demi-vie : Inconnue.

CONTRE-INDICATIONS ET PRÉCAUTIONS

Contre-indications : ■ Hypersensibilité ■ Crises aiguës d'asthme ■ Allaitement.
Précautions : ■ Personnes âgées (davantage prédisposées aux réactions indésirables) ■ Grossesse (l'innocuité du médicament n'a pas été établie) ■ Glaucome à angle étroit ■ Maladie hépatique.

RÉACTIONS INDÉSIRABLES ET EFFETS SECONDAIRES

SNC : somnolence, sédation, excitation (enfants).
CV : hypotension, palpitations, arythmies.
ORLO : vision trouble.
GI : sécheresse de la bouche (xérostomie), constipation.

GU : retard de la miction avec effort pour uriner, rétention urinaire.
Tég. : rash, photosensibilité.

INTERACTIONS

Médicament – médicament : ■ Effets additifs sur la dépression du SNC lors de l'usage concomitant d'autres **dépresseurs du SNC**, dont l'**alcool**, les **analgésiques narcotiques** et les **hypnosédatifs** ■ Les **inhibiteurs de la MAO** peuvent intensifier et prolonger les effets anticholinergiques des antihistaminiques.

VOIES D'ADMINISTRATION ET POSOLOGIE

- **PO (adultes) :** de 12 à 20 mg par jour, toutes les 8 h.
- **PO (enfants de 7 à 14 ans) :** 4 mg, toutes les 8 à 12 h (ne pas dépasser 16 mg par jour).
- **PO (enfants de 2 à 6 ans) :** 2 mg, toutes les 8 à 12 h (ne pas dépasser 8 mg par jour).

PHARMACODYNAMIE
(effets antihistaminiques)

	DÉBUT D'ACTION	PIC	DURÉE
PO	15 – 60 min	1 – 2 h	8 h

SOINS INFIRMIERS

ÉVALUATION DE LA SITUATION

- **Allergie :** Avant l'administration initiale et à intervalles réguliers pendant toute la durée du traitement, surveiller les symptômes suivants : rhinite, conjonctivite, éruptions urticariennes.
- □ Ausculter le murmure vésiculaire et examiner la fonction respiratoire avant l'administration initiale et à intervalles réguliers pendant toute la durée du traitement. La cyproheptadine peut entraîner un épaississement des sécrétions bronchiques. Maintenir l'apport de liquides entre

C

1 500 et 2 000 mL par jour pour diminuer la viscosité des sécrétions.

- **Stimulant de l'appétit :** Mesurer l'apport alimentaire et peser le patient à intervalles réguliers.

- **Étude des examens diagnostiques et biochimiques :** Le médicament peut entraîner des résultats faussement négatifs aux tests cutanés allergologiques ; arrêter le traitement 72 h avant les tests.

□ L'administration concomitante de cyproheptadine et d'hormones thyroïdiennes peut entraîner une élévation des concentrations sériques d'amylase et de prolactine.

DIAGNOSTICS INFIRMIERS POSSIBLES

- **Énoncés diagnostiques**
□ Dégagement inefficace des voies respiratoires.
□ Risque élevé d'accident.
□ Prise en charge inefficace du programme thérapeutique.

- **Facteurs favorisants**
□ Informations incomplètes.
□ *Perturbation de la vigilance.*

INTERVENTIONS INFIRMIÈRES

- **PO :** Administrer le médicament avec des aliments, de l'eau ou du lait afin de réduire l'irritation gastrique.

- Chez les patients ayant des difficultés de déglutition, administrer le médicament sous forme de sirop.

ENSEIGNEMENT AU PATIENT ET À SES PROCHES

□ Conseiller au patient de suivre scrupuleusement la posologie recommandée. S'il n'a pu prendre le médicament au moment habituel, il doit le prendre dès que possible. Le prévenir qu'il ne faut jamais doubler la dose. Pour mesurer la quantité exacte de sirop, il faut se servir d'un récipient gradué.

□ Prévenir le patient que la cyproheptadine peut provoquer de la somnolence. Lui conseiller de ne pas conduire et d'éviter les activités qui exigent sa vigilance jusqu'à ce qu'on ait la certitude que le médicament n'entraîne pas cet effet chez lui.

□ Recommander au patient d'utiliser des crèmes solaires et de porter des vêtements protecteurs afin de prévenir les réactions de photosensibilité.

□ Mettre en garde le patient contre la consommation d'alcool ou d'autres dépresseurs du SNC en même temps que la cyproheptadine.

□ Expliquer au patient que pour soulager la sécheresse de la bouche, il devrait pratiquer une bonne hygiène orale, se rincer fréquemment la bouche et consommer de la gomme à mâcher ou des bonbons sans sucre. Recommander au patient de consulter le dentiste si la sécheresse de la bouche persiste pendant plus de 2 semaines.

VÉRIFICATION DES RÉSULTATS

L'efficacité du traitement peut être démontrée par : ■ le soulagement des symptômes allergiques □ le soulagement de l'urticaire due à l'exposition au froid ■ l'amélioration de l'appétit.

CYTARABINE
Ara-C, Cytosar, cytosine arabinoside, (Cytosar-U), (PFS), (Tarabine)

CLASSIFICATION :
Antinéoplasique – antimétabolite

Grossesse – catégorie C

INDICATIONS

■ **IV :** En association avec d'autres agents chimiothérapeutiques pour le traitement des leucémies et des lymphomes non hodgkiniens ■ **Voie intrathécale :** Traitement de la leucémie des tissus méningés.

ACTION

■ Inhibition de la synthèse de l'ADN par le blocage de l'ADN-polymérase (effet spécifique sur la phase S du cycle cellulaire). **Effets thérapeutiques:** ■ Destruction des cellules à réplication rapide, particulièrement des cellules malignes.

PHARMACOCINÉTIQUE

Absorption: L'absorption se fait à partir des points SC, mais les concentrations sanguines sont moins élevées que lors de l'administration par voie IV.

Distribution: La cytarabine se répartit dans tout l'organisme; elle traverse la barrière hémato-encéphalique, mais en quantités infimes et elle traverse le placenta.

Métabolisme et excrétion: La cytarabine est surtout métabolisée par le foie; une faible fraction (< 10 %) est excrétée à l'état inchangé par les reins.

Demi-vie: De 1 à 3 h.

CONTRE-INDICATIONS ET PRÉCAUTIONS

Contre-indications: ■ Hypersensibilité ■ Grossesse ou allaitement.

Précautions: ■ Patientes en âge de procréer ■ Maladie infectieuse évolutive ■ Réserve médullaire réduite ■ Autres maladies chroniques débilitantes.

RÉACTIONS INDÉSIRABLES ET EFFETS SECONDAIRES

SNC: céphalées, dysfonction du SNC (doses élevées).

ORLO: doses élevées – conjonctivite hémorragique, toxicité de la cornée.

Resp.: dose élevées – œdème pulmonaire.

GI: nausées, vomissements, hépatite; doses élevées – ulcérations gastro-intestinales graves, hépatotoxicité, stomatite.

Tég.: rash, alopécie.

End.: suppression de la fonction des gonades.

Hémat.: aplasie médullaire.

Métab.: hyperuricémie.

Divers: fièvre.

INTERACTIONS

Médicament – médicament: ■ Hypoplasie médullaire additive lors de l'administration concomitante d'autres **antinéoplasiques** ou d'une **radiothérapie** ■ Risque accru de cardiomyopathie lors de l'administration de doses élevées en concomitance avec le **cyclophosphamide** ■ La cytarabine peut diminuer la réponse des anticorps aux **vaccins vivants** et augmenter le risque de réactions indésirables.

VOIES D'ADMINISTRATION ET POSOLOGIE

Remarque: De nombreux schémas posologiques sont utilisés.

■ **IV (adultes et enfants):** de 100 à 200 mg/m^2 par jour ou 3 mg/kg par jour en perfusion continue en 24 h ou en injection rapide, en doses fractionnées, pendant 5 à 10 jours; on peut répéter le traitement deux semaines plus tard. Traitement à doses élevées – de 2 à 3 g/m^2 en 1 à 3 h, toutes les 12 h, pendant 2 à 6 jours.

■ **Voie SC (adultes et enfants) (É.-U.):** Dose d'entretien: 1 mg/kg, toutes les 1 à 4 semaines.

■ **Voie intrathécale (adultes):** 30 mg/m^2, une seule fois tous les 4 jours, jusqu'au retour à la normale du liquide céphalorachidien; administrer ensuite une dose supplémentaire de 5 à 75 mg/m^2, tous les 1 à 4 jours, pendant 4 jours.

PHARMACODYNAMIE (effets sur la numération leucocytaire)

	DÉBUT D'ACTION	PIC	DURÉE
SC 1re phase	24 h	7 – 9 jours	12 jours
SC 2e phase	15 – 24 jours	15 – 24 jours	25 – 34 jours
IV 1re phase	24 h	7 – 9 jours	12 jours
IV 2e phase	15 – 24 jours	15 – 24 jours	25 – 34 jours

C

✳ SOINS INFIRMIERS

ÉVALUATION DE LA SITUATION

☐ Suivre de près les signes d'infection, la fièvre et les maux de gorge. Si ces symptômes se manifestent, en informer immédiatement le médecin.

☐ Suivre de près les saignements : gencives qui saignent, formation d'ecchymoses, pétéchies, présence de sang occulte dans les selles, l'urine et les vomissements. Éviter les injections IM et la prise de la température dans le rectum ; appliquer une pression sur les points de ponction veineuse pendant au moins 10 min.

☐ Effectuer le bilan quotidien des ingesta et des excreta et peser le patient tous les jours. Prévenir le médecin si des changements marqués dans les valeurs totales interviennent.

☐ Surveiller l'apparition des symptômes suivants de goutte : élévation des concentrations d'acide urique, douleurs articulaires, œdème. Inciter le patient à boire au moins 2 litres de liquide par jour. Le médecin peut prescrire de l'allopurinol pour réduire les concentrations d'acide urique ou l'alcalinisation de l'urine afin d'accroître l'excrétion de l'acide urique.

☐ Évaluer l'état nutritionnel du patient. Les nausées et les vomissements peuvent survenir dans l'heure suivant l'administration de la cytarabine, surtout si la dose IV est administrée rapidement. L'administration d'un antiémétique avant le début du traitement et à intervalles réguliers pendant toute sa durée et l'adaptation du régime alimentaire en fonction des aliments que le patient peut tolérer peuvent maintenir l'équilibre hydro-électrolytique et l'état nutritionnel.

☐ L'anémie peut survenir. Suivre de près la fatigue, la dyspnée et l'hypotension orthostatique.

■ **Étude des examens diagnostiques et biochimiques** : Noter la numération globulaire et la formule leucocytaire avant l'administration initiale et à intervalles réguliers pendant toute la durée du traitement. La leucopénie apparaît dans les 24 h qui suivent l'administration. Le nadir initial survient dans les 7 à 9 jours. Une légère élévation du nombre de leucocytes précède un deuxième nadir, plus important, qui survient de 15 à 24 jours après l'administration. Le nombre de leucocytes et de thrombocytes commence habituellement à remonter 10 jours après l'atteinte des nadirs. Arrêter le traitement si le nombre de leucocytes est inférieur à $1,0 \times 10^9$/L ou celui des plaquettes, à 50×10^9/L. Des examens fréquents de la moelle osseuse sont également indiqués.

☐ Noter les résultats des tests de l'exploration fonctionnelle rénale (concentrations d'urée et de créatinine) et hépatique (concentrations de TGOS [AST], de TGPS [ALT], de bilirubine et de LDH) avant le traitement et à intervalles réguliers pendant toute sa durée.

☐ La cytarabine peut entraîner l'élévation des concentrations d'acide urique.

DIAGNOSTICS INFIRMIERS POSSIBLES

■ **Énoncés diagnostiques**

☐ Risque élevé d'infection.

☐ Risque élevé d'accident.

☐ Prise en charge inefficace du programme thérapeutique.

☐ *Risque élevé d'hémorragie.*

☐ *Risque élevé de déséquilibre hydroélectrolytique et de déficit nutritionnel.*

■ **Facteurs favorisants**

☐ Informations incomplètes.

☐ *Perturbation de la vigilance et fatigue.*

☐ *Manque de connaissances sur les effets secondaires du médicament.*

☐ *Vomissements et nausée.*

C

INTERVENTIONS INFIRMIÈRES

- **Directives générales :** Préparer les solutions sous une hotte biologique de sécurité. Porter des gants, un vêtement protecteur et un masque pendant la manipulation de la cytarabine. Mettre au rebut le matériel dans les contenants réservés à cet effet (voir l'annexe I).

- ☐ La cytarabine peut être administrée par voie SC, par IV directe, par perfusion intermittente, par perfusion IV continue ou par voie intrathécale.

- **SC et IV :** Reconstituer le contenu d'une fiole de 100 mg avec 5 mL et le contenu d'une fiole de 500 mg avec 10 mL d'eau bactériostatique pour injection avec de l'alcool benzylique à 0,9 % p/v. La solution reconstituée est stable pendant 48 h. Ne pas administrer la solution si elle est trouble.

- **IV directe :** Administrer par volume de 100 mg, par injection directe, en 1 à 3 min.

- **Perfusion intermittente :** La solution peut être diluée une fois de plus dans 100 mL de solution de NaCl à 0,9 % ou de dextrose à 5 % dans l'eau.

- ☐ *Vitesse d'administration :* Administrer en 30 min.

- **Perfusion continue :** La vitesse et la concentration de la perfusion sont déterminées par le médecin pour chacun des cas.

- **Association compatible dans la même seringue :** Métoclopramide.

- **Compatibilité (tubulure en Y) :** Ondansétron.

- **Compatibilités en addition au soluté :** Bicarbonate de sodium, chlorure de potassium, corticotrophine, hydroxyzine, lincomycine, méthotrexate, phosphate de sodium, prednisolone ou vincristine. L'agent peut aussi être dilué dans une solution de dextrose à 10 % dans de l'eau, dans une solution de dextrose à 5 % avec du NaCl à 0,9 %, dans une solution de Ringer, dans une solution de lactate Ringer ou dans du dextrose à 5 % dans une solution de lactate Ringer.

- **Incompatibilités en addition au soluté :** Fluorouracile, héparine, insuline ordinaire, nafcilline, oxacilline ou pénicilline G sodique.

- **Voie intrathécale :** Reconstituer avec une solution de NaCl à 0,9 % sans agent de conservation ou avec tout autre diluant approprié. Utiliser immédiatement pour prévenir la contamination bactérienne.

ENSEIGNEMENT AU PATIENT ET À SES PROCHES

- ☐ Inciter le patient à éviter les foules et les personnes contagieuses. Lui recommander de prévenir immédiatement le médecin si des symptômes d'infection se manifestent.

- ☐ Recommander au patient de signaler au médecin tout saignement inhabituel. Lui expliquer les précautions à prendre pour prévenir la thrombocytopénie : utiliser une brosse à dents à poils doux et un rasoir électrique, prendre garde aux chutes, ne pas boire de boissons alcoolisées ni prendre de médicaments contenant de l'aspirine, car ces substances peuvent déclencher une hémorragie digestive.

- ☐ Recommander au patient d'examiner ses muqueuses buccales pour déceler l'érythème et les aphtes. En cas d'aphtes, conseiller au patient de remplacer la brosse à dent par une éponge, de se rincer la bouche avec de l'eau après avoir bu ou mangé et de consulter le médecin si les douleurs l'empêchent de s'alimenter.

- ☐ Expliquer à la patiente que ce médicament est tératogène ; elle doit donc continuer à prendre des mesures contraceptives pendant au moins 4 mois après l'arrêt du traitement.

- ☐ Expliquer au patient qu'il ne doit pas se faire vacciner sans recommandation expresse du médecin.

D

□ Insister sur l'importance des examens diagnostiques à intervalles réguliers permettant de déceler les effets secondaires.

VÉRIFICATION DES RÉSULTATS

L'efficacité du traitement peut être démontrée par : ■ l'amélioration des paramètres hématologiques en cas de leucémie ■ la diminution de la taille des tumeurs et de la propagation des lymphomes non hodgkiniens. Le traitement est administré toutes les 2 semaines jusqu'à l'obtention d'une rémission complète ou jusqu'à ce que le nombre de thrombocytes ou de leucocytes diminue en dessous des valeurs acceptables.

DACARBAZINE
DTIC, (DTIC-Dome)

CLASSIFICATION :
Antinéoplasique – alcoylant

Grossesse – catégorie C

INDICATIONS

■ En monothérapie dans le traitement du mélanome malin métastatique. **Usages non approuvés :** ■ Traitement des sarcomes métastatiques ■ En association avec d'autres antinéoplasiques dans le traitement de la maladie de Hodgkin de stade avancé.

ACTION

■ Inhibition de la synthèse de l'ADN et de l'ARN (effet non spécifique sur une phase du cycle cellulaire). **Effets thérapeutiques :** ■ Destruction des cellules tissulaires à croissance rapide, particulièrement des cellules malignes.

PHARMACOCINÉTIQUE

Absorption : Faible absorption par suite de l'administration par voie orale. La dacarbazine doit être administrée par voie IV.

Distribution : Le médicament se répartit dans tout l'organisme et semble se concentrer dans le foie. Il pénètre en quantités infimes dans le SNC.

Métabolisme et excrétion : Une fraction de 50 % du médicament est métabolisée par le foie et une fraction de 50 % est éliminée à l'état inchangé par les reins.

Demi-vie : 5 h (prolongée en cas de maladie rénale).

CONTRE-INDICATIONS ET PRÉCAUTIONS

Contre-indications : ■ Hypersensibilité ■ Grossesse et allaitement.

Précautions : ■ Patientes en âge de procréer ■ Infections évolutives ■ Diminution de la réserve médullaire ■ Autres maladies chroniques débilitantes ■ Enfants (l'innocuité du médicament n'a pas été établie) ■ Maladie rénale.

RÉACTIONS INDÉSIRABLES ET EFFETS SECONDAIRES

GI : nausées, vomissements, anorexie, diarrhée, thrombose de la veine hépatique, NÉCROSE DES TISSUS HÉPATIQUES.

Tég. : alopécie, photosensibilité, rougeur du visage.

End. : suppression de la fonction des gonades.

Hémat. : aplasie médullaire.

Locaux : douleur au point d'injection IV, phlébite au point d'injection IV, nécrose tissulaire.

Loc. : myalgie.

SN : paresthésie faciale.

Divers : rougeur du visage, syndrome pseudo-grippal, malaise, fièvre, ANAPHYLAXIE.

INTERACTIONS

Médicament – médicament : ■ Effet additif sur l'aplasie médullaire lors de l'administration concomitante d'autres **antinéoplasiques** ou d'une **radiothérapie** ■ Hépatotoxicité additive lors de l'administration concomitante d'autres **médicaments hépatotoxiques** ■ La **phénytoïne**

ou le **phénobarbital** peuvent augmenter le métabolisme de la darcabazine et en diminuer l'efficacité ■ La dacarbazine peut diminuer la réponse des anticorps aux **vaccins vivants** et augmenter le risque de réactions indésirables.

VOIES D'ADMINISTRATION ET POSOLOGIE

Mélanome malin

■ **IV (adultes)** : de 2 à 4,5 mg/kg par jour, pendant 10 jours, à répéter toutes les 3 semaines ou 250 mg/m² par jour, pendant 5 jours, à répéter toutes les 3 semaines.

Maladie de Hodgkin

■ **IV (adultes) (É.-U.)** : 150 mg/m² par jour, pendant 5 jours, en association avec d'autres agents administrés toutes les 4 semaines, ou 375 mg/m², la première journée, en association avec d'autres agents ; à répéter tous les 15 jours.

PHARMACODYNAMIE (effets sur la numération globulaire)

	DÉBUT D'ACTION	PIC	DURÉE
IV – numération leucocytaire	16 – 20 jours	21 – 25 jours	3 – 5 jours
IV – numération plaquettaire	inconnu	16 jours	3 – 5 jours

☀ SOINS INFIRMIERS

ÉVALUATION DE LA SITUATION

☐ Mesurer les signes vitaux avant le traitement et à intervalles fréquents pendant toute sa durée.

☐ Vérifier si le patient présente les signes suivants : fièvre, frissons, maux de gorge, infection. En informer le médecin, le cas échéant.

☐ Examiner la numération plaquettaire tout au long du traitement. Observer

le patient de près afin de déceler tout saignement : saignements des gencives, ecchymoses, pétéchies, présence de sang occulte dans les selles, l'urine ou les vomissements. Éviter les injections IM et la prise de la température par voie rectale. Appliquer une pression sur les points de ponction veineuse pendant 10 min.

☐ Observer de près le point d'injection IV. La dacarbazine irrite les tissus. Recommander au patient de prévenir l'infirmière sans délai s'il ressent des douleurs au point d'injection IV. Arrêter immédiatement l'administration s'il y a infiltration. Demander au médecin s'il recommande l'application de glace sur le point d'injection.

☐ Effectuer le bilan des ingesta et des excreta, noter l'appétit du patient et sa consommation de nourriture. Surveiller l'apparition des nausées et des vomissements, car ils peuvent être graves et durer jusqu'à 12 h. Pour essayer de maintenir l'équilibre hydro-électrolytique et l'état nutritionnel, administrer un antiémétique avant le traitement et à intervalles réguliers pendant toute sa durée et modifier le régime alimentaire en fonction des aliments que le patient peut tolérer. Les nausées diminuent habituellement lors de l'administration de doses subséquentes.

■ **Étude des examens diagnostiques et biochimiques** : Vérifier la numération globulaire et la formule leucocytaire avant le traitement et à intervalles réguliers pendant toute sa durée. Le nadir de la thrombocytopénie se produit en l'espace de 16 jours et celui de la leucopénie en l'espace de 3 à 4 semaines. Les valeurs commencent à se rétablir dans les cinq jours. Interrompre le traitement et prévenir le médecin si le nombre de plaquettes est inférieur à 100×10^9/L ou celui de leucocytes, à 4×10^9/L. ☐ Noter l'élévation des concentrations de TGOS

D

(ALT), de TGPS (AST), d'acide urique et d'urée.

DIAGNOSTICS INFIRMIERS POSSIBLES

■ **Énoncés diagnostiques**
□ Risque élevé d'infection.
□ Risque élevé d'accident.
□ Prise en charge inefficace du programme thérapeutique.
□ *Risque élevé de réaction allergique.*
□ *Risque élevé de déshydratation.*
□ *Risque élevé de douleur au point d'injection IV.*
□ *Risque élevé de perturbation situationnelle de l'estime de soi.*

■ **Facteurs favorisants**
□ Informations incomplètes.
□ *Vomissements et diarrhée.*
□ *Manque de connaissances sur la méthode d'administration du médicament.*
□ *Inflammation locale du tissu vasculaire.*
□ *Altération de l'image corporelle.*

INTERVENTIONS INFIRMIÈRES

■ **Directives générales:** Reconstituer le contenu de la fiole de 200 mg avec 19,7 mL d'eau stérile pour obtenir une concentration de 10 mg/mL. La solution est incolore ou d'un jaune transparent. Ne pas utiliser la solution qui a viré au rose. La solution est stable pendant 8 h à la température ambiante et pendant 72 h au réfrigérateur.
□ Préparer la solution sous une hotte biologique de sécurité. Porter des gants, un vêtement protecteur et un masque pendant la manipulation de ce médicament. Mettre au rebut le matériel dans les contenants réservés à cet effet (voir l'annexe I).
■ **IV directe:** Administrer en 1 min.
■ **Perfusion intermittente:** Diluer de nouveau dans 250 mL de solution de dextrose à 5 % dans de l'eau ou de NaCl à 0,9 %. La solution est stable pendant 24 h au réfrigérateur et pendant 8 h à la température ambiante.
□ *Vitesse d'administration:* La perfusion doit durer de 15 à 30 min.
■ **Compatibilité (tubulure en Y):** Ondansétron.
■ **Compatibilités en addition au soluté:** Bléomycine, carmustine, cyclophosphamide, cytarabine, dactinomycine, doxorubicine, fluorouracile, mercaptopurine, méthotrexate ou vinblastine.
■ **Incompatibilité en addition au soluté:** Succinate d'hydrocortisone sodique.

ENSEIGNEMENT AU PATIENT ET À SES PROCHES

□ Recommander au patient d'avertir le médecin si les signes suivants se manifestent: fièvre, frissons, maux de gorge, infection, saignements des gencives, ecchymoses, pétéchies, sang dans les selles, l'urine et les vomissements. Expliquer au patient qu'il doit éviter les foules et les personnes contagieuses. Lui recommander d'utiliser une brosse à dents à poils doux et un rasoir électrique. Prévenir le patient qu'il ne doit pas consommer de boissons alcoolisées ni prendre de préparations contenant de l'aspirine en même temps que la dacarbazine.
□ La dacarbazine peut parfois entraîner la photosensibilité. Recommander au patient d'éviter l'exposition au soleil, de porter des vêtements protecteurs et d'utiliser un écran solaire pendant les deux jours qui suivent le traitement.
□ Recommander au patient de signaler au médecin l'apparition d'un syndrome pseudo-grippal. Les symptômes incluent la fièvre, la myalgie et un malaise généralisé. Ce syndrome peut apparaître après plusieurs cycles de traitement. Habituellement, il se manifeste 1 semaine après l'administration et peut durer de 1 à 3 semaines. Le médecin peut prescrire de l'acétaminophène pour soulager ces symptômes.

□ Expliquer au patient qu'il risque de perdre ses cheveux. Explorer avec lui les stratégies lui permettant de s'adapter à ce changement.

□ Prévenir la patiente qu'elle doit continuer à prendre des mesures de contraception.

□ Expliquer au patient qu'il ne doit pas se faire vacciner sans recommandation expresse du médecin.

VÉRIFICATION DES RÉSULTATS

L'efficacité du traitement peut être démontrée par: la diminution de la taille du mélanome malin ou du lymphome hodgkinien et du risque de propagation des métastases.

DACTINOMYCINE
Cosmegen, (Actinomycin D)

CLASSIFICATION:
Antinéoplasique – antibiotique

Grossesse – catégorie C

INDICATIONS

■ En monothérapie et en association avec d'autres modalités thérapeutiques (autres antinéoplasiques, radiothérapie ou chirurgie) dans le traitement des troubles suivants: □ tumeur de Wilms □ rhabdomyosarcome □ sarcome d'Ewing □ trophoblastome □ cancer des testicules et de l'utérus □ autres tumeurs malignes.

ACTION

■ Inhibition de la synthèse de l'ARN par la formation d'un complexe avec l'ADN (effet non spécifique sur une phase du cycle cellulaire). **Effets thérapeutiques:** ■ Destruction des cellules tissulaires à croissance rapide, particulièrement des cellules malignes ■ La dactinomycine est également

ment douée de propriétés immuno-suppressives.

PHARMACOCINÉTIQUE

Absorption: La dactinomycine doit être administrée par voie IV seulement.

Distribution: Le médicament se répartit dans tout l'organisme, mais il ne traverse pas la barrière hémato-encéphalique. Il traverse le placenta.

Métabolisme et excrétion: Une fraction de 50 % est excrétée dans la bile, puis dans les fèces à l'état inchangé; une petite fraction (10 %) est excrétée à l'état inchangé par les reins.

Demi-vie: 36 h.

CONTRE-INDICATIONS ET PRÉCAUTIONS

Contre-indications: ■ Hypersensibilité ■ Grossesse et allaitement.

Précautions: ■ Patientes en âge de procréer ■ Infections évolutives ■ Diminution de la réserve médullaire ■ Autres maladies débilitantes chroniques.

RÉACTIONS INDÉSIRABLES ET EFFETS SECONDAIRES

SNC: léthargie.

GI: nausées, vomissements, stomatite, ulcération.

Tég.: alopécie, rash.

End.: suppression de la fonction des gonades.

Hémat.: anémie, leucopénie, thrombocytopénie.

Locaux: phlébite au point d'injection IV.

Divers: fièvre.

INTERACTIONS

Médicament – médicament: ■ Effet additif sur l'aplasie médullaire lors de l'administration concomitante d'autres **antinéoplasiques** ou d'une **radiothérapie** ■ La dactinomycine peut diminuer la réponse des anticorps aux **vaccins vivants** et augmenter le risque de réactions indésirables.

D

VOIES D'ADMINISTRATION ET POSOLOGIE

- **IV (adultes) :** 500 µg par jour pendant 5 jours ; répéter après un intervalle d'au moins 3 semaines.
- **IV (enfants) :** 15 µg/kg par jour, pendant 5 jours ; répéter après un intervalle d'au moins 3 semaines.

PHARMACODYNAMIE
(effets sur la numération globulaire)

	DÉBUT D'ACTION	PIC	DURÉE
IV	7 jours	14 jours	21 – 28 jours

SOINS INFIRMIERS

ÉVALUATION DE LA SITUATION

- ☐ Mesurer les signes vitaux avant le traitement et à intervalles fréquents pendant toute sa durée.
- ☐ Vérifier si le patient présente les signes suivants : fièvre, frissons, maux de gorge, infection. En informer le médecin, le cas échéant.
- ☐ Examiner la numération plaquettaire tout au long du traitement. Observer le patient de près afin de déceler tout saignement : saignements des gencives, ecchymoses, pétéchies, présence de sang occulte dans les selles, l'urine ou les vomissements. Éviter les injections IM et la prise de la température par voie rectale. Appliquer une pression sur les points de ponction veineuse pendant 10 min.
- ☐ Observer fréquemment le point d'injection IV pour déceler s'il y a inflammation ou infiltration. Recommander au patient de prévenir l'infirmière sans délai s'il ressent des douleurs ou de l'irritation au point d'injection IV. En cas d'extravasation, arrêter immédiatement la perfusion et la reprendre dans une autre veine afin d'éviter la lésion des tissus SC. En informer le médecin sans délai. Les traitements

standard incluent des injections locales de stéroïdes et l'application de compresses de glace.
- ☐ Effectuer le bilan des ingesta et des excreta, noter l'appétit du patient et sa consommation de nourriture. Surveiller l'apparition des nausées ou des vomissements, qui surviennent habituellement quelques heures après l'administration et qui peuvent durer jusqu'à 20 h. Pour essayer de maintenir l'équilibre hydro-électrolytique et l'état nutritionnel, administrer un antiémétique avant le traitement et à intervalles réguliers pendant toute sa durée, et modifier le régime alimentaire en fonction des aliments que le patient peut tolérer. On peut administrer de l'allopurinol et des liquides par voie IV chez les patients incapables d'absorber une quantité suffisante de liquides par voie orale afin de diminuer les concentrations d'acide urique.
- ■ **Étude des examens diagnostiques et biochimiques :** La dactinomycine peut entraîner l'élévation des concentrations d'acide urique.
- ☐ Vérifier la numération globulaire et la formule leucocytaire avant le traitement et à intervalles réguliers pendant toute sa durée. Le nombre de plaquettes et de leucocytes commence à chuter de 7 à 10 jours après le début du traitement. Le nadir de la thrombocytopénie et de la leucopénie se produit en l'espace de 3 semaines. Les valeurs se rétablissent 3 semaines plus tard.
- ☐ Suivre de près l'hépatotoxicité (élévation des concentrations de TGOS [AST], de TGPS [ALT], de LDH et de bilirubine sérique).

DIAGNOSTICS INFIRMIERS POSSIBLES

- ■ **Énoncés diagnostiques**
- ☐ Risque élevé d'infection.
- ☐ Atteinte à l'intégrité de la muqueuse buccale.

□ Prise en charge inefficace du programme thérapeutique.

□ *Risque élevé de douleur au point d'injection IV.*

□ *Risque élevé de déficit nutritionnel.*

■ **Facteurs favorisants**

□ Informations incomplètes.

□ *Nausées et vomissements.*

□ *Manque de connaissances sur les moyens de prévenir ou de réduire la sécheresse de la bouche.*

□ *Inflammation locale du tissu vasculaire.*

INTERVENTIONS INFIRMIÈRES

■ **Directives générales :** Éviter tout contact avec la peau. En cas d'éclaboussures, irriguer abondamment la peau avec de l'eau pendant 15 min. En cas d'éclaboussure dans les yeux, irriguer avec de l'eau et consulter l'ophtalmologiste.

□ Préparer la solution destinée à l'administration IV sous une hotte biologique de sécurité. Porter des gants, un vêtement protecteur et un masque pendant la manipulation de ce médicament. Mettre au rebut le matériel dans les contenants réservés à cet effet (voir l'annexe I).

■ **IV :** Reconstituer le contenu d'une fiole de 0,5 mg avec 1,1 mL d'eau stérile pour injection sans agents de conservation. La solution est de couleur dorée. Jeter toute solution inutilisée.

■ **IV directe :** Changer d'aiguille entre la reconstitution et l'administration par IV directe.

□ *Vitesse d'administration :* Injecter la dactinomycine reconstituée dans une tubulure en Y ou dans un robinet à 3 voies par où s'écoule une solution de NaCl à 0,9 % ou de dextrose à 5 % dans de l'eau, à un débit de 500 µg/min.

■ **Perfusion intermittente :** On peut effectuer une dilution de plus dans 50 mL de solution de NaCl à 0,9 % ou de dextrose à 5 % dans de l'eau.

□ *Vitesse d'administration :* La perfusion doit durer de 10 à 15 min.

ENSEIGNEMENT AU PATIENT ET À SES PROCHES

□ Recommander au patient d'avertir le médecin si les signes suivants se manifestent : fièvre, frissons, maux de gorge, infection, saignements des gencives, ecchymoses, pétéchies, sang dans les selles, l'urine et les vomissements. Expliquer au patient qu'il doit éviter les foules et les personne contagieuses. Lui recommander d'utiliser une brosse à dents à poils doux et un rasoir électrique. Prévenir le patient qu'il ne doit pas consommer de boissons alcoolisées ni prendre des préparations contenant de l'aspirine en même temps que la dactinomycine.

□ Recommander au patient d'examiner sa muqueuse buccale à la recherche d'érythème et d'aphtes. En présence d'aphtes, lui conseiller d'utiliser une brosse-éponge et de se rincer la bouche avec de l'eau après avoir bu et mangé. Le médecin peut lui prescrire de la lidocaïne visqueuse si la douleur l'empêche de s'alimenter.

□ Prévenir la patiente que la dactinomycine peut provoquer une suppression irréversible de la fonction des gonades. Cependant, puisque ce médicament peut avoir des effets tératogènes, lui conseiller de continuer à prendre des mesures de contraception pendant au moins 4 mois après la fin du traitement.

□ Expliquer au patient qu'il risque de perdre ses cheveux, habituellement de 7 à 10 jours après l'administration de la dactinomycine. Explorer avec lui les stratégies lui permettant de s'adapter à ce changement.

□ Expliquer au patient qu'il ne doit pas se faire vacciner sans recommandation expresse du médecin.

D

□ Insister sur la nécessité d'effectuer des examens diagnostiques et biochimiques à intervalles réguliers pour pouvoir déceler les effets secondaires du médicament.

VÉRIFICATION DES RÉSULTATS

L'efficacité du traitement peut être démontrée par : la diminution de la taille de la tumeur maligne et du risque de propagation des métastases.

DANAZOL
Cyclomen, (Danocrine)

CLASSIFICATION :
Hormone androgène

Grossesse – catégorie inconnue

INDICATIONS

■ Traitement de l'endométriose modérée, rebelle à un traitement plus traditionnel ■ Traitement palliatif de la maladie fibrokystique du sein ■ Ménorragie primaire. **Usages non approuvés :** ■ Puberté précoce, gynécomastie, thrombopénie immune idiopathique, thrombopénie secondaire au lupus et anémie hémolytique auto-immune ■ Prophylaxie de l'angioœdème héréditaire.

ACTION

■ Inhibition de la sécrétion hypophysaire de gonadotrophine se traduisant par la suppression de la fonction ovarienne. Faible effet d'androgène anabolisant. **Effets thérapeutiques :** ■ Atrophie du tissu endométrial ectopique en cas d'endométriose ■ Réduction de la douleur et des nodules en cas de maladie fibrokystique du sein ■ Diminution du flot menstruel ■ Correction des anomalies biochimiques en cas d'angio-œdème héréditaire.

PHARMACOCINÉTIQUE

Absorption : Le médicament est bien absorbé depuis le tractus gastro-intestinal.

Distribution : Inconnue.

Métabolisme et excrétion : Le médicament est métabolisé par le foie.

Demi-vie : 4,5 h.

CONTRE-INDICATIONS ET PRÉCAUTIONS

Contre-indications : ■ Hypersensibilité ■ Patients de sexe masculin atteints d'un cancer du sein ou de la prostate ■ Hypercalcémie ■ Maladies hépatique, rénale ou cardiaque graves ■ Grossesse ou allaitement.

Précautions : ■ Antécédents de maladie hépatique ■ Coronaropathie ■ Prépuberté masculine.

RÉACTIONS INDÉSIRABLES ET EFFETS SECONDAIRES

SNC : labilité affective.

CV : œdème.

Tég. : hirsutisme, acné, peau huileuse.

ORLO : voix caverneuse.

End. : diminution du volume des seins (chez les femmes), anovulation, aménorrhée, diminution de la libido.

GU : atrophie des testicules, hypertrophie du clitoris, aménorrhée.

Métab. : gain pondéral.

Divers : hépatite (jaunisse cholestatique).

INTERACTIONS

Médicament – médicament : ■ Le danazol peut potentialiser les effets des **anticoagulants oraux**, des **hypoglycémiants oraux**, de l'**insuline** ou des **glucocorticoïdes** ■ Le danazol peut élever les concentrations de **cyclosporine** et accroître le risque de toxicité par la **cyclosporine**.

VOIES D'ADMINISTRATION ET POSOLOGIE

Endométriose

■ **PO (adultes) :** de 200 à 800 mg par jour, en deux à quatre doses fractionnées, pendant 3 à 6 mois (jusqu'à 9 mois).

Maladie fibrokystique du sein
- **PO (adultes):** de 100 à 400 mg par jour, en deux doses fractionnées, pendant 2 à 6 mois.

Ménorragie primaire
- **PO (adultes):** de 200 à 400 mg par jour, en deux doses fractionnées, pendant 3 à 6 mois.

Angio-œdème héréditaire
- **PO (adultes):** de 400 à 600 mg par jour, en 2 ou 3 doses fractionnées.

PHARMACODYNAMIE

	DÉBUT D'ACTION	PIC	DURÉE
PO (endo-métriose)	inconnu	6 – 8 semaines	60 – 90 jours
PO (maladie fibrokystique du sein)	1 mois	2 – 6 mois	1 an
PO (angio-œdème)	inconnu	1 – 3 mois	inconnue

SOINS INFIRMIERS

ÉVALUATION DE LA SITUATION

- **Endométriose:** Évaluer les douleurs endométriales avant le traitement et à intervalles réguliers pendant toute sa durée.
- **Maladie fibrokystique du sein:** Évaluer les douleurs, la sensibilité et les nodules mammaires avant le traitement et mensuellement pendant toute sa durée.
- **Ménorragie primaire:** Suivre de près la diminution du flot menstruel.
- **Angio-œdème héréditaire:** Suivre de près l'apparition de crises d'angio-œdème tout au long du traitement, particulièrement durant les périodes d'adaptation posologique.
- **Étude des examens diagnostiques et biochimiques:** Vérifier les résultats des tests de l'exploration fonctionnelle hépatique à intervalles réguliers tout au long du traitement.
- ☐ Il est recommandé d'effectuer une numération des spermatozoïdes et

d'en déterminer la mobilité ainsi que le volume et la viscosité du sperme tous les 3 ou 4 mois durant le traitement de l'angio-œdème héréditaire, particulièrement chez les adolescents.
- ☐ Le danazol peut modifier les résultats des tests de tolérance au glucose ou de l'exploration de la fonction thyroïdienne.

DIAGNOSTICS INFIRMIERS POSSIBLES

- **Énoncés diagnostiques**
- ☐ Dysfonctionnement sexuel.
- ☐ Perturbation situationnelle de l'estime de soi.
- ☐ Prise en charge inefficace du programme thérapeutique.
- ☐ *Risque élevé de douleur.*
- **Facteurs favorisants**
- ☐ Informations incomplètes.
- ☐ *Manque de connaissances sur les modalités du traitement.*
- ☐ *Altération de l'image corporelle.*

INTERVENTIONS INFIRMIÈRES

- **Directives générales:** Chez les patientes souffrant d'endométriose ou de maladie fibrokystique du sein, le traitement doit être amorcé durant la menstruation ou être précédé par un test de grossesse. Recommander à la patiente d'informer immédiatement le médecin si elle pense être enceinte.
- **PO:** Administrer le médicament avec des aliments afin de réduire l'irritation gastro-intestinale.

ENSEIGNEMENT AU PATIENT ET À SES PROCHES

- **Directives générales:** Informer le patient qu'il doit respecter scrupuleusement la posologie recommandée. S'il n'a pu prendre le médicament au moment habituel, il doit le prendre dès que possible à moins qu'il ne soit presque l'heure prévue pour la dose suivante. Il ne faut jamais doubler la dose.
- ☐ Conseiller à la patiente d'utiliser durant le traitement une autre forme de

contraception que les contraceptifs oraux. La prévenir que l'aménorrhée est un effet prévisible du danazol lors du traitement avec des doses plus élevées. Recommander à la patiente de consulter le médecin si le cycle menstruel normal ne se rétablit pas dans les 60 à 90 jours qui suivent l'arrêt du traitement.

□ Recommander à la patiente de signaler au médecin l'apparition des effets virilisants suivants : croissance anormale de poils sur le visage ou sur toute autre partie du corps, voix caverneuse.

□ Insister sur l'importance des examens médicaux réguliers permettant d'évaluer l'efficacité du traitement.

■ **Maladie fibrokystique du sein :** Montrer à la patiente la méthode appropriée d'auto-examen mensuel des seins. Lui conseiller de signaler immédiatement au médecin toute augmentation du volume des nodules.

VÉRIFICATION DES RÉSULTATS

L'efficacité du traitement peut être démontrée par : ■ la diminution des symptômes d'endométriose ; le traitement de l'endométriose dure habituellement de 3 à 6 mois et la diminution des symptômes peut prendre jusqu'à 9 mois ■ le soulagement de la douleur et de la sensibilité en cas de maladie fibrokystique du sein ; ces symptômes s'estompent habituellement durant le premier mois de traitement et sont complètement éliminés en 2 ou 3 mois ; la disparition des nodules se produit habituellement en l'espace de 4 à 6 mois de traitement ■ la diminution de l'écoulement menstruel en cas de ménorragie primaire ; en l'absence d'amélioration au bout de 2 ou 3 cycles menstruels, il y a lieu d'arrêter le traitement et de réévaluer l'état de la patiente ■ la résolution des signes et des symptômes de l'angiœdème héréditaire ; la réaction initiale peut se produire après 1 à 3 mois de traitement. Il faudrait essayer de diminuer les doses à des intervalles de 1 à 3 mois.

DANTROLÈNE
Dantrium

CLASSIFICATION :
Décontractant des muscles striés – action directe

Grossesse – catégorie C (administration IV)

INDICATIONS

■ **PO :** Traitement de la spasticité imputable à : □ des lésions de la moelle épinière □ l'apoplexie □ la paralysie cérébrale ■ la sclérose en plaques ■ **PO :** Prophylaxie de l'hyperthermie maligne ■ **IV :** Traitement d'urgence de l'hyperthermie maligne.

ACTION

■ Action directe sur le muscle squelettique entraînant sa relaxation, grâce à la diminution de la quantité de calcium libérée du réticulum sarcoplasmique des cellules musculaires ■ Prévention du processus catabolique intense associé à l'hyperthermie maligne. **Effets thérapeutiques :** ■ Réduction de la spasticité musculaire ■ Prévention de l'hyperthermie maligne.

PHARMACOCINÉTIQUE

Absorption : Une fraction de 35 % du médicament est absorbée par suite de l'administration par voie orale.
Distribution : Inconnue.
Métabolisme et excrétion : Le médicament est presque entièrement métabolisé par le foie.
Demi-vie : 8,7 h.

CONTRE-INDICATIONS ET PRÉCAUTIONS

Contre-indications : ■ Aucune contre-indication pour la préparation IV, utilisée pour traiter l'hyperthermie ■ Grossesse et allaitement ■ Cas où la spasticité permet de maintenir la posture ou l'équilibre.

Précaution: Maladies cardiaque et pulmonaire ou antécédents de maladie hépatique.

RÉACTIONS INDÉSIRABLES ET EFFETS SECONDAIRES

SNC: faiblesse musculaire, somnolence, étourdissements, malaise, céphalées, confusion, nervosité, insomnie, sensation de tête légère.

ORLO: sécrétion excessive de larmes, troubles visuels.

Resp.: épanchement pleural.

CV: tachycardie, modifications de la pression artérielle.

GI: diarrhée, anorexie, vomissements, crampes, dysphagie, HÉPATITE.

GU: mictions fréquentes, incontinence, nycturie, dysurie, cristallurie, impuissance.

Tég.: prurit, urticaire, photosensibilité, transpiration.

Hémat.: éosinophilie.

Loc.: myalgie.

Divers: sialorrhée, frissons, fièvre.

INTERACTIONS

Médicament – médicament: ■ Dépression additive du SNC lors de l'administration concomitante de **dépresseurs du SNC** dont l'**alcool**, les **antihistaminiques**, les **analgésiques narcotiques**, les **hypnosédatifs** ainsi que de **sulfate de magnésium par voie parentérale** ■ Risque accru de toxicité hépatique lors de l'administration concomitante d'**agents hépatotoxiques**.

VOIES D'ADMINISTRATION ET POSOLOGIE

Spasticité

■ **PO (adultes):** Initialement, 25 mg par jour; augmenter jusqu'à 25 mg, de 2 à 4 fois par jour, puis, par paliers de 25 mg jusqu'à concurrence de 100 mg, de 2 à 4 fois par jour, au besoin; on peut augmenter les doses tous les 4 à 7 jours (ne pas dépasser 400 mg par jour).

■ **PO (enfants > 5 ans):** 0,5 mg/kg, 2 fois par jour; augmenter jusqu'à 0,5 mg/kg, 3 ou 4 fois par jour, puis, par paliers de 0,5 mg/kg jusqu'à concurrence de 3 mg/kg, 2 à 4 fois par jour (ne pas dépasser 100 mg, 4 fois par jour).

Crise d'hyperthermie maligne

■ **IV (adultes et enfants):** 1 mg/kg; on peut répéter l'injection jusqu'à l'administration d'une dose cumulative de 10 mg/kg; administrer ensuite la forme orale pendant 1 à 3 jours (de 4 à 8 mg/kg par jour en 4 doses fractionnées).

Prophylaxie de l'hyperthermie

■ **PO (adultes et enfants):** de 4 à 8 mg/kg par jour, en 3 ou 4 doses fractionnées, pendant un jour ou deux, avant l'intervention chirurgicale; administrer la dernière dose 3 à 5 h avant l'intervention.

PHARMACODYNAMIE
(effets sur la spasticité)

	DÉBUT D'ACTION	PIC	DURÉE
PO	1 semaine	inconnu	6 – 12 h
IV	rapide	rapide	inconnue

⁂SOINS INFIRMIERS

ÉVALUATION DE LA SITUATION

■ **Directives générales:** Observer la fonction intestinale à intervalles réguliers. En cas de diarrhée persistante, il faudrait arrêter le traitement.

■ **Spasticité musculaire:** Examiner l'appareil locomoteur et la spasticité musculaire avant de commencer le traitement et à intervalles réguliers, par la suite, pour déterminer la réponse du patient.

■ **Hyperthermie maligne:** Chez le patient ayant déjà subi une intervention chirurgicale, analyser les réactions à une anesthésie préalable ainsi que les antécédents familiaux de réactions à

D

l'anesthésie (hyperthermie maligne et décès pendant la période périopératoire).

☐ Examiner l'ÉCG, prendre les signes vitaux, étudier les concentrations d'électrolytes et le débit urinaire tout au long de l'administration IV afin de déceler tout signe d'hyperthermie maligne.

■ **Étude des examens diagnostiques et biochimiques:** Lors d'un traitement de longue durée, examiner les résultats des tests de l'exploration fonctionnelle hépatique et rénale et la numération globulaire avant l'administration initiale et, à intervalles réguliers, par la suite. Les anomalies de la fonction hépatique peuvent dicter l'abandon du traitement.

DIAGNOSTICS INFIRMIERS POSSIBLES

■ **Énoncés diagnostiques**

☐ Altération de la mobilité physique.

☐ Douleur.

☐ Risque élevé d'accident.

☐ *Risque élevé de toxicité hépatique.*

☐ *Risque élevé de réaction allergique.*

■ **Facteurs favorisants.**

☐ *Manque de connaissances sur les modalités du traitement.*

☐ *Perturbation de la vigilance.*

☐ *Manque de connaissances sur les antécédents d'hypersensibilité du patient et de sa famille.*

INTERVENTIONS INFIRMIÈRES

■ **PO:** En cas d'irritation gastrique gênante, administrer le médicament avec des aliments. Pour préparer une suspension orale, ouvrir les capsules et ajouter le contenu à du jus de fruits ou à d'autres boissons. Demander au patient de boire la solution aussitôt que le mélange a été préparé.

■ **IV directe:** Reconstituer 20 mg dans 60 mL d'eau stérile pour injection sans agent bactériostatique afin d'obtenir une concentration de 333 µg/mL. Agiter la solution jusqu'à ce qu'elle devienne transparente. Utiliser la solution dans les 6 h. Garder la solution diluée à la température ambiante, à l'abri de la lumière directe.

☐ *Vitesse d'administration:* Administrer chaque dose unique de façon rapide et continue dans une tubulure en Y ou dans un robinet à 3 voies. Administrer aussitôt les doses suivantes, selon les indications. Le médicament irrite fortement les tissus; observer fréquemment le point de perfusion pour éviter l'extravasation.

ENSEIGNEMENT AU PATIENT ET À SES PROCHES

■ **Directives générales:** Recommander au patient de ne pas dépasser la dose prescrite afin de réduire les risques de toxicité hépatique et les autres effets secondaires du médicament. L'avertir que s'il n'a pu prendre le médicament à l'heure habituelle, il ne doit le prendre que s'il peut le faire dans l'heure qui suit; il ne faut jamais remplacer une dose manquée par une dose double.

☐ Prévenir le patient que le dantrolène peut parfois provoquer de la somnolence, des étourdissements, une sensation de tête légère, des troubles visuels et de la faiblesse musculaire. Lui conseiller de ne pas conduire et d'éviter les activités qui exigent sa vigilance jusqu'à ce qu'on ait la certitude que le médicament n'entraîne pas ses effets chez lui.

☐ Recommander au patient d'utiliser des écrans solaires et de porter des vêtements protecteurs pour éviter les réactions de photosensibilité.

☐ Conseiller au patient d'éviter de prendre de l'alcool ou des dépresseurs du SNC en même temps que le dantrolène.

☐ Recommander au patient de signaler au médecin les symptômes suivants: nausées, vomissements, gêne abdominale, jaunissement du blanc des yeux, urine foncée ou selles couleur de glaise.

□ Insister sur l'importance des examens de suivi, permettant de déterminer l'évolution du traitement de longue durée, et des analyses sanguines permettant de déceler les effets secondaires.

■ **Hyperthermie maligne :** Conseiller au patient souffrant d'hyperthermie maligne de porter en tout temps un bracelet d'identité où est inscrit son trouble de santé.

VÉRIFICATION DES RÉSULTATS

L'efficacité du traitement peut être démontrée par : ■ le soulagement des spasmes musculaires en cas de trouble locomoteur ; parfois l'amélioration n'est manifeste qu'après une semaine ou plus ; en l'absence de tout signe d'amélioration après 45 jours, il faut habituellement abandonner le traitement ■ la prévention ou la réduction de la fièvre et de la rigidité squelettique en cas d'hyperthermie maligne.

DAPIPRAZOLE
Rêv-Eyes

CLASSIFICATION :
Agent ophtalmique – alpha-bloquant

Grossesse – catégorie B

INDICATIONS
Renversement de la mydriase causée par la phényléphrine ou le tropicamide.

ACTION
■ Inhibition des récepteurs alpha-adrénergiques du muscle dilatateur de l'iris pour induire le myosis. **Effets thérapeutiques :** ■ Rétablissement de la fonction des pupilles après un examen ophtalmique.

PHARMACOCINÉTIQUE
Absorption : Inconnue.
Distribution : Inconnue.

Métabolisme et excrétion : Inconnus.
Demi-vie : Inconnue.

CONTRE-INDICATIONS ET PRÉCAUTIONS

Contre-indications : ■ Hypersensibilité au dapiprazole ou aux autres ingrédients de la préparation : hydroxypropyle méthylcellulose, édétate sodique, phosphate dibasique et monobasique de sodium, chlorure de benzalkonium ■ Iritis aiguë ou autres circonstances où la constriction des pupilles est à éviter.

Précautions : Grossesse, allaitement ou enfants (l'innocuité du médicament n'a pas été établie).

RÉACTIONS INDÉSIRABLES ET EFFETS SECONDAIRES

SNC : céphalées.

ORLO : conjonctive injectée, brûlures oculaires, ptose de la paupière supérieure, érythème de la paupière, œdème de la paupière, chemosis, démangeaisons, kératite ponctuée, œdème de la cornée, douleur au front ou aux sourcils, photophobie, sécheresse des yeux (alacrymie), vision trouble, larmoiement.

INTERACTIONS

Médicament – médicament : Aucune interaction notable.

VOIES D'ADMINISTRATION ET POSOLOGIE

Préparation ophtalmique (adultes) : 2 gouttes sur la conjonctive, puis 2 autres gouttes, 5 min plus tard dans chaque œil (ne pas administrer plus d'une fois par semaine).

PHARMACODYNAMIE

	DÉBUT D'ACTION	PIC	DURÉE
voie ophtalmique	rapide (quelques minutes)	inconnu	inconnue

D

✴ SOINS INFIRMIERS

ÉVALUATION DE LA SITUATION

□ Mesurer la pupille avant et après l'administration du médicament.

DIAGNOSTICS INFIRMIERS POSSIBLES

■ **Énoncés diagnostiques**

□ Altération de la perception visuelle.

□ Risque élevé d'accident.

□ Prise en charge inefficace du programme thérapeutique.

■ **Facteurs favorisants**

□ Informations incomplètes.

□ *Manque de connaissances sur les moyens de prévenir les effets secondaires du médicament.*

INTERVENTIONS INFIRMIÈRES

■ **Directives générales:** Pour préparer la solution, déchirer le sceau de sécurité et retirer les bouchons de caoutchouc de la fiole de médicament et de diluant. Verser le diluant dans la fiole contenant le médicament et agiter pendant plusieurs minutes pour bien mélanger. La solution est stable pendant 21 jours à la température ambiante. Jeter toute solution qui n'est pas transparente ou incolore.

■ **Gouttes ophtalmiques:** La méthode d'instillation des gouttes ophtalmiques est indiquée à l'annexe H.

□ Ne pas utiliser cette préparation plus d'une fois par semaine.

ENSEIGNEMENT AU PATIENT ET À SES PROCHES

Expliquer au patient le but du traitement. Lui recommander de signaler au médecin toute réaction indésirable.

VÉRIFICATION DES RÉSULTATS

L'efficacité du traitement peut être démontrée par: le rétablissement de la fonction des pupilles après un examen ophtalmique.

DAUNORUBICINE
Cérubidine, (Daunomycin), (Rubidomycin)

CLASSIFICATION:
Antinéoplasique – antibiotique

Grossesse – catégorie D

INDICATIONS

En association avec d'autres antinéoplasiques dans le traitement des leucémies, de réticulosarcome, de tumeurs d'Erwing, de tumeurs de Wilms ou de lymphosarcome.

ACTION

■ Formation d'un complexe avec l'ADN qui, par la suite, inhibe la synthèse de l'ADN et de l'ARN (effets non spécifiques sur une phase du cycle cellulaire). **Effets thérapeutiques:** ■ Destruction des cellules à croissance rapide, particulièrement des cellules malignes. Ce médicament est également doué de propriétés immunosuppressives.

PHARMACOCINÉTIQUE

Absorption: Administration par voie IV seulement, ce qui entraîne une biodisponibilité totale.

Distribution: La daunorubicine se répartit dans tout l'organisme et traverse le placenta.

Métabolisme et excrétion: Le médicament est fortement métabolisé par le foie. Il est partiellement transformé en un composé également doué d'effets antinéoplasiques. Une fraction de 40 % est éliminée par excrétion biliaire.

Demi-vie: 18,5 h.

CONTRE-INDICATIONS ET PRÉCAUTIONS

Contre-indications: ■ Hypersensibilité ■ Insuffisance cardiaque sous-jacente ■ Arythmies cardiaques ■ Grossesse ou allaitement.

Précautions : ■ Patientes en âge de procréer ■ Infections évolutives ■ Diminution de la réserve médullaire ■ Autres maladies chroniques débilitantes ■ Réactivation possible des lésions cutanées provoquées par une radiothérapie antérieure ■ Insuffisance rénale ou hépatique (réduire la dose).

RÉACTIONS INDÉSIRABLES ET EFFETS SECONDAIRES

CV : INSUFFISANCE CARDIAQUE, arythmies.
GI : nausées, vomissements, stomatite, œsophagite.
GU : urine de couleur rouge.
Tég. : alopécie.
End. : suppression de la fonction des gonades.
Hémat. : aplasie médullaire.
Locaux : phlébite au point d'injection IV.
Métab. : hyperuricémie.
Divers : fièvre, frissons.

INTERACTIONS

Médicament – médicament : ■ Effet additif sur l'aplasie médullaire lors de l'administration concomitante d'**autres agents antinéoplasiques** ■ Le **cyclophosphamide** augmente le risque de cardiotoxicité ■ La daunorubicine peut diminuer la réponse des anticorps aux **vaccins vivants** et augmenter le risque de réactions indésirables.

VOIES D'ADMINISTRATION ET POSOLOGIE

■ **IV (adultes) :** Traitement d'attaque – de 30 à 60 mg/m^2 par jour, pendant 3 à 5 jours, à répéter toutes les 3 à 4 semaines. La dose cumulative totale chez les adultes ne devrait pas dépasser 900 mg/m^2.

■ **IV (adultes) :** Traitement d'association – lorsque la daunorubicine est utilisée en association avec d'autres médicaments antileucémiques, elle doit être administrée tous les 2 ou 3 jours pour prévenir l'aplasie médullaire complète ; le traitement doit être poursuivi sur une période de 2 à 4 semaines. La posologie est de 1 mg/kg par injection, tous les 2 ou 3 jours, jusqu'à concurrence de 12 mg/kg.

■ **IV (enfants) (É.-U.) :** de 25 à 45 mg/m^2. La dose cumulative ne devrait pas dépasser de 500 à 750 mg/m^2.

PHARMACODYNAMIE (effets sur la numération globulaire)

	DÉBUT D'ACTION	PIC	DURÉE
IV	7 – 10 jours	10 – 14 jours	21 jours

SOINS INFIRMIERS

ÉVALUATION DE LA SITUATION

☐ Mesurer les signes vitaux avant le traitement et à intervalles réguliers pendant toute sa durée.

☐ Vérifier si le patient présente les signes suivants : fièvre, frissons, maux de gorge, infection. En informer le médecin, le cas échéant.

☐ Vérifier la numération plaquettaire tout au long du traitement. Observer le patient de près afin de déceler tout saignement : saignements des gencives, formation d'ecchymoses, pétéchies, présence de sang occulte dans les selles, l'urine ou les vomissements. Éviter les injections IM et la prise de la température par voie rectale. Appliquer une pression sur les points de ponction veineuse pendant 10 min.

☐ Observer fréquemment le point d'injection IV pour déceler s'il y a inflammation ou infiltration. Recommander au patient de prévenir l'infirmière s'il ressent des douleurs ou de l'irritation au point d'injection IV. En cas d'infiltration, arrêter immédiatement la perfusion et la reprendre dans une autre veine afin d'éviter la lésion des tissus SC. En informer immédiatement le médecin. Le traitement standard inclut des injections locales de stéroïdes et l'application de compresses de glace.

□ Effectuer le bilan des ingesta et des excreta, noter l'appétit du patient et sa consommation de nourriture. Suivre de près les nausées et les vomissements qui, bien que légers, peuvent durer de 24 à 48 h. Pour essayer de maintenir l'équilibre hydroélectrolytique et l'état nutritionnel, administrer un antiémétique avant le traitement et à intervalles réguliers pendant toute sa durée et modifier le régime alimentaire en fonction des aliments que le patient peut tolérer. Inciter le patient à consommer de 2 000 à 3 000 mL de liquides par jour. Le médecin peut également prescrire de l'allopurinol et l'alcalinisation de l'urine pour prévenir la formation de calculs d'urate.

□ Vérifier si le patient présente les signes suivants d'insuffisance cardiaque : œdème périphérique, dyspnée, râles et crépitations, gain pondéral, turgescence des jugulaires ; habituellement, ces signes sont liés à la dose cumulative administrée. Le médecin peut recommander des radiographies thoraciques, une échographie et des électrocardiogrammes avant le traitement et à intervalles réguliers pendant toute sa durée. Une diminution de 30 % du voltage du complexe QRS et la diminution de la fraction d'éjection systolique sont des signes précoces de cardiomyopathie.

■ **Étude des examens diagnostiques et biochimiques :** Vérifier la numération globulaire et la formule leucocytaire avant le traitement et à intervalles réguliers pendant toute sa durée. Le nadir des leucocytes se produit dans les 10 à 14 jours qui suivent l'administration. Les valeurs se rétablissent habituellement dans les 21 jours qui suivent l'administration de la daunorubicine.

□ Noter l'élévation des concentrations de TGOS (AST), de TGPS (ALT), de LDH et de bilirubine sérique. Le médicament peut entraîner une élévation passagère des concentrations sériques de phosphatase et de bilirubine et de la TGOS (AST).

□ Mesurer les concentrations d'acide urique.

DIAGNOSTICS INFIRMIERS POSSIBLES

■ **Énoncés diagnostiques**

□ Risque élevé d'infection.

□ Diminution du débit cardiaque.

□ Prise en charge inefficace du programme thérapeutique.

□ *Risque élevé de perturbation situationnelle de l'estime de soi.*

□ *Risque élevé de douleur au point d'injection IV.*

■ **Facteurs favorisants**

□ Informations incomplètes.

□ *Essoufflement et fatigue.*

□ *Manque de connaissances sur les modalités du traitement.*

□ *Altération de l'image corporelle.*

□ *Inflammation locale du tissu vasculaire.*

INTERVENTIONS INFIRMIÈRES

■ **Directives générales :** Préparer les solutions sous une hotte biologique de sécurité. Porter des vêtements protecteurs ainsi que des gants et un masque pendant la manipulation de ce médicament. Mettre au rebut le matériel dans les contenants réservés à cet effet (voir l'annexe I).

■ **IV :** Reconstituer le contenu de la fiole de 20 mg avec 4 mL d'eau stérile pour injection. La solution reconstituée est stable pendant 24 h à la température ambiante et pendant 48 h au réfrigérateur. Garder à l'abri des rayons du soleil.

□ Ne pas utiliser d'aiguilles en aluminium pour reconstituer ou pour injecter la daunorubicine, car l'aluminium rend la solution foncée.

■ **IV directe :** Diluer de nouveau dans 10 à 15 mL de solution de NaCl à 0,9 %.

D

Administrer par injection directe dans une tubulure en Y ou un robinet à 3 voies par où s'écoule une solution de NaCl à 0,9 % ou de dextrose à 5 % dans de l'eau.

□ *Vitesse d'administration:* La perfusion doit durer de 3 à 5 min au moins. L'administration rapide peut provoquer la rougeur du visage ou un érythème le long de la veine.

■ **Perfusion intermittente:** On peut effectuer une dilution supplémentaire dans 50 mL de solution de dextrose à 5 % dans de l'eau, de solution de NaCl à 0,9 % ou de lactate Ringer et administrer en 10 à 15 min. La solution peut également être diluée dans 100 mL et injectée en 30 à 45 min.

■ **Compatibilité (tubulure en Y):** Ondansétron.

■ **Incompatibilités en addition au soluté:** Dexaméthasone ou héparine. Le fabricant ne recommande pas de mélanger la daunorubicine avec d'autres solutions.

ENSEIGNEMENT AU PATIENT ET À SES PROCHES

□ Recommander au patient d'avertir le médecin si les signes suivants se manifestent: fièvre, frissons, maux de gorge, infection, saignements des gencives, ecchymoses, pétéchies et sang dans les selles, l'urine et les vomissements. Expliquer au patient qu'il doit éviter les foules et les personnes contagieuses. Lui conseiller d'utiliser une brosse à dents à poils doux et un rasoir électrique. Le prévenir qu'il ne doit pas boire de boissons alcoolisées ni prendre des préparations contenant de l'aspirine en même temps que la daunorubicine.

□ Recommander au patient d'examiner ses muqueuses buccales à la recherche d'érythème et d'aphtes. En présence d'aphtes, lui conseiller de remplacer la brosse à dents par une brosse-éponge, de se rincer la bouche avec de l'eau après avoir bu ou mangé et de consulter le médecin si la douleur l'empêche de s'alimenter. Le risque est à son maximum dans les 3 à 7 jours suivant l'administration de la daunorubicine.

□ Recommander au patient de prévenir immédiatement le médecin en cas d'extrasystoles, d'essoufflement ou d'enflure des membres inférieurs.

□ Expliquer au patient qu'il risque de perdre ses cheveux. Explorer avec lui les stratégies lui permettant de s'adapter à ce changement. Les cheveux recommencent à pousser environ 5 semaines après l'arrêt du traitement.

□ Prévenir le patient que la daunorubicine peut rendre l'urine rouge pendant une journée ou deux après l'administration.

□ Prévenir la patiente que ce médicament peut provoquer une suppression irréversible de la fonction des gonades. Cependant, puisque ce médicament peut avoir des effets tératogènes, lui conseiller de continuer à prendre des mesures de contraception pendant toute la durée du traitement et pendant au moins 4 mois après l'avoir arrêté.

□ Expliquer au patient qu'il ne doit pas se faire vacciner sans recommandation expresse du médecin.

□ Insister sur la nécessité des examens diagnostiques et biochimiques à intervalles réguliers permettant de déceler les effets secondaires du médicament.

VÉRIFICATION DES RÉSULTATS

L'efficacité du traitement peut être démontrée par: l'amélioration de l'hématopoïèse. Habituellement le traitement n'est administré que tous les 21 jours afin d'assurer le rétablissement de la réserve médullaire.

DÉFÉROXAMINE
Desferal

CLASSIFICATION:
Antidote – antagoniste des métaux lourds
Grossesse – catégorie C

INDICATIONS

■ Traitement de l'intoxication aiguë par le fer ■ Traitement des syndromes secondaires de la surcharge en fer associés au traitement par transfusions multiples ■ Diagnostic des surcharges en aluminium ■ Traitement des surcharges chroniques en aluminium chez les insuffisants rénaux en phase terminale soumis à la dialyse d'entretien.

ACTION

■ Chélation du fer non lié pour former dans le plasma un complexe hydrosoluble (ferrioxamine) qui est facilement excrété par les reins. **Effets thérapeutiques:** ■ Élimination du surplus de fer. Chélation de l'aluminium.

PHARMACOCINÉTIQUE

Absorption: Faible absorption par suite de l'administration par voie orale. Bonne absorption par suite de l'administration par voie IM et SC.

Distribution: Le médicament semble se répartir dans tout l'organisme.

Métabolisme et excrétion: La déféroxamine est métabolisée par les enzymes tissulaires et plasmatiques. Le médicament à l'état inchangé et la forme chélatée sont excrétés par les reins. Une fraction de 33 % du fer éliminé est excrétée par la bile dans les fèces.

Demi-vie: 1 h.

CONTRE-INDICATIONS ET PRÉCAUTIONS

Contre-indications: ■ Grossesse ou femmes en âge de procréer ■ Maladie rénale grave ■ Anurie.

Précaution: Enfants de moins de 3 ans (l'innocuité du médicament n'a pas été établie).

RÉACTIONS INDÉSIRABLES ET EFFETS SECONDAIRES

CV: tachycardie.

ORLO: cataractes, vision trouble, neurotoxicité pour la VIIIe paire crânienne (effet ototoxique).

GI: douleur abdominale, diarrhée.

GU: urine de couleur rouge.

Locaux: douleur et induration au point d'injection.

Loc.: crampes dans les jambes.

Divers: bouffées vasomotrices, érythème, urticaire, hypotension, choc par suite d'une administration IV rapide, réactions allergiques, fièvre.

INTERACTIONS

Médicament – médicament: L'acide ascorbique peut augmenter l'efficacité de la déféroxamine, mais aussi la toxicité cardiaque du fer.

VOIES D'ADMINISTRATION ET POSOLOGIE

Remarque: Les perfusions IV doivent être administrées lentement, à un débit ne dépassant pas 15 mg/kg à l'heure; on recommande l'administration par voie IM en cas d'intoxication aiguë à moins qu'elle ne soit accompagnée de choc.

Intoxication aiguë par le fer:

■ **IM et IV (adultes) (É.-U.):** 1 g au départ, puis deux doses subséquentes de 500 mg, à intervalle de 4 h. Des doses supplémentaires de 500 mg toutes les 4 à 12 h peuvent s'avérer nécessaires. Ne pas dépasser 6 g par jour.

■ **IM et IV (enfants) (É.-U.):** 1 g au départ, puis 2 doses subséquentes de 500 mg, à intervalle de 4 h. Des doses supplémentaires de 500 mg toutes les 4 à 12 h peuvent s'avérer nécessaires. Ne pas dépasser 6 g par jour, ou 20 mg/kg (600 mg/m²) au départ, puis 2 doses de 10 mg/kg (300 mg/m^2), à intervalle de 4 h. On peut administrer des doses supplémentaires de 10 mg/kg (300 mg/m^2) à des intervalles de 4 à 12 h. Ne pas dépasser 6 g par jour.

Surcharge chronique en fer

- **IM (adultes et enfants):** de 0,5 à 1 g par jour.
- **IV et SC (adultes et enfants):** de 1 à 2 g par jour (20 à 40 mg/kg par jour) en perfusion continue sur une période de 8 à 24 h.

Diagnostic de la surcharge en aluminium

- **IV (adultes):** 1 g en perfusion lente.

Patients soumis à une hémodialyse d'entretien

- **IV (adultes):** de 1 à 4 g par semaine.

PHARMACODYNAMIE
(effets sur les paramètres hématologiques)

	DÉBUT D'ACTION	PIC	DURÉE
IV	rapide	inconnu	inconnue
IM	inconnu	inconnu	inconnue
SC	inconnu	inconnu	inconnue

SOINS INFIRMIERS

ÉVALUATION DE LA SITUATION

- En cas d'empoisonnement aigu, déterminer le type et la quantité de préparation ferrique ingérée et le moment de l'ingestion.
- Suivre l'apparition des signes suivants de toxicité par le fer : signes précoces aigus (douleur abdominale, selles diarrhéiques sanguinolentes, vomissements); signes tardifs aigus (diminution de l'état de la conscience, choc, acidose métabolique).
- Observer étroitement les signes vitaux, particulièrement durant l'administration par voie IV. Prévenir le médecin en cas d'hypotension, d'érythème, d'urticaire ou de signes de réactions allergiques. Garder de l'épinéphrine,

un antihistaminique et le matériel de réanimation cardiorespiratoire à portée de la main pour contrer toute réaction anaphylactique.

- La déféroxamine peut provoquer une toxicité oculaire ou une neurotoxicité pour la VIIIe paire crânienne (effet ototoxique). Prévenir le médecin en cas de perte de l'acuité visuelle ou auditive.
- Mesurer les ingesta et les excreta et suivre de près la couleur de l'urine. Informer le médecin si le patient est anurique. Le fer chélaté est excrété principalement par les reins ; l'urine peut devenir rouge.
- **Étude des examens diagnostiques et biochimiques :** Examiner les concentrations sériques de fer, la capacité de liaison du fer, les concentrations de transferrine et de fer urinaire, avant le traitement et à intervalles réguliers pendant toute sa durée.
- Examiner les résultats des tests de l'exploration fonctionnelle hépatique afin de déceler des lésions dues à l'intoxication par le fer.

DIAGNOSTICS INFIRMIERS POSSIBLES

- **Énoncés diagnostics**
- Risque élevé d'accident.
- Prise en charge inefficace du programme thérapeutique.
- *Risque élevé d'altération de l'élimination urinaire.*
- *Risque élevé d'altération de la perception visuelle et auditive.*
- *Risque élevé d'intoxication.*

- **Facteurs favorisants**
- Informations incomplètes.
- *Manque de connaissances sur les effets secondaires du médicament.*
- *Manque de connaissances sur les modalités du traitement.*

INTERVENTIONS INFIRMIÈRES

- **Directives générales:** Reconstituer le contenu de la fiole de 500 mg avec 2 mL et celui de la fiole de 2 g avec

8 mL d'eau stérile pour injection. La solution est stable pendant une semaine après la reconstitution si elle est gardée à l'abri de la lumière.

□ Administrer la déféroxamine pendant que l'on provoque les vomissements, que l'on effectue l'aspiration et le lavage gastrique avec du bicarbonate de sodium et qu'on prend les mesures de soutien nécessaires pour combattre le choc et l'acidose métabolique dans les cas d'empoisonnement aigu.

■ **IM :** La voie IM est la voie souhaitable en cas d'intoxication aiguë. Administrer profondément dans le muscle et bien masser. Assurer la rotation des points d'injection. L'administration par voie IM peut entraîner une forte douleur passagère.

■ **Voie SC :** On utilise la voie SC pour traiter le patient qui présente des concentrations élevées persistantes de fer.

□ Administrer la déféroxamine dans le tissu SC abdominal par une pompe de perfusion pendant 8 à 24 h par traitement.

■ **IV :** L'administration par voie IV est réservée aux cas d'intoxications graves qui peuvent être mortelles. Reconstituer la solution et la diluer une fois de plus dans une solution de dextrose à 5 % dans de l'eau, dans une solution de NaCl à 0,9 % ou de lactate Ringer.

□ *Vitesse d'administration :* La vitesse maximale de perfusion est de 15 mg/kg à l'heure. La perfusion rapide peut provoquer de l'hypotension, de l'érythème, de l'urticaire, une respiration sifflante, des convulsions, la tachycardie ou le choc.

□ Le médicament peut être administré en même temps qu'une transfusion sanguine chez les personnes présentant des concentrations sériques élevées persistantes de fer. Administrer par un point différent.

ENSEIGNEMENT AU PATIENT ET À SES PROCHES

□ Insister sur le fait qu'il faut garder les préparations à base de fer, ainsi que tous les médicaments et substances dangereuses, hors de la portée des enfants.

□ Rassurer le patient en lui expliquant que la couleur rouge de l'urine est prévisible et traduit l'excrétion du surplus de fer.

□ Conseiller au patient de ne pas prendre de préparations à base de vitamine C sans consulter au préalable le médecin, car la toxicité tissulaire pourrait augmenter.

□ Inciter le patient en traitement prolongé à respecter les rendez-vous pour les examens de suivi et les examens diagnostiques et biochimiques. Le médecin peut également lui recommander de se soumettre à un examen de la vue et de l'ouïe tous les 3 mois.

VÉRIFICATION DES RÉSULTATS

L'efficacité du traitement peut être démontrée par : le rétablissement des concentrations sériques normales de fer (de 9 à 27 µmol/L).

DÉMÉCARIUM
(Humorsol)

CLASSIFICATION :
Agent ophtalmique – cholinergique ; traitement du glaucome

Grossesse – catégorie C

INDICATIONS

■ Traitement du glaucome à angle ouvert et d'autres formes chroniques de glaucome, rebelles à un traitement plus traditionnel ■ Diagnostic et traitement de l'ésotropie d'accommodation (strabisme convergent) lorsqu'elle ne s'accompagne pas d'amblyopie (perte partielle de la vue) et d'anisométropie (différence de réfraction optique entre les deux yeux).

ACTION

■ Inhibition prolongée de l'enzyme cholinestérase entraînant une accumulation d'acétylcholine et des effets durables. **Effets thérapeutiques:** ■ Contraction du sphincter de la pupille entraînant le myosis ■ Constriction du muscle ciliaire se traduisant par une meilleure accommodation ■ Résistance diminuée au débit de l'humeur aqueuse se traduisant par la baisse de la pression intraoculaire.

PHARMACOCINÉTIQUE

Absorption: Le démécarium pénètre rapidement dans la cornée. Par suite de l'administration des gouttes ophtalmiques, le démécarium est absorbé par voie générale.
Distribution: Inconnue.
Métabolisme et excrétion: Le médicament est métabolisé lentement dans les tissus et dans les liquides par les cholinestérases.
Demi-vie: Inconnue.

CONTRE-INDICATIONS ET PRÉCAUTIONS

Contre-indications: ■ Hypersensibilité ■ Risques ou antécédents de décollement de la rétine ■ Inflammation oculaire aiguë ■ Synéchie postérieure (adhérence de l'iris au cristallin).
Précautions: ■ Abrasion de la cornée ■ Asthme ■ Hypertension ■ Hyperthyroïdie ■ Maladie cardiovasculaire ■ Épilepsie ■ Parkinsonisme ■ Bradycardie ■ Ulcère ■ Obstruction des voies urinaires ■ Hypotension ■ Obstruction gastrointestinale.

RÉACTIONS INDÉSIRABLES ET EFFETS SECONDAIRES

CV: bradycardie, hypotension.
ORLO: spasme d'accommodation, myopie, vision trouble, mauvaise vision nocturne, décollement de la rétine, picote-

ments, brûlures, larmoiement, douleurs oculaires, douleurs aux sourcils, congestion conjonctivale, sténose des canaux excréteurs de la glande lacrymale, contraction de la paupière, kystes iridiens (enfants), hyperémie de la chambre antérieure, congestion nasale.

Resp.: bronchospasme.

GI: nausées, vomissements, diarrhée, douleurs abdominales, crampes, salivation excessive.

GU: mictions fréquentes.

Tég.: transpiration, pâleur, cyanose.

Loc.: faiblesse musculaire.

SN: paresthésie.

INTERACTIONS

Médicament – médicament: ■ Effets additifs sur l'abaissement de la pression intraoculaire lors de l'administration simultanée d'**épinéphrine**, de **bêtabloquants (timolol, métipranolol, lévobunolol, bétaxolol)** par voie ophtalmique et d'**inhibiteurs de l'anhydrase carbonique** par voie systémique ■ La **physostigmine**, le **cyclopentolate**, les **glucocorticoïdes** topiques ou par voie générale, les **anticholinergiques** par voie générale, les **antihistaminiques**, la **mépéridine**, les **sympathomimétiques** et les **antidépresseurs tricycliques** peuvent diminuer les effets du démécarium ■ Le démécarium prolonge la durée d'action des **anesthésiques locaux de type ester (benzocaïne, butacaïne, tétracaïne)** ■ Le démécarium diminue le métabolisme de la **cocaïne** et en augmente les effets ■ Le médicament peut intensifier le blocage neuromusculaire provoqué par la **succinylcholine** ■ Les **inhibiteurs de la cholinestérase**, incluant les **carbamates** et les **insecticides organophosphorés**, administrés simultanément, entraînent une toxicité cholinergique additive ■ Le **clofibrate** intensifie le myosis ■ Le démécarium peut potentialiser l'effet des **anesthésiques généraux** incluant le **cyclopropane** et l'**halothane**.

D

PRÉSENTATION

Le démécarium existe en deux concentrations : 0,125 % et 0,25 %. Lire soigneusement le pourcentage inscrit sur l'étiquette avant d'administrer l'agent.

VOIES D'ADMINISTRATION ET POSOLOGIE

Glaucome

■ **Gouttes ophtalmiques (adultes et enfants) :** 1 goutte de solution à 0,125 %, 2 fois par jour (de 1 à 2 gouttes de solution de 0,125 ou de 0,25 %, de 2 fois par jour à 2 fois par semaine).

Esotropie d'accommodation

■ **Gouttes ophtalmiques (adultes et enfants) :** 1 goutte de solution de 0,125 ou de 0,25 %, une fois par jour pendant 2 à 3 semaines, puis 1 goutte tous les 2 jours, pendant 3 à 4 semaines, enfin, 1 goutte tous les 2 à 4 jours.

Diagnostic de l'ésotropie d'accommodation

■ **Gouttes ophtalmiques (adultes et enfants) :** 1 goutte de solution de 0,125 ou de 0,25 %, une fois par jour, pendant deux semaines, puis 1 goutte tous les 2 jours, pendant 2 à 3 semaines.

PHARMACODYNAMIE

	DÉBUT D'ACTION	PIC	DURÉE
voie ophtalmique (myosis)	15 – 60 min	2 – 4 h	3 – 10 jours (jusqu'à 3 à 4 semaines)
voie ophtalmique (pression intraoculaire)	inconnu	24 h	9 jours ou plus

SOINS INFIRMIERS

ÉVALUATION DE LA SITUATION

□ Surveiller l'apparition des symptômes suivants d'absorption par voie systémique : bradycardie, hypotension, dyspnée, salivation accrue, transpiration, nausées, vomissements ou diarrhée. Prévenir le médecin si ces symptômes se manifestent.

■ **Toxicité et surdosage :** La toxicité du démécarium se manifeste par des effets secondaires généraux. L'atropine en est l'antidote.

DIAGNOSTICS INFIRMIERS POSSIBLES

■ **Énoncés diagnostiques**

□ Altération de la perception visuelle.

□ Prise en charge inefficace du programme thérapeutique.

□ *Risque élevé d'accident.*

□ *Risque élevé d'intoxication.*

■ **Facteurs favorisants**

□ Informations incomplètes.

□ *Manque de connaissances sur les effets secondaires du médicament.*

□ *Altération de la vision nocturne.*

INTERVENTIONS INFIRMIÈRES

La méthode d'instillation des gouttes ophtalmiques est indiquée à l'annexe H.

ENSEIGNEMENT AU PATIENT ET À SES PROCHES

□ Montrer au patient comment administrer les gouttes ophtalmiques. Lui conseiller de respecter scrupuleusement la posologie recommandée et de ne pas arrêter le traitement sans avoir consulté le médecin au préalable. S'il n'a pas pu prendre le médicament au moment habituel, il devrait le faire dès que possible à moins qu'il ne soit presque l'heure prévue pour la dose suivante. Si le médicament ne doit pas être pris tous les jours, il doit le prendre dès que possible, puis revenir à l'horaire habituel.

□ Prévenir le patient que sa vision nocturne peut être altérée. Lui recommander de ne pas conduire la nuit jusqu'à ce qu'on ait la certitude que le médicament n'entraîne pas cet effet chez lui. Pour éviter les accidents dans l'obscurité, conseiller au patient de se servir d'une lampe de poche et de retirer les obstacles qui peuvent le gêner dans ses déplacements.

- ☐ Expliquer au patient qu'il doit faire examiner son champ de vision et mesurer sa pression intraoculaire à intervalles réguliers.
- ☐ Passer en revue les symptômes de l'absorption par voie systémique et recommander au patient de les signaler au médecin, le cas échéant. Lui conseiller de prévenir également le médecin en cas de modifications persistantes de la vue, d'irritation oculaire ou d'une douleur persistante au niveau des sourcils.
- ☐ Recommander au patient de ne pas utiliser des pesticides à base de carbamates et d'organophosphates durant le traitement.
- ☐ Recommander au patient d'informer le médecin ou le dentiste qu'il suit un traitement médicamenteux avant de se soumettre à une intervention chirurgicale, en raison du risque d'interaction de cet agent avec les anesthésiques.

VÉRIFICATION DES RÉSULTATS

L'efficacité du traitement peut être démontrée par: le myosis avec diminution subséquente de la pression intraoculaire.

DÉMÉCLOCYCLINE
Déclomycin

CLASSIFICATION:
Anti-infectieux – tétracycline

Grossesse – catégorie inconnue

INDICATIONS

■ Traitement de diverses infections attribuables à des micro-organismes inhabituels incluant: ☐ les mycoplasmes ☐ *Chlamydia* ☐ les rickettsies ■ Traitement de la gonorrhée et de la syphilis chez les patients allergiques à la pénicilline ■ Traitement adjuvant de l'acné

grave et de la conjonctivite à inclusions et prévention de l'exacerbation de la bronchite chronique. **Usage non approuvé:** ■ Traitement du syndrome d'antidiurèse inappropriée (SIADH).

ACTION

■ Inhibition de la synthèse des protéines bactériennes au niveau du ribosome 30S. **Effets thérapeutiques:** ■ Action bactériostatique contre les bactéries sensibles. **Spectre d'action:** ■ La déméclocycline est active contre certains micro-organismes à Gram positif, dont: ☐ *Bacillus anthracis* ☐ *Clostridium perfringens* ☐ *Clostridium tetani* ☐ *Listeria monocytogenes* ☐ *Nocardia* ☐ *Propionibacterium acnes* ☐ *Actinomyces isrealii* ■ La déméclocycline est également active contre certains micro-organismes à Gram négatif, dont: ☐ *Hæmophilus influenzæ* ☐ *Legionella pneumophila* ☐ *Yersinia entercolitica* ☐ *Yersinia pestis* ☐ *Neisseria gonorrhoeæ* ☐ *Neisseria meningitidis* ■ La déméclocycline est aussi active contre plusieurs micro-organismes pathogènes inhabituels dont: ☐ les mycoplasmes ☐ *Chlamydia* ☐ les rickettsies.

PHARMACOCINÉTIQUE

Absorption: Bonne absorption (de 60 à 80 %) par suite de l'administration par voie orale.

Distribution: Le médicament se diffuse dans tous les liquides de l'organisme et se concentre dans les os, le foie, la rate, les tumeurs et les dents.

Métabolisme et excrétion: Une partie du médicament est excrétée dans la bile et une fraction de 40 % est éliminée à l'état inchangé par les reins.

Demi-vie: De 10 à 17 h (prolongée en cas d'insuffisance rénale).

CONTRE-INDICATIONS ET PRÉCAUTIONS

Contre-indications: ■ Hypersensibilité ■ Grossesse (coloration sombre et permanente des dents chez l'enfant) ■ Allaitement et enfants de moins de 8 ans.

D

Précautions: ■ Patients cachectiques ou débilités ■ Maladie hépatique ■ Maladie rénale ■ Diabète insipide néphrogénique.

RÉACTIONS INDÉSIRABLES ET EFFETS SECONDAIRES

GI: <u>nausées</u>, <u>vomissements</u>, <u>diarrhée</u>, pancréatite, œsophagite.

Tég.: rash, <u>photosensibilité</u>, urticaire.

End.: diabète insipide néphrogénique (soif accrue, mictions accrues, faiblesse, fatigue).

Hémat.: dyscrasie.

Divers: surinfection, réactions d'hypersensibilité.

INTERACTIONS

Médicament – médicament: ■ La déméclocycline peut augmenter l'effet des **anticoagulants oraux** ■ L'agent peut diminuer l'efficacité des **contraceptifs oraux** ■ Le **calcium**, le **fer** et le **magnésium** forment avec la déméclocycline des composants insolubles (chélation) et en diminuent l'absorption ■ Le médicament diminue l'effet antidiurétique de la **desmopressine**. **Médicament – aliments:** ■ Le **calcium** contenu dans les aliments ou les produits laitiers diminue l'absorption de la déméclocycline en formant des composants insolubles (chélation) ■ Les **aliments** diminuent l'absorption de la déméclocycline.

VOIES D'ADMINISTRATION ET POSOLOGIE

Anti-infectieux

■ **PO (adultes):** 150 mg toutes les 6 h ou 300 mg toutes les 12 h (jusqu'à 2,4 g par jour). Pour la pneumonie primaire atypique, la dose est de 300 mg toutes les 8 h.

Syndrome d'antidiurèse inappropriée (SIADH)

■ **PO (adultes):** de 600 à 1 200 mg par jour, en 3 ou 4 doses fractionnées.

PHARMACODYNAMIE

	DÉBUT D'ACTION	PIC	DURÉE
PO (anti-infectieux)	inconnu	3 – 4 h	
PO (syndrome d'antidiurèse inappropriée)	5 jours	inconnu	2 – 6 jours

SOINS INFIRMIERS

ÉVALUATION DE LA SITUATION

■ **Directives générales:** Au début du traitement et pendant toute sa durée, surveiller l'apparition des signes suivants d'infection: altération des signes vitaux, aspect de la plaie, des crachats, de l'urine et des selles, accroissement du nombre de leucocytes.

□ Prélever des échantillons pour les cultures et les antibiogrammes avant le début du traitement. On peut administrer la première dose avant même que les résultats de ces analyses soient connus.

■ **Syndrome d'antidiurèse inappropriée:** Effectuer le bilan des ingesta et des excreta et suivre de près l'œdème chez le patient qui est atteint du syndrome d'antidiurèse inappropriée.

■ **Étude des examens diagnostiques et biochimiques:** Au cours d'un traitement prolongé, il faut effectuer à intervalles réguliers des tests de l'exploration fonctionnelle des reins, du foie et de l'hématopoïèse.

□ Le médicament peut entraîner l'élévation des concentrations de TGOS (AST), de TGPS (ALT), ainsi que des concentrations sériques de phosphatase alcaline, de bilirubine et d'amylase. La déméclocycline peut fausser les résultats du dosage du glucose dans l'urine lorsqu'on utilise la méthode au sulfate de cuivre (Clinitest). Recourir plutôt à la méthode de dosage enzymatique à la glucose-oxydase (Tes-tape, Ketodiastix).

D

DIAGNOSTICS INFIRMIERS POSSIBILES

■ **Énoncés diagnostiques**

□ Risque élevé d'infection.

□ Prise en charge inefficace du programme thérapeutique.

□ Non-observance du traitement médicamenteux.

□ *Risque élevé de déséquilibre hydroélectrolytique.*

□ *Risque élevé d'atteinte à l'intégrité des tissus.*

■ **Facteurs favorisants**

□ Doute quant aux bienfaits du médicament.

□ *Manque de connaissances sur les moyens de prévenir ou de réduire les effets secondaires du médicament.*

□ *Manque de connaissances sur les moyens de prévenir la photosensibilité.*

□ Informations incomplètes.

INTERVENTIONS INFIRMIÈRES

■ **Directives générales :** La déméclocycline, administrée durant la gestation ou la prime enfance, peut colorer les dents et les os de l'enfant en jaunebrun et les rendre plus fragiles. L'usage de cet agent est déconseillé chez les enfants de moins de 8 ans ainsi que chez les femmes enceintes ou allaitantes.

■ **PO :** Administrer le médicament à intervalles réguliers, 24 h sur 24. On peut administrer la déméclocycline avec des aliments en cas d'irritation gastro-intestinale. Il faut prendre le médicament avec un grand verre de liquide, au moins 1 h avant le coucher afin d'éviter l'irritation de l'œsophage. Ne pas administrer de 1 à 3 h avant ou après la prise d'autres médicaments.

□ Il faut éviter de prendre du lait, du calcium, des antiacides, des médicaments contenant du magnésium ou des suppléments de fer de 1 à 3 h avant ou après la prise de la déméclocycline par voie orale.

ENSEIGNEMENT AU PATIENT ET À SES PROCHES

□ Expliquer au patient qu'il doit prendre toute la quantité de médicament qui lui a été prescrite, 24 h sur 24, même s'il se sent mieux. Insister sur le fait qu'il peut être dangereux de donner ce médicament à une autre personne.

□ Recommander au patient de ne pas prendre du lait ou d'autres produits laitiers en même temps que la déméclocycline.

□ Recommander au patient d'utiliser un écran solaire et de porter des vêtements protecteurs afin de prévenir les réactions de phototoxicité.

□ Conseiller au patient de signaler au médecin les signes suivants de surinfection : excroissance pileuse sur la langue, démangeaisons ou pertes vaginales, selles molles ou nauséabondes. Lui recommander de prévenir également le médecin en cas de rash, de prurit et d'urticaire.

□ Inciter le patient à prévenir le médecin si les symptômes ne s'améliorent pas.

□ Recommander au patient de jeter les produits périmés ou décomposés puisqu'ils peuvent être toxiques.

VÉRIFICATION DES RÉSULTATS

La réponse clinique au traitement peut être déterminée par : ■ la disparition des signes et des symptômes d'infection ; le temps de résolution dépend du micro-organisme infectant et du siège de l'infection ■ la disparition des signes et des symptômes du syndrome d'antidiurèse inappropriée.

DESLANOSIDE

(Cédilanide), (Cedilanide-D)

CLASSIFICATION :

Glucoside cardiotonique ; agent inotrope ; antiarythmique

Grossesse – catégorie C

INDICATIONS

■ En monothérapie ou en association avec d'autres agents (diurétiques, vaso-dilatateurs) dans le traitement initial de l'insuffisance cardiaque ■ Ralentissement de la fréquence ventriculaire en présence de tachyarythmies telles que la fibrillation auriculaire et le flutter auriculaire ■ Interruption d'un épisode de tachycardie auriculaire paroxystique.

ACTION

■ Augmentation de la force de contraction du myocarde ■ Prolongation de la période réfractaire du nœud AV ■ Diminution de la conduction par les nœuds SA et AV. **Effets thérapeutiques :** ■ Augmentation du débit cardiaque ■ Ralentissement de la fréquence cardiaque.

PHARMACOCINÉTIQUE

Absorption : Bonne absorption depuis les points d'injection IM.
Distribution : L'agent se répartit dans tout l'organisme. Il traverse le placenta et pénètre dans le lait maternel.
Métabolisme et excrétion : Le médicament est presque entièrement excrété à l'état inchangé par les reins.
Demi-vie : De 33 à 36 h (prolongée en cas d'insuffisance rénale).

CONTRE-INDICATIONS ET PRÉCAUTIONS

Contre-indications : ■ Hypersensibilité ■ Arythmies ventriculaires non maîtrisées ■ Bloc AV ■ Rétrécissement aortique sous-valvulaire hypertrophique idiopathique ■ Péricardite constrictive.
Précautions : ■ Anomalies électrolytiques (l'hypokaliémie, l'hypercalcémie et l'hypomagnésémie peuvent prédisposer le patient à la toxicité digitalique) ■ Grossesse et allaitement (l'innocuité du médicament n'a pas été établie) ■ Enfants (l'innocuité du médicament n'a pas été établie ; usage non approuvé) ■ Patients âgés (particulièrement sensibles aux effets toxiques) ■ Infarctus du myocarde

■ Insuffisance rénale (réduire la dose) ■ Hypothyroïdie.

RÉACTIONS INDÉSIRABLES ET EFFETS SECONDAIRES

SNC : <u>fatigue</u>, faiblesse, céphalées, vision trouble, xanthopsie (vision jaune).
CV : ARYTHMIES, <u>bradycardie</u>, modifications de l'ÉCG.
GI : <u>nausées</u>, vomissements, <u>anorexie</u>, diarrhée, douleurs abdominales.
End. : gynécomastie.
Hémat. : thrombocytopénie.
Locaux : irritation au point d'injection IV, douleur au point d'injection IM.

INTERACTIONS

Médicament – médicament : ■ Les **diurétiques thiazidiques** et les **diurétiques de l'anse**, la **mézlocilline**, la **pipéracilline**, la **ticarcilline**, l'**amphotéricine B** et les **glucocorticoïdes** entraînant l'hypokaliémie peuvent augmenter le risque de toxicité ■ Les **bêtabloquants** et les autres **antiarythmiques (quinidine, disopyramide)**, administrés simultanément, peuvent entraîner une bradycardie additive ■ L'**hormone thyroïdienne** peut diminuer les effets des dérivés digitaliques.

VOIES D'ADMINISTRATION ET POSOLOGIE

Remarque : Lors d'un traitement initial ou d'un traitement d'attaque seulement, il est préférable d'utiliser la voie IV.
■ **IV (adultes) :** Dose d'attaque – 1,6 mg ou 0,8 mg au départ, à répéter 4 h plus tard (ne pas dépasser 2 mg en 24 h).
■ **IM (adultes) :** 2 doses de 0,8 mg, administrées à des points différents (ne pas dépasser 2 mg en 24 h).
■ **IM et IV (enfants > 3 ans) :** Dose d'attaque – 22,5 µg/kg en 2 ou 3 doses fractionnées, à des intervalles de 3 ou 4 h (en cas d'urgence, on peut administrer cette dose en une seule fois).
■ **IM et IV (enfants de 2 semaines à 3 ans) :** Dose d'attaque – 25 µg/kg en 2 ou 3 doses fractionnées, à des intervalles de 3 ou 4 h (en cas d'urgence, on peut

administrer cette dose en une seule fois).

- **IM et IV (prématurés et nouveau-nés à terme ou enfants souffrant d'insuffisance rénale ou de myocardite):** Dose d'attaque – 22 µg/kg en 2 ou 3 doses fractionnées, à des intervalles de 3 ou 4 h (en cas d'urgence, on peut administrer cette dose en une seule fois).

PHARMACODYNAMIE
(effets cardiaques)

	DÉBUT D'ACTION	PIC	DURÉE
IM	inconnu	inconnu	inconnue
IV	10 – 30 min	1 – 3 h	2 – 5 jours

SOINS INFIRMIERS

ÉVALUATION DE LA SITUATION

- ☐ Mesurer le pouls à l'apex pendant 60 secondes avant d'administrer le médicament. S'il est inférieur à 60 battements par minute chez l'adulte, à 70 battements par minute chez l'enfant, ou à 90 battements par minute chez le nourrisson, ne pas administrer et prévenir le médecin. Prévenir également le médecin immédiatement en cas de modification importante de la fréquence, du rythme ou de la qualité des pulsations.

- ☐ Mesurer la pression artérielle à intervalles réguliers chez les patients recevant le deslanoside par voie IV.

- ☐ Examiner l'ÉCG tout au long de l'administration par voie IV. Signaler au médecin la bradycardie ou les nouvelles arythmies. Observer le point d'injection IV pour déceler la rougeur ou l'infiltration. L'extravasation peut entraîner une irritation des tissus et la formation d'une escarre.

- ☐ Examiner à intervalles réguliers, pendant toute la durée du traitement, les concentrations des électrolytes sériques, particulièrement de potassium, de magnésium et de calcium ainsi que les résultats des test de l'exploration

fonctionnelle rénale et hépatique et le tracé de l'ÉCG. En cas d'hypokaliémie, prévenir le médecin avant d'administrer le deslanoside. L'hypokaliémie, l'hypomagnésémie ou l'hypercalcémie peuvent prédisposer davantage le patient à la toxicité digitalique.

- ☐ Effectuer le bilan quotidien des ingesta et des excreta et peser le patient tous les jours. Suivre de près l'œdème périphérique et ausculter les poumons toutes les 8 h au moins pour déceler la présence de râles.

- ☐ Avant d'administrer la dose d'attaque initiale, vérifier si le patient a pris des préparations digitaliques au cours des deux ou trois semaines précédentes.

- **Toxicité et surdosage:** Suivre de près les signes et les symptômes de toxicité. Chez les adultes et les enfants plus âgés, les premiers signes de toxicité sont habituellement la douleur abdominale, l'anorexie, les nausées, les vomissements, les troubles visuels, la bradycardie et les autres arythmies. Chez les nourrissons et les jeunes enfants, les premiers symptômes de surdosage sont habituellement les arythmies cardiaques. Si ces symptômes se manifestent, ne pas administrer et en informer le médecin immédiatement.

- ☐ Si les signes de toxicité ne sont pas graves, il peut être suffisant d'arrêter tout simplement l'administration du deslanoside.

- ☐ En présence d'hypokaliémie, lorsque la fonction rénale est adéquate, on peut administrer des sels de potassium. Ne pas administrer en présence d'hyperkaliémie ou de bloc cardiaque.

- ☐ On peut essayer de réduire les arythmies induites par une toxicité digitalique en administrant de la lidocaïne, du procaïnamide, de la quinidine, du propranolol et de la phénytoïne. Une stimulation ventriculaire passagère peut être utile en cas de bloc cardiaque avancé.

D

DIAGNOSTICS INFIRMIERS POSSIBLES

■ **Énoncés diagnostiques**
□ Diminution du débit cardiaque.
□ Prise en charge inefficace du programme thérapeutique.
□ *Risque élevé d'intoxication.*
□ *Risque élevé de déséquilibre hydro-électrolytique.*
□ *Risque élevé de douleur au point d'injection IV.*

■ **Facteurs favorisants**
□ Informations incomplètes.
□ *Manque de connaissances sur les signes d'hypokaliémie, d'hypomagnésémie et d'hypercalcémie et sur les moyens de les prévenir.*
□ *Inflammation locale du tissu vasculaire et infiltration du médicament dans les tissus avoisinants.*
□ *Manque de connaissances sur les effets secondaires du médicament.*

INTERVENTIONS INFIRMIÈRES

■ **Directives générales:** Pour atteindre la dose thérapeutique d'entretien, on doit administrer un dérivé digitalique efficace par voie orale, dans les 12 h suivant l'administration initiale du deslanoside.
■ **IM:** Ne pas administrer plus de 0,8 mg par point d'injection. Injecter profondément dans le muscle fessier et bien masser.
■ **IV directe:** On peut administrer les doses par voie IV sans les diluer ou les diluer dans 10 mL de solution de NaCl à 0,9 %.
□ *Vitesse d'administration:* Injecter chaque dose individuellement dans une tubulure en Y ou dans un robinet à 3 voies en 5 min au moins.
■ **Compatibilités (tubulure en Y):** Chlorure de potassium, héparine ou succinate d'hydrocortisone sodique.

ENSEIGNEMENT AU PATIENT ET À SES PROCHES

□ Expliquer au patient et à ses proches quels sont les signes et les symptômes de toxicité digitalique. Recommander au patient de signaler immédiatement au médecin ces symptômes ou ceux d'insuffisance cardiaque. Informer le patient que ces symptômes peuvent être pris pour des symptômes de rhumes ou de grippe.
□ Conseiller au patient de consulter le médecin avant de prendre un médicament en vente libre en même temps que le deslanoside.
□ Recommander au patient de signaler au médecin ou au dentiste qu'il suit un traitement médicamenteux avant de se soumettre à un autre traitement ou à une intervention chirurgicale.
□ Recommander au patient qui prend des dérivés digitaliques de toujours porter sur lui une pièce d'identité où sont inscrits son problème de santé et son traitement médicamenteux.
□ Insister sur l'importance des examens de suivi permettant d'évaluer les bienfaits du deslanoside et d'en déceler la toxicité.

VÉRIFICATION DES RÉSULTATS

L'efficacité du traitement peut être démontrée par: ■ la réduction de la gravité de l'insuffisance cardiaque et de l'œdème périphérique □ l'augmentation du débit cardiaque ■ la diminution de la réponse ventriculaire en cas de tachyarythmies ■ l'interruption de la tachycardie auriculaire paroxystique.

DESMOPRESSINE
DDAVP, DDAVP rhinile, DDAVP solution nasale, (Concentraid), (Stimate)

CLASSIFICATION:
Hormone – antidiurétique
Grossesse – catégorie B

INDICATIONS

■ **Voie intranasale:** Traitement de l'énurésie nocturne primaire, rebelle aux autres modalités thérapeutiques ■ **Voies intranasale, SC et IV**: Traitement du diabète insipide attribuable à une carence en vasopressine ■ **Voies SC et IV**: Répression de l'hémorragie chez les patients atteints de certains types d'hémophilie et de la maladie de von Willebrand. **Usage non approuvé**: ■ **Préparation intranasale**: Épreuve du pouvoir de concentration du rein (Concentraid est réservé à cet unique usage).

ACTION

■ Analogue synthétique de l'arginine vasopressine (hormone antidiurétique). Sa principale action est l'intensification de la réabsorption de l'eau par les reins. **Effets thérapeutiques**: ■ Prévention de l'énurésie nocturne ■ Maintien d'une quantité appropriée d'eau corporelle chez les patients souffrant de diabète insipide ■ Répression de l'hémorragie chez les patients souffrant de certains types d'hémophilie ou de la maladie de von Willebrand.

PHARMACOCINÉTIQUE

Absorption: Une fraction de 10 à 20 % est absorbée depuis la muqueuse nasale.

Distribution: La distribution de la desmopressine n'est pas entièrement connue. Le médicament pénètre dans le lait maternel.

Métabolisme et excrétion: Inconnus.

Demi-vie: 75 min.

CONTRE-INDICATIONS ET PRÉCAUTIONS

Contre-indications: ■ Hypersensibilité ■ Hypersensibilité au chlorobutanol ■ Patients souffrant de la maladie de von Willebrand de type IIB ou de type plaquettaire (pseudo-maladie de von Willebrand).

Précautions: ■ Angine de poitrine ■ Hypertension ■ Grossesse ou allaitement (l'innocuité du médicament n'a pas été établie).

RÉACTIONS INDÉSIRABLES ET EFFETS SECONDAIRES

SNC: céphalées, somnolence, apathie.

ORLO: rhinite, congestion nasale.

Resp.: dyspnée.

CV: hypertension, hypotension et tachycardie (les fortes doses administrées par voie IV seulement).

GI: nausées, crampes abdominales légères.

GU: douleur vulvaire.

Tég.: rougeur de la peau.

HÉ: intoxication à l'eau et hyponatrémie.

Locaux: phlébite au point d'injection IV.

INTERACTIONS

Médicament – médicament: ■ Le **chlorpropamide,** le **clofibrate** ou la **carbamazépine** peuvent intensifier la réponse antidiurétique à la desmopressine ■ La **déméclocycline**, le **lithium** ou la **norépinéphrine** peuvent diminuer la réponse antidiurétique à la desmopressine.

VOIES D'ADMINISTRATION ET POSOLOGIE

Énurésie nocturne primaire

■ **Voie intranasale (enfants ≥ 6 ans)**: 20 µg (10 µg dans chaque narine) au coucher (dose habituelle de 10 à 40 µg).

Diabète insipide

■ **Voie intranasale (adultes)**: de 10 à 40 µg (de 0,1 à 0,4 mL de solution à 0,01 %) en une seule dose ou en doses fractionnées, de 2 à 3 fois par jour.

■ **Voie intranasale (enfants de 3 mois à 12 ans)**: de 5 à 30 µg (de 0,05 à 0,3 mL de solution à 0,01 %) en une seule dose ou en doses fractionnées, de 2 à 3 fois par jour.

■ **Voies SC, IM et IV (adultes)**: de 1 à 4 µg par jour, en une seule dose.

■ **Voies SC, IM et IV (enfants)**: 0,4 µg en une seule dose.

D

Hémophilie A et maladie de von Willebrand de type I

- **IV (adultes):** 10,0 µg/m^2 (dose maximale de 20 µg)), par perfusion lente, 30 min avant l'intervention chirurgicale.
- **IV (enfants):** 0,3 µg/kg.

Épreuve du pouvoir de concentration du rein

- **Voie intranasale (adultes):** 40 µg (20 µg dans chaque narine, soit le contenu de 2 pipettes).
- **Voie intranasale (enfants de 1 à 12 ans):** 20 µg (contenu de 1 pipette).

PHARMACODYNAMIE
(voie intranasale = effet antidiurétique; voie IV = effet sur l'activité du facteur VIII)

	DÉBUT D'ACTION	PIC	DURÉE
voie intranasale	1 h	1 – 5 h	8 – 20 h
IV	quelques minutes	15 – 30 min	3 h (4 – 24 h en cas d'hémophilie A légère)

SOINS INFIRMIERS

ÉVALUATION DE LA SITUATION

- **Énurésie nocturne:** Noter la fréquence de l'énurésie tout au long du traitement.
- **Diabète insipide:** Mesurer fréquemment l'osmolalité de l'urine et le volume urinaire pour déterminer les effets du médicament. Surveiller l'apparition des symptômes suivants de déshydratation: soif excessive, peau et muqueuses sèches, tachycardie. Peser le patient tous les jours et suivre de près l'apparition d'un œdème.
- **Hémophilie:** Lorsque la desmopressine est administrée aux patients souffrant d'hémophilie A ou de la maladie de von Willebrand, il faut examiner les concentrations plasmatiques du facteur VIII et le temps de saignement. Suivre de près les signes d'hémorra-gie. Mesurer le cofacteur de ristocétine et le facteur de von Willebrand chez le patient souffrant de cette maladie.

- ☐ Mesurer la pression artérielle et le pouls durant la perfusion IV.
- ☐ Effectuer le bilan quotidien des ingesta et des excreta et ajuster la consommation de liquides (particulièrement chez les enfants et les personnes âgées) afin d'éviter l'hyperhydratation chez le patient recevant la desmopressine pour le traitement de l'hémophilie.
- **Toxicité et surdosage:** Les signes et les symptômes de l'intoxication à l'eau incluent la confusion, la somnolence, les céphalées, le gain pondéral, les difficultés de miction, les convulsions et le coma.
- ☐ Le traitement du surdosage inclut la diminution de la dose et, si les symptômes sont graves, l'administration de furosémide.

DIAGNOSTICS INFIRMIERS POSSIBLES

- **Énoncés diagnostiques**
- ☐ Déficit du volume liquidien.
- ☐ Excès du volume liquidien.
- ☐ Prise en charge inefficace du programme thérapeutique.
- ☐ *Risque élevé d'intoxication.*

- **Facteurs favorisants**
- ☐ Informations incomplètes.
- ☐ *Manque de connaissances sur les signes de l'intoxication à l'eau et sur les moyens de les prévenir.*

INTERVENTIONS INFIRMIÈRES

- **Directives générales:** L'effet antidiurétique de la desmopressine administrée par voie IV est 10 fois plus puissant que celui de la desmopressine administrée par voie intranasale.
- **Diabète insipide:** Pour assurer l'effet antidiurétique de la desmopressine, il faut administrer la dose parentérale par IV directe ou par voie SC.

■ **Hémophilie :** Pour réprimer l'hémorragie, il faut administrer la desmopressine par perfusion IV.

■ **IV directe :** Pour traiter le diabète insipide, administrer la dose pendant 1 min.

■ **Perfusion intermittente :** Diluer la dose dans 50 mL de solution de NaCl à 0,9 %.

□ *Vitesse d'administration :* Chez le patient hémophile, la perfusion doit se faire lentement, en 15 à 30 min.

ENSEIGNEMENT AU PATIENT ET À SES PROCHES

□ **Directives générales :** Recommander au patient de signaler au médecin la somnolence, l'apathie, les céphalées, la dyspnée, les brûlures d'estomac, les nausées, les crampes abdominales, les douleurs vulvaires ainsi que la congestion ou l'irritation nasale graves.

□ Mettre en garde le patient contre la consommation d'alcool en même temps que ce médicament.

■ **Diabète insipide :** Montrer au patient comment administrer la desmopressine par voie intranasale. Le médicament existe en pompe nasale libérant des doses mesurées ; il est également fourni avec un tube gradué (rhinile). Aspirer la solution dans le tube. Introduire une extrémité dans la narine, souffler dans l'autre extrémité pour déposer la solution profondément dans la cavité nasale. On peut attacher une seringue remplie d'air au tube en plastique pour administrer le médicament aux enfants, aux nourrissons ou aux patients insensibles à la douleur. Rincer le tube à l'eau après utilisation.

□ Si le patient n'a pu prendre le médicament au moment habituel, lui conseiller de le prendre dès que possible, à moins qu'il ne soit presque l'heure prévue pour la dose suivante. Il ne faut jamais doubler la dose.

□ Expliquer au patient que la rhinite ou l'infection des voies respiratoires supérieures peuvent diminuer l'efficacité de ce traitement. Lui conseiller de signaler au médecin l'augmentation de la diurèse. Une nouvelle adaptation des doses pourrait s'avérer nécessaire.

□ Conseiller au patient souffrant de diabète insipide de toujours porter sur lui une pièce d'identité où sont inscrits son problème de santé et son traitement médicamenteux.

VÉRIFICATION DES RÉSULTATS

L'efficacité du traitement peut être démontrée par : ■ la diminution de la fréquence de l'énurésie nocturne ■ la diminution du volume urinaire □ le soulagement de la polydipsie □ l'augmentation de l'osmolalité de l'urine ■ la répression de l'hémorragie chez le patient hémophile.

DEXAMÉTHASONE

Decadron, Dexasone, Diodex, Hexadrol Phosphate, Maxidex, Oradexon, PMS-Dexamethasone, R.O.-Dexsone, Spersadex, (Ak-Dex), (Dalalone), (Decadrol), (Decaject), (Decameth), (Decaxen), (Deronil), (Dexon), (Hexadrol), (Mymethasone), (Solurex)

CLASSIFICATION :

Glucocorticoïde – action prolongée ; anti-inflammatoire

Grossesse – catégorie inconnue

INDICATIONS

■ Traitement général et local d'une grande variété de maladies incluant : □ les maladies inflammatoires chroniques □ les allergies □ les troubles hématologiques □ les néoplasies □ les maladies auto-immunes □ l'œdème cérébral et le choc septique □ les troubles surrénaliens (agent diagnostique – épreuve de

D

freinage par la dexaméthasone). **Usage non approuvé :** ■ Administration de courte durée avant l'accouchement, en cas de grossesse à très grand risque, afin de prévenir l'apparition du syndrome de détresse respiratoire du nouveau-né.

ACTION

■ Suppression de l'inflammation et de la réponse immunitaire normale. Nombreux effets métaboliques intenses ■ Freinage de la sécrétion corticosurrénale par l'administration prolongée de doses de 0,75 mg par jour. La dexaméthasone n'a pratiquement pas d'effet minéralocorticoïde (rétention du sodium). **Effets thérapeutiques :** ■ Suppression de l'inflammation et modification de la réponse immunitaire normale.

PHARMACOCINÉTIQUE

Absorption : Par suite de l'administration par voie orale et IM, la dexaméthasone est bien absorbée. Le sel d'acétate administré par voie IM a une longue durée d'action.

Distribution : Le médicament se répartit dans tout l'organisme. Il traverse le placenta et pénètre probablement dans le lait maternel.

Métabolisme et excrétion : La dexaméthasone est surtout métabolisée par le foie. De petites quantités sont excrétées à l'état inchangé par les reins.

Demi-vie : De 110 à 210 min ; le freinage de la sécrétion corticosurrénale dure 2,75 jours.

CONTRE-INDICATIONS ET PRÉCAUTIONS

Contre-indications : ■ Infections évolutives non traitées (à l'exception de certaines formes de méningite) ■ Allaitement (éviter l'usage prolongé) ■ Hypersensibilité au bisulfite, à l'acide para-aminobenzoïque ou à l'alcool (certaines préparations contiennent ces ingrédients).

Précautions : ■ Traitement prolongé (freinage de la sécrétion corticosurrénale)

■ Sevrage brusque (déconseillé) ■ Périodes de stress (infection ou intervention chirurgicale : administrer des doses supplémentaires, au besoin) ■ Grossesse (l'innocuité du médicament n'a pas été établie) ■ Enfants (le traitement prolongé peut entraîner le ralentissement de la croissance) ■ Administrer la plus faible dose possible pendant le laps de temps le plus court possible.

RÉACTIONS INDÉSIRABLES ET EFFETS SECONDAIRES

SNC : céphalées, agitation, psychoses, dépression, euphorie, modifications de la personnalité, pression intracrânienne accrue (enfants seulement).

ORLO : cataractes, pression intraoculaire accrue.

CV : hypertension.

GI : nausées, vomissements, anorexie, ulcère gastroduodénal.

Tég. : retard de la cicatrisation des plaies, pétéchies, ecchymoses, fragilité cutanée, hirsutisme, acné.

End. : freinage de la sécrétion corticosurrénale, hyperglycémie.

HÉ : hypokaliémie, alcalose hypokaliémique, rétention de liquides (fortes doses en usage prolongé).

Hémat. : thromboembolie, thrombophlébite.

Métab. : perte pondérale, gain pondéral.

Loc. : atrophie musculaire, douleurs musculaires, nécrose aseptique des articulations, ostéoporose.

Divers : prédisposition accrue aux infections, aspect cushingoïde (faciès lunaire, bosse de bison).

INTERACTIONS

Médicament – médicament : ■ Effets hypokaliémiques additifs lors de l'administration concomitante de **diurétiques**, d'**amphotéricine B**, de **mézlocilline**, de **pipéracilline** ou de **ticarcilline** ■ L'hypokaliémie peut augmenter le risque de toxicité **digitalique** ■ Le traitement à la dexaméthasone peut augmenter les besoins en **insuline** ou en **hypoglycémiants oraux**.

PRÉSENTATION

Le médicament est présenté sous forme de préparation orale, otique et ophtalmique et sous forme de solution pour injection. Les solutions pour injection sont destinées à l'administration par voies IM, IV, intra-articulaire et intralésionelle.

VOIES D'ADMINISTRATION ET POSOLOGIE

Remarque: une dose de dexaméthasone de 0,75 mg équivaut approximativement à une dose d'hydrocortisone de 20 mg.

Insuffisance surrénalienne
- **PO (enfants):** 23,3 µg (0,0233 mg)/kg ou 670 µg (0,67 mg)/m² par jour en 3 doses fractionnées.

Anti-inflammatoire et la plupart des autres usages
(*Remarque:* les doses sont habituellement déterminées selon la réponse)
- **PO (adultes):** de 0,5 à 9 mg par jour en une seule dose ou en 3 ou 4 doses fractionnées.
- **PO (enfants):** de 83,3 à 333,3 µg/kg (de 0,0833 à 0,3333 mg/kg) ou de 2,5 à 10 mg/m² par jour, en 3 ou 4 doses fractionnées.
- **IM et IV (adultes):** de 0,5 à 20 mg par jour (phosphate).
- **IM (adultes) (É.-U.):** de 8 à 16 mg par jour (acétate).
- **Voie intra-articulaire (adultes) (É.-U.):** de 4 à 16 mg (acétate) en une seule dose; on peut répéter l'administration toutes les 1 à 3 semaines.
- **Préparations ophtalmiques (adultes et enfants):** 1 ou 2 gouttes de solution ou de suspension à 0,1 % toutes les heures, durant le jour et toutes les 2 h, durant la nuit, ou de 1,25 à 2,5 cm d'onguent à 0,1 %, 3 ou 4 fois par jour, au départ, puis 1 ou 2 fois par jour; on peut aussi administrer la solution le jour et l'onguent la nuit.

Œdème cérébral
- **IM et IV (adultes):** 10 mg au départ, puis de 4 à 6 mg, toutes les 6 h (phosphate); on peut réduire la dose à 2 mg, toutes les 8 à 12 h, puis substituer à ces voies d'administration la voie orale.
- **PO (adultes):** 2 mg, toutes les 8 à 12 h.

Épreuve de freinage par la dexaméthasone
- **PO (adultes):** 1 mg à 23 h ou 0,5 mg toutes les 6 h, pendant 48 h.

PHARMACODYNAMIE
(pic = pic des concentrations sanguines; durée = durée du freinage de la sécrétion corticosurrénale ou de l'effet anti-inflammatoire)

	DÉBUT D'ACTION	PIC	DURÉE
PO	inconnu	1 – 2 h	2,75 jours
IM (phosphate)	rapide	inconnu	2,75 jours
IV (phosphate)	rapide	inconnu	2,75 jours
IM (acétate)	inconnu	8 h	6 jours
IA (acétate)	inconnu	inconnu	1 – 3 semaines

☀ SOINS INFIRMIERS

ÉVALUATION DE LA SITUATION

- **Directives générales:** La dexaméthasone est indiquée pour le traitement de plusieurs troubles. Examiner les appareils et systèmes affectés avant le traitement et à intervalles réguliers pendant toute sa durée.
- ☐ Effectuer le bilan quotidien des ingesta et des excreta et peser le patient tous les jours. Suivre de près la formation d'un œdème périphérique, le gain pondéral constant, les râles et les cré-

pitations ou la dyspnée. En prévenir le médecin, le cas échéant.

□ Chez les enfants, il faut suivre la croissance à intervalles réguliers.

■ **Œdème cérébral:** Surveiller tout au long du traitement la modification de l'état de la conscience et l'apparition de céphalées.

■ **Administration intra-articulaire:** Suivre de près les douleurs, l'œdème et l'amplitude des mouvements des articulations atteintes.

■ **Étude des examens diagnostiques et biochimiques:** Examiner les concentrations sériques d'électrolytes et de glucose. La dexaméthasone peut provoquer l'hyperglycémie, particulièrement chez les diabétiques, et l'hypokaliémie.

□ Signaler rapidement au médecin la présence du sang occulte dans les selles révélée par la méthode au gaïac.

□ Le médecin peut prescrire à intervalles réguliers des épreuves de l'exploration fonctionnelle surrénalienne afin de déterminer le degré de suppression de l'axe hypothalamo-hypophyso-surrénalien lors d'un traitement par voie systémique.

□ **Épreuve de freinage par la dexaméthasone:** Pour diagnostiquer le syndrome de Cushing: obtenir les concentrations initiales de cortisol; administrer la dexaméthasone à 23 h et mesurer les concentrations de cortisol à 8 h, le lendemain. La réponse normale se traduit par une baisse de la concentration de cortisol.

□ Solution de rechange: obtenir un échantillon des urines de 24 h pour déterminer les concentrations initiales de 17-hydroxycorticostéroïde, puis administrer la dexaméthasone pendant 48 h. Effectuer un second dosage du 17-hydroxycorticostéroïde dans les urines de 24 h, 24 h après cette administration.

DIAGNOSTICS INFIRMIERS POSSIBLES

■ **Énoncés diagnostiques**

□ Risque élevé d'infection.

□ Prise en charge inefficace du programme thérapeutique.

□ *Risque élevé d'exacerbation des symptômes.*

□ *Risque élevé de constipation.*

■ **Facteurs favorisants**

□ Informations incomplètes.

□ *Manque de connaissances sur les modalités du traitement.*

□ *Arrêt brusque du traitement.*

INTERVENTIONS INFIRMIÈRES

■ **Directives générales:** Si le médecin prescrit la dexaméthasone une fois par jour, l'administrer le matin, pour faire coïncider l'administration avec les sécrétions naturelles de cortisol.

■ **PO:** Administrer avec des aliments pour réduire l'irritation gastrique.

■ **IV directe:** La dexaméthasone peut être administrée sans être diluée, sur une période de 1 min. Ne pas administrer la suspension par voie IV.

■ **IV intermittente:** La dexaméthasone peut être ajoutée à une solution de dextrose à 5 % dans de l'eau ou de NaCl à 0,9 %. Administrer la perfusion à la vitesse prescrite. La solution diluée doit être utilisée dans les 24 h.

Phosphate sodique de dexaméthasone

■ **Associations compatibles dans la même seringue:** Métoclopramide ou ranitidine.

■ **Associations incompatibles dans la même seringue:** Doxaprame ou glycopyrrolate.

■ **Compatibilités (tubulure en Y):** Acyclovir, famotidine, foscarnet, héparine, hydrocortisone, ondansétron, potassium ou zidovudine.

■ **Compatibilités en addition au soluté:** Aminophylline, bléomycine, cimétidine, lidocaïne, nafcilline, nétilmicine, prochlorpérazine ou vérapamil.

- **Incompatibilités en addition au soluté:** Daunorubicine, doxorubicine, métaraminol ou vancomycine.

- **Gouttes ophtalmiques:** Demander au patient de pencher la tête vers l'arrière et de regarder vers le haut. Abaisser délicatement la paupière inférieure avec l'index pour exposer le sac conjonctival et instiller le médicament. Attendre au moins 5 min avant d'instiller d'autres types de gouttes.

- **Pommade ophtalmique:** La méthode d'administration est indiquée à l'annexe H.

ENSEIGNEMENT AU PATIENT ET À SES PROCHES

- **Directives générales:** Conseiller au patient de respecter scrupuleusement la posologie recommandée. Lui expliquer qu'il ne faut pas sauter de dose ni remplacer une dose manquée par une double dose. Le sevrage brusque peut provoquer une insuffisance surrénalienne s'accompagnant des symptômes suivants: anorexie, nausées, faiblesse, fatigue, hypotension, dyspnée, hypoglycémie. Si une telle réaction se manifeste, il faut en informer immédiatement le médecin, car il peut s'agir d'une réaction mortelle.

- ☐ Montrer au patient comment prendre le médicament. Insister sur l'importance d'éviter tout contact avec les yeux à moins qu'il ne s'agisse de la forme ophtalmique.

- ☐ Inciter le patient qui suit un traitement prolongé à adopter un régime riche en protéines, en calcium et en potassium et pauvre en sodium et en hydrates de carbone (voir l'annexe K).

- ☐ Avertir le patient que ce médicament a des effets immunosuppresseurs et peut masquer les symptômes d'infection. Lui conseiller d'éviter tout contact avec des personnes contagieuses et de signaler immédiatement au médecin toute infection possible.

- ☐ Passer en revue les effets secondaires du médicament. Recommander au patient de signaler immédiatement au médecin les douleurs abdominales graves et les selles goudronneuses. Il doit également prévenir le médecin en cas d'enflure inhabituelle, d'un gain pondéral, de fatigue, de douleurs osseuses, de la formation d'ecchymoses au moindre traumatisme, de lésions qui ne cicatrisent pas, de troubles visuels ou de modifications du comportement.

- ☐ Recommander au patient de prévenir le médecin si les symptômes de la maladie sous-jacente récidivent ou s'aggravent.

- ☐ Conseiller au patient de toujours porter sur lui une pièce d'identité où sont inscrits son problème de santé et son traitement médicamenteux pour parer à toute urgence lors de circonstances où il est incapable d'exposer ses antécédents médicaux.

- ☐ Conseiller au patient de ne pas se faire vacciner sans avoir consulté le médecin au préalable.

- ☐ Insister sur la nécessité d'un suivi médical régulier permettant d'évaluer l'efficacité du médicament et ses effets secondaires possibles. Le médecin peut recommander des examens diagnostiques et des examens de la vue à intervalles réguliers.

- ☐ Souligner l'importance des examens de suivi permettant d'évaluer l'état de santé du patient et les effets secondaires du médicament.

VÉRIFICATION DES RÉSULTATS

L'efficacité du traitement peut être démontrée par: ■ la suppression des réponses inflammatoires et immunitaires, en cas de maladie auto-immune et de réactions allergiques ■ la diminution de la pression intracrânienne.

D

DEXTROAMPHÉTAMINE
Dexedrine, (Dexampex), (Ferndex),
(Oxydress II), (Spancap # 1)

CLASSIFICATION :
Stimulant du SNC

Drogue contrôlée

Grossesse – catégorie C

INDICATIONS

■ Traitement de la narcolepsie ■ Traitement d'appoint du trouble déficitaire de l'attention.

ACTION

■ Stimulation du SNC par la libération de la noradrénaline des terminaisons nerveuses. Les effets pharmacologiques sont les suivants : □ stimulation du SNC et de la respiration □ vasoconstriction □ mydriase (dilatation des pupilles) □ contraction du sphincter de la vessie. **Effets thérapeutiques :** ■ Augmentation de l'activité motrice et de la vigilance et diminution de la fatigue chez les patients narcoleptiques ■ Augmentation de la durée de la concentration en cas de trouble déficitaire de l'attention.

PHARMACOCINÉTIQUE

Absorption : Bonne absorption par suite de l'administration par voie orale.

Distribution : Le médicament diffuse rapidement dans les tissus ; on en trouve des concentrations élevées dans le cerveau et le liquide céphalorachidien. Il traverse le placenta et pénètre dans le lait maternel. La dextroamphétamine peut être embryotoxique.

Métabolisme et excrétion : Faible métabolisme hépatique. L'excrétion urinaire dépend du pH. L'urine alcaline favorise la réabsorption du médicament et en prolonge l'action.

Demi-vie : De 10 à 12 h (6,8 h chez les enfants).

CONTRE-INDICATIONS ET PRÉCAUTIONS

Contre-indications : ■ Grossesse et allaitement ■ États d'hyperexcitation comprenant l'hyperthyroïdie ■ Personnalités psychotiques ■ Tendances suicidaire ou homicides ■ Pharmacodépendance ■ Glaucome.

Précautions : ■ Maladie cardiovasculaire ■ Hypertension ■ Diabète sucré ■ Personnes âgées et patients débilités ■ Usage continu (risque de dépendance psychologique ou d'accoutumance physique).

RÉACTIONS INDÉSIRABLES ET EFFETS SECONDAIRES

SNC : agitation, tremblements, hyperactivité, insomnie, irritabilité, étourdissements, céphalées.

CV : tachycardie, palpitations, hypertension, hypotension.

GI : nausées, vomissements, anorexie, sécheresse de la bouche (xérostomie), crampes, diarrhée, constipation, goût métallique.

GU : impuissance, augmentation de la libido.

Tég. : urticaire.

Divers : dépendance physique, dépendance psychologique.

INTERACTIONS

Médicament – médicament : ■ Effets adrénergiques additifs lors de l'administration concomitante d'autres **agents adrénergiques** ■ L'administration concomitante d'**inhibiteurs de la monoamine oxydase** peut déclencher une crise hypertensive ■ L'alcalinisation de l'urine (**bicarbonate de sodium, acétazolamide**) diminue l'excrétion de la dextroamphétamine et en prolonge l'effet ■ L'acidification de l'urine (**chlorure d'ammonium** ou doses massives d'**acide ascorbique**) diminue l'effet de la dextroamphétamine ■ Les **phénothiazines** peuvent diminuer l'effet de la dextroamphétamine ■ Le médicament peut contrecarrer les effets des **antihypertenseurs** ■ Les **bêtabloquants**

et les **antidépresseurs tricycliques**, administrés simultanément, augmentent le risque d'effets secondaires cardiovasculaires.

PRÉSENTATION

La dextroamphétamine est présentée sous forme de comprimés et de capsules.

VOIES D'ADMINISTRATION ET POSOLOGIE

Trouble déficitaire de l'attention

- **PO (enfants > 6 ans):** 5 mg par jour; augmenter par paliers de 5 mg à des intervalles d'une semaine.
- **PO (enfants de 3 à 5 ans):** 2,5 mg par jour; augmenter par paliers de 2,5 mg à des intervalles d'une semaine.

Narcolepsie

- **PO (adultes):** de 5 à 60 mg par jour en doses fractionnées.
- **PO (enfants > 12 ans):** 10 mg par jour; augmenter par paliers de 10 mg à des intervalles d'une semaine.
- **PO (enfants de 6 à 12 ans):** 5 mg par jour; augmenter par paliers de 5 mg par jour à des intervalles d'une semaine.

PHARMACODYNAMIE (stimulation du SNC)

	DÉBUT D'ACTION	PIC	DURÉE
PO	1 – 2 h	inconnu	2 – 10 h

SOINS INFIRMIERS

ÉVALUATION DE LA SITUATION

- **Directives générales:** Mesurer la pression artérielle, le pouls et la fréquence respiratoire avant l'administration et à intervalles réguliers pendant tout le traitement.
- ☐ La dextroamphétamine peut entraîner un faux sentiment d'euphorie et de bien-être. Prévoir des repos fréquents et surveiller l'apparition d'une dé-

pression rebond après que les effets du médicament se sont épuisés.
- ☐ L'usage de la dextroamphétamine comporte des risques élevés de dépendance et de toxicomanie. L'accoutumance est rapide; ne pas augmenter la dose.
- **Trouble déficitaire de l'attention:** Noter la durée de l'attention, la maîtrise des impulsions et les interactions avec autrui chez les enfants souffrant de trouble déficitaire de l'attention.
- **Narcolepsie:** Observer la fréquence des épisodes de narcolepsie et les consigner dans les dossiers.

DIAGNOSTICS INFIRMIERS POSSIBLES

- **Énoncés diagnostiques**
- ☐ Altération des opérations de la pensée.
- ☐ Prise en charge inefficace du programme thérapeutique.
- ☐ *Risque élevé d'exacerbation des symptômes.*
- ☐ *Risque élevé d'accident.*
- ☐ *Risque élevé de pharmacodépendance.*
- **Facteurs favorisants**
- ☐ Informations incomplètes.
- ☐ *Manque de connaissances sur les modalités du traitement.*
- ☐ *Arrêt brusque du traitement.*
- ☐ *Perturbation de la vigilance.*

INTERVENTIONS INFIRMIÈRES

- **Directives générales:** Administrer la dose efficace la plus faible.
- **PO:** Les capsules à libération prolongée devraient être avalées telles quelles; il ne faut pas les briser, les broyer ni les croquer.

ENSEIGNEMENT AU PATIENT ET À SES PROCHES

- **Directives générales:** Recommander au patient de prendre le médicament au moins 6 h avant l'heure du coucher pour éviter les troubles du sommeil. S'il n'a pas pu prendre le médicament au moment habituel, lui conseiller de le prendre dès que possible, mais jusqu'à 6 h avant l'heure du coucher. Il ne faut jamais doubler les doses. Insister sur le fait qu'il ne faut pas modifier la posologie sans consulter le médecin. Le sevrage brusque après un traitement à des doses élevées peut provoquer une fatigue extrême et la dépression.

☐ Expliquer au patient que, pour diminuer la sécheresse buccale induite par le médicament, il devrait se rincer fréquemment la bouche et consommer de la gomme à mâcher ou des bonbons sans sucre.

☐ Conseiller au patient d'éviter de consommer des quantités importantes de caféine.

☐ Prévenir le patient que le médicament peut altérer son jugement. Lui conseiller d'être prudent lorsqu'il conduit ou lorsqu'il s'engage dans des activités qui exigent sa vigilance.

☐ Recommander au patient de prévenir le médecin si les symptômes suivants s'aggravent : nervosité, agitation, insomnie, étourdissements, anorexie, sécheresse de la bouche.

☐ Informer le patient que le médecin peut prescrire un arrêt temporaire de la médication permettant d'évaluer les bienfaits du traitement et de diminuer la dépendance.

VÉRIFICATION DES RÉSULTATS

L'efficacité du traitement peut être démontrée par : ■ la diminution des symptômes narcoleptiques ■ l'augmentation de la durée de l'attention et l'amélioration des interactions sociales.

DEXTROMÉTHORPHANE

Balminil DM, Benylin DM, Broncho-Grippol DM, Bronchophan forte, Buckley's DM, Calmylin #1, Delsym, Koffex, Robidex, Sedatuss, (Cremacoat 1), (DM Cough), (DM Syrup), (Hold), (Neo-DM), (Pertussin 8-Hour Cough Formula), (Romilar), (St.Joseph for Children), (Sucrets Cough Control Formula)

CLASSIFICATION :
Antitussif

Grossesse – catégorie inconnue

INDICATIONS

■ Soulagement symptomatique de la toux due à des infections virales mineures des voies respiratoires supérieures ou à l'inhalation d'irritants ■ Efficacité accrue en présence d'une toux sèche ■ Ingrédient qu'on trouve fréquemment dans les préparations antitussives et les préparations contre le rhume en vente libre.

ACTION

■ Suppression du réflexe tussigène grâce à un effet direct sur le centre de la toux, situé dans le bulbe rachidien. Le dextrométhorphane s'apparente aux narcotiques de par sa structure, mais il est dépourvu de propriétés analgésiques. **Effets thérapeutiques :** ■ Soulagement de la toux sèche irritante.

PHARMACOCINÉTIQUE

Absorption : Le médicament est rapidement absorbé depuis le tractus gastrointestinal.
Distribution : La distribution du dextrométhorphane est inconnue. Le médicament traverse probablement le placenta et pénètre dans le lait maternel.
Métabolisme et excrétion : Le dextrométhorphane est probablement métabolisé par le foie.
Demi-vie : Inconnue.

CONTRE-INDICATIONS ET PRÉCAUTIONS

Contre-indications : ■ Hypersensibilité ■ Patients prenant des inhibiteurs de la monoamine oxydase ■ Toux chroniques productives.
Précautions : ■ Toux qui dure depuis plus d'une semaine ou qui s'accompagne de

fièvre, de rash ou de céphalées – consulter le médecin, le cas échéant ■ Grossesse, allaitement et enfants de moins de 2 ans (l'innocuité du médicament n'a pas été établie).

RÉACTIONS INDÉSIRABLES ET EFFETS SECONDAIRES

SNC: forte dose: étourdissements, sédation.
GI: nausées.

INTERACTIONS

Médicament – médicament: ■ Les **inhibiteurs de la MAO**, administrés simultanément, peuvent entraîner de l'excitation, de l'hypotension et une hyperpyrexie ■ Dépression additive du SNC lors de l'usage concomitant d'**antihistaminiques**, d'**alcool**, d'**antidépresseurs**, d'**hypnosédatifs** et d'**analgésiques narcotiques**.

PRÉSENTATION

Le dextrométhorphane entre dans la composition de nombreuses préparations en vente libre. □ Le dextrométhorphane existe aussi en association avec d'autres agents en diverses présentations (voir l'annexe A).

VOIES D'ADMINISTRATION ET POSOLOGIE

- **PO (adultes):** de 10 à 20 mg toutes les 4 h; 30 mg toutes les 6 à 8 h; ou 60 mg de la préparation à libération prolongée, 2 fois par jour (ne pas dépasser 120 mg par jour).
- **PO (enfants de 6 à 11 ans):** de 5 à 10 mg toutes les 4 h; ou 15 mg toutes les 6 à 8 h; ou 30 mg de la préparation à libération prolongée, 2 fois par jour.
- **PO (enfants de 2 à 5 ans):** de 2,5 à 5 mg toutes les 4 h; ou 7,5 mg toutes les 6 à 8 h; ou 15 mg de la préparation à libération prolongée, 2 fois par jour.

PHARMACODYNAMIE
(suppression de la toux)

	DÉBUT D'ACTION	PIC	DURÉE
PO	15 – 30 min	inconnu	3 – 6 h

SOINS INFIRMIERS

ÉVALUATION DE LA SITUATION

- **Directives générales:** Évaluer la fréquence et la nature de la toux, ausculter le murmure vésiculaire et noter la quantité et le type d'expectoration. Sauf recommandation contraire du médecin, maintenir la consommation de liquides entre 1 500 et 2 000 mL afin de diminuer la viscosité des sécrétions bronchiques.

DIAGNOSTICS INFIRMIERS POSSIBLES

- **Énoncés diagnostiques**
  □ Dégagement inefficace des voies respiratoires.
  □ Prise en charge inefficace du programme thérapeutique.
  □ *Risque élevé d'accident.*

- **Facteurs favorisants**
  □ Informations incomplètes.
  □ *Perturbation de la vigilance.*

INTERVENTIONS INFIRMIÈRES

PO: Ne pas servir de liquides immédiatement après l'administration du médicament afin d'éviter la dilution du véhicule.

ENSEIGNEMENT AU PATIENT ET À SES PROCHES

□ Expliquer au patient que pour tousser efficacement il doit s'asseoir et prendre plusieurs respirations profondes avant de tousser.
□ Expliquer au patient que pour calmer la toux il doit éviter les agents irritants comme la fumée de cigarette, les autres fumées et la poussière. Lui conseiller d'humidifier l'air de la pièce, de prendre souvent des gorgées d'eau et de sucer des bonbons durs sans sucre pour diminuer la fréquence des accès de toux sèche et irritante.
□ Recommander au patient d'éviter de boire de l'alcool et de prendre d'autres dépresseurs du SNC en même temps que le dextrométhorphane.

☐ Prévenir le patient que le dextrométhorphane peut parfois provoquer des étourdissements ou de la somnolence. Lui conseiller de ne pas conduire et d'éviter les activités qui exigent sa vigilance jusqu'à ce qu'on ait la certitude que le médicament n'entraîne pas ces effets chez lui.

☐ Recommander au patient de prévenir le médecin si la toux persiste au-delà d'une semaine ou si elle s'accompagne de fièvre, de douleurs thoraciques, de céphalées persistantes ou de rash.

VÉRIFICATION DES RÉSULTATS

L'efficacité du traitement peut être démontrée par : la diminution de la fréquence et de l'intensité de la toux, sans suppression du réflexe tussigène.

DEXTROSE

Dextro-energy, Glucodex, Glucose, Insta-glucose, Monoject

CLASSIFICATION :
Source énergétique – hydrate de carbone

Grossesse – catégorie C

INDICATIONS

■ Faible concentration (de 2,5 à 10 %) en injection – hydratation et source énergétique ■ Concentrations plus fortes (jusqu'à 70 %) par voie IV – traitement de l'hypoglycémie et en association avec des acides aminés – source énergétique dans l'alimentation parentérale ■ Présentations orales – correction de l'hypoglycémie chez les patients conscients ■ Présentations orales – test de tolérance au glucose, hyperglycémie provoquée.

ACTION

■ Source énergétique. **Effets thérapeutiques :** ■ Apport énergétique ■ Prophylaxie et traitement de l'hypoglycémie.

PHARMACOCINÉTIQUE

Absorption : Bonne absorption par suite de l'administration par voie orale.
Distribution : Le dextrose se répartit dans tout l'organisme et il est rapidement utilisé.
Métabolisme et excrétion : Le dextrose est transformé lors du métabolisme en gaz carbonique et en eau. Lorsque le seuil rénal est dépassé, le dextrose est excrété à l'état inchangé par les reins.
Demi-vie : Inconnue.

CONTRE-INDICATIONS ET PRÉCAUTIONS

Contre-indications : ■ Allergie au maïs ou aux produits à base de maïs ■ Patients souffrant d'hémorragie du SNC ou d'anurie ou patients exposés au risque de déshydratation (ne pas administrer la solution hypertonique [> 5 %]).
Précautions : ■ Diabète diagnostiqué (des examens diagnostiques fréquents sont nécessaires pour déterminer les doses appropriées) ■ Alcoolisme chronique (un prétraitement initial par la thiamine est essentiel).

RÉACTIONS INDÉSIRABLES ET EFFETS SECONDAIRES

End. : sécrétion insuffisante d'insuline (usage prolongé).
HÉ : hypokaliémie, hypophosphatémie, hypomagnésémie, surcharge en liquides.
Locaux : douleur locale et irritation au point d'injection IV (solution hypertonique).
Métab. : hyperglycémie, glycosurie.

INTERACTIONS

Médicament – médicament : Le dextrose modifie les besoins en **insuline** et en **hypoglycémiants oraux** chez les patients diabétiques.

VOIES D'ADMINISTRATION ET POSOLOGIE

Hydratation (solution à 5 %)
■ **IV (adultes et enfants) :** de 0,5 à 0,8 g/kg à l'heure.

Hypoglycémie

- **PO (adultes et enfants conscients):** de 10 à 20 g ; on peut répéter l'administration de 10 à 20 min plus tard.
- **IV (adultes):** de 20 à 50 mL de solution à 50 %, par perfusion lente (3 mL/min).
- **IV (nourrissons et nouveau-nés):** 2 mL/kg de solution d'une teneur de 10 à 15 %, par perfusion lente.

PHARMACODYNAMIE
(effets sur la glycémie chez les patients diabétiques)

	DÉBUT D'ACTION	PIC	DURÉE
PO	rapide	rapide	brève
IV	rapide	rapide	brève

SOINS INFIRMIERS

ÉVALUATION DE LA SITUATION

- Déterminer l'état de l'hydratation chez le patient recevant du dextrose par voie IV. Faire le bilan des ingesta et des excreta et noter les concentrations électrolytiques. Suivre de près la déshydratation ou l'œdème.
- Déterminer l'apport nutritionnel, le fonctionnement du tractus gastro-intestinal et les besoins énergétiques du patient.
- Mesurer à intervalles réguliers la glycémie chez le patient diabétique et chez celui qui reçoit une solution hypertonique de dextrose (> 5 %).
- Observer fréquemment le point d'injection IV pour déceler la phlébite et l'infection.
- **Étude des examens diagnostiques et biochimiques:** Le dextrose peut entraîner l'élévation de la glycémie.

DIAGNOSTICS INFIRMIERS POSSIBLES

- **Énoncés diagnostiques**
- Déficit de volume liquidien.
- Déficit nutritionnel.
- Excès de volume liquidien.
- *Risque élevé d'accident.*
- *Risque élevé de douleur au point d'injection IV.*

- **Facteurs favorisants**
- *Manque de connaissances sur les signes d'hypoglycémie et d'hyperglycémie et sur les moyens de les prévenir.*
- *Inflammation locale du tissu vasculaire ou infiltration du médicament dans les tissus avoisinants.*

INTERVENTIONS INFIRMIÈRES

- **Directives générales:** La solution de dextrose seule n'est pas suffisamment énergétique pour soutenir le patient pendant une période prolongée. Le dextrose fournit 14,28 kJ/g. La solution de dextrose à 5 % dans de l'eau fournit 714 kJ/L et la solution de dextrose à 10 % dans de l'eau, 1 428 kJ/L.
- Le dextrose existe sous forme parentérale en association avec de l'alcool, du dextran, de la lidocaïne, du chlorure de sodium ou du chlorure de potassium.
- **PO:** Les comprimés de dextrose concentré et le gel sont destinés au traitement de l'hypoglycémie chez le patient conscient. On doit répéter l'administration si les symptômes persistent et si les concentrations sériques de glucose n'ont pas augmenté d'au moins 1 mmol/L en l'espace de 20 min.
- **IV:** La solution hypertonique de dextrose (> 5 %) doit être administrée par voie IV dans une veine centrale. En cas de traitement d'urgence de l'hypoglycémie, administrer lentement dans une grosse veine périphérique afin de prévenir la phlébite ou la sclérose de la veine. Observer le point d'injection IV à intervalles fréquents. Les perfusions rapides peuvent provoquer l'hyperglycémie ou entraîner des échanges hydriques entre l'espace extracellulaire et l'espace intracellulaire. Diminuer graduellement la

dose de la solution hypertonique avant d'en arrêter l'administration et administrer une solution de dextrose à 5 ou à 10 % dans de l'eau afin de prévenir l'hypoglycémie rebond.

□ En cas de perfusion prolongée de dextrose, ajouter des électrolytes à la solution afin de prévenir l'intoxication par l'eau et de maintenir l'équilibre hydro-électrolytique.

■ **Incompatibilités en addition au soluté :** Sang entier ou warfarine.

ENSEIGNEMENT AU PATIENT ET À SES PROCHES

□ Expliquer au patient pourquoi on doit lui administrer du dextrose.

□ Enseigner au patient la méthode d'auto-contrôle de la glycémie.

□ Expliquer au patient quand et comment on doit administrer les préparations contenant du dextrose pour traiter l'hypoglycémie.

VÉRIFICATION DES RÉSULTATS

L'efficacité du traitement peut être démontrée par : ■ le rétablissement et le maintien d'une hydratation adéquate et de concentrations de glucose sérique normales ■ le maintien d'un apport énergétique adéquat.

DÉZOCINE

(Dalgan)

CLASSIFICATION :
Analgésique narcotique – agoniste/antagoniste

Grossesse – catégorie C

INDICATIONS

Soulagement de la douleur modérée à grave.

ACTION

■ Liaison aux récepteurs des opiacés du SNC ■ Modification de la perception de la douleur et de la réaction aux stimuli douloureux avec dépression généralisée du SNC ■ Propriétés antagonistes partielles qui peuvent entraîner des symptômes de sevrage narcotique en cas de pharmacodépendance physique. **Effets thérapeutiques :** ■ Soulagement de la douleur modérée à grave.

PHARMACOCINÉTIQUE

Absorption : Absorption rapide et complète par suite de l'administration par voie IM.

Distribution : Inconnue.

Métabolisme et excrétion : Le médicament est surtout métabolisé par le foie. Une fraction de moins de 1 % est excrétée à l'état inchangé par les reins.

Demi-vie : 2,4 h (entre 1,2 et 7,4 h).

CONTRE-INDICATIONS ET PRÉCAUTIONS

Contre-indication : Hypersensibilité à la dézocine ou aux bisulfites.

Précautions : ■ Traumatisme crânien ■ Pression intracrânienne accrue ■ Maladies rénale, hépatique ou pulmonaire graves (réduire la dose) ■ Douleurs abdominales non diagnostiquées ■ Personnes âgées (il est conseillé de réduire la dose initiale) ■ Grossesse, accouchement, allaitement ou enfants de moins de 18 ans (l'innocuité du médicament n'a pas été établie).

RÉACTIONS INDÉSIRABLES ET EFFETS SECONDAIRES

SNC : somnolence, anxiété, confusion, crises de larmes, étourdissements, sensation de tête légère, trouble de l'élocution.

ORLO : myosis, vision trouble, diplopie.

CV : hypotension orthostatique.

Resp. : dépression respiratoire.

GI : nausées, vomissements, douleurs abdominales, constipation, sécheresse de la bouche (xérostomie).

GU : mictions fréquentes, retard de la miction, rétention urinaire avec effort pour uriner.

Tég.: bouffées vasomotrices ou rougeur de la peau.

Divers: tolérance à l'effet du médicament, dépendance physique, dépendance psychologique.

INTERACTIONS

Médicament – médicament: ■ La dézocine doit être administrée avec prudence chez les patients recevant des **inhibiteurs de la MAO** (risque de réactions imprévisibles) ■ Dépression additive du SNC lors de l'usage simultané d'**alcool**, d'**antihistaminiques** et d'**hypnosédatifs** ■ La dézocine peut déclencher des symptômes de sevrage chez les patients présentant une dépendance physique aux **analgésiques narcotiques agonistes** ■ Le médicament peut diminuer les effets analgésiques des autres **analgésiques narcotiques** administrés simultanément.

VOIES D'ADMINISTRATION ET POSOLOGIE

- **IM (adultes):** 10 mg (entre 5 et 20 mg), toutes les 3 à 6 h, selon les besoins.
- **IV (adultes):** 5 mg au départ (entre 2,5 et 10 mg), toutes les 2 à 4 h, selon les besoins.

PHARMACODYNAMIE

	DÉBUT D'ACTION	PIC	DURÉE
IM	en l'espace de 30 min	1 – 2 h	3 – 6 h
IV	en l'espace de 15 min	inconnu	2 – 4 h

☀ SOINS INFIRMIERS

ÉVALUATION DE LA SITUATION

- ☐ Noter le type de douleur ainsi que son siège et son intensité, avant l'administration du médicament, 60 min après l'administration par voie IM et 30 min après l'administration par voie IV.
- ☐ Mesurer la pression artérielle, le pouls et les respirations avant l'administration du médicament et à intervalles réguliers pendant tout le traitement. La dézocine entraîne une dépression respiratoire, mais elle ne s'aggrave pas de façon marquée lorsqu'on augmente la dose.
- ☐ Bien que le risque de dépendance soit faible, l'administration prolongée de ce médicament peut entraîner une pharmacodépendance physique et psychologique ainsi qu'une tolérance à l'effet du médicament, ce qui ne doit pas empêcher le patient de recevoir une quantité suffisante d'analgésique. La psychodépendance est rare chez la plupart des patients qui reçoivent la dézocine pour des raisons médicales. Lors d'un traitement prolongé, il faut parfois administrer des doses de plus en plus élevées pour soulager la douleur.
- ☐ Recueillir des données sur les antécédents de prise d'analgésiques. En raison de ses propriétés antagonistes, le médicament peut induire, chez les toxicomanes, les symptômes de sevrage suivants: vomissements, agitation, crampes abdominales, pression artérielle accrue et fièvre.
- ■ **Toxicité et surdosage:** En cas de surdosage, la dépression respiratoire peut être partiellement renversée par la naloxone (Narcan), qui est l'antidote.

DIAGNOSTICS INFIRMIERS POSSIBLES

- ■ **Énoncés diagnostiques**
- ☐ Douleur.
- ☐ Risque élevé d'accident.
- ☐ Altération de la perception visuelle et auditive.

- ■ **Facteurs favorisants**
- ☐ *Perturbation de la vigilance.*

INTERVENTIONS INFIRMIÈRES

- ■ **Directives générales:** Pour augmenter l'effet analgésique de la dézocine, expliquer au patient la valeur thérapeutique de ce médicament avant de l'administrer.

□ Les doses administrées selon un horaire fixe peuvent être plus efficaces que celles administrées au besoin. L'analgésie est plus forte si le médicament est administré avant que la douleur ne devienne intense.

□ Les analgésiques non narcotiques, administrés simultanément, peuvent exercer des effets analgésiques additifs, ce qui permet de diminuer les doses de narcotique.

■ **IM:** Administrer les injections IM profondément dans un muscle bien développé. Assurer la rotation des points d'injection. Éviter les injections par voie SC.

■ **IV directe:** On peut administrer ce médicament par voie IV sans le diluer.

□ *Vitesse d'administration:* Administrer la préparation lentement par dose de 5 mg en 3 à 5 min.

ENSEIGNEMENT AU PATIENT ET À SES PROCHES

□ Expliquer au patient ce qu'on entend par administration au besoin et à quel moment il doit demander un analgésique.

□ Prévenir le patient que la dézocine peut provoquer des étourdissements et de la somnolence. Lui recommander de demander de l'aide lorsqu'il se déplace et lui conseiller de ne pas conduire et d'éviter les activités qui exigent sa vigilance jusqu'à ce qu'on ait la certitude que le médicament n'entraîne pas ces effets chez lui.

□ Recommander au patient de changer lentement de position pour diminuer le risque d'hypotension orthostatique.

□ Expliquer au patient que le rinçage fréquent de la bouche, une bonne hygiène orale et la consommation de gomme ou de bonbons sans sucre permettent de diminuer la sécheresse de la bouche.

□ Recommander au patient de tourner dans le lit, de tousser et de faire des exercices de respiration profonde toutes les 2 h pour prévenir l'atélectasie.

□ Mettre en garde le patient contre l'usage d'alcool ou d'autres dépresseurs du SNC en même temps que la dézocine.

VÉRIFICATION DES RÉSULTATS

L'efficacité du traitement peut être démontrée par: la diminution de l'intensité de la douleur sans altération importante de l'état de la conscience ni de la fonction respiratoire.

DIAZÉPAM

Apo-diazépam, Diazemuls, Novodipam, Valium, Vivol, (EPam), (Meval), (Q-Pam), (Rival), (Stress-Pam), (Valrelease), (Vasepam), (Zetran)

CLASSIFICATION:

Hypnosédatif – benzodiazépine; anticonvulsivant – benzodiazépine; myorelaxant – action centrale

Grossesse – catégorie D

INDICATIONS

■ Traitement de l'anxiété ■ Sédation préopératoire ■ Traitement de l'état de mal épileptique ■ Relaxation des muscles squelettiques ■ Traitement des symptômes du sevrage alcoolique. **Usages non approuvés:** ■ Anesthésie légère ■ Amnésie.

ACTION

■ Dépression du SNC, probablement par l'augmentation de l'activité neuroinhibitrice de l'acide gamma-aminobutyrique (GABA) ■ Relaxation musculosquelettique par inhibition des voies polysynaptiques afférentes de la moelle épinière ■ Propriétés anticonvulsivantes attribuables à une inhibition présynaptique accrue. **Effets thérapeutiques:** ■ Soulagement de l'anxiété ■ Sédation

■ Relaxation des muscles squelettiques ■ Suppression des crises d'épilepsie ■ Amnésie.

PHARMACOCINÉTIQUE

Absorption: Le diazépam est rapidement absorbé depuis le tractus gastro-intestinal. L'absorption depuis les points d'injection IM peut être lente et imprévisible.

Distribution: Le médicament se répartit dans tout l'organisme. Il traverse la barrière hémato-encéphalique et le placenta et pénètre dans le lait maternel.

Métabolisme et excrétion: Le médicament est fortement métabolisé par le foie. Certains produits du métabolisme sont des dépresseurs actifs du SNC.

Demi-vie: De 20 à 70 h.

CONTRE-INDICATIONS ET PRÉCAUTIONS

Contre-indications: ■ Hypersensibilité ■ Risque de réactions de sensibilité croisée avec d'autres benzodiazépines ■ Coma ■ Dépression préexistante du SNC ■ Douleurs aiguës, rebelles à tout traitement ■ Glaucome à angle étroit ■ Grossesse ou allaitement.

Précautions: ■ Dysfonction hépatique ■ Insuffisance rénale grave ■ Patients pouvant être suicidaires ou ayant des antécédents de toxicomanie ■ Personnes âgées ou patients débilités (réduire la dose).

RÉACTIONS INDÉSIRABLES ET EFFETS SECONDAIRES

SNC: étourdissements, somnolence, léthargie, sensation droguée, excitation paradoxale, dépression, céphalées.

CV: hypotension (voie IV seulement).

Tég.: rash.

ORLO: vision trouble.

GI: nausées, vomissements, diarrhée, constipation.

Locaux: thrombose veineuse, phlébite (voie IV).

Resp.: dépression respiratoire.

Divers: tolérance aux effets du médicament, dépendance psychologique, dépendance physique.

INTERACTIONS

Médicament – médicament: ■ Dépression additive du SNC lors de l'usage concomitant d'**alcool**, d'**antidépresseurs**, d'**antihistaminiques** et d'**analgésiques narcotiques** ■ La **cimétidine**, les **contraceptifs oraux**, le **disulfirame**, la **fluoxétine**, l'**isoniazide**, le **kétoconazole**, le **métoprolol**, le **propoxyphène**, le **propranolol** ou l'**acide valproïque** peuvent diminuer le métabolisme du diazépam et en augmenter les effets ■ Le diazépam peut diminuer l'efficacité de la **lévodopa** ■ La **rifampine** ou les **barbituriques** peuvent augmenter le métabolisme du diazépam et en diminuer l'efficacité ■ La **théophylline** peut diminuer les effets sédatifs du diazépam.

PRÉSENTATION

Le diazépam est présenté sous forme de comprimés et de préparations injectables.

VOIES D'ADMINISTRATION ET POSOLOGIE

Anxiolytique, anticonvulsivant

■ **PO (adultes):** de 2 à 10 mg, de 2 à 4 fois par jour.

■ **PO (enfants > 6 mois):** de 1 à 2,5 mg, 3 ou 4 fois par jour.

■ **IM et IV (adultes):** de 2 à 10 mg; on peut répéter l'administration toutes les 3 à 4 h, au besoin.

Avant la défibrillation

■ **IV (adultes):** de 5 à 15 mg, 5 à 10 min avant la défibrillation.

Avant l'endoscopie

■ **IV (adultes):** jusqu'à 20 mg

■ **IM (adultes):** de 5 à 10 mg, 30 min avant l'endoscopie.

État de mal épileptique

■ **IV (adultes):** Initialement, de 5 à 10 mg; ensuite, jusqu'à concurrence de 30 mg en l'espace d'une heure ; on peut répéter l'administration de 2 à 4 h plus tard (on peut administrer par voie IM si la voie IV est inaccessible).

- **IM et IV (enfants > 5 ans) (É.-U.) :** 1 mg, toutes les 2 à 5 min, jusqu'à concurrence de 10 mg ; on peut répéter l'administration toutes les 2 à 4 h.
- **IM et IV (enfants de 30 jours à 5 ans) (É.-U.) :** de 0,2 à 0,5 mg, toutes les 2 à 5 min, jusqu'à concurrence de 5 mg.

Myorelaxation
- **PO (adultes) :** de 2 à 10 mg, 3 ou 4 fois par jour.
- **IM et IV (adultes) :** de 5 à 10 mg ; on peut répéter l'administration de 3 à 4 h plus tard.

Spasmes tétaniques
- **IM et IV (enfants > 5 ans) (É.-U.) :** de 5 à 10 mg, toutes les 3 à 4 h, selon les besoins.
- **IM et IV (nourrissons > 30 jours) (É.-U.) :** de 1 à 2 mg, toutes les 3 à 4 h, selon les besoins.

Sevrage alcoolique
- **PO (adultes) :** 10 mg, 3 ou 4 fois dans les 24 premières heures ; diminuer jusqu'à 5 mg, 3 ou 4 fois par jour.
- **IM et IV (adultes) :** 10 mg au départ, puis de 5 à 10 mg, 3 ou 4 h plus tard, selon les besoins.

PHARMACODYNAMIE (sédation)

	DÉBUT D'ACTION	PIC	DURÉE
PO	30 – 60 min	1 – 2 h	jusqu'à 24 h
IM	en 20 min	0,5 – 1,5 h	inconnue
IV	1 – 5 min	15 – 30 min	15 – 60 min*

* En cas d'état de mal épileptique, la durée de l'effet anticonvulsivant est de 15 à 20 min.

✳ SOINS INFIRMIERS

ÉVALUATION DE LA SITUATION

- **Directives générales :** Mesurer la pression artérielle, le pouls et la fréquence respiratoire avant le traitement, à intervalles réguliers pendant toute sa durée et fréquemment durant le traitement par voie IV.
- ☐ Examiner fréquemment le point d'injection IV durant l'administration, car le diazépam peut provoquer la phlébite ou la thrombose veineuse.
- ☐ Le traitement prolongé avec des doses élevées peut entraîner une dépendance psychologique ou physique. Limiter la quantité de médicament dont peut disposer le patient. Observer attentivement les patients déprimés qui pourraient manifester des tendances suicidaires.
- **Anxiété :** Noter le degré d'anxiété et de sédation (ataxie, vertiges, troubles de l'élocution) avant le traitement et à intervalles réguliers pendant toute sa durée.
- **Crises d'épilepsie :** Observer et consigner dans les dossiers l'intensité, la durée et les caractéristiques de la crise. La dose initiale de diazépam permet de maîtriser les crises pendant 15 à 20 min après administration. Prendre les précautions qui s'imposent en cas de crise.
- **Spasmes musculaires :** Suivre de près le spasme musculaire, déterminer la douleur qui l'accompagne et les limites des mouvements avant l'administration et pendant toute la durée du traitement.
- **Sevrage alcoolique :** Observer le patient qui souffre des symptômes du sevrage alcoolique pour déceler les tremblements, l'agitation, le délirium et les hallucinations. Protéger le patient contre les accidents.
- **Étude des examens diagnostiques et biochimiques :** Examiner les résultats des tests de l'exploration fonctionnelle hépatique et rénale ainsi que la numération globulaire à intervalles réguliers tout au long d'un traitement prolongé.

D

DIAGNOSTICS INFIRMIERS POSSIBLES

■ **Énoncés diagnostiques**

□ Anxiété.

□ Altération de la mobilité physique.

□ Risque élevé d'accident.

□ *Risque élevé de douleur au point d'injection IV.*

□ *Risque élevé d'exacerbation des symptômes.*

■ **Facteurs favorisants**

□ *Manque de connaissances sur les effets secondaires du médicament.*

□ *Perturbation de la vigilance.*

□ *Inflammation locale du tissu vasculaire et infiltration du médicament dans les tissus avoisinants.*

INTERVENTIONS INFIRMIÈRES

□ Demander au patient de garder le lit et l'observer étroitement pendant au moins 3 h après l'administration par voie parentérale.

■ **PO:** Administrer le diazépam avec des aliments, afin de réduire l'irritation gastrique. On peut broyer les comprimés et les administrer avec des aliments ou de l'eau si le patient éprouve des difficultés de déglutition.

■ **IM:** Les injections IM sont douloureuses et l'absorption est imprévisible. Si l'on recourt à cette voie d'administration, injecter la solution profondément dans le muscle fessier pour favoriser l'absorption du médicament.

■ **IV:** Garder le matériel de réanimation à portée de la main lors de l'administration du diazépam par voie IV.

■ **IV directe:** Ne pas diluer ni mélanger le diazépam à d'autres médicaments. Si l'intraveineuse directe est impossible à réaliser, administrer dans une tubulure aussi près que possible du point d'injection. On ne recommande pas la perfusion continue, car les solutions IV ont tendance à précipiter et le diazépam peut être absorbé par les sacs et les tubulures de perfusion. L'injection peut provoquer une brû-

lure et l'irritation veineuses. Ne pas injecter dans de petites veines.

□ *Vitesse d'administration:* Administrer lentement à un débit minimal de 5 mg/min. Chez les nourrissons et les enfants, administrer la dose totale en 3 à 5 min au minimum. L'injection rapide peut entraîner l'apnée, l'hypotension, la bradycardie ou l'arrêt cardiaque.

■ **Association compatible dans la même seringue:** Cimétidine.

■ **Associations incompatibles dans la même seringue:** Benzquinamide, buprénorphine, doxaprame, glycopyrrolate, héparine ou nalbuphine.

■ **Compatibilités (tubulure en Y):** Dobutamine, gluconate de quinidine ou nafcilline.

■ **Incompatibilités (tubulure en Y):** Atracurium, chlorure de potassium, foscarnet, héparine, pancuronium ou vécuronium.

■ **Compatibilités en addition au soluté:** Nétilmicine ou vérapamil.

■ **Incompatibilités en addition au soluté:** Bléomycine, dobutamine, doxorubicine ou fluorouracile.

ENSEIGNEMENT AU PATIENT ET À SES PROCHES

■ **Directives générales:** Conseiller au patient de respecter scrupuleusement la posologie recommandée. L'avertir qu'il ne doit pas dépasser la dose prescrite ni augmenter la dose si elle devient moins efficace après quelques semaines sans consulter au préalable le médecin. Le sevrage brusque peut entraîner de l'insomnie, de l'irritabilité ou une nervosité inhabituelles ainsi que des convulsions. Insister sur le fait qu'il peut être dangereux de donner ce médicament à d'autres personnes.

□ Prévenir le patient que le diazépam peut entraîner de la somnolence, la maladresse ou l'instabilité affective. Lui conseiller de ne pas conduire et d'éviter les activités qui exigent sa vigilance jusqu'à ce qu'on ait la certitude que le médicament n'entraîne pas ces effets chez lui.

☐ Recommander au patient d'éviter de boire de l'alcool et de prendre d'autres dépresseurs du SNC en même temps que le diazépam.

☐ Conseiller à la patiente d'informer le médecin si elle pense être enceinte ou si elle souhaite le devenir.

☐ Insister sur l'importance des examens de suivi permettant d'évaluer l'efficacité du médicament.

■ **Crises épileptiques:** Conseiller au patient recevant un traitement anticonvulsivant de toujours porter sur lui une pièce d'identité où sont inscrits son problème de santé et son traitement médicamenteux.

VÉRIFICATION DES RÉSULTATS

L'efficacité du traitement peut être démontrée par: ■ la diminution de l'anxiété; les pleins effets anxiolytiques se manifestent après 1 ou 2 semaines de traitement ■ la maîtrise des crises d'épilepsie ■ la diminution des spasmes musculaires ■ la diminution des tremblements et une idéation plus logique lors du traitement des symptômes du sevrage alcoolique. La tolérance aux effets du médicament peut se manifester en l'espace de 4 semaines; une adaptation de la posologie peut s'avérer nécessaire.

DIAZOXIDE
Hyperstat, Proglycem

CLASSIFICATION:
Antihypertenseur – vasodilatatateur; hyperglycémiant

Grossesse – catégorie C (voie orale)

INDICATIONS

■ **IV:** Traitement d'urgence de l'hypertension maligne ■ **PO:** Traitement de l'hypoglycémie attribuable à l'hyperinsulinémie ou à d'autres causes.

ACTION

■ Relaxation directe du muscle lisse vasculaire des artérioles périphériques. Induction d'une tachycardie réflexe et augmentation du débit cardiaque ■ Inhibition de la libération d'insuline du pancréas et diminution de l'utilisation du glucose en périphérie. **Effets thérapeutiques:** ■ Abaissement de la pression artérielle ■ Élévation de la glycémie.

PHARMACOCINÉTIQUE

Absorption: Bonne absorption par suite de l'administration par voie orale.
Distribution: Le diazoxide traverse la barrière hémato-encéphalique et le placenta.
Métabolisme et excrétion: Une fraction de 50 % du médicament est métabolisée par le foie et une fraction de 50 % est éliminée à l'état inchangé par les reins.
Demi-vie: De 21 à 45 h.

CONTRE-INDICATIONS ET PRÉCAUTIONS

Contre-indication: Hypersensibilité.
Précautions: ■ Patients diabétiques (le diazoxide induit l'hyperglycémie) ■ Grossesse et allaitement (l'innocuité du médicament n'a pas été établie; il peut inhiber le travail de l'accouchement) ■ Maladie cardiovasculaire ■ Urémie.

RÉACTIONS INDÉSIRABLES ET EFFETS SECONDAIRES

CV: œdème, tachycardie, angine, arythmies, hypotension, bouffées vasomotrices, insuffisance cardiaque.
Tég.: hirsutisme.
End.: hyperglycémie.
HÉ: rétention hydrosodée.
Locaux: phlébite au point d'injection IV.

INTERACTIONS

Médicament – médicament: ■ Le traitement concomitant avec des **diurétiques**

peut potentialiser les effets hyperglycé-miques, hyperuricémiques et hypoten-sifs du diazoxide ■ Le diazoxide peut augmenter le métabolisme de la **phé-nytoïne** et en diminuer l'efficacité ■ La **phénytoïne**, les **corticostéroïdes** et l'**as-sociation œstroprogestative**, adminis-trés simultanément, peuvent aggraver l'hyperglycémie.

PRÉSENTATION

Le diazoxide est présenté sous forme de capsules et de suspension orale pour le traitement de l'hyperglycémie et sous forme de solution injectable pour le trai-tement de l'hypertension.

VOIES D'ADMINISTRATION ET POSOLOGIE

Hypertension

■ **IV (adultes et enfants):** de 1 à 3 mg/kg, toutes les 5 à 15 min.

Hypoglycémie

■ **PO (adultes et enfants):** de 3 à 8 mg/kg par jour, en doses fractionnées, tou-tes les 8 à 12 h.

■ **PO (nourrissons et nouveau-nés):** de 8 à 15 mg/kg par jour, en doses fraction-nées, toutes les 8 à 12 h.

PHARMACODYNAMIE

	DÉBUT D'ACTION	PIC	DURÉE
PO (glycémie)	1 h	8 – 12 h	8 h
IV (pression artérielle)	immédiat	5 min	3 – 12 h

SOINS INFIRMIERS

ÉVALUATION DE LA SITUATION

■ **Directives générales:** Déterminer si le patient n'est pas allergique aux sulfa-midés.

□ Observer le patient régulièrement pour déceler les signes et les symp-tômes suivants d'insuffisance cardia-que: œdème périphérique, dyspnée,

râles et crépitations, fatigue, gain pon-déral, turgescence des jugulaires. En informer le médecin, le cas échéant.

■ **Hypertension:** Mesurer la pression ar-térielle et le pouls toutes les 5 min jusqu'à ce qu'ils se stabilisent puis, toutes les heures. Signaler immédia-tement au médecin tout changement important.

■ **Hypoglycémie:** Surveiller l'apparition des signes suivants d'hyperglycémie: somnolence, odeur acétonique de l'haleine, augmentation de la mic-tion, soif inhabituelle. Vérifier la gly-cémie du patient diabétique qui doit recevoir des doses fréquentes de dia-zoxide.

■ **Étude des examens diagnostiques et bio-chimiques:** Le diazoxide peut entraî-ner l'élévation des concentrations sériques de glucose, d'urée, de phos-phatase alcaline, de TGOS (AST), de sodium et d'acide urique.

□ Mesurer la glycémie du patient diabé-tique qui doit recevoir des doses fré-quentes de diazoxide par voie paren-térale.

□ Le diazoxide peut diminuer la clea-rance de la créatinine, l'hématocrite et les concentrations d'hémoglobine.

■ **Toxicité et surdosage:** En cas d'hypo-tension grave, il faut installer le pa-tient dans la position de Trendelen-burg, assurer l'expansion volumique et lui administrer des sympathomi-métiques (norépinéphrine).

□ En cas d'hyperglycémie marquée, sui-vre de près le patient pendant 7 jours, période de temps nécessaire pour que la glycémie se stabilise.

DIAGNOSTICS INFIRMIERS POSSIBLES

■ **Énoncés diagnostiques**

□ Diminution du débit cardiaque.

□ Prise en charge inefficace du pro-gramme thérapeutique.

□ *Risque élevé d'accident.*

□ *Risque élevé de douleur au point d'injection IV.*

- **Facteurs favorisants**
  - □ Informations incomplètes.
  - □ *Manque de connaissances sur les signes d'hypoglycémie et d'hyperglycémie et sur les moyens de les prévenir.*
  - □ *Manque de connaissances sur le régime alimentaire à suivre.*
  - □ *Inflammation locale du tissu vasculaire ou infiltration du médicament dans les tissus avoisinants.*

INTERVENTIONS INFIRMIÈRES

- **Directives générales:** Pour prévenir la rétention hydrosodée, on administre couramment des diurétiques de l'anse.
  - □ Les solutions orales et injectables doivent être gardées à l'abri de la lumière. Ne pas administrer les solutions de couleur foncée.
- **PO:** Bien agiter la suspension orale avant de l'administrer.
- **IV directe:** Ne pas administrer le médicament par voie SC ou IM. L'injection peut provoquer une sensation de chaleur et de la douleur le long de la veine. Observer étroitement le point d'injection IV; l'extravasation provoque de la cellulite et des douleurs. En cas d'extravasation, appliquer des enveloppements humides froids.
  - □ *Vitesse d'administration:* Administrer le diazoxide sans le diluer, en 30 s ou moins, dans une veine périphérique seulement afin de prévenir les arythmies cardiaques. On peut répéter l'administration toutes les 5 à 15 min, selon l'indication.
  - □ Demander au patient de rester couché pendant au moins 1 h après l'administration par voie IV. Mesurer la pression artérielle en position debout avant que le patient ne commence à se déplacer.
- **Association compatible dans la même seringue:** Héparine.
- **Incompatibilités (tubulure en Y):** Hydralazine ou propranolol.

ENSEIGNEMENT AU PATIENT ET À SES PROCHES

- **Hypoglycémie:** Expliquer au patient qu'il doit respecter scrupuleusement la posologie recommandée et prendre le médicament tous les jours à la même heure.
  - □ Inciter le patient à suivre le régime alimentaire, le traitement médicamenteux et le programme d'exercices prescrits pour prévenir les épisodes d'hypoglycémie ou d'hyperglycémie.
  - □ Expliquer au patient les signes d'hypoglycémie et d'hyperglycémie.
  - □ Recommander au patient de ne pas substituer la suspension orale aux capsules sans consulter au préalable le médecin, car la suspension orale donne lieu à des concentrations sanguines de médicament plus fortes.
- **Hypertension:** Recommander au patient de changer lentement de position pour prévenir les risques d'hypotension orthostatique.
  - □ Conseiller au patient de consulter le médecin ou le pharmacien avant de prendre des médicaments en vente libre, particulièrement des médicaments contre le rhume, en même temps que le diazoxide.
  - □ Insister sur l'importance des examens réguliers de suivi, particulièrement durant les premières semaines du traitement.

VÉRIFICATION DES RÉSULTATS

L'efficacité du traitement peut être démontrée par: ■ la baisse de la pression artérielle sans manifestation d'effets secondaires; (le diazoxide est indiqué pour le traitement de courte durée de l'hypertension. On peut prescrire des antihypertenseurs oraux dès que la crise hypertensive est maîtrisée) ■ le traitement de l'hypoglycémie et le rétablissement des concentrations de glucose sérique. Si le diazoxide n'est pas efficace après 2 ou 3 semaines, le traitement doit être réévalué.

DIBUCAÏNE
Nupercaïnal

CLASSIFICATION:
Anesthésique local

Grossesse – catégorie C

INDICATIONS

■ Soulagement du prurit ou de la douleur associés à des troubles cutanés mineurs incluant: □ les brûlures □ les abrasions □ les ecchymoses □ les hémorroïdes □ les autres formes d'irritation cutanée.

ACTION

■ Inhibition de la formation de l'influx et de la conduction par les nerfs sensoriels.
Effets thérapeutiques: ■ Anesthésie locale accompagnée d'un soulagement subséquent de la douleur ou du prurit.

PHARMACOCINÉTIQUE

Absorption: Le médicament est peu absorbé par la peau intacte; l'absorption augmente en présence d'excoriations et selon l'étendue de la région traitée.
Distribution: Inconnue.
Métabolisme et excrétion: Les petites quantités, qui pourraient être absorbées, sont principalement métabolisées par le foie.
Demi-vie: Inconnue.

CONTRE-INDICATIONS ET PRÉCAUTIONS

Contre-indications: ■ Hypersensibilité à la lidocaïne ou à d'autres anesthésiques locaux de type amide ■ Hypersensibilité à l'un des ingrédients, des stabilisants, des colorants ou des véhicules ■ Infection évolutive, non traitée, présente dans la région atteinte ■ Administration dans les yeux.
Précautions: ■ Excoriations étendues ou graves de la peau ou des muqueuses ■ Usage prolongé (déconseillé) ■ Personnes âgées, patients débilités et enfants (réduire la dose) ■ Enfants âgés de moins de 2 ans (l'innocuité du médicament n'a pas été établie).

RÉACTIONS INDÉSIRABLES ET EFFETS SECONDAIRES

Tég.: dermatite de contact, urticaire, œdème, brûlures, sensation de piqûre, sensibilité, irritation.
Divers: réactions allergiques incluant l'ANAPHYLAXIE.

INTERACTIONS

Médicament – médicament: Aucune interaction notable.

PRÉSENTATION

La dibucaïne est présentée sous forme d'onguent, de crème ou de suppositoire.

VOIES D'ADMINISTRATION ET POSOLOGIE

■ **Usage topique (adultes):** Appliquer la crème à 0,5 % ou l'onguent à 1 %, selon les besoins (ne pas dépasser 30 g en 24 h).
■ **Usage topique (enfants):** Appliquer la crème à 0,5 % ou l'onguent à 1 %, selon les besoins (ne pas dépasser 7,5 g de crème ou 15 g d'onguent en 24 h).
■ **PR:** Introduire un suppositoire deux fois par jour, selon les besoins.

PHARMACODYNAMIE (effet anesthésique après application sur la peau)

	DÉBUT D'ACTION	PIC	DURÉE
préparation topique	jusqu'à 15 min	15 min	2 – 4 h

☀ SOINS INFIRMIERS

ÉVALUATION DE LA SITUATION

□ Déterminer le type de douleur ainsi que son siège et son intesité avant et quelques minutes après l'application de la dibucaïne.

□ Examiner l'intégrité de la peau atteinte ou les hémorroïdes avant le
traitement et à intervalles réguliers
pendant toute sa durée. Prévenir le
médecin si des signes d'infection ou
d'irritation se manifestent.

DIAGNOSTICS INFIRMIERS POSSIBLES

■ **Énoncés diagnostiques**

□ Douleur.

□ Prise en charge inefficace du programme thérapeutique.

□ *Risque élevé de réaction allergique.*

■ **Facteurs favorisants**

□ Informations incomplètes.

INTERVENTIONS INFIRMIÈRES

■ **Préparation topique :** Appliquer une légère couche d'onguent sur les régions
atteintes. On peut recouvrir le territoire touché d'un pansement léger.

□ Appliquer la crème généreusement,
puis faire pénétrer par massage déli-
cat.

■ **Hémorroïdes :** Administrer à l'aide de
l'applicateur fourni par le fabricant.
Visser l'applicateur sur le tube ; presser le tube jusqu'à ce qu'une petite
quantité d'onguent passe par les
trous de l'applicateur. Après avoir
administré la dose dans le rectum, on
peut appliquer une petite quantité
d'onguent sur l'anus avec un doigt
ganté.

ENSEIGNEMENT AU PATIENT ET
À SES PROCHES

■ **Directives générales :** Montrer au patient comment appliquer la préparation. Insister sur le fait qu'il doit éviter tout contact avec les yeux et qu'il
ne doit pas appliquer la préparation
sur de grandes surfaces de peau nue.

□ Recommander au patient d'arrêter
l'utilisation du médicament si un érythème ou une irritation apparaissent
sur la région traitée ou si les symptômes s'aggravent ou persistent pendant plus de 7 jours.

■ **Hémorroïdes :** Recommander au patient de signaler au médecin tout saignement rectal.

VÉRIFICATION DES RÉSULTATS

**L'efficacité du traitement peut être démontrée
par :** ■ le soulagement passager de la gêne
provoquée par des irritations bénignes
de la peau ■ le soulagement de la douleur ou de la démangeaison dues aux
hémorroïdes.

DICLOFÉNAC
Apo-Diclo, Novo-Difenac, Nu-Diclo,
Voltaren, Voltaren Rapide, Voltaren Ophta.

CLASSIFICATION :
Anti-inflammatoire non stéroïdien

Grossesse – catégorie B

INDICATIONS

■ **PO :** Traitement des troubles inflammatoires suivants : □ polyarthrite rhumatoïde □ arthrose ■ **Usage ophtalmique :**
Couverture pré et postopératoire (dans
les cas de cataracte, par exemple) ■ Traitement de certains états inflammatoires
tels que la conjonctivite et la kératoconjonctivite. **Usage non approuvé :** ■ Spondylarthrite ankylosante.

ACTION

■ Inhibition de la synthèse des prostaglandines. **Effets thérapeutiques :** ■ Suppression de la douleur et de l'inflammation.

PHARMACOCINÉTIQUE

Absorption : Bonne absorption par suite
de l'administration par voie orale. Le diclofénac existe sous forme de comprimés
ordinaires et de comprimés à libération
retard. Le médicament administré sous
forme de gouttes ophtalmiques est également absorbé par voie systémique.

Distribution : Le diclofénac traverse le placenta et pénètre dans le lait maternel.

D

Métabolisme et excrétion: Une fraction d'au moins 50 % est métabolisée par le foie lors du premier passage.
Demi-vie: De 1,2 à 2 h.

CONTRE-INDICATIONS ET PRÉCAUTIONS

Contre-indications: ■ Hypersensibilité ■ Risque de réactions de sensibilité croisée avec d'autres anti-inflammatoires non stéroïdiens incluant l'aspirine ■ Hémorragie digestive active ou ulcère en poussée évolutive ■ Patients portant des verres de contact souples (gouttes ophtalmiques seulement).

Précautions: ■ Maladies cardiovasculaire, rénale ou hépatique graves ■ Antécédents d'ulcère ■ Grossesse, allaitement et enfants (l'innocuité du médicament n'a pas été établie) ■ Patients âgés (réduire la dose; ces patients peuvent être davantage prédisposés aux réactions indésirables) ■ Antécédents de tendance aux saignements.

RÉACTIONS INDÉSIRABLES ET EFFETS SECONDAIRES

Remarque: Les réactions indésirables et les effets secondaires énumérés ci-dessous ont été observés par suite de l'administration du diclofénac par voie orale, à l'exception de ceux présentés sous la rubrique **ORLO**.

CV: hypertension, somnolence, étourdissements, céphalées.

ORLO: préparation ophtalmique – sensation de piqûre, réactions dans la chambre antérieure de l'œil, allergie oculaire.

GI: douleurs abdominales, dyspepsie, brûlures d'estomac, diarrhée, HÉMORRAGIE DIGESTIVE, concentrations élevées d'enzymes hépatiques.

GU: mictions fréquentes, dysurie, hématurie, néphrite, protéinurie, insuffisance rénale aiguë.

Tég.: rash, eczéma, photosensibilité.

HÉ: œdème.

Hémat.: allongement du temps de saignement.

Divers: réactions allergiques, incluant l'ANAPHYLAXIE.

INTERACTIONS
(diclofénac par voie orale)

Médicament – médicament: ■ L'administration concomitante d'**aspirine** peut diminuer l'efficacité du diclofénac ■ Effets nocifs additifs sur le tractus gastro-intestinal lors de l'usage concomitant d'**aspirine**, d'autres **anti-inflammatoires non stéroïdiens**, de **suppléments potassiques**, de **glucocorticoïdes** ou d'**alcool** ■ L'usage prolongé en association avec l'**acétaminophène** peut augmenter le risque d'effets nocifs sur les reins ■ Le diclofénac peut diminuer l'efficacité des **diurétiques**, des **antihypertenseurs**, de l'**insuline** ou des **hypoglycémiants** ■ Le diclofénac augmente les concentrations sériques de **digoxine** (adapter la posologie au besoin) ■ Le médicament peut augmenter les concentrations sériques de **lithium** et le risque de toxicité ■ Le diclofénac augmente le risque de toxicité au **méthotrexate** ■ Le **probénécide** augmente le risque de toxicité au diclofénac ■ Le **céfamandole**, le **céfotétane**, la **céfopérazone**, le **moxalactam** ou la **plicamycine**, les **agents thrombolytiques** ou les **anticoagulants**, administrés simultanément, augmentent le risque d'hémorragie ■ Le diclofénac augmente le risque de réactions hématologiques indésirables induites par les **antinéoplasiques** ou la **radiothérapie**.

VOIES D'ADMINISTRATION ET POSOLOGIE

Polyarthrite rhumatoïde

■ **PO (adultes):** Initialement, de 75 à 150 mg par jour, en 3 doses fractionnées; une fois la réponse thérapeutique obtenue, réduire jusqu'à la plus faible dose pouvant maîtriser les symptômes (posologie habituelle: de 75 à 100 mg par jour, en 3 doses fractionnées pour les comprimés entéro-solubles et en une dose unique pour les comprimés à libération lente).

D

Arthrose

- **PO (adultes):** Initialement, 75 mg par jour, en 3 doses fractionnées; une fois la réponse thérapeutique obtenue, réduire jusqu'à la plus faible dose pouvant maîtriser les symptômes.

Spondylarthrite ankylosante

- **PO (adultes):** Initialement, de 100 à 125 mg par jour, en 4 ou 5 doses fractionnées; une fois la réponse thérapeutique obtenue, réduire jusqu'à la plus faible dose pouvant maîtriser les symptômes.
- **Gouttes ophtalmiques (adultes):**
- □ **Couverture préopératoire:** 1 goutte jusqu'à 5 fois par jour durant les 3 h précédant l'opération.
- □ **Couverture postopératoire:** 1 goutte, 15, 30 et 45 min après l'intervention, puis de 3 à 5 fois par jour, selon les besoins.
- □ **États inflammatoires:** 1 goutte, 4 ou 5 fois par jour.

PHARMACODYNAMIE
(effets anti-inflammatoires)

	DÉBUT D'ACTION	PIC	DURÉE
PO	quelques jours à 1 semaine	2 semaines ou plus	inconnue
voie ophtalmique	rapide	inconnu	inconnue

☀ SOINS INFIRMIERS

ÉVALUATION DE LA SITUATION

- **PO:** Suivre de près les douleurs arthritiques; noter le type de douleur, son siège et son intensité, ainsi que l'ampleur des mouvements avant l'administration et de 30 à 60 min par la suite.
- □ Les risques de réactions d'hypersensibilité sont accrus chez les patients souffrant d'asthme, d'allergie induite par l'aspirine et de polypes nasaux.
- **Gouttes ophtalmiques:** Suivre de près l'inflammation oculaire tout au long du traitement.

DIAGNOSTICS INFIRMIERS POSSIBLES

- **Énoncés diagnostiques**
- □ Douleur.
- □ Altération de la mobilité physique.
- □ Prise en charge inefficace du programme thérapeutique.
- □ *Risque élevé de réaction allergique.*
- □ *Risque élevé d'accident.*
- □ *Risque élevé d'irritation gastro-intestinale.*
- **Facteurs favorisants**
- □ Informations incomplètes.
- □ *Manque de connaissances sur les moyens de prévenir les effets secondaires affectant l'appareil gastro-intestinal.*
- □ *Perturbation de la vigilance.*

INTERVENTIONS INFIRMIÈRES

- **PO:** Administrer le diclofénac après les repas ou avec des aliments pour diminuer l'irritation gastrique. Il ne faut pas broyer ni mâcher les comprimés à libération prolongée.
- **Gouttes ophtalmiques:** La méthode d'instillation des gouttes ophtalmiques est indiquée à l'annexe H.

ENSEIGNEMENT AU PATIENT ET À SES PROCHES

- **PO:** Conseiller au patient de prendre le diclofénac avec un grand verre d'eau et de rester ensuite en position assise pendant 15 à 30 min.
- □ Prévenir le patient qu'il doit éviter de boire de l'alcool et de prendre de l'aspirine en même temps que le diclofénac.
- □ Prévenir le patient que le diclofénac peut provoquer des étourdissements ou de la somnolence. Lui conseiller de ne pas conduire et d'éviter les activités qui exigent sa vigilance jusqu'à ce qu'on ait la certitude que le médicament n'entraîne pas ces effets chez lui.
- □ Recommander au patient de consulter le médecin si les symptômes suivants se manifestent: rash, démangeaisons,

troubles de la vision, acouphènes, gain pondéral, œdème, selles noires ou céphalées persistantes.
- **Gouttes ophtalmiques :** Montrer au patient comment instiller les gouttes ophtalmiques.
□ Informer le patient que l'utilisation concomitante de verres de contact souples peut entraîner une irritation oculaire.

VÉRIFICATION DES RÉSULTATS

L'efficacité du traitement peut être démontrée par : ■ le soulagement de la douleur légère à modérée □ une mobilité accrue des articulations ; les patients qui ne répondent pas à un anti-inflammatoire non stéroïdien peuvent répondre à un autre ■ la diminution de l'irritation oculaire suivant une intervention chirurgicale ■ la diminution de l'inflammation qui accompagne les affections ophtalmiques.

DICLOXACILLINE
(Dicloxacil), (Dycill), (Dynapen), (Pathocil)

CLASSIFICATION :
Anti-infectieux – pénicilline résistante à la pénicillinase

Grossesse – catégorie B

INDICATIONS

■ Traitement des infections suivantes attribuables à des souches sensibles de streptocoques ou de staphylocoques produisant de la pénicillinase : □ infections des voies respiratoires □ sinusite □ infection de la peau et des tissus mous.

ACTION

■ Liaison à la membrane de la paroi de la cellule bactérienne entraînant la destruction de la bactérie. Résistance à l'action de la pénicillinase, enzyme capable d'inactiver la pénicilline. **Effets thérapeutiques :** ■ Action bactéricide contre les bactéries sensibles. **Spectre d'action :** ■ La dicloxacilline agit contre la plupart des cocci aérobies à Gram positif, mais son activité est plus faible que celle de la pénicilline. Activité marquée contre les souches suivantes produisant de la pénicillinase : □ *Staphylococcus aureus* □ *Staphylococcus epidermidis* ■ La dicloxacilline est inactive contre les staphylocoques résistant à la méthicilline.

PHARMACOCINÉTIQUE

Absorption : Absorption rapide mais incomplète (de 35 à 76 %) depuis le tractus gastro-intestinal.

Distribution : Le médicament se répartit dans tout l'organisme. De faibles quantités pénètrent dans le liquide céphalorachidien. Il traverse le placenta et pénètre dans le lait maternel.

Métabolisme et excrétion : Une petite fraction (de 6 à 10 %) est métabolisée par le foie et une fraction de 60 % est éliminée à l'état inchangé par les reins. De petites quantités sont éliminées par la bile dans les fèces.

Demi-vie : De 0,5 à 1 h (prolongée en cas de dysfonction hépatique et rénale graves).

CONTRE-INDICATIONS ET PRÉCAUTIONS

Contre-indications : ■ Hypersensibilité ■ Infections graves ou patients souffrant de nausées ou de vomissements (ne pas administrer en traitement initial).

Précautions : ■ Insuffisance rénale ou hépatique grave (réduire la dose) ■ Grossesse ou allaitement (l'innocuité du médicament n'a pas été établie).

RÉACTIONS INDÉSIRABLES ET EFFETS SECONDAIRES

SNC : CONVULSIONS (doses élevées).
GI : nausées, vomissements, diarrhée, hépatite.
GU : néphrite interstitielle.
Tég. : rash, urticaire.
Hémat. : dyscrasie.

D

Divers: surinfection, réactions allergiques incluant l'ANAPHYLAXIE et la maladie sérique.

INTERACTIONS

Médicament – médicament: ■ Le **probénécide** diminue l'excrétion rénale et accroît les concentrations de dicloxacilline dans le sang ■ Le médicament peut modifier l'effet des **anticoagulants oraux**. **Médicament – aliments:** ■ Les **aliments** ou les **boissons acides** diminuent l'absorption de la dicloxacilline.

VOIES D'ADMINISTRATION ET POSOLOGIE

- **PO (adultes et enfants > 40 kg):** de 125 à 250 mg, toutes les 6 h (jusqu'à concurrence de 6 g par jour).
- **PO (enfants > 1 mois et de < 40 kg):** de 12,5 à 25 mg/kg par jour, en doses fractionnées, toutes les 6 h.

PHARMACODYNAMIE
(concentrations sanguines)

	DÉBUT D'ACTION	PIC
PO	30 min	0,5 – 2 h

SOINS INFIRMIERS

ÉVALUATION DE LA SITUATION

- Au début du traitement et pendant toute sa durée, surveiller l'apparition des signes suivants d'infection: altération des signes vitaux, aspect de la plaie, des crachats, de l'urine et des selles, accroissement du nombre de leucocytes.
- Avant d'amorcer le traitement, recueillir les antécédents du patient afin de déterminer ses réactions antérieures à une pénicilline ou à une céphalosporine. Même les personnes n'ayant jamais manifesté de sensibilité aux pénicillines peuvent présenter une réaction allergique.
- Prélever des échantillons pour les cultures et les antibiogrammes avant le début du traitement. La première dose peut être administrée avant même que les résultats soient connus.
- Suivre les signes et les symptômes suivants d'anaphylaxie: rash, prurit, œdème laryngé, respiration sifflante, douleurs abdominales. Si ces réactions se manifestent, ne pas administrer la préparation et avertir immédiatement le médecin. Garder à portée de la main de l'épinéphrine, un antihistaminique et le matériel de réanimation pour parer à une éventuelle réaction anaphylactique.
- **Étude des examens diagnostiques et biochimiques:** Examiner à intervalles réguliers durant tout le traitement la numération globulaire, les concentrations sériques d'urée et de créatinine, les résultats des analyses des urines et ceux des tests de l'exploration fonctionnelle hépatique. La dicloxacilline peut entraîner l'élévation des concentrations de TGOS (AST).

DIAGNOSTICS INFIRMIERS POSSIBLES

- **Énoncés diagnostiques**
- Risque élevé d'infection.
- Prise en charge inefficace du programme thérapeutique.
- Non-observance du traitement médicamenteux.
- *Risque élevé de réaction allergique.*

- **Facteurs favorisants**
- Informations incomplètes.
- Doute quant aux bienfaits du médicament.

INTERVENTIONS INFIRMIÈRES

- **PO:** Administrer le médicament à intervalles réguliers, 24 h sur 24, à jeun, au moins 1 h avant les repas ou 2 h après. Administrer avec un grand verre d'eau; les jus acides peuvent diminuer l'absorption des pénicillines.
- Utiliser un récipient gradué pour mesurer les préparations liquides. Bien agiter. La solution est stable pendant 14 jours au réfrigérateur.

ENSEIGNEMENT AU PATIENT ET À SES PROCHES

☐ Expliquer au patient qu'il doit prendre le médicament à intervalles réguliers, 24 h sur 24, et qu'il doit utiliser toute la quantité qui lui a été prescrite, même s'il se sent mieux. S'il n'a pu prendre le médicament au moment habituel, il devrait le prendre dès que possible. Insister sur le fait qu'il peut être dangereux de donner ce médicament à une autre personne.

☐ Conseiller au patient de signaler l'allergie et les signes suivants de surinfection : excroissance pileuse sur la langue, démangeaisons ou pertes vaginales, selles molles ou nauséabondes.

☐ Recommander au patient de prévenir le médecin en cas de fièvre ou de diarrhée, particulièrement si les selles contiennent du sang, du pus ou du mucus. Lui conseiller de ne pas traiter la diarrhée sans consulter au préalable le médecin ou le pharmacien.

☐ Recommander au patient de contacter le médecin si les symptômes ne s'améliorent pas.

VÉRIFICATION DES RÉSULTATS

La réponse clinique au traitement peut être déterminée par : la disparition des signes et des symptômes d'infection ; le temps de résolution dépend du microorganisme infectant et du siège de l'infection.

DIDANOSINE
Videx, (ddI), (didéoxyinosine)

CLASSIFICATION :
Antiviral

Grossesse – catégorie B

INDICATIONS

■ Traitement de l'infection symptomatique par le virus de l'immunodéficience humaine (VIH) (syndrome d'immunodéficience acquise [SIDA]) chez les patients présentant une intolérance à la zidovudine (AZT) ou une détérioration clinique ou immunologique notable durant le traitement par ce dernier médicament. **Usages non approuvés :** ■ Traitement du parasida (ARC) avancé chez les patients qui ne peuvent tolérer la zidovudine (AZT).

ACTION

■ Inhibition de la réplication virale par l'action sur la transcriptase inverse qui transcrit dans le cytoplasme l'ARN viral en ADN. La didanosine doit être transformée en sa forme active à l'intérieur des cellules par phosphorylation. **Effets thérapeutiques :** ■ Action virostatique contre les virus sensibles ■ Augmentation du nombre de cellules CD4 pouvant se traduire par le ralentissement de l'évolution de la maladie et une diminution de l'incidence des infections opportunistes chez les patients infectés par le VIH. **Spectre d'action :** ■ Les rétrovirus, incluant le virus de l'immunodéficience humaine (VIH).

PHARMACOCINÉTIQUE

Absorption : La didanosine se dégrade rapidement dans un milieu gastrique acide. Les tampons de la formulation neutralisent l'acide gastrique et favorisent une absorption maximale (de 33 à 37 %).
Distribution : La concentration dans le liquide céphalorachidien correspond à 21 % de la concentration plasmatique chez les adultes.
Métabolisme et excrétion : Une fraction de 55 % du médicament est éliminée par les reins (l'excrétion urinaire semble moindre chez les enfants).
Demi-vie : 1,6 h (0,8 h chez les enfants).

CONTRE-INDICATIONS ET PRÉCAUTIONS

Contre-indications : ■ Hypersensibilité ■ Allaitement ■ Phénylcétonurie (les comprimés contiennent de la phénylalanine).

D

Précautions : ■ Antécédents de goutte ■ Patients suivant un régime hyposodé (les comprimés contiennent 264,5 mg de sodium) ■ Insuffisance rénale (modifier la dose) ■ Antécédents de convulsions.

RÉACTIONS INDÉSIRABLES ET EFFETS SECONDAIRES

SNC : céphalées, faiblesse, insomnie, douleur, étourdissements, CONVULSIONS, léthargie.
ORLO : rhinite, otalgie, photophobie, épistaxis.
Resp. : toux, asthme.
CV : hypertension, œdème, vasodilatation, arythmies.
GI : PANCRÉATITE, diarrhée, nausées, vomissements (plus fréquents lors de l'administration de la poudre tamponnée destinée à la préparation de la solution orale), douleurs abdominales, sécheresse de la bouche (xérostomie), anorexie, perte pondérale, constipation, stomatite, anomalies de la fonction hépatique, INSUFFISANCE HÉPATIQUE.
GU : mictions fréquentes.
Tég. : rash, alopécie, ecchymoses.
Métab. : hyperlipidémie.
Hémat. : leucopénie, granulocytopénie, anémie, saignements.
Loc. : myalgie, arthrite.
SN : neuropathie périphérique, mauvaise coordination.
Divers : frissons, fièvre.

INTERACTIONS

Médicament – médicament : ■ Les tampons diminuent l'absorption du **kénoconazole**, de la **dapsone**, des **tétracyclines** et des **fluoroquinolones** (attendre 2 h avant d'administrer la didanosine) ■ Le médicament peut augmenter le risque de neuropathie périphérique lors de l'administration concomitante de **médicaments qui provoquent une neuropathie périphérique** ■ Augmentation du risque de pancréatite, si la didanosine est administrée en même temps que des **médicaments provoquant une pancréatite**. **Médicament – aliments :** ■ L'administration

de la didanosine avec des **aliments** diminue son absorption de 50 %.

VOIES D'ADMINISTRATION ET POSOLOGIE

- ■ **PO (adultes ≥ 75 kg) :** 300 mg toutes les 12 h, sous forme de comprimés, ou (É.-U.) 375 mg toutes les 12 h, sous forme de poudre tamponnée. Administrer deux comprimés par dose.
- ■ **PO (adultes de 50 à 74 kg) :** 200 mg toutes les 12 h, sous forme de comprimés, ou (É.-U.) 500 mg toutes les 12 h, sous forme de poudre tamponnée. Administrer deux comprimés par dose.
- ■ **PO (adultes de 35 à 49 kg) :** 125 mg toutes les 12 h, sous forme de comprimés, ou (É.-U.) 167 mg toutes les 12 h, sous forme de poudre tamponnée. Administrer deux comprimés par dose.
- ■ **PO (enfants > 6 mois) :** de 200 à 300 mg/ m^2 par jour, toutes les 8 h, sous forme de poudre de didanosine pour usage pédiatrique. Administrer deux comprimés par dose, si l'enfant a plus de 1 an.

PHARMACODYNAMIE (concentrations plasmatiques antivirales)

	DÉBUT D'ACTION	PIC
PO	inconnu	inconnu

☀ SOINS INFIRMIERS

ÉVALUATION DE LA SITUATION

- ■ Surveiller l'apparition des symptômes de sida ou de parasida avant l'administration du médicament et pendant tout le traitement.
- ☐ Surveiller tout au long du traitement l'apparition des symptômes suivants de neuropathie périphérique : engourdissement des membres, fourmillement ou douleur aux pieds ou aux mains. Il peut s'avérer nécessaire de réduire la dose.

☐ Observer le patient à la recherche des symptômes suivants de pancréatite : douleurs abdominales, nausées, vomissements, concentrations accrues d'amylase. L'arrêt du traitement peut s'avérer nécessaire. La pancréatite peut mener à une issue fatale.

■ **Étude des examens diagnostiques et biochimiques :** Examiner la numération globulaire et les résultats des tests de l'exploration fonctionnelle hépatique tout au long du traitement. La didanosine peut entraîner la leucopénie, la granulocytopénie, la thrombocytopénie et l'anémie. Elle peut également entraîner l'élévation des concentrations de TGOS (AST), de TGPS (ALT), de phosphatase alcaline, de bilirubine, d'acide urique et d'amylase.

DIAGNOSTICS INFIRMIERS POSSIBLES

■ **Énoncés diagnostiques**
☐ Risque élevé d'accident.
☐ Risque élevé d'infection.
☐ Prise en charge inefficace du programme thérapeutique.
☐ *Risque élevé de difficulté à suivre le traitement.*

■ **Facteurs favorisants**
☐ Informations incomplètes.
☐ *Manque de connaissances sur les effets secondaires du médicament.*
☐ *Perturbation de la vigilance.*

INTERVENTIONS INFIRMIÈRES

■ **Directives générales :** Si la diarrhée se manifeste chez le patient prenant la poudre tamponnée destinée à la solution orale, on peut le soulager en lui administrant les comprimés tamponnés mâchables et dispersables.
☐ Si la solution fuit ou si la poudre se répand, essuyer la surface avec un chiffon humide ou une éponge mouillée afin d'éviter la production de poussière de médicament. Nettoyer la surface avec de l'eau et du savon, selon les besoins.

■ **PO :** Administrer le médicament toutes les 8 à 12 h à jeun, 1 h avant les repas ou 2 h après. Les aliments peuvent diminuer l'absorption de la didanosine de 50 %. Ne pas administrer de kétoconazole, de dapsone, de tétracyclines ou de fluoroquinolones dans les deux heures suivant l'administration de la didanosine.
☐ Les comprimés doivent être bien croqués, broyés à la main ou dispersés dans au moins 30 mL d'eau avant d'être avalés. Pour disperser la préparation, ajouter 1 ou 2 comprimés à au moins 30 mL d'eau et mélanger jusqu'à la formation d'une suspension homogène. La suspension doit être administrée immédiatement.
☐ La poudre tamponnée pour solution orale doit être mélangée dans au moins 120 mL d'eau. Ne pas la mélanger à du jus de fruits ou à d'autres liquides acides. Brasser pendant 2 ou 3 min jusqu'à la dissolution complète de la poudre. La solution doit être avalée immédiatement.
☐ La solution pour usage pédiatrique est mélangée par le pharmacien et reste stable pendant 30 jours au réfrigérateur. Agiter le mélange immédiatement avant l'administration.

ENSEIGNEMENT AU PATIENT ET À SES PROCHES

☐ Conseiller au patient de respecter scrupuleusement la posologie recommandée et de continuer de prendre la didanosine même s'il se sent mieux. Insister sur le fait qu'il ne faut pas donner ce médicament à d'autres personnes ni l'échanger contre un autre médicament.
☐ Prévenir le patient que la didanosine peut provoquer des étourdissements. Lui conseiller de ne pas conduire et d'éviter les activités qui exigent sa vigilance jusqu'à ce qu'on ait la certitude que le médicament n'entraîne pas cet effet chez lui.

□ Recommander au patient de consulter le médecin ou le pharmacien avant de prendre d'autres médicaments en même temps que la didanosine.

□ Conseiller au patient d'éviter les foules et les personnes contagieuses.

□ Recommander au patient de signaler immédiatement au médecin l'engourdissement des mains ou des pieds ou les picotements dans les membres, les douleurs d'estomac, les nausées ou les vomissements.

□ Recommander au patient d'éviter les rapports sexuels ou d'utiliser un condom afin de prévenir la transmission du virus du sida et de ne pas utiliser les mêmes aiguilles qu'une autre personne.

□ Expliquer aux parents que l'enfant qui reçoit de la didanosine devrait passer un examen ophtalmoscopique de la rétine, tous les 6 mois, pendant toute la durée du traitement.

□ Insister sur l'importance des examens réguliers de suivi permettant de déceler les effets secondaires.

VÉRIFICATION DES RÉSULTATS

L'efficacité du traitement peut être démontrée par : la diminution des symptômes des infections par le VIH (sida ou parasida).

DIÉNESTROL

Ortho Dienestrol, (DV), (Estraguard)

CLASSIFICATION :
Hormone – œstrogène

Grossesse – catégorie X

INDICATIONS

Traitement des symptômes de la vaginite atrophique chez les femmes postménopausées et de la *kraurosis vulvæ*.

ACTION

■ Effet favorable sur la croissance des organes sexuels féminins et le maintien des caractéristiques sexuelles secondaires chez la femme. Les effets métaboliques du médicament incluent : □ la réduction des concentrations sanguines de cholestérol □ la synthèse des protéines □ la rétention hydrosodée. **Effets thérapeutiques :** ■ Rétablissement de l'intégrité de la muqueuse vaginale chez les femmes postménopausées.

PHARMACOCINÉTIQUE

Absorption : Absorption rapide par la peau et les muqueuses.

Distribution : Les quantités absorbées se répartissent dans tout l'organisme.

Métabolisme et excrétion : Les quantités de médicament absorbées sont métabolisées par le foie.

Demi-vie : Inconnue.

CONTRE-INDICATIONS ET PRÉCAUTIONS

Contre-indications : ■ Maladie thromboembolique ■ Saignements vaginaux non diagnostiqués ■ Grossesse (risques d'effets nocifs sur le fœtus) ■ Allaitement.

Précautions : ■ Maladies cardiaque, hépatique ou rénale graves ■ Le médicament peut accroître le risque de cancer de l'endomètre.

RÉACTIONS INDÉSIRABLES ET EFFETS SECONDAIRES

SNC : céphalées, étourdissements, dépression.

CV : œdème, hypertension.

GI : nausées, vomissements, crampes abdominales, ballonnements, jaunisse.

GU : hémorragies utérines secondaires, dysménorrhée, candidose vaginale, cystite.

Tég. : hyperpigmentation, rash.

End. : hyperglycémie.

HÉ : hypercalcémie, rétention hydrosodée.

Hémat. : thromboembolie.

Divers : sensibilité mammaire, hypertrophie mammaire, altération de la libido.

D

INTERACTIONS

Médicament – médicament: L'œstrogéno-thérapie peut modifier les besoins en **anticoagulants oraux**, en **hypoglycémiants oraux** ou en **insuline**.

VOIES D'ADMINISTRATION ET POSOLOGIE

Remarque: Contenu d'un applicateur = 5 g, renfermant 0,5 mg de diénestrol.

- **Préparation vaginale (adultes):** le contenu de 1 ou de 2 applicateurs par jour, pendant 2 semaines, puis une demi-dose pendant deux semaines. La dose d'entretien correspond au contenu de 1 applicateur, de 1 à 3 fois par semaine, pendant 3 semaines par mois.

PHARMACODYNAMIE (soulagement des symptômes de vaginite atrophique)*

	DÉBUT D'ACTION	PIC	DURÉE
préparation vaginale	plusieurs jours	inconnu	inconnue

* La réponse est très variable.

SOINS INFIRMIERS

ÉVALUATION DE LA SITUATION

- Mesurer la pression artérielle à intervalles réguliers pendant tout le traitement.
- Effectuer le bilan hebdomadaire des ingesta et des excreta et peser la patiente toutes les semaines. Signaler au médecin toute modification importante ou un gain pondéral constant.
- **Étude des examens diagnostiques et biochimiques:** Le diénestrol peut entraîner l'élévation des concentrations sériques de glucose et de triglycérides; il peut également modifier les concentrations de prothrombine.

DIAGNOSTICS INFIRMIERS POSSIBLES

- **Énoncés diagnostiques**
- Dysfonctionnement sexuel.
- Prise en charge inefficace du programme thérapeutique.
- *Risque élevé d'hémorragie.*

- **Facteurs favorisants**
- Informations incomplètes.
- *Arrêt brusque du traitement.*

INTERVENTIONS INFIRMIÈRES

- **Préparation vaginale:** L'applicateur est fourni dans l'emballage d'origine de la crème.

ENSEIGNEMENT AU PATIENT ET À SES PROCHES

- Montrer à la patiente comment se servir de l'applicateur vaginal. Lui expliquer qu'elle doit rester couchée pendant au moins 30 min après le traitement. Lui conseiller d'utiliser des serviettes hygiéniques pour protéger ses vêtements (les tampons sont déconseillés).
- Expliquer à la patiente le schéma posologique et le traitement d'entretien. L'arrêt brusque du traitement peut entraîner une hémorragie de retrait.
- Recommander à la patiente de signaler au médecin les signes et les symptômes de rétention hydrique (enflure des chevilles et des pieds, gain pondéral); de maladie thromboembolique (douleur, enflure, sensibilité d'un membre, céphalées, douleurs thoraciques, vision trouble); de dépression; de saignements vaginaux anormaux ou de dysfonctionnement hépatique (jaunissement de la peau ou des yeux, prurit, urine foncée, selles de couleur pâle).
- Prévenir la patiente qu'elle doit arrêter de prendre le médicament si elle pense être enceinte et en informer le médecin.
- Mettre en garde la patiente, particulièrement si elle a plus de 35 ans, contre l'usage concomitant de tabac, car le tabagisme peut accroître le risque de réactions indésirables graves.

D

□ Insister sur l'importance d'un suivi médical régulier comprenant la prise de la pression artérielle, l'examen des seins, de l'abdomen et du pelvis et le test de Papanicoulaou, tous les 6 à 12 mois.

VÉRIFICATION DES RÉSULTATS

L'efficacité du traitement peut être démontrée par : le soulagement des démangeaisons, de l'inflammation et de la sécheresse vaginales et vulvaires.

DIÉTHYLSTILBESTROL
DES, Honvol, (Stilphostrol)

CLASSIFICATION :
*Hormone – œstrogène ;
antinéoplasique – hormone*

Grossesse – catégorie X

INDICATIONS

■ Traitement palliatif du cancer métastatique avancé et inopérable de la prostate. **Usages non approuvés :** ■ Traitement des symptômes vasomoteurs graves de la ménopause ■ Œstrogénothérapie substitutive chez les femmes souffrant d'hypogonadisme ou ayant subi une ovariectomie ■ Prophylaxie de l'ostéoporose postménopausique ■ Traitement palliatif des formes avancées du cancer du sein chez la femme postménopausée.

ACTION

■ Effet favorable sur la croissance des organes sexuels féminins et le maintien des caractéristiques sexuelles secondaires chez la femme ■ Effets métaboliques incluant la réduction des concentrations sanguines de cholestérol, la synthèse des protéines et la rétention hydrosodée. **Effets thérapeutiques :** ■ Effet supplétif en cas de perte œstrogénique de diverses étiologies et réduction de la propagation des tumeurs sensibles aux hormones androgènes.

PHARMACOCINÉTIQUE

Absorption : Bonne absorption depuis le tractus gastro-intestinal.
Distribution : Le médicament se répartit dans tout l'organisme. Il traverse le placenta et pénètre probablement dans le lait maternel.
Métabolisme et excrétion : Le médicament est métabolisé par le foie.
Demi-vie : Inconnue.

CONTRE-INDICATIONS ET PRÉCAUTIONS

Contre-indications : ■ Maladie thromboembolique ■ Saignements vaginaux non diagnostiqués ■ Grossesse (risque d'effets nocifs sur le fœtus) ■ Allaitement.
Précautions : ■ Cardiopathie sous-jacente ■ Maladies hépatique ou rénale graves ■ Le médicament peut accroître le risque de cancer de l'endomètre.

RÉACTIONS INDÉSIRABLES ET EFFETS SECONDAIRES

SNC : céphalées, étourdissements, léthargie.
CV : œdème, THROMBOEMBOLIE, hypertension, INFARCTUS DU MYOCARDE.
ORLO : aggravation de la myopie ou de l'astigmatisme, intolérance aux verres de contact.
GI : nausées, vomissements, anorexie, augmentation de l'appétit, fluctuations de poids, jaunisse.
GU : femmes – hémorragies utérines secondaires, dysménorrhée, aménorrhée, érosions cervicales, candidose vaginale, baisse de la libido ; hommes – atrophie testiculaire, impuissance.
Tég. : acné, urticaire, peau grasse, hyperpigmentation, photosensibilité.
End. : hyperglycémie, gynécomastie (hommes).
HÉ : rétention hydrosodée, hypercalcémie.
Loc. : crampes aux jambes.
Divers : sensibilité mammaire.

INTERACTIONS

Médicament – médicament : ■ Le diéthylstilbestrol peut modifier les besoins en **anticoagulants oraux**, en **hypoglycémiants oraux** ou en **insuline** ■ Les **barbituriques** ou la **rifampine** peuvent diminuer l'efficacité de l'hormone.

VOIES D'ADMINISTRATION ET POSOLOGIE

Hypogonadisme, déficit ovarien (É.-U.)
■ **PO (adultes):** de 0,2 à 0,5 mg par jour.

Symptômes de la ménopause (É.-U.)
■ **PO (adultes):** de 0,1 à 2 mg par jour pendant 3 semaines; assurer un arrêt temporaire de la médication d'une semaine.

Cancer du sein chez la femme postménopausée
■ **PO (adultes):** 15 mg par jour.

Cancer de la prostate
■ **PO (adultes):** de 1 à 3 mg par jour de diéthylstilbestrol ou de 83 à 166 mg de diphosphate de diéthylstilbestrol (Honvol), 3 fois par jour.
■ **IV (adultes):** 500 mg par jour sous forme de perfusion, jusqu'à l'obtention d'une réponse (5 jours ou plus); administrer ensuite 250 mg, pendant 10 à 20 jours, puis une dose d'entretien de 250 à 500 mg, 1 à 4 fois par semaine.

Contraception postcoïtale (É.-U.)
■ **PO (adultes):** 25 mg, deux fois par jour pendant 5 jours.

PHARMACODYNAMIE (effets de l'œstrogénothérapie substitutive)

	DÉBUT D'ACTION	PIC	DURÉE
PO	rapide*	inconnu	inconnue

* En cas de cancer, la réponse peut ne pas se manifester avant 4 à 8 semaines.

☀ SOINS INFIRMIERS

ÉVALUATION DE LA SITUATION
☐ Mesurer la pression artérielle avant le traitement et à intervalles réguliers pendant toute sa durée.

☐ Effectuer le bilan hebdomadaire des ingesta et des excreta et peser le patient toutes les semaines. Signaler au médecin les modifications importantes ou un gain pondéral constant.

■ **Étude des examens diagnostiques et biochimiques:** Le diéthylstilbestrol peut entraîner l'élévation des concentrations sériques de glucose, de sodium, de triglycérides, de phospholipides, de cortisol, de prolactine, de prothrombine et des facteurs de coagulation VII, VIII, IX et X. Il peut diminuer les concentrations sériques de folate, de pyridoxine et d'antithrombine III et celles du prégnandiol urinaire.

☐ Le médicament peut modifier les résultats du dosage de l'hormone thyroïdienne.

☐ Le diéthylstilbestrol peut provoquer l'hypercalcémie chez les patients présentant des lésions osseuses métastatiques.

DIAGNOSTICS INFIRMIERS POSSIBLES

■ **Énoncés diagnostiques**
☐ Dysfonctionnement sexuel.
☐ Prise en charge inefficace du programme thérapeutique.
☐ *Risque élevé d'accident.*

■ **Facteurs favorisants**
☐ Informations incomplètes.
☐ *Tabagisme.*
☐ *Manque de connaissances sur les modalités du traitement.*

INTERVENTIONS INFIRMIÈRES

■ **PO:** Administrer les doses par voie orale avec des aliments, ou immédiatement après les repas, afin de réduire les nausées.
■ **IV:** Diluer la solution dans 250 à 500 mL de solution de dextrose à 5 % dans de l'eau ou de NaCl à 0,09 %.
☐ *Vitesse d'administration:* Administrer la perfusion à un débit de 1 à 2 mL/min, pendant les 10 à 15 premières minutes. Si la perfusion est

bien tolérée, adapter le débit de façon à ce que la dose entière soit administrée en l'espace de 1 h.

ENSEIGNEMENT AU PATIENT ET À SES PROCHES

☐ Conseiller au patient de respecter scrupuleusement la posologie recommandée. S'il n'a pu prendre le médicament au moment habituel, il doit le prendre dès que possible, à moins que ce ne soit presque l'heure prévue pour la dose suivante. L'avertir qu'il ne doit jamais remplacer une dose manquée par une double dose.

☐ Si les nausées deviennent gênantes, recommander au patient de consommer fréquemment des aliments solides.

☐ Recommander au patient de signaler au médecin les signes et les symptômes de rétention hydrique (enflure des chevilles et des pieds, gain pondéral) ; de maladie thrombo-embolique (douleur, enflure, sensibilité d'un membre, céphalées, douleurs thoraciques, vision trouble) ; de dépression ou de dysfonctionnement hépatique (jaunissement de la peau ou des yeux, prurit, urine foncée, selles de couleur pâle).

☐ Prévenir la patiente qu'elle doit arrêter de prendre le médicament si elle pense être enceinte et en informer le médecin. La prévenir que l'incidence de cancer cervical et vaginal chez les filles et de tumeurs des testicules chez les garçons est accrue si la mère prend ce médicament durant la grossesse.

☐ Mettre en garde la patiente, particulièrement si elle a plus de 35 ans, contre l'usage concomitant de tabac, car le tabagisme peut accroître le risque de réactions indésirables graves.

☐ Recommander au patient qui doit suivre un traitement dentaire ou subir une intervention chirurgicale d'avertir le dentiste ou le médecin qu'il suit un traitement médicamenteux.

☐ Prévenir le patient que le diéthylstilbestrol peut provoquer à l'occasion une réaction de photosensibilité. Lui recommander d'utiliser un écran solaire et de porter des vêtements protecteurs.

☐ Insister sur l'importance d'un suivi médical régulier comprenant la prise de la pression artérielle, l'examen des seins, de l'abdomen et du pelvis et le test de Papanicolaou tous les 6 à 12 mois.

VÉRIFICATION DES RÉSULTATS

L'efficacité du traitement peut être démontrée par : ■ l'arrêt de la propagation des métastases en cas de cancer avancé de la prostate ou du sein ■ la diminution des symptômes vasomoteurs associés à la ménopause ☐ le soulagement des démangeaisons, de l'inflammation ou de la sécheresse vaginales et vulvaires associées à la ménopause ■ la normalisation des concentrations d'œstrogènes chez les femmes ayant subi une ovariectomie ou souffrant d'hypogonadisme.

DIFÉNOXINE AVEC ATROPINE
(Motofen)

CLASSIFICATION :
Antidiarrhéique

Grossesse – catégorie C

INDICATIONS

Traitement d'appoint de la diarrhée.

ACTION

■ Inhibition de la motilité gastro-intestinale excessive ■ Structure similaire à celle des analgésiques narcotiques, mais la préparation est dépourvue de propriétés analgésiques. **Effets thérapeutiques :** ■ Ralentissement de la motilité gastro intestinale et diminution subséquente de la diarrhée.

PHARMACOCINÉTIQUE

Absorption: Le médicament est bien absorbé depuis le tractus gastro-intestinal.

Distribution: La distribution de l'agent est inconnue. Il semble pénétrer dans le lait maternel.

Métabolisme et excrétion: Le médicament est principalement métabolisé par le foie et transformé en composés inactifs.

Demi-vie: Inconnue.

CONTRE-INDICATIONS ET PRÉCAUTIONS

Contre-indications: ■ Hypersensibilité ■ Maladie hépatique grave ■ Diarrhée infectieuse (attribuable à *E. Coli*, *Salmonella* ou *Shigella*) ■ Diarrhée associée à une colite pseudo-membraneuse ■ Patients déshydratés ■ Glaucome à angle étroit ■ Enfants de moins de 2 ans.

Précautions: ■ Dépendance physique aux analgésiques narcotiques ■ Maladies inflammatoires de l'intestin ■ Hypertrophie de la prostate ■ Grossesse, allaitement et enfants de moins de 12 ans (l'innocuité du médicament n'a pas été établie).

RÉACTIONS INDÉSIRABLES ET EFFETS SECONDAIRES

SNC: étourdissements, sensation de tête légère, somnolence, céphalées, fatigue, nervosité, insomnie, confusion.

ORLO: vision trouble, brûlures oculaires.

GI: nausées, vomissements, constipation, sécheresse de la bouche (xérostomie), gêne épigastrique.

INTERACTIONS

Médicament – médicament: ■ Effet dépressif additif sur le SNC lors de l'usage concomitant d'autres **dépresseurs du SNC**, incluant l'**alcool**, les **antihistaminiques**, les **analgésiques narcotiques** et les **hypnosédatifs** ■ Effets anticholinergiques additifs lors de l'administration concomitante d'autres **médicaments doués de propriétés anticholinergiques**, incluant

les **antidépresseurs tricycliques**, la **quinidine** et le **disopyramide** ■ Les **inhibiteurs de la MAO**, administrés simultanément, peuvent déclencher une crise hypertensive.

VOIES D'ADMINISTRATION ET POSOLOGIE

Remarque: Les doses indiquées sont celles de difénoxine, chaque comprimé contenant 1 mg de difénoxine et 0,025 mg d'atropine.

PO (adultes): 2 comprimés au départ, puis 1 comprimé après chaque selle diarrhéique ou toutes les 3 ou 4 h, selon les besoins, jusqu'à concurrence de 8 comprimés par jour.

PHARMACODYNAMIE
(effet antidiarrhéique)

	DÉBUT D'ACTION	PIC	DURÉE
PO	45 – 60 min	2 h	3 – 4 h

✳ SOINS INFIRMIERS

ÉVALUATION DE LA SITUATION

- ■ Observer la fréquence et la consistance des selles et ausculter les bruits intestinaux avant l'administration du médicament et pendant tout le traitement.
- □ Effectuer le bilan hydroélectrolytique et examiner la peau à la recherche de signes de déshydratation.
- ■ **Étude des examens diagnostiques et biochimiques:** Durant le traitement prolongé, examiner à intervalles réguliers les résultats des tests de l'exploration fonctionnelle hépatique.

DIAGNOSTICS INFIRMIERS POSSIBLES

- ■ **Énoncés diagnostiques**
- □ Diarrhée.
- □ Constipation.
- □ Prise en charge inefficace du programme thérapeutique.

□ *Risque élevé de pharmacodépendance.*

□ *Risque élevé d'accident.*

■ **Facteurs favorisants**

□ Informations incomplètes.

□ *Manque de connaissances sur les moyens de prévenir les effets secondaires affectant l'appareil gastro-intestinal.*

□ *Perturbation de la vigilance.*

□ *Usage prolongé du médicament.*

INTERVENTIONS INFIRMIÈRES

■ **Directives générales:** Le risque de dépendance augmente lors de l'administration prolongée de doses élevées. L'atropine est ajoutée à la préparation dans le but de réduire le risque d'abus.

■ **PO:** Administrer le médicament avec des aliments en présence d'irritation gastro-intestinale.

ENSEIGNEMENT AU PATIENT ET À SES PROCHES

□ Conseiller au patient de respecter scrupuleusement la posologie recommandée. Le prévenir qu'il ne doit pas prendre une dose supérieure à la dose prescrite en raison du risque d'accoutumance.

□ Prévenir le patient que la difénoxine avec atropine peut provoquer de la somnolence. Lui conseiller de ne pas conduire et d'éviter des activités qui exigent sa vigilance jusqu'à ce qu'on ait la certitude que le médicament n'entraîne pas cet effet chez lui.

□ Recommander au patient de se rincer fréquemment la bouche, de maintenir une bonne hygiène orale et de consommer de la gomme ou des bonbons sans sucre pour soulager la sécheresse de la bouche.

□ Conseiller au patient d'éviter de consommer de l'alcool ou d'autres dépresseurs du SNC en même temps que ce médicament.

□ Recommander au patient de prévenir le médecin en cas de diarrhée persistante, de fièvre ou de palpitations.

VÉRIFICATION DES RÉSULTATS

L'efficacité du traitement peut être démontrée par: le soulagement de la diarrhée. Le traitement doit être poursuivi pendant 24 à 36 h avant qu'on puisse décider qu'il n'est pas efficace pour traiter la diarrhée aiguë.

DIFLUNISAL
Dolobid

CLASSIFICATION:
Analgésique non narcotique – anti-inflammatoire non stéroïdien ; anti-inflammatoire.

Grossesse – catégorie C

INDICATIONS

■ Traitement des maladies inflammatoires incluant: □ la polyarthrite rhumatoïde □ l'arthrose ■ Soulagement de la douleur légère à modérée.

ACTION

■ Inhibition de la synthèse des prostaglandines. **Effets thérapeutiques :** ■ Soulagement de la douleur et de l'inflammation.

PHARMACOCINÉTIQUE

Absorption : Le diflunisal est bien absorbé depuis le tractus gastro-intestinal.
Distribution : Le médicament traverse le placenta et pénètre dans le lait maternel.
Métabolisme et excrétion : Métabolisme hépatique.
Demi-vie : De 8 à 12 h.

CONTRE-INDICATIONS ET PRÉCAUTIONS

Contre-indications : ■ Hypersensibilité ■ Risque de sensibilité croisée avec d'autres anti-inflammatoires non stéroïdiens incluant l'aspirine ■ Hémorragie digestive active ou ulcère en poussée évolutive.

Précautions : ■ Maladies cardiovasculaire, rénale ou hépatique graves ■ Antécédents d'ulcère ■ Grossesse, allaitement ou enfants (l'innocuité du médicament n'a pas été établie).

RÉACTIONS INDÉSIRABLES ET EFFETS SECONDAIRES

SNC : céphalées, somnolence, troubles psychiques, étourdissements.

ORLO : vision trouble, acouphènes, rhinite.

CV : œdème, fluctuations de la pression artérielle, arythmies.

GI : nausées, vomissements, diarrhée, constipation, hémorragie digestive, gêne abdominale.

GU : insuffisance rénale.

Tég. : rash.

Hémat. : dyscrasie, allongement du temps de saignement.

Loc. : douleurs musculaires.

Divers : réactions allergiques, incluant l'ANAPHYLAXIE, frissons.

INTERACTIONS

Médicament – médicament : ■ L'aspirine (acide acétylsalicylique), administrée simultanément, peut diminuer l'efficacité du diflunisal ■ Effets gastro-intestinaux indésirables additifs lors de l'usage concomitant d'**aspirine,** d'autres **anti-inflammatoires non stéroïdiens,** de **suppléments potassiques,** de **glucocorticoïdes** ou d'**alcool** ■ Risque accru de réactions rénales indésirables lors de l'administration simultanée d'**acétaminophène** ■ Le diflunisal peut diminuer l'efficacité des **diurétiques,** des **antihypertenseurs,** de l'**insuline** ou des **hypoglycémiants oraux** ■ Le médicament peut augmenter les concentrations sériques de **lithium** et le risque de toxicité ■ Le diflunisal augmente le risque de toxicité au **méthotrexate** ■ Le **probénécide** augmente le risque de toxicité au diflunisal ■ Le **céfamandole,** le **céfotétane,** la **céfopérazone,** le **moxalactam** ou la **plicamycine,** les **agents thrombolytiques** ou les **anticoagulants,** administrés simultanément, augmentent le risque d'hémorragie ■ Le diflunisal augmente le risque de réactions hématologiques indésirables induites par les **antinéoplasiques** ou la **radiothérapie.**

VOIES D'ADMINISTRATION ET POSOLOGIE

Douleur

■ **PO (adultes) :** de 500 à 1 000 mg au départ, puis de 250 à 500 mg, toutes les 8 à 12 h.

Maladies inflammatoires

■ **PO (adultes) :** de 500 à 1 000 mg par jour, en 2 doses fractionnées.

PHARMACODYNAMIE

	DÉBUT D'ACTION	PIC	DURÉE
PO (analgésique)	60 min	2 – 3 h	8 – 12 h
PO (anti-inflammatoire)	de quelques jours à 1 semaine	2 semaines	inconnue

⁂ SOINS INFIRMIERS

ÉVALUATION DE LA SITUATION

■ **Directives générales :** Les patients souffrant d'asthme, d'allergies induites par l'aspirine et de polypes nasaux sont davantage prédisposés à des réactions d'hypersensibilité.

■ **Arthrite :** Noter l'intensité de la douleur et l'ampleur des mouvements des articulations avant et une heure ou deux après l'administration.

■ **Douleur :** Noter le type de douleur ainsi que son siège et son intensité, avant et une heure ou deux après l'administration du médicament.

■ **Étude des examens diagnostiques et biochimiques :** Vérifier à intervalles réguliers les concentrations sériques d'urée et de créatinine, la numération globulaire et les résultats des tests de l'exploration fonctionnelle hépatique chez le patient recevant un traitement prolongé.

☐ Le diflunisal peut entraîner l'élévation des concentrations sériques de potassium, de créatinine, de TGOS (AST), de TGPS (ALT) et de LDH. Il peut diminuer les concentrations sériques d'acide urique.

☐ Le diflunisal peut allonger très légèrement le temps de saignement; cette anomalie peut persister moins de 24 h après l'arrêt du traitement.

DIAGNOSTICS INFIRMIERS POSSIBLES

■ **Énoncés diagnostiques**

☐ Douleur.

☐ Altération de la mobilité physique.

☐ Prise en charge inefficace du programme thérapeutique.

☐ *Risque élevé de réaction allergique.*

☐ *Risque élevé d'accident.*

☐ *Risque élevé d'irritation gastro-intestinale.*

■ **Facteurs favorisants**

☐ Informations incomplètes.

☐ *Manques de connaissances sur les antécédents d'hypersensibilité du patient.*

☐ *Perturbation de la vigilance.*

☐ *Manque de connaissances sur les moyens de prévenir les effets secondaires affectant l'appareil gastro-intestinal.*

INTERVENTIONS INFIRMIÈRES

■ **Directives générales:** Le diflunisal, en association avec des analgésiques narcotiques, peut exercer des effets analgésiques additifs, ce qui permet d'administrer de plus faibles doses de narcotique.

■ **PO:** Pour que l'effet initial soit rapide, administrer 30 min avant ou 2 h après les repas. Le diflunisal peut être administré avec des aliments, du lait ou des antiacides pour diminuer l'irrita-

tion gastro-intestinale. Les aliments ralentissent, mais ne réduisent pas l'absorption de ce médicament. Les comprimés doivent être avalés tels quels sans être broyés ni mâchés.

ENSEIGNEMENT AU PATIENT ET À SES PROCHES

☐ Conseiller au patient de prendre ce médicament avec un grand verre d'eau et de rester ensuite assis pendant 15 à 30 min.

☐ Conseiller au patient de respecter scrupuleusement la posologie recommandée. S'il n'a pu prendre le médicament au moment habituel, il doit le prendre dès que possible, à moins que ce ne soit presque l'heure prévue pour la dose suivante. Le prévenir qu'il ne faut jamais remplacer une dose manquée par une double dose.

☐ Prévenir le patient que le diflunisal peut provoquer des étourdissements ou de la somnolence. Lui conseiller de ne pas conduire et d'éviter les activités qui exigent sa vigilance jusqu'à ce qu'on ait la certitude que le médicament n'entraîne pas ces effets chez lui.

☐ Conseiller au patient d'éviter de boire de l'alcool et de consulter le médecin ou le pharmacien avant de prendre des préparations à base d'aspirine, d'acétaminophène ou d'autres médicaments en vente libre en même temps que le diflunisal.

☐ Recommander au patient de signaler au médecin le rash, la démangeaison, les frissons, la rhinite, la fièvre, les douleurs musculaires, les troubles visuels, le gain pondéral, l'œdème, les selles noires ou les céphalées persistantes.

VÉRIFICATION DES RÉSULTATS

L'efficacité du traitement peut être démontrée par: ■ le soulagement de la douleur modérée ■ l'amélioration de la mobilité des articulations. Habituellement, la douleur arthritique est partiellement soulagée en l'espace d'une semaine ou deux; la pleine efficacité du médicament est notable plusieurs semaines plus tard. Les patients qui ne répondent pas à un anti-inflammatoire non stéroïdien peuvent répondre à un autre.

DIGITOXINE
digitaline, (Crystodigin)

CLASSIFICATION:
Dérivé digitalique; agent inotrope; antiarythmique

Grossesse – catégorie C

INDICATIONS
■ Insuffisance cardiaque – en monothérapie ou en association avec d'autres agents (diurétiques, vasodilatateurs) ■ Ralentissement de la fréquence ventriculaire en cas de tachyarythmie, telle que la fibrillation auriculaire et le flutter auriculaire ■ Interruption de la tachycardie auriculaire paroxystique.

ACTION
■ Augmentation de la force contractile du myocarde ■ Prolongation de la période réfractaire dans le nœud AV ■ Diminution de la conduction par les nœuds SA et AV. **Effets thérapeutiques:** ■ Augmentation du débit cardiaque (effet inotrope positif) et ralentissement de la fréquence cardiaque (effet chronotrope négatif).

PHARMACOCINÉTIQUE
Absorption: La digitoxine est complètement absorbée par suite de l'administration par voie orale.
Distribution: Le médicament se répartit dans tout l'organisme.
Métabolisme et excrétion: La digitoxine est principalement métabolisée par le foie. Certains métabolites exercent une activité cardiaque.
Demi-vie: De 5 à 7 jours.

CONTRE-INDICATIONS ET PRÉCAUTIONS
Contre-indications: ■ Hypersensibilité ■ Arythmies ventriculaires non maîtrisées ■ Bloc AV ■ Myocardiopathie obstructive ■ Péricardite constrictive.
Précautions: ■ Anomalies électrolytiques (l'hypokaliémie, l'hypercalcémie et l'hypomagnésémie peuvent prédisposer à la toxicité digitalique) ■ Grossesse et allaitement (l'innocuité du médicament n'a pas été établie) ■ Personnes âgées (particulièrement sensibles aux effets toxiques) ■ Infarctus du myocarde.

RÉACTIONS INDÉSIRABLES ET EFFETS SECONDAIRES
SNC: fatigue, faiblesse, céphalées.
ORLO: vision trouble, vision jaune des surfaces blanches (xanthopsie).
CV: ARYTHMIES, bradicardie, modifications de l'ÉCG.
End.: gynécomastie.
GI: nausées, vomissements, anorexie, diarrhée.
Hémat.: thrombocytopénie.

INTERACTIONS
Médicament – médicament: ■ Les **diurétiques thiazidiques** et les **diurétiques de l'anse**, la **mezlocilline**, la **pipéracilline**, la **ticarcilline**, l'**amphotéricine B** et les **glucocorticoïdes** peuvent augmenter le risque de toxicité en provoquant l'hypokaliémie ■ La **quinidine**, le **vérapamil** ou le **diltiazem**, administrés simultanément, augmentent les concentrations sériques de digitoxine ■ Risque de bradycardie additive lors de l'administration concomitante de **bêtabloquants** et d'autres **agents antiarythmiques (quinidine, disopyramide)** ■ L'absorption de la digitoxine est diminuée lors de l'administration concomitante d'**antiacides**, de **kaolin-pectine**, de **cholestyramine** ou de **colestipol** ■ Le **phénobarbital**, la **phénytoïne** ou la **rifampine**, administrés simultanément, peuvent diminuer

D

l'efficacité de la digitoxine ■ L'administration simultanée de **succinylcholine** peut augmenter l'irritabilité cardiaque.

VOIES D'ADMINISTRATION ET POSOLOGIE

PO (adultes et enfants > 12 ans): Initialement, de 1,2 à 1,6 mg (dose de digitalisation), en doses fractionnées en 24 h, puis une dose d'entretien de 50 à 200 µg par jour.

PHARMACODYNAMIE
(effet antiarythmique ou inotrope, si une dose d'attaque a été administrée)

	DÉBUT D'ACTION	PIC	DURÉE
PO	30 min – 2 h	4 – 12 h	2 – 3 semaines

☀ SOINS INFIRMIERS

ÉVALUATION DE LA SITUATION

□ Mesurer le pouls à l'apex pendant 60 secondes avant d'administrer le médicament. Si la fréquence du pouls est inférieure à 60 battements par minute, ne pas administrer l'agent et en informer le médecin. Prévenir également le médecin rapidement de toute modification importante de la fréquence, du rythme ou de la qualité du pouls.

□ Effectuer le bilan quotidien des ingesta et des excreta et peser le patient tous les jours. Déceler l'œdème périphérique et ausculter les poumons à la recherche de râles ou de crépitations tout au long du traitement.

□ Afin de prévenir la toxicité, avant d'administrer la dose d'attaque initiale, vérifier si le patient a pris des préparations digitaliques au cours des 2 ou 3 semaines précédentes.

□ Suivre l'ÉCG à intervalles réguliers tout au long du traitement.

■ **Étude des examens diagnostiques et biochimiques:** Examiner à intervalles réguliers, pendant toute la durée du traitement, les concentrations des électrolytes sériques, particulièrement celles de potassium, de magnésium et de calcium, ainsi que les résultats des tests de l'exploration fonctionnelle rénale et hépatique. Si le patient est hypokaliémique, en informer le médecin avant d'administrer la digitoxine. L'hypokaliémie, l'hypomagnésémie ou l'hypercalcémie peuvent prédisposer davantage le patient à la toxicité digitalique.

■ **Toxicité et surdosage:** Les concentrations sériques thérapeutiques de digitoxine se situent entre 26 et 46 mmol/L. On peut mesurer les concentrations sériques de digitoxine de 4 à 10 h après l'administration de la dose bien qu'on mesure habituellement ces concentrations immédiatement avant d'administrer la dose suivante.

□ Surveiller l'apparition des signes et des symptômes suivants de toxicité: anorexie, nausées, vomissements, douleurs abdominales, troubles visuels, céphalées, confusion, pouls inhabituellement lent ou irrégulier. En présence de ces symptômes, ne pas administrer la digitoxine et avertir le médecin immédiatement.

□ En cas de signes de toxicité grave à la digitoxine, on peut traiter avec du potassium, de la phénytoïne ou avec des fragments d'anticorps spécifiques de la digoxine (FAB) (Digibind).

DIAGNOSTICS INFIRMIERS POSSIBLES

■ **Énoncés diagnostiques**

□ Diminution du débit cardiaque.

□ Prise en charge inefficace du programme thérapeutique.

□ *Risque élevé d'intoxication.*

■ **Facteurs favorisants**

□ Informations incomplètes.

□ *Manque de connaissances sur les modalités du traitement.*

D

INTERVENTIONS INFIRMIÈRES

- **Directives générales :** Pour une digitalisation rapide, la dose initiale doit être plus élevée que la dose d'entretien. On peut administrer, en traitement initial, de 25 à 50 % de la dose totale de digitalisation. Le reste de la dose devrait être administré, en augmentant par paliers de 25 %, à intervalles de 4 à 8 h.
- **PO :** Les préparations orales peuvent être administrées sans égard aux repas. Si le patient éprouve des difficultés de déglutition, on peut broyer les comprimés et les administrer avec des aliments ou des liquides.

ENSEIGNEMENT AU PATIENT ET À SES PROCHES

- ☐ Expliquer au patient qu'il doit respecter scrupuleusement la posologie recommandée et prendre la digitoxine à la même heure chaque jour. S'il n'a pu prendre le médicament au moment habituel, il doit le prendre en l'espace de 12 h. Le prévenir qu'il ne doit jamais remplacer une dose manquée par une double dose. Lui recommander de consulter le médecin s'il n'a pas pris le médicament pendant 2 jours ou plus.
- ☐ Montrer au patient comment prendre son pouls et lui recommander de contacter le médecin avant de prendre la digitoxine si la fréquence du pouls est inférieure à 60 ou supérieure à 100 battements par minute.
- ☐ Expliquer les signes et les symptômes de la toxicité digitalique au patient et à ses proches. Recommander au patient de prévenir immédiatement le médecin si des symptômes de toxicité digitalique ou d'insuffisance cardiaque se manifestent. Expliquer au patient que ces symptômes peuvent être pris pour des symptômes de rhume ou de grippe.
- ☐ Recommander au patient de laisser les comprimés de digitoxine dans leur emballage d'origine et de ne pas les garder dans le pilulier où il conserve d'autres médicaments. Étant donné qu'ils ressemblent fortement à d'autres comprimés, il est facile de se tromper.
- ☐ Insister sur le fait qu'il peut être dangereux de donner ce médicament à d'autres personnes.
- ☐ Conseiller au patient de consulter le médecin ou le pharmacien avant de prendre des médicaments en vente libre, particulièrement des antiacides ou des préparations contre le rhume, en même temps que la digitoxine.
- ☐ Recommander au patient qui doit suivre un traitement dentaire ou subir une intervention chirurgicale d'avertir le dentiste ou le médecin qu'il suit un traitement médicamenteux.
- ☐ Conseiller au patient de toujours porter sur lui une pièce d'identité où sont inscrits son problème de santé et son traitement médicamenteux.
- ☐ Insister sur l'importance des examens de suivi permettant d'évaluer l'efficacité du médicament et de déceler la toxicité.

VÉRIFICATION DES RÉSULTATS

L'efficacité du traitement peut être démontrée par : ■ la réduction de la gravité de l'insuffisance cardiaque ☐ l'augmentation du débit cardiaque ■ la diminution de la réaction ventriculaire en présence de tachyarythmies auriculaires ■ la résolution de la tachycardie auriculaire paroxystique.

DIGOXINE [FAB(OVINS)], FRAGMENTS D'ANTICORPS SPÉCIFIQUES DE LA
Digibind

CLASSIFICATION :
Antidote – digoxine et digitoxine

Grossesse – catégorie C

INDICATIONS

Traitement du surdosage grave par la digoxine ou la digitoxine.

ACTION

■ Anticorps d'origine ovine qui se fixent à l'antigène (fragment antigen binding-FAB) et favorisent l'élimination de la digoxine ou la digitoxine du sang. **Effets thérapeutiques :** ■ Liaison à la digoxine ou à la digitoxine et élimination subséquente de ces agents prévenant ainsi les effets toxiques du surdosage.

PHARMACOCINÉTIQUE

Absorption : L'administration du médicament est réservée à la voie IV seulement ; dans ce cas, sa biodisponibilité est totale.

Distribution : Ces anticorps se répartissent dans tous les espaces extracellulaires.

Métabolisme et excrétion : Le médicament est excrété par les reins sous forme de complexe lié (anticorps spécifiques à la digoxine FAB plus digoxine ou digitoxine).

Demi-vie : De 14 à 20 h.

CONTRE-INDICATIONS ET PRÉCAUTIONS

Contre-indications : Aucune contre-indication connue.

Précautions : ■ Hypersensibilité connue aux protéines ou au produits d'origine ovine ■ Enfants, grossesse ou allaitement (l'innocuité du médicament n'a pas été établie).

RÉACTIONS INDÉSIRABLES ET EFFETS SECONDAIRES

CV : Fibrillation auriculaire rebond, insuffisance cardiaque rebond.

HÉ : HYPOKALIÉMIE.

INTERACTIONS

Médicament – médicament : L'agent inhibe la réponse à la **digoxine** ou à la **digitoxine**.

VOIES D'ADMINISTRATION ET POSOLOGIE

Dose de digoxine ou de digitoxine inconnue
■ **IV (adultes et enfants) :** 800 mg.

Dose de digoxine ou de digitoxine connue
Calculer la dose totale ou la charge totale de l'organisme en mg de digoxine ou de digitoxine. Si la digoxine a été prise par voie orale sous forme de comprimés ou d'élixir, multiplier par 0,8.
■ **IV (adultes et enfants) :** Charge totale × 66,7 = dose d'anticorps spécifiques à la digoxine FAB (mg).

Test cutané
■ **Voie intradermique (adultes) :** 10 µg (0,1 mL d'une dilution de 1 : 100 de la solution de 10 mg/mL).

PHARMACODYNAMIE (renversement des arythmies et de l'hyperkaliémie ; le renversement de l'effet inotrope peut prendre plusieurs heures)

	DÉBUT D'ACTION	PIC	DURÉE
IV	30 min (variable)	inconnu	2 – 6 h

☀ SOINS INFIRMIERS

ÉVALUATION DE LA SITUATION

■ Examiner l'électrocardiogramme, mesurer le pouls, la pression artérielle et la température corporelle avant le traitement et pendant toute sa durée. En cas de fibrillation auriculaire, la réponse ventriculaire peut être rapide en raison de la diminution des concentrations de digoxine ou de digitoxine.

□ Suivre de près les signes suivants qui indiquent l'aggravation de l'insuffisance cardiaque : œdème périphérique, dyspnée, râles et crépitations, gain pondéral.

■ **Étude des examens diagnostiques et biochimiques :** Noter les concentrations sériques de digoxine ou de digitoxine avant d'administrer la préparation.

- Examiner fréquemment les concentrations sériques de potassium durant le traitement. Avant le traitement, l'hyperkaliémie accompagne habituellement l'état toxique. Les concentrations peuvent diminuer rapidement ; traiter l'hypokaliémie sans tarder.

- Les concentrations sériques de digoxine ou de digitoxine non liée chutent rapidement après l'administration de la préparation. Les concentrations corporelles totales s'élèvent brusquement après l'administration, mais comme elles sont liées aux molécules des fragments (FAB), elles sont inactives. Elles diminueront jusqu'à des valeurs infimes en l'espace de plusieurs jours. Les concentrations sériques de digoxine ou de digitoxine ne sont pas valables pendant les 5 à 7 jours qui suivent l'administration de l'agent.

DIAGNOSTICS INFIRMIERS POSSIBLES

- **Énoncés diagnostiques**
- Prise en charge inefficace du programme thérapeutique.
- *Risque élevé de réaction allergique.*
- *Risque élevé de déséquilibre hydroélectrolytique.*

- **Facteurs favorisants**
- Informations incomplètes.
- *Manque de connaissances sur les signes d'hypokaliémie et d'hyperkaliémie et sur les moyens de les prévenir.*

INTERVENTIONS INFIRMIÈRES

- **Directives générales :** En cas de risque élevé d'allergie aux fractions d'anticorps spécifiques à la digoxine (FAB) ou aux protéines d'origine ovine, effectuer un test cutané allergologique avant d'administrer l'antidote. Préparer la solution destinée au test cutané en diluant 0,1 mL de la solution reconstituée (10 mg/mL) dans 9,9 mL de solution de NaCl à 0,9 % pour obtenir une solution de 10 mL (100 µg/mL). Le test peut être administré par injection intradermique ou par scarification. Pour l'administration intradermique, injecter 0,1 mL d'antidote. Pour le test par scarification, déposer une goutte de solution sur la peau et faire une incision de 6 mm à travers la goutte à l'aide d'une aiguille stérile. Quelle que soit la méthode utilisée, vérifier 20 min plus tard si une papule entourée d'érythème s'est formée. Si le test cutané s'avère positif, n'administrer le médicament qu'en cas d'absolue nécessité.

- Garder à la portée de la main le matériel et les médicaments nécessaires à la réanimation cardiorespiratoire durant l'administration.

- Ne pas redigitaliser le patient pendant plusieurs jours pour que les fragments d'anticorps spécifiques à la digoxine (Fab) puissent être complètement éliminés de l'organisme.

- **Perfusion intermittente :** Reconstituer la dose de 40 mg destinée à l'administration par voie IV dans 4 mL d'eau stérile et mélanger délicatement. La concentration de la solution sera de 10 mg/mL. On peut effectuer une nouvelle dilution avec une solution de NaCl à 0,9 % pour perfusion IV. La solution reconstituée doit être utilisée immédiatement, mais elle est stable pendant 4 h au réfrigérateur.

- Chez les nourrissons et les jeunes enfants, suivre de près la surcharge hydrique. Pour administrer de petites doses, on peut diluer le contenu de la fiole de 40 mg, une fois reconstituée, dans 36 mL de solution de NaCl à 0,9 % pour obtenir une concentration de 1 mg/mL. Administrer à l'aide d'une seringue à tuberculine.

- *Vitesse d'administration :* Administrer la solution reconstituée par perfusion IV dans un filtre submicronique (0,22 µm) en 30 min. Si l'arrêt cardiaque est imminent, on peut administrer une injection IV directe rapide.

ENSEIGNEMENT AU PATIENT ET À SES PROCHES

□ Expliquer au patient la méthode de traitement et le but de l'intervention.

VÉRIFICATION DES RÉSULTATS

L'efficacité du traitement peut être démontrée par : ■ la résolution des signes et des symptômes de toxicité par la digoxine ou la digitoxine □ la diminution des concentrations de digoxine ou de digitoxine sans effets secondaires importants.

DIGOXINE
Lanoxin, Novodigoxin, (Lanoxicaps)

CLASSIFICATION :
Dérivé digitalique ; agent inotrope ; antiarythmique

Grossesse – catégorie C

INDICATIONS

■ Insuffisance cardiaque – en monothérapie ou en association avec d'autres agents (diurétiques, vasodilatateurs) ■ Ralentissement de la fréquence ventriculaire en cas de tachyarythmie telle que la fibrillation auriculaire et le flutter auriculaire ■ Interruption de la tachycardie auriculaire paroxystique.

ACTION

■ Augmentation de la force contractile du myocarde ■ Prolongation de la période réfractaire du nœud AV ■ Diminution de la conduction par les nœuds SA et AV. **Effets thérapeutiques :** ■ Élévation du débit cardiaque et ralentissement de la fréquence cardiaque.

PHARMACOCINÉTIQUE

Absorption : Une fraction de 60 à 85 % du médicament est absorbée par suite de l'administration par voie orale des comprimés. Une fraction de 75 à 80 % est absorbée par suite de l'administration de l'élixir. Une fraction de 80 % du médicament est absorbée depuis le point d'injection IM, mais cette voie d'administration n'est pas recommandée, car l'injection est très douloureuse et fortement irritante.

Distribution : Le médicament se répartit dans tout l'organisme. Il traverse le placenta et pénètre dans le lait maternel.

Métabolisme et excrétion : La digoxine est excrétée à l'état pratiquement inchangé par les reins.

Demi-vie : De 34 à 44 h (prolongée en cas d'insuffisance rénale).

CONTRE-INDICATIONS ET PRÉCAUTIONS

Contre-indications : ■ Hypersensibilité ■ Arythmies ventriculaires non maîtrisées ■ Bloc AV ■ Myocardiopathie obstructive ■ Péricardite constrictive.

Précautions : ■ Anomalies électrolytiques (l'hypokaliémie, l'hypercalcémie et l'hypomagnésémie peuvent prédisposer à la toxicité digitalique) ■ Grossesse et allaitement (bien que l'innocuité du médicament n'ait pas été établie, la digoxine a déjà été administrée durant la grossesse sans qu'elle entraîne des réactions indésirables chez le fœtus) ■ Personnes âgées (particulièrement sensibles aux effets toxiques) ■ Infarctus du myocarde ■ Insuffisance rénale (réduire la dose).

RÉACTIONS INDÉSIRABLES ET EFFETS SECONDAIRES

SNC : fatigue, faiblesse, céphalées, vision trouble, vision jaune des surfaces blanches (xanthopsie).

CV : ARYTHMIE, bradycardie, modifications de l'ÉCG.

GI : nausées, vomissements, anorexie, diarrhée.

End. : gynécomastie.

Hémat. : thrombocytopénie.

INTERACTIONS

Médicament – médicament : ■ Les **diurétiques thiazidiques** et les **diurétiques de**

l'anse, la **mezlocilline**, la **pipéracilline**, la **ticarcilline**, l'**amphotéricine B** et les **glucocorticoïdes** peuvent augmenter le risque de toxicité en provoquant l'hypokaliémie ■ La **quinidine**, la **cyclosporine**, l'**amiodarone**, le **vérapamil**, le **diltiazem**, le **propafénone**, et le **diflunisal**, administrés simultanément, augmentent les concentrations sériques de digoxine et le risque de toxicité (il est recommandé de réduire la dose) ■ La **spironolactone** allonge la demi-vie de la digoxine (réduire la dose ou augmenter les intervalles posologiques) ■ Risque de bradycardie additive lors de l'administration concomitante de **bêtabloquants** et d'autres **agents antiarythmiques (quinidine, disopyramide)** ■ L'absorption de la digoxine est diminuée lors de l'administration concomitante d'**antiacides**, de **kaolin-pectine**, de **cholestyramine** ou de **colestipol** ■ Les **hormones thyroïdiennes** peuvent diminuer les effets thérapeutiques de la digoxine. **Médicament – aliments :** ■ L'absorption de la digoxine peut être diminuée lors de la consommation concomitante d'**aliments riches en fibres**.

PRÉSENTATION

La digoxine existe sous forme de comprimés, d'élixir et de solutions injectables.

VOIES D'ADMINISTRATION ET POSOLOGIE

Remarque : Pour obtenir un effet rapide, administrer une dose d'attaque plus importante ou une dose de « digitalisation », en plusieurs prises fractionnées, pendant 12 à 24 h. Les doses d'entretien doivent être déterminées d'après l'état de la fonction rénale. Toutes les doses doivent être ajustées d'après la réponse du patient. En règle générale, les doses destinées à la réduction des arythmies auriculaires sont plus fortes que celles nécessaires pour obtenir un effet inotrope.

Comprimés ou élixir par voie orale

- ■ **PO (adultes) :** de 8 à 12 µg/kg (de 6 à 10 µg/kg en cas d'insuffisance rénale et de 10 à 15 µg/kg en cas d'arythmies auriculaires). Administrer initialement la moitié de cette dose et le reste, à intervalles de 4 à 8 h, selon la réponse du patient. Dose d'entretien : de 15 à 25 % de la dose d'attaque. Dose orale habituelle chez l'adulte : de 0,125 à 0,25 mg par jour.

- ■ **PO (enfants > 10 ans) :** de 10 à 15 µg/kg. Administrer initialement la moitié de cette dose et le reste, à intervalles de 6 à 8 h, selon la réponse. Dose d'entretien : de 25 à 35 % de la dose d'attaque.

- ■ **PO (enfants de 5 à 10 ans) :** Initialement, de 20 à 35 µg/kg, en doses fractionnées, toutes les 6 à 8 h. Dose d'entretien : de 25 à 35 % de la dose d'attaque, en une seule prise.

- ■ **PO (enfants de 2 à 5 ans) :** Initialement, de 30 à 40 µg/kg, en doses fractionnées, toutes les 6 à 8 h. Dose d'entretien : de 25 à 35 % de la dose d'attaque, en une seule prise.

- ■ **PO (enfants de 1 à 24 mois) (É.-U.) :** Initialement, de 35 à 60 µg/kg, en plusieurs doses fractionnées, toutes les 6 à 8 h. Dose d'entretien : de 25 à 35 % de la dose d'attaque, en une seule prise.

- ■ **PO (nouveau-nés < 1 mois) (É.-U.) :** Initialement, de 25 à 35 µg/kg, en plusieurs doses fractionnées, toutes les 6 à 8 h. Dose d'entretien : de 25 à 35 % de la dose d'attaque, en une seule prise.

Solution intraveineuse

- ■ **IV (adultes et enfants de plus de 10 ans) :** Initialement, de 8 à 12 µg/kg, en doses fractionnées, toutes les 4 à 8 h (toutes les 6 à 8 h chez les enfants). Dose d'entretien : de 25 à 35 % de la dose initiale, en une seule fois.

- ■ **IV (enfants de 5 à 10 ans) :** Initialement, de 15 à 30 µg/kg, en doses fractionnées, toutes les 6 à 8 h. Dose d'entretien : de 25 à 35 % de la dose initiale, en 2 ou 3 prises.

- IV (enfants de 2 à 5 ans): Initialement, de 25 à 35 µg/kg, en plusieurs doses fractionnées, toutes les 6 à 8 h. Dose d'entretien: de 25 à 35 % de la dose initiale, en 2 ou 3 prises fractionnées.
- IV (enfants de 1 à 24 mois) (É.-U.): Initialement, de 30 à 50 µg/kg, en doses fractionnées, toutes les 6 à 8 h. Dose d'entretien: de 25 à 35 % de la dose initiale, en 2 ou 3 prises fractionnées.
- IV (nouveau-nés) (É.-U.): Initialement, de 20 à 30 µg/kg, en doses fractionnées, toutes les 6 à 8 h. Dose d'entretien: de 25 à 35 % de la dose initiale, en 2 prises fractionnées.

PHARMACODYNAMIE
(effet antiarythmique ou inotrope si une dose d'attaque a été administrée. La durée d'action est celle observée chez les patients ayant une fonction rénale normale; chez les patients présentant une insuffisance rénale, cette durée sera prolongée.)

	DÉBUT D'ACTION	PIC	DURÉE
PO	0,5 – 2 h	6 – 8 h	2 – 4 jours
IM	30 min	4 – 6 h	2 – 4 jours
IV	5 – 30 min	1 – 5 h	2 – 4 jours

SOINS INFIRMIERS

ÉVALUATION DE LA SITUATION

☐ Mesurer le pouls à l'apex pendant 60 secondes avant d'administrer le médicament. Si la fréquence cardiaque est inférieure à 60 battements par minute chez l'adulte, à 70 battements par minute chez l'enfant ou à 90 battements par minute chez le nourrisson, ne pas administrer et en informer le médecin. Prévenir également le médecin rapidement de toute modification importante de la fréquence, du rythme ou de la qualité du pouls.

☐ Mesurer la pression artérielle à intervalles réguliers lorsque la digoxine est administrée par voie IV.

☐ Suivre l'ÉCG tout au long de l'administration par voie IV et à intervalles réguliers tout au long du traitement. Prévenir le médecin en cas de bradycardie ou de nouvelles arythmies. Observer le point d'injection IV à la recherche de rougeur ou d'infiltration; l'extravasation peut entraîner l'irritation des tissus et la formation d'une escarre.

☐ Effectuer le bilan quotidien des ingesta et des excreta et peser le patient tous les jours. Déceler l'œdème périphérique et ausculter les poumons à la recherche de râles ou de crépitations toutes les 8 h au moins.

☐ Avant d'administrer la dose d'attaque initiale, vérifier si le patient a pris des préparations digitaliques au cours des 2 ou 3 semaines précédentes.

- **Étude des examens diagnostiques et biochimiques:** Examiner à intervalles réguliers pendant toute la durée du traitement les concentrations des électrolytes sériques, particulièrement de potassium, de magnésium et de calcium, ainsi que les résultats des tests de l'exploration fonctionnelle rénale et hépatique. Si le patient est hypokaliémique, en informer le médecin avant d'administrer la digoxine. L'hypokaliémie, l'hypomagnésémie ou l'hypercalcémie peuvent prédisposer le patient à la toxicité digitalique.

- **Toxicité et surdosage:** Les concentrations sériques thérapeutiques de digoxine se situent entre 1,0 et 2,5 mmol/L. On peut mesurer les concentrations sériques de digoxine de 4 à 10 h après l'administration de la dose bien qu'on mesure habituellement ces concentrations immédiatement avant d'administrer la dose suivante.

☐ Surveiller l'apparition des signes et des symptômes de toxicité. Chez les adultes et les enfants plus âgés, les premiers signes de toxicité incluent habituellement les douleurs abdominales, l'anorexie, les nausées, les vomissements, les troubles visuels, la bradycardie et d'autres arythmies. Chez les nourrissons et les jeunes enfants, les premiers symptômes de surdosage sont habituellement les arythmies cardiaques. En présence de ces symptômes, ne pas administrer la digoxine et prévenir le médecin immédiatement.

□ Si les signes de toxicité ne sont pas graves, il peut être suffisant d'arrêter le traitement à la digoxine.

□ En présence d'hypokaliémie et d'une fonction rénale normale, on peut administrer des sels de potassium. Ne pas en administrer en présence d'hyperkaliémie ou de bloc cardiaque.

□ On peut essayer de corriger les arythmies attribuables à la toxicité digitalique en administrant les agents suivants: lidocaïne, procaïnamide, quinidine, propranolol ou phénytoïne. Une stimulation ventriculaire passagère peut s'avérer utile en présence d'un bloc cardiaque avancé.

□ Le traitement des arythmies graves peut inclure l'administration de fragments d'anticorps spécifiques de la digoxine FAB (Digibind), qui se lient à la molécule de digoxine du sang, le complexe étant excrété par les reins.

DIAGNOSTICS INFIRMIERS POSSIBLES

■ **Énoncés diagnostiques**

□ Diminution du débit cardiaque.

□ Prise en charge inefficace du programme thérapeutique.

□ *Risque élevé d'intoxication.*

■ **Facteurs favorisants**

□ Informations incomplètes.

□ *Manque de connaissances sur les modalités du traitement.*

INTERVENTIONS INFIRMIÈRES

■ **Directives générales:** Pour obtenir une digitalisation rapide, la dose initiale

de digoxine doit être plus élevée que la dose d'entretien. On peut administrer en traitement initial entre 25 et 50 % de la dose totale de digitalisation. Administrer le reste de la dose en augmentant par paliers de 25 %, à intervalles de 4 à 6 h.

□ Lorsqu'on substitue la forme orale à la forme destinée à l'administration parentérale, il faut adapter les doses en raison des variations pharmacocinétiques du pourcentage de digoxine absorbé.

■ **PO:** Les préparations orales peuvent être administrées sans égard aux repas. Si le patient éprouve des difficultés de déglutition, on peut broyer les comprimés et les administrer avec des aliments ou des liquides. Utiliser un récipient gradué pour mesurer les préparations liquides.

■ **IM:** Si le médecin prescrit l'administration par voie IM, injecter profondément dans le muscle fessier et bien masser pour réduire les réactions locales douloureuses. Ne pas administrer plus de 2 mL de digoxine par point d'injection IM. L'administration IM n'est habituellement pas recommandée.

■ **IV directe:** On peut administrer les doses par voie IV sans diluer le médicament ou le diluer à raison de 1 mL par 4 mL d'eau stérile, de solution de NaCl à 0,9 %, de solution de dextrose à 5 % dans de l'eau ou de lactate Ringer pour injection. Si on utilise moins de diluant, la solution peut précipiter. Administrer immédiatement la solution diluée. Ne pas utiliser la solution qui a changé de couleur ou qui contient un précipité. Il n'est pas recommandé de mélanger ce médicament à d'autres dans un même contenant ni de l'administrer dans une tubulure IV où passent d'autres agents.

□ *Vitesse d'administration:* Administrer chacune des doses par injection

D

dans une tubulure en Y ou dans un robinet à 3 voies en 5 min au moins.
- **Association compatible dans la même seringue:** Héparine.
- **Compatibilités (tubulure en Y):** Chlorure de potassium, famotidine ou héparine avec succinate d'hydrocortisone sodique.
- **Compatibilités en addition au soluté:** Brétylium, cimétidine, lidocaïne ou vérapamil.
- **Incompatibilité en addition au soluté:** Dobutamine.

ENSEIGNEMENT AU PATIENT ET À SES PROCHES

☐ Expliquer au patient qu'il doit respecter scrupuleusement la posologie recommandée et qu'il doit prendre la digoxine à la même heure chaque jour. S'il n'a pu prendre le médicament au moment habituel, il doit le prendre en l'espace de 12 h; sinon lui conseiller de ne pas le prendre du tout. Le prévenir qu'il ne doit jamais remplacer une dose manquée par une double dose. Lui recommander de consulter le médecin s'il n'a pas pris le médicament pendant 2 jours ou plus. Prévenir le patient qu'il ne doit pas arrêter le traitement sans avoir consulté au préalable le médecin.

☐ Montrer au patient comment prendre son pouls et lui recommander de contacter le médecin avant de prendre la digoxine si la fréquence du pouls est inférieure à 60 ou supérieure à 100 battements par minute.

☐ Expliquer les signes et les symptômes de toxicité digitalique au patient et à ses proches. Recommander au patient de prévenir immédiatement le médecin si des symptômes de toxicité digitalique ou d'insuffisance cardiaque se manifestent. Expliquer au patient que ces symptômes peuvent être pris pour des symptômes de rhume ou de grippe.

☐ Recommander au patient de laisser les comprimés de digoxine dans leur emballage d'origine et de ne pas les garder dans le pilulier où il conserve d'autres médicaments. Étant donné qu'ils ressemblent fortement à d'autres comprimés, il est facile de se tromper. Insister sur le fait qu'il peut être dangereux de donner ce médicament à d'autres personnes.

☐ Conseiller au patient de consulter le médecin avant de prendre des médicaments en vente libre en même temps que la digoxine. Prévenir le patient qu'il ne doit pas prendre d'antiacides ou d'antidiarrhéiques dans les 2 h qui suivent la prise de la digoxine.

☐ Recommander au patient qui doit suivre un traitement dentaire ou subir une intervention chirurgicale d'avertir le dentiste ou le médecin qu'il suit un traitement médicamenteux.

☐ Conseiller au patient de toujours porter sur lui une pièce d'identité où sont inscrits son problème de santé et son traitement médicamenteux.

☐ Insister sur l'importance des examens de suivi permettant d'évaluer l'efficacité du médicament et de déceler la toxicité.

VÉRIFICATION DES RÉSULTATS

L'efficacité du traitement peut être démontrée par: ■ la réduction de la gravité de l'insuffisance cardiaque ■ l'augmentation du débit cardiaque ■ la diminution de la réaction ventriculaire en présence de tachyarythmies ■ l'interruption de la tachycardie auriculaire paroxystique.

DIHYDROTACHYSTÉROL
analogue de vitamine D, DHT, Hytakerol

CLASSIFICATION:
Vitamine liposoluble

Grossesse – catégorie C

INDICATIONS
- Traitement de l'hypophosphatémie
- Traitement de l'hypocalcémie ■ Trai-

tement de l'hypoparathyroïdie ■ Prophylaxie et traitement des carences en vitamine D ■ Prophylaxie et traitement de la tétanie postopératoire et idiopathique. **Usages non approuvés:** ■ Ostéodystrophie rénale ■ Prophylaxie et traitement du rachitisme.

ACTION

■ Activation de l'absorption du calcium et des phosphates ■ Régulation de l'homéostasie du calcium en association avec l'hormone parathyroïdienne et la calcitonine. **Effets thérapeutiques:** ■ Traitement et prévention des états de carence, particulièrement des manifestations osseuses.

PHARMACOCINÉTIQUE

Absorption: Le dihydrotachystérol, sous forme inactive, est bien absorbé.
Distribution: Le dihydrotachystérol est emmagasiné dans le foie et les autres tissus adipeux.
Métabolisme et excrétion: Le médicament est transformé en forme active par les rayons du soleil et le foie. Il est métabolisé et excrété par les reins.
Demi-vie: Inconnue.

CONTRE-INDICATIONS ET PRÉCAUTIONS

Contre-indications: ■ Hypersensibilité ■ Hypercalcémie ■ Intoxication par la vitamine D ■ Allaitement (fortes doses).
Précautions: ■ Patients recevant des dérivés digitaliques ■ Grossesse (fortes doses; l'innocuité du médicament n'a pas été établie).

RÉACTIONS INDÉSIRABLES ET EFFETS SECONDAIRES

Le dihydrotachystérol n'entraîne pas de réactions indésirables ni d'effets secondaires si la dose administrée correspond aux besoins quotidiens en vitamines.

INTERACTIONS

Médicament – médicament: ■ La **cholestyramine**, le **colestipol** et l'**huile minérale** diminuent l'absorption des analogues de la vitamine D ■ L'administration concomitante de **diurétiques thiazidiques** peut entraîner l'hypercalcémie chez les patients souffrant d'hypoparathyroïdie ■ Les **glucocorticoïdes** diminuent les effets des analogues de la vitamine D ■ Le risque d'arythmies est accru lors de l'administration concomitante de **dérivés digitaliques** ■ Les besoins en vitamine D augmentent lors de l'administration concomitante de **phénytoïne** ou d'autres **anticonvulsivants à base d'hydantoïne**, de **sucralfate**, de **barbituriques** et de **primidone**.

VOIES D'ADMINISTRATION ET POSOLOGIE

Tétanie hypocalcémique
■ **PO (adultes):** de 0,2 à 2,5 mg pendant 3 jours, puis de 0,2 à 1 mg par jour.

Hypoparathyroïdie ou pseudohypoparathyroïdie
■ **PO (adultes):** Initialement, de 0,75 à 2,5 mg par jour, pendant plusieurs jours; puis de 0,2 à 1 mg par jour, jusqu'à concurrence de 1,5 mg par jour.
■ **PO (enfants):** Initialement, de 1 à 5 mg par jour, pendant 4 jours, puis 25 % de la dose initiale et enfin, une dose d'entretien de 0,5 à 1,5 mg par jour.

Ostéodystrophie rénale
■ **PO (adultes):** Initialement, de 0,1 à 0,25 mg par jour; puis de 0,2 à 1 mg par jour.

PHARMACODYNAMIE (effets sur le calcium sérique)

	DÉBUT D'ACTION	PIC	DURÉE
PO	plusieurs heures	1 – 2 semaines	2 semaines

☀ SOINS INFIRMIERS

ÉVALUATION DE LA SITUATION

☐ Surveiller l'apparition des signes suivants d'hypocalcémie: paresthésie,

D

soubresauts musculaires, laryngo-spasme, coliques, arythmies cardiaques et signe de Chvostek ou signe de Trousseau. Pour protéger les patients qui manifestent des symptômes, remonter et rembourrer les ridelles du lit ; garder le lit en position basse.

- Déceler la présence de faiblesse ou de douleurs osseuses avant l'administration du médicament et pendant tout le traitement.

- **Étude des examens diagnostiques et biochimiques :** Au cours du traitement initial, il faut doser la calcémie hebdomadairement. Examiner à intervalles réguliers les concentrations sériques d'urée, de créatinine, de phosphatase alcaline et d'hormone parathyroïdienne, la clearance de la créatinine ainsi que les concentrations de calcium dans les urines de 24 h. Noter les concentrations sériques de phosphates avant l'administration et à intervalles réguliers pendant tout le traitement.

- **Toxicité et surdosage :** La toxicité se manifeste sous forme d'hypercalcémie. Surveiller l'apparition des symptômes suivants : nausées, vomissements, anorexie, faiblesse, constipation, céphalées, douleurs osseuses et goût métallique. Les symptômes tardifs sont la polyurie, la polydipsie, la photophobie, la rhinorrhée, le prurit et l'arythmie cardiaque.

- Pour traiter ce type d'hypervitaminose, il faut habituellement interrompre l'administration du dihydrotachystérol, adopter un régime alimentaire pauvre en calcium et administrer un laxatif. Le médecin peut prescrire l'hydratation par voie IV et l'administration de diurétiques de l'anse afin d'augmenter l'excrétion du calcium dans l'urine. On peut également recourir à l'hémodialyse.

DIAGNOSTIQUES INFIRMIERS POSSIBLES

- **Énoncés diagnostiques**
- Déficit nutritionnel.

- Prise en charge inefficace du programme thérapeutique.
- *Risque élevé d'intoxication.*
- *Risque élevé de réponse insuffisante au traitement.*

- **Facteurs favorisants**
- Informations incomplètes.
- *Manque de connaissances sur les signes d'hypercalcémie et sur les moyens de les prévenir.*
- *Manque de connaissances sur le régime alimentaire à suivre.*

INTERVENTIONS INFIRMIÈRES

- **PO :** On peut administrer le dihydrotachystérol sans égard aux repas.

ENSEIGNEMENT AU PATIENT ET À SES PROCHES

- Conseiller au patient de respecter scrupuleusement la posologie recommandée. S'il n'a pas pu prendre le médicament au moment habituel, il doit le prendre aussitôt que possible. Il ne faut jamais remplacer une dose manquée par une double dose.

- Inciter le patient à suivre scrupuleusement les recommandations diététiques du médecin. Lui expliquer que la meilleure source de vitamines est un régime bien équilibré, composé d'aliments des 4 groupes. Les aliments riches en vitamine D sont l'huile et le foie de poisson, le lait enrichi, le pain et les produits céréaliers.

- Les aliments riches en calcium sont les produits laitiers, les sardines et le saumon en conserve, le brocoli, le chou chinois, le tofu, la mélasse et les diverses soupes en crème (voir l'annexe K). Les patients souffrant d'insuffisance rénale doivent choisir les aliments en fonction du régime qui leur a été prescrit. Le médecin peut prescrire la prise simultanée de suppléments calciques.

- Expliquer au patient les symptômes du surdosage et lui recommander de signaler immédiatement au médecin leur apparition.

□ Insister sur l'importance des examens de suivi permettant d'évaluer l'évolution de la maladie.

VÉRIFICATION DES RÉSULTATS

L'efficacité du traitement peut être démontrée par : la normalisation des concentrations sériques de calcium en cas de tétanie hypocalcémique et d'hypoparathyroïdie.

DILTIAZEM

Apo-Diltiaz, Cardizem, Cardizem CD, Cardizem SR, Novo-Diltiazem, Nu-Diltiaz, Syn-Diltiazem

CLASSIFICATION :
Inhibiteur calcique ; antiangineux ; vasodilatateur coronarien

Grossesse – catégorie C

INDICATIONS

■ Angine de poitrine résultant de l'insuffisance coronarienne ou du vasospasme (angor de Prinzmetal) – toutes les préparations sauf Cardizem CD ■ Hypertension – monothérapie ou en association avec d'autres agents (Cardizem SR et Cardizem CD seulement).

ACTION

■ Inhibition du transport du calcium dans les cellules du myocarde et des muscles lisses vasculaires entraînant l'inhibition du couplage excitation-contraction et de la contraction subséquente ■ Diminution possible de la conduction dans le nœud SA et AV. **Effets thérapeutiques :** ■ Vasodilatation coronarienne et diminution subséquente de la fréquence et de la gravité des crises d'angine de poitrine.

PHARMACOCINÉTIQUE

Absorption : Bonne absorption par suite de l'administration par voie orale, mais des quantités importantes sont rapidement métabolisées.

Distribution : Inconnue.

Métabolisme et excrétion : Le diltiazem est métabolisé en grande partie par le foie.

Demi-vie : De 3,5 à 9 h.

CONTRE-INDICATIONS ET PRÉCAUTIONS

Contre-indications : ■ Hypersensibilité ■ Syndrome de dysfonctionnement sinusal (en l'absence d'un stimulateur cardiaque) ■ Bloc cardiaque du 2e et du 3e degré ■ Hypotension grave.

Précautions : ■ Maladie hépatique grave (réduire la dose) ■ Insuffisance cardiaque ■ Grossesse, allaitement ou enfants (l'innocuité du médicament n'a pas été établie).

RÉACTIONS INDÉSIRABLES ET EFFETS SECONDAIRES

SNC : étourdissements, céphalées, tremblements, sautes d'humeur, fatigue, somnolence.

CV : arythmies, œdème, hypotension, syncope, palpitations, insuffisance cardiaque, bloc cardiaque du 2e et du 3e degré.

GI : anorexie, constipation, nausées, gêne abdominale, hépatite, hyperplasie gingivale.

Tég. : rash, pétéchies, photosensibilité.

INTERACTIONS

Médicament – médicament : ■ Le diltiazem peut augmenter les concentrations sériques de **digoxine** ■ Risque accru de bradycardie, d'anomalies de la conduction ou d'insuffisance cardiaque lors de l'administration simultanée de **bêtabloquants**, de **digoxine** ou de **disopyramide** ■ La **phénytoïne** et le **phénobarbital** peuvent accélérer le métabolisme du diltiazem et en diminuer l'efficacité ■ La **cimétidine** et le **propranolol** peuvent ralentir le métabolisme du médicament et entraîner la toxicité ■ Le diltiazem peut diminuer le métabolisme de la **cyclosporine** ou de la **carbamazépine** et augmenter le risque de toxicité ■ Hypotension additive lors de l'administration

D

simultanée d'autres **antihypertenseurs** et de **dérivés nitrés** et de l'ingestion d'**alcool**.

VOIES D'ADMINISTRATION ET POSOLOGIE

- **PO (adultes):**
- □ comprimés : de 30 à 60 mg, 3 ou 4 fois par jour, jusqu'à concurrence de 360 mg par jour.
- □ capsules à libération prolongée :
  Cardizem SR : de 120 à 360 mg par jour, en deux doses égales.
  Cardizem CD : de 120 à 360 mg par jour, en une seule dose.

PHARMACODYNAMIE
(effets cardiovasculaires)

	DÉBUT D'ACTION	PIC	DURÉE
PO	30 min	2 – 3 h	6 – 8 h
PO (libération prolongée)	inconnu	inconnu	12 h

SOINS INFIRMIERS

ÉVALUATION DE LA SITUATION

- **Directives générales :** Mesurer la pression artérielle et le pouls avant l'administration du médicament et à intervalles réguliers durant tout le traitement.
- □ Effectuer le bilan quotidien des ingesta et des excreta et peser le patient tous les jours. Suivre de près les signes suivants d'insuffisance cardiaque : œdème périphérique, râles et crépitations, dyspnée, gain pondéral.
- □ Chez les patients recevant des dérivés digitaliques en même temps que le diltiazem, examiner régulièrement les concentrations sériques de digoxine et suivre de près les signes et les symptômes de toxicité digitalique.
- □ Suivre fréquemment l'ÉCG pendant la période d'ajustement de la posologie et à intervalles réguliers pendant le traitement prolongé. Le diltiazem peut allonger l'intervalle PR.
- **Angine :** Déterminer le siège, la durée et l'intensité des douleurs angineuses

ainsi que les facteurs qui les déclenchent.

- **Étude des examens diagnostiques et biochimiques :** Examiner les résultats des tests de l'exploration fonctionnelle rénale et hépatique à intervalles réguliers durant le traitement prolongé. Le diltiazem peut entraîner l'élévation des concentrations d'enzymes hépatiques après plusieurs jours de traitement. Ces concentrations se rétablissent lors de l'arrêt du traitement.
- □ Les inhibiteurs calciques n'ont aucun effet sur les concentrations sériques totales de calcium.

DIAGNOSTICS INFIRMIERS POSSIBLES

- **Énoncés diagnostiques**
- □ Diminution du débit cardiaque.
- □ Douleur.
- □ Prise en charge inefficace du programme thérapeutique.
- □ *Risque élevé d'accident.*
- □ *Risque élevé d'intolérance à l'activité physique.*
- □ *Risque élevé de réponse insuffisante au traitement.*

- **Facteurs favorisants**
- □ Informations incomplètes.
- □ *Perturbation de la vigilance.*
- □ *Douleurs articulaires.*
- □ *Manque de connaissances sur les modalités du traitement.*
- □ *Manque de connaissances sur le régime alimentaire à suivre.*

INTERVENTIONS INFIRMIÈRES

PO : Administrer le diltiazem avec des aliments si l'irritation gastrique devient gênante. Broyer les comprimés ou les mélanger à des aliments ou à des liquides avant de les administrer aux patients qui éprouvent des difficultés de déglutition. Il ne faut pas ouvrir, broyer ni mâcher les capsules à effet prolongé.

ENSEIGNEMENT AU PATIENT ET À SES PROCHES

- **Directives générales :** Conseiller au patient de respecter scrupuleusement la posologie recommandée. Le prévenir qu'il est déconseillé de sauter une dose ou de prendre des doses doubles. Lui conseiller de consulter le médecin avant d'arrêter le traitement. Un arrêt graduel peut s'avérer nécessaire.

☐ Prévenir le patient qu'il doit mesurer son pouls avant de prendre le diltiazem. Si le pouls est inférieur à 50 battements par minute, il ne doit pas prendre le médicament et consulter le médecin.

☐ Conseiller au patient de changer lentement de position afin de réduire les risques d'hypotension orthostatique.

☐ Prévenir le patient que le diltiazem peut entraîner des étourdissements. Lui conseiller de ne pas conduire et d'éviter les activités qui exigent sa vigilance jusqu'à ce qu'on ait la certitude que le médicament n'entraîne pas cet effet chez lui.

☐ Conseiller au patient de consulter le médecin ou le pharmacien avant de prendre des médicaments en vente libre et d'éviter de boire de l'alcool en même temps qu'il suit un traitement au diltiazem.

☐ Prévenir le patient que le diltiazem peut parfois entraîner une hyperplasie gingivale. Lui recommander de maintenir une bonne hygiène orale et de se soumettre à intervalles réguliers à des examens dentaires et à un nettoyage des dents afin de prévenir la sensibilité, les saignements et l'hyperplasie des gencives.

☐ Recommander au patient de porter des vêtements protecteurs et d'utiliser un écran solaire afin de prévenir les réactions de photosensibilité.

■ **Angine :** Recommander au patient de consulter le médecin si la douleur thoracique n'est pas soulagée par le diltiazem, si elle s'aggrave après le traitement ou si elle s'accompagne de diaphorèse ou d'essoufflements.

☐ Conseiller au patient de demander au médecin s'il doit restreindre ses activités.

☐ Expliquer au patient qu'il peut prendre en même temps de la nitroglycérine sublinguale, selon la posologie recommandée, pour traiter les crises aiguës d'angine.

■ **Hypertension :** Inciter le patient à appliquer également les autres mesures de réduction de l'hypertension : perdre du poids, réduire sa consommation de sel, cesser de fumer, boire avec modération, faire régulièrement de l'exercice, diminuer le stress. Le prévenir que le diltiazem stabilise la pression artérielle mais ne guérit pas l'hypertension.

☐ Montrer au patient et à ses proches comment prendre la pression artérielle. Leur demander de mesurer la pression artérielle toutes les semaines et leur recommander de signaler au médecin tout changement important.

VÉRIFICATION DES RÉSULTATS

L'efficacité du traitement peut être démontrée par : ■ la diminution de la fréquence et de la gravité des crises d'angine ■ la diminution du besoin de prendre de la nitroglycérine ■ l'augmentation de la tolérance à l'effort et une sensation de mieux-être ■ la baisse de la pression artérielle.

DIMENHYDRINATE

Apo-Dimenhydrinate, Comprimés contre le mal des transports, Dimenhydrinate Injection, Gravol, Gravol AP, Nauséatol, Travel Aid, Travel Eze, Travel-Tabs, (Calm X), (Diante), (Dimentabs), (Dommanate), (Dramamine), (Dramanate), (Dramilin), (Dramocen), (Dramoject), (Dymenate), (Hydrate), (Marmine), (Motion Aid), (PMS-Dimenhydrinate), (Reidamine), (Travamine), (Triptone), (Wehamine)

INDICATIONS

■ Prévention et soulagement du mal des transports, de la maladie des rayons, des vomissements postopératoires et des nausées et vomissements d'origine médicamenteuse ■ Traitement symptomatique des nausées et des vertiges dus au syndrome de Ménière et aux autres troubles labyrinthiques.

ACTION

■ Inhibition de la stimulation vestibulaire ■ Forte dépression du SNC et fortes propriétés anticholinergiques, antihistaminiques et antiémétiques. **Effets thérapeutiques :** ■ Diminution de la stimulation vestibulaire, ce qui peut prévenir le mal des transports.

PHARMACOCINÉTIQUE

Absorption : Bonne absorption par suite de l'administration par voie orale ou IM.
Distribution : Inconnue. Le médicament traverse probablement le placenta et pénètre dans le lait maternel.
Métabolisme et excrétion : Métabolisme hépatique.
Demi-vie : Inconnue.

CONTRE-INDICATIONS ET PRÉCAUTIONS

Contre-indication : Hypersensibilité.
Précautions : ■ Glaucome à angle étroit ■ Troubles épileptiques ■ Hypertrophie de la prostate.

RÉACTIONS INDÉSIRABLES ET EFFETS SECONDAIRES

SNC : somnolence, excitation paradoxale (enfants), étourdissements, céphalées.
ORLO : vision trouble, acouphènes.
CV : palpitations, hypotension.
GI : sécheresse de la bouche (xérostomie), anorexie, constipation, diarrhée.
GU : mictions fréquentes, dysurie.

Locaux : douleur au point d'injection IM.

INTERACTIONS

Médicament – médicament : ■ Effets additifs sur la dépression du SNC lors de l'usage concomitant d'autres **antihistaminiques**, d'**alcool**, d'**analgésiques narcotiques** et d'**hypnosédatifs** ■ Le dimenhydrinate peut masquer les signes ou les symptômes de neurotoxicité au niveau de la VIIIe paire crânienne (effet ototoxique) chez les patients recevant des **médicaments ototoxiques** (**aminosides**, **acide étacrynique**) ■ Propriétés anticholinergiques additives lors de l'administration simultanée d'**antidépresseurs tricycliques**, de **quinidine** ou de **disopyramide** ■ Les **inhibiteurs de la MAO** accentuent et prolongent les effets anticholinergiques des antihistaminiques.

VOIES D'ADMINISTRATION ET POSOLOGIE

■ **PO, IM et IV (adultes) :** de 50 à 100 mg, toutes les 4 à 6 h.
■ **PO (enfants de 6 à 12 ans) :** de 25 à 50 mg, toutes les 6 à 8 h ; ne pas dépasser 150 mg par jour.
■ **PO (enfants de 2 à 5 ans) :** de 12,5 à 25 mg, toutes les 6 à 8 h ; ne pas dépasser 75 mg par jour.
■ **IM (enfants) (É.-U.) :** 1,25 mg/kg, toutes les 6 h.

PHARMACODYNAMIE (effets sur le mal des transports, effets antiémétiques)

	DÉBUT D'ACTION	PIC	DURÉE
PO	15 – 60 min	1 – 2 h	3 – 6 h
IM	20 – 30 min	1 – 2 h	3 – 6 h
IV	rapide	inconnu	3 – 6 h

SOINS INFIRMIERS

ÉVALUATION DE LA SITUATION

■ Suivre de près les nausées et les vomissements, ausculter les bruits intestinaux et observer les douleurs abdominales avant et après l'administration du médicament. Le dimenhydrinate peut masquer les signes d'abdomen aigu.

- □ Effectuer le bilan des ingesta et des excreta, mesurer les vomissures. Surveiller l'apparition des signes suivants de déshydratation : soif excessive, peau et muqueuses sèches, tachycardie, augmentation de la densité de l'urine, dessèchement de la peau.

- ■ **Étude des examens diagnostiques et biochimiques :** Le dimenhydrinate entraîne des résultats faussement négatifs aux tests cutanés allergologiques ; arrêter le traitement 72 h avant ces tests.

DIAGNOSTICS INFIRMIERS POSSIBLES

- ■ **Énoncés diagnostiques**
- □ Risque élevé de déficit de volume liquidien.
- □ Déficit nutritionnel.
- □ Risque élevé d'accident.
- □ *Risque élevé d'atteinte à l'intégrité de la muqueuse buccale.*

- ■ **Facteurs favorisants**
- □ *Perturbation de la vigilance.*
- □ *Manque de connaissances sur les moyens de prévenir ou de réduire la sécheresse de la bouche.*

INTERVENTIONS INFIRMIÈRES

- ■ **Directives générales :** Prophylaxie du mal des transports : administrer au moins 30 min, et de préférence de 1 à 2 h, avant que le patient ne se trouve dans une situation où le mal des transports peut survenir.
- ■ **PO :** Utiliser un récipient gradué pour mesurer la dose de solution.
- ■ **IM :** Injecter dans une masse musculaire bien développée ; bien masser.
- ■ **IV directe :** Diluer 50 mg de dimenhydrinate dans 10 mL de solution de NaCl à 0,9 % pour injection.
- □ *Vitesse d'administration :* Injecter en 2 min.

- ■ **Associations compatibles dans la même seringue :** Atropine, diphénhydramine, dropéridol, fentanyl, héparine, mépéridine, métoclopromide, morphine, pentazocine, perphénazine, ranitidine ou scopolamine. Mélanger immédiatement avant l'utilisation.
- ■ **Associations incompatibles dans la même seringue :** Butorphanol, chlorpromazine, glycopyrrolate, hydroxyzine, midazolam, pentobarbital, prochlorpérazine, promazine, prométhazine ou thiopental.
- ■ **Compatibilité (tubulure en Y) :** Acyclovir.
- ■ **Incompatibilités (tubulure en Y) :** Aminophylline, héparine, hydroxyzine, phénobarbital, phénytoïne, prednisolone, prochlorpérazine, promazine, prométhazine ou succinate d'hydrocortisone sodique.
- ■ **Compatibilités en addition au soluté :** Solution de dextrose à 5 % dans de l'eau, solution de NaCl à 0,45 %, solution de NaCl à 0,9 %, solution de Ringer, lactate Ringer, association de dextrose et de salin physiologique ou de dextrose et de solution de Ringer. Le dimenhydrinate est également compatible avec les agents suivants : amikacine, chloramphénicol, chlorure de potassium, corticotropine, érythromycine, gluconate de calcium, héparine, hydroxyzine, méthicilline, norépinéphrine, oxytétracycline, pénicilline G potassique, pentobarbital, phénobarbital, prochlorpérazine ou vancomycine.
- ■ **Incompatibilités en addition au soluté :** Tétracycline ou thiopental.

ENSEIGNEMENT AU PATIENT ET À SES PROCHES

- □ Prévenir le patient que le dimenhydrinate peut provoquer de la somnolence et de la sédation. Lui conseiller de ne pas conduire et d'éviter les activités qui exigent sa vigilance jusqu'à ce qu'on ait la certitude que le médicament n'entraîne pas ces effets chez lui.

- Informer le patient que le dimenhydrinate peut provoquer la sécheresse de la bouche. Lui conseiller de pratiquer une bonne hygiène orale, de se rincer la bouche fréquemment avec de l'eau, de consommer de la gomme à mâcher ou des bonbons sans sucre pour diminuer cet effet.
- Mettre en garde le patient contre la consommation d'alcool ou d'autres dépresseurs du SNC en même temps que le dimenhydrinate.

VÉRIFICATION DES RÉSULTATS

L'efficacité du traitement peut être démontrée par : la prévention ou la diminution de la gravité des nausées et des vomissements.

DIMERCAPROL
BAL in Oil, (British anti-lewisite), (dimercaptopropanol)

CLASSIFICATION :
Antidote – antagoniste des métaux lourds
Grossesse – catégorie C

INDICATIONS

■ Traitement de l'intoxication aiguë par : □ le mercure □ l'or □ l'arsenic ■ Adjuvant (avec de l'édétate de calcium disodique) dans le traitement de l'intoxication grave par le plomb accompagnée d'encéphalopathie.

ACTION

■ Liaison aux métaux lourds pour former un complexe réversible les empêchant ainsi de se lier aux tissus et de provoquer des lésions organiques. **Effets thérapeutiques :** ■ Prévention des lésions organiques entraînées par l'intoxication au mercure, à l'or, à l'arsenic ou au plomb.

PHARMACOCINÉTIQUE

Absorption : Bonne absorption par suite de l'administration par voie IM.
Distribution : Le médicament se répartit dans tout l'organisme et semble se concentrer fortement dans le foie et les reins. Il pénètre également dans le cerveau.
Métabolisme et excrétion : Une fraction de 50 % est excrétée dans la bile et par les reins sous forme de complexe avec le métal lourd et une fraction de 50 % est rapidement métabolisée par le foie.
Demi-vie : Inconnue (le métabolisme et l'excrétion sont terminés en l'espace de 6 à 24 h).

CONTRE-INDICATIONS ET PRÉCAUTIONS

Contre-indications : ■ Hypersensibilité ■ Hypersensibilité aux produits d'arachides (le véhicule est de l'huile d'arachides) ■ Fonction hépatique altérée (sauf ictère dû à l'arsenic).
Précautions : ■ Insuffisance rénale (réduire la dose) ■ Hypertension ■ Grossesse ou allaitement (l'innocuité du médicament n'a pas été établie).

RÉACTIONS INDÉSIRABLES ET EFFETS SECONDAIRES

SNC : CONVULSIONS, coma, stupeur, anxiété, nervosité, agitation, faiblesse.
ORLO : spasme blépharique, larmoiement, rhinorrhée.
Resp. : haleine fétide.
CV : pression artérielle accrue.
GI : nausées, vomissements, douleurs aux dents, douleurs abdominales.
GU : toxicité rénale.
Tég. : transpiration.
Hémat. : hémolyse (patients souffrant d'une carence en G6-PD), leucopénie passagère (enfants).
Locaux : douleur au point d'injection IM, abcès stérile au point d'injection IM.
Loc. : douleurs musculaires, spasmes musculaires, membres douloureux.
Divers : sensation de constriction dans la gorge, la poitrine ou les mains ; sensation de brûlure aux lèvres, dans la bouche, dans la gorge, aux yeux ou au pénis ; fièvre (enfants).

INTERACTIONS

Médicament – médicament: ■ Le dimercaprol forme un complexe toxique avec le **fer** ■ Les **agents qui alcalinisent l'urine** diminuent la toxicité rénale du dimercaprol. **Médicament – aliments:** ■ Les **aliments qui alcalinisent l'urine** diminuent la toxicité rénale du dimercaprol.

VOIES D'ADMINISTRATION ET POSOLOGIE

Intoxication aiguë à l'or ou à l'arsenic
■ **IM (adultes et enfants):** 3 mg/kg, toutes les 4 h, les deux premiers jours, puis 4 fois, le troisième jour et, enfin, 2 fois par jour pendant 10 jours ou jusqu'à la guérison complète.

Dermite grave provoquée par l'or
■ **IM (adultes et enfants):** 2,5 mg/kg, toutes les 4 h, les deux premiers jours, puis 2 fois par jour pendant une semaine.

Thrombocytopénie provoquée par l'or
■ **IM (adultes et enfants):** 100 mg, deux fois par jour, pendant 15 jours.

Adjuvant dans le traitement de l'intoxication grave au plomb
■ **IM (adultes et enfants):** 4 mg/kg (de 75 à 83 mg/m^2), toutes les 4 h, pendant 5 jours, en même temps que l'édétate de calcium disodique.
■ **IM (enfants):** Traitement de rechange: 300 mg/m^2 par jour, en doses fractionnées, toutes les 4 h, en même temps que l'édétate de calcium sodique pendant 5 jours. Si la concentration sanguine de plomb diminue à 2,4 µmol/L après 3 jours, on peut arrêter le traitement au dimercaprol (mais continuer l'administration de l'édétate de calcium disodique).

PHARMACODYNAMIE (concentrations sanguines des métaux lourds)

	DÉBUT D'ACTION	PIC	DURÉE
IM	inconnu	inconnu	4 h

SOINS INFIRMIERS

D

ÉVALUATION DE LA SITUATION

▫ Déterminer la quantité de métal lourd (arsenic, plomb, mercure) ingérée et le moment de l'ingestion ou la quantité d'or ingérée et le moment de l'ingestion.

▫ Surveiller l'apparition des symptômes de toxicité provoqués par la substance ingérée.

▫ Mesurer la pression artérielle et le pouls tout au long du traitement. Une élévation de la pression systolique et la tachycardie peuvent survenir de 15 à 30 min après l'administration du dimercaprol. La pression artérielle revient habituellement à la normale dans les 2 h.

▫ Effectuer le bilan des ingesta et des excreta et signaler au médecin tout écart important ou la diminution du débit urinaire. Le médecin peut prescrire l'alcalinisation de l'urine afin de prévenir la toxicité rénale.

▫ Prendre la température du patient tout au long du traitement. Le dimercaprol peut entraîner de la fièvre chez les enfants après la deuxième ou la troisième dose, fièvre qui persiste jusqu'à l'arrêt du traitement.

■ **Étude des examens diagnostiques et biochimiques:** Le dimercaprol peut provoquer une diminution de la concentration par la thyroïde de l'I^{131} si le test de la fixation thyroïdienne est effectué durant ou immédiatement après le traitement au dimercaprol.

DIAGNOSTICS INFIRMIERS POSSIBLES

■ **Énoncés diagnostiques**
▫ Risque élevé d'intoxication.
▫ Incapacité d'organiser et d'entretenir le domicile.
▫ Prise en charge inefficace du programme thérapeutique.
▫ *Risque élevé de douleur au point d'injection IM.*

D

■ **Facteurs favorisants**

☐ Informations incomplètes.

☐ *Manque de connaissances sur les modalités du traitement.*

INTERVENTIONS INFIRMIÈRES

■ **Directives générales :** L'efficacité du dimercaprol se manifeste pleinement s'il est administré dans les 2 h qui suivent l'ingestion du métal lourd.

☐ On peut prévenir ou traiter les effets secondaires semblables à ceux entraînés par l'histamine en administrant de l'éphédrine ou un antihistaminique.

☐ Pour traiter l'intoxication au plomb, habituellement, on administre le dimercaprol en même temps que l'édétate de calcium sodique.

☐ Les éclaboussures de la solution sur la peau peuvent provoquer une dermatite de contact. Se laver les mains immédiatement.

■ **IM :** Usage réservé à la voie IM ; administrer l'injection profondément dans le muscle. L'injection est douloureuse et peut provoquer des abcès stériles.

☐ La solution est jaune et visqueuse et elle a une odeur piquante. Le fait qu'elle soit trouble et qu'elle contienne des sédiments n'indique pas qu'elle est altérée.

☐ Si le dimercaprol est administré en même temps que l'édétate de calcium disodique, injecter dans des points différents.

ENSEIGNEMENT AU PATIENT ET À SES PROCHES

☐ Expliquer le but du traitement au patient ou à ses parents.

☐ Prévenir le patient que l'injection est douloureuse et qu'elle peut donner à l'haleine une odeur d'ail.

☐ Recommander au patient de signaler au médecin les céphalées, les brûlures aux lèvres, la transpiration ou le larmoiement.

VÉRIFICATION DES RÉSULTATS

L'efficacité du traitement peut être démontrée par : la résolution des symptômes de l'intoxication par l'arsenic, le plomb, le mercure ou l'or.

DINOPROSTONE
Prepidil, Prostin E$_2$, Prostin E$_2$ gel vaginal

CLASSIFICATION :
Abortif – prostaglandine ; ocytocique

Grossesse – catégorie inconnue

INDICATIONS

■ Déclenchement du travail de l'accouchement ou préparation du col en vue du déclenchement du travail. **Usages non approuvés :** ■ Déclenchement de l'avortement pendant le deuxième trimestre de la grossesse ■ Évacuation de la rétention fœtale jusqu'à la 28e semaine ■ Évacuation d'un trophoblastome gestationnel nonmétastatique (mole hydatiforme).

ACTION

■ Induction des contractions utérines par stimulation directe du myomètre ■ Ramollissement et dilatation du col. **Effets thérapeutiques :** ■ Évacuation du fœtus.

PHARMACOCINÉTIQUE

Absorption : L'absorption par voie systémique est inconnue.

Distribution : Inconnue.

Métabolisme et excrétion : Le dinoprostone est métabolisé par les enzymes dans les tissus des poumons, des reins, de la rate et du foie.

Demi-vie : Inconnue.

CONTRE-INDICATIONS ET PRÉCAUTIONS

Contre-indications : ■ Hypersensibilité ■ Salpingite aiguë.

Précautions : ■ Tissus utérins cicatriciels ■ Asthme ■ Hypotension ■ Maladie cardiaque ■ Troubles surrénaliens ■ Anémie ■ Ictère ■ Diabète sucré ■ Épilepsie ■ Glaucome ■ Maladies pulmonaire, rénale ou hépatique.

RÉACTIONS INDÉSIRABLES ET EFFETS SECONDAIRES

SNC: céphalées, somnolence, syncope.

Resp.: toux, dyspnée, respiration sifflante.

CV: hypotension, hypertension.

GI: nausées, vomissements, diarrhée.

GU: rupture de l'utérus, infection des voies urinaires, douleurs vaginales ou utérines.

Divers: frissons, fièvre, réactions allergiques incluant l'ANAPHYLAXIE.

INTERACTIONS

Médicament – médicament: Le dinoprostone augmente les effets des autres **ocytociques**.

VOIES D'ADMINISTRATION ET POSOLOGIE

Déclenchement du travail de l'accouchement ou préparation du col en vue de l'accouchement

■ **Préparation vaginale (adultes):** de 0,5 à 2 mg sous forme de gel.

Déclenchement du travail de l'accouchement

■ **PO (adultes):** Dose d'attaque de 0,5 mg, ensuite 0,5 mg, toutes les heures selon les besoins; dose unique maximale: 1,5 mg.

Abortif (É.-U.)

■ **Préparation vaginale (adultes):** 20 mg; répéter l'administration toutes les 3 à 5 h, jusqu'à l'obtention d'un résultat (ne pas dépasser 240 mg au total).

☀ SOINS INFIRMIERS

ÉVALUATION DE LA SITUATION

☐ Déterminer la fréquence, la durée et la force des contractions ainsi que le tonus utérin au repos.

☐ Mesurer la température, le pouls et la pression artérielle à intervalles réguliers tout au long du traitement. La fièvre induite par le dinoprostone (élévation de plus de 1,1 °C) se manifeste habituellement dans les 15 à 45 min qui suivent l'administration du médicament. La température se normalise de 2 à 6 h après l'arrêt du traitement.

☐ Ausculter le murmure vésiculaire. La respiration sifflante et l'oppression thoracique peuvent indiquer une réaction d'hypersensibilité.

☐ Surveiller l'apparition des nausées, des vomissements et de la diarrhée. Les vomissements se produisent chez environ 67 % des patientes et la diarrhée, chez environ 40 %. Le médecin peut prescrire une prémédication par un antiémétique et un antidiarrhéique.

☐ Évaluer la quantité et le type de pertes vaginales. Prévenir immédiatement le médecin si les symptômes suivants d'hémorragie se manifestent: saignement accru, hypotension, pâleur, tachycardie.

DIAGNOSTICS INFIRMIERS POSSIBLES

■ **Énoncés diagnostiques**

☐ Prise en charge inefficace du programme thérapeutique.

☐ *Risque élevé de réaction allergique.*

☐ *Risque élevé de déshydratation.*

■ **Facteurs favorisants**

☐ Informations incomplètes.

☐ *Vomissements et diarrhée.*

INTERVENTIONS INFIRMIÈRES

☐ Recommander à la patiente de rester couchée sur le dos ou sur le côté pendant 30 min après l'administration pour prévenir l'écoulement du gel.

ENSEIGNEMENT AU PATIENT ET À SES PROCHES

☐ Expliquer à la patiente le but de l'examen vaginal (pour déceler le traumatisme du col).

□ Recommander à la patiente de signaler immédiatement au médecin la fièvre et les frissons, les pertes vaginales nauséabondes, la douleur abdominale basse ou l'augmentation des saignements.

□ Assurer le soutien moral tout au long du traitement.

VÉRIFICATION DES RÉSULTATS

L'efficacité du traitement peut être démontrée par : ▪ la dilatation du col utérin ▪ le déclenchement du travail de l'accouchement ▪ l'avortement complet ; l'administration continue pendant plus de deux jours n'est habituellement pas recommandée.

DIPHENHYDRAMINE

Allergyl, Benadryl, Caladryl vaporisateur, Calmex, Insomnal, Nytol, Nytol extra-fort, PMS-Diphenhydramine, Sleep-Eze D, Sleep-Eze D extra-fort, Sominex, Unisom, (AllerMax), (Bena-D), (Benahist), (Ben-Allergin), (Benaphen), (Benoject), (Benylin), (Bydramine), (Compoz), (Diahist), (Dihydrex), (Di-phen), (Diphenacen), (Diphenadryl), (Dormarex 2), (Fenylhist), (Fynex), (Hydramine), (Hydril), (Hyrexin), (Nervine), (Nighttime Sleep-Aid), (Nordryl), (Sleep-Eze3), (Tusstat), (Twilite), (Valdrene), (Wehydryl)

CLASSIFICATION :
Antihistaminique ; antitussif

Grossesse – catégorie B

INDICATIONS

▪ Soulagement des symptômes allergiques entraînés par la libération d'histamine incluant : □ l'anaphylaxie □ les allergies nasales □ les dermatoses allergiques ▪ Sédation nocturne légère ▪ Prévention du mal des transports ▪ Traitement des nausées et des vomissements postopératoires ▪ Troubles affectifs chez l'enfant. **Usages non approuvés : ▪** Maladie de Parkinson et réactions dystoniques d'origine médicamenteuse ▪ Traitement de la toux.

ACTION

▪ Inhibition des effets suivants de l'histamine : □ vasodilatation □ augmentation des sécrétions du tractus gastro-intestinal □ élévation de la fréquence cardiaque □ hypotension ▪ Dépression du SNC et effets anticholinergiques. **Effets thérapeutiques : ▪** Soulagement des symptômes associés à un surplus d'histamine, habituellement observés chez les patients souffrant de maladies allergiques ▪ Soulagement des réactions dystoniques aiguës ▪ Prévention du mal des transports ▪ Soulagement de la toux.

PHARMACOCINÉTIQUE

Absorption : Bonne absorption par suite de l'administration par les voies orale et IM. Par suite de l'administration topique, l'absorption par voie systémique est minime.

Distribution : Le médicament se répartit dans tout l'organisme. Il traverse le placenta et pénètre dans le lait maternel.

Métabolisme et excrétion : Métabolisme hépatique (95 %).

Demi-vie : De 2,4 à 7 h.

CONTRE-INDICATIONS ET PRÉCAUTIONS

Contre-indications : ▪ Hypersensibilité ▪ Crises aiguës d'asthme ▪ Allaitement.

Précautions : ▪ Patients âgés (davantage prédisposés aux réactions indésirables ; réduire la dose) ▪ Maladie hépatique grave ▪ Glaucome à angle étroit ▪ Troubles convulsifs ▪ Hypertrophie de la prostate ▪ Grossesse (l'innocuité du médicament n'a pas été établie).

RÉACTIONS INDÉSIRABLES ET EFFETS SECONDAIRES

SNC : somnolence, excitation paradoxale (enfants), étourdissements, céphalées.

D

ORLO : vision trouble, acouphènes.

CV : palpitations, hypotension.

GI : sécheresse de la bouche (xérostomie), anorexie, constipation, diarrhée.

GU : mictions fréquentes, dysurie, rétention urinaire.

Tég. : photosensibilité.

Locaux : douleur au point d'injection IM.

INTERACTIONS

Médicament – médicament : ■ Dépression additive du SNC lors de l'usage concomitant d'autres **antihistaminiques**, d'**alcool**, d'**analgésiques narcotiques** et d'**hypnosédatifs** ■ Propriétés anticholinergiques additives lors de l'administration simultanée d'**antidépresseurs tricycliques**, de **quinidine** ou de **disopyramide** ■ Les **inhibiteurs de la MAO** prolongent et accentuent les effets anticholinergiques des antihistaminiques.

VOIES D'ADMINISTRATION ET POSOLOGIE

- **PO (adultes) :** de 25 à 50 mg, toutes les 4 à 6 h.
- **PO (enfants > 12 ans) :** 25 mg, toutes les 4 à 6 h.
- **PO (enfants de 6 à 12 ans) :** de 12,5 à 25 mg, toutes les 4 à 6 h.
- **PO (enfants de 2 à 5 ans) :** 6,25 mg, toutes les 4 à 6 h.
- **PO (enfants < 2 ans) :** 3,13 mg, toutes les 4 à 6 h.
- **IM et IV (adultes) :** de 10 à 50 mg, en une seule dose (on peut administrer jusqu'à 100 mg, selon les besoins ; ne pas dépasser 400 mg par jour).
- **IM et IV (enfants) (É.-U.) :** 5 mg/kg par jour ou 150 mg/m², en doses fractionnées, toutes les 6 à 8 h (ne pas dépasser 300 mg par jour).
- **Préparation topique (adultes et enfants > 2 ans) :** crème à 2 %, 3 ou 4 fois par jour.

PHARMACODYNAMIE
(effets antihistaminiques)

	DÉBUT D'ACTION	PIC	DURÉE
PO	15 – 60 min	1 – 4 h	4 – 8 h
IM	20 – 30 min	1 – 4 h	4 – 8 h
IV	rapide	inconnu	4 – 8 h

⁂ SOINS INFIRMIERS

ÉVALUATION DE LA SITUATION

- **Directives générales :** La diphenhydramine est un médicament à usages multiples. Déterminer la raison pour laquelle le médecin a prescrit ce médicament et observer les symptômes qui s'appliquent au cas particulier du patient.
- **Prophylaxie et traitement de l'anaphylaxie :** Surveiller l'apparition de l'urticaire et assurer la perméabilité des voies respiratoires.
- **Rhinite allergique :** Déterminer le degré de congestion nasale ; suivre de près la rhinorrhée et les éternuements.
- **Parkinsonisme et réactions extrapyramidales :** Évaluer le type de dyskinésie avant l'administration et après le traitement.
- **Insomnie :** Observer les habitudes de sommeil du patient.
- **Mal des transports et nausées associées à la chimiothérapie :** Suivre de près les nausées et les vomissements ; ausculter les bruits intestinaux et observer les douleurs abdominales.
- **Soulagement de la toux :** Déterminer la fréquence et la nature de la toux. Ausculter le murmure vésiculaire et noter la quantité et le type d'expectoration. Sauf contre-indication, conseiller au patient de consommer de 1 500 à 2 000 mL de liquides par jour afin de diminuer la viscosité des sécrétions bronchiques.
- **Prurit :** Déterminer la gravité des démangeaisons, du rash et de l'inflammation.

D

■ **Étude des examens diagnostiques et bio-chimiques :** La diphenhydramine peut diminuer la réponse cutanée aux tests allergologiques. Arrêter le traitement 4 jours avant le test cutané.

DIAGNOSTICS INFIRMIERS POSSIBLES

■ **Énoncés diagnostiques**

□ Perturbation des habitudes de sommeil.

□ Risque élevé de déficit de volume liquidien.

□ Risque élevé d'accident.

■ **Facteurs favorisants**

□ *Perturbation de la vigilance.*

□ *Nausées et vomissements.*

INTERVENTIONS INFIRMIÈRES

■ **Directives générales :** Traitement de l'insomnie : administrer le médicament 20 min avant le coucher et planifier les soins infirmiers en conséquence afin d'interrompre le moins possible le sommeil du patient.

□ Prophylaxie du mal des transports : administrer au moins 30 min et, de préférence, de 1 à 2 h avant que le patient ne se trouve dans une circonstance où le mal des transports peut survenir.

■ **PO :** Administrer le médicament avec des aliments ou du lait afin de réduire l'irritation gastro-intestinale. On peut vider la capsule et prendre son contenu avec de l'eau ou des aliments.

■ **IM :** Administrer dans un muscle bien développé. Éviter les injections SC.

■ **IV directe :** On peut administrer la diphenhydramine sans la diluer. On peut aussi effectuer une dilution supplémentaire dans une solution de NaCl à 0,9 % ou à 0,45 %, de dextrose à 5 % ou à 10 % dans de l'eau, de dextrose à 5 % dans une solution de NaCl à 0,9 %, à 0,45 %, ou à 0,25 %, dans une solution de Ringer, dans du lactate Ringer et dans une solution de Ringer avec dextrose.

□ *Vitesse d'administration :* Injecter au débit minimal de 25 mg à la minute.

■ **Associations compatibles dans la même seringue :** Atropine, butorphanol, chlorpromazine, cimétidine, dimenhydrinate, dropéridol, fentanyl, glycopyrrolate, hydromorphone, hydroxyzine, mépéridine, métoclopramide, midazolam, morphine, nalbuphine, pentazocine, perphénazine, prochlorpérazine, promazine, prométhazine, ranitidine ou scopolamine. Cette compatibilité est de courte durée ; préparer le mélange immédiatement avant l'injection.

■ **Associations incompatibles dans la même seringue :** Pentobarbital, phénobarbital, phénytoïne ou thiopental.

■ **Compatibilités (tubulure en Y) :** Acyclovir, chlorure de potassium, héparine, hydrocortisone ou ondansétron.

■ **Incompatibilité (tubulure en Y) :** Foscarnet.

■ **Compatibilités en addition au soluté :** Amikacine, aminophylline, acide ascorbique, bléomycine, céphapirine, colistiméthate, érythromycine, lidocaïne, méthicilline, méthyldopa, nafcilline, nétilimicine, pénicilline G, polymixine B ou tétracycline.

■ **Incompatibilités en addition au soluté :** Amobarbital, amphotéricine B, céphalothine, hydrocortisone, phénobarbital, phénytoïne ou thiopental.

ENSEIGNEMENT AU PATIENT ET À SES PROCHES

■ **Directives générales :** Conseiller au patient de respecter scrupuleusement la posologie recommandée et de ne pas dépasser la dose prescrite.

□ Prévenir le patient que la diphenhydramine peut provoquer de la somnolence et de la sédation. Lui conseiller de ne pas conduire et d'éviter les activités qui exigent sa vigilance jusqu'à ce qu'on ait la certitude que le médicament n'entraîne pas ces effets chez lui.

□ Informer le patient que la diphenhydramine peut entraîner la sécheresse de la bouche. Lui conseiller de pratiquer une bonne hygiène orale, de se rincer la bouche fréquemment avec de l'eau et de consommer de la gomme à mâcher ou des bonbons sans sucre pour diminuer cet effet. Lui conseiller d'avertir le dentiste si la sécheresse de la bouche persiste pendant plus de 2 semaines.

□ Recommander au patient d'utiliser un écran solaire et de porter des vêtements protecteurs afin de prévenir les réactions de photosensibilité.

□ Mettre en garde le patient contre la consommation d'alcool ou d'autres dépresseurs du SNC en même temps que la diphenhydramine.

□ Recommander au patient qui prend de la diphenhydramine sous forme de préparation en vente libre de prévenir le médecin si les symptômes s'aggravent ou persistent pendant plus de 7 jours.

■ **Usage topique :** Recommander au patient de nettoyer la peau affectée avant l'application, d'éviter d'appliquer la préparation sur une peau écorchée ou sur des phlyctènes, et d'arrêter le traitement et de contacter le médecin en cas d'irritation.

VÉRIFICATION DES RÉSULTATS

L'efficacité du traitement peut être démontrée par : ■ la prévention ou la diminution de l'urticaire, en cas d'anaphylaxie ou d'autres réactions allergiques ■ la diminution de la dyskinésie chez les patients souffrant de parkinsonisme et de réactions extrapyramidales ■ la sédation lorsque le médicament est administré comme hypnosédatif ■ la prévention ou le soulagement des nausées et des vomissements entraînés par le mal des transports ■ la diminution de la fréquence et de l'intensité de la toux, sans suppression des réflexes tussigènes.

D

DIPHÉNOXYLATE AVEC ATROPINE

Lomotil, (Diphenatol), (Lofene), (Logen), (Lomanate*), (Lonox), (Lo-Trol), (Low-Quel), (Nor-mil)

CLASSIFICATION :
Antidiarrhéique

Stupéfiant

Grossesse – catégorie C

INDICATIONS

Traitement d'appoint de la diarrhée.

ACTION

■ Inhibition d'une motilité gastro-intestinale excessive ■ Structure similaire à celle des analgésiques narcotiques, mais la préparation est dépourvue de propriétés analgésiques ■ Atropine ajoutée pour décourager l'abus. **Effets thérapeutiques :** ■ Ralentissement de la motilité gastro-intestinale et diminution subséquente de la diarrhée.

PHARMACOCINÉTIQUE

Absorption : Bonne absorption depuis le tractus gastro-intestinal.
Distribution : Inconnue. Le diphénoxylate pénètre dans le lait maternel.
Métabolisme et excrétion : Le diphénoxylate est principalement métabolisé par le foie et une fraction du médicament est transformée en un composé antidiarrhéique actif (difénoxine). Excrétion urinaire minimale.
Demi-vie : 2,5 h (diphénoxylate).

CONTRE-INDICATIONS ET PRÉCAUTIONS

Contre-indications : ■ Hypersensibilité ■ Maladie hépatique grave ■ Diarrhée infectieuse (attribuable à *E. Coli*, *Salmonella* ou *Shigella*) ■ Diarrhée associée à

---

* Comprimés seulement ; Lomotil liquide renferme uniquement du diphénoxylate.

D

la colite pseudo-membraneuse ■ Patients déshydratés ■ Glaucome à angle étroit ■ Enfants de moins de 2 ans.

Précautions: ■ Dépendance physique aux analgésiques narcotiques ■ Maladies inflammatoires de l'intestin ■ Hypertrophie de la prostate ■ Grossesse et allaitement (l'innocuité du médicament n'a pas été établie).

RÉACTIONS INDÉSIRABLES ET EFFETS SECONDAIRES

SNC: somnolence, étourdissements.

ORLO: vision trouble, sécheresse des yeux (alacrymie).

CV: tachycardie.

GI: constipation, iléus, sécheresse de la bouche (xérostomie).

GU: rétention urinaire.

Tég.: rougeur de la peau.

INTERACTIONS

Médicament – médicament: ■ Effet additif sur la dépression du SNC lors de l'usage concomitant d'autres **dépresseurs du SNC**, y compris l'**alcool**, les **antihistaminiques**, les **analgésiques narcotiques** et les **hypnosédatifs** ■ Propriétés anticholinergiques additives lors de l'administration simultanée d'autres **médicaments doués de propriétés anticholinergiques**, incluant les **antidépresseurs tricycliques** et le **disopyramide** ■ Les **inhibiteurs de la MAO**, administrés simultanément, peuvent déclencher une crise hypertensive.

VOIES D'ADMINISTRATION ET POSOLOGIE

Remarque: Ne pas dépasser les doses recommandées. Les doses sont indiquées d'après la teneur en diphénoxylate: un comprimé contient 2,5 mg de diphénoxylate et 0,025 mg d'atropine.

■ **PO (adultes et enfants > 13 ans):** 5 mg, 3 ou 4 fois par jour, (ne pas dépasser 20 mg par jour).

■ **PO (enfant de 9 à 12 ans):** 2,5 mg, 4 fois par jour.

■ **PO (enfants de 6 à 8 ans):** 2,5 mg, 3 fois par jour.

■ **PO (enfants de 2 à 5 ans):** 2,5 mg, 2 fois par jour.

PHARMACODYNAMIE (effet antidiarrhéique)

	DÉBUT D'ACTION	PIC	DURÉE
PO	45 – 60 min	2 h	3 – 4 h

✳ SOINS INFIRMIERS

ÉVALUATION DE LA SITUATION

☐ Observer la fréquence et la consistance des selles et ausculter les bruits intestinaux avant l'administration du médicament et pendant toute la durée du traitement.

☐ Effectuer le bilan hydro-électrolytique; suivre de près la sécheresse de la peau pour déceler la déshydratation.

■ **Étude des examens diagnostiques et biochimiques:** Durant le traitement prolongé, examiner à intervalles réguliers les résultats des tests de l'exploration fonctionnelle hépatique.

☐ Le médicament peut entraîner l'élévation des concentrations sériques d'amylase.

DIAGNOSTICS INFIRMIERS POSSIBLES

■ **Énoncés diagnostiques**

☐ Diarrhée.

☐ Constipation.

☐ Prise en charge inefficace du programme thérapeutique.

☐ *Risque élevé d'accident.*

■ **Facteurs favorisants**

☐ Informations incomplètes.

☐ *Perturbation de la vigilance.*

INTERVENTIONS INFIRMIÈRES

■ **Directives générales:** Le risque de dépendance augmente avec la dose et la durée d'utilisation. L'atropine est ajoutée à la préparation dans le but de diminuer le risque d'abus.

■ **PO**: On peut administrer le médicament avec des aliments si l'irritation gastro-intestinale devient gênante. On peut broyer les comprimés et les administrer avec la boisson préférée du patient.

ENSEIGNEMENT AU PATIENT ET À SES PROCHES

☐ Conseiller au patient de respecter scrupuleusement la posologie recommandée et de ne pas prendre une quantité plus grande de médicament que la dose prescrite en raison des risques d'accoutumance et des risques de surdosage chez les enfants.

☐ Prévenir le patient que cette préparation peut provoquer de la somnolence. Lui conseiller de ne pas conduire et d'éviter les activités qui exigent sa vigilance jusqu'à ce qu'on ait la certitude que le médicament n'entraîne pas cet effet chez lui.

☐ Conseiller au patient de pratiquer une bonne hygiène orale, de se rincer la bouche fréquemment avec de l'eau et de consommer de la gomme à mâcher ou des bonbons sans sucre pour diminuer la sécheresse de la bouche.

☐ Mettre en garde le patient contre la consommation d'alcool ou d'autres dépresseurs du SNC en même temps que ce médicament.

☐ Recommander au patient de prévenir le médecin si la diarrhée persiste et de lui signaler les symptômes suivants: fièvre, douleurs abdominales, palpitations.

VÉRIFICATION DES RÉSULTATS

L'efficacité du traitement peut être démontrée par: la diminution de la diarrhée; on doit poursuivre le traitement pendant 24 à 36 h avant qu'on puisse décider que le médicament n'est pas efficace pour traiter la diarrhée aiguë.

DIPIVÉFRINE
Propine

CLASSIFICATION:
Agent ophtalmique – traitement du glaucome

Grossesse – catégorie B

INDICATIONS
Traitement du glaucome à angle ouvert.

ACTION
■ Transformation par les enzymes de l'œil en épinéphrine qui abaisse la pression intraoculaire en diminuant la production d'humeur aqueuse et en améliorant son drainage. **Effets thérapeutiques:** ■ Abaissement de la pression intraoculaire.

PHARMACOCINÉTIQUE
Absorption: L'absorption par voie systémique est inconnue.
Distribution: La dipivéfrine est très liposoluble et pénètre la chambre antérieure de l'œil.
Métabolisme et excrétion: La dipivéfrine est transformée en épinéphrine dans la chambre antérieure de l'œil, puis métabolisée par les enzymes tissulaires.
Demi-vie: Inconnue.

CONTRE-INDICATIONS ET PRÉCAUTIONS
Contre-indications: ■ Hypersensibilité ■ Hypersensibilité aux sulfites ■ Glaucome à angle étroit.
Précautions: ■ Aphakie (absence de cristallin) – risque accru d'œdème maculaire ■ Grossesse, allaitement ou enfants (l'innocuité du médicament n'a pas été établie).

RÉACTIONS INDÉSIRABLES ET EFFETS SECONDAIRES
ORLO: dépôts d'adrénochrome dans la conjonctive et sur la cornée, brûlures,

D

picotements, irritation, photophobie, œdème maculaire (chez les patients aphaques), mydriase.

CV: hypertension, tachycardie, arythmies.

INTERACTIONS

Médicament – médicament: ■ Risque accru d'arythmies lors de l'administration simultanée d'**anesthésiques par inhalation à base d'hydrocarbures** ou de **dérivés digitaliques** ■ Risque accru d'arythmies, de tachycardie ou d'hypertension lors de l'administration simultanée d'**antidépresseurs tricycliques** ou de **maprotiline** ■ Risque accru de modifications de la fréquence cardiaque ou de la pression artérielle lors de l'administration simultanée de **bêtabloquants** ■ Effets sympathomimétiques additifs lors de l'administration simultanée d'autres **agents adrénergiques (sympathomimétiques)**.

VOIES D'ADMINISTRATION ET POSOLOGIE

Usage ophtalmique (adultes): 1 goutte de solution à 0,1 %, toutes les 12 h.

PHARMACODYNAMIE (effets sur la pression intraoculaire)

	DÉBUT D'ACTION	PIC	DURÉE
voie ophtalmique	30 min	1 h	12 h

✳ SOINS INFIRMIERS

ÉVALUATION DE LA SITUATION

■ Surveiller l'apparition des symptômes suivants d'absorption par voie systémique : élévation de la fréquence du pouls et de la pression artérielle et arythmies.

DIAGNOSTICS INFIRMIERS POSSIBLES

■ **Énoncés diagnostiques**
□ Prise en charge inefficace du programme thérapeutique.
□ *Risque élevé d'anxiété.*

■ **Facteurs favorisants**
□ Informations incomplètes.
□ *Manque de connaissances sur les modalités du traitement.*

INTERVENTIONS INFIRMIÈRES

■ **Directives générales:** Si le médecin recommande l'administration concomitante d'un agent myotique, ce dernier devrait être administré en premier.

□ *Si la dipivéfrine est le seul agent administré pour le traitement du glaucome:* pour substituer la dipivéfrine à l'épinéphrine, administrer simplement la dipivéfrine au moment où il faudrait administrer la dose suivante d'épinéphrine.

□ *Substitution de la dipivéfrine à d'autres agents administrés pour le traitement du glaucome:* poursuivre l'administration de l'autre médicament durant la première journée du traitement par la dipivéfrine.

■ **Usage ophtalmique:** La méthode d'instillation des gouttes ophtalmiques est indiquée à l'annexe H.

ENSEIGNEMENT AU PATIENT ET À SES PROCHES

□ Montrer au patient comment administrer les gouttes ophtalmiques. Insister sur l'importance d'éviter tout contact entre le bout de l'applicateur et une quelconque surface.

□ Encourager le patient à respecter scrupuleusement la posologie recommandée. S'il n'a pas pu instiller les gouttes au moment habituel, il devrait le faire dès que possible à moins qu'il ne soit presque l'heure prévue pour la dose suivante.

□ Recommander au patient de prévenir le médecin si l'irritation de l'œil ou les troubles de la vision persistent. Lui expliquer que le picotement passager est un symptôme qui n'a aucune signification clinique.

☐ Insister sur l'importance des examens de suivi réguliers permettant de mesurer la pression intraoculaire.

VÉRIFICATION DES RÉSULTATS

L'efficacité du traitement peut être démontrée par: la baisse de la pression intraoculaire.

DIPYRIDAMOLE

Apo-Dipyridamole, Novo-Dipiradol, Persantine

CLASSIFICATION:

Antiagrégant plaquettaire ; agent diagnostique – vasodilatateur coronarien

Grossesse – catégorie B

INDICATIONS

■ **PO:** Angine de poitrine chronique ■ **PO:** En association avec des anticoagulants (warfarine), prévention de la thromboembolie chez les patients portant une valve artificielle prothétique ■ **PO:** En association avec l'aspirine, pour diminuer le taux de rechute chez les patients ayant survécu à un infarctus du myocarde ■ **PO:** En association avec d'autres antiagrégants plaquettaires (aspirine) pour maintenir la perméabilité vasculaire par suite de transplantation ou de pontage aortocoronarien par greffe veineuse saphène ■ **IV:** Agent diagnostique pour remplacer l'épreuve à l'effort durant un procédé d'imagerie par perfusion du myocarde avec du thallium.

ACTION

■ **PO:** Diminution de l'agrégation plaquettaire par inhibition de l'enzyme phosphodiestérase ■ **IV:** Vasodilatation coronarienne par inhibition du captage de l'adénosine. **Effets thérapeutiques:** ■ **PO:** Inhibition de l'agrégation plaquettaire et des épisodes subséquents de thromboembolie ■ **IV:** Dilatation des artères coronaires normales lors de l'épreuve d'ima-

gerie au thallium, réduisant ainsi le débit du sang dans les vaisseaux rétrécis et entraînant une distribution anormale du thallium.

PHARMACOCINÉTIQUE

Absorption: Absorption modérée (de 30 à 60 %) par suite de l'administration par voie orale.

Distribution: Le médicament se répartit dans tout l'organisme. Il traverse le placenta et pénètre dans le lait maternel.

Métabolisme et excrétion: Métabolisme hépatique ; excrétion biliaire.

Demi-vie: 10 h.

CONTRE-INDICATIONS ET PRÉCAUTIONS

Contre-indication: Hypersensibilité.

Précautions: ■ Hypotension ■ Patients présentant des anomalies plaquettaires ■ Grossesse (bien que l'innocuité du médicament n'ait pas été établie, précédents d'usage sans effets nocifs durant la grossesse) ■ Allaitement ou enfants de moins de 12 ans (l'innocuité du médicament n'a pas été établie).

RÉACTIONS INDÉSIRABLES ET EFFETS SECONDAIRES

SNC: céphalées, étourdissements, faiblesse, syncope ; voie IV seulement – accès ischémiques transitoires cérébraux.

CV: bouffées vasomotrices, hypotension ; voie IV seulement – INFARCTUS DU MYOCARDE, arythmies.

Resp.: voie IV seulement – bronchospasme.

GI: gêne gastro-intestinale, nausées, vomissements, diarrhée.

Tég.: rash.

INTERACTIONS

Médicament – médicament: ■ Effets additifs sur l'agrégation plaquettaire lors de l'administration simultanée d'**aspirine** ■ Risque accru de saignements lors de l'administration simultanée d'**anticoagulants**, de **thrombolytiques**, d'**anti-inflammatoires non stéroïdiens** ou de

D

sulfinpyrazone ■ Risque accru d'hypotension lors de la consommation simultanée d'**alcool** ■ La **théophylline** peut contrecarrer les effets du dipyridamole durant l'épreuve d'imagerie au thallium.

VOIES D'ADMINISTRATION ET POSOLOGIE

- **PO (adultes) :** de 150 à 400 mg par jour, en 2 à 4 doses fractionnées.
- **IV (adultes) :** 0,57 mg/kg (0,142 mg/kg à la minute pendant 4 min).

PHARMACODYNAMIE
(voie orale = activité antiplaquettaire ;
IV = vasodilatation coronarienne)

	DÉBUT D'ACTION	PIC	DURÉE
PO	inconnu	inconnu	inconnue
IV	inconnu	6,5 min*	30 min

* À partir du début de la perfusion.

☀ SOINS INFIRMIERS

ÉVALUATION DE LA SITUATION

- **PO :** Mesurer la pression artérielle et le pouls avant le traitement et à intervalles réguliers pendant la période d'ajustement de la dose.
- **IV :** Prendre les signes vitaux durant la perfusion et pendant 10 à 15 min après l'avoir arrêtée. Obtenir un tracé ECG dans au moins une dérivation. Si une douleur thoracique grave ou un bronchospasme surviennent, administrer de 50 à 250 mg d'aminophylline par voie IV à un débit de 50 à 100 mg en 30 à 60 s. Si l'hypotension est grave, installer le patient en décubitus dorsal, la tête penchée vers l'arrière. Si la douleur thoracique n'est pas soulagée par la dose de 250 mg d'aminophylline, administrer de la nitroglycérine à action prolongée. Si la douleur thoracique persiste malgré tout, amorcer le traitement de l'infarctus du myocarde.

- **Étude des examens diagnostiques et biochimiques :** Noter le temps de saignement à intervalles réguliers pendant toute la durée du traitement.

DIAGNOSTICS INFIRMIERS POSSIBLES

- **Énoncés diagnostiques**
- ☐ Diminution du débit cardiaque.
- ☐ Douleur.
- ☐ Prise en charge inefficace du programme thérapeutique.
- ☐ *Risque élevé d'accident.*

- **Facteurs favorisants**
- ☐ Informations incomplètes.
- ☐ *Manque de connaissances sur les effets hypotensifs du médicament lors des changements brusques de position.*

INTERVENTIONS INFIRMIÈRES

- **PO :** Administrer le dipyridamole avec un grand verre d'eau, au moins 1 h avant les repas ou 2 h après, pour accélérer l'absorption. En cas d'irritation gastro-intestinale, on peut administrer le médicament avec des aliments ou immédiatement après les repas. On peut broyer les comprimés et les mélanger avec des aliments si le patient éprouve des difficultés de déglutition. Le pharmacien peut également délivrer le dipyridamole sous forme de suspension.
- **Perfusion intermittente :** Diluer le médicament à une concentration de 1:2 au moins, dans une solution de NaCl à 0,45 % ou à 0,9 % ou de dextrose à 5 % dans de l'eau pour obtenir un volume total de 20 à 50 mL. Le dipyridamole non dilué peut provoquer une irritation veineuse.
- ☐ *Vitesse d'administration :* Administrer la perfusion en 4 min.

ENSEIGNEMENT AU PATIENT ET À SES PROCHES

- **PO :** Conseiller au patient de respecter scrupuleusement la posologie recommandée et de prendre le médicament en espaçant uniformément les doses. S'il n'a pu prendre le médicament au moment habituel, il doit le prendre dès que possible, à moins que la dose suivante ne soit prévue dans moins de 4 h. L'avertir qu'il ne faut jamais remplacer une dose manquée par une dose double. Le patient peut ne pas se rendre compte des bienfaits du médicament ; l'inciter à continuer de prendre le dipyridamole selon les recommandations du médecin.

☐ Conseiller au patient de changer lentement de position afin de réduire les risques d'hypotension orthostatique.

☐ Mettre en garde le patient contre la consommation d'alcool qui peut potentialiser les effets hypotensifs du médicament. Il devrait également éviter de consommer des produits à base de tabac, car la nicotine entraîne une vasoconstriction.

☐ Conseiller au patient de consulter le médecin ou le pharmacien avant de prendre des médicaments en vente libre en même temps que le dipyridamole.

☐ Recommander au patient de signaler au médecin tout saignement ou ecchymose inhabituels.

■ **IV :** Recommander au patient de signaler immédiatement au médecin la dyspnée ou les douleurs thoraciques.

VÉRIFICATION DES RÉSULTATS

L'efficacité du traitement peut être démontrée par : ■ la diminution de la fréquence des crises angineuses, une meilleure tolérance à l'effort et la réduction de la consommation de nitroglycérine ■ la prophylaxie des complications thromboemboliques postopératoires associées au port d'une valve artificielle prothétique ■ le maintien de la perméabilité des vaisseaux après transplantation ■ la vasodilatation coronarienne lors des procédés d'imagerie par perfusion du myocarde avec du thallium.

DISOPYRAMIDE
Norpace, Norpace CR, Rythmodan, Rythmodan-LA

CLASSIFICATION :
Antiarythmique – classe 1

Grossesse – catégorie C

D

INDICATIONS

■ Traitement et prophylaxie des arythmies ventriculaires menaçant le pronostic vital, telle la tachycardie ventriculaire prolongée ■ Traitement des arythmies ventriculaires symptomatiques. **Usage non approuvé :** ■ Traitement et prophylaxie des tachyarythmies supraventriculaires.

ACTION

■ Diminution de l'excitabilité du myocarde et de la vitesse de conduction ■ Dépression possible de la contractilité du myocarde ■ Médicament doué de propriétés anticholinergiques ■ Faible effet sur la fréquence cardiaque, mais effet inotrope négatif direct. **Effets thérapeutiques :** ■ Réduction des arythmies ventriculaires.

PHARMACOCINÉTIQUE

Absorption : Le disopyramide est bien absorbé depuis le tractus gastro-intestinal.

Distribution : Le médicament se répartit dans le liquide extracellulaire. Il pénètre dans le lait maternel.

Métabolisme et excrétion : Métabolisme hépatique. Une fraction de 10 % est excrétée à l'état inchangé dans les fèces et une fraction de 50 % est excrétée à l'état inchangé par les reins.

Demi-vie : De 8 à 18 h (prolongée en cas d'insuffisance rénale ou hépatique).

CONTRE-INDICATIONS ET PRÉCAUTIONS

Contre-indications : ■ Hypersensibilité ■ Choc cardiogénique ■ Bloc cardiaque du 2e et du 3e degré ■ Syndrome de dysfonctionnement sinusal (en l'absence de stimulateur cardiaque).

Précautions: ■ Cardiomyopathie ■ Risque de décompensation cardiaque (réduire la dose) ■ Insuffisance hépatique ou rénale (réduire la dose) ■ Patients âgés souffrant d'hypertrophie de la prostate ■ Myasthénie grave ■ Glaucome ■ Grossesse ou allaitement (l'innocuité du médicament n'a pas été établie).

RÉACTIONS INDÉSIRABLES ET EFFETS SECONDAIRES

SNC: vision trouble, étourdissements, céphalées, fatigue.
CV: INSUFFISANCE CARDIAQUE, œdème, dyspnée, bloc AV, hypotension.
ORLO: sécheresse des yeux (alacrymie), sécheresse de la gorge.
GI: sécheresse de la bouche (xérostomie), constipation, nausées, douleurs abdominales, flatulence.
GU: retard de la miction, rétention urinaire.
End.: hypoglycémie.
Divers: altération de la régulation thermique.

INTERACTIONS

Médicament – médicament: ■ Le disopyramide peut potentialiser l'effet anticoagulant de la **warfarine** ■ La **rifampine**, le **phénobarbital** et la **phénytoïne** peuvent diminuer les concentrations sanguines et l'efficacité du disopyramide ■ La **cimétidine** peut diminuer le métabolisme du disopyramide et en augmenter les concentrations sanguines ■ Risque d'effets cardiaques toxiques additifs lors de l'administration simultanée d'autres **antiarythmiques** (conduction prolongée et débit cardiaque réduit), et particulièrement du **vérapamil** – ne pas administrer le disopyramide pendant 48 h avant ou 24 h après l'administration de ces médicaments ■ Risque d'effets secondaires anticholinergiques additifs lors de l'administration simultanée d'autres **médicaments doués de propriétés anticholinergiques** incluant les **antihistaminiques** et les **antidépresseurs tricycliques** ■ Risque accru d'arythmies lors de l'administration simultanée de **pimozide**.

VOIES D'ADMINISTRATION ET POSOLOGIE

■ **PO (adultes > 50 kg):** 150 mg, toutes les 6 h (capsules ordinaires), ou 300 mg, toutes les 12 h (préparation à libération progressive), jusqu'à concurrence de 800 mg par jour.
■ **PO (adultes < 50 kg):** 400 mg par jour – 100 mg, toutes les 6 h (capsules ordinaires), ou 200 mg, toutes les 12 h (préparation à libération progressive), jusqu'à concurrence de 800 mg par jour.
■ **PO (enfants de 12 à 18 ans) (É.-U.):** de 6 à 15 mg/kg par jour, en doses fractionnées, toutes les 6 h.
■ **PO (enfants de 4 à 12 ans) (É.-U.):** de 10 à 15 mg/kg par jour, en doses fractionnées, toutes les 6 h.
■ **PO (enfants de 1 à 4 ans) (É.-U.):** de 10 à 20 mg/kg par jour, en doses fractionnées, toutes les 6 h.
■ **PO (enfants < 1 an) (É.-U.):** de 10 à 30 mg/kg par jour, en doses fractionnées, toutes les 6 h.

PHARMACODYNAMIE
(effets antiarythmiques)

	DÉBUT D'ACTION	PIC	DURÉE
PO	0,5 – 3,5 h	2,5 h	1,5 – 8,5 h
PO libération progressive	0,5 – 3,5 h	4,9 h	12 h

SOINS INFIRMIERS

ÉVALUATION DE LA SITUATION

☐ Mesurer la pression artérielle et le pouls, et examiner l'ÉCG avant le traitement et à intervalles réguliers pendant toute sa durée. Mesurer le pouls avant d'administrer le médicament. Ne pas administrer la dose et prévenir le médecin si le pouls est inférieur à 60 battements par minute ou supérieur à 120 battements par minute ou si le rythme change considérablement.

☐ Effectuer le bilan quotidien des ingesta et des excreta et peser le patient tous les jours ; suivre quotidiennement l'œdème et la rétention urinaire.

☐ Surveiller l'apparition des signes suivants d'insuffisance cardiaque : œdème périphérique, râles ou crépitations, dyspnée, gain pondéral, turgescence des jugulaires. Avertir le médecin si ces signes apparaissent.

■ **Étude des examens diagnostiques et biochimiques :** Examiner à intervalles réguliers tout au long du traitement les résultats des tests de l'exploration fonctionnelle rénale et hépatique et les concentrations sériques de potassium.

☐ L'administration du disopyramide peut entraîner l'élévation des concentrations sériques d'urée, de cholestérol et des triglycérides.

☐ Le médicament peut entraîner une diminution de la glycémie.

DIAGNOSTICS INFIRMIERS POSSIBLES

■ **Énoncés diagnostiques**

☐ Diminution du débit cardiaque.

☐ Atteinte à l'intégrité de la muqueuse buccale.

☐ Prise en charge inefficace du programme thérapeutique.

☐ *Risque élevé d'accident.*

☐ *Risque élevé de constipation.*

■ **Facteurs favorisants**

☐ Informations incomplètes.

☐ *Perturbation de la vigilance.*

☐ *Manque de connaissances sur les effets hypotensifs du médicament lors des changements brusques de position.*

☐ *Manque de connaissances sur les moyens de stimuler la fonction intestinale.*

INTERVENTIONS INFIRMIÈRES

■ **Directives générales :** Lors du passage du sulfate de quinidine ou du procaï-

namide au disopyramide, administrer la dose d'entretien habituelle de disopyramide de 6 à 12 h après la dernière dose de sulfate de quinidine ou de 3 à 6 h après la dernière dose de procaïnamide.

☐ La préparation à libération progressive est indiquée pour le traitement d'entretien seulement. Lors du passage de la préparation ordinaire à la préparation à libération progressive, administrer la première dose de la préparation à libération progressive 6 h après la dernière dose de préparation ordinaire.

■ **PO :** Administrer le médicament à jeun, 1 h avant les repas ou 2 h après. Les capsules à libération progressive doivent être avalées telles quelles, sans être brisées, broyées ni mâchées.

☐ Le pharmacien peut préparer une suspension avec des capsules à 100 mg et du sirop au parfum de cerise.

ENSEIGNEMENT AU PATIENT ET À SES PROCHES

☐ Expliquer au patient qu'il doit prendre le médicament 24 h sur 24, en respectant scrupuleusement la posologie recommandée. L'avertir qu'il ne doit pas arrêter de prendre le médicament sans consulter au préalable le médecin. Lui expliquer que s'il n'a pu prendre le médicament au moment habituel, il doit le prendre dès que possible, à moins qu'il ne reste que 4 h avant l'heure prévue pour la dose suivante. L'avertir qu'il ne faut jamais remplacer une dose manquée par une double dose.

☐ Prévenir le patient que le disopyramide peut provoquer des étourdissements. Lui conseiller de ne pas conduire et d'éviter les activités qui exigent sa vigilance jusqu'à ce qu'on ait la certitude que le médicament n'entraîne pas cet effet chez lui.

☐ Conseiller au patient de changer lentement de position pour réduire les risques d'hypotension orthostatique.

- Conseiller au patient de pratiquer une bonne hygiène orale, de se rincer la bouche fréquemment avec de l'eau et de consommer de la gomme à mâcher ou des bonbons sans sucre pour diminuer la sécheresse de la bouche.
- Mettre en garde le patient contre les écarts de température étant donné que ce médicament peut entraîner une altération de la régulation thermique. Lui conseiller d'utiliser un écran solaire et de porter des vêtements protecteurs afin de prévenir les réactions de photosensibilité.
- Recommander au patient de consulter le médecin ou le pharmacien avant de prendre des médicaments en vente libre et d'éviter de consommer de l'alcool en même temps que ce médicament.
- Si la constipation devient gênante, inciter le patient à augmenter sa consommation de liquides et d'aliments riches en fibres et de faire plus d'exercice pour réduire cet effet secondaire.
- Recommander au patient de contacter le médecin si la sécheresse de la bouche, la miction difficile, la constipation ou la vision trouble persistent.

VÉRIFICATION DES RÉSULTATS

L'efficacité du traitement peut être démontrée par : ■ la réduction des contractions ventriculaires prématurées et de la tachycardie ventriculaire ■ la prévention d'autres arythmies.

DISULFIRAME
Antabuse

CLASSIFICATION :
Traitement de l'alcoolisme

Grossesse – catégorie inconnue

INDICATIONS

■ Traitement de l'alcoolisme ■ Prévention de l'abus après une période d'abstinence dans le cadre d'un programme combinant le soutien affectif et la psychothérapie.

ACTION

■ Inhibition de l'enzyme aldéhyde déshydrogénase se traduisant par une accumulation de concentrations toxiques d'alcétaldéhyde après ingestion d'alcool. **Effets thérapeutiques :** ■ Induction d'une réaction pénible d'hypersensibilité par suite de l'ingestion d'alcool (réaction au disulfirame ou syndrome d'acétaldéhyde).

PHARMACOCINÉTIQUE

Absorption : Absorption rapide par suite de l'administration par voie orale, mais l'effet est retardé.
Distribution : Au départ, le médicament se répartit dans les tissus adipeux.
Métabolisme et excrétion : Métabolisme hépatique. Une fraction de 5 à 20 % du médicament est excrétée à l'état inchangé dans les fèces.
Demi-vie : Inconnue. Une fraction allant jusqu'à 20 % reste dans l'organisme pendant 7 jours.

CONTRE-INDICATIONS ET PRÉCAUTIONS

Contre-indications : ■ Antécédents de réactions allergiques au disulfirame ou eczéma de contact au caoutchouc (dérivés du thiurame) ■ Intoxication par l'alcool ■ Maladie cardiovasculaire ■ Psychoses. **Précautions :** ■ Diabète sucré ■ Hypothyroïdie ■ Convulsions ou tracé anormal de l'ÉCG ■ Hémorragie cérébrale ■ Néphrite ■ Antécédents de maladie hépatique ■ Antécédents de toxicomanie ■ Grossesse, allaitement ou enfants (l'innocuité du médicament n'a pas été établie).

RÉACTIONS INDÉSIRABLES ET EFFETS SECONDAIRES

SNC : somnolence, fatigue, impuissance, céphalées, vertiges, insomnie, démarche anormale, troubles de l'élocution, désorientation, confusion, changements de personnalité, convulsions, délirium, psychoses, comportement bizarre.

ORLO: névrite optique.

GU: impuissance.

Tég.: rash acnéiforme, eczéma allergique.

Hémat.: dyscrasie.

SN: neuropathie périphérique, polynévrite.

Divers: ingestion d'alcool ou application d'alcool sur la peau se traduisant par une réaction au disulfirame (voir interactions médicament-médicament).

INTERACTIONS

Médicament – médicament: ■ L'usage concomitant d'**alcool** sous toutes ses formes (préparation pour la toux et le rhume, liniments cutanés, lotions après-rasage) entraîne une réaction au disulfirame ■ Le disulfirame augmente les concentrations sanguines de **phénytoïne**, d'**isoniazide**, de **métronidazole**, de **diazépam**, de **chlordiazépoxide** et de **paraldéhyde** et le risque de toxicité. **Médicament – aliments:** ■ La consommation simultanée de tout aliment contenant de l'**alcool** entraîne une réaction au disulfirame.

VOIES D'ADMINISTRATION ET POSOLOGIE

PO (adultes): 500 mg par jour, pendant 1 ou 2 semaines, puis 250 mg par jour (posologie habituelle: de 125 à 500 mg par jour).

PHARMACODYNAMIE (capacité de produire une réaction au disulfirame après prise d'alcool)

	DÉBUT D'ACTION	PIC	DURÉE
PO	5 – 10 min (3 – 12 h)*	inconnu	1 – 2 semaines

* La réaction s'amorce de 5 à 10 min après l'ingestion de l'alcool lors de l'usage régulier du disulfirame. Après la dose initiale, la réaction peut ne se manifester que 12 h plus tard.

☀ SOINS INFIRMIERS

ÉVALUATION DE LA SITUATION

■ Déterminer si le patient a pris de l'alcool, sous quelque forme que ce soit, dans les 12 h qui précèdent l'administration du disulfirame. Les patients ne devraient pas avoir consommé d'alcool au moins pendant les 12 h qui précèdent le début du traitement.

■ **Étude des examens diagnostiques et biochimiques:** Examiner la numération globulaire à intervalles réguliers et les concentrations des électrolytes tous les 6 mois tout au long du traitement.

☐ Des doses de 500 mg par jour peuvent entraîner l'élévation des concentrations sériques de cholestérol.

☐ Examiner les résultats des tests de l'exploration fonctionnelle hépatique avant le traitement et à intervalles réguliers pendant toute sa durée. Le disulfirame peut entraîner une élévation des concentrations de TGOS (AST) et de TGPS (ALT).

DIAGNOSTICS INFIRMIERS POSSIBLES

■ **Énoncés diagnostiques**

☐ Stratégies d'adaptation individuelle inefficaces.

☐ Prise en charge inefficace du programme thérapeutique.

☐ *Risque élevé d'accident.*

■ **Facteurs favorisants**

☐ Informations incomplètes.

☐ *Perturbation de la vigilance.*

☐ *Consommation d'alcool.*

INTERVENTIONS INFIRMIÈRES

■ **Directives générales:** Ne *jamais* administrer le disulfirame à l'insu du patient.

☐ Avant d'administrer le disulfirame, vérifier la teneur en alcool des autres médicaments que prend le patient. Administrer 12 h après la prise de toute préparation contenant de l'alcool.

☐ La plupart des spécialistes considèrent que le test alcool-disulfirame est inutile et qu'il peut entraîner une toxicité médicamenteuse accrue. On considère que la description détaillée de la réaction qui découle de l'ingestion de l'alcool est généralement suffisante pour dissuader le patient de consommer de l'alcool durant le traitement. Si le test s'avère nécessaire, il doit être effectué sous une étroite surveillance médicale dans une salle où les installations sont adéquates et où il existe la possibilité d'administrer de l'oxygène au cas où une réaction grave se produirait. Ce test ne doit pas être effectué chez les patients de plus de 50 ans. Il consiste à administrer 15 mL d'alcool à 100° après une semaine ou deux de traitement au disulfirame. On peut répéter l'administration une fois de plus sans dépasser la dose de 30 mL d'alcool. Arrêter l'administration de l'alcool aux premières manifestations des symptômes.

■ **PO :** On peut broyer les comprimés et les mélanger avec des boissons.

ENSEIGNEMENT AU PATIENT ET À SES PROCHES

☐ Expliquer au patient la nature du médicament, la réaction disulfirame-alcool et ses conséquences. Insister sur l'importance de l'observance du traitement au disulfirame. Lui expliquer qu'il devrait éviter de prendre de l'alcool sous quelque forme que ce soit incluant la bière, le vin, les spiritueux, le vinaigre, les préparations pour la toux, les sauces, les lotions après-rasage, les liniments et les eaux de cologne. Prévenir le patient que la consommation d'alcool moins de 12 h avant ou moins de 14 jours après l'administration du médicament peut susciter une réaction disulfirame-alcool qui se manifeste par la vision trouble, des douleurs thoraciques, la confusion, des étourdissements ou des évanouissements, des battements

de cœur puissants ou rapides, des bouffées vasomotrices, des rougeurs au niveau du visage, des nausées, des vomissements, la dyspnée, des sueurs, la faiblesse grave, des convulsions, un infarctus du myocarde, l'inconscience et la mort. Les effets de cette réaction peuvent durer entre 30 min et plusieurs heures.

☐ Recommander au patient de vérifier la teneur en alcool de tous les médicaments qu'il prend.

☐ Prévenir le patient que le disulfirame peut provoquer de la somnolence. Lui conseiller de ne pas conduire et d'éviter les activités qui exigent sa vigilance jusqu'à ce qu'on ait la certitude que le médicament n'entraîne pas cet effet chez lui.

☐ Mettre en garde le patient contre la consommation de dépresseurs du SNC durant le traitement au disulfirame.

☐ Inciter le patient à toujours porter sur lui une pièce d'identité où est inscrit son traitement médicamenteux. Lui recommander de prévenir le médecin en cas de changement de la vision ou de rash.

☐ Insister sur l'importance des examens médicaux de suivi permettant de déterminer l'efficacité du traitement à long terme et la participation du patient au traitement de l'alcoolisme.

VÉRIFICATION DES RÉSULTATS

L'efficacité du traitement peut être démontrée par : le maintien de la sobriété lors du traitement de l'alcoolisme chronique ou le refus de consommer de l'alcool.

DOBUTAMINE
Dobutrex

CLASSIFICATION :
Agent inotrope

Grossesse – catégorie inconnue

D

INDICATIONS

Traitement de courte durée de l'insuffisance cardiaque attribuable à une contractilité réduite entraînée par une maladie cardiaque organique ou à une intervention chirurgicale.

ACTION

■ Stimulation des récepteurs bêta-adrénergiques (du myocarde) avec des effets relativement minimes sur la fréquence cardiaque ou sur les vaisseaux sanguins périphériques. **Effets thérapeutiques :** ■ Élévation du débit cardiaque sans augmentation notable de la fréquence cardiaque.

PHARMACOCINÉTIQUE

Absorption : La dobutamine est réservée à la perfusion IV ; dans ce cas, sa biodisponibilité est totale.
Distribution : Inconnue.
Métabolisme et excrétion : Le médicament est métabolisé par le foie et les autres tissus.
Demi-vie : 2 min.

CONTRE-INDICATIONS ET PRÉCAUTIONS

Contre-indications : ■ Hypersensibilité ■ Hypersensibilité aux bisulfites (la dobutamine contient du bisulfite) ■ Rétrécissement aortique sous-valvulaire hypertrophique idiopathique.
Précautions : ■ Infarctus du myocarde ■ Fibrillation auriculaire (il est recommandé d'administrer des dérivés digitaliques en prémédication) ■ Grossesse, allaitement et enfants (l'innocuité du médicament n'a pas été établie).

RÉACTIONS INDÉSIRABLES ET EFFETS SECONDAIRES

SNC : céphalées.
Resp. : essoufflements.
CV : <u>tachycardie</u>, <u>hypertension</u>, <u>contractions ventriculaires prématurées</u>, angine de poitrine.
GI : nausées, vomissements.

Divers : douleurs thoraciques non angineuses.

INTERACTIONS

Médicament – médicament : ■ L'administration concomitante de **nitroprusside** peut produire un effet de synergie sur l'élévation du débit cardiaque ■ Les **bêtabloquants**, administrés simultanément, peuvent contrecarrer l'effet de la dobutamine ■ Risque accru d'arythmies ou d'hypertension lors de l'administration simultanée de certains **anesthésiques** (**cyclopropane, halothane**), **inhibiteurs de la MAO**, **agents ocytociques** ou **antidépresseurs tricycliques**.

VOIES D'ADMINISTRATION ET POSOLOGIE

Remarque : Consulter le tableau des vitesses de la perfusion qui se trouve à l'annexe D.
IV (adultes) : perfusion de 2,5 à 10 µg/kg à la minute jusqu'à concurrence de 40 µg/kg à la minute.

PHARMACODYNAMIE (effets inotropes)

	DÉBUT D'ACTION	PIC	DURÉE
IV	1 – 2 min	10 min	brève (quelques minutes)

☀ SOINS INFIRMIERS

ÉVALUATION DE LA SITUATION

☐ Mesurer la pression artérielle et le pouls, suivre de près l'ECG, mesurer la pression des capillaires pulmonaires, le débit cardiaque, la pression veineuse centrale et le débit urinaire continuellement durant l'administration de la dobutamine.

☐ Chez la plupart des patients, on note une augmentation de la pression systolique de 10 à 20 mmHg et une accélération de la fréquence cardiaque de 5 à 15 battements par minute. Suivre de près le patient à la recherche d'une élévation marquée de la pression artérielle et de la fréquence cardiaque ou d'une excitation ectopique. Ces signes peuvent dicter une réduction de la dose. En informer le médecin.

□ Chez les patients diabétiques, une augmentation de la dose d'insuline peut s'avérer nécessaire. Mesurer soigneusement la glycémie.

■ **Toxicité et surdosage :** En cas de surdosage, la réduction de la dose ou l'arrêt de l'administration est le seul traitement nécessaire en raison de la courte durée d'action de la dobutamine.

DIAGNOSTICS INFIRMIERS POSSIBLES

■ **Énoncés diagnostiques**
□ Diminution du débit cardiaque.
□ Atteinte à l'intégrité des tissus cutanés.

■ **Facteurs favorisants**
□ *Manque de connaissances sur la méthode d'administration du médicament.*

INTERVENTIONS INFIRMIÈRES

■ **Directives générales :** Avant d'amorcer le traitement à la dobutamine, il faut corriger l'hypovolémie avec des solutions d'expansion volémique.

■ **IV :** Reconstituer le contenu de la fiole de 250 mg avec 10 mL d'eau stérile ou de solution de dextrose à 5 % dans de l'eau pour injection. Si le médicament n'est pas complètement dissous, ajouter 10 mL de diluant de plus. Diluer dans au moins 50 mL de solution de dextrose à 5 % dans de l'eau, de NaCl à 0,9 %, de lactate de sodium, de NaCl à 0,45 %, de dextrose à 5 % dans une solution de NaCl à 0,45 % ou à 0,9 % ou de dextrose à 5 % dans une solution de lactate Ringer, ou de lactate Ringer. Les concentrations standard se situent entre 250 µg/mL et 1 000 µg/mL. Les concentrations ne devraient pas dépasser 5 mg de dobutamine par mL. La couleur légèrement rosée de la solution n'altère en rien sa puissance. La solution est stable pendant 24 h à la température ambiante.

■ **Perfusion continue :** Administrer par une pompe à perfusion. La vitesse d'administration doit être adaptée d'après la réponse du patient (fréquence cardiaque, présence d'une activité ectopique, pression artérielle, débit urinaire, pression veineuse centrale, pression des capillaires pulmonaires, débit cardiaque) ; voir l'annexe D.

■ **Associations compatibles dans la même seringue :** Héparine ou ranitidine.

■ **Compatibilités (tubulure en Y) :** Amrinone, atracurium, brétylium, chlorure de calcium, chlorure de potassium, diazépam, dopamine, énalaprilate, famotidine, gluconate de calcium, insuline, lidocaïne, nitroglycérine, nitroprusside de sodium, pancuronium, ranitidine, streptokinase, sulfate de magnésium, tolazoline, vécuronium, vérapamil ou zidovudine.

■ **Incompatibilités (tubulure en Y) :** Acyclovir, alteplase, aminophylline, foscarnet ou phytonadione.

■ **Compatibilités en addition au soluté :** Atropine, bitartrate de métaraminol, dopamine, épinéphrine, hydralazine, isoprotérénol, lidocaïne, mépéridine, morphine, nitroglycérine, norépinéphrine, phentolamine, phényléphrine, procaïnamide, propranolol ou ranitidine.

■ **Incompatibilités en addition au soluté :** Acyclovir, aminophylline, bicarbonate de sodium, bumétanide, diazépam, digoxine, furosémide, gluconate de calcium, insuline, phénytoïne, phosphate de potassium ou sulfate de magnésium.

ENSEIGNEMENT AU PATIENT ET À SES PROCHES

□ Expliquer au patient la raison pour laquelle on doit administrer ce médicament et assurer une surveillance étroite.

□ Recommander au patient de prévenir l'infirmière immédiatement en cas de douleur ou de gêne au point de ponction.

VÉRIFICATION DES RÉSULTATS

L'efficacité du traitement peut être démontrée par : ■ l'élévation du débit cardiaque □ l'amélioration des paramètres hémodynamiques □ l'augmentation du débit urinaire.

DOCUSATE

DOCUSATE CALCIQUE
Albert Docusate, Calax, Colax-C, Doxate-C, PMS-Docusate Calcium, Surfak, (Pro-Cal-Sof)

DOCUSATE POTASSIQUE
(Dialose), (Diocto-K), (Kasof)

DOCUSATE SODIQUE
Colace, Colax-S, Doxate-S, PMS-Docusate Sodium, Regulex, Selax, Silace, (Afko-Lube), (Diocto), (Dioeze), (Diosuccin), (Diosul), (Disonate), (DiSosul), (Doss), (DOSS), (Doxinate), (DSS), (Duosol), (Laxinate 100), (Modane Soft), (Pro-Sof), (Regulax SS), (Regutol), (Stulex)

CLASSIFICATION :
Laxatif émollient

Grossesse – catégorie C

INDICATIONS

■ **PO :** Prévention de la constipation (chez les patients devant éviter les efforts reliés à la défécation comme ceux ayant subi un infarctus du myocarde ou une chirurgie au rectum) ■ **PR :** Lavement pour ramollir un fécalome.

ACTION

■ Effet favorable sur l'incorporation de l'eau dans les selles entraînant le ramollissement de la masse fécale ■ Effet favorable sur la sécrétion d'électrolytes et d'eau dans le côlon. **Effets thérapeutiques :** ■ Ramollissement et émission des selles.

PHARMACOCINÉTIQUE

Absorption : Par suite de l'administration par voie orale, de petites quantités peuvent être absorbées depuis l'intestin grêle. L'absorption depuis le rectum est inconnue.

Distribution : Inconnue.

Métabolisme et excrétion : Les quantités absorbées par suite de l'administration par voie orale sont éliminées dans la bile.

Demi-vie : Inconnue.

CONTRE-INDICATIONS ET PRÉCAUTIONS

Contre-indications : ■ Hypersensibilité ■ Douleurs abdominales, nausées ou vomissements, particulièrement si ces symptômes s'accompagnent de fièvre ou d'autres signes d'abdomen aigu.

Précautions : ■ Administration excessive ou prolongée (risque de dépendance) ■ Précédents d'administration chez les femmes enceintes ou allaitantes ■ Usage déconseillé si l'on souhaite obtenir des résultats rapides.

RÉACTIONS INDÉSIRABLES ET EFFETS SECONDAIRES

ORLO : irritation de la gorge.
GI : crampes légères.
Tég. : rash.

INTERACTIONS

Médicament – médicament : Aucune interaction notable.

PRÉSENTATION

Le docusate existe en association avec d'autres agents (voir l'annexe A).

VOIES D'ADMINISTRATION ET POSOLOGIE

Docusate calcique
■ **PO (adultes) :** 240 mg, une fois par jour.

D

- **PO (enfants ≥ 6 ans et adultes ayant des besoins minimes):** de 50 à 150 mg, une fois par jour.

Docusate potassique (É.-U.)
- **PO (adultes):** de 100 à 300 mg, une fois par jour.
- **PO (enfants ≥ 6 ans):** 100 mg, une fois par jour, au coucher.

Docusate sodique
- **PO (adultes et enfants plus âgés):** de 100 à 200 mg, en une seule dose ou en doses fractionnées.
- **PO (enfants de 6 à 12 ans):** de 40 à 120 mg, en une seule dose ou en doses fractionnées.
- **PO (enfants de 3 à 6 ans):** de 20 à 60 mg, en une seule dose ou en doses fractionnées.
- **PO (enfants < 3 ans):** de 10 à 40 mg.
- **PR – lavement (adultes):** de 50 à 100 mg ou capsule de 3,9 g contenant 283 mg de docusate sodique, du savon doux et de la glycérine.

PHARMACODYNAMIE
(ramollissement des selles)

	DÉBUT D'ACTION	PIC	DURÉE
PO	1 – 3 jours	inconnu	inconnue
PR	de quelques minutes à quelques heures	inconnu	inconnue

 SOINS INFIRMIERS

ÉVALUATION DE LA SITUATION
- ☐ Surveiller l'apparition d'une distension abdominale, ausculter les bruits intestinaux, observer les habitudes normales de défécation.
- ☐ Noter la couleur, la consistance et la quantité des selles produites.

DIAGNOSTICS INFIRMIERS POSSIBLES
- **Énoncés diagnostiques**
- ☐ Constipation.
- ☐ Prise en charge inefficace du programme thérapeutique.

- **Facteurs favorisants**
- ☐ Informations incomplètes.
- ☐ *Manque de connaissances sur les moyens de stimuler la fonction intestinale.*

INTERVENTIONS INFIRMIÈRES
- **Directives générales:** Ce médicament ne stimule pas le péristaltisme intestinal.
- **PO:** Administrer avec un grand verre d'eau ou de jus. L'administration à jeun produit des résultats plus rapides.
- ☐ On peut diluer la solution orale dans du lait ou du jus de fruits pour en rendre le goût moins amer.

ENSEIGNEMENT AU PATIENT ET À SES PROCHES
- ☐ Prévenir le patient que les laxatifs ne sont destinés qu'à un traitement de courte durée. Lui expliquer que le traitement prolongé peut entraîner un déséquilibre électrolytique et la dépendance.
- ☐ Recommander au patient de prendre d'autres mesures qui favorisent la défécation : augmenter la consommation de fibres alimentaires, boire plus de liquides, faire de l'exercice. Expliquer au patient que chaque personne a ses propres habitudes d'élimination et qu'il est tout aussi normal de déféquer trois fois par jour que trois fois par semaine.
- ☐ Recommander aux patients souffrant d'une cardiopathie d'éviter les efforts reliés à la défécation (manœuvre de Valsalva).
- ☐ Prévenir le patient que les laxatifs sont déconseillés si la constipation s'accompagne de douleurs abdominales, de nausées, de vomissements et de fièvre.

VÉRIFICATION DES RÉSULTATS
L'efficacité du traitement peut être démontrée par: l'émission de selles molles et bien moulées, habituellement dans les 24 à 48 h. Les résultats peuvent ne pas être manifestes avant 3 à 5 jours de traitement.

DOPAMINE
Intropin, Revimine

CLASSIFICATION:
Vasopresseur ; agent inotrope

Grossesse – catégorie C

INDICATIONS
■ Adjuvant aux mesures standard visant à améliorer : □ la pression artérielle □ le débit cardiaque □ le débit urinaire dans le traitement du choc non corrigé par le rétablissement du volume sanguin.

ACTION
■ Les faibles doses (de 0,5 à 2 µg/kg à la minute) stimulent les récepteurs dopaminergiques entraînant la vasodilatation rénale ■ Les doses plus élevées (de 2 à 10 µg/kg à la minute) stimulent les récepteurs dopaminergiques et bêta$_1$-adrénergiques entraînant la stimulation cardiaque et la vasodilatation rénale ■ Les doses supérieures à 10 µg/kg à la minute stimulent les récepteurs alpha-adrénergiques et peuvent provoquer la vasoconstriction rénale. **Effets thérapeutiques :** ■ Élévation du débit cardiaque et de la pression artérielle et amélioration du débit sanguin rénal.

PHARMACOCINÉTIQUE
Absorption : La dopamine est réservée à l'administration par voie IV ; dans ce cas sa biodisponibilité est totale.
Distribution : Par suite de l'administration par voie IV, le médicament se répartit dans tout l'organisme ; il ne traverse cependant pas la barrière hémato-encéphalique.
Métabolisme et excrétion : Métabolisme hépatique, rénal et plasmatique.
Demi-vie : 2 min.

CONTRE-INDICATIONS ET PRÉCAUTIONS
Contre-indications : ■ Tachyarythmies ■ Phéochromocytome.

Précautions : ■ Maladies vasculaires occlusives ■ Grossesse, allaitement et enfants (l'innocuité du médicament n'a pas été établie).

RÉACTIONS INDÉSIRABLES ET EFFETS SECONDAIRES
SNC : céphalées.
ORLO : mydriase (doses élevées).
Resp. : dyspnée.
CV : arythmies, hypotension, palpitations, angine, modification du tracé de l'ÉCG, vasoconstriction.
GI : nausées, vomissements.
Tég. : « chair de poule ».
Locaux : irritation au point d'injection IV.

INTERACTIONS
Médicament – médicament : ■ Les **inhibiteurs de la MAO** ou les **alcaloïdes de l'ergot (ergotamine)**, administrés simultanément, entraînent une hypertension grave ■ La **phénytoïne par voie IV**, administrée simultanément, peut provoquer l'hypotension et la bradycardie ■ Les **anesthésiques généraux**, administrés simultanément, peuvent entraîner des arythmies ■ Les **bêtabloquants** peuvent contrecarrer les effets cardiaques de la dopamine.

VOIES D'ADMINISTRATION ET POSOLOGIE
Remarque : Consulter le tableau des vitesses de perfusion se trouvant à l'annexe D.
■ **IV (adultes) :** Initialement, de 2 à 5 µg/kg/min ; augmenter la dose à intervalles de 10 à 30 min jusqu'à concurrence de 50 µg/kg/min ; adapter la dose selon la réponse hémodynamique et rénale.

PHARMACODYNAMIE
(effets hémodynamiques)

	DÉBUT D'ACTION	PIC	DURÉE
IV	5 min	rapide	< 10 min

☀ SOINS INFIRMIERS

ÉVALUATION DE LA SITUATION

- Mesurer la pression artérielle, le pouls et la fréquence respiratoire, suivre l'ÉCG, et examiner les paramètres hémodynamiques toutes les 5 à 15 min durant et après l'administration. Signaler au médecin tout changement important dans les signes vitaux ou l'apparition d'arythmies. Consulter le médecin au sujet des paramètres du pouls, de la pression artérielle ou des modifications de l'ÉCG pour savoir s'il faut adapter la posologie ou arrêter le traitement.
- ☐ Mesurer le débit urinaire à intervalles fréquents tout au long de l'administration. Prévenir le médecin si le débit urinaire diminue.
- ☐ Palper le pouls périphérique et examiner les membres à intervalles réguliers tout au long de l'administration. Avertir le médecin si la qualité du pouls se détériore ou si les membres deviennent froids ou tachetés.
- ☐ En présence d'hypotension, accélérer la vitesse d'administration. Si l'hypotension persiste, on peut administrer des vasoconstricteurs plus puissants (norépinéphrine).
- **Toxicité et surdosage:** En présence d'une hypertension excessive, ralentir la vitesse de perfusion ou interrompre le traitement jusqu'à ce que la pression artérielle diminue. Bien que des mesures supplémentaires ne soient habituellement pas nécessaires en raison de la courte durée d'action de la dopamine, on peut administrer de la phentolamine si l'hypertension persiste.

DIAGNOSTICS INFIRMIERS POSSIBLES

- **Énoncés diagnostiques**
- ☐ Diminution du débit cardiaque.
- ☐ Atteinte à l'intégrité des tissus.
- ☐ *Risque élevé de douleur au point d'injection IV.*

- **Facteurs favorisants**
- ☐ *Inflammation locale du tissu vasculaire ou infiltration du médicament dans les tissus avoisinants.*

INTERVENTIONS INFIRMIÈRES

- **Directives générales:** Corriger l'hypovolémie avant d'amorcer le traitement par la dopamine.
- ☐ Administrer la préparation dans une grosse veine et examiner souvent le point d'injection. L'extravasation peut entraîner l'irritation, la nécrose ou la desquamation des tissus. En cas d'extravasation, infiltrer la région atteinte avec 10 à 15 mL de solution de NaCl à 0,9 % contenant de 5 à 10 mg de phentolamine.
- **Perfusion continue:** Diluer de 200 à 400 mg de dopamine dans 250 à 500 mL de solution de NaCl à 0,9 %, de dextrose à 5 % dans de l'eau, de dextrose à 5 % dans du lactate Ringer, de dextrose à 5 % dans une solution de NaCl à 0,45 % ou à 0,9 % ou dans du lactate Ringer pour perfusion IV. Les concentrations habituellement utilisées sont de 800 µg/mL ou de 0,8 mg/mL (200 mg/250 mL) et de 1,6 mg/mL (400 mg/250 mL). Diluer juste avant l'administration. La solution qui vire au jaune ou au brun est décomposée. Jeter toute solution qui est trouble, qui change de couleur ou qui contient un précipité. La solution est stable pendant 24 h.
- ☐ *Vitesse d'administration:* Administrer à une vitesse de 2 à 5 µg/kg/min et augmenter par paliers de 1 à 4 µg/kg/min à intervalles de 10 à 30 min jusqu'à l'administration de la dose souhaitée. Administrer la solution par une pompe de perfusion afin de s'assurer que l'on injecte la dose exacte. La vitesse d'administration doit être adaptée selon la réponse du patient: pression artérielle, fréquence cardiaque, débit urinaire, irrigation péri-

phérique, présence d'activité ectopique, débit cardiaque ; voir l'annexe D.

- **Associations compatibles dans la même seringue :** Doxapram, héparine ou ranitidine.
- **Compatibilités (tubulure en Y) :** Amrinone, atracurium, chlorure de potassium, dobutamine, énalaprilate, esmolol, famotidine, foscarnet, héparine, labétalol, lidocaïne, nitroglycérine, nitroprusside sodique, pancuronium, ranitidine, streptokinase, succinate d'hydrocortisone sodique, tolazoline, vécuronium ou vérapamil.
- **Incompatibilités (tubulure en Y) :** Acyclovir ou alteplase.
- **Compatibilités en addition au soluté :** Aminophylline, brétylium, chloramphénicol, chlorure de calcium, chlorure de potassium, dobutamine, héparine, kanamycine, lidocaïne, méthylprednisolone, nitroglycérine, oxacilline, ranitidine, succinate d'hydrocortisone sodique, tétracycline ou vérapamil.
- **Incompatibilités en addition au soluté :** Acyclovir, amphotéricine B, ampicilline, céphalothine ou pénicilline G potassique. La dopamine est inactivée dans les solutions alcalines incluant celles de bicarbonate de sodium (la solution vire au violet).

ENSEIGNEMENT AU PATIENT ET À SES PROCHES

- ☐ Inciter le patient à prévenir immédiatement l'infirmière en cas de douleurs thoraciques, de dyspnée ou d'engourdissements. Lui recommander de prévenir également l'infirmière s'il ressent des picotements ou des brûlures dans les membres.
- ☐ Recommander au patient de prévenir immédiatement l'infirmière s'il ressent une douleur ou une gêne au point d'injection pendant l'administration.

VÉRIFICATION DES RÉSULTATS

L'efficacité du traitement peut être démontrée par : ■ l'élévation de la pression artérielle ☐ l'amélioration de la circulation périphérique ☐ l'augmentation du débit urinaire.

DOXACURIUM
Nuromax

CLASSIFICATION :
Bloqueur neuromusculaire de type non dépolarisant

Grossesse – catégorie C

INDICATIONS

Paralysie des muscles squelettiques et facilitation de l'intubation après induction de l'anesthésie lors d'interventions chirurgicales.

ACTION

- Inhibition de la transmission neuromusculaire par blocage de l'effet de l'acétylcholine à la jonction neuromusculaire. Ce médicament est dépourvu de propriétés analgésiques ou anxiolytiques. **Effets thérapeutiques :** ■ Paralysie des muscles squelettiques.

PHARMACOCINÉTIQUE

Absorption : Le doxacurium est réservé à l'administration par voie IV ; dans ce cas, sa biodisponibilité est totale.

Distribution : Inconnue.

Métabolisme et excrétion : Le doxacurium est principalement excrété à l'état inchangé dans l'urine et la bile.

Demi-vie : De 90 à 120 min (prolongée en cas de transplantation rénale).

CONTRE-INDICATIONS ET PRÉCAUTIONS

Contre-indications : ■ Hypersensibilité au doxacurium ou à l'alcool benzylique ■ Nouveau-nés (l'alcool benzylique peut provoquer des réactions mortelles).

Précautions: ■ Grossesse, allaitement ou enfants de moins de 2 ans (l'innocuité du médicament n'a pas été établie) ■ Patients âgés (début d'action retardé) ■ Anomalies électrolytiques ou acido-basiques (réaction imprévisible) ■ Brûlures (résistance possible au traitement) ■ Maladies neuromusculaires (réponse exagérée).

RÉACTIONS INDÉSIRABLES ET EFFETS SECONDAIRES

Remarque: Presque toutes les réactions indésirables au doxacurium résultent de ses effets pharmacologiques.
Resp.: APNÉE, insuffisance respiratoire.
CV: hypotension.
Tég.: rougeur de la peau.
Loc.: faiblesse musculaire.

INTERACTIONS

Médicament – médicament: ■ La **carbamazépine** et la **phénytoïne** diminuent la durée du blocage et retardent le début d'action du doxacurium ■ L'intensité et la durée de la paralysie peuvent être prolongées par l'administration d'**aminosides**, de **polymyxine B**, de **colistine**, de **clindamycine**, de **lidocaïne**, de **quinidine**, de **procaïnamide**, de **bêtabloquants**, de **magnésium** et de **diurétiques entraînant une déplétion de potassium** ■ L'**isoflurane**, l'**enflurane**, l'**halothane** et la **succinylcholine** potentialisent les effets du médicament (réduire la dose de doxacurium).

VOIES D'ADMINISTRATION ET POSOLOGIE

■ **IV (adultes):** Initialement, 0,025 mg/kg (il faut parfois administrer jusqu'à 0,08 mg/kg pour obtenir un effet prolongé); administrer, de 60 à 100 min plus tard, de 0,005 à 0,01 mg/kg. Répéter l'administration selon les besoins.

■ **IV (enfants de 2 à 12 ans):** Initialement, de 0,03 à 0,05 mg/kg (on doit parfois administrer les doses d'entretien plus souvent que chez les adultes).

PHARMACODYNAMIE

	DÉBUT D'ACTION	PIC	DURÉE
IV*	5 min	inconnu	100 min

* Pour une dose de 0,05 mg/kg chez l'adulte.

SOINS INFIRMIERS

ÉVALUATION DE LA SITUATION

☐ Suivre de près la fonction respiratoire pendant toute la durée du traitement au doxacurium. Le doxacurium ne devrait être administré que par les personnes sachant pratiquer l'intubation endotrachéale; garder à portée de la main le matériel nécessaire à cette intervention.

☐ Évaluer la réponse neuromusculaire au doxacurium pendant l'intervention par la stimulation des nerfs périphériques. La paralysie des muscles est initialement sélective et elle se produit habituellement dans l'ordre suivant: muscles releveurs des paupières, muscles masticateurs, muscles des membres, muscles abdominaux, muscles de la glotte, muscles intercostaux et diaphragme. Le rétablissement de la fonction musculaire se produit habituellement dans l'ordre inverse.

☐ Pendant la période de récupération, suivre de près les symptômes de faiblesse musculaire et de détresse respiratoire.

■ **Toxicité et surdosage:** En cas de surdosage, stimuler les nerfs périphériques pour déterminer le degré de blocage neuromusculaire. Maintenir la perméabilité des voies aériennes et la ventilation jusqu'au rétablissement de la respiration normale.

☐ On peut administrer des agents anticholinestérasiques (néostigmine, pyridostigmine) pour contrecarrer les effets du doxacurium une fois que l'on décèle un certain rétablissement spontané du blocage neuromusculaire. L'atropine est habituellement administrée avant les agents anticholinestérasiques ou en même temps qu'eux pour contrecarrer les effets muscariniques.

☐ Il peut s'avérer nécessaire d'administrer des liquides et des vasodépresseurs pour traiter l'hypotension grave et le choc.

DIAGNOSTICS INFIRMIERS POSSIBLES

■ **Énoncés diagnostiques**

☐ Mode de respiration inefficace.

☐ Altération de la communication verbale.

☐ Peur.

☐ *Risque élevé d'accident.*

■ **Facteurs favorisants**

☐ *Mode de communication altéré par l'intubation endotrachéale.*

☐ *Manque de connaissances sur les modalités du traitement.*

INTERVENTIONS INFIRMIÈRES

■ **Directives générales:** La posologie doit être ajustée selon la réaction du patient.

☐ Le doxacurium ne modifie pas l'état de la conscience ni le seuil de la douleur. Il faut *toujours* assurer une anesthésie adéquate lorsque le doxacurium est utilisé lors d'une intervention chirurgicale en tant qu'adjuvant.

☐ Conserver le médicament à la température ambiante.

■ **IV directe:** Administrer la dose IV initiale sous forme de bolus en 1 min. Il est habituellement nécessaire d'administrer la dose d'entretien 60 min après la dose initiale de 0,025 mg/kg ou 100 min après la dose initiale de 0,05 mg/kg. On peut effectuer une dilution supplémentaire dans une solution de dextrose à 5 % dans de l'eau ou de NaCl à 0,9 %. Administrer le doxacurium dilué dans les 8 h suivant la préparation. Après 8 h, jeter la quantité de doxacurium dilué qui n'a pas été utilisée.

☐ *Vitesse d'administration:* Administrer toutes les 30 à 45 min.

■ **Compatibilités (tubulure en Y):** Solution de dextrose à 5 % dans du NaCl à 0,9 %, lactate Ringer, dextrose à 5 % dans du lactate Ringer, alfentanil, fentanyl ou sufentanil.

■ **Incompatibilités en addition au soluté:** Le doxacurium est incompatible avec la plupart des barbituriques et avec le bicarbonate de sodium; ne pas administrer ces médicaments dans la même seringue ni par la même aiguille lors d'une perfusion.

ENSEIGNEMENT AU PATIENT ET À SES PROCHES

☐ Expliquer toutes les interventions au patient qui reçoit un traitement au doxacurium sans anesthésie générale étant donné que ce médicament, administré seul, ne modifie pas l'état de la conscience.

☐ Expliquer au patient que ses capacités de communication se rétabliront lorsque les effets du médicament s'épuiseront.

VÉRIFICATION DES RÉSULTATS

L'efficacité du traitement peut être démontrée par: la suppression adéquate des soubresauts musculaires, testée par la stimulation de nerfs périphériques, et une paralysie musculaire subséquente.

DOXAPRAM
Dopram

CLASSIFICATION:
Stimulant respiratoire et cérébral

Grossesse – catégorie B

INDICATIONS

■ Usage de courte durée dans des circonstances soigneusement choisies, en association avec d'autres mesures de soutien, dans le traitement de la dépression du SNC et de la dépression respiratoire postopératoires induites par les dépresseurs du SNC ▪ Stimulation postopératoire de courte durée de la respiration profonde en association avec d'autres mesures de soutien ▪ Prévention de l'hypercapnie aiguë durant l'administration d'oxygène aux patients souffrant d'une insuffisance respiratoire aiguë attribuable à une bronchopneumopathie chronique obstructive (traitement de courte durée seulement – moins de 2 h).

ACTION

▪ Faibles doses : stimulation de la respiration par l'activation des récepteurs carotidiens ▪ Doses plus élevées : stimulation directe du centre respiratoire situé dans le bulbe rachidien et stimulation généralisée du SNC. **Effets thérapeutiques :** ▪ Augmentation passagère du volume courant et légère élévation de la fréquence respiratoire sans augmentation de l'oxygénation.

PHARMACOCINÉTIQUE

Absorption : L'administration du doxapram est réservée à la voie IV ; dans ce cas, la biodisponibilité est totale.
Distribution : La distribution chez les humains est inconnue.
Métabolisme et excrétion : Métabolisme rapide. Les métabolites sont principalement excrétés par les reins.
Demi-vie : De 2,4 à 4 h.

CONTRE-INDICATIONS ET PRÉCAUTIONS

Contre-indications : ▪ Hypersensibilité ▪ Utilisation d'un respirateur ▪ Traumatisme à la tête ▪ Convulsions ▪ Volet thoracique ▪ Embolie pulmonaire ▪ Pneumothorax ▪ Fibrose pulmonaire ▪ Asthme aigu ▪ Dyspnée extrême ▪ Maladie cardiovasculaire ou cérébrovasculaire ▪ Nouveau-nés (le médicament contient de l'alcool benzylique).
Précautions : ▪ Antécédents d'asthme ou d'arythmies ▪ Pression intracrânienne accrue ▪ Hyperthyroïdie ▪ Phéochromocytome ▪ Troubles métaboliques graves, non corrigés ▪ Grossesse, allaitement

ou enfants de moins de 12 ans (l'innocuité du médicament n'a pas été établie) ▪ Usage régulier comme stimulant respiratoire (déconseillé).

RÉACTIONS INDÉSIRABLES ET EFFETS SECONDAIRES

SNC : CONVULSIONS[*], céphalées, étourdissements, appréhension, désorientation.
ORLO : myosis, éternuements, haut-le-cœur.
Resp. : dyspnée[*], bronchospasme, laryngospasme, toux, hypoventilation rebond.
CV : pression artérielle élevée[*], tachycardie[*], arythmies[*], hypotension, douleurs thoraciques, modification de la fréquence cardiaque, inversion de l'onde T.
GI : nausées, vomissements, diarrhée, envie de déféquer.
GU : sensation de brûlure périnéale ou génitale, rétention urinaire, mictions spontanées.
Tég. : rougeur, sudation, prurit.
Hémat. : hémolyse.
Locaux : irritation au point d'injection IV.
Métab. : hyperthermie.
Loc. : hyperactivité des muscles squelettiques[*], spasticité musculaire[*], mouvements involontaires[*].
SN : paresthésie, signe de Babinski positif bilatéral, clonus généralisé.

INTERACTIONS

Médicament – médicament : ▪ Les **amines sympathomimétiques** ou les **inhibiteurs de la MAO**, administrés simultanément, peuvent intensifier les effets vasopresseurs du doxapram ▪ Le doxapram peut masquer les effets des **myorelaxants**.

VOIES D'ADMINISTRATION ET POSOLOGIE

Dépression respiratoire après l'anesthésie
▪ **IV (adultes) :** Initialement, de 0,5 à 1 mg/kg (ne pas dépasser 1,5 mg/kg) ; on peut répéter l'administration tou-

---

[*] signes précoces de toxicité.

tes les 5 min jusqu'à concurrence de 2 mg/kg. On peut aussi administrer sous forme de perfusion à un débit de 5 mg/min jusqu'à ce qu'une réponse se manifeste, puis diminuer la vitesse de la perfusion jusqu'à 1 à 3 mg/min (la dose totale par perfusion ne devrait pas dépasser 4 mg/kg).

Dépression du SNC induite par des médicaments

- **IV (adultes):** On peut administrer 2 doses de 1 à 2 mg/kg à un intervalle de 5 min. On peut répéter le traitement 1 ou 2 h plus tard, jusqu'au rétablissement de la respiration spontanée ou jusqu'à l'administration d'une dose totale de 3 g. Si la réponse survient dans l'espace d'une heure ou deux, on peut administrer par perfusion à une vitesse de 1 à 3 mg/min pendant 2 h au maximum. La dose totale ne devrait pas dépasser 3 g en 24 h.

Hypercapnie aiguë

- **IV (adultes):** de 1 à 2 mg/min (jusqu'à concurrence de 3 mg/min).

PHARMACODYNAMIE (augmentation de la ventilation-minute)

	DÉBUT D'ACTION	PIC	DURÉE
IV	20 – 40 sec	1 – 2 min	5 – 12 min

⁂ SOINS INFIRMIERS

ÉVALUATION DE LA SITUATION

- ☐ En raison de la faible marge de sécurité du médicament et de ses indications, il faut garder le patient sous étroite surveillance pendant l'administration du doxapram et dans l'heure qui suit, jusqu'à ce qu'il ait regagné sa pleine conscience.
- ☐ Mesurer l'état de la respiration (fréquence, rythme et profondeur des respirations) ainsi que les gaz artériels. S'assurer que les voies aériennes du patient sont dégagées et qu'il est bien oxygéné. Une rechute de la dépression respiratoire peut se produire si le dépresseur du SNC a une longue durée d'action. Afin de favoriser une dilatation thoracique maximale et de prévenir l'aspiration, placer le patient sur le côté et soulever la tête du lit.
- ☐ Évaluer l'état neurologique (degré de conscience et réflexes tendineux profonds). Prévenir le médecin si les réflexes deviennent hyperactifs ou si une spasticité survient.
- ☐ Mesurer les signes vitaux, examiner l'ÉCG et les paramètres hémodynamiques. Le doxapram peut entraîner la tachycardie, l'hypertension ainsi que l'augmentation du débit cardiaque et de la pression artérielle pulmonaire. Signaler au médecin toute modification importante des paramètres hémodynamiques ainsi que la présence d'arythmies ou de douleurs thoraciques. Les patients souffrant de bronchopneumopathie chronique obstructive sont davantage exposés au risque d'arythmie en raison de l'hypoxie.
- ☐ Noter le poids initial du patient pour assurer l'administration de la dose qui convient.
- ☐ Examiner le point de perfusion. Le doxapram peut entraîner une thrombophlébite (érythème, enflure et douleur ou irritation cutanée).
- **Étude des examens diagnostiques et biochimiques:** Mesurer les gaz artériels avant le traitement et toutes les 30 min pendant toute sa durée. Prévenir immédiatement le médecin en cas d'hypercapnie. Il peut recommander l'arrêt du traitement, l'intubation et la ventilation artificielle.
- ☐ Examiner la concentration d'hémoglobine, l'hématocrite et le nombre d'érythrocytes et de leucocytes. La perfusion rapide peut provoquer l'hémolyse.
- ☐ Le doxapram peut entraîner l'élévation de la concentration sérique d'urée et la protéinurie.

D

■ **Toxicité et surdosage:** La toxicité au doxapram se manifeste par une hypertension grave, la tachycardie et des réflexes hyperactifs ou des convulsions. Arrêter immédiatement la perfusion. On peut maîtriser les convulsions en administrant du diazépam ou un barbiturique à action brève. Garder en tout temps le matériel de réanimation à la portée de la main.

DIAGNOSTICS INFIRMIERS POSSIBLES

■ **Énoncés diagnostiques**
- Mode de respiration inefficace.
- Prise en charge inefficace du programme thérapeutique.
- *Risque élevé d'accident.*
- *Risque élevé de douleur au point d'injection IV.*
- *Risque élevé d'hémolyse.*

■ **Facteurs favorisants**
- Informations incomplètes.
- *Administration trop rapide du médicament par voie IV.*
- *Manque de connaissances sur les modalités du traitement.*

INTERVENTIONS INFIRMIÈRES

■ **Directives générales:** La dose maximale est de 4 mg/kg ou de 3 g au total.
■ **IV directe:** Administrer la préparation par injection IV directe en 5 min.
■ **Perfusion IV:** Diluer 250 mg de doxapram dans 250 mL de solution de dextrose à 5 % dans l'eau, de dextrose à 10 % dans l'eau ou de solution de NaCl à 0,9 % afin d'obtenir une concentration de 1 mg/mL. Diluer 400 mg (contenu d'une fiole de 20 g) dans 180 mL de soluté pour obtenir une concentration de 2 mg/mL. La dose varie en fonction de l'état du patient. La perfusion ne doit pas se prolonger au-delà de 2 h; administrer par une pompe de perfusion afin d'injecter la dose exacte.
■ **Associations compatibles dans la même seringue:** Amikacine, bumétanide, chlorpromazine, cimétidine, cisplatine, cyclophosphamide, deslanoside,

dopamine, doxycycline, épinéphrine, hydroxyzine, imipramine, isoniazide, lincomycine, méthotrexate, nétilmicine, phytonadione, pyridoxine, terbutaline, thiamine, tobramycine ou vincristine.

■ **Associations incompatibles dans la même seringue:** Acide folique, acide ascorbique, aminophylline, céfopérazone, céfotaxime, céfotétane, céfuroxime, dexaméthasone, diazépam, digoxine, dobutamine, furosémide, hydrocortisone, kétamine, méthylprednisolone, minocycline, thiopental ou ticarilline.

■ **Incompatibilités en addition au soluté:** Aminophylline, bicarbonate de sodium ou thiopental.

ENSEIGNEMENT AU PATIENT ET À SES PROCHES

Recommander au patient d'avertir immédiatement l'infirmière si les difficultés respiratoires s'aggravent.

VÉRIFICATION DES RÉSULTATS

L'efficacité du traitement peut être démontrée par: ■ le renversement de la dépression respiratoire et de la dépression du SNC induites par les dépresseurs du SNC ■ le renversement de la dépression respiratoire postopératoire induite par les myorelaxants ■ la prévention de l'insuffisance respiratoire aiguë chez les patients souffrant de bronchopneumopathie chronique obstructive. Le doxapram est rarement utilisé en raison de sa faible marge de sécurité.

DOXAZOSINE
Cardura

CLASSIFICATION:
Antihypertenseur – adrénolytique à action périphérique
Grossesse – catégorie B

INDICATIONS

Hypertension – en monopharmacie ou en association avec d'autres agents.

ACTION

■ Dilatation des artères et des veines par blocage des récepteurs alpha$_1$-adrénergiques postsynaptiques. **Effets thérapeutiques:** ■ Abaissement de la pression artérielle.

PHARMACOCINÉTIQUE

Absorption: Bonne absorption par suite de l'administration par voie orale.
Distribution: Inconnue. Le médicament semble pénétrer dans le lait maternel. Une fraction de 98 % se lie aux protéines plasmatiques.
Métabolisme et excrétion: La doxazosine est fortement métabolisée par le foie.
Demi-vie: 22 h.

CONTRE-INDICATIONS ET PRÉCAUTIONS

Contre-indication: Hypersensibilité.
Précautions: ■ Grossesse, allaitement ou enfants (l'innocuité du médicament n'a pas été établie) ■ Dysfonction hépatique.

RÉACTIONS INDÉSIRABLES ET EFFETS SECONDAIRES

SNC: étourdissements, céphalées, dépression, somnolence, nervosité, faiblesse, fatigue.
ORLO: épistaxis, vision trouble, vision anormale, conjonctivite, vertiges.
Resp.: dyspnée.
CV: hypotension orthostatique induite par la première dose, palpitations, arythmies, douleurs thoraciques, œdème.
GI: nausées, vomissements, sécheresse de la bouche (xérostomie), diarrhée, constipation, gêne abdominale, flatulence.
GU: diminution de la libido, dysfonction sexuelle.
Tég.: rougeur, rash.
Loc.: arthrite, arthralgie, myalgie, goutte.

INTERACTIONS

Médicament–médicament: ■ Hypotension additive lors de l'administration concomitante d'autres **antihypertenseurs** ou de **dérivés nitrés** et lors de l'ingestion d'**alcool** ■ Les **anti-inflammatoires non stéroïdiens** peuvent diminuer les effets antihypertenseurs de la doxazosine.

VOIES D'ADMINISTRATION ET POSOLOGIE

PO (adultes): 1 mg, une fois par jour; on peut augmenter cette dose jusqu'à 2 à 16 mg par jour; l'incidence de l'hypotension posturale augmente considérablement à des doses supérieures à 4 mg par jour.

PHARMACODYNAMIE

	DÉBUT D'ACTION	PIC	DURÉE
PO	inconnu	2 – 6 h	24 h

☀ SOINS INFIRMIERS

ÉVALUATION DE LA SITUATION

☐ Mesurer la pression artérielle et le pouls à des intervalles fréquents pendant les 2 à 6 h qui suivent l'administration de la dose durant la période initiale d'ajustement de la posologie et lors de chaque augmentation de la dose et, à intervalles réguliers, pendant tout le traitement. Signaler au médecin tout changement important.
☐ Déceler l'hypotension orthostatique induite par la première dose et la syncope. L'incidence de ces effets peut être reliée à la dose. Suivre de près le patient durant cette période et prendre les précautions nécessaires afin de prévenir les accidents.
☐ Effectuer le bilan quotidien des ingesta et des excreta et peser le patient tous les jours; surveiller quotidiennement l'apparition d'œdème, particulièrement en début de traitement. Signaler au médecin tout gain pondéral ou la présence d'œdème.

D

- **Étude des examens diagnostiques et biochimiques :** Le médicament peut entraîner l'élévation des concentrations sériques de sodium.

DIAGNOSTICS INFIRMIERS POSSIBLES

- **Énoncés diagnostiques**
- ☐ Risque élevé d'accident.
- ☐ Prise en charge inefficace du programme thérapeutique.
- ☐ Non-observance du traitement médicamenteux.
- ☐ *Risque élevé de réponse insuffisante au traitement.*

- **Facteurs favorisants**
- ☐ Informations incomplètes.
- ☐ Doute quant aux bienfaits du médicament.
- ☐ *Perturbation de la vigilance.*
- ☐ *Manque de connaissances sur les effets hypotensifs du médicament lors des changements brusques de position.*

INTERVENTIONS INFIRMIÈRES

La doxazosine peut être administrée en même temps qu'un diurétique ou un autre antihypertenseur.

ENSEIGNEMENT AU PATIENT ET À SES PROCHES

- ☐ Expliquer au patient qu'il doit continuer à prendre la doxazosine même s'il se sent mieux. Lui recommander de prendre le médicament au même moment chaque jour. S'il n'a pu prendre le médicament au moment habituel, il devrait le prendre dès que possible à moins qu'il ne soit presque l'heure prévue pour la dose suivante. Prévenir le patient qu'il ne doit jamais remplacer une dose manquée par une double dose.
- ☐ Inciter le patient à suivre d'autres mesures de réduction de l'hypertension : perdre du poids, réduire sa consommation de sel, cesser de fumer, boire avec modération, faire régulièrement de l'exercice et diminuer le stress.

- ☐ Montrer au patient et à ses proches comment mesurer la pression artérielle. Leur recommander de prendre la pression artérielle une fois par semaine au moins et de signaler au médecin tout changement important.
- ☐ Prévenir le patient que la doxazosine peut entraîner de la somnolence ou des étourdissements. Lui conseiller de ne pas conduire et d'éviter les activités qui exigent sa vigilance jusqu'à ce qu'on ait la certitude que le médicament n'entraîne pas ces effets chez lui.
- ☐ Recommander au patient de changer lentement de position pour prévenir l'hypotension orthostatique.
- ☐ Conseiller au patient de consulter le médecin ou le pharmacien avant de prendre un médicament contre la toux, le rhume ou les allergies en même temps que la doxazosine. Lui conseiller également de limiter sa consommation de café, de thé ou de boissons à base de cola.
- ☐ Insister sur l'importance des examens de suivi permettant d'évaluer les bienfaits de son traitement.

VÉRIFICATION DES RÉSULTATS

L'efficacité du traitement peut être démontrée par : la baisse de la pression artérielle sans que des effets secondaires se manifestent.

DOXÉPINE
Novo-Doxepin, Sinéquan, Triadapin, (Adapin)

CLASSIFICATION :
Antidépresseur tricyclique

Grossesse catégorie C

INDICATIONS

- Traitement de diverses formes de dépression endogène, en association avec la psychothérapie ■ Traitement de l'anxiété. **Usage non approuvé :** ■ Traitement de divers syndromes douloureux chroniques.

ACTION

■ Inhibition du recaptage de la noradrénaline et de la sérotonine par les neurones présynaptiques ; en raison de l'accumulation de ces neurotransmetteurs, leur activité est plus forte ■ La doxépine est également douée de propriétés anticholinergiques importantes. **Effets thérapeutiques :** ■ Soulagement de la dépression ■ Diminution de l'anxiété.

PHARMACOCINÉTIQUE

Absorption : Bonne absorption à partir du tractus gastro-intestinal, bien que la plus grande partie du médicament soit métabolisée lors du premier passage dans le foie.
Distribution : Le médicament se répartit dans tout l'organisme. Il pénètre dans le lait maternel et traverse probablement le placenta.
Métabolisme et excrétion : Métabolisme hépatique. Une fraction est transformée en un composé antidépresseur actif. Le médicament peut se retrouver de nouveau dans les liquides gastriques par suite du passage dans le cycle entérohépatique ; à partir de là, il peut être absorbé de nouveau.
Demi-vie : De 8 à 25 h.

CONTRE-INDICATIONS ET PRÉCAUTIONS

Contre-indications : ■ Hypersensibilité ■ Glaucome à angle étroit ■ Grossesse et allaitement ■ Période suivant immédiatement un infarctus du myocarde.
Précautions : ■ Personnes âgées ■ Maladie cardiovasculaire préexistante (risque accru de réactions indésirables) ■ Hypertrophie de la prostate (risque accru de rétention urinaire) ■ Convulsions ■ Effets secondaires anticholinergiques (modifier la dose ou arrêter le traitement) ■ Posologie à adapter lentement ;

la réponse thérapeutique peut ne devenir manifeste qu'au bout de 6 semaines.

RÉACTIONS INDÉSIRABLES ET EFFETS SECONDAIRES

SNC : somnolence, sédation, léthargie, fatigue, confusion, agitation, hallucinations.
ORLO : vision trouble, pression intraoculaire accrue.
CV : hypotension, anomalies de l'ÉCG, arythmies.
GI : sécheresse de la bouche (xérostomie), constipation, iléus paralytique, hépatite, nausées, gain d'appétit.
GU : rétention urinaire.
Tég. : rash, photosensibilité.
Hémat. : dyscrasie, thrombocytopénie.
Divers : réactions d'hypersensibilité.

INTERACTIONS

Médicament – médicament : ■ La doxépine peut provoquer l'hypotension, la tachycardie et des réactions qui peuvent être mortelles lors de l'administration concomitante d'**inhibiteurs de la MAO** (éviter l'administration conjointe ; interrompre le traitement deux semaines avant d'administrer la doxépine) ■ Le médicament peut entraver la réponse thérapeutique à la plupart des **antihypertenseurs** ■ La doxépine peut provoquer une hypertension grave lorsqu'elle est administrée en même temps que la **clonidine** (éviter l'administration conjointe) ■ Effets dépresseurs additifs sur le SNC lors de l'usage concomitant d'autres **dépresseurs du SNC** dont l'**alcool**, les **antihistaminiques**, les **analgésiques narcotiques** et les **hypnosédatifs** ■ Les effets secondaires **adrénergiques et anticholinergiques** peuvent être additifs lors de l'administration d'**autres agents doués de ces propriétés** ■ La **cimétidine**, la **fluoxétine**, les **phénothiazines** ou les **contraceptifs oraux** augmentent les concentrations de doxépine et peuvent provoquer une toxicité ■ La doxépine peut provoquer un syndrome cérébral organique

D

lors de l'administration conjointe de **disulfirame** ▪ Le **tabac** peut accélérer le métabolisme de la doxépine et en diminuer l'efficacité.

VOIES D'ADMINISTRATION ET POSOLOGIE

▪ **PO (adultes)**: de 10 à 150 mg par jour, en une seule fois, au coucher, ou en 2 ou 3 doses fractionnées ; augmenter graduellement la dose jusqu'à concurrence de 300 mg par jour ; (la dose unique ne doit pas dépasser 150 mg).

PHARMACODYNAMIE
(effet antidépresseur)

	DÉBUT D'ACTION	PIC	DURÉE
PO	2 – 3 semaines	jusqu'à 6 semaines	plusieurs jours ou semaines

SOINS INFIRMIERS

ÉVALUATION DE LA SITUATION

▪ **Directives générales :** Mesurer la pression artérielle et le pouls avant l'administration du médicament et pendant toute la durée du traitement initial.

▪ **Dépression :** Examiner fréquemment l'état de la conscience du patient. La confusion, l'agitation et des hallucinations peuvent survenir au cours du traitement initial et peuvent dicter la réduction de la dose. Surveiller les sautes d'humeur. Rester à l'affût des tendances suicidaires, particulièrement en début de traitement. Diminuer la quantité de médicament dont le patient peut disposer.

▪ **Douleur :** Noter le type de douleur, ainsi que son siège et son intensité avant le traitement et à intervalles réguliers pendant toute sa durée.

▪ **Étude des examens diagnostiques et biochimiques :** Examiner à intervalles réguliers la numération et la formule leucocytaires, les résultats des tests de l'exploration fonctionnelle hépa-

tique et la glycémie. La doxépine peut élever les concentrations sériques de bilirubine et de phosphatase alcaline. Elle peut provoquer l'aplasie médullaire. La concentration de glucose sérique peut augmenter ou diminuer.

DIAGNOSTICS INFIRMIERS POSSIBLES

▪ **Énoncés diagnostiques**
☐ Stratégies d'adapatation individuelle inefficaces.
☐ Risque élevé d'accident.
☐ Prise en charge inefficace du programme thérapeutique.
☐ *Risque élevé de réaction allergique.*
☐ *Risque élevé de constipation.*
☐ *Risque élevé d'exacerbation des symptômes.*

▪ **Facteurs favorisants**
☐ Informations incomplètes.
☐ *Arrêt brusque du traitement.*
☐ *Perturbation de la vigilance.*
☐ *Manque de connaissances sur les effets secondaires du médicament.*

INTERVENTIONS INFIRMIÈRES

▪ **Directives générales :** On peut administrer la dose totale au coucher afin de réduire la sédation diurne. Il faudrait augmenter les doses au coucher étant donné que la doxépine peut avoir des effets sédatifs. L'ajustement des doses doit se faire lentement sur plusieurs semaines ou plusieurs mois.

▪ **PO :** Administrer le médicament avec les repas ou immédiatement après pour diminuer l'irritation gastrique. Si le patient éprouve des difficultés de déglutition, on peut ouvrir les capsules et les mélanger à des aliments ou des liquides.

ENSEIGNEMENT AU PATIENT ET À SES PROCHES

☐ Conseiller au patient de respecter scrupuleusement la posologie recommandée. L'avertir qu'il ne doit pas sauter de dose ni remplacer une dose manquée par une dose double. Le prévenir que les effets du médicament peuvent ne pas se manifester avant 2 semaines au moins. Le sevrage brusque peut provoquer des nausées, des céphalées et un malaise.

□ Prévenir le patient que la doxépine peut provoquer des étourdissements et rendre la vision trouble. Lui conseiller de ne pas conduire et d'éviter les activités qui exigent sa vigilance jusqu'à ce qu'on ait la certitude que le médicament n'entraîne pas ces effets chez lui.

□ Prévenir le patient que l'hypotension orthostatique, la sédation et la confusion sont des effets courants de la doxépine en début de traitement, particulièrement chez les personnes âgées. Aider le patient à prévenir les chutes et lui recommander de changer lentement de position.

□ Recommander au patient d'éviter de boire de l'alcool et de ne pas prendre d'autres dépresseurs du SNC pendant qu'il prend de la doxépine et pendant les 3 à 7 jours qui suivent l'arrêt du traitement.

□ Conseiller au patient de prévenir le médecin en cas de rétention urinaire, de sécheresse de la bouche ou de constipation persistantes. Lui conseiller de pratiquer une bonne hygiène orale, de se rincer fréquemment la bouche avec de l'eau, de consommer de la gomme à mâcher et des bonbons sans sucre pour diminuer la sécheresse de la bouche. Une consommation accrue de liquides et d'aliments riches en fibres peut prévenir la constipation. Si ces symptômes persistent, une réduction de la dose ou l'abandon du traitement pourrait s'avérer nécessaire.

□ Recommander au patient d'utiliser des écrans solaires et de porter des vêtements protecteurs afin de prévenir les réactions de photosensibilité.

□ Inciter le patient à surveiller son alimentation. Le médicament peut stimuler l'appétit, ce qui risque d'entraîner un gain pondéral indésirable.

□ Recommander au patient qui doit suivre un traitement dentaire ou subir une intervention chirurgicale d'avertir le dentiste ou le médecin qu'il suit un traitement médicamenteux.

□ Prévenir le patient que le traitement de la dépression est habituellement prolongé. Insister sur l'importance d'un suivi régulier permettant de déterminer les bienfaits du traitement et de déceler les effets secondaires.

VÉRIFICATION DES RÉSULTATS

L'efficacité du traitement peut être démontrée par : ■ un sentiment de mieux-être □ un regain d'intérêt pour l'entourage □ l'amélioration de l'appétit □ un regain d'énergie □ l'amélioration du sommeil ■ la diminution de l'anxiété ■ la diminution des symptômes douloureux chroniques. Chez certains patients, les pleins effets thérapeutiques pourraient ne pas se manifester avant 2 à 6 semaines de traitement.

DOXORUBICINE
Adriamycin PFS, Adriamycin RDF

CLASSIFICATION :
Antinéoplasique – antibiotique
Grossesse – catégorie inconnue

INDICATIONS

■ En monothérapie ou en association avec d'autres agents chimiothérapeutiques ou d'autres modalités thérapeutiques (chirurgie, radiothérapie) en présence de diverses tumeurs solides incluant : □ le cancer du sein □ le cancer de l'ovaire □ le cancer de la vessie □ le cancer bronchopulmonaire ■ Traitement des lymphomes malins et des leucémies.

ACTION

■ Inhibition de la synthèse de l'ADN et de l'ARN par la formation d'un complexe avec l'ADN ; (effet spécifique sur la phase S du cycle cellulaire) ■ Médicament doué de propriétés immunosuppressives. **Effets thérapeutiques:** ■ Destruction des cellules à croissance rapide, particulièrement des cellules malignes.

PHARMACOCINÉTIQUE

Absorption: L'administration de la doxorubicine est réservée à la voie IV; dans ce cas, sa biodisponibilité est totale.
Distribution: Le médicament se répartit dans tout l'organisme. Il ne traverse pas la barrière hémato-encéphalique.
Métabolisme et excrétion: Le métabolisme est surtout hépatique. Le médicament est transformé par le foie en un composé actif également doué d'effets antinéoplasiques. La doxorubicine est surtout excrétée dans la bile, dont une fraction de 50 % à l'état inchangé. Une fraction de moins de 5 % est éliminée à l'état inchangé dans l'urine.
Demi-vie: 16,7 h.

CONTRE-INDICATIONS ET PRÉCAUTIONS

Contre-indications: ■ Hypersensibilité ■ Grossesse ou allaitement.
Précautions: ■ Antécédents d'insuffisance cardiaque ou d'arythmies ■ Patientes en âge de procréer ■ Infections ■ Diminution de la réserve médullaire ■ Autres maladies chroniques débilitantes ■ Insuffisance hépatique (réduire la dose).

RÉACTIONS INDÉSIRABLES ET EFFETS SECONDAIRES

CV: CARDIOMYOPATHIE, modifications de l'ÉCG.
Tég.: alopécie.
End.: suppression de la fonction des gonades.
GI: stomatite, œsophagite, nausées, vomissements, diarrhée.
GU: urine de couleur rouge.
Hémat.: anémie, leucopénie, thrombocytopénie.
Locaux: phlébite au point d'injection IV, nécrose tissulaire.

Métab.: hyperuricémie.
Divers: réactions d'hypersensibilité.

INTERACTIONS

Médicament – médicament: ■ Effets additifs sur l'aplasie médullaire lors de l'administration concomitante d'autres **agents antinéoplasiques** ou d'une **radiothérapie** ■ La doxorubicine peut aggraver les réactions cutanées dans les territoires ayant été antérieurement traités par **radiothérapie** ■ La doxorubicine peut augmenter le risque de cystite hémorragique induite par le **cyclophosphamide** ou le risque d'hépatite induite par la **mercaptopurine** ■ Risque de toxicité cardiaque accrue lors de l'administration concomitante d'une **radiothérapie** ou de **cyclophosphamide** ■ La doxorubicine peut diminuer la réponse des anticorps aux **vaccins vivants** et augmenter le risque de réactions indésirables.

VOIES D'ADMINISTRATION ET POSOLOGIE

IV (adultes): de 60 à 75 mg/m^2 par jour à répéter tous les 21 jours ou 30 mg/m^2 par jour pendant 3 jours, à répéter toutes les 4 semaines. La dose cumulative totale ne devrait pas dépasser 550 mg/m^2 en l'absence d'un monitorage cardiaque.

PHARMACODYNAMIE
(effets sur la numération globulaire)

	DÉBUT D'ACTION	PIC	DURÉE
IV	10 jours	14 jours	21 – 24 jours

SOINS INFIRMIERS

ÉVALUATION DE LA SITUATION

□ Mesurer la pression artérielle, le pouls, la fréquence respiratoire et la température à intervalles fréquents tout au long de l'administration. Signaler au médecin tout changement important.

□ Suivre de près les signes d'infections, la fièvre, les frissons et les maux de gorge. Prévenir le médecin si ces symptômes se manifestent.

□ Vérifier la numération plaquettaire tout au long du traitement. Suivre de près les saignements : saignement des gencives, formation d'ecchymoses, pétéchies, présence de sang occulte dans les selles, l'urine et les vomissements. Éviter les injections IM et la prise de température par voie rectale. Appliquer une pression sur les points de ponction veineuse pendant 10 min.

□ Le médicament peut entraîner l'anémie. Suivre de près la fatigue accrue, la dyspnée et l'hypotension orthostatique.

□ Effectuer le bilan des ingesta et des excreta et informer le médecin de tout écart important. Inciter le patient à consommer de 2 000 à 3 000 mL de liquides par jour. Le médecin peut également prescrire de l'allopurinol et l'alcalinisation de l'urine pour diminuer les concentrations sériques d'acide urique et pour prévenir la formation de calculs d'urate.

□ Des nausées et des vomissements graves et prolongés peuvent survenir dans l'heure qui suit le traitement et durer 24 h. Administrer un antiémétique par voie parentérale de 30 à 45 min avant le traitement et à intervalles réguliers pendant les 24 h qui suivent, selon les besoins. Mesurer la quantité de vomissures et avertir le médecin si cette quantité est supérieure à celle indiquée dans les directives visant à prévenir la déshydratation.

□ Surveiller l'apparition de signes de toxicité du myocarde qui peuvent être aigus et passagers (dépression du segment ST, onde T aplatie, tachycardie sinusale et extrasystoles) ou tardifs et caractérisés par une insuffisance cardiaque (œdème périphérique, dyspnée, râles et crépitations,

gain pondéral). Le médecin peut prescrire une radiographie thoracique, une échocardiographie, un ÉCG et une angiographie isotopique avant le traitement et à intervalles réguliers pendant toute sa durée.

□ Observer fréquemment le point d'injection pour déceler la rougeur, l'irritation ou l'inflammation. Le médicament peut s'infiltrer sans douleur. En cas d'extravasation, interrompre la perfusion et la reprendre ailleurs afin d'éviter la nécrose des tissus SC. Traitement type : laisser l'aiguille d'origine en place, injecter des corticostéroïdes dans la région atteinte et appliquer des compresses de glace.

□ Vérifier la numération globulaire et la formule leucocytaire avant le traitement et à intervalles réguliers pendant toute sa durée. Le nadir des leucocytes se produit en l'espace de 10 à 14 jours après l'administration de la doxorubicine et la numération leucocytaire se rétablit habituellement vers le 21e jour. Ce médicament peut également entraîner la thrombocytopénie et l'anémie.

□ Examiner les résultats des tests de l'exploration fonctionnelle rénale (urée et créatinine) et hépatique (TGOS [AST], TGPS [ALT], LDH et bilirubine sérique) avant le traitement et à intervalles réguliers pendant toute sa durée. La doxorubicine peut entraîner l'élévation des concentrations sériques de ces substances et des concentrations urinaires d'acide urique.

DIAGNOSTICS INFIRMIERS POSSIBLES

■ Énoncés diagnostiques

□ Risque élevé d'infection.

□ Déficit nutritionnel.

□ Prise en charge inefficace du programme thérapeutique.

□ *Risque élevé d'intoxication.*

□ *Risque élevé de réaction allergique.*

□ *Risque élevé d'hémorragie.*

□ *Risque élevé de perturbation situationnelle de l'estime de soi.*

□ *Risque élevé de douleur au point d'injection IV.*

□ *Risque élevé d'altération de la fonction rénale.*

■ **Facteurs favorisants**

■ Informations incomplètes.

■ *Nausées et vomissements.*

■ *Déshydratation.*

■ *Altération de l'image corporelle.*

■ *Administration trop rapide du médicament par voie IV.*

■ *Manque de connaissances sur les moyens de stimuler la fonction intestinale.*

INTERVENTIONS INFIRMIÈRES

■ **Directives générales :** Préparer la solution sous une hotte biologique de sécurité. Porter des gants, un vêtement protecteur et un masque pendant la manipulation de ce médicament. Mettre au rebut le matériel ayant servi à l'administration IV dans les contenants réservés à cet effet (voir l'annexe I).

□ On peut utiliser des aiguilles d'aluminium pour administrer la doxorubicine mais non pas durant l'entreposage étant donné que le contact prolongé avec l'aluminium entraîne une modification de la couleur de la solution et la formation d'un précipité foncé.

■ **IV directe :** Diluer 10 mg de doxorubicine avec 5 mL de solution de NaCl à 0,9 % pour injection sans agent bactériostatique. Bien agiter pour dissoudre complètement le médicament. Ne pas ajouter à une solution IV. Le médicament reconstitué est stable pendant 24 h à la température ambiante et pendant 48 h au réfrigérateur. Garder à l'abri de la lumière. Le fabricant ne recommande pas de mélanger la doxorubicine à d'autres médicaments.

□ *Vitesse d'administration :* Administrer chaque dose en 3 à 5 min dans une tubulure en Y ou un robinet à 3 voies par où s'écoule une solution de NaCl à 0,9 % ou de dextrose à 5 % dans de l'eau. La rougeur du visage et l'érythème le long de la veine touchée surviennent fréquemment si l'administration est trop rapide.

■ **Associations compatibles dans la même seringue :** Bléomycine, cisplatine, cyclophosphamide, dropéridol, fluorouracile, leucovorine calcique, méthotrexate, métoclopromide, mitomycine ou vincristine.

■ **Associations incompatibles dans la même seringue :** Furosémide ou héparine.

■ **Compatibilités (tubulure en Y) :** Bléomycine, cisplatine, cyclophosphamide, dropéridol, fluorouracile, leucovorine calcique, méthotrexate, métoclopromide, mitomycine, ondansétron, vinblastine ou vincristine.

■ **Incompatibilités (tubulure en Y) :** Furosémide ou héparine.

■ **Incompatibilités en addition au soluté :** Aminophylline, céphalothine, dexaméthasone, diazépam, fluorouracile ou hydrocortisone.

ENSEIGNEMENT AU PATIENT ET À SES PROCHES

□ Recommander au patient de signaler immédiatement au médecin la fièvre, les maux de gorge, les signes d'infection, les saignements des gencives, les ecchymoses, les pétéchies, la présence de sang dans les selles, l'urine et les vomissements, la fatigue accrue, la dyspnée ou l'hypotension orthostatique. Expliquer au patient qu'il doit éviter les foules et les personnes contagieuses. Lui conseiller d'utiliser une brosse à dents à poils doux et un rasoir électrique et de prendre garde aux chutes. Le prévenir qu'il ne doit pas consommer de boissons alcoolisées ni prendre des préparations contenant de l'aspirine, en raison des risques d'hémorragie gastrique.

- Recommander au patient de signaler immédiatement toute douleur au point d'injection.
- Recommander au patient d'examiner sa muqueuse buccale à la recherche d'érythème et d'aphtes. En présence d'aphtes, lui conseiller de remplacer la brosse à dents par une brosse-éponge, de se rincer la bouche avec de l'eau après avoir bu ou mangé et de consulter le médecin au sujet de gargarismes à la lidocaïne visqueuse si la douleur buccale l'empêche de s'alimenter. Le risque de stomatite est plus grand dans les 5 à 10 jours qui suivent l'administration. La stomatite dure habituellement de 3 à 7 jours.
- Prévenir la patiente que ce médicament peut avoir des effets tératogènes. Lui conseiller de continuer à prendre des mesures de contraception pendant toute la durée du traitement et pendant au moins 4 mois après l'avoir arrêté. L'informer avant le début du traitement que la doxorubicine peut provoquer une suppression irréversible de la fonction des gonades.
- Recommander au patient de signaler immédiatement au médecin les extrasystoles, les difficultés respiratoires ou la tuméfaction des membres inférieurs.
- Expliquer au patient qu'il risque de perdre ses cheveux. Explorer avec lui les stratégies lui permettant de s'adapter à ce changement. Les cheveux recommencent à pousser 2 ou 3 mois après l'arrêt du traitement.
- Expliquer au patient qu'il ne doit pas se faire vacciner sans recommandation expresse du médecin.
- Prévenir le patient que le médicament rend l'urine rouge pendant une journée ou deux.
- Recommander au patient d'avertir le médecin en cas d'irritation cutanée dans une région ayant été antérieurement traitée par radiothérapie.
- Insister sur la nécessité des examens diagnostiques périodiques permettant de suivre de près les effets secondaires du médicament.

VÉRIFICATION DES RÉSULTATS

L'efficacité du traitement peut être démontrée par : ■ la diminution de la taille des tumeurs solides et la réduction du risque de propagation des métastases ■ l'amélioration de l'hématopoïèse chez les patients souffrant de leucémie.

DOXYCYCLINE

Apo-Doxy, Doryx, Doxycin, Novo-Doxylin, Vibramycin, Vibramycin IV, Vibra-Tabs, Vibra-Tabs C-Pak, (Doxy), (Doxy-Caps), (Doxychel), (Monodox), (Vovox)

CLASSIFICATION :
Anti-infectieux – tétracycline

Grossesse – catégorie inconnue

INDICATIONS

■ Usage fréquent pour traiter les infections attribuables à des micro-organismes inhabituels incluant : □ les mycoplasmes □ *Chlamydia* □ les rickettsies ■ Traitement de la gonorrhée et de la syphilis chez les patients allergiques à la pénicilline. **Usages non approuvés :** ■ Traitement de la diarrhée des voyageurs ■ Prévention de l'exacerbation de la bronchite chronique.

ACTION

■ Inhibition de la synthèse des protéines bactériennes au niveau du ribosome 30S. **Effets thérapeutiques :** ■ Action bactériostatique contre les bactéries sensibles. **Spectre d'action :** ■ La doxycycline est active contre les micro-organismes à Gram positif suivants : □ *Bacillus anthracis* □ *Clostridium perfringens* □ *Clostridium tetani* □ *Listeria monocytogenes* □ *Nocardia* □ *Propionbacterium acnes*

□ *Actinomyces isrealii* ■ La doxycycline est également active contre les micro-organismes à Gram négatif suivants: □ *Hæmophilus influenzæ* □ *Legionella pneumophila* □ *Yersinia entercolitica* □ *Yersinia pestis* □ *Neisseria gonorrhoeae* □ *Neisseria meningtidis* ■ Le spectre de la doxycycline englobe également plusieurs micro-organismes inhabituels incluant: □ les mycoplasmes □ *Chlamydia* □ les rickettsies.

PHARMACOCINÉTIQUE

Absorption: Bonne absorption depuis le tractus gastro-intestinal.

Distribution: Le médicament se répartit dans tout l'organisme et une faible quantité pénètre dans le liquide céphalorachidien. Il traverse le placenta et pénètre dans le lait maternel.

Métabolisme et excrétion: Une fraction de 20 à 40 % du médicament est excrétée à l'état inchangé dans l'urine. Le médicament est partiellement inactivé dans les intestins et subit quelques cycles entérohépatiques avant d'être excrété dans la bile et les fèces.

Demi-vie: De 14 à 17 h (prolongée en cas d'insuffisance rénale grave).

CONTRE-INDICATIONS ET PRÉCAUTIONS

Contre-indications: ■ Hypersensibilité ■ Enfants de moins de 8 ans (coloration sombre permanente des dents) ■ Grossesse ou allaitement.

Précautions: ■ Patients cachectiques ou débilités ■ Maladie hépatique ou rénale.

RÉACTIONS INDÉSIRABLES ET EFFETS SECONDAIRES

GI: nausées, vomissements, diarrhée, pancréatite, œsophagite, hépatotoxicité.

Hémat.: dyscrasie.

Tég.: rash, photosensibilité.

Locaux: phlébite au point d'injection IV.

Divers: surinfection, réactions d'hypersensibilité.

INTERACTIONS

Médicament – médicament: ■ La doxycycline peut intensifier l'effet des **anticoagulants oraux** ■ Les **barbituriques**, la **phénytoïne** ou la **carbamazépine**, administrés simultanément, peuvent diminuer l'activité de la doxycycline ■ La doxycycline peut diminuer l'efficacité des **contraceptifs oraux** ■ Le **calcium**, le **fer** ou le **magnésium**, administrés simultanément, forment avec la doxycycline un complexe par chélation et en diminuent l'absorption (cet effet est moindre dans le cas de la doxycycline que dans celui d'autres tétracyclines). **Médicament – aliments:** ■ Le **calcium** contenu dans les aliments ou les produits laitiers diminue l'absorption de la doxycycline en formant par chélation un complexe insoluble (cet effet est moindre dans le cas de la doxycycline que dans celui d'autres tétracyclines).

PRÉSENTATION

Le médicament est présenté sous forme de comprimés, de capsules et de solution injectable.

VOIES D'ADMINISTRATION ET POSOLOGIE

- **PO (adultes):** 100 mg, toutes les 12 à 24 h.
- **PO (enfants > 8 ans et pesant > 45 kg):** 100 mg, toutes les 12 à 24 h.
- **IV (adultes):** de 100 à 200 mg, toutes les 24 h.
- **IV (enfants > 8 ans) (É.-U.):** de 2,2 à 4,4 mg/kg par jour, en doses fractionnées, toutes les 12 à 24 h.

PHARMACODYNAMIE (concentrations sanguines)

	DÉBUT D'ACTION	PIC
PO	1 – 2 h	1,5 – 4 h
IV	rapide	fin de la perfusion

SOINS INFIRMIERS

ÉVALUATION DE LA SITUATION

- Au début du traitement et pendant toute sa durée, surveiller l'apparition des signes suivants d'infection : altération des signes vitaux, aspect de la plaie, des crachats, de l'urine et des selles ; accroissement du nombre de leucocytes.
- ☐ Prélever des échantillons pour les cultures et les antibiogrammes avant le début du traitement. La première dose peut être administrée avant même que le résultat soit connu.
- ☐ Observer le point d'injection IV à intervalles fréquents étant donné que le médicament peut provoquer une thrombophlébite.
- **Étude des examens diagnostiques et biochimiques :** Noter à intervalles réguliers durant tout le traitement les résultats des tests de l'exploration fonctionnelle des reins, du foie et des organes formateurs du sang.
- ☐ Le médicament peut entraîner l'élévation des concentrations sériques de TGOS (AST), de TGPS (ALT), de phosphatase alcaline, de bilirubine et d'amylase. Il peut entraîner des résultats faussement positifs au dosage du glucose dans l'urine lorsque l'on utilise la méthode au sulfate de cuivre (Clinitest) ; recourir plutôt à la méthode à la glucose-oxydase (Tes-tape, Ketodiastix).

DIAGNOSTICS INFIRMIERS POSSIBLES

- **Énoncés diagnostiques**
- ☐ Risque élevé d'infection.
- ☐ Prise en charge inefficace du programme thérapeutique.
- ☐ Non-observance du traitement médicamenteux.
- ☐ *Risque élevé de réaction allergique.*
- ☐ *Réponse insuffisante au traitement.*
- ☐ *Risque élevé de déshydratation.*
- ☐ *Risque élevé de douleur au point d'injection IV.*

- **Facteurs favorisants**
- ☐ Informations incomplètes.
- ☐ Doute quant aux bienfaits du médicament.
- ☐ *Manque de connaissances sur le régime alimentaire à suivre.*
- ☐ *Manque de connaissances sur les modalités du traitement.*
- ☐ *Diarrhée.*

INTERVENTIONS INFIRMIÈRES

- **Directives générales :** La doxycycline peut rendre les dents jaunes ou brunes et ramollir les dents et les os si elle est administrée pendant la grossesse ou la prime enfance. L'administration de ce médicament n'est pas recommandée chez les enfants de moins de 8 ans ou durant la grossesse ou l'allaitement.
- **PO :** Administrer la préparation orale à intervalles réguliers, 24 h sur 24. La doxycycline peut être prise avec des aliments. Administrer avec un grand verre de liquide au moins 1 h avant le coucher afin d'éviter les ulcérations de l'œsophage. Espacer de 1 à 3 h l'administration d'autres médicaments.
- ☐ Ne pas administrer du calcium, des antiacides, des médicaments contenant du magnésium ou des suppléments de fer dans les 1 à 3 h qui suivent ou qui précèdent l'administration de la doxycycline.
- **Voies SC et IM :** Ne pas administrer le médicament par voie SC ou IM.
- **Perfusion intermittente :** Diluer à raison de 100 mg dans 10 mL d'eau stérile ou de solution de NaCl à 0,9 % pour injection. On peut effectuer une nouvelle dilution dans 100 à 1 000 mL de solution de NaCl à 0,9 %, de dextrose à 5 % dans l'eau, de dextrose à 5 % dans le lactate Ringer, de solution de Ringer ou de lactate Ringer. La solution est stable pendant 12 h à la température ambiante ou pendant 72 h au réfrigérateur. Si le médicament est dilué dans du dextrose à 5 % dans du lactate Ringer ou dans du

D

lactate Ringer, l'administrer dans les 6 h suivant la préparation. Garder la solution à l'abri des rayons du soleil. Il n'est pas recommandé d'utiliser des concentrations inférieures à 1 µg/mL ou supérieures à 1 mg/mL.

☐ *Vitesse d'administration:* Administrer en 1 à 4 h au moins. Éviter l'administration rapide et l'extravasation.

■ **Compatibilités (tubulure en Y):** Acyclovir, cyclophosphamide, hydromorphone, mépéridine, morphine, ondansétron, perphénazine ou sulfate de magnésium.

■ **Compatibilité en addition au soluté:** Ranitidine.

ENSEIGNEMENT AU PATIENT ET À SES PROCHES

☐ Expliquer au patient qu'il doit prendre le médicament à intervalles réguliers, 24 h sur 24, et utiliser toute la quantité qui lui a été prescrite, même s'il se sent mieux. Insister sur le fait qu'il peut être dangereux de donner ce médicament à une autre personne.

☐ Conseiller au patient d'utiliser un écran solaire et de porter des vêtements protecteurs afin d'éviter les réactions de photosensibilité.

☐ Conseiller au patient de signaler les signes suivants de surinfection: excroissance pileuse sur la langue, démangeaisons ou pertes vaginales, selles molles ou nauséabondes. Recommander au patient de signaler également le rash, le prurit, et l'urticaire.

☐ Recommander au patient d'avertir le médecin si les symptômes ne s'améliorent pas.

☐ Recommander au patient de jeter tout produit périmé ou décomposé étant donné qu'il peut être toxique.

VÉRIFICATION DES RÉSULTATS

La réponse clinique au traitement peut être déterminée par: la disparition des signes et des symptômes d'infection. Le temps de résolution dépend du micro-organisme infectant et du siège de l'infection.

DRONABINOL

(delta-9-tétrahydrocannabinol), (Marinol), (THC)

CLASSIFICATION:
Antiémétique, cannabinoïde

Stupéfiant

Grossesse – catégorie B

INDICATIONS

Prophylaxie des nausées et des vomissements graves provoqués par les antinéoplasiques lorsque l'administration d'autres agents plus traditionnels s'est avérée inefficace.

ACTION

■ Ingrédient actif de la marijuana ■ Médicament doué d'une vaste gamme d'effets sur le SNC incluant l'inhibition du mécanisme de contrôle des vomissements situé dans le bulbe rachidien. **Effets thérapeutiques:** ■ Suppression des nausées et des vomissements.

PHARMACOCINÉTIQUE

Absorption: L'absorption est suivie d'un fort métabolisme, ce qui rend la biodisponibilité du médicament faible (de l'ordre de 10 à 20 %).

Distribution: Le dronabinol pénètre en grandes quantités dans le lait maternel. Médicament fortement liposoluble, qui demeure dans les tissus pendant une longue période.

Métabolisme et excrétion: Le médicament est fortement métabolisé. Une fraction de 50 % est excrétée par la bile; au moins un métabolite est psychoactif.

Demi-vie: De 25 à 36 h.

CONTRE-INDICATIONS ET PRÉCAUTIONS

Contre-indications: ■ Hypersensibilité au dronabinol, à la marijuana ou à l'huile de sésame ■ Nausées et vomissements attribuables à toute autre cause ■ Patients sans surveillance médicale étroite ■ Allaitement.

Précautions : ■ Patients pharmacodépendants ou ayant des antécédents de toxicomanie ■ Administration prolongée de fortes doses – prédisposition au syndrome de sevrage lors de l'arrêt du traitement ■ Grossesse (ne pas administrer à moins d'indication expresse) ■ Enfants de moins de 18 ans (l'innocuité du médicament n'a pas été établie).

RÉACTIONS INDÉSIRABLES ET EFFETS SECONDAIRES

SNC : somnolence, clairvoyance accrue, étourdissements, difficultés de concentration, difficultés de perception, altération de la coordination, céphalées, irritabilité, dépression, faiblesse, hallucinations, pertes de mémoire, ataxie, paranoïa, désorientation, acouphènes, cauchemars, difficultés d'élocution, altération du jugement.

ORLO : sécheresse de la bouche (xérostomie), distorsion visuelle.

CV : tachycardie, syncope.

GI : diarrhée.

Tég. : rougeur du visage, transpiration.

Loc. : douleurs musculaires.

SN : paresthésie.

Divers : dépendance physique et psychologique (fortes doses ou traitement prolongé).

INTERACTIONS

Médicament – médicament : Effets additifs sur la dépression du SNC lors de l'usage concomitant d'**alcool**, d'**antihistaminiques**, d'**analgésiques narcotiques** et d'**hypnosédatifs.**

VOIES D'ADMINISTRATION ET POSOLOGIE

PO (adultes) : 5 mg/m^2, de 1 à 3 h avant la chimiothérapie ; on peut répéter l'administration toutes les 2 à 4 h après la chimiothérapie jusqu'à concurrence de 4 à 6 doses par jour. Si la dose initiale s'avère inefficace et si aucune réaction indésirable importante ne s'est manifestée, on peut augmenter la dose par paliers de 2,5 mg/m^2 jusqu'à un maximum de 15 mg/m^2.

PHARMACODYNAMIE (effet antiémétique)

	DÉBUT D'ACTION	PIC	DURÉE
PO	inconnu	2 h	6 h

SOINS INFIRMIERS

ÉVALUATION DE LA SITUATION

□ Noter les nausées et les vomissements, ausculter les bruits intestinaux et observer les douleurs abdominales avant et après l'administration du dronabinol.

□ Effectuer le bilan hydrique ainsi que celui des ingesta et des excreta. Chez les patients souffrant de nausées et de vomissements graves, il faut parfois administrer des liquides par voie IV en même temps que l'antiémétique.

□ Mesurer la pression artérielle et la fréquence cardiaque à intervalles réguliers tout au long du traitement.

□ Lors d'un traitement au dronabinol, il faut suivre de près les effets secondaires du médicament, car ils varient d'un patient à l'autre.

DIAGNOSTICS INFIRMIERS POSSIBLES

■ **Énoncés diagnostiques**

□ Risque élevé de déficit de volume liquidien.

□ Déficit nutritionnel.

□ Risque élevé d'accident.

□ *Risque élevé d'exacerbation des symptômes.*

■ **Facteurs favorisants**

□ *Manque de connaissances sur les effets hypotensifs du médicament lors des changements brusques de position.*

D

□ *Perturbation de la vigilance.*
□ *Arrêt brusque du traitement.*

INTERVENTIONS INFIRMIÈRES

■ **PO :** On peut administrer ce médicament en prophylaxie de 1 à 3 h avant la chimiothérapie et répéter l'administration toutes les 2 à 4 h après la chimiothérapie jusqu'à concurrence de 4 à 6 doses par jour.

□ Les capsules de dronabinol doivent être conservées au réfrigérateur, mais ne doivent pas être congelées.

□ Les fortes doses ou le traitement prolongé peuvent entraîner une dépendance physique ou psychologique et, par conséquent, lors de l'arrêt du traitement, un syndrome de sevrage caractérisé par les symptômes suivants : irritabilité, agitation, insomnie, bouffées de chaleur, transpiration, rhinorrhée, selles molles, hoquet et anorexie. Ces réactions risquent peu de se produire lors de l'administration du dronabinol à des doses thérapeutiques ou lors d'un traitement de courte durée.

ENSEIGNEMENT AU PATIENT ET À SES PROCHES

□ Conseiller au patient de respecter scrupuleusement la posologie recommandée. S'il n'a pu prendre le médicament au moment habituel, il doit le prendre dès que possible à moins que ce ne soit presque l'heure prévue pour la dose suivante. L'avertir qu'il ne faut jamais remplacer une dose manquée par une double dose. Les signes suivants de surdosage peuvent survenir lors de l'administration de doses accrues : sautes d'humeur, confusion, hallucinations, dépression, agitation, pulsations cardiaques fortes ou rapides.

□ Inciter le patient à demander de l'aide lors de ses déplacements, étant donné que ce médicament peut entraîner des étourdissements, de la somnolence et une altération du juge-ment et de la coordination. Lui conseiller de ne pas conduire et d'éviter les activités exigeant sa vigilance jusqu'à ce qu'on ait la certitude que le médicament n'entraîne pas ces effets chez lui.

□ Conseiller au patient de changer lentement de position pour réduire les risques d'hypotension orthostatique.

□ Conseiller au patient d'éviter de boire de l'alcool et de ne pas prendre d'autres dépresseurs du SNC durant le traitement au dronabinol.

□ Expliquer au patient et à ses proches les mesures qui permettent habituellement de diminuer les nausées : commencer par prendre quelques gorgées de liquide, consommer des aliments légers, pauvres en matières grasses, pratiquer une bonne hygiène orale et écarter les stimuli nocifs du milieu ambiant.

VÉRIFICATION DES RÉSULTATS

L'efficacité du traitement peut être démontrée par : la prévention ou la diminution des nausées et des vomissements associés à la chimiothérapie.

DROPÉRIDOL
Inapsine

CLASSIFICATION :
Tranquillisant – butyrophénone ;
antiémétique – butyrophénone

Grossesse – catégorie C

INDICATIONS

■ Tranquillisant et adjuvant à l'anesthésie générale et locale ■ Diminution des nausées et des vomissements qui surviennent après une chirurgie ou une intervention ■ Traitement du syndrome de Ménière (crise aiguë) ■ Traitement d'association avec le fentanyl (voir **Dropéridol et fentanyl**).

ACTION

■ Action similaire à celle de l'halopéridol ; modification de l'action de la dopamine dans le SNC. **Effets thérapeutiques :** ■ Apaisement du patient ■ Diminution des nausées et des vomissements dans certaines circonstances.

PHARMACOCINÉTIQUE

Absorption : Bonne absorption par suite de l'administration par voie IM.

Distribution : Le médicament semble traverser la barrière hémato-encéphalique et le placenta.

Métabolisme et excrétion : Métabolisme hépatique. Seule une fraction de 10 % est excrétée à l'état inchangé par les reins.

Demi-vie : Inconnue.

CONTRE-INDICATIONS ET PRÉCAUTIONS

Contre-indications : ■ Hypersensibilité ■ Intolérance connue ■ Glaucome à angle étroit ■ Aplasie médullaire ■ Dépression du SNC ■ Maladies hépatique ou cardiaque graves.

Précautions : ■ Personnes âgées ou patients débilités ■ Patients gravement malades ■ Patients diabétiques ■ Insuffisance respiratoire ■ Hypertrophie de la prostate ■ Tumeurs du SNC ■ Occlusion intestinale ■ Maladie cardiaque ■ Convulsions (le dropéridol peut abaisser le seuil de convulsions) ■ Maladie hépatique grave ■ Grossesse, allaitement et enfants de moins de 2 ans (bien que l'innocuité du médicament n'ait pas été établie, précédents d'administration durant une césarienne sans entraîner de dépression respiratoire chez le nouveau-né).

RÉACTIONS INDÉSIRABLES ET EFFETS SECONDAIRES

SNC : sédation excessive, réactions extrapyramidales, dyskinésie tardive, agitation, confusion, hyperactivité, étourdissements, cauchemars, dépression, hallucinations, CONVULSIONS, anxiété, anomalies de l'EEG.

ORLO : sécheresse des yeux (alacrymie), vision trouble.

Resp. : bronchospasme, laryngospasme.

CV : hypotension, tachycardie.

GI : sécheresse de la bouche (xérostomie), constipation.

Divers : frissons, tremblements, transpiration au niveau du visage.

INTERACTIONS

Médicament – médicament : ■ Hypotension additive lors de l'administration simultanée d'**antihypertenseurs** ou de **dérivés nitrés** ■ Dépression additive du SNC lors de l'usage concomitant d'autres **dépresseurs du SNC**, incluant l'**alcool**, les **antihistaminiques**, les **antidépresseurs**, les **analgésiques narcotiques** et d'autres **sédatifs**.

PRÉSENTATION

Le dropéridol est également présenté en association avec le fentanyl (Innovar) ; voir l'annexe A.

VOIES D'ADMINISTRATION ET POSOLOGIE

Prémédication

■ **IM et IV (adultes) :** de 2,5 à 10 mg, 30 à 60 min avant l'induction de l'anesthésie. On peut administrer des doses supplémentaires de 1,5 à 2,5 mg, selon les besoins.

■ **IM et IV (enfants de 2 à 12 ans) :** de 0,088 à 0,165 mg/kg.

Traitement d'appoint avant l'induction d'une anesthésie générale (la voie IV est la voie préférée)

■ **IM et IV (adultes) :** de 0,22 à 0,275 mg/kg en association avec un anesthésique ou un analgésique. On peut administrer des doses supplémentaires de 1,25 à 2,5 mg, selon les besoins.

■ **IM et IV (enfants de 2 à 12 ans) :** de 0,088 à 0,165 mg/kg.

Traitement d'appoint visant à maintenir l'anesthésie générale

■ **IV (adultes):** de 1,25 à 2,5 mg.

Usage sans anesthésie générale durant les examens diagnostiques

■ **IM (adultes):** de 2,5 à 10 mg, de 30 à 60 min avant l'intervention. On peut administrer par voie IV des doses supplémentaires de 1,25 à 5 mg, selon les besoins.

Traitement d'appoint lors de l'anesthésie régionale

■ **IM et IV (adultes):** de 2,5 à 5 mg.

Syndrome de Ménière

■ **IM (adultes):** Une seule dose de 5 mg, en cas de crise aiguë.

PHARMACODYNAMIE (sédation)

	DÉBUT D'ACTION	PIC	DURÉE*
IM	3 – 10 min	30 min	2 – 4 h
IV	3 – 10 min	30 min	2 – 4 h

* Durée de l'effet tranquillisant; les modifications de l'état de la conscience peuvent durer jusqu'à 12 h.

SOINS INFIRMIERS

ÉVALUATION DE LA SITUATION

■ **Directives générales:** Mesurer la pression artérielle et la fréquence cardiaque à intervalles fréquents pendant toute la durée du traitement. Avertir immédiatement le médecin de tout changement important. Pour traiter l'hypotension, on peut administrer des liquides par voie parentérale si l'hypovolémie est le facteur causal. Des vasopresseurs (norépinéphrine, phényléphrine) peuvent s'avérer nécessaires. Ne pas administrer de l'épinéphrine étant donné que le dropéridol renverse ses effets vasopresseurs et peut entraîner une hypotension paradoxale.

☐ Déterminer le niveau de la sédation après l'administration du médicament.

☐ Tout au long du traitement, surveiller l'apparition des symptômes extrapyramidaux suivants: dystonie, crise oculogyre, extension du cou, fléchissement des bras, tremblements, agitation, hyperactivité, anxiété. En informer le médecin, le cas échéant. On peut administrer un agent anticholinergique pour traiter ces symptômes.

■ **Nausées et vomissements:** Noter les nausées et les vomissements, ausculter les bruits intestinaux et observer les douleurs abdominales avant et après l'administration du dropéridol.

DIAGNOSTICS INFIRMIERS POSSIBLES

■ **Énoncés diagnostiques**

☐ Risque élevé d'accident.

☐ Prise en charge inefficace du programme thérapeutique.

■ **Facteurs favorisants**

☐ Informations incomplètes.

☐ *Perturbation de la vigilance.*

☐ *Manque de connaissances sur les effets hypotensifs du médicament lors des changements brusques de position.*

INTERVENTIONS INFIRMIÈRES

■ **IM et IV:** Le médicament peut être administré par voie IM ou IV.

■ **IV directe:** Administrer chaque dose lentement pendant au moins 1 min.

■ **Perfusion intermittente:** On peut ajouter le médicament à 250 mL de solution de dextrose à 5 % dans l'eau, de NaCl à 0,9 % ou de lactate Ringer et administrer par perfusion IV lente.

■ **Associations compatibles dans la même seringue:** Atropine, bléomycine, butorphanol, chlorpromazine, cimétidine, cisplatine, cyclophosphamide, dimenhydrinate, diphenhydramine, doxorubicine, fentanyl, glycopyrrolate, hydroxyzine, mépéridine, métoclopramide, midazolam, mitomycine, morphine, nalbuphine, pentazocine, perphénazine, prochlorpérazine, promazine, prométhazine, scopolamine, vinblastine ou vincristine.

D

- **Associations incompatibles dans la même seringue :** Fluorouracile, furosémide, héparine, leucovorine calcique, méthotrexate ou pentobarbital.
- **Compatibilités (tubulure en Y) :** Bléomycine, buprénorphine, chlorure de potassium, cisplatine, cyclophosphamide, doxorubicine, métoclopramide, mitomycine, ondansétron, succinate d'hydrocortisone sodique, vinblastine ou vincristine.
- **Incompatibilités (tubulure en Y) :** Fluorouracile, foscarnet, furosémide, leucovorine calcique, méthotrexate ou nafcilline.
- **Incompatibilité en addition au soluté :** Barbituriques.

ENSEIGNEMENT AU PATIENT ET À SES PROCHES

- ☐ Conseiller au patient de changer lentement de position pour réduire les risques d'hypotension orthostatique.
- ☐ Prévenir le patient que le dropéridol entraîne de la somnolence. Lui conseiller de demander de l'aide lorsqu'il se déplace.

VÉRIFICATION DES RÉSULTATS

L'efficacité du traitement peut être démontrée par : ■ l'apaisement généralisé et la réduction de l'activité motrice ■ la diminution des nausées et des vomissements ■ le soulagement des symptômes associés au syndrome de Ménière.

DROPÉRIDOL ET FENTANYL

Innovar

CLASSIFICATION :

Association d'un butyrophénone (dropéridol) et d'un analgésique narcotique (fentanyl)

Stupéfiant

Grossesse – catégorie C

INDICATIONS

■ Neuroleptanalgésie durant les examens diagnostiques ou les interventions chirurgicales ■ Adjuvant lors de différents types d'anesthésies.

ACTION

■ *Dropéridol* : modification de l'action de la dopamine dans le SNC ■ *Fentanyl* : analgésique narcotique qui se lie aux récepteurs opiacés du SNC modifiant ainsi la perception de la douleur et la réaction à celle-ci. **Effets thérapeutiques de l'association :** ■ Neuroleptanalgésie (apaisement, activité motrice réduite et analgésie sans modification de l'état de la conscience).

PHARMACOCINÉTIQUE

Distribution : Le dropéridol semble traverser la barrière hémato-encéphalique et le placenta.

Métabolisme et excrétion : Le dropéridol et le fentanyl sont fortement métabolisés par le foie et de petites quantités (de 10 à 20 %) sont excrétées à l'état inchangé par les reins.

Demi-vie : Inconnue pour les deux médicaments.

CONTRE-INDICATIONS ET PRÉCAUTIONS

Contre-indications : ■ Hypersensibilité ■ Intolérance connue ■ Glaucome à angle étroit ■ Aplasie médullaire ■ Dépression du SNC ■ Maladies hépatique ou cardiaque graves.

Précautions : ■ Personnes âgées ou patients débilités ■ Patients gravement malades ■ Patients diabétiques ■ Maladies pulmonaire ou hépatique graves ■ Hypertrophie de la prostate ■ Tumeurs du SNC ■ Pression intracrânienne accrue ■ Traumatisme crânien ■ Occlusion intestinale ■ Douleurs abdominales non diagnostiquées ■ Insuffisance surrénalienne ■ Hypothyroïdie ■ Alcoolisme ■ Maladie cardiaque ■ Convulsions (le médicament peut abaisser le seuil de

D

convulsions) ■ Grossesse, allaitement et enfants de moins de 2 ans (l'innocuité du médicament n'a pas été établie).

RÉACTIONS INDÉSIRABLES ET EFFETS SECONDAIRES

SNC : sédation excessive, réactions extra-pyramidales, dyskinésie tardive, agitation, confusion, hyperactivité, étourdissements, cauchemars, dépression, hallucinations, euphorie, sensation de flottement, dysphorie.
ORLO : sécheresse des yeux (alacrymie), vision trouble, myosis, diplopie.
Resp. : bronchospasme, laryngospasme, apnée, dépression respiratoire.
CV : hypotension, tachycardie, bradycardie.
GI : sécheresse de la bouche (xérostomie), constipation, nausées, vomissements.
GU : rétention urinaire.
Tég. : transpiration, rougeur.
Loc. : rigidité des muscles squelettiques et thoraciques.
Divers : frissons, tremblements, transpiration au niveau du visage.

INTERACTIONS

Médicament–médicament : ■ Hypotension additive lors de l'administration simultanée d'**antihypertenseurs** ou de **dérivés nitrés** ■ Dépression additive du SNC lors de l'usage concomitant d'autres **dépresseurs du SNC** incluant l'**alcool**, les **antihistaminiques**, les **antidépresseurs**, d'autres **hypnosédatifs** ou **analgésiques narcotiques** (réduire la dose de narcotique s'il faut l'administrer dans les 8 h suivant le traitement par le dropéridol/fentanyl) ■ Éviter l'administration de cette association chez les patients ayant reçu des **inhibiteurs de la MAO** dans les 14 jours précédents.

VOIES D'ADMINISTRATION ET POSOLOGIE

Remarque : Teneur par mL – 2,5 mg de dropéridol et 0,05 mg de fentanyl. Étant donné que la durée d'action du dropéridol est bien plus longue que celle du fentanyl, on peut administrer des doses supplémentaires de fentanyl seul pour prévenir l'accumulation de dropéridol.

Prémédication

- **IM (adultes) :** de 0,5 à 2 mL, de 45 à 60 min avant l'intervention chirurgicale.
- **IM (enfants) :** 0,25 mL/9 kg de poids corporel, de 45 à 60 min avant l'intervention chirurgicale.

Traitement d'appoint lors de l'anesthésie générale

- **IV (adultes) :** 1 mL/9 à 11 kg de poids corporel par petits paliers ou par perfusion jusqu'à ce que le patient somnole. Administrer des doses supplémentaires de fentanyl pour maintenir l'analgésie. Lors d'une intervention prolongée, l'administration de doses supplémentaires de 0,5 à 1 mL de dropéridol/fentanyl par voie IV peut s'avérer nécessaire si l'effet tranquillisant et analgésique s'estompe.
- **IV (enfants > 2 ans) :** 0,5 mL par 9 kg de poids corporel par petits paliers ou par perfusion jusqu'à ce que le patient somnole. On peut administrer des doses supplémentaires de fentanyl pour maintenir l'analgésie.

Usage sans anesthésie générale durant les examens diagnostiques

- **IM (adultes) :** de 0,5 à 2 mL, de 45 à 60 min avant l'examen. Administrer des doses supplémentaires de fentanyl pour maintenir l'analgésie. Lors d'examens prolongés, des doses supplémentaires de 0,5 à 1 mL de dropéridol et fentanyl par **voie IV** peuvent s'avérer nécessaires si l'effet tranquillisant et analgésique s'estompe.

Traitement d'appoint lors de l'anesthésie régionale

- **IM et IV (adultes) :** de 1 à 2 mL.

PHARMACODYNAMIE
(d'après les effets tranquillisants du dropéridol et les effets analgésiques du fentanyl)

	DÉBUT D'ACTION	PIC	DURÉE*
IM dropéridol	3 – 10 min	30 min	jusqu'à 12 h
IM fentanyl	7 – 15 min	20 – 30 min	1 – 2 h
IV dropéridol	3 – 10 min	30 min	jusqu'à 12 h
IV fentanyl	1 – 2 min	3 – 5 min	0,5 – 1 h

* Durée de l'effet tranquillisant; les modifications de l'état de la conscience peuvent durer jusqu'à 12 h. Les effets sur la dépression respiratoire durent plus longtemps que les effets analgésiques.

SOINS INFIRMIERS

ÉVALUATION DE LA SITUATION

- L'association de dropéridol et de fentanyl peut entraîner une dépression respiratoire marquée. Mesurer la fréquence respiratoire et la pression artérielle et observer l'ÉCG à intervalles réguliers tout au long du traitement. Prévenir immédiatement le médecin de tout changement important. Pour traiter l'hypotension, on peut administrer des liquides par voie parentérale si l'hypovolémie est le facteur causal. Des vasopresseurs (norépinéphrine, phényléphrine) peuvent s'avérer nécessaires. Ne pas administrer de l'épinéphrine, étant donné que le dropéridol renverse ses effets vasopresseurs et peut entraîner une hypotension paradoxale.
- ☐ Diminuer les doses d'analgésique narcotique administrées à $^1/_4$ à $^1/_3$ des doses habituelles pendant les 8 h qui suivent l'administration de l'association de dropéridol et de fentanyl.
- ☐ Surveiller tout au long du traitement l'apparition des symptômes extrapyramidaux suivants: dystonie, crise oculogyre, extension du cou, fléchissement des bras, tremblements, agitation, hyperactivité, anxiété. En informer le médecin le cas échéant. Administrer un agent anticholinergique pour traiter ces symptômes.
- **Étude des examens diagnostiques et biochimiques:** Cette association médicamenteuse peut entraîner l'élévation des concentrations sériques d'amylase et de lipase.
- **Toxicité et surdosage:** La naloxone (Narcan) peut renverser la dépression respiratoire. Il peut s'avérer nécessaire de répéter l'administration de la dose étant donné que le fentanyl a une durée d'action plus longue que celle de la naloxone.
- ☐ On peut traiter la bradycardie avec de l'atropine.

DIAGNOSTICS INFIRMIERS POSSIBLES

- **Énoncés diagnostiques**
- ☐ Douleur.
- ☐ Risque élevé d'accident.
- **Facteurs favorisants**
- ☐ *Perturbation de la vigilance.*
- ☐ *Manque de connaissances sur les effets hypotensifs du médicament lors des changements brusques de position.*

INTERVENTIONS INFIRMIÈRES

- **IV directe:** Administrer l'injection IV directe lentement en au moins 1 min.
- **Perfusion intermittente:** Si l'association médicamenteuse est administrée comme adjuvant à l'anesthésie générale, on peut ajouter 10 mL de dropéridol et de fentanyl à 250 mL de solution de dextrose à 5 % dans de l'eau et perfuser jusqu'à ce que le patient commence à somnoler.
- **Associations compatibles dans la même seringue:** Benzquinamide ou glycopyrrolate.
- **Association incompatible dans la même seringue:** Héparine.
- **Compatibilités (tubulure en Y):** Chlorure de potassium ou succinate d'hydrocortisone sodique.

D

- **Incompatibilité (tubulure en Y):** Nafcilline.
- **Incompatibilité en addition au soluté:** Barbituriques.

ENSEIGNEMENT AU PATIENT ET À SES PROCHES

- ☐ Conseiller au patient de changer lentement de position pour réduire les risques d'hypotension orthostatique.
- ☐ Prévenir le patient que cette association médicamenteuse entraîne de la somnolence. Lui conseiller de demander de l'aide lors de ses déplacements, de ne pas conduire et d'éviter les activités exigeant sa vigilance pendant les 24 h qui suivent l'administration de la dernière dose.

VÉRIFICATION DES RÉSULTATS

L'efficacité du traitement peut être démontrée par: l'apaisement généralisé, la réduction de l'activité motrice et l'analgésie prononcée.

DYPHYLLINE

(Asminyl), (Dilor), (Dyflex), (Dylline), (Dy-Phyl-Lin), (Lufyllin), (Neothylline), (Protophylline)

CLASSIFICATION:

Bronchodilatateur – inhibiteur de la phosphodiestérase

Grossesse Catégorie C

INDICATIONS

Bronchodilatation en cas d'obstruction réversible des voies respiratoires attribuable à l'asthme ou à la bronchopneumopathie chronique obstructive.

ACTION

- Inhibition de la phosphodiestérase, entraînant l'élévation des concentrations tissulaires d'adénosine monophosphate cyclique (AMPc). Les concentrations accrues de AMPc entraînent: ☐ la bronchodilatation ☐ la stimulation du SNC ☐ des effets inotropes et chronotropes positifs ☐ la diurèse ☐ la sécrétion d'acide gastrique. La dyphylline est un dérivé chimique de la théophylline. **Effets thérapeutiques:** ■ Bronchodilatation.

PHARMACOCINÉTIQUE

Absorption: Bonne absorption (75 %) par suite de l'administration par voie orale.
Distribution: On en retrouve de fortes concentrations dans le lait maternel.
Métabolisme et excrétion: Une fraction de 85 % est excrétée à l'état inchangé par les reins.
Demi-vie: De 1,8 à 2,1 h (prolongée en cas d'insuffisance rénale).

CONTRE-INDICATIONS ET PRÉCAUTIONS

Contre-indications: ■ Hypersensibilité ■ Hypersensibilité à l'alcool benzylique et aux bisulfites (certaines préparations contiennent ces substances) ■ Allaitement ■ Arythmies non maîtrisées ■ Hyperthyroïdie.
Précautions: ■ Grossesse ou enfants (l'innocuité du médicament n'a pas été établie) ■ Maladie cardiovasculaire grave ■ Ulcère gastroduodénal.

RÉACTIONS INDÉSIRABLES ET EFFETS SECONDAIRES

SNC: nervosité, anxiété, céphalées, insomnie, CONVULSIONS.
Resp.: tachypnée.
CV: tachycardie, palpitations, arythmies, angine de poitrine.
GI: nausées, vomissements, anorexie, crampes.
GU: albuminurie, hématurie, diurèse.
SN: tremblements.
Divers: hyperglycémie, syndrome d'antidiurèse inefficace.

INTERACTIONS

Médicament – médicament: ■ Effets secondaires additifs sur l'appareil cardiovasculaire et le SNC lors de l'administration simultanée d'**agents adrénergiques (sympathomimétiques)** ■ Bronchodilatation additive lors de l'administration simultanée d'autres **bronchodilatateurs** ■ Le **probénécide** diminue l'excrétion rénale de dyphylline et en augmente les concentrations sanguines ■ Les **bêtabloquants** peuvent diminuer les effets thérapeutiques de la dyphylline.

VOIES D'ADMINISTRATION ET POSOLOGIE

Bronchospasme aigu
■ **PO (adultes):** 500 mg.

Traitement prolongé
■ **PO (adultes):** 15 mg/kg, toutes les 6 h.
■ **IM (adultes):** de 250 à 500 mg, toutes les 6 h.

PHARMACODYNAMIE (bronchodilatation)

	DÉBUT D'ACTION	PIC*	DURÉE
PO	inconnu	1 h	6 h

SOINS INFIRMIERS

ÉVALUATION DE LA SITUATION

□ Mesurer la pression artérielle et le pouls, ausculter la respiration et le murmure vésiculaire avant d'administrer le médicament et pendant tout le traitement.
□ Relever les modifications de l'ÉCG chez les patients ayant des antécédents de troubles cardiovasculaires.
□ Effectuer le bilan des ingesta et des excreta pour déceler l'augmentation de la diurèse.
■ **Étude des examens diagnostiques et biochimiques:** Le dosage standard de la théophylline ne permet pas de mesurer les concentrations de dyphylline.

DIAGNOSTICS INFIRMIERS POSSIBLES

■ **Énoncés diagnostiques**
□ Dégagement inefficace des voies respiratoires.

□ Intolérance à l'activité.
□ Prise en charge inefficace du programme thérapeutique.
□ *Risque élevé d'intoxication.*
□ *Risque élevé de réponse insuffisante au traitement.*

■ **Facteurs favorisants**
□ Informations incomplètes.
□ *Essoufflement et fatigue.*
□ *Manque de connaissances sur les modalités du traitement.*
□ *Manque de connaissances sur le régime alimentaire à suivre.*

INTERVENTIONS INFIRMIÈRES

■ **Directives générales:** Administrer la dyphylline à intervalles réguliers, 24 h sur 24, pour maintenir des concentrations plasmatiques thérapeutiques.
□ Avant d'administrer la dose d'attaque, déterminer si le patient a reçu une autre forme de théophylline.
■ **PO:** Administrer l'agent 1 h avant les repas ou 2 h après pour assurer une absorption rapide. On peut administrer la dyphylline après les repas afin de réduire l'irritation gastrointestinale. Les aliments ralentissent mais ne réduisent pas l'absorption du médicament. Utiliser un récipient gradué pour mesurer les préparations liquides.
■ **IM:** Ne pas utiliser la préparation si elle contient un précipité. La formation de précipité peut être due à l'exposition au froid.
□ Injecter la solution lentement; éviter l'administration par voie IV.

ENSEIGNEMENT AU PATIENT ET À SES PROCHES

□ Insister sur l'importance de prendre les doses prescrites aux intervalles prescrits. Si le patient n'a pas pu prendre le médicament au moment habituel, lui recommander de le prendre dès que possible, à moins que ce ne soit presque l'heure prévue pour la dose suivante.

E

□ Recommander au patient de boire suffisamment de liquides (2 000 mL par jour, au minimum) pour diminuer la viscosité des sécrétions des voie respiratoires.

□ Conseiller au patient de consulter le médecin ou le pharmacien avant de prendre un médicament en vente libre pour traiter la toux, le rhume ou les difficultés respiratoires en même temps que la dyphylline. Ces médicaments peuvent intensifier les effets secondaires de la dyphylline et déclencher des arythmies.

□ Recommander au patient de réduire la consommation d'aliments et de boissons contenant des xanthines (boissons à base de cola, café, chocolat).

□ Inciter le patient à cesser de fumer étant donné que la fumée irrite les voies respiratoires.

□ Recommander au patient de prévenir immédiatement le médecin si la dose habituelle de médicament ne produit pas les résultats escomptés, si les symptômes s'aggravent après le traitement ou si les effets toxiques suivants se manifestent : anorexie, nausées, vomissements, agitation, insomnie, tachycardie, arythmie, convulsions.

VÉRIFICATION DES RÉSULTATS

L'efficacité du traitement peut être démontrée par : ■ l'amélioration de la respiration et le dégagement des plages pulmonaires à l'auscultation.

ÉCONAZOLE
Ecostatin, (Spectazole)

CLASSIFICATION :
Antifongique topique

Grossesse – catégorie B

INDICATIONS
■ Traitement d'un grand nombre d'infections fongiques superficielles incluant :

□ *Tinea pedis* □ *Tinea cruris* □ *Tinea corporis* □ *Tinea versicolor* □ la candidose cutanée et vulvo-vaginale.

ACTION
■ Atteinte à la perméabilité de la cellule fongique entraînant la fuite du contenu intracellulaire ■ Modification possible du métabolisme des cellules fongiques. **Effets thérapeutiques :** ■ Effet fongicide ou fongistatique, selon l'agent pathogène en cause et la concentration de la préparation. **Spectre d'action :** ■ Action contre un bon nombre de champignons dont : □ *Candida albicans* □ *Tricophyton rubrum* □ *T. mentagrophytes* □ *T. tonsurans* □ *Pityrosporum orbiculare.*

PHARMACOCINÉTIQUE
Absorption : Par suite de l'administration de la préparation topique, l'absorption systémique est minime.
Distribution : Le médicament s'accumule en forte concentration dans la couche cornée, l'épiderme et le derme.
Métabolisme et excrétion : Inconnus. Une fraction inférieure à 1 % est excrétée dans l'urine et dans les fèces.
Demi-vie : Inconnue.

CONTRE-INDICATIONS ET PRÉCAUTIONS
Contre-indications : ■ Hypersensibilité à l'éconazole ou aux ingrédients du véhicule ■ Premier trimestre de la grossesse. **Précautions :** ■ Deuxième et troisième trimestres de la grossesse (administrer seulement en cas de nécessité médicale) ■ Allaitement ■ Dysfonctionnement hépatique grave.

RÉACTIONS INDÉSIRABLES ET EFFETS SECONDAIRES
Tég. : brûlures, démangeaisons, picotements, érythème.

INTERACTIONS
Médicament – médicament : Aucune interaction notable.

VOIES D'ADMINISTRATION ET POSOLOGIE

Tinea pedis, Tinea cruris, Tinea corporis, Tinea versicolor

- **Usage topique (adultes et enfants):** appliquer la crème à 1 %, 2 fois par jour.

Candidose cutanée

- **Usage topique (adultes et enfants):** appliquer la crème à 1 %, 2 fois par jour.

Candidose vulvo-vaginale

- **Usage intravaginal (adultes):** introduire l'ovule à l'aide de l'applicateur, le soir, au coucher, pendant 3 jours.

PHARMACODYNAMIE

	DÉBUT D'ACTION	PIC	DURÉE
préparation topique	2 semaines – 1 mois	inconnu	inconnue

☀ SOINS INFIRMIERS

ÉVALUATION DE LA SITUATION

Suivre de près les signes d'infection avant le traitement et à intervalles réguliers pendant toute sa durée.

DIAGNOSTICS INFIRMIERS POSSIBLES

- **Énoncés diagnostiques**
- □ Risque élevé d'infection.
- □ Atteinte à l'intégrité de la peau.
- □ Prise en charge inefficace du programme thérapeutique.
- **Facteurs favorisants**
- □ Informations incomplètes.
- □ *Manque de connaissances sur la méthode d'administration du médicament.*
- □ *Manque de connaissances sur les modalités du traitement.*

INTERVENTIONS INFIRMIÈRES

- **Usage topique:** Nettoyer la peau atteinte avec de l'eau et du savon et bien sécher. Appliquer suffisamment de crème pour couvrir la région atteinte et masser délicatement pour faire pénétrer la préparation. Éviter tout contact avec les yeux. Ne pas utiliser de pansement occlusif sauf sur recommandation expresse du médecin.
- **Usage intravaginal:** Introduire profondément l'ovule dans le vagin. Un applicateur réutilisable est fourni dans l'emballage. Demander à la patiente de demeurer en position couchée pendant au moins 30 min après l'application.

ENSEIGNEMENT AU PATIENT ET À SES PROCHES

- **Usage topique:** Expliquer au patient qu'il doit utiliser l'éconazole exactement comme le médecin l'a prescrit. S'il n'a pas pu appliquer la crème au moment habituel, l'appliquer dès que possible à moins que ce ne soit presque l'heure prévue pour la dose suivante.
- □ Conseiller au patient souffrant du pied d'athlète (*Tinea pedis*) de porter des chaussures aérées et bien ajustées et de changer de bas et de chaussures au moins une fois par jour.
- □ Conseiller au patient de consulter le médecin si aucune amélioration ne survient dans les 4 semaines qui suivent le début du traitement ou s'il ressent des brûlures, des picotements, des rougeurs ou des démangeaisons.
- **Usage intravaginal:** Conseiller à la patiente d'utiliser une serviette hygiénique afin de protéger la literie ou les sous-vêtements des taches.
- □ Recommander à la patiente de poursuivre le traitement pendant les règles. Lui conseiller de s'abstenir de rapports sexuels durant le traitement afin de prévenir la réinfection.
- □ Conseiller à la patiente de consulter le médecin avant de prendre une douche vaginale.

VÉRIFICATION DES RÉSULTATS

L'efficacité du traitement peut être démontrée par: la disparition des signes et des symptômes d'infection. Parfois, afin de prévenir les rechutes, il faut prolonger le traitement pendant 2 semaines à 1 mois (crème topique). En cas de candidose vulvo-vaginale, bien qu'un traitement de 3 jours soit généralement suffisant, il peut parfois s'avérer nécessaire d'entreprendre un deuxième traitement.

ÉCHOTHIOPHATE, IODURE D'

Échothiophate, iodure d'écostigmine, Phospholine (iodure)

CLASSIFICATION:
Agent ophtalmique – cholinergique; traitement du glaucome

Grossesse – catégorie C

INDICATIONS

■ Traitement du glaucome à angle ouvert et d'autres types de glaucome chronique n'ayant pas répondu à un traitement plus traditionnel ■ Diagnostic et traitement du strabisme convergent (ésotropie) concomitant.

ACTION

■ Inhibition de longue durée de l'enzyme cholinestérase, ce qui entraîne l'accumulation d'acétylcholine et des effets prolongés. **Effets thérapeutiques:** ■ Contraction du sphincter de l'iris, ce qui entraîne le myosis, la constriction des muscles ciliaires menant à une meilleure accommodation et à une moindre résistance au débit d'humeur aqueuse ■ Diminution de la pression intraoculaire.

PHARMACOCINÉTIQUE

Absorption: Pénétration rapide dans la cornée. Par suite de l'administration des gouttes ophtalmiques, l'ingrédient actif est fortement absorbé par voie systémique.
Distribution: Inconnue.
Métabolisme et excrétion: Lent métabolisme dans les tissus et dans les liquides physiologiques sous l'action des cholinestérases.
Demi-vie: Inconnue.

CONTRE-INDICATIONS ET PRÉCAUTIONS

Contre-indications: ■ Hypersensibilité ■ Risque ou antécédents de décollement de la rétine ■ Inflammation oculaire aiguë ■ Synéchie postérieure.
Précautions: ■ Abrasion de la cornée ■ Asthme ■ Hypertension ■ Hyperthyroïdie ■ Maladie cardiovasculaire ■ Épilepsie ■ Parkinsonisme ■ Bradycardie ■ Ulcère ■ Obstruction du tractus urinaire ■ Hypotension ■ Obstruction gastro-intestinale.

RÉACTIONS INDÉSIRABLES ET EFFETS SECONDAIRES

ORLO: spasme de l'accommodation, myopie, vision trouble, altération de la vision nocturne, décollement de la rétine, picotements, brûlures, larmoiement, douleur oculaire, douleur au niveau des sourcils, congestion de la conjonctive, sténose du conduit lacrymal, mouvements brefs et saccadés des paupières, kystes de l'iris (enfants), hyperémie de la chambre antérieure de l'œil, congestion nasale.
Resp.: bronchospasme.
GI: nausées, vomissements, diarrhée, douleurs abdominales, crampes, salivation excessive.
GU: mictions fréquentes.
Tég.: transpiration, pâleur, cyanose.
Loc.: faiblesse musculaire.
SN: paresthésie.

INTERACTIONS

Médicament – médicament: ■ Effet additif sur la diminution de la pression intraoculaire, lors de l'administration de préparations ophtalmiques d'**épinéphrine** et de **bêtabloquants** et de préparations par voie systémique d'**inhibiteurs de l'anhydrase carbonique** ■ Risque de diminution des effets de l'échothiopate lors de l'administration concomitante de **physostigmine**, de **cyclopentolate**, de **glucocorticoïdes** à action locale ou systémique, d'**anticholinergiques** à action systémique, d'**antihistaminiques**, de mépéridine, de **sympathomimétiques** et d'**antidépresseurs tricycliques** ■ L'iodure d'écothiopate prolonge la durée d'action des **anesthésiques locaux de type ester** (la **benzocaïne**, la **butacaïne**, la **tétracaïne**) ■ L'iodure d'écothiopate diminue le métabolisme de la **cocaïne** et en augmente les effets ■ L'iodure d'écothiopate peut accentuer le blocage neuromusculaire entraîné par la **succinylcholine** ■ Toxicité additive, lors de l'administration concomitante d'**inhibiteurs de la cholinestérase** ■ Le **clofibrate** peut potentialiser le myosis.

VOIES D'ADMINISTRATION ET POSOLOGIE

Traitement du glaucome
■ **Gouttes ophtalmiques (adultes):** 2 gouttes d'une solution de 0,06 à 0,25 %, 1 ou 2 fois par jour.

Strabisme convergent
(mesure thérapeutique)
■ **Gouttes ophtalmiques (adultes):** 1 goutte d'une solution de 0,06 à 0,125 %, 1 fois/jour ou tous les 2 jours. La dose peut être augmentée jusqu'à 4 fois/jour.

Strabisme convergent (mesure diagnostique)
■ **Gouttes ophtalmiques (adultes):** 1 goutte de solution à 0,125 %, 1 fois/jour, au coucher, pendant 2 à 3 semaines.

PHARMACODYNAMIE

	DÉBUT D'ACTION	PIC	DURÉE
gouttes ophtalmiques (myosis)	10 – 30 min	30 min	7 – 28 jours
gouttes ophtalmiques (pression intraoculaire)	4 – 8 h	en l'espace de 24 h	jusqu'à 28 jours

✷ SOINS INFIRMIERS

ÉVALUATION DE LA SITUATION
☐ Suivre de près les modifications de la vision, l'irritation oculaire et les céphalées persistantes.

☐ Surveiller les effets secondaires systémiques suivants : transpiration, salivation accrue, nausées, vomissements, diarrhée et détresse respiratoire. Si ces signes surviennent, en prévenir immédiatement le médecin.

■ **Toxicité et surdosage:** La toxicité se manifeste par des effets secondaires systémiques. L'antidote est l'atropine.

DIAGNOSTICS INFIRMIERS POSSIBLES
■ **Énoncés diagnostiques**
☐ Altération de la perception visuelle.
☐ Prise en charge inefficace du programme thérapeutique.
☐ *Risque élevé d'atteinte à l'intégrité des tissus.*
☐ *Risque élevé d'accident.*

■ **Facteurs favorisants**
☐ Informations incomplètes.
☐ *Manque de connaissances sur la méthode d'administrtion du médicament.*
☐ *Manque de connaissances sur les modalités du traitement.*
☐ *Altération de la perception visuelle.*
☐ *Douleur.*
☐ *Manque de connaissances sur les moyens de réduire la photosensibilité et sur l'importance d'un suivi ophtalmique.*

INTERVENTIONS INFIRMIÈRES
Gouttes ophtalmiques: Les gouttes existent en plusieurs concentrations. Vérifier attentivement la teneur inscrite sur l'étiquette du flacon avant d'administrer la solution.

ENSEIGNEMENT AU PATIENT ET À SES PROCHES
☐ Conseiller au patient de respecter scrupuleusement la posologie recommandée et de ne pas interrompre le traitement sans l'autorisation préalable du médecin. Parfois, le traitement doit être poursuivi durant toute la vie. Si le patient n'a pas pu s'administrer les gouttes ophtalmiques au moment

E

habituel, il doit le faire aussitôt que possible à moins que ce ne soit presque l'heure prévue pour la dose suivante.

☐ Expliquer au patient la méthode d'administration des gouttes ophtalmiques (voir l'annexe H).

☐ Prévenir le patient que la constriction de la pupille, une sensation passagère de picotement et la vision trouble pendant un certain temps sont des effets prévisibles. Lui conseiller de prévenir le médecin si la vision trouble ou la douleur au niveau des sourcils persiste.

☐ Prévenir le patient que sa vision nocturne peut être altérée. Lui recommander de ne pas conduire la nuit jusqu'à ce qu'on ait la certitude que le médicament n'entraîne pas cet effet chez lui. Pour éviter les accidents dans l'obscurité, conseiller au patient de se servir d'une lampe de poche et de retirer les obstacles qui peuvent le gêner dans ses déplacements.

☐ Recommander au patient qui doit suivre un traitement dentaire ou subir une intervention chirurgicale de prévenir le dentiste ou le médecin qu'il suit un traitement médicamenteux.

☐ Insister sur le besoin d'examens ophtalmiques réguliers permettant de mesurer les champs visuels et la pression intraoculaire.

VÉRIFICATION DES RÉSULTATS

L'efficacité du traitement peut être démontrée par : ■ l'abaissement d'une pression intraoculaire élevée ■ le diagnostic et le traitement du strabisme convergent. Le diagnostic est basé sur le rétablissement du parallélisme des yeux après 2 à 3 semaines de traitement à raison de une goutte, au coucher. Bien que le traitement puisse être poursuivi pendant 5 ans, on envisage habituellement l'intervention chirurgicale si le strabisme ne disparaît pas après une année ou deux de traitement ou s'il récidive après l'arrêt du traitement médicamenteux.

ÉDROPHONIUM
Enlon, Tensilon, (Reversol)

CLASSIFICATION :
Cholinergique – anticholinestérasique

Grossesse – catégorie C

INDICATIONS

■ Diagnostic de la myasthénie grave ■ Évaluation de la pertinence d'un traitement anticholinestérasique en cas de myasthénie grave ■ Diagnostic différentiel de la crise myasthénique et de la crise cholinergique ■ Renversement des effets des bloqueurs neuromusculaires de type non dépolarisant ■ Traitement adjuvant de la dépression de la fonction respiratoire entraînée par un surdosage au curare. **Usages non approuvés :** ■ Interruption d'un épisode de tachycardie paroxystique auriculaire.

ACTION

■ Inhibition de la dégradation de l'acétylcholine entraînant son accumulation et la prolongation de son effet. Les effets incluent le myosis, une élévation du tonus des muscles intestinaux et locomoteurs, la constriction bronchique et urétrale, la bradycardie, la salivation, le larmoiement et la transpiration accrus. **Effets thérapeutiques :** ■ Amélioration de courte durée de la fonction des muscles crâniens chez les patients souffrant de myasthénie grave, renversement des effets des bloqueurs neuromusculaires de type non dépolarisant et suppression de certaines arythmies.

PHARMACOCINÉTIQUE

Absorption : Par suite de l'administration IM et SC, l'absorption est inconnue.
Distribution : Inconnue.
Métabolisme et excrétion : Le sort métabolique de l'agent est inconnu.
Demi-vie : Inconnue.

E

CONTRE-INDICATIONS ET PRÉCAUTIONS

Contre-indications : ■ Hypersensibilité ■ Obstruction mécanique du tractus gastro-intestinal ou génito-urinaire ■ Grossesse (risque d'irritation utérine si l'administration IV a lieu vers la fin de la grossesse ; risque de faiblesse musculaire chez le nouveau-né) ■ Allaitement.

Précautions : ■ Antécédents d'asthme ■ Ulcère ■ Maladie cardiovasculaire ■ Épilepsie ■ Hyperthyroïdie ■ En raison du risque de sensibilité extrême aux effets des anticholinestérasiques auxquels sont exposés certains patients, garder de l'atropine à portée de la main pour contrer les effets du surdosage.

RÉACTIONS INDÉSIRABLES ET EFFETS SECONDAIRES

SNC : étourdissements, faiblesses, CONVULSIONS.

ORLO : myosis, larmoiement.

Resp. : sécrétions bronchiques excessives, bronchospasme.

CV : bradycardie, hypotension.

GI : crampes abdominales, nausées, vomissements, diarrhée, salivation excessive.

Tég. : rash, transpiration.

Loc. : fasciculation.

INTERACTIONS

Médicament – médicament : ■ Les **médicaments doués de propriétés anticholinergiques** dont les **antihistaminiques**, les **antidépresseurs**, l'**atropine**, l'**halopéridol**, les **phénothiazines**, la **quinidine** et le **disopyramide** peuvent contrecarrer les effets de l'édrophonium ■ L'édrophonium prolonge l'effet des **myorelaxants musculaires du type dépolarisant** (succinylcholine, décaméthonium) ■ L'édrophonium peut provoquer une bradycardie excessive chez les patients recevant des **dérivés digitaliques**.

VOIES D'ADMINISTRATION ET POSOLOGIE

Diagnostic de la myasthénie grave

■ **IV (adultes) :** 2 mg ; en l'absence de réponse, administrer 8 mg de plus ; on peut répéter l'épreuve diagnostique 30 min plus tard. Si une réponse cholinergique survient, administrer 0,4 ou 0,5 mg d'atropine par voie IV.

■ **IV (enfants > 34 kg) (É.-U.) :** 2 mg ; en l'absence de réponse, administrer 1 mg, toutes les 30 à 45 s jusqu'à concurrence de 10 mg. Si une réaction cholinergique survient, administrer de l'atropine par voie IV.

■ **IV (enfants < 34 kg) (É.-U.) :** 1 mg ; en l'absence de réponse, administrer 1 mg, toutes les 30 à 45 s jusqu'à concurrence de 5 mg. Si une réaction cholinergique survient, administrer de l'atropine par voie IV.

■ **IV (nourrissons) (É.-U.) :** 0,5 mg.

■ **IM (adultes) (É.-U.) :** 10 mg. Si une réaction cholinergique survient, on peut répéter l'administration d'une dose de 2 mg en l'espace de 30 min pour écarter le risque de réaction faussement positive.

■ **IM (enfants < 34 kg) (É.-U.) :** 2 mg.

■ **IM (enfants > 34 kg) (É.-U.) :** 5 mg.

Évaluation du traitement anticholinestérasique

■ **IV (adultes) :** de 1 à 2 mg, 1 h après administration PO de la dose d'anticholinestérasique.

Test pour distinguer une crise myasthénique d'une crise cholinergique

■ **IV (adultes) :** 1 mg, 1 h après la dernière dose de l'agent cholinergique ; on peut administrer 1 mg de plus 1 min plus tard.

Renversement des effets des agents bloqueurs neuromusculaires de type non dépolarisant / Traitement d'un surdosage au curare

■ **IV (adultes) :** 10 mg ; on peut répéter l'administration toutes les 5 à 10 min (ne pas dépasser 40 mg).

E

*Interruption d'un épisode de tachycardie
paroxystique auriculaire*
- **IV (adultes):** de 5 à 10 mg.

Tachyarythmies lentes
- **IV (adultes):** dose d'épreuve de 2 mg,
puis 2 mg toutes les minutes jusqu'à
concurrence de 10 mg. On peut poursuivre le traitement par une perfusion
de 0,25 à 2 mg/min.

PHARMACODYNAMIE
(effet cholinergique)

	DÉBUT D'ACTION	PIC	DURÉE
IM	2 – 10 min	inconnu	5 – 30 min
IV	30 – 60 s	inconnu	5 – 10 min

SOINS INFIRMIERS

ÉVALUATION DE LA SITUATION

- **Directives générales:** Examiner les réactions neuromusculaires (ptosis, diplopie, capacité vitale, capacité de déglutition et force des membres) avant
l'administration du médicament et
immédiatement après.

- Pour distinguer une crise myasthénique d'une crise cholinergique, suivre
de près les symptômes suivants: faiblesse accrue, diaphorèse, salivation
et sécrétions bronchiques accrues,
dyspnée, nausées, vomissements, diarrhée et bradycardie. Si ces symptômes surviennent, il s'agit d'une crise
cholinergique. Si le patient reprend
ses forces, il s'agit d'une crise myasthénique.

- **Tachycardie supraventriculaire:** Mesurer le pouls et la pression artérielle et
suivre de près l'ÉCG avant l'administration du médicament et tout au
long du traitement.

- **Toxicité et surdosage:** On peut administrer de l'atropine pour traiter les
symptômes cholinergiques. Garder à

portée de la main le matériel d'oxygénothérapie et de réanimation.

DIAGNOSTICS INFIRMIERS POSSIBLES

- **Énoncés diagnostiques**
- Mode de respiration inefficace.
- Prise en charge inefficace du pro-
gramme thérapeutique.
- *Risque élevé de déficit de volume li-
quidien.*
- *Risque élevé de perturbation des
échanges gazeux.*

- **Facteurs favorisants**
- Informations incomplètes.
- *Mode de respiration inefficace.*
- *Manque de connaissances sur les
moyens de prévenir les effets secon-
daires du médicament.*

INTERVENTIONS INFIRMIÈRES

- **Directives générales:** La dose IV servant à diagnostiquer les cas de mya-
thénie grave et la dose qui permet de
distinguer une crise myasthénique
d'une crise cholinergique doivent
être administrées par le médecin.
- **IV:** Les doses IV doivent être administrées sous forme non diluée dans une
seringue à tuberculine.
- **Compatibilités (tubulure en Y):** Héparine, hydrocortisone ou chlorure de
potassium.

ENSEIGNEMENT AU PATIENT ET
À SES PROCHES

Prévenir le patient que les effets du médicament peuvent durer jusqu'à 30 min.

VÉRIFICATION DES RÉSULTATS

**L'efficacité du traitement peut être démontrée
par:** ■ le soulagement des symptômes
myasthéniques ■ la capacité de distinguer les crises myasthéniques des crises
cholinergiques ■ le renversement de la
paralysie après anesthésie ■ la suppression de la tachycardie supraventriculaire.

ÉLIXIR PARÉGORIQUE

Teinture d'opium camphrée

CLASSIFICATION:
Antidiarrhéique

Stupéfiant

Grossesse – catégorie inconnue

INDICATIONS

Traitement symptomatique de la diarrhée.

ACTION

■ Inhibition du péristaltisme gastrointestinal normal par la morphine contenue dans la préparation. **Effets thérapeutiques:** ■ Diminution de la fréquence des défécations chez les patients souffrant de diarrhée.

PHARMACOCINÉTIQUE

Absorption: Absorption variable depuis le tractus gastro-intestinal.
Distribution: Inconnue. De petites quantités de morphine traversent probablement le placenta et pénètrent dans le lait maternel.
Métabolisme et excrétion: La morphine est métabolisée par le foie.
Demi-vie: Morphine – de 2 à 3 h.

CONTRE-INDICATIONS ET PRÉCAUTIONS

Contre-indications: ■ Hypersensibilité ■ Douleurs abdominales graves non diagnostiquées, particulièrement lorsqu'elles s'accompagnent de fièvre.
Précautions: ■ Asthme ■ Hypertrophie grave de la prostate ■ Maladie hépatique grave ■ Antécédents de pharmacodépendance (l'administration prolongée peut entraîner une dépendance physique).

RÉACTIONS INDÉSIRABLES ET EFFETS SECONDAIRES

SNC: somnolence, étourdissements, sensation de tête légère (doses élevées).

CV: hypotension (doses élevées).
GI: constipation.
GU: rétention urinaire.

INTERACTIONS

Médicament – médicament: Effets dépressifs additifs sur le SNC lors de l'usage concomitant d'**autres dépresseurs du SNC**, incluant l'**alcool**, les **antihistaminiques**, les **analgésiques narcotiques** et les **hypnosédatifs**.

VOIES D'ADMINISTRATION ET POSOLOGIE

Remarque: L'élixir renferme 2,5 mg de morphine anhydre par 5 mL.
■ **PO (adultes) (É.-U.):** de 5 à 10 mL, de 1 à 4 fois par jour.
■ **PO (enfants) (É.-U.):** de 0,25 à 0,5 mL/kg, de 1 à 4 fois par jour.

PHARMACODYNAMIE
(effets antidiarrhéiques)

	DÉBUT D'ACTION	PIC	DURÉE
PO	1 – 2 h	2 – 4 h	4 – 6 h

☀ SOINS INFIRMIERS

ÉVALUATION DE LA SITUATION

☐ Observer la fréquence et la consistance des selles; ausculter les bruits intestinaux avant le traitement et pendant toute sa durée.
☐ Effectuer le bilan hydroélectrolytique et observer la peau à la recherche de signes de déshydratation.
☐ Mesurer la fréquence respiratoire, particulièrement chez les nourrissons, les personnes âgées et les patients gravement malades, car le médicament peut entraîner une dépression respiratoire.
■ **Étude des examens diagnostiques et biochimiques:** L'élixir parégorique peut entraîner l'élévation des concentrations sériques d'amylase et de lipase.

E

DIAGNOSTICS INFIRMIERS POSSIBLES

■ **Énoncés diagnostiques**

☐ Diarrhée.

☐ Risque élevé d'accident.

☐ Prise en charge inefficace du programme thérapeutique.

☐ *Risque élevé de constipation.*

■ **Facteurs favorisants**

☐ Informations incomplètes.

☐ *Perturbation de la vigilance.*

☐ *Manque de connaissances sur les modalités du traitement.*

☐ *Manque de connaissances sur les effets hypotensifs du médicament lors des changements brusques de position.*

INTERVENTIONS INFIRMIÈRES

■ **Directives générales :** L'effet d'une dose de 4 mL d'élixir parégorique est similaire à celui d'une dose de 2,5 mg de diphénoxylate.

■ **PO :** En cas d'irritation gastro-intestinale, administrer le médicament avec des aliments ou pendant les repas. Bien agiter. Mélanger avec suffisamment d'eau pour faciliter le passage vers l'estomac. Le mélange doit avoir un aspect laiteux. Ne pas réfrigérer.

ENSEIGNEMENT AU PATIENT ET À SES PROCHES

☐ Conseiller au patient de respecter scrupuleusement la posologie recommandée. S'il n'a pu prendre le médicament au moment habituel, il doit le prendre dès que possible à moins qu'il ne soit presque l'heure prévue pour la dose suivante. Il peut s'avérer nécessaire de réduire graduellement la posologie après un traitement prolongé afin de prévenir les symptômes de sevrage : tachycardie, irritabilité, tremblements, troubles du sommeil, diaphorèse, frissons, crampes d'estomac, nausées ou vomissements. Il existe aussi des risques de dépendance physique ou psychologique.

☐ Recommander au patient de changer lentement de position pour prévenir le risque d'hypotension orthostatique.

☐ Prévenir le patient que de fortes doses d'élixir parégorique peuvent provoquer de la somnolence. Lui conseiller de ne pas conduire et d'éviter les activités qui exigent sa vigilance jusqu'à ce qu'on ait la certitude que le médicament n'entraîne pas cet effet chez lui.

☐ Conseiller au patient d'éviter de boire de l'alcool ou de prendre d'autres dépresseurs du SNC en même temps que cet agent.

☐ Recommander au patient de prévenir le médecin si la diarrhée persiste ou si elle s'accompagne de fièvre.

VÉRIFICATION DES RÉSULTATS

L'efficacité du traitement peut être démontrée par : ■ le soulagement de la diarrhée ■ le rétablissement des habitudes normales de défécation.

ÉMULSION LIPIDIQUE

Intralipid, Liposyn II, (NutriLipid), (Soyacal), (Travamulsion)

CLASSIFICATION :
Source énergétique non protéique

Grossesse – catégorie B (Soyacal) catégorie C (les autres agents)

INDICATIONS

■ Apport énergétique non protéique chez les patients dont tous les besoins énergétiques ne peuvent être satisfaits par l'apport d'hydrates de carbone (glucose) seulement ; l'émulsion lipidique fait habituellement partie de l'alimentation parentérale ■ Traitement et prévention de la carence en acides gras essentiels (CAGE) chez les patients recevant une alimentation parentérale prolongée.

E

ACTION

■ Source énergétique non protéique. **Effets thérapeutiques:** ■ Apport d'acides gras essentiels et d'énergie d'origine non protéique.

PHARMACOCINÉTIQUE

Absorption: L'administration de l'émulsion lipidique est réservée à la voie IV; dans ce cas, sa biodisponibilité est totale.

Distribution: La préparation se répartit dans l'espace intravasculaire.

Métabolisme et excrétion: L'émulsion lipidique est éliminée de l'organisme après transformation par la lipoprotéine lipase en triglycérides, puis en acides gras libres et en glycérol. Les acides gras libres sont transportés vers les tissus où ils peuvent être oxydés pour fournir une source d'énergie, ou stockés de nouveau sous forme de triglycérides.

Demi-vie: Inconnue.

CONTRE-INDICATIONS ET PRÉCAUTIONS

Contre-indications: ■ Hyperlipidémie ■ Néphrose lipoïdique ■ Pancréatite accompagnée de lipémie ■ Hypersensibilité aux produits d'œufs (l'émulsifiant contient des phospholipides d'œufs).

Précautions: ■ Troubles thrombo-emboliques ■ Maladies hépatique ou pulmonaire graves ■ Anémie ou troubles hémorragiques ■ Risques d'embolie graisseuse ■ Enfants prématurés.

RÉACTIONS INDÉSIRABLES ET EFFETS SECONDAIRES

CV: douleurs thoraciques.

GI: vomissements, hépatomégalie[*], splénomégalie[*].

Tég.: ictère[*].

Locaux: phlébite au point de ponction IV.

Divers: fièvre, frissons, tremblements, syndrome de surcharge[*], infection, réactions d'hypersensibilité.

---

[*] Administration prolongée seulement.

INTERACTIONS

Médicament – médicament: Aucune interaction notable.

VOIES D'ADMINISTRATION ET POSOLOGIE

Remarque: L'énergie d'origine lipidique ne devrait pas représenter plus de 60 % de l'énergie totale absorbée.

Nutrition parentérale totale

■ **IV (adultes):** émulsion à 10 % – 1 mL/ min pendant les 15 premières minutes; augmenter la dose, par la suite, jusqu'à 83 à 125 mL/h. Ne pas dépasser 500 mL le premier jour. On peut augmenter la dose le deuxième jour. Ne pas dépasser 2 g/kg/jour. Émulsion à 20 % – 0,5 mL pendant les 15 premières minutes; augmenter ensuite jusqu'à 62,5 mL/h. Ne pas administrer plus de 250 mL de Liposyn II ou plus de 500 mL d'Intralipid. On peut augmenter la dose le deuxième jour. Ne pas dépasser 2 g/kg/jour.

■ **IV (enfants):** émulsion à 10 % – 0,1 mL/ min pendant les 15 premières minutes; augmenter ensuite jusqu'à 1 g/kg en 4 h; la vitesse d'administration ne devrait pas dépasser 100 mL/h. Émulsion à 20 % – 0,05 mL/min pendant les 15 premières minutes, augmenter ensuite jusqu'à 1 g/kg en 4 h. La vitesse d'administration ne devrait pas dépasser 50 mL/h. La dose totale ne devrait pas dépasser 4 g/kg/jour.

Carence en acides gras essentiels (CAGE)

(Il est recommandé de fournir environ 4 % de l'apport énergétique quotidien sous forme de linoléate.)

■ **IV (adultes):** 500 mL de l'émulsion à 10 % ou 250 mL de l'émulsion à 20 %, 2 fois par semaine.

■ **IV (enfants):** la dose quotidienne de l'émulsion à 10 % se situe entre 5 et 10 mL/kg et celle de l'émulsion à 20 %, entre 2,5 et 5 mL/kg.

PHARMACODYNAMIE

	DÉBUT D'ACTION	PIC	DURÉE
IV	inconnu	inconnu	inconnue

☀ SOINS INFIRMIERS

ÉVALUATION DE LA SITUATION

☐ Peser le patient adulte un jour sur deux et le nourrisson ou l'enfant, tous les jours, lorsque l'émulsion lipidique doit aider à satisfaire les besoins énergétiques.

☐ Déterminer avant de commencer le traitement si le patient est allergique aux œufs ; auquel cas, une réaction d'hypersensibilité aiguë accompagnée d'urticaire prurigineuse peut survenir.

■ **Étude des examens diagnostiques et biochimiques :** Noter à intervalles réguliers les concentrations de triglycérides et d'acides gras afin de déterminer la capacité de l'organisme d'éliminer de la circulation les lipides administrés par perfusion.

☐ Noter les concentrations d'hémoglobine, l'hématocrite, les résultats du test de l'exploration fonctionnelle hépatique, la coagulation sanguine et la numération plaquettaire (particulièrement chez les nouveau-nés). Prévenir immédiatement le médecin en présence d'une anomalie. Dans ce cas, le traitement pourrait être stoppé.

■ **Toxicité et surdosage :** En présence d'un syndrome de surcharge (convulsions focales, fièvre, leucocytose, splénomégalie, choc) ou de concentrations élevées de triglycérides ou d'acides gras libres, interrompre la perfusion et réévaluer l'état du patient avant de la reprendre.

DIAGNOSTICS INFIRMIERS POSSIBLES

■ **Énoncés diagnostiques**
☐ Déficit nutritionnel.
☐ Prise en charge inefficace du programme thérapeutique.

☐ Risque élevé d'infection.
☐ Risque élevé de douleur au point d'injection IV.
☐ Risque élevé d'accident.

■ **Facteurs favorisants**
☐ Informations incomplètes.
☐ Inflammation locale du tissu vasculaire ou infiltration du médicament dans les tissus avoisinants.
☐ Manque de connaissances sur les modalités du traitement.
☐ Manque de connaissances sur la méthode d'administration du médicament.

INTERVENTIONS INFIRMIÈRES

■ **Directives générales :** L'émulsion lipidique ne devrait pas représenter plus de 60 % de l'apport énergétique total. Le reste, soit 40 %, devrait comprendre des hydrates de carbone et des acides aminés.

☐ L'émulsion lipidique peut être administrée par un cathéter installé dans une veine périphérique ou centrale. Utiliser une pompe de perfusion afin d'administrer à la vitesse appropriée. Examiner les points d'injection périphériques pour déceler la phlébite.

☐ L'émulsion lipidique peut être administrée en même temps qu'une solution d'acides aminés ou de dextrose. Administrer l'émulsion lipidique par une tubulure en Y près du point de perfusion. Étant donné sa densité plus faible, la solution d'émulsion lipidique doit être suspendue plus haut que la solution d'acides aminés et de dextrose. On prévient ainsi le reflux de l'émulsion lipidique dans la tubulure par où passe la solution d'acides aminés et de dextrose.

☐ Ne pas utiliser de filtres au cours de l'administration.

☐ Utiliser la tubulure fournie par le fabricant. Changer de tubulure IV après l'administration de chaque dose d'émulsion lipidique.

E

☐ Bien que des études de compatibilité aient été effectuées, le fabricant recommande de ne pas mélanger l'émulsion lipidique à un autre médicament et de ne pas l'administrer par un raccordement en série en même temps qu'une autre solution.

☐ Ne pas utiliser la solution si l'émulsion s'est séparée en deux phases ou si elle semble huileuse.

☐ Jeter toute portion inutilisée.

■ **Perfusion intermittente :** Chez l'adulte, la vitesse de perfusion initiale devrait être de 1 mL/min pour la solution à 10 % et de 0,5 mL/min, pour la solution à 20 % pendant les 15 premières minutes. En l'absence de toute réaction indésirable, le débit peut être accéléré de façon à administrer 500 mL en 4 à 6 h, pour la solution à 10 %, et 250 mL, en 4 à 6 h, ou 500 mL en 8 h, pour la solution à 20 %. La dose quotidienne ne devrait pas dépasser 2 g/kg.

☐ Ne pas perfuser plus de 500 mL de la solution à 10 %, le premier jour. On peut augmenter la dose les jours suivants.

☐ Ne pas perfuser plus de 500 mL de la solution à 20 % d'Intralipid le premier jour. On peut augmenter la dose les jours suivants.

☐ Chez l'enfant, la vitesse de perfusion initiale devrait être de 0,1 mL/min, pour la solution à 10 % et de 0,05 mL/min, pour la solution à 20 %, pendant les 15 premières minutes. En l'absence de toute réaction indésirable, le débit peut être augmenté de façon à administrer 1 g/kg en 4 h. Ne pas dépasser 100 mL/h, pour la solution à 10 % et 50 mL/h, pour la solution à 20 %. La dose quotidienne ne devrait pas dépasser 4 g/kg.

■ **Compatibilités (tubulure en Y) :** Ampicilline, céfamandole, céfazoline, céfoxitine, céphapirine, clindamycine, digoxine, dopamine, furosémide, gentamicine, isoprotérénol, kanamycine,

lactobionate d'érythromycine, lidocaïne, norépinéphrine, oxacilline, pénicilline G potassique, ticarcilline ou tobramycine.

■ **Incompatibilités (tubulure en Y) :** Amikacine ou tétracycline.

■ **Compatibilités en addition au soluté :** INTRALIPID avec FreAmine II à 8,5 %, FreAmine III à 8,5 %, Travasol sans électrolytes à 8,5 % et à 10 %, ou injection de dextrose à 10 % et à 70 %.

ENSEIGNEMENT AU PATIENT ET À SES PROCHES

Avant d'administrer l'émulsion lipidique, expliquer au patient le but de ce traitement.

VÉRIFICATION DES RÉSULTATS

L'efficacité du traitement peut être démontrée par : ■ un gain de poids ■ le maintien de concentrations sériques normales de triglycérides et d'acides gras.

ÉNALAPRIL
Vasotec

ÉNALAPRILATE
Vasotec

CLASSIFICATION :
Antihypertenseur – inhibiteur de l'enzyme de conversion de l'angiotensine (ECA)

Grossesse – catégorie C

INDICATIONS

■ Hypertension – en monothérapie ou en association avec d'autres antihypertenseurs ■ Insuffisance cardiaque – en association avec d'autres médicaments.

ACTION

■ Inhibition de la production d'angiotensine II, vasoconstricteur puissant qui stimule la sécrétion d'aldostérone, en empêchant sa transformation en une forme active, ce qui entraîne une vasodilatation systémique. **Effets thérapeutiques:** ■ Baisse de la pression artérielle chez les patients souffrant d'hypertension ■ Réduction de la précharge et de la postcharge chez les patients souffrant d'insuffisance cardiaque.

PHARMACOCINÉTIQUE

Absorption: Bonne absorption par suite de l'administration PO.

Distribution: La distribution du médicament n'est pas complètement élucidée. L'énalapril ne traverse qu'en quantités infimes la barrière hémato-encéphalique.

Métabolisme et excrétion: Après absorption, l'énalapril est transformé en énalaprilate, le métabolite actif. Une fraction de 60 % est excrétée par les reins (40 % sous forme d'énalaprilate, 20 % sous forme d'énalapril).

Demi-vie: Énalaprilate – 11 h (prolongée en cas d'insuffisance rénale).

CONTRE-INDICATIONS ET PRÉCAUTIONS

Contre indications: ■ Hypersensibilité ■ Risque de réaction de sensibilité croisée avec les autres inhibiteurs de l'ECA.

Précautions: ■ Insuffisance rénale (réduire la dose) ■ Grossesse, allaitement et enfants (l'innocuité du médicament n'a pas été établie) ■ Interventions chirurgicales et anesthésie (risque d'exacerbation de l'hypotension) ■ Sténose aortique ■ Maladie cérébrovasculaire ■ Insuffisance cardiaque.

Extrême prudence: Antécédents d'angio-œdème héréditaire.

RÉACTIONS INDÉSIRABLES ET EFFETS SECONDAIRES

SNC: céphalées, étourdissements, fatigue.
Resp.: toux.
CV: hypotension, tachycardie, angine de poitrine.
GI: anorexie, diarrhée, nausées, altération du goût.
GU: impuissance.

Tég.: rash.
HÉ: hyperkaliémie.
Divers: fièvre, ANGIO-ŒDÈME accompagné de laryngospasme.

INTERACTIONS

Médicament – médicament: ■ Effets additifs sur l'hypotension lors de l'administration concomitante d'autres **antihypertenseurs** ou de **vasodilatateurs** et de l'ingestion d'**alcool** ■ L'usage concomitant de **suppléments de potassium** ou de **diurétiques d'épargne potassique** peut entraîner l'hyperkaliémie ■ L'effet antihypertenseur peut être diminué par les **anti-inflammatoires non stéroïdiens** ■ L'administration concomitante de **pénicillamine** peut exacerber les effets secondaires sur les reins. **Médicament – aliments:** ■ Une **alimentation riche en potassium** peut provoquer l'hyperkaliémie.

PRÉSENTATION

L'énalapril est aussi présenté en association avec de l'hydrochlorothiazide (Vaseretic); voir l'annexe A.

VOIES D'ADMINISTRATION ET POSOLOGIE

Hypertension

- **PO (adultes):** dose initiale de 2,5 mg, puis 5 mg par jour; on peut augmenter cette dose, selon la réponse clinique (posologie habituelle: de 10 à 40 mg par jour en 1 seule dose ou en 2 doses fractionnées).

- **IV (adultes):** de 0,625 à 1,25 mg, toutes les 6 h.

Insuffisance cardiaque

- **PO (adultes):** dose initiale de 2,5 mg; on peut augmenter cette dose, selon la réponse clinique (posologie habituelle: de 10 à 20 mg par jour en 1 seule dose ou en 2 doses fractionnées).

PHARMACODYNAMIE
(effet sur la pression artérielle)

	DÉBUT D'ACTION	PIC	DURÉE
PO	1 h	4 – 6 h	24 h
IV	15 min	1 – 4 h	6 h

SOINS INFIRMIERS

ÉVALUATION DE LA SITUATION

☐ Mesurer souvent la pression artérielle et le pouls au cours de la période initiale d'ajustement de la posologie et à intervalles réguliers pendant toute la durée du traitement. Signaler au médecin tout changement important.

☐ Peser régulièrement le patient et suivre de près les signes suivants pour déterminer si la surcharge liquidienne a été contrée : œdème périphérique, râles et crépitations, dyspnée, gain pondéral, turgescence des jugulaires.

■ **Étude des examens diagnostiques et biochimiques :** Noter à intervalles réguliers les concentrations sériques d'urée, de créatinine et d'électrolytes. Les concentrations sériques de potassium peuvent être accrues et les concentrations d'urée et de créatinine passagèrement accrues alors que les concentrations de sodium peuvent être réduites.

DIAGNOSTICS INFIRMIERS POSSIBLES

■ **Énoncés diagnostiques**

☐ Diminution du débit cardiaque.

☐ Prise en charge inefficace du programme thérapeutique.

☐ Non-observance du traitement médicamenteux.

☐ *Risque élevé d'accident.*

☐ *Risque élevé d'anxiété.*

■ **Facteurs favorisants**

☐ Informations incomplètes.

☐ Doute quant aux bienfaits du médicament.

☐ *Perturbation de la vigilance.*

☐ *Manque de connaissances sur les effets hypotensifs du médicament lors des changements brusques de position.*

☐ *Manque de connaissances sur le régime alimentaire à suivre.*

☐ *Difficulté à s'adapter aux changements nécessaires dans les habitudes de vie.*

☐ *Manque de connaissances sur les effets secondaires du médicament.*

☐ *Manque de connaissances sur les modalités du traitement.*

INTERVENTIONS INFIRMIÈRES

■ **PO :** Une chute brusque de la pression artérielle dans les 1 à 3 h qui suivent l'administration de la première dose peut dicter l'expansion volémique avec un soluté salin normal, mais, en général, cela ne justifie pas l'arrêt du traitement. Suivre de près la pression artérielle pendant au moins 1 h après qu'elle a été stabilisée.

■ **IV directe :** On peut administrer l'énalapril sous la forme non diluée pendant 5 min. On peut aussi le diluer dans 50 mL de dextrose à 5 % dans de l'eau, de NaCl à 0,9 %, de dextrose à 5 %/NaCl à 0,9 % ou de dextrose à 5 %/lactate Ringer. La solution diluée est stable pendant 24 h.

ENSEIGNEMENT AU PATIENT ET À SES PROCHES

☐ Expliquer au patient qu'il doit respecter scrupuleusement la posologie recommandée et continuer de prendre le médicament, même s'il se sent mieux. S'il n'a pu prendre son médicament au moment habituel, il doit le prendre aussitôt que possible, sauf si c'est presque l'heure prévue pour la dose suivante. Il ne faut jamais doubler les doses. Le médicament stabilise la pression artérielle, mais ne guérit pas l'hypertension. Prévenir le patient qu'il ne doit pas arrêter le traitement sans la recommandation expresse du médecin.

E

- Inciter le patient à appliquer d'autres mesures de réduction de l'hypertension : perdre du poids, cesser de fumer, boire avec modération, faire de l'exercice et diminuer le stress.
- Montrer au patient et à ses proches comment prendre la pression artérielle. Leur recommander de mesurer la pression artérielle au moins une fois par semaine et de signaler au médecin tout changement important.
- Conseiller au patient d'éviter les substituts de sel ou les aliments riches en potassium ou en sodium, sauf avis médical contraire (voir l'annexe K).
- Prévenir le patient que l'énalapril peut provoquer une altération du goût qui se rétablit habituellement en l'espace de 8 à 12 semaines, même si le traitement est poursuivi.
- Recommander au patient de changer lentement de position pour réduire les risques d'hypotension orthostatique, particulièrement après l'administration de la dose initiale. Prévenir le patient que l'effort par temps chaud peut augmenter les effets hypotensifs du médicament.
- Conseiller au patient de consulter le médecin ou le pharmacien avant de prendre des médicaments en vente libre, particulièrement des médicaments contre le rhume, en même temps que l'énalapril. Lui conseiller également de ne pas boire du thé, du café ou des boissons à base de cola en quantités excessives.
- Prévenir le patient que l'énalapril peut provoquer des étourdissements. Lui conseiller de ne pas conduire et d'éviter les activités qui exigent sa vigilance jusqu'à ce qu'on ait la certitude que le médicament n'entraîne pas cet effet chez lui.
- Recommander au patient qui doit suivre un traitement dentaire ou subir une intervention chirurgicale d'avertir le dentiste ou le médecin qu'il suit un traitement médicamenteux.
- Recommander au patient de signaler au médecin les symptômes suivants : rash, aphtes buccaux, maux de gorge, fièvre, œdème des mains ou des pieds, palpitations, douleur thoracique, toux sèche, tuméfaction du visage, des yeux, des lèvres et de la langue ou difficultés respiratoires.
- Insister sur l'importance des examens de suivi permettant d'évaluer les bienfaits du traitement.

VÉRIFICATION DES RÉSULTATS

L'efficacité du traitement peut être démontrée par : ■ la baisse de la pression artérielle sans apparition d'effets secondaires ■ la diminution des signes et des symptômes d'insuffisance cardiaque. Parfois, les pleins effets du médicament ne se manifestent pas avant plusieurs semaines de traitement.

ÉPHÉDRINE
(Efed-II), (Efedron [gelée nasale]), (Vatronol [gouttes nasales])

CLASSIFICATION :
Bronchodilatateur – agoniste alpha et bêta adrénergique ; décongestionnant nasal ; vasopresseur

Grossesse – catégorie C

INDICATIONS

■ Bronchodilatation lors du traitement de l'obstruction réversible des voies aériennes attribuable à l'asthme ou à la bronchopneumopathie obstructive chronique ■ Soulagement de la congestion nasale associée à une variété de maladies des voies respiratoires supérieures ■ Augmentation de la force musculaire de certains patients atteints de myasthénie grave ■ Traitement de l'hypotension orthostatique ■ Traitement de l'hypotension aiguë associée au surdosage par les antihypertenseurs ■ Stimulation du

SNC dans le traitement de la narcolepsie
■ Traitement de l'énurésie.

ACTION

■ Agoniste alpha et bêta adrénergique.
Par suite des effets bêta-agonistes, une
accumulation de monophosphate adénine cyclique (AMPc) se produit aux
sites des récepteurs bêta-adrénergiques,
ce qui entraîne la bronchodilatation, la
stimulation du cœur et du SNC, la diurèse et la sécrétion d'acide gastrique. Le
principal effet alpha-adrénergique est la
vasoconstriction périphérique. **Effets thérapeutiques:** ■ Bronchodilatation ■ Vasoconstriction accompagnée d'une diminution de la congestion ■ Stabilisation
de la pression artérielle ■ Stimulation
du SNC.

PHARMACOCINÉTIQUE

Absorption: Bonne absorption par suite
de l'administration PO, SC ou IM.
Distribution: Le médicament semble traverser le placenta et pénétrer dans le lait
maternel.
Métabolisme et excrétion: De petites quantités sont métabolisées lentement par le
foie. Le médicament est surtout excrété à
l'état inchangé par les reins.
Demi-vie: De 3 à 6 h (selon le pH de
l'urine).

CONTRE-INDICATIONS ET PRÉCAUTIONS

Contre-indications: ■ Hypersensibilité
■ Intolérance connue ■ Glaucome à angle fermé ■ Anesthésie au cyclopropane
ou à l'halothane ■ Thyrotoxicose ■ Diabète sucré ■ Grossesse ■ Hypertension
■ Maladie cardiovasculaire grave.
Précautions: ■ Maladie cardiovasculaire
■ Allaitement ■ Hypertrophie de la prostate.

RÉACTIONS INDÉSIRABLES ET EFFETS SECONDAIRES

SNC: stimulation du SNC, nervosité, état
paranoïde anxieux (administration pro-

longée), étourdissements, sensation de
tête légère, vertiges.
Resp.: difficultés respiratoires.
CV: angine de poitrine, palpitations, tachycardie, ARYTHMIES.
GU: rétention urinaire, débit urinaire
réduit.
Divers: tolérance à l'effet du médicament
(tachyphylaxie), diaphorèse.

INTERACTIONS

Médicament – médicament: ■ Le **cyclopropane**, les **dérivés digitaliques** ou l'**halothane** augmentent le risque d'arythmies
■ Effets additifs lors de l'administration
concomitante d'autres **agents adrénergiques (sympathomimétiques)** ■ L'administration concomitante d'**inhibiteurs
de la MAO** peut déclencher une crise
hypertensive ■ La vasopression peut être
réduite par la **réserpine**, la **méthyldopa**
ou le **furosémide** ■ L'administration de
théophylline augmente le risque d'effets
indésirables ■ L'**atropine** diminue la
bradycardie réflexe et les effets vasopresseurs ■ L'**acidification de l'urine
(chlorure d'ammonium)** écourte la
demi-vie de l'éphédrine ■ L'**alcalinisation de l'urine (bicarbonate de sodium)**
prolonge la demi-vie de l'éphédrine.

PRÉSENTATION

Comprimés et solution injectable.

VOIES D'ADMINISTRATION ET POSOLOGIE

Bronchodilatation; décongestion nasale
■ **PO (adultes):** de 30 à 60 mg, toutes les
3 à 4 h, selon les besoins.
■ **PO (enfants):** 25 mg/m², 4 fois par jour.
■ **IV, IM ou SC (adultes):** de 12,5 à 25 mg.
■ **IV, SC (enfants):** 0,75 mg/kg ou 25 mg/
m², 4 fois par jour ou selon la réac-
tion du patient.

Vasopression
■ **IV (adultes) (É.-U.):** de 10 à 25 mg par
injection lente; on peut administrer
des doses supplémentaires 5 à 10 min

plus tard (ne pas dépasser 150 mg en 24 h).

■ **SC et IM (adultes):** de 25 à 50 mg (entre 10 et 50 mg), qu'on peut faire suivre d'une deuxième dose de 50 mg par voie IM ou d'une dose de 25 mg par voie IV (ne pas dépasser 150 mg en 24 h).

■ **IV et SC (enfants) (É.-U.):** 3 mg/kg par jour ou 100 mg/m^2 par jour, en 4 à 6 doses fractionnées.

Hypotension orthostatique

■ **PO (adultes):** 30 mg, de 1 à 4 fois par jour.

■ **PO (enfants):** 3 mg/kg par jour, en 4 à 6 doses fractionnées.

Stimulation du SNC

■ **PO (adultes):** de 30 à 60 mg, toutes les 3 à 4 h, selon les besoins, ou 60 mg, 3 fois par jour.

■ **PO (enfants) (É.-U.):** 3 mg/kg par jour ou 100 mg/m^2 par jour, en 4 à 6 doses fractionnées.

Myasthénie grave

■ **PO (adultes):** 30 mg, 2 ou 3 fois par jour.

Énurésie

■ **PO (adultes):** de 15 à 60 mg, au coucher.

PHARMACODYNAMIE
(PO, SC et IM = bronchodilatation ; IV = vasopression)

	DÉBUT D'ACTION	PIC	DURÉE
PO	15 – 60 min	inconnu	3 – 5 h
SC	inconnu	inconnu	1 h
IM	10 – 20 min	inconnu	1 h
IV	inconnu	inconnu	1 h

SOINS INFIRMIERS

ÉVALUATION DE LA SITUATION

■ **Bronchodilatation:** Ausculter le murmure vésiculaire, mesurer le pouls et la pression artérielle avant l'adminis-

tration du médicament et pendant le pic des concentrations.

■ **Vasopression:** Mesurer fréquemment la pression artérielle, le pouls, le rythme respiratoire et la fréquence des respirations, suivre de près l'ÉCG pendant l'administration IV.

■ **Décongestion nasale:** Suivre de près les signes de congestion nasale et sinusale avant le traitement et à intervalles réguliers pendant toute sa durée.

■ **Stimulation du SNC:** Observer le sommeil du patient narcoleptique.

DIAGNOSTICS INFIRMIERS POSSIBLES

■ **Énoncés diagnostiques**

□ Diminution de l'irrigation tissulaire.

□ Dégagement inefficace des voies respiratoires.

□ Prise en charge inefficace du programme thérapeutique.

■ **Facteurs favorisants**

□ Informations incomplètes.

□ *Manque de connaissances sur les modalités du traitement.*

□ *Manque de connaissances sur les effets secondaires du médicament.*

INTERVENTIONS INFIRMIÈRES

■ **Directives générales:** Une tolérance à l'effet du médicament peut apparaître lors d'une utilisation prolongée ou abusive. Pour que le médicament puisse redevenir efficace, on doit interrompre le traitement pendant quelques jours, puis le reprendre de nouveau.

■ **PO:** Administrer la dernière dose de la journée quelques heures avant le coucher afin de réduire le risque d'insomnie.

■ **IV:** N'utiliser que les solutions transparentes. Jeter toute portion inutilisée.

■ **IV directe:** Injecter la solution non diluée dans une tubulure en Y ou dans un robinet à 3 voies.

□ *Vitesse d'administration:* Administrer lentement, à un débit maximal de 10 mg/min.

■ **Compatibilités en addition au soluté :** Dextrose à 5 % ou à 10 % dans de l'eau, solution de NaCl à 0,45 % ou à 0,9 %, solution de Ringer et de lactate Ringer, mélange de dextrose et de soluté physiologique, mélange de dextrose et de solution de Ringer ou de lactate Ringer, chloramphénicol, lidocaïne, métaraminol, nafcilline, pénicilline G potassique ou tétracycline.

■ **Incompatibilités en addition au soluté :** Pentobarbital, phénobarbital, sécobarbital ou succinate d'hydrocortisone sodique.

ENSEIGNEMENT AU PATIENT ET À SES PROCHES

☐ Inciter le patient à respecter scrupuleusement la posologie recommandée. Dans le cas où les doses sont prévues à heure précise, prendre la dose oubliée le plus rapidement possible, en espaçant les autres doses de façon à conserver des intervalles réguliers. Il ne faut jamais remplacer une dose manquée par une double dose. Prévenir le patient qu'il ne doit pas dépasser la dose recommandée.

☐ Conseiller au patient de prévenir immédiatement le médecin si l'essoufflement n'est pas soulagé par le médicament ou s'il s'accompagne de diaphorèse, d'étourdissements, de palpitations ou de douleurs thoraciques.

☐ Recommander au patient de consulter le médecin ou le pharmacien avant de prendre un médicament en vente libre ou de consommer des boissons alcoolisées en même temps que ce médicament.

VÉRIFICATION DES RÉSULTATS

L'efficacité du traitement peut être démontrée par : ■ la prévention ou le soulagement du bronchospasme ■ l'élévation de la pression artérielle (vasopresseur) ■ la diminution de la congestion nasale et sinusale ■ l'amélioration et l'accroissement de la vigilance (stimulant du SNC).

ÉPINÉPHRINE (inhalation)

Bronkaid, Medihaler-Epi, Mistometer, (Adrenalin), (AsthmaHaler), (Dysne-Inhal), (Primatene)

ÉPINÉPHRINE RACÉMIQUE (inhalation)

Vaponefrin, (AsthmaNefrin), (microNEFRIN), (S-2 Inhalant)

ÉPINÉPHRINE (administration parentérale)

Adrenalin, EpiPen, EpiPen Jr

ÉPINÉPHRINE (gouttes ophtalmiques)

Epifrin, (Glaucon)

CLASSIFICATION :

Bronchodilatateur ; stimulant cardiaque ; usage ophtalmique – agent adrénergique ; traitement du glaucome

Grossesse – catégorie C

INDICATIONS

■ **IV, SC, inhalation :** Bronchodilatation lors du traitement symptomatique de l'asthme et d'autres formes de maladies réversibles des voies aériennes qui peuvent se produire simultanément à une bronchite chronique et à l'emphysème ■ **IV, IM, SC :** Traitement de l'anaphylaxie ■ **IV, intracardiaque, endotrachéale :** Arrêt cardiaque ■ **Usage ophtalmique :** Traitement du glaucome à angle ouvert ■ **Traitement local :** Médicament d'appoint pour prolonger l'effet de l'anesthésie.

ACTION

■ Agoniste bêta$_1$ et bêta$_2$-adrénergique qui produit une accumulation de l'adénosine monophosphate cyclique (AMPc). Des concentrations accrues d'AMPc aux sites des récepteurs bêta-adrénergiques produisent la bronchodilatation, la stimulation cardiaque et la stimulation du

SNC, la diurèse et la sécrétion d'acide gastrique ■ En injection locale, l'épinéphrine stimule les récepteurs alpha-adrénergiques des vaisseaux sanguins de la peau, produisant la vasoconstriction.

Effets thérapeutiques : ■ Bronchodilatation ■ Stimulation cardiaque ■ Vasoconstriction ■ Effets ophtalmiques : □ réduction de la production d'humeur aqueuse □ augmentation de l'écoulement de l'humeur aqueuse □ vasoconstriction conjonctivale □ mydriase ■ Prolongement de l'effet de l'anesthésie.

PHARMACOCINÉTIQUE

Absorption : Par suite de l'administration PO, le médicament est bien absorbé mais rapidement métabolisé. Une absorption systémique peut se produire lors de l'administration de la préparation ophtalmique ou par suite d'inhalations de fortes doses ou d'inhalations répétées.

Distribution : L'épinéphrine ne traverse pas la barrière hémato-encéphalique. Elle traverse le placenta et pénètre dans le lait maternel.

Métabolisme et excrétion : L'effet prend fin rapidement par le métabolisme et le captage par les terminaisons nerveuses.

Demi-vie : Inconnue.

CONTRE-INDICATIONS ET PRÉCAUTIONS

Contre-indications : ■ Hypersensibilité aux sympathomimétiques ■ Hypersensibilité aux bisulfites (les préparations d'épinéphrine peuvent contenir des bisulfites, en éviter l'administration chez ces patients).

Précautions : ■ Personnes âgées (plus grande prédisposition aux réactions indésirables ; réduire la dose, au besoin) ■ Grossesse et allaitement (l'innocuité du médicament n'a pas été établie) ■ Maladie cardiovasculaire ■ Arythmies ■ Hypertension ■ Hyperthyroïdie ■ Glaucome (sauf dans le cas des préparations ophtalmiques utilisées pour le traitement du glaucome à angle ouvert) ■ Diabète sucré (besoin accru en insuline ou en hypoglycémiants oraux) ■ Risque de tolérance à l'effet du médicament, de bronchospasme paradoxal, d'absorption par voie systémique et d'effets secondaires lors d'inhalation excessive.

RÉACTIONS INDÉSIRABLES ET EFFETS SECONDAIRES

SNC : nervosité, agitation, insomnie, tremblements, céphalées.

CV : hypertension, arythmies, angine.

End. : hyperglycémie.

GI : nausées, vomissements.

GU : rétention urinaire, retard de la miction avec effort pour uriner.

INTERACTIONS

Médicament – médicament : ■ Effet additif lors de l'administration d'autres **agents adrénergiques (sympathomimétiques)**, incluant les **décongestionnants** ■ L'administration concomitante d'**inhibiteurs de la MAO** peut déclencher une crise hypertensive ■ Risque accru d'arythmies, lors de l'administration concomitante d'**anesthésiques généraux** ou de **dérivés digitaliques** ■ Les **bêtabloquants** peuvent bloquer la réponse thérapeutique (cependant, on peut administrer des **bêtabloquants pour usage ophtalmique** en même temps que de l'**épinéphrine pour usage ophtalmique** pour baisser davantage la pression intraoculaire).

VOIES D'ADMINISTRATION ET POSOLOGIE

Remarque : Voir le tableau des vitesses d'administration des perfusions de l'annexe D.

Solution d'épinéphrine – bronchodilatation par voie parentérale

- **SC (adultes) :** de 0,2 à 0,5 mg, toutes les 20 min à toutes les 4 h (jusqu'à 1 mg par dose).
- **SC (enfants) :** 0,01 mg/kg (ou 0,3 mL/m^2), administrer ensuite 2 doses suc-

cessives à intervalle de 15 min, puis toutes les 4 h selon les besoins (ne pas dépasser 0,5 mg par dose).

Réactions anaphylactiques

- **IM, SC (adultes):** de 0,2 à 0,5 mg; on peut répéter l'administration toutes les 10 à 15 min (jusqu'à 1 mg par dose).
- **IM, SC (enfants):** 0,01 mg/kg (ou 0,3 mL/m^2); administrer ensuite 2 doses successives à intervalle de 15 min, puis toutes les 4 h, selon les besoins (ne pas dépasser 0,5 mg par dose).

Vasopression, choc anaphylactique

- **IM, SC (adultes):** de 0,2 à 1 mg; on peut administrer par la suite par voie IV.
- **IV (adultes):** de 0,1 à 0,25 mg; on peut répéter l'administration toutes les 5 à 15 min ou on peut administrer par la suite par perfusion à un débit de 0,001 mg/min (1 µg/min); on peut augmenter la dose jusqu'à un maximum de 0,004 mg/min (4 µg/min).
- **IM, IV (enfants) (É.-U.):** 0,3 mg; on peut ensuite administrer 3 ou 4 doses successives à intervalle de 15 min.

Arrêt cardiaque

- **IV, intracardiaque, endotrachéale (adultes):** de 0,3 à 1 mg; on peut répéter l'administration toutes les 5 min, selon les besoins.
- **IV, intracardiaque, endotrachéale (enfants) (É.-U.):** de 5 à 10 µg/kg toutes les 5 min; on peut administrer par la suite en perfusion IV à un débit initial de 0,1 µg/kg/min. Ne pas dépasser 1,5 µg/kg/min.

Épinéphrine pour inhalation

- **Inhalation (adultes et enfants):** 1 ou 2 inhalations d'une solution de 0,5 à 0,7 % (0,16 à 0,25 mg/dose) ou 2 ou 3 inhalations d'une solution de 2,25 % d'épinéphrine racémique.

Épinéphrine pour usage ophtalmique

- **Gouttes ophtalmiques (adultes):** 1 goutte de 0,5 à 2 % à instiller dans la conjonctive, 1 ou 2 fois par jour.

PHARMACODYNAMIE (SC, IM, IV, inhalation = bronchodilatation; gouttes ophtalmiques = abaissement de la pression intraoculaire)

	DÉBUT D'ACTION	PIC	DURÉE
SC	5 – 10 min	20 min	20 – 30 min
IM	5 – 10 min	20 min	20 – 30 min
IV	rapide	20 min	20 – 30 min
inhalation	3 – 5 min	20 min	1 – 3 h
gouttes ophtalmiques	< 1 h	4 – 8 h	24 h

SOINS INFIRMIERS

ÉVALUATION DE LA SITUATION

- **IV:** Mesurer la pression artérielle, le pouls et la fréquence respiratoire avant l'administration de l'épinéphrine et toutes les 5 min au cours de l'administration IV. Suivre de près l'ÉCG lors de l'administration IV de l'épinéphrine.
- **Bronchodilatation:** Ausculter le murmure vésiculaire avant et après le traitement. Noter la quantité, la couleur et les caractéristiques des expectorations produites et prévenir le médecin de tout résultat anormal.
- ☐ Suivre de près le patient pour déceler les symptômes qui indiquent un soulagement. Si aucun soulagement ne survient en moins de 20 min après l'administration du médicament ou si les symptômes s'aggravent, prévenir immédiatement le médecin.
- ☐ Observer les signes de tolérance à l'effet du médicament et de bronchospasme rebond. Les patients ayant besoin de plus de 3 traitements par inhalation en 24 h devraient être gardés sous étroite surveillance. Si, après 3 à 5 traitements par inhalation durant une période de 6 à 12 h, on n'observe qu'un soulagement minime ou si aucun soulagement n'intervient, le

traitement subséquent par l'aérosol seul n'est pas recommandé.

■ **Étude des examens diagnostiques et biochimiques :** L'épinéphrine peut entraîner l'élévation de la glycémie et des concentrations sériques d'acide lactique.

DIAGNOSTICS INFIRMIERS POSSIBLES

■ **Énoncés diagnostiques**

□ Dégagement inefficace des voies respiratoires.

□ Diminution du débit cardiaque.

□ Prise en charge inefficace du programme thérapeutique.

□ *Risque élevé de perturbation des échanges gazeux.*

□ *Risque élevé d'accident.*

□ *Risque élevé d'anxiété.*

□ *Risque élevé d'atteinte à l'intégrité de la muqueuse buccale.*

■ **Facteurs favorisants**

□ Informations incomplètes.

□ *Mode de respiration inefficace.*

□ *Manque de connaissances sur les modalités du traitement.*

□ *Douleur au point d'injection.*

□ *Manque de connaissances sur les moyens de prévenir ou de réduire la sécheresse de la bouche.*

□ *Manque de connaissances sur la méthode d'administration du médicament.*

INTERVENTIONS INFIRMIÈRES

■ **Directives générales :** Il faut administrer le médicament dès les premières manifestations du bronchospasme.

□ Vérifier attentivement la dose, la concentration et la voie d'administration avant de commencer le traitement. On a signalé des décès à cause d'erreurs d'administration. Utiliser une seringue à tuberculine pour l'injection SC afin de s'assurer que l'on administre une quantité appropriée de médicament.

□ Ne pas utiliser la solution de couleur rosâtre ou brunâtre ni celle qui contient un précipité.

□ En cas de choc anaphylactique, on doit restaurer le volume sanguin et administrer de l'épinéphrine simultanément. On peut administrer des antihistaminiques ou des glucocorticoïdes en même temps que l'épinéphrine.

■ **SC, IM :** Le médicament peut provoquer l'irritation des tissus. Assurer la rotation des points d'injection afin de prévenir la nécrose tissulaire. Bien masser les points d'injection après l'administration afin de stimuler l'absorption du médicament et de diminuer la vasoconstriction locale. Éviter l'administration IM dans le muscle fessier.

■ **IV :** Dans le cas de l'administration IV, diluer à raison de 1 mg (1 mL) de solution d'une concentration de 1 : 1 000 dans au moins 10 mL de solution de NaCl à 0,9 % pour injection pour obtenir une solution d'une concentration de 1 :10 000. Jeter toute portion inutilisée dans les 24 h qui suivent la préparation.

■ **IV directe :** Administrer la solution à un débit maximal de 1 mg/min ; on peut administrer plus rapidement lors des tentatives de réanimation cardiaque.

■ **Perfusion continue :** Pour le traitement d'entretien, on peut diluer de nouveau la solution dans 500 mL de solution de dextrose à 5 ou à 10 % dans de l'eau, de NaCl à 0,9 %, de dextrose à 5 %/lactate Ringer, de dextrose à 5 %/solution de Ringer, de dextrose/soluté salin physiologique ou de solution de Ringer ou de lactate Ringer. Administrer la solution par une tubulure en Y ou dans un robinet à 3 voies, à l'aide d'une pompe de perfusion afin de s'assurer que le patient reçoit la dose exacte.

- **Associations compatibles dans la même seringue:** Doxapram ou héparine.

- **Compatibilités (tubulure en Y):** Amrinone, atracurium, chlorure de calcium, chlorure de potassium, famotidine, gluconate de calcium, héparine, pancuronium, phytonadione, succinate d'hydrocortisone sodique ou vécuronium.

- **Compatibilités en addition au soluté:** Amikacine, cimétidine, dobutamine, métaraminol ou vérapamil.

- **Incompatibilités en addition au soluté:** Aminophylline, bicarbonate de sodium, céphapirine ou warfarine.

- **Inhalation:** Pour utiliser la solution d'épinéphrine racémique à 2,25 % pour inhalation, il faut diluer de 10 à 15 gouttes de solution dans le nébuliseur.

☐ Espacer les inhalations de solution d'épinéphrine ou de bitartrate d'épinéphrine en aérosol de 1 à 2 min pour pouvoir déterminer si une seconde inhalation est vraiment nécessaire.

☐ Lorsque le patient doit inhaler l'épinéphrine en même temps que des glucocorticoïdes ou de l'ipratropium, administrer d'abord le bronchodilatateur, puis les autres médicaments à 5 min d'intervalle, afin de prévenir la toxicité due aux fluorocarbones contenus dans les véhicules propulseurs.

- **Voie endotrachéale:** Si le patient a été intubé, on peut injecter l'épinéphrine directement dans l'arbre bronchique par le tube endotrachéal. Administrer la même dose que dans le cas de l'injection IV.

- **Usage ophtalmique:** La méthode d'administration des gouttes ophtalmiques est indiquée à l'annexe H.

ENSEIGNEMENT AU PATIENT ET À SES PROCHES

- **Directives générales:** Recommander au patient souffrant d'asthme, de bronchite, d'emphysème ou d'une autre maladie pulmonaire obstructive de contacter le médecin sans délai si aucune amélioration ne survient par suite de l'administration de la dose habituelle d'épinéphrine ou si une crise d'angine se manifeste. Il peut s'agir d'une aggravation de la maladie, auquel cas il faudrait réévaluer le traitement.

- **Inhalation:** Conseiller au patient de se rincer la bouche après chaque inhalation afin de prévenir la sécheresse de la bouche.

☐ Conseiller au patient de consulter le médecin ou le pharmacien avant de prendre un médicament en vente libre en même temps que l'épinéphrine.

☐ Recommander au patient de signaler immédiatement au médecin les symptômes suivants: irritation bronchique, agitation ou insomnie. Une diminution de la dose peut s'avérer nécessaire.

- **Auto-injecteur:** Montrer au patient comment utiliser l'auto-injecteur lors d'une réaction anaphylactique; retirer le bouchon de sécurité de couleur grise, placer l'embout noir sur la cuisse, perpendiculairement à la jambe. Pousser fortement dans la cuisse jusqu'à ce que l'auto-injecteur se mette en fonction, le maintenir en place pendant plusieurs secondes, le retirer et le jeter. Masser le point d'injection pendant 10 s.

VÉRIFICATION DES RÉSULTATS

L'efficacité du traitement peut être démontrée par: ■ la diminution de la respiration sifflante et de la détresse respiratoire ■ la résolution des signes et des symptômes d'anaphylaxie ■ l'augmentation de la fréquence et du débit cardiaques lorsque l'épinéphrine est administrée pour la réanimation cardiaque ■ l'abaissement de la pression intraoculaire ■ le prolongement de l'effet de l'anesthésie.

E

ERGOCALCIFÉROL

Calciferol, Drisdol, Ostoforte, Radiostol
Forte, vitamine D$_2$, (Deltalin)

CLASSIFICATION:
Vitamine – liposoluble

Grossesse – catégorie C

INDICATIONS

■ Traitement de l'hypoparathyroïdie
■ Traitement de l'hypophosphatémie familiale ■ Traitement de l'ostéodystrophie rénale et de l'hypocalcémie chez les patients souffrant d'insuffisance rénale chronique suivant un traitement de dialyse ■ Traitement du rachitisme réfractaire ■ Traitement du lupus tuberculeux.
Usages non approuvés: ■ Traitement et prophylaxie de la tétanie postopératoire et idiopathique.

ACTION

■ Stimulation de l'absorption du calcium et du phosphore ■ Régularisation de l'homéostasie calcique en association avec l'hormone parathyroïdienne et la calcitonine. **Effets thérapeutiques:** ■ Traitement et prophylaxie des maladies de carence, particulièrement des manifestations osseuses.

PHARMACOCINÉTIQUE

Absorption: L'ergocalciférol, sous la forme inactive, est bien absorbé.
Distribution: L'ergocalciférol est emmagasiné dans le foie et dans les autres tissus adipeux.
Métabolisme et excrétion: L'ergocalciférol est transformé en forme active par le soleil et par le foie. Il est métabolisé et excrété par les reins.
Demi-vie: Inconnue.

CONTRE-INDICATIONS ET PRÉCAUTIONS

Contre-indications: ■ Hypersensibilité ■ Hypercalcémie ■ Intoxication par la vitamine D ■ Allaitement (doses élevées).

Précautions: ■ Patients recevant des dérivés digitaliques ■ Grossesse (doses élevées; l'innocuité du médicament n'a pas été établie).

RÉACTIONS INDÉSIRABLES ET EFFETS SECONDAIRES

Aucun effet aux doses qui se situent dans les limites des besoins quotidiens.

INTERACTIONS

Médicament – médicament: ■ La **cholestyramine**, le **colestipol** ou l'**huile minérale** diminuent l'absorption des analogues de la vitamine D ■ Risque d'hypercalcémie lors de l'administration concomitante de **diurétiques thiazidiques** chez les patients souffrant d'hypoparathyroïdie ■ Les **glucocorticoïdes** diminuent l'efficacité des analogues de la vitamine D ■ L'administration concomitante de **dérivés digitaliques** augmente le risque d'arythmies ■ La **phénytoïne** et d'autres **anticonvulsivants hydantoïnes**, le **sucralfate**, les **barbituriques** et la **primidone** augmentent les besoins en vitamine D.

VOIES D'ADMINISTRATION ET POSOLOGIE

Carence en vitamine D
■ **PO (adultes et enfants):** 5 000 unités par jour, initialement, puis 400 unités par jour en dose d'entretien.

Rachitisme résistant à la vitamine D
■ **PO (adultes):** de 12 000 à 500 000 unités par jour.

Rachitisme vitaminodépendant D
■ **PO (adultes) (É.-U.):** de 10 000 à 60 000 unités par jour (jusqu'à 500 000 unités par jour).
■ **PO (enfants) (É.-U.):** de 3 000 à 10 000 unités par jour, jusqu'à 50 000 unités par jour.

Hypophosphatémie familiale
■ **PO (adultes) (É.-U.):** de 50 000 à 100 000 unités par jour.

Hypoparathyroïdie

- **PO (adultes):** de 50 000 à 200 000 unités par jour.
- **PO (enfants) (É.-U.):** de 50 000 à 200 000 unités par jour.

Ostéodystrophie rénale

- **PO (adultes) (É.-U.):** de 10 000 à 300 000 unités par jour.
- **PO (enfants) (É.-U.):** de 4 000 à 40 000 unités par jour.

PHARMACODYNAMIE
(effets sur les concentrations sériques de calcium)

	DÉBUT D'ACTION	PIC	DURÉE
PO	12 – 24 h*	inconnu	jusqu'à 6 mois*

* L'effet thérapeutique peut ne pas se manifester avant 10 à 14 jours.

☀ SOINS INFIRMIERS

ÉVALUATION DE LA SITUATION

- **Directives générales:** Suivre de près les symptômes de carence vitaminique avant le traitement et à intervalles réguliers pendant toute sa durée.
- ☐ Déceler les signes et les symptômes suivants d'hypocalcémie: paresthésie, soubresauts musculaires, laryngospasme, coliques, arythmies cardiaques et signes de Chvostek ou de Trousseau. Protéger le patient qui manifeste ces symptômes en soulevant et en rembourrant les ridelles du lit. Garder le lit en position basse.
- **Enfants:** Mesurer la taille et peser le patient; la croissance peut s'arrêter lors d'un traitement prolongé à des doses élevées.
- **Rachitisme et ostéomalacie:** Suivre de près la faiblesse et la douleur osseuse avant le traitement et pendant toute sa durée.
- **Étude des examens diagnostiques et biochimiques:** Étudier les concentrations sériques de phosphates avant le traitement et à intervalles réguliers pendant toute sa durée. Les concentrations sériques de phosphate doivent être normalisées avant d'amorcer le traitement. On utilise le carbonate d'aluminium ou l'hydroxyde d'aluminium à cette fin chez les patients soumis à une dialyse.
- ☐ Étudier les concentrations sériques de calcium hebdomadairement pendant la période initiale du traitement. Noter à intervalles réguliers les concentrations sériques d'urée, de créatinine, de phosphatase alcaline et d'hormone parathyroïdienne ainsi que la clearance de la créatinine et la concentration de calcium dans les urines de 24 h. Une chute des concentrations de phosphatase alcaline peut indiquer l'apparition d'une hypercalcémie.
- **Toxicité et surdosage:** La toxicité se manifeste par l'hypercalcémie. Surveiller les signes et les symptômes suivants: nausées, vomissements, anorexie, faiblesses, constipation, céphalées, douleurs osseuses et goût métallique. Les symptômes tardifs comprennent la polyurie, la polydipsie, la photophobie, la rhinorrhée, le prurit et les arythmies cardiaques. Pour contrer ces symptômes, arrêter l'administration d'ergocalciférol et amorcer un régime alimentaire pauvre en calcium. Le médecin peut prescrire l'hydratation par voie IV, des diurétiques de l'anse et l'acidification de l'urine afin d'augmenter l'excrétion urinaire du calcium. On peut également dialyser le patient.

DIAGNOSTICS INFIRMIERS POSSIBLES

- **Énoncés diagnostiques**
- ☐ Déficit nutritionnel.
- ☐ Prise en charge inefficace du programme thérapeutique.
- ☐ *Risque élevé d'accident.*
- **Facteurs favorisants**
- ☐ Informations incomplètes.

□ *Manque de connaissances sur les modalités du traitement.*

□ *Manque de connaissances sur les effets secondaires du médicament.*

INTERVENTIONS INFIRMIÈRES

■ **Directives générales:** Étant donné que les carences en une seule vitamine sont rares, on doit souvent administrer des associations vitaminiques.

■ **PO:** L'ergocalciférol peut être administré sans égard aux repas. Mesurer la solution avec le compte-gouttes gradué fourni par le fabricant. On peut mélanger l'ergocalciférol à du jus, des céréales ou des aliments.

■ **IM:** L'injection est à base d'huile ; éviter l'administration IV.

ENSEIGNEMENT AU PATIENT ET À SES PROCHES

□ Conseiller au patient de respecter scrupuleusement la posologie recommandée. S'il n'a pas pu prendre l'ergocalciférol au moment habituel, il doit le prendre aussitôt que possible sans jamais doubler les doses.

□ Inciter le patient à respecter scrupuleusement les recommandations diététiques du médecin. Lui expliquer que la meilleure source de vitamines est une alimentation bien équilibrée qui comprend des aliments provenant des 4 principaux groupes.

□ Préciser que les aliments riches en vitamine D comprennent le foie et les huiles de poisson, le lait enrichi, le pain et les céréales. Les aliments riches en calcium comprennent les produits laitiers, le saumon et les sardines en conserve, le brocoli, le chou chinois, le tofu, les mélasses et les potages (voir l'annexe K). Les patients souffrant d'une insuffisance rénale doivent choisir les aliments en fonction du régime approprié. Le médecin peut aussi prescrire des suppléments de calcium.

□ Recommander au patient qui pratique l'automédication par des suppléments vitaminiques de ne pas dépasser les taux quotidiens recommandés d'éléments nutritifs (voir l'annexe L). Rien ne permet d'affirmer que les doses massives sont efficaces pour traiter les divers problèmes de santé. Elles peuvent par contre provoquer des réactions indésirables.

□ Passer en revue les symptômes de surdosage et inciter le patient à signaler immédiatement ces symptômes au médecin, le cas échéant.

□ Insister sur l'importance des examens de suivi permettant de déterminer les bienfaits du traitement.

VÉRIFICATION DES RÉSULTATS

L'efficacité du traitement peut être démontrée par : ■ la diminution des symptômes de la carence en vitamine D ■ la normalisation des concentrations sériques de calcium en cas d'hypoparathyroïdie ■ l'amélioration des symptômes du rachitisme résistant à la vitamine D.

ERGONOVINE
Ergometrine, Ergotrate

CLASSIFICATION :
Ocytocique

Grossesse – catégorie inconnue

INDICATIONS

■ Prévention et traitement de l'hémorragie provoquée par l'atonie de l'utérus après l'avortement ou l'accouchement. **Usages non approuvés :** ■ Agent diagnostique servant à provoquer des spasmes coronariens.

ACTION

■ Stimulation directe des muscles lisses utérins et vasculaires. **Effets thérapeutiques :** ■ Contractions utérines.

PHARMACOCINÉTIQUE

Absorption: Bonne absorption par suite de l'administration PO ou IM.

Distribution: Inconnue.

Métabolisme et excrétion: Inconnus. Le médicament est probablement métabolisé par le foie.

Demi-vie: Inconnue.

CONTRE-INDICATIONS ET PRÉCAUTIONS

Contre-indications: ■ Hypersensibilité ■ Usage prolongé (à éviter) ■ Induction du travail de l'accouchement.

Précautions: ■ Patientes hypertendues ou éclamptiques (prédisposition accrue aux effets secondaires hypertensifs et arythmogènes) ■ Maladies hépatique ou rénale graves ■ État septique ■ Troisième phase du travail de l'accouchement.

RÉACTIONS INDÉSIRABLES ET EFFETS SECONDAIRES

SNC: étourdissements, céphalées.

CV: palpitations, douleurs thoraciques, hypertension, arythmies.

Tég.: transpiration.

ORLO: acouphènes.

GI: nausées, vomissements.

Resp.: dyspnée.

Divers: réactions allergiques.

INTERACTIONS

Médicament – médicament: Risque de vasoconstriction excessive, lors de l'administration concomitante d'autres **vasopresseurs** comme la **dopamine** ou la **nicotine**.

VOIES D'ADMINISTRATION ET POSOLOGIE

Ocytocique

■ **PO (adultes):** de 0,2 à 0,4 mg, toutes les 6 à 12 h pendant 2 à 7 jours.

■ **IM, IV (adultes):** 0,2 mg, toutes les 2 à 4 h, jusqu'à concurrence de 5 doses; par la suite, administrer PO.

Agent d'induction de spasmes coronariens

■ **IV (adultes):** de 0,1 à 0,4 mg.

PHARMACODYNAMIE
(contractions utérines)

	DÉBUT D'ACTION	PIC	DURÉE
PO	5 – 15 min	inconnu	3 h ou plus
IM	2 – 5 min	inconnu	3 h ou plus
IV	immédiat	inconnu	45 min

SOINS INFIRMIERS

ÉVALUATION DE LA SITUATION

☐ Mesurer la pression artérielle, le pouls et les respirations toutes les 15 à 30 min jusqu'à ce que la patiente soit installée dans l'unité des soins postpartum et, par la suite, toutes les heures ou deux. Signaler au médecin les symptômes suivants: hypertension, douleurs thoraciques, arythmies, céphalées ou modification de l'état neurologique.

☐ Évaluer la quantité et le type de pertes vaginales. Signaler immédiatement au médecin les symptômes suivants d'hémorragie: saignements accrus, hypotension, pâleur, tachycardie.

☐ Palper le fond de l'utérus, en noter la position et la fermeté. Prévenir le médecin si l'utérus ne se contracte pas en réponse à l'ergonovine. Suivre de près l'apparition de crampes graves. Le médecin peut réduire la dose.

■ Suivre de près les signes suivants d'ergotisme: sensation de froid, engourdissement des doigts et des orteils, nausées, vomissements, diarrhée, céphalées, douleurs musculaires, faiblesse.

☐ Si la patiente ne répond pas au traitement par l'ergonovine, vérifier les concentrations sériques de calcium. La correction de l'hypocalcémie peut favoriser la réponse à ce médicament.

■ **Étude des examens diagnostiques et biochimiques:** L'ergonovine peut entraîner la diminution des concentrations sériques de prolactine, inhibant ainsi la production de lait maternel.

E

■ **Toxicité et surdosage:** La toxicité se manifeste d'abord par l'ergotisme et peut entraîner des convulsions et de la gangrène. Il faut traiter les convulsions par des anticonvulsivants. Le médecin peut prescrire des vasodilatateurs et de l'héparine pour améliorer la circulation dans les extrémités. En cas de gangrène, l'amputation du membre peut s'avérer nécessaire.

DIAGNOSTICS INFIRMIERS POSSIBLES

■ **Énoncés diagnostiques**
□ Altération de l'irrigation tissulaire.
□ Risque élevé d'accident.
□ Prise en charge inefficace du programme thérapeutique.
□ *Risque élevé d'anxiété.*
□ *Risque élevé d'intoxication.*

■ **Facteurs favorisants**
□ Informations incomplètes.
□ *Manque de connaissances sur les effets secondaires du médicament.*
□ *Manque de connaissances sur les modalités du traitement.*

INTERVENTIONS INFIRMIÈRES

■ **Directives générales:** Ne pas administrer la solution qui a changé de couleur ou qui contient un précipité.
■ **PO:** L'administration de l'ergonovine ne doit habituellement se poursuivre que pendant 48 h après l'accouchement, moment où le danger d'hémorragie provoquée par l'atonie utérine est écarté.
■ **IM:** Il est conseillé de privilégier la voie IM. Des contractions utérines fermes sont déclenchées en l'espace de quelques minutes. On peut répéter l'administration toutes les 2 à 4 h pour obtenir le plein effet thérapeutique du médicament.
■ **IV directe:** La voie IV est réservée aux cas graves d'hémorragie utérine. Diluer avec 5 mL de solution de NaCl à 0,9 %.
□ *Vitesse d'administration:* Administrer la solution en au moins 1 min par injection IV lente dans la tubulure en Y d'un soluté de dextrose à 5 % dans de l'eau ou de NaCl à 0,9 %.
■ **Compatibilités en addition au soluté:** Amikacine, bicarbonate de sodium, céphapirine.

ENSEIGNEMENT AU PATIENT ET À SES PROCHES

□ Expliquer à la patiente les symptômes de toxicité. L'inciter à signaler immédiatement l'apparition de l'un de ces symptômes.
□ Prévenir la patiente que les crampes utérines prouvent que le traitement est efficace.
□ Expliquer à la patiente qu'elle doit compter le nombre de serviettes hygiéniques qu'elle utilise pour déterminer la gravité des saignements. Lui conseiller de signaler immédiatement l'aggravation des saignements ou le passage de caillots.
□ Conseiller à la patiente de signaler toute difficulté concernant l'allaitement.
□ Conseiller à la patiente de ne pas fumer pendant le traitement à l'ergonovine, car la nicotine est également un vasoconstricteur.

VÉRIFICATION DES RÉSULTATS

L'efficacité du traitement peut être démontrée par: la prévention ou l'arrêt de l'hémorragie utérine après un accouchement ou un avortement.

ERGOTAMINE
Ergomar, Gynergène, Medihaler-Ergotamine, (Ergostat)

CLASSIFICATION:
Bloqueur des récepteurs alpha-adrénergiques (alphabloquant)

Grossesse – catégorie X

E

INDICATIONS

■ Traitement et prévention des céphalées vasculaires incluant : □ les migraines et les céphalées vasculaires de Horton.

ACTION

■ Aux doses thérapeutiques, vasoconstriction des vaisseaux dilatés par la stimulation des récepteurs alpha-adrénergiques ■ Aux doses plus élevées, possibilité de blocage des récepteurs alpha-adrénergiques et de vasodilatation ■ Effets antisérotoninergiques. **Effets thérapeutiques :** ■ Constriction des ramifications de la carotide avec résolution des céphalées vasculaires.

PHARMACOCINÉTIQUE

Absorption : Absorption rapide et complète par suite de l'inhalation. Absorption imprévisible (60 %) depuis le tractus gastro-intestinal. L'absorption du médicament par suite de l'administration PO peut être accentuée par la caféine. L'absorption par suite de l'administration sublinguale est faible.

Distribution : Le médicament traverse la barrière hémato-encéphalique et pénètre dans le lait maternel.

Métabolisme et excrétion : Une fraction très élevée du médicament (90 %) est métabolisée par le foie.

Demi-vie : 2 phases : première phase, 2,7 h ; seconde phase, 21 h.

CONTRE-INDICATIONS ET PRÉCAUTIONS

Contre-indications : ■ Infections graves ■ Maladie vasculaire périphérique ■ Maladie cardiovasculaire ■ Hypertension ■ Maladies rénale ou hépatique graves ■ Malnutrition ■ Grossesse ■ Allaitement.

Précautions : ■ Maladies associées à une affection vasculaire périphérique, telle que le diabète sucré ■ Enfants (l'innocuité du médicament n'a pas été établie).

RÉACTIONS INDÉSIRABLES ET EFFETS SECONDAIRES

CV : tachycardie sinusale, bradycardie sinusale, claudication intermittente, spasmes artériels, angine de poitrine, INFARCTUS DU MYOCARDE.

GI : nausées, vomissements, douleurs abdominales, diarrhée, polydipsie.

Loc. : douleurs musculaires, rigidité des membres, raideur du cou, raideur des épaules.

SN : faiblesse dans les jambes, sensation d'engourdissement des extrémités ou de picotement dans les doigts ou les orteils.

Divers : fatigue.

INTERACTIONS

Médicament – médicament : ■ L'administration concomitante de **propranolol**, de **contraceptifs oraux**, de **vasoconstricteurs**, de **troléandomycine** ainsi que le **tabagisme abusif** peuvent augmenter le risque de vasoconstriction périphérique ■ Lors de l'administration concomitante d'un traitement prophylactique au **méthysergide** (autre alcaloïde de l'ergot), la dose d'ergotamine devrait être réduite de 50 %.

PRÉSENTATION

L'ergotamine existe sous forme de comprimés oraux et sublinguaux et sous forme d'inhalation.

VOIES D'ADMINISTRATION ET POSOLOGIE

■ **PO, sublinguale (adultes) :** initialement, 2 mg, puis de 1 à 2 mg toutes les 30 min jusqu'à ce que la crise disparaisse ou jusqu'à concurrence d'une dose totale de 6 mg. Ne pas dépasser 6 mg par jour ou 10 mg par semaine. On a déjà administré une dose quotidienne de 1 à 2 mg par voie orale au coucher pendant 10 à 14 jours pour interrompre un épisode de céphalées vasculaires de Horton en série.

- **PO, sublinguale (enfants plus âgés et adolescents) (É.-U.):** 1 mg; par la suite, 1 mg, 30 min plus tard, au besoin.
- **Inhalation (adultes):** 1 inhalation (360 μg); on peut répéter l'inhalation à des intervalles de 5 min jusqu'à ce que la crise disparaisse. Ne pas dépasser 6 inhalations en l'espace de 24 h ou 15 inhalations par semaine.

PHARMACODYNAMIE
(soulagement des céphalées)

	DÉBUT D'ACTION	PIC	DURÉE
PO	1–2 h (variable)	inconnu	inconnue
sublinguale	inconnu	inconnu	inconnue
inhalation	inconnu	inconnu	inconnue

SOINS INFIRMIERS

ÉVALUATION DE LA SITUATION

- ☐ Déterminer la fréquence, le siège, la durée et les caractéristiques (douleurs, nausées, vomissements, troubles visuels) des céphalées chroniques. Au cours d'une crise aiguë, noter le type de douleur, son siège et son intensité, avant l'administration du médicament et 60 min plus tard.
- ☐ Mesurer la pression artérielle et le pouls périphérique à intervalles réguliers tout au long du traitement. Prévenir le médecin si une hypertension notable se manifeste.
- ☐ Surveiller les signes d'ergotisme (sensation de froid, engourdissement des orteils et des doigts, nausées, vomissements, céphalées, douleurs musculaires, faiblesse).
- ☐ Suivre de près les nausées et les vomissements. L'ergotamine stimule la zone « gâchette » des chémorécepteurs. Le médecin peut prescrire un médicament de la classe des phénothiazines pour arrêter les vomissements.

- **Toxicité et surdosage:** La toxicité se manifeste par de la gangrène et par les symptômes suivants d'ergotisme grave: douleurs thoraciques, douleurs abdominales, paresthésie persistante des extrémités. Le médecin peut prescrire des vasodilatateurs, du dextran ou de l'héparine pour améliorer l'état de la circulation.

DIAGNOSTICS INFIRMIERS POSSIBLES

- **Énoncés diagnostiques**
- ☐ Douleur.
- ☐ Risque élevé d'accident.
- ☐ Prise en charge inefficace du programme thérapeutique.
- ☐ *Risque élevé d'intolérance à l'activité.*
- ☐ *Risque élevé d'intoxication.*
- ☐ *Risque élevé d'anxiété.*

- **Facteurs favorisants**
- ☐ Informations incomplètes.
- ☐ *Douleur.*
- ☐ *Fatigue et faiblesse.*
- ☐ *Manque de connaissances sur les effets secondaires du médicament.*
- ☐ *Manque de connaissances sur les modalités du traitement.*
- ☐ *Manque de connaissances sur la méthode d'administration du médicament.*
- ☐ *Difficulté à s'adapter aux changements nécessaires dans les habitudes de vie.*

INTERVENTIONS INFIRMIÈRES

- **Directives générales:** Administrer le médicament aussitôt que le patient signale des symptômes prodromiques ou une céphalée.
- **Voie sublinguale:** Il faut laisser le comprimé se dissoudre sous la langue. Ne pas permettre au patient de manger, de boire ni de fumer avant que le comprimé ne soit totalement dissous.
- **Aérosol-doseur:** Lors de l'administration de l'ergotamine en aérosol-doseur, espacer les inhalations de 5 min.

ENSEIGNEMENT AU PATIENT ET À SES PROCHES

- **Directives générales:** Conseiller au patient de prendre l'ergotamine au premier signe d'une céphalée imminente et de ne pas dépasser la dose maximale prescrite par le médecin.
- ☐ Inciter le patient à se reposer dans une pièce sombre et tranquille après avoir pris l'ergotamine.
- ☐ Expliquer au patient les symptômes de toxicité. Lui conseiller de signaler ces symptômes le plus rapidement possible au médecin.
- ☐ Conseiller au patient de ne pas fumer et d'éviter de s'exposer au froid, car la vasoconstriction peut altérer davantage la circulation périphérique.
- ☐ Recommander au patient d'éviter de boire de l'alcool en raison du risque d'apparition de céphalées vasculaires.
- ☐ Conseiller à la patiente d'informer le médecin si elle pense être enceinte ou si elle souhaite le devenir. L'usage de l'ergotamine pendant la grossesse est contre-indiqué.
- **Aérosol-doseur:** Montrer au patient comment utiliser l'aérosol-doseur. Bien agiter le flacon, expirer, fermer les lèvres autour de l'embout buccal, appuyer sur l'aérosol-doseur pendant la deuxième moitié de l'inhalation et retenir la respiration aussi longtemps que possible après le traitement pour assurer l'instillation du médicament en profondeur.

VÉRIFICATION DES RÉSULTATS

L'efficacité du traitement peut être démontrée par: la prévention ou le soulagement de la douleur provoquée par les céphalées vasculaires.

ÉRYTHROMYCINE

Érythromycine base
Apo-Erythro, Apo-Erythro E-C, Erybid, Eryc, E-Mycin, Erythromid, Novo-Rythro Encap, PCE, (E-base), (Eric-Sprinkle), (Ery-tab), (Ilotycin), (Robimycin)

érythromycine, estolate d'
Ilosone, Novo-Rythro

érythromycine, éthylsuccinate d'
Apo-Erythro-ES, EES, EryPed, Novo-Rythro

érythromycine, gluceptate d'
Ilotycin

érythromycine, lactobionate d'
Erythrocin

érythromycine, stéarate d'
Apo-Erythro-S, Erythrocin, Novo-Rythro, (Eramycin), (Wyamycin S)

érythromycine (usage ophtalmique)
Diomylin, Ilotycin, PMS-Erythromycine

érythromycine (usage topique)
PMS-Acné, Staticin, (Akne-Mycin), (Erycette), (Erygel), (Erymax), (ETS), (Mythromycin), (T-stat)

CLASSIFICATION:
Anti-infectieux – macrolide
Grossesse – catégorie B

INDICATIONS

- **PO et IV:** Traitement des infections suivantes provoquées par les micro-organismes sensibles: ☐ infections des voies respiratoires supérieures et inférieures ☐ otite moyenne (avec des sulfamidés) ☐ infections de la peau et des tissus mous ☐ coqueluche ☐ diphtérie ☐ érythrasma ☐ amibiase intestinale ☐ maladies pelviennes inflammatoires (PID) ☐ urétrite non gonococcique ☐ syphilis ☐ maladie du légionnaire ☐ rhumatisme articulaire aigu ■ **Usage topique:** Traitement de l'acné ■ **Usage ophtalmique:** ■ Traitement des infections oculaires superficielles ■ Traitement de rechange de certaines infections lorsque la pénicilline serait le médicament le plus approprié, mais qu'elle ne peut être administrée en raison d'antécédents d'hypersensibilité notamment: ☐ les infections streptococciques □ la syphilis ou la gonorrhée □ l'endocardite (prophylaxie).

ACTION

■ Inhibition de la synthèse protéique au niveau de la sous-unité 50S du ribosome bactérien. **Effets thérapeutiques :** ■ Action bactériostatique contre les bactéries sensibles. **Spectre d'action :** ■ Action contre de nombreux cocci à Gram positif incluant : □ les streptocoques □ les staphylocoques ■ Action contre les bacilles à Gram positif incluant : □ *Clostridium* □ *Corynebacterium* ■ Action contre plusieurs micro-organismes pathogènes à Gram négatif, et particulièrement : □ *Neisseria* □ *Hæmophilus influenzæ* □ *Legionella pneumophila* □ *Mycoplasma* et *Chlamydia* (habituellement sensibles à l'érythromycine).

PHARMACOCINÉTIQUE

Absorption : Bonne absorption depuis le duodénum, par suite de l'administration PO. Par suite de l'administration des préparations topiques et ophtalmiques, l'absorption peut être minime.
Distribution : L'agent se répartit dans tout l'organisme. Il pénètre en quantité infime dans le liquide céphalorachidien. Il traverse le placenta et pénètre dans le lait maternel.
Métabolisme et excrétion : Une certaine fraction du médicament est métabolisée par le foie ; l'érythromycine est principalement excrétée à l'état inchangé dans la bile. De petites quantités sont excrétées à l'état inchangé dans l'urine.
Demi-vie : De 1,4 à 2 h.

CONTRE-INDICATIONS ET PRÉCAUTIONS

Contre-indications : ■ Hypersensibilité ■ Dysfonction hépatique (sel d'estolate) ■ Grossesse (sel d'estolate).
Précautions : ■ Maladie hépatique ■ Grossesse (on peut administrer d'autres sels que l'estolate pour traiter les infections à *Chlamydia* ou la syphilis).

RÉACTIONS INDÉSIRABLES ET EFFETS SECONDAIRES

GI : nausées, vomissements, diarrhée, douleurs abdominales, crampes, hépatite.
ORLO : neurotoxicité pour la VIIIᵉ paire crânienne (effet ototoxique).
Tég. : rash.
Locaux : phlébite au point d'injection IV.
Divers : réactions allergiques, surinfection.

INTERACTIONS

Médicament – médicament : ■ L'érythromycine intensifie les effets et peut augmenter le risque de toxicité de l'**alfentanil**, de la **bromocriptine**, de la **théophylline**, de la **carbamazépine**, de la **cyclosporine**, du **disopyramide**, des **alcaloïdes de l'ergot**, du **triazolam**, des **anticoagulants oraux** ou de la **méthylprednisolone** ■ Risque d'élévation des concentrations sériques de **digoxine** chez un faible pourcentage de patients ■ **Préparation topique :** L'utilisation concomitante d'**agents irritants**, **abrasifs** ou **exfoliants** peut aggraver l'irritation ■ **Préparation topique :** La **clindamycine topique** peut contrecarrer les effets bénéfiques de l'érythromycine.

PRÉSENTATION

L'érythromycine est présentée sous diverses formes : comprimés, comprimés à enrobage entérique, capsules (granules entérosolubles), suspension, solution injectable, solution topique et onguent ophtalmique.

VOIES D'ADMINISTRATION ET POSOLOGIE

Remarque : 250 mg d'érythromycine base, d'estolate ou de stéarate d'érythromycine sont équivalents à 400 mg d'éthylsuccinate d'érythromycine.
■ **PO (adultes) :** base, estolate ou stéarate : de 250 à 500 mg, toutes les 6 à 8 h ; éthylsuccinate (É.-U.) : de 400 à 800 mg, toutes les 6 à 8 h.

- **PO (enfants) :** de 30 à 50 mg/kg par jour en doses fractionnées, toutes les 6 h (jusqu'à 100 mg/kg par jour).
- **IV (adultes) :** gluceptate et lactobionate seulement : de 1 à 4 g par jour en doses fractionnées, toutes les 6 h ou en perfusion continue.
- **IV (enfants) :** gluceptate et lactobionate seulement : de 15 à 20 mg/kg par jour en doses fractionnées, toutes les 6 h ou en perfusion continue.
- **Préparation topique (adultes et enfants > 12 ans) :** solution à 1,5 ou à 2 %, 2 fois par jour.
- **Préparation ophtalmique (adultes et nouveau-nés) :** onguent à 0,5 % à appliquer sur la conjonctive, une ou plusieurs fois par jour.

PHARMACODYNAMIE
(concentrations sanguines)

	DÉBUT D'ACTION	PIC
PO	1 h	1 – 4 h
IV	rapide	fin de la perfusion

SOINS INFIRMIERS

ÉVALUATION DE LA SITUATION

- Au début du traitement et pendant toute sa durée, suivre de près les signes suivants d'infection : altération des signes vitaux ; aspect de la plaie, des crachats, de l'urine et des selles ; accroissement du nombre de leucocytes.
- Prélever des échantillons pour les cultures et les antibiogrammes avant le début du traitement. La première dose peut être administrée avant même que les résultats soient connus.
- **Étude des examens diagnostiques et biochimiques :** On devrait effectuer à intervalles réguliers des tests de l'exploration fonctionnelle hépatique chez les patients recevant des doses élevées ou dans le cadre d'un traitement prolongé.

- L'érythromycine peut entraîner l'élévation des concentrations sériques de bilirubine, de TGOS [AST], de TGPS [ALT] et de phosphatase alcaline.
- Le médicament peut entraîner une fausse élévation des concentrations urinaires de catécholamines.

DIAGNOSTICS INFIRMIERS POSSIBLES

- **Énoncés diagnostiques**
- Risque élevé d'infection.
- Prise en charge inefficace du programme thérapeutique.
- Non-observance du traitement médicamenteux.
- *Risque élevé de douleur au point d'injection IV.*
- *Risque élevé de déficit de volume liquidien.*

- **Facteurs favorisants**
- Informations incomplètes.
- Doute quant aux bienfaits du médicament.
- *Inflammation locale du tissu vasculaire ou infiltration du médicament dans les tissus avoisinants.*
- *Manque de connaissances sur les moyens de prévenir les effets secondaires affectant l'appareil gastro-intestinal.*
- *Manque de connaissances sur la méthode d'administration du médicament.*
- *Manque de connaissances sur les effets secondaires du médicament et sur les moyens de les prévenir.*
- *Manque de connaissances sur les modalités du traitement.*

INTERVENTIONS INFIRMIÈRES

- **PO :** Administrer l'érythromycine à intervalles réguliers sur une période de 24 h, à jeun, au moins 1 h avant les repas ou 2 h après. En cas d'irritation gastrique, on peut administrer le médicament avec des aliments. Ne pas prendre l'érythromycine avec des jus de fruits ; prendre chaque dose avec un grand verre d'eau.

□ Utiliser un contenant gradué pour mesurer les préparations liquides. Bien agiter la solution avant de l'administrer.

□ Les comprimés à croquer doivent être mâchés ou broyés; ils ne doivent pas être avalés tels quels.

□ Il ne faut pas ouvrir, broyer ni mâcher les capsules ou les comprimés à action retard; demander au patient de les avaler tels quels. Les comprimés à enrobage entérique peuvent être administrés sans égard aux repas.

■ **IV:** Ajouter 10 mL (Erythrocin) à 20 mL (Ilotycin) d'eau stérile pour injection sans agent de conservation aux fioles contenant 500 mg, et 20 mL, aux fioles contenant 1 g d'érythromycine. La solution reconstituée reste stable au réfrigérateur pendant 7 jours (Ilotycin) ou pendant 96 h (Erythrocin).

■ **Perfusion intermittente:** Diluer de nouveau dans 100 à 250 mL de solution de NaCl à 0,9 % ou de solution de dextrose à 5 % dans de l'eau.

□ *Vitesse d'administration:* Administrer la solution lentement pendant 20 à 60 min pour prévenir les phlébites. Surveiller la douleur le long de la veine; si elle se manifeste, ralentir l'administration et appliquer de la glace. Prévenir le médecin si la douleur ne peut être soulagée.

■ **Perfusion continue:** L'érythromycine peut également être administrée, sur une période de 4 h (Ilotycin) à 8 h (Erythrocin), sous forme de perfusion, après dilution à raison de 1 g par litre de NaCl à 0,9 %, de dextrose à 5 % dans de l'eau, de Normosol-R ou de lactate Ringer.

Gluceptate d'érythromycine

■ **Association incompatible dans la même seringue:** Héparine.

■ **Incompatibilités (tubulure en Y):** Chloramphénicol, héparine, phénobarbital ou phénytoïne.

■ **Compatibilités en addition au soluté:** Bicarbonate de sodium, chlorure de potassium, corticotrophine, dimenhydrinate, gluconate de calcium, héparine, méthicilline, pénicilline G potassique ou succinate d'hydrocortisone sodique.

■ **Incompatibilités en addition au soluté:** Aminophylline, oxytétracycline, pentobarbital, sécobarbital, streptomycine ou tétracycline.

Lactobionate d'érythromycine

■ **Association compatible dans la même seringue:** Méthicilline.

■ **Associations incompatibles dans la même seringue:** Ampicilline ou héparine.

■ **Compatibilités (tubulure en Y):** Acyclovir, cyclophosphamide, énalaprilate, esmolol, famotidine, foscarnet, hydromorphone, labétalol, mépéridine, morphine, multivitamines, sulfate de magnésium ou zidovudine.

■ **Compatibilités en addition au soluté:** Aminophylline, ampicilline, bicarbonate de sodium, chlorure de potassium, cimétidine, diphenhydramine, iodure de sodium, lidocaïne, méthicilline, pénicilline G potassique, pénicilline G sodique, pentobarbital, polymyxine B, prednisolone, prochlorpérazine, promazine, succinate d'hydrocortisone sodique ou vérapamil.

■ **Incompatibilités en addition au soluté:** Céphalothine, colistiméthate, héparine, métaraminol, métoclopramide ou tétracycline.

■ **Préparation ophtalmique:** La méthode d'administration des préparations ophtalmiques est indiquée à l'annexe H.

■ **Préparation topique:** Nettoyer la région atteinte et enfiler des gants avant d'appliquer l'onguent.

ENSEIGNEMENT AU PATIENT ET À SES PROCHES

□ Expliquer au patient qu'il doit prendre le médicament à intervalles réguliers 24 h sur 24 et qu'il doit utiliser toute la quantité qui lui a été prescrite, même s'il se sent mieux. S'il n'a pas pu prendre le médicament au moment habituel, il doit le prendre dès que possible et espacer uniformément les doses suivantes prévues pour la journée. Expliquer au patient qu'il peut être dangereux de donner ce médicament à d'autres personnes.

☐ Prévenir le patient que l'érythromycine peut provoquer des nausées, des vomissements, de la diarrhée ou des crampes d'estomac; lui conseiller de prévenir le médecin si ces effets persistent ou si les symptômes suivants se manifestent: douleurs abdominales graves, jaunissement de la peau ou des yeux, urine foncée, selles de couleur pâle ou fatigue inhabituelle.

☐ Conseiller au patient de signaler au médecin les signes suivants de surinfection: excroissance pileuse sur la langue, démangeaisons ou pertes vaginales, selles molles ou nauséabondes.

☐ Inciter le patient à prévenir le médecin si les symptômes ne s'améliorent pas.

☐ Expliquer au patient ayant des antécédents de cardite rhumatismale ou ayant subi un remplacement valvulaire l'importance de suivre un traitement antimicrobien en prévention de l'endocardite avant de se soumettre à une intervention médicale ou dentaire invasive.

VÉRIFICATION DES RÉSULTATS

La réponse clinique peut être déterminée par: ■ la disparition des signes et des symptômes d'infection; le temps de résolution dépend du micro-organisme infectant et du siège de l'infection ■ la cicatrisation des lésions acnéiques ■ la prophylaxie de l'endocardite.

ÉRYTHROPOÏÉTINE

EPO, époétine alfa, Eprex, (Epogen), (Procrit)

CLASSIFICATION:
Hormone – érythropoïétine; agent recombinant
Grossesse – catégorie C

INDICATIONS

■ Traitement de l'anémie de l'insuffisance rénale chronique ■ Traitement de l'anémie secondaire au traitement par la zidovudine (AZT) chez les patients infectés par le VIH.

ACTION

■ Stimulation de l'érythropoïèse (production d'érythrocytes). **Effets thérapeutiques:** ■ Maintien du nombre d'érythrocytes et parfois même augmentation de ce nombre, réduisant ainsi le besoin de transfusion.

PHARMACOCINÉTIQUE

Absorption: Bonne absorption par suite de l'administration SC.
Distribution: Inconnue.
Métabolisme et excrétion: Inconnus.
Demi-vie: De 4 à 13 h.

CONTRE-INDICATIONS ET PRÉCAUTIONS

Contre-indications: ■ Hypersensibilité à l'albumine ou aux produits dérivés de cellules de mammifères ■ Hypertension impossible à stabiliser.
Précautions: ■ Antécédents de convulsions ■ Grossesse, allaitement ou enfants (l'innocuité du médicament n'a pas été établie).

RÉACTIONS INDÉSIRABLES ET EFFETS SECONDAIRES

SNC: CONVULSIONS, céphalées.
CV: épisodes de thrombose (patients en hémodialyse), <u>hypertension</u>.
Tég.: rash passager.
End.: retour de la menstruation, rétablissement de la fécondité.

E

INTERACTIONS

Médicament – médicament: L'administration d'érythropoïétine peut augmenter
les besoins en **héparine** administrée pour
prévenir la coagulation au cours de l'hémodialyse.

VOIES D'ADMINISTRATION ET POSOLOGIE

Anémie de l'insuffisance rénale chronique

■ **SC, IV (adultes):** initialement, de 50 à
100 unités/kg, 3 fois par semaine; on
peut ajuster la dose par paliers de
25 unités/kg afin de maintenir l'hématocrite à une valeur cible de 0,30 à
0,33 (au maximum: 0,36). Dose d'entretien habituelle: de 25 à 75 unités/
kg, 3 fois par semaine.

Anémie secondaire au traitement à la zidovudine (AZT)

■ **IV, SC (adultes):** 100 unités/kg, 3 fois
par semaine, pendant 8 semaines; si
la réponse est insuffisante, on peut
augmenter la dose de 50 à 100 unités/
kg, toutes les 4 à 8 semaines, jusqu'à
concurrence de 300 unités/kg, 3 fois
par semaine (si l'hématocrite est supérieur à 40 %, interrompre le traitement jusqu'à ce que les taux descendent jusqu'à 36 %, puis diminuer la
dose de 25 % et reprendre le traitement).

PHARMACODYNAMIE (augmentation du nombre d'érythrocytes)

	DÉBUT D'ACTION[*]	PIC	DURÉE
IV, SC	10 jours	2 – 6 semaines	inconnue

[*] Augmentation du nombre de réticulocytes

SOINS INFIRMIERS

ÉVALUATION DE LA SITUATION

☐ Mesurer la pression artérielle avant
l'administration initiale et tout au long
du traitement. Prévenir le médecin
en cas d'hypertension grave ou si la
pression artérielle commence à s'élever. Une hypertension impossible à
stabiliser est une contre-indication
au traitement à l'érythropoïétine. Un
traitement antihypertenseur supplémentaire peut s'avérer nécessaire
pendant le traitement initial.

☐ Suivre la réponse du patient pour déceler les symptômes suivants d'anémie: fatigue, dyspnée, pâleur.

☐ Déterminer l'état du shunt artérioveineux (frémissements et bruits) et
celui du rein artificiel au cours de
l'hémodialyse. La dose d'héparine
pourrait devoir être augmentée afin
de prévenir la coagulation. Les patients
souffrant d'une maladie vasculaire
sous-jacente devraient être suivis de
près afin de déceler les signes d'insuffisance circulatoire.

■ **Étude des examens diagnostiques et biochimiques:** Étudier l'hématocrite avant
l'administration, 2 fois par semaine
au cours du traitement initial et à intervalles réguliers après qu'on a atteint la valeur cible (de 0,30 à 0,33) et
qu'on a déterminé la dose d'entretien.
Il faudrait également étudier d'autres
paramètres hématopoïétiques (l'hémoglobine et le nombre de réticulocytes et d'érythrocytes) avant le début
du traitement et à intervalles réguliers
pendant toute sa durée. Le nombre
de réticulocytes commence habituellement à s'élever 10 jours après le
début du traitement. Les concentrations d'hémoglobine, l'hématocrite
et le nombre d'érythrocytes commencent à s'élever après 2 à 6 semaines
de traitement. Prévenir le médecin si
l'hématocrite augmente de plus de
0,4 en l'espace de 2 semaines, car
cette élévation peut augmenter le risque de réaction hypertensive et de
convulsions. Si l'hématocrite est supérieur à 0,36, on devrait interrompre
l'administration jusqu'à ce qu'il se rétablisse à 0,33. La dose devrait être
réduite par paliers de 25 unités/kg
après la reprise du traitement.

□ Étudier également les concentrations sériques de ferritine, de transferrine et de fer afin de déterminer la nécessité d'amorcer un traitement concomitant au fer.

□ Suivre de près les résultats de l'exploration fonctionnelle rénale et la concentration des électrolytes, car, en raison d'un sentiment de mieux-être, le patient pourrait ne pas observer les autres traitements de l'insuffisance rénale. Des élévations des concentrations sériques d'urée, de créatinine, d'acide urique, de phosphore et de potassium peuvent survenir.

□ Le traitement à l'érythropoïétine peut entraîner une augmentation du nombre de leucocytes et de plaquettes et écourter le temps de saignement.

DIAGNOSTICS INFIRMIERS POSSIBLES

■ **Énoncés diagnostiques**

□ Intolérance à l'activité.

□ Prise en charge inefficace du programme thérapeutique.

□ Non-observance du traitement médicamenteux.

□ *Risque élevé d'accident.*

□ *Risque élevé d'anxiété.*

■ **Facteurs favorisants**

□ Informations incomplètes.

□ Doute quant aux bienfaits du médicament.

□ *Fatigue et faiblesse.*

□ *Manque de connaissances sur les modalités du traitement.*

□ *Manque de connaissances sur le régime alimentaire à suivre.*

□ *Manque de connaissances sur les effets secondaires du médicament.*

□ *Perturbation de la vigilance.*

INTERVENTIONS INFIRMIÈRES

■ **Directives générales :** En cas d'anémie symptomatique grave, les transfusions s'avèrent toujours nécessaires, car plusieurs semaines peuvent s'écouler avant qu'une réponse thérapeutique ne se manifeste.

□ Prendre les précautions nécessaires pour prévenir les convulsions chez le patient dont l'hématocrite augmente de plus de 0,04 en moins de 2 semaines ou dont l'état neurologique se modifie. Le risque de convulsions est plus élevé au cours des 90 premiers jours de traitement.

□ Ne pas agiter la fiole pour ne pas inactiver le médicament. Après avoir prélevé la dose nécessaire, jeter immédiatement la fiole.

■ **SC :** On utilise souvent cette voie d'administration chez les patients non dialysés.

■ **IV :** On peut administrer le médicament par injection directe ou par bolus IV injecté dans la tubulure à la fin d'une séance de dialyse.

ENSEIGNEMENT AU PATIENT ET À SES PROCHES

□ Insister sur l'importance d'observer les restrictions diététiques et de respecter scrupuleusement le traitement médicamenteux recommandé et les rendez-vous fixés pour la dialyse. Indiquer au patient que les aliments riches en fer et pauvres en potassium comprennent : le foie, la viande de porc, de veau et de bœuf, les feuilles de moutarde et de navet, les pois, les œufs, le brocoli, le chou frisé, les mûres, les fraises, le jus de pomme, la pastèque, les flocons d'avoine et le pain enrichi. Préciser que l'érythropoïétine donne un sentiment de mieux-être, mais ne guérit pas la maladie rénale sous-jacente.

□ Expliquer au patient la logique d'un traitement concomitant au fer (la production d'une quantité accrue d'érythrocytes ne peut se faire sans l'apport de fer).

□ Expliquer à la patiente qui est en âge de procréer que la menstruation et la fécondité peuvent revenir. Lui recommander de consulter le médecin pour choisir une méthode de contraception appropriée.

☐ Expliquer au patient exposé au risque de convulsions comment prévenir les accidents. Lui conseiller de ne pas conduire et d'éviter les activités qui exigent sa vigilance.

VÉRIFICATION DES RÉSULTATS

La réponse clinique peut être déterminée par: ■ l'augmentation de l'hématocrite jusqu'à 0,30 à 0,33 et l'amélioration subséquente des symptômes d'anémie chez les patients souffrant d'insuffisance rénale chronique ■ l'augmentation de l'hématocrite jusqu'à plus de 0,40 en cas d'anémie secondaire au traitement à la zidovudine.

ESMOLOL
Brevibloc

CLASSIFICATION:
Bêtabloquant cardiosélectif;
antiarythmique de classe II

Grossesse – catégorie C

INDICATIONS
Traitement de courte durée des tachyarythmies supraventriculaires et de l'hypertension.

ACTION
■ Blocage de la stimulation des sites des récepteurs bêta$_1$ adrénergiques (du myocarde), avec moins d'effet sur les sites des récepteurs bêta$_2$ (pulmonaires et vasculaires), ce qui entraîne une diminution de la fréquence cardiaque, de la contractilité, de la pression artérielle et de la conduction AV. **Effets thérapeutiques:** ■ Ralentissement de la réponse ventriculaire en cas de tachyarythmie supraventriculaire.

PHARMACOCINÉTIQUE
Absorption: Le médicament doit être administré par voie IV; dans ce cas, sa biodisponibilité est totale.

Distribution: L'esmolol se répartit rapidement dans tout l'organisme.

Métabolisme et excrétion: Le médicament est métabolisé par les enzymes dans les érythrocytes et dans le foie.

Demi-vie: 9 min.

CONTRE-INDICATIONS ET PRÉCAUTIONS
Contre-indications: ■ Insuffisance cardiaque décompensée ■ Œdème pulmonaire ■ Choc cardiogénique ■ Bradycardie ■ Bloc cardiaque de 2e ou de 3e degré.

Précautions: ■ Thyrotoxicose ■ Hypoglycémie (l'esmolol peut en masquer les symptômes) ■ Grossesse, allaitement, enfants de moins de 18 ans (l'innocuité du médicament n'a pas été établie).

RÉACTIONS INDÉSIRABLES ET EFFETS SECONDAIRES
SNC: étourdissements, céphalées, confusion, agitation, somnolence, faiblesse.

ORLO: troubles de la vision.

Resp.: bronchospasme, respiration sifflante.

CV: hypotension, douleurs thoraciques, œdème pulmonaire, extrasystoles ventriculaires, modifications de l'ÉCG, bradycardie.

GI: nausées, vomissements, constipation, douleurs abdominales, dyspepsie.

GU: rétention urinaire.

Tég.: rash.

Locaux: phlébite au point d'injection IV.

Divers: ischémie périphérique, fièvre, frissons.

INTERACTIONS
Médicament – médicament: ■ Risque de dépression additive du myocarde lors de l'administration concomitante d'une **anesthésie générale**, de **phénytoïne IV** ou de **vérapamil** ■ Risque de bradycardie additive lors de l'administration concomitante de **dérivés digitaliques** ■ Risque d'hypotension additive lors de l'administration concomitante d'**antihypertenseurs** et de **dérivés nitrés** ainsi que

lors de l'ingestion d'**alcool** ■ L'administration concomitante d'**amphétamines**, de **cocaïne**, d'**éphédrine**, d'**épinéphrine**, de **norépinéphrine**, de **phényléphrine** ou de **pseudo-éphédrine** peut entraîner une stimulation alpha-adrénergique excessive, de l'hypertension et de la bradycardie ■ L'esmolol peut annuler les effets bénéfiques sur les récepteurs bêta$_1$ cardiaques de la **dopamine** ou de la **dobutamine** ■ L'administration concomitante d'un extrait de **thyroïde** peut diminuer l'efficacité de l'esmolol ■ L'administration concomitante d'**insuline** peut prolonger l'hypoglycémie ■ L'esmolol peut prolonger les effets de la **succinylcholine** ■ L'administration concomitante de **morphine** peut intensifier les effets de l'esmolol.

VOIES D'ADMINISTRATION ET POSOLOGIE

Remarque: Consulter le tableau de la vitesse d'administration des perfusions à l'annexe D.

■ **IV (adultes):** initialement, une dose d'attaque de 500 μg/kg en 1 min, suivie d'une perfusion de 50 μg/kg/min pendant 4 min; en l'absence de réponse dans les 5 min qui suivent, administrer une deuxième dose d'attaque de 500 μg/kg en 1 min et augmenter la vitesse de perfusion à 100 μg/kg/min pendant 4 min. En l'absence de réponse, répéter la dose d'attaque de 500 μg/kg en 1 min et augmenter la vitesse de perfusion par paliers de 50 μg/kg/min (ne pas dépasser 200 μg/kg/min). Lorsque l'objectif thérapeutique est atteint, éliminer les doses d'attaque et diminuer la dose par paliers de 25 μg/kg/min.

PHARMACODYNAMIE
(effets cardiovasculaires)

	DÉBUT D'ACTION	PIC	DURÉE
IV	1 min	inconnu	1 – 20 min

SOINS INFIRMIERS

ÉVALUATION DE LA SITUATION

☐ Mesurer souvent la pression artérielle et la fréquence cardiaque et suivre de près l'ÉCG pendant toute la durée du traitement. Le risque d'hypotension est plus élevé dans les 30 premières minutes qui suivent le début de la perfusion d'esmolol.

☐ Examiner fréquemment le point d'injection tout au long du traitement. Les concentrations supérieures à 10 mg/mL peuvent provoquer des rougeurs, de l'enflure, un changement de couleur de la peau et une sensation de brûlure au point d'injection. Ne pas utiliser d'aiguilles à ailettes pour administrer ce médicament. En cas d'irritation veineuse, interrompre la perfusion et la poursuivre à un autre point d'injection.

☐ Effectuer le bilan quotidien des ingesta et des excreta et peser le patient tous les jours. Surveiller régulièrement les signes et les symptômes suivants d'insuffisance cardiaque: œdème périphérique, dyspnée, râles ou crépitations, gain pondéral, turgescence des jugulaires.

■ **Étude des examens diagnostiques et biochimiques:** Suivre de près la glycémie chez les patients diabétiques, car l'esmolol peut masquer les signes et les symptômes d'hypoglycémie et peut potentialiser l'hypoglycémie induite par l'insuline.

■ **Toxicité et surdosage:** Surveiller les signes suivants de surdosage: bradycardie, étourdissements ou évanouissements graves, somnolence grave, dyspnée, ongles ou paumes bleuâtres, convulsions. Prévenir immédiatement le médecin si ces signes surviennent.

☐ Le traitement du surdosage à l'esmolol est un traitement symptomatique et, en même temps, un traitement de soutien. Étant donné la courte durée d'action de l'esmolol, l'arrêt du traitement peut réduire l'intoxication aiguë.

☐ On peut traiter la bradycardie symptomatique par l'atropine, l'isoprotérénol, la dobutamine, l'épinéphrine ou l'installation d'un stimulateur cardiaque transveineux.

☐ Pour traiter les extrasystoles ventriculaires, on peut administrer de la lidocaïne ou de la phénytoïne. Éviter la quinidine, la procaïnamide ou le disopyramide, car ces agents peuvent déprimer davantage la fonction myocardique.

☐ Pour traiter l'insuffisance cardiaque, on peut administrer de l'oxygène, des dérivés digitaliques et des diurétiques.

☐ Pour traiter l'hypotension, on peut installer le patient en position de Trendelenberg et lui administrer des liquides par voie IV, sauf contre-indication. On peut également administrer des vasopresseurs tels que l'épinéphrine, la norépinéphrine, la dopamine et la dobutamine. L'hypotension ne répond pas à l'administration des agonistes des récepteurs bêta$_2$.

☐ On a déjà administré du glucagon pour traiter la bradycardie et l'hypotension.

☐ On peut administrer un agent agoniste des récepteurs bêta$_2$ adrénergiques (isoprotérénol) et/ou de la théophylline pour traiter le bronchospasme.

DIAGNOSTICS INFIRMIERS POSSIBLES

■ **Énoncés diagnostiques**

☐ Diminution du débit cardiaque.

☐ Risque élevé d'accident.

☐ Prise en charge inefficace du programme thérapeutique.

☐ *Risque élevé de douleur au point d'injection IV.*

■ **Facteurs favorisants**

☐ Informations incomplètes.

☐ *Perturbation de la vigilance.*

☐ *Manque de connaissances sur les effets hypotensifs du médicament lors des changements brusques de position.*

☐ *Inflammation locale du tissu vasculaire ou infiltration du médicament dans les tissus avoisinants.*

☐ *Manque de connaissances sur les effets secondaires du médicament et sur les moyens de les prévenir.*

INTERVENTIONS INFIRMIÈRES

■ **Directives générales:** Pour substituer à l'esmolol un autre agent antiarythmique, administrer la première dose de cet agent et diminuer la dose d'esmolol de 50 %, 30 min plus tard. Si la réponse appropriée peut être maintenue pendant 1 h après la seconde dose de l'agent antiarythmique, arrêter l'administration de l'esmolol.

■ **IV:** L'esmolol doit être dilué et administré par perfusion IV. Pour préparer la solution, prélever 20 mL d'un soluté de 500 mL de dextrose à 5 % dans de l'eau, de dextrose à 5 %/lactate Ringer, de dextrose à 5 %/NaCl à 0,45 %, de dextrose à 5 %/NaCl à 0,9 %, de NaCl à 0,45 %, de NaCl à 0,9 % ou de lactate Ringer. Ajouter 5 g d'esmolol au soluté pour obtenir une concentration de 10 mg/mL. La solution est stable pendant 24 h à la température ambiante.

☐ *Vitesse d'administration:* La dose d'attaque d'esmolol doit être administrée en 1 min, suivie d'une dose d'entretien par perfusion IV en 5 min. Si la réponse n'est pas suffisante, répéter l'intervention toutes les 5 min en augmentant la dose d'entretien. Pour ajuster la dose, il faut se baser sur la fréquence cardiaque souhaitable ou sur l'abaissement indésirable de la pression artérielle. La dose d'entretien ne devrait pas être supérieure à 200 µg/kg/min et ne pas être administrée pendant plus de 48 h. Il ne faut pas arrêter brusquement les perfusions d'esmolol ; éliminer les doses d'attaque et diminuer la dose par paliers de 25 µg/kg/min (voir l'annexe D).

- **Compatibilités (tubulure en Y):** Acétate de sodium, amikacine, aminophylline, ampicilline, atracurium, butorphanol, céfazoline, céfopérazone, ceftazidime, ceftizoxime, chloramphénicol, chlorure de calcium, chlorure de potassium, cimétidine, clindamycine, cotrimoxazole, dopamine, énalaprilate, famotidine, fentanyl, gentamicine, héparine, lactobionate d'érythromycine, méthyldopa, métronidazole, nafcilline, pancuronium, pénicilline G potassique, phénytoïne, phosphate de potassium, pipéracilline, polymyxine B, ranitidine, streptomycine, succinate d'hydrocortisone sodique, sulfate de magnésium, sulfate de morphine, tobramycine, vancomycine ou vécuronium.
- **Incompatibilité (tubulure en Y):** Furosémide.
- **Compatibilités en addition au soluté:** Aminophylline, brétylium ou héparine.
- **Incompatibilités en addition au soluté:** Bicarbonate de sodium, diazépam, procaïnamide ou thiopental.

ENSEIGNEMENT AU PATIENT ET À SES PROCHES

☐ Recommander au patient de changer lentement de position pour réduire les risques d'hypotension orthostatique.

☐ Prévenir le patient que l'esmolol peut parfois provoquer de la somnolence et des étourdissements. Lui conseiller de demander de l'aide lors de ses déplacements.

VÉRIFICATION DES RÉSULTATS

L'efficacité du traitement peut être démontrée par: la diminution ou l'interruption des tachyarythmies supraventriculaires et la stabilisation de l'hypertension sans apparition d'effets nocifs.

E

ESTAZOLAM
(ProSom)

CLASSIFICATION:
Hypnosédatif – benzodiazépine
Grossesse – catégorie X

INDICATIONS

Traitement de courte durée de l'insomnie.

ACTION

- Dépression du SNC, probablement attribuable à la potentialisation de l'acide gamma-aminobutyrique (GABA), un neurotransmetteur inhibiteur. **Effets thérapeutiques:** - Amélioration du sommeil.

PHARMACOCINÉTIQUE

Absorption: Bonne absorption par suite de l'administration PO.

Distribution: L'estazolam est très liposoluble. Il traverse la barrière hématoencéphalique et le placenta et pénètre dans le lait maternel.

Métabolisme et excrétion: La plus grande fraction du médicament est métabolisée par le foie. Les métabolites ne dépriment pas le SNC.

Demi-vie: De 10 à 24 h.

CONTRE-INDICATIONS ET PRÉCAUTIONS

Contre-indications: - Hypersensibilité - Risque de réaction de sensibilité croisée avec les autres benzodiazépines - Dépression préexistante du SNC - Douleurs graves, impossibles à soulager - Glaucome à angle étroit - Grossesse ou allaitement.

Précautions: - Dysfonction hépatique, personnes âgées, patients très jeunes ou patients débilités (réduire la dose) - Patients suicidaires ou ayant des antécédents de toxicomanie.

RÉACTIONS INDÉSIRABLES ET EFFETS SECONDAIRES

SNC: somnolence, faiblesse, hypokinésie, sensation « droguée », organisation anormale des opérations de la pensée, anxiété, agitation, amnésie, apathie, hostilité, convulsions, troubles du sommeil, stupeur, soubresauts musculaires.

ORLO: douleur d'oreilles, irritation oculaire, photophobie.

Resp.: DÉPRESSION RESPIRATOIRE, symptômes de rhume, pharyngite, asthme, dyspnée, sinusite, rhinite.

GI: dyspepsie, modification de l'appétit, flatulence, gastrite, douleurs abdominales.

GU: mictions fréquentes, retard de la miction avec effort pour uriner, crampes menstruelles, pertes vaginales, démangeaisons vaginales.

Tég.: urticaire.

Loc.: douleurs aux membres inférieurs, douleurs lombaires, raideur, douleurs dans le cou, myalgie, spasmes musculaires, arthrite.

Divers: réactions allergiques, frissons, soif, dépendance physique, dépendance psychologique.

INTERACTIONS

Médicament – médicament: ■ Dépression additive du SNC lors de l'usage concomitant d'**alcool**, d'**antihistaminiques**, d'**antidépresseurs**, d'**inhibiteurs de la MAO**, d'autres **hypnosédatifs** ou d'**analgésiques narcotiques** ■ La **cimétidine** ou les **contraceptifs oraux** peuvent ralentir le métabolisme de l'estazolam et en accroître les effets ■ Le médicament peut diminuer l'efficacité de la **lévodopa** ■ La **rifampine** ou le **tabagisme** peuvent accélérer le métabolisme de l'estazolam et en diminuer l'efficacité.

VOIES D'ADMINISTRATION ET POSOLOGIE

■ **PO (adultes):** 1 mg, au coucher (dose habituelle de 0,5 à 2 mg).

PHARMACODYNAMIE
(effet hypnotique)

	DÉBUT D'ACTION	PIC[*]	DURÉE
PO	15 – 30 min	2 h	6 – 8 h

[*] Concentration plasmatique.

SOINS INFIRMIERS

ÉVALUATION DE LA SITUATION

□ Noter les habitudes de sommeil avant l'administration du médicament et à intervalles réguliers pendant tout le traitement.

□ Le traitement prolongé peut entraîner une dépendance psychologique ou physique. Limiter la quantité du médicament dont le patient peut disposer, particulièrement s'il est déprimé ou suicidaire ou s'il a des antécédents de toxicomanie.

■ **Étude des examens diagnostiques et biochimiques:** Examiner la numération globulaire, les résultats des analyses d'urine et les concentrations sériques des diverses substances chimiques au cours d'un traitement prolongé.

DIAGNOSTICS INFIRMIERS POSSIBLES

■ **Énoncés diagnostiques**

□ Perturbation des habitudes de sommeil.

□ Risque élevé d'accident.

□ Prise en charge inefficace du programme thérapeutique.

□ *Risque élevé de perturbation des échanges gazeux.*

■ **Facteurs favorisants**

□ Informations incomplètes.

□ *Perturbation de la vigilance.*

□ *Mode de respiration inefficace.*

□ *Manque de connaissances sur les modalités du traitement*

INTERVENTIONS INFIRMIÈRES

■ **Directives générales:** Observer les déplacements et le transport du patient après l'administration du médicament.

Retirer les cigarettes. Soulever les ridelles du lit et laisser la sonnette d'alarme à portée de la main en tout temps.

ENSEIGNEMENT AU PATIENT ET À SES PROCHES

□ Conseiller au patient de respecter scrupuleusement la posologie recommandée. Lui expliquer l'importance de préparer un cadre propice au sommeil : proscrire les cigarettes et la caféine, se coucher dans une pièce sombre et calme. Par suite de l'administration prolongée de l'estazolam, il faut souvent arrêter le traitement graduellement. Prévenir le patient que son sommeil peut être perturbé pendant les 2 premières nuits qui suivent l'arrêt du traitement.

■ Prévenir le patient que l'estazolam peut provoquer de la somnolence diurne. Lui conseiller de ne pas conduire et d'éviter les activités qui exigent sa vigilance jusqu'à ce qu'on ait la certitude que le médicament n'entraîne pas cet effet chez lui.

□ Recommander au patient d'éviter de boire de l'alcool et de ne pas prendre d'autres médicaments dépresseurs du SNC en même temps que l'estazolam.

□ Conseiller à la patiente d'informer immédiatement le médecin si elle pense être enceinte ou si elle souhaite le devenir.

VÉRIFICATION DES RÉSULTATS

L'efficacité du traitement peut être démontrée par : l'amélioration du sommeil.

ESTRADIOL

Estrace

ESTRADIOL, CYPIONATE D'

(Depanate), (Depestro), (dep Gynogen), (Depo-Estradiol), (Depogen), (Dura-Estrin), (E-Cypionate), (Estralonate P.A.), (Estra-L), (Estro-Cyp), (Estrofem), (Estroject-LA), (Estronol-LA), (Hormogen Depot)

ESTRADIOL, VALÉRIANATE D'

Delestrogen, (Dioval), (Duragen), (Estradiol L.A.), (Estra-L), (Estraval), (Estravel-P.A.), (Feminate), (Femogex), (Gynogen L.A.), (L.A.E.), (Menaval), (Valergen)

ESTRADIOL, TIMBRE TRANSDERMIQUE

Estraderm, (Estrace)

CLASSIFICATION :
Hormone – œstrogène

Grossesse – catégorie X

INDICATIONS

■ **PO, IM, transdermique :** Traitement des symptômes vasomoteurs de la ménopause et de divers états de carence œstrogénique dont : □ l'hypogonadisme (femmes) □ l'ovariectomie bilatérale □ l'insuffisance ovarienne primaire ■ **Voie transdermique :** Traitement et prévention de l'ostéoporose post-ménopausique ■ **IM :** □ Cancer de la prostate ou cancer du sein post-ménopausique évolutifs, inopérables □ Saignement utérin anormal dû à un déséquilibre hormonal □ Endomètre sécrétoire et desquamation □ Troubles du cycle menstruel □ Traitement de l'aménorrhée □ Soulagement de l'engorgement mammaire et inhibition de la lactation en post-partum.

ACTION

■ Les œstrogènes favorisent la croissance et le développement des organes sexuels et maintiennent les caractéristiques sexuelles secondaires chez la femme ■ Les effets métaboliques comprennent la réduction des concentrations sanguines de cholestérol, la synthèse protéique et la rétention hydrosodée. **Effets thérapeutiques :** ■ Rétablissement de l'équilibre hormonal dans le cas de divers états de carence ■ Traitement des tumeurs sensibles aux hormones.

PHARMACOCINÉTIQUE

Absorption : Bonne absorption par suite de l'administration PO. L'hormone est rapidement absorbée par la peau et les membranes muqueuses.
Distribution : L'estradiol se répartit dans tout l'organisme. Il traverse le placenta et pénètre dans le lait maternel.
Métabolisme et excrétion : Le métabolisme a surtout lieu dans le foie et les tissus. L'estradiol subit plusieurs cycles entéro-hépatiques et son absorption depuis le tractus gastro-intestinal peut en être accrue.
Demi-vie : Inconnue.

CONTRE-INDICATIONS ET PRÉCAUTIONS

Contre-indications : ■ Maladie thrombo-embolique ■ Hémorragie vaginale non diagnostiquée ■ Grossesse (risque d'effets nocifs sur le fœtus) ■ Allaitement.
Précautions : ■ Maladie cardiovasculaire sous-jacente ■ Maladies rénale ou hépatique graves ■ Ce type d'œstrogénothérapie comporte un risque accru de cancer de l'endomètre.

RÉACTIONS INDÉSIRABLES ET EFFETS SECONDAIRES

SNC : céphalées, étourdissements, léthargie.
ORLO : aggravation de la myopie ou de l'astigmatisme, intolérance aux lentilles cornéennes.
CV : œdème, thromboembolie, hypertension, infarctus du myocarde.
GI : nausées, vomissements, anorexie, appétit accru, variations pondérales, ictère.
GU : femmes : hémorragie utérine secondaire à l'œstrogénothérapie, dysménorrhée, aménorrhée, érosions cervicales, candidose vaginale, perte de la libido ;

hommes : atrophie testiculaire, impuissance.
Tég. : acné, urticaire, peau huileuse, hyperpigmentation.
End. : hyperglycémie, gynécomastie (hommes).
HÉ : rétention hydrosodée, hypercalcémie.
Loc. : crampes dans les jambes.
Divers : sensibilité mammaire.

INTERACTIONS

Médicament – médicament : ■ L'estradiol peut modifier les besoins en **anticoagulants oraux,** en **hypoglycémiants oraux** ou en **insuline** ■ Les **barbituriques** ou la **rifampine** peuvent diminuer l'efficacité de l'estradiol.

VOIES D'ADMINISTRATION ET POSOLOGIE

Symptômes vasomoteurs de la ménopause, vaginite atrophique, hypogonadisme chez la femme, insuffisance ovarienne primaire, ostéoporose
- ■ **PO (adultes) :** de 0,5 à 2 mg par jour pendant 21 jours ; observer une pause de 7 jours, puis reprendre le traitement de façon cyclique.
- ■ **IM (adultes) :** 20 mg le premier jour du cycle et 5 mg, 2 semaines plus tard. Le traitement est administré selon un cycle de 28 jours que l'on répète toutes les 4 semaines.
- ■ **Voie transdermique (adultes) :** timbre transdermique de 50 ou de 100 μg, à appliquer 2 fois par semaine pendant 21 à 25 jours ; observer une pause de 5 à 7 jours, puis reprendre le traitement de façon cyclique.

Cancer post-ménopausique du sein
- ■ **IM (adultes) :** de 20 à 40 mg, toutes les 2 ou 3 semaines.

Cancer de la prostate
- ■ **IM (adultes) :** 30 mg ou plus, toutes les 1 ou 2 semaines.

Inhibition de la lactation, engorgement mammaire du post-partum

- **IM (adultes) :** de 20 à 25 mg à la fin de la première phase du travail.

Aménorrhée, sécrétion de l'endomètre et desquamation, troubles du cycle menstruel

- **IM (adultes) :** 20 mg, le premier jour du cycle et 5 mg, 2 semaines plus tard. Le traitement est administré selon un cycle de 28 jours que l'on répète toutes les 4 semaines.

PHARMACODYNAMIE
(effets œstrogéniques)

	DÉBUT D'ACTION	PIC	DURÉE
PO	inconnu	inconnu	inconnue
IM	inconnu	inconnu	inconnue
préparation topique	inconnu	inconnu	inconnue

 SOINS INFIRMIERS

ÉVALUATION DE LA SITUATION

- ☐ Mesurer la pression artérielle avant l'œstrogénothérapie et à intervalles réguliers pendant toute sa durée.
- ☐ Effectuer le bilan des ingesta et des excreta et peser le patient toutes les semaines. Signaler au médecin toute variation pondérale importante ou un gain de poids constant.
- ■ **Étude des examens diagnostiques et biochimiques :** Suivre de près les résultats des tests de l'exploration fonctionnelle hépatique avant l'administration de l'estradiol et à intervalles réguliers tout au long du traitement.
- ☐ L'estradiol peut entraîner l'élévation des concentrations sériques de glucose, de sodium, de triglycérides, de phospholipides, de cortisol, de prolactine, de prothrombine et des facteurs VII, VIII, IX et X. Il peut diminuer les concentrations sériques de folate, de pyridoxine, d'antithrombine III et les concentrations urinaires du prégnandiol.

- ☐ L'estradiol peut modifier les résultats du dosage de l'hormone thyroïdienne.
- ☐ L'hormone peut provoquer l'hypercalcémie chez les patients présentant des lésions osseuses métastatiques.

DIAGNOSTICS INFIRMIERS POSSIBLES

- ■ **Énoncés diagnostiques**
- ☐ Dysfonctionnement sexuel.
- ☐ Prise en charge inefficace du programme thérapeutique.
- ☐ *Risque élevé d'excès nutritionnel.*
- ☐ *Risque élevé d'atteinte à l'intégrité de la peau.*

- ■ **Facteurs favorisants**
- ☐ Informations incomplètes.
- ☐ *Manque de connaissances sur les moyens de prévenir les effets secondaires du médicament.*
- ☐ *Manque de connaissances sur les modalités du traitement.*
- ☐ *Manque de connaissances sur les bienfaits de l'exercice.*

INTERVENTIONS INFIRMIÈRES

- ■ **PO :** Pour réduire les nausées, administrer l'estradiol pendant le repas ou immédiatement après.
- ■ **Voie transdermique :** Lorsque cette forme de traitement est substituée à la voie orale, appliquer le timbre transdermique 1 semaine après la prise de la dernière dose ou lorsque les symptômes réapparaissent.
- ■ **IM :** La solution pour injection est à base d'huile. Tourner la seringue dans les paumes de la main pour disperser uniformément l'agent. Administrer la solution profondément dans le muscle. Éviter l'administration IV.

ENSEIGNEMENT AU PATIENT ET À SES PROCHES

- ■ **Directives générales :** Conseiller au patient de respecter scrupuleusement la posologie recommandée. S'il n'a pas pu prendre le médicament au moment habituel, il doit le prendre aussitôt que possible à moins que ce ne soit presque l'heure prévue pour la dose suivante. Il ne faut jamais remplacer une dose manquée par une double dose.

☐ Si les nausées deviennent gênantes, recommander au patient de manger des aliments solides qui peuvent parfois procurer un soulagement.

☐ Recommander au patient de prévenir le médecin si les signes et les symptômes suivants se manifestent : rétention hydrique (œdème des chevilles et des pieds, gain de poids) ; troubles thromboemboliques (douleurs, œdème et sensibilité des membres, céphalées, douleurs thoraciques, vision trouble) ; dépression ; dysfonctionnement hépatique (jaunissement de la peau ou des yeux, prurit, urine foncée, selles de couleur pâle).

☐ Recommander à la patiente d'arrêter le traitement et de prévenir le médecin si elle pense être enceinte.

☐ Recommander au patient qui doit suivre un traitement dentaire ou subir une intervention chirurgicale, d'avertir le dentiste ou le médecin qu'il suit un traitement médicamenteux.

☐ Expliquer à la patiente le schéma posologique et le calendrier du traitement d'entretien. Prévenir la patiente que l'interruption brusque du traitement peut provoquer une hémorragie de privation.

☐ Prévenir le patient que le tabagisme pendant l'œstrogénothérapie l'expose à des risques accrus d'effets secondaires graves, particulièrement dans le cas des femmes âgées de plus de 35 ans.

☐ Inciter le patient à utiliser des écrans solaires et à porter des vêtements protecteurs afin de prévenir l'hyperpigmentation.

☐ Expliquer à la patiente recevant l'estradiol pour le traitement de l'ostéoporose que l'exercice peut freiner et même renverser la perte de substance osseuse. Lui conseiller de consulter le médecin au sujet de toute restriction éventuelle avant de s'engager dans un programme d'exercice.

☐ Insister sur l'importance des examens réguliers de suivi, tous les 6 à 12 mois, comprenant la prise de la pression artérielle, l'examen des seins, des organes pelviens et le prélèvement de frottis vaginaux pour le test de Papanicolaou.

■ **Timbre transdermique :** Prévenir la patiente qu'elle doit d'abord se laver les mains et les sécher ; appliquer ensuite le timbre sur la peau intacte dans une partie de l'abdomen dépourvue de poils. Presser le disque pendant 10 s afin d'assurer une bonne adhérence à la peau (particulièrement, autour des bordures). Éviter les régions où les vêtements peuvent frotter sur le disque. Changer d'emplacement lors de chaque nouvelle application afin de prévenir l'irritation cutanée. Ne pas réutiliser le même emplacement avant 1 semaine. On peut recoller le disque s'il s'est détaché.

VÉRIFICATION DES RÉSULTATS

L'efficacité du traitement peut être démontrée par : ■ la résolution des symptômes vasomoteurs de la ménopause ■ la diminution des démangeaisons, de l'inflammation ou de la sécheresse du vagin et de la vulve provoquées par la ménopause ■ la normalisation des concentrations d'œstrogènes en cas d'ovariectomie ou d'hypogonadisme chez la femme ■ l'arrêt de la propagation des cancers évolutifs du sein ou de la prostate.

ESTRAMUSTINE
Emcyt

CLASSIFICATION :
Antinéoplasique – hormone/agent alcoylant

Grossesse – catégorie inconnue

E

INDICATIONS

Traitement palliatif du cancer métastatique avancé de la prostate.

ACTION

■ Association de méchloréthamine, agent alkylant, et d'estradiol, composé œstrogénique, l'action antinéoplasique pouvant être attribuable à l'un ou à l'autre ingrédient de l'association ■ Diminution des concentrations sériques de testostérone. **Effets thérapeutiques:** ■ Ralentissement de la propagation du cancer de la prostate.

PHARMACOCINÉTIQUE

Absorption: Bonne absorption (75 %) par suite de l'administration par voie orale. Au cours de l'absorption, l'agent est transformé en estromustine et ensuite en composés œstrogéniques et en méchloréthamine.
Distribution: Compte tenu de la présence d'œstrogènes, le médicament est surtout transporté vers les tissus munis de récepteurs œstrogéniques. Le médicament se concentre dans les tissus de la prostate.
Métabolisme et excrétion: L'estramustine est éliminée principalement par excrétion biliaire et dans les fèces. De petites quantités sont excrétées par les reins.
Demi-vie: 20 h.

CONTRE-INDICATIONS ET PRÉCAUTIONS

Contre-indications: ■ Thromboembolie, accident cérébrovasculaire récent ou infarctus du myocarde ■ Risque de réaction de sensibilité croisée ou de tolérance à l'estradiol ou à la méchloréthamine.
Précautions: ■ Antécédents de troubles thromboemboliques ■ Hypercalcémie ■ Ulcère gastroduodénal ■ Infection en évolution incluant la varicelle récente ou le zona ■ Dysfonction rénale ou hépatique ■ Maladie de la vésicule biliaire ■ Maladie cardiovasculaire ■ Maladie cérébrovasculaire ■ Migraines ■ Maladies osseuses métaboliques ■ Épilepsie

■ Asthme ■ Aplasie médullaire ■ Patientes en âge de procréer.

RÉACTIONS INDÉSIRABLES ET EFFETS SECONDAIRES

SNC: insomnie.
CV: œdème, thromboembolie, hypertension.
GI: nausées, diarrhée, vomissements.
End.: gynécomastie, diminution de la libido, suppression de la fonction des gonades (azoospermie), hyperglycémie.
Tég.: rash.
HÉ: rétention hydrosodée.
Hémat.: anémie, leucopénie, thrombocytopénie.
Divers: réactions allergiques, fièvre.

INTERACTIONS

Médicament – médicament: ■ Le **tabagisme** augmente le risque d'effets vasculaires nocifs ■ Les **suppléments calciques** forment avec l'estramustine un complexe insoluble qui ne peut être absorbé ■ L'estramustine augmente les effets des **glucocorticoïdes** et le risque de toxicité (réduire la dose, au besoin) ■ L'estramustine peut diminuer la réponse immunitaire aux **vaccins vivants** et augmenter le risque de réactions indésirables. **Médicament – aliments:** ■ Le **calcium** contenu dans les produits laitiers et les **suppléments calciques** forment avec l'estramustine un complexe insoluble qui ne peut être absorbé.

VOIES D'ADMINISTRATION ET POSOLOGIE

■ **PO (adultes):** 600 mg/m^2/jour en 3 doses fractionnées (É.-U.) ou 14 mg/kg / jour (dose habituelle: de 10 à 16 mg/ kg) en 3 ou 4 doses fractionnées.

PHARMACODYNAMIE (effet sur la propagation tumorale)

	DÉBUT D'ACTION	PIC	DURÉE
PO	30 – 90 jours	inconnu	6 semaines*

* Persistance des effets hématologiques.

E

⚕ SOINS INFIRMIERS

ÉVALUATION DE LA SITUATION

☐ Mesurer la pression artérielle à intervalles réguliers pendant toute la durée du traitement.

☐ Effectuer le bilan des ingesta et des excreta et peser le patient toutes les semaines. Signaler au médecin toute variation pondérale importante ou un gain de poids constant.

☐ Suivre de près la glycémie chez les patients diabétiques. L'estramustine peut diminuer la tolérance au glucose.

■ **Étude des examens diagnostiques et biochimiques :** Suivre de près les résultats des tests hématologiques et ceux des tests de l'exploration fonctionnelle hépatique à intervalles réguliers tout au long du traitement. L'estramustine peut provoquer la leucopénie et la thrombocytopénie et entraîner l'élévation des concentrations de LDH, de TGOS [AST] et de bilirubine.

DIAGNOSTICS INFIRMIERS POSSIBLES

■ **Énoncés diagnostiques**

☐ Prise en charge inefficace du programme thérapeutique.

☐ *Risque élevé de perturbation de la sexualité.*

■ **Facteurs favorisants**

☐ Informations incomplètes.

☐ *Manque de connaissances sur les effets secondaires du médicament et sur les moyens de les prévenir.*

INTERVENTIONS INFIRMIÈRES

PO : Administrer le médicament avec de l'eau, 1 h avant les repas ou 2 h après. Le lait, les produits laitiers, les aliments riches en calcium et les antiacides contenant du calcium entravent l'absorption de l'estramustine et, par conséquent, ils ne doivent pas être pris simultanément.

ENSEIGNEMENT AU PATIENT ET À SES PROCHES

☐ Encourager le patient à respecter scrupuleusement la posologie recommandée.

☐ Recommander au patient de conserver les capsules au réfrigérateur ; toutefois, elles peuvent rester à la température ambiante pendant 24 à 48 h sans que leur puissance diminue.

☐ Insister sur la nécessité d'utiliser des méthodes de contraception pendant le traitement.

☐ Recommander au patient de prévenir le médecin si les signes et les symptômes suivants se manifestent : rétention hydrique (œdème des chevilles et des pieds, gain de poids) ; troubles thromboemboliques (douleurs, œdème et sensibilité des membres, céphalées, douleurs thoraciques, vision trouble).

VÉRIFICATION DES RÉSULTATS

L'efficacité du traitement peut être démontrée par : le ralentissement de la propagation du cancer de la prostate. Le plein effet du traitement peut ne pas se manifester avant 30 à 90 jours.

ESTROPIPATE
Ogen, pipérazino-sulfate d'estrone

CLASSIFICATION :
Hormone – œstrogène

Grossesse – catégorie X

INDICATIONS

■ **PO :** Traitement des symptômes vasomoteurs de la ménopause ■ **PO :** Traitement de divers états de carence œstrogénique, dont : ☐ l'hypogonadisme (femmes) ☐ l'ovariectomie bilatérale ☐ l'insuffisance ovarienne primaire ■ Traitement d'appoint de l'ostéoporose post-ménopausique.

ACTION

■ Les œstrogènes favorisent la croissance et le développement des organes sexuels et maintiennent les caractéristiques sexuelles secondaires chez la femme ■ Les effets métaboliques comprennent la réduction des concentrations sanguines de cholestérol, la synthèse protéique et la rétention hydrosodée. **Effets thérapeutiques:** ■ Rétablissement de l'équilibre hormonal dans le cas de divers états de carence.

PHARMACOCINÉTIQUE

Absorption: Bonne absorption par suite de l'administration PO.
Distribution: L'estropipate se répartit dans tout l'organisme. Il traverse le placenta et pénètre dans le lait maternel.
Métabolisme et excrétion: Le métabolisme a surtout lieu dans le foie et les autres tissus. L'estropipate subit plusieurs cycles entérohépatiques et son absorption depuis le tractus gastro-intestinal peut être accrue.
Demi-vie: Inconnue.

CONTRE-INDICATIONS ET PRÉCAUTIONS

Contre-indications: ■ Maladie thromboembolique ■ Hémorragie vaginale non diagnostiquée ■ Grossesse (risque d'effets nocifs sur le fœtus) ■ Allaitement.
Précautions: ■ Maladie cardiovasculaire sous-jacente ■ Maladies rénale ou hépatique graves ■ Ce type d'œstrogénothérapie comporte un risque accru de cancer de l'endomètre.

RÉACTIONS INDÉSIRABLES ET EFFETS SECONDAIRES

SNC: céphalées, étourdissements, léthargie.
ORLO: aggravation de la myopie ou de l'astigmatisme, intolérance aux lentilles cornéennes.
CV: œdème, thromboembolie, hypertension, infarctus du myocarde.
GI: nausées, vomissements, anorexie, appétit accru, variations pondérales, ictère.
GU: hémorragie utérine secondaire à l'œstrogénothérapie, dysménorrhée, amé-

norrhée, érosions cervicales, candidose vaginale, perte de la libido.
Tég.: acné, urticaire, peau huileuse, hyperpigmentation.
End.: hyperglycémie.
HÉ: rétention hydrosodée, hypercalcémie.
Loc.: crampes dans les jambes.
Divers: sensibilité mammaire.

INTERACTIONS

Médicament – médicament: ■ L'estropipate peut modifier les besoins en **anticoagulants oraux**, en **hypoglycémiants oraux** ou en **insuline** ■ Les **barbituriques** ou la **rifampine** peuvent diminuer l'efficacité de l'estropipate ■ Le **tabagisme** augmente le risque de réactions cardiovasculaires indésirables.

VOIES D'ADMINISTRATION ET POSOLOGIE

Symptômes vasomoteurs de la ménopause, vaginite atrophique, ostéoporose
■ **PO (adultes):** de 0,75 à 3 mg par jour ou plus pendant 21 jours; observer une pause de 5 à 7 jours, puis reprendre le traitement de façon cyclique.

Hypogonadisme chez la femme, insuffisance ovarienne
■ **PO (adultes) (É.-U.):** de 1,25 à 7,5 mg par jour pendant 21 jours; observer une pause de 8 à 10 jours, puis reprendre le traitement de façon cyclique.

PHARMACODYNAMIE
(effets œstrogéniques)

	DÉBUT D'ACTION	PIC	DURÉE
PO	inconnu	inconnu	inconnue

☀ SOINS INFIRMIERS

ÉVALUATION DE LA SITUATION

■ **Directives générales:** Mesurer la pression artérielle avant l'œstrogénothérapie et à intervalles réguliers pendant toute sa durée.

☐ Effectuer le bilan des ingesta et des excreta et peser la patiente toutes les semaines. Signaler au médecin toute variation pondérale importante ou un gain de poids constant.

■ **Ménopause:** Observer la fréquence et la gravité des symptômes vasomoteurs.

■ **Étude des examens diagnostiques et biochimiques:** Étudier les résultats des tests de l'exploration fonctionnelle hépatique à intervalles réguliers pendant le traitement prolongé.

☐ L'estropipate peut entraîner l'élévation des concentrations sériques de glucose, de sodium, de triglycérides, de phospholipides, de cortisol, de prolactine, de prothrombine et des facteurs VII, VIII, IX et X. Il peut diminuer les concentrations sériques de folate, de pyridoxine, d'antithrombine III et les concentrations urinaires du prégnandiol.

☐ L'hormone peut provoquer l'hypercalcémie chez les patientes présentant des lésions osseuses métastatiques.

☐ L'estropipate peut modifier les résultats du dosage de l'hormone thyroïdienne. Il peut entraîner de fausses élévations des concentrations de bromo-sulfone-phtaléine et de faux résultats à l'épreuve d'agrégation plaquettaire induite par la norépinéphrine ainsi que de fausses diminutions des concentrations d'ACTH lors du test à la métyrapone.

DIAGNOSTICS INFIRMIERS POSSIBLES

■ **Énoncés diagnostiques**

☐ Dysfonctionnement sexuel.

☐ Prise en charge inefficace du programme thérapeutique.

☐ *Risque élevé d'excès nutritionnel.*

☐ *Risque élevé d'atteinte à l'intégrité de la peau.*

■ **Facteurs favorisants**

☐ Informations incomplètes.

☐ *Manque de connaissances sur les effets secondaires du médicament et sur les moyens de les prévenir.*

☐ *Difficulté à s'adapter aux changements nécessaires dans les habitudes de vie.*

☐ *Manque de connaissances sur les bienfaits de l'exercice.*

☐ *Manque de connaissances sur les modalités du traitement.*

INTERVENTIONS INFIRMIÈRES

PO: Pour réduire les nausées, administrer l'estropipate pendant le repas ou immédiatement après.

ENSEIGNEMENT AU PATIENT ET À SES PROCHES

■ **Directives générales:** Conseiller à la patiente de respecter scrupuleusement la posologie recommandée. Si elle n'a pu prendre le médicament au moment habituel, elle doit le prendre aussitôt que possible à moins que ce ne soit presque l'heure prévue pour la dose suivante. Il ne faut jamais remplacer une dose manquée par une double dose.

☐ Expliquer à la patiente le calendrier du traitement de 21 jours, suivi d'une pause de 5 à 7 jours. L'encourager à prendre le médicament à la même heure tous les jours.

☐ Si les nausées deviennent gênantes, recommander à la patiente de manger des aliments solides qui peuvent parfois procurer un soulagement.

☐ Recommander à la patiente de prévenir le médecin si les signes et les symptômes suivants se manifestent: rétention hydrique (œdème des chevilles et des pieds, gain de poids); troubles thromboemboliques (douleurs, œdème et sensibilité des membres, céphalées, douleurs thoraciques, vision trouble); dépression; dysfonctionnement hépatique (jaunissement de la peau ou des yeux, prurit, urine foncée, selles de couleur pâle) ou saignements vaginaux anormaux.

- ☐ Recommander à la patiente d'arrêter le traitement et de prévenir le médecin si elle pense être enceinte.
- ☐ Prévenir la patiente que, si elle fume pendant l'œstrogénothérapie, elle s'expose à des risques accrus d'effets secondaires graves, particulièrement si elle a plus de 35 ans.
- ☐ Inciter la patiente à utiliser des écrans solaires et à porter des vêtements protecteurs afin de prévenir l'hyperpigmentation.
- ☐ Recommander à la patiente qui doit suivre un traitement dentaire ou subir une intervention chirurgicale, d'avertir le dentiste ou le médecin qu'elle suit un traitement médicamenteux.
- ☐ Expliquer à la patiente qui reçoit l'estropipate pour le traitement de l'ostéoporose que l'exercice peut freiner et même renverser la perte de substance osseuse. Lui conseiller de consulter le médecin au sujet de toute restriction éventuelle avant de s'engager dans un programme d'exercice.
- ☐ Insister sur l'importance des examens réguliers de suivi, tous les 6 à 12 mois, comprenant la prise de la pression artérielle, l'examen des seins, des organes pelviens et le prélèvement de frottis vaginaux pour le test de Papanicolaou. Le médecin évaluera la possibilité d'interrompre l'œstrogénothérapie tous les 3 à 6 mois.

VÉRIFICATION DES RÉSULTATS

L'efficacité du traitement peut être démontrée par : ■ la résolution des symptômes vasomoteurs de la ménopause ☐ la diminution des démangeaisons, de l'inflammation ou de la sécheresse du vagin et de la vulve provoquées par la ménopause ■ la normalisation des concentrations d'œstrogènes en cas d'ovariectomie ou d'hypogonadisme ■ la prévention de l'ostéoporose.

ÉTHAMBUTOL
Etibi, Myambutol

CLASSIFICATION :
Antituberculeux

Grossesse – catégorie inconnue

INDICATIONS

■ Traitement, en association avec au moins un autre médicament, de la tuberculose pulmonaire. **Usages non approuvés :** ■ Méningite tuberculeuse ou infections mycobactériennes atypiques.

ACTION

■ Inhibition de la croissance des mycobactéries. **Effets thérapeutiques :** ■ Effet tuberculostatique contre les microorganismes sensibles.

PHARMACOCINÉTIQUE

Absorption : L'éthambutol est bien et rapidement absorbé (80 %) depuis le tractus gastro-intestinal.

Distribution : Le médicament se répartit dans la plupart des tissus et liquides physiologiques. Il ne traverse qu'en très petites quantités la barrière hémato-encéphalique. Il traverse le placenta et pénètre dans le lait maternel.

Métabolisme et excrétion : Une fraction de 50 % est métabolisée par le foie et une autre fraction de 50 % est éliminée à l'état inchangé par les reins.

Demi-vie : 3,3 h (prolongée en cas d'insuffisance rénale ou hépatique).

CONTRE-INDICATIONS ET PRÉCAUTIONS

Contre-indications : ■ Hypersensibilité ■ Névrite optique.

Précautions : ■ Insuffisance rénale ou hépatique graves (réduire la dose) ■ Enfants de moins de 13 ans (l'innocuité du médicament n'a pas été établie) ■ Grossesse (bien que l'innocuité de l'éthambutol n'ait pas été établie, l'agent a été administré en association avec l'isoniazide pour traiter la tuberculose chez les femmes enceintes sans provoquer d'effets nocifs chez le fœtus) ■ Allaitement.

RÉACTIONS INDÉSIRABLES ET EFFETS SECONDAIRES

SNC: céphalées, malaises, étourdissements, confusion, hallucinations.
ORLO: névrite optique.
GI: nausées, vomissements, anorexie, douleurs abdominales, hépatite.
Métab.: hyperuricémie.
Loc.: douleurs articulaires.
SN: névrite périphérique.
Divers: fièvre, réactions anaphylactoïdes.

INTERACTIONS

Médicament – médicament: Risques de neurotoxicité additive lors de l'administration concomitante d'autres **agents doués de propriétés neurotoxiques**.

VOIES D'ADMINISTRATION ET POSOLOGIE

Traitement initial de la tuberculose
■ **PO (adultes et enfants > 13 ans):** 15 mg/kg par jour.

Traitement de rappel
■ **PO (adultes et enfants > 13 ans):** 25 mg/kg par jour pendant 60 jours, puis, 15 mg/kg par jour.

Méningite tuberculeuse ou infections mycobactériennes atypiques
■ **PO (adultes et enfants > 13 ans):** 15 à 25 mg/kg par jour.

PHARMACODYNAMIE
(concentrations sanguines)

	DÉBUT D'ACTION	PIC
PO	rapide	2–4 h

☀ SOINS INFIRMIERS

ÉVALUATION DE LA SITUATION

☐ Prélever des échantillons pour la mise en culture et les épreuves de sensibilité avant de commencer le traitement.

☐ Examiner la vue du patient à intervalles fréquents tout au long du traitement. Conseiller au patient de prévenir immédiatement le médecin si les signes suivants se manifestent: vision trouble, rétrécissement des champs visuels ou changement de la perception des couleurs. Si l'altération de la vision n'est pas diagnostiquée suffisamment tôt, le patient risque de souffrir d'une altération permanente de la vue.

■ **Étude des examens diagnostiques et biochimiques:** Examiner les résultats des épreuves fonctionnelles rénale et hépatique, la numération globulaire et les concentrations d'acide urique à intervalles réguliers tout au long du traitement.

DIAGNOSTICS INFIRMIERS POSSIBLES

■ **Énoncés diagnostiques**
☐ Risque élevé d'infection.
☐ Altération de la perception visuelle.
☐ Prise en charge inefficace du programme thérapeutique.

■ **Facteurs favorisants**
☐ Informations incomplètes.
☐ *Manque de connaissances sur les modalités du traitement.*

INTERVENTIONS INFIRMIÈRES

■ **Directives générales:** L'éthambutol est administré en une seule dose quotidienne et il doit être pris tous les jours à la même heure. Selon certains schémas posologiques, il faut administrer le médicament 2 ou 3 fois par semaine.

■ **PO:** Administrer avec des aliments ou du lait afin de réduire les risques d'irritation gastrique.

ENSEIGNEMENT AU PATIENT ET À SES PROCHES

☐ Conseiller au patient de respecter scrupuleusement la posologie recommandée. Il ne faut jamais sauter une dose ni remplacer une dose manquée par une double dose. Le traitement peut durer plusieurs mois et même plusieurs années. Conseiller au patient de ne pas arrêter le traitement avant d'avoir consulté le médecin, même si les symptômes semblent avoir disparu.

- Recommander à la patiente de prévenir le médecin si elle pense être enceinte.
- Conseiller au patient de prévenir le médecin s'il ne note aucune amélioration en l'espace de 2 à 3 semaines. Il devrait aussi prévenir le médecin en cas de gain de poids imprévu ou de diminution de la diurèse.
- Insister sur l'importance des examens réguliers de suivi permettant d'évaluer les bienfaits du traitement et des examens de la vue si des signes de névrite optique se manifestent.

VÉRIFICATION DES RÉSULTATS

L'efficacité du traitement peut être démontrée par : ■ la résolution des symptômes cliniques de la tuberculose □ la diminution du nombre de bactéries dans les échantillons de crachats □ l'amélioration de la radiographie pulmonaire. Le traitement antituberculeux doit habituellement être poursuivi pendant au moins 1 ou 2 ans.

ETHCHLORVYNOL
Placidyl

CLASSIFICATION :
Hypnosédatif – divers

Grossesse – catégorie C

INDICATIONS

Traitement de l'insomnie simple due à la tension, à l'agitation de même qu'à l'anxiété et à l'excitation légères.

ACTION

■ Dépression du SNC, mais le mécanisme est inconnu ; action similaire à celle des barbituriques. **Effets thérapeutiques :** ■ Sédation ■ Induction du sommeil.

PHARMACOCINÉTIQUE

Absorption : Absorption rapide par suite de l'administration PO.
Distribution : L'ethchlorvynol se répartit dans tout l'organisme et se concentre dans les tissus adipeux. Il traverse la barrière hémato-encéphalique et le placenta.
Métabolisme et excrétion : Une fraction de 90 % est métabolisée par le foie.
Demi-vie : De 10 à 20 h.

CONTRE-INDICATIONS ET PRÉCAUTIONS

Contre-indications : Hypersensibilité.
Précautions : ■ Personnes âgées (réduire la dose, au besoin) ■ Antécédents de pharmacodépendance ■ Insuffisance rénale ou hépatique (réduire la dose, au besoin) ■ Douleurs impossibles à soulager ■ Dépression ■ Grossesse, allaitement et enfants (l'innocuité du médicament n'a pas été établie) ■ Hypersensibilité à la tartrazine.

RÉACTIONS INDÉSIRABLES ET EFFETS SECONDAIRES

SNC : étourdissements, engourdissement du visage, vertiges, ataxie, réactions paradoxales (insomnie, nervosité, excitation), sensation « droguée », syncope, hystérie, hypnose prolongée.
ORLO : vision trouble.
CV : hypotension.
GI : vomissements, gêne gastrique, arrière-goût, ictère cholostatique.
Tég. : rash, urticaire.
Hémat. : thrombocytopénie.
Loc. : faiblesse musculaire.
Divers : réactions d'hypersensibilité, dépendance psychologique, dépendance physique.

E

INTERACTIONS

Médicament – médicament : ■ Effet additif sur la dépression du SNC, lors de l'usage concomitant d'autres **dépresseurs du SNC** dont l'**alcool**, les **antihistaminiques**, les **antidépresseurs**, les autres **hypnosédatifs**, les **inhibiteurs de la MAO** ou les **analgésiques narcotiques** ■ Délirium passager lors de l'administration concomitante d'**amitriptyline** ■ L'ethchlorvynol peut modifier la réponse aux **anticoagulants oraux**.

VOIES D'ADMINISTRATION ET POSOLOGIE

Hypnotique

■ **PO (adultes) :** de 500 mg à 1 g par jour, au coucher ; on peut administrer 200 mg de plus en cas de réveil.

Sédatif

■ **PO (adultes) :** 200 mg, 2 ou 3 fois par jour.

PHARMACODYNAMIE
(induction du sommeil)

	DÉBUT D'ACTION	PIC	DURÉE
PO	15 min – 1 h	inconnu	5 h

SOINS INFIRMIERS

ÉVALUATION DE LA SITUATION

■ **Directives générales :** Noter les habitudes de sommeil et les risques d'usage abusif avant l'administration de l'ethchlorvynol. L'usage prolongé peut entraîner une dépendance physique et psychologique. Limiter la quantité de médicament dont peut disposer le patient. L'administration de l'ethchlorvynol pendant plus de 1 semaine est déconseillée.

■ Évaluer l'état de vigilance du patient au moment où le médicament produit un effet maximal. Prévenir le médecin en cas d'absence de sédation

ou de la présence d'une réaction paradoxale.

DIAGNOSTICS INFIRMIERS POSSIBLES

■ **Énoncés diagnostiques**
☐ Perturbation des habitudes de sommeil.
☐ Risque élevé d'accident.
☐ *Risque élevé d'anxiété.*

■ **Facteurs favorisants**
☐ *Perturbation de la vigilance.*
☐ *Manque de connaissances sur les effets secondaires du médicament et sur les moyens de les prévenir.*
☐ *Manque de connaissances sur les modalités du traitement.*

INTERVENTIONS INFIRMIÈRES

■ **Directives générales :** Avant d'administrer l'ethchlorvynol, réduire les stimuli extérieurs et prendre les mesures nécessaires pour améliorer le bien-être du patient afin d'augmenter l'efficacité du médicament.
☐ Protéger le patient contre les accidents. Soulever les ridelles du lit. Aider le patient lors de ses déplacements. Retirer les cigarettes si le patient reçoit une dose hypnotique.
■ **PO :** Pour réduire les étourdissements et l'ataxie, administrer les capsules avec des aliments ou du lait.
☐ Le médecin peut prescrire une dose supplémentaire de 200 mg dans le cas où le patient se réveille après avoir pris au coucher une dose normale de 500 ou de 750 mg.

ENSEIGNEMENT AU PATIENT ET À SES PROCHES

☐ Inciter le patient à respecter scrupuleusement la posologie recommandée. S'il n'a pas pu prendre l'ethchlorvynol au moment habituel, il doit sauter cette dose. Le prévenir qu'il ne faut jamais remplacer une dose manquée par une double dose. Si le traitement se prolonge pendant 2 semaines ou plus, le sevrage brusque peut entraîner les symptômes suivants : convulsions, hallucinations, soubresauts musculaires, nausées, vomissements, irritabilité, transpiration, tremblements, insomnie et faiblesse.

□ Prévenir le patient que l'ethchlorvynol peut provoquer des étourdissements ou de la somnolence diurne. Lui conseiller de ne pas conduire et d'éviter les activités qui exigent sa vigilance jusqu'à ce qu'on ait la certitude que le médicament n'entraîne pas ces effets chez lui.

□ Recommander au patient d'éviter de boire de l'alcool et de ne pas prendre d'autres dépresseurs du SNC en même temps que l'ethchlorvynol.

VÉRIFICATION DES RÉSULTATS

L'efficacité du traitement est démontrée par : ■ l'amélioration du sommeil ■ la sédation.

ÉTHOSUXIMIDE

Zarontin

CLASSIFICATION :
Anticonvulsivant

Grossesse – catégorie inconnue

INDICATIONS

■ Traitement des crises d'absence (petit mal). **Usages non approuvés :** ■ Traitement de l'épilepsie myoclonique (crises partielles).

ACTION

■ Élévation du seuil de crise ■ Suppression des pointes et ondes anormales qui caractérisent les crises d'absence (petit mal). **Effets thérapeutiques :** ■ Prévention des crises d'absence (petit mal).

PHARMACOCINÉTIQUE

Absorption : Par suite de l'administration PO, le médicament est rapidement et complètement absorbé depuis le tractus gastro-intestinal.

Distribution : L'éthosuximide se répartit librement dans les compartiments liquidiens.

Métabolisme et excrétion : Le médicament est surtout métabolisé par le foie. Une fraction de 10 % est excrétée à l'état inchangé par les reins.

Demi-vie : 60 h (adultes) ; 30 h (enfants).

CONTRE-INDICATIONS ET PRÉCAUTIONS

Contre-indications : Hypersensibilité.

Précautions : ■ Maladies rénale ou hépatique ■ Grossesse ou allaitement (l'innocuité du médicament n'a pas été établie) ■ Sevrage brusque déconseillé.

RÉACTIONS INDÉSIRABLES ET EFFETS SECONDAIRES

SNC : somnolence, céphalées, euphorie, irritabilité, hyperactivité, troubles psychiatriques, étourdissements, ataxie, fréquence accrue de CRISES tonico-cloniques.

Tég. : urticaire, rash, hirsutisme.

ORLO : vision trouble.

GI : anorexie, gêne gastrique, nausées, vomissements, crampes, perte de poids, diarrhée, hoquets.

GU : hémorragie vaginale, urine de couleur rose ou brune.

Hémat. : ANÉMIE APLASIQUE, AGRANULOCYTOSE, leucopénie, éosinophilie.

Divers : réactions allergiques incluant le SYNDROME DE STEVENS-JOHNSON.

INTERACTIONS

Médicament – médicament : ■ Abaissement du seuil de crise lors de l'administration concomitante de **phénothiazines**, d'**antidépresseurs**, ou d'**inhibiteurs de la MAO** ■ Dépression additive du SNC lors de l'usage concomitant d'autres **antidépresseurs du SNC** incluant l'**alcool**, les **antihistaminiques**, les **antidépresseurs**, les **analgésiques narcotiques**

et les **hypnosédatifs** ∎ La **phénytoïne** peut accélérer le métabolisme et réduire l'efficacité de l'éthosuximide.

PRÉSENTATION

L'éthosuximide est présenté sous forme de capsules et de sirop.

VOIES D'ADMINISTRATION ET POSOLOGIE

- ∎ **PO (adultes et enfants > 6 ans):** initialement 250 mg, 2 fois par jour; on peut augmenter la dose par 250 mg par jour, tous les 4 à 7 jours jusqu'à concurrence de 1,5 g par jour, en 2 doses fractionnées (la dose d'entretien habituelle est de 20 mg/kg par jour).
- ∎ **PO (enfants < 6 ans):** 250 mg par jour en une seule dose.

PHARMACODYNAMIE (effet anticonvulsivant)

	DÉBUT D'ACTION	PIC	DURÉE
PO	plusieurs heures ou jours	plusieurs jours	plusieurs jours

☀ SOINS INFIRMIERS

ÉVALUATION DE LA SITUATION

- ☐ Déterminer le siège, la durée et les caractéristiques des convulsions.
- ☐ Suivre de près l'humeur du patient, ses schémas de comportement et les expressions du visage. Chez le patient ayant des antécédents de troubles psychiatriques, le risque de changements du comportement est accru. Ces symptômes peuvent dicter le sevrage.
- ∎ **Étude des examens diagnostiques et biochimiques:** Examiner la numération globulaire, les résultats des tests de l'exploration de la fonction hépatique et des analyses des urines à intervalles réguliers tout au long du traitement prolongé.

- ☐ L'éthosuximide peut entraîner des résultats faussement positifs au test direct de Coombs.
- ∎ **Toxicité et surdosage:** La plage des concentrations thérapeutiques sériques de l'éthosuximide se situe entre 280 et 710 µmol/L.

DIAGNOSTICS INFIRMIERS POSSIBLES

- ∎ **Énoncés diagnostiques**
- ☐ Risque élevé d'accident.
- ☐ Prise en charge inefficace du programme thérapeutique.
- ☐ *Risque élevé de déficit de volume liquidien.*
- ☐ *Risque élevé d'anxiété.*

- ∎ **Facteurs favorisants**
- ☐ Informations incomplètes.
- ☐ *Manque de connaissances sur les moyens de prévenir les effets secondaires affectant l'appareil gastrointestinal.*
- ☐ *Fatigue et faiblesse.*
- ☐ *Manque de connaissances sur les modalités du traitement.*
- ☐ *Perturbation de la vigilance.*
- ☐ *Manque de connaissances sur les effets secondaires du médicament.*

INTERVENTIONS INFIRMIÈRES

- ∎ **PO:** Mesurer la quantité de sirop à l'aide d'un récipient gradué.
- ☐ Administrer l'éthosuximide avec des aliments ou des liquides afin de réduire l'irritation gastrique.

ENSEIGNEMENT AU PATIENT ET À SES PROCHES

- ☐ Conseiller au patient de respecter scrupuleusement la posologie recommandée. S'il n'a pu prendre le médicament au moment habituel, le prendre aussitôt que possible dans les 4 h qui suivent, puis reprendre le schéma posologique qui lui a été prescrit. Le prévenir qu'il ne faut jamais remplacer une dose manquée par une double dose ni arrêter le traitement sans recommandation expresse du médecin. Le sevrage brusque peut déclencher des crises.

☐ Prévenir le patient que l'éthosuximide peut parfois provoquer des étourdissements, de la somnolence ou une vision trouble. Lui conseiller de ne pas conduire et d'éviter les activités qui exigent sa vigilance jusqu'à ce qu'on ait la certitude que le médicament n'entraîne pas ces effets chez lui. Lui recommander de ne pas reprendre la conduite automobile jusqu'à ce que le médecin ne lui en donne l'autorisation une fois que son état a été stabilisé.

☐ Expliquer au patient que le médicament peut faire virer l'urine au rose ou au brun.

☐ Conseiller au patient d'éviter de boire de l'alcool en même temps qu'il suit le traitement à l'éthosuximide.

☐ Conseiller au patient de consulter le médecin ou le pharmacien avant de prendre un médicament en vente libre en même temps que l'éthosuximide.

☐ Conseiller au patient ou à la patiente de signaler au médecin le rash, les maux de gorge, la fièvre, la formation d'ecchymoses ou les saignements inhabituels, l'enflure des glandes ou la grossesse.

☐ Conseiller au patient de porter constamment sur lui une pièce d'identité où sont inscrits son problème de santé et son traitement médicamenteux.

☐ Insister sur l'importance des examens de suivi permettant d'évaluer les bienfaits du traitement et les effets secondaires du médicament.

VÉRIFICATION DES RÉSULTATS

L'efficacité du traitement peut être démontrée par : la diminution de la fréquence des crises ou la suppression des crises sans sédation excessive.

ÉTIDRONATE
Didronel, EHDP

CLASSIFICATION :
Électrolyte de substitution – hypocalcémique

Grossesse – catégorie B (PO), C (IV)

INDICATIONS

■ Traitement symptomatique de la maladie osseuse de Paget ■ Traitement de l'hypercalcémie des cancers rebelles aux modifications diététiques et à l'hydratation par voie orale. **Usages non approuvés :** ■ Traitement et prophylaxie de la calcification hétérope associée à la présence d'une prothèse totale de la hanche ou à une lésion de la moelle épinière.

ACTION

■ Inhibition de la croissance des cristaux d'hydroxy-apatite de calcium par la liaison au phosphate de calcium. **Effets thérapeutiques :** ■ Diminution de la résorption osseuse et ralentissement du renouvellement de la substance osseuse.

PHARMACOCINÉTIQUE

Absorption : Par suite de l'administration PO, l'absorption est généralement faible (faibles doses 1 %, doses élevées jusqu'à 6 %).

Distribution : La moitié de la dose absorbée se lie aux cristaux d'hydroxy-apatite dans les régions où l'ostéogénèse est accrue.

Métabolisme et excrétion : Le médicament non absorbé est éliminé dans les fèces. Une fraction de 50 % de la dose absorbée est excrétée à l'état inchangé par les reins.

Demi-vie : De 5 à 7 h.

CONTRE-INDICATIONS ET PRÉCAUTIONS

Contre-indications : ■ Hypersensibilité ■ Insuffisance rénale grave (créatinine

sérique > 440 µmol/L) ■ Hypercalcémie
due à l'hyperparathyroïdie.

Précautions: ■ Fracture des os longs ■ Insuffisance cardiaque ■ Hypocalcémie
■ Hypovitaminose D ■ Insuffisance rénale modérée (créatinine sérique entre
220 et 440 µmol/L) ■ Grossesse, allaitement ou enfants (l'innocuité du médicament n'a pas été établie).

RÉACTIONS INDÉSIRABLES ET EFFETS SECONDAIRES

GI: diarrhée, nausées; voie IV – perte du
goût, goût métallique.

GU: toxicité rénale.

Tég.: rash.

Loc.: douleur osseuse, sensibilité osseuse, microfractures.

INTERACTIONS

Médicament – médicament: ■ Les **antiacides**, les **suppléments minéraux** ou les
tampons (comme ceux qui entrent dans
la composition de la didanosine) contenant du **calcium**, de l'**aluminium**, du **fer**
ou du **magnésium** peuvent diminuer
l'absorption de l'étidronate ■ Risque
d'effet hypocalcémique additif lors de
l'administration concomitante de **calcitonine**. **Médicament – aliments:** ■ Les aliments riches en **calcium**, en **aluminium**,
en **fer** ou en **magnésium** peuvent diminuer l'absorption de l'étidronate.

VOIES D'ADMINISTRATION ET POSOLOGIE

Maladie de Paget

■ **PO (adultes):** 5 mg/kg par jour en une
seule dose pendant une période n'excédant pas 6 mois ou de 10 à 20 mg/kg
par jour pendant un maximum de
3 mois.

Ossification hétérope, prothèse de la hanche

■ **PO (adultes):** 20 mg/kg par jour pendant 1 mois avant et 3 mois après
l'intervention chirurgicale.

Ossification hétérope, lésion de la moelle épinière

■ **PO (adultes):** 20 mg/kg par jour pendant 2 semaines; par la suite, diminuer la dose à 10 mg/kg par jour pendant 10 semaines.

Hypercalcémie

■ **IV (adultes):** 7,5 mg/kg par jour pendant 3 jours.

PHARMACODYNAMIE

	DÉBUT D'ACTION	PIC	DURÉE
PO (maladie de Paget)	1 mois[*]	inconnu	1 an
PO (calcification hétérope)	inconnu	inconnu	plusieurs mois
IV (hypercalcémie)	24 h[†]	3 jours	11 jours

* Mesuré d'après la diminution des concentrations
urinaires d'hydroxyproline.
† Mesuré d'après la diminution de l'excrétion urinaire de calcium.

SOINS INFIRMIERS

ÉVALUATION DE LA SITUATION

■ **Directives générales:** Avant le traitement et pendant toute sa durée, suivre de près les symptômes suivants:
douleur osseuse, faiblesse ou perte de
capacité fonctionnelle. Les douleurs
osseuses peuvent persister ou s'intensifier chez les patients souffrant de la
maladie de Paget; elles disparaissent
habituellement plusieurs jours ou
plusieurs mois après l'arrêt du traitement. Consulter le médecin à propos
de l'administration d'un analgésique
pour soulager la douleur.
■ **Ossification hétérope:** Suivre de près
les signes d'inflammation et la douleur au siège de l'ossification et examiner la perte de capacité fonctionnelle si cette ossification se produit
près d'une articulation.
■ **Hypercalcémie:** Suivre de près les
symptômes suivants d'hypercalcémie:

nausées, vomissements, anorexie, faiblesse, constipation, soif et arythmies cardiaques.

☐ Observer attentivement le patient pour déceler les signes et les symptômes suivants d'hypocalcémie : paresthésie, soubresauts musculaires, laryngospasme, coliques, arythmies cardiaques et signe de Chvostek ou signe de Trousseau. Afin de protéger contre les accidents les patients qui manifestent des symptômes, soulever et rembourrer les ridelles du lit et garder le lit en position basse. Le risque d'hypocalcémie est le plus élevé après 3 jours de traitement continu par voie IV.

■ **Étude des examens diagnostiques et biochimiques :** L'étidronate entrave le captage par les os du technétium[99] utilisé lors des épreuves diagnostiques d'imagerie.

☐ *Maladie de Paget :* La diminution de l'excrétion urinaire d'hydroxyproline et des concentrations sériques de phosphatase alcaline constitue souvent le premier signe clinique d'un traitement efficace. Ces valeurs doivent être notées tous les 3 mois. On recommence le traitement lorsque les concentrations reviennent à 75 % des valeurs d'avant le traitement. Les concentrations de phosphate sérique doivent également être mesurées avant le début du traitement et 4 semaines après. On peut réduire la dose si les concentrations de phosphate sérique sont élevées sans diminution correspondante de l'excrétion d'hydroxyproline dans les urines ou des concentrations sériques de phosphatase alcaline.

☐ *Hypercalcémie :* Examiner les concentrations sériques de calcium et d'albumine afin de déterminer l'efficacité du traitement.

☐ Mesurer les concentrations sériques d'urée et de créatinine avant le traitement et à intervalles réguliers pendant toute sa durée. Des augmentations stables ou réversibles des concentrations sériques d'urée et de créatinine peuvent survenir chez les patients présentant une hypercalcémie.

DIAGNOSTICS INFIRMIERS POSSIBLES

■ **Énoncés diagnostiques**

☐ Douleur.
☐ Risque élevé d'accident.
☐ Prise en charge inefficace du programme thérapeutique.
☐ *Risque élevé d'intolérance à l'activité.*
☐ *Risque élevé d'anxiété.*

■ **Facteurs favorisants**

☐ Informations incomplètes.
☐ *Douleurs articulaires.*
☐ *Manque de connaissances sur les signes d'hypercalcémie et d'hypocalcémie et sur les moyens de les prévenir.*
☐ *Manque de connaissances sur les moyens de prévenir les effets secondaires affectant l'appareil gastrointestinal.*
☐ *Manque de connaissances sur le régime alimentaire à suivre.*
☐ *Manque de connaissances sur les effets secondaires du médicament.*

INTERVENTIONS INFIRMIÈRES

■ **Hypercalcémie :** L'étidronate est utilisé comme traitement d'appoint après le rétablissement du débit urinaire par l'hydratation par voie IV et l'administration de diurétiques de l'anse.

■ **PO :** Administrer le médicament à jeun, car les aliments en diminuent l'absorption.

■ **Perfusion intermittente :** Diluer dans au moins 250 mL de solution de NaCl à 0,9 % ou de dextrose à 5 % dans de l'eau. Cette solution est stable pendant 24 h.

■ *Vitesse d'administration :* Perfuser en au moins 2 h.

ENSEIGNEMENT AU PATIENT ET À SES PROCHES

☐ Conseiller au patient de respecter scrupuleusement la posologie recommandée. S'il n'a pas pu prendre le médicament au moment habituel, il doit le prendre aussitôt que possible à moins que ce ne soit presque l'heure prévue pour la dose suivante. Il ne faut jamais remplacer une dose manquée par une double dose. Prévenir le patient qu'il ne faut pas prendre le médicament dans les 2 h qui suivent ou précèdent les repas (particulièrement s'il consomme des aliments riches en calcium) ou la prise de vitamines ou d'antiacides, car l'absorption du médicament en sera altérée.

☐ Recommander au patient de prévenir le médecin en cas de diarrhée. Pour la maîtriser, celui-ci peut recommander de fractionner la dose à prendre pendant la journée.

☐ Inciter le patient à suivre les recommandations diététiques du médecin et à consommer des aliments contenant des quantités appropriées de calcium et de vitamine D.

☐ Les aliments riches en vitamine D sont le foie et l'huile de poisson, le lait enrichi, le pain et les céréales; ceux riches en calcium sont les produits laitiers, le saumon et les sardines en conserve, le brocoli, le chou chinois, le tofu, la mélasse et les potages (voir l'annexe K).

☐ Expliquer au patient qui reçoit une dose par voie IV que le goût métallique n'est pas un effet inhabituel et qu'il disparaît habituellement dans les quelques heures qui suivent.

☐ Recommander au patient de signaler immédiatement au médecin les signes suivants d'une réapparition de l'hypercalcémie: douleur osseuse, anorexie, nausées, vomissements, soif, léthargie.

☐ Insister sur l'importance d'un suivi médical régulier pendant le traitement permettant de déterminer si l'état du patient s'améliore et même après l'arrêt du traitement, pour déceler les premiers signes de rechute.

VÉRIFICATION DES RÉSULTATS

L'efficacité du traitement peut être démontrée par: ■ la diminution des concentrations de calcium sérique ■ la diminution des douleurs et des fractures osseuses en cas de maladie de Paget ■ la prévention ou le traitement de l'ossification hétérope. Les concentrations sériques normales de calcium sont habituellement atteintes dans les 2 à 8 jours en cas d'hypercalcémie associée à des métastases osseuses. On peut répéter le traitement une fois de plus après 1 semaine.

ÉTODOLAC
(Lodine)

CLASSIFICATION:
Anti-inflammatoire non stéroïdien; analgésique non narcotique

Grossesse – catégorie C

INDICATIONS

■ Traitement de l'arthrose ■ Utilisation à titre d'analgésique pour traiter les douleurs légères à modérées.

ACTION

■ Inhibition de la synthèse des prostaglandines. **Effets thérapeutiques:** ■ Suppression de l'inflammation et de la douleur.

PHARMACOCINÉTIQUE

Absorption: Bonne absorption par suite de l'administration PO.
Distribution: Le médicament se lie fortement aux protéines plasmatiques. Le reste de la distribution est inconnue.
Métabolisme et excrétion: Inconnus.
Demi-vie: Inconnue.

E

CONTRE-INDICATIONS ET PRÉCAUTIONS

Contre-indications: ■ Hypersensibilité ■ Hémorragie digestive active ou présence d'un ulcère gastroduodénal ■ Risque de réactions de sensibilité croisée avec d'autres agents anti-inflammatoires non stéroïdiens incluant l'aspirine.

Précautions: ■ Maladies hépatique, rénale ou cardiovasculaire graves ■ Antécédents d'ulcère ■ Grossesse, allaitement ou enfants (l'innocuité du médicament n'a pas été établie).

RÉACTIONS INDÉSIRABLES ET EFFETS SECONDAIRES

SNC: faiblesse, malaises, étourdissements, dépression, nervosité, somnolence, insomnie, syncope.

ORLO: vision trouble, acouphènes, photophobie.

Resp.: asthme.

CV: rétention hydrique, œdème, hypertension, insuffisance cardiaque, palpitations.

GI: dyspepsie, douleurs abdominales, diarrhée, flatulence, nausées, constipation, gastrite, HÉMORRAGIE DIGESTIVE, méléna, vomissements, soif, sécheresse de la bouche (xérostomie), hépatite médicamenteuse, stomatite.

GU: insuffisance rénale, dysurie, mictions fréquentes.

Tég.: prurit, rash, rougeur du visage, ecchymoses, hyperpigmentation, transpiration.

Hémat.: anémie, allongement du temps de saignement, thrombocytopénie.

Divers: frissons, fièvre, réactions allergiques incluant l'ANAPHYLAXIE, l'ANGIO-ŒDÈME, le SYNDROME DE STEVENS-JOHNSON.

INTERACTIONS

Médicament – médicament: ■ L'administration concomitante d'**aspirine** peut réduire l'efficacité de l'étodolac ■ Intensification des effets indésirables sur l'appareil gastro-intestinal lors de l'administration concomitante d'**aspirine**, d'autres **agents anti-inflammatoires non stéroïdiens**, de **suppléments de potassium** et de **glucocorticoïdes** ou l'ingestion d'**alcool** ■ L'administration prolongée d'étodolac avec de l'**acétaminophène** peut augmenter le risque de réactions rénales indésirables ■ L'étodolac peut réduire l'efficacité des **diurétiques** ou des **antihypertenseurs** ■ L'étodolac peut élever les concentrations sériques de **lithium** et augmenter le risque de toxicité ■ L'étodolac augmente le risque de toxicité reliée au **méthotrexate** ■ L'étodolac augmente le risque d'hémorragie lors de l'administration concomitante de **céfamandole**, de **céfotétane**, de **céfopérazone**, de **moxalactam**, de **plicamycine**, d'**agents thrombolytiques** ou d'**anticoagulants** ■ Risque accru de réactions hématologiques indésirables lors de l'administration concomitante d'**agents antinéoplasiques** ou d'une **radiothérapie**.

VOIES D'ADMINISTRATION ET POSOLOGIE

Arthrose

■ **PO (adultes):** initialement, de 600 à 1 200 mg par jour en doses fractionnées, toutes les 6 à 8 h. Par la suite, ajuster pour atteindre une dose d'entretien de 200 à 1 200 mg par jour en prises fractionnées, de 2 à 4 fois par jour (200 mg, 3 ou 4 fois par jour; 300 mg, 2 à 4 fois par jour; ne pas dépasser 1 200 mg par jour ou 20 mg/kg chez les patients pesant < 60 kg).

Analgésie

■ **PO (adultes):** de 200 à 400 mg, toutes les 6 à 8 h (ne pas dépasser 1 200 mg par jour ou 20 mg/kg chez les patients pesant < 60 kg).

PHARMACODYNAMIE (effets analgésiques)

	DÉBUT D'ACTION	PIC	DURÉE
PO	0,5 h	inconnu	4 – 12 h

E

☀SOINS INFIRMIERS

ÉVALUATION DE LA SITUATION

■ **Directives générales:** Les patients souffrant d'asthme, d'allergie induite par l'aspirine et de polypes nasaux sont davantage prédisposés aux réactions d'hypersensibilité. Suivre de près la rhinite, l'asthme et l'urticaire.

■ **Arthrose:** Suivre de près la douleur et la mobilité des articulations avant et de 1 à 2 h après l'administration de l'étodolac.

■ **Douleur:** Déterminer le siège, la durée et l'intensité de la douleur avant l'administration de l'étodolac et 60 min plus tard.

DIAGNOSTICS INFIRMIERS POSSIBLES

■ **Énoncés diagnostiques**
□ Douleur.
□ Altération de la mobilité physique.
□ Prise en charge inefficace du programme thérapeutique.
□ *Risque élevé d'accident.*

■ **Facteurs favorisants**
□ Informations incomplètes.
□ *Manque de connaissances sur les effets secondaires du médicament et sur les moyens de les prévenir.*
□ *Manque de connaissances sur les modalités du traitement.*
□ *Perturbation de la vigilance.*

INTERVENTIONS INFIRMIÈRES

■ **Directives générales:** L'administration concomitante d'analgésiques narcotiques peut entraîner des effets analgésiques additifs, ce qui peut permettre de réduire la dose de narcotique.

■ **PO:** Pour obtenir un effet initial rapide, administrer 30 min avant les repas ou 2 h après. On peut administrer l'étodolac avec des aliments, du lait ou des antiacides pour diminuer l'irritation gastrique. Les aliments peuvent ralentir l'absorption du médicament sans en réduire l'ampleur.

ENSEIGNEMENT AU PATIENT ET À SES PROCHES

□ Inciter le patient à prendre l'étodolac avec un grand verre d'eau; l'informer qu'il ne doit pas se coucher pendant les 15 à 30 min qui suivent.

□ Conseiller au patient de respecter scrupuleusement la posologie recommandée. S'il n'a pas pu prendre le médicament au moment habituel, il doit le prendre aussitôt que possible, à moins que ce ne soit presque l'heure prévue pour la dose suivante. Il ne faut jamais remplacer une dose manquée par une double dose.

□ Prévenir le patient que l'étodolac peut parfois provoquer des étourdissements ou de la somnolence. Lui conseiller de ne pas conduire et d'éviter les activités qui exigent sa vigilance jusqu'à ce qu'on ait la certitude que le médicament n'entraîne pas ces effets chez lui.

□ Recommander au patient d'éviter de boire de l'alcool et de consulter le médecin ou le pharmacien avant de prendre une préparation à base d'aspirine ou d'acétaminophène ou un autre médicament en vente libre en même temps que l'étodolac.

□ Recommander au patient de contacter le médecin en cas de rash, de démangeaisons, de frissons, de fièvre, de troubles visuels, d'acouphènes, de gain de poids, d'œdème, de selles noires, de diarrhée grave ou persistante ou de céphalées persistantes.

□ Recommander au patient qui doit suivre un traitement dentaire ou subir une intervention chirurgicale d'avertir le dentiste ou le médecin qu'il suit un traitement médicamenteux.

VÉRIFICATION DES RÉSULTATS

L'efficacité du traitement peut être démontrée par: ■ la diminution de l'intensité de la douleur **■** l'amélioration de la mobilité des articulations. Les patients qui ne répondent pas à un anti-inflammatoire non stéroïdien peuvent répondre à un autre.

E

ÉTOPOSIDE
EPEG, VePesid, VP-16, VP-213

CLASSIFICATION:
Antinéoplasique – dérivé de la podophyllotoxine

Grossesse – catégorie D

INDICATIONS

■ En monothérapie ou en association avec d'autres types de traitement (autres antinéoplasiques, radiothérapie, intervention chirurgicale) en présence du cancer des testicules, du cancer pulmonaire (à petites cellules et autre qu'à petites cellules) et du lymphome malin (de type histiocytaire). **Usages non approuvés:** ■ Certains types de leucémie.

ACTION

■ Inhibition de l'ADN avant la mitose (effet spécifique sur une phase du cycle cellulaire). **Effets thérapeutiques:** ■ Destruction des cellules à réplication rapide, particulièrement des cellules malignes.

PHARMACOCINÉTIQUE

Absorption: Par suite de l'administration PO, l'absorption du médicament est variable.
Distribution: L'étoposide se répartit rapidement dans l'organisme et ne semble pas pénétrer en grande quantité dans le liquide céphalorachidien; il semble cependant traverser le placenta. L'agent pénètre dans le lait maternel.
Métabolisme et excrétion: Une certaine fraction du médicament est métabolisée par le foie; une fraction de 45 % est excrétée à l'état inchangé par les reins.
Demi-vie: 7 h (entre 3 et 12 h).

CONTRE-INDICATIONS ET PRÉCAUTIONS

Contre-indications: ■ Hypersensibilité ■ Grossesse ■ Allaitement.
Précautions: ■ Patientes en âge de procréer ■ Infection évolutive ■ Réserve médullaire réduite ■ Autres maladies chroniques débilitantes.

RÉACTIONS INDÉSIRABLES ET EFFETS SECONDAIRES

SNC: somnolence, fatigue, céphalées, vertiges.
Resp.: bronchospasme, œdème pulmonaire.
CV: hypotension (IV), infarctus du myocarde, insuffisance cardiaque.
GI: nausées, vomissements.
Hémat.: leucopénie, thrombocytopénie.
Locaux: phlébite au point d'injection IV.
Tég.: alopécie.
End.: suppression de la fonction des gonades.
Loc.: crampes musculaires.
SN: neuropathie périphérique.
Divers: réactions allergiques incluant l'ANAPHYLAXIE, fièvre.

INTERACTIONS

Médicament – médicament: ■ Hypoplasie médullaire additive lors de l'administration concomitante d'autres **antinéoplasiques** ou d'une **radiothérapie** ■ L'étoposide peut altérer la réponse immunitaire normale aux **vaccins vivants** et augmenter le risque de réactions indésirables.

VOIES D'ADMINISTRATION ET POSOLOGIE

Remarque: La perfusion doit durer de 30 à 60 min.
■ **IV (adultes):** de 50 à 100 mg/m^2 par jour, pendant 5 jours.
■ **PO (adultes):** de 100 à 200 mg/m^2 (arrondir à 50 mg près) par jour pendant 5 jours.

PHARMACODYNAMIE
(effets sur la numération globulaire)

	DÉBUT D'ACTION	PIC	DURÉE
PO	7 – 14 jours	9 – 16 jours	20 jours
IV	7 – 14 jours	9 – 16 jours	20 jours

E

☀ SOINS INFIRMIERS

ÉVALUATION DE LA SITUATION

□ Mesurer la pression artérielle avant l'administration du médicament et toutes les 15 min pendant la perfusion. En cas d'hypertension, arrêter la perfusion et prévenir le médecin. Après avoir stabilisé la pression artérielle à l'aide de solutions IV et d'autres mesures de soutien, on peut reprendre la perfusion à un débit plus lent.

□ Surveiller les réactions suivantes d'hypersensibilité : fièvre, frissons, prurit, urticaire, bronchospasme, tachycardie, hypotension. Si ces symptômes se manifestent, arrêter la perfusion et prévenir le médecin. Garder à portée de la main de l'épinéphrine, un antihistaminique et le matériel de réanimation pour parer à une éventuelle réaction anaphylactique.

□ Suivre de près la fièvre, les frissons, les maux de gorge et les signes d'infection. Prévenir le médecin si ces symptômes se manifestent.

□ Suivre de près les saignements : saignement des gencives, formation d'ecchymoses, pétéchies, présence de sang dans les selles, l'urine et les vomissements. Éviter les injections IM et la prise de la température par voie rectale. Appliquer une pression sur les points de ponction veineuse pendant 10 min.

□ Effectuer le bilan quotidien des ingesta et des excreta, noter l'appétit du patient et la quantité d'aliments qu'il peut consommer. L'étoposide provoque des nausées et des vomissements chez 30 % des patients. Consulter le médecin à propos de l'administration prophylactique d'un antiémétique.

□ Adapter le régime alimentaire en fonction des aliments que le patient peut tolérer pour essayer de maintenir l'équilibre hydroélectrolytique et l'état nutritionnel.

■ **Étude des examens diagnostiques et biochimiques :** Noter la numération globulaire et la formule leucocytaire avant l'administration de l'étoposide et à intervalles réguliers pendant toute la durée du traitement. Le nadir de la leucopénie se produit dans les 7 à 14 jours qui suivent l'administration. Prévenir le médecin si le nombre de leucocytes est inférieur à $1,0 \times 10^9$/L. Le nadir de la thrombocytopénie se produit dans les 9 à 16 jours qui suivent l'administration. Prévenir le médecin si le nombre de plaquettes est inférieur à 75×10^9/L. Le nombre de leucocytes et de plaquettes revient à la normale dans les 20 jours.

□ Étudier les résultats des tests de l'exploration fonctionnelle hépatique (concentrations de TGOS [AST], de TGPS [ALT], de LDH et de bilirubine) et des tests de l'exploration fonctionnelle rénale (urée, créatinine) avant le traitement et à intervalles réguliers pendant toute sa durée afin de déceler la toxicité hépatique et rénale.

□ L'étoposide peut entraîner l'élévation des concentrations d'acide urique. Vérifier ces concentrations à intervalles réguliers pendant le traitement.

DIAGNOSTICS INFIRMIERS POSSIBLES

■ **Énoncés diagnostiques**

□ Risque élevé d'accident.

□ Risque élevé d'intoxication.

□ Prise en charge inefficace du programme thérapeutique.

□ *Risque élevé d'anxiété.*

□ *Risque élevé de perturbation situationnelle de l'estime de soi.*

□ *Risque élevé de déséquilibre hydroélectrolytique.*

□ *Risque élevé de déficit nutritionnel.*

■ **Facteurs favorisants**

□ Informations incomplètes.

□ *Manque de connaissances sur les effets hypotensifs du médicament lors des changements brusques de position.*

□ *Fatigue et faiblesse.*
□ *Manque de connaissances sur les effets secondaires du médicament et sur les moyens de les prévenir.*
□ *Altération de l'image corporelle.*
□ *Manque de connaissances sur les modalités du traitement.*
□ *Manque de connaissances sur le régime alimentaire à suivre.*

INTERVENTIONS INFIRMIÈRES

■ **Directives générales:** Éviter tout contact avec la peau. Utiliser une tubulure de type « Luer-Lock » afin de prévenir les fuites accidentelles. En cas d'éclaboussure, laver immédiatement la peau avec de l'eau et du savon.

□ La solution doit être préparée sous une hotte biologique de sécurité. Porter des gants, un vêtement protecteur et un masque pendant la manipulation de l'étoposide. Mettre au rebut le matériel dans les contenants réservés à cet effet (voir l'annexe I).

■ **Perfusion intermittente:** Diluer le contenu de la fiole de 5 mL avec 250 à 500 mL de solution de dextrose à 5 % dans de l'eau ou de NaCl à 0,9 % afin d'obtenir une concentration maximale de 0,4 mg/mL. La solution d'étoposide doit être administrée immédiatement. Les concentrations supérieures à 0,4 mg/mL ne sont pas recommandées, car des cristaux peuvent se former. Jeter la solution qui contient des cristaux.

□ *Vitesse d'administration:* Perfuser lentement en 30 à 60 min.

■ **Compatibilité (tubulure en Y):** Ondansétron.

■ **Compatibilité en addition au soluté:** Cisplatine.

ENSEIGNEMENT AU PATIENT ET À SES PROCHES

□ Conseiller au patient de respecter scrupuleusement la posologie recommandée même si des nausées ou des vomissements surviennent. Si des vomissements surviennent peu de temps après l'administration de la dose, consulter le médecin. Si le patient n'a pas pu prendre le médicament au moment habituel, il ne doit pas prendre cette dose.

□ Recommander au patient de signaler au médecin la fièvre, les frissons, les maux de gorge, les signes d'infection, le saignement des gencives, la formation d'ecchymoses, les pétéchies ou la présence de sang dans l'urine, les selles ou les vomissements. Expliquer au patient qu'il doit éviter les foules et les personnes contagieuses. Lui conseiller d'utiliser une brosse à dents à poils doux et un rasoir électrique, de ne pas consommer de boissons alcoolisées et de ne pas prendre de médicaments contenant de l'aspirine.

□ Recommander au patient de signaler au médecin les douleurs abdominales, le jaunissement de la peau, la faiblesse, la paresthésie, les troubles de la démarche.

□ Recommander au patient d'observer ses muqueuses buccales à la recherche d'érythème et d'aphte. En cas d'aphte, lui conseiller de remplacer la brosse à dents par une brosse-éponge et de se rincer la bouche avec de l'eau après avoir bu ou mangé. Le médecin peut prescrire de la lidocaïne visqueuse en gargarisme si les douleurs empêchent le patient de s'alimenter.

□ Prévenir le patient qu'il risque de perdre ses cheveux. Explorer avec lui les stratégies lui permettant de s'adapter à ce changement.

□ Recommander à la patiente d'utiliser une méthode contraceptive.

□ Expliquer au patient qu'il ne doit pas se faire vacciner sans recommandation expresse du médecin.

□ Insister sur l'importance d'effectuer des examens diagnostiques à intervalles réguliers pour suivre les effets secondaires du médicament.

E

VÉRIFICATION DES RÉSULTATS

L'efficacité du traitement peut être démontrée par : ■ la diminution de la taille des tumeurs solides ou le ralentissement de la propagation des métastases ■ l'amélioration de l'hématopoïèse chez les patients souffrant de leucémie.

ÉTRÉTINATE
Tegison

CLASSIFICATION :
Antipsoriasique – rétinoïde

Grossesse – catégorie X

INDICATIONS

Traitement des formes graves rebelles de psoriasis, maladie de Darier, dermatoses ichtyosiformes, pustulose palmo-plantaire ou autres troubles de la kératinisation résistant aux méthodes de traitement plus traditionnelles.

ACTION

■ Mécanisme d'action inconnu même si, sur le plan de la structure, l'étrétinate ressemble à la vitamine A. **Effets thérapeutiques :** ■ Amélioration de l'état des lésions cutanées.

PHARMACOCINÉTIQUE

Absorption : La forme inactive du médicament est bien absorbée par suite de l'administration PO.

Distribution : L'étrétinate se concentre dans les tissus du derme et dans le foie ; il est emmagasiné dans les tissus adipeux. Le médicament traverse le placenta.

Métabolisme et excrétion : L'étrétinate est fortement métabolisé par le foie, surtout lors d'un premier passage où il est transformé en un métabolite actif.

Demi-vie : 120 jours.

CONTRE-INDICATIONS ET PRÉCAUTIONS

Contre-indications : ■ Hypersensibilité aux rétinoïdes ■ Grossesse ■ Allaitement ■ Patientes qui essaient de devenir enceintes, qui utilisent des méthodes de contraception peu fiables ou qui envisagent de devenir enceintes.

Précautions : ■ Antécédents de maladie hépatique ou rénale ■ Enfants (l'innocuité du médicament n'a pas été établie).

RÉACTIONS INDÉSIRABLES ET EFFETS SECONDAIRES

SNC : fatigue, céphalées, fièvre, étourdissements, hypertension intracrânienne bénigne, anxiété, dépression, organisation anormale des opérations de la pensée.

ORLO : dessèchement des muqueuses nasales, lèvres gercées, maux de gorge, saignements du nez, chéilite, névralgie de la langue (langue douloureuse), rhinorrhée, irritations oculaires, douleurs oculaires, diminution de l'acuité visuelle, larmoiement anormal, anomalies visuelles, otite, modification de l'acuité auditive, photophobie.

Resp. : dyspnée, toux, augmentation des expectorations, pharyngite.

CV : épisodes thrombotiques, œdème, arythmies, douleurs thoraciques, syncope.

GI : sécheresse de la bouche (xérostomie), saignement des gencives, douleurs abdominales, modification de l'appétit, nausées, hépatite, constipation, perte de poids, goût anormal, méléna, aphtes buccaux, flatulence.

GU : protéinurie, hémoglobinurie, présence de leucocytes dans l'urine, polyurie, rétention urinaire, vaginite atrophique.

Tég. : alopécie, desquamation de la peau, démangeaisons, rougeur, fragilité cutanée, photosensibilité, ongles déformés, peau moite ou froide, granulome, peau malodorante, dilatation des pores, altération de la sensibilité de la peau, atrophie, fissures, retard de la cicatrisation, herpès, hirsutisme, infections, ulcérations.

E

End.: cycles menstruels irréguliers.

HÉ: concentrations anormales de calcium, de potassium et de phosphore, concentrations anormales de CO_2, concentrations anormales de sodium et de chlorure.

Métab.: hyperglycémie, hypoglycémie, hypertriglycéridémie, hypercholestérolémie, concentrations élevées de HDL.

Loc.: hyperostose, douleurs osseuses et articulaires, myalgie, goutte, hyperkinésie, hypotonie.

Divers: risque accru de formation de néoplasmes.

INTERACTIONS

Médicament – médicament: ■ Les anomalies électrolytiques peuvent augmenter le risque de toxicité cardiaque due aux **dérivés digitaliques** ■ La **vitamine A**, administrée simultanément, peut intensifier l'effet toxique de l'étrétinate ■ Risque accru d'hypertension intra-crânienne bénigne lors de l'administration concomitante de **tétracycline** ■ La consommation d'**alcool**, en même temps qu'un traitement par l'étrétinate, peut avoir un effet additif sur l'élévation des concentrations sériques de triglycérides ■ Risque accru de toxicité hépatique lors de l'administration concomitante d'autres **agents hépatotoxiques** ■ Risque accru de photosensibilité lors de l'administration concomitante d'autres **agents photosensibilisants** ■ **Préparation topique:** Les **agents irritants, abrasifs** ou **exfoliatifs**, administrés simultanément, peuvent aggraver l'irritation de la peau. **Médicament – aliments:** ■ L'absorption de l'étrétinate est accrue lors de la consommation de **lait** ou d'**aliments riches en matières grasses**.

VOIES D'ADMINISTRATION ET POSOLOGIE

PO (adultes): initialement, de 0,75 à 1 mg/kg par jour en doses fractionnées; par la suite, réduire jusqu'à une dose d'entretien de 0,3 à 0,6 mg/kg par jour.

PHARMACODYNAMIE (amélioration de l'état des lésions cutanées)

	DÉBUT D'ACTION	PIC	DURÉE
PO	plusieurs semaines ou mois	plusieurs semaines	plusieurs années

☀ SOINS INFIRMIERS

ÉVALUATION DE LA SITUATION

☐ Examiner l'état de la peau avant l'administration de l'étrétinate et à intervalles réguliers tout au long du traitement. Le psoriasis peut s'aggraver passagèrement en début de traitement.

■ **Étude des examens diagnostiques et biochimiques:** Interpréter les résultats des tests de l'exploration fonctionnelle hépatique (TGOS [AST], TGPS [ALT] et LDH), toutes les semaines ou toutes les 2 semaines pendant le ou les 3 premiers mois de traitement et tous les 1 à 3 mois pendant le reste du traitement. Prévenir le médecin si ces valeurs s'élèvent; il pourrait s'avérer nécessaire d'arrêter le traitement.

☐ Suivre de près les concentrations sanguines de lipides (cholestérol, HDL, triglycérides) toutes les semaines ou toutes les 2 semaines, en début de traitement, et à intervalles réguliers par la suite. Prévenir le médecin si les concentrations de cholestérol et de triglycérides s'élèvent ou si les concentrations de HDL diminuent.

☐ Obtenir à intervalles réguliers les résultats de la numération globulaire, de l'analyse des urines et des électrolytes sanguins. L'étrétinate peut modifier (augmenter ou diminuer) l'hématocrite, les concentrations d'hémoglobine, le nombre de plaquettes et la numération leucocytaire. Il peut entraîner la protéinurie, l'hématurie ainsi que la glycosurie et l'acétonurie. Il peut augmenter ou réduire les concentrations de sodium, de potassium, de calcium et de phosphate. L'agent peut également entraîner l'élévation des concentrations sériques d'urée et de créatinine.

DIAGNOSTICS INFIRMIERS POSSIBLES

■ Énoncés diagnostiques
□ Perturbation situationnelle de l'estime de soi.
□ Prise en charge inefficace du programme thérapeutique.
□ *Risque élevé d'accident.*
□ *Risque élevé d'atteinte à l'intégrité des tissus.*
□ *Risque élevé d'atteinte à l'intégrité de la peau.*
□ *Risque élevé de déséquilibre hydro-électrolytique.*
□ *Risque élevé d'intolérance à l'activité.*
□ *Risque élevé d'atteinte à l'intégrité de la muqueuse buccale.*

■ Facteurs favorisants
□ Informations incomplètes.
□ *Perturbation de la vigilance.*
□ *Manque de connaissances sur les modalités du traitement.*
□ *Altération de la perception visuelle.*
□ *Manque de connaissances sur les moyens de prévenir la photosensibilité et sur l'importance d'un suivi ophtalmologique.*
□ *Douleurs articulaires.*
□ *Altération de l'image corporelle.*
□ *Manque de connaissances sur le régime alimentaire à suivre.*
□ *Manque de connaissances sur les moyens de prévenir ou de réduire la sécheresse de la bouche.*
□ *Manque de connaissances sur les moyens de prévenir les effets secondaires du médicament.*

INTERVENTIONS INFIRMIÈRES

PO : L'absorption de l'étrétinate est accrue si le médicament est pris avec du lait ou des aliments riches en matières grasses.

ENSEIGNEMENT AU PATIENT ET À SES PROCHES

□ Conseiller au patient de respecter scrupuleusement la posologie recommandée. S'il n'a pu prendre le médicament au moment habituel, lui recommander de le prendre dès que possible avec du lait ou des aliments riches en matières grasses, mais de ne pas le prendre s'il est presque l'heure prévue pour la dose suivante. Il ne faut jamais remplacer une dose manquée par une double dose. Prévenir le patient que son état peut sembler s'aggraver pendant le traitement initial.

□ Recommander au patient de ne pas prendre des suppléments de vitamine A pendant son traitement à l'étrétinate en raison des risques d'hypervitaminose A. Lui conseiller d'éviter la consommation abusive d'alcool et d'aliments riches en matières grasses pour réduire les risques d'hypertriglycéridémie et de troubles cardiovasculaires.

□ Prévenir le patient que l'étrétinate peut provoquer des étourdissements ou rendre la vision trouble. Lui conseiller de ne pas conduire et d'éviter les activités qui exigent sa vigilance jusqu'à ce qu'on ait la certitude que le médicament n'entraîne pas ces effets chez lui. Par ailleurs, l'étrétinate peut altérer la vision nocturne. Recommander au patient de ne pas conduire dans l'obscurité.

□ Prévenir le patient que sa peau deviendra sèche et ses lèvres, gercées. Lui conseiller d'appliquer un baume pour les lèvres pour soulager la chéilite et de prévenir le médecin si ces symptômes deviennent gênants.

□ Conseiller au patient de se rincer fréquemment la bouche, de pratiquer une bonne hygiène orale et de consommer de la gomme à mâcher ou des bonbons sans sucre pour réduire la sécheresse de la bouche.

□ Prévenir le patient qui porte des lentilles cornéennes qu'il risque de souffrir d'une sécheresse oculaire excessive. Lui recommander, dans ce cas, de porter des lunettes pendant toute la durée du traitement.

□ Recommander à la patiente d'utiliser des méthodes de contraception pendant le traitement. Lui expliquer que l'étrétinate est contre-indiqué pendant la grossesse. Le médecin peut lui recommander de passer un test de grossesse 2 semaines avant le début du traitement et d'amorcer le traitement le 2e ou le 3e jour du cycle menstruel. Les effets tératogènes du médicament peuvent persister pendant des années. La patiente devrait parler de ce problème avec son médecin avant d'envisager la grossesse.

□ Prévenir le patient qu'il ne doit pas donner de sang pendant le traitement à l'étrétinate. Après la fin du traitement, il ne devrait donner du sang que lorsque le médecin l'autorise, en raison du risque de contamination d'une patiente enceinte.

□ Recommander au patient de ne pas s'exposer trop longtemps au soleil et aux rayons des lampes solaires afin de prévenir les réactions de photosensibilité.

□ Recommander au patient de signaler au médecin les douleurs osseuses ou articulaires, l'irritation des yeux, la modification de l'acuité visuelle, les douleurs abdominales, le jaunissement de la peau ou la formation inhabituelle d'ecchymoses.

□ Insister sur l'importance des examens de suivi. Le médecin peut prescrire des examens ophtalmiques et des radiographies des os à intervalles réguliers.

VÉRIFICATION DES RÉSULTATS

L'efficacité du traitement peut être démontrée par : l'amélioration ou la disparition des lésions cutanées. Le plein effet du traitement peut ne pas se manifester avant 2 à 3 mois. On doit arrêter le traitement si aucun effet n'est notable après 1 mois ou si les lésions disparaissent ou après une durée de 4 à 9 mois. Après l'arrêt du traitement, il y a risque de rechute.

FACTEUR ANTIHÉMOPHILIQUE

Coagulation Factor VIII HP, Koate HP, (AHF), (AHG), (Facteur VIII), (Hemofil M), (Humate-P), (Koate-HS), (Koate-HT), (Monoclate), (Profilate-HT)

CLASSIFICATION :
Hémostatique, dérivé sanguin

Grossesse – catégorie C

INDICATIONS

Traitement de l'hémophilie A associée à la déficience en facteur VIII.

ACTION

■ Facteur de coagulation essentiel, nécessaire à la transformation de la prothrombine en thrombine. **Effets thérapeutiques :** ■ Correction des déficiences avec répression subséquente du saignement excessif.

PHARMACOCINÉTIQUE

Absorption : Par suite de l'administration PO, l'absorption est virtuellement complète.

Distribution : L'agent est rapidement éliminé du plasma. Il ne traverse pas le placenta.

Métabolisme et excrétion : Le principe actif est consommé pendant le processus de coagulation.

Demi-vie : De 4 à 24 h (12 h en moyenne).

CONTRE-INDICATIONS ET PRÉCAUTIONS

Contre-indications : Hypersensibilité à la protéine de la souris (agent dérivé des anticorps monoclonaux seulement).

E

Précautions: Grossesse (l'innocuité de l'agent n'a pas été établie).

RÉACTIONS INDÉSIRABLES ET EFFETS SECONDAIRES

SNC: céphalées, somnolence, léthargie, perte de la conscience.
ORLO: troubles de la vision.
CV: tachycardie, hypotension, oppression thoracique.
GI: nausées, vomissements.
Hémat.: hémolyse intravasculaire.
Tég.: rougeur de la peau, urticaire.
Loc.: douleurs lombaires.
SN: paresthésie.
Divers: rigidité, jaunisse, réactions allergiques, infection par le virus de l'hépatite B ou le VIH (faible risque entraîné par l'usage fréquent de grandes quantités).

INTERACTIONS

Médicament – médicament: Aucune interaction notable.

VOIES D'ADMINISTRATION ET POSOLOGIE

Remarque: Déterminer la posologie selon les concentrations de facteur antihémophilique en circulation. Les recommandations qui suivent sont données à titre indicatif.

Hémorragie des articulations
- **IV (adultes et enfants) (É.-U.):** de 5 à 10 unités/kg toutes les 8 à 12 h pendant un ou plusieurs jours.

Hémorragie mineure dans les régions qui ne sont pas situées près des organes vitaux
- **IV (adultes et enfants) (É.-U.):** de 8 à 10 unités/kg toutes les 24 h, pendant 2 ou 3 jours, ou 8 unités/kg toutes les 12 h, pendant 2 jours; ensuite toutes les 24 h pendant 2 jours de plus.

Hémorragie des muscles situés près des organes vitaux
- **IV (adultes et enfants) (É.-U.):** 15 unités/kg initialement, ensuite 8 unités/kg toutes les 8 h, pendant 48 h et, enfin, 4 unités/kg toutes les 8 h, pendant 48 h.

Hémorragie patente
- **IV (adultes et enfants) (É.-U.):** de 15 à 25 unités/kg initialement; ensuite de 8 à 15 unités/kg, toutes les 8 à 12 h, pendant 3 ou 4 jours.

Hémorragie provenant de plaies étendues ou d'organes vitaux
- **IV (adultes et enfants) (É.-U.):** de 40 à 50 unités/kg, initialement, ensuite de 20 à 25 unités/kg, toutes les 8 à 12 h.

Intervention chirurgicale majeure
- **IV (adultes et enfants) (É.-U.):** de 26 à 30 unités/kg avant l'intervention; après l'intervention, 15 unités/kg toutes les 5 à 8 h.

Prophylaxie de l'hémophilie A
- **IV (patients > 50 kg):** 500 unités/jour.
- **IV (patients < 50 kg):** 250 unités/jour.

PHARMACODYNAMIE
(concentrations de facteur VIII)

	DÉBUT D'ACTION	PIC	DURÉE
IV	rapide	inconnu	8 – 12 h

SOINS INFIRMIERS

ÉVALUATION DE LA SITUATION
- ☐ Mesurer la pression artérielle, le pouls et les respirations. Si une tachycardie survient, ralentir ou arrêter la perfusion et prévenir le médecin.
- ☐ Recueillir les antécédents de trauma récent; évaluer la quantité de sang perdu.
- ☐ Surveiller, toutes les 15 à 30 min, l'apparition d'une nouvelle hémorragie. Immobiliser l'articulation affectée et appliquer de la glace.
- ☐ Effectuer le bilan des ingesta et des excreta; noter la couleur de l'urine. Prévenir le médecin si des écarts importants se produisent ou si l'urine devient rouge ou orange. Les patients dont le groupe sanguin est A, B et AB

sont particulièrement prédisposés à une réaction hémolytique.

☐ Observer le patient à la recherche des réactions allergiques suivantes : respiration sifflante, tachycardie, urticaire, éruptions urticariennes, oppression thoracique, brûlure au point d'injection IV, nausées et vomissements, léthargie. Si une telle réaction se manifeste, arrêter la perfusion et prévenir le médecin.

■ **Étude des examens diagnostiques et biochimiques :** Noter les valeurs initiales et évaluer, à intervalles réguliers, la numération globulaire, les résultats du test de Coombs direct, les analyses d'urine, le temps de céphaline (PTT), le temps de formation de la thromboplastine et le temps de formation de la prothrombine. Une diminution de l'hématocrite ou une épreuve de Coombs positive sont les indices biologiques de l'anémie hémolytique.

☐ Interpréter les résultats des analyses de coagulation avant, pendant et après le traitement, pour déterminer les bienfaits du médicament.

☐ Chez les patients qui présentent des concentrations accrues d'inhibiteurs du facteur VIII, la réponse peut être nulle ; parfois, une augmentation de la dose peut s'imposer.

DIAGNOSTICS INFIRMIERS POSSIBLES

■ **Énoncés diagnostiques**

☐ Diminution de l'irrigation tissulaire périphérique.

☐ Risque élevé d'accident.

☐ Prise en charge inefficace du programme thérapeutique.

☐ *Risque élevé d'hémorragie.*

■ **Facteurs favorisants**

☐ Informations incomplètes.

☐ *Saignements.*

☐ *Manque de connaissances sur la maladie et son traitement ainsi que sur les méthodes de prévention.*

INTERVENTIONS INFIRMIÈRES

■ **Directives générales :** Informer tout le personnel de la prédisposition au saignement pour prévenir de nouveaux traumatismes. Appliquer une pression sur tous les points de ponction veineuse pendant au moins 5 min ; éviter toutes les injections IM.

☐ Le médecin peut prescrire une prémédication avec de la diphenhydramine (Benadryl) pour prévenir les réactions aiguës.

☐ La posologie varie selon le degré de déficience en facteur de coagulation, la concentration souhaitable de facteurs de coagulation et le poids du patient.

☐ Obtenir le groupe sanguin et les compatibilités sanguines pour le cas où une transfusion s'avère nécessaire.

☐ Pour prévenir une hémorragie spontanée, il faut avoir au moins 5 % de la concentration normale de facteur VIII. Pour réprimer une hémorragie modérée et pour que le patient puisse subir une intervention chirurgicale mineure, cette concentration doit être de l'ordre de 30 à 50 %. En cas d'hémorragie grave, associée à des traumatismes, ou en cas d'intervention chirurgicale majeure, la concentration doit être de l'ordre de 80 à 100 %.

☐ Administrer la première dose de facteur antihémophilique une heure avant l'intervention. La deuxième dose (50 % de la première dose) doit être administrée dans les 5 à 8 h qui suivent l'intervention. Les concentrations de facteur VIII doivent être maintenues à 30 % de la concentration normale pendant les 10 à 14 jours qui suivent l'intervention chirurgicale.

■ **IV :** Administrer par IV seulement. Réfrigérer le concentré jusqu'au moment où l'on s'apprête à le reconstituer. Réchauffer le concentré et le diluant (fourni par le fabricant) jusqu'à la

température ambiante avant la reconstitution. Utiliser une seringue en
plastique pour la préparation et l'administration. Pendant la reconstitution, se servir d'une aiguille supplémentaire comme sortie d'air de la
fiole. Après avoir ajouté le diluant,
tourner délicatement la fiole jusqu'à
dissolution complète du contenu. La
couleur de la solution peut varier de
jaune pâle à transparente avec une
teinte bleuâtre. Ne pas réfrigérer
après la reconstitution et utiliser dans
les 3 h. Filtrer les préparations avant
l'administration.

■ **IV directe :** On peut administrer l'agent
par injection IV lente (la vitesse d'administration est indiquée à la rubrique « Perfusion intermittente »).

■ **Perfusion intermittente :** La vitesse d'administration dépend du nombre d'uni-
tés de facteur antihémophilique par
millilitre. Ne pas administrer à une
vitesse supérieure à 2 mL/min des
concentrations contenant plus de
34 unités/mL de facteur antihémophilique. Les concentrations contenant moins de 34 unités/mL de facteur
antihémophilique peuvent être administrées à un débit de 10 à 20 mL/
3 min. La vitesse de la perfusion ne
doit pas dépasser 10 mL/min.

□ Ne pas mélanger avec d'autres solutions.

ENSEIGNEMENT AU PATIENT ET
À SES PROCHES

□ Recommander au patient de prévenir
l'infirmière sans délai en cas d'hémorragie récurrente.

□ Recommander au patient de suivre
de près le saignement des gencives et
de la peau, ainsi que la présence de
sang dans l'urine, les selles et les vomissements.

□ Recommander au patient de porter
sur lui en tout temps une pièce
d'identité où est inscrit son problème
de santé.

□ Inciter le patient à éviter les préparations contenant de l'acide acétylsalicylique étant donné que cet agent peut
entraver davantage la coagulation.

□ Expliquer au patient les méthodes de
prévention des saignements : utiliser
une brosse à dents à poils doux, éviter
les injections IM et SC , éviter les activités comportant des risques de trauma.

□ Expliquer au patient qu'on peut diminuer les risques de transmission de
l'hépatite ou du sida si l'on utilise des
préparations chauffées ou des préparations à base d'anticorps monoclonaux.
Les méthodes actuelles de dépistage
permettent de diminuer ce risque.

VÉRIFICATION DES RÉSULTATS

**L'efficacité du traitement peut être démontrée
par :** ■ la prévention des saignements
spontanés ■ l'arrêt de l'hémorragie.

FACTEUR IX,
COMPLEXE DE

Konyne 80, (Konyne-HT), (Profilnine
Heat-Treated), (Proplex SX-T), (Proplex T)

CLASSIFICATION :
Agent hémostatique ; dérivé sanguin

Grossesse – catégorie C

INDICATIONS

■ Traitement des épisodes hémorragiques
ou des hémorragies imminentes attribuables à un déficit en facteur IX (hémophilie B, maladie de Christmas) ■ Traitement des hémorragies chez les patients
présentant des inhibiteurs du facteur VIII
■ Prévention et traitement des hémorragies chez les patients présentant un déficit en facteur VII ■ Renversement rapide
des effets des anticoagulants oraux dans
des situations d'urgence.

ACTION

■ Le complexe de facteur IX contient les
facteurs de coagulation sanguine II, VII,

IX et X (Proplex SX-T contient moins de facteur VII). **Effets thérapeutiques :** ■ Traitement substitutif en présence d'un déficit en facteur IX qui caractérise l'hémophilie B ■ Rétablissement de l'hémostasie.

PHARMACOCINÉTIQUE

Absorption : L'administration du complexe du facteur IX est réservée à la voie IV ; dans ce cas, sa biodisponibilité est totale.
Distribution : Inconnue.
Métabolisme et excrétion : Élimination rapide du plasma par utilisation lors du processus de coagulation.
Demi-vie : Facteur IX – de 24 à 32 h ; facteur VII – de 3 à 6 h.

CONTRE-INDICATIONS ET PRÉCAUTIONS

Contre-indications : ■ Déficit en facteur VII (sauf Proplex T) ■ Coagulation intravasculaire ou fibrinolyse associée à une maladie hépatique.
Précautions : ■ Période post-opératoire (risque accru de thrombose) ■ Groupe sanguin de type A, B ou AB.

RÉACTIONS INDÉSIRABLES ET EFFETS SECONDAIRES

SNC : céphalées, somnolence, léthargie.
CV : modification de la fréquence cardiaque, modification de la pression artérielle.
GI : nausées, vomissements.
Tég. : rougeurs, urticaire.
Hémat. : thrombose, coagulation intravasculaire disséminée.
SN : picotements.
Divers : fièvre, frissons, risque de transmission du virus de l'hépatite, risque de transmission du VIH, réactions d'hypersensibilité.

INTERACTIONS

Médicament – médicament : Risque accru de thrombose lors de l'administration simultanée d'**acide aminocaproïque**.

VOIES D'ADMINISTRATION ET POSOLOGIE

Remarque : On peut se servir de la formule suivante : dose (unités) = 1 unité/ kg × poids corporel (kg) × taux d'activité souhaitable (en % de l'activité normale du facteur IX).

Traitement de l'hémorragie chez les patients souffrant d'hémophilie B

■ **IV (adultes et enfants) :** dose nécessaire pour obtenir 25 % de l'activité normale du facteur IX ou de 60 à 75 unités/kg, initialement ; ensuite, de 10 à 20 unités/kg par jour, pendant 1 semaine.

Prophylaxie de l'hémorragie chez les patients souffrant d'hémophilie B

■ **IV (adultes et enfants) :** de 10 à 20 unités/kg, 1 ou 2 fois par semaine.

Traitement de l'hémorragie chez les patients souffrant d'hémophilie A et présentant des inhibiteurs du facteur VIII

■ **IV (adultes et enfants) :** 75 unités/kg ; on peut répéter l'administration 12 h plus tard.

Renversement des effets des anticoagulants oraux

■ **IV (adultes et enfants) :** 15 unités/kg.

Déficit en facteur VII

■ **IV (adultes et enfants) :** 0,5 unité/kg × poids corporel (kg) × taux d'activité souhaitable (en % de l'activité normale). Répéter l'administration toutes les 4 à 6 h, selon les besoins.

PHARMACODYNAMIE (hémostasie)

	DÉBUT D'ACTION	PIC	DURÉE
IV	immédiat	inconnu	1 – 2 jours

✳ SOINS INFIRMIERS

ÉVALUATION DE LA SITUATION

☐ Mesurer à intervalles fréquents la pression artérielle, le pouls et les respirations.

☐ Déterminer le type de traumatisme subi ; évaluer la quantité de sang perdu.

F

- Suivre de près l'apparition d'un nouvel épisode hémorragique ou d'une hémorragie plus intense, toutes les 15 à 30 min. Immobiliser les articulations touchées et appliquer de la glace.
- Effectuer le bilan des ingesta et des excreta ; noter la couleur de l'urine. Prévenir le médecin en cas de modifications importantes ou si l'urine vire au rouge ou à l'orange. Les patients dont le groupe sanguin est de type A, B et AB sont particulièrement prédisposés à une réaction hémolytique.
- Ralentir la vitesse de la perfusion et prévenir le médecin si les réactions suivantes d'hypersensibilité se manifestent : fièvre, frissons, picotements, céphalées, urticaire, modifications de la pression artérielle ou de la fréquence du pouls, nausées et vomissements, léthargie.
- Vérifier les résultats des épreuves de coagulation avant, pendant et après l'administration afin de déterminer l'efficacité du traitement.

DIAGNOSTICS INFIRMIERS POSSIBLES

- **Énoncés diagnostiques**
- Diminution de l'irrigation tissulaire.
- Risque élevé d'accident.
- Prise en charge inefficace du programme thérapeutique.

- **Facteurs favorisants**
- Informations incomplètes.
- *Manque de connaissances sur les modalités du traitement.*

INTERVENTIONS INFIRMIÈRES

- **Directives générales :** La posologie doit être adaptée en fonction du degré de déficit en facteur de coagulation, du taux de facteurs de coagulation souhaité et du poids du patient.
- Obtenir le groupe sanguin et les résultats du test de compatibilité croisée afin de se préparer à une éventuelle transfusion.
- Pour réprimer l'hémorragie après un traumatisme considérable ou une in-

tervention chirurgicale, il faut maintenir les taux de facteur IX à 25 % des valeurs normales pendant au moins 1 semaine. Si le taux est supérieur ou égal à 50 % des valeurs normales, il y a risque de réaction thromboembolique ou de coagulopathie intravasculaire disséminée.

- Le médecin peut prescrire le vaccin antihépatite B avant le traitement afin de prévenir l'hépatite.
- Prévenir tout le personnel soignant que le patient a des tendances aux saignements afin de lui éviter de nouveaux traumatismes. Appliquer une pression sur tous les points de ponction veineuse pendant au moins 5 min ; éviter les injections IM.
- **IV directe :** Réfrigérer la solution concentrée jusqu'au moment de la reconstitution. Avant de reconstituer la préparation, chauffer le diluant (eau stérile pour injection) à la température ambiante. Utiliser une seringue en plastique pour préparer et administrer la solution. Utiliser l'aiguille munie de filtre, fournie par le fabricant, pour évacuer l'air de la fiole lors de la reconstitution. Après avoir ajouté le diluant, tourner délicatement la fiole jusqu'à ce que la solution soit complètement dissoute. Ne pas réfrigérer après la reconstitution. Administrer la préparation dans les 3 h qui suivent la reconstitution. La solution reconstituée est stable pendant 12 h à la température ambiante.
- *Vitesse d'administration :* Administrer la solution IV à un débit inférieur à 3 mL/min (100 unités/min). Ne pas effectuer de mélange. Interrompre la perfusion et recommencer à un débit plus lent en cas de picotements ou de rougeurs au niveau du visage.

ENSEIGNEMENT AU PATIENT ET À SES PROCHES

- Inciter le patient à prévenir l'infirmière dès qu'une nouvelle hémorragie survient.

□ Conseiller au patient de toujours porter sur lui une pièce d'identité où est inscrit son problème de santé.

□ Mettre en garde le patient contre les produits contenant de l'aspirine, car ils peuvent entraver davantage la coagulation du sang.

□ Expliquer au patient les méthodes de prévention de l'hémorragie : utiliser une brosse à dent à poils doux, éviter les injections IM et SC, éviter les activités qui risquent de provoquer des traumatismes.

□ Expliquer au patient que le risque de transmission du virus de l'hépatite ou du VIH est moindre si l'on utilise des préparations traitées par la chaleur. Les programmes actuels de dépistage et la vaccination contre le virus de l'hépatite B devraient également aider à réduire ce risque.

□ Expliquer au patient souffrant d'hémophilie l'importance d'un suivi médical. Le médecin peut prescrire un traitement par le facteur IX, à raison de 2 ou 3 fois par semaine, pour prévenir les saignements spontanés.

VÉRIFICATION DES RÉSULTATS

L'efficacité du traitement peut être démontrée par : la prévention des saignements spontanés ou l'arrêt de l'hémorragie chez les patients qui présentent un déficit en facteur IX (hémophilie B ou maladie de Christmas), des inhibiteurs du facteur VIII ou un déficit en facteur VII, ainsi que lors du surdosage d'anticoagulants.

FAMOTIDINE
Novo-famotidine, Pepcid

CLASSIFICATION :
Antagoniste du récepteur H_2 de l'histamine ; traitement de l'ulcère

Grossesse – catégorie B

INDICATIONS

■ Traitement de courte durée et traitement d'entretien visant à prévenir les récidives de l'ulcère duodénal ■ Traitement de l'hypergastrinémie (syndrome de Zollinger-Ellison) ■ Traitement de l'ulcère gastrique bénin ■ Traitement du reflux gastro-œsophagien.

ACTION

■ Inhibition de l'activité de l'histamine aux sites des récepteurs H_2 situés surtout dans les cellules de la paroi gastrique, ce qui entraîne l'inhibition de la sécrétion d'acide gastrique. **Effets thérapeutiques :** ■ Guérison et prophylaxie des ulcères.

PHARMACOCINÉTIQUE

Absorption : Par suite de l'administration PO, la fraction de médicament absorbé est de l'ordre de 40 à 45 %.

Distribution : Inconnue. L'agent ne semble pas traverser le placenta ni pénétrer dans le liquide céphalorachidien.

Métabolisme et excrétion : Une fraction allant jusqu'à 65 à 70 % est excrétée à l'état inchangé par les reins ; une fraction de 30 à 35 % est métabolisée par le foie.

Demi-vie : Entre 2,5 et 3,5 h (prolongée en cas d'insuffisance rénale).

CONTRE-INDICATIONS ET PRÉCAUTIONS

Contre-indications : ■ Hypersensibilité ■ Hypersensibilité à l'alcool benzylique (préparation IV seulement).

Précautions : ■ Insuffisance rénale (il est recommandé de réduire la dose) ■ Grossesse, allaitement ou enfants (l'innocuité du médicament n'a pas été établie).

RÉACTIONS INDÉSIRABLES ET EFFETS SECONDAIRES

SNC : étourdissements, céphalées, somnolence.

ORLO : œdème des paupières, acouphènes.

Resp. : bronchospasme.

F

CV: palpitations, bradycardie, hypotension (préparation IV).
GI: diarrhée, nausées, constipation, sécheresse de la bouche (xérostomie).
GU: diminution de la libido.
Tég.: œdème du visage, chute des cheveux, rash.
Loc.: douleurs articulaires, douleurs musculaires.
Divers: fièvre.

INTERACTIONS

Médicament – médicament: ■ Les **antiacides** peuvent réduire légèrement l'absorption de la famotidine ■ La famotidine diminue l'absorption du **kétoconazole**.

PRÉSENTATION

La famotidine est présentée sous forme de comprimés et de solution injectable.

VOIES D'ADMINISTRATION ET POSOLOGIE

Ulcère duodénal
■ **PO (adultes):** initialement, 40 mg, au coucher, ou 20 mg, 2 fois par jour, pendant 4 à 8 semaines (on peut abréger le traitement en cas de cicatrisation confirmée de l'ulcère). La dose d'entretien visant à prévenir les récidives est de 20 mg par jour, au coucher, pendant 6 à 12 mois.
■ **IV (adultes):** 20 mg, toutes les 12 h.

Hypersécrétion gastrique (hypergastrinémie)
■ **PO (adultes):** 20 mg, toutes les 6 h (de 20 à 160 mg, toutes les 6 h; ne pas dépasser 800 mg par jour).
■ **IV (adultes):** 20 mg, toutes les 6 h; des doses plus élevées peuvent s'avérer nécessaires.

Ulcère gastrique bénin
■ **PO (adultes):** 40 mg, 1 fois par jour, au coucher, pendant 4 à 8 semaines.

Reflux gastro-œsophagien
■ **PO (adultes):** 20 mg, 2 fois par jour.

Œsophagite érosive ou ulcères associés au reflux gastro-œsophagien
■ **PO (adultes):** 40 mg, 2 fois par jour.

PHARMACODYNAMIE
(inhibition des sécrétions d'acide gastrique)

	DÉBUT D'ACTION	PIC	DURÉE
PO	en l'espace de 1 h	1 – 4 h	6 – 12 h
IV	en l'espace de 1 h	0,5 – 3 h	8 – 15 h

⁂ SOINS INFIRMIERS

ÉVALUATION DE LA SITUATION

☐ Suivre de près la douleur épigastrique ou abdominale et la présence de sang occulte ou franc dans les selles, les vomissures et les échantillons prélevés par aspiration gastrique.
■ **Étude des examens diagnostiques et biochimiques:** Examiner la numération globulaire et la formule leucocytaire à intervalles réguliers pendant toute la durée du traitement.
☐ Les effets de la famotidine s'opposent à ceux de la pentagastrine et de l'histamine lors de l'analyse du liquide gastrique. Ne pas administrer le médicament dans les 24 h qui précèdent cette analyse.
☐ La famotidine peut entraîner des résultats faussement négatifs aux tests cutanés effectués à l'aide d'extraits d'allergènes. Ne pas administrer le médicament avant d'effectuer un tel test.

DIAGNOSTICS INFIRMIERS POSSIBLES

■ **Énoncés diagnostiques**
☐ Douleur.
☐ Prise en charge inefficace du programme thérapeutique.
☐ *Risque élevé de constipation.*
☐ *Risque élevé d'accident.*

■ **Facteurs favorisants**
☐ Informations incomplètes.
☐ *Manque de connaissances sur les moyens de stimuler la fonction intestinale.*
☐ *Manque de connaissances sur les modalités du traitement.*

□ *Manque de connaissances sur les effets hypotensifs du médicament lors des changements brusques de position.*

INTERVENTIONS INFIRMIÈRES

■ **PO :** On peut administrer la famotidine avec des aliments ou des liquides. Pour soulager les douleurs gastriques, on peut administrer simultanément des antiacides.

■ **IV directe :** Diluer 2 mL (10 mg/mL de solution) avec 3 ou 8 mL de solution de NaCl à 0,9 % pour injection pour obtenir un volume total de 5 ou 10 mL.

□ *Vitesse d'administration :* Administrer la préparation en au moins 2 min. L'administration rapide peut entraîner de l'hypotension.

■ **Perfusion intermittente :** Diluer à raison de 20 mg dans 100 mL de solution de NaCL à 0,9 %, de dextrose à 5 ou à 10 % dans de l'eau, de lactate Ringer ou de solution de bicarbonate de sodium. La solution diluée est stable pendant 24 h à la température ambiante. Ne pas administrer la solution si elle change de couleur ou si elle renferme un précipité.

□ *Vitesse d'administration :* Administrer la préparation en 15 à 30 min.

■ **Compatibilités (tubulure en Y) :** Acide folique, aminophylline, ampicilline, ampicilline et sulbactam, amrinone, atropine, bicarbonate de sodium, brétylium, céfazoline, céfopérazone, céfotaxime, céfotétane, céfoxitine, ceftazidime, ceftizoxime, céfuroxime, céphalothine, céphapirine, chlorure de potassium, dexaméthasone, dextran 40, digoxine, dobutamine, dopamine, énalaprilate, épinéphrine, esmolol, furosémide, gentamicine, gluconate de calcium, héparine, imipénème et cilastatine, insuline, isoprotérénol, labétalol, lactobionate d'érythromycine, lidocaïne, méthylprednisolone, métoclopramide, mezlocilline, midazolam, morphine, nafcilline, nitroglycérine, nitroprusside sodique, norépinéphrine, ondansétron, oxacilline, perphénazine, phényléphrine, phénytoïne, phosphate de potassium, phytonadione, pipéracilline, procaïnamide, succinate d'hydrocortisone sodique, sulfate de magnésium, théophylline, thiamine, ticarcilline ou vérapamil.

ENSEIGNEMENT AU PATIENT ET À SES PROCHES

□ Conseiller au patient de respecter scrupuleusement la posologie recommandée pendant toute la durée du traitement et de continuer à prendre la famotidine même s'il se sent mieux. S'il n'a pas pu prendre le médicament au moment habituel, il doit le prendre aussitôt que possible, à moins que ce ne soit presque l'heure prévue pour la dose suivante. L'avertir qu'il ne doit jamais remplacer une dose manquée par une double dose.

□ Expliquer au patient que le tabac entrave l'effet de la famotidine. L'inciter à cesser de fumer ou, au moins, à ne pas fumer après avoir pris la dernière dose de la journée.

□ Prévenir le patient que la famotidine peut provoquer de la somnolence ou des étourdissements. Lui conseiller de ne pas conduire et d'éviter les activités qui exigent sa vigilance jusqu'à ce qu'on ait la certitude que la famotidine n'entraîne pas ces effets chez lui.

□ Conseiller au patient d'éviter de boire de l'alcool et de ne pas prendre de préparations contenant de l'aspirine ni d'aliments qui peuvent aggraver l'irritation gastrique.

□ Pour réduire les risques de constipation, conseiller au patient d'augmenter sa consommation de liquides et d'aliments riches en fibres et de faire de l'exercice.

□ Recommander au patient de signaler rapidement au médecin l'apparition des signes et symptômes suivants :

selles noires ou goudronneuses, fièvre diarrhée, étourdissements ou rash.

VÉRIFICATION DES RÉSULTATS

L'efficacité du traitement peut être démontrée par : ■ la diminution des douleurs abdominales □ la prévention de l'irritation et de l'hémorragie gastriques. La guérison des ulcères duodénaux est révélée par la radiographie ou l'endoscopie.

FÉLODIPINE
Plendil, Rénédil

CLASSIFICATION :
Inhibiteur calcique ;
antihypertenseur – inhibiteur calcique

Grossesse – catégorie C

INDICATIONS

Hypertension essentielle légère à modérée – en monothérapie ou en association avec d'autres agents.

ACTION

■ Inhibition de la pénétration du calcium dans les cellules du myocarde et des muscles lisses vasculaires, entraînant l'inhibition du couplage excitation-contraction et de la contraction subséquente, ce qui donne lieu à une vasodilatation générale. **Effets thérapeutiques :** ■ Abaissement de la pression artérielle chez les patients hypertendus.

PHARMACOCINÉTIQUE

Absorption : Bien que le médicament soit bien absorbé par suite de l'administration PO, le métabolisme étant intense, la biodisponibilité est réduite (20 %).
Distribution : Inconnue.
Métabolisme et excrétion : Le médicament est presque entièrement métabolisé ; une fraction inférieure à 5 % est excrétée à l'état inchangé dans l'urine.
Demi-vie : De 11 à 16 h

CONTRE-INDICATIONS ET PRÉCAUTIONS

Contre-indications : Hypersensibilité.
Précautions : ■ Hypotension ■ Insuffisance cardiaque ou dysfonctionnement ventriculaire gauche (particulièrement, en traitement d'association avec un bêtabloquant) ■ Patients de plus de 65 ans qui présentent un dysfonctionnement hépatique (réduire la dose, au besoin) ■ Grossesse, allaitement ou enfants (l'innocuité du médicament n'a pas été établie) ■ Anomalie de conduction cardiaque.

RÉACTIONS INDÉSIRABLES ET EFFETS SECONDAIRES

SNC : céphalées, étourdissements, faiblesses, syncope, anxiété, insomnie, troubles psychiatriques.
ORLO : congestion nasale, pharyngite, épistaxis.
Resp. : toux, dyspnée, respiration sifflante.
CV : œdème périphérique, INFARCTUS DU MYOCARDE, hypotension, douleurs thoraciques, bloc AV, tachycardie.
GI : nausées, diarrhée, constipation, vomissements, sécheresse de la bouche (xérostomie), flatulence, hyperplasie gingivale.
GU : troubles sexuels.
Tég. : rougeur, rash, prurit.
Hémat. : anémie.
Loc. : crampes musculaires, douleurs lombaires.
SN : paresthésie.

INTERACTIONS

Médicament – médicament : ■ Hypotension additive lors de l'administration simultanée d'autres **agents antihypertenseurs** ou de **dérivés nitrés**, ou lors de l'ingestion d'**alcool** ■ La **cimétidine** ou la **ranitidine** ralentissent le métabolisme de la félodipine et peuvent en accentuer les effets ■ L'association avec des **bêtabloquants** peut entraîner une dépression du myocarde.

VOIES D'ADMINISTRATION ET POSOLOGIE

PO (adultes): initialement, 5 mg, 1 fois par jour; on peut augmenter cette dose à intervalles de 2 semaines. La dose quotidienne habituelle est de 5 à 10 mg (ne pas dépasser 20 mg par jour).

PHARMACODYNAMIE
(effet antihypertenseur)

	DÉBUT D'ACTION	PIC	DURÉE
PO	120 – 300 min	inconnu	jusqu'à 24 h

☀ SOINS INFIRMIERS

ÉVALUATION DE LA SITUATION

- ☐ Mesurer la pression artérielle et le pouls avant le traitement et, à intervalles réguliers, pendant toute sa durée. Suivre l'ÉCG à intervalles réguliers chez le patient recevant un traitement prolongé.
- ☐ Effectuer le bilan quotidien des ingesta et des excreta et peser le patient tous les jours. Surveiller régulièrement les signes et les symptômes suivants d'insuffisance cardiaque: œdème périphérique, râles ou crépitations, dyspnée, gain pondéral, turgescence des jugulaires.
- ■ **Étude des examens diagnostiques et biochimiques:** Noter à intervalles réguliers les résultats des tests de l'exploration fonctionnelle hépatique chez les patients qui suivent un traitement prolongé. La félodipine peut entraîner des résultats élevés.

DIAGNOSTICS INFIRMIERS POSSIBLES

- ■ **Énoncés diagnostiques**
- ☐ Diminution du débit cardiaque.
- ☐ Prise en charge inefficace du programme thérapeutique.
- ☐ *Risque élevé d'accident.*

- ■ **Facteurs favorisants**
- ☐ Informations incomplètes.
- ☐ *Pertrubation de la vigilance.*

- ☐ *Manque de connaissances sur les modalités du traitement.*
- ☐ *Manque de connaissances sur les effets hypotensifs du médicament lors des changements brusques de position.*

INTERVENTIONS INFIRMIÈRES

PO: Administrer une fois par jour. Le comprimé doit être avalé tel quel, sans être croqué ni broyé.

ENSEIGNEMENT AU PATIENT ET À SES PROCHES

- ☐ Conseiller au patient de respecter scrupuleusement la posologie recommandée. L'avertir qu'il ne doit jamais sauter de dose, ni remplacer une dose manquée par une double dose. Le traitement à la félodipine devrait être arrêté graduellement.
- ☐ Recommander au patient de changer lentement de position pour diminuer le risque d'hypotension orthostatique.
- ☐ Prévenir le patient que la félodipine peut parfois provoquer des étourdissements. Lui conseiller de ne pas conduire et d'éviter les activités qui exigent sa vigilance jusqu'à ce qu'on ait la certitude que le médicament n'entraîne pas cet effet chez lui.
- ☐ Conseiller au patient d'éviter de boire de l'alcool et de consulter le médecin ou le pharmacien avant de prendre un médicament en vente libre en même temps que la félodipine.
- ☐ Inciter le patient à prévenir le médecin si les symptômes suivants se manifestent: extrasystoles, dyspnée, œdème des mains et des pieds, étourdissements prononcés, nausées, constipation ou hypotension.

VÉRIFICATION DES RÉSULTATS

L'efficacité du traitement peut être démontrée par: l'abaissement de la pression artérielle.

FÉNOPROFÈNE

Nalfon

CLASSIFICATION :
*Anti-inflammatoire non stéroïdien ;
analgésique non narcotique.*

Grossesse – catégorie B

INDICATIONS

■ Traitement des maladies inflammatoires dont : □ la polyarthrite rhumatoïde □ l'arthrose. **Usages non approuvés :** ■ Analgésie lors du traitement de la douleur légère à modérée et de la dysménorrhée.

ACTION

■ Inhibition de la synthèse des prostaglandines. **Effets thérapeutiques :** ■ Suppression de la douleur et de l'inflammation.

PHARMACOCINÉTIQUE

Absorption : Le médicament est bien absorbé depuis le tractus gastro-intestinal.
Distribution : Le fénoprofène ne traverse pas le placenta ; il pénètre à faible concentration dans le lait maternel.
Métabolisme et excrétion : L'agent est surtout métabolisé par le foie. Une petite fraction (de 2 à 5 %) est excrétée à l'état inchangé par les reins.
Demi-vie : 3 h.

CONTRE-INDICATIONS ET PRÉCAUTIONS

Contre-indications : ■ Hypersensibilité ■ Risque de réactions de sensibilité croisée avec d'autres agents anti-inflammatoires non stéroïdiens incluant l'aspirine ■ Hémorragie digestive active ou poussée d'ulcère gastroduodénal.
Précautions : ■ Maladies cardiovasculaire, hépatique ou rénale graves ■ Antécédents d'ulcère ■ Grossesse, allaitement ou enfants (l'innocuité du médicament n'a pas été établie).

RÉACTIONS INDÉSIRABLES ET EFFETS SECONDAIRES

SNC : céphalées, somnolence, troubles psychiques, étourdissements.
ORLO : vision trouble, acouphènes.
CV : œdème, arythmies.
GI : nausées, dyspepsie, vomissements, constipation, HÉMORRAGIE DIGESTIVE, gêne gastrique, HÉPATITE.
GU : insuffisance rénale, hématurie, cystite.
Tég. : rash.
Hémat. : dyscrasie, allongement du temps de saignement.
Divers : réactions allergiques comprenant l'ANAPHYLAXIE.

INTERACTIONS

Médicament – médicament : ■ L'administration simultanée d'**aspirine** ou d'**antiacides** peut réduire l'efficacité du fénoprofène ■ Effets indésirables gastrointestinaux additifs lors de l'administration simultanée d'**aspirine**, d'autres **agents anti-inflammatoires non stéroïdiens**, de **suppléments de potassium** et de **glucocorticoïdes** ou lors de l'ingestion simultanée d'**alcool** ■ L'administration prolongée de fénoprofène en même temps que l'**acétaminophène** peut augmenter le risque de réactions rénales indésirables ■ Risque accru d'hypoglycémie lors de l'administration simultanée d'**insuline** ou d'**hypoglycémiants oraux** ■ Le fénoprofène peut réduire l'efficacité des **diurétiques** ou des **antihypertenseurs** ■ Le fénoprofène peut élever les concentrations sériques de **lithium** et augmenter le risque de toxicité ■ Le fénoprofène augmente le risque de toxicité relié au **méthotrexate** ■ Risque accru d'hémorragie lors de l'administration simultanée de **céfamandole**, de **céfotétane**, de **céfopérazone**, de **moxalactam**, de **plicamycine**, d'**héparine**, d'**agents thrombolytiques** ou d'**anticoagulants oraux** ■ Risque accru de réactions hématologiques indésirables lors de l'administration simultanée d'**agents antinéoplasiques** ou d'une **radiothérapie** ▪ Le **phénobarbital** peut accélérer le métabolisme et réduire l'efficacité du fénoprofène.

VOIES D'ADMINISTRATION ET POSOLOGIE

Polyarthrite rhumatoïde

▪ **PO (adultes):** initialement, 600 mg, 3 ou 4 fois par jour. Une fois qu'une réaction satisfaisante a été obtenue, diminuer la dose quotidienne par paliers de 300 mg jusqu'à ce que la dose efficace minimale soit établie. La dose maximale quotidienne ne doit pas dépasser 3 g.

Arthrose

▪ **PO (adultes):** de 300 à 600 mg, 3 ou 4 fois par jour.

Analgésie

▪ **PO (adultes):** 200 mg, toutes les 4 à 6 h.

PHARMACODYNAMIE

	DÉBUT D'ACTION	PIC	DURÉE
PO (effet analgésique)	15 – 30 min	1 – 2 h	4 – 6 h
PO (effet anti-inflammatoire)	plusieurs jours	2 – 3 semaines	inconnue

⁂SOINS INFIRMIERS

ÉVALUATION DE LA SITUATION

▪ **Directives générales:** Les patients souffrant d'asthme, d'allergie induite par l'aspirine ou de polypes nasaux sont davantage prédisposés aux réactions d'hypersensibilité. Suivre de près la rhinite, l'asthme et l'urticaire.

▪ **Arthrite:** Suivre de près la douleur et vérifier la mobilité des articulations avant l'administration du fénoprofène et de 1 à 2 h plus tard.

▪ **Douleur:** Déterminer le siège, la durée et l'intensité de la douleur avant l'administration du fénoprofène et 1 à 2 h plus tard.

▪ **Étude des examens diagnostiques et biochimiques:** Examiner les résultats des tests de l'exploration fonctionnelle hépatique, la numération globulaire et les concentrations sériques d'urée et de créatinine, à intervalles réguliers, chez les patients qui suivent un traitement prolongé.

□ Le fénoprofène peut entraîner l'élévation des concentrations sériques de potassium, de phosphatase alcaline, de LDH, de TGOS (AST) et de TGPS (ALT); il peut également allonger le temps de saignement.

DIAGNOSTICS INFIRMIERS POSSIBLES

▪ **Énoncés diagnostiques**

□ Douleur.

□ Altération de la mobilité physique.

□ Prise en charge inefficace du programme thérapeutique.

□ *Risque élevé d'accident.*

□ *Risque élevé de déficit de volume liquidien.*

□ *Risque élevé d'atteinte à l'intégrité des tissus.*

▪ **Facteurs favorisants**

□ Informations incomplètes.

□ *Perturbation de la vigilance.*

□ *Manque des connaissances sur les effets secondaires affectant l'appareil gastro-intestinal.*

□ *Manque de connaissances sur les modalités du traitement.*

INTERVENTIONS INFIRMIÈRES

▪ **Directives générales:** L'administration concomitante d'analgésiques narcotiques peut intensifier les effets analgésiques, ce qui permet de réduire la dose de narcotique.

▪ **PO:** Pour obtenir un effet initial rapide, administrer 30 min avant les repas ou 2 h après.

▪ **Dysménorrhée:** Administrer le fénoprofène le plus tôt possible après le début des règles. Le traitement prophylactique ne s'est pas prouvé efficace.

ENSEIGNEMENT AU PATIENT ET À SES PROCHES

- ☐ Conseiller au patient de prendre le fénoprofène avec un grand verre d'eau et de ne pas se coucher pendant les 15 à 30 min qui suivent.
- ☐ Inciter le patient à respecter scrupuleusement la posologie recommandée. S'il n'a pas pu prendre le médicament au moment habituel, il doit le prendre dès que possible à moins que ce ne soit presque l'heure prévue pour la dose suivante. Il ne faut jamais remplacer une dose manquée par une double dose.
- ☐ Prévenir le patient que le fénoprofène peut parfois provoquer de la somnolence ou des étourdissements. Lui conseiller de ne pas conduire et d'éviter les activités qui exigent sa vigilance jusqu'à ce qu'on ait la certitude que le médicament n'entraîne pas ces effets chez lui.
- ☐ Recommander au patient d'éviter de boire de l'alcool et de consulter le médecin ou le pharmacien avant de prendre une préparation à base d'aspirine ou d'acétaminophène ou un autre médicament en vente libre en même temps que le fénoprofène.
- ☐ Recommander au patient de prévenir le médecin en cas de rash, de démangeaisons, de frissons, de fièvre, de douleurs musculaires, de troubles visuels, d'acouphènes, de gain de poids, d'œdème, de selles noires ou de céphalées persistantes.
- ☐ Recommander au patient qui doit suivre un traitement dentaire ou subir une intervention chirurgicale d'avertir le dentiste ou le médecin qu'il suit un traitement médicamenteux.

VÉRIFICATION DES RÉSULTATS

L'efficacité du traitement peut être démontrée par : ■ l'amélioration de la mobilité des articulations ; on observe habituellement un soulagement partiel de l'arthrite en l'espace de quelques jours, mais le plein effet du médicament peut ne se manifester qu'après 2 ou 3 semaines de traitement continu (les patients qui ne répondent pas à un anti-inflammatoire non stéroïdien peuvent répondre à un autre) ■ la diminution de l'intensité de la douleur légère à modérée.

FENTANYL (voie parentérale)
Sublimaze

CLASSIFICATION :
Analgésique narcotique – agoniste
Stupéfiant
Grossesse – catégorie C

INDICATIONS

■ Soulagement des douleurs pendant les diverses étapes d'une intervention chirurgicale incluant : ☐ les douleurs périopératoires ☐ les douleurs intraopératoires ☐ les douleurs postopératoires ■ Supplément à une anesthésie régionale ou généralisée ; neuroleptanalgésie en association avec le dropéridol : apaisement, activité motrice réduite et analgésie sans perte de conscience ■ Soulagement des douleurs se manifestant à la suite d'interventions de chirurgie générale et de césariennes (voie épidurale).

ACTION

■ Liaison aux récepteurs opiacés du SNC modifiant ainsi la perception de la douleur et la réaction à celle-ci ■ Dépression du SNC. **Effets thérapeutiques :** ■ Soulagement de la douleur modérée à grave.

PHARMACOCINÉTIQUE

Absorption : Bonne absorption par suite de l'administration IM.
Distribution : Inconnue.
Métabolisme et excrétion : Le fentanyl est surtout métabolisé par le foie. Une frac-

tion de 10 à 25 % est excrétée à l'état inchangé par les reins.

Demi-vie: 3,6 h (prolongée après pontage cardiopulmonaire et chez les personnes âgées).

CONTRE-INDICATIONS ET PRÉCAUTIONS

Contre-indications: ■ Hypersensibilité ■ Intolérance connue.

Précautions: ■ Personnes âgées ou patients débilités ■ Patients gravement malades ■ Patients diabétiques ■ Maladies pulmonaire ou hépatique graves ■ Tumeurs du SNC ■ Pression intracrânienne accrue ■ Traumatisme crânien ■ Insuffisance surrénalienne ■ Douleurs abdominales non diagnostiquées ■ Hypothyroïdie ■ Alcoolisme ■ Maladie cardiaque, particulièrement les arythmies ■ Grossesse, allaitement et enfants de moins de 2 ans (l'innocuité du médicament n'a pas été établie).

RÉACTIONS INDÉSIRABLES ET EFFETS SECONDAIRES

SNC: euphorie, sensation de flottement, dysphorie, hallucinations, dépression, sédation excessive.

Resp.: dépression respiratoire, APNÉE, laryngospasme, bronchoconstriction.

CV: bradycardie.

GI: constipation, nausées, vomissements.

Loc.: rigidité des muscles squelettiques et thoraciques.

INTERACTIONS

Médicament – médicament: ■ L'administration du fentanyl chez les patients ayant reçu des **inhibiteurs de la MAO** dans les 14 jours précédents est à éviter (risque de réactions imprévisibles qui peuvent être mortelles) ■ Dépression additive du SNC et des voies respiratoires lors de l'usage concomitant d'autres **dépresseurs du SNC** incluant l'**alcool**, les **antihistaminiques**, les **antidépresseurs** et les autres **hypnosédatifs** ■ Risque accru d'hypotension lors de l'administration simultanée de **benzodiazépines**.

PRÉSENTATION

Le fentanyl est aussi présenté en association avec le dropéridol (Innovar); voir l'annexe A.

VOIES D'ADMINISTRATION ET POSOLOGIE

Usage préopératoire
■ **IM (adultes):** de 50 à 100 µg, de 30 à 60 min avant l'intervention chirurgicale.

Adjuvant à l'anesthésie générale
■ **IV (adultes):** faible dose: 2 µg/kg. Dose modérée: de 2 à 20 µg/kg; on peut administrer des doses d'entretien de 10 à 25 µg. Dose élevée: de 20 à 50 µg/kg; on peut administrer des doses d'entretien allant de 25 µg jusqu'à 50 % de la dose initiale, selon les besoins.
■ **Voie épidurale (adultes):** 1,5 µg/kg.

Adjuvant à l'anesthésie régionale
■ **IM et IV (adultes):** de 50 à 100 µg.

Soulagement des douleurs postopératoires
■ **Voie épidurale:** 100 µg. On peut administrer des bolus supplémentaires en présence de signes qui indiquent que l'effet analgésique s'est dissipé.

Anesthésie générale
■ **IV (adultes):** de 50 à 100 µg (jusqu'à 150 µg/kg) en même temps que l'administration d'oxygène et d'un myorelaxant.
■ **IV (enfants de 2 à 12 ans):** de 2 à 3 µg/kg.

PHARMACODYNAMIE (analgésie; les effets sur la dépression respiratoire peuvent durer plus longtemps que les effets analgésiques)

	DÉBUT D'ACTION	PIC	DURÉE*
IM	7 – 15 min	20 – 30 min	1 – 2 h
IV	1 – 2 min	3 – 5 min	0,5 – 1 h

☀ SOINS INFIRMIERS

ÉVALUATION DE LA SITUATION
■ **Directives générales:** Mesurer la fréquence respiratoire et la pression

artérielle à intervalles fréquents tout au long du traitement. Prévenir immédiatement le médecin en cas de modification importante. Les effets dépresseurs du fentanyl sur la respiration durent plus longtemps que les effets analgésiques. Diminuer les doses subséquentes de narcotique de $1/4$ à $1/3$ de la dose habituellement recommandée. Suivre de près l'état du patient.

□ Lorsqu'on administre le fentanyl en tant qu'analgésique, déterminer le type, le siège et l'intensité des douleurs avant l'administration IM et 10 min après ou 1 ou 2 min après l'administration IV.

■ **Étude des examens diagnostiques et biochimiques :** Le fentanyl peut entraîner l'élévation des concentrations sériques d'amylase et de lipase.

■ **Toxicité et surdosage :** En cas de surdosage, l'antidote est la naloxone (Narcan).

DIAGNOSTICS INFIRMIERS POSSIBLES

■ **Énoncés diagnostiques**
□ Douleur.
□ Mode de respiration inefficace.
□ Risque élevé d'accident.
□ *Risque élevé de perturbation des échanges gazeux.*

■ **Facteurs favorisants**
□ *Mode de respiration inefficace.*
□ *Manque de connaissances sur les modalités du traitement.*
□ *Manque de connaissances sur les effets hypotensifs du médicament lors des changements brusques de position.*
□ *Perturbation de la vigilance.*

INTERVENTIONS INFIRMIÈRES

■ **Directives générales :** On peut administrer des benzodiazépines avant d'administrer le fentanyl pour réduire la dose d'induction et la durée de la perte de conscience. Cette association peut également augmenter le risque d'hypotension.

□ Au cours de l'administration du fentanyl, garder à portée de la main des antagonistes narcotiques, de l'oxygène et les appareils de réanimation.

■ **IV directe :** Administrer la solution lentement en au moins 1 ou 2 min. L'administration IV lente permet de réduire l'incidence ou la gravité de la rigidité musculaire, de la bradycardie ou de l'hypotension.

■ **Perfusion intermittente :** On peut diluer le fentanyl dans une solution de dextrose à 5 % dans de l'eau, de NaCl à 0,9 %, de dextrose à 5 % dans du lactate Ringer ou du lactate Ringer pour perfusion et administrer comme adjuvant à l'anesthésie générale jusqu'à ce que le patient commence à somnoler.

■ **Associations compatibles dans la même seringue :** Atropine, butorphanol, chlorpromazine, cimétidine, dimenhydrinate, diphenhydramine, dropéridol, édisylate de prochlorpérazine, héparine, hydromorphone, hydroxyzine, mépéridine, métoclopramide, midazolam, morphine, pentazocine, perphénazine, promazine, prométhazine, ranitidine ou scopolamine.

■ **Association incompatible dans la même seringue :** Pentobarbital.

■ **Compatibilités (tubulure en Y) :** Atracurium, chlorure de potassium, énalaprilate, esmolol, héparine, labétolol, nafcilline, pancuronium, succinate d'hydrocortisone sodique ou vécuronium.

■ **Incompatibilités en addition au soluté :** Méthohexital, pentobarbital ou thiopental.

ENSEIGNEMENT AU PATIENT ET À SES PROCHES

□ Conseiller au patient de changer lentement de position pour réduire les risques d'hypotension orthostatique.
□ Prévenir le patient que le fentanyl provoque des étourdissements et de la somnolence. Lui conseiller de demander de l'aide lors de ses déplacements, de ne pas conduire et d'éviter

les activités exigeant sa vigilance pendant les 24 h qui suivent l'administration du fentanyl lors d'une intervention chirurgicale de courte durée.

☐ Prévenir le patient qu'il ne doit pas consommer d'alcool ni prendre des dépresseurs du SNC dans les 24 h qui suivent l'administration du fentanyl lors d'une intervention chirurgicale de courte durée.

VÉRIFICATION DES RÉSULTATS

L'efficacité du traitement peut être démontrée par : ■ l'apaisement généralisé ☐ la réduction de l'activité motrice ■ l'analgésie prononcée.

FENTANYL TRANSDERMIQUE
Duragesic

CLASSIFICATION :
Analgésique narcotique – agoniste

Stupéfiant

Grossesse – catégorie C

INDICATIONS

Soulagement des douleurs chroniques chez les patients cancéreux qui reçoivent déjà des analgésiques narcotiques.

ACTION

■ Liaison aux récepteurs opiacés du SNC modifiant ainsi la perception de la douleur et la réaction à celle-ci. **Effets thérapeutiques :** ■ Diminution de l'intensité de la douleur chronique.

PHARMACOCINÉTIQUE

Absorption : Bonne absorption (92 % de la dose) par la surface cutanée recouverte par le timbre transdermique, favorisant la formation d'un dépôt dans les couches épidermiques. La libération du fentanyl, depuis le timbre transdermique dans la circulation générale, augmente graduellement pour atteindre un débit

constant, ce qui assure une libération continue pendant 72 h.

Distribution : Le fentanyl traverse le placenta et pénètre dans le lait maternel.

Métabolisme et excrétion : Le fentanyl est fortement métabolisé par le foie. Une fraction de 10 à 25 % est excrétée à l'état inchangé par les reins.

Demi-vie : 17 h après le retrait du timbre (en raison de la libération continue à partir des dépôts de médicament formés dans les couches cutanées).

CONTRE-INDICATIONS ET PRÉCAUTIONS

Contre-indications : ■ Hypersensibilité au fentanyl ou aux adhésifs ■ Intolérance connue ■ Douleur aiguë (début d'action trop lent) ■ Intolérance à l'alcool (de petites quantités d'alcool traversent la peau).

Précautions : ■ ■ Personnes âgées ou patients débilités (il est conseillé de réduire la dose) ■ Patients gravement malades ■ Patients diabétiques ■ Maladies pulmonaire ou hépatique graves ■ Tumeurs du SNC ■ Pression intracrânienne accrue ■ Traumatisme crânien ■ Insuffisance surrénalienne ■ Douleurs abdominales non diagnostiquées ■ Hypothyroïdie ■ Alcoolisme ■ Maladie cardiaque, particulièrement des bradyarythmies ■ Grossesse, allaitement et enfants de moins de 2 ans (l'innocuité du médicament n'a pas été établie) ■ Fièvre (libération accrue du fentanyl depuis le timbre transdermique) ■ Administration de nalbuphine ou de pentazocine (risque de diminution de l'effet analgésique).

RÉACTIONS INDÉSIRABLES ET EFFETS SECONDAIRES

SNC : <u>somnolence</u>, <u>confusion</u>, <u>faiblesse</u>, étourdissements, agitation.

Resp. : dépression respiratoire, APNÉE, laryngospasme, bronchoconstriction.

CV : bradycardie.

F

GI: constipation, sécheresse de la bouche (xérostomie), nausées, vomissements, anorexie.

Tég.: transpiration, érythème.

Locaux: réaction au siège de l'application du timbre.

Loc.: rigidité des muscles squelettiques et thoraciques.

Divers: dépendance physique, dépendance psychologique.

INTERACTIONS

Médicament – médicament: ■ L'administration du fentanyl chez les patients ayant reçu des **inhibiteurs de la MAO** dans les 14 jours précédents est à éviter (risque de réactions imprévisibles qui peuvent être mortelles) ■ Dépression additive du SNC et des voies respiratoires lors de l'usage concomitant d'autres **dépresseurs du SNC** incluant l'**alcool**, les **antihistaminiques**, les **antidépresseurs** et les autres **hypnosédatifs** ■ Le **disulfirame**, le **moxalactam**, la **céfopérazone**, la **céfotétane** ou le **céfamandole** peuvent provoquer des réactions indésirables en raison de la libération de petites quantités d'alcool depuis le timbre transdermique.

VOIES D'ADMINISTRATION ET POSOLOGIE

Timbre transdermique (adultes): initialement, 25 µg/h; on peut augmenter la dose jusqu'à ce que la douleur soit soulagée (de 25 à 300 µg/h). Le timbre doit être gardé pendant 72 h. Cependant, il faut parfois administrer des analgésiques narcotiques supplémentaires pendant la période d'ajustement de la posologie.

PHARMACODYNAMIE

	DÉBUT D'ACTION	PIC	DURÉE
timbre transdermique	6 h*	12 – 24 h	72 h†

* Atteinte de concentrations sanguines associées à l'effet analgésique; la réponse maximale et l'adaptation posologique peuvent prendre jusqu'à 6 jours.
† Laps de temps pendant lequel le timbre est en place.

SOINS INFIRMIERS

ÉVALUATION DE LA SITUATION

☐ Noter le type de douleur, son siège et son intensité, avant l'application du timbre et 24 h après, et, par la suite, à intervalles réguliers, tout au long du traitement. Il faut suivre de près la douleur ainsi que les adaptations posologiques pendant le traitement initial pour déterminer si le patient a ou non besoin de recevoir des doses supplémentaires d'analgésique.

☐ Mesurer la fréquence respiratoire, le pouls et la pression artérielle avant l'application du timbre et, à intervalles réguliers, tout au long du traitement.

☐ L'usage prolongé peut entraîner la dépendance physique et psychologique ainsi qu'une tolérance à l'effet, mais cela ne doit pas empêcher le patient de recevoir une quantité suffisante d'analgésique. La psychodépendance est rare chez la plupart des patients qui reçoivent des analgésiques narcotiques pour des raisons médicales.

☐ Lors d'un traitement prolongé, il peut s'avérer nécessaire d'administrer des doses de plus en plus élevées pour soulager la douleur. Après avoir augmenté la dose, l'atteinte d'un équilibre peut prendre jusqu'à 6 jours; il faut habituellement appliquer l'un après l'autre deux timbres successifs à dose plus élevée avant que l'on puisse augmenter de nouveau la dose.

☐ Déterminer les habitudes d'élimination intestinale à intervalles réguliers. Pour réduire les effets constipants du médicament, augmenter l'apport de liquides et d'aliments riches en fibres ou administrer des laxatifs émollients ou d'un autre type.

■ **Étude des examens diagnostiques et biochimiques:** Le fentanyl peut entraîner l'élévation des concentrations sériques d'amylase et de lipase.

F

- **Toxicité et surdosage :** En cas de surdosage, l'antidote est la naloxone (Narcan). Suivre de près l'état du patient ; il peut s'avérer nécessaire de répéter l'administration ou d'administrer de la naloxone par perfusion étant donné la longue durée d'action de ce médicament même après le retrait du timbre transdermique.

DIAGNOSTICS INFIRMIERS POSSIBLES

- **Énoncés diagnostiques**
- ☐ Douleur.
- ☐ Altération de la perception visuelle et auditive.
- ☐ Risque élevé d'accident.
- ☐ Prise en charge inefficace du programme thérapeutique.
- ☐ *Risque élevé de constipation.*
- ☐ *Risque élevé d'atteinte à l'intégrité de la muqueuse buccale.*

- **Facteurs favorisants**
- ☐ Informations incomplètes.
- ☐ *Manque de connaissances sur les effets hypotensifs du médicament lors des changements brusques de position.*
- ☐ *Perturbation de la vigilance.*
- ☐ *Manque de connaissances sur les moyens de stimuler la fonction intestinale.*
- ☐ *Manque de connaissances sur les moyens de prévenir ou de réduire la sécheresse de la bouche.*
- ☐ *Manque de connaissances sur la méthode d'administration du médicament.*
- ☐ *Mode de respiration inefficace.*

INTERVENTIONS INFIRMIÈRES

- **Directives générales :** Expliquer au patient le rôle thérapeutique du médicament, avant de l'administrer, pour en renforcer l'effet analgésique.
- ☐ Administrer des doses supplémentaires d'analgésiques narcotiques à action brève pour soulager la douleur en attendant que les effets analgésiques du timbre transdermique se manifestent. Le patient peut avoir besoin de doses supplémentaires de narcotique pour soulager les accès douloureux. Si une dose supérieure à 100 μg/h s'avère nécessaire, appliquer plusieurs timbres.
- ☐ Pour adapter la posologie, il faut se fier à la perception que le patient a de la douleur ressentie jusqu'à ce que l'effet analgésique survienne. On détermine la dose de fentanyl transdermique en calculant les besoins en analgésiques des 24 dernières heures et en transformant cette valeur en dose équivalente de morphine (voir l'annexe B). Le rapport de conversion de la morphine en fentanyl transdermique doit être prudent ; 50 % des patients peuvent avoir besoin d'une dose plus élevée après l'application initiale. L'augmentation après 3 jours est basée sur les doses quotidiennes supplémentaires d'analgésiques qui ont été administrées. Les augmentations doivent être calculées d'après le rapport suivant : 90 mg/h de morphine PO correspondent à des paliers de 25 μg/h de la dose de fentanyl transdermique. Chez les patients qui ont besoin d'une dose supérieure à 300 μg/h, il faut envisager d'autres méthodes d'administration d'analgésiques narcotiques.
- ☐ Les analgésiques non narcotiques administrés simultanément peuvent exercer des effets analgésiques additifs, ce qui permet parfois de diminuer les doses de narcotique.
- ☐ Pour substituer un analgésique narcotique à cet agent, retirer le timbre de fentanyl transdermique et amorcer le traitement avec la moitié de la dose équivalente du nouvel analgésique dans les 12 à 18 h qui suivent.
- ☐ Après un traitement prolongé, interrompre l'administration graduellement pour prévenir les symptômes de sevrage.
- **Timbre transdermique :** Appliquer le timbre sur la partie supérieure du

F

torse dans un territoire cutané plan, sans irritation, qui n'a pas subi d'irradiations. S'il faut préparer le territoire cutané, nettoyer la peau avec de l'eau et couper les poils (ne pas raser). Laisser sécher complètement la peau avant l'application. Appliquer le timbre immédiatement après l'avoir retiré de l'emballage et peser fermement avec la paume de la main pendant 10 à 20 s, surtout sur les bordures, pour assurer une bonne adhérence. Pour changer de timbre, le décoller et le replier de sorte que les bords adhésifs collent ensemble, puis le jeter immédiatement dans les toilettes et tirer la chasse d'eau. Appliquer ensuite un nouveau timbre sur un territoire cutané différent. Jeter tous les timbres inutilisés dans les toilettes après les avoir retirés de leur emballage; tirer la chasse d'eau.

ENSEIGNEMENT AU PATIENT ET À SES PROCHES

◻ Expliquer au patient ce qu'on entend par administration sur demande et à quel moment il doit réclamer l'analgésique.

◻ Montrer au patient comment appliquer le timbre transdermique et comment le mettre au rebut.

◻ Prévenir le patient que le fentanyl transdermique peut provoquer des étourdissements et de la somnolence. Lui recommander de demander de l'aide lorsqu'il se déplace et de ne pas fumer lorsqu'il est seul. Lui conseiller de ne pas conduire et d'éviter les activités qui exigent sa vigilance jusqu'à ce qu'on ait la certitude que le médicament n'entraîne pas ces effets chez lui.

◻ Conseiller au patient de changer lentement de position pour réduire les étourdissements.

◻ Prévenir le patient qu'il ne doit pas consommer d'alcool ni prendre des dépresseurs du SNC pendant qu'il porte le timbre de fentanyl transdermique.

◻ Recommander au patient de se tourner dans le lit, de tousser et de faire des exercices de respiration profonde toutes les 2 h pour prévenir l'atélectasie.

VÉRIFICATION DES RÉSULTATS

L'efficacité du traitement peut être démontrée par : la diminution de l'intensité de la douleur sans modification importante de l'état de conscience, de l'état de la respiration ou de la pression artérielle.

FER – DEXTRAN

(Dextraron), (Feronim), (Hematran), (Hydextran), (Imferon), (Irodex), (Norferan)

CLASSIFICATION :
Antianémique ; supplément de fer
Grossesse – catégorie C

INDICATIONS

Traitement et prophylaxie de l'anémie ferriprive chez les patients qui ne peuvent tolérer les préparations orales de fer.

ACTION

■ Le médicament pénètre dans la circulation et dans les organes du système réticulo-endothélial (foie, rate, moelle osseuse) où le fer est extrait du complexe qu'il forme avec le dextran et emmagasiné dans les réserves martiales de l'organisme. **Effets thérapeutiques :** ■ Prophylaxie et traitement de la carence en fer.

PHARMACOCINÉTIQUE

Absorption : Bonne absorption par suite de l'administration par voie IM.

Distribution : Le médicament reste pendant plusieurs mois dans l'organisme. Il traverse le placenta et pénètre dans le lait maternel.

Métabolisme et excrétion : Élimination lente de l'organisme à la suite de desquamation ou de perte de sang.

Demi-vie : 6 h.

F

CONTRE-INDICATIONS ET PRÉCAUTIONS

Contre-indications: ■ Hypersensibilité
■ Tous les autres types d'anémie.
Précautions: Maladie auto-immune et arthrite (plus grande prédisposition aux réactions allergiques).

RÉACTIONS INDÉSIRABLES ET EFFETS SECONDAIRES

SNC: céphalées, étourdissements, CONVULSIONS, syncope.
ORLO: goût désagréable.
CV: hypotension, tachycardie.
GI: nausées, vomissements.
Tég.: urticaire, rougeur.
Locaux: douleur au point d'injection IM, taches au point d'injection IM, phlébite au point d'injection IV.
Loc.: arthralgie.
Divers: réactions allergiques, incluant l'ANAPHYLAXIE, fièvre, lymphadénopathie.

INTERACTIONS

Médicament – médicament: Le **chloramphénicol** et la **vitamine E** peuvent entraver la réaction hématologique normale au fer administré par voie parentérale.

VOIES D'ADMINISTRATION ET POSOLOGIE

Remarque: 1 mL renferme 50 mg de fer élémentaire. Administrer, par voie IM ou IV, une dose d'épreuve de 25 mg, 1 h avant la dose initiale. La dose totale est calculée d'après la gravité de la carence en fer ou de la quantité de sang perdu.
- **IM (adultes > 50 kg):** ne pas dépasser 250 mg par jour.
- **IM (enfants de 9 à 50 kg):** ne pas dépasser 100 mg par jour.
- **IM (enfants de 4,5 à 9 kg):** ne pas dépasser 50 mg par jour.
- **IM (enfants < 4,5 kg):** ne pas dépasser 25 mg par jour.
- **IV (adultes):** 100 mg par jour en bolus ou diluer la dose totale et perfuser en 1 à 6 h.

PHARMACODYNAMIE (effets sur la numération réticulocytaire)

	DÉBUT D'ACTION	PIC	DURÉE
IV	4 jours	1 – 2 semaines	plusieurs semaines ou mois
IM	4 jours	1 – 2 semaines	plusieurs semaines ou mois

SOINS INFIRMIERS

ÉVALUATION DE LA SITUATION

- □ Évaluer l'état nutritionnel du patient, l'interroger sur ses habitudes alimentaires pour déterminer la cause possible de l'anémie et déterminer l'enseignement à lui prodiguer.

- □ Mesurer la pression artérielle et la fréquence cardiaque à intervalles fréquents après l'administration IV jusqu'à ce que les valeurs se stabilisent. La perfusion rapide peut entraîner l'hypotension et des bouffées vasomotrices.

- □ Suivre de près les signes et les symptômes suivants d'anaphylaxie: rash, prurit, œdème laryngé, respiration sifflante. Si ces réactions se manifestent, en prévenir immédiatement le médecin. Garder à portée de la main de l'épinéphrine et le matériel de réanimation pour parer à une éventuelle réaction anaphylactique.

- □ Noter, à intervalles réguliers pendant toute la durée du traitement, la numération des réticulocytes, l'hématocrite, les concentrations d'hémoglobine, de transferrine, de ferritine et de fer plasmatique ainsi que la capacité de fixation du fer. Le pic des concentrations sériques de ferritine survient dans les 7 à 9 jours et elles reviennent à la normale en l'espace de 3 semaines. Les valeurs des concentrations sériques de fer peuvent être inexactes pendant 1 à 2 semaines après l'administration de doses élevées. Il faut donc examiner les concentrations d'hémoglobine et l'hématocrite pour évaluer la réponse initiale.

- **Étude des examens diagnostiques et biochimiques :** Le fer-dextran peut donner une teinte brunâtre au sérum lorsqu'on effectue un prélèvement sanguin dans les 4 h suivant l'administration. Le médicament peut entraîner une fausse élévation des concentrations sériques de bilirubine et une fausse diminution des concentrations sériques de calcium. Le temps de céphaline (PTT) peut être prolongé lorsqu'on mélange l'échantillon de sang avec une solution anticoagulante de citrate de dextrose ; utiliser plutôt une solution de citrate de sodium.

DIAGNOSTICS INFIRMIERS POSSIBLES

- **Énoncés diagnostiques**
- ☐ Intolérance à l'activité.
- ☐ Prise en charge inefficace du programme thérapeutique.
- ☐ *Risque élevé d'accident.*
- ☐ *Risque élevé de douleur au point d'injection IV.*

- **Facteurs favorisants**
- ☐ Informations incomplètes.
- ☐ *Manque de connaissances sur les effets hypotensifs du médicament lors des changements brusques de position.*
- ☐ *Inflammation locale du tissu vasculaire ou infiltration du médicament dans les tissus avoisinants.*
- ☐ *Manque de connaissances sur les modalités du traitement.*
- ☐ *Manque de connaissances sur le régime alimentaire à suivre.*

INTERVENTIONS INFIRMIÈRES

- **Directives générales :** Arrêter l'administration de fer PO avant d'amorcer l'administration parentérale.
- ☐ Le contenu des ampoules de 2 et de 5 mL peut être administré par voies

IM ou IV ; le contenu de la fiole multidose de 10 mL est réservé à l'administration IM.

- ☐ Avant d'amorcer le traitement par voie IM ou IV, on doit déterminer la réaction du patient en administrant une dose d'épreuve de 25 mg par la même voie que celle qui sera utilisée. La dose d'épreuve par voie IV doit être administrée en 5 min. La dose d'épreuve par voie IM doit être administrée au même point d'injection et par la même méthode que la dose thérapeutique. Le reste de la dose peut être administré 1 h plus tard si aucun symptôme indésirable ne s'est manifesté.

- **IM :** Administrer en profondeur par la méthode du trajet en Z dans le quadrant supérieur extérieur de la fesse ; ne jamais administrer dans le bras ou dans une autre région exposée. Utiliser une aiguille de calibre 19 ou 20. Changer d'aiguille après avoir prélevé la solution de la fiole afin de diminuer le risque d'apparition de taches dans les tissus sous-cutanés. Habituellement, ces taches sont permanentes.

- **IV directe :** Administrer la solution non diluée à un débit maximal de 50 mg/min.

- **Perfusion intermittente :** Diluer dans 200 à 1 000 mL de solution de NaCl à 0,9 %. Arrêter l'administration d'autres solutions par voie IV pendant la perfusion. Rincer la tubulure avec 10 mL de solution de NaCl à 0,9 % à la fin de la perfusion. Ne pas diluer dans une solution de dextrose à 5 % dans de l'eau en raison des risques de douleur accrue et de phlébite.

- ☐ *Vitesse de perfusion :* Administrer la préparation en 1 à 6 h.

- ☐ Afin de prévenir l'hypotension orthostatique, garder le patient en position couchée pendant au moins 30 min après l'administration IV.

F

ENSEIGNEMENT AU PATIENT ET À SES PROCHES

☐ Expliquer au patient que des réactions peuvent survenir 1 ou 2 jours plus tard et persister pendant 3 à 4 jours après l'administration IV ou pendant 3 à 7 jours après l'administration IM. Recommander au patient de prévenir le médecin si les symptômes suivants se manifestent : fièvre, frissons, malaises, douleurs articulaires et musculaires, nausées, vomissements, étourdissements et douleurs lombaires.

☐ Conseiller au patient de consommer des aliments riches en fer : abats, légumes verts à feuilles, fèves et pois secs, fruits secs, céréales.

VÉRIFICATION DES RÉSULTATS

La réponse clinique peut être déterminée par : l'augmentation des concentrations d'hémoglobine et de fer plasmatique ainsi que de l'hématocrite. Il faut reconfirmer le diagnostic d'anémie ferriprive si les concentrations d'hémoglobine n'ont pas augmenté de 10 g/L en l'espace de 2 semaines.

FIBRINOLYSINE ET DÉSOXYRIBONUCLÉASE
Elase

CLASSIFICATION :
Agent topique – enzyme
Grossesse – catégorie inconnue

INDICATIONS

■ Agent topique servant au débridement des plaies chirurgicales et d'autres lésions incluant : ☐ les brûlures ☐ les ulcères ☐ la vaginite ☐ la cervicite.

ACTION

■ La fibrinolysine dégrade les caillots de fibrine et les exsudats fibrineux ■ La désoxyribonucléase dégrade les protéines présentes dans les tissus dévitalisés des régions à exsudats purulents. **Effets thérapeutiques :** ■ Évacuation des cellules nécrosées (fibrine, exsudats purulents), ce qui peut améliorer la cicatrisation et la réponse aux autres modalités de traitement.

PHARMACOCINÉTIQUE

Absorption : L'absorption systémique est négligeable.
Distribution : Inconnue.
Métabolisme et excrétion : Inconnus.
Demi-vie : Inconnue (aucune activité, 24 h après l'administration).

CONTRE-INDICATIONS ET PRÉCAUTIONS

Contre-indications : ■ Hypersensibilité ■ Hypersensibilité aux produits d'origine bovine ou aux composés de mercure (la préparation contient du thimérosal).
Précautions : Présence d'infection (il peut s'avérer nécessaire d'administrer des anti-infectieux à action générale ou d'utiliser la préparation Elase-Chloromycetin).

RÉACTIONS INDÉSIRABLES ET EFFETS SECONDAIRES

Locaux : hyperémie (doses élevées seulement).
Divers : réactions d'hypersensibilité incluant l'ANAPHYLAXIE.

INTERACTIONS

Médicament – médicament : Aucune interaction notable.

VOIES D'ADMINISTRATION ET POSOLOGIE

■ **Préparation topique (adultes et enfants) :** appliquer une mince couche d'onguent sur la lésion au moins 1 fois par jour, mais de préférence 2 ou 3 fois par jour. Le nombre d'applications est plus important que la quantité d'onguent utilisée.

F

- **Voie intravaginale (adultes):** appliquer 5 mL d'onguent profondément dans le vagin, au coucher, pendant 5 nuits consécutives.

PHARMACODYNAMIE
(formation de tissus de granulation)

	DÉBUT D'ACTION	PIC	DURÉE
préparation topique	2 – 4 jours	inconnu	inconnue

☀ SOINS INFIRMIERS

ÉVALUATION DE LA SITUATION

- **Directives générales:** Examiner la plaie, noter ses dimensions, sa profondeur, le type d'exsudats et les caractéristiques des tissus avant le traitement et à intervalles réguliers pendant toute sa durée.
- ☐ Examiner la peau qui entoure la plaie. Prévenir le médecin en cas d'irritation grave et d'inflammation.
- ☐ Interroger le patient au sujet des douleurs ressenties lors des changements de pansement. Consulter le médecin au sujet de l'administration d'analgésiques avant de changer les pansements.
- **Voie intravaginale:** Déceler les signes d'irritation, l'hémorragie ou la présence d'écoulements.

DIAGNOSTICS INFIRMIERS POSSIBLES

- **Énoncés diagnostiques**
- ☐ Atteinte à l'intégrité des tissus.
- ☐ Prise en charge inefficace du programme thérapeutique.
- ☐ *Risque élevé d'anxiété.*
- **Facteurs favorisants**
- ☐ Informations incomplètes.
- ☐ *Manque de connaissances sur la méthode d'administration du médicament.*
- ☐ *Douleurs.*
- ☐ *Manque de connaissances sur les modalités du traitement.*

INTERVENTIONS INFIRMIÈRES

- **Onguent topique:** Rincer la plaie avec de l'eau, une solution salée pour irrigation ou du peroxyde d'hydrogène. Assécher par tapotements. Appliquer une mince couche d'onguent sur la plaie et recouvrir d'un pansement non adhésif. Changer le pansement au moins 1 fois par jour.
- **Onguent vaginal:** Administrer 5 mL d'onguent à l'aide de l'applicateur. Ne pas utiliser de tampon.

ENSEIGNEMENT AU PATIENT ET À SES PROCHES

Préparation intravaginale: Montrer à la patiente comment utiliser l'applicateur. Lui conseiller de rester couchée pendant au moins 30 min après avoir appliqué l'onguent. L'informer qu'elle peut utiliser des serviettes hygiéniques pour protéger ses vêtements, mais pas de tampons. Insister sur l'importance des examens de suivi qui permettent d'évaluer les bienfaits du traitement.

VÉRIFICATION DES RÉSULTATS

L'efficacité du traitement peut être démontrée par: ■ le débridement des tissus nécrosés ☐ la formation de nouveaux tissus de granulation ■ la résolution des symptômes de vaginite et de cervicite.

FILGRASTIM
Neupogen, (G-CSF), (facteur stimulant de colonies de granulocytes)

CLASSIFICATION:
Facteur stimulant de colonies

Grossesse – catégorie C

INDICATIONS

Prévention de la neutropénie fébrile et de l'infection associée chez les patients qui ont reçu des agents antinéoplasiques myélosuppresseurs pour traiter les tumeurs non myéloïdes.

F

ACTION

■ Glycoprotéine qui se lie aux polynucléaires neutrophiles immatures et qui en stimule la division et la différenciation. Également, activation des polynucléaires neutrophiles matures. **Effets thérapeutiques :** ■ Réduction de l'incidence d'infection chez les patients ayant reçu des antinéoplasiques myélosuppresseurs.

PHARMACOCINÉTIQUE

Absorption : Par suite de l'administration SC, le filgrastim est bien absorbé.
Distribution : Inconnue.
Métabolisme et excrétion : Inconnus.
Demi-vie : Inconnue.

CONTRE-INDICATIONS ET PRÉCAUTIONS

Contre-indication : Hypersensibilité aux protéines dérivées de *E. Coli*.
Précautions : ■ Grossesse, allaitement ou enfants (l'innocuité du médicament n'a pas été établie) ■ Tumeurs malignes ayant des caractéristiques myéloïdes ■ Maladie cardiaque préexistante.

RÉACTIONS INDÉSIRABLES ET EFFETS SECONDAIRES

Resp. : syndrome de détresse respiratoire.
CV : hypotension, infarctus du myocarde, arythmies.
Loc. : douleur osseuse médullaire.

INTERACTIONS

Médicament – médicament : L'administration simultanée d'**agents antinéoplasiques** peut entraîner des effets délétères sur les polynucléaires neutrophiles à prolifération rapide. Ne pas administrer le filgrastim 24 h avant la chimiothérapie ni 24 h après.

VOIES D'ADMINISTRATION ET POSOLOGIE

IV, SC (adultes) : 5 µg/kg par jour en une seule injection quotidienne, pendant un maximum de 2 semaines, jusqu'à ce que la numération absolue des polynucléai-

res neutrophiles atteigne 10×10^9/L après le nadir prévu de la neutropénie induite par chimiothérapie. On peut augmenter la dose de 5 µg/kg pendant chaque cure de chimiothérapie selon l'ampleur du nadir.

PHARMACODYNAMIE

	DÉBUT D'ACTION	PIC	DURÉE
IV et SC	inconnu	inconnu	4 jours

☀ SOINS INFIRMIERS

ÉVALUATION DE LA SITUATION

☐ Mesurer la fréquence cardiaque, la pression artérielle et la fréquence respiratoire avant l'administration du médicament et à intervalles réguliers tout au long du traitement.

☐ Suivre de près les douleurs osseuses tout au long du traitement. La douleur est habituellement légère à modérée et peut être soulagée par des analgésiques non narcotiques.

■ **Étude des examens diagnostiques et biochimiques :** Examiner la numération globulaire et la numération plaquettaire avant la chimiothérapie et 2 fois par semaine pendant le traitement afin de prévenir la leucocytose. Noter les résultats de la numération absolue des polynucléaires neutrophiles. Une élévation passagère survient 1 ou 2 jours après le début du traitement. Toutefois, il ne faudrait pas interrompre le traitement avant que la numération absolue des polynucléaires neutrophiles ne soit supérieure à 10×10^9/L.

☐ Le filgrastim peut entraîner l'élévation passagère des concentrations d'acide urique, de LDH et de phosphatase alcaline.

DIAGNOSTICS INFIRMIERS POSSIBLES

■ **Énoncés diagnostiques**
☐ Risque élevé d'infection.
☐ Douleur.

F

□ Prise en charge inefficace du programme thérapeutique.
□ *Risque élevé d'intolérance à l'activité.*

■ **Facteurs favorisants**
□ Informations incomplètes.
□ *Douleur.*
□ *Manque de connaissances sur les moyens de prévenir les effets secondaires du médicament.*
□ *Manque de connaissances sur les modalités du traitement.*

INTERVENTIONS INFIRMIÈRES

□ Administrer le filgrastim au moins 24 h après la chimiothérapie cytotoxique; ne pas administrer cet agent 24 h avant la chimiothérapie.
□ Garder la solution au réfrigérateur, mais non pas au congélateur. Ne pas secouer le contenant. La solution peut être réchauffée à la température ambiante jusqu'à 24 h avant l'injection. Jeter toute solution restée à la température ambiante pendant plus de 24 h. La solution est présentée en fiole uniservice.
■ **SC:** S'il faut administrer une dose supérieure à 1 mL, on peut injecter en deux points différents.

ENSEIGNEMENT AU PATIENT ET À SES PROCHES

Montrer au patient comment effectuer l'auto-injection et comment mettre au rebut le matériel à domicile. Prévenir le patient qu'il ne faut jamais réutiliser l'aiguille, la fiole ou la seringue. Remettre au patient un contenant qui ne peut être perforé pour qu'il puisse jeter l'aiguille et la seringue.

VÉRIFICATION DES RÉSULTATS

L'efficacité du traitement peut être démontrée par: la réduction de l'incidence des infections chez les patients qui reçoivent des antinéoplasiques myélosuppresseurs.

FLÉCAÏNIDE
Tambocor

CLASSIFICATION:
Antiarythmique – classe IC

Grossesse – catégorie C

INDICATIONS

■ Traitement des arythmies ventriculaires mortelles, incluant la tachycardie ventriculaire soutenue ■ Traitement des tachyarythmies supraventriculaires paroxystiques ou de la fibrillation ou du flutter auriculaire paroxystique.

ACTION

■ Ralentissement de la conduction du tissu cardiaque par la modification du transport des ions à travers la membrane cellulaire. **Effets thérapeutiques:** ■ Suppression des arythmies.

PHARMACOCINÉTIQUE

Absorption: Bonne absorption depuis le tractus gastro-intestinal par suite de l'administration PO.
Distribution: Le médicament se répartit dans tout l'organisme.
Métabolisme et excrétion: Le médicament est surtout métabolisé par le foie. Une fraction de 30 % est excrétée à l'état inchangé par les reins.
Demi-vie: De 11 à 14 h.

CONTRE-INDICATIONS ET PRÉCAUTIONS

Contre-indications: ■ Hypersensibilité ■ Choc cardiogène.
Précautions: ■ Insuffisance cardiaque (réduire la dose, au besoin) ■ Dysfonctionnement du nœud sinusal ou bloc cardiaque du 2ᵉ ou du 3ᵉ degré préexistants (sans stimulateur cardiaque) ■ Insuffisance rénale (réduire la dose, au besoin) ■ Grossesse, allaitement ou enfants (l'innocuité du médicament n'a pas été établie).

RÉACTIONS INDÉSIRABLES ET EFFETS SECONDAIRES

SNC: étourdissements, agitation, céphalées, fatigue, tremblements.

ORLO: vision trouble, altération de l'acuité visuelle, diplopie.

Resp.: dyspnée, bronchospasme.

CV: ARYTHMIES, insuffisance cardiaque, palpitations, douleurs thoraciques, œdème, modifications de l'ÉCG.

GI: nausées, dyspepsie, vomissements, anorexie.

GU: impuissance, rétention urinaire, polyurie.

Tég.: rash, transpiration accrue.

Loc.: myalgie, arthralgie.

SN: engourdissement péribuccal et paresthésie.

Divers: malaises, fièvre, œdème de la langue et des lèvres.

INTERACTIONS

Médicament – médicament: ■ Effets cardiaques additifs lors de l'administration simultanée d'autres **antiarythmiques** incluant les **inhibiteurs calciques** ■ Le **disopyramide** ou le **vérapamil**, administrés simultanément, peuvent avoir des effets dépresseurs additifs sur le myocarde ■ Le flécaïnide élève légèrement les concentrations sériques de **digoxine** (entre 15 et 25 %) ■ Le traitement concomitant aux **bêtabloquants** peut entraîner l'élévation des concentrations de bêtabloquants et de flécaïnide ■ Les **agents alcalinisants** favorisent la réabsorption du flécaïnide, en élèvent les concentrations sanguines et peuvent provoquer une toxicité ■ Les **agents acidifiants** augmentent l'élimination rénale et peuvent réduire l'efficacité du flécaïnide (si le pH de l'urine est inférieur à 5) ■ L'**amiodarone** élève les concentrations de flécaïnide et peut entraîner la toxicité (il est recommandé de réduire la dose de flécaïnide). **Médicament – aliments:** ■ Les **aliments qui alcalinisent l'urine** (pH > 7) entraînent l'élévation des concentrations sanguines de flécaïnide (**régime végétarien strict**) ■ Les **aliments** ou les **boissons qui acidifient l'urine** (pH < 5) augmentent l'élimination rénale et peuvent réduire l'efficacité du flécaïnide (**jus de fruits acides**).

VOIES D'ADMINISTRATION ET POSOLOGIE

Arythmies ventriculaires

■ **PO (adultes):** initialement, 100 mg, toutes les 12 h; augmenter la dose de 50 mg, 2 fois par jour, tous les 4 jours, jusqu'à l'obtention d'une réponse ou jusqu'à concurrence d'une dose quotidienne maximale totale de 400 mg.

Arythmies supraventriculaires

■ **PO (adultes):** initialement, 50 mg, toutes les 12 h; augmenter la dose de 50 mg, 2 fois par jour, tous les 4 jours, jusqu'à l'obtention d'une réponse ou jusqu'à concurrence d'une dose quotidienne maximale totale de 300 mg.

PHARMACODYNAMIE (effets antiarythmiques)

	DÉBUT D'ACTION	PIC	DURÉE
PO	plusieurs jours	plusieurs jours – semaines	12 h

SOINS INFIRMIERS

ÉVALUATION DE LA SITUATION

☐ Suivre de près l'ÉCG ou le tracé Holter avant le traitement et à intervalles réguliers pendant toute sa durée. Le flécaïnide peut entraîner l'élargissement du complexe QRS et l'allongement des intervalles PR et QT.

☐ Mesurer la pression artérielle et le pouls à intervalles réguliers pendant toute la durée du traitement.

☐ Effectuer le bilan quotidien des ingesta et des excreta et peser le patient tous les jours. Surveiller les signes et les symptômes suivants d'insuffisance cardiaque: œdème périphérique, râles et crépitations, dyspnée, gain de poids, turgescence des jugulaires.

F

- **Étude des examens diagnostiques et biochimiques:** Interpréter les résultats des tests de l'exploration fonctionnelle hépatique, pulmonaire et rénale et noter la numération globulaire à intervalles réguliers chez le patient recevant un traitement prolongé.
  □ Le flécaïnide peut entraîner l'élévation des concentrations sériques de phosphatase alcaline lors d'un traitement prolongé.
- **Toxicité et surdosage:** Les concentrations sanguines thérapeutiques se situent entre 0,2 et 1 µg/mL.

DIAGNOSTICS INFIRMIERS POSSIBLES

- **Énoncés diagnostiques**
  □ Diminution du débit cardiaque.
  □ Prise en charge inefficace du programme thérapeutique.
  □ *Risque élevé d'accident.*

- **Facteurs favorisants**
  □ Informations incomplètes.
  □ *Perturbation de la vigilance.*
  □ *Altération de la perception visuelle.*
  □ *Manque de connaissances sur les moyens de prévenir les effets secondaires du médicament.*
  □ *Manque de connaissances sur les modalités du traitement.*

INTERVENTIONS INFIRMIÈRES

- **Directives générales:** Il faut interrompre tous les autres traitements antiarythmiques antérieurs (sauf l'administration de lidocaïne) pendant une période équivalant à 2 à 4 demi-vies, avant d'amorcer le traitement au flécaïnide.
  □ Il faut espacer les ajustements posologiques d'au moins 4 jours étant donné la longue demi-vie du flécaïnide.
- **PO:** Si l'irritation gastrique devient gênante, administrer aux repas.

ENSEIGNEMENT AU PATIENT ET À SES PROCHES

□ Expliquer au patient qu'il doit respecter scrupuleusement la posologie recommandée et prendre le médicament à intervalles réguliers, 24 h sur 24, même s'il se sent mieux. S'il n'a pas pu prendre le médicament au moment habituel, il doit le prendre aussitôt que possible dans les 6 h suivantes; sinon, lui recommander de sauter cette dose. Une réduction graduelle de la dose peut s'avérer nécessaire.

□ Prévenir le patient que le flécaïnide peut provoquer des étourdissements ou des troubles visuels. Lui conseiller de ne pas conduire et d'éviter les activités qui exigent sa vigilance jusqu'à ce qu'on ait la certitude que le médicament n'entraîne pas ces effets chez lui.

□ Recommander au patient qui doit suivre un traitement dentaire ou subir une intervention chirurgicale d'avertir le dentiste ou le médecin qu'il suit un traitement médicamenteux.

□ Recommander au patient de prévenir le médecin en cas de douleurs thoraciques, d'essoufflements ou de diaphorèse.

□ Conseiller au patient de porter sur lui en tout temps une pièce d'identité où sont inscrits son problème de santé et son traitement.

□ Insister sur l'importance des examens de suivi permettant d'évaluer l'efficacité du traitement.

VÉRIFICATION DES RÉSULTATS

L'efficacité du traitement peut être démontrée par: ■ la diminution de la fréquence des arythmies ventriculaires mortelles ■ la diminution des tachyarythmies supraventriculaires.

FLOXURIDINE
(FUDR)

CLASSIFICATION:
Antinéoplasique – antimétabolite

Grossesse – catégorie inconnue

INDICATIONS

■ Traitement des cancers hépatiques et gastro-intestinaux. **Usages non approuvés :** ■ Traitement des cancers : □ du sein □ des ovaires □ du col □ de la vessie □ des reins.

ACTION

■ Inhibition de la synthèse de l'ADN et de l'ARN par inhibition de la production de thymidine (effet spécifique sur la phase S du cycle cellulaire). **Effets thérapeutiques :** ■ Destruction des cellules à réplication rapide, particulièrement des cellules malignes.

PHARMACOCINÉTIQUE

Absorption : L'administration est réservée à la voie IA ; le médicament est ainsi transporté directement au siège de la tumeur. La floxuridine est rapidement transformée en monophosphate de floxuridine (métabolite actif) et en fluorouracile.
Distribution : Par suite de l'administration IA sélective, la floxuridine se répartit surtout dans la tumeur.
Métabolisme et excrétion : Le fluorouracile est inactivé et métabolisé par le foie. Une fraction de 60 à 80 % est excrétée par les poumons sous forme de CO_2. De petites quantités de fluorouracile (< 10 à 15 %) sont excrétées à l'état inchangé par les reins.
Demi-vie : Fluorouracile – 20 h.

CONTRE-INDICATIONS ET PRÉCAUTIONS

Contre-indications : ■ Hypersensibilité ■ Grossesse ou allaitement.
Précautions : ■ Patientes en âge de procréer ■ Infections ■ Réserve médullaire réduite ■ Autres maladies chroniques débilitantes.

RÉACTIONS INDÉSIRABLES ET EFFETS SECONDAIRES

SNC : dysfonction cérébelleuse aiguë.
GI : nausées, vomissements, stomatite, diarrhée.

Tég. : alopécie, rash maculopapulaire, chute des ongles, mélanose des ongles, phototoxicité.
End. : suppression de la fonction des gonades.
Hémat. : anémie, leucopénie, thrombocytopénie.
Divers : fièvre.

INTERACTIONS

Médicament – médicament : ■ Hypoplasie médullaire additive lors de l'administration concomitante d'autres **dépresseurs de la moelle osseuse** (autres **antinéoplasiques** ou **radiothérapie**) ■ La floxuridine peut diminuer la réponse des anticorps aux **vaccins vivants** et augmenter le risque de réactions indésirables.

VOIES D'ADMINISTRATION ET POSOLOGIE

IA (adultes) : de 0,1 à 0,6 mg/kg par jour en perfusion continue.

PHARMACODYNAMIE (effets sur la numération globulaire)

	DÉBUT D'ACTION	PIC	DURÉE
IA	1 – 9 jours	9 – 21 jours	30 jours

☀ SOINS INFIRMIERS

ÉVALUATION DE LA SITUATION

□ Prendre les signes vitaux avant l'administration du médicament et à intervalles fréquents pendant tout le traitement.

□ Examiner les muqueuses et noter le nombre et la consistance des selles ainsi que la fréquence des vomissements. Surveiller les signes d'infection, la fièvre, les frissons et les maux de gorge. Suivre de près les saignements : saignement des gencives, formation d'ecchymoses, pétéchies, présence de sang occulte dans les selles, l'urine et les vomissements. Éviter les injections IM et la prise de la température rectale. Appliquer une pression sur les points de ponction veineuse pendant au moins 10 min. Prévenir le médecin si les symptômes suivants de toxicité se manifestent : stomatite ou œsophagopharyngite, vomissements impossibles à réprimer, diarrhée, nombre de leucocytes inférieur à $3,5 \times 10^9$/L, nombre de plaquettes inférieur à 100×10^9/L, hémorragie gastrique ou toute autre hémorragie ou érythème au point d'introduction du cathéter. Le médecin pourrait recommander l'arrêt du traitement.

□ Effectuer le bilan des ingesta et des excreta, noter l'appétit du patient et sa consommation d'aliments. Pour essayer de maintenir l'équilibre hydroélectrolytique et l'état nutritionnel, on devrait adapter le régime alimentaire selon les aliments que le patient peut tolérer.

□ Suivre de près le patient, lors de la perfusion dans l'artère hépatique, pour déceler les symptômes suivants d'hépatotoxicité : douleurs abdominales, crampes, anorexie ou jaunisse. Les brûlures d'estomac ou les selles noires goudronneuses peuvent indiquer que la sonde de perfusion s'est déplacée.

□ Vérifier le point de perfusion IA à la recherche d'une hémorragie, d'une réaction cutanée localisée ou d'une altération de la circulation. Ces signes peuvent indiquer que la sonde de perfusion s'est déplacée.

■ **Étude des examens diagnostiques et biochimiques :** Examiner les résultats des tests de l'exploration fonctionnelle du foie, des reins et des organes formateurs de sang avant l'administration du médicament et à intervalles réguliers tout au long du traitement. Prévenir le médecin sans délai si le nombre de leucocytes est inférieur à $3,5 \times 10^9$/L ou si celui des plaquettes est inférieur à 100×10^9/L. Il s'agit de

critères dictant l'arrêt du traitement. L'élévation des concentrations sériques de phosphatase alcaline, de TGOS (AST), de TGPS (ALT), de LDH et de bilirubine peut indiquer la présence d'une hépatotoxicité médicamenteuse ou une sclérose biliaire.

□ La floxuridine modifie les résultats de l'épreuve à la bromesulfonephtaléine (BSP), du dosage de la prothrombine et du test de la sédimentation des érythrocytes.

DIAGNOSTICS INFIRMIERS POSSIBLES

■ **Énoncés diagnostiques**

□ Risque élevé d'infection.

□ Déficit nutritionnel.

□ Prise en charge inefficace du programme thérapeutique.

□ *Risque élevé d'accident.*

□ *Risque élevé d'atteinte à l'intégrité de la muqueuse buccale.*

□ *Risque élevé de déficit de volume liquidien.*

□ *Risque élevé de perturbation situationnelle de l'estime de soi.*

□ *Risque élevé d'atteinte à l'intégrité des tissus.*

□ *Risque élevé de déséquilibre hydroélectrolytique.*

□ *Risque élevé d'agitation.*

■ **Facteurs favorisants**

□ Informations incomplètes.

□ *Fatigue et faiblesse.*

□ *Manque de connaissances sur les moyens de prévenir ou de réduire la sécheresse de la bouche.*

□ *Manque de connaisances sur les moyens de prévenir les effets secondaires affectant l'appareil gastrointestinal.*

□ *Altération de l'image corporelle.*

□ *Manque de connaissances sur les modalités du traitement.*

□ *Manque de connaissances sur le régime alimentaire à suivre.*

□ *Manque de connaissances sur les moyens de prévenir les effets secondaires du médicament.*

INTERVENTIONS INFIRMIÈRES

- **Directives générales:** Préparer la solution sous une hotte biologique de sécurité. Porter des vêtements protecteurs incluant des gants et un masque pendant la manipulation de ce médicament. Mettre au rebut le matériel dans les contenants réservés à cet effet (voir l'annexe I).

- **Pompe de perfusion IA:** Reconstituer le contenu de la fiole de 5 mL avec 5 mL d'eau stérile pour injection afin d'atteindre une concentration de 100 mg/mL. Diluer de nouveau dans une solution de dextrose à 5 % dans de l'eau ou de NaCl à 0,9 % pour obtenir le volume nécessaire à l'administration par une pompe de perfusion artérielle. La solution est stable pendant 2 semaines au réfrigérateur.

- **Compatibilité en addition au soluté:** Héparine.

ENSEIGNEMENT AU PATIENT ET À SES PROCHES

☐ Recommander au patient de signaler au médecin les symptômes suivants: fièvre, frissons, maux de gorge, signes d'infection, saignements des gencives, formation d'ecchymoses, pétéchies, présence de sang occulte dans les urines ou dans les selles, jaunisse, douleurs abdominales, irritation locale au point d'introduction du cathéter intra-artériel ou vomissements. Inciter le patient à éviter les foules et les personnes contagieuses. Lui recommander d'utiliser une brosse à dents à poils doux et un rasoir électrique. Lui recommander aussi d'éviter de boire de l'alcool et de prendre des produits à base d'aspirine.

☐ Conseiller au patient de se rincer la bouche avec de l'eau après avoir bu ou mangé et de ne pas utiliser de la soie dentaire, pour réduire le risque de stomatite. Le médecin peut prescrire des gargarismes à la lidocaïne visqueuse si les douleurs empêchent le patient de s'alimenter.

☐ Prévenir le patient qu'il risque de perdre ses cheveux. Explorer avec lui les stratégies lui permettant de s'adapter à ce changement.

☐ Recommander au patient d'utiliser des écrans solaires et de porter des vêtements protecteurs pour prévenir les réactions de phototoxicité.

☐ Prévenir le patient qu'il ne doit pas se faire vacciner sans recommandation expresse du médecin.

☐ Insister sur l'importance des examens biochimiques et diagnostiques à intervalles réguliers permettant d'évaluer les bienfaits du traitement et de déceler les effets secondaires du médicament.

☐ Expliquer à la patiente qu'elle doit continuer à prendre des mesures contraceptives pendant toute la durée du traitement.

VÉRIFICATION DES RÉSULTATS

L'efficacité du traitement peut être démontrée par: la régression de la taille de la tumeur.

FLUCONAZOLE
Diflucan

CLASSIFICATION:
Antifongique

Grossesse – catégorie C

INDICATIONS

- Traitement de diverses infections fongiques provoquées par des micro-organismes sensibles, incluant: ☐ la candidose oropharyngée ou œsophagienne ☐ les candidoses profondes graves incluant les candidoses urinaires, péritonéales et pulmonaires ☐ la méningite cryptococcique ■ Prévention des récurrences de la méningite cryptococcique chez les patients atteints du sida.

ACTION

■ Inhibition de la synthèse des stérols fongiques qui constituent un élément essentiel de la paroi cellulaire. **Effets thérapeutiques:** ■ Action fongistatique contre les micro-organismes sensibles ■ Action fongicide possible lors de l'administration de concentrations élevées. **Spectre d'action:** ■ *Cryptococcus neoformans* ■ les espèces *Candida*.

PHARMACOCINÉTIQUE

Absorption: Bonne absorption par suite de l'administration PO.

Distribution: Le médicament se répartit dans tout l'organisme; il pénètre à forte concentration dans le liquide céphalorachidien, les yeux et le péritoine.

Métabolisme et excrétion: Une fraction supérieure à 80 % est excrétée à l'état inchangé par les reins; une fraction inférieure à 10 % est métabolisée par le foie.

Demi-vie: 30 h (prolongée en cas d'insuffisance rénale).

CONTRE-INDICATIONS ET PRÉCAUTIONS

Contre-indications: Hypersensibilité au fluconazole ou aux autres antifongiques de type azole.

Précautions: ■ Insuffisance rénale (réduire la dose) ■ Maladie hépatique sousjacente ■ Grossesse, allaitement ou enfants (l'innocuité du médicament n'a pas été établie).

RÉACTIONS INDÉSIRABLES ET EFFETS SECONDAIRES

Remarque: L'incidence des réactions indésirables est plus élevée chez les patients atteints du sida.

SNC: céphalées.

GI: nausées, vomissements, gêne abdominale, diarrhée, HÉPATOTOXICITÉ.

Tég.: maladies cutanées exfoliatives incluant le SYNDROME DE STEVENS-JOHNSON.

INTERACTIONS

Médicament – médicament: ■ Le fluconazole augmente l'activité de la **warfarine** ■ La **rifampine** diminue les concentrations sanguines de fluconazole ■ Le fluconazole intensifie les effets hypoglycémiants du **tolbutamide**, du **glyburide** ou du **glipizide** ■ Le fluconazole élève les concentrations sanguines de la **cyclosporine** et de la **phénytoïne**.

VOIES D'ADMINISTRATION ET POSOLOGIE

Infection aiguë

■ **PO et IV (adultes):** on recommande d'administrer, le 1er jour, une dose d'attaque équivalant à 2 fois la dose quotidienne, ce qui permet d'atteindre l'état d'équilibre ou de s'en approcher dès le 2e jour. Cependant, il ne faut pas administrer plus de 400 mg par jour.

Méningite cryptococcique

■ **PO et IV (adultes):** □ Traitement: de 200 à 400 mg, 1 fois par jour. On recommande un traitement initial d'au moins 10 semaines. □ Prévention des récurrences chez les patients atteints du sida: 200 mg, 1 fois par jour.

Candidose oropharyngée

■ **PO et IV (adultes):** 100 mg, 1 fois par jour, pendant au moins 2 semaines.

Candidose œsophagienne

■ **PO et IV (adultes):** de 100 à 200 mg, 1 fois par jour, pendant au moins 3 semaines ou pendant les 2 semaines qui suivent l'amélioration des symptômes (on a déjà administré jusqu'à 400 mg par jour).

Candidose profonde

■ **PO et IV (adultes):** de 200 à 400 mg, 1 fois par jour, pendant 4 semaines ou pendant les 2 semaines qui suivent l'amélioration des symptômes au moins.

PHARMACODYNAMIE
(concentrations sanguines)

	DÉBUT D'ACTION	PIC
PO	inconnu	1 – 2 h
IV	rapide	fin de la perfusion

SOINS INFIRMIERS

ÉVALUATION DE LA SITUATION

□ Inspecter la peau infectée et analyser les cultures fongiques des prélèvements du liquide céphalorachidien avant le traitement et à intervalles réguliers pendant toute sa durée.

□ Il faut prélever des échantillons pour les mises en culture avant d'amorcer le traitement. Toutefois, on peut commencer le traitement par le fluconazole avant que les résultats soient connus.

■ **Étude des examens diagnostiques et biochimiques:** Examiner les concentrations sériques d'urée et de créatinine avant le traitement et à intervalles réguliers pendant toute sa durée, car il faut ajuster la posologie chez les patients qui souffrent d'insuffisance rénale.

□ Noter les résultats des tests de l'exploration fonctionnelle hépatique, avant l'administration du fluconazole et à intervalles réguliers tout au long du traitement. Le fluconazole peut entraîner l'élévation des concentrations de TGOS (AST), de TGPS (ALT), de phosphatase alcaline et de bilirubine sériques.

DIAGNOSTICS INFIRMIERS POSSIBLES

■ **Énoncés diagnostiques**

□ Risque élevé d'infection.

□ Prise en charge inefficace du programme thérapeutique.

■ **Facteurs favorisants**

□ Informations incomplètes.

□ *Manque de connaissances sur la méthode d'administration du médicament.*

□ *Manque de connaissances sur les modalités du traitement.*

INTERVENTIONS INFIRMIÈRES

■ **Directives générales:** Étant donné que leur biodisponibilité est similaire, les doses administrées par voie orale ou IV sont équivalentes.

■ **Perfusion intermittente:** Le fluconazole existe en solution de 200 mg/100 mL ou de 400 mg/200 mL. Ouvrir l'emballage juste avant la perfusion. La solution peut être légèrement opaque, mais cette opacité disparaît graduellement. Ne pas administrer une solution qui est trouble ou qui contient un précipité. Vérifier la présence de fuites en comprimant le sac. En cas de fuites, il faut jeter le contenant, car on ne peut pas le considérer comme stérile.

□ Ne pas administrer la préparation par une tubulure qui fait partie d'un raccordement en série, en raison du risque d'embolie gazeuse. Ne pas mélanger la solution de fluconazole avec un autre médicament.

□ *Vitesse d'administration:* Perfuser à une vitesse maximale de 200 mg/h.

ENSEIGNEMENT AU PATIENT ET À SES PROCHES

□ Expliquer au patient qu'il doit respecter scrupuleusement la posologie recommandée et continuer à prendre le médicament même s'il se sent mieux. Lui conseiller de prendre le médicament au même moment, tous les jours. Si le patient n'a pas pu prendre le médicament au moment habituel, il doit le prendre aussitôt que possible à moins que ce ne soit presque l'heure prévue pour la dose suivante sans jamais remplacer une dose manquée par une double dose.

□ Conseiller au patient de prévenir le médecin si les douleurs abdominales,

F

la fièvre ou la diarrhée s'aggravent ou si les signes et les symptômes suivants de dysfonction hépatique se manifestent: fatigue inhabituelle, anorexie, nausées, vomissements, jaunisse, urine foncée ou selles de couleur pâle.

VÉRIFICATION DES RÉSULTATS

L'efficacité du traitement peut être démontrée par: la résolution des signes et des symptômes d'infection fongique, confirmée par les résultats des examens cliniques et diagnostiques. Pour prévenir les rechutes, il faut parfois suivre le traitement pendant plusieurs semaines ou plusieurs mois après la résolution des symptômes.

FLUCYTOSINE
Ancotil, (Ancobon), (5-FC)

CLASSIFICATION:
Antifongique

Grossesse – catégorie C

INDICATIONS

■ Traitement de diverses infections fongiques graves, incluant: □ l'endocardite □ la méningite □ la septicémie □ les infections des voies urinaires □ les infections pulmonaires □ Traitement des chromoblastomycoses dues à *H. pedrosoi, H. carrionii* ou *P. verrucosa*.

ACTION

■ Altération de la synthèse de l'ADN et de l'ARN de la cellule fongique; après pénétration dans la cellule fongique, la flucytosine se transforme en fluorouracile ■ Action synergique avec l'amphotéricine B contre certains champignons. **Effets thérapeutiques:** ■ Action fongicide contre les micro-organismes sensibles. **Spectre d'action:** ■ L'activité se limite à un petit nombre de champignons et surtout a ceux des espèces suivantes: □ *Candida* □ *Cryptococcus*.

PHARMACOCINÉTIQUE

Absorption: Par suite de l'administration PO, le médicament est bien absorbé depuis le tractus gastro-intestinal.
Distribution: Le médicament se répartit dans tout l'organisme; il traverse la barrière hémato-encéphalique et pénètre dans le placenta.
Métabolisme et excrétion: Une fraction de 80 à 90 % est excrétée à l'état inchangé par les reins.
Demi-vie: De 2,5 à 8 h (prolongée en cas d'insuffisance rénale).

CONTRE-INDICATIONS ET PRÉCAUTIONS

Contre-indications: ■ Hypersensibilité ■ Grossesse ou allaitement
Précautions: ■ Insuffisance rénale (réduire la dose) ■ Aplasie médullaire (surtout après une radiothérapie ou l'administration d'antinéoplasiques).

RÉACTIONS INDÉSIRABLES ET EFFETS SECONDAIRES

SNC: étourdissements, sensation de tête légère, somnolence, confusion.
GI: nausées, vomissements, diarrhée, ballonnement.
Hémat.: leucopénie, anémie, pancytopénie, thrombocytopénie.

INTERACTIONS

Médicament – médicament: ■ Hypoplasie médullaire additive lors de l'administration concomitante d'autres **dépresseurs de la moelle osseuse**, incluant les **antinéoplasiques** ou la **radiothérapie** ■ L'**amphotéricine B** peut augmenter la toxicité de la flucytosine, mais peut également intensifier son activité antifongique ■ La **cytarabine** peut diminuer l'activité antifongique de la flucytosine.

VOIES D'ADMINISTRATION ET POSOLOGIE

● **PO (adultes):** de 50 à 150 mg/kg par jour en doses fractionnées, toutes les 6 h.

F

■ **PO** (enfants < 50 kg) (É.-U.) : de 1,5 à 4,5 g/m² par jour, en doses fractionnées, toutes les 6 h.

PHARMACODYNAMIE (concentrations sanguines antifongiques)

	DÉBUT D'ACTION	PIC
PO	rapide	4 – 6 h

✳ SOINS INFIRMIERS

ÉVALUATION DE LA SITUATION

☐ Surveiller les signes et les symptômes d'infection fongique généralisée avant le traitement et, à intervalles réguliers, pendant toute sa durée.

☐ Les échantillons pour les mises en culture et les épreuves de sensibilité doivent être prélevés avant d'amorcer le traitement. Toutefois, on peut commencer le traitement par la flucytosine avant que les résultats soient connus.

■ **Étude des examens diagnostiques et biochimiques** : Noter les résultats des tests de l'exploration fonctionnelle du foie, des reins et des organes formateurs de sang avant le traitement et, à intervalles réguliers, pendant toute sa durée.

DIAGNOSTICS INFIRMIERS POSSIBLES

■ **Énoncés diagnostiques**

☐ Risque élevé d'infection.

☐ Risque élevé de déficit du volume liquidien.

☐ Prise en charge inefficace du programme thérapeutique.

☐ *Risque élevé d'accident.*

■ **Facteurs favorisants**

☐ Informations incomplètes.

☐ *Manque de connaissances sur les moyens de prévenir les effets secondaires affectant l'appareil gastro-intestinal.*

☐ *Perturbation de la vigilance.*

☐ *Manque de connaissances sur les modalités du traitement.*

INTERVENTIONS INFIRMIÈRES

PO : Pour réduire les nausées et les vomissements, administrer un petit nombre de capsules à la fois en 15 min.

ENSEIGNEMENT AU PATIENT ET À SES PROCHES

☐ Conseiller au patient de respecter scrupuleusement la posologie recommandée et de continuer à prendre le médicament même s'il se sent mieux. S'il n'a pas pu prendre le médicament au moment habituel, il doit le prendre aussitôt que possible à moins que ce ne soit presque l'heure prévue pour la dose suivante. Il ne faut jamais remplacer une dose manquée par une double dose.

☐ Prévenir le patient que la flucytosine peut provoquer des étourdissements, une sensation de tête légère ou de la somnolence. Lui conseiller de ne pas conduire et d'éviter les activités qui exigent sa vigilance jusqu'à ce qu'on ait la certitude que le médicament n'entraîne pas ces effets chez lui.

☐ Conseiller au patient de prévenir rapidement le médecin en cas de rash, de fièvre, de maux de gorge, de diarrhée, d'hémorragie ou d'ecchymoses inhabituelles, de fatigue inhabituelle ou de faiblesse.

☐ Insister sur l'importance des examens de suivi permettant d'évaluer les bienfaits du traitement.

VÉRIFICATION DES RÉSULTATS

L'efficacité du traitement peut être démontrée par : la résolution des signes et des symptômes d'infection fongique. Le traitement dure généralement de 4 à 6 semaines, mais peut se poursuivre pendant plusieurs mois.

FLUDARABINE
Fludara

CLASSIFICATION:
Antinéoplasique – antimétabolite
Grossesse – catégorie D

INDICATIONS

■ Traitement des leucémies lymphoïdes chroniques (lymphocytes B) réfractaires aux traitements habituels. **Usages non approuvés:** ■ Traitement des lymphomes non hodgkiniens.

ACTION

■ Inhibition de la synthèse de l'ADN par la transformation intracellulaire de la fludarabine en un métabolite phosphorylé actif. **Effets thérapeutiques:** ■ Destruction des cellules à réplication rapide, particulièrement des cellules malignes.

PHARMACOCINÉTIQUE

Absorption: Par suite de l'administration par voie IV, la biodisponibilité de la fludarabine est totale.
Distribution: Inconnue.
Métabolisme et excrétion: Après administration, la fludarabine est rapidement transformée en un métabolite actif qui, une fois phosphorylé à l'intérieur de la cellule, exerce une activité antinéoplasique. Une fraction de 23 % du métabolite actif initial est excrétée à l'état inchangé par les reins.
Demi-vie: 10 h (métabolite actif initial).

CONTRE-INDICATIONS ET PRÉCAUTIONS

Contre-indications: ■ Hypersensibilité à la fludarabine, au mannitol ou à l'hydroxyde de sodium ■ Grossesse ou allaitement.
Précautions: ■ Insuffisance rénale (réduire la dose, au besoin) ■ Patientes en âge de procréer ■ Aplasie médullaire ■ Maladies chroniques débilitantes ■ Enfants (l'innocuité du médicament n'a pas été établie).

RÉACTIONS INDÉSIRABLES ET EFFETS SECONDAIRES

SNC: NEUROTOXICITÉ, malaise, fatigue, faiblesse, agitation, confusion, troubles visuels, coma.
Resp.: hypersensibilité pulmonaire, toux, dyspnée.
CV: œdème.
GI: nausées, vomissements, anorexie, diarrhée, hémorragie digestive, stomatite.
Tég.: rash.
End.: suppression de la fonction des gonades.
Hémat.: anémie, leucopénie, thrombocytopénie.
Loc.: myalgie.
SN: neuropathie périphérique.
Divers: syndrome de lyse tumorale.

INTERACTIONS

Médicament – médicament: ■ Hypoplasie médullaire additive lors de l'administration concomitante d'autres **antinéoplasiques** ou d'une **radiothérapie** ■ La fludarabine peut diminuer la réponse des anticorps aux **vaccins vivants** et augmenter le risque de réactions indésirables.

VOIES D'ADMINISTRATION ET POSOLOGIE

IV (adultes): 25 mg/m^2 par jour pendant 5 jours; on peut répéter le traitement tous les 28 jours.

PHARMACODYNAMIE (effets sur la numération globulaire)

	DÉBUT D'ACTION	PIC	DURÉE
IV	inconnu	13 – 16 jours	inconnue

SOINS INFIRMIERS

ÉVALUATION DE LA SITUATION

□ Suivre de près l'apparition de troubles visuels, de la faiblesse et de la confusion, ainsi que la modification de l'état de la conscience tout au long du traitement et pendant 60 jours par la suite, car on a signalé des effets neurologiques menant à la cécité, au coma et à la mort.

☐ Surveiller les signes d'infection, la fièvre et les maux de gorge. Si ces symptômes se manifestent, en informer le médecin immédiatement.

☐ Suivre de près les saignements : saignement des gencives, formation d'ecchymoses, pétéchies, présence de sang occulte dans les selles, l'urine et les vomissements. Éviter les injections IM et la prise de la température PR ; appliquer une pression sur les points de ponction veineuse pendant au moins 10 min.

☐ Examiner la fonction respiratoire, effectuer le bilan des ingesta et des excreta et peser le patient tous les jours. Prévenir le médecin en cas de changements notables.

☐ Évaluer l'état nutritionnel du patient. L'administration d'un antiémétique avant le début du traitement et à intervalles réguliers pendant toute sa durée et l'adaptation du régime alimentaire en fonction des aliments que le patient peut tolérer peuvent aider à maintenir l'équilibre hydroélectrolytique et l'état nutritionnel.

☐ L'anémie peut survenir. Suivre de près la fatigue, la dyspnée et l'hypotension orthostatique.

☐ La fludarabine peut provoquer les symptômes suivants du syndrome de lyse tumorale : hyperuricémie, hyperphosphatémie, hypocalcémie, acidose métabolique, hyperkaliémie, hématurie, cristallurie uratique et insuffisance rénale. Suivre de près les douleurs lombaires et l'hématurie.

■ **Étude des examens diagnostiques et biochimiques :** Noter la numération globulaire, la formule leucocytaire et la numération plaquettaire avant le traitement et à intervalles réguliers pendant toute sa durée. Le nadir des granulocytes survient 13 jours (entre 3 et 25 jours) après l'administration du médicament et le nadir des plaquettes, 16 jours (entre 2 et 32 jours) après l'administration.

DIAGNOSTICS INFIRMIERS POSSIBLES

■ **Énoncés diagnostiques**

☐ Risque élevé d'infection.

☐ Risque élevé d'accident.

☐ Prise en charge inefficace du programme thérapeutique.

☐ *Risque élevé de déficit de volume liquidien.*

☐ *Risque élevé de déficit nutritionnel.*

☐ *Risque élevé d'intolérance à l'activité.*

☐ *Risque élevé d'atteinte à l'intégrité de la muqueuse buccale.*

■ **Facteurs favorisants**

☐ Informations incomplètes.

☐ *Perturbation de la vigilance.*

☐ *Fatigue et faiblesse.*

☐ *Manque de connaissances sur les moyens de prévenir les effets secondaires affectant l'appareil gastro-intestinal.*

☐ *Douleur.*

☐ *Manque de connaissances sur les moyens de prévenir les effets secondaires du médicament.*

☐ *Manque de connaissances sur les modalités du traitement.*

☐ *Manque de connaissances sur le régime alimentaire à suivre.*

☐ *Manque de connaissances sur les moyens de prévenir ou de réduire la sécheresse de la bouche.*

INTERVENTIONS INFIRMIÈRES

■ **Directives générales :** Préparer la solution sous une hotte biologique de sécurité. Porter des vêtements protecteurs incluant des gants et un masque pendant la manipulation de la préparation des solutions IV. Mettre au rebut le matériel nécessaire à la préparation des solutions IV dans les contenants réservés à cet effet (voir l'annexe I).

F

- **IV:** Reconstituer avec 2 mL d'eau stérile pour injection; la masse solide devrait se dissoudre en moins de 15 s. La solution reconstituée est stable pendant 8 h.
- **Perfusion intermittente:** La solution peut être diluée davantage dans 100 à 125 mL de solution de NaCl à 0,9 % ou de dextrose à 5 % dans de l'eau.
- □ *Vitesse d'administration:* Administrer la préparation en 30 min.

ENSEIGNEMENT AU PATIENT ET À SES PROCHES

- □ Inciter le patient à éviter les foules et les personnes contagieuses. Lui recommander de prévenir immédiatement le médecin si des symptômes d'infection se manifestent.
- □ Recommander au patient de signaler au médecin tout saignement inhabituel. Lui expliquer les précautions à prendre pour prévenir la thrombocytopénie: utiliser une brosse à dents à poils doux et un rasoir électrique, prendre garde aux chutes. Conseiller au patient de ne pas boire de boissons alcoolisées et de ne pas prendre de médicaments contenant de l'aspirine, car ces substances peuvent provoquer une hémorragie digestive.
- □ Recommander au patient d'examiner ses muqueuses buccales pour déceler l'érythème et les aphtes. En cas d'aphtes, conseiller au patient de remplacer la brosse à dents par une brosse-éponge, de se rincer la bouche avec de l'eau après avoir bu ou mangé et de consulter le médecin si les douleurs l'empêchent de s'alimenter.
- □ Expliquer à la patiente que ce médicament peut avoir des effets tératogènes; elle doit donc continuer à prendre des mesures contraceptives tout au long du traitement et pendant au moins 4 mois après l'avoir arrêté.
- □ Expliquer au patient qu'il ne doit pas se faire vacciner sans recommandation expresse du médecin.

- □ Insister sur l'importance des examens diagnostiques à intervalles réguliers permettant de déceler les effets secondaires.

VÉRIFICATION DES RÉSULTATS

L'efficacité du traitement peut être démontrée par: ■ l'amélioration des paramètres hématologiques en cas de leucémie ■ la diminution de la taille des tumeurs et de la propagation des lymphomes non hodgkiniens. Le traitement est administré pendant 5 jours, tous les 28 jours, jusqu'à l'obtention d'une rémission complète ou jusqu'à ce que des signes de neurotoxicité surviennent.

FLUDROCORTISONE
Florinef

CLASSIFICATION:
Minéralocorticoïde

Grossesse – catégorie inconnue

INDICATIONS

■ En association avec l'hydrocortisone ou la cortisone pour traiter la déperdition sodique et l'hypotension associées à l'insuffisance corticosurrénalienne ■ Traitement de la déperdition sodique entraînée par le syndrome génitosurrénal congénital (hyperplasie congénitale des surrénales).

ACTION

■ Réabsorption du sodium, excrétion de l'hydrogène et du potassium et rétention hydrique par les effets sur les tubules rénaux distaux. **Effets thérapeutiques:** ■ Maintien de l'équilibre sodique et stabilisation de la pression artérielle chez les patients souffrant d'insuffisance corticosurrénalienne.

PHARMACOCINÉTIQUE

Absorption: Bonne absorption par suite de l'administration PO.

Distribution : Le médicament semble se répartir dans tout l'organisme ; il pénètre probablement dans le lait maternel.

Métabolisme et excrétion : La fludrocortisone est surtout métabolisée par le foie.

Demi-vie : 3,5 h.

CONTRE-INDICATIONS ET PRÉCAUTIONS

Contre-indications : Hypersensibilité.

Précautions : ■ Insuffisance cardiaque ■ Grossesse, allaitement ou enfants (l'innocuité du médicament n'a pas été établie).

RÉACTIONS INDÉSIRABLES ET EFFETS SECONDAIRES

SNC : céphalées, étourdissements.

CV : œdème, insuffisance cardiaque, hypertension, arythmies.

GI : nausées, anorexie.

End. : gain de poids, suppression de la fonction des surrénales.

HÉ : hypokaliémie, alcalose hypokaliémique.

Loc. : arthralgie, contracture des tendons, faiblesse musculaire.

SN : paralysie ascendante.

Divers : réactions d'hypersensibilité.

INTERACTIONS

Médicament – médicament : ■ L'administration concomitante de **diurétiques**, de **mezlocilline**, de **pipéracilline** ou d'**amphotéricine B** peut entraîner une hypokaliémie exagérée ■ L'hypokaliémie peut augmenter le risque de toxicité **digitalique** ■ Risque de blocage neuromusculaire prolongé par suite de l'administration d'**inhibiteurs neuromusculaires du type non dépolarisant** ■ Le **phénobarbital** ou la **rifampine** peuvent accélérer le métabolisme et réduire l'efficacité de la fludrocortisone. **Médicament – aliments :** ■ L'ingestion de grandes quantités de **sel** ou d'**aliments contenant du sodium** peut provoquer une rétention sodique excessive et une déperdition potassique.

VOIES D'ADMINISTRATION ET POSOLOGIE

Maladie d'Addison

■ **PO (adultes) :** 100 µg par jour (entre 100 µg, 3 fois par semaine et 200 µg par jour). En cas d'hypertension passagère entraînée par le traitement, on doit diminuer la dose jusqu'à 50 µg par jour. Administrer en même temps 10 à 37,5 mg de cortisone ou 10 à 30 mg d'hydrocortisone par jour.

Syndrome génitosurrénal

■ **PO (adultes) :** de 100 à 200 µg par jour.

PHARMACODYNAMIE (activité minéralocorticoïde)

	DÉBUT D'ACTION	PIC	DURÉE
PO	inconnu	inconnu	1 – 2 jours

☀ SOINS INFIRMIERS

ÉVALUATION DE LA SITUATION

▫ Mesurer la pression artérielle à intervalles réguliers tout au long du traitement. Prévenir le médecin en cas de modifications importantes. L'hypotension peut indiquer que la dose administrée est insuffisante.

▫ Suivre de près les signes de rétention hydrique : peser le patient tous les jours, déceler l'œdème et ausculter les poumons à la recherche de râles ou de crépitations.

■ **Étude des examens diagnostiques et biochimiques :** Mesurer les concentrations sériques d'électrolytes à intervalles réguliers tout au long du traitement. La fludrocortisone peut entraîner la diminution des concentrations sériques de potassium.

DIAGNOSTICS INFIRMIERS POSSIBLES

■ **Énoncés diagnostiques**

▫ Déficit de volume liquidien.

▫ Excès de volume liquidien.

F

□ Prise en charge inefficace du programme thérapeutique.
□ *Risque élevé de déséquilibre hydroélectrolytique.*

■ **Facteurs favorisants**
□ Informations incomplètes.
□ *Manque de connaissances sur le régime alimentaire à suivre.*
□ *Manque de connaissances sur les modalités du traitement.*

INTERVENTIONS INFIRMIÈRES

PO: Les comprimés sont sécables; on peut les diviser facilement s'il faut ajuster la dose.

ENSEIGNEMENT AU PATIENT ET À SES PROCHES

□ Conseiller au patient de respecter scrupuleusement la posologie recommandée. S'il n'a pas pu prendre le médicament au moment habituel, il doit le prendre aussitôt que possible à moins que ce ne soit presque l'heure prévue pour la dose suivante. Lui expliquer qu'il faut suivre ce traitement toute sa vie; un sevrage brusque peut provoquer une crise d'insuffisance surrénalienne. Conseiller au patient de toujours garder une provision suffisante de médicament.
□ Recommander au patient d'observer les modifications de régime alimentaire prescrites par le médecin. Lui expliquer qu'il doit consommer des aliments riches en potassium (voir l'annexe K). La quantité de sodium alimentaire qu'il est autorisé à consommer dépend de la physiopathologie.
□ Recommander au patient de prévenir le médecin en cas de gain de poids ou d'œdème, de faiblesse musculaire, de crampes, de nausées, d'anorexie ou d'étourdissements.
□ Conseiller au patient de porter sur lui en tout temps une pièce d'identité où sont inscrits son problème de santé et son traitement.

VÉRIFICATION DES RÉSULTATS

L'efficacité du traitement peut être démontrée par: la normalisation de l'équilibre hydroélectrolytique sans que l'hypokaliémie ou l'hypertension se manifestent.

FLUNISOLIDE

Bronalide, Rhinalar, (Aerobid), (Nasalide)

CLASSIFICATION:
Glucocorticoïde à action prolongée; anti-inflammatoire

Grossesse – catégorie C

INDICATIONS

■ **Inhalation:** Effet anti-inflammatoire et immunosuppresseur lors du traitement de l'asthme chronique corticodépendant. Le flunisolide peut diminuer les besoins en glucocorticoïdes par voie systémique
■ **Préparation intranasale:** Traitement de la rhinite allergique.

ACTION

■ Anti-inflammatoire puissant à action locale qui modifie la réponse immunitaire. **Effets thérapeutiques:** ■ Diminution des symptômes de l'asthme chronique et de la rhinite allergique.

PHARMACOCINÉTIQUE

Absorption: Par suite de l'inhalation, l'action est en grande partie localisée. Des quantités infimes de médicament peuvent être avalées, mais la biodisponibilité systémique est minime aux doses recommandées. Le flunisolide est rapidement absorbé par suite de l'inhalation par le nez.
Distribution: Inconnue.
Métabolisme et excrétion: Le flunisolide est surtout métabolisé par le foie.
Demi-vie: De 1 à 2 h.

CONTRE-INDICATIONS ET PRÉCAUTIONS

Contre-indications: ■ Hypersensibilité ■ Hypersensibilité aux agents propulseurs contenant des fluorocarbures (aérosol seulement) ■ Crises aiguës d'asthme ou de rhinite allergique.

Précautions: ■ Ulcérations nasales (préparation intranasale) ■ Infection bactérienne, virale ou fongique non traitée ■ Traitement prolongé à des doses plus élevées que celles recommandées (risque de suppression de la fonction des surrénales) ■ Sevrage brusque du traitement aux glucocorticoïdes à action générale déconseillé au moment où le traitement par inhalation ou par voie intranasale est amorcé ■ Grossesse, allaitement ou enfants de moins de 6 ans (l'innocuité du médicament n'a pas été établie).

RÉACTIONS INDÉSIRABLES ET EFFETS SECONDAIRES

SNC: céphalées, étourdissements.

ORLO: préparation intranasale – sensation de brûlure des muqueuses nasales, irritation des muqueuses nasales, saignement du nez, crises d'éternuements; inhalation – infections fongiques oropharyngées.

Resp.: inhalation – respiration sifflante, bronchospasme.

GI: préparation intranasale – nausées, vomissements, ballonnements.

Divers: SUPPRESSION DE LA FONCTION DES SURRÉNALES à des doses plus élevées que celles recommandées.

INTERACTIONS

Médicament – médicament: Aucune interaction notable aux doses recommandées.

PRÉSENTATION

Le flunisolide est présenté sous forme de vaporisateur nasal ou d'inhalateur-doseur.

VOIES D'ADMINISTRATION ET POSOLOGIE

Remarque: 250 µg de flunisolide par dose administrée par inhalation; 25 µg

de flunisolide par dose administrée par aérosol nasal.

- **Inhalation (adultes):** 2 inhalations, 2 fois par jour (ne pas dépasser 4 inhalations, 2 fois par jour)
- **Inhalation (enfants de 4 à 15 ans):** 2 inhalations, 2 fois par jour (ne pas dépasser 2 inhalations, 2 fois par jour).
- **Préparation intranasale (adultes):** 2 vaporisations dans chaque narine, 2 fois par jour; on peut augmenter la fréquence d'administration jusqu'à 3 fois par jour, au besoin (ne pas dépasser 6 vaporisations dans chaque narine par jour). Dans la mesure du possible, il faudrait réduire la dose jusqu'à la plus petite quantité pouvant maîtriser les symptômes.
- **Préparation intranasale (enfants de 6 à 14 ans):** 1 vaporisation dans chaque narine, 3 fois par jour (ne pas dépasser 3 vaporisations dans chaque narine par jour). Dans la mesure du possible, il faudrait réduire la dose jusqu'à la plus petite quantité pouvant maîtriser les symptômes.

PHARMACODYNAMIE

	DÉBUT D'ACTION	PIC	DURÉE
inhalation	inconnu	1 – 4 semaines	inconnue
préparation intranasale	2 – 3 jours	2 – 3 semaines	inconnue

SOINS INFIRMIERS

ÉVALUATION DE LA SITUATION

- **Directives générales:** Lorsqu'on substitue le flunisolide aux glucocorticoïdes à action générale, suivre de près, au cours de la période initiale du traitement, les signes suivants d'insuffisance surrénalienne: anorexie, nausées, faiblesse, fatigue, hypotension, hypoglycémie. Si ces signes se manifestent, prévenir immédiatement le médecin, car il peut s'agir d'une réaction mortelle.

- **Asthme:** Noter l'état de la fonction respiratoire et ausculter le murmure vésiculaire à intervalles réguliers tout au long du traitement. Il est indiqué de choisir un autre traitement pour soulager une crise aiguë d'asthme.

- **Rhinite:** Déterminer la gravité de la congestion nasale; noter la quantité et la couleur des écoulements et la fréquence des éternuements.

- **Étude des examens diagnostiques et biochimiques:** Le médecin peut recommander des tests de l'exploration fonctionnelle surrénalienne à intervalles réguliers au cours du traitement prolongé afin d'évaluer le degré de suppression de l'axe hypothalamo-hypophyso-surrénalien.

DIAGNOSTICS INFIRMIERS POSSIBLES

- **Énoncés diagnostiques**
- □ Dégagement inefficace des voies respiratoires.
- □ Risque élevé d'infection.
- □ Prise en charge inefficace du programme thérapeutique.
- □ *Risque élevé d'atteinte à l'intégrité de la muqueuse buccale.*

- **Facteurs favorisants**
- □ Informations incomplètes.
- □ *Manque de connaissances sur les moyens de prévenir les effets secondaires du médicament.*
- □ *Manque de connaissances sur les modalités du traitement.*
- □ *Manque de connaissances sur la méthode d'administration du médicament.*
- □ *Manque de connaissances sur les moyens de prévenir ou de réduire la sécheresse de la bouche.*

INTERVENTIONS INFIRMIÈRES

- **Vaporisateur nasal:** Si le patient utilise également un décongestionnant topique, il doit le prendre de 5 à 15 min

avant de prendre le flunisolide. Avant d'administrer le médicament, demander au patient de se moucher délicatement s'il est incapable de respirer librement par le nez.

- **Inhalation:** Si le patient prend également des bronchodilatateurs par inhalation, il faut les administrer 5 min avant d'administrer le flunisolide.

- □ Espacer d'au moins 1 à 2 min les inhalations de médicaments en aérosol-doseur.

ENSEIGNEMENT AU PATIENT ET À SES PROCHES

- **Directives générales:** Conseiller au patient de respecter scrupuleusement la posologie recommandée. S'il n'a pas pu prendre le médicament au moment habituel, il doit le prendre aussitôt que possible à moins que ce ne soit presque l'heure prévue pour la dose suivante.

- □ Conseiller au patient de porter sur lui en tout temps une pièce d'identité où sont inscrits son problème de santé et son traitement médicamenteux pour parer à toute urgence dans le cas où il serait incapable de communiquer ses antécédents médicaux.

- □ Conseiller au patient de ne pas fumer et d'éviter les allergènes connus et les autres irritants respiratoires.

- **Inhalateur-doseur:** Recommander au patient de ne pas dépasser la dose recommandée. La posologie maximale chez les adultes est de 8 inhalations par jour.

- □ Montrer au patient comment utiliser l'aérosol-doseur. Bien secouer, expirer, refermer les lèvres sur la pièce buccale, administrer pendant la seconde moitié de l'inhalation et retenir la respiration aussi longtemps que possible après l'inhalation pour s'assurer que le médicament pénètre en profondeur. Ne pas effectuer plus de 2 inhalations à la fois; espacer les inhalations de 1 à 2 min. Laver l'inhalateur tous les jours dans de l'eau tiède du robinet.

☐ Conseiller au patient de se rincer la bouche et de se gargariser avec de l'eau après chaque inhalation afin de réduire les risques d'irritation de la gorge et d'infection à *Candida*.

☐ Expliquer au patient l'importance d'un suivi médical continu qui permet d'évaluer l'efficacité du traitement et de déceler les effets secondaires possibles du médicament. Le médecin peut recommander des tests d'exploration de la fonction pulmonaire à intervalles réguliers pendant toute la durée du traitement.

☐ Conseiller au patient de prévenir le médecin si des symptômes de crise d'asthme ou si une infection buccale se manifestent.

■ **Vaporisateur nasal:** Expliquer au patient qu'il ne faut pas dépasser la dose quotidienne maximale de 6 vaporisations par narine chez les adultes ou de 3 vaporisations chez les enfants âgés de moins de 14 ans.

☐ Expliquer au patient le mode d'emploi du vaporisateur: comprimer légèrement une narine; placer l'applicateur dans l'autre et vaporiser tout en inhalant lentement. Prévenir le patient qu'il peut ressentir un picotement passager dans le nez.

☐ Inciter le patient à prévenir le médecin si les symptômes ne s'améliorent pas dans le mois qui suit où si les écoulements deviennent purulents.

VÉRIFICATION DES RÉSULTATS

L'efficacité du traitement peut être démontrée par: ■ l'amélioration de la fonction pulmonaire en cas d'asthme chronique ■ la résolution de la congestion nasale et la disparition des écoulements et des éternuements en cas de rhinite saisonnière ou apériodique.

FLUOROMÉTHOLONE
FML Forte, FML Liquifilm, (Flour-Op), (FML S.O.P.)

CLASSIFICATION:
Agent ophtalmique – anti-inflammatoire

Grossesse – catégorie C

INDICATIONS

■ Traitement des maladies inflammatoires et allergiques ☐ de la conjonctive ☐ de la cornée ☐ du segment antérieur du globe oculaire.

ACTION

■ Action anti-inflammatoire locale puissante et modification de la réponse immunitaire. **Effets thérapeutiques:** ■ Suppression locale de l'inflammation et de la réponse immunitaire, incluant le soulagement de la douleur et des démangeaisons.

PHARMACOCINÉTIQUE

Absorption: Risque d'absorption systémique lors de l'administration prolongée de doses élevées, particulièrement chez les enfants.

Distribution: Par suite de l'administration des gouttes ophtalmiques, le fluorométholone diffuse dans l'humeur aqueuse, la cornée, l'iris, la choroïde, le corps ciliaire et la rétine.

Métabolisme et excrétion: Inconnus.

Demi-vie: Inconnue.

CONTRE-INDICATIONS ET PRÉCAUTIONS

Contre-indications: ■ Infections oculaires fongiques ■ Kératite herpétique superficielle aiguë ■ Tuberculose oculaire ■ Troubles oculaires dégénératifs ■ Maladie virale aiguë (stade infectieux) ■ Hypersensibilité au véhicule ou aux agents de conservation (chlorure de benzalkonium).

F

Précautions : ■ Cataractes ■ Diabète sucré ■ Glaucome (risque d'élévation de la pression intraoculaire) ■ Enfants âgés de moins de 2 ans (l'innocuité du médicament n'a pas été établie) ■ Amincissement de la cornée ou de la sclérotique (risque accru de perforation).

RÉACTIONS INDÉSIRABLES ET EFFETS SECONDAIRES

SNC : céphalées.

ORLO : brûlures et picotements oculaires, larmoiement, douleurs oculaires, perception d'un halo autour des objets, chute de la paupière supérieure (ptosis), dilatation anormale des pupilles, vision trouble.

End. : suppression de la fonction des surrénales (lors de l'administration prolongée de doses élevées).

INTERACTIONS

Médicament – médicament : ■ Risque d'élévation additive de la pression intraoculaire lors de l'administration simultanée d'**agents cycloplégiques** et **mydriatiques**, incluant l'**atropine** ■ Le fluorométholone peut diminuer l'efficacité des **agents administrés pour le traitement du glaucome.**

VOIES D'ADMINISTRATION ET POSOLOGIE

Usage ophtalmique (adultes) : instiller 1 ou 2 gouttes de suspension à 0,1 % ou 1 goutte de suspension à 0,25 %, de 2 à 4 fois par jour (on peut instiller initialement 1 ou 2 gouttes, toutes les heures, et diminuer graduellement à mesure que l'inflammation se résorbe).

PHARMACODYNAMIE
(effet anti-inflammatoire)

	DÉBUT D'ACTION	PIC	DURÉE
usage ophtalmique	plusieurs minutes à plusieurs heures	plusieurs heures à plusieurs jours	1 – 12 h

SOINS INFIRMIERS

ÉVALUATION DE LA SITUATION

Surveiller l'apparition des modifications de la vision, d'une irritation oculaire ou de céphalées persistantes. Prévenir le médecin si des signes d'infection se manifestent.

DIAGNOSTICS INFIRMIERS POSSIBLES

■ **Énoncés diagnostiques**
□ Risque élevé d'infection.
□ Altération de la perception visuelle.
□ Prise en charge inefficace du programme thérapeutique.

■ **Facteurs favorisants**
□ Informations incomplètes.
□ *Manque de connaissances sur la méthode d'administration du médicament.*
□ *Manque de connaissances sur les modalités du traitement.*
□ *Manque de connaissances sur les moyens de réduire la photosensibilité et sur l'importance d'un suivi ophtalmologique.*

INTERVENTIONS INFIRMIÈRES

■ **Directives générales :** Les gouttes existent en 2 concentrations. Vérifier attentivement le pourcentage inscrit sur l'étiquette avant d'administrer la préparation.
■ **Gouttes ophtalmiques :** Bien mélanger la suspension avant de l'administrer. La méthode d'administration des gouttes ophtalmiques est indiquée à l'annexe H.

ENSEIGNEMENT AU PATIENT ET À SES PROCHES

■ **Directives générales :** Montrer au patient la méthode appropriée d'administration du médicament. Lui expliquer qu'il doit respecter scrupuleusement la posologie recommandée. S'il n'a pu s'administrer la préparation au moment habituel, il devrait le faire aussitôt que possible à moins que ce ne soit presque l'heure prévue pour la dose suivante.

☐ Montrer au patient comment instiller les gouttes ophtalmiques. Lui expliquer qu'il doit éviter tout contact entre le bouchon ou l'extrémité du contenant et les yeux, les doigts ou toute autre surface.

☐ Conseiller au patient de prévenir le médecin s'il ne note aucune amélioration dans les 5 à 7 jours qui suivent le début du traitement ou si son état s'aggrave.

☐ Conseiller au patient de demander au médecin s'il peut porter des verres de contact pendant le traitement au fluorométholone. Les verres de contact peuvent accroître le risque d'infection des yeux ; on recommande habituellement de porter des lunettes pendant toute la durée du traitement.

☐ Inciter le patient à prévenir le médecin en cas de troubles visuels persistants, d'irritation oculaire persistante, de douleurs à l'œil ou aux sourcils, de perception d'un halo autour des sources de lumière ou de chute de la paupière supérieure (ptosis).

☐ Insister sur l'importance des examens réguliers de suivi permettant de mesurer la pression intraoculaire et d'évaluer l'acuité visuelle.

VÉRIFICATION DES RÉSULTATS

L'efficacité du traitement peut être démontrée par : la suppression de l'inflammation oculaire.

FLUOROURACILE

Adrucil, Efudex, Fluoroplex, Fluorouracil, (5-FU)

CLASSIFICATION :

Antinéoplasique – antimétabolite

Grossesse – catégorie inconnue

INDICATIONS

■ En monothérapie ou en association avec d'autres modalités thérapeutiques (intervention chirurgicale, radiothérapie, administration d'autres antinéoplasiques) pour traiter le cancer : ☐ du côlon ☐ du sein ☐ du rectum ☐ de l'estomac ☐ du pancréas ■ De plus, on a aussi noté une certaine réponse en présence de certaines autres tumeurs solides : cancer de la vessie, de la prostate, de la tête et du cou et de l'ovaire ■ Traitement topique des kératoses actiniques (solaires) multiples.

ACTION

■ Inhibition de la synthèse de l'ADN et de l'ARN en prévenant la production de thymidine (effet spécifique sur la phase S du cycle cellulaire). **Effets thérapeutiques :** ■ Destruction des cellules à réplication rapide, particulièrement des cellules malignes.

PHARMACOCINÉTIQUE

Absorption : Par suite de l'application topique, l'absorption est faible (de 5 à 10 %).

Distribution : Le fluorouracile se répartit dans tout l'organisme ; il se concentre dans les tumeurs où il s'accumule.

Métabolisme et excrétion : Le fluorouracile se transforme en monophosphate de floxuridine (métabolite actif). Il subit une inactivation cellulaire et il est métabolisé par le foie. Une fraction de 60 à 80 % est excrétée par les poumons sous forme de CO_2. De petites quantités (< 10 à 15 %) sont excrétées à l'état inchangé par les reins.

Demi-vie : 20 h.

CONTRE-INDICATIONS ET PRÉCAUTIONS

Contre-indications : ■ Hypersensibilité ■ Grossesse ou allaitement.

Précautions : ■ Patientes en âge de procréer ■ Infections ■ Réserve médullaire réduite ■ Autres maladies chroniques débilitantes.

F

RÉACTIONS INDÉSIRABLES ET EFFETS SECONDAIRES

SNC: dysfonction cérébelleuse aiguë.
GI: <u>nausées</u>, <u>vomissements</u>, <u>stomatite</u>, diarrhée.
Tég.: <u>alopécie</u>, <u>rash maculopapulaire</u>, chute des ongles, mélanose des ongles, phototoxicité.
End.: suppression de la fonction des gonades.
Hémat.: <u>anémie</u>, <u>leucopénie</u>, <u>thrombocytopénie</u>.
Locaux: thrombophlébite.
Divers: fièvre.

INTERACTIONS

Médicament – médicament: ■ Hypoplasie médullaire additive lors de l'administration concomitante d'autres **agents dépresseurs de la moelle osseuse** (autres **antinéoplasiques** ou la **radiothérapie**) ■ Le fluorouracile peut diminuer la réponse des anticorps aux **vaccins vivants** et augmenter le risque de réactions indésirables.

PRÉSENTATION

La mention « 5 » (5-fluorouracile) fait partie du nom de l'agent et ne fait nullement référence à la teneur du médicament.

VOIES D'ADMINISTRATION ET POSOLOGIE

Remarque: Les doses peuvent varier de façon notable, selon la tumeur, l'état du patient et les directives du protocole.

■ **IV (adultes):** 12 mg/kg par jour, les jours 1 à 4, puis 6 mg/kg par jour, les jours 6, 8, 10 et 12; on peut répéter l'administration 30 jours après la dernière dose administrée, en traitement d'entretien ou administrer une dose d'entretien hebdomadaire de 10 à 15 mg/kg. Ne pas dépasser 1 g par semaine (la dose unique quotidienne ne doit pas être supérieure à 800 mg).
Patients à haut risque: 6 mg/kg par jour, les jours 1 à 3, et 3 mg/kg par jour, les jours 5, 7 et 9 (ne pas dépasser 400 mg par dose).

■ **Préparation topique (adultes):** appliquer une solution ou une crème à 1 %, 2 fois par jour, sur les lésions de la tête ou du cou ou une solution ou une crème à 5 %, 2 fois par jour, sur les autres régions.

PHARMACODYNAMIE
(IV = effets sur la numération globulaire; préparation topique = effets dermatologiques)

	DÉBUT D'ACTION	PIC	DURÉE
IV	1 – 9 jours	9 – 21 jours (nadir)	30 jours
préparation topique	2 – 3 jours	2 – 6 semaines	1 – 2 mois

SOINS INFIRMIERS

ÉVALUATION DE LA SITUATION

☐ Prendre les signes vitaux avant le traitement et à intervalles fréquents pendant toute sa durée.

☐ Examiner les muqueuses, noter le nombre et la consistance des selles et la fréquence des vomissements. Surveiller les signes d'infection. Suivre de près la fièvre et les maux de gorge ainsi que les saignements: saignement des gencives, formation d'ecchymoses, pétéchies, présence de sang occulte dans les selles, l'urine et les vomissements. Éviter les injections IM et la prise de la température rectale. Appliquer une pression sur les points de ponction veineuse pendant au moins 10 min. Prévenir le médecin si les symptômes suivants de toxicité se manifestent: stomatite ou œsophago-pharyngite, vomissements impossibles à réprimer, diarrhée, nombre de leucocytes inférieur à $3,5 \times 10^9$/L, nombre de plaquettes inférieur à 100×10^9/L, hémorragie gastrique ou toute autre hémorragie. Le médecin devrait recommander, dans ce cas, l'arrêt du traitement.

☐ Examiner fréquemment les points d'injection IV pour déceler l'inflammation et l'infiltration. Demander au patient de prévenir l'infirmière en cas de douleur ou d'irritation au point d'injection. Le médicament peut provoquer la thrombophlébite. En cas d'extravasation, arrêter la perfusion et recommencer dans une autre veine afin d'éviter la lésion des tissus sous-cutanés. En prévenir le médecin immédiatement. Le traitement standard comprend l'application de compresses de glace.

☐ Effectuer le bilan des ingesta et des excreta, évaluer l'appétit du patient et noter son apport alimentaire. Les effets gastriques surviennent habituellement le 4e jour de traitement. En adaptant le régime alimentaire selon les aliments que le patient peut tolérer, on peut maintenir l'équilibre hydroélectrolytique et l'état nutritionnel.

☐ Suivre de près les symptômes suivants de dysfonctionnement cérébelleux: faiblesse, ataxie et étourdissements. Ces symptômes peuvent persister même après l'arrêt du traitement.

■ **Préparation topique:** Examiner la peau atteinte avant le début du traitement et pendant toute sa durée.

■ **Étude des examens diagnostiques et biochimiques:** Le fluorouracile peut diminuer les concentrations plasmatiques d'albumine.

☐ Examiner les résultats des tests de l'exploration fonctionnelle du foie, des reins et des organes formateurs de sang avant le traitement et à intervalles réguliers pendant toute sa durée. Une numération globulaire devrait être effectuée tous les jours au cours du traitement IV. Prévenir le médecin immédiatement si le nombre de leucocytes est inférieur à $3,5 \times 10^9$/L ou celui de plaquettes, à 100×10^9/L.

Il s'agit de critères dictant l'arrêt du traitement. La leucopénie apparaît habituellement dans les 9 à 14 jours qui suivent l'administration et le nadir entre le 21e et le 25e jour. Les valeurs se rétablissent vers le 30e jour. Le fluorouracile peut également provoquer une thrombocytopénie (nadir entre le 7e et le 17e jour).

DIAGNOSTICS INFIRMIERS POSSIBLES

■ **Énoncés diagnostiques**

☐ Risque élevé d'infection.

☐ Déficit nutritionnel.

☐ Prise en charge inefficace du programme thérapeutique.

☐ *Risque élevé d'atteinte à l'intégrité de la muqueuse buccale.*

☐ *Risque élevé de déficit de volume liquidien.*

☐ *Risque élevé de perturbation situationnelle de l'estime de soi.*

☐ *Risque élevé d'accident.*

☐ *Risque élevé d'anxiété.*

☐ *Risque élevé de douleur au point d'injection IV.*

☐ *Risque élevé de déséquilibre hydro-électrolytique.*

☐ *Risque élevé d'atteinte à l'intégrité de la peau.*

■ **Facteurs favorisants**

☐ Informations incomplètes.

☐ *Manque de connaissances sur les moyens de prévenir ou de réduire la sécheresse de la bouche.*

☐ *Altération de l'image corporelle.*

☐ *Fatigue et faiblesse.*

☐ *Manque de connaissances sur les effets secondaires du médicament et sur les moyens de les prévenir.*

☐ *Manque de connaissances sur les modalités du traitement.*

☐ *Inflammation locale du tissu vasculaire ou infiltration du médicament dans les tissus avoisinants.*

☐ *Manque de connaissances sur le régime alimentaire à suivre.*

☐ *Manque de connaissances sur la méthode d'administration du médicament.*

☐ *Manque de connaissances sur les moyens de réduire la photosensibilité.*

INTERVENTIONS INFIRMIÈRES

■ **Directives générales :** Préparer les solutions IV sous une hotte biologique de sécurité. Porter des vêtements protecteurs incluant des gants et un masque pendant la manipulation du fluorouracile. Mettre au rebut le matériel dans les contenants réservés à cet effet (voir l'annexe I).

■ **IV directe :** L'administration IV rapide (pendant 1 ou 2 min) s'avère la plus efficace, mais les effets toxiques du médicament peuvent survenir plus rapidement.

■ **Perfusion intermittente :** Le fluorouracile peut être dilué dans une solution de dextrose à 5 % dans de l'eau ou de NaCl à 0,9 %.

☐ Utiliser une tubulure et des sacs en plastique pour perfusion IV pour assurer une plus grande stabilité du médicament. La solution est stable pendant 24 h à la température ambiante ; ne pas réfrigérer. Le fabricant ne recommande pas les admixtions. Jeter toute solution trouble ou qui a changé de couleur de façon notable. Si des cristaux se forment dans la solution, la chauffer jusqu'à 55 °C, la secouer vigoureusement et la laisser refroidir jusqu'à la température du corps.

☐ *Vitesse d'administration :* L'administration en 2 à 8 h retarde considérablement l'apparition des effets toxiques.

■ **Associations compatibles dans la même seringue :** Bléomycine, cisplatine, cyclophosphamide, doxorubicine, furosémide, héparine, leucovorine, méthotrexate, métoclopramide, mitomycine,

vinblastine ou vincristine. Mélanger juste avant l'administration.

■ **Association incompatible dans la même seringue :** Dropéridol.

■ **Compatibilités (tubulure en Y) :** Bléomycine, cisplatine, cyclophosphamide, doxorubicine, furosémide, héparine, leucovorine, méthotrexate, métoclopramide, mitomycine, vinblastine ou vincristine. Mélanger juste avant l'administration.

■ **Incompatibilité (tubulure en Y) :** Dropéridol.

■ **Compatibilités en addition au soluté :** Dextrose à 5 % dans du lactate Ringer, bléomycine, céphalothine, prednisolone ou vincristine.

■ **Incompatibilités en addition au soluté :** Cisplatine, cytarabine, diazépam ou doxorubicine.

■ **Préparation topique :** Consulter le médecin avant d'utiliser les préparations topiques afin de déterminer les soins qu'il recommande pour préparer la peau. Les pansements occlusifs trop ajustés sont déconseillés, en raison du risque d'irritation des tissus sains environnants. On devrait habituellement opter pour un pansement de gaze pour des raisons esthétiques seulement. Porter des gants lors de l'application du médicament. Ne pas utiliser d'applicateur métallique.

ENSEIGNEMENT AU PATIENT ET À SES PROCHES

■ **Directives générales :** Recommander au patient de signaler au médecin les symptômes suivants : fièvre, frissons, maux de gorge, signes d'infection, saignements des gencives, formation d'ecchymoses, pétéchies, présence de sang occulte dans les urines, les selles ou les vomissements. Inciter le patient à éviter les foules et les personnes contagieuses. Lui recommander d'utiliser une brosse à dents à poils doux et un rasoir électrique, de ne pas boire d'alcool et de ne pas prendre de produits à base d'aspirine.

□ Conseiller au patient de se rincer la bouche avec de l'eau après avoir bu ou mangé et de ne pas utiliser de la soie dentaire afin de réduire les risques de stomatite.

□ Expliquer au patient qu'il risque de perdre ses cheveux. Explorer avec lui les stratégies lui permettant de s'adapter à ce changement.

□ Recommander au patient d'utiliser des écrans solaires et de porter des vêtements protecteurs pour prévenir les réactions de phototoxicité.

□ Expliquer au patient qu'il ne doit pas se faire vacciner sans recommandation expresse du médecin.

□ Insister sur l'importance des examens diagnostiques et biochimiques à intervalles réguliers permettant d'évaluer les bienfaits du traitement et de déceler les effets secondaires.

□ Expliquer à la patiente la nécessité de continuer à prendre des mesures contraceptives pendant toute la durée du traitement.

■ **Préparation topique :** Expliquer au patient la méthode d'application de la crème ou de la solution, en insistant sur le fait qu'il doit éviter tout contact avec les yeux et qu'il doit user de prudence lorsqu'il applique le médicament près de la bouche et du nez. Si le patient ne porte pas de gants lors de l'application du médicament, insister sur l'importance de se laver soigneusement les mains après le traitement. Lui expliquer que l'érythème, la desquamation, les phlyctènes avec prurit et une sensation de brûlure sont des effets prévisibles du traitement. Il faut arrêter le traitement en cas d'érosion, d'ulcération et de nécrose des tissus dans les 2 à 6 semaines qui suivent le début du traitement (de 10 à 12 semaines dans le cas d'un épithélioma cutané basocellulaire). La peau guérit de 4 à 8 semaines plus tard.

VÉRIFICATION DES RÉSULTATS

L'efficacité du traitement peut être démontrée par : ■ la diminution de la taille de la tumeur ■ l'élimination des kératoses solaires ou des épithéliomes cutanés basocellulaires superficiels.

FLUOXÉTINE
Prozac

CLASSIFICATION :
Antidépresseur

Grossesse – catégorie B

INDICATIONS

■ Soulagement symptomatique de la dépression, souvent en association avec la psychothérapie ■ Boulimie ■ Trouble obsessionnel-compulsif.

ACTION

■ Inhibition du recaptage de la sérotonine dans le SNC. **Effets thérapeutiques :** ■ Effet antidépresseur.

PHARMACOCINÉTIQUE

Absorption : Bonne absorption par suite de l'administration PO.

Distribution : La fluoxétine traverse la barrière hémato-encéphalique.

Métabolisme et excrétion : La fluoxétine est transformée dans le foie en norfluoxétine, qui est également un composé antidépresseur ; la fluoxétine et la norfluoxétine sont en grande partie métabolisées par le foie. Une fraction de 12 % est excrétée par les reins sous forme de fluoxétine inchangée et une fraction de 7 %, sous forme de norfluoxétine inchangée.

Demi-vie : De 1 à 3 jours (norfluoxétine : de 5 à 7 jours).

CONTRE-INDICATIONS ET PRÉCAUTIONS

Contre-indications : Hypersensibilité.

Précautions : ■ Insuffisance rénale ou hépatique grave (ajuster la posologie, au besoin) ■ Grossesse, allaitement ou enfants (l'innocuité du médicament n'a pas été établie) ■ Antécédents de convulsions ■ Patients débilités (risque accru de convulsions) ■ Diabète sucré ■ Anorexie mentale.

RÉACTIONS INDÉSIRABLES ET EFFETS SECONDAIRES

SNC: CONVULSIONS, anxiété, nervosité, insomnie, céphalées, somnolence, tremblements, étourdissements, fatigue, manie, hypomanie, faiblesse, rêves bizarres.
ORLO: troubles visuels, congestion nasale.
CV: palpitations, douleurs thoraciques.
End.: dysménorrhée.
GI: anorexie, perte de poids, nausées, diarrhée, sécheresse de la bouche (xérostomie), dyspepsie, constipation, douleurs abdominales, altération du goût, vomissements.
GU: mictions fréquentes.
Tég.: rash, transpiration excessive, prurit, rougeurs.
Loc.: douleurs lombaires, arthralgie, myalgie.
SN: tremblements.
Resp.: toux.
Divers: syndrome pseudo-grippal, fièvre, bouffées de chaleur, dysfonctionnement sexuel, réactions d'hypersensibilité.

INTERACTIONS

Médicament – médicament: ■ Effet additif sur la dépression du SNC, lors de l'usage concomitant d'**alcool**, d'**antihistaminiques**, d'autres **antidépresseurs**, d'**analgésiques narcotiques** ou d'**hypnosédatifs** ■ La fluoxétine peut prolonger les effets du **diazépam** ■ L'administration simultanée d'**inhibiteurs de la MAO** peut entraîner de la confusion, de l'agitation, des convulsions, de l'hypertension et de l'hyperpyrexie (interrompre l'administration 14 jours avant le début du traitement par la fluoxétine). Arrêter l'administration de la fluoxétine au moins 5 semaines avant d'amorcer le traitement par les IMAO ■ Risque accru d'effets secondaires et de réactions indésirables lors de l'administration simultanée d'autres **antidépresseurs** ou de **phénothiazines** ■ La fluoxétine peut augmenter l'effet de la **digitoxine**, du **lithium** et des **anticoagulants oraux**, mais augmente aussi le risque de toxicité.

VOIES D'ADMINISTRATION ET POSOLOGIE

Dépression
■ **PO (adultes):** 20 mg par jour, le matin. Une augmentation graduelle de la dose ne sera envisagée qu'après une période d'essai de plusieurs semaines, si l'amélioration prévue ne se concrétise pas (ne pas dépasser 80 mg par jour).

Boulimie
■ **PO (adultes):** 60 mg par jour.

Trouble obsessionnel-compulsif
■ **PO (adultes):** de 20 à 60 mg par jour.

PHARMACODYNAMIE
(effet antidépresseur)

	DÉBUT D'ACTION	PIC	DURÉE
PO	1 à 4 semaines	inconnu	2 semaines

☀ SOINS INFIRMIERS

ÉVALUATION DE LA SITUATION

☐ Suivre de près les sautes d'humeur. Signaler au médecin l'aggravation de l'anxiété, de l'agitation ou de l'insomnie.

☐ Observer les tendances suicidaires, particulièrement durant le traitement initial. Réduire la quantité de médicament dont le patient peut disposer.

☐ Suivre de près l'appétit du patient et son alimentation. Noter son poids toutes les semaines. Prévenir le médecin en cas de perte constante de poids. Adapter le régime alimentaire selon les aliments que le patient peut tolérer pour favoriser le maintien de l'état nutritionnel.

□ Surveiller les signes suivants de réactions d'hypersensibilité : urticaire, fièvre, arthralgie, œdème, syndrome du canal carpien, rash, lymphadénopathie et détresse respiratoire. Prévenir le médecin si ces symptômes se manifestent ; ils disparaissent habituellement lors de l'arrêt du traitement par la fluoxétine, mais peuvent dicter l'administration d'antihistaminiques ou de glucocorticoïdes.

■ **Étude des examens diagnostiques et biochimiques :** Examiner la numération globulaire et la numération leucocytaire, à intervalles réguliers, tout au long du traitement. Prévenir le médecin en cas de leucopénie, d'anémie, de thrombocytopénie ou de l'allongement du temps de saignement.

□ Une protéinurie et une légère élévation des concentrations de TGOS (AST) peuvent survenir au cours des réactions d'hypersensibilité.

DIAGNOSTICS INFIRMIERS POSSIBLES

■ **Énoncés diagnostiques**

□ Stratégies d'adaptation individuelles inefficaces.

□ Risque élevé d'accident.

□ Prise en charge inefficace du programme thérapeutique.

□ *Risque élevé de déficit nutritionnel.*

□ *Risque élevé d'atteinte à l'intégrité de la muqueuse buccale.*

■ **Facteurs favorisants**

□ Informations incomplètes.

□ *Perturbation de la vigilance.*

□ *Manque de connaissances sur le régime alimentaire à suivre.*

□ *Manque de connaissances sur les moyens de prévenir les effets secondaires du médicament.*

□ *Manque de connaissances sur les moyens de prévenir ou de réduire la sécheresse de la bouche.*

INTERVENTIONS INFIRMIÈRES

PO : Administrer une seule dose le matin. Chez certains patients, il peut s'avérer nécessaire d'administrer une quantité plus élevée de fluoxétine en doses fractionnées.

ENSEIGNEMENT AU PATIENT ET À SES PROCHES

□ Conseiller au patient de respecter scrupuleusement la posologie recommandée. S'il n'a pas pu prendre le médicament au moment habituel, lui conseiller de ne pas prendre cette dose et de revenir au schéma habituel. Lui recommander de ne jamais remplacer une dose manquée par une double dose.

□ Prévenir le patient que la fluoxétine peut altérer sa capacité de jugement et peut provoquer de la somnolence, des étourdissements et une vision trouble. Lui recommander de ne pas conduire et d'éviter les activités qui exigent sa vigilance jusqu'à ce qu'on ait la certitude que le médicament n'entraîne pas ces effets chez lui.

□ Conseiller au patient d'éviter la consommation d'alcool ou la prise d'autres dépresseurs du SNC pendant le traitement et de consulter le médecin avant de prendre d'autres médicaments en même temps que la fluoxétine.

□ Expliquer au patient qu'il peut soulager la sécheresse de la bouche en se rinçant souvent la bouche, en pratiquant une bonne hygiène orale et en consommant des bonbons ou de la gomme à mâcher sans sucre. Si la sécheresse de la bouche persiste pendant plus de 2 semaines, lui recommander de consulter le médecin ou le dentiste qui pourra lui prescrire des substituts de salive.

□ Conseiller à la patiente de prévenir le médecin si elle souhaite devenir enceinte ou si elle pense l'être.

□ Conseiller au patient de prévenir le médecin en cas de réactions d'hypersensibilité ou si les céphalées, les nausées, l'anorexie, l'anxiété ou l'insomnie persistent.

□ Insister sur l'importance des examens de suivi permettant de déterminer les bienfaits du traitement. Encourager le patient à s'engager dans une psychothérapie.

VÉRIFICATION DES RÉSULTATS

L'efficacité du traitement peut être démontrée par : ■ une sensation de mieux-être □ un regain d'intérêt pour l'entourage ; les effets antidépresseurs peuvent ne pas se manifester avant 1 à 4 semaines ■ la réduction des épisodes de frénésie alimentaire et de purgation qui caractérisent la boulimie ■ l'atténuation des symptômes du trouble obsessionnel-compulsif.

FLUPHÉNAZINE

Apo-Fluphénazine, Modecate, Moditen, PMS-Fluphénazine, (Permitil), (Prolixin)

CLASSIFICATION :
Antipsychotique – phénothiazine

Grossesse – catégorie inconnue

INDICATIONS

Traitement des psychoses aiguës et chroniques.

ACTION

■ Modification des effets de la dopamine dans le SNC ■ Action anticholinergique et blocage alpha-adrénergique. **Effets thérapeutiques :** ■ Diminution des signes et des symptômes de psychose.

PHARMACOCINÉTIQUE

Absorption : Bonne absorption par suite de l'administration PO ou IM. Les sels de décanoate et d'énanthate dans l'huile de sésame retardent le début d'action de la fluphénazine et prolongent son action en raison de la libération retardée du médicament à partir de la base d'huile et du retard subséquent de sa libération à partir des tissus adipeux.

Distribution : L'agent se répartit dans tout l'organisme. Il traverse la barrière hémato-encéphalique et le placenta et pénètre dans le lait maternel.

Métabolisme et excrétion : Le médicament est fortement métabolisé par le foie et subit plusieurs cycles entérohépatiques.

Demi-vie : Chlorhydrate de fluphénazine : de 4,7 à 15,3 h ; énanthate de fluphénazine : 3,7 jours ; décanoate de fluphénazine : de 6,8 à 9,6 jours.

CONTRE-INDICATIONS ET PRÉCAUTIONS

Contre-indications : ■ Hypersensibilité ■ Risque de réactions de sensibilité croisée avec d'autres phénothiazines ■ Glaucome à angle fermé ■ Aplasie médullaire ■ Maladies hépatique ou cardiovasculaire graves ■ Hypersensibilité à l'huile de sésame (sels de décanoate et d'énanthate).

Précautions : ■ Personnes âgées ou patients débilités (réduire la dose, au besoin) ■ Grossesse ou allaitement (l'innocuité du médicament n'a pas été établie) ■ Diabète sucré ■ Maladie respiratoire ■ Hypertrophie de la prostate ■ Tumeurs du SNC ■ Épilepsie ■ Occlusion intestinale.

RÉACTIONS INDÉSIRABLES ET EFFETS SECONDAIRES

SNC : sédation, réactions extrapyramidales, dyskinésie tardive.

ORLO : sécheresse des yeux (alacrymie), vision trouble, opacité du cristallin.

CV : hypotension, tachycardie.

GI : constipation, sécheresse de la bouche (xérostomie), occlusion intestinale, anorexie, hépatite.

GU : rétention urinaire.

Tég. : rash, photosensibilité, modification de la pigmentation.

End. : galactorrhée.

Hémat. : AGRANULOCYTOSE, leucopénie.

Divers : réactions allergiques, hyperthermie.

INTERACTIONS

Médicament – médicament : ■ Effets hypotensifs additifs lors de l'administration simultanée d'**antihypertenseurs**. ■ Effets additifs sur la dépression du SNC lors de l'usage concomitant d'autres **dépresseurs du SNC** dont l'**alcool**, les **antidépresseurs**, les **antihistaminiques**, les **inhibiteurs de la MAO**, les **analgésiques narcotiques**, les **hypnosédatifs** ou les **anesthésiques généraux**. ■ Le **phénobarbital** peut accélérer le métabolisme de la fluphénazine et en réduire l'efficacité. ■ L'administration concomitante de **lithium** peut provoquer l'une des réactions suivantes : encéphalopathie aiguë, diminution de l'absorption de la fluphénazine, augmentation de l'excrétion du lithium, risque accru de réactions extrapyramidales ou dissimulation des premiers signes de toxicité par le lithium. ■ Les **antiacides** ou les **antidiarrhéiques adsorbants (kaolin)** peuvent diminuer l'absorption de la fluphénazine. ■ Risque accru d'agranulocytose lors de l'administration simultanée d'**agents antithyroïdiens**. ■ La fluphénazine peut réduire les effets antiparkinsoniens de la **lévodopa** et de la **bromocriptine**. ■ La fluphénazine diminue l'effet vasopresseur de l'**épinéphrine** et de la **norépinéphrine**. ■ La fluphénazine diminue l'effet antihypertenseur de la **guanéthidine**. ■ L'administration concomitante de **bêtabloquants** peut inhiber le métabolisme de l'un des médicaments ou des deux à la fois entraînant une intensification de la réponse. ■ Risque accru d'effets anticholinergiques lors de l'administration simultanée d'autres **agents doués de propriétés anticholinergiques** dont les **antihistaminiques**, les **antidépresseurs tricycliques**, le **disopyramide** ou la **quinidine**.

PRÉSENTATION

Le médicament est présenté sous forme de comprimés, d'élixir et de solution injectable à action prolongée. Même si la solution vire au jaune pâle ou devient ambrée, sa puissance n'est en rien altérée.

VOIES D'ADMINISTRATION ET POSOLOGIE

Chlorhydrate de fluphénazine

■ **PO (adultes) :** initialement, de 1 à 10 mg par jour, en doses fractionnées, toutes les 6 à 8 h ; la dose d'entretien est de 1 à 5 mg par jour, en une seule dose. On doit faire preuve de prudence lorsqu'on administre des doses orales quotidiennes de plus de 20 mg.

Énanthate de fluphénazine

■ **IM (adultes) :** la dose habituelle est de 25 mg, toutes les 2 semaines. La dose peut cependant varier entre 12,5 mg et 100 mg, toutes les 1 à 3 semaines.

Décanoate de fluphénazine

■ **IM et SC (adultes) :** initialement, de 2,5 mg à 12,5 mg. On peut administrer une deuxième dose de 12,5 mg ou de 25 mg, 4 à 10 jours après l'administration de la dose initiale. Par la suite, la dose se situe entre 12,5 mg et 25 mg, toutes les 2 à 3 semaines.

PHARMACODYNAMIE
(effets antipsychotiques)

	DÉBUT D'ACTION	PIC	DURÉE
PO chlorhydrate	1 h	inconnu	6 – 8 h
IM énanthate	24 – 72 h	inconnu	2 semaines
IM décanoate	24 – 72 h	inconnu	1 – 6 semaines

SOINS INFIRMIERS

ÉVALUATION DE LA SITUATION

□ Évaluer l'état de la conscience du patient (orientation, humeur, comportement) avant le traitement et à intervalles réguliers pendant toute sa durée.

F

□ Mesurer la pression artérielle (en position assise, debout et couchée), le pouls et la fréquence respiratoire avant l'administration et à intervalles fréquents pendant la période d'adaptation de la posologie.

□ Observer attentivement le patient lorsqu'on lui administre le médicament pour s'assurer qu'il l'a bien avalé.

□ Noter la consommation de liquides et la fonction intestinale. Un apport accru de liquides et un régime alimentaire riche en fibres peut réduire les effets constipants du médicament.

□ Surveiller les symptômes extrapyramidaux (mouvements d'émiettement, bouche ouverte laissant s'échapper la salive [sialorrhée], tremblements, rigidité et démarche traînante) ; les symptômes de dyskinésie tardive (mouvements incontrôlés du visage, de la bouche, de la langue ou de la mâchoire et mouvements involontaires des membres) ; et l'apparition du syndrome malin des neuroleptiques (fièvre, détresse respiratoire, tachycardie, convulsions, diaphorèse, hypertension ou hypotension, pâleur, fatigue). Informer le médecin dès que ces symptômes apparaissent.

■ **Étude des examens diagnostiques et biochimiques :** Noter à intervalles réguliers pendant toute la durée du traitement les résultats des tests de l'exploration fonctionnelle hépatique, les concentrations urinaires de bilirubine et le débit de bile. Il s'agit de signes de toxicité hépatique. La fluphénazine peut entraîner des résultats faussement élevés au dosage de la bilirubine urinaire.

□ La fluphénazine peut entraîner des résultats faussement positifs ou faussement négatifs aux tests de grossesse.

□ La fluphénazine peut provoquer la dyscrasie ; observer la numération globulaire à intervalles réguliers tout au long du traitement.

DIAGNOSTICS INFIRMIERS POSSIBLES

■ **Énoncés diagnostiques**

□ Altération des opérations de la pensée.

□ Prise en charge inefficace du programme thérapeutique.

□ Non-observance du traitement médicamenteux.

□ *Risque élevé d'atteinte à l'intégrité de la peau.*

□ *Risque élevé de constipation.*

□ *Risque élevé d'anxiété.*

□ *Risque élevé d'accident.*

□ *Risque élevé d'atteinte à l'intégrité de la muqueuse buccale.*

■ **Facteurs favorisants**

□ Informations incomplètes.

□ Doute quant aux bienfaits du médicament.

□ *Manque de connaissances sur les moyens de réduire la photosensibilité et sur l'importance d'un suivi ophtalmologique.*

□ *Manque de connaissances sur les moyens de stimuler la fonction intestinale.*

□ *Manque de connaissances sur les effets secondaires du médicament et sur les moyens de les prévenir.*

□ *Manque de connaissances sur les modalités du traitement.*

□ *Manque de connaissances sur les effets hypotensifs du médicament lors des changements brusques de position.*

□ *Perturbation de la vigilance.*

□ *Manque de connaissances sur les moyens de prévenir la sécheresse de la bouche.*

INTERVENTIONS INFIRMIÈRES

■ **Directives générales :** Éviter les éclaboussures sur les mains, étant donné les risques de dermatite de contact. En cas d'éclaboussures, bien se laver les mains.

□ Pour ne pas rendre les préparations injectables troubles, il faut les extraire de la fiole à l'aide d'une seringue sèche et d'une aiguille sèche de calibre 21.

- **SC**: Le décanoate de fluphénazine est dissout dans l'huile de sésame ce qui en assure une plus longue durée d'action. Il peut être administré par voie SC ou IM.

- **IM**: La dose IM correspond habituellement à $1/3$ à $1/2$ de la dose administrée par voie orale.

- **IM**: Injecter profondément dans le muscle fessier en utilisant une seringue sèche et une aiguille de calibre 21. Demander au patient de rester couché pendant 30 min pour prévenir l'hypotension.

ENSEIGNEMENT AU PATIENT ET À SES PROCHES

☐ Expliquer au patient qu'il doit respecter scrupuleusement la posologie recommandée ; l'avertir qu'il ne doit jamais sauter de dose ni remplacer une dose manquée par une double dose. Le sevrage brusque peut provoquer une gastrite, des nausées, des vomissements, des étourdissements, des céphalées, de la tachycardie et de l'insomnie.

☐ Informer le patient qu'il risque de manifester des symptômes extrapyramidaux ou une dyskinésie tardive. Lui recommander de signaler immédiatement ces symptômes au médecin.

☐ Recommander au patient de changer lentement de position afin de réduire les risques d'hypotension orthostatique.

☐ Prévenir le patient que la fluphénazine peut provoquer de la somnolence. Lui conseiller de ne pas conduire et d'éviter les activités qui exigent sa vigilance jusqu'à ce qu'on ait la certitude que le médicament n'entraîne pas cet effet chez lui.

☐ Mettre en garde le patient contre la consommation d'alcool ou d'autres dépresseurs du SNC en même temps que ce médicament.

☐ Recommander au patient d'utiliser des écrans solaires et de porter des vêtements protecteurs lorsqu'il s'expose au soleil, car la pigmentation des surfaces exposées peut devenir bleu-gris ; cette réaction disparaît après l'arrêt du traitement. Recommander également au patient d'éviter les températures extrêmes, car la fluphénazine altère la thermorégulation.

☐ Conseiller au patient de se rincer fréquemment la bouche avec de l'eau, de pratiquer une bonne hygiène orale et de consommer de la gomme ou des bonbons sans sucre pour soulager la sécheresse de la bouche. Lui recommander de consulter le médecin ou le dentiste si la sécheresse de la bouche persiste pendant plus de 2 semaines.

☐ Informer le patient que la fluphénazine peut modifier la couleur de l'urine qui peut devenir de rose à rouge brun.

☐ Informer le patient qu'il doit prévenir sans délai le médecin en cas de maux de gorge, de fièvre, de saignements ou d'ecchymoses inhabituels, de rash, de faiblesse, de tremblements, de troubles de la vue, d'urine de couleur foncée ou de selles couleur de glaise.

☐ Recommander au patient qui doit suivre un traitement dentaire ou subir une intervention chirurgicale d'avertir le dentiste ou le médecin qu'il suit un traitement médicamenteux.

☐ Insister sur l'importance des examens réguliers de suivi, incluant les examens de la vue, lors d'un traitement prolongé et inciter le patient à suivre une psychothérapie.

VÉRIFICATION DES RÉSULTATS

L'efficacité du traitement peut être démontrée par : la diminution de l'excitation, du comportement paranoïde ou du repli sur soi.

FLURAZÉPAM

Apo-flurazépam, Dalmane, Novoflupam, Somnol, (Durapam), (Som-Pam)

CLASSIFICATION:
Hypnosédatif – benzodiazépine

Grossesse – catégorie inconnue

INDICATIONS

Traitement de courte durée (< 4 semaines) de l'insomnie.

ACTION

■ Dépression du SNC, probablement attribuable à la potentialisation de l'acide gamma-aminobutyrique (GABA), un neurotransmetteur inhibiteur. **Effets thérapeutiques:** ■ Amélioration du sommeil.

PHARMACOCINÉTIQUE

Absorption: Bonne absorption par suite de l'administration PO.

Distribution: L'agent se répartit dans tout l'organisme et traverse la barrière hémato-encéphalique. Il traverse probablement le placenta et pénètre dans le lait maternel. Lors d'une administration prolongée, le médicament s'accumule dans les tissus.

Métabolisme et excrétion: L'agent est métabolisé par le foie. Certains métabolites ont un effet hypnotique.

Demi-vie: 2,3 h (la demi-vie du métabolite actif peut durer de 30 à 200 h).

CONTRE-INDICATIONS ET PRÉCAUTIONS

Contre-indications: ■ Hypersensibilité ■ Risque de réaction de sensibilité croisée avec les autres benzodiazépines ■ Dépression préexistante du SNC ■ Douleurs graves, impossibles à soulager ■ Glaucome à angle fermé ■ Grossesse ou allaitement.

Précautions: ■ Insuffisance hépatique (réduire la dose, au besoin) ■ Comportement suicidaire ou antécédents de toxicomanie ■ Personnes âgées ou patients débilités (réduire la dose, au besoin).

RÉACTIONS INDÉSIRABLES ET EFFETS SECONDAIRES

SNC: étourdissements, somnolence diurne, léthargie, sensation « droguée », excitation paradoxale, confusion, dépression mentale, céphalées.

Tég.: rash.

ORLO: vision trouble.

GI: nausées, vomissements, diarrhée, constipation.

Divers: tolérance aux effets du médicament, dépendance psychologique, dépendance physique.

INTERACTIONS

Médicament – médicament: ■ Risque de dépression additive du SNC, lors de l'usage concomitant d'**alcool**, d'**antidépresseurs**, d'**antihistaminiques** et d'**analgésiques narcotiques** ■ La **cimétidine**, les **contraceptifs oraux**, le **disulfirame**, la **fluoxétine**, l'**isoniazide**, le **kétoconazole**, le **métoprolol**, le **propoxyphène**, le **propranolol** ou l'**acide valproïque** peuvent ralentir le métabolisme du flurazépam et en accroître les effets ■ Le flurazépam peut diminuer l'efficacité de la **lévodopa** ■ La **rifampine** ou les **barbituriques** peuvent accélérer le métabolisme du flurazépam et en diminuer l'efficacité ■ La **théophylline** peut diminuer les effets sédatifs du flurazépam.

VOIES D'ADMINISTRATION ET POSOLOGIE

PO (adultes): de 15 à 30 mg, une fois par jour, au coucher.

PHARMACODYNAMIE (effet hypnotique)

	DÉBUT D'ACTION	PIC	DURÉE
PO	15 – 45 min	0,5 – 1 h	7 – 8 h

⚜ SOINS INFIRMIERS

ÉVALUATION DE LA SITUATION

◻ Noter les habitudes de sommeil du patient avant le traitement et à intervalles réguliers pendant toute sa durée.

◻ Le traitement prolongé peut entraîner une dépendance psychologique ou physique. Réduire la quantité du médicament dont le patient peut disposer, particulièrement si ce dernier est dépressif ou suicidaire ou s'il a des antécédents de toxicomanie.

DIAGNOSTICS INFIRMIERS POSSIBLES

■ **Énoncés diagnostiques**

◻ Perturbation des habitudes de sommeil.

◻ Risque élevé d'accident.

◻ Prise en charge inefficace du programme thérapeutique.

■ **Facteurs favorisants**

◻ *Informations incomplètes.*

◻ *Perturbation de la vigilance.*

◻ *Altération de la perception visuelle.*

◻ *Manque de connaissances sur les modalités du traitement.*

INTERVENTIONS INFIRMIÈRES

■ **Directives générales:** Après l'administration du médicament, surveiller le patient lors de ses déplacements. Retirer les cigarettes. Soulever les ridelles du lit et laisser la sonnette d'alarme à portée de sa main en tout temps.

■ **PO:** Si le patient éprouve des difficultés de déglutition, on peut ouvrir les capsules et les mélanger à des aliments ou des liquides.

ENSEIGNEMENT AU PATIENT ET À SES PROCHES

◻ Conseiller au patient de respecter scrupuleusement la posologie recommandée. Lui expliquer aussi l'importance de préparer un cadre propice pour le sommeil: la pièce doit être sombre et calme; la nicotine et le café sont à proscrire.

◻ Prévenir le patient que le flurazépam peut provoquer de la somnolence diurne. Lui conseiller de ne pas conduire et d'éviter les activités qui exigent sa vigilance jusqu'à ce qu'on ait la certitude que le médicament n'entraîne pas cet effet chez lui.

◻ Prévenir le patient qu'il ne doit pas consommer d'alcool ni prendre des dépresseurs du SNC en même temps que le flurazépam.

■ Conseiller à la patiente d'informer immédiatement le médecin si elle pense être enceinte.

VÉRIFICATION DES RÉSULTATS

L'efficacité du traitement peut être démontrée par: l'amélioration du sommeil. Les pleins effets hypnotiques sont manifestes 2 ou 3 nuits après le début du traitement et peuvent durer 1 ou 2 nuits après qu'il a été arrêté.

FLURBIPROFÈNE

Ansaid, Apo-Flurbiprofène, Froben, Ocufen

CLASSIFICATION:
Anti-inflammatoire non stéroïdien

Grossesse – catégorie C
(usage ophtalmique)

INDICATIONS

■ **PO:** Traitement des maladies inflammatoires dont: ◻ la polyarthrite rhumatoïde ◻ l'arthrose ◻ la spondylarthrite ankylosante ■ Analgésie lors du traitement de la douleur légère à modérée et de la douleur associée à la dysménorrhée ■ **Usage ophtalmique:** ■ Inhibition du myosis peropératoire ■ Traitement de l'inflammation postopératoire et de l'inflammation due à la trabéculoplastie au laser.

ACTION

■ Inhibition de la synthèse des prostaglandines, réduisant l'inflammation et la douleur lorsque l'agent est administré par voie orale. L'inhibition de la synthèse de la prostaglandine à l'intérieur de l'œil favorise le relâchement du sphincter pupillaire (usage ophtalmique). **Effets thérapeutiques:** ■ **PO:** Suppression de l'inflammation et de la douleur ■ **Usage ophtalmique:** Inhibition du myosis.

PHARMACOCINÉTIQUE

Absorption: Bonne absorption par suite de l'administration PO. Après l'administration de la préparation ophtalmique, le flurbiprofène pénètre dans la cornée, ce qui entraîne une absorption systémique.
Distribution: Par suite de l'administration PO, le médicament se répartit dans tout l'organisme.
Métabolisme et excrétion: Métabolisme hépatique important. Une fraction de 20 à 25 % du médicament est excrétée à l'état inchangé par les reins.
Demi-vie: De 3 à 6 h.

CONTRE-INDICATIONS ET PRÉCAUTIONS

Contre-indications: ■ Hypersensibilité ■ Risque de réactions de sensibilité croisée avec d'autres agents anti-inflammatoires non stéroïdiens incluant l'aspirine ■ Hémorragie digestive active ou poussée d'ulcère gastroduodénal ■ Kératite herpétique (préparation ophtalmique seulement).
Précautions: ■ Maladies cardiovasculaire, hépatique ou rénale graves ■ Antécédents d'ulcère ■ Diabète sucré ■ Troubles hémorragiques ■ Grossesse, allaitement ou enfants (l'innocuité du médicament n'a pas été établie).

RÉACTIONS INDÉSIRABLES ET EFFETS SECONDAIRES

SNC: PO – dépression, céphalées, somnolence, troubles psychiques, étourdissements, insomnie.
ORLO: PO – vision trouble, opacité de la cornée, acouphènes; usage ophtalmique – brûlures, picotements, démangeaisons.

CV: PO – œdème, modifications de la pression artérielle, palpitations.
GI: PO – nausées, douleurs abdominales, brûlures d'estomac, sensation de plénitude gastrique, diarrhée, constipation, hépatite, HÉMORRAGIE DIGESTIVE, stomatite.
GU: PO – incontinence.
Tég.: PO – rash, sécrétion accrue de sueur.
Hémat.: PO – dyscrasie, allongement du temps de saignement.
Loc.: PO – myalgie.
Divers: PO – réactions allergiques comprenant l'ANAPHYLAXIE et le SYNDROME DE STEVENS-JOHNSON, frissons, fièvre.

INTERACTIONS

Remarque: Sauf mention contraire, les interactions ci-dessous ne concernent que la préparation orale de flurbiprofène.
Médicament – médicament: ■ L'administration simultanée d'**aspirine** peut réduire l'efficacité du flurbiprofène ■ L'administration simultanée d'**aspirine**, d'autres **agents anti-inflammatoires non stéroïdiens**, de **suppléments de potassium** et de **glucocorticoïdes** ou l'ingestion simultanée d'**alcool** intensifie les effets secondaires gastro-intestinaux ■ L'administration prolongée de flurbiprofène en même temps que l'**acétaminophène** peut augmenter le risque de réactions rénales indésirables ■ Le flurbiprofène peut réduire l'efficacité des **diurétiques** ou des **antihypertenseurs** ■ Le flurbiprofène augmente le risque de toxicité par le **méthotrexate** ■ Le **probénécide** augmente le risque de toxicité par le flurbiprofène ■ Risque accru d'hémorragie lors de l'administration simultanée de **céfamandole**, de **céfotétane**, de **céfopérazone**, de **moxalactam**, de **plicamycine**, d'**héparine**, d'**agents thrombolytiques** ou d'**anticoagulants oraux** ■ Risque accru de réactions hématologiques indésirables lors de l'administration simultanée d'**agents antinéoplasiques** ou d'une **radiothérapie** ■ Risque accru de toxicité rénale lors

de l'administration simultanée d'autres **agents néphrotoxiques** ■ Les préparations ophtalmiques d'**acétylcholine** ou de **carbachol** sont inefficaces lorsqu'elles sont administrées après la préparation ophtalmique de flurbiprofène ■ La préparation ophtalmique de flurbiprofène diminue l'abaissement de la pression intraoculaire entraînée par la préparation ophtalmique d'**épinéphrine**.

VOIES D'ADMINISTRATION ET POSOLOGIE

■ **PO (adultes):** de 200 à 300 mg par jour, en 2 à 4 doses fractionnées (ne pas dépasser 300 mg par jour).

Inhibition du myosis peropératoire
■ **Usage ophtalmique (adultes):** 1 goutte toutes les 30 min, 2 à 3 h avant l'intervention chirurgicale (4 gouttes au total).

Administration post-chirurgicale
■ **Usage ophtalmique (adultes):** 1 goutte toutes les 4 h, pendant 1 à 3 semaines.

PHARMACODYNAMIE

	DÉBUT D'ACTION	PIC	DURÉE
PO (effet anti-inflammatoire)	quelques jours – semaines	1 – 2 semaines	inconnue
usage ophtalmique (inhibition du myosis)	inconnu	inconnu	inconnue

SOINS INFIRMIERS

ÉVALUATION DE LA SITUATION

■ **Directives générales:** Les patients souffrant d'asthme, d'allergie induite par l'aspirine ou de polypes nasaux sont davantage prédisposés aux réactions d'hypersensibilité. Suivre de près la rhinite, l'asthme et l'urticaire.
■ **Arthrite:** Suivre de près la douleur et déterminer la mobilité des articulations avant l'administration du flurbiprofène et 1 ou 2 h après.

■ **Étude des examens diagnostiques et biochimiques:** Le flurbiprofène peut allonger le temps de saignement.

DIAGNOSTICS INFIRMIERS POSSIBLES

■ **Énoncés diagnostiques**
□ Douleur.
□ Altération de la mobilité physique.
□ Prise en charge inefficace du programme thérapeutique.
□ *Risque élevé d'atteinte à l'intégrité des tissus.*
□ *Risque élevé d'accident.*

■ **Facteurs favorisants**
□ Informations incomplètes.
□ *Manque de connaissances sur les effets secondaires du médicament et sur les moyens de les prévenir.*
□ *Manque de connaissances sur les modalités du traitement.*
□ *Perturbation de la vigilance.*

INTERVENTIONS INFIRMIÈRES

■ **PO:** Pour obtenir un effet initial rapide, administrer 30 min avant les repas ou 2 h après.
■ **Gouttes ophtalmiques:** Instiller 1 goutte, toutes les 30 min, en commençant 2 à 3 h avant l'intervention chirurgicale; 4 gouttes au total. La méthode d'administration des gouttes ophtalmiques est indiquée à l'annexe H.

ENSEIGNEMENT AU PATIENT ET À SES PROCHES

■ **Arthrite:** Conseiller au patient de prendre le flurbiprofène avec un grand verre d'eau et d'éviter de se coucher pendant les 15 à 30 min qui suivent.
□ Conseiller au patient de respecter scrupuleusement la posologie recommandée. S'il n'a pu prendre le médicament au moment habituel, il doit le faire dès que possible à moins que ce ne soit presque l'heure prévue pour la dose suivante. Il ne faut jamais remplacer une dose manquée par une double dose.

□ Prévenir le patient que le flurbiprofène peut parfois provoquer de la somnolence ou des étourdissements. Lui conseiller de ne pas conduire et d'éviter les activités qui exigent sa vigilance jusqu'à ce qu'on ait la certitude que le médicament n'entraîne pas ces effets chez lui.

□ Recommander au patient d'éviter de boire de l'alcool et de consulter le médecin ou le pharmacien avant de prendre une préparation à base d'aspirine ou d'acétaminophène ou un autre médicament en vente libre en même temps que le flurbiprofène.

□ Recommander au patient de contacter le médecin en cas de rash, de démangeaisons, de frissons, de fièvre, de douleurs musculaires, de troubles visuels, d'acouphènes, de gain de poids, d'œdème, de selles noires ou de céphalées persistantes.

□ Recommander au patient qui doit suivre un traitement dentaire ou subir une intervention chirurgicale d'avertir le dentiste ou le médecin qu'il suit un traitement médicamenteux.

VÉRIFICATION DES RÉSULTATS

L'efficacité du traitement peut être démontrée par : ■ la diminution de l'intensité de la douleur □ l'amélioration de la mobilité des articulations ; les patients qui ne répondent pas à un anti-inflammatoire non stéroïdien peuvent répondre à un autre ■ l'inhibition du myosis peropératoire ■ la diminution de l'inflammation oculaire.

FLUTAMIDE
Euflex

CLASSIFICATION :
Antinéoplasique – hormone
Grossesse – catégorie D

INDICATIONS

■ Traitement du cancer métastatique avancé (stade D_2) de la prostate en association avec les analogues de la gonadolibérine (leuprolide) ■ Traitement adjuvant à l'orchidectomie, afin de réaliser un blocage complet des androgènes.

ACTION

■ Inhibition des effets des hormones androgènes (testostérone) au niveau cellulaire. **Effets thérapeutiques :** ■ Ralentissement de la croissance des tumeurs malignes de la prostate, forme de tumeurs sensibles aux hormones androgènes.

PHARMACOCINÉTIQUE

Absorption : Bonne absorption par suite de l'administration PO.
Distribution : Inconnue.
Métabolisme et excrétion : Le flutamide est surtout métabolisé par le foie. Une certaine fraction est transformée en un autre composé antiandrogène.
Demi-vie : Inconnue.

CONTRE-INDICATIONS ET PRÉCAUTIONS

Contre-indications : Hypersensibilité.
Précautions : ■ Maladie cardiovasculaire grave ■ L'administration du flutamide doit se faire en association avec un agoniste de l'hormone de libération de la lutéinostimuline (LHRH).

RÉACTIONS INDÉSIRABLES ET EFFETS SECONDAIRES

Remarque : Les effets secondaires sont principalement provoqués par l'agoniste de la LHRH.
SNC : somnolence, confusion, anxiété, nervosité, dépression.
CV : œdème, hypertension.
GI : diarrhée, nausées, vomissements, autres troubles gastriques, hépatite.
GU : perte de la libido, impuissance.
Tég. : rash, photosensibilité.
End. : gynécomastie.
Divers : bouffées vasomotrices.

INTERACTIONS

Médicament – médicament: Le flutamide et l'**analogue de la gonadolibérine (leuprolide)** agissent en synergie.

VOIES D'ADMINISTRATION ET POSOLOGIE

PO (adultes): 250 mg, toutes les 8 h.

PHARMACODYNAMIE

	DÉBUT D'ACTION	PIC	DURÉE
PO	inconnu	inconnu	inconnue

SOINS INFIRMIERS

ÉVALUATION DE LA SITUATION

- □ Suivre de près la diarrhée, les nausées et les vomissements. Modifier le régime alimentaire en fonction des aliments que le patient peut tolérer. Prévenir le médecin si ces symptômes s'aggravent.
- ■ **Étude des examens diagnostiques et biochimiques:** Le flutamide peut entraîner l'élévation des concentrations de TGOS (AST), de TGPS (ALT), de bilirubine et de créatinine..

DIAGNOSTICS INFIRMIERS POSSIBLES

- ■ **Énoncés diagnostiques**
- □ Dysfonctionnement sexuel.
- □ Prise en charge inefficace du programme thérapeutique.
- □ *Risque élevé de perturbation situationnelle de l'estime de soi.*
- □ *Risque élevé de déficit de volume liquidien.*
- □ *Risque élevé de déficit nutritionnel.*
- ■ **Facteurs favorisants**
- □ Informations incomplètes.
- □ *Altération de l'image corporelle.*
- □ *Manque de connaissances sur les moyens de prévenir les effets secondaires affectant l'appareil gastrointestinal.*
- □ *Manque de connaissances sur le régime alimentaire à suivre.*

INTERVENTIONS INFIRMIÈRES

Directives générales: Administrer le médicament en association avec un agoniste de la LHRH, tel que le leuprolide.

ENSEIGNEMENT AU PATIENT ET À SES PROCHES

- □ Expliquer au patient qu'il doit prendre le flutamide en association avec le leuprolide.
- □ Mettre en garde le patient contre la manifestation des effets secondaires suivants qui peuvent être entraînés par l'agoniste de la LHRH: bouffées vasomotrices, perte de la libido, impuissance et gynécomastie. Le principal effet secondaire du flutamide seul est la diarrhée, mais il faut l'administrer en association avec d'autres médicaments pour que son effet thérapeutique puisse se manifester.

VÉRIFICATION DES RÉSULTATS

L'efficacité du traitement peut être démontrée par: le ralentissement de la propagation du cancer de la prostate.

FOSCARNET
(Foscavir)

CLASSIFICATION:
Agent antiviral

Grossesse – catégorie C

INDICATIONS

Traitement de la rétinite provoquée par le cytomégalovirus (CMV) chez les patients atteints du syndrome d'immunodéficience acquise (SIDA).

ACTION

■ Prévention de la réplication virale par inhibition de l'ADN polymérase viral et de la transcriptase inverse. **Effets thérapeutiques:** ■ Action virostatique contre les virus sensibles incluant le CMV.

PHARMACOCINÉTIQUE

Absorption: Par suite de l'administration IV, l'absorption est pratiquement complète.

Distribution: Le médicament pénètre en quantités variables dans le liquide céphalorachidien. Il peut se concentrer dans les os et en être libéré lentement. Le reste de la distribution est inconnu.

Métabolisme et excrétion: Une fraction de 80 à 90 % est excrétée à l'état inchangé dans l'urine.

Demi-vie: 3 h (chez les patients ayant une fonction rénale normale). Une demi-vie plus longue, de l'ordre de 90 h, peut traduire la libération du médicament des os.

CONTRE-INDICATIONS ET PRÉCAUTIONS

Contre-indications: Hypersensibilité.

Précautions: ■ Insuffisance rénale (réduire la dose) ■ Grossesse, allaitement ou enfants (l'innocuité du médicament n'a pas été établie) ■ Antécédents de convulsions.

RÉACTIONS INDÉSIRABLES ET EFFETS SECONDAIRES

SNC: CONVULSIONS, céphalées, fatigue, faiblesse, malaises, étourdissements, dépression, confusion, anxiété.

ORLO: anomalies de la vision, douleurs oculaires, conjonctivite.

Resp.: toux, dyspnée.

CV: œdème, douleurs thoraciques, palpitations, anomalies de l'ÉCG.

GI: nausées, vomissements, diarrhée, anorexie, douleurs abdominales, constipation, dyspepsie, altération du goût.

GU: insuffisance rénale, albuminurie, dysurie, polyurie, rétention urinaire, nycturie.

Tég.: rash, sécrétion accrue de sueur, prurit, ulcérations cutanées.

HÉ: hypocalcémie, hypomagnésémie, hypokaliémie, hypophosphatémie, hyperphosphatémie.

Hémat.: anémie, granulocytopénie, leucopénie.

Locaux: douleur ou inflammation au point d'injection.

Loc.: contractions musculaires involontaires, douleurs lombaires, arthralgie, myalgie.

SN: paresthésie, hypoesthésie, neuropathie, tremblements, ataxie.

Divers: fièvre, frissons, syndrome pseudogrippal, lymphome, sarcome.

INTERACTIONS

Médicament – médicament: L'administration concomitante de **pentamidine** par voie parentérale peut provoquer une hypocalcémie grave mettant la vie du patient en danger.

VOIES D'ADMINISTRATION ET POSOLOGIE

IV (adultes): initialement, 60 mg/kg, toutes les 8 h, pendant 2 à 3 semaines, puis de 90 à 120 mg/kg par jour en une seule dose. En cas d'insuffisance rénale de quelque gravité que ce soit, réduire la dose.

PHARMACODYNAMIE

	DÉBUT D'ACTION	PIC
IV	rapide	fin de la perfusion

⁂ SOINS INFIRMIERS

ÉVALUATION DE LA SITUATION

□ Avant de commencer le traitement par le foscarnet, il faut établir le diagnostic de rétinite à CMV par ophtalmoscopie.

□ On peut faire des cultures de CMV (à partir des prélèvements d'urine, de sang et de sécrétions de la gorge) avant de commencer l'administration du médicament. Toutefois, des résultats négatifs après la mise en culture des CMV n'écartent pas la possibilité qu'une rétinite à CMV soit présente.

■ **Étude des examens diagnostiques et biochimiques:** Étudier les concentrations sériques de créatinine avant le début du traitement, 2 ou 3 fois par semaine pendant le traitement d'induction et au moins toutes les semaines ou deux au cours du traitement d'entretien. Noter la clearance de la créatinine sur une période de 24 h avant le traitement et à intervalles réguliers pendant toute sa durée. Si la clearance de la créatinine chute en dessous de 0,4 mL/min/kg, l'administration du foscarnet devrait être éventuellement arrêtée.

☐ Mesurer les concentrations sériques de calcium, de magnésium, de potassium et de phosphore avant le début du traitement, 2 ou 3 fois par semaine au cours du traitement d'induction et au moins toutes les semaines ou deux au cours du traitement d'entretien.

☐ Le foscarnet peut entraîner l'anémie, la granulocytopénie, la leucopénie et la thrombocytopénie.

☐ Le foscarnet peut provoquer une élévation des concentrations de TGOS (AST) et de TGPS (ALT) et un rapport albumine-globuline anormal.

DIAGNOSTICS INFIRMIERS POSSIBLES

■ **Énoncés diagnostiques**

☐ Risque élevé d'infection.

☐ Prise en charge inefficace du programme thérapeutique.

☐ *Risque élevé de déficit de volume liquidien.*

☐ *Risque élevé d'accident.*

☐ *Risque élevé d'altération de l'élimination urinaire.*

☐ *Risque élevé de déséquilibre hydroélectrolytique.*

☐ *Risque élevé d'intolérance à l'activité.*

■ **Facteurs favorisants**

☐ Informations incomplètes.

☐ *Manque de connaissances sur les moyens de prévenir les effets secondaires affectant l'appareil gastro-intestinal.*

☐ *Perturbation de la vigilance.*

☐ *Douleurs articulaires.*

☐ *Modification de l'état liquidien ou des volumes circulants.*

☐ *Manque de connaissances sur les moyens de réduire la photosensibilité et sur l'importance d'un suivi ophtalmologique.*

☐ *Manque de connaissances sur les modalités du traitement.*

INTERVENTIONS INFIRMIÈRES

■ **Directives générales :** Pour prévenir la toxicité rénale, maintenir une hydratation suffisante avant la perfusion et pendant toute sa durée.

■ **Perfusion intermittente :** On peut administrer le médicament par une tubulure centrale dans une solution standard de 24 mg/mL non diluée. Si l'on administre la solution par une tubulure périphérique, *il faut* la diluer, jusqu'à une concentration de 12 mg/mL, avec du dextrose à 5 % dans de l'eau ou avec une solution de NaCl à 0,9 %, afin de prévenir l'irritation veineuse. Ne pas administrer la solution si elle a changé de couleur ou si elle contient des particules. Utiliser la solution dans les 24 h qui suivent la dilution.

☐ Ne pas administrer la préparation par un même cathéter IV d'autres solutions simultanément, sauf une solution de dextrose à 5 % dans de l'eau ou une solution de NaCl à 0,9 %, car un précipité se formera.

☐ On calcule la dose selon le poids du patient ; jeter la solution en excès avant d'administrer le médicament afin de prévenir le surdosage.

☐ Les patients dont la rétinite à CMV évolue pendant le traitement d'entretien peuvent subir un nouveau traitement d'induction, suivi d'un traitement d'entretien.

☐ *Vitesse d'administration :* Le traitement d'induction consiste en une perfusion de 1 h, toutes les 8 h, pendant 2 à 3 semaines, selon la réponse clinique.

□ Le traitement d'entretien consiste en une perfusion de 2 h.

□ Utiliser une pompe de perfusion pour assurer un débit exact.

■ **Incompatibilités (tubulure en Y):** Acyclovir, amphotéricine B, calcium, cotrimoxazole, diazépam, digoxine, gancyclovir, lactate Ringer, leucovorine, midazolam, pentamidine, phénytoïne, prochlorpérazine ou vancomycine.

ENSEIGNEMENT AU PATIENT ET À SES PROCHES

□ Expliquer au patient que le foscarnet ne guérit pas la rétinite à CMV. La rétinite peut évoluer chez les patients qui présentent un déficit immunitaire pendant et après le traitement. Conseiller au patient de se soumettre à des examens ophtalmologiques à intervalles réguliers.

□ Recommander au patient de signaler sans tarder à l'infirmière ou au médecin les picotements autour de la bouche, l'engourdissement des membres ou la paresthésie pendant la perfusion ou après celle-ci. Si ces signes de déséquilibre électrolytique surviennent pendant l'administration du médicament, arrêter la perfusion et consulter le médecin. Il faut obtenir immédiatement du laboratoire des échantillons permettant de déterminer les concentrations sériques d'électrolytes.

□ Insister sur l'importance des examens de suivi fréquents permettant de suivre la fonction rénale et les concentrations d'électrolytes.

VÉRIFICATION DES RÉSULTATS

L'efficacité du traitement peut être démontrée par: la résolution des symptômes de la rétinite à CMV chez les patients atteints du SIDA.

FOSINOPRIL
Monopril

CLASSIFICATION :
Antihypertenseur – inhibiteur de l'enzyme de conversion de l'angiotensine (ECA)

Grossesse – catégorie D

INDICATIONS

Hypertension essentielle légère à modérée – en monothérapie ou en association avec des diurétiques thiazidiques.

ACTION

■ Inhibition de la production d'angiotensine II, vasoconstricteur puissant qui stimule la sécrétion d'aldostérone, ce qui provoque une vasodilatation systémique. **Effets thérapeutiques :** ■ Abaissement de la pression artérielle chez les patients souffrant d'hypertension.

PHARMACOCINÉTIQUE

Absorption : Une fraction de 36 % est absorbée par suite de l'administration PO.
Distribution : Le fosinopril traverse le placenta et pénètre dans le lait maternel.
Métabolisme et excrétion : Le fosinopril se transforme en fosinoprilate, sa forme active, dont une fraction de 50 % est excrétée dans les fèces et une autre de 50 % est excrétée dans l'urine sous forme de métabolites. Des quantités minimes sont excrétées à l'état inchangé.
Demi-vie : 12 h (fosinoprilate).

CONTRE-INDICATIONS ET PRÉCAUTIONS

Contre-indications : ■ Hypersensibilité ■ Risque de réactions de sensibilité croisée avec d'autres inhibiteurs de l'ECA.
Précautions : ■ Angio-œdème héréditaire (à administrer avec une extrême prudence) ■ Hypovolémie, hyponatrémie, patients âgés (réduire la dose) ■ Maladie rénale ■ Sténose aortique ■ Insuffisance cérébrovasculaire ou cardiaque ■ Gros-

sesse (peut provoquer chez le fœtus l'hypotension, l'oligurie, l'insuffisance rénale, l'hypoplasie crânienne ou d'autres anomalies et même la mort) ■ Allaitement ou enfants (l'innocuité du médicament n'a pas été établie) ■ Intervention chirurgicale et anesthésie (risque d'exacerbation de l'hypotension).

Extrême prudence: Antécédents familiaux d'angio-œdème héréditaire.

RÉACTIONS INDÉSIRABLES ET EFFETS SECONDAIRES

SNC: céphalées, étourdissements, fatigue.
ORLO: ANGIO-ŒDÈME.
Resp.: toux.
CV: hypotension orthostatique.
GI: nausées, diarrhée, vomissements.
Divers: réactions allergiques.

INTERACTIONS

Médicament – médicament: ■ Effet additif sur l'hypotension ou, éventuellement, risque d'hypotension excessive lors de l'administration simultanée d'autres **antihypertenseurs**, de **diurétiques**, de **dérivés nitrés**, de **phénothiazines** et lors de l'ingestion d'**alcool** ■ L'usage concomitant de **suppléments de potassium** ou de **diurétiques d'épargne potassique** peut entraîner l'hyperkaliémie ■ La réponse antihypertensive peut être diminuée par les **anti-inflammatoires non stéroïdiens** ■ Le fosinopril peut élever les concentrations de **digoxine** ■ Le fosinopril élève les concentrations sanguines de **lithium** et le risque de toxicité ■ Risque accru de réactions d'hypersensibilité lors de l'administration concomitante d'**allopurinol**.

VOIES D'ADMINISTRATION ET POSOLOGIE

PO (adultes): initialement, 10 mg 1 fois par jour ; on peut augmenter cette dose à des intervalles d'au moins 2 semaines, selon les besoins. La dose habituelle est de 20 à 40 mg par jour. On a déjà utilisé des doses allant jusqu'à 80 mg (É.-U.).

PHARMACODYNAMIE
(effet antihypertenseur)

	DÉBUT D'ACTION	PIC	DURÉE
PO	1 h	2 – 6 h	24 h

SOINS INFIRMIERS

ÉVALUATION DE LA SITUATION

☐ Mesurer fréquemment la pression artérielle et le pouls au cours de la période initiale d'adaptation de la posologie et à intervalles réguliers tout au long du traitement. Signaler au médecin tout changement important.

■ **Étude des examens diagnostiques et biochimiques:** Noter à intervalles réguliers les concentrations sériques d'urée et de créatinine ainsi que les concentrations d'électrolytes. Le fosinopril peut élever les concentrations de potassium sérique et, passagèrement, les concentrations d'urée et de créatinine. Il peut diminuer les concentrations de sodium.

DIAGNOSTICS INFIRMIERS POSSIBLES

■ **Énoncés diagnostiques**
☐ Diminution du débit cardiaque.
☐ Prise en charge inefficace du programme thérapeutique.
☐ Non-observance du traitement médicamenteux.
☐ *Risque élevé d'accident.*

■ **Facteurs favorisants**
☐ Informations incomplètes.
☐ Doute quant aux bienfaits du médicament.
☐ *Perturbation de la vigilance.*
☐ *Manque de connaissances sur les effets hypotensifs du médicament lors des changements brusques de position.*
☐ *Manque de connaissances sur le régime alimentaire à suivre.*
☐ *Manque de connaissances sur les modalités du traitement.*

☐ *Difficulté à s'adapter aux changements nécessaires dans les habitudes de vie.*

INTERVENTIONS INFIRMIÈRES

PO: Une chute brusque de la pression artérielle après l'administration de la première dose peut survenir. L'interruption du traitement par les diurétiques, 2 ou 3 jours avant le début du traitement par le fosinopril, peut diminuer les risques d'hypotension. Administrer de nouveau des diurétiques si la pression artérielle n'est pas maîtrisée par le fosinopril.

ENSEIGNEMENT AU PATIENT ET À SES PROCHES

☐ Conseiller au patient de respecter scrupuleusement la posologie recommandée et de continuer de prendre le médicament même s'il se sent mieux. S'il n'a pas pu prendre le médicament au moment habituel, le prendre aussitôt que possible à moins que ce ne soit presque l'heure de prendre la dose suivante. Il ne faut jamais remplacer une dose manquée par une double dose. Prévenir le patient que le fosinopril stabilise la pression artérielle mais ne guérit pas l'hypertension. Le prévenir également qu'il ne doit arrêter le traitement que sur recommandation du médecin.

☐ Inciter le patient à appliquer d'autres mesures de réduction de l'hypertension : perdre du poids, cesser de fumer, boire avec modération, faire de l'exercice et diminuer le stress.

☐ Montrer au patient et à ses proches comment prendre la pression artérielle. Leur demander de mesurer la pression artérielle au moins 1 fois par semaine et leur recommander de signaler au médecin tout changement important.

☐ Recommander au patient d'éviter de consommer des substituts de sel ou des aliments ayant une forte teneur en potassium ou en sodium, sauf si le médecin le recommande (voir l'annexe K).

☐ Conseiller au patient de changer de position lentement afin de réduire les risques d'hypotension orthostatique, particulièrement après l'administration de la dose initiale. Lui expliquer également que l'exercice physique ou la chaleur peuvent augmenter les effets hypotensifs du fosinopril.

☐ Conseiller au patient de consulter le médecin ou le pharmacien avant de prendre des médicaments en vente libre, particulièrement des médicaments contre le rhume en même temps que le fosinopril. Lui recommander également d'éviter la consommation de trop grandes quantités de thé, de café ou de boissons à base de cola. Prévenir le patient que le fosinopril peut parfois provoquer des étourdissements. Lui conseiller de ne pas conduire et d'éviter les activités qui exigent sa vigilance jusqu'à ce qu'on ait la certitude que le médicament n'entraîne pas cet effet chez lui.

☐ Recommander au patient qui doit suivre un traitement dentaire ou subir une intervention chirurgicale d'avertir le dentiste ou le médecin qu'il suit un traitement médicamenteux.

☐ Recommander au patient de signaler au médecin les symptômes suivants : rash, aphtes buccaux, maux de gorge, fièvre, œdème des mains ou des pieds, extrasystoles, douleurs thoraciques, toux sèche, œdème du visage, des yeux, des lèvres ou de la langue, difficultés respiratoires ou altération persistante du goût.

☐ Insister sur l'importance des examens de suivi permettant d'évaluer l'efficacité du traitement.

VÉRIFICATION DES RÉSULTATS

L'efficacité du traitement peut être démontrée par : la baisse de la pression artérielle sans que des effets indésirables se manifestent.

F

FUMARATE FERREUX

NeoFer, Novofumar, Palafer, (Femiron), (Foestat), (Fumasorb), (Fumerin), (Hemocyte), (Ircon), (Palmiron), (Span-FF)

CLASSIFICATION:
Antianémique ; supplément de fer

Grossesse – catégorie inconnue

INDICATIONS

Prévention et traitement des anémies ferriprives.

ACTION

■ Substance minérale essentielle que l'on trouve dans l'hémoglobine, la myoglobine et un certain nombre d'enzymes ■ Effet favorable sur le pouvoir oxyphore de l'hémoglobine, ce qui permet le transport de l'oxygène des poumons vers les tissus. **Effets thérapeutiques :** ■ Correction des états de carence en fer ■ Apport supplémentaire de fer.

PHARMACOCINÉTIQUE

Absorption : Une fraction de 5 à 10 % du fer alimentaire est absorbée. Dans les états de carence, l'absorption peut augmenter jusqu'à 30 %. L'absorption du fer, administré dans un but thérapeutique, peut s'élever jusqu'à 60 %. Le fumarate ferreux est absorbé par transport actif et passif.
Distribution : Le fumarate ferreux traverse le placenta.
Métabolisme et excrétion : La plus grande partie de la substance est réabsorbée. Les petites pertes quotidiennes sont attribuables à la desquamation cutanée et à l'élimination par la sueur, l'urine et la bile.
Demi-vie : Inconnue.

CONTRE-INDICATIONS ET PRÉCAUTIONS

Contre-indications : ■ Hémochromatose primitive ■ Hémosidérose ■ Anémie hé-molytique ■ Hypersensibilité à la tartrazine (certaines préparations contiennent de la tartrazine).
Précautions : ■ Ulcère gastroduodénal ■ Colite ulcéreuse ou entérite régionale (l'état du patient peut s'aggraver) ■ Utilisation abusive sans discernement (risque de surcharge en fer).

RÉACTIONS INDÉSIRABLES ET EFFETS SECONDAIRES

GI : constipation, diarrhée, nausées, selles foncées, douleurs épigastriques, hémorragie digestive.
Divers : coloration sombre des dents (préparations liquides).

INTERACTIONS

Médicament – médicament : ■ Les **tétracyclines** et les **antiacides** inhibent l'absorption du fer en formant des composés insolubles ■ Le fer, administré simultanément, peut également diminuer l'absorption des **tétracyclines** ■ Le fer diminue l'absorption des **fluoroquinolones** ou de la **pénicillamine** ■ L'administration concomitante de **chloramphénicol** ou de **vitamine E** peut altérer la réponse hématologique au traitement par le fer ■ La **vitamine C** peut augmenter légèrement l'absorption du fer. **Médicament – aliments :** ■ L'absorption du fer est réduite de 30 à 50 % s'il est pris en même temps que des aliments.

PRÉSENTATION

Le fumarate ferreux est présenté en association avec de nombreux minéraux et vitamines (voir l'annexe A).

VOIES D'ADMINISTRATION ET POSOLOGIE

Remarque : fumarate ferreux = 33 % de fer élémentaire.

Dose exprimée en milligrammes de fumarate ferreux
Fumarate ferreux – agent prophylactique
■ **PO (adultes) :** de 200 à 300 mg par jour.
■ **PO (enfants < 2 ans) :** 3 mg/kg par jour.

Fumarate ferreux – agent thérapeutique

- **PO (adultes):** de 200 à 300 mg, 3 ou 4 fois par jour.
- **PO (enfants < 6 ans):** de 3 à 6 mg/kg, 3 fois par jour.

Dose exprimée en milligrammes de fer élémentaire (agent thérapeutique)

- **PO (adultes):** de 50 à 100 mg, 3 fois par jour.
- **PO (enfants):** de 4 à 6 mg/kg par jour, en 3 doses fractionnées.
- **PO (nourrissons):** de 1 à 2 mg/kg par jour.
- **PO (femmes enceintes):** de 30 à 60 mg par jour.

PHARMACODYNAMIE
(effets sur l'érythropoïèse)

	DÉBUT D'ACTION	PIC	DURÉE
PO	4 jours	7 – 10 jours	2 – 4 mois

✳ SOINS INFIRMIERS

ÉVALUATION DE LA SITUATION

- ☐ Examiner l'état nutritionnel du patient et ses habitudes alimentaires afin de déterminer les causes possibles de l'anémie et l'enseignement qu'il faudra lui prodiguer.

- ☐ Suivre de près la fonction intestinale pour déceler la constipation ou la diarrhée. Prévenir le médecin si ces symptômes surviennent et suivre la démarche des soins infirmiers qui s'impose.

- ■ **Étude des examens diagnostiques et biochimiques:** Noter les concentrations d'hémoglobine et de réticulocytes ainsi que l'hématocrite avant l'administration du médicament, toutes les 3 semaines pendant les 2 premiers mois de traitement et à intervalles réguliers, par la suite, pendant toute la durée du traitement. On peut aussi évaluer l'efficacité du traitement par la mesure des concentrations sériques de ferritine et de fer.

- ☐ La présence de sang occulte dans les selles peut être masquée par la présence du fer qui rend les selles de couleur foncée. La méthode au gaïac peut parfois donner des résultats faussement positifs. Par contre, les résultats de la méthode à la benzidine ne seront pas affectés par l'administration de préparations de fer.

- ■ **Toxicité et surdosage:** Les premiers symptômes du surdosage sont les maux d'estomac, la fièvre, les nausées, les vomissements (qui peuvent contenir du sang) et la diarrhée. Les symptômes tardifs sont le bleuissement des lèvres, des ongles et des paumes de la main, la somnolence, la faiblesse, la tachycardie, les convulsions, l'acidose métabolique, les lésions hépatiques et le collapsus cardiovasculaire. Avant que les symptômes tardifs ne se manifestent, le patient peut paraître rétabli. Par conséquent, après la disparition des symptômes, il faut prolonger de 24 h le séjour du patient au centre hospitalier afin de suivre de près toute manifestation tardive d'un état de choc ou d'une hémorragie digestive. Les complications tardives du surdosage comprennent l'occlusion intestinale, la sténose du pylore et l'ulcération de la muqueuse gastrique.

- ☐ Pour traiter le surdosage, il faut provoquer des vomissements avec du sirop d'ipéca. Si le patient est comateux ou en convulsion, il faut effectuer un lavage gastrique avec du bicarbonate de sodium. L'antidote à utiliser en cas de surdosage est la déféroxamine. Il est également conseillé d'administrer des traitements de soutien supplémentaires visant à maintenir l'équilibre hydroélectrolytique et à corriger l'acidose métabolique.

F

DIAGNOSTICS INFIRMIERS POSSIBLES

■ **Énoncés diagnostiques**

□ Intolérance à l'activité.

□ Prise en charge inefficace du programme thérapeutique.

□ *Risque élevé d'intoxication.*

□ *Risque élevé d'accident.*

■ **Facteurs favorisants**

□ Informations incomplètes.

□ *Manque de connaissances sur le régime alimentaire à suivre.*

□ *Manque de connaissances sur les moyens de prévenir les effets secondaires du médicament.*

□ *Manque de connaissances sur les modalités du traitement.*

□ *Manque de connaissances sur la méthode d'administration du médicament.*

INTERVENTIONS INFIRMIÈRES

■ **PO:** Les préparations orales sont absorbées le plus efficacement si elles sont administrées 1 h avant les repas ou 2 h après. En cas d'irritation gastrique, administrer la préparation lors des repas. Les comprimés et les capsules doivent être pris avec un grand verre d'eau ou de jus. Il ne faut pas ouvrir, broyer ni mâcher les capsules à libération retard. Les comprimés à croquer doivent être bien mâchés avant d'être avalés ; il ne faut pas les avaler tels quels.

□ Bien mélanger la solution orale avant de l'administrer. Les préparations liquides peuvent tacher les dents. Bien diluer le médicament et demander au patient de boire la préparation avec une paille ou de s'en verser quelques gouttes au fond de la gorge.

□ Il ne faut pas administrer des antiacides, prendre du café ou du thé, ni manger de produits laitiers, d'œufs ou de pain complet dans l'heure qui précède et dans les 2 h qui suivent l'administration des sels ferreux.

ENSEIGNEMENT AU PATIENT ET À SES PROCHES

□ Conseiller au patient de respecter scrupuleusement la posologie recommandée. S'il n'a pas pu prendre le médicament au moment habituel, il doit le prendre aussitôt que possible dans les 12 h qui suivent. Sinon, il devrait reprendre le schéma posologique prescrit ; il ne faut jamais remplacer une dose manquée par une double dose.

□ Prévenir le patient que ses selles peuvent devenir vert foncé ou noires, mais que ce changement est inoffensif.

□ Recommander au patient de suivre un régime alimentaire riche en fer. Lui expliquer que les aliments suivants contiennent du fer : les abats, les légumes verts à feuilles, les pois et les haricots secs, les fruits secs et les céréales (voir l'annexe K).

□ Informer les parents du risque de surdosage en fer auquel est exposé l'enfant. Le médicament doit être gardé dans son contenant d'origine, muni d'un bouchon de sécurité, hors de la portée des enfants. Ne jamais comparer les vitamines à des bonbons. Si l'on soupçonne un surdosage, il faut contacter sans tarder le médecin étant donné que ce type de surdosage peut entraîner la mort. Conseiller aux parents de garder à la maison du sirop d'ipéca et de contacter le pédiatre, les services d'urgence ou un centre antipoison afin de recevoir les directives d'utilisation avant d'administrer l'agent.

VÉRIFICATION DES RÉSULTATS

La réponse clinique peut être déterminée par : l'élévation des concentrations d'hémoglobine qui peuvent atteindre les valeurs normales après 1 à 2 mois de traitement. De 3 à 6 mois peuvent s'écouler avant que les réserves de fer de l'organisme reviennent à la normale.

F

FUROSÉMIDE
Apo-Furosemide, Lasix, Lasix Spécial, Novosemide, Uritol, (Furoside), (Myrosemide)

CLASSIFICATION:
Diurétique – diurétique de l'anse

Grossesse – catégorie C

INDICATIONS

■ Traitement des affections suivantes: □ œdème attribuable à l'insuffisance cardiaque □ maladies rénale ou hépatique ■ Traitement de l'hypertension légère à modérée en monothérapie ou en association avec des antihypertenseurs. **Usages non approuvés:** ■ Traitement de l'hypercalcémie induite par le cancer.

ACTION

■ Inhibition de la réabsorption du sodium et des chlorures à partir de l'anse de Henle et des tubules rénaux distaux ■ Augmentation de l'excrétion rénale d'eau, de sodium, de chlorure, de magnésium, d'hydrogène et de calcium ■ Possibilité d'effets de vasodilatation s'exerçant sur les artères rénales et périphériques ■ Efficacité assurée même en présence d'une fonction rénale altérée. **Effets thérapeutiques:** ■ Diurèse et élimination subséquente des liquides en excès (œdème, épanchement pleural) ■ Abaissement de la pression artérielle.

PHARMACOCINÉTIQUE

Absorption: Par suite de l'administration PO, une fraction de 60 à 75 % est absorbée depuis le tractus gastro-intestinal. Le médicament est également absorbé à partir des points d'injection IM. **Distribution:** Inconnue. Le médicament traverse le placenta et pénètre dans le lait maternel. **Métabolisme et excrétion:** Une fraction de 30 à 40 % est métabolisée par le foie. Une certaine fraction est métabolisée ailleurs que dans le foie et une certaine quantité est excrétée à l'état inchangé par les reins. **Demi-vie:** De 30 à 60 min (prolongée en présence d'une insuffisance rénale et chez les nouveau-nés et prolongée de façon notable en présence d'une insuffisance hépatique).

CONTRE-INDICATIONS ET PRÉCAUTIONS

Contre-indications: ■ Hypersensibilité ■ Risque de réaction de sensibilité croisée avec les diurétiques thiazidiques et les sulfamidés ■ Grossesse ou allaitement. **Précautions:** ■ Maladie hépatique grave ■ Déplétion électrolytique ■ Diabète sucré ■ Anurie ou azotémie accrue.

RÉACTIONS INDÉSIRABLES ET EFFETS SECONDAIRES

SNC: étourdissements, céphalées, encéphalopathie.
ORLO: surdité, acouphènes.
CV: hypotension.
GI: nausées, vomissements, diarrhée, constipation.
GU: mictions fréquentes.
Tég.: rash, photosensibilité.
End.: hyperglycémie.
HÉ: alcalose métabolique, hypovolémie, déshydratation, hyponatrémie, hypokaliémie, hypochlorémie, hypomagnésémie.
Hémat.: dyscrasie.
Métab.: hyperuricémie.
Loc.: crampes musculaires.
Divers: élévation des concentrations d'urée.

INTERACTIONS

Médicament – médicament: ■ Effets additifs sur l'hypotension lors de l'administration concomitante d'autres **antihypertenseurs** ou de **dérivés nitrés** ■ Effets additifs sur l'hypokaliémie lors de l'administration concomitante d'autres **diurétiques**, de **mézlocilline**, de **pipéracilline**, d'**amphotéricine B** et de **glucocorticoïdes** ■ L'hypokaliémie peut augmenter la toxicité **digitalique** ■ Le furosémide diminue l'excrétion du **lithium** et peut entraîner la toxicité ■ Risque accru de neurotoxicité pour la VIIIe paire crânienne (effet ototoxique) lors de l'administration concomitante d'**aminosides** ■ Le furosémide peut augmenter l'effet des **anticoagulants oraux**.

PRÉSENTATION

Le furosémide existe aussi sous forme de solution orale.

VOIES D'ADMINISTRATION ET POSOLOGIE

- **PO, IM, IV (adultes)**: de 20 à 80 mg par jour (parfois, il faut administrer une dose allant jusqu'à 600 mg).
- **PO, IM, IV (enfants)**: de 1 à 2 mg/kg par jour (jusqu'à concurrence de 6 mg/kg par jour).

PHARMACODYNAMIE
(effet diurétique)

	DÉBUT D'ACTION	PIC	DURÉE
PO	30 – 60 min	1 – 2 h	6 – 8 h
IM	10 – 30 min	inconnu	4 – 8 h
IV	5 min	30 min	2 h

✳ SOINS INFIRMIERS

ÉVALUATION DE LA SITUATION

☐ Examiner l'état de l'hydratation tout au long du traitement. Peser le patient tous les jours, effectuer le bilan quotidien des ingesta et des excreta, déterminer l'emplacement et la gravité de l'œdème, ausculter le murmure vésiculaire, suivre de près l'hydratation de la peau et des muqueuses. Conseiller au patient de prévenir le médecin en cas de soif, de sécheresse de la bouche, de léthargie, de faiblesse, d'hypotension ou d'oligurie.

☐ Mesurer la pression artérielle et le pouls avant le traitement et pendant toute sa durée.

☐ Chez le patient qui reçoit des dérivés digitaliques, suivre de près les signes et les symptômes suivants: anorexie, nausées, vomissements, crampes musculaires, paresthésie et confusion. Prévenir le médecin si ces symptômes se manifestent.

☐ Suivre de près les acouphènes et la perte de l'ouïe. L'audiométrie est recommandée chez les patients recevant un traitement prolongé. La surdité est plus fréquente par suite de l'administration IV rapide de doses élevées chez les patients présentant une fonction rénale réduite ou chez ceux prenant d'autres médicaments ototoxiques.

☐ Déterminer si le patient est allergique aux sulfamidés.

■ **Étude des examens diagnostiques et biochimiques**: Examiner la glycémie et les concentrations d'électrolytes et d'acide urique et noter les résultats des tests de l'exploration fonctionnelle rénale et hépatique avant le traitement et à intervalles réguliers pendant toute sa durée. Le furosémide peut entraîner la diminution des concentrations d'électrolytes (particulièrement de potassium) et l'élévation de la glycémie, des concentrations d'urée et d'acide urique.

DIAGNOSTICS INFIRMIERS POSSIBLES

■ **Énoncés diagnostiques**

☐ Excès de volume liquidien.

☐ Déficit de volume liquidien.

☐ Prise en charge inefficace du programme thérapeutique.

☐ *Risque élevé de déséquilibre hydro-électrolytique.*

☐ *Risque élevé d'agitation.*

☐ *Risque élevé d'accident.*

☐ *Risque élevé d'intoxication.*

■ **Facteurs favorisants**

☐ Informations incomplètes.

☐ *Manque de connaissances sur le régime alimentaire à suivre.*

☐ *Modification de l'état liquidien ou des volumes circulants.*

☐ *Distension vésicale.*

□ *Manque de connaissances sur les effets hypotensifs du médicament lors des changements brusques de position.*

□ *Manque de connaissances sur les modalités du traitement.*

□ *Manque de connaissances sur les moyens de réduire la photosensibilité.*

INTERVENTIONS INFIRMIÈRES

■ **Directives générales:** Administrer le furosémide le matin pour prévenir l'interruption du cycle du sommeil.

□ Ne pas administrer une solution ou des comprimés qui ont changé de couleur.

■ **PO:** Administrer le furosémide avec des aliments ou du lait pour réduire l'irritation gastro-intestinale. Dans le cas des patients éprouvant des difficultés de déglutition, on peut broyer les comprimés.

■ **IV:** Ne pas utiliser une solution de couleur jaune.

■ **IV directe:** Administrer la solution lentement à raison de 20 mg en 1 ou 2 min.

■ **Perfusion intermittente:** Diluer les doses élevées dans une solution de dextrose à 5, à 10 ou à 20 % dans de l'eau, de dextrose à 5 % dans du NaCl à 0,9 %, du dextrose à 5 % dans du lactate Ringer, de NaCl à 0,9 % ou à 3 %, de lactate de sodium $^1/_6$ M, ou de lactate Ringer. Utiliser la solution reconstituée dans les 24 h qui suivent.

□ *Vitesse d'administration:* Administrer la solution par une tubulure en Y ou par un robinet à 3 voies à un débit inférieur à 4 mg/min, chez les adultes, pour prévenir la neurotoxicité pour la VIIIᵉ paire crânienne (effet ototoxique). Utiliser une pompe de perfusion pour assurer l'administration de doses exactes.

■ **Associations compatibles dans la même seringue:** Bléomycine, cisplatine, cyclophosphamide, fluorouracile, héparine, leucovorine calcique, métho-

trexate, mitomycine, vinblastine ou vincristine.

■ **Associations incompatibles dans la même seringue:** Doxapram, doxorubicine, dropéridol, métoclopramide ou milrinone.

■ **Compatibilités (tubulure en Y):** Amikacine, bléomycine, chlorure de potassium, cisplatine, cyclophosphamide, famotidine, fluorouracile, foscarnet, héparine, kanamycine, leucovorine calcique, méthotréxate, mitomycine, succinate d'hydrocortisone sodique, tobramycine ou tolazoline.

■ **Incompatibilités (tubulure en Y):** Doxorubicine, dropéridol, esmolol, gentamicine, gluconate de quinidine, hydralazine, métoclopramide, ondansétron, vinblastine ou vincristine.

■ **Comptabilités en addition au soluté:** Amikacine, cimétidine, kanamycine, nitroglycérine, tobramycine ou vérapamil.

■ **Incompatibilités en addition au soluté:** Dobutamine, gentamicine ou nétilmicine.

ENSEIGNEMENT AU PATIENT ET À SES PROCHES

■ **Directives générales:** Conseiller au patient de respecter scrupuleusement la posologie recommandée. S'il n'a pas pu prendre le médicament au moment habituel, il doit le prendre aussitôt que possible sans jamais doubler les doses.

□ Conseiller au patient de changer lentement de position pour réduire le risque d'hypotension orthostatique. Lui expliquer que l'alcool, l'effort par temps chaud ou la station debout pendant de longues périodes, au cours du traitement, peuvent aggraver l'hypotension orthostatique.

□ Conseiller au patient de consulter le médecin au sujet d'un régime alimentaire riche en potassium (voir l'annexe K).

□ Conseiller au patient de porter des vêtements protecteurs et d'utiliser un écran solaire pour réduire les risques de réactions de photosensibilité.

☐ Conseiller au patient de consulter le médecin ou le pharmacien avant de prendre un médicament en vente libre en même temps que le furosémide.

☐ Recommander au patient qui doit suivre un traitement dentaire ou subir une intervention chirurgicale d'avertir le dentiste ou le médecin qu'il suit un traitement médicamenteux.

☐ Recommander au patient de signaler immédiatement au médecin les symptômes suivants : faiblesse musculaire, crampes, nausées, étourdissements, engourdissement ou picotements des membres.

☐ Insister sur l'importance des examens de suivi réguliers.

■ **Hypertension :** Prévenir le patient qu'il doit continuer de prendre le médicament, même s'il se sent mieux. Le furosémide stabilise la pression artérielle mais ne guérit pas l'hypertension.

☐ Inciter le patient à prendre d'autres mesures de réduction de l'hypertension : perdre du poids, faire des exercices réguliers, réduire sa consommation de sel, diminuer le stress, boire avec modération, cesser de fumer.

VÉRIFICATION DES RÉSULTATS

L'efficacité du traitement peut être démontrée par : ■ l'augmentation du débit urinaire ■ la diminution de l'œdème ■ l'abaissement de la pression artérielle ■ la diminution des concentrations sériques de calcium lors du traitement de l'hypercalcémie.

GALLAMINE, TRIÉTHIODURE DE

Flaxédil

CLASSIFICATION :

Bloqueur neuromusculaire de type non dépolarisant

Grossesse – catégorie C

INDICATIONS

■ Médicament d'appoint en anesthésie générale pour obtenir un relâchement musculaire complet ■ Prévention des accidents pendant les électrochocs et diminution de l'intensité des spasmes musculaires en cas de troubles convulsifs.

ACTION

■ Prévention de la transmission neuromusculaire par blocage de l'effet de l'acétylcholine à la jonction neuromusculaire. **Effets thérapeutiques :** ■ Paralysie des muscles squelettiques.

PHARMACOCINÉTIQUE

Absorption : Par suite de l'administration par voie IV, l'absorption est essentiellement complète.

Distribution : L'agent se répartit dans l'espace extracellulaire ; il traverse le placenta.

Métabolisme et excrétion : La gallamine est excrétée par les reins à l'état pratiquement inchangé.

Demi-vie : 2,5 h.

CONTRE-INDICATIONS ET PRÉCAUTIONS

Contre-indications : ■ Hypersensibilité ■ Hypersensibilité aux iodures.

Précautions : ■ Antécédents de maladie pulmonaire ■ Insuffisance rénale ou hépatique ■ Personnes âgées ou patients débilités ■ Déséquilibres électrolytiques ■ Fractures ou spasmes musculaires ■ Enfants pesant moins de 5 kg. **Extrême prudence :** ■ Myasthénie grave ou syndrome myasthénique.

RÉACTIONS INDÉSIRABLES ET EFFETS SECONDAIRES

CV : tachycardie, hypertension.

Resp. : respiration sifflante, sécrétions bronchiques accrues.

Tég. : rougeur de la peau, érythème, prurit, urticaire.

Divers : réactions allergiques incluant l'ANAPHYLAXIE.

INTERACTIONS

Médicament – médicament : ■ L'intensité et la durée de la paralysie musculaire peuvent augmenter lors d'un prétraitement par la **succinylcholine,** de l'**anesthésie générale** (réduire la dose, au besoin) ou de l'administration d'**aminosides,** de **polymyxine B,** de **colistine,** de **clindamycine,** de **lidocaïne,** de **quinidine,** de **procaïnamide,** de **bêtabloquants,** de **diurétiques d'épargne potassique** et de **magnésium ■** L'administration concomitante d'**analgésiques narcotiques** peut avoir un effet additif sur la dépression respiratoire.

VOIES D'ADMINISTRATION ET POSOLOGIE

- **IV (adultes) :** Initialement, 1 mg/kg (ne pas dépasser 100 mg par dose) ; par la suite, on peut administrer, au besoin, de 0,5 à 1 mg/kg, de 50 à 60 min plus tard au cours d'une intervention prolongée.
- **IV (enfants) :** jusqu'à 2 mg/kg. Le médicament se dissipant plus rapidement que chez l'adulte, répéter l'administration des doses supplémentaires à intervalles plus fréquents.
- **IV (nouveau-nés < 1 mois) (É.-U.) :** de 0,25 à 0,75 mg/kg ; on peut administrer, au besoin, des doses supplémentaires de 0,1 à 0,5 mg/kg.

PHARMACODYNAMIE (relaxation musculaire)

	DÉBUT D'ACTION	PIC	DURÉE
IV	1 – 2 min	3 – 5 min	15 – 30 min

SOINS INFIRMIERS

ÉVALUATION DE LA SITUATION

□ Suivre de près l'état respiratoire pendant tout le traitement. La gallamine ne devrait être administrée que par des personnes connaissant bien la méthode d'intubation endotrachéale ; garder à portée de la main le matériel nécessaire à cette intervention.

□ Pendant l'intervention chirurgicale, il faut déterminer la réaction neuromusculaire à la gallamine par la stimulation des nerfs périphériques. La paralysie des muscles est au départ sélective et elle se produit habituellement dans l'ordre suivant : muscles releveurs des paupières, muscles masticateurs, muscles des membres, muscles abdominaux, muscles de la glotte, muscles intercostaux et diaphragme. Le rétablissement de la fonction musculaire se produit habituellement en sens inverse.

□ Mesurer la fréquence cardiaque et suivre l'ÉCG pendant tout le traitement. La tachycardie induite par la gallamine se produit après l'administration de doses de 500 μg/kg. Elle atteint un maximum en moins de 3 min, puis elle diminue graduellement.

□ Suivre de près les séquelles de la faiblesse musculaire et l'apparition d'une détresse respiratoire pendant la période de récupération postopératoire.

■ Toxicité et surdosage : En cas de surdosage, stimuler les nerfs périphériques pour déterminer le degré du blocage neuromusculaire. Maintenir la perméabilité des voies respiratoires et la ventilation jusqu'au rétablissement d'une respiration normale.

□ On peut administrer des agents anticholinestérasiques (edrophonium, néostigmine ou pyridostigmine) pour contrecarrer l'effet de la gallamine. On administre habituellement de l'atropine avant les anticholinestérasiques ou en même temps pour bloquer les effets muscariniques.

□ L'administration de liquides et de vasopresseurs peut s'avérer nécessaire pour traiter l'hypotension grave et l'état de choc.

DIAGNOSTICS INFIRMIERS POSSIBLES

■ Énoncés diagnostiques

□ Mode de respiration inefficace.

□ Altération de la communication verbale.

□ Peur.

□ *Risque élevé de perturbation des échanges gazeux.*

□ *Risque élevé d'accident.*

■ **Facteurs favorisants**

□ *Mode de respiration inefficace.*

□ *Mode de communication altéré par l'intubation endotrachéale.*

□ *Manque de connaissances sur les modalités du traitement.*

INTERVENTIONS INFIRMIÈRES

■ **Directives générales:** Modifier la dose selon la réaction du patient.

□ La gallamine n'influence pas l'état de la conscience ni le seuil de la douleur. Si la gallamine est administrée comme adjuvant anesthésique, il faut s'assurer *en tout temps* que l'anesthésie est suffisante.

□ Garder le médicament au réfrigérateur.

■ **IV directe:** Administrer chaque dose séparément, sans la diluer, sous forme de bolus IV, pendant 30 à 60 s.

■ **Associations incompatibles dans la même seringue:** Barbituriques ou mépéridine.

ENSEIGNEMENT AU PATIENT ET À SES PROCHES

□ Expliquer au patient qui reçoit un traitement à la gallamine sans anesthésie toutes les interventions étant donné que cet agent, administré seul, ne modifie pas l'état de la conscience.

□ Rassurer le patient en lui expliquant que ses capacités de communication se rétabliront lorsque les effets du médicament s'épuiseront.

VÉRIFICATION DES RÉSULTATS

L'efficacité du traitement peut être démontrée par: la suppression adéquate des réactions cloniques, testée par la stimulation des nerfs périphériques, et la paralysie musculaire subséquente.

GALLIUM, NITRATE DE

(Ganite)

CLASSIFICATION:
Électrolyte de substitution – hypocalcémique

Grossesse – catégorie C

INDICATIONS

Traitement de l'hypercalcémie d'origine cancéreuse.

ACTION

■ Inhibition de la résorption osseuse du calcium. **Effets thérapeutiques:** ■ Réduction des concentrations de calcium sérique.

PHARMACOCINÉTIQUE

Absorption: Administration par voie IV seulement, ce qui entraîne la biodisponibilité totale de l'agent.

Distribution: Inconnue.

Métabolisme et excrétion: La plus grande partie du médicament est excrétée à l'état inchangé par les reins.

Demi-vie: Inconnue.

CONTRE-INDICATIONS ET PRÉCAUTIONS

Contre-indications: Insuffisance rénale grave (créatinine > 227 μmol/L).

Précautions: ■ Insuffisance rénale ■ Grossesse, allaitement ou enfants (l'innocuité du médicament n'a pas été établie).

RÉACTIONS INDÉSIRABLES ET EFFETS SECONDAIRES

ORLO: surdité, névrite optique, affaiblissement de la vision.

HÉ: hypocalcémie, hypophosphatémie.

GU: toxicité rénale.

INTERACTIONS

Médicament – médicament: L'administration simultanée d'**agents néphrotoxiques**, tels que l'**amphotéricine B** et les aminosides, augmente le risque de toxicité rénale.

VOIES D'ADMINISTRATION ET POSOLOGIE

IV (adultes): de 100 à 200 mg/m^2 par jour pendant 5 jours.

PHARMACODYNAMIE
(effet sur la concentration sérique de calcium)

	DÉBUT D'ACTION	PIC	DURÉE
IV	moins de 24 h	5 jours	7,5 jours

✳ SOINS INFIRMIERS

ÉVALUATION DE LA SITUATION

☐ Suivre de près les symptômes suivants d'hypercalcémie: nausées, vomissements, anorexie, léthargie, fatigue, faiblesse, constipation, soif, déshydratation, altération de l'état de conscience et arythmies cardiaques.

☐ Observer attentivement le patient pour déceler les signes et les symptômes suivants d'hypocalcémie: paresthésie, soubresauts musculaires, laryngospasme, coliques, arythmies cardiaques et signe de Chvostek ou signe de Trousseau. Afin de protéger les patients qui manifestent des symptômes contre les accidents, soulever et rembourrer les ridelles du lit; garder le lit en position basse. Si l'hypocalcémie survient, arrêter le traitement au nitrate de gallium. Un traitement au calcium peut s'avérer nécessaire pendant un certain temps.

☐ S'il faut administrer d'autres agents néphrotoxiques, arrêter d'administrer le nitrate de gallium et continuer d'hydrater le patient pendant plusieurs jours après l'administration du médicament à potentiel néphrotoxique. Mesurer le débit urinaire et les concentrations de créatinine sérique pendant et après cette période.

■ **Étude des examens diagnostiques et biochimiques:** Déterminer les concentrations sériques d'urée et de créatinine avant le traitement et fréquemment pendant toute sa durée. Si la concentration de créatinine sérique est supérieure à 227 μmol/L, arrêter l'administration du nitrate de gallium.

☐ Pour déterminer l'efficacité du traitement, examiner les concentrations de calcium sérique tous les jours et celles de phosphate sérique, deux fois par semaine. En cas d'hypophosphatémie, l'administration de phosphate par voie orale peut s'avérer nécessaire. Le nitrate de gallium peut diminuer les concentrations sériques de bicarbonate.

DIAGNOSTICS INFIRMIERS POSSIBLES

■ **Énoncés diagnostiques**
☐ Risque élevé d'accident.
☐ Altération de l'élimination urinaire.
☐ *Risque élevé d'intoxication.*

■ **Facteurs favorisants**
☐ *Manque de connaissances sur les signes d'hypoglycémie et d'hyperglycémie et sur les moyens de les prévenir.*
☐ *Manque de connaissances sur les modalités du traitement.*
☐ *Modification de l'état liquidien et des volumes circulants.*
☐ *Manque de connaissances sur le régime alimentaire à suivre.*

INTERVENTIONS INFIRMIÈRES

■ **Directives générales:** Il ne faut administrer le nitrate de gallium qu'après avoir assuré une hydratation adéquate avec un soluté salin par voie IV. Le soluté favorise l'excrétion rénale du calcium. On peut aussi administrer des diurétiques lorsque l'hypovolémie a été corrigée. Maintenir une hydratation suffisante et un débit urinaire de 2 000 mL par jour pendant toute la durée du traitement.

- **Perfusion continue :** Diluer la dose quotidienne de nitrate de gallium dans 1 000 mL de solution de NaCl à 0,9 % ou de solution de dextrose à 5 % dans de l'eau. La solution reste stable pendant 48 h à la température ambiante et, pendant 7 jours, au réfrigérateur.
  - *Vitesse d'administration :* La perfusion doit durer 24 h.

ENSEIGNEMENT AU PATIENT ET À SES PROCHES

- Inciter le patient à suivre les recommandations diététiques du médecin et à consommer des aliments contenant les quantités appropriées de calcium et de vitamine D.
- Expliquer au patient que les aliments riches en vitamine D sont le foie et l'huile de poisson, le lait vitaminé, le pain et les céréales ; ceux riches en calcium sont les produits laitiers, le saumon et les sardines en conserve, le brocoli, le chou chinois, le tofu, la mélasse et les crèmes de légumes (voir l'annexe K).
- Insister sur l'importance d'un suivi médical régulier pendant le traitement, pour déterminer si l'état du patient s'améliore et, même après l'arrêt du traitement, pour déceler les premiers signes de rechute.

VÉRIFICATION DES RÉSULTATS

L'efficacité du traitement peut être démontrée par : la diminution des concentrations de calcium sérique chez les patients souffrant d'hypercalcémie d'origine cancéreuse.

GANCICLOVIR
Cytovene, (DHPG)

CLASSIFICATION :
Antiviral

Grossesse – catégorie C

INDICATIONS

Traitement de la rétinite à cytomégalovirus chez les patients présentant un déficit immunitaire, incluant les patients infectés par le VIH.

ACTION

Sous l'action du cytomégalovirus, le ganciclovir est transformé en sa forme active (phosphate de ganciclovir) à l'intérieur de la cellule hôte où il inhibe l'ADN-polymérase virale. **Effets thérapeutiques :** Effet antiviral dirigé surtout contre les cellules infectées par le cytomégalovirus.

PHARMACOCINÉTIQUE

Absorption : Administration par voie IV seulement, ce qui entraîne la biodisponibilité totale de l'agent.
Distribution : Le ganciclovir pénètre dans le liquide céphalorachidien ; sa répartition dans le reste de l'organisme est inconnue.
Métabolisme et excrétion : Une fraction de 90 % du médicament est excrétée à l'état inchangé par les reins.
Demi-vie : 2,9 h (prolongée en cas d'insuffisance rénale).

CONTRE-INDICATIONS ET PRÉCAUTIONS

Contre-indications : Hypersensibilité au ganciclovir ou à l'acyclovir.
Précautions : ■ Insuffisance rénale (réduire la dose) ■ Grossesse, allaitement, enfants (l'innocuité du médicament n'a pas été établie) ■ Personnes âgées (il est recommandé de réduire la dose) ■ Aplasie médullaire ■ Immunosuppression.

RÉACTIONS INDÉSIRABLES ET EFFETS SECONDAIRES

SNC : malaise, rêves bizarres, confusion, étourdissements, céphalées, coma, nervosité, somnolence.
ORLO : décollement de la rétine.
Resp. : dyspnée.
CV : arythmies, hypertension, hypotension, œdème.

G

GI: nausées, vomissements, hémorragie gastrique, douleurs abdominales, augmentation des concentrations d'enzymes hépatiques.

GU: hématurie, suppression de la fonction des gonades.

Tég.: rash, alopécie, prurit, urticaire.

End.: hypoglycémie.

Hémat.: neutropénie, thrombocytopénie, anémie, éosinophilie.

Locaux: douleurs, phlébite au point d'injection IV.

SN: tremblements, ataxie.

Divers: fièvre.

INTERACTIONS

Médicament – médicament: ■ L'administration d'**agents antinéoplasiques**, d'une **radiothérapie** ou de **zidovudine** peut augmenter le risque d'aplasie médullaire ■ L'administration de **probénécide** peut augmenter la toxicité du ganciclovir ■ L'administration simultanée d'**impénème** avec **cilastatine** peut augmenter le risque de convulsions.

VOIES D'ADMINISTRATION ET POSOLOGIE

IV (adultes): Initialement, 5 mg/kg, toutes les 12 h, pendant 14 à 21 jours; ensuite, 5 mg/kg, 1 fois par jour, 7 jours par semaine ou 6 mg/kg, 1 fois par jour, 5 jours par semaine. Si la maladie évolue malgré le traitement d'entretien, on peut reprendre le schéma thérapeutique d'attaque (biquotidien).

PHARMACODYNAMIE (concentrations sanguines)

	DÉBUT D'ACTION	PIC
IV	rapide	fin de la perfusion

☀ SOINS INFIRMIERS

ÉVALUATION DE LA SITUATION

☐ Avant d'administrer le ganciclovir, il faut établir le diagnostic de rétinite à cytomégalovirus par ophtalmoscopie.

☐ Avant de commencer le traitement, prélever des échantillons d'urine, de sang ou de salive pour une mise en culture permettant de déceler la présence du cytomégalovirus. Il n'est pas justifié d'écarter le diagnostic de rétinite à cytomégalovirus, même lorsque les résultats sont négatifs.

■ **Étude des examens diagnostiques et biochimiques:** Examiner la numération de neutrophiles et de plaquettes au moins tous les deux jours, si le ganciclovir est administré deux fois par jour, et une fois par semaine, par la suite. Bien que la granulocytopénie se manifeste habituellement au cours des deux premières semaines de traitement, elle peut survenir à tout moment. Ne pas administrer si le nombre de neutrophiles est $< 0,5 \times 10^9$/L et celui des plaquettes est $< 25 \times 10^9$/L. Ces valeurs commencent à se rétablir de 3 à 7 jours après l'arrêt du traitement.

☐ Noter les concentrations de créatinine sérique au moins toutes les deux semaines pendant toute la durée du traitement.

DIAGNOSTICS INFIRMIERS POSSIBLES

■ **Énoncés diagnostiques**

☐ Risque élevé d'infection.

☐ Prise en charge inefficace du programme thérapeutique.

☐ *Risque élevé d'altération de la perception visuelle.*

☐ *Risque élevé de douleur au point d'injection IV.*

☐ *Risque élevé d'intoxication.*

■ **Facteurs favorisants**

☐ Informations incomplètes.

☐ *Manque de connaissances sur les moyens de réduire la photosensibilité et sur l'importance d'un suivi ophtalmologique.*

☐ *Inflammation locale du tissu vasculaire ou infiltration du médicament dans les tissus avoisinants.*

☐ *Administration trop rapide du médicament par voie IV.*

G

INTERVENTIONS INFIRMIÈRES

- **Directives générales :** Préparer la solution sous une hotte biologique de sécurité. Porter des vêtements de protection comprenant des gants et un masque lors de la préparation du médicament. Après l'administration, jeter l'appareillage de perfusion IV dans les contenants réservés à cet effet (voir l'annexe I).

- ☐ Ne pas administrer le médicament par voie SC ni IM, en raison des risques d'irritation cutanée grave.

- **IV :** Déceler la phlébite au point de perfusion. Pour la prévenir, assurer la rotation des points de perfusion.

- **Perfusion intermittente :** Reconstituer 500 mg de ganciclovir dans 10 mL d'eau stérile pour injection jusqu'à l'obtention d'une concentration de 50 mg/mL. Ne pas diluer dans de l'eau bactériostatique contenant des parabènes étant donné qu'un précipité peut se former. Bien agiter pour dissoudre complètement le médicament. Si la solution change de couleur ou si des particules sont présentes, jeter la fiole. La solution reconstituée est stable pendant 12 h à la température ambiante ; ne pas la réfrigérer.

- ☐ Diluer la solution reconstituée dans 100 mL de solution de dextrose à 5 % dans de l'eau, de solution de NaCl à 0,9 %, de solution de Ringer ou de lactate Ringer, jusqu'à une concentration inférieure à 10 mg/mL. La solution doit être utilisée dans les 24 h qui suivent la dilution.

- ☐ La solution reconstituée puis diluée à nouveau peut être réfrigérée. La congélation n'est pas recommandée.

- ☐ *Vitesse d'administration :* Administrer lentement par une pompe de perfusion, en 1 h. Une administration rapide peut augmenter la toxicité.

- **Incompatibilités (tubulure en Y) :** Foscarnet ou ondansétron.

ENSEIGNEMENT AU PATIENT ET À SES PROCHES

- ☐ Expliquer au patient que le ganciclovir ne guérit pas la rétinite à cytomégalovirus. La rétinite peut continuer à évoluer pendant et après le traitement chez les patients présentant un déficit immunitaire. Insister sur l'importance d'un suivi ophtalmique régulier.

- ☐ Prévenir la patiente que le ganciclovir peut avoir des effets tératogènes ; lui recommander d'utiliser une méthode contraceptive qui n'est pas à base d'hormones au cours du traitement et au moins 90 jours après.

- ☐ Expliquer au patient qu'il est important de se soumettre à des analyses sanguines fréquentes pour suivre de près les numérations globulaires.

VÉRIFICATION DES RÉSULTATS

L'efficacité du traitement peut être démontrée par : la résolution des symptômes de rétinite à cytomégalovirus chez les patients présentant un déficit immunitaire.

GEMFIBROZIL
Lopid

CLASSIFICATION :
Agent hypolipidémiant

Grossesse – catégorie B

INDICATIONS

Adjuvant à un régime alimentaire et à d'autres mesures thérapeutiques dans le traitement de l'hyperlipidémie s'accompagnant de concentrations élevées de triglycérides.

ACTION

- Inhibition de la lipolyse périphérique
- Diminution de la production hépatique de triglycérides liés aux lipoprotéines de très basse densité (VLDL)
- Diminution de la production de protéines

G

qui transportent les triglycérides ■ Augmentation des concentrations de lipoprotéines de haute densité (HDL). **Effets thérapeutiques :** ■ Diminution des concentrations de triglycérides plasmatiques et augmentation des concentrations de HDL.

PHARMACOCINÉTIQUE

Absorption : Bonne absorption par suite de l'administration par voie orale.

Distribution : Inconnue.

Métabolisme et excrétion : Le médicament est en partie métabolisé par le foie ; une fraction de 70 % est excrétée par les reins (surtout à l'état inchangé) et une fraction de 6 %, dans les fèces.

Demi-vie : De 1,3 à 1,5 h.

CONTRE-INDICATIONS ET PRÉCAUTIONS

Contre-indications : ■ Hypersensibilité ■ Cirrhose biliaire primitive.

Précautions : ■ Maladie de la vésicule biliaire ■ Maladie hépatique ■ Insuffisance rénale grave ■ Grossesse, allaitement et enfants (l'innocuité du médicament n'a pas été établie).

RÉACTIONS INDÉSIRABLES ET EFFETS SECONDAIRES

SNC : céphalées, étourdissements.

ORLO : vision trouble.

GI : <u>douleurs abdominales</u>, <u>douleurs épigastriques</u>, brûlure d'estomac, formation de calculs biliaires, <u>diarrhée</u>, nausées, vomissements, flatulence.

Tég. : rash, urticaire, alopécie.

Hémat. : leucopénie, anémie.

Loc. : myosite.

INTERACTIONS

Médicament – médicament : ■ Le gemfibrozil peut intensifier l'effet des **anticoagulants oraux** ■ Les **diurétiques thiazidiques**, la **méthyldopa** ou les **œstrogènes**, administrés simultanément, peuvent diminuer la réponse au gemfibrozil.

VOIES D'ADMINISTRATION ET POSOLOGIE

■ **PO (adultes) :** 1,2 g par jour en 2 doses fractionnées, 30 min avant le déjeuner et le souper (écart posologique de 900 mg à 1,5 g).

PHARMACODYNAMIE (effet sur la diminution des concentrations de triglycérides liés aux VLDL)

	DÉBUT D'ACTION	PIC	DURÉE
PO	3 – 5 jours	4 semaines	plusieurs mois

✺ SOINS INFIRMIERS

ÉVALUATION DE LA SITUATION

☐ Recueillir des données sur les habitudes alimentaires du patient, notamment sur sa consommation de matières grasses et d'alcool.

■ **Étude des examens diagnostiques et biochimiques :** Surveiller attentivement les concentrations sériques de cholestérol et de triglycérides. Il faut noter les concentrations de LDL et de VLDL avant le traitement et à intervalles réguliers pendant tout sa durée. Il faut arrêter le traitement en cas d'élévation paradoxale des concentrations lipidiques.

☐ Examiner les résultats des tests de l'exploration fonctionnelle hépatique avant le traitement et à intervalles réguliers pendant toute sa durée. Le gemfibrozil peut entraîner l'élévation des concentrations de phosphatase alcaline, de créatine-kinase, de LDH, de TGOS (AST) et de TGPS (ALT).

☐ Noter la numération globulaire et le bilan électrolytique tous les 3 à 6 mois et, ensuite, une fois par année, pendant toute la durée du traitement. Le gemfibrozil peut diminuer légèrement l'hémoglobine, l'hématocrite et le nombre de leucocytes ; il peut entraîner la diminution des concentrations sériques de potassium.

▫ Le gemfibrozil peut élever légèrement la glycémie.

DIAGNOSTICS INFIRMIERS POSSIBLES

■ **Énoncés diagnostiques**

▫ Prise en charge inefficace du programme thérapeutique.

▫ Non-observance du traitement médicamenteux.

▫ *Risque élevé d'anxiété.*

▫ *Risque élevé de déséquilibre hydro-électrolytique.*

■ **Facteurs favorisants**

▫ Informations incomplètes.

▫ Doute quant aux bienfaits du médicament.

▫ *Manque de connaissances sur le régime alimentaire à suivre.*

▫ *Difficulté à s'adapter aux changements nécessaires dans les habitudes de vie.*

▫ *Douleur.*

▫ *Modification de l'état liquidien ou des volumes circulants.*

▫ *Manque de connaissances sur les modalités du traitement.*

INTERVENTIONS INFIRMIÈRES

PO: Administrer le gemfibrozil 30 min avant le déjeuner et le souper.

ENSEIGNEMENT AU PATIENT ET À SES PROCHES

▫ Inciter le patient à suivre scrupuleusement la posologie recommandée. S'il n'a pas pu prendre le médicament au moment habituel, il doit le prendre aussitôt que possible à moins que ce soit presque l'heure de prendre la dose suivante. Il ne faut jamais doubler les doses.

▫ Expliquer au patient qu'il doit réduire sa consommation de matières grasses, de cholestérol, de glucides et d'alcool, faire régulièrement de l'exercice et cesser de fumer.

▫ Conseiller au patient de prévenir rapidement le médecin si l'un des signes ou des symptômes suivants se manifeste : douleurs abdominales graves, accompagnées de nausées et de vomissements, fièvre, frissons, mal de gorge. Il faut également prévenir le médecin en cas de rash, de diarrhée, de crampes musculaires, de gêne abdominale ou de flatulence qui persiste.

VÉRIFICATION DES RÉSULTATS

L'efficacité du traitement peut être démontrée par : la baisse des concentrations sériques de triglycérides et de cholestérol et l'élévation des concentrations de lipoprotéines de haute densité (HDL) par rapport aux concentrations de cholestérol total. On doit habituellement arrêter le traitement si aucune réponse clinique ne se manifeste en l'espace de trois mois.

GENTAMICINE
Alcomicin, Cidomycin, Diogent, Garamycin, Gentacidin, PMS-Gentamicin Sulfate, R.O.-Gentycin, (Genoptic), (Gentafair), (Gentamytrex), (G-Myticin)

CLASSIFICATION :
Anti-infectieux – aminoside
Grossesse – catégorie C

INDICATIONS

■ **IM et IV :** Traitement des infections par les bacilles à Gram négatif et des infections à staphylocoques lorsque les pénicillines ou les autres médicaments moins toxiques sont contre-indiqués. La gentamicine est particulièrement efficace pour traiter les infections suivantes provoquées par des bacilles à Gram négatif sensibles : ▫ Infections des os ▫ Infections du SNC (administration par voie intrathécale) ▫ Infections des voies respiratoires ▫ Infections de la peau et des structures dermiques □ Infections abdominales □ Infections des voies urinaires avec complications □ Endocardite □ Septicémie ■ **Usage topique et oto-ophtalmique:** Traitement des infections localisées provoquées par les microorganismes sensibles. **Usage non approuvé:** ■ IM et IV: Élément du traitement prophylactique de l'endocardite chez certains patients.

ACTION

■ Inhibition de la synthèse des protéines bactériennes au niveau du ribosome 30S. **Effets thérapeutiques:** ■ Action bactéricide contre les bactéries sensibles. **Spectre d'action:** ■ *Pseudomonas æruginosa* ■ *Klebsiella pneumoniæ* ■ *Escherichia coli* ■ *Serratia* ■ *Acenitobacter* ■ Traitement des infections à entérocoques, en association avec une pénicilline.

PHARMACOCINÉTIQUE

Absorption: Bonne absorption par suite de l'administration par voie IM; après l'administration topique, intrathécale ou intraventriculaire, l'absorption par voie systémique est minime.
Distribution: La gentamicine se répartit dans tous les liquides extracellulaires par suite de l'administration par voie IM ou IV. Elle traverse le placenta. La pénétration dans le liquide céphalorachidien est faible.
Métabolisme et excrétion: Excrétion surtout rénale (> 90 %). En cas d'insuffisance rénale, quelle qu'elle soit, il faut adapter la dose selon le cas. Des quantités infimes de médicament subissent un métabolisme hépatique.
Demi-vie: De 2 à 3 h (prolongée en cas d'insuffisance rénale).

CONTRE-INDICATIONS ET PRÉCAUTIONS

Contre-indications: ■ Hypersensibilité ■ Risque de réactions de sensibilité croisée avec les autres aminosides.

Précautions: ■ Insuffisance rénale quelle qu'elle soit (adapter la dose, selon le cas) ■ Grossesse et allaitement (l'innocuité du médicament n'a pas été établie) ■ Maladies neuromusculaires, telle la myasthénie grave.

RÉACTIONS INDÉSIRABLES ET EFFETS SECONDAIRES

ORLO: neurotoxicité pour la VIIIe paire crânienne (vestibulaire et cochléaire).
GU: toxicité rénale.
SN: blocage neuromusculaire accru.
Divers: réactions d'hypersensibilité, surinfection.

INTERACTIONS

Médicament – médicament: ■ La **pénicilline** peut inactiver la gentamicine lors de l'administration en association chez les patients souffrant d'insuffisance rénale ■ Après inhalation d'**anesthésiques (éther, cyclopropane, halothane** ou **protoxyde d'azote)** ou administration de **bloqueurs neuromusculaires (atracurium, tubocurarine, gallamine, succinylcholine, décaméthonium),** la gentamicine peut provoquer une paralysie respiratoire ■ Les autres **aminosides,** administrés simultanément, peuvent exercer des effets additifs sur le blocage neuromusculaire ■ Risque accru d'effets ototoxiques lors de l'administration concomitante de **diurétiques de l'anse (acide éthacrynique, furosémide)** ■ L'administration d'autres **médicaments** qui pourraient être **néphrotoxiques (cisplatine)** peut augmenter le risque de toxicité rénale.

VOIES D'ADMINISTRATION ET POSOLOGIE

Remarque: Toutes les doses administrées après la dose d'attaque doivent être calculées d'après la fonction rénale et les concentrations sanguines.
■ **IM et IV (adultes):** de 3 à 6 mg/kg par jour en doses fractionnées, toutes les 8 h.

- **IM et IV (enfants):** de 6 à 7,5 mg/kg par jour en doses fractionnées, toutes les 8 h.
- **IM et IV (nourrissons et nouveau-nés):** 7,5 mg/kg par jour en doses fractionnées, toutes les 8 h.
- **IM et IV (prématurés et nouveau-nés < 1 semaine):** 2,5 mg/kg, toutes les 12 h.
- **Usage topique (adultes et enfants):** Appliquer sur la région nettoyée au préalable une légère couche, 3 ou 4 fois par jour.
- **Usage ophtalmique (adultes et enfants):** Instiller 2 gouttes, 3 ou 4 fois par jour ou appliquer la pommade, 3 ou 4 fois par jour.
- **Usage otique (adultes et enfants):** 3 ou 4 gouttes, 3 fois par jour.
- **Voie intrathécale ou intraventriculaire (enfants et nourrissons > 3 mois) (É.-U.):** de 1 à 2 mg par jour en 1 seule dose.

PHARMACODYNAMIE
(concentrations sanguines)

	DÉBUT D'ACTION	PIC
IM	rapide	30 – 90 min
IV	rapide	fin de la perfusion

SOINS INFIRMIERS

ÉVALUATION DE LA SITUATION

- ☐ Au début du traitement et pendant toute sa durée, suivre de près les signes suivants d'infection: altération des signes vitaux; aspect de la plaie, des crachats, de l'urine et des selles; accroissement du nombre de leucocytes.
- ☐ Prélever des échantillons pour les cultures et les antibiogrammes avant le début du traitement. La première dose peut être administrée avant même que les résultats soient connus.
- ☐ Mesurer par audiogramme la fonction de la VIIIe paire de nerfs crâniens avant l'administration initiale et tout au long du traitement. La perte de l'ouïe se situe habituellement au

niveau des sons à haute fréquence. Le diagnostic et l'intervention rapides sont essentiels pour prévenir la surdité permanente. Observer également le patient à la recherche des symptômes suivants de dysfonction vestibulaire: vertiges, ataxie, nausées, vomissements. La persistance de concentrations élevées de gentamicine augmente le risque d'effets ototoxiques.

- ☐ Effectuer un bilan quotidien des ingesta et des excreta et peser le patient tous les jours pour évaluer l'hydratation et la fonction rénale.
- ☐ Observer le patient à la recherche des signes suivants de surinfection: fièvre, infection des voies respiratoires supérieures, démangeaisons ou pertes vaginales, malaise accru, diarrhée. Signaler ces réactions au médecin.
- **Étude des examens diagnostiques et biochimiques:** Suivre de près la fonction rénale en notant les résultats des analyses d'urine, la densité de l'urine, les concentrations sériques d'urée et de créatinine ainsi que la clearance de la créatinine avant l'administration initiale du médicament et tout au long du traitement.
- ☐ La gentamicine peut entraîner une élévation des concentrations de TGOS (AST), de TGPS (ALT), de LDH, de bilirubine et de phosphatase alcaline sérique.
- ☐ Le médicament peut diminuer les concentrations sériques de calcium, de magnésium, de sodium et de potassium.
- **Toxicité et surdosage:** Noter les concentrations sériques à intervalles réguliers pendant toute la durée du traitement. Pour interpréter correctement les résultats, il est important de bien choisir le moment où l'on examine les concentrations sériques. Pour déterminer les pics, prélever un échantillon de sang de 30 à 60 min après l'injection par voie IM et immédiatement après la fin de la perfusion

G.

IV. Pour déterminer les creux, prélever l'échantillon juste avant l'administration de la dose suivante. Les
pics acceptables se situent entre 4 et
12 mg/L; les creux ne devraient pas
dépasser 2 mg/L.

DIAGNOSTICS INFIRMIERS POSSIBLES

- **Énoncés diagnostiques**
- ☐ Risque élevé d'infection.
- ☐ Altération de la perception auditive.
- ☐ *Risque élevé d'altération de l'élimi-
  nation urinaire.*
- ☐ *Risque élevé d'intoxication.*
- **Facteurs favorisants**
- ☐ *Modification de l'état liquidien ou
  des volumes circulants.*
- ☐ *Manque de connaissances sur les
  modalités du traitement.*
- ☐ *Manque de connaissances sur les
  moyens de prévenir les effets secon-
  daires du médicament.*

INTERVENTIONS INFIRMIÈRES

- **Directives générales :** Assurer une bonne
  hydratation (de 1 500 à 2 000 mL de
  liquides par jour) pendant tout le traitement.
- ☐ Ne pas utiliser les solutions qui ont
  changé de couleur ou qui contiennent un précipité.
- **IM :** Injecter profondément dans une
  masse musculaire bien développée.
- **Perfusion intermittente :** Diluer la dose
  de gentamicine dans 100 à 200 mL de
  solution de dextrose à 5 % dans de
  l'eau, de solution de NaCl à 0,9 % ou
  de solution de Ringer jusqu'à l'obtention d'une concentration qui ne dépasse pas 1 mg/mL (0,1 %). On trouve
  également sur le marché des seringues jetables déjà remplies.
- ☐ *Vitesse d'administration :* Administrer en 30 à 60 min. Après l'administration du médicament, rincer la
  tubulure IV avec une solution de dextrose à 5 % dans de l'eau ou avec une
  solution de NaCl à 0,9 %.
- ☐ Le fabricant recommande d'administrer la gentamicine séparément ; ne

pas effectuer d'admixtion. Espacer
d'au moins 1 h l'administration des
aminosides et des pénicillines pour
prévenir l'inactivation.

- **Associations compatibles dans la même
  seringue :** Clindamycine, méthicilline
  ou pénicilline G sodique.
- **Associations incompatibles dans la même
  seringue :** Ampicilline, céfamandole,
  clindamycine ou héparine.
- **Compatibilités (tubulure en Y) :** Acyclovir,
  atracurium, cyclophosphamide, énalaprilate, esmolol, famotidine, foscarnet, labétalol, hydromorphone, mépéridine, morphine, multivitamines,
  ondansétron, pancuronium, perphénazine, sulfate de magnésium, tolazoline, vécuronium ou zidovudine.
- **Incompatibilités (tubulure en Y) :** Furosémide, héparine ou hydroxyéthyle
  d'amidon.
- **Compatibilités en addition au soluté :**
  Aztréonam, bléomycine, céfoxitine,
  cimétidine, clindamycine, méthicilline, métronidazole, pénicilline G sodique, ranitidine ou vérapamil.
- **Incompatibilités en addition au soluté :**
  Amphotéricine B, ampicilline, céfamandole, céphalothine, céphapirine,
  clindamycine, furosémide, héparine,
  nafcilline ou ticarcilline.
- **Usage oto-ophtalmique :** La méthode
  d'administration des gouttes oto-
  ophtalmiques est indiquée à l'annexe H.
- **Usage topique :** Nettoyer la peau avant
  l'application du médicament. Porter
  des gants pendant l'application.

ENSEIGNEMENT AU PATIENT ET
À SES PROCHES

- **Directives générales :** Conseiller au patient de signaler au médecin les signes d'hypersensibilité, les acouphènes, les vertiges ou la surdité.
- ☐ Expliquer au patient ayant des antécédents de cardite rhumatismale ou
  ayant subi un remplacement valvulaire l'importance de la prophylaxie

antimicrobienne avant une intervention dentaire ou médicale effractives.

- **Usage topique:** Montrer au patient comment appliquer la préparation.

VÉRIFICATION DES RÉSULTATS

La réponse clinique au traitement peut être déterminée par: ■ la disparition des signes et des symptômes d'infection; le temps de résolution dépend du micro-organisme infectant et du siège de l'infection ■ la prévention de l'endocardite.

GLIPIZIDE
(Glucotrol)

CLASSIFICATION:
Hypoglycémiant oral – sulfamide hypoglycémiant

Grossesse – catégorie C

INDICATIONS

Équilibrage de la glycémie en présence de diabète non insulinodépendant de l'adulte (diabète de type II, diabète de l'adulte, diabète non cétosique) lorsque la diétothérapie ne donne pas les résultats escomptés. Une certaine fonction pancréatique doit cependant subsister.

ACTION

■ Diminution de la glycémie par la stimulation des sécrétions d'insuline du pancréas et augmentation de la sensibilité à l'insuline aux sites des récepteurs ■ Diminution possible de la production hépatique de glucose. **Effets thérapeutiques:** ■ Diminution de la glycémie chez les patients diabétiques.

PHARMACOCINÉTIQUE

Absorption: Bonne absorption par suite de l'administration par voie orale.
Distribution: inconnue.
Métabolisme et excrétion: Le médicament est presque entièrement métabolisé par le foie.
Demi-vie: De 2,1 à 2,6 h.

CONTRE-INDICATIONS ET PRÉCAUTIONS

Contre-indications: ■ Hypersensibilité ■ Risque de réactions de sensibilité croisée lors de l'administration de sulfamidés ou de diurétiques thiazidiques ■ Diabète insulinodépendant (diabète de type I, diabète juvénile, diabète cétosique, diabète très instable) ■ Insuffisance rénale grave ■ Insuffisance hépatique grave ■ Maladie thyroïdienne ou autre maladie endocrinienne ■ Grossesse et allaitement.

Précautions: ■ Maladie cardiovasculaire grave (risque accru d'insuffisance cardiaque) ■ Maladie hépatique grave (réduire la dose, au besoin) ■ Personnes âgées, patients débilités ou malnourris (réduire la dose, au besoin) ■ Infection, stress ou modifications diététiques (altération de l'équilibrage de la glycémie).

RÉACTIONS INDÉSIRABLES ET EFFETS SECONDAIRES

SNC: étourdissements, somnolence, céphalées.
GI: nausées, vomissements, diarrhée, crampes, hépatite.
Tég.: rash, photosensibilité.
End.: hypoglycémie.
Hémat.: dyscrasie incluant l'ANÉMIE APLASIQUE, l'AGRANULOCYTOSE, l'anémie hémolytique.

INTERACTIONS

Médicament – médicament: ■ L'ingestion simultanée d'**alcool** peut entraîner une réaction semblable à celle au disulfirame ■ L'**alcool**, les **glucocorticoïdes**, la **rifampine** et les **diurétiques thiazidiques** peuvent diminuer l'efficacité du glipizide ■ Les **hormones androgènes** (**testostérone**), le **chloramphénicol**, le **clofibrate**, les **inhibiteurs de la MAO**, le **phénylbutazone**, les **salicylates**, les **sulfamidés**, les **anti-inflammatoires non stéroïdiens** ou les **anticoagulants oraux** peuvent augmenter l'effet hypoglycémiant du glipizide ■ L'administration concomitante d'**anticoagulants oraux** peut modifier la réponse au glipizide ; un ajustement de la posologie des deux médicaments peut s'avérer nécessaire ■ Les **bêtabloquants**, administrés simultanément, peuvent prolonger l'hypoglycémie et en masquer les symptômes.

VOIES D'ADMINISTRATION ET POSOLOGIE

PO (adultes): de 2,5 à 40 mg par jour (habituellement entre 5 et 25 mg par jour). Les doses supérieures à 15 à 20 mg par jour doivent être administrées en deux doses fractionnées.

PHARMACODYNAMIE (effet hypoglycémiant)

	DÉBUT D'ACTION	PIC	DURÉE
PO	15 – 30 min	1 – 2 h	jusqu'à 24 h

☀ SOINS INFIRMIERS

ÉVALUATION DE LA SITUATION

□ Observer les signes et les symptômes suivants d'hypoglycémie : transpiration, faim, faiblesse, étourdissements, tremblements, tachycardie, anxiété. La longue durée d'action du glipizide augmente le risque d'hypoglycémie récurrente. Suivre de près pendant un jour ou deux le patient ayant manifesté un épisode d'hypoglycémie.

□ Déterminer si le patient n'est pas allergique aux sulfamidés.

■ **Étude des examens diagnostiques et biochimiques :** Mesurer à intervalles réguliers tout au long du traitement les concentrations sériques de glucose et d'hémoglobine glycosylée pour déterminer l'efficacité du glipizide.

□ Le médicament peut entraîner l'élévation des concentrations de TGOS (AST), de LDH, d'urée et de créatinine sérique.

□ Suivre la numération globulaire à intervalles réguliers tout au long du traitement. Prévenir immédiatement le médecin en cas de diminution du nombre de globules sanguins.

■ **Toxicité et surdosage :** Le surdosage se manifeste par des symptômes d'hypoglycémie. En cas d'hypoglycémie légère, administrer du glucose par voie orale. En cas d'hypoglycémie grave, administrer par voie IV une solution de dextrose à 50 % dans de l'eau, suivie de la perfusion continue d'une solution de dextrose plus diluée, à un débit suffisant pour maintenir la glycémie à 5,5 mmol/L.

DIAGNOSTICS INFIRMIERS POSSIBLES

■ **Énoncés diagnostiques**

□ Excès nutritionnel.

□ Prise en charge inefficace du programme thérapeutique.

□ Non-observance du traitement médicamenteux.

□ *Risque élevé d'accident.*

□ *Risque élevé d'anxiété.*

□ *Risque élevé d'atteinte à l'intégrité de la peau.*

■ **Facteurs favorisants**

□ Informations incomplètes.

□ Doute quant aux bienfaits du médicament.

□ *Manque de connaissances sur les signes d'hypoglycémie et d'hyperglycémie et sur les moyens de les prévenir.*

□ *Manque de connaissances sur les modalités du traitement.*

□ *Manque de connaissances sur le régime alimentaire à suivre.*

□ *Manque de connaissances sur les effets secondaires du médicament.*

□ *Difficulté à s'adapter aux changements nécessaires dans les habitudes de vie.*

□ *Perturbation de la vigilance.*

□ *Manque de connaissances sur les moyens de réduire la photosensibilité.*

G

INTERVENTIONS INFIRMIÈRES

■ **Directives générales :** On peut administrer le glipizide en une seule dose le matin ou en deux doses fractionnées.

□ Chez les patients dont la glycémie a été équilibrée grâce à la diétothérapie, mais qui ont de la fièvre ou qui sont exposés au stress, aux traumatismes, à l'infection ou à une intervention chirurgicale, administrer de l'insuline, au besoin.

□ Chez les patients qui prennent moins de 20 unités d'insuline par jour, on peut substituer le traitement au glipizide à l'insulinothérapie sans devoir ajuster graduellement la posologie. Chez les patients qui prennent plus de 20 unités par jour, la dose d'insuline doit être réduite graduellement ; leur administrer le glipizide et 50 % de la dose antérieure d'insuline pendant le premier jour, puis ajuster graduellement les doses de glipizide, selon les besoins. Mesurer la glycémie, la glycosurie et la cétonurie au moins 3 fois par jour pendant cette période.

■ **PO :** Administrer le glipizide 30 min avant les repas afin d'optimiser l'équilibrage de la glycémie.

□ Dans le cas des patients qui éprouvent des difficultés de déglutition, on peut broyer les comprimés et les administrer dans des liquides.

ENSEIGNEMENT AU PATIENT ET À SES PROCHES

□ Conseiller au patient de prendre le médicament tous les jours à la même heure. S'il n'a pas pu prendre le médicament au moment habituel, il doit le prendre aussitôt que possible à moins que ce ne soit presque l'heure prévue pour la dose suivante. Ne pas administrer le glipizide si le patient est incapable de manger.

□ Expliquer au patient que le glipizide équilibre la glycémie, mais ne peut guérir le diabète. Le traitement à l'aide de cet agent est de longue durée.

□ Expliquer au patient les signes d'hypoglycémie et d'hyperglycémie. En cas d'hypoglycémie, recommander au patient de prendre un verre de jus d'orange ou du sucre, du miel ou du sirop de maïs dans de l'eau et de prévenir le médecin.

□ Encourager le patient à suivre le régime alimentaire, la pharmacothérapie et le programme d'exercices prescrit afin de prévenir les épisodes d'hypoglycémie ou d'hyperglycémie.

□ Faire une démonstration du dosage du glucose sanguin ou du glucose et des corps cétoniques urinaires. Insister sur le fait qu'il est important de prélever deux échantillons consécutifs d'urine pour s'assurer que les résultats sont justes. Ces résultats doivent être notés attentivement pendant les périodes de stress ou pendant un épisode de maladie. Il faut prévenir immédiatement le médecin si des modifications importantes surviennent. Au cours de la substitution de l'insuline par un hypoglycémiant oral, le patient devrait contrôler sa glycémie au moins 3 fois par jour et signaler les résultats au médecin selon ses consignes.

□ Prévenir le patient que le glipizide peut parfois provoquer des étourdissements ou de la somnolence. Lui conseiller de ne pas conduire et d'éviter les activités qui exigent sa vigilance jusqu'à ce qu'on ait la certitude que le médicament n'entraîne pas ces effets chez lui.

□ Conseiller au patient de consulter le médecin ou le pharmacien avant de prendre d'autres médicaments et, particulièrement, des agents à base d'acide acétylsalicylique, ou de l'alcool, en même temps que le glipizide.

□ Prévenir le patient que la consommation simultanée d'alcool peut entraîner une réaction semblable à celle provoquée par le disulfirame : crampes abdominales, nausées, bouffées vasomotrices, céphalées et hypoglycémie.

☐ Prévenir la patiente qu'elle ne devrait pas prendre de glipizide pendant la grossesse. Lui conseiller de ne pas prendre des contraceptifs oraux, mais d'utiliser une autre méthode de contraception et d'informer rapidement le médecin si elle pense être enceinte.

☐ Conseiller au patient de porter des vêtements de protection et d'utiliser un écran solaire pour prévenir les réactions de photosensibilité.

☐ Recommander au patient qui doit suivre un traitement dentaire ou subir une intervention chirurgicale d'avertir le dentiste ou le médecin qu'il suit un traitement médicamenteux.

☐ Conseiller au patient d'avoir toujours sur lui du sucre (sachets de sucre ou bonbons) et de porter en tout temps un bracelet d'identité où sont inscrits son problème de santé et son traitement médicamenteux.

☐ Insister sur l'importance d'un suivi médical régulier.

VÉRIFICATION DES RÉSULTATS

L'efficacité du traitement peut être démontrée par : l'équilibrage de la glycémie sans survenue d'épisodes d'hypoglycémie ou d'hyperglycémie.

GLUCAGON, polypeptide pancréatique

CLASSIFICATION :
Hormone (agent hyperglycémiant)
Grossesse – catégorie B

INDICATIONS

■ Traitement intensif de l'hypoglycémie grave lorsqu'il est impossible d'administrer du glucose ■ Agent diagnostique d'appoint lors des examens radiologiques de l'appareil gastro-intestinal. **Usage non approuvé :** ■ Étape finale du traitement du choc insulinique chez les patients souffrant de troubles psychiatriques.

ACTION

■ Stimulation de la production hépatique de glucose à partir des réserves de glycogène (glycogénolyse) ■ Relaxation des muscles du tractus gastro-intestinal ■ Effets inotropes et chronotropes positifs. **Effets thérapeutiques :** ■ Élévation de la glycémie ■ Relaxation des muscles gastro-intestinaux, facilitant les examens radiologiques.

PHARMACOCINÉTIQUE

Absorption : Bonne absorption par suite de l'administration par voies IM et SC.
Distribution : Inconnue.
Métabolisme et excrétion : Fort métabolisme hépatique et rénal.
Demi-vie : De 3 à 10 min.

CONTRE-INDICATIONS ET PRÉCAUTIONS

Contre-indications : ■ Hypersensibilité aux protéines d'origine bovine ou porcine ■ Hypersensibilité à la glycérine et au phénol contenus dans le diluant.
Précautions : Antécédents d'insulinome ou de phéochromocytome.

RÉACTIONS INDÉSIRABLES ET EFFETS SECONDAIRES

GI : nausées, vomissements.
Divers : réactions d'hypersensibilité.

INTERACTIONS

Médicament – médicament : ■ Les doses élevées de glucagon peuvent augmenter l'effet des **anticoagulants oraux** ■ Le glucagon peut abolir la réponse à l'**insuline** ou aux **hypoglycémiants oraux** ■ L'administration concomitante d'**épinéphrine** peut intensifier et prolonger l'effet hyperglycémiant du glucagon.

VOIES D'ADMINISTRATION ET POSOLOGIE

Remarque: 1 unité USP = 1 mg.

Hypoglycémie, étape finale du traitement du choc insulinique

- **IV, IM et SC (adultes):** de 0,5 à 1 unité; en l'absence de réponse, on peut administrer 1 ou 2 doses supplémentaires de 5 à 20 min plus tard.
- **IV, IM et SC (enfants):** 0,025 unité/kg; en l'absence de réponse, on peut répéter l'administration de 1 ou de 2 doses supplémentaires 5 à 20 min plus tard.

Examen radiologique de l'appareil gastro-intestinal

- **IM (adultes):** de 1 à 2 unités.
- **IV (adultes):** de 0,25 à 2 unités.

PHARMACODYNAMIE

	DÉBUT D'ACTION	PIC	DURÉE
IV, SC (effet hyperglycémiant)	5 – 20 min	30 min	1 – 2 h
IV (effet sur les muscles gastro-intestinaux)	1 min	inconnu	9 – 25 min
IM (effet sur les muscles gastro-intestinaux)	4 – 10 min	inconnu	12 – 32 min

SOINS INFIRMIERS

ÉVALUATION DE LA SITUATION

☐ Avant l'administration initiale et à intervalles réguliers tout au long du traitement, rechercher les signes et les symptômes suivants d'hypoglycémie: transpiration, faim, faiblesse, céphalées, étourdissements, tremblements, irritabilité, tachycardie, anxiété.

☐ Suivre de près l'état neurologique du patient tout au long du traitement. Prendre les mesures nécessaires pour le protéger contre les accidents provoqués par les convulsions, les chutes ou l'aspiration.

☐ Déterminer l'état nutritionnel du patient. Chez les patients dont la réserve de glycogène est supprimée (comme dans les cas d'inanition, d'hypoglycémie chronique et d'insuffisance surrénalienne), il faut administrer du glucose plutôt que du glucagon.

☐ Suivre de près l'apparition des nausées et des vomissements après l'administration du médicament. Protéger le patient dont l'état de la conscience est altérée contre les risques d'aspiration en l'installant en décubitus latéral; garder à portée de la main un dispositif d'aspiration. En cas de vomissements, prévenir le médecin qui prescrira du glucose par voie parentérale pour éviter les épisodes récurrents d'hypoglycémie.

☐ Doser la glycémie pour déterminer l'efficacité du traitement. Pour obtenir rapidement des résultats, on utilise la méthode par prélèvement de sang capillaire au bout du doigt. Le médecin peut prescrire des analyses de laboratoire pour valider ces résultats. Il faut cependant traiter le patient sans attendre les résultats de ces analyses, étant donné le danger de lésions neurologiques et, même, de mort.

DIAGNOSTICS INFIRMIERS POSSIBLES

- **Énoncés diagnostiques**
- ☐ Risque élevé d'accident.
- ☐ Prise en charge inefficace du programme thérapeutique.
- ☐ Non-observance du traitement médicamenteux.

- **Facteurs favorisants**
- ☐ Informations incomplètes.
- ☐ Doute quant aux bienfaits du médicament.
- ☐ *Manque de connaissances sur les signes d'hypoglycémie et d'hyperglycémie et sur les moyens de les prévenir.*
- ☐ *Manque de connaissances sur les effets secondaires du médicament.*
- ☐ *Difficulté à s'adapter aux changements nécessaires dans les habitudes de vie.*

□ *Manque de connaissances sur la méthode d'administration du médicament.*

□ *Manque de connaissances sur le régime alimentaire à suivre.*

INTERVENTIONS INFIRMIÈRES

■ **Directives générales :** On peut administrer le glucagon par voies SC, IM ou IV. Reconstituer la solution avec le diluant fourni par le fabricant. Examiner la solution avant de l'administrer ; n'utiliser que les solutions transparentes et aqueuses. La solution est stable pendant 48 h au réfrigérateur et pendant 24 h, à la température ambiante.

□ Administrer des suppléments d'hydrate de carbone par voie IV ou par voie orale pour favoriser l'élévation de la glycémie.

■ **IV :** Reconstituer la solution avec le diluant fourni par le fabricant. S'il faut administrer des doses supérieures à 2 unités (2 mg), utiliser de l'eau stérile pour injection au lieu du diluant fourni par le fabricant. Utiliser la solution reconstituée immédiatement. La concentration finale ne doit pas dépasser 1 unité (1 mg/mL).

■ **IV directe :** Administrer la solution à un débit inférieur à 1 unité/minute (1 mg/min). On peut administrer la solution par une tubulure IV par laquelle passe une solution de dextrose à 5 % dans de l'eau.

□ On peut également administrer la solution avec un bolus IV de dextrose.

■ **Incompatibilités en addition au soluté :** Solution de chlorure de potassium, de chlorure de calcium ou de NaCl à 0,9 %.

ENSEIGNEMENT AU PATIENT ET À SES PROCHES

□ Expliquer au patient et à la personne clé dans sa vie les signes et symptômes d'hypoglycémie. Recommander au patient de prendre du glucose par voie orale dès que les symptômes d'hypoglycémie apparaissent. L'administration du glucagon doit être réservée au patient qui éprouve des difficultés de déglutition en raison de l'altération de l'état de la conscience.

□ Expliquer aux proches du patient la méthode de préparation de la solution, de l'aspiration dans la seringue et de l'administration de l'injection. Prévenir immédiatement le médecin qu'on a administré du glucagon pour recevoir ses consignes quant au traitement subséquent, à l'ajustement de la dose d'insuline ou aux modifications diététiques.

□ Prévenir les proches que le patient devrait recevoir du glucose par voie orale dès qu'il redevient conscient.

□ Expliquer aux proches qu'il faut installer le patient sur le côté jusqu'à ce qu'il redevienne entièrement conscient. Les prévenir que le glucagon peut provoquer des nausées et des vomissements. Il y a risque d'aspiration si le patient vomit en décubitus dorsal.

□ Conseiller au patient de vérifier tous les mois la date de péremption inscrite sur l'emballage et de remplacer immédiatement le médicament périmé.

□ Expliquer au patient la pharmacothérapie de l'hypoglycémie, la diétothérapie et le programme d'exercices.

□ Conseiller au patient souffrant de diabète sucré d'avoir toujours à portée de la main du sucre (un sachet de sucre ou un bonbon) et de porter en tout temps un bracelet d'identité où sont inscrits son problème de santé et le traitement médicamenteux.

VÉRIFICATION DES RÉSULTATS

L'efficacité du traitement peut être démontrée par : ■ l'élévation de la glycémie jusqu'aux concentrations normales et l'amélioration de l'état de la conscience ■ la relaxation des muscles lisses de l'estomac, du duodénum, de l'intestin grêle et du gros intestin chez les patients qui doivent se soumettre à un examen radiologique du tractus gastro-intestinal.

GLUCOCORTICOïDES TOPIQUES

alclométasone
(Aclovate)

amcinonide
Cyclocort

bétaméthasone, dipropionate de/propylèneglycol
Diprolene, Rhoprolene

bétaméthasone, benzoate de
Beben, (Uticort)

bétaméthasone, dipropionate de
Diprosone, Occlucort, Rhoprosone, Taro-Sone, Topisone, (Alphatrex), (Maxivate), (Psorion)

bétaméthasone, valérate de
Betacort, Betaderm, Betnovate, Celestoderm, Prevex B, Valisone, (Betatrex), (Beta-Val), (Dermabet)

clobétasol
Dermovate, (Temovate)

clobétasone
Eumovate

clocortolone
(Cloderm)

désonide
Tridesilon, (DesOwen)

désoximétasone
Topicort

dexaméthasone
(Aeroseb-Dex), (Decaderm), (Decaspray)

diflorasone
Florone, (Maxiflor), (Psorcon)

fluocinolone
Fluoderm, Synalar, Synamol, (Fluonid), (Flurosyn), (Synemol)

fluocinonide
Lidemol, Lidex, Lyderm, Topsyn, (Vasoderm)

flurandrénolide
(Cordran)

fluticasone
(Cutivate)

halcinonide
Halog

halobétasol
Ultravate

hydrocortisone
Anusol-HC, Cortate, Corticrème, Cortacet, Cortoderm, Emo-Cort, Hyderm, Lanacort, Prevex HC, Texacort, Westcort, (Aeroseb-HC), (Ala-Cort), (CaldeCort Anti-Itch), (Cetacort), (Cortaid), (Cort-Dome), (Cortizone), (Cortril), (Delcort), (Dermocort), (DermiCort), (Gynecort), (Hi-cor), (HydroTex), (Hytone), (LactiCare-HC), (Locoid), (Nutracort), (Penecort), (S-T Cort), (Synacort), (Tega-Cort)

mométasone
Elocom, (Elocon)

triamcinolone, acétonide de
Aristocort, Kenalog, Oracort, Triaderm, (Flutex)

CLASSIFICATION:
Glucocorticoïde

Grossesse – catégorie C

INDICATIONS

Traitement d'une vaste gamme de réactions allergiques et immunologiques.

ACTION

■ Suppression de l'inflammation et de la réponse immunitaire normale. Risque de suppression de la fonction des surrénales en cas d'absorption systémique pendant une période prolongée. **Effets thérapeutiques:** ■ Suppression de l'inflammation dermatologique et des processus immunitaires.

PHARMACOCINÉTIQUE

Absorption: Absorption minime lorsque le médicament est utilisé selon les

G

recommandations du fabricant. L'application prolongée sur de grandes surfaces ou l'usage de grandes quantités peut mener à une absorption systémique et à la suppression de la fonction des surrénales.

Distribution: Le médicament reste surtout en son lieu d'action à moins qu'il ne soit appliqué sur de grandes surfaces ou en grandes quantités.

Métabolisme et excrétion: Inconnus par suite de l'administration topique.

Demi-vie: Inconnue.

CONTRE-INDICATIONS ET PRÉCAUTIONS

Contre-indications: ■ Hypersensibilité aux glucocorticoïdes ou aux ingrédients des véhicules (base de l'onguent ou de la crème, agents de conservation) ■ Infections bactériennes ou virales non traitées.

Précautions: ■ Traitement prolongé par des doses élevées durant la grossesse, l'allaitement ou chez les enfants (à éviter en raison du risque de suppression de la fonction surrénalienne chez la mère et de l'arrêt de la croissance chez l'enfant) ■ Enfants (davantage prédisposés à la suppression de la fonction surrénalienne et à l'arrêt de la croissance) ■ Dysfonctionnement hépatique ■ Enfants de moins de 12 ans (le clobétasol et l'halobétasol sont déconseillés dans ce cas) ■ Enfants de moins de 10 ans (la désoximétasone est déconseillée dans ce cas).

RÉACTIONS INDÉSIRABLES ET EFFETS SECONDAIRES

Locaux: brûlures, irritation, œdème, hypopigmentation, macération, hypertrichose, dermatite périorale, dermatite de contact de nature allergique, infection secondaire, sécheresse, folliculite, atrophie, miliaire, vergetures, réactions d'hypersensibilité.

Divers: suppression de la fonction surrénalienne.

INTERACTIONS

Médicament – médicament: Aucune interaction notable.

PRÉSENTATION

Les glucocorticoïdes topiques existent en de nombreuses teneurs, sous forme de lotions, de crèmes, de gels et d'onguents.

VOIES D'ADMINISTRATION ET POSOLOGIE

Préparation topique (adultes et enfants): Appliquer de 1 à 4 fois par jour ou plus souvent (selon le produit utilisé, la préparation prescrite et le trouble traité).

PHARMACODYNAMIE (la réponse dépend du trouble traité)

	DÉBUT D'ACTION	PIC	DURÉE
préparation topique	plusieurs minutes-heures	plusieurs heures-jours	plusieurs heures-jours

SOINS INFIRMIERS

ÉVALUATION DE LA SITUATION

☐ Observer la peau affectée, avant le traitement et quotidiennement pendant toute sa durée. Noter le degré d'inflammation et de prurit. Signaler au médecin l'apparition des symptômes suivants d'infection: douleur accrue, érythème, exsudats purulents.

■ **Étude des examens diagnostiques et biochimiques:** Le médecin peut prescrire aux patients qui reçoivent un traitement topique prolongé des tests de l'exploration fonctionnelle surrénalienne à intervalles réguliers pour mesurer le degré de suppression de l'axe hypothalamo-hypophyso-surrénalien. Les enfants et les patients qui doivent appliquer l'agent sur une grande surface ou recouvrir la peau affectée d'un pansement occlusif sont davantage exposés au risque de suppression de l'axe hypothalamo-hypophyso-surrénalien.

DIAGNOSTICS INFIRMIERS POSSIBLES

- **Énoncés diagnostiques**
- □ Atteinte à l'intégrité de la peau.
- □ Risque élevé d'infection.
- □ Prise en charge inefficace du programme thérapeutique.

- **Facteurs favorisants**
- □ Informations incomplètes.
- □ *Manque de connaissances sur la méthode d'administration du médicament.*
- □ *Manque de connaissances sur les modalités du traitement.*

INTERVENTIONS INFIRMIÈRES

Appliquer une légère couche de préparation sur la peau propre et légèrement humide. Porter des gants. Appliquer un pansement occlusif seulement si le médecin le recommande expressément.

ENSEIGNEMENT AU PATIENT ET À SES PROCHES

- □ Montrer au patient comment appliquer le médicament. Insister sur l'importance d'éviter tout contact avec les yeux. Expliquer au patient que s'il n'a pu appliquer la préparation au moment habituel, il doit le faire dès que possible à moins que ce ne soit presque l'heure prévue pour l'application suivante. Lui recommander de ne pas sauter de dose et de ne pas remplacer une dose manquée par une double dose.
- □ Recommander au patient d'informer le médecin si les symptômes de la maladie sous-jacente récidivent ou s'aggravent ou si des symptômes d'infection surviennent.

VÉRIFICATION DES RÉSULTATS

L'efficacité du traitement peut être démontrée par: la suppression de l'inflammation cutanée, du prurit ou d'autres troubles dermatologiques.

GLUCONATE FERREUX   G

Apo-Ferrous Gluconate, Novo-ferrogluconate, Gluconate ferreux, Fertinic, (Fergon), (Ferralet), (Simron)

CLASSIFICATION:

Antianémique; supplément de fer

Grossesse – catégorie inconnue

INDICATIONS

Prévention et traitement des anémies ferriprives.

ACTION

- Substance minérale essentielle que l'on trouve dans l'hémoglobine, la myoglobine et un certain nombre d'enzymes
- Effet favorable sur le pouvoir oxyphore de l'hémoglobine, ce qui permet le transport de l'oxygène des poumons vers les tissus. **Effets thérapeutiques:** ■ Correction des états de carence en fer ■ Apport supplémentaire de fer.

PHARMACOCINÉTIQUE

Absorption: Une fraction de 5 à 10 % du fer alimentaire est absorbée. Dans les états de carence, l'absorption peut augmenter jusqu'à 30 %. L'absorption du fer, administré dans un but thérapeutique, peut s'élever jusqu'à 60 %. Le gluconate ferreux est absorbé par transport actif et passif.

Distribution: Le gluconate ferreux traverse le placenta.

Métabolisme et excrétion: La plus grande partie de la substance est réabsorbée. Les petites pertes quotidiennes sont attribuables à la desquamation cutanée et à l'élimination par la sueur, l'urine et la bile.

Demi-vie: Inconnue.

CONTRE-INDICATIONS ET PRÉCAUTIONS

Contre-indications: ■ Hémochromatose primitive ■ Hémosidérose ■ Anémie hémolytique ■ Hypersensibilité à la tartrazine (certaines préparations contiennent de la tartrazine).

Précautions: ■ Ulcère gastroduodénal ■ Colite ulcéreuse ou entérite régionale (l'état du patient peut s'aggraver) ■ Utilisation abusive sans discernement (risque de surcharge en fer).

RÉACTIONS INDÉSIRABLES ET EFFETS SECONDAIRES

GI: constipation, diarrhée, nausées, selles foncées, douleurs épigastriques, hémorragie digestive.
Divers: coloration sombre des dents (préparations liquides).

INTERACTIONS

Médicament – médicament: ■ Les **tétracyclines** et les **antiacides** inhibent l'absorption du fer en formant des composés insolubles ■ Le fer, administré simultanément, peut également diminuer l'absorption des **tétracyclines** ■ Le fer diminue l'absorption des **fluoroquinolones** ou de la **pénicillamine** ■ L'administration concomitante de **chloramphénicol** ou de **vitamine E** peut altérer la réponse hématologique au traitement par le fer ■ La **vitamine C** peut augmenter légèrement l'absorption du fer. **Médicament – aliments:** ■ L'absorption du fer est réduite de 30 à 50 % s'il est pris en même temps que des aliments.

PRÉSENTATION

Le gluconate ferreux est présenté en association avec de nombreux minéraux et vitamines (voir l'annexe A).

VOIES D'ADMINISTRATION ET POSOLOGIE

Remarque: gluconate ferreux = 11,6 % de fer élémentaire.

Dose exprimée en milligrammes de gluconate ferreux

Gluconate ferreux – agent prophylactique
■ **PO (adultes):** 300 mg par jour.
■ **PO (enfants > 2 ans):** 8 mg/kg par jour.

Gluconate ferreux – agent thérapeutique
■ **PO (adultes):** de 300 à 600 mg, 4 fois par jour.
■ **PO (enfants > 2 ans):** 16 mg/kg, 3 fois par jour.

Dose exprimée en milligrammes de fer élémentaire (agent thérapeutique)
■ **PO (adultes):** de 50 à 100 mg, 3 fois par jour.
■ **PO (enfants):** de 4 à 6 mg/kg par jour, en 3 doses fractionnées.
■ **PO (nourrissons):** de 1 à 2 mg/kg par jour.
■ **PO (femmes enceintes):** de 30 à 60 mg par jour.

PHARMACODYNAMIE (effets sur l'érythropoïèse)

	DÉBUT D'ACTION	PIC	DURÉE
PO	4 jours	7 – 10 jours	2 – 4 mois

❋ SOINS INFIRMIERS

ÉVALUATION DE LA SITUATION

☐ Examiner l'état nutritionnel du patient et ses habitudes alimentaires afin de déterminer les causes possibles de l'anémie et l'enseignement qu'il faudra lui prodiguer.

☐ Suivre de près la fonction intestinale pour déceler la constipation ou la diarrhée. Prévenir le médecin si ces symptômes surviennent et suivre la démarche des soins infirmiers qui s'impose.

■ **Étude des examens diagnostiques et biochimiques:** Noter les concentrations d'hémoglobine et de réticulocytes ainsi que l'hématocrite avant l'administration du médicament, toutes les 3 semaines pendant les 2 premiers mois de traitement et à intervalles réguliers, par la suite, pendant toute la durée du traitement. On peut aussi évaluer l'efficacité du traitement par la mesure des concentrations sériques de ferritine et de fer.

□ La présence de sang occulte dans les selles peut être masquée par la présence du fer qui rend les selles de couleur foncée. La méthode au gaïac peut parfois donner des résultats faussement positifs. Par contre, les résultats de la méthode à la benzidine ne seront pas affectés par l'administration de préparations de fer.

■ **Toxicité et surdosage :** Les premiers symptômes du surdosage sont les maux d'estomac, la fièvre, les nausées, les vomissements (qui peuvent contenir du sang) et la diarrhée. Les symptômes tardifs sont le bleuissement des lèvres, des ongles et des paumes de la main, la somnolence, la faiblesse, la tachycardie, les convulsions, l'acidose métabolique, les lésions hépatiques et le collapsus cardiovasculaire. Avant que les symptômes tardifs ne se manifestent, le patient peut paraître rétabli. Par conséquent, après la disparition des symptômes, il faut prolonger de 24 h le séjour du patient au centre hospitalier afin de suivre de près toute manifestation tardive d'un état de choc ou d'une hémorragie digestive. Les complications tardives du surdosage comprennent l'occlusion intestinale, la sténose du pylore et l'ulcération de la muqueuse gastrique.

□ Pour traiter le surdosage, il faut provoquer des vomissements avec du sirop d'ipéca. Si le patient est comateux ou en convulsion, il faut effectuer un lavage gastrique avec du bicarbonate de sodium. L'antidote à utiliser en cas de surdosage est la déféroxamine. Il est également conseillé d'administrer des traitements de soutien supplémentaires visant à maintenir l'équilibre hydroélectrolytique et à corriger l'acidose métabolique.

DIAGNOSTICS INFIRMIERS POSSIBLES

■ **Énoncés diagnostiques**

□ Intolérance à l'activité.

□ Prise en charge inefficace du programme thérapeutique.

□ *Risque élevé d'intoxication.*

□ *Risque élevé d'accident.*

■ **Facteurs favorisants**

□ Informations incomplètes.

□ *Manque de connaissances sur le régime alimentaire à suivre.*

□ *Manque de connaissances sur les moyens de prévenir les effets secondaires du médicament.*

□ *Manque de connaissances sur les modalités du traitement.*

□ *Manque de connaissances sur la méthode d'administration du médicament.*

INTERVENTIONS INFIRMIÈRES

■ **PO :** Les préparations orales sont mieux absorbées si elles sont administrées 1 h avant les repas ou 2 h après. En cas d'irritation gastrique, administrer la préparation lors des repas. Les comprimés doivent être pris avec un grand verre d'eau ou de jus.

□ Les préparations liquides peuvent tacher les dents. Bien diluer le médicament et demander au patient de boire la préparation avec une paille ou de s'en verser quelques gouttes au fond de la gorge.

□ Il ne faut pas administrer des antiacides, prendre du café ou du thé, ni manger de produits laitiers, d'œufs ou de pain complet dans l'heure qui précède et dans les 2 h qui suivent l'administration des sels ferreux.

ENSEIGNEMENT AU PATIENT ET À SES PROCHES

□ Conseiller au patient de respecter scrupuleusement la posologie recommandée. S'il n'a pas pu prendre le médicament au moment habituel, il doit le prendre aussitôt que possible dans les 12 h qui suivent. Sinon, il devrait reprendre le schéma posologique prescrit ; il ne faut jamais remplacer une dose manquée par une double dose.

G

□ Prévenir le patient que ses selles peuvent devenir vert foncé ou noires, mais que ce changement est inoffensif.

□ Recommander au patient de suivre un régime alimentaire riche en fer. Lui expliquer que les aliments suivants contiennent du fer : les abats, les légumes verts à feuilles, les pois et les haricots secs, les fruits secs et les céréales (voir l'annexe K).

□ Informer les parents du risque de surdosage en fer auquel est exposé l'enfant. Le médicament doit être gardé dans son contenant d'origine, muni d'un bouchon de sécurité, hors de la portée des enfants. Ne jamais comparer les vitamines à des bonbons. Si l'on soupçonne un surdosage, il faut contacter sans tarder le médecin étant donné que ce type de surdosage peut entraîner la mort. Conseiller aux parents de garder à la maison du sirop d'ipéca et de contacter le pédiatre, les services d'urgence ou un centre antipoison afin de recevoir les directives d'utilisation avant d'administrer l'agent.

Vérification des résultats

La réponse clinique peut être déterminée par : l'élévation des concentrations d'hémoglobine qui peuvent atteindre les valeurs normales après 1 à 2 mois de traitement. De 3 à 6 mois peuvent s'écouler avant que les réserves de fer de l'organisme reviennent à la normale.

GLUTÉTHIMIDE
(Doriden), (Doriglute)

CLASSIFICATION :
Hypnosédatif – divers

Grossesse – catégorie C

INDICATIONS

Traitement de courte durée de l'insomnie (entre 3 et 7 jours).

ACTION

■ Dépression généralisée du SNC semblable à celle provoquée par les barbituriques ■ Propriétés anticholinergiques. **Effets thérapeutiques :** ■ Rétablissement des rythmes normaux de sommeil.

PHARMACOCINÉTIQUE

Absorption : L'absorption à partir du tractus gastro-intestinal est imprévisible.
Distribution : Le médicament se répartit dans l'organisme et se concentre dans les tissus adipeux. Il traverse le placenta et pénètre dans le lait maternel en petites quantités.
Métabolisme et excrétion : Une fraction très élevée du médicament (> 95 %) est métabolisée par le foie.
Demi-vie : De 10 à 12 h.

CONTRE-INDICATIONS ET PRÉCAUTIONS

Contre-indications : ■ Hypersensibilité ■ Douleur difficile à réprimer ■ Porphyrie ■ Maladie rénale grave ■ Antécédents probables de pharmacodépendance.
Précautions : ■ Hypertrophie de la prostate ■ Ulcère ■ Obstruction gastro-intestinale ■ Obstruction du col de la vessie ■ Glaucome ■ Arythmies cardiaques ■ Grossesse, allaitement ou enfants de moins de 12 ans (l'innocuité du médicament n'a pas été établie) ■ Personnes âgées (il est conseillé de réduire la dose).

RÉACTIONS INDÉSIRABLES ET EFFETS SECONDAIRES

SNC : sensation « droguée », excitation paradoxale, céphalées, vertiges.
ORLO : vision trouble.
GI : irritation gastrique, nausées, hoquet, sécheresse de la bouche (xérostomie), diarrhée, hépatite.
Hémat. : dyscrasie, porphyrie.
Tég. : rash, dermatite exfoliative.
SN : neuropathie périphérique.
Divers : réactions d'hypersensibilité, dépendance psychologique, dépendance physique.

INTERACTIONS

Médicament – médicament : ■ Effet dépresseur additif sur le SNC lors de la consommation simultanée d'autres **dépresseurs du SNC** incluant l'**alcool**, les **hypnosédatifs**, les **analgésiques narcotiques**, les **antidépresseurs tricycliques** et les **antihistaminiques** ■ Effets anticholinergiques additifs lors de l'administration simultanée d'**antidépresseurs tricycliques** ■ Le glutéthimide peut accélérer le métabolisme et diminuer l'efficacité des **anticoagulants oraux**.

PRÉSENTATION

Le médicament est présenté sous forme de comprimés et de capsules.

VOIES D'ADMINISTRATION ET POSOLOGIE

PO (adultes) : de 250 à 500 mg, au coucher (ne pas dépasser 1 g par jour).

PHARMACODYNAMIE
(effet hypnotique)

	DÉBUT D'ACTION	PIC	DURÉE
PO	30 min	inconnu	4 – 8 h

✳ SOINS INFIRMIERS

ÉVALUATION DE LA SITUATION

☐ Avant d'administrer ce médicament, noter l'état de la conscience du patient et ses habitudes de sommeil et déterminer s'il y a risque de dépendance. L'usage pendant plus d'une semaine peut réduire l'efficacité du médicament et entraîner une dépendance physique et psychologique. Limiter la quantité de médicament dont peut disposer le patient.

☐ Déterminer l'état de la vigilance du patient au moment de l'effet maximal du médicament. Prévenir le médecin si le degré de sédation souhaité n'est pas atteint ou si une réaction paradoxale survient.

☐ Déterminer si le patient éprouve des douleurs et administrer les médicaments qui peuvent les soulager. La douleur peut réduire les effets sédatifs du médicament.

DIAGNOSTICS INFIRMIERS POSSIBLES

■ **Énoncés diagnostiques**

☐ Perturbation des habitudes de sommeil.

☐ Risque élevé d'accident.

☐ *Risque élevé de prise en charge inefficace du programme thérapeutique.*

■ **Facteurs favorisants**

☐ *Perturbation de la vigilance.*

☐ *Manque de connaissances sur les modalités du traitement.*

☐ *Manque de connaissances sur la méthode d'administration du médicament.*

INTERVENTIONS INFIRMIÈRES

■ **Directives générales :** Avant d'administrer le glutéthimide, réduire les stimuli extérieurs et prendre toutes les mesures nécessaires pour assurer le bien-être du patient afin d'augmenter l'efficacité du traitement. Administrer au moins 4 h avant le moment habituel du réveil afin de réduire la somnolence diurne.

☐ Protéger le patient des accidents. Remonter les ridelles du lit. Aider le patient lors de ses déplacements. Retirer les cigarettes si le patient a reçu une dose induisant l'état d'hypnose.

■ **PO :** Les capsules doivent être avalées telles quelles avec un grand verre d'eau.

ENSEIGNEMENT AU PATIENT ET À SES PROCHES

☐ Conseiller au patient de suivre scrupuleusement la posologie recommandée et l'inciter à ne pas prendre des doses plus élevées que celles qui lui ont été prescrites en raison du risque d'accoutumance. Il est déconseillé d'administrer le glutéthimide pendant plus d'une semaine. Si on l'administre pendant 2 semaines ou plus, l'efficacité peut en diminuer et le sevrage brusque peut entraîner des convulsions, de la tachycardie, des hallucinations, une activité onirique accrue, des crampes musculaires, des nausées ou des vomissements.

□ Prévenir le patient que le glutéthimide peut provoquer de la somnolence diurne ou des étourdissements. Lui conseiller de ne pas conduire et d'éviter les activités qui exigent sa vigilance jusqu'à ce qu'on ait la certitude que le médicament n'entraîne pas ces effets chez lui.

□ Recommander au patient de ne pas boire d'alcool et de ne pas prendre d'autres dépresseurs du SNC en même temps que le glutéthimide.

□ Conseiller au patient d'interrompre le traitement si un rash se manifeste et d'en prévenir immédiatement le médecin.

VÉRIFICATION DES RÉSULTATS

L'efficacité du traitement peut être démontrée par : le rétablissement des rythmes normaux de sommeil.

GLYBURIDE

Apo-Glyburide, Diabeta, Euglucon, Gen-Glybe, Novo-Glyburide, (Glybenclamide), (Micronase)

CLASSIFICATION :
Hypoglycémiant oral

Grossesse – catégorie B

INDICATIONS

Équilibrage de la glycémie en cas de diabète non insulinodépendant de l'adulte (diabète de type II, diabète de l'adulte, diabète non cétosique) lorsque la diétothérapie ne donne pas les résultats escomptés. Une certaine fonction pancréatique doit cependant subsister.

ACTION

■ Diminution de la glycémie par la stimulation des sécrétions d'insuline du pancréas et augmentation de la sensibilité à l'insuline aux sites des récepteurs ■ Diminution possible de la production de glucose hépatique. **Effets thérapeutiques :** ■ Diminution de la glycémie chez les patients diabétiques.

PHARMACOCINÉTIQUE

Absorption : Bonne absorption par suite de l'administration par voie orale.
Distribution : Le glyburide atteint des concentrations élevées dans la bile. Il traverse le placenta.
Métabolisme et excrétion : Le glyburide est presque entièrement métabolisé par le foie.
Demi-vie : 10 h.

CONTRE-INDICATIONS ET PRÉCAUTIONS

Contre-indications : ■ Hypersensibilité ■ Risque de sensibilité croisée lors de l'administration de sulfamidés ou de diurétiques thiazidiques ■ Diabète insulinodépendant (diabète du type I, diabète juvénile, diabète cétosique, diabète très instable) ■ Insuffisance rénale grave ■ Insuffisance hépatique grave ■ Maladie thyroïdienne ou autre maladie endocrinienne ■ Grossesse et allaitement.
Précautions : ■ Maladie cardiovasculaire grave (risque accru d'insuffisance cardiaque) ■ Maladie hépatique grave (réduire la dose, au besoin) ■ Personnes âgées, patients débilités ou mal nourris (réduire la dose, au besoin) ■ Infection, stress ou modification de l'alimentation (altération de l'équilibrage de la glycémie).

RÉACTIONS INDÉSIRABLES ET EFFETS SECONDAIRES

SNC : étourdissements, somnolence, céphalées.
GI : nausées, vomissements, diarrhée, crampes, hépatite.
Tég. : rash, photosensibilité.

End.: hypoglycémie.

Hémat.: dyscrasie incluant l'ANÉMIE APLA-
SIQUE, l'AGRANULOCYTOSE, l'anémie hémolytique.

INTERACTIONS

Médicament – médicament: ■ L'ingestion
simultanée d'**alcool** peut entraîner une
réaction semblable à celle au disulfirame
■ L'**alcool**, les **glucocorticoïdes**, la **rifampine** et les **diurétiques thiazidiques**
peuvent diminuer l'efficacité du glyburide ■ Les **hormones androgènes (testostérone)**, le **chloramphénicol**, le **clofibrate**, les **inhibiteurs de la MAO**, le
phénylbutazone, les **salicylates**, les **sulfamidés**, les **anti-inflammatoires non
stéroïdiens** et les **anticoagulants oraux**
peuvent augmenter l'efficacité du glyburide et entraîner l'hypoglycémie ■ L'administration concomitante d'**anticoagulants oraux** peut modifier la réponse au
glyburide ; un ajustement de la posologie
des deux médicaments peut s'avérer nécessaire ■ Les **bêtabloquants**, administrés simultanément, peuvent prolonger
l'hypoglycémie et en masquer les symptômes.

VOIES D'ADMINISTRATION ET POSOLOGIE

PO (adultes): dose quotidienne de 2,5 à
20 mg (dose habituelle de 2,5 à 10 mg
par jour). Les doses supérieures à 10 mg
par jour doivent être administrées en
deux doses fractionnées.

PHARMACODYNAMIE
(effet hypoglycémiant)

	DÉBUT D'ACTION	PIC	DURÉE
PO	45 – 60 min	1,5 – 3 h	24 h

☀ SOINS INFIRMIERS

ÉVALUATION DE LA SITUATION

☐ Observer les signes et les symptômes
suivants de réaction d'hypoglycémie :
transpiration, faim, faiblesse, étourdissements, tremblements, tachycardie, anxiété. La longue durée d'action
du glyburide augmente le risque d'hypoglycémie récurrente. Suivre de près
pendant un jour ou deux le patient
ayant manifesté un épisode d'hypoglycémie.

☐ Déterminer si le patient n'est pas allergique aux sulfamidés.

■ **Étude des examens diagnostiques et biochimiques:** Mesurer à intervalles réguliers tout au long du traitement les
concentrations sériques de glucose et
d'hémoglobine glycosylée pour déterminer l'efficacité du glyburide.

☐ Suivre la numération globulaire à intervalles réguliers tout au long du
traitement. Prévenir immédiatement
le médecin en cas de diminution du
nombre de globules sanguins.

■ **Toxicité et surdosage:** Le surdosage se
manifeste par des symptômes d'hypoglycémie. En cas d'hypoglycémie légère, administrer du glucose par voie
orale. En cas d'hypoglycémie grave,
administrer par voie IV une solution
de dextrose à 50 % dans de l'eau, suivie de la perfusion continue d'une solution de dextrose plus diluée, à un
débit suffisant pour maintenir la glycémie à 5,5 mmol/L environ.

DIAGNOSTICS INFIRMIERS POSSIBLES

■ **Énoncés diagnostiques**

☐ Excès nutritionnel.

☐ Prise en charge inefficace du programme thérapeutique.

☐ Non-observance du traitement médicamenteux.

☐ *Risque élevé d'accident.*

☐ *Risque élevé d'atteinte à l'intégrité
de la peau.*

■ **Facteurs favorisants**

☐ Informations incomplètes.

☐ Doute quant aux bienfaits du médicament.

□ *Manque de connaissances sur les signes d'hypoglycémie et d'hyperglycémie et sur les moyens de les prévenir.*

□ *Manque de connaissances sur la méthode d'administration du médicament.*

□ *Manque de connaissances sur les modalités du traitement.*

□ *Manque de connaissances sur le régime alimentaire à suivre.*

□ *Perturbation de la vigilance.*

□ *Manque de connaissances sur les moyens de réduire la photosensibilité.*

INTERVENTIONS INFIRMIÈRES

■ **Directives générales :** On peut administrer le glyburide en une seule dose le matin ou en deux doses fractionnées.

□ Chez les patients dont la glycémie a été équilibrée grâce à la diétothérapie, mais qui ont de la fièvre ou qui sont exposés au stress, aux traumatismes, à l'infection ou à une intervention chirurgicale, administrer de l'insuline, au besoin.

□ Chez les patients qui prennent moins de 40 unités d'insuline par jour, on peut substituer le traitement au glyburide à l'insulinothérapie sans devoir ajuster graduellement la posologie. Chez les patients qui prennent plus de 40 unités par jour, la dose d'insuline doit être réduite graduellement ; leur administrer le glyburide et 50 % de la dose antérieure d'insuline pendant le premier jour, puis ajuster graduellement les doses de glyburide, selon les besoins. Mesurer la glycémie, la glycosurie et la cétonurie au moins trois fois par jour pendant cette période.

■ **PO :** Administrer le glyburide aux repas.

□ Dans le cas des patients qui éprouvent des difficultés de déglutition, on peut broyer les comprimés et les administrer dans des liquides.

ENSEIGNEMENT AU PATIENT ET À SES PROCHES

□ Conseiller au patient de prendre le médicament tous les jours à la même heure. S'il n'a pas pu prendre le médicament au moment habituel, il doit le prendre aussitôt que possible à moins que ce ne soit presque l'heure prévue pour la dose suivante. Ne pas administrer le glyburide si le patient est incapable de manger.

□ Expliquer au patient que le glyburide équilibre l'hyperglycémie, mais ne peut guérir le diabète. Le traitement à l'aide de cet agent est de longue durée.

□ Expliquer au patient les signes d'hypoglycémie et d'hyperglycémie. En cas d'hypoglycémie, recommander au patient de prendre un verre de jus d'orange ou du sucre, du miel ou du sirop de maïs dans de l'eau et de prévenir le médecin.

□ Encourager le patient à suivre le régime alimentaire, la pharmacothérapie et le programme d'exercices prescrits afin de prévenir les épisodes d'hypoglycémie ou d'hyperglycémie.

□ Faire une démonstration du dosage du glucose sanguin ou du glucose et des corps cétoniques urinaires. Insister sur le fait qu'il est important de prélever deux échantillons consécutifs d'urine pour s'assurer que les résultats sont justes. Ces résultats doivent être surveillés attentivement pendant les périodes de stress ou pendant une maladie. Il faut prévenir immédiatement le médecin si des modifications importantes surviennent. Au cours de la substitution de l'insuline par un hypoglycémiant oral, le patient devrait contrôler sa glycémie au moins 3 fois par jour et signaler les résultats au médecin comme il l'a recommandé.

□ Prévenir le patient que le glyburide peut parfois provoquer des étourdissements ou de la somnolence. Lui conseiller de ne pas conduire et d'éviter les activités qui exigent sa vigilance jusqu'à ce qu'on ait la certitude que le médicament n'entraîne pas ces effets chez lui.

- ☐ Conseiller au patient de consulter le médecin ou le pharmacien avant de prendre d'autres médicaments et, particulièrement, des agents à base d'acide acétylsalicylique, ou de l'alcool, en même temps que le glyburide.
- ☐ Prévenir le patient que la consommation simultanée d'alcool peut entraîner une réaction semblable à celle provoquée par le disulfirame : crampes abdominales, nausées, bouffées vasomotrices, céphalées et hypoglycémie.
- ☐ Prévenir la patiente qu'elle ne devrait pas prendre de glyburide pendant la grossesse. Lui conseiller de ne pas prendre des contraceptifs oraux, mais d'utiliser une autre méthode de contraception et d'informer rapidement le médecin si elle pense être enceinte.
- ☐ Conseiller au patient de porter des vêtements de protection et d'utiliser un écran solaire pour prévenir les réactions de photosensibilité.
- ☐ Conseiller au patient d'avoir toujours sur lui du sucre (sachets de sucre ou bonbons) et de porter en tout temps un bracelet d'identité où sont inscrits son problème de santé et son traitement médicamenteux.
- ☐ Insister sur l'importance d'un suivi médical régulier.

VÉRIFICATION DES RÉSULTATS

L'efficacité du traitement peut être démontrée par : l'équilibrage de la glycémie sans survenue d'épisodes d'hypoglycémie ou d'hyperglycémie.

GLYCÉRINE

Glycérine, (Baby-lax), (Glyrol), (Ophthalgan), (Osmoglyn), (Sani-Supp)

CLASSIFICATION :
Laxatif – agent osmotique

Grossesse – catégorie C

INDICATIONS

■ **PR :** Traitement de la constipation ■ **Voie topique :** Émollient dermatologique. **Usages non approuvés :** ■ **PO :** Abaissement d'une pression intracrânienne accrue ■ **PO :** Baisse de courte durée de la pression intraoculaire.

ACTION

■ Augmentation de la pression osmotique intraluminale, ce qui permet d'attirer l'eau dans le côlon ■ Augmentation de la pression osmotique dans les compartiments intravasculaires, ce qui permet d'attirer l'eau qui se trouve dans les espaces extravasculaires, incluant l'œil. **Effets thérapeutiques :** ■ Soulagement de la constipation ■ Baisse de la pression intraoculaire et intracrânienne ■ Diminution de l'œdème des couches superficielles de la cornée.

PHARMACOCINÉTIQUE

Absorption : Faible absorption depuis la muqueuse du côlon. Bonne absorption par suite de l'administration par voie orale.

Distribution : La glycérine demeure dans l'espace intravasculaire.

Métabolisme et excrétion : Une fraction de 80 % est métabolisée par le foie, une fraction de 10 à 20 % est métabolisée par les reins.

Demi-vie : De 30 à 45 min.

CONTRE-INDICATIONS ET PRÉCAUTIONS

Contre-indications : Hypersensibilité à la glycérine.

Précautions : ■ Maladie cardiovasculaire ■ Confusion mentale ■ Déshydratation grave ■ Diabète sucré ■ Hypervolémie ■ Maladie rénale ■ Personnes âgées (risque accru de déshydratation).

RÉACTIONS INDÉSIRABLES ET EFFETS SECONDAIRES

SNC : confusion, céphalées, CONVULSIONS.

G

GI: nausées, vomissements, diarrhée.
HÉ: déshydratation.
Divers: soif.

INTERACTIONS

Médicament – médicament: Les **diurétiques** peuvent intensifier la baisse de la pression intraoculaire entraînée par la glycérine.

VOIES D'ADMINISTRATION ET POSOLOGIE

Laxatif
- **PR (adultes et enfants > 6 ans):** de 2 à 3 g, sous forme de suppositoire.
- **PR (enfants < 6 ans):** de 1 à 1,7 g, sous forme de suppositoire.

Baisse de la pression intraoculaire
- **PO (adultes) (É.-U.):** de 1 à 1,5 g/kg en une seule dose; on peut administrer ensuite 500 mg/kg, toutes les 6 h.
- **PO (enfants) (É.-U.):** de 1 à 1,5 g/kg en une seule dose; on peut administrer ensuite 500 mg/kg, de 4 à 8 h plus tard.

PHARMACODYNAMIE

	DÉBUT D'ACTION	PIC	DURÉE
PR (effet laxatif)	inconnu	15 – 30 min	inconnue
PO (baisse de la pression intraoculaire)	10 – 30 min	30 min – 2 h	4 – 8 h

☀ SOINS INFIRMIERS

ÉVALUATION DE LA SITUATION

- **Laxatif:** Observer la distension abdominale, ausculter les bruits intestinaux, noter les habitudes normales d'élimination.
- ☐ Noter la couleur, la consistance et la quantité des selles.
- **Étude des examens diagnostiques et biochimiques:** La glycérine peut entraîner une légère élévation des concentrations de glucose dans le sérum et dans l'urine.

DIAGNOSTICS INFIRMIERS POSSIBLES

- **Énoncés diagnostiques**
- ☐ Constipation.
- ☐ Prise en charge inefficace du programme thérapeutique.
- ☐ *Risque élevé de diarrhée.*
- ☐ *Risque élevé de déséquilibre hydroélectrolytique.*

- **Facteurs favorisants**
- ☐ Informations incomplètes.
- ☐ *Manque de connaissances sur le régime alimentaire à suivre.*
- ☐ *Manque de connaissances sur les bienfaits de l'exercice.*
- ☐ *Manque de connaissances sur les modalités du traitement.*
- ☐ *Manque de connaissances sur la méthode d'administration du médicament.*

INTERVENTIONS INFIRMIÈRES

- **PO:** La solution est transparente, incolore et sirupeuse; elle a un goût sucré.
- ☐ Administrer la solution de glycérine à 50 % et de NaCl à 0,9 %, mélangée à du jus de citron, de lime ou d'orange ou à une solution aromatisée à 50 % ou à 75 %, qu'on trouve dans le commerce. On peut ainsi améliorer le goût de la préparation et prévenir les nausées et les vomissements. Servir la solution avec de la glace pilée et inciter le patient à boire avec une paille.
- ☐ Demander au patient de rester couché pendant et après l'administration de la glycérine afin de prévenir les céphalées entraînées par la déshydratation cérébrale.
- ☐ Si le patient prend de la glycérine pour diminuer sa pression intraoculaire, ne pas lui administrer par la suite des liquides hypotoniques, car ils neutralisent l'effet osmotique de la glycérine.

G

- **PR:** Les suppositoires entraînent habituellement l'élimination des matières fécales du côlon dans les 15 à 30 min qui suivent l'administration.

ENSEIGNEMENT AU PATIENT ET À SES PROCHES

- **Directives générales:** Conseiller au patient de suivre scrupuleusement la posologie recommandée.
- **Laxatif:** Prévenir le patient que les laxatifs ne devraient être pris que pendant de courtes périodes. Le traitement prolongé peut entraîner des déséquilibres électrolytiques et l'accoutumance.
- Mettre le patient en garde contre l'utilisation de laxatifs en présence de douleurs abdominales, de nausées, de vomissements ou de fièvre.

VÉRIFICATION DES RÉSULTATS

L'efficacité du traitement peut être démontrée par: ■ l'émission de selles molles et bien moulées ■ la baisse de la pression intraoculaire.

GLYCOPYRROLATE
Robinul, Robinul-Forte

CLASSIFICATION:
Anticholinergique – antimuscarinique
Grossesse – catégorie B

INDICATIONS

■ Inhibition de la salivation et des sécrétions excessives des voies respiratoires avant une intervention chirurgicale ■ Renversement partiel de l'effet vagal et sécrétoire des agents anticholinestérasiques utilisés pour renverser le blocage neuromusculaire de type non dépolarisant (cholinergique d'appoint) ■ Traitement d'appoint des affections gastro-intestinales (par exemple, l'ulcère gastroduodénal).

ACTION

■ Inhibition de l'action de l'acétylcholine aux sites des récepteurs postganglionnaires situés dans les muscles lisses, les glandes exocrines et le SNC (activité antimuscarinique) ■ Diminution de la sécrétion de sueur, de la salivation et des sécrétions des voies respiratoires (faibles doses) ■ Accélération de la fréquence cardiaque (doses moyennes) ■ Diminution de la motilité du tractus gastro-intestinal et des voies génito-urinaires (doses élevées). **Effets thérapeutiques:** ■ Diminution des sécrétions du tractus gastro-intestinal et des voies respiratoires.

PHARMACOCINÉTIQUE

Absorption: Le glycopyrrolate n'est pas complètement absorbé par suite de l'administration par voie orale. Bonne absorption par suite de l'administration par voie IM.

Distribution: La distribution n'est pas totalement élucidée. Le médicament traverse faiblement la barrière hémato-encéphalique et l'œil. Il traverse le placenta.

Métabolisme et excrétion: Le médicament est principalement éliminé à l'état inchangé dans les fèces, par excrétion biliaire.

Demi-vie: 1,7 h (entre 0,6 et 4,6 h).

CONTRE-INDICATIONS ET PRÉCAUTIONS

Contre-indications: ■ Hypersensibilité ■ Glaucome à angle étroit ■ Hémorragie aiguë ■ Tachycardie secondaire à l'insuffisance cardiaque ou à la thyrotoxicose.

Précautions: ■ Personnes âgées et très jeunes enfants (prédisposition accrue à des réactions indésirables) ■ Infections intra-abdominales ■ Hypertrophie de la prostate ■ Maladies rénale, hépatique, pulmonaire ou cardiaque chroniques ■ Grossesse et allaitement (l'innocuité du médicament n'a pas été établie).

G

RÉACTIONS INDÉSIRABLES ET EFFETS SECONDAIRES

SNC : somnolence, confusion.

ORLO : sécheresse des yeux (alacrymie), vision trouble, mydriase, cycloplégie.

CV : palpitations, tachycardie, hypotension orthostatique.

GI : sécheresse de la bouche (xérostomie), constipation.

GU : retard de la miction avec effort pour uriner, rétention urinaire.

INTERACTIONS

Médicament – médicament : ■ Effets anticholinergiques additifs lors de l'administration d'autres **préparations anticholinergiques** comprenant les **antihistaminiques**, les **antidépresseurs tricycliques**, la **quinidine** et le **disopyramide** ■ Le glycopyrrolate peut modifier l'absorption d'autres **médicaments administrés par voie orale** en ralentissant la motilité du tractus gastro-intestinal ■ Les **antiacides** ou les **antidiarrhéiques adsorbants** diminuent l'absorption des anticholinergiques ■ Le glycopyrrolate peut aggraver les lésions de la muqueuse gastro-intestinale chez les patients qui prennent des comprimés de **chlorure de potassium par voie orale**.

VOIES D'ADMINISTRATION ET POSOLOGIE

Diminution des sécrétions au cours d'une intervention chirurgicale

■ **IM (adultes et enfants > 12 ans) :** 0,005 mg/kg, de 30 à 60 min avant l'intervention (ne pas dépasser 0,1 mg).

■ **IM (enfants < 12 ans) :** de 0,005 à 0,01 mg/kg, de 30 à 60 min avant l'intervention.

Renversement du blocage neuromusculaire

■ **IV (adultes et enfants) :** 200 µg par milligramme de néostigmine ou par 5 mg de pyridostigmine, administrés simultanément.

Traitement des affections gastro-intestinales

■ **PO (adultes) :** de 1 à 2 mg, 2 ou 3 fois par jour.

■ **IM et IV (adultes) :** de 0,1 à 0,2 mg, toutes les 4 h, 3 ou 4 fois par jour.

PHARMACODYNAMIE (effets anticholinergiques)

	DÉBUT D'ACTION	PIC	DURÉE
PO	inconnu	inconnu	8 – 12 h
IM	15 – 30 min	30 – 45 min	2 – 7 h
IV	1 min	inconnu	2 – 7 h

SOINS INFIRMIERS

ÉVALUATION DE LA SITUATION

■ Mesurer la fréquence cardiaque, la pression artérielle et la fréquence respiratoire avant l'administration par voie parentérale et à intervalles réguliers pendant toute la durée du traitement.

□ Effectuer le bilan quotidien des ingesta et des excreta chez les personnes âgées ou chez les patients ayant subi une intervention chirurgicale, car le glycopyrrolate peut provoquer une rétention urinaire. Inciter le patient à uriner avant de lui administrer le médicament.

□ Observer régulièrement les signes de distension abdominale et ausculter les bruits intestinaux. Si la constipation devient gênante, augmenter la consommation de liquides et ajouter au régime des aliments riches en fibres pour soulager les effets constipants du glycopyrrolate.

□ Le patient qui suit un traitement prolongé doit se faire mesurer régulièrement la pression intraoculaire.

■ **Étude des examens diagnostiques et biochimiques :** Le glycopyrrolate contrecarre les effets de la pentagastrine et de l'histamine lors des tests d'évaluation des sécrétions d'acide gastrique. Ne pas administrer le médicament 24 h avant ces tests.

G

□ Le médicament peut entraîner la diminution des concentrations d'acide urique chez les patients souffrant de goutte ou d'hyperuricémie.

■ **Toxicité et surdosage:** En cas de surdosage, administrer de la néostigmine comme antidote.

DIAGNOSTICS INFIRMIERS POSSIBLES

■ **Énoncés diagnostiques**

□ Atteinte à l'intégrité de la muqueuse buccale.

□ Constipation.

□ Prise en charge inefficace du programme thérapeutique.

□ *Risque élevé d'anxiété.*

□ *Risque élevé d'agitation.*

□ *Risque élevé d'altération de la perception visuelle.*

□ *Risque élevé d'accident.*

■ **Facteurs favorisants**

□ Informations incomplètes.

□ *Manque de connaissances sur les effets secondaires du médicament.*

□ *Manque de connaissances sur les moyens de prévenir ou de réduire la sécheresse de la bouche.*

□ *Distension vésicale.*

□ *Manque de connaissances sur les moyens de stimuler la fonction intestinale.*

□ *Manque de connaissances sur les modalités du traitement.*

□ *Manque de connaissances sur les moyens de réduire la photosensibilité et sur l'importance d'un suivi ophtalmologique.*

□ *Perturbation de la vigilance.*

□ *Manque de connaissances sur les effets hypotensifs du médicament lors des changements brusques de position.*

INTERVENTIONS INFIRMIÈRES

■ **Directives générales:** Ne pas administrer la solution si elle est trouble ou si elle a changé de couleur.

■ **PO:** Administrer le médicament de 30 à 60 min avant les repas pour augmenter l'absorption.

□ Espacer d'au moins 1 h l'administration des antiacides ou des antidiarrhéiques.

■ **IM:** On peut administrer la solution sans la diluer ou on peut la mélanger à une solution de dextrose à 5 % ou à 10 % dans de l'eau, ou à une solution de NaCl à 0,9 %.

■ **IV directe:** On peut administrer la solution sans la diluer par une tubulure en Y ou par un robinet à trois voies.

□ *Vitesse d'administration:* Administrer la solution à un débit de 0,2 mg, pendant 1 à 2 min.

■ **Associations compatibles dans la même seringue:** Atropine, benzquinamide, chlorpromazine, cimétidine, codéine, diphenhydramine, dropéridol, dropéridol et fentanyl, hydromorphone, hydroxyzine, lévorphanol, lidocaïne, mépéridine, midazolam, morphine, nalbuphine, néostigmine, oxymorphone, procaïne, prochlorpérazine, promazine, prométhazine, propiomazine, pyridostigmine, ranitidine, scopolamine, triflupromazine ou triméthobenzamide.

■ **Associations incompatibles dans la même seringue:** Bicarbonate de sodium, chloramphénicol, dexaméthasone, diazépam, dimenhydrinate, méthohexital, pentazocine, pentobarbital, sécobarbital ou thiopental.

■ **Compatibilités en addition au soluté:** Solution de dextrose à 5 % et de NaCl à 0,45 %, solution de dextrose à 5 % dans de l'eau, solution de NaCl à 0,9 % ou solution de Ringer. Administrer immédiatement après admixtion.

■ **Incompatibilité en addition au soluté:** Succinate de méthylprednisolone sodique.

ENSEIGNEMENT AU PATIENT ET À SES PROCHES

□ Conseiller au patient de respecter scrupuleusement la posologie recommandée et de ne jamais augmenter la dose. S'il n'a pu prendre le médicament au moment habituel, il doit le prendre dès que possible à moins que ce ne soit presque l'heure prévue pour la dose suivante.

□ Prévenir le patient que le glycopyrrolate peut provoquer de la somnolence et une vision trouble. Lui recommander de ne pas conduire et d'éviter les autres activités qui exigent sa vigilance jusqu'à ce qu'on ait la certitude que le médicament n'entraîne pas ces effets chez lui.

□ Expliquer au patient que pour soulager la sécheresse de la bouche, il devrait se rincer fréquemment la bouche, consommer des bonbons ou de la gomme à mâcher sans sucre et pratiquer une bonne hygiène orale. Si la sécheresse de la bouche persiste pendant plus de 2 semaines, consulter le médecin ou le dentiste au sujet de la possibilité d'utiliser des substituts de salive.

□ Recommander au patient recevant le glycopyrrolate de changer lentement de position pour réduire les risques d'hypotension orthostatique induite par le médicament.

□ Recommander au patient d'éviter les températures extrêmes, car le glycopyrrolate diminue les sécrétions de sueur et peut augmenter le risque d'un coup de chaleur.

□ Conseiller au patient de signaler immédiatement au médecin les douleurs oculaires ou une sensibilité accrue à la lumière. Insister sur l'importance d'examens ophtalmiques réguliers pendant toute la durée du traitement.

□ Conseiller au patient de consulter le médecin ou le pharmacien avant de prendre un médicament en vente libre en même temps que le glycopyrrolate.

VÉRIFICATION DES RÉSULTATS

L'efficacité du traitement peut être démontrée par : ■ l'inhibition de la salivation avant une intervention chirurgicale ■ le ren-versement des effets des médicaments cholinergiques ■ la diminution de la motilité gastro-intestinale et le soulagement de la douleur chez les patients souffrant d'un ulcère gastroduodénal ou d'autres affections gastro-intestinales.

GONADOTROPHINE CHORIONIQUE

A.P.L., Profasi HP, (Antuitrin), (CG), (Chorex), (Follutein), (Glucor), (Gonic), (HCG), (Pregnyl)

CLASSIFICATION :
Hormone (gonadotrophine)

Grossesse – catégorie C

INDICATIONS

■ Chez l'homme : □ cryptorchidie prépubertaire □ retard de la puberté □ nanisme (hypophysaire) : □ eunuchoïdisme hypogonadotrope □ stérilité (hypogonadisme secondaire à une déficience hypophysaire) ■ Chez la femme : □ déclenchement de l'ovulation □ avortement spontané □ hémorragie (fonctionnelle) peu abondante et peu fréquente □ stérilité fonctionnelle. **Usages non approuvés :** ■ Diagnostic de l'hypogonadisme masculin ■ Induction de l'ovulation chez les patientes qui subissent la fécondation *in vitro*.

ACTION

■ Action semblable à celle de l'hormone lutéinisante – induction de l'ovulation ■ Stimulation de la production d'androgènes par les testicules. **Effets thérapeutiques :** ■ Stimulation de la production d'androgènes testiculaires favorisant la descente des testicules □ Induction de l'ovulation.

PHARMACOCINÉTIQUE

Absorption : L'hormone étant détruite dans le tractus gastro-intestinal, il faut l'administrer par voie IM.

Distribution : L'hormone est surtout transportée vers les ovaires chez la femme et vers les testicules chez l'homme.

Métabolisme et excrétion : Une fraction de 10 à 12 % est excrétée dans l'urine au cours des 24 premières heures.

Demi-vie : 23 h.

CONTRE-INDICATIONS ET PRÉCAUTIONS

Contre-indications : ■ Antécédents de réactions d'hypersensibilité ■ Puberté précoce ■ Cancer de la prostate ou autres tumeurs sensibles aux androgènes.

Précautions : ■ Asthme ■ Antécédents de convulsions ■ Céphalées migraineuses ■ Maladie rénale ■ Maladie cardiaque.

RÉACTIONS INDÉSIRABLES ET EFFETS SECONDAIRES

SNC : céphalées, irritabilité, agitation, dépression, fatigue.

CV : œdème, rétention hydrique, ascite (avec des ménotropines [gonadotrophines de femmes ménopausées]), épanchement pleural (avec des ménotropines), thromboembolie (avec des ménotropines).

End. : gynécomastie (chez l'homme), puberté précoce (prépuberté chez l'homme), hypertrophie des ovaires (avec des ménotropines), rupture de kyste ovarien (avec des ménotropines).

Locaux : douleur au point d'injection IM.

Divers : grossesse multiple (gonadotrophines de femmes ménopausées).

INTERACTIONS

Médicament – médicament : Aucune interaction notable.

VOIES D'ADMINISTRATION ET POSOLOGIE

Hommes

Cryptorchidie prépubertaire

■ **IM :** 4 000 unités USP, 3 fois par semaine, pendant 2 à 3 semaines ou

1 000 unités USP, 3 fois par semaine, pendant 6 à 8 semaines.

Retard de la puberté ou eunuchoïdisme hypogonadotrope ou hypogonadisme

■ **IM :** de 4 000 à 5 000 unités USP, 3 fois par semaine, pendant 6 à 8 semaines, avec un intervalle de 2 à 3 semaines entre les séries de traitement.

Nanisme

■ **IM :** de 1 000 à 5 000 unités USP, 3 fois par semaine.

Femmes

Déclenchement de l'ovulation

■ **IM :** de 5 000 à 10 000 unités, un jour après l'administration de la dernière dose de ménotropines.

Avortement

■ **IM :** de 1 000 à 2 000 unités USP ou plus, 1 ou plusieurs fois par jour, en association avec d'autres mesures thérapeutiques reconnues.

Stérilité fonctionnelle ou hémorragie peu abondante et peu fréquente

■ **IM :** de 500 à 1 000 unités USP tous les jours, du 15e au 24e jour du cycle ; ou administrer 1 500 unités USP tous les 2 jours, 3 fois en tout, le 16e, 18e et 20e jour du cycle.

PHARMACODYNAMIE (ovulation)

	DÉBUT D'ACTION	PIC	DURÉE
IM	inconnu	18 h	inconnue

SOINS INFIRMIERS

ÉVALUATION DE LA SITUATION

■ **Directives générales :** Mesurer la pression artérielle avant l'hormonothérapie et à intervalles réguliers tout au long du traitement.

□ Effectuer le bilan des ingesta et des excreta et peser le patient toutes les semaines. Signaler au médecin les modifications pondérales importantes ou un gain de poids constant.

- **Cryptorchidie:** Suivre de près l'apparition de la puberté précoce: acné, poussée de croissance, apparition des caractères sexuels secondaires – croissance de poils sur le pubis, aux aisselles et au visage, mue de la voix, croissance du pénis. En informer le médecin; le traitement doit être arrêté.

- **Stérilité anovulatoire:** Effectuer une échographie avant le traitement afin de déterminer le nombre de follicules et le degré de développement. Effectuer un examen du bassin pour déterminer la taille des ovaires avant le début du traitement et quotidiennement, pendant les 2 semaines qui suivent l'injection de la gonadotrophine chorionique. Examiner les muqueuses cervicales pour déterminer si l'ovulation s'est produite.

- **Étude des examens diagnostiques et biochimiques:** La gonadotrophine chorionique peut fausser les résultats des tests de grossesse et peut entraîner une fausse élévation des résultats des analyses de l'excrétion urinaire des stéroïdes.

- **Stérilité féminine:** Mesurer les concentrations urinaires et sériques d'œstrogènes avant d'administrer la gonadotrophine chorionique. On doit évaluer les concentrations tous les jours, une semaine après la fin de la cure aux ménotropines (gonadotrophines de femmes ménopausées).

- **Stérilité masculine:** Déterminer le nombre de spermatozoïdes et leur motilité avant et après l'hormonothérapie de substitution.

DIAGNOSTICS INFIRMIERS POSSIBLES

- **Énoncés diagnostiques**
- ☐ Dysfonctionnement sexuel.
- ☐ Perturbation situationnelle de l'estime de soi.
- ☐ Prise en charge inefficace du programme thérapeutique.
- ☐ *Risque élevé d'anxiété.*

- **Facteurs favorisants**
- ☐ Informations incomplètes.
- ☐ *Manque de connaissances sur les effets secondaires du médicament et sur les moyens de les prévenir.*
- ☐ *Altération de l'image corporelle.*
- ☐ *Manque de connaissances sur les modalités du traitement.*

INTERVENTIONS INFIRMIÈRES

- **Directives générales:** Stérilité féminine: La gonadotrophine chorionique est habituellement administrée un jour après la fin de la cure aux ménotropines.

- **IM:** Reconstituer la poudre avec les 10 mL de soluté normal pour injection contenus dans la fiole fournie par le fabricant. Retirer l'air stérile de la fiole qui contient la poudre, injecter l'air dans la fiole contenant le diluant, retirer le même volume de diluant et injecter dans la fiole contenant la poudre. Mélanger délicatement jusqu'à la dissolution complète de la poudre. La solution est stable pendant 30 jours au réfrigérateur.

ENSEIGNEMENT AU PATIENT ET À SES PROCHES

- **Directives générales:** Conseiller au patient de signaler au médecin les signes et les symptômes de rétention hydrique (œdème des chevilles et des pieds, gain de poids) et de trouble thromboembolique (douleurs, œdèmes et sensibilité des membres, céphalées, douleurs thoraciques, vision trouble) ainsi que les douleurs abdominales ou pelviennes ou le ballonnement.

- **Cryptorchidie:** Expliquer aux parents les symptômes de la puberté précoce; leur conseiller de prévenir le médecin dès que ces symptômes surviennent.

- **Stérilité féminine :** Expliquer à la patiente comment mesurer la température basale. Elle doit noter sa température basale tous les jours, avant l'administration de l'hormone et tout au long du traitement.

□ Réitérer les recommandations du médecin concernant le moment où les rapports sexuels sont propices (en général, quotidiennement à partir du premier jour qui suit l'administration de la gonadotrophine chorionique).

□ Insister sur l'importance d'un suivi médical fréquent tout au long du traitement.

□ Informer la patiente avant le traitement du risque de grossesse multiple.

□ Expliquer à la patiente qu'elle doit prévenir le médecin dès qu'elle pense être enceinte (les menstruations n'apparaissent pas au moment prévu et la température basale est biphasique).

VÉRIFICATION DES RÉSULTATS

L'efficacité du traitement peut être démontrée par : ■ la descente des testicules chez les garçons (de 4 à 9 ans) atteints de cryptorchidie ■ l'accélération de la croissance longitudinale des os, de même que la maturité sexuelle et somatique chez les nains ■ le développement des caractères sexuels primaires et secondaires chez les patients souffrant d'eunuchoïdisme hypogonadotrope ■ l'ovulation, 18 h après le traitement chez les femmes ayant des cycles anovulatoires, et grossesse, par la suite ■ la diminution des avortements répétés spontanés ■ la disparition des hémorragies fonctionnelles ■ l'augmentation de la spermatogenèse. Le traitement devrait être arrêté chez les garçons atteints de cryptorchidie, si les testicules ne descendent pas après 8 semaines de traitement, ou chez les femmes stériles, si l'ovulation reste absente après 3 à 6 cycles menstruels.

G

GONADOTROPHINES HUMAINES DE FEMMES MÉNOPAUSÉES
HMG, Pergonal, ménotropines

CLASSIFICATION :
Hormone – gonadotrophine

Grossesse – catégorie inconnue

INDICATIONS

■ Traitement d'association avec des gonadotrophines chorioniques pour stimuler l'ovulation chez les patientes présentant un dysfonctionnement ovarien entraînant la stérilité ■ Traitement d'association avec des gonadotrophines chorioniques pour stimuler la spermatogenèse chez les hommes souffrant d'hypogonadisme hypogonadotrophique entraînant la stérilité.

ACTION

■ Forme purifiée de gonadotrophines hypophysaires humaines à base d'hormone folliculostimulante (FSH) et d'hormone lutéinisante (LH). Chez la femme, la FSH entraîne la croissance et la maturation des follicules ovariens. La LH stimule l'ovulation et le développement du corps jaune. Chez l'homme, la LH stimule la spermatogenèse. **Effets thérapeutiques :** ■ Ovulation ou spermatogenèse favorisant la fécondité.

PHARMACOCINÉTIQUE

Absorption : Par suite de l'administration IM, l'agent semble être bien absorbé.
Distribution : Inconnue.
Métabolisme et excrétion : Une fraction de 8 % est excrétée à l'état inchangé dans l'urine.
Demi-vie : FSH – 70 h ; LH – 4 h.

CONTRE-INDICATIONS ET PRÉCAUTIONS

Contre-indications : ■ Hémorragie vaginale d'étiologie inconnue ■ Tumeur fibroïde utérine ■ Kyste ovarien.

Précautions : ■ Asthme ■ Maladie cardiovasculaire ■ Troubles convulsifs ■ Migraines ■ Ovaires polykystiques ■ Hypertrophie hypophysaire ou tumeur de l'hypophyse ■ Insuffisance rénale grave.

RÉACTIONS INDÉSIRABLES ET EFFETS SECONDAIRES

CV : thrombophlébite, THROMBOEMBOLIE, EMBOLIE PULMONAIRE.
GI : ballonnement, douleurs abdominales, nausées, vomissements, diarrhée.
GU : douleurs pelviennes, hypertrophie ovarienne, grossesses multiples.
End. : gynécomastie (chez l'homme).
HÉ : œdème.
Divers : fièvre.

INTERACTIONS

Médicament – médicament : Aucune interaction notable.

VOIES D'ADMINISTRATION ET POSOLOGIE

Stimulation de l'ovulation et de la grossesse
■ **IM (adultes) :** 75 UI de FSH et 75 UI de LH par jour, pendant 8 à 12 jours, suivies de l'administration de gonadotrophines chorioniques. La cure peut être répétée 2 fois de plus. Si la grossesse ne survient pas, on peut augmenter la dose jusqu'à 150 UI de FSH et 150 UI de LH par jour, pendant 9 à 12 jours et administrer ensuite des gonadotrophines chorioniques. Si la grossesse ne survient toujours pas, on peut essayer de soumettre la patiente à 2 autres cures (ne pas dépasser des doses de 150 UI de FSH et de 150 UI de LH).

Stimulation de la spermatogenèse
■ **IM (adultes) :** Après prétraitement avec des gonadotrophines chorioniques, administrer 75 UI de FSH et 75 UI de LH, 3 fois par semaine, avec des gonadotrophines chorioniques. Poursuivre le traitement pendant au moins 4 mois. S'il n'y a aucun signe de spermatogenèse accrue après 4 mois, on peut augmenter la dose jusqu'à 150 UI de FSH et 150 UI de LH, en administrant en même temps des gonadotrophines chorioniques.

PHARMACODYNAMIE
(chez la femme – pic = ovulation après administration de gonadotrophines chorioniques ; chez l'homme – pic = spermatogenèse accrue)

	DÉBUT D'ACTION	PIC	DURÉE
IM (femmes)	inconnu	18 h	inconnue
IM (hommes)	inconnu	4 mois	inconnue

☀ SOINS INFIRMIERS

ÉVALUATION DE LA SITUATION

■ **Stérilité chez la femme :** Avant d'amorcer le traitement, la patiente doit se soumettre à un examen gynécologique et endocrinien permettant de déterminer la cause de la stérilité. Il faut également examiner le partenaire pour voir s'il n'est pas stérile. Il faut effectuer une biopsie de l'endomètre chez les patientes plus âgées afin d'écarter la présence d'un cancer de l'endomètre.

■ **Stérilité chez l'homme :** Avant d'amorcer le traitement, le patient doit se soumettre à un examen urologique et endocrinien permettant de déterminer la cause de la stérilité.

■ **Étude des examens diagnostiques et biochimiques :** En cas de stérilité chez la femme, on peut déterminer si la maturation des follicules a lieu par détermination du volume et des caractéristiques des mucosités cervicales, par dosage des œstrogènes urinaires ou des concentrations sériques d'œstrogènes et par échographie.

□ En cas de stérilité chez l'homme, il faut déterminer les concentrations sériques de testostérone, la numération des spermatozoïdes et leur motilité, avant et après le traitement.

DIAGNOSTICS INFIRMIERS POSSIBLES

- **Énoncés diagnostiques**
- ☐ Dysfonctionnement sexuel.
- ☐ Perturbation situationnelle de l'estime de soi.
- ☐ Prise en charge inefficace du programme thérapeutique.
- ☐ *Risque élevé d'anxiété.*
- **Facteurs favorisants**
- ☐ Informations incomplètes.
- ☐ *Manque de connaissances sur les effets secondaires du médicament.*
- ☐ *Manque de connaissances sur les modalités du traitement.*
- ☐ *Manque de connaissances sur la méthode d'administration du médicament.*
- ☐ *Altération de l'image corporelle.*

INTERVENTIONS INFIRMIÈRES

- **Directives générales:** Stérilité chez la femme – les gonadotrophines chorioniques sont habituellement administrées 1 jour après le traitement par les gonadotrophines humaines. Stérilité chez l'homme – les gonadotrophines chorioniques sont administrées seules jusqu'à l'apparition de caractéristiques sexuelles secondaires; on les administre ensuite en association avec des gonadotrophines humaines.
- **IM:** Reconstituer la poudre avec 1 ou 2 mL de solution de NaCl à 0,9 % pour injection, fournie par le fabricant. Utiliser la solution immédiatement. Jeter toute portion inutilisée.

ENSEIGNEMENT AU PATIENT ET À SES PROCHES

- **Directives générales:** Montrer au patient la méthode appropriée de reconstitution du médicament et d'auto-administration IM. S'assurer que le patient comprend bien la posologie.
- **Stérilité chez la femme:** Expliquer à la patiente comment prendre sa température basale. Elle doit noter la température basale tous les jours avant le traitement et pendant toute sa durée.

- ☐ Insister sur les directives du médecin concernant le moment où il est propice d'avoir des rapports sexuels (habituellement tous les jours, en commençant le jour qui précède l'administration des gonadotrophines chorioniques).
- ☐ Insister sur l'importance d'un suivi étroit par le médecin tout au long du traitement. (Les examens pelviens devraient être effectués tous les jours après l'élévation des concentrations d'œstrogènes et pendant 2 semaines après le traitement par les gonadotrophines chorioniques).
- ☐ Prévenir la patiente avant le traitement de la possibilité d'une grossesse multiple.
- ☐ Recommander à la patiente de signaler immédiatement au médecin si elle pense être enceinte (absence de règles au moment prévu et température basale biphasique).
- ☐ Recommander à la patiente de signaler au médecin les signes et symptômes de rétention hydrique (œdème des chevilles et des pieds, gain de poids) et de troubles thromboemboliques (douleur, œdème, sensibilité des membres, céphalées, douleurs thoraciques, vision trouble), ainsi que la douleur abdominale ou pelvienne ou le ballonnement.
- **Stérilité chez l'homme:** Prévenir le patient du risque d'hypertrophie des seins. Lui recommander de consulter le médecin si ce fait se gêne.

VÉRIFICATION DES RÉSULTATS

L'efficacité du traitement peut être démontrée par: ■ la maturation des follicules, chez la femme; le traitement par les gonadotrophines humaines de femmes ménopausées doit être suivi par l'administration de gonadotrophines chorioniques humaines, ce qui devrait déclencher l'ovulation et entraîner la grossesse ■ la spermatogenèse accrue après 4 mois de traitement, chez l'homme.

GOSÉRÉLINE
Zoladex

CLASSIFICATION:
Antinéoplasique – hormone

Grossesse – catégorie X

INDICATIONS

Traitement (palliatif) du cancer de la prostate (stade D_2) chez les patients qui ne pourront pas tolérer l'orchidectomie ou l'œstrogénothérapie.

ACTION

■ Forme synthétique de l'hormone de libération de la gonadolibérine (LHRH). Inhibition de la production de gonadotrophine par l'hypophyse. Initialement, les concentrations d'hormone lutéinisante (LH), d'hormone folliculostimulante (FSH) et de la testostérone augmentent. L'administration continue entraîne une réduction de cette production hormonale, particulièrement de testostérone. **Effets thérapeutiques:** ■ Ralentissement de la propagation du cancer de la prostate.

PHARMACOCINÉTIQUE

Absorption: Bonne absorption par suite de l'administration par voie SC. La goséréline est continuellement libérée pendant au moins 28 jours.

Distribution: Inconnue.

Métabolisme et excrétion: Inconnus.

Demi-vie: 4,2 h

CONTRE-INDICATIONS ET PRÉCAUTIONS

Contre-indications: ■ Hypersensibilité ■ Grossesse.

Précautions: Allaitement ou enfants de moins de 18 ans (l'innocuité du médicament n'a pas été établie).

RÉACTIONS INDÉSIRABLES ET EFFETS SECONDAIRES

SNC: faiblesse, anxiété, dépression, étourdissements, céphalées, insomnie, fatigue.
Resp.: dyspnée.
CV: douleurs thoraciques, palpitations, hypertension, INFARCTUS DU MYOCARDE, ACCIDENT CÉRÉBRO-VASCULAIRE.
GI: constipation, diarrhée, anorexie, nausées, vomissements, ulcère.
GU: insuffisance rénale, obstruction des voies urinaires.
Tég.: rash.
End.: diminution de la libido, impuissance, sensibilité mammaire, engorgement mammaire, stérilité.
HÉ: œdème périphérique.
Hémat.: anémie.
Métab.: hyperglycémie, goutte.
Loc.: douleur osseuse accrue, arthralgie.
Divers: bouffées vasomotrices, frissons, fièvre, gain de poids.

INTERACTIONS

Médicament – médicament: Aucune interaction notable.

VOIES D'ADMINISTRATION ET POSOLOGIE

SC (adultes): 3,6 mg, tous les 28 jours.

PHARMACODYNAMIE (diminution des concentrations sériques de testostérone)

	DÉBUT D'ACTION	PIC	DURÉE
SC	inconnu	2 – 4 semaines	inconnue

 SOINS INFIRMIERS

ÉVALUATION DE LA SITUATION

☐ Chez le patient ayant des métastases au niveau de la colonne vertébrale, suivre de près l'intensification des douleurs lombaires et la diminution des fonctions sensorimotrices.

☐ Pendant le traitement initial, effectuer le bilan des ingesta et des excreta et inspecter la vessie chez les patients présentant une obstruction des voies urinaires.

☐ Au début, les concentrations d'hormones lutéinisantes (LH) et d'hormones folliculostimulantes (FSH) augmentent, puis elles diminuent, ce qui entraîne des concentrations de testostérone équivalentes à celles qu'on trouve chez les castrats, de 2 à 4 semaines après l'élévation initiale de ces concentrations.

DIAGNOSTICS INFIRMIERS POSSIBLES

■ Énoncés diagnostiques

☐ Dysfonctionnement sexuel.

☐ Prise en charge inefficace du programme thérapeutique.

☐ *Risque élevé d'anxiété.*

☐ *Risque élevé d'altération de l'élimination urinaire.*

■ Facteurs favorisants

☐ Informations incomplètes.

☐ *Douleur.*

☐ *Manque de connaissances sur les effets secondaires du médicament.*

INTERVENTIONS INFIRMIÈRES

SC: Nettoyer le point de l'injection abdominale avec un antiseptique et administrer un anesthésique local, au besoin. Faire l'injection dans la paroi abdominale antérieure et recouvrir le point d'injection d'un pansement stérile.

ENSEIGNEMENT AU PATIENT ET À SES PROCHES

☐ Prévenir le patient que les douleurs osseuses peuvent s'intensifier au début du traitement. Elles disparaîtront avec le temps. Conseiller au patient de demander au médecin s'il peut prendre des analgésiques pour soulager la douleur.

☐ Prévenir le patient que le médicament peut provoquer des bouffées de chaleur. Lui conseiller de prévenir le médecin si elles deviennent gênantes.

☐ Recommander au patient de prévenir rapidement le médecin s'il éprouve des difficultés de miction.

VÉRIFICATION DES RÉSULTATS

L'efficacité du traitement peut être démontrée par: l'arrêt de la propagation du cancer de la prostate.

GRISÉOFULVINE

Fulvicin P/G, Fulvicin-U/F, Grisovin-FP, (Grifulvin V), (Grisactine), (Grisactine Ultra), (Gris-PEG)

CLASSIFICATION:
Antifongique

Grossesse – catégorie inconnue

INDICATIONS

■ Traitement des dermatomycoses de la peau, des poils et des ongles: ☐ Sycosis trichophytique (*tinea barbæ*) ☐ Teigne du cuir chevelu (*tinea capitis*) ☐ Dermatophytie de la peau glabre (*tinea corporis*) ☐ Eczéma marginé de Hebra (*tinea cruris*) ☐ Pied d'athlète (*tinea pedis*) ☐ Onychomycose provoquée par un ou par une association de plusieurs microorganismes sensibles ☐ *Trichophyton* ☐ *Microsporum* ☐ Divers épidermophytes ■ Usage déconseillé en cas d'infections superficielles qui peuvent être enrayées par des antifongiques topiques.

ACTION

■ Inhibition de la mitose des cellules fongiques. Dépôts dans les précurseurs cellulaires des cheveux, de la peau et des ongles, les rendant résistants à l'invasion fongique. **Effets thérapeutiques:** ■ Production de nouvelles cellules résistantes.

PHARMACOCINÉTIQUE

Absorption: L'absorption des préparations de griséofulvine micronisée, administrée par voie orale (Grisovin-FP,

Fulvicin-U/F), est variable (entre 25 % et 70 %). L'absorption des préparations de griséofulvine ultramicronisée (Fulvicin P/G) est pratiquement complète.

Distribution: La plus grande partie du médicament se dépose dans la couche cornée de la peau. On retrouve également des fractions dans le foie, les tissus adipeux et les muscles squelettiques.

Métabolisme et excrétion: Le médicament est métabolisé par le foie; une petite fraction est excrétée par les fèces et la sueur.

Demi-vie: De 9 à 24 h.

CONTRE-INDICATIONS ET PRÉCAUTIONS

Contre-indications: ■ Hypersensibilité ■ Maladie hépatique grave ou porphyrie.

Précautions: ■ Grossesse et allaitement (l'innocuité du médicament n'a pas été établie) ■ Risque de sensibilité croisée avec la pénicilline.

RÉACTIONS INDÉSIRABLES ET EFFETS SECONDAIRES

SNC: céphalées, étourdissements.

ORLO: surdité.

GI: douleurs épigastriques, nausées, vomissements, soif extrême, flatulence, diarrhée.

Tég.: photosensibilité, rash.

Hémat.: leucopénie.

Divers: réactions d'hypersensibilité, incluant la maladie sérique, syndrome lupique.

INTERACTIONS

Médicament – médicament: ■ L'ingestion simultanée d'**alcool** peut provoquer de la tachycardie, des bouffées vasomotrices et une dépression accrue du SNC ■ Le **phénobarbital** diminue les concentrations sanguines de griséofulvine et peut en diminuer l'efficacité ■ La griséofulvine peut réduire l'efficacité des **anticoagulants oraux** ■ La griséofulvine peut réduire l'efficacité des **contraceptifs oraux**.

VOIES D'ADMINISTRATION ET POSOLOGIE

Griséofulvine micronisée

- **PO (adultes):** de 0,5 à 2 g par jour en doses fractionnées.
- **PO (enfants):** 10 mg/kg par jour en doses fractionnées.

Griséofulvine ultramicronisée

- **PO (adultes):** de 330 à 660 mg par jour, en une seule dose ou en doses fractionnées.
- **PO (enfants > 2 ans):** 5,5 mg/kg par jour, en une seule dose ou en doses fractionnées.

PHARMACODYNAMIE (effet fongicide)

	DÉBUT D'ACTION	PIC	DURÉE
PO	4 h	24 h	2 jours

☀ SOINS INFIRMIERS

ÉVALUATION DE LA SITUATION

- ☐ Inspecter la peau infectée à intervalles réguliers pendant toute la durée du traitement.
- ☐ Déterminer si le patient n'est pas allergique aux pénicillines en raison du risque de sensibilité croisée.
- ■ **Étude des examens diagnostiques et biochimiques:** Examiner à intervalles réguliers, pendant toute la durée du traitement, les résultats des tests de l'exploration fonctionnelle du foie, des reins et des organes formateurs du sang.

DIAGNOSTICS INFIRMIERS POSSIBLES

- ■ **Énoncés diagnostiques**
- ☐ Atteinte à l'intégrité de la peau.
- ☐ Risque élevé d'infection.
- ☐ Prise en charge inefficace du programme thérapeutique.
- ☐ *Risque élevé d'anxiété.*
- ☐ *Risque élevé d'accident.*

■ **Facteurs favorisants**
- Informations incomplètes.
- *Manque de connaissances sur les effets secondaires du médicament.*
- *Manque de connaissances sur les modalités du traitement.*
- *Perturbation de la vigilance.*
- *Manque de connaissances sur les moyens de réduire la photosensibilité.*

INTERVENTIONS INFIRMIÈRES

- **Directives générales:** Habituellement, il faut utiliser simultanément une préparation topique.
- Le comprimé de griséofulvine ultra-micronisée à 250 mg assure des concentrations sériques équivalentes à celles du comprimé de griséofulvine micronisée à 500 mg.
- **PO:** Administrer le médicament avec ou après les repas. Servir de préférence des aliments riches en matières grasses pour réduire l'irritation gastrique et pour augmenter l'absorption du médicament.

ENSEIGNEMENT AU PATIENT ET À SES PROCHES

- Expliquer au patient qu'il doit suivre le traitement jusqu'à la fin; la cure peut durer plusieurs semaines. Si le patient n'a pas pu prendre le médicament au moment habituel, il doit le prendre aussitôt que possible à moins que ce ne soit presque l'heure prévue pour la dose suivante.
- Expliquer au patient les mesures d'hygiène qu'il doit prendre pour éliminer l'infection et pour prévenir la réinfection.
- Prévenir le patient que la griséofulvine peut provoquer des étourdissements. Lui conseiller de ne pas conduire et d'éviter les activités qui exigent sa vigilance jusqu'à ce qu'on ait la certitude que le médicament n'entraîne pas cet effet chez lui.
- Recommander au patient d'utiliser des écrans solaires et de porter des vêtements de protection pour prévenir les réactions de photosensibilité.
- Recommander au patient de ne pas boire d'alcool pendant qu'il prend ce médicament.
- Conseiller à la patiente d'utiliser une méthode de contraception non hormonale et de prévenir le médecin si elle désire devenir enceinte ou si elle pense l'être.
- Recommander au patient de prévenir le médecin si les symptômes suivants se manifestent: rash, maux de gorge, fièvre, diarrhée ou aphtes dans la bouche ou sur la langue.
- Insister sur l'importance des examens de suivi permettant d'évaluer l'efficacité du traitement.

VÉRIFICATION DES RÉSULTATS

L'efficacité du traitement peut être démontrée par: la résolution des signes et des symptômes d'infection fongique. Pour prévenir les rechutes, il faut parfois suivre le traitement pendant plusieurs semaines ou mois.

GUAIFÉNÉSINE

Balminil Expectorant, Bronchol, Guaifénésine liquide, Robitussin, (Anti-tuss), (Baytussin), (Breonesin), (Colrex Expectorant), (Cremacoat 2), (2/G), (Gee-Gee), (GG-Cen), (Glyate), (Glycotuss), (Glytuss), (guaïacolate de glycéryle), (Guiatuss), (Halotussin), (Humibid L.A.), (Hytuss), (Hytuss-2X), (Malotuss), (Neo-Spec), (Notussin), (Resyl)

CLASSIFICATION:
Expectorant

Grossesse – catégorie C

INDICATIONS

Soulagement symptomatique de la toux provoquée par les infections virales des voies respiratoires supérieures.

G

ACTION

■ Diminution de la viscosité des sécrétions tenaces par l'augmentation de la quantité de liquides présents dans les voies respiratoires. **Effets thérapeutiques :** ■ Diminution de la viscosité des mucosités, ce qui en facilite l'élimination par expectoration.

PHARMACOCINÉTIQUE

Absorption : Bonne absorption par suite de l'administration par voie orale.
Distribution : Inconnue.
Métabolisme et excrétion : Inconnus.
Demi-vie : Inconnue.

CONTRE-INDICATIONS ET PRÉCAUTIONS

Contre-indications : Hypersensibilité.
Précautions : ■ Toux qui persiste depuis plus d'une semaine ou qui s'accompagne de fièvre, de rash ou de céphalées (en cas d'automédication, consulter le médecin) ■ Grossesse (bien que l'innocuité n'ait pas été établie, la guaifénésine a déjà été utilisée sans provoquer d'effets nuisibles) ■ Patients recevant du disulfirame (les préparations liquides peuvent contenir de l'alcool) ■ Diabétiques (certaines préparations peuvent contenir du sucre).

RÉACTIONS INDÉSIRABLES ET EFFETS SECONDAIRES

SNC : somnolence.
GI : nausées, vomissements, diarrhée, douleurs d'estomac.

INTERACTIONS

Médicament – médicament : Aucune interaction notable.

PRÉSENTATION

Le médicament est présenté sous forme de comprimés et de sirop. Il existe également en association avec plusieurs préparations en vente libre (voir l'annexe A).

VOIES D'ADMINISTRATION ET POSOLOGIE

■ **PO (adultes) :** de 200 à 400 mg, toutes les 4 h (ne pas dépasser 2 400 mg par jour).

■ **PO (enfants de 6 à 11 ans) :** de 100 à 200 mg, toutes les 4 h (ne pas dépasser 1 200 mg par jour).
■ **PO (enfants de 2 à 5 ans) :** de 50 à 100 mg, toutes les 4 h (ne pas dépasser 600 mg par jour).

PHARMACODYNAMIE (effet expectorant)

	DÉBUT D'ACTION	PIC	DURÉE
PO	30 min	inconnu	4 – 6 h

☀ SOINS INFIRMIERS

ÉVALUATION DE LA SITUATION

Noter la fréquence et la nature de la toux, ausculter le murmure vésiculaire et noter les caractéristiques des sécrétions bronchiques à intervalles réguliers tout au long du traitement. Maintenir un apport de liquides de 1 500 à 2 000 mL par jour afin de diminuer la viscosité des sécrétions.

DIAGNOSTICS INFIRMIERS POSSIBLES

■ **Énoncés diagnostiques**
□ Dégagement inefficace des voies respiratoires.
□ Prise en charge inefficace du programme thérapeutique.
□ *Risque élevé de perturbation des échanges gazeux.*
□ *Risque élevé d'accident.*

■ **Facteurs favorisants**
□ Informations incomplètes.
□ *Mode de respiration inefficace.*
□ *Manque de connaissances sur la méthode d'administration du médicament.*
□ *Perturbation de la vigilance.*
□ *Manque de connaissances sur les moyens de prévenir les effets secondaires du médicament.*

INTERVENTIONS INFIRMIÈRES

PO : Ne rien donner à boire au patient immédiatement après lui avoir administré les préparations liquides afin de prévenir la dilution du véhicule.

ENSEIGNEMENT AU PATIENT ET
À SES PROCHES

☐ Expliquer au patient les méthodes lui permettant de tousser efficacement : s'asseoir bien droit et prendre plusieurs respirations profondes avant de tousser.

☐ Prévenir le patient que la guaifénésine peut provoquer de la somnolence. Lui conseiller de ne pas conduire et d'éviter les activités qui exigent sa vigilance jusqu'à ce qu'on ait la certitude que le médicament n'entraîne pas cet effet chez lui.

☐ Expliquer au patient les mesures à prendre pour calmer une toux chronique non productive : parler peu, cesser de fumer, humidifier l'air de la pièce, mâcher de la gomme ou sucer des bonbons durs sans sucre.

☐ Recommander au patient de prévenir le médecin si la toux persiste au-delà d'une semaine ou si elle s'accompagne de fièvre ou de douleurs thoraciques.

VÉRIFICATION DES RÉSULTATS

L'efficacité du traitement peut être démontrée par : la diminution de la fréquence de la toux sèche non productive. Les sécrétions visqueuses et épaisses deviennent plus liquides, ce qui en facilite l'expectoration.

GUANABENZ
(Wytensin)

CLASSIFICATION :
Antihypertenseur – sympatholytique (agoniste alpha-adrénergique) à action centrale

Grossesse – catégorie C

INDICATIONS

■ Hypertension – en monothérapie ou en association avec d'autres antihyper-

tenseurs. **Usage non approuvé :** ■ Traitement du syndrome de sevrage aux opiacés en association avec la naltrexone.

ACTION

■ Stimulation des récepteurs alpha-adrénergiques du SNC, entraînant la diminution de l'influx sympathique, ce qui a comme résultat la diminution de la résistance périphérique et une légère réduction de la fréquence cardiaque, sans aucune modification du débit cardiaque. **Effets thérapeutiques :** ■ Abaissement de la pression artérielle.

PHARMACOCINÉTIQUE

Absorption : Par suite de l'administration par voie orale, une fraction de 70 à 80 % est absorbée.

Distribution : Le médicament semble se répartir dans tout l'organisme.

Métabolisme et excrétion : Une fraction supérieure à 95 % est métabolisée par le foie.

Demi-vie : De 4 à 14 h.

CONTRE-INDICATIONS ET
PRÉCAUTIONS

Contre-indications : Hypersensibilité.

Précautions : ■ Maladies cardiaque et cérébrovasculaire ou insuffisance hépatique ou rénale graves ■ Personnes âgées (prédisposition accrue à des réactions indésirables) ■ Grossesse, allaitement ou enfants âgés de moins de 12 ans (l'innocuité du médicament n'a pas été établie) ■ Sevrage brusque à éviter.

RÉACTIONS INDÉSIRABLES ET
EFFETS SECONDAIRES

SNC : somnolence, étourdissements, faiblesse, céphalées, irritabilité, nervosité.

ORLO : congestion nasale, vision trouble, sécheresse des yeux (alacrymie), myosis.

Resp. : dyspnée.

CV : douleurs thoraciques, bradycardie, œdème, arythmies, palpitations, hypotension.

G

GI: sécheresse de la bouche (xérostomie), nausées, douleurs abdominales, diarrhée, vomissements, anorexie, constipation, altération du goût.
GU: mictions fréquentes, impuissance.
Tég.: rash, prurit, transpiration.
End.: gynécomastie.
Loc.: douleurs dans les membres, douleurs lombaires.
Divers: syndrome de sevrage.

INTERACTIONS

Médicament – médicament: ■ Effets sédatifs additifs, lors de l'usage concomitant d'autres **dépresseurs du SNC**, dont l'**alcool**, les **antihistaminiques**, les **analgésiques narcotiques** et les **hypnosédatifs** ■ Les **antidépresseurs tricycliques** et les **anti-inflammatoires non stéroïdiens** peuvent réduire les effets antihypertenseurs du guanabenz ■ Les **inhibiteurs de la MAO** peuvent réduire l'efficacité du guanabenz ■ Effet hypotensif additif, lors de l'administration d'**autres antihypertenseurs** et de **dérivés nitrés** et de l'ingestion d'**alcool**.

VOIES D'ADMINISTRATION ET POSOLOGIE

PO (adultes): 4 mg, deux fois par jour; la dose peut être augmentée par paliers de 4 à 8 mg, toutes les 1 à 2 semaines (écart posologique de 8 à 32 mg par jour).

PHARMACODYNAMIE
(effet antihypertensif)

	DÉBUT D'ACTION	PIC	DURÉE
PO	1 h	2 – 7 h	6 – 12 h

☀ SOINS INFIRMIERS

ÉVALUATION DE LA SITUATION

☐ Mesurer souvent le pouls et la pression artérielle (en positions debout et couchée) pendant la période d'ajustement de la posologie, et à intervalles réguliers, pendant toute la durée du traitement. Prévenir le médecin si des changements importants surviennent.

☐ Effectuer le bilan quotidien des ingesta et des excreta, peser le patient tous les jours; suivre de près la formation d'un œdème.

■ **Étude des examens diagnostiques et biochimiques:** Un traitement prolongé par ce médicament peut entraîner la diminution des concentrations sériques de cholestérol et de triglycérides.

DIAGNOSTICS INFIRMIERS POSSIBLES

■ **Énoncés diagnostiques**

☐ Risque élevé d'accident.

☐ Prise en charge inefficace du programme thérapeutique.

☐ Non-observance du traitement médicamenteux.

☐ *Risque élevé d'atteinte à l'intégrité de la muqueuse buccale.*

☐ *Risque élevé d'anxiété.*

■ **Facteurs favorisants**

☐ Informations incomplètes.

☐ Doute quant aux bienfaits du médicament.

☐ *Manque de connaissances sur les effets hypotensifs du médicament lors des changements brusques de position.*

☐ *Manque de connaissances sur les moyens de prévenir ou de réduire la sécheresse de la bouche.*

☐ *Manque de connaissances sur les modalités du traitement.*

☐ *Manque de connaissances sur les effets secondaires du médicament et sur les moyens de les prévenir.*

☐ *Manque de connaissances sur la méthode d'administration du médicament.*

☐ *Difficulté à s'adapter aux changements nécessaires dans les habitudes de vie.*

☐ *Perturbation de la vigilance.*

☐ *Manque de connaissances sur le régime alimentaire à suivre.*

G

INTERVENTIONS INFIRMIÈRES

- ■ **PO**: Administrer la dernière dose au coucher afin de réduire la sédation diurne.

- ☐ On peut administrer le guanabenz en association avec un diurétique thiazidique lorsque la diétothérapie, les exercices et le traitement antihypertenseur initial n'ont pas donné les résultats escomptés.

ENSEIGNEMENT AU PATIENT ET À SES PROCHES

- ☐ Expliquer au patient qu'il doit respecter scrupuleusement la posologie recommandée et continuer à prendre le médicament, même s'il se sent bien. Le médicament stabilise la pression artérielle, mais ne guérit pas l'hypertension. Recommander au patient de prendre le médicament tous les jours à la même heure. S'il n'a pu prendre son médicament au moment habituel, il doit le prendre aussitôt que possible, sans toutefois doubler la dose. Expliquer au patient qu'il doit prévenir le médecin s'il n'a pas pu prendre au moins deux doses consécutives. Un sevrage brusque peut déclencher les symptômes suivants de surstimulation du système nerveux sympathique : nervosité, anxiété, hypertension rebond.

- ☐ Inciter le patient à appliquer d'autres mesures de réduction de l'hypertension : perdre du poids, faire régulièrement de l'exercice, réduire sa consommation de sel, diminuer le stress, boire avec modération et cesser de fumer.

- ☐ Montrer au patient et à ses proches comment prendre la pression artérielle. Leur demander de mesurer la pression artérielle au moins une fois par semaine et de prévenir le médecin si des changements importants surviennent.

- ☐ Recommander au patient de se peser deux fois par semaine et d'examiner ses pieds et ses chevilles à la recherche de signes de rétention hydrique.

- ☐ Prévenir le patient que le guanabenz peut parfois provoquer de la somnolence et des étourdissements. Lui conseiller de ne pas conduire et d'éviter les activités qui exigent sa vigilance jusqu'à ce qu'on ait la certitude que le médicament n'entraîne pas ces effets chez lui.

- ☐ Conseiller au patient de consulter le médecin ou le pharmacien avant de prendre un médicament contre la toux, le rhume ou les allergies. Lui conseiller également de limiter sa consommation de thé, de café ou de boissons à base de cola.

- ☐ Conseiller au patient de pratiquer une bonne hygiène orale, de se rincer la bouche fréquemment avec de l'eau et de consommer de la gomme à mâcher ou des bonbons sans sucre pour diminuer la sécheresse de la bouche. Si la sécheresse de la bouche persiste pendant plus de 2 semaines, l'inciter à consulter le dentiste qui pourra lui recommander de prendre des substituts de salive.

- ☐ Recommander à la patiente de prendre des mesures de contraception et de prévenir le médecin si elle pense être enceinte ou si elle souhaite le devenir.

- ☐ Recommander au patient qui doit recevoir un traitement dentaire ou subir une intervention chirurgicale de prévenir le dentiste ou le médecin qu'il suit un traitement antihypertenseur.

- ☐ Recommander au patient de signaler au médecin les symptômes suivants : faiblesse et étourdissements fréquents, irritabilité ou nervosité, ralentissement de la fréquence cardiaque, myosis extrême, fatigue inhabituelle ou sécheresse de la bouche persistante.

- ☐ Insister sur l'importance des examens de suivi permettant d'évaluer les bienfaits du médicament.

VÉRIFICATION DES RÉSULTATS

L'efficacité du traitement peut être démontrée par: la baisse de la pression artérielle sans apparition d'effets indésirables trop pénibles.

GUANADREL
(Hylorel)

CLASSIFICATION:
Antihypertenseur – adrénolytique à action périphérique

Grossesse – catégorie B

INDICATIONS

Traitement de l'hypertension modérée à grave, habituellement en association avec au moins un autre antihypertenseur, le plus souvent un diurétique.

ACTION

■ Inhibition de la libération de noradrénaline au niveau des terminaisons nerveuses adrénergiques et de la médullosurrénale en réponse à une stimulation sympathique (adrénergique) ■ Déplétion de la noradrénaline au niveau des terminaisons nerveuses, ce qui entraîne une diminution de la vasoconstriction à médiation sympathique. **Effets thérapeutiques:** ■ Abaissement de la pression artérielle.

PHARMACOCINÉTIQUE

Absorption: Bonne absorption par suite de l'administration par voie orale.

Distribution: Le médicament se répartit dans tout l'organisme et pénètre dans le SNC en quantités infimes.

Métabolisme et excrétion: Une fraction de 50 % est métabolisée par le foie; le reste est excrété à l'état inchangé par les reins.

Demi-vie: De 10 à 12 h.

CONTRE-INDICATIONS ET PRÉCAUTIONS

Contre-indications: ■ Hypersensibilité ■ Insuffisance cardiaque ■ Phéochromocytome ■ Allaitement.

Précautions: ■ Asthme ■ Insuffisance cardiovasculaire ou cérébrovasculaire ■ Ulcère gastroduodénal ■ Grossesse, allaitement ou enfants âgés de moins de 18 ans (l'innocuité du médicament n'a pas été établie) ■ Personnes âgées et patients souffrant d'insuffisance rénale (réduire la dose, au besoin) ■ Intervention chirurgicale (interrompre le traitement, dans la mesure du possible, 2 à 3 jours avant).

RÉACTIONS INDÉSIRABLES ET EFFETS SECONDAIRES

SNC: somnolence, fatigue, confusion, céphalées, troubles de sommeil, étourdissements, évanouissements, dépression, anxiété.

ORLO: congestion nasale, douleurs thoraciques, troubles de la vue.

Resp.: toux, essoufflement.

CV: hypotension orthostatique, œdème, palpitations.

GI: diarrhée, expulsion douloureuse des gaz intestinaux, indigestion, constipation, sécheresse de la bouche (xérostomie), anorexie, nausées, douleurs abdominales.

GU: troubles de l'éjaculation, impuissance, nycturie, mictions fréquentes.

Loc.: crampes dans les jambes, douleurs dans les membres.

SN: paresthésie.

INTERACTIONS

Médicament – médicament: ■ Effets hypotensifs additifs, lors de l'administration simultanée d'autres **antihypertenseurs**, de **lévodopa**, de **dérivés nitrés** ou de l'ingestion d'**alcool** ■ Les **antidépresseurs tricycliques**, les **phénothiazines**, **les inhibiteurs de la MAO** ou l'**éphédrine** peuvent bloquer l'effet antihypertensif du guanadrel ■ Le guanadrel peut

G

potentialiser les effets vasopresseurs et mydriatiques de la **norépinéphrine**, des **amphétamines** ou de la **phényléphrine**
■ Le sevrage brusque d'**antidépresseurs tricycliques** administrés simultanément potentialise la réponse hypotensive.

VOIES D'ADMINISTRATION ET POSOLOGIE

PO (adultes): 5 mg, deux fois par jour; on peut augmenter cette dose, une fois par semaine, par paliers de 10 à 40 mg par jour. La dose quotidienne habituelle est de 20 à 75 mg administrée en 2 doses fractionnées, jusqu'à concurrence de 400 à 600 mg par jour.

PHARMACODYNAMIE
(effet antihypertensif lors de l'administration d'une seule dose)

	DÉBUT D'ACTION	PIC	DURÉE
PO	2 h	4–6 h	9 h

☀ SOINS INFIRMIERS

ÉVALUATION DE LA SITUATION

□ Mesurer le pouls et la pression artérielle (en positions debout et couchée) avant l'administration du médicament, puis, fréquemment, pendant la période initiale d'ajustement de la posologie et, à intervalles réguliers, pendant toute la durée du traitement. Prévenir le médecin si des changements importants surviennent.

□ Effectuer le bilan quotidien des ingesta et des excreta et peser le patient tous les jours; observer le patient tous les jours, surtout au début du traitement, pour déceler la formation d'un œdème.

□ Noter la fréquence des défécations et la consistance des selles. Prévenir le médecin en cas de forte diarrhée.

DIAGNOSTICS INFIRMIERS POSSIBLES

■ **Énoncés diagnostiques**

□ Risque élevé d'accident.

□ Prise en charge inefficace du programme thérapeutique.

□ Non-observance du traitement médicamenteux.

□ *Risque élevé de perturbation de la sexualité.*

■ **Facteurs favorisants**

□ Informations incomplètes.

□ Doute quant aux bienfaits du médicament.

□ *Manque de connaissances sur les effets hypotensifs du médicament lors des changements brusques de position.*

□ *Altération de la perception visuelle.*

□ *Manque de connaissances sur les modalités du traitement.*

□ *Manque de connaissances sur les effets secondaires du médicament et sur les moyens de les prévenir.*

□ *Manque de connaissances sur la méthode d'administration du médicament.*

□ *Difficulté à s'adapter aux changements nécessaires dans les habitudes de vie.*

□ *Perturbation de la vigilance.*

□ *Manque de connaissances sur le régime alimentaire à suivre.*

INTERVENTIONS INFIRMIÈRES

■ **Directives générales:** Adapter la posologie seulement si l'on ne note pas de baisse de la pression artérielle, mesurée en position couchée, et après 10 min en station debout.

□ On peut administrer le guanadrel en association avec des diurétiques afin de diminuer la tolérance à l'effet du médicament et la rétention hydrique.

ENSEIGNEMENT AU PATIENT ET À SES PROCHES

□ Expliquer au patient qu'il doit respecter scrupuleusement la posologie recommandée et continuer à prendre le médicament même s'il se sent bien. Le médicament stabilise la pression artérielle, mais ne guérit pas l'hypertension. Recommander au patient de

G

prendre son médicament aux mêmes heures tous les jours. S'il n'a pu prendre son médicament au moment habituel, il doit le prendre aussitôt que possible, sans toutefois doubler la dose.

□ Inciter le patient à appliquer d'autres mesures de réduction de l'hypertension : perdre du poids, faire régulièrement de l'exercice, réduire sa consommation de sel, diminuer le stress, boire avec modération et cesser de fumer.

□ Montrer au patient et à ses proches comment prendre la pression artérielle. Leur demander de mesurer la pression artérielle au moins une fois par semaine et de signaler au médecin tout changement important.

□ Recommander au patient de se peser deux fois par semaine et d'examiner ses pieds et ses chevilles à la recherche de signes de rétention hydrique.

□ Signaler au patient que la gravité des effets secondaires diminue habituellement après les 8 premières semaines de traitement.

□ Prévenir le patient que le guanadrel peut parfois provoquer de la somnolence et des étourdissements. Lui conseiller de ne pas conduire et d'éviter les activités qui exigent sa vigilance jusqu'à ce qu'on ait la certitude que le médicament n'entraîne pas ces effets chez lui.

□ Recommander au patient de changer lentement de position, surtout lorsqu'il se lève du lit le matin, pour réduire l'hypotension orthostatique. Prévenir le patient qu'il devrait s'abstenir de consommer de l'alcool et d'autres dépresseurs du SNC, qu'il ne devrait pas rester debout longtemps, ni prendre des douches très chaudes, ni faire de l'exercice par temps chaud en raison du risque d'exacerbation de l'hypotension orthostatique.

□ Conseiller au patient de consulter le médecin ou le pharmacien avant de prendre un médicament contre la toux, le rhume ou les allergies. Lui conseiller également de limiter sa consommation de thé, de café ou de boissons à base de cola.

□ Recommander au patient qui doit suivre un traitement dentaire ou subir une intervention chirurgicale de prévenir le dentiste ou le médecin qu'il suit un traitement antihypertenseur.

□ Recommander au patient de signaler au médecin les symptômes suivants : diarrhée grave, étourdissements ou évanouissements fréquents, fièvre ou œdème des pieds ou de la partie inférieure des jambes.

□ Insister sur l'importance des examens de suivi permettant d'évaluer les bienfaits de son traitement.

VÉRIFICATION DES RÉSULTATS

L'efficacité du traitement peut être démontrée par : la baisse de la pression artérielle sans survenue d'effets indésirables trop pénibles.

GUANÉTHIDINE
Apo-Guanéthidine, Ismelin

CLASSIFICATION :
Antihypertenseur

Grossesse – catégorie inconnue

INDICATIONS

Traitement de l'hypertension modérée à grave, habituellement en association avec au moins un autre antihypertenseur, le plus souvent un diurétique.

ACTION

■ Inhibition de la libération de noradrénaline au niveau des terminaisons nerveuses (adrénergiques) en réponse à une stimulation sympathique ■ Déplétion de la noradrénaline au niveau des terminaisons nerveuses, ce qui entraîne une dimi-

nution de la vasoconstriction à médiation sympathique. **Effets thérapeutiques:**
■ Abaissement graduel et prolongé de la pression artérielle.

PHARMACOCINÉTIQUE

Absorption: Par suite de l'administration par voie orale, l'absorption depuis le tractus gastro-intestinal est incomplète (entre 3 et 50 %).
Distribution: Le médicament est transporté aux sites de stockage incluant les neurones adrénergiques. De très petites quantités pénètrent dans le lait maternel. La guanéthidine traverse en quantité infime la barrière hémato-encéphalique.
Métabolisme et excrétion: Métabolisme hépatique partiel.
Demi-vie: 5 jours.

CONTRE-INDICATIONS ET PRÉCAUTIONS

Contre-indications: ■ Hypersensibilité ■ Insuffisance cardiaque ■ Phéochromocytome.
Précautions: ■ Asthme ■ Insuffisance cardiovasculaire ou cérébrovasculaire ■ Ulcère gastroduodénal ■ Grossesse, allaitement ou enfants (l'innocuité du médicament n'a pas été établie) ■ Intervention chirurgicale (interrompre le traitement, dans la mesure du possible, 3 à 4 semaines avant) ■ Insuffisance rénale (réduire la dose).

RÉACTIONS INDÉSIRABLES ET EFFETS SECONDAIRES

SNC: somnolence, fatigue, confusion, céphalées, troubles de sommeil, étourdissements, évanouissements, dépression, anxiété.
ORLO: congestion nasale, troubles de la vue.
Resp.: toux, essoufflement.
CV: hypotension orthostatique, œdème, palpitations, douleurs thoraciques.
GI: diarrhée, expulsion douloureuse des gaz intestinaux, indigestion, constipation, sécheresse de la bouche (xérostomie), anorexie, nausées, douleurs abdominales.
GU: troubles de l'éjaculation, impuissance, nycturie, mictions fréquentes.
Loc.: crampes dans les jambes, douleurs dans les membres.

INTERACTIONS

Médicament – médicament: ■ Effets hypotensifs additifs, lors de l'administration simultanée d'autres **antihypertenseurs**, de **lévodopa**, de **dérivés nitrés** ou de l'ingestion d'**alcool** ■ Bradycardie additive, lors de l'administration simultanée de **réserpine** ou de **dérivés digitaliques** ■ Les **antidépresseurs tricycliques**, les **phénothiazines**, les **inhibiteurs de la MAO**, les **anti-inflammatoires non stéroïdiens** et les **contraceptifs oraux** peuvent bloquer l'effet antihypertensif de la guanéthidine ■ La guanéthidine peut potentialiser les effets vasopresseurs et mydriatiques de la **norépinéphrine**, des **amphétamines**, de la **phényléphrine** et du **métaraminol**.

PRÉSENTATION

La guanéthidine est également présentée en association avec de l'hydrochlorothiazide (Ismelin Esidrix); voir l'annexe A.

VOIES D'ADMINISTRATION ET POSOLOGIE

PO (adultes): Initialement, 10 mg par jour; la dose peut être augmentée à des intervalles de 7 à 21 jours jusqu'à la dose d'entretien souhaitée de 25 à 50 mg par jour en une seule prise (la dose quotidienne maximale est de 300 mg). Chez les patients hospitalisés, on peut administrer des doses d'attaque plus élevées, à des intervalles plus rapprochés, comme suit: premier jour, 50 mg à 8 h, 75 mg à 14 h, 25 mg à 20 h; deuxième jour, 50 mg à 8 h, 75 mg à 14 h, 75 mg à 20 h; troisième jour, 100 mg à 8 h, à 14 h et à 20 h. On arrête ce type d'administration lorsqu'on atteint la pression artérielle

G

cible en position debout. À partir du lendemain, on amorce le traitement d'entretien en administrant en une seule dose quotidienne l'équivalant de $\frac{1}{5}$ à $\frac{1}{7}$ de la dose d'attaque totale.

PHARMACODYNAMIE
(effet antihypertensif; cet effet est plus rapide lors du traitement d'attaque)

	DÉBUT D'ACTION	PIC	DURÉE
PO	1 – 3 semaines	1 – 3 semaines	1 – 3 semaines

☼ SOINS INFIRMIERS

ÉVALUATION DE LA SITUATION

- ☐ Mesurer souvent le pouls et la pression artérielle (en positions debout et couchée) pendant la période initiale d'ajustement et, à intervalles réguliers, pendant toute la durée du traitement. Prévenir le médecin si des changements importants surviennent.
- ☐ Effectuer le bilan quotidien des ingesta et des excreta et peser le patient tous les jours; observer le patient, surtout au début du traitement, pour déceler la formation d'un œdème.
- ☐ Noter la fréquence et la consistance des selles. Prévenir le médecin en cas de forte diarrhée.
- ■ **Étude des examens diagnostiques et biochimiques:** Au cours d'un traitement prolongé, la fonction rénale doit être évaluée à intervalles réguliers.

DIAGNOSTICS INFIRMIERS POSSIBLES

- ■ **Énoncés diagnostiques**
- ☐ Risque élevé d'accident.
- ☐ Prise en charge inefficace du programme thérapeutique.
- ☐ Non-observance du traitement médicamenteux.
- ☐ *Risque élevé d'atteinte à l'intégrité de la muqueuse buccale.*
- ☐ *Risque élevé d'anxiété.*

- ☐ *Risque élevé de perturbation de la sexualité.*
- ■ **Facteurs favorisants**
- ☐ Informations incomplètes.
- ☐ Doute quant aux bienfaits du médicament.
- ☐ *Manque de connaissances sur les effets hypotensifs du médicament lors des changements brusques de position.*
- ☐ *Manque de connaissances sur les moyens de prévenir ou de réduire la sécheresse de la bouche.*
- ☐ *Manque de connaissances sur les modalités du traitement.*
- ☐ *Manque de connaissances sur les effets secondaires du médicament et sur les moyens de les prévenir.*
- ☐ *Manque de connaissances sur la méthode d'administration du médicament.*
- ☐ *Difficulté à s'adapter aux changements nécessaires dans les habitudes de vie.*
- ☐ *Perturbation de la vigilance.*
- ☐ *Manque de connaissances sur le régime alimentaire à suivre.*

INTERVENTIONS INFIRMIÈRES

- ■ **Directives générales:** Adapter la posologie seulement si l'on ne note pas de baisse de la pression artérielle, mesurée en position couchée, et après 10 min en station debout.
- ☐ On administre habituellement la guanéthidine en association avec des diurétiques afin de diminuer la tolérance aux effets du médicament et la rétention hydrique.
- ■ **PO:** Dans le cas du patient qui éprouve des difficultés de déglutition, on peut broyer les comprimés et les administrer avec le liquide de son choix.

ENSEIGNEMENT AU PATIENT ET À SES PROCHES

- ☐ Expliquer au patient qu'il doit respecter scrupuleusement la posologie recommandée et continuer à prendre le médicament, même s'il se sent bien.

Recommander au patient de prendre son médicament aux mêmes heures tous les jours. S'il n'a pu prendre son médicament au moment habituel, il doit le prendre aussitôt que possible, sans toutefois doubler la dose. S'il n'a pas pu prendre 2 doses consécutives, il doit en avertir le médecin. La guanéthidine stabilise la pression artérielle, mais ne guérit pas l'hypertension. Prévenir le patient qu'il ne doit pas arrêter le traitement sans avoir consulté le médecin au préalable.

- Inciter le patient à appliquer d'autres mesures de réduction de l'hypertension : perdre du poids, faire régulièrement de l'exercice, réduire sa consommation de sel, diminuer le stress, boire avec modération et cesser de fumer.
- Montrer au patient et à ses proches comment prendre la pression artérielle. Leur demander de mesurer la pression artérielle au moins une fois par semaine et de signaler au médecin tout changement important.
- Recommander au patient de se peser deux fois par semaine et d'examiner ses pieds et ses chevilles à la recherche de signes de rétention hydrique.
- Prévenir le patient que la guanéthidine peut parfois provoquer de la somnolence et des étourdissements. Lui conseiller de ne pas conduire et d'éviter les activités qui exigent sa vigilance jusqu'à ce qu'on ait la certitude que le médicament n'entraîne pas ces effets chez lui.
- Recommander au patient de changer lentement de position, surtout lorsqu'il se lève du lit le matin, pour réduire l'hypotension orthostatique. Prévenir le patient qu'il devrait s'abstenir de consommer de l'alcool et d'autres dépresseurs du SNC, qu'il ne devrait pas rester debout longtemps, ni prendre des douches très chaudes, ni faire de l'exercice par temps chaud, en raison du risque d'exacerbation de l'hypotension orthostatique.

- En cas de sécheresse de la bouche, conseiller au patient de pratiquer une bonne hygiène orale, de se rincer la bouche fréquemment avec de l'eau et de consommer de la gomme à mâcher ou des bonbons sans sucre. Si la sécheresse de la bouche persiste pendant plus de 2 semaines, l'inciter à consulter le dentiste qui pourra lui recommander de prendre des substituts de salive.
- Conseiller au patient de consulter le médecin ou le pharmacien avant de prendre un médicament contre la toux, le rhume ou les allergies. Lui conseiller également de limiter sa consommation de thé, de café ou de boissons à base de cola.
- Recommander au patient qui doit suivre un traitement dentaire ou subir une intervention chirurgicale de prévenir le dentiste ou le médecin qu'il suit un traitement antihypertenseur.
- Recommander au patient de signaler au médecin les symptômes suivants : diarrhée grave, étourdissements ou évanouissements fréquents.
- Insister sur l'importance des examens de suivi permettant d'évaluer les bienfaits du médicament.

VÉRIFICATION DES RÉSULTATS

L'efficacité du traitement peut être démontrée par: la baisse de la pression artérielle sans survenue d'effets indésirables pénibles.

GUANFACINE
(Tenex)

CLASSIFICATION :
Antihypertenseur – sympatholytique (agoniste alpha-adrénergique) à action centrale

Grossesse – catégorie B

G

INDICATIONS

Traitement de l'hypertension en association avec des diurétiques de type thiazidique.

ACTION

■ Stimulation des récepteurs alpha-adrénergiques du SNC, entraînant la diminution de l'influx sympathique, ce qui a comme résultat une diminution de la résistance périphérique et une légère réduction de la fréquence cardiaque, sans aucune modification du débit cardiaque. **Effets thérapeutiques:** ■ Abaissement de la pression artérielle.

PHARMACOCINÉTIQUE

Absorption: Bonne absorption (80 %) par suite de l'administration par voie orale.

Distribution: Le médicament semble se répartir dans tout l'organisme.

Métabolisme et excrétion: Une fraction de 50 % est métabolisée par le foie et le reste est excrété par les reins à l'état inchangé.

Demi-vie: 17 h .

CONTRE-INDICATIONS ET PRÉCAUTIONS

Contre-indications: Hypersensibilité.

Précautions: ■ Coronaropathie grave ou infarctus du myocarde récent ■ Maladie cérébrovasculaire ■ Maladies rénale ou hépatique graves ■ Grossesse, allaitement ou enfants âgés de moins de 12 ans (l'innocuité du médicament n'a pas été établie).

RÉACTIONS INDÉSIRABLES ET EFFETS SECONDAIRES

SNC: somnolence, faiblesse, fatigue, étourdissements, céphalées, insomnie, dépression.

ORLO: acouphènes.

Resp.: dyspnée.

CV: bradycardie, palpitations, douleurs thoraciques.

GI: sécheresse de la bouche (xérostomie), constipation, douleurs abdominales, nausées.

GU: impuissance.

INTERACTIONS

Médicament – médicament: ■ Effets hypotensifs additifs, lors de l'administration d'**autres antihypertenseurs** et de **dérivés nitrés** ou de l'ingestion d'**alcool** ■ Effets dépressifs additifs, lors de l'usage concomitant d'autres **dépresseurs du SNC**, dont l'**alcool**, les **antihistaminiques**, les **analgésiques narcotiques**, les **antidépresseurs tricycliques** et les **hypnosédatifs**.

VOIES D'ADMINISTRATION ET POSOLOGIE

PO (adultes): 1 mg par jour, au coucher; on peut augmenter la dose jusqu'à 3 mg par jour, au besoin, à des intervalles de 3 à 4 semaines.

PHARMACODYNAMIE (effet antihypertensif)

	DÉBUT D'ACTION	PIC	DURÉE
PO (une seule dose)	inconnu	8 – 12 h	24 h
PO (plusieurs doses)	en l'espace de 1 semaine	1 – 3 mois	inconnue

SOINS INFIRMIERS

ÉVALUATION DE LA SITUATION

☐ Mesurer souvent le pouls et la pression artérielle (en positions debout et couchée) pendant la période initiale d'ajustement de la posologie, et à intervalles réguliers, pendant toute la durée du traitement. Prévenir le médecin si des changements importants surviennent.

■ **Étude des examens diagnostiques et biochimiques:** La guanfacine peut entraîner une augmentation passagère, mais n'ayant aucune signification clinique, des concentrations plasmatiques de l'hormone de croissance.

☐ Le médicament peut réduire les concentrations urinaires de catécholamines et d'acide vanillylmandélique.

DIAGNOSTICS INFIRMIERS POSSIBLES

■ **Énoncés diagnostiques**

☐ Risque élevé d'accident.

☐ Prise en charge inefficace du programme thérapeutique.

☐ Non-observance du traitement médicamenteux.

☐ *Risque élevé d'atteinte à l'intégrité de la muqueuse buccale.*

☐ *Risque élevé d'anxiété.*

☐ *Risque élevé de perturbation de la sexualité.*

☐ *Risque élevé de constipation.*

■ **Facteurs favorisants**

☐ Informations incomplètes.

☐ Doute quant aux bienfaits du médicament.

☐ *Manque de connaissances sur les moyens de stimuler la fonction intestinale.*

☐ *Manque de connaissances sur les moyens de prévenir ou de réduire la sécheresse de la bouche.*

☐ *Manque de connaissances sur les modalités du traitement.*

☐ *Manque de connaissances sur les effets secondaires du médicament et sur les moyens de les prévenir.*

☐ *Manque de connaissances sur la méthode d'administration du médicament.*

☐ *Difficulté à s'adapter aux changements nécessaires dans les habitudes de vie.*

☐ *Perturbation de la vigilance.*

☐ *Manque de connaissances sur le régime alimentaire à suivre.*

INTERVENTIONS INFIRMIÈRES

■ **Directives générales:** Administrer la dose quotidienne au coucher afin de réduire la sédation diurne.

☐ On peut administrer la guanfacine en association avec un diurétique thiazidique.

ENSEIGNEMENT AU PATIENT ET À SES PROCHES

☐ Expliquer au patient qu'il doit respecter scrupuleusement la posologie recommandée et continuer à prendre le médicament même s'il se sent bien. La guanfacine stabilise la pression artérielle, mais ne guérit pas l'hypertension. Recommander au patient de prendre son médicament tous les jours à la même heure. S'il n'a pu prendre son médicament au moment habituel, il doit le prendre aussitôt que possible, sans toutefois doubler la dose. Prévenir le médecin s'il n'a pu prendre au moins deux doses consécutives. Un sevrage brusque peut déclencher les symptômes suivants de surstimulation sympathique: nervosité, anxiété, hypertension rebond. Ces effets peuvent survenir de 2 à 7 jours après l'arrêt du traitement, bien que l'hypertension rebond soit rare et entraînée surtout par des doses élevées.

☐ Inciter le patient à appliquer d'autres mesures de réduction de l'hypertension: perdre du poids, faire régulièrement de l'exercice, réduire sa consommation de sel, diminuer le stress, boire avec modération et cesser de fumer.

☐ Montrer au patient et à ses proches comment prendre la pression artérielle. Leur demander de mesurer la pression artérielle au moins une fois par semaine et de prévenir le médecin si des changements importants surviennent.

☐ Prévenir le patient que la guanfacine peut parfois provoquer de la somnolence et des étourdissements. Lui conseiller de ne pas conduire et d'éviter les activités qui exigent sa vigilance jusqu'à ce qu'on ait la certitude que le médicament n'entraîne pas ces effets chez lui.

□ Conseiller au patient de consulter le médecin ou le pharmacien avant de prendre un médicament en vente libre et de ne pas boire d'alcool pendant qu'il suit ce traitement.

□ Recommander au patient de signaler au médecin si la sécheresse de la bouche ou la constipation persistent. Lui conseiller de pratiquer une bonne hygiène orale, de se rincer la bouche fréquemment avec de l'eau, de consommer de la gomme à mâcher ou des bonbons sans sucre pour diminuer la sécheresse de la bouche et d'augmenter sa consommation de liquides et de fibres alimentaires pour soulager la constipation.

□ Recommander au patient qui doit recevoir un traitement dentaire ou subir une intervention chirurgicale de prévenir le dentiste ou le médecin qu'il suit un traitement antihypertenseur.

□ Recommander au patient de signaler au médecin les symptômes suivants: étourdissements, somnolence prolongée, fatigue, faiblesse, dépression, céphalées, dysfonctionnement sexuel ou modification du sommeil.

□ Insister sur l'importance des examens de suivi permettant d'évaluer les bienfaits du médicament.

VÉRIFICATION DES RÉSULTATS

L'efficacité du traitement peut être démontrée par: la baisse de la pression artérielle sans apparition d'effets indésirables pénibles.

HALAZÉPAM
(Paxipam)

CLASSIFICATION:
Hypnosédatif – benzodiazépine

Grossesse – catégorie D

INDICATIONS
Traitement d'appoint de l'anxiété.

ACTION
■ Dépression du SNC, probablement par la potentialisation de l'acide gamma-aminobutyrique (GABA), un neurotransmetteur inhibiteur. **Effets thérapeutiques:** ■ Apaisement de l'anxiété.

PHARMACOCINÉTIQUE
Absorption: Bonne absorption par suite de l'administration par voie orale.
Distribution: L'agent se répartit bien dans tout l'organisme. Il traverse le placenta et pénètre dans le lait maternel.
Métabolisme et excrétion: La plus grande partie du médicament est métabolisée par le foie (une certaine fraction se transforme en desméthyldiazépam, composé sédatif actif). Une fraction de moins de 1 % est excrétée à l'état inchangé par les reins.
Demi-vie: 7 h (desméthyldiazépam de 30 – 100 h).

CONTRE-INDICATIONS ET PRÉCAUTIONS
Contre-indications: ■ Hypersensibilité ■ Risque de sensibilité croisée avec d'autres benzodiazépines ■ Patients comateux ■ Dépression pré-existante du SNC ■ Douleurs graves, rebelles à tout traitement ■ Glaucome à angle étroit ■ Grossesse ou allaitement.
Précautions: ■ Insuffisance hépatique ■ Insuffisance rénale grave ■ Tendances suicidaires ou antécédents de toxicomanie ou de pharmacodépendance ■ Personnes âgées ou patients débilités (il est recommandé de réduire la dose).

RÉACTIONS INDÉSIRABLES ET EFFETS SECONDAIRES
SNC: étourdissements, somnolence, léthargie, sensation «droguée», excitation paradoxale, dépression mentale, céphalées.
ORLO: vision trouble.
Resp.: dépression respiratoire.

H

GI: nausées, vomissements, diarrhée, constipation, sécheresse de la bouche (xérostomie).

Tég.: rash.

Divers: tolérance, dépendance psychologique, dépendance physique.

INTERACTIONS

Médicament – médicament: ■ Effet additif sur la dépression du SNC, lors de l'usage concomitant d'**autres dépresseurs du SNC** dont l'**alcool**, les **antihistaminiques**, les **antidépresseurs**, les **analgésiques narcotiques** et les **autres hypnosédatifs** ■ L'administration concomitante de **cimétidine**, de **contraceptifs oraux**, de **disulfirame**, de **fluoxétine**, d'**isoniazide**, de **kétoconazole**, de **métoprolol**, de **propoxyphène**, de **propranolol** ou d'**acide valproïque** peut ralentir le métabolisme et accroître la dépression du SNC ■ Le médicament peut diminuer l'efficacité de la **lévodopa** ■ La **rifampine** ou les **barbituriques** peuvent accélérer le métabolisme et diminuer l'efficacité de l'halazépam.

VOIES D'ADMINISTRATION ET POSOLOGIE

PO (adultes): de 20 à 40 mg, 3 ou 4 fois par jour.

PHARMACODYNAMIE
(effets anxiolytiques)

	DÉBUT D'ACTION	PIC	DURÉE
PO	inconnu	inconnu	inconnue

☀ SOINS INFIRMIERS

ÉVALUATION DE LA SITUATION

☐ Noter l'état de la conscience du patient ainsi que le degré d'anxiété qu'il éprouve et sa façon de la manifester, avant l'administration initiale du médicament et à intervalles réguliers tout au long du traitement.

☐ Suivre de près la somnolence, la sensation « droguée » et les étourdisse-ments. Ces symptômes disparaissent habituellement en cours de traitement. Réduire la dose si les symptômes persistent.

☐ Un traitement prolongé à des doses élevées peut entraîner la dépendance psychologique ou physique. Limiter la quantité de médicament dont le patient peut disposer.

DIAGNOSTICS INFIRMIERS POSSIBLES

■ **Énoncés diagnostiques**

☐ Anxiété.

☐ Risque élevé d'accident.

☐ Prise en charge inefficace du programme thérapeutique.

☐ *Risque élevé d'atteinte à l'intégrité de la muqueuse buccale.*

■ **Facteurs favorisants**

☐ Informations incomplètes.

☐ *Perturbation de la vigilance.*

☐ *Manque de connaissances sur les modalités du traitement.*

☐ *Manque de connaissances sur les effets secondaires du médicament.*

☐ *Manque de connaissances sur les moyens de prévenir ou de réduire la sécheresse de la bouche.*

INTERVENTIONS INFIRMIÈRES

PO: Dans le cas des patients qui éprouvent des difficultés de déglutition, on peut broyer les comprimés et les administrer dans des liquides ou des aliments.

ENSEIGNEMENT AU PATIENT ET À SES PROCHES

☐ Inciter le patient à respecter scrupuleusement la posologie recommandée. S'il n'a pas pu prendre le médicament au moment habituel, il peut le prendre dans l'heure qui suit ; sinon, lui recommander de ne pas prendre cette dose et de revenir à l'horaire habituel. Il ne faut jamais doubler les doses. Si le médicament s'avère moins efficace après quelques semaines, en prévenir le médecin ; ne pas augmenter la dose sans sa recommandation.

Le sevrage brusque peut provoquer la transpiration, des vomissements, des crampes musculaires, des tremblements et des convulsions.

☐ Prévenir le patient que l'halazépam peut provoquer des étourdissements ou de la somnolence. Lui conseiller de ne pas conduire et d'éviter les activités qui exigent sa vigilance jusqu'à ce qu'on ait la certitude que le médicament n'entraîne pas ces effets chez lui.

☐ Mettre en garde le patient contre la consommation simultanée d'alcool ou d'autres dépresseurs du SNC. Conseiller au patient de consulter le médecin ou le pharmacien avant de prendre un médicament en vente libre en même temps que l'halazépam.

☐ Conseiller au patient de pratiquer une bonne hygiène orale, de se rincer la bouche fréquemment avec de l'eau et de consommer de la gomme à mâcher ou des bonbons sans sucre pour diminuer la sécheresse de la bouche.

Vérification des résultats

L'efficacité du traitement peut être démontrée par : ■ l'apaisement de l'anxiété ■ une plus grande capacité d'adaptation. Réévaluer à intervalles réguliers la nécessité de poursuivre le traitement à l'halazépam.

HALOPÉRIDOL

Apo-Haloperidol, Haldol, Haldol LA, Novoperidol, PMS-Haloperidol, (Halperon), (Peridol)

CLASSIFICATION :

Antipsychotique – butyrophénone

**Grossesse – catégorie C
(sel de décanoate seulement,
inconnue pour les autres composants)**

INDICATIONS

■ Traitement des psychoses aiguës et chroniques ■ Maîtrise des symptômes de la maladie de Gilles de la Tourette ■ Maîtrise du comportement agressif et agité caractérisant le syndrome cérébral chronique ou l'arriération mentale.

ACTION

■ Modification des effets de la dopamine dans le SNC ■ Effets anticholinergique et alpha-adrénolytique. **Effets thérapeutiques :** ■ Diminution des signes et des symptômes de psychoses.

PHARMACOCINÉTIQUE

Absorption : Bonne absorption par suite de l'administration PO et IM.
Distribution : La distribution du médicament n'a pas été complètement élucidée. On trouve des concentrations élevées dans le foie. L'halopéridol traverse le placenta et pénètre dans le lait maternel.
Métabolisme et excrétion : La plus grande partie du médicament est métabolisée par le foie.
Demi-vie : De 21 à 24 h.

CONTRE-INDICATIONS ET PRÉCAUTIONS

Contre-indications : ■ Hypersensibilité ■ Glaucome à angle étroit ■ Aplasie médullaire ■ Dépression du SNC ■ Maladie hépatique grave ■ Maladie cardiovasculaire grave.
Précautions : ■ Personnes âgées ou patients débilités (réduire la dose) ■ Grossesse et allaitement (l'innocuité du médicament n'a pas été établie) ■ Cardiopathie ■ Patients gravement malades et patients diabétiques ■ Insuffisance respiratoire ■ Hypertrophie de la prostate ■ Tumeurs du SNC ■ Occlusion intestinale ■ Antécédents de convulsions.

RÉACTIONS INDÉSIRABLES ET EFFETS SECONDAIRES

SNC : sédation, réactions extrapyramidales, dyskinésie tardive, agitation, confusion, convulsions.
ORLO : sécheresse des yeux (alacrymie), vision trouble.

Resp.: dépression respiratoire.
CV: hypotension, tachycardie.
GI: constipation, iléus, anorexie, sécheresse de la bouche (xérostomie), hépatite.
GU: rétention urinaire.
Tég.: rash, photosensibilité, diaphorèse.
End.: galactorrhée.
Hémat.: anémie, leucopénie.
Métab.: hyperpyrexie.
Divers: réactions d'hypersensibilité.

INTERACTIONS

Médicament – médicament: ■ Effet hypotensif additif, lors de l'administration simultanée d'**antihypertenseurs** ou de **dérivés nitrés** ou de l'ingestion d'**alcool** ■ Effets anticholinergiques additifs, lors de l'administration simultanée de **médicaments doués de propriétés anticholinergiques** dont les **antihistaminiques**, les **antidépresseurs**, l'**atropine**, les **phénothiazines**, la **quinidine** et le **disopyramide** ■ Effet dépressif additif sur le SNC, lors de l'usage concomitant d'**autres dépresseurs du SNC** dont l'**alcool**, les **antihistaminiques**, les **analgésiques narcotiques** et les **hypnosédatifs** ■ Risque d'hypotension grave et de tachycardie lors de l'administration concomitante d'**épinéphrine** ■ L'halopéridol peut diminuer les effets thérapeutiques de la **lévodopa** ■ Risque d'apparition du syndrome encéphalopathique aigu, si le médicament est administré en même temps que le **lithium** ■ Risque de manifestations de démence lors de l'administration concomitante de **méthyldopa**.

PRÉSENTATION

Le médicament est présenté sous forme de comprimés, de solution orale et de solution pour injection.

VOIES D'ADMINISTRATION ET POSOLOGIE

Halopéridol

■ **PO (adultes):** de 0,5 à 5 mg, 2 ou 3 fois par jour (chez certains patients, on doit parfois administrer des doses quotidiennes pouvant atteindre 100 mg par jour).

■ **IM (adultes):** de 2 à 5 mg, toutes les 4 à 8 h, selon les besoins.

■ **PO (enfants de 3 à 12 ans ou pesant entre 15 et 40 kg):** de 0,05 à 0,15 mg/kg par jour en 2 ou 3 doses fractionnées.

Décanoate d'halopéridol

■ **IM (adultes):** de 10 à 15 fois la dose d'entretien quotidienne administrée auparavant par voie orale, mais ne pas dépasser initialement 100 mg. Administration une fois par mois mais des intervalles plus courts entre chaque injection, par exemple 3 ou même 2 semaines, sont nécessaires chez certains malades (ne pas dépasser 300 mg par mois).

PHARMACODYNAMIE (activité antipsychotique)

	DÉBUT D'ACTION	PIC	DURÉE
PO	2 h	2 – 6 h	8 – 12 h
IM	20 – 30 min	30 – 45 min	4 – 8 h[*]
IM (décanoate)	3 – 9 jours	inconnu	1 mois

[*] L'effet peut persister pendant plusieurs jours.

SOINS INFIRMIERS

ÉVALUATION DE LA SITUATION

☐ Déterminer l'état de la conscience (orientation spatiotemporelle, humeur, comportement) avant le traitement et à intervalles réguliers pendant toute sa durée.

☐ Mesurer la pression artérielle (en position assise, debout et couchée) et le pouls avant l'administration du médicament et fréquemment pendant la période d'ajustement de la posologie.

☐ Observer attentivement le patient au moment de l'administration du médicament pour s'assurer qu'il l'a bien avalé.

□ Effectuer le bilan quotidien des ingesta et des excreta et peser le patient tous les jours. Observer les signes et les symptômes suivants de déshydratation : diminution de la soif, léthargie, hémoconcentration.

□ Déterminer la quantité de liquides consommée et l'état de la fonction intestinale. L'augmentation de la consommation de fibres alimentaires et de liquides permet de réduire les effets constipants de l'halopéridol.

□ Observer attentivement les symptômes extrapyramidaux (mouvements d'émiettement, bouche ouverte laissant s'échapper la salive [sialorrhée], tremblements, rigidité, démarche traînante), les symptômes de dyskinésie tardive (mouvements involontaires du visage, de la bouche, de la langue ou de la mâchoire et des membres) et l'apparition du syndrome malin des neuroleptiques (pâleur de la peau, hyperthermie, rigidité des muscles squelettiques, dystonie neurovégétative, altération de l'état de la conscience, leucocytose, résultats élevés aux tests de l'exploration fonctionnelle hépatique, concentrations élevées de créatine-kinase). Prévenir le médecin dès l'apparition de ces symptômes.

■ **Étude des examens diagnostiques et biochimiques :** Noter à intervalles réguliers tout au long du traitement la numération globulaire et les résultats des tests de l'exploration fonctionnelle hépatique.

DIAGNOSTICS INFIRMIERS POSSIBLES

■ **Énoncés diagnostiques**

□ Altération des opérations de la pensée.

□ Prise en charge inefficace du programme thérapeutique.

□ *Risque élevé d'anxiété.*

□ *Risque élevé d'accident.*

□ *Risque élevé d'agitation.*

□ *Risque élevé d'atteinte à l'intégrité de la muqueuse buccale.*

■ **Facteurs favorisants**

□ Informations incomplètes.

□ *Manque de connaissances sur les effets secondaires du médicament.*

□ *Perturbation de la vigilance.*

□ *Manque de connaissances sur les effets hypotensifs du médicament lors des changements brusques de position.*

□ *Manque de connaissances sur les modalités du traitement.*

□ *Manque de connaissances sur les moyens de réduire la photosensibilité.*

□ *Manque de connaissances sur les moyens de stimuler la fonction intestinale.*

□ *Manque de connaissances sur les moyens de prévenir ou de réduire la sécheresse de la bouche.*

□ *Manque de connaissances sur la méthode d'administration du médicament.*

INTERVENTIONS INFIRMIÈRES

■ **PO :** Administrer avec des aliments ou un grand verre d'eau ou de lait afin de réduire l'irritation gastrique.

□ Utiliser un récipient gradué pour administrer la dose exacte. Ne pas diluer la solution orale dans du café ou du thé ; un précipité pourrait se former. On peut administrer le médicament sans le diluer mais on peut le diluer au besoin dans au moins 60 mL de liquide.

■ **IM :** Injecter lentement dans un muscle bien développé (de préférence dans le grand fessier) en utilisant une aiguille de 5 cm de calibre 21. Ne pas administrer plus de 3 mL par point d'injection. La solution peut virer au jaune pâle sans que sa puissance soit modifiée. Conseiller au patient de rester couché pendant au moins 30 min après l'injection afin de réduire les effets hypotenseurs de l'halopéridol.

- **Association incompatible dans la même seringue**: Héparine.
- **Compatibilité (tubulure en Y)**: Ondansétron.
- **Incompatibilité (tubulure en Y)**: Foscarnet.

ENSEIGNEMENT AU PATIENT ET À SES PROCHES

□ Expliquer au patient qu'il doit respecter scrupuleusement la posologie recommandée. S'il n'a pas pu prendre le médicament au moment habituel, il doit le prendre le plus vite possible en espaçant à des intervalles égaux les autres prises de la journée. Parfois, plusieurs semaines peuvent s'écouler avant de pouvoir noter les effets souhaitables. Prévenir le patient qu'il ne doit jamais augmenter la dose ni arrêter le traitement sans avoir consulté le médecin au préalable. Le sevrage brusque peut provoquer des étourdissements, des nausées, des vomissements, de l'irritation gastrique, des tremblements ou des mouvements involontaires de la bouche, de la langue ou de la mâchoire.

□ Prévenir le patient que l'halopéridol peut provoquer des symptômes extrapyramidaux et la dyskinésie tardive. Lui recommander de signaler immédiatement au médecin ces symptômes.

□ Recommander au patient de changer lentement de position afin de réduire les risques d'hypotension orthostatique.

□ Prévenir le patient que l'halopéridol peut provoquer de la somnolence. Lui conseiller de ne pas conduire et d'éviter les activités qui exigent sa vigilance jusqu'à ce qu'on ait la certitude que le médicament n'entraîne pas cet effet chez lui.

□ Mettre en garde le patient contre la consommation d'alcool ou d'autres dépresseurs du SNC en même temps que l'halopéridol.

□ Recommander au patient d'utiliser des écrans solaires et de porter des vêtements protecteurs lors des expositions au soleil pour prévenir les réactions de photosensibilité. Lui recommander également d'éviter les températures extrêmes, car l'halopéridol altère la thermorégulation.

□ Conseiller au patient de se rincer fréquemment la bouche, de pratiquer une bonne hygiène orale et de consommer de la gomme à mâcher ou des bonbons sans sucre pour soulager la sécheresse de la bouche.

□ Conseiller au patient de signaler rapidement au médecin la faiblesse, les tremblements, les troubles visuels, l'urine foncée ou les selles couleur de glaise, les maux de gorge ou la fièvre.

□ Insister sur l'importance des examens réguliers de suivi.

VÉRIFICATION DES RÉSULTATS

L'efficacité du traitement peut être démontrée par : ■ la diminution des hallucinations, de l'insomnie, de l'agitation, de l'hostilité et du délire ■ la diminution des tics respiratoires et vocaux émis par le patient souffrant du syndrome de Gilles de la Tourette. En l'absence d'un effet thérapeutique après 2 à 4 semaines de traitement, on peut augmenter la dose.

HÉPARINE

Calcilean, Calciparine, Hepalean, Héparine Léo, (Lipo-hepin), (Liquaemin)

SOLUTION DE RINÇAGE DES DISPOSITIFS À SYSTÈME DE BLOCAGE DE L'HÉPARINE

Hépaléan-Lok, Heparin Lock Flush, (Hep-Lock), (Hep-Lock U/P)

CLASSIFICATION :
Anticoagulant

Grossesse – catégorie C

INDICATIONS

■ Prophylaxie et traitement des divers troubles thromboemboliques incluant : □ la thrombose veineuse profonde □ l'embolie pulmonaire □ la fibrillation auriculaire accompagnée d'embolie □ la coagulation intravasculaire disséminée □ la thromboembolie artérielle périphérique ■ Administration en de très faibles doses (entre 10 et 100 unités) pour maintenir la perméabilité des dispositifs pour injection IV («solution de rinçage à l'héparine »).

ACTION

■ Potentialisation des effets de l'antithrombine III ■ À de faibles doses, prévention de la transformation de la prothrombine en thrombine ■ À des doses élevées, neutralisation de la thrombine, par la prévention de la transformation du fibrinogène en fibrine. **Effets thérapeutiques :** ■ Prévention de la formation de thrombus ■ Prévention de la croissance des thrombi existants.

PHARMACOCINÉTIQUE

Absorption : L'héparine étant détruite par les enzymes qu'on trouve dans le tractus gastro-intestinal, il faut l'administrer par voie parentérale. Bonne absorption par suite de l'administration SC.

Distribution : L'héparine ne traverse pas le placenta, ni ne pénètre dans le lait maternel.

Métabolisme et excrétion : L'héparine semble être éliminée de l'organisme par le système réticuloendothélial (ganglions lymphatiques, rate).

Demi-vie : De 1 à 2 h (plus la dose est élevée, plus elle se prolonge).

CONTRE-INDICATIONS ET PRÉCAUTIONS

Contre-indications : ■ Hypersensibilité ■ Hypersensibilité aux protéines du porc ou du bœuf (certains produits sont dérivés des muqueuses intestinales du porc,

d'autres des poumons du bœuf) ■ Hémorragie non maîtrisée ■ Hémophilie et troubles graves de la coagulation ■ Plaies ouvertes ■ Maladies rénale ou hépatique graves ■ Enfants prématurés (l'usage de préparation contenant de l'alcool benzylique est déconseillé).

Précautions : ■ Hypertension non traitée ■ Ulcère ■ Lésions de la moelle épinière ou du cerveau ■ Tumeur maligne ■ Grossesse (administrer avec prudence au cours du dernier trimestre et au tout début du post-partum).

RÉACTIONS INDÉSIRABLES ET EFFETS SECONDAIRES

GI : hépatite.

Hémat. : <u>HÉMORRAGIE</u>, thrombocytopénie.

Tég. : rash, urticaire.

Divers : hypersensibilité, fièvre.

INTERACTIONS

Médicament – médicament : ■ L'administration concomitante de **médicaments qui affectent la fonction plaquettaire**, dont l'**aspirine**, les **anti-inflammatoires non stéroïdiens**, le **dipyridamole** et le **dextran**, peut augmenter le risque d'hémorragie ■ L'administration simultanée de **médicaments qui entraînent une hypoprothrombinémie**, dont la **quinidine**, le **céfamandole**, le **cefmétazole**, la **céfopérazone**, le **céfotétane**, le **moxalactam** et la **plicamycine**, peut augmenter le risque d'hémorragie ■ L'administration concomitante d'**agents thrombolytiques** augmente les risques d'hémorragie ■ L'héparine modifie le temps de prothrombine nécessaire pour évaluer la réponse à la **warfarine** ■ Le **probénécide** augmente l'intensité et la durée de l'effet de l'héparine.

VOIES D'ADMINISTRATION ET POSOLOGIE

Remarque : Voir le tableau des vitesses d'administration de l'annexe D.

Anticoagulation thérapeutique

La posologie dépend de la durée du temps de céphaline (PTT).

- **Bolus IV intermittent (adultes):** 10 000 unités, suivies de 5 000 à 10 000 unités, toutes les 4 à 6 h.
- **Bolus IV intermittent (enfants):** 100 unités/kg, suivies de 50 à 100 unités/kg, toutes les 4 h.
- **Perfusion IV (adultes):** 5 000 unités (de 35 à 70 unités/kg), suivies de 20 000 à 40 000 unités, pendant 24 h (approximativement 1 000 unités à l'heure).
- **Perfusion IV (enfants):** 50 unités/kg, suivies de 100 unités/kg, toutes les 4 h ou 20 000 unités/m^2 par 24 h.
- **SC (adultes):** 5 000 unités par voie IV, suivies de 8 000 à 10 000 unités toutes les 8 h, ou de 15 000 à 20 000 unités, toutes les 12 h, par voie SC.

Prophylaxie des épisodes de thromboembolie

- **SC (adultes):** 5 000 unités, toutes les 8 à 12 h (on peut commencer l'administration 2 h avant l'intervention chirurgicale).

Solution de rinçage à l'héparine

- **IV (adultes et enfants):** 10 à 100 unités.

PHARMACODYNAMIE
(effet anticoagulant)

	DÉBUT D'ACTION	PIC	DURÉE
SC	20 – 60 min	2 h	8 – 12 h
IV	immédiat	5 – 10 min	2 – 6 h

✳ SOINS INFIRMIERS

ÉVALUATION DE LA SITUATION

- **Directives générales:** Rechercher les signes suivants d'hémorragie: saignement des gencives et du nez, formation inhabituelle d'ecchymoses, selles noires goudronneuses, hématurie, chute de l'hématocrite ou de la pression artérielle, présence de sang occulte dans les selles. Prévenir le médecin si ces symptômes se manifestent.

- ☐ Rechercher les signes qui révèlent que la thrombose s'aggrave ou qu'elle touche d'autres territoires. Les symptômes dépendent du territoire touché.

- ☐ Suivre de près les réactions d'hypersensibilité: frissons, fièvre, urticaire. Signaler ces réactions au médecin.

- **SC:** Observer étroitement la formation d'hématomes, d'ecchymoses ou l'apparition d'une inflammation au point d'injection.

- **Étude des examens diagnostiques et biochimiques:** Noter le temps de céphaline activée (APTT) et l'hématocrite avant l'administration de l'héparine et à intervalles réguliers tout au long du traitement. Lors d'une perfusion intermittente, il faut noter le temps de céphaline activée (APTT) 30 min avant l'administration de la dose suivante. Lors d'une perfusion continue, on peut prélever les échantillons de sang nécessaires à la détermination du temps de céphaline activée (APTT) 1,5 à 2 h après le début du traitement à l'héparine.

- ☐ Examiner la numération plaquettaire tous les 2 ou 3 jours, pendant toute la durée du traitement. L'héparine peut provoquer une thrombocytopénie légère qui survient le quatrième jour du traitement, mais qui se résorbe même si l'on poursuit l'administration. La thrombocytopénie qui dicte l'arrêt de l'administration de l'héparine peut survenir le huitième jour de traitement. Les patients ayant déjà reçu un traitement à l'héparine sont exposés à des risques plus élevés de thrombocytopénie grave pendant plusieurs mois après le traitement initial.

- ☐ L'héparine peut allonger le temps de prothrombine (PT), entraîner des concentrations sériques faussement élevées de thyroxine, de résine T$_3$, de bromesulfonephtaléine (BSP) et des résultats faussement négatifs au test de captage du fibrinogène marqué à l'iode[125]. L'héparine peut entraîner la diminution des concentrations sériques de triglycérides et de cholestérol et l'élévation des concentrations plasmatiques d'acides gras libres, ainsi que des concentrations de TGOS (AST) et de TGPS (ALT).

■ **Toxicité et surdosage :** Le sulfate de protamine est l'antidote de l'héparine. Toutefois, en raison de la courte demi-vie de l'héparine, le surdosage peut souvent être traité en arrêtant l'administration du médicament.

DIAGNOSTICS INFIRMIERS POSSIBLES

■ **Énoncés diagnostiques**
□ Diminution de l'irrigation tissulaire.
□ Risque élevé d'accident.
□ Prise en charge inefficace du programme thérapeutique.

■ **Facteurs favorisants**
□ Informations incomplètes.
□ *Manque de connaissances sur les effets secondaires du médicament et sur les moyens de les prévenir.*
□ *Manque de connaissances sur les modalités du traitement.*
□ *Administration trop rapide du médicament par voie IV.*
□ *Difficulté à s'adapter aux changements nécessaires dans les habitudes de vie.*

INTERVENTIONS INFIRMIÈRES

■ **Directives générales :** Signaler à tous les membres de l'équipe de soins que le patient suit un traitement anticoagulant. Appliquer une pression sur les points d'injection et de ponction veineuse pour prévenir le saignement ou la formation d'un hématome. Éviter d'administrer par voie IM d'autres médicaments en raison du risque de formation d'hématomes.
□ Chez les patients qui suivent un traitement anticoagulant prolongé, commencer l'administration de l'anticoagulant par voie orale 4 ou 5 jours avant d'arrêter le traitement à l'héparine.

■ **SC :** Administrer la solution profondément dans le tissu SC à l'aide d'une aiguille de petit calibre (25 à 27) d'une longueur de 1 à 1,5 cm. Avant d'administrer l'héparine, vérifier la dose exacte à injecter en présence d'une autre infirmière diplômée. Injecter l'agent dans la partie inférieure de l'abdomen (point d'injection conseillé) ; ne pas aspirer ni masser. Faire fréquemment la rotation des points d'injection. Ne pas administrer par voie IM en raison du risque de formation d'hématome.

■ **IV directe :** Il faut habituellement administrer une dose d'attaque avant le début de la perfusion continue.
□ *Vitesse d'administration :* Administrer la préparation sans la diluer, en au moins 1 min.

■ **Perfusion intermittente ou continue :** Diluer l'héparine dans la quantité prescrite de solution de NaCl à 0,9 % ou de dextrose à 5 % dans l'eau, ou de solution de Ringer pour injection, et administrer par perfusion intermittente ou continue. S'assurer que l'héparine est bien mélangée dans la solution. Le fabricant ne recommande pas d'utiliser un raccordement en série pour l'administration d'autres médicaments dans la tubulure IV en même temps que l'héparine ni d'effectuer de mélanges.
□ *Vitesse d'administration :* La perfusion peut être administrée en 4 à 24 h. Utiliser une pompe de perfusion pour s'assurer qu'on a administré la dose exacte.

■ **Solution de rinçage à l'héparine :** Afin d'éviter la formation de caillots dans les dispositifs de perfusion intermittente (solution de rinçage à l'héparine), injecter de 10 à 100 unités d'héparine diluée dans 0,5 à 1 mL de solution après chaque injection de médicament ou toutes les 8 à 12 h.

H

Pour prévenir le risque d'incompatibilité de l'héparine avec le médicament, rincer le dispositif avec de l'eau stérile ou avec une solution de NaCl à 0,9 % pour injection, avant et après l'administration du médicament.

- **Associations compatibles dans la même seringue :** Aminophylline, amphotéricine, ampicilline, atropine, bléomycine, céfamandole, céfazoline, céfopérazone, céfotaxime, céfoxitine, chloramphénicol, cimétidine, cisplatine, clindamycine, co-trimoxazole, cyclophosphamide, diazoxide, digoxine, dimenhydrinate, dobutamine, dopamine, épinéphrine, fentanyl, fluorouracile, furosémide, leucovorine, lidocaïne, lincomycine, méthotrexate, métoclopramide, mezlocilline, mitomycine, moxalactam, nafcilline, naloxone, néostigmine, norépinéphrine, oxytétracycline, pancuronium, pénicilline G, phénobarbital, pipéracilline, tétracycline, vérapamil ou vincristine.

- **Associations incompatibles dans la même seringue :** Amikacine, chlorpromazine, diazépam, doxorubicine, dropéridol, dropéridol avec fentanyl, érythromycine, gentamicine, halopéridol, kanamycine, mépéridine, méthicilline, méthotriméprazine, nétilmicine, pentazocine, prométhazine, streptomycine, tobramycine, triflupromazine, vancomycine ou vinblastine.

- **Compatibilités (tubulure en Y) :** Acyclovir, aminophylline, ampicilline, atracurium, atropine, bétaméthasone, bicarbonate de sodium, bléomycine, camsilate de triméthaphan, céphalothine, céphapirine, chlordiazépoxide, chlorpromazine, cimétidine, cisplatine, cyanocobalamine, cyclophosphamide, deslanoside, dexaméthasone, digoxine, dopamine, édrophonium, énalaprilate, épinéphrine, esmolol, éthacrynate, famotidine, fentanyl, fluorouracile, foscarnet, furosémide, gluconate de calcium, hydralazine, hydrocorti-

sone, insuline, isoprotérénol, kanamycine, labétalol, leucovorine, lidocaïne, ménadiol sodique, mépéridine, méthicilline, méthotrexate, méthoxamine, méthylergonovine, métoclopramide, minocycline, mitomycine, morphine, néostigmine, norépinéphrine, ocytocine, œstrogènes conjugués, ondansétron, oxacilline, pancuronium, pénicilline G potassique, pentazocine, phytonadione, prednisolone, procaïnamide, propranolol, pyridostigmine, ranitidine, scopolamine, streptokinase, succinylcholine, sulfate de magnésium, vécuronium, vérapamil, vinblastine ou vincristine.

- **Incompatibilités (tubulure en Y) :** Alteplase, diazépam, dimenhydrinate, doxorubicine, érythromycine, gentamicine, halopéridol, hydroxyzine, kanamycine, méthotriméprazine, phénytoïne, prochlorpérazine, promazine, prométhazine, tartrate d'ergotamine, tétracycline, tobramycine, triflupromazine ou vancomycine.

- **Compatibilités en addition au soluté :** Aminophylline, amphotéricine, acide ascorbique, bicarbonate de sodium, bléomycine, céphalothine, céphapirine, chloramphénicol, chlorure de potassium, clindamycine, colistiméthate, dimenhydrinate, dopamine, esmolol, gluceptate d'érythromycine, gluconate de calcium, isoprotérénol, lidocaïne, méthicilline, méthyldopa, méthylprednisolone, nafcilline, norépinéphrine, prednisolone, promazine, ranitidine ou vérapamil ; également, solutions destinées à la nutrition parentérale totale ou émulsions de lipides.

- **Incompatibilités en addition au soluté :** Amikacine, codéine, cytarabine, daunorubicine, gentamicine, hyaluronidase, kanamycine, lactobionate d'érythromycine, lévorphanol, mépéridine, méthadone, morphine, polymyxine B, prométhazine, streptomycine ou vancomycine.

H

ENSEIGNEMENT AU PATIENT ET À SES PROCHES

□ Recommander au patient d'éviter les injections IM et les activités pendant lesquelles il risque de se blesser. Lui recommander également d'utiliser au cours du traitement à l'héparine une brosse à dents à poils doux et un rasoir électrique.

□ Conseiller au patient de signaler immédiatement au médecin les saignements ou les ecchymoses inhabituels.

□ Conseiller au patient de ne pas prendre de l'aspirine, des médicaments contenant de l'acide acétylsalicylique ou de l'ibuprofène pendant le traitement à l'héparine.

□ Recommander au patient qui doit suivre un traitement dentaire ou subir une intervention chirurgicale de prévenir le dentiste ou le médecin qu'il suit un traitement médicamenteux.

□ Conseiller au patient de porter constamment sur lui un pièce d'identité où il est mentionné qu'il suit un traitement anticoagulant.

VÉRIFICATION DES RÉSULTATS

La réponse clinique peut être déterminée par : ■ l'allongement du temps de céphaline (PT) de 1,5 à 2,5 fois par rapport au temps témoin, en l'absence de signes d'hémorragie ■ la prévention de la thromboembolie ■ la perméabilité des cathéters IV.

HETASTARCH
(HES), (Hespan), (hydroxyéthylamidon)

CLASSIFICATION :
Solution de remplissage vasculaire

Grossesse – catégorie inconnue

INDICATIONS

■ Médicament d'appoint lors de la prise en charge rapide des chocs déclarés ou des chocs imminents provoqués par : □ les brûlures □ l'hémorragie □ une intervention chirurgicale □ la septicémie □ un traumatisme, lorsqu'il faut assurer la restauration du volume sanguin.

ACTION

■ Molécule synthétique dont l'action d'agent osmotique colloïdal est semblable à celle de l'albumine. **Effets thérapeutiques :** ■ Remplissage vasculaire.

PHARMACOCINÉTIQUE

Absorption : Par suite de l'administration par voie IV (seule voie d'administration conseillée), la biodisponibilité de l'agent est totale.

Distribution : Inconnue.

Métabolisme et excrétion : Les molécules ayant un poids moléculaire inférieur ou égal à 50 000 sont excrétées à l'état inchangé par les reins. Les molécules plus grosses se dégradent lentement avant d'être excrétées.

Demi-vie : Une fraction de 90 % est douée d'une demi-vie de 17 jours et la fraction restante de 10 %, d'une demi-vie de 48 jours.

CONTRE-INDICATIONS ET PRÉCAUTIONS

Contre-indications : ■ Hypersensibilité ■ Troubles hémorragiques graves ■ Insuffisance cardiaque ■ Œdème pulmonaire ■ Insuffisance rénale oligurique ou anurique ■ Début de la grossesse.

Précautions : ■ Thrombocytopénie ■ Personnes âgées ■ Allaitement ou enfants (l'innocuité du médicament n'a pas été établie).

RÉACTIONS INDÉSIRABLES ET EFFETS SECONDAIRES

SNC : céphalées.

CV : œdème pulmonaire, insuffisance cardiaque.

GI : vomissements.

Hémat. : fonction plaquettaire diminuée, hématocrite réduite.

Tég.: prurit, urticaire.

HÉ: surcharge liquidienne, œdème périphérique des membres inférieurs.

Loc.: myalgie.

Divers: réactions d'hypersensibilité incluant les RÉACTIONS ANAPHYLACTIQUES, frissons, fièvre, hypertrophie des glandes parotides et sous-maxillaires.

INTERACTIONS

Médicament – médicament: Aucune interaction connue.

PRÉSENTATION

La préparation est présentée dans une solution à 6 % diluée dans du NaCl à 0,9 %.

VOIES D'ADMINISTRATION ET POSOLOGIE

IV (adultes): de 30 à 60 g (de 500 à 1 000 mL d'une solution à 6 %); on peut répéter l'administration sans dépasser 90 g (1 500 mL par jour). En cas de choc hémorragique aigu, on peut administrer jusqu'à 20 mL/kg à l'heure.

PHARMACODYNAMIE (remplissage vasculaire)

	DÉBUT D'ACTION	PIC	DURÉE
IV	rapide	fin de la perfusion	24 h ou plus

☀ SOINS INFIRMIERS

ÉVALUATION DE LA SITUATION

☐ Mesurer les signes vitaux, la pression veineuse centrale, le débit cardiaque, la pression des capillaires pulmonaires et le débit urinaire avant le début du traitement et à intervalles réguliers pendant toute sa durée. Avant et après l'administration, rechercher les signes suivants de surcharge vasculaire: pression veineuse centrale élevée, râles et crépitations, dyspnée, hypertension, turgescence des jugulaires.

☐ En présence de fièvre, de respiration sifflante, de symptômes pseudo-grippaux, d'urticaire, d'œdème périorbital ou d'hypertrophie des glandes parotides ou sous-maxillaires, arrêter la perfusion et prévenir le médecin immédiatement. Pour contrer cette réaction, on devrait administrer éventuellement des antihistaminiques, de l'épinéphrine et des corticostéroïdes et assurer la perméabilité des voies aériennes.

☐ Après l'administration, déceler chez les patients ayant subi une intervention chirurgicale l'aggravation de l'hémorragie, étant donné que l'hetastarch entrave la fonction plaquettaire et s'oppose aux facteurs de coagulation.

■ **Étude des examens diagnostiques et biochimiques:** Examiner la numération globulaire, la formule leucocytaire, les concentrations d'hémoglobine, l'hématocrite, la numération des plaquettes, le temps de prothrombine (PT), le temps de céphaline (PTT) et le temps de coagulation tout au long du traitement. L'administration de gros volumes de cette préparation peut entraîner une hémodilution. L'hématocrite ne doit pas être inférieure à 0,30 par volume. La préparation peut accélérer la vitesse de sédimentation des érythrocytes, allonger le temps de saignement, le temps de prothrombine (PT), le temps de céphaline (PTT) et le temps de coagulation.

☐ La préparation peut élever indirectement les concentrations sériques de bilirubine et d'amylase.

DIAGNOSTICS INFIRMIERS POSSIBLES

■ **Énoncés diagnostiques**

☐ Altération de l'irrigation tissulaire.

☐ Déficit de volume liquidien.

☐ Excès de volume liquidien.

☐ *Risque élevé d'accident.*

H

□ *Risque élevé de perturbation des échanges gazeux.*

■ **Facteurs favorisants**

□ *Modification de l'état liquidien ou des volumes circulants.*

□ *Manque de connaissances sur les modalités du traitement.*

INTERVENTIONS INFIRMIÈRES

■ **Directives générales:** La solution doit être transparente et de couleur jaune pâle à ambre; ne pas administrer de solution trouble ou de solution contenant un précipité. Conserver à la température ambiante. Jeter les solutions n'ayant pas servi.

□ L'administration de la préparation ne comporte pour le patient aucun risque de contracter l'hépatite sérique ou le sida. Il n'est pas nécessaire d'étudier les compatibilités sanguines.

■ **Perfusion continue:** Administrer la solution par perfusion IV sans la diluer.

□ *Vitesse d'administration:* Il faut déterminer la vitesse d'administration d'après le volume sanguin, l'indication et la réponse du patient.

□ Dans les cas de choc hémorragique aigu, on peut administrer une dose allant jusqu'à 1,2 g/kg (20 mL/kg) à l'heure. Habituellement, on administre la solution plus lentement en présence de brûlures ou de choc septique.

ENSEIGNEMENT AU PATIENT ET À SES PROCHES

□ Expliquer au patient la logique du traitement.

□ Conseiller au patient de signaler au médecin ou à l'infirmière la dyspnée, les démangeaisons ou les symptômes pseudo-grippaux.

VÉRIFICATION DES RÉSULTATS

L'efficacité du traitement peut être démontrée par: l'élévation de la pression artérielle et l'augmentation du volume sanguin et du débit urinaire lors du traitement du choc et des brûlures.

HOMATROPINE

Isopto-Homatropine, Minims Homatropine, (AK-Homatropine), (Homapin), (I-Homatrin)

CLASSIFICATION:
Agent ophtalmique – mydriatique, cycloplégique

Grossesse – catégorie C

INDICATIONS

■ Production de la mydriase et de la cycloplégie pour faciliter l'examen ophtalmique ■ Traitement de l'uvéite et de la kératite.

ACTION

■ Blocage de la réponse à l'acétylcholine au niveau de l'œil entraînant la mydriase et la cycloplégie. **Effets thérapeutiques:** ■ Mydriase et cycloplégie.

PHARMACOCINÉTIQUE

Absorption: Par suite de l'administration ophtalmique, des quantités infimes peuvent être absorbées par voie systémique.
Distribution: Inconnue.
Métabolisme et excrétion: Inconnus.
Demi-vie: Inconnue.

CONTRE-INDICATIONS ET PRÉCAUTIONS

Contre-indications: ■ Hypersensibilité ■ Glaucome à angle étroit.
Précautions: ■ Personnes âgées (risque accru de réactions indésirables) ■ Enfants (risque accru de réactions indésirables) ■ Grossesse ou allaitement (l'innocuité du médicament n'a pas été établie).

RÉACTIONS INDÉSIRABLES ET EFFETS SECONDAIRES

SNC: somnolence, confusion.
ORLO: sécheresse des yeux (alacrymie), vision trouble, mydriase, cycloplégie, sensibilité accrue à la lumière.
CV: palpitations, tachycardie.
GI: sécheresse de la bouche (xérostomie).

INTERACTIONS

Médicament – médicament: ■ La préparation ophtalmique d'homatropine, administrée en même temps que des gouttes ophtalmiques à base de **pilocarpine**, de **carbachol** ou d'**inhibiteurs de la cholinestérase** peut diminuer leur effet antiglaucome.

PRÉSENTATION

Les gouttes ophtalmiques sont présentées en deux concentrations : à 2 % et à 5 %.

VOIES D'ADMINISTRATION ET POSOLOGIE

Remarque: Chez les patients ayant des iris fortement pigmentés, il faut parfois administrer des doses plus élevées.

Réfraction cycloplégique

■ **Gouttes ophtalmiques (adultes):** 1 goutte à 2 % ou à 5 % dans la conjonctive ; on peut répéter l'administration toutes les 5 à 10 min jusqu'à un total de 2 à 5 doses avant la réfraction.

■ **Gouttes ophtalmiques (enfants):** 1 goutte à 2 % dans la conjonctive ; on peut répéter l'administration toutes les 10 min, jusqu'à un total de 3 à 5 doses avant la réfraction.

Uvéite et kératite

■ **Gouttes ophtalmiques (adultes):** 1 goutte à 2 % ou à 5 % dans la conjonctive, 2 ou 3 fois par jour et jusqu'à des intervalles de 3 ou 4 h, au maximum.

■ **Gouttes ophtalmiques (enfants):** 1 goutte à 2 % dans la conjonctive, 2 ou 3 fois par jour.

PHARMACODYNAMIE

	DÉBUT D'ACTION	PIC	DURÉE
gouttes ophtalmiques (mydriase)	40 – 60 min	inconnu	1 – 3 jours
gouttes ophtalmiques (cycloplégie)	30 – 60 min	inconnu	1 – 3 jours

※ SOINS INFIRMIERS

ÉVALUATION DE LA SITUATION

Rechercher les symptômes suivants d'absorption par voie systémique : tachycardie, rougeurs du visage, sécheresse de la bouche, somnolence ou confusion. Prévenir le médecin si ces symptômes se manifestent.

DIAGNOSTICS INFIRMIERS POSSIBLES

■ **Énoncés diagnostiques**
☐ Altération de la perception visuelle.
☐ Prise en charge inefficace du programme thérapeutique.
☐ *Risque élevé d'accident.*
☐ *Risque élevé d'infection.*

■ **Facteurs favorisants**
☐ Informations incomplètes.
☐ *Manque de connaissances sur les moyens de réduire la photosensibilité et sur l'importance d'un suivi ophtalmologique.*
☐ *Altération de la perception visuelle.*
☐ *Perturbation de la vigilance.*
☐ *Manque de connaissances sur la méthode d'administration du médicament.*

INTERVENTIONS INFIRMIÈRES

La méthode d'administration des préparations ophtalmiques est indiquée à l'annexe H.

ENSEIGNEMENT AU PATIENT ET À SES PROCHES

☐ Expliquer au patient comment administrer les gouttes ophtalmiques. Insister sur le fait qu'il ne doit pas toucher le bout de l'applicateur. Si le patient n'a pas pu instiller les gouttes ophtalmiques au moment habituel, il doit le faire dès que possible, à moins que ce ne soit presque l'heure d'administrer la dose suivante. Le prévenir qu'il ne doit jamais instiller une dose double.

☐ Prévenir le patient que l'homatropine peut troubler passagèrement sa vision et altérer sa capacité d'évaluer les distances. Lui conseiller de ne pas conduire et d'éviter les activités qui exigent une bonne acuité visuelle jusqu'à ce que sa vision normale se rétablisse. Lui recommander de porter des lunettes de soleil afin de se protéger les yeux de la lumière vive.

☐ Recommander au patient de prévenir le médecin si les symptômes suivants persistent pendant plus de 3 jours : irritation oculaire, vision trouble ou sensibilité accrue à la lumière. Le médecin peut prescrire des examens ophtalmiques réguliers pour suivre de près la pression intraoculaire, surtout chez les patients recevant l'homatropine en traitement prolongé de l'uvéite.

VÉRIFICATION DES RÉSULTATS

L'efficacité du traitement peut être démontrée par : la mydriase et la cycloplégie.

HUILE MINÉRALE

Agarol, Fleet à l'huile minérale, Lansoÿl, Nujol, (Kondremul Plain), (Milkinol), (Neo-Cultol), (Petrogalar)

CLASSIFICATION :
Laxatif lubrifiant

Grossesse – catégorie inconnue

INDICATIONS

Traitement de la constipation par ramollissement des selles.

ACTION

■ Lubrification des selles et de l'intestin par un enduit qui favorise le passage des selles ■ Amélioration de la rétention hydrique dans les selles. **Effets thérapeutiques :** ■ Ramollissement de la masse fécale et élimination subséquente.

PHARMACOCINÉTIQUE

Absorption : L'absorption est minime lorsque le médicament est pris PO.
Distribution : Le médicament se répartit dans les ganglions lymphatiques mésentériques, la muqueuse intestinale, le foie et la rate.
Métabolisme et excrétion : Inconnus. L'effet est principalement local ; l'huile minérale non absorbée est évacuée en même temps que la masse fécale.
Demi-vie : Inconnue.

CONTRE-INDICATIONS ET PRÉCAUTIONS

Contre-indications : ■ Hypersensibilité ■ Enfants de moins de six ans (PO) ■ Enfants de moins de deux ans (PR).
Précautions : ■ Enfants, personnes âgées ou patients débilités (risque accru de pneumonie huileuse) ■ Grossesse (la prise prolongée diminue l'absorption des vitamines liposolubles, ce qui peut provoquer l'hypoprothrombinémie chez le nouveau-né).

RÉACTIONS INDÉSIRABLES ET EFFETS SECONDAIRES

Resp. : pneumonie huileuse.
GI : fuite d'huile minérale par le rectum, irritation anale.

INTERACTIONS

Médicament – médicament : L'huile minérale diminue l'absorption des **vitamines liposolubles (A, D, E, K)**. **Médicament – aliments :** L'huile minérale diminue l'absorption des **vitamines liposolubles (A, D, E, K)**.

VOIES D'ADMINISTRATION ET POSOLOGIE

■ **PO (adultes et enfants > 12 ans) :** de 10 à 60 mL en une seule dose, le soir au coucher.
■ **PO (enfants de 6 à 12 ans) :** de 2,5 à 20 mL en une seule dose, le soir au coucher.

- **PR (adultes et enfants > 12 ans):** 120 mL en une seule dose.
- **PR (enfants de 2 à 12 ans):** 60 mL en une seule dose.

PHARMACODYNAMIE
(effet laxatif)

	DÉBUT D'ACTION	PIC	DURÉE
PO	6 – 8 h	inconnu	inconnue
PR	2 – 15 min	inconnu	inconnue

SOINS INFIRMIERS

ÉVALUATION DE LA SITUATION

☐ Suivre de près la distension abdominale, ausculter les bruits intestinaux et noter les habitudes d'élimination intestinale.

☐ Noter la couleur, la consistance et la quantité des selles.

DIAGNOSTICS INFIRMIERS POSSIBLES

■ Énoncés diagnostiques

☐ Constipation.

☐ Prise en charge inefficace du programme thérapeutique.

☐ *Risque élevé de déficit nutritionnel.*

■ Facteurs favorisants

☐ Informations incomplètes.

☐ *Manque de connaissances sur les moyens de stimuler la fonction intestinale.*

☐ *Manque de connaissances sur le régime alimentaire à suivre.*

☐ *Manque de connaissances sur la méthode d'administration du médicament.*

☐ *Manque de connaissances sur les modalités du traitement.*

INTERVENTIONS INFIRMIÈRES

■ Directives générales: Ce médicament ne stimule pas le péristaltisme intestinal.

☐ Administrer l'huile minérale avec prudence aux enfants ou aux patients alités pour prévenir la pneumonie huileuse par aspiration. Ne pas administrer l'huile minérale aux patients qui se trouvent en position couchée.

- **PO:** Habituellement, le médicament devrait être administré au coucher. Ne pas l'administrer dans les deux heures qui suivent ou qui précèdent les repas, car l'huile minérale peut altérer l'absorption des éléments nutritifs et des vitamines.

☐ Espacer de 2 h l'administration d'un laxatif émollient, car l'absorption de l'huile minérale peut être accrue.

ENSEIGNEMENT AU PATIENT ET À SES PROCHES

☐ Prévenir le patient que les laxatifs devraient être utilisés pendant de courtes périodes seulement. Le traitement prolongé peut altérer l'absorption des nutriments et des vitamines A, D, E et K.

☐ Conseiller au patient de ne pas prendre ce médicament dans les 2 h qui suivent ou qui précèdent les repas ou la prise d'un autre médicament.

☐ Inciter le patient à prendre d'autres mesures qui favorisent l'élimination intestinale: augmenter la consommation d'aliments riches en fibres, augmenter la consommation de liquides et faire de l'exercice. Lui expliquer que les habitudes d'élimination intestinale varient d'une personne à l'autre et qu'il est tout aussi normal de déféquer 3 fois par jour que 3 fois par semaine.

☐ Conseiller au patient souffrant de maladie cardiaque d'éviter les efforts reliés à la défécation (manœuvre de Valsalva).

☐ Prévenir le patient que des doses élevées d'huile minérale peuvent entraîner des fuites d'huile par le rectum; lui conseiller de protéger ses vêtements. On peut prévenir ces fuites en réduisant la dose, en la fractionnant ou en prenant la préparation sous forme d'émulsion (Agarol).

H

H

□ Recommander au patient de ne pas prendre de laxatif en présence de douleurs abdominales, de nausées, de vomissements ou de fièvre.

VÉRIFICATION DES RÉSULTATS

L'efficacité du traitement peut être démontrée par : ■ l'élimination de selles molles et bien moulées, habituellement dans les 6 à 8 h. □ Habituellement, on peut obtenir des résultats dans les 2 à 15 min qui suivent l'administration PR.

HYDRALAZINE

Apresoline, Apo-Hydralazine, Novo-Hylazin, Nu-Hydral, (Alazine), (Dralazine), (Rolzine)

CLASSIFICATION :
Antihypertenseur – vasodilatateur

Grossesse – catégorie C

INDICATIONS

■ Traitement de l'hypertension modérée à grave en association avec un diurétique ou un bêtabloquant. **Usage non approuvé :** ■ Traitement de l'insuffisance cardiaque, rebelle au traitement classique aux diurétiques et aux dérivés digitaliques.

ACTION

■ Vasodilatation directe des artérioles périphériques. **Effets thérapeutiques :** ■ Abaissement de la pression artérielle chez les patients hypertendus et diminution de la post-charge chez les patients souffrant d'insuffisance cardiaque.

PHARMACOCINÉTIQUE

Absorption : Par suite de l'administration par voie orale, le médicament est rapidement absorbé. Bonne absorption depuis les points d'injection IM.
Distribution : L'hydralazine se répartit dans tout l'organisme. Elle traverse le pla-

centa et on la retrouve dans le lait maternel en très faibles concentrations.
Métabolisme et excrétion : La plus grande partie du médicament est métabolisée dans la muqueuse gastro-intestinale et le foie.
Demi-vie : De 2 à 8 h.

CONTRE-INDICATIONS ET PRÉCAUTIONS

Contre-indications : ■ Hypersensibilité ■ Hypersensibilité aux préparations contenant de la tartrazine.
Précautions : ■ Maladie cardiovasculaire ou cérébrovasculaire ■ Maladies rénale et hépatique graves ■ Grossesse, allaitement ou enfants (l'innocuité du médicament n'a pas été établie).

RÉACTIONS INDÉSIRABLES ET EFFETS SECONDAIRES

SNC : céphalées, neuropathie périphérique, étourdissements, somnolence.
CV : tachycardie, angine, arythmies, hypotension orthostatique, œdème.
GI : nausées, vomissements, diarrhée.
Tég. : rash.
HÉ : rétention sodique.
Loc. : arthrite, arthralgie.
SN : neuropathie périphérique.
Divers : syndrome lupique induit par le médicament.

INTERACTIONS

Médicament – médicament : ■ Effets hypotensifs additifs, lors de l'administration concomitante d'**autres antihypertenseurs** ou de **dérivés nitrés** et de l'ingestion d'**alcool** ■ Les **inhibiteurs de la MAO** peuvent intensifier l'état hypotensif ■ L'hydralazine peut réduire les effets vasopresseurs de l'**épinéphrine** ■ L'administration concomitante d'**agents anti-inflammatoires non stéroïdiens** peut diminuer la réponse antihypertensive ■ Les **bêtabloquants** diminuent la tachycardie induite par l'hydralazine (on peut administrer un traitement d'association pour cette raison).

VOIES D'ADMINISTRATION ET POSOLOGIE

- **PO (adultes):** de 40 à 200 mg par jour en 2 à 4 doses fractionnées.
- **PO (enfants) (É.-U.):** 0,75 mg/kg par jour (25 mg/m^2) en 4 doses fractionnées ; on peut augmenter graduellement jusqu'à 7,5 mg/kg par jour en 4 doses fractionnées (usage non approuvé).
- **IV (adultes):** de 20 à 40 mg, répéter l'administration toutes les 4 à 6 h ou selon les besoins pendant 24 à 48 h environ.
- **IV (enfants):** de 1,7 à 3,5 mg/kg par jour ou de 50 à 100 mg/m^2 par jour en 4 à 6 doses fractionnées (usage non approuvé).

PHARMACODYNAMIE
(effet antihypertenseur)

	DÉBUT D'ACTION	PIC	DURÉE
PO	20 – 30 min	2 h	6 – 12 h
IV	5 – 20 min	10 – 80 min	4 – 6 h

SOINS INFIRMIERS

ÉVALUATION DE LA SITUATION

- ☐ Mesurer souvent la pression artérielle et le pouls pendant la période d'ajustement de la posologie et à intervalles réguliers pendant tout le traitement. Prévenir le médecin si des changements importants surviennent.
- ■ **Étude des examens diagnostiques et biochimiques:** Examiner la numération globulaire, les concentrations d'électrolytes, la présence de cellule LE et les titres d'anticorps antinucléaires avant l'administration initiale et à intervalles réguliers tout au long du traitement prolongé.
- ☐ L'hydralazine peut entraîner un résultat positif au test de Coombs direct (test à l'antiglobuline).

DIAGNOSTICS INFIRMIERS POSSIBLES

- ■ **Énoncés diagnostiques**
- ☐ Diminution de l'irrigation tissulaire.
- ☐ Prise en charge inefficace du programme thérapeutique.
- ☐ Non-observance du traitement médicamenteux.
- ☐ *Risque élevé de déséquilibre hydro-électrolytique.*
- ☐ *Risque élevé d'accident.*
- ☐ *Risque élevé d'anxiété.*
- ■ **Facteurs favorisants**
- ☐ Informations incomplètes.
- ☐ Doute quant aux bienfaits du médicament.
- ☐ *Modification de l'état liquidien ou des volumes circulants.*
- ☐ *Manque de connaissances sur les effets hypotensifs du médicament lors des changements brusques de position.*
- ☐ *Manque de connaissances sur les modalités du traitement.*
- ☐ *Difficulté à s'adapter aux changements nécessaires dans les habitudes de vie.*
- ☐ *Manque de connaissances sur le régime alimentaire à suivre.*
- ☐ *Manque de connaissances sur les effets secondaires du médicament.*
- ☐ *Perturbation de la vigilance.*

INTERVENTIONS INFIRMIÈRES

- ■ **Directives générales:** Le médicament ne doit être administré par voie IV que si le patient est incapable de prendre la forme orale.
- ☐ On peut administrer l'hydralazine en association avec des diurétiques ou des bêtabloquants pour pouvoir en réduire la dose et, par conséquent, les effets secondaires.
- ■ **PO:** Il faut toujours administrer l'hydralazine avec des aliments pour en favoriser l'absorption.
- ☐ Dans le cas des patients ayant des difficultés de déglutition, le pharmacien peut préparer une solution orale à partir de l'hydralazine pour injection.

- **IV directe :** Injecter la solution non diluée dans une tubulure en Y ou dans un robinet à 3 voies.
- ☐ Après avoir aspiré la solution dans la seringue, l'utiliser dès que possible. L'hydralazine change de couleur au contact d'un filtre métallique.
- *Vitesse d'administration :* Administrer la solution à un débit maximal de 10 mg/min. Mesurer souvent la pression artérielle et le pouls après l'injection.
- **Compatibilités (tubulure en Y) :** Chlorure de potassium, héparine, succinate d'hydrocortisone sodique ou vérapamil.
- **Incompatibilités (tubulure en Y) :** Aminophylline, ampicilline, diazoxide ou furosémide.
- **Compatibilités en addition au soluté :** Mélange de dextrose et de salin, mélange de dextrose et de solution de Ringer, dextrose à 5 % dans du lactate Ringer, dextrose à 5 % ou à 10 % dans de l'eau, dextrose à 10 % dans du lactate Ringer, solution de NaCl à 0,45 % et à 0,09 %, solution de Ringer ou de lactate Ringer ou dobutamine.
- **Incompatibilités en addition au soluté :** Aminophylline, ampicilline, chlorothiazide, édétate disodique de calcium, éthacrynate sodique, méthohexital, nitroglycérine, phénobarbital, succinate d'hydrocortisone sodique ou vérapamil.

ENSEIGNEMENT AU PATIENT ET À SES PROCHES

- ☐ Inciter le patient à continuer à prendre le médicament, même s'il se sent mieux. Conseiller au patient de prendre le médicament au même moment, tous les jours. La dernière dose de la journée devrait être prise au coucher. Si le patient n'a pas pu prendre le médicament au moment habituel, il doit le prendre aussitôt que possible mais sans toutefois doubler la dose. Si le patient n'a pas pu prendre plus de deux doses consécutives, il doit

en prévenir le médecin. Le sevrage brusque peut entraîner une élévation soudaine de la pression artérielle. L'hydralazine stabilise la pression artérielle mais ne guérit pas l'hypertension.

- ☐ Inciter le patient à suivre d'autres mesures de réduction de l'hypertension : perdre du poids, réduire sa consommation de sel, cesser de fumer, boire avec modération, faire régulièrement de l'exercice et diminuer le stress. Montrer au patient et à ses proches comment mesurer la pression artérielle. Leur demander de prendre la pression artérielle une fois par semaine et leur recommander de signaler au médecin tous les changements importants.
- ☐ Conseiller au patient de se peser deux fois par semaine et d'examiner ses pieds et ses chevilles afin de déceler la rétention hydrique.
- ☐ Prévenir le patient que l'hydralazine peut provoquer de la somnolence. Lui conseiller de ne pas conduire et d'éviter les activités qui exigent sa vigilance jusqu'à ce qu'on ait la certitude que le médicament n'entraîne pas cet effet chez lui.
- ☐ Recommander au patient de changer lentement de position pour prévenir les risques d'hypotension orthostatique.
- ☐ Conseiller au patient de consulter le médecin ou le pharmacien avant de prendre un médicament contre la toux, le rhume ou les allergies, en même temps que l'hydralazine. Lui conseiller également de limiter sa consommation de thé, de café ou de boissons à base de cola.
- ☐ Recommander au patient qui doit suivre un traitement dentaire ou subir une intervention chirurgicale de prévenir le dentiste ou le médecin qu'il suit un traitement antihypertenseur.
- ☐ Recommander au patient de signaler immédiatement au médecin les symp-

tômes suivants : fatigue généralisée, fièvre, douleurs musculaires ou articulaires, douleurs thoraciques, rash, maux de gorge ou engourdissement, picotements, douleurs ou faiblesse des mains et des pieds. La vitamine B_6 (pyridoxine) peut soulager la névrite périphérique.

☐ Insister sur l'importance des examens de suivi permettant d'évaluer les bienfaits du médicament.

VÉRIFICATION DES RÉSULTATS

L'efficacité du traitement peut être démontrée par : la baisse de la pression artérielle sans manifestation des effets secondaires.

HYDROCHLOROTHIAZIDE

Apo-Hydro, HydroDIURIL, Novohydrazine, (Duiclor H), (Esidrex), (HCTZ), (Mictrin), (Natrimax), (Neo-Codema), (Oretic), (Thiuretic), (Urozide)

CLASSIFICATION :
Diurétique de type thiazidique ; antihypertenseur – diurétique thiazidique

Grossesse – catégorie B

INDICATIONS

■ Monothérapie ou traitement d'association avec d'autres agents en présence d'hypertension légère à modérée ■ Monothérapie ou traitement d'association en présence d'œdème provoqué par : ☐ l'insuffisance cardiaque ☐ le syndrome néphrotique, la glomérulonéphrite aiguë ou une affection rénale chronique ☐ la corticothérapie ou l'œstrogénothérapie ☐ la cirrhose hépatique. **Usage non approuvé :** ■ Œdème provoqué par la grossesse.

ACTION

■ Excrétion accrue du sodium et de l'eau par l'inhibition de la réabsorption sodi-que au niveau du tubule distal ■ Effet favorable sur l'excrétion des chlorures, du potassium, du magnésium et du bicarbonate ■ Dilatation artériolaire. **Effets thérapeutiques :** ■ Abaissement de la pression artérielle chez les hypertendus et diurèse par suite de la diminution de l'œdème.

PHARMACOCINÉTIQUE

Absorption : Par suite de l'administration par voie orale, l'absorption depuis le tractus gastro-intestinal est variable.

Distribution : Le médicament se répartit dans l'espace extracellulaire. Il traverse le placenta et pénètre dans le lait maternel.

Métabolisme et excrétion : L'hydrochlorothiazide est excrété à l'état pratiquement inchangé par les reins.

Demi-vie : De 6 à 15 h.

CONTRE-INDICATIONS ET PRÉCAUTIONS

Contre-indications : ■ Hypersensibilité ■ Risque de réactions de sensibilité croisée avec d'autres diurétiques thiazidiques ou avec les sulfamidés ■ Anurie ■ Allaitement.

Précautions : ■ Insuffisances rénale ou hépatique graves ■ Grossesse (risque d'ictère ou de thrombocytopénie chez le nouveau-né).

RÉACTIONS INDÉSIRABLES ET EFFETS SECONDAIRES

SNC : somnolence, léthargie, étourdissements, faiblesse.

CV : hypotension.

Tég. : rash, photosensibilité.

End. : hyperglycémie.

HÉ : hypokaliémie, alcalose hypochlorémique, hyponatrémie, hypercalcémie, hypophosphatémie, hypomagnésémie, déshydratation, hypovolémie.

GI : anorexie, nausées, vomissements, crampes, hépatite.

Hémat. : dyscrasie.

Métab. : hyperuricémie, hyperlipidémie.

Loc.: crampes musculaires.

Divers: pancréatite.

INTERACTIONS

Médicament – médicament: ■ Effet hypotenseur additif, lors de l'administration simultanée d'**autres agents antihypertenseurs** ou de **dérivés nitrés** et de l'ingestion d'**alcool** ■ Effet hypokaliémique additif, lors de l'administration simultanée de **glucocorticoïdes**, d'**amphotéricine B**, de **mézlocilline**, de **pipéracilline** ou de **ticarcilline** ■ L'hypokaliémie augmente le risque de toxicité **digitalique** ■ L'hydrochlorothiazide diminue l'excrétion du **lithium** et peut provoquer une toxicité ■ La **cholestyramine** ou le **colestipol**, administrés simultanément, diminuent l'absorption de l'hydrochlorothiazide. **Médicament – aliments:** ■ L'ingestion simultanée d'**aliments** peut augmenter la quantité absorbée.

PRÉSENTATION

L'agent existe en association avec des antihypertenseurs et des diurétiques d'épargne potassique (voir l'annexe A).

VOIES D'ADMINISTRATION ET POSOLOGIE

- **PO (adultes):** de 25 à 100 mg par jour, 1 ou 2 fois par jour. Chez certaines personnes, il faut parfois administrer jusqu'à 200 mg par jour en doses fractionnées.
- **PO (enfants > 6 mois):** 2,5 mg/kg par jour en 2 doses fractionnées.
- **PO (enfants < 6 mois):** jusqu'à 3,5 mg/kg par jour en 2 doses fractionnées.

PHARMACODYNAMIE

	DÉBUT D'ACTION	PIC	DURÉE
PO (diurétique)	2 h	3 – 6 h	6 – 12 h
PO (antihypertenseur)	3 – 4 jours	7 – 14 jours	7 jours

☀ SOINS INFIRMIERS

ÉVALUATION DE LA SITUATION

- ☐ Mesurer la pression artérielle, effectuer le bilan des ingesta et des excreta et peser le patient tous les jours. Examiner quotidiennement les pieds, les jambes et la région sacrée pour déceler la formation d'un œdème.
- ☐ Observer le patient, particulièrement s'il prend des dérivés digitaliques, pour déceler les symptômes suivants: anorexie, nausées, vomissements, crampes musculaires, paresthésie et confusion. Ces patients sont davantage prédisposés à la toxicité digitalique en raison de l'effet hypokaliémique du diurétique.
- ☐ Interroger le patient à propos de ses antécédents d'allergie aux sulfamidés.
- ☐ **Étude des examens diagnostiques et biochimiques:** Examiner les concentrations d'électrolytes (particulièrement, celles de potassium), la glycémie, les concentrations sériques d'urée et d'acide urique avant le traitement et à intervalles réguliers pendant toute sa durée.
- ☐ L'hydrochlorothiazide peut augmenter les concentrations de glucose sérique et urinaire chez les diabétiques.
- ☐ L'agent peut accroître les concentrations sériques de bilirubine, de calcium et d'acide urique et diminuer les concentrations sériques de magnésium, de potassium et de sodium.
- ☐ L'hydrochlorothiazide peut entraîner l'élévation des concentrations sériques de cholestérol, de lipoprotéines de basse densité et de triglycérides.

DIAGNOSTICS INFIRMIERS POSSIBLES

- ■ **Énoncés diagnostiques**
- ☐ Excès de volume liquidien.
- ☐ Déficit de volume liquidien.
- ☐ Prise en charge inefficace du programme thérapeutique.
- ☐ *Risque élevé de déséquilibre hydroélectrolytique.*

☐ *Risque élevé d'accident.*

☐ *Risque élevé d'atteinte à l'intégrité de la peau.*

■ **Facteurs favorisants**

☐ Informations incomplètes.

☐ *Modification de l'état liquidien ou des volumes circulants.*

☐ *Manque de connaissances sur les effets secondaires du médicament.*

☐ *Difficulté à s'adapter aux changements nécessaires dans les habitudes de vie.*

☐ *Manque de connaissances sur la méthode d'administration du médicament.*

☐ *Manque de connaissances sur les effets hyptensifs du médicament lors des changements brusques de position.*

☐ *Manque de connaissances sur les moyens de réduire la photosensibilité.*

☐ *Manque de connaissances sur le régime alimentaire à suivre.*

INTERVENTIONS INFIRMIÈRES

■ **Directives générales :** Administrer l'agent le matin afin d'éviter l'interruption du cycle du sommeil.

■ **PO :** Administrer le médicament avec des aliments ou du lait afin de réduire l'irritation gastrique. Si le patient éprouve des difficultés de déglutition, on peut broyer les comprimés et les mélanger à des liquides.

☐ On peut administrer le médicament de façon intermittente pour traiter l'œdème.

ENSEIGNEMENT AU PATIENT ET À SES PROCHES

☐ Conseiller au patient de prendre le médicament au même moment tous les jours. S'il n'a pas pu prendre le médicament au moment habituel, il doit le prendre aussitôt que possible, mais non pas juste avant l'heure prévue pour la dose suivante. L'avertir qu'il ne doit jamais remplacer une dose manquée par une double dose. Expliquer également au patient qui reçoit l'hydrochlorothiazide pour le traitement de l'hypertension qu'il doit continuer de prendre le médicament même s'il se sent mieux. L'hydrochlorothiazide stabilise la pression artérielle mais ne guérit pas l'hypertension.

☐ Inciter le patient à appliquer d'autres mesures de réduction de l'hypertension : perdre du poids, réduire sa consommation de sel, faire régulièrement de l'exercice, cesser de fumer, boire avec modération et diminuer le stress.

☐ Recommander au patient de se peser deux fois par semaine et de signaler au médecin toute modification importante du poids. Montrer au patient comment prendre sa pression artérielle et l'inciter à la mesurer une fois par semaine.

☐ Recommander au patient de changer lentement de position pour prévenir les risques d'hypotension orthostatique. Lui expliquer que l'alcool peut intensifier l'effet hypotensif du médicament.

☐ Recommander au patient d'utiliser des écrans solaires (éviter les préparations qui contiennent de l'acide para-aminobenzoïque ou PABA) et de porter des vêtements protecteurs lors des expositions au soleil pour prévenir les réactions de photosensibilité.

☐ Recommander au patient de suivre un régime alimentaire riche en potassium (voir l'annexe K).

☐ Conseiller au patient de consulter le médecin ou le pharmacien avant de prendre des médicaments en vente libre en même temps que l'hydrochlorothiazide.

☐ Inciter le patient à signaler au médecin les symptômes suivants : faiblesse musculaire, crampes, nausées ou étourdissements.

□ Recommander au patient qui doit suivre un traitement dentaire ou subir une intervention chirurgicale d'avertir le médecin ou le dentiste qu'il suit un traitement médicamenteux.

□ Insister sur l'importance des examens réguliers de suivi.

VÉRIFICATION DES RÉSULTATS

L'efficacité du traitement peut être démontrée par: ■ la baisse de la pression artérielle ■ l'augmentation du débit urinaire ■ la diminution de l'œdème.

HYDROCODONE

Hycodan (aux États-Unis, la préparation contient de l'homatropine), Robidone

CLASSIFICATION:

Analgésique narcotique – agoniste (en association); antitussif

Stupéfiant

Grossesse – catégorie C

INDICATIONS

■ Maîtrise de la toux improductive et exténuante. **Usage non approuvé:** ■ Monothérapie et traitement d'association avec d'autres analgésiques narcotiques pour soulager la douleur modérée à grave.

ACTION

■ Liaison aux récepteurs opiacés du SNC. ■ Modification de la perception de la douleur et de la réaction au stimulus douloureux tout en entraînant une dépression généralisée du SNC. **Effets thérapeutiques:** ■ Diminution de l'intensité des douleurs modérées ■ Suppression du réflexe de la toux.

PHARMACOCINÉTIQUE

Absorption: Bonne absorption par suite de l'administration par voie orale.
Distribution: Inconnue.

Métabolisme et excrétion: La plus grande partie du médicament est métabolisée par le foie.
Demi-vie: 3,8 h.

CONTRE-INDICATIONS ET PRÉCAUTIONS

Contre-indications: ■ Hypersensibilité ■ Grossesse et allaitement (administration prolongée à proscrire).
Précautions: ■ Traumatisme crânien ■ Pression intracrânienne accrue ■ Maladies rénale, hépatique ou pulmonaire graves ■ Hypothyroïdie ■ Insuffisance surrénalienne ■ Alcoolisme (les préparations peuvent contenir de l'alcool) ■ Personnes âgées ou patients débilités (réduire la dose) ■ Douleur abdominale non diagnostiquée ■ Hypertrophie de la prostate ■ Grossesse et allaitement (l'innocuité du médicament n'a pas été établie).

RÉACTIONS INDÉSIRABLES ET EFFETS SECONDAIRES

SNC: sédation, confusion, céphalées, euphorie, sensation de flottement, rêves bizarres, hallucinations, dysphorie.
CV: hypotension, bradycardie.
ORLO: myosis, diplopie, vision trouble.
Resp.: dépression respiratoire.
GI: nausées, vomissements, constipation.
GU: rétention urinaire.
Tég.: transpiration, bouffées vasomotrices.
Divers: tolérance aux effets du médicament, dépendance physique, psychodépendance.

INTERACTIONS

Médicament – médicament: ■ L'hydrocodone doit être administrée avec une extrême prudence chez les patients recevant des **inhibiteurs de la MAO**, car elle peut provoquer des réactions graves et imprévisibles (réduire la dose initiale d'hydrocodone à 25 % de la dose habituelle) ■ Effet dépresseur additif sur le SNC, lors de l'usage concomitant d'**al-**

cool, d'**antihistaminiques** et d'**hypno-sédatifs** ■ L'administration d'**analgésiques narcotiques antagonistes partiels** peut déclencher des symptômes de sevrage chez les patients présentant une dépendance physique aux analgésiques narcotiques ■ La **nalbuphine** ou la **pentazocine** peuvent diminuer l'analgésie induite par l'hydrocodone.

PRÉSENTATION

L'hydrocodone existe en association avec d'autres médicaments (voir l'annexe A).

VOIES D'ADMINISTRATION ET POSOLOGIE

Antitussif

- **PO (adultes):** de 5 à 10 mg, toutes les 4 à 6 h, selon les besoins (ne pas dépasser 15 mg par dose ou 30 mg par jour).
- **PO (enfants > 12 ans):** 5 mg, toutes les 4 à 6 h, selon les besoins (ne pas dépasser 10 mg par dose ou 30 mg par jour).
- **PO (enfants entre 2 et 12 ans):** 2,5 mg, toutes les 4 à 6 h, selon les besoins (ne pas dépasser 5 mg par dose ou 15 mg par jour).
- **PO (enfants < 2 ans):** 1,25 mg, toutes les 4 à 6 h, selon les besoins (ne pas dépasser 1,25 mg par dose ou 7,5 mg par jour).

Analgésique

- **PO (adultes):** de 5 à 10 mg, toutes les 4 à 6 h, selon les besoins.
- **PO (enfants):** 0,15 mg/kg, toutes les 6 h, selon les besoins.

PHARMACODYNAMIE

	DÉBUT D'ACTION	PIC	DURÉE
PO (antitussif)	inconnu	inconnu	4 – 6 h
PO (analgésique)	10 – 30 min	30 – 60 min	4 – 6 h

☀ SOINS INFIRMIERS

ÉVALUATION DE LA SITUATION

- ☐ Mesurer la pression artérielle, le pouls et la fréquence respiratoire avant et à intervalles réguliers pendant l'administration du médicament.
- ☐ Examiner la fonction intestinale du patient à intervalles réguliers. La consommation accrue de liquides et d'aliments riches en fibres et la prise de laxatifs émollients ou d'un autre type peuvent réduire les effets constipants du médicament.
- ■ **Douleur:** Déterminer le type de douleur, son siège et son intensité, avant l'administration du médicament et 60 min après.
- ☐ L'usage prolongé peut entraîner la dépendance physique et psychologique ainsi qu'une tolérance aux effets du médicament, mais cela ne doit pas empêcher le patient de recevoir une quantité suffisante d'analgésiques. La psychodépendance est rare chez la plupart des patients qui reçoivent de l'hydrocodone pour des raisons médicales. Les risques de dépendance sont moindres que ceux observés lors de l'administration de morphine. Lors d'un traitement prolongé, il faut parfois administrer des doses de plus en plus élevées pour soulager la douleur.
- ■ **Toux:** Noter le type de toux et les caractéristiques des expectorations et ausculter le murmure vésiculaire.
- ■ **Étude des examens diagnostiques et biochimiques:** Le médicament peut entraîner l'élévation des concentrations plasmatiques d'amylase et de lipase.
- ■ **Toxicité et surdosage:** En cas de surdosage, l'antidote est la naloxone (Narcan).

DIAGNOSTICS INFIRMIERS POSSIBLES

- ■ **Énoncés diagnostiques**
- ☐ Douleur.
- ☐ Altération de la perception visuelle et auditive.

H

□ Risque élevé d'accident.

□ *Risque élevé de constipation.*

□ *Risque élevé de prise en charge inefficace du programme thérapeutique.*

■ **Facteurs favorisants**

□ *Perturbation de la vigilance.*

□ *Manque de connaissances sur les effets hypotensifs du médicament lors des changements brusques de position.*

□ *Manque de connaissances sur les moyens de stimuler la fonction intestinale.*

□ *Manque de connaissances sur les effets secondaires du médicament et sur les moyens de les prévenir.*

□ *Manque de connaissances sur les modalités du traitement.*

□ *Manque de connaissances sur le régime alimentaire à suivre.*

INTERVENTIONS INFIRMIÈRES

■ **Directives générales:** Pour augmenter l'effet analgésique de l'hydrocodone, avant de l'administrer, expliquer au patient la valeur thérapeutique de ce médicament.

□ Les doses prises selon un horaire fixe peuvent être plus efficaces que celles administrées sur demande. L'analgésique s'avère plus efficace s'il est administré avant que la douleur ne devienne intense.

□ Après un traitement prolongé, interrompre l'administration graduellement pour prévenir les symptômes de sevrage.

■ **PO:** Administrer avec des aliments ou du lait pour réduire l'irritation gastrique.

ENSEIGNEMENT AU PATIENT ET À SES PROCHES

□ Expliquer au patient ce qu'on entend par administration sur demande et à quel moment il doit réclamer l'analgésique.

□ Prévenir le patient que l'hydrocodone peut provoquer des étourdissements

et de la somnolence. Lui recommander de demander de l'aide lorsqu'il se déplace et de ne pas fumer lorsqu'il est seul. Lui conseiller de ne pas conduire et d'éviter les activités qui exigent sa vigilance jusqu'à ce qu'on ait la certitude que le médicament n'entraîne pas ces effets chez lui.

□ Recommander au patient de changer lentement de position pour diminuer le risque d'hypotension orthostatique.

□ Inciter le patient à ne pas boire d'alcool et à ne pas prendre d'autres dépresseurs du SNC en même temps que l'hydrocodone.

□ Conseiller au patient de se tourner dans le lit, de tousser et de faire des exercices de respiration profonde toutes les 2 h pour prévenir l'atélectasie.

VÉRIFICATION DES RÉSULTATS

L'efficacité du traitement peut être démontrée par: ■ la diminution de l'intensité de la douleur sans modification importante de l'état de la conscience ou de l'état de la respiration □ la suppression de la toux improductive.

HYDROCORTISONE

A-hydroCort, Cortacet, Cortate, Cortef, Cortenema, Corticrème, Cortifoam, Cortiment, Cortoderm, Emo-Cort, Hyderm, Prevex HC, Rectocort, SoluCortef, Texacort, Unicort, Westcort, (Biosone), (Cortisol), (Hycort), (Hydrocortisone)

CLASSIFICATION:
Glucocorticoïde à action brève

Grossesse – catégorie inconnue

INDICATIONS

■ Traitement de l'insuffisance corticosurrénalienne ■ Traitement de courte durée de diverses affections inflammatoires et allergiques incluant l'asthme et la rectocolite hémorragique ■ Traitement prolongé limité en raison des propriétés minéralocorticoïdes de l'agent ■ Administration un jour sur deux à déconseiller.

ACTION

■ Remplacement du cortisol en cas de déficit ■ Suppression de la réponse immunitaire normale et de l'inflammation ■ Effets métaboliques variés et puissants ■ Minéralocorticoïde puissant (rétention sodique) ■ Suppression de la fonction surrénalienne lors de l'administration prolongée à des doses supérieures à 20 mg par jour. **Effets thérapeutiques:** ■ Remplacement du cortisol en cas de déficit ■ Suppression de l'inflammation.

PHARMACOCINÉTIQUE

Absorption: Bonne absorption par suite de l'administration par voie orale. Les sels de succinate sont rapidement absorbés par suite de l'administration IM. Une certaine absorption peut se produire par voie systémique lors de l'usage prolongé de préparations topiques.
Distribution: Le médicament se répartit dans tout l'organisme. Il traverse le placenta et pénètre dans le lait maternel.
Métabolisme et excrétion: Métabolisme hépatique.
Demi-vie: De 80 à 120 min.

CONTRE-INDICATIONS ET PRÉCAUTIONS

Contre-indications: ■ Infections graves à l'exception de certaines formes de méningites ■ Ne pas administrer de vaccins vivants aux patients qui reçoivent une dose supérieure à 20 mg par jour.
Précautions: ■ Enfants (l'utilisation prolongée peut arrêter la croissance) ■ Traitement prolongé à des doses supérieures à 20 mg par jour (suppression de la fonction surrénalienne) ■ Sevrage brusque à déconseiller ■ Période de stress (infection, intervention chirurgicale): administrer des doses supplémentaires, au besoin ■ L'hydrocortisone peut masquer les signes d'infection ■ Administrer la dose la plus faible possible pendant la période la plus courte possible ■ Grossesse ou allaitement (l'innocuité du médicament n'a pas été établie).

RÉACTIONS INDÉSIRABLES ET EFFETS SECONDAIRES

SNC: psychoses, dépression, euphorie.
ORLO: cataractes, pression intraoculaire accrue.
CV: œdème, hypertension, insuffisance cardiaque, thromboembolie.
GI: nausées, vomissements, appétit accru, gain de poids, hémorragie gastrique, ulcère gastroduodénal.
Tég.: pétéchies, ecchymoses, fragilité cutanée, ralentissement de la cicatrisation des plaies, hirsutisme, acné.
End.: irrégularités du cycle menstruel, hyperglycémie, ralentissement de la croissance chez les enfants, suppression de la fonction surrénalienne.
HÉ: hypokaliémie, rétention sodique, alcalose métabolique, hypocalcémie.
Locaux: atrophie au point d'injection IM (préparations retard).
Loc.: faiblesse, myopathie, nécrose aseptique des articulations, ostéoporose.
Divers: prédisposition accrue aux infections, pancréatite, aspect cushingoïde (faciès lunaire, bosse de bison).

INTERACTIONS

Médicament – médicament: ■ Effet hypokaliémique additif, lors de l'administration concomitante d'**amphotéricine B**, de **mezlocilline**, de **pipéracilline**, de **ticarcilline** ou de **diurétiques** ■ L'hypokaliémie peut augmenter le risque de toxicité **digitalique** ■ L'hydrocortisone peut augmenter les besoins en **insuline** ou en **hypoglycémiants oraux** ■ La **phénytoïne**, le **phénobarbital** et la **rifampine** accélèrent le métabolisme de l'hydrocortisone et peuvent en réduire l'efficacité ■ Les **contraceptifs oraux** peuvent bloquer le métabolisme de l'hydrocortisone ■ L'hydrocortisone peut

H

diminuer la réponse des anticorps aux **vaccins vivants** et augmenter le risque de réactions indésirables.

PRÉSENTATION

L'hydrocortisone est présentée sous diverses formes : comprimés, solution et suspension otiques, en association avec des antibiotiques (Cortisporin) ; crème, onguent, mousse et solution pour usage topique ; lavement, mousse, onguent, suppositoire pour usage rectal ; préparation pour injection IM ou IV.

VOIES D'ADMINISTRATION ET POSOLOGIE

- **PO (adultes) :** de 10 à 320 mg par jour, en 2 à 4 doses fractionnées.
- **IM et IV (adultes) :** de 100 à 500 mg, toutes les 2 à 10 h.
- **PR (adultes) :** de 10 à 100 mg, 1 ou 2 fois par jour sous forme de lavement, de suppositoire ou de mousse.
- **Usage topique (adultes et enfants) :** onguent ou crème de 0,1 à 2,5 % – appliquer 1 à 4 fois par jour ; lotion – appliquer 3 ou 4 fois par jour.

PHARMACODYNAMIE (effet anti-inflammatoire)

	DÉBUT D'ACTION	PIC	DURÉE
PO	6 h	inconnu	1,25 – 1,5 jour
IM	rapide	inconnu	1,25 – 1,5 jour
IV	rapide	inconnu	1,25 – 1,5 jour

☀ SOINS INFIRMIERS

ÉVALUATION DE LA SITUATION

- **Directives générales :** L'hydrocortisone est indiquée pour le traitement d'un grand nombre de maladies. Suivre de près le système affecté, avant le traitement et à intervalles réguliers pendant toute sa durée.
- ☐ Avant le traitement et à intervalles réguliers pendant toute sa durée, rechercher les signes suivants d'insuffisance surrénalienne : hypotension, perte de poids, faiblesse, nausées, vomissements, anorexie, léthargie, confusion, agitation.
- ☐ Effectuer le bilan quotidien des ingesta et des excreta et peser le patient tous les jours. Suivre de près l'apparition d'un œdème périphérique, de râles et de crépitations ou de la dyspnée ainsi qu'un gain de poids constant. Prévenir le médecin si ces symptômes surviennent.
- ☐ Noter à intervalles réguliers la croissance chez les enfants.
- **Usage topique :** Examiner la peau atteinte avant l'administration et quotidiennement pendant tout le traitement. Noter le degré d'inflammation et l'intensité du prurit.
- **Étude des examens diagnostiques et biochimiques :** Chez les patients qui suivent un traitement prolongé, il faut mesurer régulièrement les paramètres hématologiques, les électrolytes sériques, la glycémie et la glycosurie. L'hydrocortisone peut entraîner la diminution du nombre de leucocytes, provoquer l'hyperglycémie, particulièrement chez les diabétiques, diminuer les concentrations sériques de potassium et de calcium et augmenter celles de sodium.
- ☐ Prévenir rapidement le médecin si on a décelé du sang occulte dans les selles par la méthode au gaïac.
- ☐ L'hydrocortisone peut élever les concentrations sériques de cholestérol et de lipides et diminuer les concentrations sériques d'iode lié aux protéines et de thyroxine.
- ☐ L'hydrocortisone peut supprimer les réactions aux tests cutanés d'allergologiques.
- ☐ Le médecin peut prescrire à intervalles réguliers des tests de l'exploration fonctionnelle surrénalienne pour déterminer le degré auquel l'axe hypothalamo-hypophyso-surrénalien a été supprimé.

DIAGNOSTICS INFIRMIERS POSSIBLES

■ **Énoncés diagnostiques**

☐ Risque élevé d'infection.

☐ Prise en charge inefficace du programme thérapeutique.

☐ *Risque élevé d'accident.*

☐ *Risque élevé de déséquilibre hydro-électrolytique.*

☐ *Risque élevé d'atteinte à l'intégrité de la peau.*

■ **Facteurs favorisants**

☐ Informations incomplètes.

☐ *Manque de connaissances sur les signes d'hypoglycémie et d'hyperglycémie et sur les moyens de les prévenir.*

☐ *Manque de connaissances sur les effets secondaires du médicament et sur les moyens de les prévenir.*

☐ *Manque de connaissances sur les modalités du traitement.*

☐ *Manque de connaissances sur la méthode d'administration du médicament.*

☐ *Manque de connaissances sur le régime alimentaire à suivre.*

INTERVENTIONS INFIRMIÈRES

■ **Directives générales :** Dans le cas d'un traitement quotidien, administrer l'hydrocortisone le matin pour faire coïncider l'intervention avec les sécrétions naturelles de cortisol de l'organisme.

■ **PO :** Administrer le médicament avec les repas pour réduire l'irritation gastrique.

■ **IV directe :** Reconstituer la préparation avec la solution fournie (par exemple, Act-O-Vials).

☐ *Vitesse d'administration :* Administrer la solution à un débit maximal de 100 mg/30 s. Les doses de 500 mg ou plus doivent être perfusées en au moins 10 min.

■ **Perfusion intermittente :** On peut ajouter la préparation à 50 à 1 000 mL de dextrose à 5 % dans de l'eau, à une solution de NaCl à 0,9 % ou à un mélange de dextrose à 5 % et de NaCl à

0,9 %. Administrer les perfusions à la vitesse prescrite. La solution diluée devrait être utilisée dans les 24 h qui suivent la préparation.

■ **Associations compatibles dans la même seringue :**

☐ SUCCINATE D'HYDROCORTISONE SODIQUE : métoclopramide ou thiopental.

■ **Compatibilités (tubulure en Y) :**

☐ SUCCINATE D'HYDROCORTISONE SODIQUE : acyclovir, aminophylline, ampicilline, amrinone, atracurium, atropine, bétaméthasone, bicarbonate de sodium, camsilate de triméthaphan, céphalothine, céphapirine, chlordiazépoxide, chlorpromazine, cyanocobalamine, deslanoside, dexaméthasone, digoxine, diphenhydramine, dopamine, dropéridol, edrophonium, énalaprilate, épinéphrine, esmolol, éthacrynate, fentanyl, fentanyl avec dropéridol, fluorouracile, furosémide, gluconate de calcium, hydralazine, insuline, isoprotérénol, kanamycine, lidocaïne, ménadiol, méthicilline, méthoxamine, méthylergonovine, minocycline, morphine, néostigmine, norépinéphrine, ocytocine, œstrogènes conjugués, ondansétron, oxacilline, pancuronium, pénicilline G potassique, pentazocine, phytonadione, prednisolone, procaïnamide, prochlorpérazine, propranolol, pyridostigmine, scopolamine, succinylcholine, sulfate de magnésium, triméthobenzamide ou vécuronium.

■ **Incompatibilités (tubulure en Y) :**

☐ SUCCINATE D'HYDROCORTISONE SODIQUE : diazépam, phénytoïne ou tartrate d'ergotamine.

■ **Compatibilités en addition au soluté :**

☐ SUCCINATE D'HYDROCORTISONE SODIQUE : amikacine, aminophylline, amphotéricine, bicarbonate de sodium, céphalothine, céphapirine, chloramphénicol, chlorure de calcium, chlorure de potassium, clindamycine, corticotropine, daunorubicine, dopamine, érythromycine, gluconate de calcium, lidocaïne, métronidazole, netilmicine, norépinéphrine, pénicilline G, pipéracilline, polymyxine B, procaïne, sulfate de magnésium, thiopental, vancomycine ou vérapamil.

- **Incompatibilités en addition au soluté :**
☐ SUCCINATE D'HYDROCORTISONE SODIQUE : bléomycine, colistiméthate, dimenhydrinate, diphenhydramine, doxorubicine, éphédrine, hydralazine, nafcilline, pentobarbital, phénobarbital, prochlorpérazine, promazine, prométhazine, sécobarbital ou tétracycline.

- **Préparations topiques :** Appliquer une couche mince sur la peau propre, légèrement humide. Porter des gants. Appliquer un pansement occlusif sur recommandations du médecin seulement. Vaporiser la préparation en aérosol à une distance de 15 cm de la région à traiter pendant 1 ou 2 s.

- **Préparations rectales :**
☐ **Mousse :** L'applicateur se trouve dans l'emballage d'origine. Ne pas introduire l'aérosol dans le rectum. Suivre le mode d'emploi. Nettoyer l'applicateur après chaque usage.
☐ **Lavement :** Demander au patient de se coucher sur le côté gauche. Agiter vigoureusement le flacon. Enlever le capuchon protecteur en tenant fermement la partie rigide du flacon. Introduire soigneusement la canule dans le rectum en la dirigeant vers le sacrum. Vider lentement le contenu du flacon en le comprimant. Après l'instillation, demander au patient de garder la même position (sur le côté gauche) pendant au moins 30 min, pour que le médicament puisse se distribuer dans le côlon.

ENSEIGNEMENT AU PATIENT ET À SES PROCHES

☐ Expliquer au patient comment administrer la préparation qui lui a été prescrite. Lui conseiller de respecter scrupuleusement la posologie recommandée, sans jamais sauter de dose ni prendre une dose double. L'arrêt brusque du traitement peut entraîner les signes suivants d'insuffisance surrénalienne : anorexie, nausées, fatigue, faiblesse, hypotension, dyspnée et hypoglycémie. Si l'un de ces signes se manifeste, prévenir le médecin immédiatement, car il peut s'agir d'une réaction mortelle.

☐ Inciter le patient qui suit un traitement prolongé à consommer des aliments riches en protéines, en calcium et en potassium et pauvres en sodium et en glucides (voir l'annexe K).

☐ Prévenir le patient que le médicament supprime la réponse immunitaire et qu'il peut masquer les symptômes d'infection. Lui conseiller d'éviter tout contact avec des personnes contagieuses et de signaler au médecin toute infection possible.

☐ Revoir avec le patient les effets secondaires de l'hydrocortisone. Lui recommander de prévenir rapidement le médecin en cas de douleurs abdominales graves ou de selles goudronneuses. Le patient devrait également signaler au médecin les symptômes suivants : enflure inhabituelle, gain de poids, fatigue, douleurs osseuses, formation d'ecchymoses, plaies qui ne cicatrisent pas, troubles visuels ou modification du comportement.

☐ Conseiller au patient d'informer le médecin si les symptômes de la maladie sous-jacente ressurgissent ou s'aggravent.

☐ Conseiller au patient de toujours porter sur lui une pièce d'identité où sont inscrits son problème de santé et son traitement médicamenteux pour parer à toute urgence dans le cas où il serait incapable de communiquer ses antécédents médicaux.

☐ Conseiller aux parents de ne pas administrer des préparations topiques à un enfant âgé de moins de 2 ans sauf si le médecin le recommande expressément.

□ Recommander au patient de consulter le médecin avant de recevoir un vaccin quel qu'il soit.

□ Insister sur l'importance des examens de suivi permettant d'évaluer l'efficacité du traitement et les effets secondaires du médicament.

VÉRIFICATION DES RÉSULTATS

L'efficacité du traitement peut être démontrée par : la suppression de la réaction inflammatoire et de la réponse immunitaire en cas de maladie auto-immune et de réactions allergiques.

HYDROMORPHONE

Dilaudid, Dilaudid-HP, PMS-Hydromorphone, (dihydromorphinone)

CLASSIFICATION :

Analgésique narcotique – agoniste ; antitussif

Stupéfiant

Grossesse – catégorie C

INDICATIONS

■ Douleur modérée à grave – en monothérapie ou en association avec des analgésiques non narcotiques (acétaminophène ou aspirine). **Usage non approuvé :** ■ Traitement de la toux (doses plus faibles).

ACTION

■ Liaison aux récepteurs opiacés du SNC ■ Modification de la perception de la douleur et de la réaction au stimulus douloureux avec dépression généralisée du SNC. **Effets thérapeutiques :** ■ Diminution de l'intensité de la douleur modérée à grave ■ Suppression de la toux.

PHARMACOCINÉTIQUE

Absorption : Par suite de l'administration par voie orale, rectale, SC et IM, le médicament est bien absorbé.

Distribution : Le médicament se répartit dans tout l'organisme. Il traverse le placenta et pénètre dans le lait maternel.

Métabolisme et excrétion : La plus grande partie du médicament est métabolisé par le foie.

Demi-vie : De 2 à 4 h.

CONTRE-INDICATIONS ET PRÉCAUTIONS

Contre-indications : ■ Hypersensibilité ■ Grossesse ou allaitement (traitement prolongé à éviter).

Précautions : ■ Traumatisme crânien ■ Pression intracrânienne accrue ■ Maladies rénale, hépatique ou pulmonaire graves ■ Hypothyroïdie ■ Insuffisance surrénalienne ■ Alcoolisme ■ Personnes âgées ou patients débilités (il est conseillé de réduire la dose) ■ Douleurs abdominales non diagnostiquées ■ Hypertrophie de la prostate.

RÉACTIONS INDÉSIRABLES ET EFFETS SECONDAIRES

SNC : sédation, confusion, céphalées, euphorie, sensation de flottement, rêves bizarres, hallucinations, dysphorie, étourdissements.

ORL : myosis, diplopie, vision trouble.

Resp. : dépression respiratoire.

CV : hypotension, bradycardie.

GI : nausées, vomissements, constipation.

GU : rétention urinaire.

Tég. : transpiration, rougeur de la peau.

Divers : tolérance aux effets du médicament, dépendance physique, dépendance psychologique.

INTERACTIONS

Médicament – médicament : ■ Administrer le médicament avec une extrême prudence chez les patients recevant des **inhibiteurs de la MAO**, car le traitement peut produire des réactions graves et imprévisibles (réduire la dose initiale d'hydromorphone à 25 % de la dose habituelle) ■ Effet dépressif additif sur le SNC, lors de l'usage concomitant d'**alcool**, d'**antidépresseurs**, d'**antihistaminiques** et d'**hypnosédatifs** ■ L'administration simultanée d'**analgésiques narcotiques antagonistes partiels** peut déclencher le syndrome de sevrage chez les patients présentant une dépendance physique aux narcotiques ■ La **nalbuphine** ou la **pentazocine** peut diminuer l'effet analgésique de l'hydromorphone.

PRÉSENTATION

L'hydromorphone est présentée sous forme de comprimés, de suppositoires, de solution injectable, de solution injectable à forte teneur (10 mg/mL) et, également, sous forme de solution orale.

VOIES D'ADMINISTRATION ET POSOLOGIE

Analgésique

- **PO (adultes):** 2 mg, toutes les 4 à 6 h, selon les besoins ; on peut augmenter la dose jusqu'à 4 mg, toutes les 4 à 6 h.
- **IM et SC (adultes):** 2 mg, toutes les 4 à 6 h, selon les besoins ; on peut augmenter la dose jusqu'à 3 ou 4 mg, toutes les 4 à 6 h.
- **IV (adultes):** de 0,5 à 1 mg, toutes les 3 h, selon les besoins.
- **PR (adultes):** 3 mg, toutes les 4 à 8 h, selon les besoins.

Antitussif

- **PO (adultes) (É.-U.):** 1 mg, toutes les 3 ou 4 h.
- **PO (enfants de 6 à 12 ans) (É.-U.):** 0,5 mg, toutes les 3 ou 4 h.

PHARMACODYNAMIE
(effet analgésique)

	DÉBUT D'ACTION	PIC	DURÉE
PO	15 – 30 min	30 – 90 min	4 – 5 h
SC	15 – 30 min	30 – 90 min	4 – 5 h
IM	15 – 30 min	30 – 90 min	4 – 5 h
IV	10 – 15 min	15 – 30 min	2 – 3 h
PR	15 – 30 min	30 – 90 min	4 – 5 h

✲ SOINS INFIRMIERS

ÉVALUATION DE LA SITUATION

- **Directives générales:** Mesurer la pression artérielle, le pouls et la fréquence respiratoire avant et à intervalles réguliers pendant l'administration.
- ▫ Examiner la fonction intestinale du patient à intervalles réguliers. La consommation accrue de liquides et d'aliments riches en fibres et la prise de laxatifs émollients ou d'un autre type peuvent réduire les effets constipants du médicament.
- **Douleur:** Noter le type de douleur, son siège et son intensité, avant et 30 min après l'administration du médicament.
- ▫ L'utilisation prolongée d'hydromorphone peut entraîner la dépendance physique et psychologique, ainsi qu'une tolérance aux effets du médicament, mais cela ne doit pas empêcher le patient de recevoir une quantité suffisante d'analgésiques. La psychodépendance est rare chez la plupart des patients qui reçoivent de l'hydromorphone pour des raisons médicales. Lors d'un traitement prolongé, il faut parfois administrer des doses de plus en plus élevées pour soulager la douleur.
- **Toux:** Évaluer la toux et le murmure vésiculaire pendant le traitement antitussif.
- **Étude des examens diagnostiques et biochimiques:** L'hydromorphone peut augmenter les concentrations plasmatiques d'amylase et de lipase.
- **Toxicité et surdosage:** En cas de surdosage, l'antidote est la naloxone (Narcan). Suivre de près l'état du patient pour déterminer s'il faut répéter l'administration d'hydromorphone ou administrer une perfusion de naloxone.

DIAGNOSTICS INFIRMIERS POSSIBLES

- **Énoncés diagnostiques**
- ▫ Douleur.

□ Altération de la perception visuelle et auditive

□ Risque élevé d'accident.

□ *Risque élevé de constipation.*

□ *Risque élevé de perturbation des échanges gazeux.*

□ *Risque élevé de prise en charge inefficace du programme thérapeutique.*

□ *Risque élevé d'anxiété.*

■ **Facteurs favorisants**

□ *Manque de connaissances sur les moyens de stimuler la fonction intestinale.*

□ *Mode de respiration inefficace.*

□ *Manque de connaissances sur les modalités du traitement.*

□ *Perturbation de la vigilance.*

□ *Manque de connaissances sur la méthode d'administration du médicament.*

□ *Manque de connaissances sur les effets secondaires du médicament et sur les moyens de les prévenir.*

□ *Manque de connaissances sur les effets hypotensifs du médicament lors des changements brusques de position.*

INTERVENTIONS INFIRMIÈRES

■ **Directives générales :** Pour augmenter l'effet analgésique de l'hydromorphone, avant de l'administrer, expliquer au patient la valeur thérapeutique de ce médicament.

□ Les doses prises selon un horaire fixe peuvent être plus efficaces que celles administrées sur demande. Le médicament s'avère plus efficace s'il est administré avant que la douleur ne devienne intense.

□ Les analgésiques non narcotiques, administrés simultanément, peuvent exercer des effets analgésiques additifs, ce qui permet parfois de diminuer les doses de narcotique.

□ Après un traitement prolongé, interrompre l'administration graduellement pour prévenir les symptômes de sevrage.

■ **PO :** Administrer l'agent avec des aliments ou du lait pour réduire l'irritation gastrique.

■ **IV directe :** Diluer le médicament dans au moins 5 mL d'eau stérile ou dans une solution de NaCl à 0,9 % pour injection.

■ *Vitesse d'administration :* Administrer la solution lentement, à un débit inférieur à 2 mg, pendant 3 à 5 min. Une administration trop rapide peut provoquer une dépression respiratoire accrue, de l'hypotension et un collapsus circulatoire. Lors de l'administration par voie IV, garder l'antidote à portée de la main.

■ **Associations compatibles dans la même seringue :** Atropine, chlorpromazine, cimétidine, diphenhydramine, fentanyl, glycopyrrolate, hydroxyzine, midazolam, pentazocine, pentobarbital, prométhazine, ranitidine, scopolamine, thiéthylpérazine ou triméthobenzamide.

■ **Compatibilités (tubulure en Y) :** Acyclovir, amikacine, ampicilline, céfamandole, céfazoline, céfopérazone, céforanide, céfotaxime, céfoxitine, ceftizoxime, céfuroxime, céphalothine, céphapirine, chloramphénicol, clindamycine, co-trimoxazole, doxycycline, gentamicine, kanamycine, lactobionate d'érythromycine, métronidazole, mezlocilline, moxalactam, nafcilline, ondansétron, oxacilline, pénicilline G potassium, pipéracilline, ticarcilline, tobramycine ou vancomycine.

■ **Incompatibilités (tubulure en Y) :** Minocycline ou tétracycline.

■ **Compatibilités en addition au soluté :** Dextrose à 5 % dans l'eau, solution de dextrose à 5 % et de NaCl à 0,45 %, solution de dextrose à 5 % et de NaCl à 0,9 %, dextrose à 5 % et lactate Ringer, dextrose à 5 % dans une solution de Ringer, solution de NaCl à 0,45 % ou à 0,9 %, solution de Ringer, lactate Ringer ou vérapamil.

■ **Incompatibilités en addition au soluté:** Bicarbonate de sodium ou thiopental.

ENSEIGNEMENT AU PATIENT ET À SES PROCHES

□ Expliquer au patient ce qu'on entend par administration sur demande et à quel moment il doit réclamer l'analgésique.

□ Prévenir le patient que l'hydromorphone peut provoquer des étourdissements et de la somnolence. Lui recommander de demander de l'aide lorsqu'il se déplace et de ne pas fumer lorsqu'il est seul. Lui conseiller de ne pas conduire et d'éviter les activités qui exigent sa vigilance jusqu'à ce qu'on ait la certitude que le médicament n'entraîne pas ces effets chez lui.

□ Recommander au patient de changer lentement de position pour diminuer les risques d'hypotension orthostatique.

□ Recommander au patient de ne pas boire d'alcool et de ne pas prendre d'autres dépresseurs du SNC en même temps que l'hydromorphone.

□ Recommander au patient de se tourner dans le lit, de tousser et de faire des exercices de respiration profonde toutes les 2 h pour prévenir l'atélectasie.

VÉRIFICATION DES RÉSULTATS

L'efficacité du traitement peut être démontrée par: ■ la diminution de l'intensité de la douleur sans modification importante de l'état de la conscience ou de l'état de la respiration ■ la suppression de la toux.

HYDROXYCHLOROQUINE
Plaquenil

CLASSIFICATION:
antipaludéen; antiarthritique
Grossesse – catégorie inconnue

INDICATIONS

■ Traitement suppressif et traitement des crises aiguës de la malaria ■ Traitement de la polyarthrite rhumatoïde grave et du lupus érythémateux disséminé et discoïde.

ACTION

■ Inhibition de la synthèse protéique des micro-organismes sensibles par inhibition de la polymérase de l'ADN et de l'ARN. **Effets thérapeutiques:** ■ Destruction des plasmodies qui provoquent la malaria ■ Propriétés anti-inflammatoires.

PHARMACOCINÉTIQUE

Absorption: Par suite de l'administration par voie orale, l'absorption semble satisfaisante.

Distribution: Le médicament semble se répartir dans tout l'organisme et on le retrouve en fortes concentrations dans les tissus (particulièrement dans le foie). Il pénètre probablement dans le lait maternel.

Métabolisme et excrétion: Le médicament est partiellement métabolisé par le foie et partiellement excrété par les reins à l'état inchangé.

Demi-vie: De 72 à 120 h.

CONTRE-INDICATIONS ET PRÉCAUTIONS

Contre-indications: ■ Hypersensibilité à l'hydroxychloroquine ou à la chloroquine ■ Patients ayant subi des lésions oculaires induites par l'hydroxychloroquine ou la chloroquine.

Précautions: ■ Administration concomitante de médicaments hépatotoxiques ■ Maladie hépatique ■ Alcoolisme ■ Insuffisance de G-6-PD ■ Psoriasis ■ Aplasie médullaire.

RÉACTIONS INDÉSIRABLES ET EFFETS SECONDAIRES

SNC: céphalées, fatigue, nervosité, anxiété, apathie, irritabilité, agitation,

agressivité, confusion, modifications de la personnalité, psychoses, CONVULSIONS.
ORLO: troubles visuels, kératite, rétinopathie, neurototoxicité pour la VIIIe paire crânienne (effet ototoxique), acouphènes.
CV: hypotension, modifications de l'ÉCG.
GI: gêne épigastrique, anorexie, nausées, vomissements, crampes abdominales, diarrhée.
Tég.: dermatoses.
Hémat.: leucopénie, thrombocytopénie, AGRANULOCYTOSE, ANÉMIE APLASIQUE.
SN: névrite périphérique, neuromyopathie.

INTERACTIONS

Médicament – médicament: ■ L'administration concomitante d'**agents hépatotoxiques** peut accroître le risque d'hépatotoxicité ■ Risque accru de toxicité hématologique, lors de l'administration concomitante de **pénicillamine** ■ L'administration concomitante d'**agents doués de propriétés toxidermiques** peut accroître le risque de dermatoses ■ L'hydroxychloroquine, administrée en même temps que des **vaccins antirabiques obtenus sur des cellules diploïdes humaines**, peut réduire les titres des anticorps de la rage ■ L'administration concomitante d'**acidifiants urinaires** peut accroître l'excrétion rénale de l'hydroxychloroquine ■ L'hydroxychloroquine peut élever les concentrations sériques de **digoxine.**

VOIES D'ADMINISTRATION ET POSOLOGIE

Remarque: Les doses sont calculées en mg d'hydroxychloroquine sulfate: 200 mg de sulfate = 155 mg d'hydroxychloroquine base.

Malaria (traitement suppressif ou prophylactique)

■ **PO (adultes):** 400 mg (310 mg de base), une fois par semaine; commencer deux semaines avant d'entrer dans la région endémique, à défaut de quoi une dose initiale double de 800 mg (620 mg de base) peut être administrée en deux prises fractionnées, à 6 h d'intervalle. La thérapie devrait être poursuivie pendant 8 semaines après avoir quitté la zone endémique.

■ **PO (enfants):** 5 mg base/kg (ne pas dépasser la dose pour adultes), une fois par semaine; commencer deux semaines avant d'entrer dans la région endémique, à défaut de quoi une dose initiale double de 10 mg base/kg peut être administrée en deux prises fractionnées, à 6 h d'intervalle. La thérapie devrait être poursuivie pendant 8 semaines après avoir quitté la zone endémique.

Malaria (crises sans complications)

■ **PO (adultes):** une dose d'attaque de 800 mg (620 mg de base) suivie de 400 mg (310 mg de base) après 6 à 8 h et de 400 mg (310 mg de base) par jour pendant 2 jours consécutifs (2 g au total). Une seule dose de 800 mg (620 mg de base) a déjà été employée avec succès.

■ **PO (enfants):** une dose d'attaque de 10 mg base/kg (sans dépasser 620 mg de base), suivie de 5 mg base/kg (sans dépasser 310 mg de base), 6, 24 et 48 h après la dose d'attaque.

Polyarthrite rhumatoïde

■ **PO (adultes):** initialement, de 400 à 600 mg (de 310 à 465 mg de base) par jour; on peut augmenter la dose, après 5 à 10 jours, jusqu'à l'obtention de l'effet optimal, puis la diminuer de 50 % pour atteindre une dose d'entretien de 200 à 400 mg (de 155 à 310 mg de base).

Lupus érythémateux disséminé

■ **PO (adultes):** 400 mg (310 mg de base), 1 ou 2 fois par jour pendant plusieurs semaines ou plusieurs mois. La dose d'entretien habituelle est de 200 à 400 mg par jour (de 155 à 310 mg de base).

PHARMACODYNAMIE
(concentrations sanguines)

	DÉBUT D'ACTION	PIC	DURÉE
PO	rapide	1 – 2 h	plusieurs jours ou semaines

SOINS INFIRMIERS

ÉVALUATION DE LA SITUATION

- **Directives générales:** Examiner le réflexe tendineux à intervalles réguliers afin de déceler le degré de faiblesse musculaire. On devrait éventuellement arrêter le traitement si cette réaction se manifeste.

- ☐ Chez les patients qui suivent un traitement prolongé à des doses élevées, il faudrait effectuer des examens ophtalmiques avant l'administration initiale et tous les 3 mois pendant toute la durée du traitement.

- **Malaria ou lupus érythémateux:** Observer quotidiennement le patient pendant toute la durée du traitement pour déterminer si les signes et les symptômes de la maladie se sont améliorés.

- **Polyarthrite rhumatoïde:** Noter mensuellement l'intensité de la douleur articulaire, l'enflure des articulations et l'amplitude des mouvements.

- **Étude des examens diagnostiques et biochimiques:** Examiner les numérations globulaire et plaquettaire à intervalles réguliers pendant toute la durée du traitement. L'hydroxychloroquine peut diminuer le nombre d'érythrocytes, de leucocytes et de plaquettes.

DIAGNOSTICS INFIRMIERS POSSIBLES

- **Énoncés diagnostiques**
- ☐ Risque élevé d'infection.
- ☐ Douleur.
- ☐ Prise en charge inefficace du programme thérapeutique.
- ☐ *Risque élevé d'altération de la perception visuelle.*
- ☐ *Risque élevé d'accident.*

- **Facteurs favorisants**
- ☐ Informations incomplètes.
- ☐ *Manque de connaissances sur les moyens de réduire la photosensibilité et sur l'importance d'un suivi ophtalmologique.*
- ☐ *Manque de connaissances sur les modalités du traitement.*
- ☐ *Manque de connaissances sur les effets secondaires du médicament et sur les moyens de les prévenir.*
- ☐ Perturbation de la vigilance.

INTERVENTIONS INFIRMIÈRES

- **PO:** Administrer l'agent avec du lait ou des aliments pour réduire les douleurs gastro-intestinales. Dans le cas des patients ayant des difficultés de déglutition, on peut broyer les comprimés et introduire la poudre dans des capsules vides. On peut aussi mélanger les comprimés broyés dans une cuillerée à thé de confiture ou de gelée.

- **Prophylaxie de la malaria:** Il faudrait commencer le traitement à l'hydroxychloroquine 2 semaines avant l'exposition probable aux plasmodies et le poursuivre pendant 8 semaines après avoir quitté la région endémique.

ENSEIGNEMENT AU PATIENT ET À SES PROCHES

- ☐ Expliquer au patient qu'il doit respecter scrupuleusement la posologie recommandée et continuer à prendre l'hydroxychloroquine même s'il se sent mieux. S'il n'a pas pu prendre le médicament au moment habituel, il doit le prendre aussitôt que possible, sauf s'il doit prendre l'hydroxychloroquine plusieurs fois par jour. Dans ce cas, il doit prendre le médicament dans l'heure suivant le moment habituel ou sauter cette dose. Il ne faut jamais remplacer une dose manquée par une double dose.

- ☐ Dans le cas du patient qui reçoit le médicament en prophylaxie, passer en revue les moyens de réduire l'exposition aux moustiques : utiliser un insectifuge, porter des chemises à manches longues et des pantalons, utiliser une moustiquaire.

☐ Prévenir le patient que l'hydroxychloroquine peut provoquer des étourdissements et une sensation de tête légère. Lui conseiller de ne pas conduire et d'éviter les activités qui exigent sa vigilance jusqu'à ce qu'on ait la certitude que le médicament n'entraîne pas ces effets chez lui.

☐ Recommander au patient d'éviter de boire de l'alcool pendant qu'il prend de l'hydroxychloroquine.

☐ Recommander au patient de garder l'hydroxychloroquine hors de la portée des enfants ; des décès sont survenus par suite de l'ingestion de 3 ou 4 comprimés.

☐ Informer le patient que le risque de lésions oculaires peut être réduit par le port de verres fumées lorsque la lumière est vive. Lui conseiller de porter des vêtements protecteurs et d'utiliser un écran solaire pour réduire les risques de dermatose.

☐ Recommander au patient de signaler immédiatement au médecin les maux de gorge, la fièvre, les saignements ou les ecchymoses inhabituels, la vision trouble, les modifications de la vue, les tintements d'oreille, les troubles auditifs ou la faiblesse musculaire.

☐ Conseiller au patient de signaler au médecin l'absence de toute amélioration dans les quelques jours suivant le début du traitement. La pleine efficacité du traitement de la polyarthrite rhumatoïde peut ne pas être manifeste avant 6 mois.

VÉRIFICATION DES RÉSULTATS

L'efficacité du traitement peut être démontrée par : ■ la prophylaxie ou l'amélioration des signes et des symptômes de malaria ■ l'amélioration des signes et des symptômes de polyarthrite rhumatoïde ■ l'amélioration des symptômes de lupus érythémateux.

HYDROXYCOBALAMINE

Acti-B$_{12}$, vitamine B$_{12}$, (alphaRedisol), (Alphamin), (Codroxomin), (Droxomin), (Hydrobexan), (Hydrocobex), (LA-12), (Hydro-Crysti-12)

CLASSIFICATION :

Vitamine – hydrosoluble ; antianémique

Grossesse – catégorie C

INDICATIONS

■ Traitement et prévention d'un déficit en vitamine B$_{12}$ ■ Traitement de l'anémie pernicieuse ■ Test de Schilling (agent diagnostique).

ACTION

■ Coenzyme nécessaire à l'accomplissement de nombreux processus métaboliques incluant le métabolisme des acides gras et des hydrates de carbone et la synthèse des protéines ■ Élément indispensable à la formation d'érythrocytes. **Effets thérapeutiques :** ■ Correction des signes et des symptômes d'anémie pernicieuse (indices mégaloblastiques, lésions gastro-intestinales et atteinte neurologique) ■ Prévention du déficit en vitamine B$_{12}$.

PHARMACOCINÉTIQUE

Absorption : L'absorption depuis le tractus gastro-intestinal ne peut se faire qu'en présence du facteur intrinsèque et du calcium. Bonne absorption par suite de l'administration par les voies IM et SC.

Distribution : Le médicament est emmagasiné dans le foie. Il traverse le placenta et pénètre dans le lait maternel.

Métabolisme et excrétion : Les quantités excessives sont éliminées à l'état inchangé dans l'urine.

Demi-vie : 6 jours (400 jours dans le foie).

CONTRE-INDICATIONS ET PRÉCAUTIONS

Contre-indications : ■ Hypersensibilité ■ Atrophie héréditaire du nerf optique

H

■ Enfants prématurés (éviter les préparations contenant de l'alcool benzylique en raison du risque d'inspiration agonique terminale).

Précautions: ■ Cardiopathie ■ Urémie, carence en acide folique, infection concomitante, carence en fer (modification de la réponse à la vitamine B_{12}).

RÉACTIONS INDÉSIRABLES ET EFFETS SECONDAIRES

SNC: thrombose vasculaire périphérique.
GI: diarrhée.
Tég.: démangeaisons, enflure, urticaire.
HÉ: hypokaliémie.
Locaux: douleur au point d'injection IM.
Divers: réactions d'hypersensibilité incluant l'ANAPHYLAXIE.

INTERACTIONS

Médicament – médicament: ■ Le **chloramphénicol** et les **antinéoplasiques** peuvent diminuer la réponse hématologique à la vitamine B_{12} ■ L'administration d'**aminosides**, de **colchicine**, de **suppléments potassiques à libération retard**, d'**anticonvulsivants**, de **cimétidine** ainsi qu'une consommation excessive d'**alcool** ou de **vitamine C** peuvent diminuer l'absorption de la vitamine B_{12} par voie orale.

VOIES D'ADMINISTRATION ET POSOLOGIE

Déficit en vitamine B_{12}

■ **IM et SC (adultes):** de 30 à 50 µg par jour (jusqu'à 100 µg par jour) pendant 5 à 10 jours, puis de 100 à 200 µg par mois.
■ **IM et SC (enfants) (É.-U.):** de 30 à 50 µg par jour pendant une semaine ou deux jusqu'à concurrence de 1 à 5 mg, puis de 60 à 100 µg par mois.

PHARMACODYNAMIE
(réticulocytose)

	DÉBUT D'ACTION	PIC	DURÉE
IM et SC	inconnu	3 – 10 jours	inconnue

SOINS INFIRMIERS

ÉVALUATION DE LA SITUATION

▢ Avant le traitement et pendant toute sa durée, rechercher les signes suivants de déficit en vitamine B_{12}: pâleur, neuropathie, psychose, langue rougie et tuméfiée.

■ **Étude des examens diagnostiques et biochimiques:** Examiner les concentrations plasmatiques d'acide folique, la numération des réticulocytes et les concentrations plasmatiques de vitamine B_{12} avant l'administration initiale et entre le troisième et le dixième jour de traitement.

▢ Chez les patients recevant de la vitamine B_{12} pour le traitement de l'anémie mégaloblastique, il faut déterminer les concentrations sériques de potassium au cours des 48 premières heures de traitement, en raison des risques d'hypokaliémie.

DIAGNOSTICS INFIRMIERS

■ **Énoncés thérapeutiques**
■ Déficit nutritionnel.
■ Intolérance à l'activité.
■ Prise en charge inefficace du programme thérapeutique.
■ *Risque élevé d'anxiété.*
■ *Risque élevé de diarrhée.*

■ **Facteurs favorisants**
▢ Informations incomplètes.
▢ *Manque de connaissances sur le régime alimentaire à suivre.*
▢ *Douleur au point d'injection.*
▢ *Manque de connaissances sur les moyens de prévenir les effets secondaires du médicament.*

INTERVENTIONS INFIRMIÈRES

Directives générales: On administre habituellement la vitamine B_{12} en association avec d'autres vitamines, car il est rare que le patient ne présente que ce seul type de déficience vitaminique.

H

ENSEIGNEMENT AU PATIENT ET À SES PROCHES

☐ Encourager le patient à respecter scrupuleusement les recommandations diététiques du médecin. Lui expliquer que la meilleure source de vitamines est une alimentation bien équilibrée. Lui recommander de suivre un régime comprenant des aliments provenant des quatre principaux groupes alimentaires.

☐ Les aliments riches en vitamine B_{12} comprennent les viandes, les fruits de mer, le jaune d'œuf et les fromages fermentés ; une petite quantité seulement est perdue lors de la cuisson normale des aliments.

☐ Expliquer au patient ayant subi une gastrectomie ou une résection iléale qu'il doit prendre des suppléments de vitamine B_{12} tout au long de sa vie.

☐ Insister sur l'importance des examens de suivi permettant d'évaluer les bienfaits de l'agent.

VÉRIFICATION DES RÉSULTATS

L'efficacité du traitement peut être démontrée par : ■ la prévention ou la résolution des symptômes de déficit en vitamine B_{12} ■ l'augmentation du nombre de réticulocytes.

HYDROXYPROGESTÉRONE

(Dalalutin), (Duralutin), (Gesterol LA), (Hy-Gestrone), (Hylutin), (Hyprogest), (Hyproval PA), (Pro-Depo), (Prodrox)

CLASSIFICATION :
Hormone – progestatif
Grossesse – catégorie D

INDICATIONS

■ Traitement de l'aménorrhée et de la métrorragie fonctionnelle associée à un déséquilibre hormonal ■ Induction de sécrétions et de la desquamation endométriales ■ Agent diagnostique permettant de déterminer la production d'œstrogènes endogènes ■ Traitement du cancer de l'utérus.

ACTION

■ Analogue synthétique de la progestérone ■ Modification des sécrétions de l'endomètre ■ Élévation de la température basale ■ Induction de modifications dans l'épithélium vaginal ■ Relaxation des muscles utérins ■ Stimulation de la croissance des alvéoles mammaires ■ Inhibition de la fonction hypophysaire ■ Induction d'un saignement de retrait (administrer des œstrogènes). **Effets thérapeutiques :** ■ Rétablissement de l'équilibre hormonal ■ Diminution de la croissance tumorale.

PHARMACOCINÉTIQUE

Absorption : Absorption systémique par suite de l'administration par voie IM.
Distribution : Inconnue.
Métabolisme et excrétion : Inconnus.
Demi-vie : Inconnue.

CONTRE-INDICATIONS ET PRÉCAUTIONS

Contre-indications : ■ Hypersensibilité ■ Hypersensibilité à l'huile de ricin ou à l'alcool benzylique ■ Grossesse, allaitement ou enfants ■ Troubles thromboemboliques ■ Hémorragie vaginale non diagnostiquée ■ Menace d'avortement ■ Maladie hépatique grave ■ Cancer du sein.

Précautions : ■ Cardiopathie ■ Dysfonction rénale ■ Asthme ■ Convulsions ■ Céphalées migraineuses ■ Diabète sucré.

RÉACTIONS INDÉSIRABLES ET EFFETS SECONDAIRES

SNC : dépression, thrombose cérébrale.
Resp. : toux, dyspnée.

H

CV: thrombophlébite, EMBOLIE PULMONAIRE, œdème.

GI: ictère cholestatique.

GU: saignement intercycle, aménorrhée, modifications du col de l'utérus.

Tég.: rash, pigmentation accrue.

Divers: modification du poids, réactions allergiques.

INTERACTIONS

Médicament – médicament: L'hydroxyprogestérone entrave les effets de la bromocriptine (provoque l'aménorrhée ou la galactorrhée).

VOIES D'ADMINISTRATION ET POSOLOGIE

Aménorrhée et métrorragie

- **IM (adultes):** 375 mg, toutes les 4 semaines. On peut administrer par la suite un traitement cyclique à base de 20 mg de valérate d'estradiol le 1er jour du cycle, puis de 250 mg d'hydroxyprogestérone associée à 5 mg de valérate d'estradiol le 15e jour du cycle; répéter toutes les 4 semaines.

Induction des sécrétions endométriales

- **IM (adultes):** de 125 à 250 mg, le 10e jour du cycle; répéter tous les 7 jours.

Cancer de l'utérus

- **IM (adultes):** 1 g, 1 à 7 fois par semaine.

PHARMACODYNAMIE (effets hormonaux)

	DÉBUT D'ACTION	PIC	DURÉE
IM	inconnu	inconnu	7 – 14 jours

☀ SOINS INFIRMIERS

ÉVALUATION DE LA SITUATION

- ☐ Mesurer la pression artérielle à intervalles réguliers tout au long du traitement.
- ☐ Effectuer le bilan des ingesta et des excreta, et peser la patiente toutes les semaines. Signaler au médecin tout écart important ou un gain de poids constant.
- ■ Déterminer les cycles d'hémorragie vaginale et la quantité de sang perdu (nombre de serviettes hygiéniques utilisées).
- ■ **Étude des examens diagnostiques et biochimiques:** Interpréter les tests de l'exploration fonctionnelle hépatique avant l'administration du médicament et à intervalles réguliers tout au long du traitement.
- ☐ L'hydroxyprogestérone peut entraîner l'élévation de la glycémie et des concentrations sériques de phosphatase alcaline et la diminution des concentrations urinaires de pregnandiol.
- ☐ L'hydroxyprogestérone peut modifier le dosage des hormones thyroïdiennes.

DIAGNOSTICS INFIRMIERS

- ■ Énoncés diagnostiques
- ☐ Dysfonctionnement sexuel.
- ☐ Prise en charge inefficace du programme thérapeutique.
- ☐ *Risque élevé d'anxiété.*
- ☐ *Risque élevé de perturbation situationnelle de l'estime de soi.*
- ☐ *Risque élevé d'excès de volume liquidien.*

- ■ Facteurs favorisants
- ☐ Informations incomplètes.
- ☐ *Altération de l'image corporelle.*
- ☐ *Manque de connaissances sur les effets secondaires du médicament et sur les moyens de les prévenir.*

INTERVENTIONS INFIRMIÈRES

IM: Administrer l'injection profondément dans le muscle. Utiliser une aiguille et une seringue sèches afin d'empêcher la solution de devenir trouble.

ENSEIGNEMENT AU PATIENT ET À SES PROCHES

- ■ **Directives générales:** Recommander à la patiente de signaler au médecin les signes et les symptômes de rétention hydrique (œdème des chevilles et des pieds, gain de poids), de maladies thromboemboliques (douleurs, tuméfaction, sensibilité d'un membre, céphalées, douleurs thoraciques, vision trouble), de dépression ou de dysfonctionnement hépatique (peau ou yeux jaunes, prurit, urine foncée, selles de couleur claire).

☐ Inciter la patiente à signaler au médecin la modification des caractéristiques du saignement vaginal ou les saignotements.

☐ Prévenir la patiente qu'elle doit arrêter de prendre le médicament si elle pense être enceinte et en avertir le médecin immédiatement.

☐ Recommander à la patiente d'utiliser des écrans solaires et de porter des vêtements de protection pour prévenir l'hyperpigmentation.

☐ Recommander à la patiente qui doit suivre un traitement dentaire ou subir une intervention chirurgicale d'avertir le dentiste ou le médecin qu'elle suit un traitement médicamenteux.

☐ Insister sur l'importance des examens de suivi réguliers incluant la mesure de la pression artérielle, l'examen des seins, de l'abdomen et du bassin et le test de Papanicolaou.

■ **Aménorrhée ou métrorragies fonctionnelles:** Expliquer à la patiente le schéma posologique de 28 jours. Le traitement cyclique doit être commencé le 4ᵉ jour qui suit l'apparition des règles induites par la dose initiale, ou 21 jours après l'injection, en l'absence du retour des règles. Expliquer à la patiente qu'il faut parfois attendre plusieurs mois avant que le cycle menstruel ne se rétablisse.

VÉRIFICATION DES RÉSULTATS

L'efficacité du traitement peut être démontrée par: ■ le retour spontané de cycles menstruels normaux ■ l'arrêt de la propagation des métastases en présence d'un cancer de l'utérus de stade avancé.

HYDROXYURÉE
Hydrea

CLASSIFICATION:
Antinéoplasique

Grossesse – catégorie inconnue

H

INDICATIONS

■ Traitement des tumeurs cancéreuses au niveau de la tête et du cou en association avec la radiothérapie ■ Traitement du cancer ovarien récidivant, métastasique ou inopérable ■ Traitement de la leucémie myéloïde chronique et réfractaire ■ Traitement des mélanomes.

ACTION

■ Modification de la synthèse de l'ADN (effet spécifique sur la phase S du cycle cellulaire). **Effets thérapeutiques:** ■ Destruction des cellules à réplication rapide, particulièrement des cellules malignes.

PHARMACOCINÉTIQUE

Absorption: Bonne absorption par suite de l'administration PO.

Distribution: L'hydroxyurée traverse la barrière hémato-encéphalique.

Métabolisme et excrétion: Une fraction de 50 % du médicament est excrétée par les reins à l'état inchangé; une fraction de 50 % est métabolisée par le foie et éliminée sous forme de CO_2 par la respiration.

Demi-vie: De 3 à 4 h.

CONTRE-INDICATIONS ET PRÉCAUTIONS

Contre-indications: ■ Hypersensibilité ■ Grossesse ou allaitement.

Précautions: ■ Patientes en âge de procréer ■ Maladie infectieuse évolutive ■ Réserve médullaire réduite ■ Autres maladies chroniques débilitantes.

RÉACTIONS INDÉSIRABLES ET EFFETS SECONDAIRES

SNC: somnolence (doses élevées).

H

GI : stomatite, anorexie, nausées, vomissements, diarrhée, constipation, hépatite.
GU : dysurie, dysfonctionnement des tubules rénaux, suppression de la fonction des gonades.
Tég. : rash, érythème, prurit, alopécie.
Hémat. : leucopénie, thrombocytopénie, anémie.
Métab. : hyperuricémie.
Divers : fièvre, frissons, malaise.

INTERACTIONS

Médicament – médicament : Hypoplasie médullaire additive lors de l'administration d'**agents provoquant une aplasie** et d'une **radiothérapie**.

VOIES D'ADMINISTRATION ET POSOLOGIE

Cancer au niveau de la tête et du cou, cancer des ovaires, mélanome malin
■ **PO (adultes) :** 80 mg/kg en une seule dose quotidienne, tous les 3 jours.

Leucémie myéloïde chronique réfractaire
■ **PO (adultes) (É.-U.) :** de 20 à 30 mg/kg par jour en une seule dose.

PHARMACODYNAMIE (effets sur la numération globulaire)

	DÉBUT D'ACTION	PIC	DURÉE
PO	7 jours	10 jours	21 jours

☀ SOINS INFIRMIERS

ÉVALUATION DE LA SITUATION

□ Rechercher les signes et les symptômes suivants d'infection : fièvre, maux de gorge. Si ces symptômes se manifestent, en informer le médecin.
□ Une anémie peut survenir. Suivre de près la fatigue, la dyspnée et l'hypotension orthostatique.
□ Suivre de près les saignements : saignement des gencives, formation d'ecchymoses, pétéchies, présence de

sang occulte dans les selles, dans l'urine et dans les vomissements. Éviter les injections IM et la prise de la température rectale ; appliquer une pression sur les points de ponction veineuse pendant 10 min.
□ Effectuer le bilan des ingesta et des excreta, noter l'appétit du patient et sa consommation de nourriture. Maintenir une alimentation adéquate en modifiant le régime en fonction des aliments que le patient peut tolérer.
■ **Étude des examens diagnostiques et biochimiques :** Noter la numération globulaire et la formule leucocytaire avant l'administration initiale et toutes les semaines pendant toute la durée du traitement. La leucopénie apparaît dans les 10 jours qui suivent le début du traitement. Le nombre de globules blancs se rétablit habituellement dans les 30 jours. Prévenir le médecin si le nombre de leucocytes est inférieur à $2,5 \times 10^9$/L ou si une chute soudaine survient. Prendre les mesures nécessaires pour prévenir la thrombocytopénie si le nombre de plaquettes est inférieur à 100×10^9/L. Le médicament peut élever passagèrement le volume globulaire moyen.
□ Noter les résultats des tests de l'exploration fonctionnelle rénale (concentrations sériques d'urée, de créatinine et d'acide urique) et hépatique (concentrations de TGOS [AST], de TGPS [ALT], de bilirubine et de LDH) avant le traitement et à intervalles réguliers pendant toute sa durée. L'hydroxyurée peut entraîner l'élévation des concentrations sériques d'urée, de créatinine et d'acide urique.

DIAGNOSTICS INFIRMIERS POSSIBLES

■ **Énoncés diagnostiques**
□ Risque élevé d'accident.
□ Risque élevé d'infection.
□ Prise en charge inefficace du programme thérapeutique.

- □ *Risque élevé de déficit du volume liquidien.*
- □ *Risque élevé d'anxiété.*
- □ *Risque élevé d'agitation.*
- □ *Risque élevé de perturbation situationnelle de l'estime de soi.*
- □ *Risque élevé d'atteinte à l'intégrité de la muqueuse buccale.*
- □ *Risque élevé d'altération de l'élimination urinaire.*

■ **Facteurs favorisants**

- □ Informations incomplètes.
- □ *Manque de connaissances sur les moyens de prévenir les effets secondaires affectant l'appareil gastro-intestinal.*
- □ *Douleur.*
- □ *Altération de l'image corporelle.*
- □ *Manque de connaissances sur les modalités du traitement.*
- □ *Manque de connaissances sur les effets hypotensifs du médicament lors des changements brusques de position.*
- □ *Fatigue et faiblesse.*
- □ *Perturbation de la vigilance.*
- □ *Manque de connaissances sur les moyens de prévenir les effets secondaires du médicament.*
- □ *Manque de connaissances sur le régime alimentaire à suivre.*
- □ *Manque de connaissances sur les moyens de prévenir ou de réduire la sécheresse de la bouche.*
- □ *Modification de l'état liquidien ou des volumes circulants.*

INTERVENTIONS INFIRMIÈRES

PO: Chez le patient éprouvant des difficultés de déglutition, on peut ouvrir les capsules, en vider le contenu dans un verre d'eau et l'administrer immédiatement. Une certaine quantité de poudre inerte peut flotter à la surface de l'eau.

ENSEIGNEMENT AU PATIENT ET À SES PROCHES

■ **Directives générales:** Conseiller au patient de respecter scrupuleusement la posologie recommandée, même si les nausées, les vomissements et la diarrhée persistent et de consulter le médecin si les vomissements se produisent peu de temps après la prise de la dose. Si le patient n'a pas pu prendre le médicament au moment habituel, il doit sauter cette dose; il ne doit jamais remplacer une dose manquée par une double dose.

- □ Recommander au patient de signaler au médecin la fièvre, les frissons, les maux de gorge, les saignements des gencives, la formation d'ecchymoses, les pétéchies ou la présence de sang occulte dans les urines, les selles ou les vomissements. Inciter le patient à éviter les foules et les personnes contagieuses. Recommander au patient d'utiliser une brosse à dent à poils doux et un rasoir électrique. Mettre en garde le patient contre la consommation de boissons alcoolisées ou de produits contenant de l'aspirine.

- □ Recommander au patient d'examiner sa muqueuse buccale pour déceler l'érythème et les ulcérations. En cas d'ulcération, conseiller au patient de remplacer la brosse à dents par une brosse-éponge, de se rincer la bouche avec de l'eau après avoir bu ou mangé et de consulter le médecin si les douleurs l'empêchent de s'alimenter.

- □ Expliquer au patient qui reçoit des doses élevées que l'hydroxyurée peut entraîner la somnolence. Lui conseiller de ne pas conduire et d'éviter les activités qui exigent sa vigilance jusqu'à ce qu'on ait la certitude que ce médicament n'entraîne pas cet effet chez lui.

- □ Expliquer à la patiente qu'elle doit prendre des mesures contraceptives tout au long du traitement même si l'aménorrhée survient.

- □ Expliquer au patient qu'il ne doit pas se faire vacciner sans recommandation expresse du médecin.

- □ Insister sur l'importance des examens médicaux de suivi et des examens

H

diagnostiques permettant de déterminer l'efficacité du médicament et d'en déceler les effets secondaires.

■ **Leucémie :** Inciter le patient à boire de 2 000 à 3 000 mL de liquides par jour. Le médecin peut recommander l'administration de l'allopurinol et l'alcalinisation de l'urine pour éviter la formation de calculs d'urate.

VÉRIFICATION DES RÉSULTATS

L'efficacité du traitement peut être démontrée par : ■ la diminution de la taille des tumeurs et de la propagation du cancer ■ l'amélioration des valeurs hématologiques en cas de leucémie. Le traitement doit être interrompu si le nombre de leucocytes est inférieur à $2,5 \times 10^9$/L ou si le nombre de plaquettes est inférieur à 100×10^9/L. On peut le reprendre lorsque ces valeurs se rapprochent des limites normales, habituellement dans les 3 jours qui suivent.

HYDROXYZINE

Apo-Hydroxyzine, Atarax, Multipax, Novo-Hydroxyzin, PMS-Hydroxyzine, (Anxanil), (Atozine), (Durrax), (E-Vista), (Hydroxacen), (Hy-Pam), (Hyzine-50), (Quiess), (Vamate), (Vistaject-25), (Vistaject-50), (Vistaquel 50), (Vistaril), (Vistazine 50)

CLASSIFICATION :
Anxiolytique ; antihistaminique.

Grossesse – catégorie inconnue

INDICATIONS

■ Traitement de l'anxiété ■ Traitement antiémétique ■ Traitement du prurit d'origine allergique ■ Traitement de l'alcoolisme chronique ou aigu, en présence de symptômes d'angoisse, de privation ou de delirium tremens ■ Adjuvant préopératoire et postopératoire ou pré- et post-partum pour calmer l'anxiété, pour

permettre une réduction substantielle de la dose de narcotique et pour maîtriser les vomissements, sauf en cas de nausées et de vomissements associés à la grossesse. **Usage non approuvé :** ■ Traitement des symptômes de sevrage dans le cas des médicaments comportant le risque d'usage abusif.

ACTION

■ Dépression du SNC au niveau souscortical ■ Propriétés anticholinergiques, antihistaminiques et antiémétiques. **Effets thérapeutiques :** ■ Sédation ■ Apaisement de l'anxiété ■ Soulagement des nausées et des vomissements ■ Soulagement des symptômes allergiques associés à la libération d'histamine, incluant le prurit.

PHARMACOCINÉTIQUE

Absorption : Bonne absorption par suite de l'administration par voies orale ou IM.
Distribution : Inconnue.
Métabolisme et excrétion : Le médicament est complètement métabolisé par le foie et il est éliminé dans les fèces par excrétion biliaire.
Demi-vie : 3 h.

CONTRE-INDICATIONS ET PRÉCAUTIONS

Contre-indications : ■ Hypersensibilité ■ Grossesse.
Précautions : ■ Dysfonction hépatique grave ■ Patients âgés (réduire la dose, au besoin) ■ Travail de l'accouchement (précédents d'usage) ■ Allaitement (l'innocuité du médicament n'a pas été établie).

RÉACTIONS INDÉSIRABLES ET EFFETS SECONDAIRES

SNC : sédation excessive, somnolence, étourdissements, ataxie, faiblesse, céphalées, agitation paradoxale.
Resp. : respiration sifflante.
GI : sécheresse de la bouche (xérostomie), goût amer, nausées, constipation.
GU : rétention urinaire.

Tég.: rougeur de la peau.

Locaux: douleur au point d'injection IM, abcès au point d'injection IM.

Divers: oppression thoracique.

INTERACTIONS

Médicament – médicament: ■ Effet dépressif additif sur le SNC, lors de l'usage concomitant d'**autres dépresseurs du SNC** incluant l'**alcool**, les **antidépresseurs**, les **antihistaminiques**, les **analgésiques narcotiques** et les **hypnosédatifs** ■ Effets anticholinergiques additifs, lors de l'administration simultanée de **médicaments doués de propriétés anticholinergiques** incluant les **antihistaminiques**, les **antidépresseurs**, l'**atropine**, l'**halopéridol**, les **phénothiazines**, la **quinidine** et le **disopyramide**.

PRÉSENTATION

L'hydroxyzine est présentée sous forme de capsules, de sirop et de solution injectable.

VOIES D'ADMINISTRATION ET POSOLOGIE

Anxiété

■ **PO (adultes):** de 25 à 100 mg, 3 ou 4 fois par jour (ne pas dépasser 150 à 200 mg par jour) (É.-U.).

■ **PO (enfants > 6 ans):** de 50 à 100 mg par jour, en 4 doses fractionnées.

■ **PO (enfants < 6 ans):** de 30 à 50 mg par jour, en 3 ou 4 doses fractionnées.

Adjuvant préopératoire ou postopératoire

■ **PO (adultes):** de 50 à 100 mg.

■ **PO (enfants) (É.-U.):** 0,6 mg/kg.

■ **IM (adultes):** de 25 à 100 mg.

■ **IM (enfants):** 1 mg/kg.

Adjuvant pré- et post-partum

■ **IM (adultes):** de 25 à 100 mg.

Antiémétique

■ **IM (adultes):** de 25 à 100 mg.

■ **IM (enfants):** 1 mg/kg.

Antiprurigineux

■ **PO (adultes):** 25 mg, 3 ou 4 fois par jour (ne pas dépasser 150 à 200 mg par jour).

■ **PO (enfants > 6 ans):** de 50 à 100 mg par jour, en 3 ou 4 doses fractionnées.

■ **PO (enfants < 6 ans):** 50 mg par jour, en 3 ou 4 doses fractionnées.

Urgences psychiatriques et crises affectives, y compris l'alcoolisme aigu

■ **IM (adultes):** de 50 à 100 mg; on peut répéter l'administration toutes les 4 à 6 h (ne pas dépasser 150 à 200 mg par jour).

PHARMACODYNAMIE (effets antihistaminique, sédatif, antiémétique)

	DÉBUT D'ACTION	PIC	DURÉE
PO	15 – 30 min	2 – 4 h	4 – 6 h
IM	15 – 30 min	2 – 4 h	4 – 6 h

SOINS INFIRMIERS

ÉVALUATION DE LA SITUATION

■ **Directives générales:** Déterminer si le patient est en état de sédation profonde et prendre les mesures de sécurité qui s'imposent: soulever les ridelles du lit, garder le lit en position basse, placer la sonnette d'appel à portée de la main, suivre de près les déplacements et les changements de position.

■ **Anxiété:** Noter l'état de la conscience, l'humeur et le comportement du patient.

■ **Nausées et vomissements:** Noter l'intensité des nausées et la fréquence et la quantité des vomissements.

■ **Prurit:** Déterminer le degré de démangeaison et les caractéristiques de la peau affectée.

■ **Étude des examens diagnostiques et biochimiques:** Le médicament peut entraîner des résultats faussement négatifs aux tests cutanés à base d'extraits d'allergènes. Interrompre l'administration de l'hydroxyzine au moins 72 h avant ce test.

DIAGNOSTICS INFIRMIERS POSSIBLES

■ **Énoncés diagnostiques**
□ Anxiété.
□ Atteinte à l'intégrité de la peau.
□ Risque élevé d'accident.
□ *Risque élevé d'atteinte à l'intégrité de la muqueuse buccale.*

■ **Facteurs favorisants**
□ *Douleur au point d'injection.*
□ *Manque de connaissances sur les moyens de prévenir ou de réduire la sécheresse de la bouche.*
□ *Perturbation de la vigilance.*
□ *Manque de connaissances sur les modalités du traitement.*
□ *Manque de connaissances sur les effets secondaires du médicament.*

INTERVENTIONS INFIRMIÈRES

■ **IM:** Administrer l'injection IM profondément dans un muscle bien développé, de préférence selon la technique du tracé en Z. Ne pas administrer dans le muscle deltoïde. Les injections SC ou intra-artérielles peuvent provoquer des lésions tissulaires importantes, la nécrose des tissus et la formation d'une escarre. Les injections IV peuvent provoquer l'hémolyse. Assurer une rotation fréquente des points d'injection.

■ **Associations compatibles dans la même seringue:** Atropine, benzquinamide, butorphanol, chlorpromazine, cimétidine, codéine, diphenhydramine, doxapram, dropéridol, fentanyl, glycopyrrolate, hydromorphone, lidocaïne, mépéridine, méthotriméprazine, métoclopramide, midazolam, morphine, nalbuphine, oxymorphone, pentazocine, procaïne, prochlorpérazine, promazine, prométhazine, ranitidine ou scopolamine.

■ **Associations incompatibles dans la même seringue:** Aminophylline, chloramphénicol, dimenhydrinate, héparine, pénicilline G potassique, pentobarbital, phénobarbital ou phénytoïne.

ENSEIGNEMENT AU PATIENT ET À SES PROCHES

□ Conseiller au patient de respecter scrupuleusement la posologie recommandée. S'il n'a pas pu prendre le médicament au moment habituel, il doit le prendre aussitôt que possible à moins que ce ne soit presque l'heure prévue pour la dose suivante. Lui recommander de ne jamais remplacer une dose manquée par une double dose.

□ Prévenir le patient que l'hydroxyzine peut parfois provoquer des étourdissements ou de la somnolence. Lui conseiller de ne pas conduire et d'éviter les activités qui exigent sa vigilance jusqu'à ce qu'on ait la certitude que le médicament n'entraîne pas ces effets chez lui.

□ Conseiller au patient de ne pas prendre d'alcool ni d'autres dépresseurs du SNC en même temps que cet agent.

□ Conseiller au patient de pratiquer une bonne hygiène orale, de se rincer la bouche fréquemment avec de l'eau, de consommer de la gomme à mâcher ou des bonbons sans sucre pour diminuer la sécheresse de la bouche. Si la sécheresse de la bouche persiste pendant plus de 2 semaines, l'inciter à consulter le dentiste qui pourra lui recommander des substituts de salive.

VÉRIFICATION DES RÉSULTATS

L'efficacité du traitement peut être démontrée par: ■ l'apaisement de l'anxiété ■ le soulagement des nausées et des vomissements ■ le soulagement du prurit ■ la sédation lorsque le médicament est administré en association avec un hypnosédatif.

IBUPROFÈNE

Actiprofen, Advil, Apo-Ibuprofen,
Medipren, Motrin, Motrin IB, Novo-Profen,
(Amersol), (Cap-profen), (Haltran), (Ibuprin),
(Ifen), (Misol 200), (Nuprin), (Pamprin-IB),
(Pedia Profen), (Rufin), (Tab-Profen),
(Trendar)

CLASSIFICATION:
*Anti-inflammatoire non stéroïdien;
antipyrétique*

Grossesse – catégorie inconnue

INDICATIONS
■ Traitement de la polyarthrite rhumatoïde et de l'arthrose ■ Soulagement de
la douleur légère à modérée et de la douleur associée à la dysménorrhée ■ Abaissement de la fièvre.

ACTION
■ Inhibition de la synthèse des prostaglandines. **Effets thérapeutiques:** ■ Suppression de la douleur et de l'inflammation ■ Réduction de la fièvre.

PHARMACOCINÉTIQUE
Absorption: Bonne absorption depuis le
tractus gastro-intestinal.
Distribution: Inconnue. L'ibuprofène traverse probablement le placenta. Il ne
semble pas pénétrer dans le lait maternel.
Métabolisme et excrétion: L'ibuprofène est
surtout métabolisé par le foie. De petites
quantités (de l'ordre de 10 %) sont excrétées à l'état inchangé par les reins.
Demi-vie: De 2 à 4 h.

CONTRE-INDICATIONS ET PRÉCAUTIONS
Contre-indications: ■ Hypersensibilité
■ Risque de réactions de sensibilité croisée avec d'autres anti-inflammatoires non
stéroïdiens, incluant l'aspirine ■ Hémorragie digestive ou ulcère gastro-duodénal
en évolution.

Précautions: ■ Maladies cardiovasculaire, rénale ou hépatique graves ■ Antécédents d'ulcère gastro-duodénal ■ Grossesse, allaitement et enfants (l'innocuité
du médicament n'a pas été établie);

RÉACTIONS INDÉSIRABLES ET EFFETS SECONDAIRES
SNC: céphalées, somnolence, troubles
psychiques, étourdissements.
ORLO: vision trouble, acouphènes, am-
blyopie.
CV: œdème, arythmies.
GI: nausées, dyspepsie, vomissements,
constipation, HÉMORRAGIE DIGESTIVE,
malaises, HÉPATITE.
GU: insuffisance rénale, hématurie, cys-
tite.
Tég.: rash.
Hémat.: dyscrasie, allongement du temps
de saignement.
Divers: réactions allergiques incluant
l'ANAPHYLAXIE.

INTERACTIONS
Médicament – médicament: ■ L'administration concomitante d'**aspirine** peut réduire l'efficacité de l'ibuprofène ■ Effets
secondaires gastro-intestinaux additifs
lors de l'usage concomitant d'**aspirine**,
d'autres **anti-inflammatoires non stéroïdiens**, de **suppléments potassiques**, de
glucocorticoïdes ou d'**alcool** ■ L'usage
prolongé d'ibuprofène avec de l'**acétaminophène** peut accroître le risque de
réactions rénales indésirables ■ L'ibuprofène peut diminuer l'efficacité des
diurétiques ou des **antihypertenseurs**
■ L'agent peut intensifier les effets hypoglycémiques de l'**insuline** ou des **hypoglycémiants oraux** ■ L'ibuprofène peut
entraîner l'élévation des concentrations
sériques de **digoxine** (une réduction de
la dose peut s'avérer nécessaire) ■ L'ibuprofène peut entraîner l'élévation des
concentrations sériques du **lithium** et
augmenter le risque de toxicité ■ Le médicament accroît le risque de toxicité par

le **méthotrexate** ■ Le **probénécide** accroît le risque de toxicité par l'ibuprofène ■ L'administration concomitante de **céfamandole**, de **céfotétane**, de **céfopérazone**, de **moxalactam**, de **plicamycine**, de **thrombolytiques** ou d'**anticoagulants** peut augmenter le risque de saignement ■ L'administration concomitante d'**antinéoplasiques** ou d'une **radiothérapie** accroît le risque de réactions hématologiques indésirables.

VOIES D'ADMINISTRATION ET POSOLOGIE

Analgésie
■ **PO (adultes):** de 200 à 400 mg, toutes les 4 à 6 h (ne pas dépasser 2 400 mg par jour).

Antipyrèse
■ **PO (enfants de 6 mois à 12 ans) (É.-U.):** 5 mg/kg lorsque la température est inférieure à 39 °C ou 10 mg/kg lorsque la température est supérieure à 39 °C (ne pas dépasser 40 mg/kg par jour).

Polyarthrite rhumatoïde, arthrose
■ **PO (adultes):** de 800 à 1 200 mg, 3 ou 4 fois par jour (ne pas dépasser 2 400 mg par jour).

PHARMACODYNAMIE

	DÉBUT D'ACTION	PIC	DURÉE
PO (analgésique)	30 min	1 – 2 h	4 – 6 h
PO (anti-inflammatoire)	7 jours	1 – 2 semaines	inconnue

❋ SOINS INFIRMIERS

ÉVALUATION DE LA SITUATION
■ **Directives générales:** Les patients souffrant d'asthme, d'allergie induite par l'aspirine et de polypes nasaux sont davantage prédisposés à des réactions d'hypersensibilité. Observer le patient à la recherche de signes de rhinite, d'asthme et d'urticaire.

■ **Arthrite:** Évaluer la douleur et l'amplitude du mouvement des articulations avant l'administration et 1 à 2 h après.

■ **Douleur:** Noter le type de douleur, son siège et son intensité, avant l'administration du médicament et 1 à 2 h après.

■ **Fièvre:** Prendre la température et noter les signes connexes suivants: diaphorèse, tachycardie, malaise.

■ **Étude des examens diagnostiques et biochimiques:** Obtenir les concentrations sériques d'urée et de créatinine ainsi que la numération globulaire et les résultats des tests de l'exploration fonctionnelle hépatique à des intervalles réguliers, tout au long d'un traitement prolongé.

☐ L'ibuprofène peut entraîner l'élévation des concentrations sériques de potassium, d'urée, de créatinine, de TGOS (AST) et de TGPS (ALT). Le médicament peut entraîner la diminution de la clearance de la créatinine, de la glycémie, des concentrations d'hémoglobine et de l'hématocrite.

☐ L'ibuprofène peut allonger le temps de saignement jusqu'à 2 jours après l'arrêt du traitement.

DIAGNOSTICS INFIRMIERS POSSIBLES
■ **Énoncés diagnostiques**
☐ Douleur.
☐ Altération de la mobilité physique.
☐ Prise en charge inefficace du programme thérapeutique.
☐ *Risque élevé d'accident.*
☐ *Risque élevé d'atteinte à l'intégrité des tissus.*

■ **Facteurs favorisants**
☐ Informations incomplètes.
☐ *Perturbation de la vigilance.*
☐ *Manque de connaissances sur les moyens de prévenir les effets secondaires du médicament.*
☐ *Manque de connaissances sur les modalités du traitement.*

INTERVENTIONS INFIRMIÈRES

- **Directives générales:** L'administration concomitante d'analgésiques narcotiques peut intensifier les effets analgésiques, ce qui permet de réduire la dose de narcotique.

- **PO:** Pour obtenir une effet initial rapide, administrer le médicament 30 min avant les repas ou 2 h après. On peut administrer le médicament avec des aliments, du lait ou un antiacide pour réduire l'irritation gastrique. Les aliments ralentissent, mais ne réduisent pas l'absorption de ce médicament. On peut broyer les comprimés et les mélanger à des liquides ou à des aliments.

- **Dysménorrhée:** Administrer le médicament dès que possible après le début de la menstruation. L'administration prophylactique ne s'est pas avérée efficace.

ENSEIGNEMENT AU PATIENT ET À SES PROCHES

- ☐ Conseiller au patient de prendre l'ibuprofène avec un grand verre d'eau et de ne pas se coucher pendant les 15 à 30 min qui suivent.

- ☐ Conseiller au patient de respecter scrupuleusement la posologie recommandée. S'il n'a pu prendre le médicament au moment habituel, il doit le prendre dès que possible, à moins que ce ne soit presque l'heure prévue pour la dose suivante. L'avertir qu'il ne doit jamais remplacer une dose manquée par une double dose.

- ☐ Prévenir le patient que l'ibuprofène peut provoquer de la somnolence ou des étourdissements. Lui conseiller de ne pas conduire et d'éviter les activités qui exigent sa vigilance jusqu'à ce qu'on ait la certitude que le médicament n'entraîne pas ces effets chez lui.

- ☐ Conseiller au patient de consulter le médecin ou le pharmacien avant de prendre de l'alcool, de l'aspirine, de l'acétaminophène ou tout autre médicament en vente libre, en même temps que l'ibuprofène.

- ☐ Recommander au patient qui doit suivre un traitement dentaire ou subir une intervention chirurgicale d'avertir le dentiste ou le médecin qu'il suit un traitement médicamenteux.

- ☐ Recommander au patient de ne pas prendre des préparations d'ibuprofène en vente libre pendant plus de 5 à 10 jours pour soulager la douleur, ou pendant plus de 3 jours pour traiter la fièvre, et de consulter le médecin si les symptômes persistent ou s'aggravent.

- ☐ Recommander au patient de prévenir le médecin en cas de rash, de démangeaisons, de frissons, de fièvre, de douleurs musculaires, de troubles visuels, de gain de poids, d'œdème, de selles noires ou de céphalées persistantes.

VÉRIFICATION DES RÉSULTATS

L'efficacité du traitement est démontrée par:
- la mobilité accrue des articulations; le soulagement partiel des douleurs arthritiques est habituellement notable dans les 7 jours, mais le plein effet du médicament peut ne se manifester qu'après 1 ou 2 semaines de traitement ininterrompu
- la diminution de l'intensité de la douleur modérée ■ la baisse de la fièvre. Les patients qui ne répondent pas à un anti-inflammatoire non stéroïdien peuvent répondre à un autre.

IDARUBICINE
Idamycin

CLASSIFICATION:
Antinéoplasique – anthracycline

Grossesse – catégorie D

INDICATIONS

- Traitement de première ligne de la leucémie non lympholytique aiguë chez les adultes ■ Traitement de seconde ligne de la leucémie lympholytique aiguë chez les adultes et les enfants.

ACTION

■ Inhibition de la synthèse de l'acide nucléique. **Effets thérapeutiques:** ■ Destruction des cellules à réplication rapide, particulièrement des cellules malignes.

PHARMACOCINÉTIQUE

Absorption: Par suite de l'administration IV, la biodisponibilité est totale.
Distribution: Le médicament se répartit rapidement et se lie fortement aux tissus. Le recaptage cellulaire est très élevé.
Métabolisme et excrétion: Métabolisme entérohépatique important. Un des métabolites est actif (idarubicinol). Le médicament est surtout excrété dans la bile.
Demi-vie: 22 h (entre 4 et 46 h).

CONTRE-INDICATIONS ET PRÉCAUTIONS

Contre-indications: Grossesse et allaitement.
Précautions: ■ Patientes en âge de procréer ■ Infection en évolution ■ Diminution de la réserve médullaire ■ Autres maladies chroniques débilitantes ■ Insuffisance hépatique (une réduction de la dose peut s'avérer nécessaire; éviter l'administration si les concentrations de bilirubine sont supérieures ou égales à 85 µmol/L) ■ Insuffisance rénale ■ Cardiopathie ■ Traitement antérieur par la daunorubicine ou la doxorubicine.

RÉACTIONS INDÉSIRABLES ET EFFETS SECONDAIRES

SNC: céphalées, modification des opérations de la pensée.
Resp.: toxicité pulmonaire, réactions pulmonaires allergiques.
CV: CARDIOTOXICITÉ, INSUFFISANCE CARDIAQUE, ARYTHMIES.
GI: nausées, vomissements, crampes abdominales, diarrhée, inflammation des muqueuses.
Tég.: alopécie, rash.

End.: suppression de la fonction des gonades.
Hémat.: anémie, leucopénie, thrombocytopénie, HÉMORRAGIES.
Locaux: phlébite au point d'injection IV.
Métab.: hyperuricémie.
SN: neuropathie périphérique.
Divers: fièvre.

INTERACTIONS

Médicament – médicament: ■ L'administration d'autres **antinéoplasiques** ou d'une **radiothérapie** peut aggraver l'aplasie médullaire ■ L'idarubicine peut diminuer la réponse des anticorps aux **vaccins vivants** et augmenter le risque de réactions indésirables.

VOIE D'ADMINISTRATION ET POSOLOGIE

Leucémie aiguë non lymphocytique

■ **IV (adultes):** 12 mg/m^2 par jour pendant 3 jours en association avec la cytarabine, ou 8 mg/m^2 par jour pendant 5 jours lorsque l'agent est administré seul.

Leucémie lymphocytique aiguë

■ **IV (adultes):** 12 mg/m^2 par jour, pendant 3 jours.
■ **IV (enfants):** 10 mg/m^2 par jour, pendant 3 jours.

PHARMACODYNAMIE (effets sur la numération globulaire)

	DÉBUT D'ACTION	PIC	DURÉE
IV	inconnu	inconnu	inconnue

SOINS INFIRMIERS

ÉVALUATION DE LA SITUATION

□ Mesurer la pression artérielle, le pouls, la fréquence respiratoire et la température à intervalles réguliers pendant toute la durée de l'administration. Prévenir le médecin en cas de changement notable.

- Surveiller les signes d'infection et les symptômes suivants : fièvre, frissons, maux de gorge. En informer le médecin, le cas échéant.
- Vérifier la numération plaquettaire tout au long du traitement. Suivre de près les saignements : saignements des gencives, formation d'ecchymoses, pétéchies, présence de sang occulte dans les selles, l'urine et les vomissements. Éviter les injections IM et la prise de température PR. Appliquer une pression sur les points de ponction veineuse pendant 10 min.
- L'anémie peut survenir. Suivre de près la fatigue, la dyspnée et l'hypotension orthostatique.
- Effectuer le bilan des ingesta et des excreta et prévenir le médecin de tout écart notable. Inciter le patient à boire de 2 à 3 L de liquides par jour. Le médecin peut également prescrire de l'allopurinol et l'alcalinisation de l'urine pour diminuer les concentrations sériques d'acide urique et pour prévenir la formation de calculs d'urate.
- Des nausées ou des vomissements graves et persistants peuvent se manifester 1 h après le traitement et durer jusqu'à 24 h. Administrer des antiémétiques par voie parentérale de 30 à 45 min avant le traitement et à intervalles réguliers pendant les 24 h suivantes, selon les indications. Afin de prévenir la déshydratation, noter la quantité de vomissures et prévenir le médecin si elle est supérieure à celle contenue dans les directives.
- Suivre de près les signes suivants de toxicité myocardique : arythmies graves, cardiomyopathie et insuffisance cardiaque (œdème périphérique, dyspnée, râles et crépitations, gain pondéral).
- Observer fréquemment le point d'injection IV pour déceler la rougeur, l'irritation ou l'inflammation. L'infiltration du médicament n'est pas nécessairement douloureuse. En cas d'extravasation, arrêter immédiatement la perfusion et la reprendre dans une autre veine afin d'éviter la lésion du tissu sous-cutané. Le traitement de l'extravasation inclut l'application de compresses de glace (appliquer pendant 30 min, immédiatement et pendant 30 min, 4 fois par jour, pendant 3 jours). En présence de douleur, d'érythème ou de vésication, la chirurgie plastique peut être de mise.

■ **Étude des examens diagnostiques et biochimiques :** Vérifier la numération globulaire, la formule leucocytaire et les résultats des tests de l'exploration fonctionnelle hépatique et rénale pendant toute la durée du traitement. Le médicament peut entraîner l'hyperuricémie.

DIAGNOSTICS INFIRMIERS POSSIBLES

■ **Énoncés diagnostiques**
- Risque élevé d'infection.
- Déficit nutritionnel.
- Prise en charge inefficace du programme thérapeutique.
- *Risque élevé d'accident.*
- *Risque élevé de déficit de volume liquidien.*
- *Risque élevé de douleur au point d'injection IV.*
- *Risque élevé d'intoxication.*
- *Risque élevé d'atteinte à l'intégrité de la muqueuse buccale.*
- *Risque élevé de perturbation situationnelle de l'estime de soi.*

■ **Facteurs favorisants**
- Informations incomplètes.
- *Manque de connaissances sur les modalités du traitement.*
- *Perturbation de la vigilance.*
- *Altération de la perception visuelle.*
- *Manque de connaissances sur les effets secondaires affectant l'appareil gastro-intestinal.*
- *Inflammation locale du tissu vasculaire et infiltration du médicament dans les tissus avoisinants.*

□ *Manque de connaissances sur les moyens de prévenir ou de réduire la sécheresse de la bouche.*

□ *Altération de l'image corporelle.*

□ *Manque de connaissances sur les effets secondaires du médicament.*

INTERVENTIONS INFIRMIÈRES

■ **Directives générales:** Préparer les solutions IV sous une hotte biologique de sécurité. Porter des gants, un vêtement protecteur et un masque pendant la manipulation de ce médicament. Mettre au rebut le matériel dans les contenants réservés à cet effet (voir l'annexe I).

□ Consulter la monographie de la cytarabine pour obtenir des renseignements sur l'administration concomitante de cytarabine et d'idarubicine.

■ **IV directe:** Reconstituer le contenu des fioles de 5 et de 10 mg avec 5 et 10 mL, respectivement, d'eau stérile pour injection ou de solution de NaCl à 0,9 % pour injection (non bactériostatique) pour obtenir une concentration de 1 mg/mL. Le contenu des fioles est sous pression; introduire l'aiguille avec prudence. Ne pas mélanger à une solution IV.

□ La solution reconstituée est stable pendant 24 h à la température ambiante et pendant 48 h au réfrigérateur. Le fabricant ne recommande pas d'admixtion.

□ *Vitesse d'administration:* Administrer chacune des doses lentement, en 10 à 15 min, dans une tubulure en Y ou un robinet à trois voies par où s'écoule une solution de NaCl à 0,9 % ou de dextrose à 5 % dans de l'eau. La tubulure peut être raccordée à une aiguille à ailettes et la solution peut être injectée dans une grosse veine.

■ **Association incompatible dans la même seringue:** Héparine.

ENSEIGNEMENT AU PATIENT ET À SES PROCHES

□ Recommander au patient de signaler rapidement au médecin la fièvre, les

maux de gorge, les signes d'infection, les saignements des gencives, la formation d'ecchymoses, les pétéchies, la présence de sang dans les selles, l'urine et les vomissements; la fatigue accrue, la dyspnée ou l'hypotension orthostatique. Prévenir le patient qu'il doit éviter les foules et les personnes contagieuses. Lui conseiller d'utiliser une brosse à dents à poils doux et un rasoir électrique et de prendre garde aux chutes. Le prévenir qu'il ne doit pas prendre de boissons alcoolisées ni de préparations contenant de l'aspirine en raison des risques d'hémorragie digestive.

□ Recommander au patient de signaler immédiatement toute douleur au point d'injection.

□ Recommander au patient d'examiner ses muqueuses buccales à la recherche d'érythème et d'ulcération. En présence d'ulcération, lui conseiller de remplacer la brosse à dents par une brosse-éponge, de se rincer la bouche avec de l'eau après avoir bu ou mangé et de consulter le médecin à propos de gargarismes à la lidocaïne visqueuse si les douleurs l'empêchent de s'alimenter. Il ne faut pas administrer de cures subséquentes avec l'idarubicine avant la disparition de l'inflammation de la muqueuse; les doses suivantes devraient être réduites de 25 %.

□ Expliquer à la patiente que ce médicament peut avoir des effets tératogènes. Lui conseiller de continuer à prendre des mesures de contraception pendant toute la durée du traitement et pendant au moins 4 mois après l'avoir arrêté.

□ Recommander au patient de prévenir immédiatement le médecin en cas d'extrasystoles, d'essoufflements ou d'œdème des membres inférieurs.

□ Expliquer au patient qu'il risque de perdre ses cheveux. Explorer avec lui les stratégies lui permettant de s'adapter à ce changement.

□ Expliquer au patient qu'il ne doit pas se faire vacciner sans recommandation expresse du médecin.

□ Inciter le patient à se soumettre aux examens diagnostiques et biochimiques périodiques permettant de déceler les effets secondaires du médicament.

VÉRIFICATION DES RÉSULTATS

L'efficacité du traitement peut être démontrée par: l'amélioration de l'hématopoïèse en présence de leucémie.

IDOXURIDINE
Herplex, Herplex-D, (Stoxil)

CLASSIFICATION:
Agent topique et ophtalmique – antiviral

Grossesse – catégorie inconnue

INDICATIONS

Traitement de la kératite et des lésions cutanées dues au virus de l'herpès simplex.

ACTION

■ Blocage de l'infiltration de la thymidine dans l'ADN viral pour en inhiber la synthèse. **Effets thérapeutiques:** ■ Effet antiviral contre les virus sensibles.

PHARMACOCINÉTIQUE

Absorption: Par suite de l'administration des gouttes ophtalmiques et de la solution topique, l'absorption systémique est minime.
Distribution: Inconnue.
Métabolisme et excrétion: L'idoxuridine est rapidement détruite par les enzymes des tissus et des liquides physiologiques.
Demi-vie: Inconnue.

CONTRE-INDICATIONS ET PRÉCAUTIONS

Contre-indications: ■ Hypersensibilité ■ Hypersensibilité à l'iode ■ Hypersensibilité au chlorure de benzalkonium ou à l'édétate disodique ■ Allaitement ■ Ulcération profonde de la substance propre de la cornée ■ Enfants.

Précautions: Grossesse (l'innocuité du médicament n'a pas été établie).

RÉACTIONS INDÉSIRABLES ET EFFETS SECONDAIRES

ORLO: irritation, douleur, inflammation, prurit, conjonctivite, œdème des paupières, œdème de la cornée, photophobie, érosion ponctuée de l'épithélium cornéen.

INTERACTIONS

Médicament – médicament: ■ L'administration concomitante d'**acide borique** intensifie l'irritation et peut entraîner la formation d'un précipité ■ Les **glucocorticoïdes** ophtalmiques favorisent la propagation de l'infection.

VOIES D'ADMINISTRATION ET POSOLOGIE

■ **Gouttes ophtalmiques (adultes):** administrer une goutte, toutes les heures, le jour, et toutes les 2 h, la nuit, ou une goutte, toutes les minutes pendant 5 min, à répéter toutes les 4 h, jour et nuit.

■ **Solution topique (adultes):** Administrer une ou plusieurs gouttes toutes les heures, le jour, et toutes les 2 h, la nuit, sur la région affectée ou administrer une goutte toutes les 10 à 15 min durant les deux premières heures, puis toutes les heures durant le reste de la journée.

PHARMACODYNAMIE
(effets antiviraux)

	DÉBUT D'ACTION	PIC	DURÉE
gouttes ophtalmiques	5 – 8 jours	inconnu	inconnue
solution topique	inconnu	inconnu	inconnue

I

☀ SOINS INFIRMIERS

ÉVALUATION DE LA SITUATION

Évaluer les lésions oculaires et cutanées tous les jours avant le traitement et pendant toute sa durée.

DIAGNOSTICS INFIRMIERS POSSIBLES

■ **Énoncés diagnostiques**
□ Risque élevé d'infection.
□ Prise en charge inefficace du programme thérapeutique.
□ *Risque élevé d'altération de la perception visuelle.*

■ **Facteurs favorisants**
□ Informations incomplètes.
□ *Manque de connaissances sur la méthode d'administration du médicament.*
□ *Manque de connaissances sur les modalités du traitement.*
□ *Manque de connaissances sur les moyens de réduire la photosensibilité et sur l'importance d'un suivi ophtalmologique.*

INTERVENTIONS INFIRMIÈRES

Gouttes ophtalmiques : La méthode d'administration des gouttes ophtalmiques est indiquée à l'annexe H. Conserver la solution à la température ambiante.

ENSEIGNEMENT AU PATIENT ET À SES PROCHES

□ Montrer au patient comment administrer les préparations topique et ophtalmique. Insister sur l'importance d'éviter tout contact du bouchon ou du compte-gouttes avec les yeux, les doigts ou tout autre surface.
□ Conseiller au patient de respecter scrupuleusement la posologie recommandée même s'il se sent mieux ou s'il est incommodé par l'instillation des gouttes. La kératite herpétique peut récidiver si l'administration de l'idoxuridine est interrompue avant que les résultats de la coloration microscopique à la fluorescéine ne

soient négatifs. Si le patient n'a pas pu s'administrer le médicament au moment habituel, il doit le faire aussitôt que possible à moins que ce ne soit presque l'heure prévue pour la dose suivante. Il ne faut pas utiliser l'idoxuridine plus souvent ni plus longtemps qu'il n'est indiqué sur l'ordonnance.
□ Conseiller au patient de porter des verres fumés et d'éviter les expositions prolongées à la lumière vive afin de prévenir les réactions de photophobie.
□ Prévenir le patient qu'une sensation de brûlure qui se manifeste au moment de l'instillation ou l'absence de réponse au traitement peuvent indiquer que la solution ophtalmique s'est détériorée. Lui recommander d'en informer le médecin le cas échéant.
□ Recommander au patient de prévenir le médecin s'il ne note aucune amélioration après 1 semaine de traitement.
□ Insister sur l'importance des examens de suivi permettant d'évaluer l'efficacité du traitement.

VÉRIFICATION DES RÉSULTATS

L'efficacité du traitement peut être démontrée par : la guérison des lésions oculaires et cutanées.

IFOSFAMIDE
Ifex

CLASSIFICATION :
Antinéoplasique – agent alkylant
Grossesse – catégorie D

INDICATIONS

■ Traitement du sarcome des tissus mous, du carcinome pancréatique et du cancer du col de l'utérus en monothérapie ou en association avec d'autres antinéoplasiques ■ Prévention de la cystite hémorragique induite par l'ifosfamide, en association avec le mesna. **Usages non approuvés:** ■ Traitement du cancer des cellules germinales des testicules en association avec d'autres antinéoplasiques.

ACTION

■ Après sa transformation en composés actifs, l'ifosfamide entrave la réplication de l'ADN et la transcription de l'ARN pour entraver finalement la synthèse des protéines (effet non spécifique sur le cycle cellulaire). **Effets thérapeutiques:** ■ Destruction des cellules à réplication rapide et, particulièrement, des cellules malignes.

PHARMACOCINÉTIQUE

Absorption: L'ifosfamide est réservé à l'administration par voie IV. Il reste inactif jusqu'à sa transformation en métabolites.

Distribution: L'agent est excrété dans le lait maternel.

Métabolisme et excrétion: Le médicament est métabolisé par le foie et il est transformé en composés antinéoplasiques actifs.

Demi-vie: 15 h.

CONTRE-INDICATIONS ET PRÉCAUTIONS

Contre-indications: ■ Hypersensibilité ■ Grossesse, allaitement ou enfants.

Précautions: ■ Patientes en âge de procréer ■ Infection en évolution ■ Diminution de la réserve médullaire ■ Autres maladies chroniques débilitantes ■ Altération de la fonction rénale.

RÉACTIONS INDÉSIRABLES ET EFFETS SECONDAIRES

SNC: toxicité du SNC (somnolence, confusion, hallucinations, coma), étourdissements, désorientation, dysfonctionnement des nerfs crâniens.

CV: cardiotoxicité.

GI: nausées, vomissements, anorexie, diarrhée, constipation, dysfonction hépatique.

GU: cystite hémorragique, toxicité rénale, dysurie, suppression de la fonction des gonades.

Tég.: alopécie.

Hémat.: leucopénie, thrombocytopénie, anémie.

Locaux: phlébite.

Divers: réactions allergiques.

INTERACTIONS

Médicament – médicament: ■ L'administration d'autres **antinéoplasiques** ou la **radiothérapie** peuvent aggraver l'aplasie médullaire ■ Le médicament peut réduire la réponse des anticorps aux **vaccins vivants** et augmenter le risque de réactions indésirables.

VOIES D'ADMINISTRATION ET POSOLOGIE

Cancer des testicules

■ **IV (adultes) (É.-U.):** 1,2 g/m^2 par jour, pendant 5 jours, en association avec le mesna. On peut répéter l'administration toutes les 3 semaines.

Sarcome des tissus mous, cancers du pancréas et du col de l'utérus

■ **IV (adultes):** de 50 à 60 mg/kg ou de 2 à 2,4 g/m^2 par jour, pendant 5 jours, en association avec le mesna. On peut répéter l'administration toutes les 3 à 4 semaines.

PHARMACODYNAMIE (effets sur les numérations globulaires)

	DÉBUT D'ACTION	PIC	DURÉE
IV	inconnu	inconnu	inconnue

SOINS INFIRMIERS

ÉVALUATION DE LA SITUATION

■ **Directives générales:** Mesurer fréquemment la pression artérielle, le pouls, la fréquence respiratoire et la température pendant toute la durée de l'administration de ce médicament. Informer le médecin en cas de changement marqué.

□ Suivre de près la diurèse à intervalles fréquents tout au long du traitement. Prévenir le médecin en cas d'hématurie. Afin de réduire le risque de cystite hémorragique, encourager le patient adulte à boire au moins 3 L de liquides par jour et l'enfant, de 1 à 2 L. Pour prévenir la cystite hémorragique, on administre simultanément le mesna.

□ Suivre de près l'état neurologique du patient. Prévenir le médecin en cas de léthargie, de confusion ou d'hallucinations.

□ Noter les nausées, les vomissements et l'appétit du patient. Peser le patient toutes les semaines. Consulter le médecin en ce qui a trait à l'administration d'antiémétiques avant le traitement pour réduire les effets gastro-intestinaux. Adapter le régime alimentaire selon les aliments que le patient peut tolérer.

□ Surveiller l'apparition de la fièvre, des frissons, des maux de gorge et des signes d'infections et en informer le médecin.

□ Vérifier les résultats de la numération plaquettaire pendant toute la durée du traitement. Suivre de près les saignements : saignements des gencives, formation d'ecchymoses, pétéchies, sang occulte (par la méthode au gaïac) dans les selles, l'urine et les vomissements. Éviter l'administration d'injections IM et la prise de la température PR. Appliquer une pression sur les points de veinoponction pendant 10 min.

■ **Étude des examens diagnostiques et biochimiques :** Examiner la numération globulaire et la formule leucocytaire avant l'administration et à intervalles réguliers pendant toute la durée du traitement. Ne pas administrer l'agent si le nombre de leucocytes est inférieur à 2×10^9/L ou celui des plaquettes à 50×10^9/L.

□ Noter les résultats de l'analyse des urines avant d'administrer chacune des doses. Ne pas administrer le médicament si l'analyse des urines révèle que le nombre d'érythrocytes est supérieur à 10 par champ à fort grossissement.

■ L'ifosfamide peut entraîner l'élévation des concentrations d'enzymes hépatiques et de bilirubine sérique.

DIAGNOSTICS INFIRMIERS POSSIBLES

■ **Énoncés diagnostiques**

□ Risque élevé d'infection.

□ Perturbation situationnelle de l'estime de soi.

□ Prise en charge inefficace du programme thérapeutique.

□ *Risque élevé de déficit nutritionnel.*

□ *Risque élevé d'accident.*

□ *Risque élevé d'intoxication.*

□ *Risque élevé d'altération de l'élimination urinaire.*

□ *Risque élevé d'anxiété.*

■ **Facteurs favorisants**

□ Informations incomplètes.

□ *Manque de connaissances sur les moyens de prévenir les effets secondaires affectant l'appareil gastro-intestinal.*

□ *Manque de connaissances sur les modalités du traitement.*

□ *Manque de connaissances sur le régime alimentaire à suivre.*

□ *Altération de l'image corporelle.*

□ *Perturbation de la vigilance.*

□ *Douleur au point d'injection.*

□ *Modification de l'état liquidien ou des volumes circulants.*

INTERVENTIONS INFIRMIÈRES

■ **Directives générales :** Préparer les solutions IV sous une hotte biologique de sécurité. Porter des gants, un vêtement protecteur et un masque pendant la manipulation de ce médicament. Mettre au rebut le matériel dans les contenants réservés à cet effet (voir l'annexe I).

- **IV :** Diluer le contenu des fioles de 1 g et de 3 g dans 20 mL et 60 mL d'eau stérile pour injection, respectivement. Les solutions reconstituées ainsi que leurs dilutions sont stables pendant 24 h à la température ambiante ou pendant 72 h au réfrigérateur.
- **Perfusion intermittente :** On peut effectuer une nouvelle dilution pour obtenir une concentration de 0,6 à 20 mg/mL dans une solution de dextrose à 5 % dans l'eau, de NaCl à 0,9 % ou de lactate Ringer.
- *Vitesse d'administration :* La perfusion doit durer 30 min.
- **Association compatible dans la même seringue :** Mesna.
- **Compatibilité (tubulure en Y) :** Ondansétron.
- **Compatibilité en addition au soluté :** Mesna.

ENSEIGNEMENT AU PATIENT ET À SES PROCHES

- □ Inciter le patient à boire beaucoup de liquides pendant toute la durée du traitement et à uriner fréquemment afin de réduire l'irritation de la vessie due aux métabolites excrétés par les reins. Lui recommander de signaler immédiatement au médecin la présence d'hématurie.
- □ Recommander au patient de signaler rapidement au médecin la fièvre, les maux de gorge, les signes d'infection, le saignement des gencives, la formation d'ecchymoses, les pétéchies, la présence de sang dans les selles, l'urine et les vomissements ou la confusion.
- □ Prévenir le patient qu'il doit éviter les foules et les personnes contagieuses. Lui recommander d'utiliser une brosse à dents à poils doux et un rasoir électrique et de prendre garde aux chutes. Prévenir le patient qu'il ne doit pas

boire de boissons alcoolisées ni prendre de médicaments renfermant de l'aspirine, car ces substances peuvent déclencher une hémorragie digestive.
- □ Conseiller à la patiente de prendre des mesures contraceptives pendant le traitement.
- □ Expliquer au patient qu'il risque de perdre ses cheveux. Explorer avec lui les stratégies lui permettant de s'adapter à ces changements.
- □ Recommander au patient de ne pas se faire vacciner sans recommandation expresse du médecin.

VÉRIFICATION DES RÉSULTATS

L'efficacité du traitement peut être déterminée par : la diminution de la taille de la tumeur ou le ralentissement de la propagation du cancer.

IMIPÉNEM/CILASTATINE
Primaxin

CLASSIFICATION :
Anti-infectieux – divers ; pénicilline
Grossesse – catégorie C

INDICATIONS

■ Traitement des infections graves suivantes provoquées par des micro-organismes sensibles : □ infections des voies respiratoires inférieures □ infections urinaires □ infections abdominales □ infections gynécologiques □ infections des tissus mous □ infections des os et des articulations □ bactériémie □ endocardite (due à *S. aureus*) □ infections polymicrobiennes.

ACTION

■ Liaison à la paroi de la cellule bactérienne, entraînant la destruction de la bactérie ■ L'association avec la cilastatine empêche l'inactivation rénale de l'imipénem, ce qui entraîne des concentrations urinaires élevées ■ Le médicament résiste à l'action de nombreuses enzymes qui décomposent la plupart des autres pénicillines et pénicillinases. **Effets thérapeutiques : ▪** Effet bactéricide contre les bactéries sensibles. **Spectre d'action : ▪** Le spectre d'action est très large ▪ Le médicament est actif contre la plupart des cocci aérobies à Gram positif dont : □ *Streptococcus pneumoniae* □ les streptocoques bêta-hémolytiques du groupe A □ les entérocoques □ *Staphylococcus aureus* ▪ Le médicament est aussi actif contre de nombreux micro-organismes à Gram négatif dont : □ *Escherichia coli* □ *Klebsiella* □ *Acinetobacter* □ *Proteus* □ *Serratia* □ *Pseudomonas aeruginosa* ▪ Le médicament est également actif contre □ *Salmonella* □ *Shigella* □ *Neisseria gonorrhoeae* □ de nombreux autres micro-organismes anaérobies.

PHARMACOCINÉTIQUE

Absorption : Le médicament est réservé à l'administration par voie IV ; dans ce cas sa biodisponibilité est totale.
Distribution : L'agent se répartit dans tout l'organisme. Il traverse le placenta et pénètre dans le lait maternel.
Métabolisme et excrétion : Une fraction de 70 % est excrétée à l'état inchangé par les reins.
Demi-vie : 1 h (prolongée en cas d'insuffisance rénale).

CONTRE-INDICATIONS ET PRÉCAUTIONS

Contre-indications : ▪ Hypersensibilité ▪ Risque de réactions de sensibilité croisée avec les pénicillines et les céphalosporines.
Précautions : ▪ Antécédents de multiples réactions d'hypersensibilité ▪ Troubles convulsifs ▪ Insuffisance rénale (réduire la dose) ▪ Grossesse, allaitement et enfants (l'innocuité du médicament n'a pas été établie).

RÉACTIONS INDÉSIRABLES ET EFFETS SECONDAIRES

SNC : CONVULSIONS, étourdissements, somnolence.

CV : hypotension.
GI : nausées, diarrhée, vomissements.
Tég. : rash, prurit, urticaire, transpiration.
Hémat. : éosinophilie.
Locaux : phlébite au point d'injection IV.
Divers : réactions allergiques incluant l'ANAPHYLAXIE, fièvre, surinfection.

INTERACTIONS

Médicament – médicament : ▪ L'association d'imipénem/cilastatine peut entraver l'action des **pénicillines** et des **céphalosporines** ▪ L'admixtion avec des **aminosides** peut entraîner l'inactivation du médicament ▪ Le **probénécide** diminue l'excrétion rénale et augmente les concentrations sanguines d'imipénem/cilastatine ▪ L'administration concomitante de **ganciclovir** accroît le risque de convulsions (éviter l'administration concomitante).

VOIES D'ADMINISTRATION ET POSOLOGIE

IV (adultes) : de 1 à 2 g par jour, en doses fractionnées égales, toutes les 6 ou 8 h.

PHARMACODYNAMIE (concentrations sanguines)

	DÉBUT D'ACTION	PIC
IV	rapide	fin de la perfusion

SOINS INFIRMIERS

ÉVALUATION DE LA SITUATION

□ Au début du traitement et pendant toute sa durée, surveiller les signes suivants d'infection : altération des signes vitaux ; aspect de la plaie, des expectorations, de l'urine et des selles ; accroissement du nombre de leucocytes.

□ Recueillir les antécédents du patient avant d'amorcer le traitement afin de déterminer ses réactions antérieures à une pénicilline ou à une céphalosporine. Même les personnes n'ayant jamais manifesté une sensibilité aux pénicillines peuvent présenter une réaction allergique.

☐ Prélever des échantillons pour les cultures et les antibiogrammes avant le début du traitement. La première dose peut être administrée avant même que les résultats soient connus.

☐ Suivre de près les signes et les symptômes suivants d'anaphylaxie : rash, prurit, œdème laryngé, respiration sifflante. Si ces symptômes se manifestent, arrêter le traitement et prévenir immédiatement le médecin. Garder à portée de la main de l'épinéphrine, un antihistaminique et le matériel de réanimation pour parer à une éventuelle réaction anaphylactique.

■ **Étude des examens diagnostiques et biochimiques :** Le médicament peut entraîner l'élévation passagère des concentrations d'urée, de TGOS (AST), de TGPS (ALT), de LDH, de phosphatase alcaline sérique, de bilirubine et de créatinine.

☐ L'imipénem/cilastatine peut diminuer les concentrations d'hémoglobine et l'hématocrite.

☐ Le médicament peut entraîner des résultats positifs au test de Coombs.

DIAGNOSTICS INFIRMIERS POSSIBLES

■ **Énoncés diagnostiques**

☐ Risque élevé d'infection.

☐ Prise en charge inefficace du programme thérapeutique.

☐ *Risque élevé de déficit de volume liquidien.*

☐ *Risque élevé de douleur au point d'injection IV.*

☐ *Risque élevé d'accident.*

☐ *Risque élevé d'exacerbation des effets secondaires.*

■ **Facteurs favorisants**

☐ Informations incomplètes.

☐ *Manque de connaissances sur les moyens de prévenir les effets secondaires affectant l'appareil gastro-intestinal.*

☐ *Inflammation locale du tissu vasculaire ou infiltration du médicament dans les tissus avoisinants.*

☐ *Manque de connaissances sur les modalités du traitement.*

☐ *Administration trop rapide du médicament par voie IV.*

INTERVENTIONS INFIRMIÈRES

■ **IV :** Reconstituer le contenu d'une fiole de 250 ou de 500 mg avec 10 mL de diluant compatible et bien agiter. Transvaser la solution obtenue dans un récipient contenant au moins 100 mL de diluant compatible. Répéter l'opération en rinçant la fiole avec 10 mL de la suspension diluée et bien agiter afin de s'assurer que tout le médicament a été utilisé. Transvaser tout le contenu de la fiole dans le contenant pour perfusion. Ne pas administrer la suspension par injection directe.

☐ Reconstituer le contenu des flacons adaptés au système ADD-Vantage avec 100 ou 250 mL de diluant ADD-Vantage des Laboratoires Abbott. Agiter jusqu'à ce que la solution devienne transparente.

☐ *Les diluants compatibles* incluent les solutions de NaCl à 0,9 %, de dextrose à 5 % ou à 10 % dans de l'eau, de dextrose à 5 % avec du bicarbonate de sodium à 0,02 %, de dextrose à 5 % dans une solution de NaCl à 0,9 %, à 0,45 % ou à 0,225 % et les solutions de mannitol à 2,5 %, à 5 % ou à 10 %. La solution peut être de transparente à jaune. Ne pas administrer la solution si elle est trouble. La solution est stable pendant 4 h à la température ambiante et pendant 24 h au réfrigérateur.

■ **Perfusion intermittente :** Administrer la dose de 250 mg ou de 500 mg en 20 à 30 min et la dose de 1 g en 40 à 60 min. Administrer en 15 à 20 min chez les enfants. Ne pas administrer par IV directe. Ne pas effectuer d'admixtion avec d'autres antibiotiques.

☐ La perfusion rapide peut entraîner des nausées, des vomissements, l'hypotension, des étourdissements ou la transpiration. Si ces symptômes se manifestent, ralentir la vitesse de perfusion. Il peut s'avérer nécessaire d'arrêter l'administration.

■ **Compatibilités (tubulure en Y) :** Acyclovir, famotidine, foscarnet, ondansétron ou zidovudine.

ENSEIGNEMENT AU PATIENT ET À SES PROCHES

Conseiller au patient de signaler l'allergie et les signes suivants de surinfection : excroissance pileuse noire sur la langue, démangeaisons ou pertes vaginales, selles molles ou nauséabondes.

VÉRIFICATION DES RÉSULTATS

La réponse clinique peut être déterminée par : la disparition des signes et des symptômes d'infection. Le temps de résolution dépend du micro-organisme infectant et du siège de l'infection.

IMIPRAMINE

Apo-Imipramine, Impril, Novo-Pramine, Tofranil, (Janimine), (SK-Pramine), (Tipramine), (Tofranil PM)

CLASSIFICATION :
Antidépresseur – tricyclique

Grossesse – catégorie C

INDICATIONS

■ Traitement de diverses formes de dépression, souvent conjointement à la psychothérapie ■ Traitement de l'énurésie chez les enfants. **Usages non approuvés :** ■ Traitement d'appoint de la douleur chronique et prophylaxie des migraines et des céphalées vasculaires de Horton.

ACTION

■ Potentialisation des effets de la sérotonine et de la noradrénaline ■ Propriétés anticholinergiques importantes. **Effets thérapeutiques :** ■ Effet antidépresseur qui se manifeste graduellement sur plusieurs semaines.

PHARMACOCINÉTIQUE

Absorption : Bonne absorption à partir du tractus gastro-intestinal.

Distribution : Le médicament se répartit dans tout l'organisme. Il semble traverser le placenta et pénétrer dans le lait maternel.

Métabolisme et excrétion : L'imipramine subit un fort métabolisme hépatique surtout lors du premier passage. Une certaine fraction du médicament est transformée en métabolites actifs. Le médicament subit plusieurs cycles entérohépatiques et il est sécrété dans les liquides gastriques.

Demi-vie : De 8 à 16 h.

CONTRE-INDICATIONS ET PRÉCAUTIONS

Contre-indications : ■ Hypersensibilité ■ Risque de réactions de sensibilité croisée avec d'autres antidépresseurs ■ Glaucome à angle étroit ■ Grossesse et allaitement ■ Hypersensibilité au polyéthylèneglycol ou à la polyvidone (Tofranil).

Précautions : ■ Personnes âgées (plus grande prédisposition aux réactions indésirables) ■ Maladie cardiovasculaire préexistante ■ Hommes âgés souffrant d'hypertrophie de la prostate (plus grande prédisposition à la rétention urinaire) ■ Convulsions ou antécédents de crises convulsives.

RÉACTIONS INDÉSIRABLES ET EFFETS SECONDAIRES

SNC : somnolence, sédation, léthargie, fatigue, confusion, agitation, hallucinations, insomnie.

CV : hypotension, modifications de l'ÉCG, ARYTHMIES.

Tég. : photosensibilité.

ORLO : sécheresse de la bouche (xérostomie), sécheresse des yeux (alacrymie), vision trouble.

End.: gynécomastie.

GI: constipation, iléus paralytique, nausées.

GU: rétention urinaire.

Hémat.: dyscrasie.

INTERACTIONS

Médicament – médicament: ■ L'imipramine peut provoquer l'hypotension et la tachycardie lors de l'administration concomitante d'**inhibiteurs de la MAO** (éviter l'administration conjointe; interrompre le traitement 2 semaines avant d'administrer l'imipramine) ■ Le médicament peut entraver la réponse thérapeutique aux **antihypertenseurs** ■ L'imipramine peut provoquer une hypertension grave lorsqu'elle est administrée en même temps que la **clonidine** (éviter l'administration conjointe) ■ Effets dépresseurs additifs sur le SNC lors de l'usage concomitant d'autres **dépresseurs du SNC** dont l'**alcool**, les **antihistaminiques**, les **analgésiques narcotiques** et les **hypnosédatifs** ■ Les effets secondaires **adrénergiques** et **anticholinergiques** peuvent être additifs lors de l'administration d'autres agents doués de ces propriétés ■ La **cimétidine**, la **fluoxétine**, les **phénothiazines** ou les **contraceptifs oraux** augmentent les concentrations d'imipramine et peuvent provoquer une toxicité ■ Le médicament peut provoquer le syndrome cérébral organique lors de l'administration conjointe du **disulfirame** ■ Le **tabac** peut accélérer le métabolisme du médicament et en diminuer l'efficacité.

VOIES D'ADMINISTRATION ET POSOLOGIE

Traitement de la dépression

■ **PO (adultes):** de 25 à 50 mg, 3 ou 4 fois par jour (ne pas dépasser 300 mg par jour). La dose quotidienne totale peut être administrée au coucher.

Traitement de l'énurésie

■ **PO (enfants > 5 ans):** de 10 à 25 mg, 1 fois par jour, 1 h avant le coucher; en l'absence d'une réponse satisfaisante en l'espace de 1 semaine, on peut augmenter la dose à 75 mg par jour chez les enfants de plus de 12 ans.

PHARMACODYNAMIE (effet antidépresseur)

	DÉBUT D'ACTION	PIC	DURÉE
PO	plusieurs heures	2 – 6 semaines	semaines

SOINS INFIRMIERS

ÉVALUATION DE LA SITUATION

■ Mesurer la pression artérielle et le pouls avant l'administration du médicament et pendant toute la durée du traitement initial.

□ Évaluer l'ÉCG à intervalles réguliers chez les personnes âgées ou les patients souffrant d'une maladie cardiaque et avant l'augmentation de la dose chez les enfants traités pour l'énurésie. L'imipramine peut allonger les intervalles PR et QT et diminuer l'amplitude de l'onde T.

■ **Dépression:** Évaluer fréquemment l'état de la conscience du patient. Lors du traitement initial, la confusion, l'agitation et des hallucinations peuvent se manifester et nécessiter une réduction de la dose. Noter les sautes d'humeur. Rester à l'affût des tendances suicidaires, particulièrement en début de traitement. Diminuer la quantité de médicament dont le patient peut disposer.

■ **Douleur:** Déterminer le siège, la durée et l'intensité de la douleur à intervalles réguliers tout au long du traitement.

■ **Étude des examens diagnostiques et biochimiques:** Examiner la numération et la formule leucocytaires ainsi que les résultats des tests de l'exploration fonctionnelle hépatique et rénale avant d'amorcer un traitement de longue durée ou à fortes doses et à intervalles réguliers par la suite.

☐ Mesurer les concentrations sériques chez les patients qui ne répondent pas à la dose thérapeutique habituelle. L'écart thérapeutique des concentrations plasmatiques se situe entre 530 à 950 nmol/L (médicament et métabolite actif).

☐ L'imipramine peut modifier la glycémie.

■ **Toxicité et surdosage:** Les symptômes du surdosage aigu comprennent le manque de concentration, la confusion, l'agitation, les convulsions, la somnolence, la mydriase, les arythmies, la fièvre, les hallucinations, les vomissements et la dyspnée.

☐ Le traitement du surdosage inclut le lavage gastrique et l'administration de charbon activé et d'un purgatif. Maintenir les fonctions cardiaque et respiratoire (suivre de près l'ÉCG pendant au moins 5 jours) et prendre la température. On peut administrer de la digoxine pour traiter l'insuffisance cardiaque, des antiarythmiques, des anticonvulsivants et de la physostigmine pour renverser les effets anticholinergiques.

DIAGNOSTICS INFIRMIERS POSSIBLES

■ **Énoncés diagnostiques**

☐ Stratégies d'adaptation individuelle inefficaces.

☐ Anxiété.

☐ Prise en charge inefficace du programme thérapeutique.

☐ *Risque élevé d'accident.*

☐ *Risque élevé d'atteinte à l'intégrité de la muqueuse buccale.*

☐ *Risque élevé de constipation.*

☐ *Risque élevé d'excès nutritionnel.*

☐ *Risque élevé d'altération de la perception visuelle.*

■ **Facteurs favorisants**

☐ Informations incomplètes.

☐ *Perturbation de la vigilance.*

☐ *Manque de connaissances sur les modalités du traitement.*

☐ *Altération de la perception visuelle.*

☐ *Manque de connaissances sur les effets hypotensifs du médicament lors des changements brusques de position.*

☐ *Manque de connaissances sur les moyens de prévenir ou de réduire la sécheresse de la bouche.*

☐ *Manque de connaissances sur les moyens de stimuler la fonction intestinale.*

☐ *Manque de connaissances sur les moyens de prévenir les effets secondaires du médicament.*

☐ *Manque de connaissances sur les moyens de réduire la photosensibilité et sur l'importance d'un suivi ophtalmologique.*

☐ *Manque de connaissances sur le régime alimentaire à suivre.*

INTERVENTIONS INFIRMIÈRES

■ **Directives générales:** On peut administrer la dose totale au coucher pour réduire la sédation diurne.

■ **PO:** Administrer le médicament avec les repas ou immédiatement après pour diminuer l'irritation gastrique.

ENSEIGNEMENT AU PATIENT ET À SES PROCHES

☐ Conseiller au patient de respecter scrupuleusement la posologie recommandée. Lui expliquer qu'il ne doit pas sauter de dose ni remplacer une dose manquée par une dose double. Le prévenir que les effets du médicament peuvent ne pas se manifester avant 2 semaines au moins. Le sevrage brusque peut provoquer des nausées, des céphalées et un malaise.

☐ Prévenir le patient que l'imipramine peut provoquer des étourdissements et rendre la vision trouble. Lui conseiller de ne pas conduire et d'éviter les activités qui exigent sa vigilance jusqu'à ce qu'on ait la certitude que le médicament n'entraîne pas ces effets chez lui.

□ Conseiller au patient de prévenir le médecin si sa vision change. Informer le patient que, pendant un traitement prolongé, le médecin peut lui prescrire des examens à intervalles réguliers pour déceler le glaucome.

□ Recommander au patient de changer lentement de position afin de réduire les risques d'hypotension orthostatique.

□ Recommander au patient d'éviter de boire de l'alcool et de ne pas prendre d'autres médicaments dépresseurs du SNC pendant toute la durée du traitement et pendant les 3 à 7 jours qui suivent l'arrêt de la médication.

□ Conseiller au patient de prévenir le médecin en cas de rétention urinaire, de mouvements incontrôlables, de sécheresse de la bouche ou de constipation persistante. Lui expliquer que les bonbons ou la gomme à mâcher sans sucre peuvent diminuer la sécheresse de la bouche et qu'une consommation accrue de liquides et d'aliments riches en fibres peut prévenir la constipation.

□ Recommander au patient d'utiliser des écrans solaires et de porter des vêtements protecteurs afin de prévenir les réactions de photosensibilité.

□ Inciter le patient à surveiller son alimentation, car l'imipramine peut lui donner plus d'appétit, ce qui risque d'entraîner un gain pondéral indésirable.

□ Recommander au patient qui doit suivre un traitement dentaire ou subir une intervention chirurgicale d'avertir le dentiste ou le médecin qu'il suit un traitement médicamenteux.

□ Prévenir le patient que le traitement de la dépression est habituellement prolongé. Insister sur l'importance d'un suivi régulier permettant de déterminer les bienfaits du traitement.

■ **Enfants:** Informer les parents que les effets secondaires qui peuvent se manifester le plus souvent sont la nervosité, l'insomnie, la fatigue inhabituelle et les nausées et vomissements légers. Leur recommander de prévenir le médecin si ces symptômes s'aggravent.

□ Recommander aux parents de garder le médicament hors de la portée des enfants pour réduire le risque de surdosage accidentel.

VÉRIFICATION DES RÉSULTATS

L'efficacité du traitement peut être démontrée par: ■ un sentiment de mieux-être □ un regain d'intérêt pour l'entourage □ l'amélioration de l'appétit □ un regain d'énergie □ l'amélioration du sommeil ■ la disparition de l'énurésie chez les enfants de plus de 5 ans □ la prévention et la diminution des douleurs neurogènes chroniques. Le plein effet thérapeutique de l'imipramine pourrait ne pas être notable avant 2 à 6 semaines de traitement.

IMMUNOGLOBULINE
Gammaglobuline, IG, immunoglobuline sérique, ISG

IMMUNOGLOBULINE INTRAMUSCULAIRE
Gammabulin Immuno, IGIM, (Gamastan), (Gammar)

IMMUNOGLOBULINE INTRAVEINEUSE
Gamimune N, Iveegam, (Gammagard), (Sandoglobulin), (Venoglobulin-I)

CLASSIFICATION:
Immunoglobuline sérique

Grossesse – catégorie inconnue

INDICATIONS

■ **IM:** Syndrome déficitaire primaire et secondaire en anticorps contre une variété d'infections dont: □ l'hépatite A ■ les infections bactériennes □ la varicelle et le zona □ la poliomyélite □ la rubéole □ la rougeole ; lorsqu'il est impossible d'avoir recours à des immunoglobulines spécifiques ou, faute de temps, à l'immunisation active. **Usages non approuvés :** ■ Hépatite B ■ **IV :** Patients atteints d'immunodéficience humorale primaire et secondaire ■ **IV :** Traitement du purpura thrombopénique idiopathique.

ACTION

■ Fraction de sérum humain renfermant des anticorps gammaglobuline (IgG). **Effets thérapeutiques :** ■ Immunisation passive contre de nombreuses infections.

PHARMACOCINÉTIQUE

Absorption : Bonne absorption par suite de l'administration IM.
Distribution : Le médicament se répartit rapidement et uniformément dans tout l'organisme.
Métabolisme et excrétion : Le médicament est éliminé de l'organisme par redistribution, liaison tissulaire et catabolisme.
Demi-vie : De 21 à 24 jours.

CONTRE-INDICATIONS ET PRÉCAUTIONS

Contre-indications : ■ Hypersensibilité aux immunoglobulines ou aux additifs suivants : maltose, thimérosal ■ Déficit sélectif en IgA.
Précautions : ■ Thrombocytopénie (IM) ■ Déséquilibres acidobasiques (Gamimune N) ■ Agammaglobulinémie ou hypogammaglobulinémie (risque accru d'hypotension et d'anaphylaxie par suite de l'administration IV rapide) ■ Précédents d'administration pendant la grossesse (même si l'innocuité de l'agent n'a pas été établie).

RÉACTIONS INDÉSIRABLES ET EFFETS SECONDAIRES

SNC : lipothymie, sensation de tête légère, céphalées, malaise.
Resp. : dyspnée, respiration sifflante.
CV : douleurs thoraciques.

GI : nausées.
GU : diurèse (Gamimune N), syndrome néphrotique.
Tég. : urticaire, cyanose.
Locaux : douleur, sensibilité, rigidité musculaire au point d'injection IM, inflammation locale, urticaire au point d'injection, phlébite.
Loc. : douleur à la hanche, douleur lombaire, arthralgie.
Divers : réactions allergiques incluant l'ANAPHYLAXIE, angio-œdème, fièvre, frissons, transpiration.

INTERACTIONS

Médicament – médicament : L'immunoglobuline peut entraver la réponse immunitaire de certains **vaccins vivants** dont les **vaccins antirougeoleux**, **antiourliens** et **antirubéoleux** (ne pas administrer dans les 3 mois suivant l'administration de l'immunoglobuline).

VOIES D'ADMINISTRATION ET POSOLOGIE

Prophylaxie antérieure et postérieure à l'exposition au virus de l'hépatite A

■ **IM (adultes et enfants) :** de 0,02 à 0,04 mL/kg (enfants) ou de 0,08 à 0,12 mL/kg. Si l'exposition persiste, répéter l'administration après 5 mois environ.

Prophylaxie postérieure à l'exposition au virus de l'hépatite B (faute de IGHB)

■ **IM (adultes et enfants) :** 0,06 mL/kg.

Prophylaxie postérieure à l'exposition à la rougeole

■ **IM (adultes et enfants) :** 0,25 mL/kg (0,5 mL/kg en cas d'immunosuppression).

Infections bactériennes

■ **IM (adultes et enfants) :** de 0,5 à 2,0 mL/kg.

Varicelle – zona

■ **IM (adultes et enfants) :** de 0,6 à 1,2 mL/kg.

Poliomyélite
- **IM (adultes et enfants):** de 0,25 à 0,5 mL/kg.

Rubéole
- **IM (adultes et enfants):** au moins 0,5 mL/kg on peut répéter l'administration de 4 à 6 semaines plus tard.

Syndrome d'immunodéficience
- **IM (adultes et enfants):** dose initiale de 1,8 mL/kg, puis 0,6 mL/kg par mois (les doses uniques ne devraient pas dépasser de 30 à 50 mL chez les adultes ou de 20 à 30 mL chez les nourrissons et les jeunes enfants).
- **IV (adultes et enfants):** Gamimune N – de 100 à 200 mg/kg (de 2 à 4 mL/kg) par mois; on peut augmenter la dose à 400 mg/kg (8 mL/kg) ou administrer l'agent plus souvent.
- **IV (adultes et enfants):** Iveegam – 200 mg/kg par mois; au besoin, les doses peuvent être quadruplées et être administrées à des intervalles plus fréquents.

Purpura thrombopénique idiopathique
- **IV (adultes et enfants):** Gamimune N – 400 mg/kg par jour, pendant 5 jours.

PHARMACODYNAMIE
(concentrations d'anticorps)

	DÉBUT D'ACTION	PIC	DURÉE
IM	inconnu	2 jours	inconnue
IV	immédiat	inconnu	inconnue

☀ SOINS INFIRMIERS

ÉVALUATION DE LA SITUATION

☐ Pour assurer l'immunité passive, il faut déterminer la date de l'exposition au virus. L'immunoglobuline doit être administrée dans les 2 semaines suivant l'exposition au virus de l'hépatite A, dans les 6 jours suivant l'exposition au virus de la rougeole et dans les 7 jours suivant l'exposition au virus de l'hépatite B.

☐ Prendre les signes vitaux pendant toute la durée de la perfusion d'immunoglobuline IV. Observer le patient pendant l'heure qui suit l'amorce de la perfusion, pour déceler les signes suivants d'anaphylaxie : hypotension, bouffées vasomotrices, oppression thoracique, respiration sifflante, fièvre, étourdissements, nausées, vomissements, diaphorèse. Garder à portée de la main de l'épinéphrine et des antihistaminiques pour parer à une éventuelle réaction anaphylactique.

☐ Chez les patients recevant plusieurs injections d'immunoglobuline par voie IM, suivre de près les signes suivants de sensibilisation : fièvre, frissons, transpiration.

☐ Noter la numération plaquettaire chez les patients traités pour le purpura thrombopénique idiopathique.

DIAGNOSTICS INFIRMIERS POSSIBLES

- **Énoncés diagnostiques**
☐ Risque élevé d'infection.
☐ Prise en charge inefficace du programme thérapeutique.
☐ *Risque élevé d'intolérance à l'activité.*
☐ *Risque élevé d'exacerbation des effets secondaires.*

- **Facteurs favorisants**
☐ Informations incomplètes
☐ *Douleur au point d'injection.*
☐ *Manque de connaissances sur les modalités du traitement.*
☐ *Administration trop rapide du médicament par voie IV.*

INTERVENTIONS INFIRMIÈRES

- **IM :** Chez les adultes et les enfants, administrer l'immunoglobuline par voie IM (IGIM) dans le muscle deltoïde ou la face antérolatérale de la cuisse. Les doses supérieures à 10 mL devraient être administrées par plusieurs injections afin de réduire la douleur locale. Éviter d'administrer des doses de plus de 20 mL par voie IM. L'administration dans le muscle fessier devrait être réservée aux doses de plus de 3 mL ou lorsqu'une dose importante est administrée en plusieurs injections afin de prévenir une lésion du nerf sciatique. Ne pas administrer par voies SC, intradermique ou IV. La solution d'IGIM doit être transparente ou opalescente et elle peut être incolore ou brunâtre.

■ **Perfusion intermittente :** L'immunoglobuline IV (IGIV) doit être administrée par perfusion IV dans une tubulure distincte. Ne pas mélanger à d'autres médicaments ou solutions. Si une réaction indésirable se manifeste pendant la perfusion, ralentir le débit ou arrêter l'administration jusqu'à ce que cette réaction disparaisse. On peut ensuite reprendre la perfusion au débit que le patient peut tolérer. Ne pas administrer les solutions troubles. Ne pas administrer l'IGIV par voies SC ou IM.

□ Administrer *Gamimune N* à un débit de 0,01 ou 0,02 mL/kg à la minute pendant 30 min. Si aucune réaction indésirable ne se manifeste, on peut augmenter graduellement le débit jusqu'à un maximum de 0,08 mL/kg à la minute. Conserver les solutions de Gamimune N au réfrigérateur, mais non pas au congélateur. Jeter toute solution ayant été congelée.

□ Reconstituer *Iveegam* avec la solution d'eau stérile pour injection fournie par le fabricant afin d'obtenir une solution à 5 % (50 mg/mL). Administrer la préparation à un débit de 1 mL à la minute et jusqu'à un maximum de 2 mL à la minute. La poudre et la solution reconstituée d'Iveegam doivent être conservées au réfrigérateur.

ENSEIGNEMENT AU PATIENT ET À SES PROCHES

□ Expliquer au patient la logique et le but du traitement à l'immunoglobuline.

□ Recommander au patient de signaler immédiatement les symptômes d'anaphylaxie.

□ Expliquer au patient qu'une douleur, une sensibilité et une raideur musculaire peuvent se manifester aux points d'injection IM. Ces effets peuvent persister pendant plusieurs heures suivant l'administration.

VÉRIFICATION DES RÉSULTATS

L'efficacité du traitement peut être démontrée par : ■ la prévention de certaines maladies infectieuses par immunisation passive chez les patients exposés aux infections ou chez les patients qui souffrent d'un déficit immunitaire ■ l'augmentation du nombre de plaquettes chez les patients souffrant de purpura thrombopénique idiopathique.

IMMUNOGLOBULINE ANTI-CYTOMÉGALOVIRUS
(CMVIG)

CLASSIFICATION :
Vaccin – immunoglobuline

Grossesse – catégorie inconnue

INDICATIONS

Suppression de l'infection à cytomégalovirus chez les transplantés à CMV négatif ayant reçu des reins à CMV positif.

ACTION

■ L'immunoglobuline anti-cytomégalovirus contient des anticorps IgG procurant une immunité passive contre l'infection à cytomégalovirus. **Effets thérapeutiques :** ■ Prévention des séquelles graves découlant de la maladie à cytomégalovirus chez les transplantés rénaux.

PHARMACOCINÉTIQUE

Absorption : Biodisponibilité complète par suite de l'administration IV.

Distribution: Inconnue.

Métabolisme et excrétion: Inconnus.

Demi-vie: Inconnue.

CONTRE-INDICATIONS ET PRÉCAUTIONS

Contre-indications: ■ Hypersensibilité aux immunoglobulines ou à l'albumine ■ Déficit sélectif en IgA.

Précautions: Grossesse ou allaitement (l'innocuité de l'immunoglobuline n'a pas été établie).

RÉACTIONS INDÉSIRABLES ET EFFETS SECONDAIRES

CV: hypotension.

Resp.: respiration sifflante.

GI: vomissements, nausées.

Tég.: rougeurs.

Loc.: crampes musculaires, douleurs lombaires.

Divers: frissons, fièvre, réactions allergiques incluant l'ANAPHYLAXIE.

INTERACTIONS

Médicament – médicament: L'immunoglobuline anti-cytomégalovirus peut diminuer la réponse normale des anticorps à certains **vaccins vivants** dont **les vaccins antirougeoleux, antiourliens et antirubéoleux** (s'abstenir de prendre ce médicament dans les 3 mois suivant l'administration de l'immunoglobuline).

VOIES D'ADMINISTRATION ET POSOLOGIE

IV (adultes): 150 mg/kg dans les 72 h suivant la greffe, puis administrer 100 mg/kg après 2, 4, 6 et 8 semaines et, finalement, administrer 50 mg/kg aux semaines 12 et 16.

PHARMACODYNAMIE

	DÉBUT D'ACTION	PIC	DURÉE
IV	rapide	inconnu	inconnue

☀ SOINS INFIRMIERS

ÉVALUATION DE LA SITUATION

- ☐ Prendre les signes vitaux avant, pendant et après la perfusion et avant d'augmenter la vitesse de perfusion.
- ☐ Surveiller les réactions indésirables pendant toute la durée du traitement. Si les effets secondaires bénins suivants se manifestent, ralentir la vitesse de perfusion ou interrompre l'administration: nausées, vomissements, crampes musculaires, douleurs lombaires, fièvre, rougeurs, frissons. En présence d'hypotension ou de réaction anaphylactique, arrêter la perfusion et administrer le traitement approprié (épinéphrine et diphenhydramine).

DIAGNOSTICS INFIRMIERS POSSIBLES

■ **Énoncés diagnostiques**
- ☐ Risque élevé d'infection.
- ☐ Prise en charge inefficace du programme thérapeutique.
- ☐ *Risque élevé d'accident.*
- ☐ *Risque élevé d'exacerbation des effets secondaires.*

■ **Facteurs favorisants**
- ☐ Informations incomplètes.
- ☐ *Perturbation de la vigilance.*
- ☐ *Administration trop rapide du médicament par voie IV.*

INTERVENTIONS INFIRMIÈRES

- ■ **Directives générales:** Reconstituer le médicament dans 50 mL d'eau stérile pour injection à l'aide d'une aiguille à double pointe ou d'une grosse seringue. Ne pas agiter la fiole pour ne pas faire mousser le produit. Aiguille à double pointe: introduire d'abord l'aiguille dans l'eau puisque la poudre est présentée dans une fiole sous vide et l'eau y pénétrera par succion. Lorsque l'eau a été injectée dans la fiole, libérer ce qui reste de pression pour accélérer la dissolution. Tourner doucement la fiole jusqu'à ce que toute la poudre soit imbibée d'eau. Laisser reposer 30 min pour permettre à la poudre de se dissoudre. La solution doit être transparente et incolore, sans contenir de particules.

- **Perfusion intermittente:** Amorcer la perfusion dans les 6 h et la terminer dans les 12 h suivant la reconstitution.

▫ Administrer à l'aide d'une pompe à perfusion dans une tubulure distincte. Si cela est impossible, administrer la solution par un raccordement en série dans une tubulure IV renfermant une solution de NaCl à 0,9 %, une solution de dextrose à 5, à 10 ou à 20 % ou dans une solution qui associe du dextrose et du soluté salin. Ne pas diluer à une concentration supérieure à 1:2. Ne pas utiliser de filtres.

- *Vitesse d'administration:* Administrer la dose initiale à une vitesse de 15 mg/kg à l'heure pendant les 30 premières minutes; puis, si aucune réaction indésirable ne se manifeste, passer à une vitesse de 30 mg/kg à l'heure; si aucune réaction indésirable ne se manifeste dans les 30 min qui suivent, on peut augmenter la vitesse jusqu'à 60 mg/kg à l'heure. Ne pas dépasser un volume de 75 mL à l'heure ni une vitesse de 60 mg/kg à l'heure. Observer attentivement le patient lors des changements de la vitesse d'administration. Une douleur peut être ressentie au point d'injection.

▫ Lors de l'administration de doses subséquentes, accroître la vitesse d'administration de la même façon toutes les 15 min, si aucune réaction indésirable ne se manifeste jusqu'à l'atteinte de la dose maximale, soit 60 mg/kg à l'heure.

ENSEIGNEMENT AU PATIENT ET À SES PROCHES

▫ Conseiller au patient de prévenir le médecin si des réactions indésirables se manifestent.

▫ Prévenir le patient que l'immunoglobuline peut provoquer de la somnolence. Lui conseiller de ne pas conduire et d'éviter les activités qui exigent sa vigilance jusqu'à ce qu'on ait la certitude que le médicament n'entraîne pas cet effet chez lui.

VÉRIFICATION DES RÉSULTATS

L'efficacité du traitement peut être démontrée par: la prévention des séquelles graves attribuables à l'infection à cytomégalovirus, dont la cécité, chez les patients ayant reçu une greffe rénale.

IMMUNOGLOBULINE CONTRE L'HÉPATITE B (IGHB)

HyperHep, (H-BIG), (Hep-B-Gammagee)

CLASSIFICATION:
Sérum – immunoglobuline

Grossesse – catégorie inconnue

INDICATIONS

Prévention passive de l'infection par le virus de l'hépatite B (VHB) chez les patients ayant été exposés à cette maladie, incluant le contact par la voie percutanée (piqûre d'aiguille), par la voie cutanée (peau lésée) ou par une muqueuse (éclaboussure dans l'œil, la bouche). La prévention passive comprend aussi les nouveau-nés dont la mère est porteuse de l'antigène de surface du virus (HBs Ag+).

ACTION

- Fraction de gamma-globuline qui contient des titres élevés d'anticorps anti-HB. Le vaccin confère l'immunité passive à l'infection par le virus de l'hépatite B.

Effets thérapeutiques: ■ Prévention de l'infection par le virus de l'hépatite B.

PHARMACOCINÉTIQUE

Absorption: Par suite de l'administration par voie IM, le médicament est absorbé lentement.

Distribution: Inconnue. L'IGHB traverse probablement le placenta.

Métabolisme et excrétion: Inconnus.

Demi-vie: 21 jours.

CONTRE-INDICATIONS ET PRÉCAUTIONS

Contre-indications: Hypersensibilité aux immunoglobulines, à la glycine ou au thimérosal.

Précautions: ■ Thrombocytopénie ■ Déficit en IgA ■ Allaitement ■ Grossesse (on note cependant des précédents d'usage).

RÉACTIONS INDÉSIRABLES ET EFFETS SECONDAIRES

SNC: lipothymie, étourdissements, faiblesses, malaises.

Tég.: rash, urticaire, prurit.

Loc.: douleurs articulaires.

Locaux: douleurs, tuméfaction, sensibilité, érythème au point d'injection IM.

Divers: réactions allergiques incluant l'œdème angioneurotique et le CHOC ANAPHYLACTIQUE.

INTERACTIONS

Médicament – médicament: L'immunoglobuline peut entraver la réponse immunitaire aux **vaccins vivants**.

VOIES D'ADMINISTRATION ET POSOLOGIE

- ■ **IM (adultes):** 0,06 mL/kg (dose habituelle de 3 à 5 mL).
- ■ **IM (nouveau-nés):** 0,5 mL.

PHARMACODYNAMIE (production d'anticorps anti-HB)

	DÉBUT D'ACTION	PIC	DURÉE
IM	1 – 6 jours	3 – 11 jours	2 – 6 mois

☀ SOINS INFIRMIERS

ÉVALUATION DE LA SITUATION

□ Pour assurer la prévention passive, déterminer le moment où le patient a été exposé à l'infection. Il faut administrer l'immunoglobuline contre l'hépatite B de préférence dans les 24 h, mais pas plus tard que 7 jours après l'exposition au virus de l'hépatite B.

□ Rechercher les signes suivants d'anaphylaxie: hypotension, bouffées vasomotrices, oppression thoracique, respiration sifflante, fièvre, étourdissements, nausées, vomissements, diaphorèse. Garder à portée de la main de l'épinéphrine et des antihistaminiques pour contrer les réactions anaphylactiques.

DIAGNOSTICS INFIRMIERS POSSIBLES

■ **Énoncés diagnostiques**

□ Risque élevé d'infection.

□ Prise en charge inefficace du programme thérapeutique.

□ *Risque élevé d'atteinte à l'intégrité de la peau.*

□ *Risque élevé d'anxiété.*

■ **Facteurs favorisants**

□ Informations incomplètes.

□ *Douleur au point d'injection.*

□ *Manque de connaissances sur les effets secondaires du médicament.*

INTERVENTIONS INFIRMIÈRES

■ **Directives générales:** La solution pour injecter est transparente, légèrement ambrée et visqueuse. Conserver au réfrigérateur.

□ Lors de l'administration simultanée du vaccin contre le virus de l'hépatite B, ne pas mélanger dans la même seringue et ne pas administrer dans le même point d'injection.

■ **IM:** Chez les adultes et les enfants, administrer l'immunoglobuline contre l'hépatite B (IGHB) dans le muscle deltoïde ou dans la partie antérolatérale de la cuisse. N'injecter dans le

muscle fessier que chez les adultes s'il faut leur administrer un gros volume de préparation ou si un gros volume doit être divisé en plusieurs doses.
□ Ne pas administrer la préparation par voie IV.

ENSEIGNEMENT AU PATIENT ET À SES PROCHES

□ Expliquer au patient l'utilité et le but du traitement par l'immunoglobuline contre l'hépatite B.
□ Inciter le patient à signaler immédiatement les symptômes d'anaphylaxie.
□ Expliquer au patient qu'après l'injection par voie IM, le point d'injection peut devenir douloureux, sensible, tuméfié ou érythémateux.

VÉRIFICATION DES RÉSULTATS

L'efficacité du traitement peut être démontrée par: la prévention passive de l'infection par le virus de l'hépatite B chez les patients exposés.

IMMUNOGLOBULINE Rh$_0$ (D)

IMMUNOGLOBULINE Rh$_0$ (D), DOSE STANDARD

HypRho-D, WinRho, (Gamulin Rh), (Rhesonativ), (RhoGAM)

IMMUNOGLOBULINE Rh$_0$ (D), MICRODOSE

HypRho-D Mini-dose, (MICRhoGAM), (Mini-Gamulin Rh)

CLASSIFICATION:
Immunoglobuline sérique
Grossesse, catégorie C

INDICATIONS

■ Patients Rh$_0$(D)– ayant été exposés à du sang Rh$_0$(D)+ dans les cas suivants: □ accouchement (bébé Rh$_0$(D)+) □ avorte-ment ou fausse-couche (fœtus Rh$_0$(D)+) □ amniocentèse ou traumatisme intra-abdominal, lorsque le fœtus est Rh$_0$(D)+ ■ Transfusion accidentelle de sang Rh$_0$(D)+ à un patient Rh$_0$(D)–.

ACTION

■ Inhibition de la production des anti-corps anti-Rh$_0$(D) chez les patients Rh$_0$(D)– ayant été exposés à du sang Rh$_0$(D)+. **Effets thérapeutiques:** ■ Inhibition de la réponse des anticorps et prévention de la maladie hémolytique du nouveau-né (érythroblastose fœtale) lors des grossesses futures chez une femme dont le fœtus a été Rh$_0$(D)+ ■ Prévention de la sensibilisation des patients Rh$_0$(D) après un accident de transfusion.

PHARMACOCINÉTIQUE

Absorption: Bonne absorption depuis les points d'injection IM.
Distribution: Inconnue.
Métabolisme et excrétion: Inconnus.
Demi-vie: Inconnue.

CONTRE-INDICATIONS ET PRÉCAUTIONS

Contre-indications: ■ Patients Rh$_0$(D)+ ou D^u+ ■ Patients ayant déjà été exposés à du sang Rh$_0$(D) ou D^u ■ Hypersensibilité au thimérosal (certains produits peuvent en contenir).
Précautions: Antécédents de réactions d'hypersensibilité aux immunoglobulines.

RÉACTIONS INDÉSIRABLES ET EFFETS SECONDAIRES

Locaux: douleur aux points d'injection IM.
Divers: fièvre.

INTERACTIONS

Médicament – médicament: L'immunoglobuline Rh$_0$(D) peut diminuer la réponse des anticorps à certains **vaccins vivants** (**rougeole, oreillons, rubéole**).

VOIES D'ADMINISTRATION ET POSOLOGIE

Après l'accouchement

- **IM (adultes):** 1 fiole standard à dose unique (300 µg) dans les 72 h qui suivent l'accouchement.

Avant l'accouchement

- **IM (adultes):** 1 fiole standard à dose unique (300 µg) à la 28e semaine de la grossesse et 1 fiole standard à dose unique (300 µg), 72 h après l'accouchement, si l'enfant est Rh$_o$(D)+.

Interruption de la grossesse (< 13 semaines de gestation)

- **IM (adultes):** 1 fiole standard à dose unique de la forme *microdose* (50 µg) dans les 72 h qui suivent.

Interruption de la grossesse (> 13 semaines de gestation)

- **IM (adultes):** 1 fiole standard à dose unique (300 µg) dans les 72 h qui suivent.

Hémorragie abondante materno-fœtale

- **IM (adultes):** Hématies concentrées correspondant au volume de sang perdu/15 = nombre de fioles standard à dose unique (arrondir jusqu'au nombre entier suivant).

Accident de transfusion

- **IM (adultes):** (Volume de sang entier Rh+ administré × hématocrite du sang du donneur)/15 = nombre de fioles standard à dose unique (arrondir jusqu'au nombre entier suivant).

PHARMACODYNAMIE

	DÉBUT D'ACTION	PIC	DURÉE
IM	rapide	inconnu	inconnue

SOINS INFIRMIERS

ÉVALUATION DE LA SITUATION

- **Étude des examens diagnostiques et biochimiques:** Pour déterminer le besoin d'administrer ce traitement, il faut obtenir le groupe sanguin de la mère et

du nouveau-né et effectuer les épreuves de compatibilité croisée chez les deux, en prélevant le sang de la mère et le sang du cordon du nouveau-né. La mère doit être Rh$_o$(D)– et D^u–. Le nouveau-né doit être Rh$_o$+. Administrer le médicament même s'il subsiste un doute quant au groupe sanguin du nourrisson ou si le père est Rh$_o$(D)+.

- ☐ Le nouveau-né dont la mère avait été traitée avant l'accouchement par de l'immunoglobuline Rh$_o$(D) peut présenter des résultats faiblement positifs au test de Coombs direct effectué à partir du sang du nourrisson ou du sang prélevé du cordon.

DIAGNOSTICS INFIRMIERS POSSIBLES

- **Énoncés diagnostiques**
- ☐ Prise en charge inefficace du programme thérapeutique.
- ☐ *Risque élevé d'anxiété.*

- **Facteurs favorisants**
- ☐ Informations incomplètes.
- ☐ *Douleur au point d'injection.*
- ☐ *Manque de connaissances sur les effets secondaires du médicament.*

INTERVENTIONS INFIRMIÈRES

- **Directives générales:** Ne pas administrer à un nouveau-né ou à une personne Rh$_o$(D)+ ou Rh$_o$(D)- ayant été sensibilisée au préalable à l'antigène Rh$_o$(D).
- **IM:** Injecter dans le muscle deltoïde. La dose devrait être administrée dans les 3 h, mais on peut l'administrer jusqu'à 72 h après l'accouchement, une fausse-couche, un avortement ou une transfusion. Ne pas administrer par voie IV.

ENSEIGNEMENT AU PATIENT ET À SES PROCHES

Expliquer à la patiente que l'objectif de ce traitement est de protéger les nouveau-nés Rh$_o$(D)+ qui naîtront par la suite.

VÉRIFICATION DES RÉSULTATS

L'efficacité du traitement peut être démontrée par : ■ la prévention de la maladie hémolytique du nouveau-né chez les futurs enfants $Rh_o(D)+$ ■ la prévention de la sensibilisation des patients $Rh_o(D)$ après un accident de transfusion.

INDAPAMIDE

Lozide, (Lozol)

CLASSIFICATION :
Diurétique – sulfamidé ;
antihypertenseur – diurétique

Grossesse – catégorie B

INDICATIONS

■ En monothérapie ou en association avec d'autres agents, pour traiter l'hypertension légère à modérée. **Usages non approuvés :** ■ En monothérapie ou en association avec d'autres agents pour traiter l'œdème attribuable à l'insuffisance cardiaque ou à d'autres causes.

ACTION

■ Augmentation de l'excrétion du sodium et de l'eau par l'inhibition de la réabsorption du sodium dans les tubules distaux ■ Effet favorable sur l'excrétion du chlorure, du potassium, du magnésium et du bicarbonate ■ Dilatation artériolaire possible. **Effets thérapeutiques :** ■ Abaissement de la pression artérielle chez les hypertendus et diurèse se traduisant par une diminution de l'œdème.

PHARMACOCINÉTIQUE

Absorption : Bonne absorption depuis le tractus gastro-intestinal par suite de l'administration PO.

Distribution : Le médicament se répartit dans tout l'organisme.

Métabolisme et excrétion : Le médicament est principalement métabolisé par le foie.

Une fraction de 7 % est excrétée à l'état inchangé par les reins.

Demi-vie : De 14 à 18 h.

CONTRE-INDICATIONS ET PRÉCAUTIONS

Contre-indications : ■ Hypersensibilité ■ Risque de réactions de sensibilité croisée avec d'autres sulfamidés ■ Anurie ■ Allaitement.

Précautions : ■ Insuffisance rénale ou insuffisance hépatique grave ■ Grossesse ou enfants (l'innocuité du médicament n'a pas été établie).

RÉACTIONS INDÉSIRABLES ET EFFETS SECONDAIRES

SNC : somnolence, léthargie, étourdissements.

CV : hypotension, arythmies.

GI : anorexie, nausées, vomissements, crampes.

Tég. : rash, photosensibilité.

End. : hyperglycémie.

HÉ : hypokaliémie, alcalose hypochlorémique, hyponatrémie, déshydratation, hypovolémie.

Métab. : hyperuricémie.

Loc. : crampes musculaires.

INTERACTIONS

Médicament – médicament : ■ Effets additifs sur l'hypotension, lors de l'administration concomitante d'autres **antihypertenseurs** ou de **dérivés nitrés** et lors de l'ingestion d'**alcool** ■ Effets additifs sur l'hypokaliémie, lors de l'administration concomitante de **glucocorticoïdes**, d'**amphotéricine B**, de **mezlocilline**, de **pipéracilline** ou de **ticarcilline** ■ L'indapamide diminue l'excrétion du **lithium** pouvant provoquer, de ce fait, une toxicité ■ L'hypokaliémie peut accroître le risque de toxicité cardiaque **digitalique**.

VOIES D'ADMINISTRATION ET POSOLOGIE

PO (adultes) : 2,5 mg par jour, en une seule dose.

PHARMACODYNAMIE
(effet antihypertenseur)

	DÉBUT D'ACTION	PIC	DURÉE
PO (dose unique)	inconnu	24 h	inconnue
PO (doses multiples)	1 – 2 semaines	8 – 12 semaines	jusqu'à 8 semaines

☀ SOINS INFIRMIERS

ÉVALUATION DE LA SITUATION

☐ Tous les jours, prendre la pression artérielle, effectuer le bilan quotidien des ingesta et des excreta, peser le patient et examiner ses pieds, ses jambes et la région sacrée pour déceler l'œdème.

☐ Observer le patient, particulièrement s'il prend des dérivés digitaliques, pour déceler les signes et les symptômes suivants: anorexie, nausées, vomissements, crampes musculaires, paresthésie et confusion. Prévenir le médecin si ces signes de déséquilibre électrolytique se manifestent. Le risque d'intoxication digitalique est plus élevé chez les patients prenant des dérivés digitaliques à cause de l'effet de déplétion potassique du diurétique.

☐ Déterminer si le patient est allergique aux sulfamidés.

■ **Étude des examens diagnostiques et biochimiques:** Examiner la glycémie et les concentrations sériques d'électrolytes (particulièrement de potassium), d'urée, de créatinine et d'acide urique avant le traitement et à des intervalles réguliers pendant toute sa durée. L'indapamide peut entraîner la diminution des concentrations de potassium, de sodium et de chlorure. Il peut entraîner l'élévation de la glycémie. Chez les diabétiques, il peut s'avérer nécessaire d'accroître les doses d'hypoglycémiants oraux ou d'insuline. Le médicament entraîne une élévation de 59 μmol/L des concentrations d'acide urique; il risque de déclencher une crise de goutte.

DIAGNOSTICS INFIRMIERS POSSIBLES

■ **Énoncés diagnostiques**

☐ Excès de volume liquidien.

☐ Déficit de volume liquidien.

☐ Prise en charge inefficace du programme thérapeutique.

☐ *Risque élevé de déséquilibre hydroélectrolytique.*

☐ *Risque élevé d'accident.*

☐ *Risque élevé d'atteinte à l'intégrité de la peau.*

■ **Facteurs favorisants**

☐ Informations incomplètes.

☐ *Manque de connaissances sur le régime alimentaire à suivre.*

☐ *Manque de connaissances sur les effets hypotensifs du médicament lors des changements brusques de position.*

☐ *Manque de connaissances sur les moyens de réduire la photosensibilité.*

☐ *Manque de connaissances sur les modalités du traitement.*

☐ *Difficulté à s'adapter aux changements nécessaires dans les habitudes de vie.*

INTERVENTIONS INFIRMIÈRES

■ **Directives générales:** Administrer le médicament le matin pour prévenir l'interruption du cycle du sommeil.

■ L'administration de doses intermittentes un jour sur deux pendant 3 ou 4 jours avec un arrêt temporaire de la médication d'un jour ou deux peut être efficace pour un traitement continu de l'œdème.

■ **PO:** Administrer le médicament avec du lait ou des aliments pour réduire l'irritation gastro-intestinale.

ENSEIGNEMENT AU PATIENT ET À SES PROCHES

■ **Directives générales:** Expliquer au patient qu'il doit prendre le médicament à la même heure tous les jours.

S'il n'a pas pu prendre le médicament au moment habituel, il doit le prendre aussitôt que possible, à moins que ce ne soit presque l'heure prévue pour la dose suivante. L'avertir qu'il ne doit jamais remplacer une dose manquée par une double dose. Le prévenir qu'il doit continuer de prendre le médicament, même s'il se sent mieux.

☐ Conseiller au patient de changer lentement de position pour réduire le risque d'hypotension orthostatique. Lui expliquer que l'alcool peut aggraver l'hypotension orthostatique.

☐ Recommander au patient d'utiliser des écrans solaires (mais d'éviter ceux qui renferment du PABA ou acide p-aminobenzoïque) et de porter des vêtements protecteurs pour prévenir les réactions de photosensibilité.

☐ Conseiller au patient de consommer des aliments riches en potassium (voir l'annexe K).

☐ Recommander au patient de signaler au médecin les symptômes suivants : faiblesse musculaire, crampes, nausées ou étourdissements.

☐ Conseiller au patient de consulter le médecin ou le pharmacien avant de prendre un médicament en vente libre pendant son traitement à l'indapamide.

☐ Insister sur l'importance des examens de suivi réguliers.

■ **Hypertension :** Montrer au patient et à ses proches comment prendre la pression artérielle et leur recommander de la mesurer toutes les semaines et de signaler au médecin tout écart important.

☐ Inciter le patient à prendre d'autres mesures de réduction de l'hypertension : perdre du poids, réduire sa consommation de sel, faire régulièrement de l'exercice, cesser de fumer, boire avec modération et diminuer le stress. L'indapamide stabilise la pression artérielle, mais ne guérit pas l'hypertension.

VÉRIFICATION DES RÉSULTATS

L'efficacité du traitement peut être démontrée par : ■ la stabilisation de la pression artérielle ■ la diminution de l'œdème secondaire à l'insuffisance cardiaque.

INDOMÉTHACINE

Apo-Indomethacin, Indocid, Indocid PDA, Indocid SR, Novo-Methacin, Nu-Indo, (Indameth), (Indocin), (Indocin IV)

CLASSIFICATION :
Anti-inflammatoire non stéroïdien

Grossesse – catégorie inconnue

INDICATIONS

■ **PO et PR :** Traitement des maladies inflammatoires incluant : ☐ la polyarthrite rhumatoïde ☐ la spondylarthrite ankylosante ☐ la goutte ☐ l'arthrose grave et la coxarthrose ■ **IV :** Solution de rechange à la chirurgie dans le traitement de la persistance du canal artériel chez les prématurés ■ **Gouttes ophtalmiques :** Prévention de l'œdème microkystique de la macula chez le patient aphaque à la suite de l'exérèse d'une cataracte.

ACTION

■ Inhibition de la synthèse des prostaglandines. **Effets thérapeutiques :** ■ Suppression de la douleur et de l'inflammation. L'effet thérapeutique de la solution IV est la fermeture du canal artériel ■ Maintien de la mydriase pendant l'extraction de la cataracte.

PHARMACOCINÉTIQUE

Absorption : Bonne absorption depuis le tractus gastro-intestinal. Par suite de l'administration des gouttes ophtalmiques, aucune trace du médicament n'a été décelée dans le plasma.

Distribution : L'agent traverse la barrière hémato-encéphalique et le placenta ; il pénètre dans le lait maternel.

Métabolisme et excrétion : Le médicament est surtout métabolisé par le foie.

Demi-vie : De 2,6 à 11 h (prolongée chez les nouveau-nés jusqu'à 60 h, la moyenne étant de 12 à 21 h.

CONTRE-INDICATIONS ET PRÉCAUTIONS

Contre-indications : ■ Hypersensibilité ■ Hypersensibilité aux ingrédients (la suspension ophtalmique contient, entre autres, de l'alcool, des sulfites et de la lécithine) ■ Risque de réactions de sensibilité croisée avec d'autres anti-inflammatoires non stéroïdiens dont l'aspirine ■ Hémorragie digestive active ■ Ulcère gastro-intestinal ■ Rectite ou antécédents récents d'hémorragie rectale.

Précautions : ■ Maladies cardiovasculaire, rénale ou hépatique graves ■ Antécédents d'ulcère ■ Grossesse ou allaitement (l'innocuité du médicament n'a pas été établie) ■ Enfants de moins de 14 ans ■ Infections oculaires (gouttes ophtalmiques).

RÉACTIONS INDÉSIRABLES ET EFFETS SECONDAIRES

SN : céphalées, somnolence, troubles psychiques, étourdissements.

CV : œdème, arythmies.

Tég. : rash.

ORLO : vision trouble, acouphènes ; gouttes ophtalmiques – rougeur de l'œil, sensation de brûlure à l'instillation, augmentation de la pression intra-oculaire, œdème des paupières, anomalies de l'épithélium cornéen, malaises oculaires, démangeaison, œdème cornéen et kératite striée.

HÉ : hyperkaliémie.

GI : PO : nausées, dyspepsie, vomissements, constipation, HÉMORRAGIE GASTRO-INTESTINALE, gêne gastrique, HÉPATITE ; suppositoires – irritation rectale, ténesme.

GU : insuffisance rénale, hématurie, cystite.

Hémat. : dyscrasie, allongement du temps de saignement.

Locaux : phlébite au point d'injection IV (préparation IV seulement).

Divers : réactions allergiques incluant l'ANAPHYLAXIE.

INTERACTIONS

Médicament – médicament : ■ L'usage concomitant d'**aspirine** peut réduire l'efficacité de l'indométhacine. ■ L'usage concomitant d'**aspirine**, d'autres **anti-inflammatoires non stéroïdiens,** de **suppléments potassiques,** de **glucocorticoïdes** ou d'**alcool** accroît le risque d'irritation gastro-intestinale. ■ L'administration prolongée d'indométhacine avec de l'**acétaminophène** peut accroître le risque de réactions rénales indésirables. ■ L'effet thérapeutique des **diurétiques** et des **antihypertenseurs** peut être diminué. ■ L'indométhacine peut accroître l'hypoglycémie provoquée par l'**insuline** ou les **hypoglycémiants oraux.** ■ Le médicament peut entraîner l'élévation des concentrations sériques de **lithium,** de **zidovudine,** de **digoxine** ou d'**aminosides** et accroître le risque de toxicité (réduire la dose, au besoin). ■ L'indométhacine accroît le risque de toxicité par le **méthotrexate.** ■ Le **probénécide** accroît le risque de toxicité par l'indométhacine. ■ L'administration concomitante de **céfamandole,** de **céfopérazone,** de **céfotétane,** de **moxalactam,** de **plicamycine,** d'**agents thrombolytiques** ou d'**anticoagulants** peut augmenter le risque de saignement. ■ L'administration concomitante d'**antinéoplasiques** ou d'une **radiothérapie** accroît le risque de réactions hématologiques indésirables.

VOIES D'ADMINISTRATION ET POSOLOGIE

■ **PO et rectale (adultes) :** de 25 à 50 mg, 2 ou 3 fois par jour, ou une capsule à libération prolongée de 75 mg ou un suppositoire de 50 ou de 100 mg, 1 ou 2 fois par jour (ne pas dépasser 200 mg ou 150 mg par jour, dans le cas des capsules à libération prolongée).

■ **PO (enfants de 2 à 14 ans) (É.-U.) :** de 2 à 4 mg/kg par jour, en 2 à 4 doses fractionnées (ne pas dépasser 150 à 200 mg par jour) – usage non approuvé.

Prévention de l'œdème de la macula

■ **Gouttes ophtalmiques (adultes) :** 1 goutte, 4 fois par jour, le jour qui précède l'intervention et 1 goutte, 45 min avant le début de celle-ci. Poursuivre le traitement à raison de 1 goutte, 4 fois par jour, pendant 10 à 12 semaines à compter du moment de l'intervention.

Fermeture du canal artériel

■ **IV (nouveau-nés) :** initialement, 0,2 mg/kg, puis 2 doses de 0,1 mg/kg, à intervalles de 12 à 24 h si le nouveau-né est âgé de moins de 48 h lors de la première dose ou 0,2 mg/kg, si le nouveau-né est âgé de 2 à 7 jours lors de la première dose et 0,25 mg/kg, si le nouveau-né est âgé de plus de 7 jours lors de la première dose.

PHARMACODYNAMIE

	DÉBUT D'ACTION	PIC	DURÉE
PO (analgésique)	30 min	0,5 – 2 h	4 – 6 h
PO – libération prolongée (analgésique)	30 min	inconnu	4 – 6 h
PO (anti-inflammatoire)	jusqu'à 7 jours	1 – 2 semaines	inconnue
PO – libération prolongée (anti-inflammatoire)	jusqu'à 7 jours	1 – 2 semaines	inconnue
IV (fermeture du canal artériel)	jusqu'à 48 h	inconnu	inconnue

✳ SOINS INFIRMIERS

ÉVALUATION DE LA SITUATION

■ **Directives générales :** Les patients souffrant d'asthme, d'allergie induite par l'aspirine et de polypes nasaux sont davantage prédisposés à des réactions d'hypersensibilité. Suivre de près la rhinite, l'asthme et l'urticaire.

■ **Arthrite :** Déterminer le degré de mobilité des articulations ainsi que le type de douleur, son siège et son intensité, avant l'administration et 1 à 2 h après.

■ **Persistance du canal artériel :** Ausculter les bruits du cœur et examiner la fonction respiratoire à intervalles réguliers pendant toute la durée du traitement.

□ Faire le bilan des ingesta et des excreta. Il faut habituellement restreindre l'apport de liquide pendant toute la durée du traitement.

■ **Étude des examens diagnostiques et biochimiques :** Examiner à intervalles réguliers, chez les patients recevant un traitement prolongé, les concentrations sériques d'urée, de créatinine et de potassium, la numération globulaire et les résultats des tests de l'exploration fonctionnelle hépatique.

□ L'indométhacine peut entraîner l'élévation des concentrations sériques de potassium, de créatinine, d'urée, de TGOS (ALT) et de TGPS (AST) et modifier la glycémie.

□ Le médicament peut entraîner l'élévation de la glycosurie et de la protéinurie et la diminution de la clearance de la créatinine et des concentrations sériques de sodium, des concentrations urinaires de chlorure, de potassium et de sodium, de l'osmolalité de l'urine et du volume urinaire.

□ L'indométhacine peut entraîner la diminution du nombre de leucocytes et de plaquettes. Le temps de saignement peut également être allongé jusqu'à 1 jour après l'arrêt du traitement.

DIAGNOSTICS INFIRMIERS POSSIBLES

■ **Énoncés diagnostiques**

□ Douleur.

□ Altération de la mobilité physique.

□ Prise en charge inefficace du programme thérapeutique.

□ *Risque élevé d'accident.*

- □ *Risque élevé d'atteinte à l'intégrité des tissus.*
- □ *Risque élevé d'anxiété.*

- **Facteurs favorisants**
- □ Informations incomplètes.
- □ *Perturbation de la vigilance.*
- □ *Manque de connaissances sur les modalités du traitement.*
- □ *Manque de connaissances sur la méthode d'administration du médicament.*
- □ *Manque de connaissances sur les effets secondaires du médicament.*

INTERVENTIONS INFIRMIÈRES

- **PO:** Administrer après les repas ou avec des aliments ou avec un antiacide pour réduire l'irritation gastrique.
- **IV directe:** Reconstituer avec 2 mL de solution de NaCl à 0,9 % ou d'eau stérile pour injection sans agent de conservation pour obtenir une concentration de 0,5 mg/mL. Reconstituer immédiatement avant l'administration et jeter toute portion inutilisée. Ne pas diluer de nouveau; ne pas faire d'admixtion.
- □ *Vitesse d'administration:* Administrer en 5 à 10 s. Éviter l'extravasation afin de prévenir l'irritation des tissus.
- **Suppositoires:** Inciter le patient à retenir le suppositoire pendant 1 h après administration.
- **Gouttes ophtalmiques:** Agiter la suspension avant de l'administrer.

ENSEIGNEMENT AU PATIENT ET À SES PROCHES

- **Directives générales:** Conseiller au patient de prendre le médicament avec un grand verre d'eau et d'éviter de se coucher pendant les 15 à 30 min qui suivent l'administration.
- □ Conseiller au patient de respecter scrupuleusement la posologie recommandée. S'il n'a pu prendre le médicament au moment habituel, il doit le prendre dès que possible à moins que ce ne soit presque l'heure prévue pour la dose suivante. Il ne faut jamais doubler la dose.
- □ Prévenir le patient que l'indométhacine peut provoquer de la somnolence ou des étourdissements. Lui conseiller de ne pas conduire et d'éviter les activités qui exigent sa vigilance jusqu'à ce qu'on ait la certitude que ce médicament n'entraîne pas ces effets chez lui.
- □ Conseiller au patient d'éviter de boire de l'alcool et de consulter le médecin ou le pharmacien avant de prendre de l'aspirine, de l'acétaminophène ou un autre médicament en vente libre pendant le traitement à l'indométhacine.
- □ Conseiller au patient de signaler au médecin les symptômes suivants: rash, démangeaisons, frissons, fièvre, douleurs musculaires, troubles visuels, gain de poids, œdème, douleurs abdominales, selles noires ou céphalées persistantes.
- □ Recommander au patient qui doit suivre un traitement dentaire ou subir une intervention chirurgicale d'avertir le dentiste ou le médecin qu'il suit un traitement médicamenteux.
- **Gouttes ophtalmiques:** Montrer au patient comment il faut administrer les gouttes ophtalmiques. (La méthode d'administration des gouttes ophtalmiques est indiquée à l'annexe H.) Recommander au patient d'éviter tout contact entre le bout de l'applicateur et une surface, quelle qu'elle soit, afin de maintenir la stérilité de l'agent.
- **Persistance du canal artériel:** Expliquer aux parents la raison d'être du traitement et la nécessité d'exercer une surveillance étroite.

VÉRIFICATION DES RÉSULTATS

L'efficacité du traitement est démontrée par:
- la diminution de l'intensité de la douleur modérée □ la mobilité accrue des articulations; le soulagement partiel des

douleurs arthritiques survient habituellement dans les 2 semaines suivant le début du traitement, mais le plein effet thérapeutique n'est parfois notable qu'après 1 mois de traitement ininterrompu ■ la prévention de l'œdème microkystique de la macula.

INHIBITEUR DE L'ALPHA₁-PROTÉINASE

Alpha₁-antitrypsine, Prolastin

CLASSIFICATION:
Inhibiteur enzymatique

Grossesse – catégorie C

INDICATIONS

Traitement palliatif à long terme chez les patients souffrant d'emphysème panlobulaire diagnostiqué, associé à un déficit en alpha₁-antitrypsine.

ACTION

■ Prévention de l'effet destructeur de l'élastase sur les tissus alvéolaires chez les patients présentant un déficit en alpha₁-antitrypsine. **Effets thérapeutiques:** ■ Ralentissement du processus de destruction des tissus pulmonaires.

PHARMACOCINÉTIQUE

Absorption: Par suite de l'administration par voie IV, l'absorption du médicament est virtuellement complète.
Distribution: Concentrations élevées dans le liquide épithélial des poumons.
Métabolisme et excrétion: Décomposition dans l'espace intravasculaire.
Demi-vie: De 4,5 à 5,2 jours.

CONTRE-INDICATIONS ET PRÉCAUTIONS

Contre-indications: ■ Hypersensibilité au polyéthylène glycol ■ Emphysème associé à un déficit en alpha₁-antitrypsine lorsque le risque d'emphysème panlobulaire est faible (phénotype PiMZ et PiMS).
Précautions: ■ Patients présentant une destruction irréversible des tissus pulmonaires, consécutive à un déficit en alpha₁-antitrypsine ■ Grossesse, allaitement et enfants (l'innocuité du médicament n'a pas été établie).

RÉACTIONS INDÉSIRABLES ET EFFETS SECONDAIRES

SNC: sensation de tête légère, étourdissements.
Hémat.: leucocytose transitoire.
Divers: apparition tardive de la fièvre.

INTERACTIONS

Médicament – médicament: Aucune interaction connue.

VOIES D'ADMINISTRATION ET POSOLOGIE

IV (adultes): 60 mg/kg, une fois par semaine.

PHARMACODYNAMIE (concentrations sériques accrues de l'inhibiteur de l'alpha₁-protéinase)

	DÉBUT D'ACTION	PIC	DURÉE
IV	2 – 6 jours	plusieurs semaines	inconnue

☼ SOINS INFIRMIERS

ÉVALUATION DE LA SITUATION

□ Suivre de près la fonction respiratoire (fréquence respiratoire, bruits pulmonaires, dyspnée) avant le début du traitement et toutes les semaines pendant toute sa durée.

■ **Étude des examens diagnostiques et biochimiques:** Noter les concentrations sériques de l'inhibiteur de l'alpha₁-protéinase pour déterminer la réaction au traitement. Les concentrations sériques minimales devraient être de 80 mg/100 mL.

☐ Le médicament peut entraîner une légère augmentation passagère du nombre de leucocytes.

DIAGNOSTICS INFIRMIERS POSSIBLES

■ **Énoncés diagnostiques**

☐ Perturbation des échanges gazeux.

☐ Prise en charge inefficace du programme thérapeutique.

■ **Facteurs favorisants**

☐ Informations incomplètes.

INTERVENTIONS INFIRMIÈRES

■ **IV directe :** Mettre le flacon à la température de la pièce. Reconstituer avec l'eau stérile pour injection fournie, pour obtenir une concentration de 20 mg/mL. Au besoin, on peut diluer l'agent dans une solution de NaCl à 0,9 %. Ne pas réfrigérer après reconstitution. Utiliser en l'espace de 3 h.

■ *Vitesse d'administration :* Administrer par IV directe à un débit supérieur ou égal à 0,8 mL/kg/min.

ENSEIGNEMENT AU PATIENT ET À SES PROCHES

☐ Expliquer au patient le but du traitement et la nécessité de l'administrer hebdomadairement pendant une période prolongée. Demander au patient de ne pas fumer et de prévenir le médecin s'il se produit une modification du mode de respiration ou si les sécrétions bronchiques augmentent.

☐ Expliquer au patient qu'il doit se soumettre périodiquement à des tests de l'exploration fonctionnelle pulmonaire pour déterminer l'évolution de la maladie et la réaction au traitement.

☐ À cause des procédés de fabrication de ce médicament, il existe un faible risque d'hépatite ; une vaccination prophylactique est conseillée. Il faut donc expliquer au patient la raison pour laquelle il doit recevoir un vaccin contre l'hépatite B au début du traitement.

VÉRIFICATION DES RÉSULTATS

L'efficacité du traitement peut être démontrée par : le ralentissement du processus de destruction des tissus pulmonaires, mesuré par l'augmentation des concentrations sériques d'inhibiteur de l'alpha$_1$-protéinase.

INHIBITEURS NON SÉLECTIFS DE LA MONOAMINE OXYDASE (INHIBITEURS DE LA MAO ; IMAO)

phénelzine
Nardil

tranylcypromine
Parnate

CLASSIFICATION :
Antidépresseurs – inhibiteurs non sélectifs de la monoamine oxydase

Grossesse – catégorie inconnue

INDICATIONS

■ Traitement de la dépression réactionnelle, névrotique ou atypique, habituellement en association avec une psychothérapie, chez les patients qui pourraient ne pas tolérer d'autres modalités thérapeutiques plus classiques (antidépresseurs tricycliques ou électrochocs)
■ Traitement de certains états dépressifs psychotiques.

ACTION

■ Inhibition non sélective de l'enzyme monoamine oxydase entraînant une accumulation de divers neurotransmetteurs (dopamine, adrénaline, noradrénaline et sérotonine) dans l'organisme.

Effets thérapeutiques : ■ Amélioration de l'humeur chez les patients déprimés.

PHARMACOCINÉTIQUE

Absorption : Ces médicaments sont bien absorbés depuis le tractus gastro-intestinal.

Distribution : Ces agents traversent le placenta et pénètrent probablement dans le lait maternel.

Métabolisme et excrétion : Ces agents sont surtout métabolisés par le foie.

Demi-vie : Inconnue.

CONTRE-INDICATIONS ET PRÉCAUTIONS

Contre-indications : ■ Hypersensibilité ■ Maladie hépatique ■ Maladie rénale grave ■ Maladie cérébrovasculaire ■ Phéochromocytome ■ Insuffisance cardiaque ■ Antécédents de céphalées ■ Patients âgés de plus de 60 ans ■ Administration concomitante de mépéridine.

Précautions : ■ Tendances suicidaires ou antécédents de toxicomanie ■ Maladie cardiovasculaire symptomatique ■ Hyperthyroïdie ■ Troubles convulsifs ■ Grossesse, allaitement ou enfants (l'innocuité du médicament n'a pas été établie) ■ Intervention chirurgicale (dans la mesure du possible, le traitement devrait être arrêté plusieurs semaines avant l'intervention en raison d'un risque accru de réactions imprévisibles).

RÉACTIONS INDÉSIRABLES ET EFFETS SECONDAIRES

SNC : agitation, insomnie, étourdissements, céphalées, confusion, CONVULSIONS, faiblesse, somnolence.

ORLO : glaucome, nystagmus, vision trouble.

CV : CRISE HYPERTENSIVE, hypotension orthostatique, arythmies, œdème.

GI : constipation, anorexie, nausées, vomissements, diarrhée, douleurs abdominales, sécheresse de la bouche (xérostomie).

GU : dysurie, incontinence urinaire, rétention urinaire.

Tég. : rash.

End. : hypoglycémie.

Loc. : arthralgie.

INTERACTIONS

Médicament – médicament : ■ Risque de crise hypertensive lors de l'administration simultanée d'**amphétamines**, de **méthyldopa**, de **lévodopa**, de **dopamine**, d'**épinéphrine**, de **norépinéphrine**, de **désipramine**, d'**imipramine**, de **guanéthidine**, de **réserpine**, de **décongestionnants** ou d'autres **agents sympathomimétiques** ■ Risque d'hypertension ou d'hypotension, de coma, de convulsions et même de mort lors de l'administration simultanée d'**analgésiques narcotiques** (l'administration de mépéridine est déconseillée dans les 14 à 21 jours suivant le traitement par les IMAO ; réduire la dose initiale des autres agents à 25 % de la dose habituelle) ■ Hypotension additive lors de l'administration simultanée d'**antihypertenseurs** ou d'une **anesthésie rachidienne** ■ Hypoglycémie additive lors de l'administration simultanée d'**insuline** ou d'**hypoglycémiants oraux**.

Médicament – aliments : ■ Risque de crise hypertensive lors de l'ingestion d'aliments contenant des concentrations élevées de **tyramine** (voir l'annexe K).

VOIES D'ADMINISTRATION ET POSOLOGIE

Phénelzine

■ **PO (adultes) :** 15 mg, 3 fois par jour ; augmenter jusqu'à concurrence de 90 mg par jour, en doses fractionnées, puis, réduire graduellement jusqu'à la plus faible dose efficace.

Tranylcypromine

■ **PO (adultes) :** 20 mg par jour en 2 doses fractionnées (matin et après-midi) ; on peut augmenter après 2 à 3 semaines jusqu'à 30 mg par jour (20 mg, au lever et 10 mg, dans l'après-midi).

PHARMACODYNAMIE
(effets antidépresseurs)

	DÉBUT D'ACTION	PIC	DURÉE
phénelzine	1 – 4 semaines	2 – 6 semaines	2 semaines
tranylcypromine	plusieurs jours	2 – 3 semaines	3 – 5 jours

SOINS INFIRMIERS

ÉVALUATION DE LA SITUATION

□ Suivre à intervalles fréquents l'état de la conscience du patient, ses sautes d'humeur et l'intensité de son anxiété. Rester à l'affût des tendances suicidaires, particulièrement pendant la première étape du traitement. Diminuer la quantité de médicament dont le patient peut disposer.

□ Mesurer la pression artérielle et le pouls avant le traitement et à intervalles fréquents pendant toute sa durée. Prévenir le médecin rapidement de tout changement important.

□ Effectuer le bilan quotidien des ingesta et des excreta et peser le patient tous les jours. Suivre de près l'œdème périphérique et la rétention urinaire.

■ **Étude des examens diagnostiques et biochimiques :** Noter les résultats des tests de l'exploration fonctionnelle hépatique à intervalles réguliers pendant un traitement prolongé ou à doses élevées.

□ Suivre de près les concentrations sériques ou urinaires de glucose chez les patients diabétiques en raison des risques d'hypoglycémie.

■ **Toxicité et surdosage :** L'ingestion concomitante d'aliments riches en tyramine et de nombreux médicaments peut provoquer une crise hypertensive qui peut mettre la vie en danger. Les signes et symptômes d'une crise hypertensive comprennent les douleurs thoraciques, les céphalées graves (occipitales), les nausées et les vomissements, la diaphorèse et la dilatation des pupilles. On peut traiter ces crises par de la phentolamine par voie IV.

□ Les symptômes de surdosage comprennent l'anxiété, l'irritabilité, la tachycardie, l'hypertension, l'hypotension, la détresse respiratoire, les étourdissements, la somnolence, les hallucinations, la confusion, les convulsions, la fièvre et la diaphorèse. Induire les vomissements ou faire un lavage gastrique et amorcer un traitement de soutien dès que ces symptômes se manifestent.

DIAGNOSTICS INFIRMIERS POSSIBLES

■ **Énoncés diagnostiques**

□ Stratégies d'adaptation individuelle inefficaces.

□ Prise en charge inefficace du programme thérapeutique.

□ Non-observance du traitement médicamenteux.

□ *Risque élevé de perturbation des habitudes de sommeil.*

□ *Risque élevé d'agitation.*

□ *Risque élevé d'atteinte à l'intégrité de la muqueuse buccale.*

□ *Risque élevé d'accident.*

□ *Risque élevé de constipation.*

□ *Risque élevé de déficit de volume liquidien.*

■ **Facteurs favorisants**

□ Informations incomplètes.

□ Doute quant aux bienfaits du médicament.

□ *Manque de connaissances sur les modalités du traitement.*

□ *Manque de connaissances sur les moyens de prévenir ou de réduire la sécheresse de la bouche.*

□ *Perturbation de la vigilance.*

□ *Manque de connaissances sur les effets hypotensifs du médicament lors des changements brusques de position.*

□ *Manque de connaissances sur les moyens de stimuler la fonction respiratoire.*

□ *Manque de connaissances sur le régime alimentaire à suivre.*

□ *Manque de connaissances sur les moyens de prévenir les effets secondaires du médicament.*

□ *Manque de connaissances sur la méthode d'administration du médicament.*

INTERVENTIONS INFIRMIÈRES

■ **Directives générales:** Ne pas administrer ces médicaments dans la soirée, puisque les effets de stimulation psychomotrice des IMAO peuvent entraîner l'insomnie ou d'autres troubles du sommeil.

■ **PO:** Si le patient éprouve des difficultés de déglutition, on peut broyer les comprimés et les mélanger avec des aliments ou des liquides.

ENSEIGNEMENT AU PATIENT ET À SES PROCHES

■ Inciter le patient à respecter scrupuleusement la posologie recommandée. S'il n'a pas pu prendre le médicament au moment habituel, il doit le prendre aussitôt que possible dans les deux heures qui suivent; sinon il doit sauter cette dose et revenir au schéma posologique habituel. Prévenir le patient qu'il ne doit pas arrêter le traitement brusquement, car les symptômes suivants de sevrage peuvent se manifester: confusion, hallucinations, cauchemars, céphalées, nausées, diaphorèse, frissons, tachycardie, troubles de l'élocution, démarche instable.

□ Recommander au patient d'éviter de boire de l'alcool et de ne pas prendre d'autres dépresseurs du SNC ni de médicaments en vente libre et de ne pas consommer d'aliments ou des boissons contenant de la tyramine (voir l'annexe K) au cours du traitement et pendant au moins 2 semaines par la suite en raison des risques

de crise hypertensive. Lui conseiller de contacter immédiatement le médecin si les symptômes d'une crise hypertensive se manifestent.

□ Prévenir le patient que les IMAO peuvent parfois entraîner de la somnolence ou des étourdissements. Lui conseiller de ne pas conduire et d'éviter les activités qui exigent sa vigilance jusqu'à ce qu'on ait la certitude que le médicament n'entraîne pas ces effets chez lui.

□ Recommander au patient de changer lentement de position pour prévenir les risques d'hypotension orthostatique. Les personnes âgées sont davantage prédisposées à cet effet secondaire.

□ Conseiller au patient de prévenir le médecin en cas de sécheresse de la bouche, de rétention urinaire ou de constipation. Lui conseiller de pratiquer une bonne hygiène orale, de se rincer fréquemment la bouche et de consommer de la gomme à mâcher ou des bonbons sans sucre pour diminuer la sécheresse de la bouche. La consommation accrue de liquides et d'aliments riches en fibres et l'exercice peuvent prévenir la constipation.

□ Recommander au patient de signaler au médecin les céphalées graves, le rash, la diarrhée, l'œdème des pieds et les palpitations ou la nervosité accrue.

□ Recommander au patient qui doit suivre un traitement dentaire ou subir une intervention chirurgicale d'avertir le dentiste ou le médecin qu'il suit un traitement médicamenteux. Dans la mesure du possible, le traitement devrait être arrêté au moins 2 semaines avant l'intervention chirurgicale.

□ Conseiller au patient de toujours porter sur lui une pièce d'identité où est inscrit son traitement médicamenteux.

□ Insister sur l'importance de la psychothérapie, si le médecin l'a recommandée, et des examens de suivi permettant d'évaluer l'efficacité du médicament. On doit également effectuer des examens de la vue à intervalles réguliers pendant toute la durée d'un traitement prolongé.

VÉRIFICATION DES RÉSULTATS

L'efficacité du traitement peut être démontrée par: ■ l'amélioration de l'humeur chez les patients déprimés □ la diminution de l'anxiété □ un gain d'appétit □ un regain d'énergie □ l'amélioration du sommeil. Parfois, il faut suivre le traitement pendant 1 à 4 semaines avant que les effets thérapeutiques du médicament puissent être observés.

INSULINE

Insulines à action rapide

Régulières: Humulin-R, Iletin régulière, Iletin II, Insuline-Toronto, Novolin-Toronto, Velosulin, (Actrapid), (Humulin BR), (Ilentin I), (Novolin R)

Insuline zinc à action rapide, en suspension: Iletin Semi-lente, Insuline Semilente, (Semitard)

Insulines à action intermédiaire

Insuline isophane, en suspension: Iletin NPH et Iletin II NPH, Insulatard, Insulatard-NPH, Insuline NPH, Humulin-N, Novolin-NPH, (Lentard) (Novolin N) (NPH purifiée)

Insuline zinc, en suspension: Humulin-L, Iletin Lente, Iletin II Lente, Insuline Lente, Novolin-Lente, (Monotard) (Novolin L)

Insulines à action prolongée

Insuline protamine zinc, en suspension: Iletin IPZ, (PZI)

Insuline zinc à action prolongée, en suspension: Humulin-U, Iletin Ultra-lente, Insuline Ultralente, Novolin-Ultralente, (Ultratard)

Insuline prémélangée

Ordinaire avec isophane NPH: Humulin 30/70, Initard 50/50, Mixtard 30/70, Mixtard 15/85, Mixtard 50/50, Novolin-30/70

Insuline modifiée chimiquement

Insuline sulfatée

CLASSIFICATION:
Hormone – insuline

Grossesse – catégorie inconnue

INDICATIONS

■ Traitement du diabète sucré insulino-dépendant (DSID, de type I) ■ Traitement du diabète sucré non insulinodépendant (DNID, de type II) lorsque la diétothérapie et les hypoglycémiants oraux sont inefficaces ou contre-indiqués ■ Amélioration de l'appétit et obtention d'un gain pondéral dans certains cas de malnutrition non diabétique (par exemple, l'anorexie mentale) ■ Vérification de la réalisation d'une vagotomie intégrale.

ACTION

■ Abaissement de la glycémie par la stimulation du transport vers les cellules et de la transformation du glucose en glycogène ■ Effet favorable sur la transformation musculaire des acides aminés en protéines et sur la formation de triglycérides ■ Inhibition de la libération d'acides gras libres ■ Préparations: insuline bovine, porcine, bovine et porcine, semi-synthétique ou humaine (préparée par les techniques de recombinaison de l'ADN) ■ Stimulation de la sécrétion gastrique. **Effets thérapeutiques:** ■ Équilibrage de la glycémie chez les patients diabétiques.

PHARMACOCINÉTIQUE

Absorption: Par suite de l'administration SC, l'absorption est rapide. La vitesse d'absorption dépend du type d'insuline, du point d'injection, du volume injecté et d'autres facteurs.

Distribution: L'agent se répartit dans tout l'organisme.

Métabolisme et excrétion : L'insuline est métabolisée par le foie, les reins et les muscles.

Demi-vie : 9 min (prolongée chez les diabétiques).

CONTRE-INDICATIONS ET PRÉCAUTIONS

Contre-indications : Allergie ou hypersensibilité à un type particulier d'insuline, d'agent de conservation ou d'additif.

Précautions : Stress, grossesse ou infection (les besoins en insuline sont passagèrement accrus).

RÉACTIONS INDÉSIRABLES ET EFFETS SECONDAIRES

Tég. : urticaire.

End. : HYPOGLYCÉMIE, hyperglycémie rebond (effet de Somogyi).

Locaux : lipodystrophie, lipohypertrophie, démangeaisons, œdème, rougeurs.

Divers : réactions allergiques, incluant l'ANAPHYLAXIE.

INTERACTIONS

Médicament – médicament : ■ Les **bêtabloquants** peuvent masquer certains signes et symptômes de l'hypoglycémie ■ Les **diurétiques thiazidiques**, l'ingestion d'**alcool**, les **glucocorticoïdes**, les **préparations thyroïdiennes**, les **œstrogènes**, le **tabagisme** et la **rifampine** peuvent accroître les besoins en insuline ■ Les **stéroïdes anabolisants** (testostérone), le **clofibrate**, la **guanéthidine**, les **antidépresseurs tricycliques**, les **inhibiteurs de la MAO**, les **salicylates**, le **phénylbutazone** et les **anticoagulants oraux** peuvent réduire les besoins en insuline.

PRÉSENTATION

L'insuline est présentée sous diverses formes et teneurs et provient de diverses sources.

VOIES D'ADMINISTRATION ET POSOLOGIE

Remarque : La glycémie, la réponse au traitement et de nombreux autres paramètres sont des facteurs déterminants.

Acidocétose – Insuline régulière seulement

■ **IV et SC (adultes) :** initialement, de 25 à 150 unités par voie IV. Administrer ensuite des doses additionnelles toutes les heures jusqu'à la stabilisation de la glycémie. Passer alors à l'administration SC, toutes les 6 h ; **ou** administrer initialement de 50 à 100 unités par voie IV, et de 50 à 100 unités par voie SC puis, par voie SC seulement, toutes les 2 à 6 h ; **ou** 0,33 unité/kg en bolus par voie IV, ou de plus petits bolus de 5 à 10 unités, suivis par une perfusion de 0,1 unité/kg à l'heure.

■ **IV et SC (enfants) :** initialement, de 0,5 à 1 unité/kg, en deux doses fractionnées, une moitié par voie IV et l'autre moitié par voie SC, puis de 0,5 à 1 unité/kg par voie IV, toutes les 1 à 2 h ou 0,1 unité/kg par bolus IV, puis perfusion de 0,1 unité/kg à l'heure.

■ **IM (adultes) :** 0,22 unité/kg, puis 5 unités à l'heure.

■ **IM (enfants) :** 0,25 unité/kg, puis 0,1 unité/kg à l'heure.

Traitement d'entretien

■ **SC (adultes et enfants) :** 0,5 unités/kg par jour.

■ **SC (adolescents en poussée de croissance) :** de 0,8 à 1,2 unités/kg par jour.

PHARMACODYNAMIE (effet hypoglycémiant)

	DÉBUT D'ACTION	PIC	DURÉE
IV insuline régulière	10 – 30 min	15 – 30 min	30 – 60 min
SC insuline régulière	0,5 – 1 h	2 – 4 h	5 – 7 h
SC insuline semilente	1 – 3 h	2 – 8 h	12 – 16 h
SC NPH	1 – 4 h	6 – 12 h	18 – 28 h
SC insuline lente	1 – 3 h	8 – 12 h	18 – 28 h
SC IPZ	4 – 6 h	14 – 24 h	36 h
SC insuline ultralente	4 – 6 h	18 – 24 h	36 h

⚕️SOINS INFIRMIERS

ÉVALUATION DE LA SITUATION

- Suivre à intervalles réguliers pendant toute la durée du traitement, les signes et les symptômes d'hypoglycémie (anxiété, frissons, sueurs froides, confusion, pâleur et fraîcheur de la peau, difficulté de concentration, somnolence, faim excessive, céphalées, irritabilité, nausées, nervosité, pouls rapide, tremblements, fatigue ou faiblesse inhabituelles) et d'hyperglycémie (somnolence, rougeur et sécheresse de la peau, haleine fruitée, mictions fréquentes, perte d'appétit, fatigue, soif inhabituelle).
- □ Peser le patient à intervalles réguliers. Les modifications de poids peuvent dicter la nécessité d'adapter la posologie d'insuline.
- **Étude des examens diagnostiques et biochimiques :** L'insuline peut entraîner la diminution des concentrations sériques de phosphates inorganiques, de magnésium et de potassium.
- □ Suivre toutes les 6 h pendant toute la durée du traitement (plus fréquemment en présence d'acidocétose ou de stress) la glycémie ou la glycosurie, et la cétonémie ou la cétonurie. L'efficacité du traitement peut également être déterminée par la mesure de l'hémoglobine glycosylée.
- **Toxicité et surdosage :** Le surdosage se manifeste par des symptômes d'hypoglycémie. On peut traiter l'hypoglycémie légère par l'administration par voie orale de glucose. L'hypoglycémie grave est une urgence, car la vie du patient est en danger. Le traitement consiste à administrer du glucose par voie IV, du glucagon ou de l'épinéphrine.

DIAGNOSTICS INFIRMIERS POSSIBLES

- **Énoncés diagnostiques**
- □ Prise en charge inefficace du programme thérapeutique.

- □ Non-observance du traitement médicamenteux.
- □ *Risque élevé d'accident.*
- **Facteurs favorisants**
- □ Informations incomplètes.
- □ Doute quant aux bienfaits du médicament.
- □ *Manque de connaissances sur les effets secondaires du médicament et sur les moyens de les prévenir.*
- □ *Manque de connaissances sur les signes d'hyperglycémie et d'hypoglycémie et sur les moyens de les prévenir.*
- □ *Manque de connaissances sur la méthode d'administration du médicament.*
- □ *Manque de connaissances sur le régime alimentaire à suivre.*

INTERVENTIONS INFIRMIÈRES

- **Directives générales :** Vérifier le type, la source, la dose et la date de péremption de l'insuline en collaboration avec une autre infirmière. Ne pas substituer un type d'insuline à un autre sans recommandation expresse du médecin.
- □ N'utiliser *que* les seringues à insuline pour prélever la dose. Les unités inscrites sur la seringue doivent correspondre aux unités d'insuline par mL. On peut se procurer des seringues spécialement destinées aux doses inférieures à 50 unités. Avant de prélever la dose, faire tourner la fiole dans les paumes de la main afin que la solution soit bien dispersée ; ne pas agiter.
- Lorsqu'on doit mélanger plusieurs insulines, prélever d'abord l'insuline régulière pour éviter la contamination de la fiole contenant ce type d'insuline.
- □ Conserver l'insuline au frais ; il n'est pas nécessaire de la garder au réfrigérateur.
- **IV :** L'insuline régulière est la SEULE insuline que l'on puisse administrer par voie IV. Ne pas administrer la solution si elle est trouble, si elle a

changé de couleur ou si elle est inhabituellement visqueuse.

- **IV directe :** On peut administrer l'insuline non diluée par IV directe, dans une veine, dans une tubulure en Y ou dans un robinet à 3 voies.
- *Vitesse d'administration :* Administrer l'insuline à raison de 50 unités/min.
- **Perfusion continue :** On peut diluer l'insuline pour perfusion dans les solutions IV courantes ; toutefois, avant d'atteindre le système veineux, l'insuline pourrait perdre sa puissance d'au moins 20 à 80 % à cause du contact avec le contenant de verre ou de plastique ou la tubulure.
- □ *Vitesse d'administration :* La vitesse de perfusion doit être prescrite par le médecin ; l'administration doit se faire à l'aide d'une pompe IV afin d'assurer l'administration de la dose exacte.
- □ Réduire la vitesse d'administration lorsque la glycémie atteint 14 mmol/L.
- **Association compatible dans la même seringue :** Métoclopramide.
- **Compatibilités (tubulure en Y) :** Bicarbonate de sodium, chlorure de potassium, dobutamine, famotidine, héparine associée au succinate d'hydrocortisone sodique, mépéridine, morphine ou pentobarbital.
- **Autres compatibilités (en addition au soluté) :** Brétylium, cimétidine, lidocaïne, oxytétracycline ou vérapamil. L'insuline peut être ajoutée à une solution d'APT (alimentation parentérale totale).
- **Autres incompatibilités (en addition au soluté) :** Aminophylline, amobarbital, bicarbonate de sodium, chlorothiazide, cytarabine, dobutamine, méthylprednisolone, pentobarbital, phénobarbital, phénytoïne, sécobarbital ou thiopental.

ENSEIGNEMENT AU PATIENT ET À SES PROCHES

- □ Montrer au patient comment administrer l'insuline et préciser le type d'insuline qu'il doit utiliser, le matériel dont il doit se servir (seringue, cartouche, tampons d'alcool), le mode de conservation de l'agent et la méthode de mise au rebut des seringues. Insister sur le fait qu'il est important de ne pas changer de marque d'insuline ou de seringue, qu'il faut choisir soigneusement les points d'injection et en assurer la rotation et qu'il est vital d'observer le schéma posologique prescrit.
- □ Faire la démonstration du mode de mélange des insulines : prélever d'abord l'insuline régulière, tourner la fiole d'insuline à action intermédiaire dans les paumes de la main sans l'agiter (risque de fausser les doses).
- □ Expliquer au patient que ce médicament équilibre l'hyperglycémie, mais ne guérit pas le diabète. Le traitement est de longue durée.
- □ Faire une démonstration du dosage de la glycémie ou de la glycosurie et de la cétonurie. Insister sur le fait qu'il faut prélever deux échantillons consécutifs d'urine pour s'assurer que les résultats sont justes. Ces résultats doivent être notés attentivement pendant des périodes de stress ou pendant une maladie. Il faut prévenir le médecin si des modifications importantes surviennent.
- □ Insister sur l'importance de suivre les directives du médecin portant sur le régime, les équivalences alimentaires et un programme régulier d'exercices.
- □ Conseiller au patient de consulter le médecin ou le pharmacien avant de prendre d'autres médicaments ou de l'alcool, en même temps que l'insuline.
- □ Recommander au patient qui doit suivre un traitement dentaire ou subir une intervention chirurgicale d'avertir le dentiste ou le médecin qu'il suit un traitement médicamenteux.
- □ Recommander au patient de prévenir le médecin s'il souffre de nausées, de

vomissements ou de fièvre, s'il est incapable de suivre le régime alimentaire habituel ou si la glycémie n'est pas stabilisée.

☐ Expliquer au patient quels sont les signes et les symptômes d'hypoglycémie et d'hyperglycémie et les mesures à prendre s'ils se manifestent.

☐ Inciter le patient souffrant de diabète sucré à toujours garder sur lui du sucre (bonbons, sachets de sucre) et à porter en tout temps une pièce d'identité où sont inscrits sa maladie et son traitement médicamenteux.

VÉRIFICATION DES RÉSULTATS

L'efficacité du traitement peut être démontrée par : ■ l'équilibrage de la glycémie sans apparition d'épisodes d'hypoglycémie ou d'hyperglycémie ■ l'amélioration de l'appétit et un gain de poids (anorexie mentale).

INTERFÉRON ALFA-2a
IFLrA, rIFN-A, Roferon-A

CLASSIFICATION:
Antinéoplasique – divers

Grossesse – catégorie C

INDICATIONS

■ Traitement de la leucémie à tricholeucocytes ■ Traitement du sarcome de Kaposi associé au SIDA ■ Traitement de l'hépatite B chronique active. **Usages non approuvés:** ■ Traitement d'une variété d'autres tumeurs.

ACTION

■ Protéine produite par les techniques de recombinaison de l'ADN, qui module la réponse immunitaire et qui bloque la prolifération des cellules tumorales ■ Effet antiviral. **Effets thérapeutiques:** ■ Effets antinéoplasique et antiprolifératif ■ Amélioration de la fonction hépatique chez les patients souffrant de l'hépatite B chronique active.

PHARMACOCINÉTIQUE

Absorption: Aucune absorption par suite de l'administration PO. Une fraction de plus de 80 % du médicament est absorbée par suite de l'administration IM et SC.
Distribution: Inconnue.
Métabolisme et excrétion: Le médicament est filtré par les reins et ensuite décomposé dans les tubules rénaux.
Demi-vie: De 3,7 à 8,5 h.

CONTRE-INDICATIONS ET PRÉCAUTIONS

Contre-indications: ■ Hypersensibilité à l'interféron α-2A, à l'albumine sérique humaine ou au phénol ■ Grossesse.
Précautions: ■ Maladies cardiovasculaire, rénale ou hépatique graves ■ Infections en évolution ■ Réduction de la réserve médullaire ■ Radiothérapie antérieure ou concomitante ■ Autres maladies débilitantes ■ Patientes en âge de procréer ■ Allaitement et enfants de moins de 18 ans (l'innocuité du médicament n'a pas été établie).

RÉACTIONS INDÉSIRABLES ET EFFETS SECONDAIRES

Remarque: La plupart des réactions sont reliées à la dose.
SNC: fatigue, dépression, diminution de l'état de conscience, troubles du sommeil, CONVULSIONS, nervosité, confusion, troubles de la démarche, difficultés de coordination, troubles d'élocution.
ORLO: conjonctivite.
Resp.: bronchospasme.
CV: hypotension, œdème, hypertension, douleurs thoraciques, arythmies, palpitations.
GI: nausées, anorexie, diarrhée, vomissements, sensation de plénitude abdominale, hypermotilité, hépatite, sécheresse de la bouche (xérostomie), altération du goût.

GU: impuissance, suppression de la fonction des gonades.

Tég.: rash, prurit, alopécie, transpiration, sécheresse de la peau.

Hémat.: anémie, leucopénie, thrombocytopénie.

Loc.: myalgie.

SN: paresthésie, engourdissement, neuropathie périphérique.

Divers: syndrome pseudo-grippal, fièvre, frissons, perte de poids.

INTERACTIONS

Médicament – médicament: ■ L'administration d'autres **antinéoplasiques** ou d'une **radiothérapie** peut aggraver l'aplasie médullaire. ■ L'interféron α-2a peut diminuer le métabolisme, entraîner l'élévation des concentrations sanguines de **théophylline** et en accroître la toxicité.

PRÉSENTATION

L'interféron α-2a est présenté sous forme de solution ou de poudre à reconstituer.

VOIES D'ADMINISTRATION ET POSOLOGIE

Leucémie à tricholeucocytes

■ **IM et SC (adultes):** 3 millions UI par jour pendant 16 à 24 semaines. Si des réactions indésirables modérées à graves se manifestent, réduire la dose ou arrêter le traitement. La dose d'entretien est de 3 millions UI, 3 fois par semaine.

Sarcome de Kaposi

■ **IM et SC (adultes):** 36 millions UI par jour, pendant 4 à 10 semaines. Si des réactions indésirables modérées à graves se manifestent, réduire la dose ou arrêter le traitement. La dose d'entretien est de 36 millions UI, 3 fois par semaine.

Hépatite B chronique active

■ **IM et SC (adultes):** 4,5 millions UI, 3 fois par semaine, pendant 6 mois. La dose peut être augmentée après 1 mois de traitement.

PHARMACODYNAMIE

	DÉBUT D'ACTION	PIC	DURÉE
IM, SC (effet sur la numération globulaire)	inconnu	17 – 19 jours	plusieurs semaines
IM, SC (réponse clinique)	1 – 3 mois	inconnu	inconnue

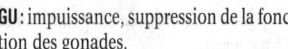 SOINS INFIRMIERS

ÉVALUATION DE LA SITUATION

■ **Directives générales:** Prendre les signes vitaux avant le traitement et à intervalles réguliers pendant toute sa durée. L'hypotension peut survenir jusqu'à 2 jours après le traitement.

□ Suivre de près les signes suivants de syndrome pseudo-grippal: fièvre, frissons, myalgie, céphalées. Les symptômes surviennent souvent brusquement, de 3 à 6 h après le traitement. L'intensité des symptômes tend à diminuer, même si le traitement est poursuivi. Demander au médecin s'il est opportun d'administrer de l'acétaminophène pour traiter ces symptômes.

□ Évaluer la fonction cardiaque, particulièrement chez les patients dont le cancer est à un stade avancé ou chez ceux qui souffrent d'une maladie cardiaque sous-jacente. Suivre de près les douleurs thoraciques, ausculter les bruits du cœur et le murmure vésiculaire à la recherche de râles et de crépitations et déceler l'apparition d'œdème. Le médecin peut prescrire des ÉCG à intervalles réguliers.

□ Suivre de près les signes d'infection, la fièvre et les maux de gorge. En informer le médecin, le cas échéant.

□ Suivre de près les saignements: saignements des gencives, formation d'ecchymoses, pétéchies, présence de sang occulte dans les selles, l'urine et les vomissements (par la méthode au gaïac). Éviter les injections IM et la prise de température PR; appliquer une pression sur les points de ponction veineuse pendant au moins 10 min.

☐ L'interféron α-2a peut provoquer des nausées et des vomissements. Consulter le médecin en ce qui a trait à l'administration d'un antiémétique en prophylaxie. Effectuer le bilan quotidien des ingesta et des excreta, peser le patient tous les jours et noter son appétit. Adapter le régime selon les aliments que le patient peut tolérer afin de contrecarrer l'anorexie. Inciter le patient à boire au moins 2 litres de liquides par jour.

☐ Évaluer l'état neurologique du patient pendant toute la durée du traitement. Prévenir le médecin si les signes suivants se manifestent: confusion, perte de coordination, étourdissements, troubles de la démarche, paresthésie, troubles d'élocution ou troubles psychologiques.

■ **Sarcome de Kaposi:** Noter le nombre, la taille et les caractéristiques des lésions avant le traitement et pendant toute sa durée.

■ **Étude des examens diagnostiques et biochimiques:** Examiner la numération globulaire et la formule leucocytaire avant l'administration et à intervalles réguliers pendant tout le traitement. Le médicament peut entraîner la leucopénie, la neutropénie, la thrombocytopénie et la diminution des concentrations d'hémoglobine et de l'hématocrite. Le nadir de la leucopénie se produit dans les 22 à 38 jours et celui de la thrombocytopénie dans les 17 à 19 jours. Les concentrations se rétablissent dans les quelques semaines suivant l'arrêt du traitement à l'interféron α-2a.

☐ Noter les résultats des tests de l'exploration fonctionnelle hépatique (TGOS [AST], TGPS [ALT], LDH et bilirubine) et ceux des tests de l'exploration fonctionnelle rénale (urée, créatinine, analyse des urines) avant et à intervalles réguliers pendant tout le traitement.

☐ L'interféron α-2a peut entraîner l'élévation des concentrations d'acide urique; noter les concentrations à intervalles réguliers pendant tout le traitement.

DIAGNOSTICS INFIRMIERS POSSIBLES

■ **Énoncés diagnostiques**

☐ Risque élevé d'accident.

☐ Risque élevé d'infection.

☐ Prise en charge inefficace du programme thérapeutique.

☐ *Risque élevé de déficit nutritionnel.*

☐ *Risque élevé de déficit de volume liquidien.*

☐ *Risque élevé d'atteinte à l'intégrité de la muqueuse buccale.*

☐ *Risque élevé d'intolérance à l'activité.*

☐ *Risque élevé de perturbation situationnelle de l'estime de soi.*

☐ *Risque élevé d'atteinte à l'intégrité de la peau.*

■ **Facteurs favorisants**

☐ Informations incomplètes.

☐ *Manque de connaissances sur les moyens de prévenir les effets secondaires affectant l'appareil gastro-intestinal.*

☐ *Manque de connaissances sur les moyens de prévenir ou de réduire la sécheresse de la bouche.*

☐ *Fatigue et faiblesse.*

☐ *Manque de connaissances sur les effets hypotensifs du médicament lors des changements brusques de position.*

☐ *Manque de connaissances sur les modalités du traitement.*

☐ *Manque de connaissances sur le régime alimentaire à suivre.*

☐ *Altération de l'image corporelle.*

INTERVENTIONS INFIRMIÈRES

- **Directives générales:** Préparer les solutions sous une hotte biologique de sécurité. Porter des gants, un vêtement protecteur et un masque pendant la manipulation de l'interféron α-2a. Mettre au rebut le matériel dans les contenants réservés à cet effet (voir l'annexe I).

- **SC et IM:** Administrer par voie SC chez les patients dont le nombre de plaquettes est inférieur à 50×10^9/L.

- ☐ Reconstituer le contenu des fioles de 3 ou, de 9 ou de 18 millions UI avec 1 mL du diluant fourni. Conserver au réfrigérateur et administrer dans les 24 h.

ENSEIGNEMENT AU PATIENT ET À SES PROCHES

- ☐ Conseiller au patient de respecter scrupuleusement la posologie recommandée. S'il n'a pu prendre le médicament au moment habituel, il doit sauter la dose et reprendre le schéma posologique habituel. Lui conseiller de prévenir le médecin s'il n'a pu prendre deux ou plusieurs doses successives.

- ☐ Montrer au patient et à ses proches comment on doit préparer et administrer le médicament. Expliquer au patient qu'il ne doit pas changer de marque sans avoir consulté le médecin au préalable, puisqu'une modification de posologie pourrait s'imposer.

- ☐ Prévenir le patient qu'une réaction pseudo-grippale risque de se manifester dans les 3 à 6 h suivant l'administration de l'agent. Le médecin pourrait prescrire de l'acétaminophène avant l'injection et toutes les 3 ou 4 h par la suite, selon les besoins.

- ☐ Passer en revue les réactions indésirables. Le médecin peut interrompre temporairement le traitement ou réduire la dose si des réactions indésirables modérées à graves se manifestent.

- ☐ Recommander au patient de signaler au médecin la fièvre, les frissons, les maux de gorge, les signes d'infection, le saignement des gencives, la formation d'ecchymoses, les pétéchies, la présence de sang dans les selles, l'urine et les vomissements. Lui expliquer qu'il doit éviter les foules et les personnes contagieuses. Lui recommander de ne pas se servir de soie dentaire et d'utiliser une brosse à dents à poils doux et un rasoir électrique. Le mettre en garde contre la consommation d'alcool, de produits à base d'aspirine ou de dépresseurs du SNC.

- ☐ Expliquer au patient qu'il risque de perdre ses cheveux. Explorer avec lui les stratégies lui permettant de s'adapter à ces changements.

- ☐ Expliquer à la patiente que ce médicament peut la rendre stérile, mais que l'agent étant tératogène, il faut continuer de prendre des mesures contraceptives pendant toute la durée du traitement pour prévenir tout risque d'effet nocif sur le fœtus.

- ☐ Expliquer au patient qu'il ne doit pas se faire vacciner sans recommandation expresse du médecin.

- ☐ Insister sur l'importance de se soumettre à intervalles réguliers à des examens diagnostiques et biochimiques permettant de suivre de près les effets secondaires.

VÉRIFICATION DES RÉSULTATS

L'efficacité du traitement peut être démontrée par: ■ le rétablissement des paramètres sanguins (hémoglobine, polynucléaires neutrophiles, plaquettes, monocytes, tricholeucocytes médullaires et périphériques) lors du traitement de la leucémie à tricholeucocytes ■ la diminution du nombre et de la taille des lésions du sarcome de Kaposi. Le plein effet du médicament peut n'être manifeste qu'après 6 mois de traitement. (Il faut arrêter le traitement lorsqu'il n'y a plus d'amélioration clinique et que les paramètres sont restés stables pendant 3 mois) ■ une inhibition de la réplication virale, le développement d'une réponse immunitaire spécifique et la réduction ou la disparition de la maladie nécro-inflammatoire du foie en cas d'hépatite B. La réponse maximale au médicament survient souvent des semaines ou des mois après la fin du traitement. On doit envisager l'arrêt de la médication si aucune amélioration n'est observée après 3 ou 4 mois de traitement.

INTERFÉRON ALFA-2b
a-2-interferon, IFN-alpf-2, Intron A, rIFN-a2

CLASSIFICATION:
Antinéoplasique – divers

Grossesse – catégorie C

INDICATIONS

■ Traitement de la leucémie à tricholeucocytes ■ Traitement du sarcome de Kaposi associé au sida ■ Traitement de l'épithélioma basocellulaire (intralésionnel) ■ Traitement de l'hépatite non A – non B, de type C chronique ■ Traitement de l'hépatite B chronique active. **Usages non approuvés:** ■ Traitement du condylome acuminé (intralésionnel).

ACTION

■ Protéine produite par les techniques de recombinaison de l'ADN qui module la réponse immunitaire et qui bloque la prolifération des cellules tumorales ■ Effet antiviral. **Effets thérapeutiques:** ■ Effets antinéoplasique et antiprolifératif ■ Amélioration de la fonction hépatique chez les patients souffrant d'hépatite non A – non B, de type C chronique.

PHARMACOCINÉTIQUE

Absorption: Aucune absorption par suite de l'administration PO. Une fraction de plus de 80 % du médicament est absorbée par suite de l'administration IM et SC.

Distribution: Inconnue.

Métabolisme et excrétion: Le médicament est filtré par les reins et ensuite décomposé dans les tubules rénaux.

Demi-vie: De 2 à 3 h.

CONTRE-INDICATIONS ET PRÉCAUTIONS

Contre-indications: ■ Hypersensibilité à l'interféron α-2b et à l'albumine sérique humaine ■ Grossesse.

Précautions: ■ Maladies cardiovasculaire, rénale ou hépatique graves ■ Infection en évolution ■ Réduction de la réserve médullaire ■ Radiothérapie antérieure ou concomitante ■ Autres maladies débilitantes ■ Patientes en âge de procréer ■ Allaitement et enfants de moins de 18 ans (l'innocuité du médicament n'a pas été établie).

RÉACTIONS INDÉSIRABLES ET EFFETS SECONDAIRES

SNC: fatigue, dépression, diminution de l'état de conscience, CONVULSIONS, troubles du sommeil, nervosité, confusion, troubles de la démarche, difficultés de coordination, troubles d'élocution.

ORLO: conjonctivite.

Resp.: bronchospasme.

CV: hypotension, œdème, hypertension, douleurs thoraciques, arythmies, palpitations.

GI: nausées, anorexie, diarrhée, vomissements, sensation de plénitude abdominale, hypermotilité, hépatite, sécheresse de la bouche (xérostomie), altération du goût.

GU: impuissance, suppression de la fonction des gonades.

Tég.: rash, prurit, alopécie, transpiration.

Hémat.: anémie, leucopénie, thrombocytopénie.

Loc.: myalgie.

SN: paresthésie, engourdissement.

Divers: syndrome pseudo-grippal, fièvre, frissons, perte de poids.

INTERACTIONS

Médicament – médicament: ■ L'administration d'autres **antinéoplasiques** ou d'une **radiothérapie** peut aggraver l'aplasie médullaire ■ L'interféron α-2b peut diminuer le métabolisme, entraîner l'élévation des concentrations sanguines d'**aminophylline** et en accroître la toxicité ■ L'interféron α-2b accroît le risque de neutropénie induite par la **zidovudine**.

PRÉSENTATION

L'interféron α-2b est présenté sous forme de solution de 5 millions UI/mL, de poudre à reconstituer en fioles de 3 et de 5 millions UI destinées à l'administration par voies IM et SC et en fioles de 10 millions UI destinées à l'administration IM, SC et intralésionnelle.

VOIES D'ADMINISTRATION ET POSOLOGIE

Leucémie à tricholeucocytes

■ **IM et SC (adultes):** 2 millions UI/m^2, 3 fois par semaine. Si des réactions indésirables graves se manifestent, réduire la dose de moitié.

Hépatite chronique non A – non B, de type C chronique

■ **IM et SC (adultes):** 3 millions UI, 3 fois par semaine.

Hépatite B chronique active

■ **IM et SC (adultes):** de 30 à 35 millions UI par semaine, à raison de 5 millions UI par jour ou de 10 millions UI, 3 fois par semaine pendant 16 semaines.

Épithélioma basocellulaire

■ **Administration intralésionnelle (adultes):** pour les lésions de surface inférieure à 2 cm^2, au départ, 1,5 million UI par lésion, 3 fois par semaine pendant 3 semaines; on peut traiter jusqu'à 3 lésions à la fois. Pour les lésions dont la surface est de 2 à 10 cm^2, 0,5 millions UI/cm^2 de la surface initiale de la lésion (ou de 1,5 à 5 millions UI), 3 fois par semaine, pendant 3 semaines; on ne doit traiter qu'une seule grande lésion à la fois.

Sarcome de Kaposi

■ **IM et SC (adultes):** 30 millions UI/m^2, 3 fois par semaine.

Condylome acuminé

■ **Administration intralésionnelle (adultes):** 1 million UI par lésion, 3 fois par semaine pendant 3 semaines; ne traiter que 5 lésions par cure.

PHARMACODYNAMIE

	DÉBUT D'ACTION	PIC	DURÉE
IM, SC (réponse clinique)	1 – 3 mois	inconnu	inconnue
IM, SC (effet sur la numération globulaire)	inconnu	3 – 5 jours	3 – 5 jours
IM, SC (effet sur la fonction hépatique en présence d'hépatite)	2 semaines	inconnu	inconnue
administration intralésionnelle	inconnu	4 – 8 semaines	inconnue

SOINS INFIRMIERS

ÉVALUATION DE LA SITUATION

■ **Directives générales:** Prendre les signes vitaux avant le traitement et à intervalles réguliers pendant toute sa durée. L'hypotension peut survenir jusqu'à 2 jours après l'administration du médicament.

□ Suivre de près les signes suivants du syndrome pseudo-grippal: fièvre, frissons, myalgie, céphalées. Les symptômes surviennent souvent brusquement, de 3 à 6 h après l'administration du médicament. L'intensité des symptômes tend à diminuer, même si le traitement est poursuivi. Demander au médecin s'il est opportun d'administrer de l'acétaminophène pour traiter ces symptômes.

□ Évaluer la fonction cardiaque, particulièrement chez les patients dont le cancer est à un stade avancé ou chez ceux qui souffrent d'une maladie cardiaque sous-jacente. Suivre de près les douleurs thoraciques, ausculter les bruits du cœur et le murmure vésiculaire, à la recherche de râles et de crépitations, et déceler l'apparition d'œdème. Le médecin peut prescrire des ÉCG à intervalles réguliers.

□ Suivre de près les signes d'infection, la fièvre et les maux de gorge. En informer le médecin, le cas échéant.

□ Suivre de près les saignements: saignements des gencives, formation d'ecchymoses, pétéchies, présence de sang occulte dans les selles, l'urine et les vomissements (par la méthode au gaïac). Éviter les injections IM et la prise de température dans le rectum; appliquer une pression sur les points de ponction veineuse pendant 10 min.

□ L'interféron α-2b peut entraîner des nausées et des vomissements. Consulter le médecin en ce qui a trait à l'administration d'un antiémétique en prophylaxie. Effectuer le bilan quotidien des ingesta et des excreta, peser le patient tous les jours et noter son appétit. Adapter le régime selon les aliments que le patient peut tolérer afin de contrecarrer l'anorexie. Inciter le patient à boire au moins 2 litres de liquides par jour.

□ Évaluer l'état neurologique du patient pendant toute la durée du traitement. Prévenir le médecin si les signes suivants se manifestent: confusion, perte de coordination, étourdissements, troubles de la démarche, paresthésie, troubles d'élocution ou troubles psychologiques.

■ **Sarcome de Kaposi:** Noter le nombre, la taille et les caractéristiques des lésions avant le traitement et pendant toute sa durée.

■ **Étude des examens diagnostiques et biochimiques:** Examiner la numération globulaire et la formule leucocytaire avant l'administration et à intervalles réguliers pendant tout le traitement. Le médicament peut entraîner la leucopénie, la neutropénie, la thrombocytopénie et la diminution des concentrations d'hémoglobine et de l'hématocrite. Le nadir de la leucopénie et de la thrombocytopénie se produit dans les 3 à 5 jours et les concentrations se rétablissent dans les 3 à 5 jours suivant l'arrêt du traitement à l'interféron α-2b.

□ Noter, avant le traitement et à intervalles réguliers pendant toute sa durée, les résultats des tests de l'exploration fonctionnelle hépatique (concentrations de TGOS [AST], TGPS [ALT], LDH et bilirubine) et ceux des tests de l'exploration fonctionnelle rénale (urée, créatinine, analyse des urines).

□ L'interféron α-2b peut entraîner l'élévation des concentrations d'acide urique; noter les concentrations à intervalles réguliers pendant tout le traitement.

■ **Administration intralésionnelle:** Noter la numération globulaire et les résultats des tests de l'exploration fonctionnelle hépatique. L'interféron α-2b peut entraîner une leucopénie légère à modérée et l'élévation des concentrations de TGOS (AST).

DIAGNOSTICS INFIRMIERS POSSIBLES

■ **Énoncés diagnostiques**

□ Risque élevé d'accident.

□ Risque élevé d'infection.

□ Prise en charge inefficace du programme thérapeutique.

□ *Risque élevé de déficit nutritionnel.*

□ *Risque élevé de déficit de volume liquidien.*

□ *Risque élevé d'atteinte à l'intégrité de la muqueuse buccale.*

□ *Risque élevé d'intolérance à l'activité.*

□ *Risque élevé de perturbation situationnelle de l'estime de soi.*

□ *Risque élevé d'atteinte à l'intégrité des tissus.*

■ **Facteurs favorisants**

□ Informations incomplètes.

□ *Manque de connaissances sur les moyens de prévenir les effets secondaires affectant l'appareil gastro-intestinal.*

□ *Manque de connaissances sur les moyens de prévenir ou de réduire la sécheresse de la bouche.*

□ *Fatigue et faiblesse.*

□ *Manque de connaissances sur les effets hypotensifs du médicament lors des changements brusques de position.*

□ *Manque de connaissances sur les modalités du traitement.*

□ *Manque de connaissances sur le régime alimentaire à suivre.*

□ *Altération de l'image corporelle.*

INTERVENTIONS INFIRMIÈRES

■ **Directives générales :** Préparer les solutions sous une hotte biologique de sécurité. Porter des gants, un vêtement protecteur et un masque pendant la manipulation de l'interféron α-2b. Mettre au rebut le matériel dans les contenants réservés à cet effet (voir l'annexe I).

■ **SC et IM :** La voie SC devrait être choisie de préférence chez les patients dont le nombre de plaquettes est inférieur à 50×10^9/L.

□ Reconstituer le contenu des fioles de 3, de 5 et de 10 millions UI avec 1 mL du diluant fourni par le fabricant (eau bactériostatique pour injection). Agiter délicatement. La couleur de la solution peut varier de transparente à jaune pâle. Conserver au réfrigérateur après la reconstitution. La solution est stable pendant 1 mois.

■ **Administration intralésionnelle :** Reconstituer le contenu de la fiole de 10 millions UI avec 1 mL d'eau bactériostatique pour injection. Utiliser une seringue à tuberculine (munie d'une aiguille de calibre 25 à 30). Chaque dose de 0,1 mL (condylome acuminé) ou de 0,15 à 0,5 mL (épithélioma basocellulaire) doit être injectée à la base du condylome, dans son centre ou dans la lésion, par la méthode d'administration d'une injection intradermique. On peut traiter jusqu'à 3 (épithélioma basocellulaire) ou 5 lésions (condylome acuminé) à la fois.

ENSEIGNEMENT AU PATIENT ET À SES PROCHES

□ Conseiller au patient de respecter scrupuleusement la posologie recommandée. S'il n'a pu prendre le médicament au moment habituel, il doit sauter la dose et reprendre le schéma posologique habituel. Lui conseiller de prévenir le médecin s'il n'a pu prendre deux ou plusieurs doses successives.

□ Montrer au patient et à ses proches comment on doit préparer et administrer le médicament. Expliquer au patient qu'il ne doit pas changer de marque sans avoir consulté le médecin au préalable, puisqu'une modification de posologie pourrait s'imposer.

□ Prévenir le patient qu'une réaction pseudo-grippale risque de se manifester dans les 3 à 6 h suivant l'administration. Le médecin pourrait prescrire de l'acétaminophène avant l'injection et toutes les 3 ou 4 h par la suite, selon les besoins.

□ Passer en revue les réactions indésirables. Le médecin peut interrompre le traitement ou réduire la dose de moitié si des réactions indésirables graves se manifestent.

□ Recommander au patient de signaler au médecin la fièvre, les frissons, les maux de gorge, les signes d'infection, le saignement des gencives, la formation d'ecchymoses, les pétéchies et la présence de sang dans les selles, l'urine et les vomissements. Lui expliquer qu'il doit éviter les foules et les personnes contagieuses. Lui recommander de ne pas se servir de soie dentaire, d'utiliser une brosse à dents à poils doux et un rasoir électrique. Le mettre en garde contre la consommation d'alcool, de produits à base d'aspirine ou de dépresseurs du SNC.

☐ Expliquer au patient qu'il risque de perdre ses cheveux. Explorer avec lui les stratégies lui permettant de s'adapter à ce changement.

☐ Expliquer à la patiente que ce médicament peut la rendre stérile, mais que l'agent étant tératogène, il faut continuer de prendre des mesures contraceptives pendant toute la durée du traitement pour prévenir tout risque d'effet nocif sur le fœtus.

☐ Expliquer au patient qu'il ne doit pas se faire vacciner sans recommandation expresse du médecin.

☐ Insister sur l'importance de se soumettre à intervalles réguliers à des examens diagnostiques et biochimiques permettant de suivre de près les effets secondaires.

VÉRIFICATION DES RÉSULTATS

L'efficacité du traitement peut être démontrée par : ■ le rétablissement des paramètres sanguins (hémoglobine, polynucléaires neutrophiles, plaquettes, monocytes, tricholeucocytes médullaires et périphériques) lors du traitement de la leucémie à tricholeucocytes ; le plein effet du médicament peut n'être manifeste qu'après 6 mois de traitement ■ la diminution du nombre et de la taille des lésions du sarcome de Kaposi ■ la disparition des condylomes génitaux ou la diminution de leur taille ou de leur nombre. Le condylome acuminé disparaît habituellement après 4 à 8 semaines de traitement. Il peut être nécessaire de prolonger la cure jusqu'à 16 semaines. Une deuxième cure peut être administrée si les condylomes génitaux persistent et si les résultats des épreuves de laboratoire restent dans les limites acceptables ■ l'amélioration, entre autres, de l'aspect, de la taille et de l'érythème de la lésion d'épithélioma basocellulaire. L'amélioration des signes pathologiques commence généralement environ 8 semaines après le début du traitement.

INTERFÉRON ALFA-N3 (dérivé de leucocytes humains)
(Alferon N)

CLASSIFICATION :
Antinéoplasique – divers

Grossesse – catégorie C

INDICATIONS

■ Traitement du condylome acuminé (condylomes génitaux ou vénériens) chez les patients de plus de 18 ans qui n'ont pas répondu au traitement classique (résine de podophylline, chirurgie, laser ou cryothérapie). On croit que le condylome acuminé est d'origine virale (virus du papillome humain). **Usages non approuvés :** ■ Tumeurs de la vessie, certains lymphomes, autres infections virales.

ACTION

■ Protéine dérivée des leucocytes humains qui, au moment de sa liaison aux membranes cellulaires, déclenche des réactions pouvant inhiber la réplication virale et la prolifération cellulaire ■ Intensification de la phagocytose, augmentation de l'effet cytotoxique des lymphocytes et accroissement de l'expression des antigènes. **Effets thérapeutiques :** ■ Disparition des condylomes.

PHARMACOCINÉTIQUE

Absorption : Par suite de l'administration intralésionnelle, de faibles quantités s'infiltrent probablement dans la circulation systémique.

Distribution : Inconnue.

Métabolisme et excrétion : Inconnus.

Demi-vie : Inconnue.

CONTRE-INDICATIONS ET PRÉCAUTIONS

Contre-indications: ■ Hypersensibilité à l'interféron α d'origine humaine, au phénol et à l'albumine ■ Réaction anaphylactique antérieure à l'immunoglobuline murine.

Précautions: ■ Maladies cardiovasculaire ou pulmonaire graves ■ Diabète sucré avec acidocétose ■ Troubles de la coagulation ■ Aplasie médullaire ■ Antécédents de convulsions ■ Autres maladies chroniques débilitantes ■ Grossesse, allaitement ou enfants (l'innocuité du médicament n'a pas été établie).

RÉACTIONS INDÉSIRABLES ET EFFETS SECONDAIRES

SNC: malaises, fatigue, céphalées, insomnie, étourdissements, dépression.
ORLO: écoulement sinusal.
GI: nausées, vomissements, dyspepsie, diarrhée.
Tég.: transpiration, prurit généralisé.
Loc.: myalgie, douleurs lombaires, arthralgie.
Divers: syndrome pseudo-grippal, fièvre, frissons, réactions vasovagales.

INTERACTIONS

Médicament – médicament: Aucune interaction notable.

VOIES D'ADMINISTRATION ET POSOLOGIE

■ **Administration intralésionnelle (adultes):** 0,05 mL (250 000 UI) par condylome, 2 fois par semaine, pendant une période allant jusqu'à 8 semaines; ne pas dépasser 0,5 mL (2,5 millions UI) au total par séance de traitement.

PHARMACODYNAMIE (disparition des condylomes)

	DÉBUT D'ACTION	PIC	DURÉE
administration intralésionnelle	plusieurs semaines	8 semaines – 3 mois	inconnue

SOINS INFIRMIERS

ÉVALUATION DE LA SITUATION

☐ Noter le nombre, la taille et l'emplacement des condylomes avant le début du traitement et pendant toute sa durée.

☐ Suivre de près les signes suivants du syndrome pseudo-grippal: fièvre, myalgie, céphalées. On peut traiter ce syndrome par l'acétaminophène et les symptômes peuvent diminuer à mesure que l'on répète l'administration du médicament.

■ **Étude des examens diagnostiques et biochimiques:** L'interféron α-N3 peut entraîner la diminution du nombre de leucocytes.

DIAGNOSTICS INFIRMIERS POSSIBLES

■ **Énoncés diagnostiques**
☐ Atteinte à l'intégrité de la peau.
☐ Prise en charge inefficace du programme thérapeutique.
☐ *Risque élevé d'accident.*

■ **Facteurs favorisants**
☐ Informations incomplètes.
☐ *Perturbation de la vigilance.*
☐ *Fatigue et faiblesse.*
☐ *Manque de connaissances sur les modalités du traitement.*

INTERVENTIONS INFIRMIÈRES

■ **Directives générales:** Administrer par injection intralésionnelle avec une aiguille de calibre 30 à la base de chaque condylome.

☐ Les diverses préparations d'interféron ne sont pas interchangeables. La teneur et le processus de fabrication sont différents.

ENSEIGNEMENT AU PATIENT ET À SES PROCHES

Recommander au patient de prévenir le médecin si les signes suivants d'hypersensibilité se manifestent: urticaire, oppression thoracique, respiration sifflante, hypotension, anaphylaxie.

VÉRIFICATION DES RÉSULTATS

L'efficacité du traitement peut être démontrée par : la disparition des condylomes génitaux rebelles à d'autres traitements. Le traitement doit être poursuivi pendant 8 semaines, mais la disparition de tous les condylomes peut prendre jusqu'à 3 mois. Ne pas amorcer une nouvelle cure dans les 3 mois suivant la cure initiale de 8 semaines sauf si les condylomes réapparaissent ou s'élargissent.

INTERFÉRON GAMMA 1B
(Actimmune)

CLASSIFICATION :
Modificateur de la réponse immunitaire
Grossesse – catégorie C

INDICATIONS

Réduction de la gravité et de la fréquence des complications infectieuses de la granulomatose chronique.

ACTION

■ Protéine, produite par les techniques de recombinaison de l'ADN, qui peut activer les phagocytes et ainsi augmenter leur capacité de tuer des agents pathogènes, dont : □ *Staphylococcus aureus* □ *Toxoplasma gondii* □ *Leishmania donovani* □ *Listeria monocytogenes* □ *Myobacterium avium intracellulare*. **Effets thérapeutiques :** ■ Réduction de l'incidence et de la gravité des infections chez les patients souffrant de granulomatose chronique.

PHARMACOCINÉTIQUE

Absorption : Par suite de l'administration par voie SC, l'absorption est lente.
Distribution : Inconnue.
Métabolisme et excrétion : Inconnus.
Demi-vie : 5,9 h.

CONTRE-INDICATIONS ET PRÉCAUTIONS

Contre-indications : Hypersensibilité à l'interféron γ, aux produits dérivés de *E. Coli*, au mannitol et au polysorbate.
Précautions : ■ Grossesse, allaitement ou enfants de moins de 1 an (l'innocuité du médicament n'a pas été établie) ■ Maladie cardiovasculaire ■ Aplasie médullaire.

RÉACTIONS INDÉSIRABLES ET EFFETS SECONDAIRES

SNC : céphalées, diminution de l'état de conscience, étourdissements.
GI : nausées, vomissements, douleurs abdominales.
Tég. : rash.
Hémat. : neutropénie, thrombocytopénie.
Locaux : œdème ou sensibilité au point d'injection.
Loc. : myalgie, arthralgie, douleurs lombaires.
SN : troubles de la démarche.
Divers : fièvre, frissons.

INTERACTIONS

Médicament – médicament : Les agents **antinéoplasiques** ou la **radiothérapie**, administrés de façon concomitante, peuvent avoir des effets additifs sur l'aplasie médullaire.

VOIES D'ADMINISTRATION ET POSOLOGIE

Surface corporelle supérieure à 0,5 m²
■ **SC (adultes) :** 50 μg/m² (1,5 million UI/m²), 3 fois par semaine.

Surface corporelle inférieure à 0,5 m²
■ **SC (adultes et enfants < 1 an) :** 1,5 μg/kg, 3 fois par semaine.

PHARMACODYNAMIE
(concentrations sanguines)

	DÉBUT D'ACTION	PIC	DURÉE
SC	inconnu	4 h	inconnue

SOINS INFIRMIERS

ÉVALUATION DE LA SITUATION

☐ Suivre de près les signes et les symptômes d'infection avant le traitement et pendant toute sa durée. Le syndrome pseudo-grippal, se manifestant par la fièvre, des céphalées, des frissons, une myalgie et la fatigue, est un effet courant dont la gravité peut diminuer au fur et à mesure que le traitement se poursuit. On peut réduire les effets secondaires de l'interféron γ 1B en l'administrant au coucher. On peut traiter la fièvre et les céphalées par de l'acétaminophène. Si les réactions indésirables sont graves, on peut réduire la dose de moitié ou abandonner le traitement.

■ **Étude des examens diagnostiques et biochimiques :** Noter, avant le traitement et tous les 3 mois pendant toute sa durée, la numération globulaire, la formule leucocytaire, la numération plaquettaire, les paramètres sanguins, dont les résultats des tests de l'exploration fonctionnelle hépatique et rénale et des analyses d'urine.

DIAGNOSTICS INFIRMIERS POSSIBLES

■ **Énoncés diagnostiques**

☐ Risque élevé d'infection.

☐ Prise en charge inefficace du programme thérapeutique.

☐ *Risque élevé d'accident.*

☐ *Risque élevé de douleur au point d'injection IV.*

☐ *Risque élevé d'intolérance à l'activité.*

■ **Facteurs favorisants**

☐ Informations incomplètes.

☐ *Perturbation de la vigilance.*

☐ *Inflammation locale du tissu vasculaire ou infiltration du médicament dans les tissus avoisinants.*

☐ *Douleurs articulaires.*

☐ *Manque de connaissances sur les modalités du traitement.*

☐ *Manque de connaissanes sur la méthode d'administration du médicament.*

INTERVENTIONS INFIRMIÈRES

■ **Directives générales :** Conserver les fioles au réfrigérateur ; ne pas congeler. Jeter les fioles qui sont restées à la température ambiante pendant plus de 12 h. Les fioles ne renferment pas d'agent de conservation et sont destinées à un usage unique. Ne pas agiter.

■ **SC :** Administrer la préparation dans le bras ou dans la face antérieure de la cuisse.

ENSEIGNEMENT AU PATIENT ET À SES PROCHES

☐ Montrer au patient ou à ses proches comment on doit administrer l'injection. Fournir au patient un contenant qui résiste aux perforations afin qu'il puisse y jeter les aiguilles utilisées.

☐ Inciter la patiente à prendre des mesures contraceptives pendant toute la durée du traitement.

VÉRIFICATION DES RÉSULTATS

L'efficacité du traitement peut être démontrée par : la diminution de la fréquence et de la gravité des infections chez les patients souffrant de granulomatose chronique.

IODE (SOLUTION DE LUGOL), SOLUTION FORTE D'

CLASSIFICATION :
Antithyroïdien

Grossesse – catégorie C

INDICATIONS

Traitement d'appoint en association avec d'autres antithyroïdiens pour préparer le patient à la thyroïdectomie et pour traiter une crise thyrotoxique ou la thyrotoxicose néonatale.

ACTION

■ Inhibition rapide de la libération et de la synthèse d'hormones thyroïdiennes ■ Diminution de la vascularité de la glande thyroïde. **Effets thérapeutiques:** ■ Maîtrise de l'hyperthyroïdie ■ Diminution de l'hémorragie durant une intervention chirurgicale à la thyroïde.

PHARMACOCINÉTIQUE

Absorption: La solution de Lugol est transformée dans le tractus gastro-intestinal et pénètre dans la circulation sous forme d'iode.

Distribution: L'agent se concentre dans la glande thyroïde. Il traverse le placenta et pénètre dans le lait maternel.

Métabolisme et excrétion: Le médicament est capté par la glande thyroïde.

Demi-vie: Inconnue.

CONTRE-INDICATIONS ET PRÉCAUTIONS

Contre-indication: Hypersensibilité.

Précautions: ■ Tuberculose ■ Bronchite ■ Hyperkaliémie ■ Insuffisance rénale ■ Grossesse et allaitement (risque d'anomalie de la fonction thyroïdienne chez le nouveau-né).

RÉACTIONS INDÉSIRABLES ET EFFETS SECONDAIRES

Tég.: éruptions acnéiformes.

End.: hyperplasie de la thyroïde, hypothyroïdie, hyperthyroïdie.

GI: irritation gastrique, diarrhée.

Divers: hypersensibilité, iodisme.

INTERACTIONS

Médicament – médicament: ■ Le **lithium**, administré simultanément, peut provoquer une hypothyroïdie additive ■ La solution de Lugol intensifie l'effet des **agents antithyroïdiens (méthimazole, propylthiouracile)** ■ Risque d'hyperkaliémie additive lors de l'usage concomitant de **diurétiques d'épargne potassique**, de **suppléments de potassium** ou

d'**inhibiteurs de l'enzyme de conversion de l'angiotensine (ECA)**.

VOIES D'ADMINISTRATION ET POSOLOGIE

Remarque: La solution de Lugol contient 50 mg/mL d'iode et 100 mg/mL d'iodure de potassium.

Préparation à la thyroïdectomie

■ **PO (adultes et enfants) (É.-U.):** de 0,1 à 0,3 mL (de 3 à 5 gouttes) de solution de Lugol, 3 fois par jour.

Crise thyrotoxique

■ **PO (adultes et enfants) (É.-U.):** 1 mL de solution de Lugol dans de l'eau, 3 fois par jour.

PHARMACODYNAMIE
(effets sur les résultats des tests de l'exploration fonctionnelle de la thyroïde)

	DÉBUT D'ACTION	PIC	DURÉE
PO	24 h	10 – 15 jours	variable

⁂ SOINS INFIRMIERS

ÉVALUATION DE LA SITUATION

☐ Suivre de près les signes et les symptômes suivants d'iodisme: goût métallique, stomatite, lésions cutanées, symptômes de rhume, troubles gastro-intestinaux graves. Prévenir le médecin dès l'apparition de ces symptômes.

☐ Suivre de près les symptômes suivants d'hyperthyroïdie: tachycardie, palpitations, nervosité, insomnie, diaphorèse, intolérance à la chaleur, tremblements, perte de poids.

☐ Suivre de près la réaction d'hypersensibilité: rash, prurit, œdème laryngé, respiration sifflante. Arrêter d'administrer le médicament et prévenir le médecin dès l'apparition des symptômes.

■ **Étude des examens diagnostiques et biochimiques:** Examiner les résultats des tests de l'exploration fonctionnelle thyroïdienne avant le traitement et à intervalles réguliers pendant toute sa durée.

□ Examiner les concentrations sériques de potassium à intervalles réguliers pendant toute la durée du traitement.

DIAGNOSTICS INFIRMIERS POSSIBLES

■ **Énoncés diagnostiques**
■ Prise en charge inefficace du programme thérapeutique.
■ *Risque élevé de constipation.*

■ **Facteurs favorisants**
□ Informations incomplètes.
□ *Manque de connaissances sur les modalités du traitement.*
□ *Manque de connaissances sur la méthode d'administration du médicament.*
□ *Manque de connaissances sur le régime alimentaire à suivre.*

INTERVENTIONS INFIRMIÈRES

PO: Mélanger la solution à un verre de jus de fruits. Administrer le médicament après les repas afin de réduire l'irritation gastro-intestinale.

ENSEIGNEMENT AU PATIENT ET À SES PROCHES

■ **Hyperthyroïdie:** Conseiller au patient de suivre scrupuleusement la posologie recommandée. Une dose manquée peut déclencher l'hyperthyroïdie.
□ Recommander à la patiente d'informer le médecin, avant de commencer le traitement, si elle pense être enceinte.
□ Recommander au patient de demander au médecin s'il doit éviter les aliments riches en iode: fruits de mer, sel iodé, chou, chou frisé, navets.
□ Conseiller au patient de consulter le médecin ou le pharmacien avant de prendre un médicament en vente libre, particulièrement un médicament contre le rhume, car certaines de ces préparations peuvent contenir de l'iodure comme expectorant.

VÉRIFICATION DES RÉSULTATS

L'efficacité du traitement peut être démontrée par: ■ la disparition des symptômes de crise thyroïdienne ■ la diminution de la taille et de la vascularité de la glande thyroïde avant une thyroïdectomie. L'administration d'iodures pour traiter l'hyperthyroïdie est habituellement limitée à 2 semaines.

IPÉCA, SIROP D'

CLASSIFICATION:
Émétique
Grossesse – catégorie C

INDICATIONS

Induction des vomissements lors du traitement initial du surdosage ou de l'empoisonnement par des substances non caustiques chez les patients conscients.

ACTION

■ Stimulation de la zone gâchette chimioréceptrice du SNC et irritation de la muqueuse gastrique. **Effets thérapeutiques:** ■ Induction des vomissements en cas de surdosage.

PHARMACOCINÉTIQUE

Absorption: L'absorption est infime.
Distribution: Inconnue.
Métabolisme et excrétion: Inconnus.
Demi-vie: Inconnue.

CONTRE-INDICATIONS ET PRÉCAUTIONS

Contre-indications: ■ Patients demi-conscients ou en état d'ébriété, patients inconscients ou en crise convulsive ■ Patients en état de choc ■ Patients n'ayant pas de réflexe nauséeux ■ Ingestion de substances caustiques.
Précautions: ■ Grossesse, allaitement ou enfants de moins de 6 mois (l'innocuité

du médicament n'a pas été établie) ■ Ne pas prendre le sirop pour de l'extrait liquide d'ipéca, qui est 14 fois plus concentré.

RÉACTIONS INDÉSIRABLES ET EFFETS SECONDAIRES

SNC: sédation.
CV: arythmies, MYOCARDITE (si le médicament est absorbé ou ingéré en quantité excessive).
GI: diarrhée.

INTERACTIONS

Médicament – médicament: ■ L'efficacité émétique du sirop d'ipéca peut être réduite par l'administration concomitante d'**antiémétiques** ou de **charbon activé**.
Médicament – aliments: ■ L'administration concomitante de **lait** réduit l'efficacité du médicament ■ Ne pas faire boire au patient des **boissons gazéifiées** en raison du risque de distension abdominale.

VOIES D'ADMINISTRATION ET POSOLOGIE

■ **PO (adultes):** de 15 à 30 mL, suivis de 100 à 200 mL d'eau.
■ **PO (enfants de 1 à 12 ans):** 15 mL, suivis de 100 à 200 mL d'eau.
■ **PO (enfants de 6 mois à 1 an):** de 5 à 10 mL, suivis de 100 à 200 mL d'eau. On peut répéter l'administration de la dose, au besoin, 20 min plus tard.

PHARMACODYNAMIE
(induction des vomissements)

	DÉBUT D'ACTION	PIC	DURÉE
PO	20 – 30 min	inconnu	20 – 25 min

SOINS INFIRMIERS

ÉVALUATION DE LA SITUATION

☐ Il est primordial de recueillir les antécédents du patient afin de déterminer le traitement et les antidotes à administrer en cas d'empoisonnement accidentel. Ne pas provoquer de vomissements si le patient a ingéré des dérivés de pétrole, des huiles volatiles ou des substances caustiques.
☐ Évaluer l'état de la conscience du patient avant l'administration. Ne pas administrer le sirop d'ipéca au patient inconscient, demi-conscient ou en crise convulsive.

DIAGNOSTICS INFIRMIERS POSSIBLES

■ **Énoncés diagnostiques**
☐ Risque élevé d'accident.
☐ Prise en charge inefficace du programme thérapeutique.

■ **Facteurs favorisants**
☐ Informations incomplètes.
☐ *Perturbation de la vigilance.*
☐ *Manque de connaissances sur les modalités du traitement.*
☐ *Manque de connaissances sur la méthode d'administration du médicament.*

INTERVENTIONS INFIRMIÈRES

■ **Directives générales:** Lire attentivement l'étiquette avant d'administrer le médicament. Ne pas confondre le sirop d'ipéca et l'extrait liquide d'ipéca; ce dernier est 14 fois plus concentré.
☐ Si les vomissements ne sont pas déclenchés dans les 30 min suivant l'administration, répéter la dose. Si les vomissements ne sont pas déclenchés dans les 20 min suivant la 2e dose, on doit éliminer le médicament par lavage gastrique.
☐ N'administrer le charbon activé que lorsque le patient a fini de vomir.
■ **PO:** Administrer le sirop puis, immédiatement après, une quantité appropriée d'eau (de 1 à 2 verres pour les adultes et de $^1/_2$ à 1 verre pour les enfants).
☐ Ne pas administrer le sirop d'ipéca en même temps que du lait, qui en réduit l'efficacité, ou des boissons gazéifiées, qui entraînent la distension de l'estomac.

ENSEIGNEMENT AU PATIENT ET À SES PROCHES

☐ Conseiller aux parents d'enfants de plus de 1 an de garder à portée de la main une petite quantité de sirop d'ipéca pour parer aux cas d'urgence. Expliquer aux parents que si l'enfant a ingéré une substance dangereuse, il faut contacter un centre antipoison, un médecin ou le service d'urgence avant d'administrer le sirop d'ipéca.

☐ Prévenir les parents qu'il ne faut pas induire les vomissements si l'enfant a avalé une substance caustique, une huile volatile ou des dérivés de pétrole ou si l'enfant est inconscient, demi-conscient ou en crise convulsive.

☐ Informer les parents que la durée de conservation du sirop d'ipéca est de 1 an. Il doivent donc le remplacer tous les ans. Conseiller aux parents de vérifier la date de péremption sur l'étiquette avant d'acheter le produit.

VÉRIFICATION DES RÉSULTATS

L'efficacité du traitement peut être démontrée par : l'induction des vomissements dans les 30 min suivant l'administration.

IPRATROPIUM
Atrovent

CLASSIFICATION :
Bronchodilatateur – anticholinergique
Grossesse – catégorie B

INDICATIONS

■ Bronchodilatation lors du traitement d'entretien de l'obstruction réversible des voies aériennes attribuable à l'asthme ou à la bronchite chronique ■ Traitement des crises aiguës de bronchite chronique ■ Traitement symptomatique de la rhinorrhée associée à la rhinite vasomotrice.

ACTION

■ Inhibition des récepteurs cholinergiques du muscle lisse des bronches entraînant la baisse des concentrations de guanosine monophosphate cyclique (cGMP). La diminution des concentrations de cGMP entraîne la bronchodilatation locale. **Effets thérapeutiques :** ■ Bronchodilatation sans effets anticholinergiques systémiques ■ Réduction de l'hypersécrétion aqueuse provenant des glandes muqueuses nasales.

PHARMACOCINÉTIQUE

Absorption : L'absorption systémique est minimale.
Distribution : L'ipratropium ne semble pas traverser la barrière hémato-encéphalique.
Métabolisme et excrétion : Les faibles quantités absorbées sont métabolisées par le foie.
Demi-vie : 2 h.

CONTRE-INDICATIONS ET PRÉCAUTIONS

Contre-indications : ■ Hypersensibilité à l'ipratropium, à l'atropine, aux alcaloïdes de la belladone ou aux fluorocarbures ■ Usage déconseillé en présence de bronchospasme aigu.
Précautions : ■ Obstruction du col de la vessie ■ Hypertrophie de la prostate ■ Glaucome ■ rétention urinaire.

RÉACTIONS INDÉSIRABLES ET EFFETS SECONDAIRES

SNC : nervosité, étourdissements, céphalées.
ORLO : vision trouble, maux de gorge ; aérosol nasal – sécheresse, irritation ou formation de croûtes nasales.
Resp. : toux, bronchospasme.
CV : palpitations.
GI : nausées, irritation gastrique.
Tég. : rash.

INTERACTIONS

Médicament – médicament : L'utilisation concomitante d'autres **bronchodilatateurs à inhaler** dont l'une des composantes propulsives est un **fluorocarbure** pourrait intensifier les effets toxiques du fluorocarbure.

PRÉSENTATION

Le médicament existe sous forme d'aérosol nasal, d'aérosol pour inhalation et de solution pour inhalation.

VOIES D'ADMINISTRATION ET POSOLOGIE

- **Inhalation (adultes):** 2 inhalations, 3 ou 4 fois par jour (ne pas dépasser 8 inhalations en 24 h).

Remarque: Chaque dose inhalée renferme 20 µg d'ipratropium.

- **Aérosol nasal (adultes de 12 ans et plus):** 2 inhalations dans chaque narine, 2 fois par jour ou jusqu'à 3 ou 4 fois par jour au besoin (ne pas dépasser 16 inhalations en 24 h).

Remarque: Chaque dose inhalée renferme 20 µg d'ipratropium.

- **Solution pour inhalation (adultes):** de 1 à 2 mL (250 µg d'ipratropium/mL) en nébulisation. On peut répéter l'administration, toutes les 4 à 6 h, au besoin.

- **Solution pour inhalation (enfants âgés de 5 à 12 ans):** de 0,5 à 1 mL (250 µg d'ipratropium/mL) en nébulisation. On peut répéter l'administration, toutes les 4 à 6 h, au besoin.

PHARMACODYNAMIE

	DÉBUT D'ACTION	PIC	DURÉE
inhalation (broncho-dilatation)	5 – 15 min	1 – 2 h	3 – 4 h (jusqu'à 6 h)
aérosol nasal (diminution de la rhinorrhée)	5 min	1 – 4 h	6 – 8 h

SOINS INFIRMIERS

ÉVALUATION DE LA SITUATION

☐ Suivre de près la fonction respiratoire: ausculter le murmure vésiculaire, me-

surer la fréquence respiratoire et le pouls ainsi que l'ampleur de la dyspnée, avant l'administration et pendant le pic des concentrations. Consulter le médecin au sujet des solutions de rechange en présence d'un bronchospasme grave puisque le début d'action de l'ipratropium est trop lent en cas de détresse aiguë. En cas de bronchospasme paradoxal (respiration sifflante), arrêter d'administrer et prévenir immédiatement le médecin.

☐ Déterminer si le patient est allergique à l'atropine ou aux alcaloïdes de la belladone puisque les patients souffrant de ce type d'allergie peuvent également être sensibles à l'ipratropium.

DIAGNOSTICS INFIRMIERS POSSIBLES

- **Énoncés diagnostiques**
☐ Dégagement inefficace des voies respiratoires.
☐ Intolérance à l'activité.
☐ Prise en charge inefficace du programme thérapeutique.
☐ *Risque élevé d'atteinte à l'intégrité de la muqueuse buccale.*

- **Facteurs favorisants**
☐ Informations incomplètes.
☐ *Manque de connaissances sur la méthode d'administration du médicament.*
☐ *Manque de connaissances sur les moyens de prévenir ou de réduire la sécheresse de la bouche.*

INTERVENTIONS INFIRMIÈRES

- **Inhalation:** Bien agiter l'aérosol-doseur. Demander au patient d'expirer et de serrer fortement les lèvres autour de la pièce buccale. Administrer au cours de la deuxième moitié de l'inhalation et demander au patient de retenir sa respiration le plus longtemps possible pour favoriser l'instillation du médicament en profondeur. Si plus d'une inhalation est nécessaire, espacer les inhalations d'au moins 1 min et attendre 5 min entre l'inhalation d'ipratropium et celle d'autres médicaments à inhaler. Laver la pièce buccale à l'eau courante chaude, au moins 1 fois par jour.

□ Lorsque l'ipratropium est administré en association avec un autre médicament à inhaler, administrer l'ipratropium en premier.

■ **Aérosol nasal:** Demander d'abord au patient de se moucher et de bien agiter l'aérosol-doseur. Il doit ensuite boucher avec un doigt l'une de ses narines et placer l'adaptateur nasal dans l'autre. Par la suite, il doit pencher sa tête vers l'arrière et presser sur la cartouche de métal. Enseigner au patient à ne pas inspirer pendant qu'il vaporise. L'adaptateur nasal doit être lavé à l'eau tiède, au moins 1 fois par semaine.

ENSEIGNEMENT AU PATIENT ET À SES PROCHES

■ **Directives générales:** Enseigner au patient comment utiliser l'aérosol-doseur. Inciter le patient à suivre scrupuleusement la posologie recommandée. S'il n'a pu prendre le médicament au moment habituel, il doit le prendre dès que possible à moins que ce ne soit presque l'heure prévue pour la dose suivante. Lui recommander de ne pas doubler les doses.

□ Prévenir le patient que la vaporisation de l'ipratropium dans les yeux peut entraîner une vision trouble ou l'irritation oculaire.

■ **Aérosol pour inhalation:** Recommander au patient de se rincer la bouche avec de l'eau après chaque inhalation, de pratiquer une bonne hygiène orale, de mâcher de la gomme ou de sucer des bonbons sans sucre pour diminuer la sécheresse de la bouche. Lui conseiller de prévenir le médecin en présence de stomatite ou de sécheresse de la bouche persistant pendant plus de 2 semaines.

□ Prévenir le patient qu'il ne doit pas prendre plus de 8 doses en 24 h.

Conseiller au patient de contacter le médecin s'il n'y a pas d'amélioration des symptômes dans les 30 min suivant l'administration ou si son état s'aggrave.

□ Expliquer au patient la nécessité de se soumettre à des tests de l'exploration fonctionnelle pulmonaire avant le début du traitement et à intervalles réguliers pendant toute sa durée afin de déterminer l'efficacité de l'ipratropium.

□ Conseiller au patient d'informer le médecin si les symptômes suivants se manifestent: toux, nervosité, céphalées, étourdissements, nausées ou douleurs gastriques.

■ **Aérosol nasal:** Conseiller au patient d'informer le médecin si les symptômes suivants se manifestent: nez très sec, bouche sèche, irritation nasale, maux de tête ou formation de croûtes nasales. Prévenir le patient qu'il ne doit pas prendre plus de 16 doses en 24 h.

VÉRIFICATION DES RÉSULTATS

L'efficacité du traitement peut être démontrée par: ■ la diminution de la dyspnée □ l'amélioration du murmure vésiculaire ■ le soulagement de la rhinorrhée.

ISONIAZIDE
INH, Isotamine, PMS-Isoniazid, (Laniazid), (Nydrazid)

CLASSIFICATION:
Antituberculeux

Grossesse – catégorie inconnue

INDICATIONS

■ Traitement de premier recours de la tuberculose en évolution en association avec d'autres médicaments ■ Prophylaxie de la tuberculose chez les patients exposés à la forme active de la maladie.

ACTION

■ Inhibition de la synthèse de la paroi des cellules mycobactériennes et altération du métabolisme. **Effets thérapeutiques :** ■ Effet bactériostatique ou bactéricide contre les mycobactéries sensibles.

PHARMACOCINÉTIQUE

Absorption : Bonne absorption par suite de l'administration PO.

Distribution : Le médicament se répartit dans la plupart des tissus et des liquides physiologiques. Il traverse facilement la barrière hémato-encéphalique. Il traverse le placenta et pénètre dans le lait maternel aux mêmes concentrations que dans le plasma.

Métabolisme et excrétion : Une fraction de 50 % est métabolisée par le foie à une vitesse qui varie considérablement d'une personne à une autre. Le reste est excrété à l'état inchangé par les reins.

Demi-vie : De 1 à 4 h.

CONTRE-INDICATIONS ET PRÉCAUTIONS

Contre-indications : ■ Hypersensibilité ■ Maladie hépatique en évolution ■ Antécédents d'hépatite induite par l'isoniazide.

Précautions : ■ Antécédents de lésions hépatiques ou d'alcoolisme ■ Grossesse et allaitement (bien que l'innocuité de l'isoniazide n'ait pas été établie, l'agent a été administré en association avec l'éthambutol pour traiter la tuberculose chez les femmes enceintes sans provoquer d'effets nocifs chez le fœtus ■ Insuffisance rénale grave (réduire la dose).

RÉACTIONS INDÉSIRABLES ET EFFETS SECONDAIRES

SNC : neuropathie périphérique, convulsions, psychose.

ORLO : troubles de la vue.

GI : nausées, vomissements, HÉPATITE.

Tég. : rash.

End. : gynécomastie.

Hémat. : dyscrasie.

Divers : fièvre.

INTERACTIONS

Médicament – médicament : ■ Toxicité additive sur le SNC lors de l'administration concomitante d'autres **antituberculeux** ■ L'isoniazide peut diminuer l'efficacité du **vaccin BCG** ■ L'isoniazide inhibe le métabolisme de la **phénytoïne** ■ Les **antiacides contenant de l'aluminium** peuvent réduire l'absorption de l'isoniazide ■ L'administration concomitante de **disulfirame** peut entraîner des réactions psychotiques et des troubles de la coordination ■ L'administration concomitante de **pyridoxine** peut prévenir la neuropathie. **Médicament – aliments :** ■ L'ingestion d'aliments ayant une forte teneur en **tyramine** peut entraîner des réactions graves (voir l'annexe K).

PRÉSENTATION

L'isoniazide est présenté sous forme de comprimés et de sirop.

VOIES D'ADMINISTRATION ET POSOLOGIE

■ **PO (adultes) :** de 5 à 10 mg/kg par jour (maximum : 300 mg par jour) ou 15 mg/kg, 2 ou 3 fois par semaine (É.-U.).

■ **PO (enfants) :** de 10 à 20 mg/kg par jour (maximum : 300 mg par jour) ou de 20 à 40 mg/kg, 2 fois par semaine (É.-U.).

PHARMACODYNAMIE (concentrations sanguines)

	DÉBUT D'ACTION	PIC
PO	rapide	1 – 2 h

☀ SOINS INFIRMIERS

ÉVALUATION DE LA SITUATION

☐ Prélever des échantillons pour les cultures de mycobactéries et les épreuves de sensibilité avant de commencer le traitement et à intervalles réguliers par la suite afin de déceler une résistance éventuelle.

■ **Étude des examens diagnostiques et biochimiques :** L'isoniazide peut entraîner des résultats faussement positifs au dosage du glucose dans l'urine lorsqu'on utilise la méthode au sulfate de cuivre (Clinitest). Les patients diabétiques devraient plutôt recourir à des dosages enzymatiques (Ketodiastix, Clinistix ou Tes-Tape).

□ Examiner les résultats des tests de l'exploration fonctionnelle hépatique, avant le traitement et tous les mois par la suite. L'élévation des concentrations de TGOS (AST), de TGPS (ALT) et de bilirubine sérique peuvent révéler une hépatite médicamenteuse. Les patients de plus de 50 ans sont exposés à un risque plus élevé. Le risque est moins élevé chez les enfants, donc les tests de l'exploration fonctionnelle hépatique se font habituellement moins fréquemment dans leur cas.

■ **Toxicité et surdosage :** En cas de surdosage à l'isoniazide, amorcer le traitement à la pyridoxine (vitamine B$_6$).

DIAGNOSTICS INFIRMIERS POSSIBLES

■ **Énoncés diagnostiques**

□ Risque élevé d'infection.

□ Prise en charge inefficace du programme thérapeutique.

□ Non-observance du traitement médicamenteux.

■ **Facteurs favorisants**

□ Informations incomplètes.

□ Doute quant aux bienfaits du médicament.

□ *Manque de connaissances sur les moyens de prévenir les effets secondaires du médicament.*

□ *Manque de connaissances sur les modalités du traitement.*

□ *Manque de connaissances sur le régime alimentaire à suivre.*

INTERVENTIONS INFIRMIÈRES

PO : Administrer le médicament à jeun, au moins 1 h avant les repas ou 2 h après. Si l'irritation gastro-intestinale devient gê-

nante, on peut administrer l'isoniazide avec des aliments, même s'ils en réduisent l'absorption. On peut aussi prendre un antiacide, 1 h avant l'isomiazide.

ENSEIGNEMENT AU PATIENT ET À SES PROCHES

□ Conseiller au patient de respecter scrupuleusement la posologie recommandée. Il ne faut jamais sauter une dose ni remplacer une dose manquée par une double dose. Insister sur l'importance de poursuivre le traitement même après la disparition des symptômes.

□ Conseiller au patient de prévenir rapidement le médecin si des signes ou des symptômes d'hépatite (jaunissement des yeux et de la peau, nausées, vomissements, anorexie, urine de couleur foncée, fatigue inhabituelle ou faiblesse) ou de névrite périphérique (engourdissement, picotements, paresthésie) se manifestent. On peut administrer en même temps de la pyridoxine pour prévenir l'apparition de la neuropathie. Signaler immédiatement au médecin toute altération de l'acuité visuelle, douleur aux yeux ou trouble de la vue.

□ Mettre en garde le patient contre la consommation concomitante d'alcool qui accroît le risque d'hépatotoxicité. Lui conseiller d'éviter la consommation de fromage suisse ou de Cheshire, de poisson (thon ou sardines) et de tout aliment pouvant contenir de la tyramine (voir l'annexe K) puisqu'ils peuvent entraîner une rougeur ou des démangeaisons de la peau, une sensation de chaleur, des battements de cœur rapides ou forts, la transpiration, des frissons, une sensation de moiteur froide, des céphalées ou une sensation de tête légère.

□ Insister sur l'importance des examens réguliers de suivi et des examens de la vue permettant d'évaluer les bienfaits du traitement et de suivre les effets secondaires.

L'efficacité du traitement peut être démontrée par : ■ la résolution des symptômes cliniques de tuberculose □ des résultats négatifs à l'analyse des échantillons d'expectorations.

ISOPROTÉRÉNOL

Isuprel, (Aerolone), (Medihaler-Iso), (Vapo-Iso)

CLASSIFICATION :

Bronchodilatateur – agoniste bêta-adrénergique ; antiarythmique ; agent inotrope

Grossesse – catégorie inconnue

INDICATIONS

■ **Inhalation :** Bronchodilatation en cas d'obstruction réversible des voies aériennes attribuable à l'asthme ou à la bronchopneumopathie obstructive chronique ■ **IV :** Traitement et prévention du syndrome d'Adams-Stokes et d'autres crises de bloc cardiaque (sauf si elles sont causées par une tachycardie ventriculaire ou la fibrillation), de l'arrêt cardiaque, de l'hypersensibilité du sinus carotidien, du laryngo-bronchospasme durant l'anesthésie et traitement auxiliaire du choc.

ACTION

■ Agoniste bêta-adrénergique qui entraîne l'accumulation de l'adénosine monophosphate cyclique (AMPc) aux sites des récepteurs bêta-adrénergiques ■ L'augmentation des concentrations d'adénosine monophosphate cyclique aux sites des récepteurs bêta-adrénergiques entraîne la bronchodilatation, la stimulation du cœur et du SNC, la diurèse et la sécrétion d'acide gastrique ■ Stimulation des récepteurs $bêta_1$ (myocardiques) et $bêta_2$ (pulmonaires). **Effets thérapeu-**

tiques : ■ Bronchodilatation ■ Accélération de la fréquence cardiaque ■ Élévation du débit cardiaque.

PHARMACOCINÉTIQUE

Absorption : Absorption rapide par suite de l'administration par voie parentérale ou en inhalation. L'isoprotérénol administré PO est rapidement métabolisé.

Distribution : Inconnue.

Métabolisme et excrétion : S'il est pris PO, l'isoprotérénol est métabolisé dans le tractus gastro-intestinal. Par suite de l'administration par les autres voies, l'isoprotérénol est métabolisé par les poumons, le foie et les autres tissus. Par suite de l'administration IV, une fraction de 50 % est excrétée à l'état inchangé par les reins.

Demi-vie : Inconnue.

CONTRE-INDICATIONS ET PRÉCAUTIONS

Contre-indications : Hypersensibilité aux amines adrénergiques ou à tout autre ingrédient entrant dans la composition du médicament (fluorocarbures – aérosoldoseur, bisulfites – solutions pour injection et pour inhalation).

Précautions : ■ Personnes âgées (prédisposition accrue aux réactions indésirables ; une réduction de la dose pourrait s'avérer nécessaire) ■ Allaitement (l'innocuité du médicament n'a pas été établie) ■ Maladie cardiaque ■ Hypertension ■ Hyperthyroïdie ■ Diabète ■ Glaucome ■ Grossesse (près du terme).

RÉACTIONS INDÉSIRABLES ET EFFETS SECONDAIRES

SNC : <u>nervosité</u>, <u>agitation</u>, insomnie, <u>tremblements</u>, céphalées.

Resp. : bronchospasme paradoxal (utilisation excessive).

CV : hypertension, arythmies, angine.

GI : nausées, vomissements.

End. : hyperglycémie.

INTERACTIONS

Médicament – médicament: ■ Effets adrénergiques additifs lors de l'administration concomitante d'autres **agents adrénergiques (sympathomimétiques)** ■ L'administration concomitante d'**inhibiteurs de la MAO** peut déclencher une crise hypertensive ■ Les **bêtabloquants** peuvent abolir l'effet thérapeutique de l'isoprotérénol ■ L'**anesthésie au cyclopropane** ou à l'**halothane** peut intensifier les arythmies.

VOIES D'ADMINISTRATION ET POSOLOGIE

Bronchodilatation

■ **Inhalation (adultes et enfants):** *Aérosol-doseur* (125 μg par jet d'aérosol-doseur) – 1 ou 2 inhalations, 4 à 6 fois par jour (jusqu'à 8 inhalations par jour). *Nébulisation* – de 5 à 15 inhalations de solution nébulisée à 1:200, à répéter au besoin 1 fois, après 5 à 10 min, jusqu'à 5 fois par jour ou 5 à 15 inhalations toutes les 3 ou 4 h. *Respirateur à pression positive intermittente* (adultes) – 0,5 mL de la solution à 1:200 jusqu'à 5 fois par jour. *Respirateur à pression positive intermittente* (enfants) – 0,25 mL de la solution à 1:200 jusqu'à 5 fois par jour.

■ **IV (adultes):** 0,01 ou 0,02 mg pour assurer la bronchodilatation pendant l'anesthésie.

Arrêt des contractions du cœur et arythmies

Consulter le tableau des vitesses de perfusion de l'annexe D

■ **SC et IM (adultes):** 0,2 mg.

■ **Bolus intraveineux (adultes):** 0,02 mg.

■ **Perfusion IV (adultes):** 5 μg/min.

■ **Bolus intraveineux (enfants) (É.-U.):** de 0,005 à 0,03 mg.

■ **Perfusion IV (enfants) (É.-U.):** 2,5 μg/min ou 0,1 à 1 μg/kg/min.

■ **Injection intracardiaque (adultes):** 0,02 mg.

État de choc

Consulter le tableau des vitesses de perfusion de l'annexe D

■ **Perfusion IV (adultes):** de 0,5 à 5 μg/min.

PHARMACODYNAMIE (inhalation = bronchodilatation; IV = effets cardiovasculaires)

	DÉBUT D'ACTION	PIC	DURÉE
inhalation	rapide	inconnue	1 h
IV	rapide	inconnu	quelques minutes

☀ SOINS INFIRMIERS

ÉVALUATION DE LA SITUATION

■ **Directives générales:** Ausculter le murmure vésiculaire, mesurer le pouls et la pression artérielle, déterminer le mode respiratoire, effectuer une analyse des gaz artériels et noter les caractéristiques des sécrétions à intervalles réguliers pendant toute la durée du traitement. Surveiller sans relâche l'ÉCG, les paramètres hémodynamiques et la diurèse pendant l'administration IV.

□ Suivre de près les douleurs thoraciques, les arythmies, une fréquence cardiaque supérieure à 110 bpm et l'hypertension. Consulter le médecin au sujet des paramètres de fréquence du pouls, de pression artérielle et de modifications de l'ÉCG afin d'adapter la dose ou d'arrêter le traitement, le cas échéant.

■ **Bronchospasme:** Observer le patient à la recherche de signes de tolérance à l'effet du médicament et de bronchospasme de rebond. Surveiller étroitement les patients nécessitant plus de 3 cures par aérosol-doseur en 24 h. En cas d'un soulagement minime ou d'absence de tout soulagement après 3 à 5 cures par aérosol-doseur en l'espace de 6 à 12 h, la poursuite du traitement par l'aérosol-doseur seul n'est pas recommandé.

- **État de choc:** Évaluer le volume sanguin. On doit traiter l'hypovolémie avant d'amorcer l'administration de l'isoprotérénol par voie IV.
- **Étude des examens diagnostiques et biochimiques:** L'isoprotérénol peut entraîner la diminution des concentrations sériques de potassium.

DIAGNOSTICS INFIRMIERS POSSIBLES

- **Énoncés diagnostiques**
- ☐ Dégagement inefficace des voies respiratoires.
- ☐ Diminution du débit cardiaque.
- ☐ Prise en charge inefficace du programme thérapeutique.
- **Facteurs favorisants**
- ☐ Informations incomplètes.
- ☐ *Manque de connaissances sur les effets secondaires du médicament et sur les moyens de les prévenir.*
- ☐ *Manque de connaissances sur les modalités du traitement.*

INTERVENTIONS INFIRMIÈRES

- **IV directe:** Ajouter 0,2 mg (1 mL) d'une solution de 1:5 000 à 10 mL de solution de dextrose à 5 % dans de l'eau pour injection pour obtenir une solution de 1:50 000. Ne pas administrer la solution si elle est de couleur rosâtre ou brunâtre ou si elle renferme un précipité.
- ☐ *Vitesse d'administration:* Administrer à raison de 1 mL de solution de 1:50 000 (0,02 mg) en 1 min.
- **Perfusion continue:** Ajouter 2 mg (10 mL) d'une solution de 1:5 000 à 500 mL de solution de dextrose à 5 % ou à 10 % dans de l'eau, de NaCl à 0,9 % ou à 0,45 %, d'un mélange de dextrose et de soluté physiologique ou de dextrose et de solution de Ringer ou de dextrose et de lactate Ringer, de solution de Ringer ou de lactate Ringer pour obtenir une solution de 1:250 000 (4 µg = 1 mL).

- ☐ *Vitesse d'administration:* Administrer à un débit de 1 mL à la minute, en ajustant selon la réponse du patient et les paramètres de la pression artérielle, les valeurs hémodynamiques et la diurèse indiqués par le médecin. Utiliser une pompe à perfusion afin d'assurer l'administration de quantités précises de médicament.
- **Association compatible dans la même seringue:** Ranitidine.
- **Compatibilités (tubulure en Y):** Amrinone, atracurium, brétylium, chlorure de potassium, famotidine, héparine, pancuronium, succinate d'hydrocortisone sodique ou vécuronium.
- **Compatibilités en addition au soluté:** Céphalothine, chlorure de calcium, chlorure de potassium, cimétidine, dobutamine, gluceptate de calcium, héparine, multivitamines, nétilmicine, oxytétracycline, succinylcholine, sulfate de magnésium, tétracycline ou vérapamil.
- **Incompatibilités en addition au soluté:** Aminophylline, barbituriques, bicarbonate de sodium ou lidocaïne.
- **Inhalation:** Diluer la dose prescrite dans de l'eau stérile ou dans une solution de NaCl à 0,45 % ou à 0,9 %. Administrer le médicament en aérosol en 15 à 20 min.

ENSEIGNEMENT AU PATIENT ET À SES PROCHES

- **Directives générales:** Inciter le patient à suivre scrupuleusement la posologie recommandée. Le prévenir que s'il prend l'isoprotérénol plus souvent qu'il n'a été prescrit, il y a risque de tolérance à l'effet ou de bronchospasme paradoxal.
- **Inhalation:** Montrer au patient la méthode appropriée d'administration (aérosolthérapie, respirateur à pression positive intermittente, aérosoldoseur). *Aérosol-doseur:* bien agiter l'aérosol, dégager les voies respiratoires, expirer profondément avant d'insérer l'applicateur buccal, serrer

fortement les lèvres autour, inhaler profondément et retenir la respiration pendant quelques secondes. Attendre de 1 à 5 min avant d'administrer la dose suivante. Laver l'applicateur buccal après utilisation. Jeter le médicament s'il est devenu rosâtre ou brunâtre ou s'il renferme un précipité.

- ▫ Expliquer au patient qui prend en même temps des glucocorticoïdes par inhalation qu'il doit commencer par l'isoprotérénol et attendre 15 min avant d'inhaler les glucocorticoïdes, sauf recommandation médicale contraire.
- ▫ Prévenir le patient que le médicament peut donner une couleur rose ou rouge aux expectorations.
- ▫ Recommander au patient de boire de 2 à 3 L de liquides par jour afin de liquéfier les sécrétions tenaces.
- ▫ Conseiller au patient de consulter le médecin si les symptômes respiratoires ne sont pas soulagés ou s'ils s'aggravent après le traitement. Recommander au patient de prévenir le médecin en cas de douleurs thoraciques, de céphalées, d'étourdissements graves, de palpitations, de nervosité ou de faiblesse.

VÉRIFICATION DES RÉSULTATS

L'efficacité du traitement peut être démontrée par : ▪ le soulagement de la bronchoconstriction ou du bronchospasme ▫ une plus grande facilité de respiration ▪ l'accélération de la fréquence cardiaque ▪ l'élévation du débit cardiaque.

ISOSORBIDE, DINITRATE D'

Apo-ISDN, Cedocard-SR, Coradur, Coronex, ISDN, Isordil, Novo-Sorbide, (Dilatrate-SR), (Iso-Bid), (Isonate), (Isorbid), (Isotrate), (Sorbitrate), (Sorbitrate SA)

CLASSIFICATION :
Vasodilatateur – dérivé nitré

INDICATIONS

▪ Traitement intensif des crises d'angine ▪ Prophylaxie prolongée de l'angine de poitrine. **Usages non approuvés :** ▪ Traitement de l'insuffisance cardiaque chronique.

ACTION

▪ Vasodilatation (la vasodilation veineuse est plus importante que la vasodilatation artérielle) ▪ Diminution de la pression et du volume (précharge) télédiastoliques du ventricule gauche ▪ Effet net : réduction de la consommation d'oxygène par le myocarde ▪ Augmentation du débit coronarien par la dilatation des coronaires et amélioration de l'irrigation des territoires ischémiés par la circulation colatérale. **Effets thérapeutiques :** ▪ Soulagement des crises d'angine et élévation du débit cardiaque.

PHARMACOCINÉTIQUE

Absorption : Bonne absorption par suite de l'administration par voies orale et sublinguale.

Distribution : Inconnue.

Métabolisme et excrétion : Le médicament est surtout métabolisé par le foie.

Demi-vie : 50 min.

CONTRE-INDICATIONS ET PRÉCAUTIONS

Contre-indications : ▪ Hypersensibilité ▪ Anémie grave.

Précautions : ▪ Traumatisme crânien ou hémorragie cérébrale ▪ Grossesse (risque d'altération de la circulation utéroplacentaire) ▪ Enfants ou allaitement (l'innocuité du médicament n'a pas été établie).

RÉACTIONS INDÉSIRABLES ET EFFETS SECONDAIRES

SNC : céphalées, appréhension, faiblesse, étourdissements.

CV : hypotension, tachycardie, syncope.

GI: nausées, vomissements, douleurs abdominales.

Divers: bouffées vasomotrices, tolérance à l'effet du médicament, tolérance croisée.

INTERACTIONS

Médicament – médicament: Effets additifs sur l'hypotension, lors de l'administration d'**antihypertenseurs**, de **bêtabloquants**, d'**inhibiteurs calciques** et de **phénothiazines** et lors de l'ingestion d'**alcool**.

VOIES D'ADMINISTRATION ET POSOLOGIE

Crise aiguë d'angine de poitrine
- **Comprimés sublinguaux (adultes):** de 5 à 10 mg; on peut répéter l'administration, toutes les 5 à 10 min, à 3 reprises en l'espace de 15 à 30 min.

Prophylaxie de l'angine de poitrine
- **Comprimés sublinguaux (adultes):** de 5 à 10 mg; on peut répéter l'administration toutes les 2 à 4 h.
- **PO (adultes):** de 5 à 30 mg, 4 fois par jour ou préparation à libération prolongée, de 20 à 60 mg, toutes les 8 h.

PHARMACODYNAMIE
(effets cardiovasculaires)

	DÉBUT D'ACTION	PIC	DURÉE
voie sublinguale	2 à 5 min	inconnu	1 à 2 h
PO	15 à 40 min	inconnu	4 h
PO, libération prolongée	30 min	inconnu	8 h

✳ SOINS INFIRMIERS

ÉVALUATION DE LA SITUATION

☐ Déterminer le siège, la durée et l'intensité de la douleur angineuse de même que les facteurs déclenchants.

☐ Mesurer la pression artérielle et le pouls à intervalles réguliers pendant la période d'adaptation posologique.

DIAGNOSTICS INFIRMIERS POSSIBLES

- **Énoncés diagnostiques**
☐ Altération de l'irrigation tissulaire.
☐ Intolérance à l'activité.
☐ Prise en charge inefficace du programme thérapeutique.
☐ *Risque élevé d'accident.*

- **Facteurs favorisants**
☐ Informations incomplètes.
☐ *Manque de connaissances sur les modalités du traitement.*
☐ *Manque de connaissances sur les effets hypotensifs du médicament lors des changements brusques de position.*
☐ *Manque de connaissances sur la méthode d'administration du médicament.*
☐ *Manque de connaissances sur les effets secondaires du médicament.*

INTERVENTIONS INFIRMIÈRES

- **PO:** Administrer le médicament 1 h avant les repas ou 2 h après avec un grand verre d'eau pour accélérer l'absorption.
☐ Les comprimés à libération prolongée doivent être avalés tels quels sans être broyés, brisés ni croqués.
- **Voie sublinguale:** Les comprimés sublinguaux doivent être gardés sous la langue jusqu'à leur dissolution.
☐ Il ne faut pas manger, boire ni fumer jusqu'à ce que le comprimé soit dissous. Administrer un nouveau comprimé, si le comprimé sublingual a été avalé par inadvertance.

ENSEIGNEMENT AU PATIENT ET À SES PROCHES

☐ Inciter le patient à respecter scrupuleusement la posologie recommandée même s'il se sent mieux. S'il n'a pu prendre le médicament au moment habituel, il doit le prendre dès que possible, sauf si la dose suivante doit être prise dans les 2 h (6 h dans le cas des préparations à libération prolongée). Ne pas doubler les doses.

Ne pas interrompre brusquement le traitement.

☐ Recommander au patient qui prend le médicament pour le traitement des crises aiguës d'angine de s'asseoir et de prendre le médicament aux premiers signes de crise. Le soulagement survient habituellement dans les 5 min. On peut répéter l'administration en l'absence d'un soulagement dans les 5 à 10 min; si la douleur persiste après l'administration de 3 comprimés en l'espace de 15 min, appeler le médecin ou conduire le patient à l'urgence. Pour traiter les crises d'angine, administrer uniquement les comprimés sublinguaux.

☐ Recommander au patient de changer lentement de position pour réduire les risques d'hypotension orthostatique.

☐ Mettre le patient en garde contre la consommation d'alcool en même temps que ce médicament. Conseiller au patient de consulter le médecin ou le pharmacien avant de prendre un médicament en vente libre pendant son traitement au dinitrate d'isosorbide.

☐ Prévenir le patient que les céphalées sont un effet secondaire courant qui devrait diminuer en intensité à mesure que le traitement se poursuit. Le médecin peut prescrire de l'aspirine ou de l'acétaminophène pour le traitement des céphalées. Prévenir le médecin si les céphalées sont graves ou persistantes.

☐ Conseiller au patient de prévenir le médecin en cas de sécheresse de la bouche ou de vision trouble ou si des comprimés à libération prolongée non digérés de retrouvent dans ses selles.

VÉRIFICATION DES RÉSULTATS

L'efficacité du traitement peut être démontrée par : ■ la diminution de la fréquence et de l'intensité des crises d'angine ☐ l'augmentation de la tolérance à l'effort.

ISOTRÉTINOÏNE

Accutane Roche, Isotrex, (Accutane)

CLASSIFICATION :
Traitement de l'acné

Grossesse – catégorie x

INDICATIONS

■ Traitement de l'acné nodulaire ou inflammatoire grave, de l'acné conglobata et de l'acné réfractaire ■ Traitement topique de l'acné vulgaire.

ACTION

■ Métabolite de la vitamine A (rétinol); réduction de la taille et de la différenciation des glandes sébacées. **Effets thérapeutiques :** ■ Diminution et résorption de l'acné. L'isotrétinoïne peut également prévenir la kératinisation anormale.

PHARMACOCINÉTIQUE

Absorption : Par suite de l'administration PO, une fraction de 23 à 25 % du médicament est absorbée. Par suite de l'administration par voie topique, l'absorption est négligeable.

Distribution : L'agent se répartit dans tout l'organisme. Il traverse probablement le placenta.

Métabolisme et excrétion : Le médicament est surtout métabolisé par le foie.

Demi-vie : De 10 à 20 h.

CONTRE-INDICATIONS ET PRÉCAUTIONS

Contre-indications : ■ Hypersensibilité aux rétinoïdes ou aux parabènes ■ Grossesse ■ Patientes en âge de procréer qui peuvent ou qui ont l'intention de devenir enceinte ■ Allaitement ■ Patients qui veulent donner du sang.

Précautions : ■ Hypertriglycéridémie préexistante ■ Diabète sucré ■ Patients alcooliques ■ Patients obèses ■ Maladies inflammatoires de l'intestin.

RÉACTIONS INDÉSIRABLES ET EFFETS SECONDAIRES

Remarque : Les réactions indésirables et les effets secondaires mentionnés ont été notés, sauf indication contraire, lors du traitement par l'isotrétinoïne administrée par voie orale.

SNC : syndrome d'hypertension intracrânienne bénigne.

ORLO : épistaxis, conjonctivite, sécheresse des yeux (alacrymie), opacités cornéennes, vision trouble, diminution de la vision nocturne.

CV : œdème.

GI : chéilite, sécheresse de la bouche (xérostomie), anorexie, nausées, vomissements, douleurs abdominales, appétit accru, hépatite.

Tég. : prurit, raréfaction des cheveux, desquamation palmaire, infections cutanées, photosensibilité ; voie topique – érythème, desquamation.

Hémat. : diminution de l'hémoglobine, diminution de l'hématocrite.

Métab. : hypertriglycéridémie, hypercholestérolémie, diminution des concentrations de lipoprotéines de haute densité (HDL), hyperglycémie, hyperuricémie.

Loc. : douleurs osseuses, arthralgie, hyperostose.

Divers : soif.

INTERACTIONS

Médicament – médicament (PO) : ■ Toxicité additive lors de l'administration concomitante de **vitamine A** et de **composés connexes** ■ L'administration concomitante de **tétracycline** ou de **minocycline** accroît le risque de syndrome d'hypertension intracrânienne bénigne ■ La consommation concomitante d'**alcool** accroît l'hypertriglycéridémie ■ L'effet déshydratant est accentué par l'utilisation concomitante de **peroxyde de benzoyle**, de **soufre**, de **trétinoïne** ou d'autres **agents topiques**. **Médicament – aliments :** ■ La consommation excessive d'**aliments riches en vitamine A** peut se traduire par l'intensification de la toxicité.

VOIES D'ADMINISTRATION ET POSOLOGIE

- **PO (adultes) :** 0,5 mg/kg par jour initialement, puis de 0,1 à 1 mg/kg par jour (jusqu'à 2 mg/kg par jour), en une seule dose ou en 2 doses fractionnées pendant 12 à 16 semaines au total. S'il y a rechute après l'arrêt du traitement, celui-ci peut être repris après un arrêt temporaire de la médication de 8 semaines.

- **Voie topique (adultes) :** une application, 2 fois par jour, matin et soir (avant le coucher).

PHARMACODYNAMIE (diminution de l'acné)

	DÉBUT D'ACTION	PIC	DURÉE
PO	inconnu	jusqu'à 8 semaines	inconnue
topique	2 – 3 semaines	8 – 10 semaines	inconnue

SOINS INFIRMIERS

ÉVALUATION DE LA SITUATION

☐ Évaluer l'état de la peau avant le traitement et à intervalles réguliers pendant toute sa durée. Il est possible que l'acné s'aggrave passagèrement au début du traitement. Noter le nombre et la gravité des lésions, le degré de déshydratation de la peau, la gravité de l'érythème et des démangeaisons.

■ Déterminer si le patient est allergique aux parabènes puisqu'ils entrent dans la composition des capsules en tant qu'agents de conservation.

■ **Étude des examens diagnostiques et biochimiques :** Effectuer les tests de l'exploration fonctionnelle hépatique (TGOS [AST], TGPS [ALT] et LDH) avant le traitement, un mois après son début et à intervalles réguliers par la suite. Prévenir le médecin en cas d'une élévation de ces concentrations; il pourrait s'avérer nécessaire d'arrêter le traitement.

□ Mesurer les concentrations lipidiques (cholestérol, lipoprotéines de haute densité, triglycérides) avant le début du traitement, après 1 mois et à intervalles réguliers par la suite. Prévenir le médecin en cas d'élévation des concentrations de cholestérol et de triglycérides ou de diminution des concentrations de lipoprotéines de haute densité.

□ Obtenir, avant le début du traitement et à intervalles réguliers par la suite, la numération globulaire, les résultats des analyses des urines et le bilan électrolytique. Le médicament peut entraîner l'élévation de la glycémie, des concentrations de CPK, du nombre de plaquettes et de la vitesse de sédimentation. Il peut entraîner la diminution du nombre d'érythrocytes et de leucocytes ainsi qu'une protéinurie, la présence d'érythrocytes et de leucocytes dans l'urine et l'élévation des concentrations d'acide urique.

DIAGNOSTICS INFIRMIERS POSSIBLES

■ Énoncés diagnostiques

□ Atteinte à l'intégrité de la peau.

□ Perturbation situationnelle de l'estime de soi.

□ Prise en charge inefficace du programme thérapeutique.

□ *Risque élevé d'atteinte à l'intégrité des tissus.*

□ *Risque élevé d'atteinte à l'intégrité de la muqueuse buccale.*

□ *Risque élevé d'intolérance à l'activité.*

□ *Risque élevé d'accident.*

□ *Risque élevé d'anxiété.*

■ Facteurs favorisants

□ Informations incomplètes.

□ *Manque de connaissances sur les effets secondaires du médicament et sur les moyens de les prévenir.*

□ *Manque de connaissances sur les moyens de prévenir ou de réduire la sécheresse de la bouche.*

□ *Manque de connaissances sur les moyens de réduire la photosensibilité.*

□ *Douleurs articulaires.*

□ *Altération de la perception visuelle.*

□ *Manque de connaissances sur les modalités du traitement.*

□ *Manque de connaissances sur le régime alimentaire à suivre.*

INTERVENTIONS INFIRMIÈRES

■ **PO:** Administrer le médicament en une seule dose ou en 2 doses fractionnées.

■ **Voie topique:** La peau à traiter doit d'abord être bien nettoyée et séchée. Appliquer une mince couche de gel et masser délicatement en un mouvement circulaire.

ENSEIGNEMENT AU PATIENT ET À SES PROCHES

■ **Directives générales:** Conseiller au patient de respecter scrupuleusement la posologie recommandée et de ne pas utiliser une dose plus forte que celle qui lui a été prescrite. S'il n'a pas pu prendre le médicament au moment habituel, lui recommander de le prendre dès que possible, à moins que ce ne soit presque l'heure prévue pour la dose suivante. Il ne faut jamais doubler les doses.

□ Prévenir le patient que l'acné peut sembler s'aggraver au début du traitement.

□ Conseiller au patient de consulter le médecin au sujet de l'utilisation concomitante d'autres préparations contre l'acné. Les savons, les produits cosmétiques et les lotions de rasage peuvent également aggraver la déshydratation de la peau.

□ Recommander au patient d'utiliser des écrans solaires et de porter des vêtements protecteurs pour prévenir les réactions de photosensibilité. Lui conseiller de consulter le médecin au sujet des écrans solaires qu'il devrait utiliser puisque certaines préparations peuvent aggraver l'acné.

- **PO :** Recommander à la patiente d'utiliser une méthode de contraception pendant 1 mois avant le traitement, pendant toute sa durée et pendant 1 mois après l'avoir arrêté. Lui expliquer que l'isotrétinoïne est contre-indiquée pendant la grossesse et qu'elle peut entraîner des malformations congénitales. Le médecin peut prescrire un test de grossesse 2 semaines avant le début du traitement. La patiente devrait arrêter le traitement et prévenir immédiatement le médecin si elle croit être enceinte. Dans la formule de consentement fournie par le fabricant, on insiste sur le risque auquel est exposé le fœtus. Les parents des patientes mineures devraient aussi lire la formule et la signer.

- ☐ L'isotrétinoïne peut altérer soudainement la vision nocturne. Recommander au patient d'éviter de conduire dans l'obscurité jusqu'à ce qu'on ait la certitude que le médicament n'entraîne pas cet effet chez lui.

- ☐ Prévenir le patient que sa peau deviendra sèche et ses lèvres, gercées. Lui conseiller d'appliquer un agent lubrifiant sur les lèvres pour réduire la chéilite.

- ☐ Conseiller au patient de se rincer fréquemment la bouche, de pratiquer une bonne hygiène orale et de consommer de la gomme à mâcher ou des bonbons sans sucre pour réduire la sécheresse de la bouche. Lui recommander de prévenir le médecin si la sécheresse de la bouche persiste pendant plus de 2 semaines.

- ☐ Prévenir le patient qui porte des lentilles cornéennes qu'il risque de souffrir d'une forte sécheresse des yeux. Dans ce cas, il devrait porter des lunettes pendant tout le traitement et jusqu'à 2 semaines après l'avoir arrêté.

Lui conseiller de demander au médecin s'il peut utiliser un lubrifiant oculaire.

- ☐ Mettre en garde le patient contre la consommation d'alcool pendant le traitement à l'isotrétinoïne en raison du risque d'une plus grande élévation des concentrations de triglycérides.

- ☐ Recommander au patient de ne pas prendre des suppléments de vitamine A et d'éviter la consommation excessive d'aliments riches en vitamine A (foie, huile de poisson, jaunes d'œufs, fruits et légumes jaune orangé, légumes à feuilles vert foncé, lait entier, lait écrémé enrichi de vitamine A, beurre, margarine) en raison du risque d'hypervitaminose.

- ☐ Prévenir le patient qu'il ne doit pas donner de sang pendant le traitement par l'isotrétinoïne. Après la fin du traitement, il devrait attendre au moins 1 mois avant de donner du sang en raison du risque de transfusion à une patiente enceinte.

- ☐ Conseiller au patient de signaler au médecin les manifestations suivantes : sensation de brûlure oculaire, altération de la vue, rash, douleurs abdominales, diarrhée, céphalées, nausées et vomissements.

- ☐ Insister sur l'importance des examens de suivi. Le médecin peut prescrire des examens diagnostiques et biochimiques à intervalles réguliers.

- **Voie topique :** Recommander au patient de ne pas appliquer le gel sur les paupières ou sur la peau près des yeux et de la bouche ; on doit aussi éviter les angles du nez et l'intérieur de la bouche.

- ☐ Prévenir le patient qu'une irritation locale et une desquamation cutanée au siège de l'application peuvent se produire en l'espace de 2 à 3 semaines, ce qui indique que l'état de l'acné s'améliore. Conseiller au patient de prévenir le médecin s'il ressent une certaine gêne.

I

VÉRIFICATION DES RÉSULTATS

L'efficacité du traitement peut être démontrée par: ■ la diminution du nombre de lésions dans les cas d'acné grave. Le plein effet du traitement peut ne pas se manifester avant 4 à 5 mois. On doit arrêter le traitement après 5 mois ou lorsque le nombre de lésions est réduit de 70 %. L'état du patient peut s'améliorer après l'arrêt du traitement; on recommande donc d'attendre 8 semaines avant d'amorcer une deuxième cure ■ l'amélioration de l'état des lésions acnéiques ou la disparition de l'acné vulgaire. Même si une amélioration peut être notée après 2 ou 3 semaines, le plein effet du traitement pourrait ne pas se manifester avant 8 à 10 semaines.

ISRADIPINE
(DynaCirc)

CLASSIFICATION:
Inhibiteur calcique ; antihypertenseur – inhibiteur calcique

Grossesse – catégorie C

INDICATIONS

Hypertension – en monothérapie ou en association avec des diurétiques de type thiazidique.

ACTION

■ Inhibition du transport du calcium vers les cellules des muscles lisses vasculaires entraînant l'inhibition du couplage excitation-contraction et la contraction subséquente. Cette action provoque la vasodilatation. **Effets thérapeutiques:** ■ Abaissement de la pression artérielle.

PHARMACOCINÉTIQUE

Absorption: Bonne absorption par suite de l'administration PO, mais d'importantes quantités sont rapidement métabolisées, ce qui entraîne une biodisponibilité réduite.

Distribution: Inconnue. Une fraction de 95 % du médicament se lie aux protéines plasmatiques.

Métabolisme et excrétion: L'isradipine est surtout métabolisée par le foie.

Demi-vie: 8 h.

CONTRE-INDICATIONS ET PRÉCAUTIONS

Contre-indications: ■ Hypersensibilité ■ Syndrome de dysfonctionnement sinusal, bloc cardiaque du 2e et du 3e degré (en l'absence d'un stimulateur cardiaque) ■ Hypotension grave.

Précautions: ■ Maladie hépatique grave (réduire la dose, au besoin) ■ Insuffisance cardiaque ■ Grossesse, allaitement ou enfants (l'innocuité du médicament n'a pas été établie).

RÉACTIONS INDÉSIRABLES ET EFFETS SECONDAIRES

SNC: céphalées, fatigue, étourdissements.
Resp.: essoufflement.
CV: œdème périphérique, palpitations, angine, tachycardie.
GI: nausées, diarrhée, gêne abdominale, vomissements.
Tég.: rash, rougeur.

INTERACTIONS

Médicament – médicament: ■ Risque accru de dépression myocardique lors de l'administration concomitante de **bêta-bloquants** ■ Le **fentanyl**, administré simultanément, accroît le risque d'hypotension.

VOIES D'ADMINISTRATION ET POSOLOGIE

PO (adultes): 2,5 mg, 2 fois par jour; on peut augmenter la dose par paliers de 5 mg/jour, toutes les 2 à 4 semaines (ne pas dépasser 20 mg/jour).

PHARMACODYNAMIE
(effet antihypertenseur)

	DÉBUT D'ACTION	PIC*	DURÉE
PO	< 2 h	2 – 3 h	12 h

* Le plein effet antihypertenseur du médicament peut ne se manifester qu'après 2 à 4 semaines de traitement.

☀ SOINS INFIRMIERS

ÉVALUATION DE LA SITUATION

☐ Mesurer la pression artérielle et le pouls avant l'administration du médicament et à intervalles réguliers durant tout le traitement. Suivre l'ÉCG à intervalles réguliers lors d'un traitement prolongé.

☐ Effectuer le bilan quotidien des ingesta et des excreta et peser le patient tous les jours. Suivre de près les signes suivants d'insuffisance cardiaque : œdème périphérique, râles et crépitations, dyspnée, gain pondéral, distension des jugulaires.

■ **Étude des examens diagnostiques et biochimiques :** Examiner les résultats des tests de l'exploration fonctionnelle hépatique à intervalles réguliers durant le traitement prolongé. L'isradipine peut entraîner des résultats élevés à ces tests.

DIAGNOSTICS INFIRMIERS POSSIBLES

■ **Énoncés diagnostiques**

☐ Diminution du débit cardiaque.

☐ Prise en charge inefficace du programme thérapeutique.

☐ *Risque élevé d'accident.*

■ **Facteurs favorisants**

☐ Informations incomplètes.

☐ *Manque de connaissances sur les effets hypotensifs du médicament lors des changements brusques de position.*

☐ *Perturbation de la vigilance.*

☐ *Manque de connaissances sur les modalités du traitement.*

INTERVENTIONS INFIRMIÈRES

PO : L'administration de l'isradipine avec des aliments augmente de façon marquée le temps nécessaire pour atteindre le pic (de 1 h environ), mais cela n'a aucun effet sur la biodisponibilité totale du médicament.

ENSEIGNEMENT AU PATIENT ET À SES PROCHES

☐ Conseiller au patient de respecter scrupuleusement la posologie recommandée. Le prévenir qu'il ne faut pas sauter de dose ni remplacer une dose manquée par une double dose. Il peut s'avérer nécessaire d'arrêter le traitement graduellement.

☐ Conseiller au patient de changer lentement de position afin de réduire les risques d'hypotension orthostatique.

☐ Prévenir le patient que l'isradipine peut entraîner des étourdissements. Lui conseiller de ne pas conduire et d'éviter les activités qui exigent sa vigilance jusqu'à ce qu'on ait la certitude que le médicament n'entraîne pas cet effet chez lui.

☐ Conseiller au patient de consulter le médecin ou le pharmacien avant de prendre des médicaments en vente libre et d'éviter de boire de l'alcool pendant le traitement à l'isradipine.

☐ Conseiller au patient de prévenir le médecin en cas d'extrasystoles, de dyspnée, d'œdème aux mains et aux pieds, d'étourdissements marqués, de nausées, de constipation ou d'hypotension.

VÉRIFICATION DES RÉSULTATS

L'efficacité du traitement peut être démontrée par : la baisse de la pression artérielle. La réponse antihypertensive peut être notable en l'espace de 2 ou 3 h, mais le plein effet du médicament peut ne pas se manifester avant 2 à 4 semaines.

K

KANAMYCINE
(Kantrex)

CLASSIFICATION:
Anti-infectieux – aminoside

Grossesse – catégorie D

INDICATIONS

■ Traitement des infections dues aux bacilles à Gram négatif et aux staphylocoques, lorsque les pénicillines ou les autres médicaments moins toxiques sont contre-indiqués ■ Traitement des infections suivantes provoquées par des micro-organismes sensibles: □ infections des os □ infections des voies respiratoires □ infections de la peau et des tissus mous □ infections abdominales □ infections des voies urinaires avec complications □ endocardite □ septicémie ■ Traitement des infections dues aux entérocoques en concomitance avec une pénicilline ■ Traitement d'appoint de l'encéphalopathie hépatique.

ACTION

■ Inhibition de la synthèse des protéines de la cellule bactérienne au niveau du ribosome 30S. **Effets thérapeutiques:** ■ Effet bactéricide contre les bactéries sensibles. **Spectre d'action:** ■ *Pseudomonas æruginosa* ■ *Klebsiella pneumoniæ* ■ *Escherichia coli* ■ *Proteus* ■ *Serratia* ■ *Acinetobacter*.

PHARMACOCINÉTIQUE

Absorption: Faible absorption par suite de l'administration PO. Bonne absorption par suite de l'administration IM. Une certaine absorption se produit par suite de l'administration par instillation intrapéritonéale.

Distribution: La kanamycine se répartit dans tous les liquides extracellulaires par suite de l'administration IM ou IV. Elle traverse le placenta. La pénétration dans le liquide céphalorachidien est faible.

Métabolisme et excrétion: Excrétion surtout rénale (> 90 %). Des quantités infimes de médicament subissent un métabolisme hépatique.

Demi-vie: De 2 à 4 h (prolongée en cas d'insuffisance rénale).

CONTRE-INDICATIONS ET PRÉCAUTIONS

Contre-indications: ■ Hypersensibilité ■ Risque de réactions de sensibilité croisée avec les autres aminosides ■ Hypersensibilité aux bisulfites (voie parentérale seulement).

Précautions: ■ Insuffisance rénale quelle qu'elle soit (adapter la dose) ■ Grossesse et allaitement (l'innocuité du médicament n'a pas été établie) ■ Maladies neuromusculaires, telle la myasthénie grave.

RÉACTIONS INDÉSIRABLES ET EFFETS SECONDAIRES

ORLO: neurotoxicité au niveau de la VIIIe paire de nerfs crâniens (vestibulaire et cochléaire).

GU: toxicité rénale.

SN: blocage neuromusculaire accru.

Divers: réactions d'hypersensibilité.

INTERACTIONS

Médicament – médicament: ■ Les **pénicillines** peuvent inactiver la kanamycine lors d'une administration en association chez les patients souffrant d'insuffisance rénale ■ Risque de paralysie respiratoire après inhalation d'**anesthésiques (éther, cyclopropane, halothane** ou **protoxyde d'azote)** ou administration de **bloqueurs neuromusculaires (tubocurarine, succinylcholine, décaméthonium)**, en même temps que la kanamycine ■ Risque accru de neurotoxicité pour la VIIIe paire de nerfs crâniens (vestibulaire et cochléaire) lors de l'administration concomitante de **diurétiques de l'anse (acide éthacrynique, furosémide)** ■ L'administration d'autres **médicaments néphrotoxiques** peut augmenter le risque de toxicité rénale.

VOIES D'ADMINISTRATION ET POSOLOGIE

Remarque: Ne pas dépasser 1,5 g par jour quelle que soit la voie d'administration.

Traitement des infections par voie parentérale

- **IM et IV (adultes):** 15 mg/kg par jour en doses fractionnées, toutes les 8 à 12 h.
- **IM et IV (enfants et nourrissons):** 15 mg/kg par jour en doses fractionnées, toutes les 8 à 12 h.

Antisepsie intestinale préopératoire

- **PO (adultes):** 1 g, toutes les 4 à 6 h, pendant 36 à 72 h.

Instillation intrapéritonéale

- **Voie intrapéritonéale (adultes):** 500 mg dans 20 mL d'eau stérile.

Irrigation des cavités pleurales ou ventriculaires ou des abcès

- **Irrigation (adultes):** solution à 0,25 %.

Inhalation

- **Inhalation (adultes):** 250 mg par nébulisation, 2 à 4 fois par jour.

Traitement d'appoint de l'encéphalopathie hépatique

- **PO (adultes):** de 8 à 12 g par jour, en doses fractionnées.

PHARMACODYNAMIE
(concentrations sanguines)

	DÉBUT D'ACTION	PIC
IM	rapide	0,5 – 2 h
IV	rapide	fin de la perfusion

☀ SOINS INFIRMIERS

ÉVALUATION DE LA SITUATION

☐ Au début du traitement et pendant toute sa durée, suivre de près les signes suivants d'infection: altération des signes vitaux; aspect de la plaie, des crachats, de l'urine et des selles; accroissement du nombre de leucocytes.

☐ Prélever des échantillons pour les cultures et les antibiogrammes avant le début du traitement. La première dose peut être administrée avant même que les résultats soient connus.

☐ Mesurer par audiogramme la fonction de la VIIIe paire de nerfs crâniens avant l'administration initiale et tout au long du traitement. La perte de l'ouïe se situe habituellement au niveau des sons de haute fréquence. Le diagnostic et l'intervention rapides sont essentiels pour prévenir la surdité permanente. Surveiller également les symptômes suivants de dysfonction vestibulaire: vertiges, ataxie, nausées, vomissements. La dysfonction au niveau de la VIIIe paire de nerfs crâniens se produit lorsqu'il y a persistance de concentrations élevées (pics) de kanamycine.

☐ Effectuer le bilan quotidien des ingesta et des excreta et peser le patient tous les jours pour évaluer l'hydratation et la fonction rénale.

☐ Suivre de près les signes suivants de surinfection: fièvre, infection des voies respiratoires supérieures, démangeaisons ou pertes vaginales, malaise accru, diarrhée. Signaler ces réactions au médecin.

- **Étude des examens diagnostiques et biochimiques:** Suivre de près la fonction rénale en notant les résultats des analyses d'urine, la densité de l'urine, les concentrations sériques d'urée et de créatinine ainsi que la clearance de la créatinine avant l'administration initiale du médicament et tout au long du traitement.

☐ La kanamycine peut entraîner l'élévation des concentrations de TGOS (AST), de TGPS (ALT), de LDH, de bilirubine et de phosphatase alcaline sérique.

☐ Le médicament peut diminuer les concentrations sériques de calcium, de magnésium, de sodium et de potassium.

K

■ **Toxicité et surdosage:** Noter les concentrations sanguines à intervalles réguliers pendant toute la durée du traitement. Pour interpréter correctement les résultats, il est important de bien choisir le moment où l'on effectue les prélèvements sanguins. Pour déterminer le pic, prélever un échantillon de sang de 30 à 60 min après l'injection IM et immédiatement après la fin de la perfusion IV. Pour déterminer le creux, prélever l'échantillon juste avant l'administration de la dose suivante. Le pic acceptable se situe entre 15 et 30 mg/L; le creux ne devrait pas dépasser 10 mg/L.

DIAGNOSTICS INFIRMIERS POSSIBLES

■ **Énoncés diagnostiques**
□ Risque élevé d'infection.
□ Altération de la perception auditive.
□ Prise en charge inefficace du programme thérapeutique.
□ *Risque élevé d'intoxication.*
□ *Risque élevé d'accident.*

■ **Facteurs favorisants**
□ Informations incomplètes.
□ *Manque de connaissances sur les modalités du traitement.*
□ *Altération de la perception auditive.*

INTERVENTIONS INFIRMIÈRES

■ **Directives générales:** Assurer une bonne hydratation du patient (de 1 500 à 2 000 mL de liquides par jour) pendant tout le traitement.

■ **PO:** La kanamycine peut être administrée sans égard aux repas.

■ **IM:** Injecter profondément dans une masse musculaire bien développée.

■ **Perfusion intermittente:** Diluer à raison de 500 mg de kanamycine dans 100 à 200 mL ou à raison de 1 g dans 200 à 400 mL de solution de dextrose à 5 % ou à 10 % dans l'eau, de mélange de dextrose à 5 % et de solution de NaCl à 0,9 %, de solution de NaCl à 0,9 % ou de solution de lactate Rin-

ger. La coloration plus foncée de la solution n'altère pas sa puissance.

□ Administrer la kanamycine séparément; le fabricant ne recommande pas l'admixtion. Espacer d'au moins 1 h l'administration des aminosides et des pénicillines pour prévenir l'inactivation.

□ *Vitesse d'administration:* Administrer la préparation lentement, en 30 à 60 min. Après l'administration du médicament, rincer la tubulure IV avec une solution de dextrose à 5 % dans de l'eau ou avec une solution de NaCl à 0,9 %.

■ **Association incompatible dans la même seringue:** Héparine.

■ **Compatibilités (tubulure en Y):** Chlorure de potassium, cyclophosphamide, furosémide, héparine avec succinate d'hydrocortisone sodique, hydromorphone, mépéridine, morphine, perphénazine ou sulfate de magnésium.

■ **Compatibilités en addition au soluté:** Acide ascorbique, bicarbonate de sodium, céfoxitine, chloramphénicol, clindamycine, dopamine, furosémide, polymyxine B ou tétracycline.

■ **Incompatibilités en addition au soluté:** Amphotéricine B, céphalothine, céphapirine, chlorphéniramine, colistiméthate, héparine ou méthohexital.

■ **Voie intrapéritonéale:** Diluer le contenu d'une fiole de 500 mg avec 20 mL d'eau stérile pour injection. La kanamycine peut être instillée après une intervention chirurgicale par un cathéter en polyéthylène suturé à la plaie lors de sa fermeture. Avant de commencer l'instillation, attendre que le patient soit complètement sorti de l'anesthésie afin de prévenir le blocage neuromusculaire.

■ **Irrigation:** La kanamycine peut être administrée en irrigation à une concentration de 0,25 %.

■ **Inhalation:** Reconstituer 250 mg avec 3 mL de solution de NaCl à 0,9 % pour nébulisation.

ENSEIGNEMENT AU PATIENT ET À SES PROCHES

- **Directives générales:** Conseiller au patient de signaler les signes d'hypersensibilité, les acouphènes, les vertiges ou la perte de l'ouïe.
- **PO:** Conseiller au patient de respecter scrupuleusement la posologie recommandée. S'il n'a pu prendre le médicament au moment habituel, il doit le prendre dès que possible à moins que ce ne soit presque l'heure prévue pour la dose suivante. Il ne faut pas doubler les doses.

VÉRIFICATION DES RÉSULTATS

La réponse clinique peut être déterminée par: la disparition des signes et des symptômes d'infection. Si l'état du patient ne s'améliore pas dans les 3 à 5 jours, effectuer de nouvelles cultures. Le temps de résolution dépend du micro-organisme infectant et du siège de l'infection.

KAOLIN-PECTINE

Donnagel-MB, (K-C), (K-P), (K-Pek), (Kao-Con), (Kaopectate), (Kaopectate concentré), (Kaotin), (Kapectolin)

CLASSIFICATION:
Antidiarrhéique

Grossesse – catégorie inconnue

INDICATIONS

Traitement d'appoint de la diarrhée non spécifique.

ACTION

- Effet adsorbant et protecteur - Diminution de la teneur en liquide des selles, mais la perte hydrique totale demeure inchangée. **Effets thérapeutiques:** - Soulagement de la diarrhée.

PHARMACOCINÉTIQUE

Absorption: Le médicament agit localement; aucune absorption systémique.

Distribution: Inconnue.

Métabolisme et excrétion: La pectine se décompose dans le tractus gastro-intestinal.

Demi-vie: Inconnue.

CONTRE-INDICATIONS ET PRÉCAUTIONS

Contre-indications: - Douleurs abdominales graves d'étiologie inconnue, surtout en présence de fièvre - Enfants de moins de 3 ans.

Précautions: - Personnes âgées (> 60 ans) - Persistance de la diarrhée pendant plus de 48 h (consulter le médecin).

RÉACTIONS INDÉSIRABLES ET EFFETS SECONDAIRES

GI: constipation.

INTERACTIONS

Médicament – médicament: La préparation réduit l'absorption de la **digoxine** et de la **chloroquine**.

VOIES D'ADMINISTRATION ET POSOLOGIE

Remarque: La suspension de kaolinpectine renferme 1 g de kaolin et 23,8 mg de pectine par 5 mL.

- **PO (adultes):** une dose d'attaque de 30 mL, suivie de 15 à 30 mL après chaque selle diarrhéique.
- **PO (enfants):** une dose d'attaque de 10 mL, suivie de 5 à 10 mL après chaque selle diarrhéique.

PHARMACODYNAMIE (soulagement de la diarrhée)

	DÉBUT D'ACTION	PIC	DURÉE
PO	30 min	inconnu	4 – 6 h

 SOINS INFIRMIERS

ÉVALUATION DE LA SITUATION

- ☐ Observer la fréquence et la consistance des selles et ausculter les bruits intestinaux avant l'administration initiale et pendant tout le traitement.

□ Effectuer le bilan hydroélectrolytique et observer l'état de la peau à la recherche de signes de déshydratation.

DIAGNOSTICS INFIRMIERS POSSIBLES

■ **Énoncés diagnostiques**
□ Diarrhée.
□ Constipation.
□ Prise en charge inefficace du programme thérapeutique.

■ **Facteurs favorisants**
□ Informations incomplètes.
□ *Manque de connaissances sur le régime alimentaire à suivre.*
□ *Manque de connaissances sur les modalités du traitement.*

INTERVENTIONS INFIRMIÈRES

■ **Directives générales:** Administrer le médicament après chaque selle diarrhéique, jusqu'au moment où la diarrhée est maîtrisée.

■ **PO:** Bien agiter la suspension avant l'administration.

ENSEIGNEMENT AU PATIENT ET À SES PROCHES

Conseiller au patient de prévenir le médecin si la diarrhée persiste pendant plus de 48 h ou si elle s'accompagne de fièvre ou de douleurs abdominales.

VÉRIFICATION DES RÉSULTATS

L'efficacité du traitement peut être démontrée par: ■ la diminution de la fréquence des selles diarrhéiques □ la production de selles molles, bien moulées.

KÉTAMINE
Ketalar

CLASSIFICATION:
Anesthésique général

Grossesse – catégorie inconnue

INDICATIONS

■ Anesthésie pendant les interventions de courte durée ■ Induction de l'anesthésie avant l'administration d'autres anesthésiques ■ Supplément à d'autres anesthésiques.

ACTION

■ Blocage des voies afférentes véhiculant la douleur ■ Inhibition de l'activité de la moelle épinière ■ Effet sur les médiateurs chimiques du SNC. **Effets thérapeutiques:** ■ Anesthésie accompagnée d'une analgésie profonde, dépression minime des voies respiratoires et relaxation minime des muscles squelettiques.

PHARMACOCINÉTIQUE

Absorption: Par suite de l'administration IM, l'absorption est rapide.
Distribution: Le médicament se répartit rapidement. Il pénètre dans le SNC et traverse le placenta.
Métabolisme et excrétion: Le médicament est surtout métabolisé par le foie. Une petite fraction est transformée en un autre composé actif.
Demi-vie: 2,5 h.

CONTRE-INDICATIONS ET PRÉCAUTIONS

Contre-indications: ■ Hypersensibilité ■ Troubles psychiatriques ■ Hypertension ■ Grossesse ou allaitement.
Précautions: ■ Maladie cardiovasculaire ■ Interventions touchant le larynx, le pharynx ou l'arbre bronchique (administrer un myorelaxant) ■ Antécédents d'alcoolisme ■ Traumatisme crânien ■ Tumeur ou hémorragie cérébrales ■ Hyperthyroïdie ■ Antécédents de troubles psychiatriques ■ Pression accrue du liquide céphalorachidien ■ Pression intraoculaire accrue ■ Traumatisme oculaire grave.

RÉACTIONS INDÉSIRABLES ET EFFETS SECONDAIRES

SNC: réactions caractéristiques de la sortie d'anesthésie.

K

ORLO: diplopie, nystagmus, pression intraoculaire accrue.

Resp.: dépression respiratoire et apnée (administration IV rapide de fortes doses), laryngospasme.

CV: hypertension, tachycardie, hypotension bradycardie, arythmies.

GI: nausées, vomissements, salivation excessive.

Tég.: érythème, rash.

Locaux: douleur au point d'injection.

Loc.: tonus accru des muscles squelettiques.

INTERACTIONS

Médicament – médicament: ■ L'administration concomitante de **barbituriques** ou d'**analgésiques narcotiques** peut prolonger le temps de récupération ■ L'administration simultanée d'**halothane** peut entraîner la diminution de la pression artérielle, du débit cardiaque et de la fréquence cardiaque ■ La **tubocurarine** ou les **bloqueurs neuromusculaires du type non dépolarisant**, administrés simultanément, peuvent prolonger la dépression respiratoire ■ L'administration concomitante d'**hormones thyroïdiennes** accroît le risque de tachycardie et d'hypertension ■ L'administration simultanée de **diazépam** peut diminuer l'incidence des réactions caractérisant la sortie d'anesthésie ■ L'administration concomitante d'**atropine** peut élever l'incidence de rêves désagréables.

VOIES D'ADMINISTRATION ET POSOLOGIE

■ **IV (adultes et enfants):** *Induction* – de 1 à 4,5 mg/kg (la dose moyenne de 2 mg/kg engendre l'anesthésie chirurgicale pendant 5 à 10 min) ou de 1 à 2 mg/kg, avec du diazépam, à une vitesse de 0,5 mg/kg à la minute. *Dose d'entretien* – de 50 à 100 % de la dose d'induction; on peut répéter l'administration au besoin pour maintenir l'anesthésie ou de 0,01 à 0,05 mg/kg, sous forme de perfusion, à une vitesse

de 1 à 2 mg à la minute. Lors de l'administration en association avec le diazépam, on peut effectuer une perfusion de 0,1 à 0,5 mg/min à laquelle on ajoute des doses de 2 à 5 mg de diazépam.

■ **IM (adultes et enfants):** de 6,5 à 13 mg/kg (la dose de 10 mg/kg engendre l'anesthésie chirurgicale pendant 12 à 25 min).

PHARMACODYNAMIE (anesthésie)

	DÉBUT D'ACTION	PIC	DURÉE
IV	30 s	inconnu	5 – 10 min
IM	3 – 4 min	inconnu	12 – 25 min

☀ SOINS INFIRMIERS

ÉVALUATION DE LA SITUATION

☐ Mesurer l'état de la conscience du patient à intervalles réguliers pendant le traitement. La kétamine provoque un état dissociatif: le patient ne semble pas être endormi et il éprouve la sensation d'avoir perdu tout contact avec l'entourage.

☐ Mesurer la pression artérielle, examiner les résultats de l'ÉCG et la fonction respiratoire à intervalles réguliers pendant tout le traitement. La kétamine peut entraîner l'hypertension et la tachycardie et élever la pression du liquide céphalorachidien et la pression intraoculaire.

■ **Toxicité et surdosage:** Pour traiter la dépression respiratoire ou l'apnée, administrer des analeptiques ou recourir à la ventilation mécanique.

DIAGNOSTICS INFIRMIERS POSSIBLES

■ **Énoncés diagnostiques**

☐ Risque élevé d'accident.

☐ Altération de la perception sensorielle.

☐ Prise en charge inefficace du programme thérapeutique.

☐ *Risque élevé d'anxiété.*

■ **Facteurs favorisants**
☐ Informations incomplètes.
☐ *Manque de connaissances sur les ef-fets secondaires du médicament.*

INTERVENTIONS INFIRMIÈRES

■ **Directives générales:** Administrer à jeun afin de prévenir les vomissements et l'aspiration.
☐ La kétamine peut être administrée en concomitance avec un agent dessic-catif (atropine, scopolamine) puis-qu'elle entraîne une élévation des sé-crétions des glandes salivaires et des glandes muqueuses trachéobronchi-ques. L'atropine peut aussi accroître l'incidence de rêves désagréables.
☐ Un état de confusion peut se manifes-ter (délire qui caractérise la sortie d'anesthésie) pendant la période de récupération après l'administration de la kétamine. Administrer une ben-zodiazépine et réduire la stimulation verbale, tactile et visuelle pour préve-nir ce type de délire. En cas de délire grave, administrer un barbiturique à action brève ou très brève.
■ **IV directe:** La solution de 50 mg/mL peut être administrée telle quelle sans qu'une dilution soit nécessaire.
☐ *Vitesse d'administration:* Adminis-trer la préparation en 60 s sauf si l'in-duction rapide est indiquée. Une administration plus rapide peut en-traîner la dépression respiratoire, l'apnée et l'hypertension.
■ **Perfusion intermittente:** Diluer 10 mL de la préparation ayant une teneur de 50 mg/mL ou 50 mL de celle ayant une teneur de 10 mg/mL dans 500 mL de solution de NaCl à 0,9 % ou de dextrose à 5 % dans de l'eau et bien mélanger, pour obtenir une concen-tration de 1 mg/mL. Si une restric-tion liquidienne est nécessaire, diluer dans 250 mL.
☐ *Vitesse d'administration:* Adminis-trer lentement à un débit de 1 à 2 mg à la minute. Adapter la dose selon chaque cas particulier. Les mouve-

ments tonico-cloniques au cours de l'anesthésie n'indiquent pas qu'il faille administrer plus de kétamine.
■ **Association compatible dans la même seringue:** Benzquinamide.
■ **Associations incompatibles dans la même seringue:** Barbituriques, diazépam ou doxapram.

ENSEIGNEMENT AU PATIENT ET À SES PROCHES

☐ Prévenir le patient que l'altération des fonctions psychomotrices peut persister pendant 24 h suivant l'anes-thésie. Lui conseiller de ne pas con-duire et d'éviter les activités qui exi-gent sa vigilance jusqu'à ce que sa réaction au médicament soit connue.
☐ Recommander au patient de ne pas boire d'alcool et de ne pas prendre d'autres dépresseurs du SNC pen-dant 24 h suivant l'anesthésie.

VÉRIFICATION DES RÉSULTATS

L'efficacité du traitement peut être démontrée par: une sensation de dissociation et l'anesthésie générale sans myorelaxa-tion.

KÉTOCONAZOLE

Nizoral

CLASSIFICATION:
Antifongique

Grossesse – catégorie C

INDICATIONS

■ **PO:** Traitement des infections fongiques suivantes: ☐ candidose mucocutanée chronique et disséminée ☐ chromomy-cose ☐ coccidioïdomycose ☐ histoplas-mose ☐ paracoccidioïdomycose ■ **Topi-que:** Traitement des infections cutanées fongiques suivantes: ☐ *Tinea pedis* et *ti-nea corporis* ☐ eczéma marginé ☐ *Pity-riasis versicolor* ☐ dermatite séborrhéi-que ☐ candidose cutanée ■ **Shampooing:**

Traitement et prophylaxie des pellicules provoquées par *Pityrosporum ovale*.
Usages non approuvés: ■ PO: Traitement du cancer avancé de la prostate ■ Traitement du syndrome de Cushing.

ACTION

■ Destruction de la paroi cellulaire fongique ■ Altération du métabolisme des cellules fongiques ■ Inhibition de la synthèse des corticostéroïdes. **Effets thérapeutiques:** ■ Effet fongicide ou fongistatique contre les micro-organismes sensibles, selon le micro-organisme infectant et le foyer d'infection. **Spectre d'action:** Action contre un bon nombre de champignons pathogènes dont □ *Blastomyces* □ *Candida* □ *Coccidioides* □ *Cryptococcus* □ *Histoplasma* □ de nombreux dermatophytes.

PHARMACOCINÉTIQUE

Absorption: L'absorption depuis le tractus gastro-intestinal dépend du pH; plus le pH est élevé, plus l'absorption est faible. Par suite de l'administration des préparations topiques, l'absorption est infime.
Distribution: L'agent se répartit dans tout l'organisme. La pénétration dans le SNC est minime et imprévisible. L'agent traverse le placenta et pénètre dans le lait maternel.
Métabolisme et excrétion: Le kétoconazole est en partie métabolisé par le foie. Il est éliminé dans les selles par excrétion biliaire.
Demi-vie: 8 h.

CONTRE-INDICATIONS ET PRÉCAUTIONS

Contre-indications: ■ Hypersensibilité ■ Grossesse et allaitement.
Précautions: ■ Antécédents de maladie hépatique ■ Achlorhydrie ■ Alcoolisme.

RÉACTIONS INDÉSIRABLES ET EFFETS SECONDAIRES

Remarque: kétonazole par voie orale, sauf indication contraire.

ORLO: photophobie.
GI: HÉPATITE, nausées, vomissements, douleurs abdominales, flatulence, constipation, diarrhée.
Tég.: PO – rash; préparation topique – sensation de piqûre, brûlures, irritation; shampooing – chute accrue des cheveux; modification de la texture des cheveux ou du cuir chevelu.
End.: gynécomastie.

INTERACTIONS

Remarque: Les réactions indésirables et les effets secondaires mentionnés ont été notés, sauf indication contraire, lors du traitement par le kétonazole administré PO.

Médicament – médicament: ■ Risque de diminution de l'absorption du kétoconazole lors de l'administration de médicaments élevant le pH gastrique dont les **antiacides,** la **nizatidine**, la **famotidine**, la **ranitidine**, la **cimétidine** ou l'**oméprazole** ■ Effets hépatotoxiques additifs lors de l'usage concomitant d'autres **agents hépatotoxiques**, dont l'**alcool** ■ La **rifampine** et l'**isoniazide** peuvent réduire les concentrations sériques et l'efficacité du kétoconazole ■ Le kétoconazole peut intensifier l'activité des **anticoagulants oraux** ■ Le médicament peut élever les concentrations sanguines de **cyclosporine** ou de **glucocorticoïdes** et en accroître la toxicité ■ Le kétoconazole peut modifier le métabolisme de la **phénytoïne** ■ L'agent peut diminuer les concentrations sériques de **théophylline** et en diminuer l'efficacité ■ Le risque d'arythmies est accru lors de l'administration concomitante de **terfénadine**.

VOIES D'ADMINISTRATION ET POSOLOGIE

■ **PO (adultes):** de 200 à 400 mg par jour, en une seule dose.
■ **PO (enfants > 2 ans):** 20 kg ou moins, 50 mg, 1 fois par jour (maximum: 100 mg par jour); entre 20 et 40 kg, 100 mg, 1 fois par jour (maximum:

K

200 mg par jour); plus de 40 kg, 200 mg, 1 fois par jour (maximum: 400 mg par jour).

- **Préparation topique (adultes et enfants):** crème à 2 %; appliquer 1 ou 2 fois par jour.

- **Shampooing (adultes):** faire pénétrer le shampooing à 2 % dans le cuir chevelu et laisser en place pendant 3 à 5 min avant de rincer à l'eau. Faire un shampooing, 2 fois par semaine, pendant 4 semaines en espaçant les traitements d'au moins 3 jours, ou en prophylaxie, utiliser le shampooing 1 fois toutes les 1 à 2 semaines.

PHARMACODYNAMIE
(concentrations sanguines)

	DÉBUT D'ACTION	PIC
PO	rapide	1–4 h

SOINS INFIRMIERS

ÉVALUATION DE LA SITUATION

- ☐ Inspecter les régions cutanées atteintes avant l'administration et à intervalles réguliers pendant tout le traitement.

- ☐ Prélever des échantillons pour les cultures avant le début du traitement. La première dose peut être administrée avant même que les résultats soient connus.

- ■ **Étude des examens diagnostiques et biochimiques:** Noter les résultats des tests de l'exploration fonctionnelle hépatique avant le début du traitement et à intervalles réguliers pendant toute sa durée. Le kétoconazole peut entraîner l'élévation des concentrations de TGOS (AST), de TGPS (ALT), de phosphatase alcaline sérique et de bilirubine.

- ☐ Le médicament peut entraîner la diminution des concentrations sériques de testostérone.

DIAGNOSTICS INFIRMIERS POSSIBLES

- ■ **Énoncés diagnostiques**
- ☐ Risque élevé d'infection.
- ☐ Prise en charge inefficace du programme thérapeutique.
- ☐ *Risque élevé d'altération de la perception visuelle.*

- ■ **Facteurs favorisants**
- ☐ Informations incomplètes.
- ☐ *Manque de connaissances sur la méthode d'administration du médicament.*
- ☐ *Manque de connaissances sur les moyens de réduire la photosensibilité.*
- ☐ *Manque de connaissances sur les modalités du traitement.*

INTERVENTIONS INFIRMIÈRES

- ■ **PO:** Administrer le médicament avec des aliments afin de réduire les nausées et les vomissements.
- ☐ Bien agiter la suspension avant de l'administrer.
- ☐ Ne pas administrer d'inhibiteurs des récepteurs H_2 de l'histamine dans les 2 h qui précèdent ou qui suivent l'administration du kétoconazole.
- ☐ En cas d'achlorhydrie, dissoudre chaque comprimé dans 4 mL de solution aqueuse de HCl à 0,2 N. Demander au patient d'utiliser une paille de plastique ou de verre de façon à éviter tout contact avec les dents. Administrer ensuite un verre d'eau et inciter le patient à gargariser dans la bouche et à avaler. Le risque d'achlorhydrie peut être accru chez les patients atteints du sida.
- ■ **Administration topique:** Appliquer suffisamment de médicament pour couvrir les régions affectées et avoisinantes; faire pénétrer en massant délicatement.

ENSEIGNEMENT AU PATIENT ET À SES PROCHES

- ■ **Directives générales:** Conseiller au patient de respecter scrupuleusement la posologie recommandée et de poursuivre le traitement même s'il se sent mieux. Le prévenir qu'il doit prendre le médicament à la même heure tous les jours. S'il n'a pas pu prendre le médicament au moment habituel, il doit le prendre dès que possible. S'il est presque l'heure prévue pour la dose suivante, prendre le médicament et retarder la prise de la dose suivante de 10 à 12 h.

☐ Conseiller au patient de ne pas prendre d'antiacides en vente libre dans les 2 h qui précèdent ou qui suivent l'administration du kétoconazole.

☐ Prévenir le patient qu'il doit porter des lunettes de soleil et éviter l'exposition prolongée à la lumière vive afin de prévenir les réactions de photophobie.

☐ Recommander au patient d'éviter de boire de l'alcool pendant le traitement au kétoconazole.

☐ Conseiller au patient de prévenir le médecin s'il souffre de douleurs abdominales, de fièvre ou d'une diarrhée importante ou si les signes et les symptômes suivants de dysfonction hépatique se manifestent : fatigue inhabituelle, anorexie, nausées, vomissements, jaunisse, urine de couleur foncée ou selles de couleur pâle.

■ **Préparation topique :** Mettre en garde le patient contre tout contact du médicament avec les yeux.

☐ Recommander au patient d'appliquer sur la peau une poudre absorbante ou antifongique entre les applications de la crème.

☐ Conseiller au patient souffrant d'eczéma marginé de porter des sous-vêtements lâches en coton et d'éviter les vêtements serrés ou faits de matières synthétiques.

☐ Recommander au patient souffrant de *Tinea pedis* de bien assécher la peau des pieds, particulièrement entre les orteils, après s'être lavé. Lui conseiller de porter des sandales ou des souliers bien aérés et des bas de coton qu'il doit changer tous les jours ou plus fréquemment s'il transpire beaucoup des pieds. Éviter les bas de laine ou ceux faits de matières synthétiques.

☐ Conseiller au patient de prévenir le médecin en cas d'irritation de la peau ou s'il n'y a aucune amélioration après 2 à 4 semaines.

■ **Shampooing :** Appliquer sur le cuir chevelu et les cheveux mouillés assez de shampooing pour faire mousser. Masser doucement tout le cuir chevelu pendant 3 à 5 min. Bien rincer avec de l'eau chaude.

☐ Faire un shampooing, 2 fois par semaine pendant 4 semaines, en espaçant les shampooings d'au moins 3 jours, puis utiliser 1 fois toutes les 1 à 2 semaines, selon les besoins.

VÉRIFICATION DES RÉSULTATS

L'efficacité du traitement peut être démontrée par : ■ la résolution des indices cliniques d'infection fongique ou des indices de laboratoire ☐ le traitement minimal de la candidose est de 1 à 2 semaines et celui des autres mycoses systémiques, de 6 mois ☐ les candidoses mucocutanées chroniques nécessitent habituellement un traitement d'entretien ☐ les infections à *Tinea* doivent être traitées pendant au moins 2 à 4 semaines ■ la diminution de la desquamation attribuable aux pellicules.

KETOPROFÈNE

Apo-Keto, Apo-Keto-E, Novo-Keto-EC, Orudis, Orudis E, Orudis SR, Oruvail, Rhodis, Rhodis-EC

CLASSIFICATION :
Anti-inflammatoire non stéroïdien

Grossesse – catégorie B

INDICATIONS

■ Traitement de la polyarthrite rhumatoïde, de la spondylarthrite ankylosante et de l'arthrose ■ Traitement de la douleur légère à modérée et de la dysménorrhée.

ACTION

■ Inhibition de la synthèse des prostaglandines. **Effets thérapeutiques:** ■ Suppression de la douleur et de l'inflammation.

PHARMACOCINÉTIQUE

Absorption: Bonne absorption depuis le tractus gastro-intestinal.
Distribution: Inconnue.
Métabolisme et excrétion: Le kétoprofène est surtout métabolisé par le foie (une fraction de 60 %). Une certaine fraction est excrétée par les reins.
Demi-vie: De 2 à 4 h.

CONTRE-INDICATIONS ET PRÉCAUTIONS

Contre-indications: ■ Hypersensibilité ■ Risque de réactions de sensibilité croisée avec d'autres anti-inflammatoires non stéroïdiens, incluant l'aspirine ■ Hémorragie digestive active ■ Ulcère gastro-duodénal en évolution.
Précautions: ■ Maladies cardiovasculaire, rénale ou hépatique graves ■ Antécédents d'ulcère gastroduodénal ■ Grossesse, allaitement et enfants (l'innocuité du médicament n'a pas été établie) ■ Insuffisance rénale (il est recommandé de réduire la dose).

RÉACTIONS INDÉSIRABLES ET EFFETS SECONDAIRES

SNC: céphalées, somnolence, étourdissements.
ORLO: vision trouble, acouphènes.
CV: œdème.
GI: nausées, dyspepsie, vomissements, diarrhée, constipation, HÉMORRAGIE DU TRACTUS GASTRO-INTESTINAL, malaises, HÉPATITE, flatulence, anorexie.
GU: insuffisance rénale, hématurie, cystite.
Tég.: rash.
End.: gynécomastie.

Hémat.: dyscrasie, allongement du temps de saignement.
Loc.: myalgie.
Divers: réactions allergiques incluant l'ANAPHYLAXIE, fièvre.

INTERACTIONS

Médicament – médicament: ■ L'aspirine modifie la distribution, le métabolisme et l'excrétion du kétoprofène; l'administration concomitante est déconseillée ■ Effets secondaires gastro-intestinaux additifs lors de l'usage concomitant d'autres **anti-inflammatoires non stéroïdiens**, de **suppléments potassiques**, de **glucocorticoïdes** ou d'**alcool** ■ L'usage prolongé du kétoprofène en concomitance avec l'**acétaminophène** peut accroître le risque de réactions rénales indésirables ■ Le kétoprofène peut diminuer l'efficacité des **diurétiques** ou des **antihypertenseurs** ■ L'agent peut intensifier les effets hypoglycémiques de l'**insuline** ou des **hypoglycémiants oraux** ■ Le kétoprofène peut entraîner l'élévation des concentrations sériques du **lithium** et augmenter le risque de toxicité ■ Le médicament accroît le risque de toxicité par le **méthotrexate** ■ Le **probénécide** accroît le risque de toxicité par le kétoprofène (usage concomitant déconseillé) ■ Risque accru de saignement lors de l'administration concomitante de **céfamandole**, de **céfotétane**, de **céfopérazone**, de **moxalactam**, de **plicamycine**, d'**héparine**, de **thrombolytiques** ou d'**anticoagulants oraux** ■ Risque accru de réactions hématologiques indésirables lors de l'administration concomitante d'**antinéoplasiques** ou d'une **radiothérapie**.

VOIES D'ADMINISTRATION ET POSOLOGIE

■ **PR (adultes):** 1 suppositoire matin et soir ou 1 suppositoire au coucher, auquel on ajoute, au besoin, des prises orales fractionnées.

- **PO (adultes):** de 150 à 200 mg par jour, en 3 ou 4 doses fractionnées ou en 1 seule prise pour les préparations à libération prolongée.

PHARMACODYNAMIE

	DÉBUT D'ACTION	PIC	DURÉE
PO (analgésique)	1 – 2 jours	inconnu	inconnue
PO (anti-inflammatoire)	quelques jours – 1 semaine	inconnu	inconnue

SOINS INFIRMIERS

ÉVALUATION DE LA SITUATION

- **Directives générales:** Les patients souffrant d'asthme, d'allergie induite par l'aspirine et de polypes nasaux sont davantage prédisposés à des réactions d'hypersensibilité. Suivre de près la rhinite, l'asthme et l'urticaire.
- **Arthrite:** Suivre de près la douleur et déterminer la mobilité des articulations avant le traitement et 1 h après l'administration.
- **Douleur:** Noter le type de douleur, son siège et son intensité, avant le traitement et 1 h après l'administration du médicament.
- **Étude des examens diagnostiques et biochimiques:** Examiner à intervalles réguliers, tout au long du traitement prolongé, les concentrations sériques d'urée et de créatinine, ainsi que la numération globulaire et les résultats des tests de l'exploration fonctionnelle hépatique.
- □ Le kétoprofène peut allonger le temps de saignement de 3 à 4 min.
- □ Le kétoprofène peut entraîner la diminution des concentrations d'hémoglobine et de l'hématocrite.
- □ Le kétoprofène peut entraîner l'élévation des concentrations de TGOS (AST), de TGPS (ALT), de LDH et de phosphatase alcaline sérique.

DIAGNOSTICS INFIRMIERS POSSIBLES

- **Énoncés diagnostiques**
- □ Douleur.
- □ Altération de la mobilité physique.
- □ Prise en charge inefficace du programme thérapeutique.
- □ *Risque élevé d'accident.*
- □ *Risque élevé de déficit nutritionnel.*
- □ *Risque élevé d'atteinte à l'intégrité des tissus.*
- □ *Risque élevé d'atteinte à l'intégrité de la peau.*

- **Facteurs favorisants**
- □ Informations incomplètes.
- □ *Perturbation de la vigilance.*
- □ *Manque de connaissances sur les effets secondaires affectant l'appareil gastro-intestinal.*
- □ *Manque de connaissances sur les modalités du traitement.*
- □ *Manque de connaissances sur la méthode d'administration du médicament.*
- □ *Manque de connaissances sur les moyens de réduire la photosensibilité.*

INTERVENTIONS INFIRMIÈRES

- **Directives générales:** L'administration concomitante d'analgésiques narcotiques peut intensifier les effets analgésiques, ce qui permet de réduire la dose de narcotique.
- □ L'analgésique est plus efficace s'il est administré avant que la douleur ne devienne trop intense.
- **PO:** Pour obtenir une effet initial rapide, administrer le médicament 30 min avant les repas ou 2 h après. On peut l'administrer avec des aliments, du lait ou un antiacide renfermant de l'hydroxyde d'aluminium et de l'hydroxyde de magnésium pour réduire l'irritation gastrique. Les aliments ralentissent, mais ne réduisent pas l'absorption de ce médicament.
- Les préparations entérosolubles et celles à libération prolongée doivent

être avalées telles quelles sans être broyées, brisées ni croquées.

■ **Dysménorrhée**: Administrer le kétoprofène dès que possible après le début des règles. Le traitement prophylactique ne s'est pas avéré efficace.

■ **Suppositoires**: Inciter le patient à retenir le suppositoire pendant 1 h après l'administration.

ENSEIGNEMENT AU PATIENT ET À SES PROCHES

☐ Conseiller au patient de prendre le kétoprofène avec un grand verre d'eau et d'éviter de se coucher pendant les 15 à 30 min suivant l'administration.

☐ Conseiller au patient de respecter scrupuleusement la posologie recommandée. S'il n'a pu prendre le médicament au moment habituel, il doit le prendre dès que possible, à moins que ce ne soit presque l'heure prévue pour la dose suivante. L'avertir qu'il ne doit jamais prendre une dose double.

☐ Prévenir le patient que le kétoprofène peut provoquer de la somnolence ou des étourdissements. Lui conseiller de ne pas conduire et d'éviter les activités qui exigent sa vigilance jusqu'à ce qu'on ait la certitude que le médicament n'entraîne pas ces effets chez lui.

☐ Conseiller au patient de consulter le médecin ou le pharmacien avant de prendre de l'alcool, de l'aspirine, de l'acétaminophène ou tout autre médicament en vente libre, en même temps que le kétoprofène.

☐ Recommander au patient d'utiliser des écrans solaires et de porter des vêtement protecteurs afin de prévenir les réactions de photosensibilité.

☐ Recommander au patient de prévenir le médecin en cas de rash, de démangeaisons, de frissons, de fièvre, de douleurs musculaires, de troubles visuels,

de gain de poids, d'œdème, de selles noires ou de céphalées persistantes.

☐ Recommander au patient qui doit suivre un traitement dentaire ou subir une intervention chirurgicale d'avertir le dentiste ou le médecin qu'il suit un traitement médicamenteux.

VÉRIFICATION DES RÉSULTATS

L'efficacité du traitement est démontrée par: ■ l'amélioration de la mobilité des articulations ■ la diminution de l'intensité de la douleur modérée ■ le soulagement des douleurs arthritiques de quelques jours à 1 semaine après le début du traitement, mais le plein effet du médicament peut ne se manifester qu'après 2 ou 3 semaines. Les patients qui ne répondent pas à un anti-inflammatoire non stéroïdien peuvent répondre à un autre.

KETOROLAC
Acular, Toradol

CLASSIFICATION:
Analgésique non narcotique; anti-inflammatoire non stéroïdien

Grossesse – catégorie B

INDICATIONS

■ Traitement de courte durée de la douleur ■ Prévention et soulagement de l'inflammation oculaire postopératoire chez les patients subissant une extraction du cristallin.

ACTION

■ Inhibition de la synthèse des prostaglandines entraînant l'analgésie par médiation périphérique ■ Propriétés antipyrétiques et anti-inflammatoires. **Effets thérapeutiques:** ■ Suppression de la douleur et de l'inflammation.

PHARMACOCINÉTIQUE

Absorption: Par suite de l'administration PO ou IM, l'absorption est rapide et totale. Par suite de l'administration de gouttes ophtalmiques, l'absorption est infime.

Distribution: Le kétorolac pénètre dans le lait maternel en petites quantités. Une fraction de plus de 99 % se lie aux protéines plasmatiques.

Métabolisme et excrétion: Une fraction de moins de 50 % est métabolisée par le foie. Le kétorolac et ses métabolites sont surtout excrétés par les reins (une fraction de 92 %). Une fraction de 6 % est excrétée dans les fèces.

Demi-vie: 4,5 h (entre 3,8 et 6,3 h; prolongée chez les personnes âgées et les patients souffrant d'insuffisance rénale).

CONTRE-INDICATIONS ET PRÉCAUTIONS

Contre-indications: ■ Hypersensibilité ■ Risque de réactions de sensibilité croisée avec d'autres anti-inflammatoires non stéroïdiens ■ Ulcère gastroduodénal en évolution.

Précautions: ■ Grossesse et enfants (usage déconseillé) ■ Allaitement (la prudence est de mise) ■ Antécédents d'ulcération, d'hémorragie ou de perforation gastro-intestinale ■ Insuffisance rénale (réduire la dose, au besoin) ■ Maladie cardio-vasculaire ■ Infection oculaire (gouttes ophtalmiques).

RÉACTIONS INDÉSIRABLES ET EFFETS SECONDAIRES

Remarque: Les réactions indésirables et les effets secondaires mentionnés ont été notés, sauf indication contraire, lors du traitement par le kétorolac administré PO ou par voie parentérale.

SNC: somnolence, étourdissements, céphalées, altération des opérations de la pensée, euphorie.

ORLO: voies orale et parentérale – vision anormale; gouttes ophtalmiques – conjonctivite, douleurs oculaires, ptosis et kératite.

Resp.: dyspnée, asthme.

CV: œdème, vasodilatation, pâleur.

GI: goût anormal, sécheresse de la bouche, nausées, dyspepsie, douleurs gastro-intestinales, diarrhée, HÉMORRAGIE.

GU: mictions fréquentes, oligurie, toxicité rénale.

Hémat.: allongement du temps de saignement.

Tég.: transpiration, prurit, urticaire, purpura.

Locaux: douleur au point d'injection.

SN: paresthésie.

INTERACTIONS

Médicament – médicament: ■ Le kétorolac peut entraîner l'élévation des concentrations sériques du **lithium** et augmenter le risque de toxicité ■ Le médicament réduit la clearance du **méthotrexate** et accroît le risque de toxicité ■ Risque de toxicité additive lors de l'administration concomitante d'autres **anti-inflammatoires non stéroïdiens** ou d'**aspirine** ■ Risque de vision brouillée ou réduite ou des deux symptômes lorsque la préparation ophtalmique de kétorolac est administrée en même temps que d'autres **anti-inflammatoires non stéroïdiens**.

VOIES D'ADMINISTRATION ET POSOLOGIE

■ **PO (adultes):** 10 mg, toutes les 4 à 6 h (ne pas dépasser 40 mg par jour).

■ **IM (adultes):** 30 mg au départ, puis de 10 à 30 mg, toutes les 4 à 6 h (ne pas dépasser 120 mg/jour).

■ **Gouttes ophtalmiques (adultes):** 1 ou 2 gouttes, toutes les 6 à 8 h pendant 24 h avant l'intervention chirurgicale et pendant 3 à 4 semaines en période postopératoire.

PHARMACODYNAMIE (effets analgésiques)

	DÉBUT D'ACTION	PIC	DURÉE
PO et IM	environ 10 min	75 – 150 min	3 – 6 h
gouttes ophtalmiques	inconnu	inconnu	inconnue

K

SOINS INFIRMIERS

ÉVALUATION DE LA SITUATION

☐ Les patients souffrant d'asthme, d'allergie induite par l'aspirine et de polypes nasaux sont davantage prédisposés à des réactions d'hypersensibilité. Suivre de près la rhinite, l'asthme et l'urticaire.

☐ Noter le type de douleur, son siège et son intensité, avant le traitement et de 1 à 2 h après l'administration du médicament.

■ **Étude des examens diagnostiques et biochimiques :** Noter les résultats des tests de l'exploration fonctionnelle hépatique et particulièrement les concentrations de TGOS (AST) et de TGPS (AST), à intervalles réguliers, chez les patients recevant un traitement prolongé puisque le kétorolac peut entraîner l'élévation de ces concentrations.

☐ Le kétorolac peut allonger le temps de saignement, signe qui peut persister pendant 24 à 48 h après l'arrêt du traitement.

DIAGNOSTICS INFIRMIERS POSSIBLES

■ **Énoncés diagnostiques**
☐ Douleur.
☐ Prise en charge inefficace du programme thérapeutique.
☐ *Risque élevé d'accident.*
☐ *Risque élevé d'atteinte à l'intégrité des tissus.*

■ **Facteurs favorisants**
☐ Informations incomplètes.
☐ *Perturbation de la vigilance.*
☐ *Manque de connaissances sur la méthode d'administration du médicament.*
☐ *Manque de connaissances sur les modalités du traitement.*

INTERVENTIONS INFIRMIÈRES

☐ **PO :** Administrer le médicament après les repas ou avec des aliments ou avec un antiacide pour réduire l'irritation gastrique.

☐ L'administration concomitante d'analgésiques narcotiques peut intensifier les effets analgésiques, ce qui permet de réduire la dose de narcotique.

☐ On peut administrer le kétorolac, au besoin ou de façon régulière, selon le type de douleur et selon son intensité.

ENSEIGNEMENT AU PATIENT ET À SES PROCHES

■ **Directives générales :** Conseiller au patient de prendre le médicament par voie orale avec un grand verre d'eau et d'éviter de se coucher pendant les 15 à 30 min suivant l'administration.

☐ Montrer au patient qui prend le médicament à la maison comment s'auto-administrer l'injection IM. Conseiller au patient de respecter scrupuleusement la posologie recommandée. S'il n'a pu prendre le médicament au moment habituel, il doit le prendre dès que possible, à moins que ce ne soit presque l'heure prévue pour la dose suivante. L'avertir qu'il ne doit jamais prendre une dose double.

☐ Prévenir le patient que le kétorolac peut provoquer de la somnolence ou des étourdissements. Lui conseiller de ne pas conduire et d'éviter les activités qui exigent sa vigilance jusqu'à ce qu'on ait la certitude que le médicament n'entraîne pas ces effets chez lui.

☐ Conseiller au patient d'éviter de boire de l'alcool et de consulter le médecin ou le pharmacien avant de prendre de l'aspirine, de l'acétaminophène ou tout autre médicament en vente libre, pendant le traitement au kétorolac.

☐ Recommander au patient qui doit suivre un traitement dentaire ou subir une intervention chirurgicale d'avertir le dentiste ou le médecin qu'il suit un traitement médicamenteux.

☐ Recommander au patient de prévenir le médecin en cas de rash, de démangeaisons, de troubles visuels, de gain

de poids, d'œdème, de selles noires ou de céphalées persistantes.
- **Gouttes ophtalmiques:** Montrer au patient comment il faut administrer les gouttes ophtalmiques. (La méthode d'administration des gouttes ophtalmiques est indiquée à l'annexe H.) Recommander au patient d'éviter tout contact entre le bout de l'applicateur et une surface quelle qu'elle soit pour que la préparation reste stérile.

VÉRIFICATION DES RÉSULTATS

L'efficacité du traitement est démontrée par:
- la diminution de l'intensité de la douleur. Les patients qui ne répondent pas à un anti-inflammatoire non stéroïdien peuvent répondre à un autre - la prévention et le soulagement de l'inflammation oculaire.

LABÉTALOL
Trandate, (Normodyne)

CLASSIFICATION:
Bêtabloquant non sélectif;
antihypertenseur bêtabloquant

Grossesse – catégorie C

INDICATIONS

- **PO:** Traitement de l'hypertension en monothérapie ou en association avec d'autres agents - **IV:** Traitement d'urgence de l'hypertension grave. **Usages non approuvés:** - **PO:** Angine de poitrine - **IV:** Induction d'une hypotension contrôlée pendant une intervention chirurgicale.

ACTION

- Blocage de la stimulation des récepteurs bêta$_1$ (myocardiques) et bêta$_2$ (pulmonaires, vasculaires ou utérins) - Activité de blocage alpha-adrénergique entraînant la vasodilatation périphérique et l'hypotension orthostatique. **Effets thérapeutiques:** - Diminution de la fré-quence cardiaque et abaissement de la pression artérielle.

PHARMACOCINÉTIQUE

Absorption: Même si le médicament est absorbé par suite de l'administration PO, en raison de son métabolisme rapide, sa biodisponibilité systémique est faible (25 %).
Distribution: Le labétalol pénètre dans le SNC en quantités modérées. Il traverse le placenta et pénètre dans le lait maternel.
Métabolisme et excrétion: Métabolisme hépatique important.
Demi-vie: De 3 à 8 h.

CONTRE-INDICATIONS ET PRÉCAUTIONS

Contre-indications: - Hypersensibilité - Hypersensibilité aux parabènes (administration IV seulement) - Insuffisance cardiaque non compensée - Œdème pulmonaire - Choc cardiogène - Bradycardie - Bloc cardiaque - Grossesse ou allaitement (faible score d'Apgar, risque d'apnée, de bradycardie et d'hypoglycémie chez le nouveau-né).
Précautions: - Thyrotoxicose ou hypoglycémie (le médicament peut en masquer les symptômes) - Arrêt brusque du traitement déconseillé - Insuffisance rénale (il est conseillé de réduire la dose) - Enfants (l'innocuité du médicament n'a pas été établie).

RÉACTIONS INDÉSIRABLES ET EFFETS SECONDAIRES

SNC: fatigue, faiblesse, étourdissements, dépression, perte de la mémoire, modification des opérations de la pensée, cauchemars.
CV: BRADYCARDIE, INSUFFISANCE CARDIAQUE, ŒDÈME PULMONAIRE, hypotension orthostatique, vasoconstriction périphérique.
ORLO: sécheresse des yeux (alacrymie), vision trouble.
GI: constipation, diarrhée, nausées, altération du goût.

GU: impuissance, baisse de la libido, rétention urinaire.

Tég.: rash, démangeaisons.

End.: hyperglycémie, hypoglycémie.

Loc.: douleurs articulaires, arthralgie.

Resp.: bronchospasme, respiration sifflante.

INTERACTIONS

Médicament – médicament: ■ L'administration concomitante d'une anesthésie par l'**halothane** peut entraîner une dépression myocardique grave ■ Risque d'effets bradycardiques additifs lors de l'administration concomitante de **dérivés digitaliques** ■ Risque d'effets hypotenseurs additifs lors de l'administration concomitante d'autres **antihypertenseurs** ou de **dérivés nitrés** ou de l'ingestion d'**alcool** ■ L'administration concomitante d'**extraits thyroïdiens** peut diminuer l'efficacité du médicament ■ Le labétalol peut entraver l'effet des **bronchodilatateurs bêta-adrénergiques** ■ La **cimétidine** réduit le métabolisme du labétalol et peut en augmenter la toxicité ■ L'administration de **glutéthimide** peut réduire les effets du labétalol ■ Le labétalol peut masquer la tachycardie produite par la **nitroglycérine** ■ L'administration d'**inhibiteurs de la MAO** peut entraîner de l'hypertension jusqu'à 14 jours après l'arrêt du traitement par ces agents (éviter l'usage concomitant).

Médicament – aliments: ■ Les aliments augmentent l'absorption par suite de l'administration PO.

VOIES D'ADMINISTRATION ET POSOLOGIE

- **PO (adultes):** 100 mg, 2 fois par jour; augmenter par paliers de 100 mg, tous les 2 ou 3 jours jusqu'à l'obtention de la réponse souhaitée. La dose d'entretien habituelle est de 200 à 400 mg, 2 fois par jour.
- **IV (adultes):** 20 mg; on peut administrer des doses supplémentaires de 40 mg à des intervalles de 10 min,

jusqu'à l'obtention de la réponse souhaitée ou administrer par perfusion à un débit de 2 mg/min (la dose totale ne doit pas dépasser 300 mg).

PHARMACODYNAMIE (effet antihypertenseur)

	DÉBUT D'ACTION	PIC	DURÉE
PO	20 min – 2 h	1 – 4 h	8 – 12 h
IV	2 – 5 min	5 – 15 min	2 – 4 h (jusqu'à 24 h)

✳ SOINS INFIRMIERS

ÉVALUATION DE LA SITUATION

☐ Mesurer la pression artérielle et le pouls à intervalles fréquents au cours de la période d'adaptation de la posologie et, à intervalles réguliers, pendant toute la durée du traitement. Si le pouls est inférieur à 50 battements par minute, consulter le médecin avant d'administrer le médicament.

■ Lors de l'administration IV du labétalol et pendant 3 h par la suite, les patients doivent être en position couchée. Prendre les signes vitaux, toutes les 5 à 15 min, pendant l'administration et pendant plusieurs heures par la suite. Aider le patient à se lever et surveiller l'apparition d'une hypotension orthostatique.

■ Effectuer le bilan quotidien des ingesta et des excreta et peser le patient tous les jours. Surveiller à intervalles réguliers les signes suivants d'insuffisance cardiaque: œdème périphérique, dyspnée, râles et crépitations, fatigue, gain pondéral, turgescence des jugulaires.

■ **Étude des examens diagnostiques et biochimiques:** Examiner les fonctions rénale et hépatique et la numération globulaire à intervalles réguliers lors du traitement prolongé.

■ Le labétalol peut entraîner l'élévation des concentrations sériques de potassium, d'acide urique, de LDH, de TGOS (AST), de TGPS (ALT), de phosphatase alcaline, d'urée, de lipoprotéines et de triglycérides ainsi que des titres des anticorps antinucléaires.

DIAGNOSTICS INFIRMIERS POSSIBLES

■ **Énoncés diagnostiques**
□ Diminution du débit cardiaque.
□ Prise en charge inefficace du programme thérapeutique.
□ Non-observance du traitement médicamenteux.
□ *Risque élevé d'accident.*

■ **Facteurs favorisants**
□ Informations incomplètes.
□ Doute quant aux bienfaits du médicament.
□ *Fatigue et faiblesse.*
□ *Manque de connaissances sur les effets hypotensifs du médicament lors des changements brusques de position.*
□ *Manque de connaissances sur la méthode d'administration du médicament.*
□ *Difficulté à s'adapter aux changements nécessaires dans les habitudes de vie.*
□ *Manque de connaissances sur les modalités du traitement.*

INTERVENTIONS INFIRMIÈRES

■ **PO:** Administrer avec des aliments ou immédiatement après les repas pour intensifier l'absorption du médicament.
■ **IV:** La solution peut être transparente et incolore ou légèrement teintée de jaune.
■ **IV directe:** Administrer en injectant 20 mg en 2 min; augmenter la dose à 40 mg, toutes les 10 min, jusqu'à l'obtention de l'effet désiré.
■ **Perfusion continue:** Ajouter 200 mg à 160 mL de diluant (solution à 1 mg/ 1 mL) ou 200 mg à 250 mL de diluant

(solution à 2 mg/3 mL). Les diluants compatibles incluent les solutions suivantes: dextrose à 5 % dans de l'eau, NaCl à 0,9 %, dextrose à 5 % avec du NaCl à 0,25 % ou à 0,9 %, dextrose à 5 % avec une solution de Ringer ou lactate Ringer, solution de Ringer et solution de lactate Ringer.

■ *Vitesse d'administration:* Administrer à une vitesse de 2 mg à la minute et adapter la posologie pour obtenir la réponse souhaitée. Administrer par une pompe à perfusion pour s'assurer que le patient reçoit la dose juste.

■ **Compatibilités (tubulure en Y):** Acétate de sodium, amikacine, aminophylline, ampicilline, butorphanol, céfazoline, ceftazidime, ceftizoxime, chloramphénicol, chlorure de potassium, cimétidine, clindamycine, co-trimoxazole, dopamine, énalaprilate, famotidine, fentanyl, gentamicine, gluconate de calcium, héparine, lactobionate d'érythromycine, lidocaïne, métronidazole, morphine, pénicilline G potassique, pipéracilline, phosphate de potassium, ranitidine, sulfate de magnésium, tobramycine ou vancomycine.

■ **Incompatibilités (tubulure en Y):** Céfopérazone ou nafcilline.

■ **Incompatibilité en addition au soluté:** Bicarbonate de sodium.

ENSEIGNEMENT AU PATIENT ET À SES PROCHES

□ Conseiller au patient de respecter scrupuleusement la posologie recommandée et de continuer à prendre le médicament même s'il se sent mieux. S'il n'a pu prendre le médicament au moment habituel, il doit le prendre dès que possible, mais au moins 8 h avant l'heure prévue pour la dose suivante. Un sevrage brusque peut déclencher une réaction grave et provoquer des arythmies, de l'hypertension ou l'ischémie du myocarde. Le labétalol stabilise la pression artérielle, mais ne guérit pas l'hypertension.

□ Montrer au patient et à ses proches comment prendre le pouls et la pression artérielle. Leur demander de mesurer le pouls tous les jours et la pression artérielle deux fois par semaine. Recommander au patient de ne pas prendre le médicament et d'informer le médecin si son pouls est inférieur à 50 battements par minute ou si sa pression artérielle change considérablement.

□ Recommander au patient de changer lentement de position et de ne pas rester en station debout pendant des périodes prolongées pour prévenir le risque d'hypotension orthostatique. Conseiller au patient de demander de l'aide lorsqu'il doit se déplacer pendant la période d'adaptation posologique.

□ Inciter le patient à appliquer d'autres mesures de réduction de l'hypertension : perdre du poids, réduire sa consommation de sel, diminuer le stress, faire régulièrement de l'exercice, boire modérément et cesser de fumer.

□ Prévenir le patient que le médicament peut le rendre plus sensible au froid.

□ Conseiller au patient de consulter le médecin ou le pharmacien avant de prendre un médicament en vente libre pendant son traitement au labétalol.

□ Recommander au patient diabétique de surveiller attentivement sa glycémie, particulièrement lorsqu'il se sent fatigué, faible ou irritable.

□ Recommander au patient qui doit suivre un traitement dentaire ou subir une intervention chirurgicale d'avertir le dentiste ou le médecin qu'il suit un traitement médicamenteux.

□ Conseiller au patient de porter sur lui en tout temps une pièce d'identité où sont inscrits son problème de santé et son traitement médicamenteux.

Vérification des résultats
L'efficacité du traitement peut être démontrée par : la baisse de la pression artérielle.

LACTULOSE
Alpha-Lac, Cephulac, Chronulac, Comalose-R, Gel-Ose, Lactulax, PMS-Lactulose, Rhodialax, Rhodialose, (Cholac), (Constilac)

CLASSIFICATION :
Laxatif hyperosmotique

Grossesse – catégorie inconnue

INDICATIONS
■ Soulagement de la constipation chronique chez les adultes et les personnes âgées ■ Prévention et traitement de l'encéphalopathie portocave, y compris les phases du précoma et du coma hépatique.

ACTION
■ Amollissement et augmentation du contenu hydrique des selles ■ Inhibition de la diffusion de l'ammoniaque du côlon vers le sang entraînant par le fait même la diminution des concentrations sanguines d'ammoniaque. **Effets thérapeutiques :** ■ Soulagement de la constipation et diminution des concentrations sanguines d'ammoniaque.

PHARMACOCINÉTIQUE
Absorption : Une fraction de moins de 3 % est absorbée, par suite de l'administration PO.
Distribution : Inconnue.
Métabolisme et excrétion : Le lactulose absorbé est excrété à l'état inchangé dans l'urine. Le lactulose non absorbé est métabolisé par les bactéries du côlon et transformé en acide lactique, acétique et formique.
Demi-vie : Inconnue.

CONTRE-INDICATIONS ET PRÉCAUTIONS
Contre-indications : Patients suivant un régime pauvre en lactose (Comalose-R) ou en galactose.

L

Précautions: ■ Diabète sucré ■ Grossesse, allaitement ou enfants (l'innocuité du médicament n'a pas été établie) ■ Usage excessif ou prolongé (risque de pharmacodépendance).

RÉACTIONS INDÉSIRABLES ET EFFETS SECONDAIRES

GI: crampes, distension, flatulence, éructations, diarrhée.

End.: hyperglycémie (patients diabétiques).

INTERACTIONS

Médicament – médicament: ■ Ne pas administrer en même temps que d'autres **laxatifs** lors du traitement de l'encéphalopathie portocave ■ L'administration concomitante de **néomycine** peut réduire l'efficacité du lactulose dans le traitement de l'encéphalopathie portocave.

VOIES D'ADMINISTRATION ET POSOLOGIE

Remarque: Le médicament renferme 10 g de lactulose par 15 mL de sirop ou par 24,5 g de gelée (Gel-Ose).

Constipation

■ **PO (adultes):** de 10 à 40 g (15 à 60 mL) par jour.

Encéphalopathie portocave

■ **PO (adultes):** de 20 à 30 g (30 à 45 mL), 3 ou 4 fois par jour ou toutes les heures jusqu'à ce que l'effet laxatif se manifeste.

■ **PR (adultes):** 200 g (300 mL) de lactulose dilué; administrer comme lavement à garder.

PHARMACODYNAMIE
(soulagement de la constipation)

	DÉBUT D'ACTION	PIC	DURÉE
PO	24 – 48 h	inconnu	inconnue

※ SOINS INFIRMIERS

ÉVALUATION DE LA SITUATION

■ **Directives générales:** Suivre de près la distension abdominale, ausculter les bruits intestinaux, noter les habitudes normales d'élimination intestinale.

□ Noter la couleur, la consistance et la quantité des selles.

■ **Encéphalopathie portocave:** Évaluer l'orientation et le niveau de conscience du patient avant le traitement et à intervalles réguliers pendant toute sa durée.

■ **Étude des examens diagnostiques et biochimiques:** Le lactulose diminue les concentrations d'ammoniaque de 25 à 50 %.

□ Le lactulose peut entraîner l'élévation de la glycémie chez les patients diabétiques.

□ Mesurer les concentrations sériques des électrolytes lorsque le lactulose est utilisé en traitement de longue durée. Le médicament peut provoquer la diarrhée et, par conséquent, l'hypokaliémie et l'hypernatrémie.

DIAGNOSTICS INFIRMIERS POSSIBLES

■ **Énoncés diagnostiques**

□ Constipation.

□ Prise en charge inefficace du programme thérapeutique.

□ *Risque élevé de déséquilibre hydroélectrolytique.*

■ **Facteurs favorisants**

□ Informations incomplètes.

□ *Manque de connaissances sur les modalités du traitement.*

□ *Manque de connaissances sur les moyens de stimuler la fonction intestinale.*

INTERVENTIONS INFIRMIÈRES

■ **Directives générales:** La coloration foncée de la solution n'est pas un signe d'altération de la puissance.

- **PO:** Mélanger le lactulose à un jus de fruits, à de l'eau, à du lait ou à une boisson gazeuse à l'orange ou au citron pour en améliorer le goût. Administrer avec un grand verre d'eau ou de jus. Le médicament peut être pris à jeun pour en accélérer l'effet.
- **PR:** Administrer le lavement par une sonde rectale à ballonnet. Mélanger 300 mL de lactulose à 700 mL d'eau ou de solution de NaCl à 0,9 %. Demander au patient de garder le lavement pendant 30 à 60 min. Si l'évacuation s'effectue avant, répéter l'administration.

ENSEIGNEMENT AU PATIENT ET À SES PROCHES

☐ Inciter le patient à recourir à d'autres méthodes de régulation de la fonction intestinale : consommer plus de fibres alimentaires et de liquides et faire plus d'exercice. Expliquer au patient que les habitudes d'élimination intestinale normales varient d'une personne à l'autre et qu'il est tout aussi normal d'avoir 3 selles par jour que 3 selles par semaine.

☐ Prévenir le patient que ce médicament peut entraîner des éructations, de la flatulence ou des crampes abdominales. Lui conseiller d'avertir le médecin si ces symptômes deviennent gênants ou si une diarrhée survient.

VÉRIFICATION DES RÉSULTATS

L'efficacité du traitement peut être démontrée par : ■ l'émission de selles molles et bien moulées, habituellement dans les 24 à 48 h ■ la disparition de la confusion, de l'apathie et de l'irritation et l'amélioration de l'état de conscience lors du traitement de l'encéphalopathie portocave ☐ l'émission de selles molles, 2 ou 3 fois par jour en moyenne, par suite de l'adaptation posologique lors du traitement de l'encéphalopathie portocave. L'amélioration peut devenir notable dans les 2 h suivant le lavement ou dans les 24 à 48 h suivant l'administration PO.

LARMES ARTIFICIELLES

Eyelube, Hypotears, Isopto Tears, Lacril Larmes artificielles, Lacrisert, Liquifilm Forte, Liquifilm, Moisture Drops, Murine, Murocel, Ocutears, PMS-Artificial Tears, R.D.-yeux secs, Refresh, Teardrops, Tears Naturale, Tears Plus, (Adsorbotear), (Akwa Tears), (Artificial Tears Solution), (I-Liqui Tears), (Isopto Alkaline), (Isopto Plain), (Just Tears), (Lyteers), (Muro Tears), (Neo-tears), (Tearisol), (Tears Renewed), (Ultra Tears)

CLASSIFICATION :
Préparation ophtalmique – larmes artificielles

Grossesse – catégorie inconnue

INDICATIONS

■ Remplacement des larmes naturelles par une préparation isotonique pour traiter la sécheresse ou l'irritation oculaires dues à l'alacrymie ■ Lubrification des prothèses oculaires ou lubrification lors du port de lentilles cornéennes rigides.

ACTION

■ Remplacement des larmes naturelles ■ Solution isotonique contenant des tampons, des agents de conservation et des agents qui augmentent la viscosité de l'œil et prolongent le temps de contact ■ Épaississement des larmes existantes et prévention de leur dégradation (pellets). **Effets thérapeutiques :** ■ Soulagement de la sécheresse et de l'irritation oculaires dues à l'alacrymie.

PHARMACOCINÉTIQUE

Absorption : Absorption minime des ingrédients de la préparation. L'action est surtout locale.

Distribution : Inconnue.

Métabolisme et excrétion : Nuls.

Demi-vie : Inconnue.

CONTRE-INDICATIONS ET PRÉCAUTIONS

Contre-indications : ■ Hypersensibilité aux ingrédients suivants : □ divers tampons (acide borique) □ agents augmentant la viscosité (méthylcellulose, hydroxypropylméthylcellulose, propylène glycol, gélatine, dextran, alcool polyvinylique, polyéthylène glycol) □ agents de conservation (chlorure de benzalkonium, méthyl-parabène et propyl-parabène, EDTA, chlorobutanol).

Précautions : Porteurs de verres de contact (les solutions peuvent ne pas être compatibles avec tous les types de lentilles).

RÉACTIONS INDÉSIRABLES ET EFFETS SECONDAIRES

ORLO : photophobie, enflure des paupières, picotements (pellets seulement), vision passagèrement trouble.

INTERACTIONS

Médicament – médicament : Aucune interaction notable.

VOIES D'ADMINISTRATION ET POSOLOGIE

Solution

■ **Gouttes ophtalmiques (adultes et enfants) :** 1 ou 2 gouttes, 3 ou 4 fois par jour, selon les besoins.

Pellet oculaire

■ **Pellets (adultes) :** 1 pellet, 1 ou 2 fois par jour.

PHARMACODYNAMIE (soulagement de la sécheresse oculaire)

	DÉBUT D'ACTION	PIC	DURÉE*
Gouttes ophtalmiques	immédiat	inconnu	6 – 8 h
Pellet oculaire	rapide	inconnu	12 h

* Selon la fréquence d'administration.

✳ SOINS INFIRMIERS

ÉVALUATION DE LA SITUATION

Suivre de près toute modification de la vision ainsi que la présence d'une irritation et d'une inflammation oculaires.

DIAGNOSTICS INFIRMIERS POSSIBLES

■ **Énoncés diagnostiques**
□ Altération de la perception visuelle.
□ Prise en charge inefficace du programme thérapeutique.
□ *Risque élevé d'infection.*
□ *Risque élevé d'accident.*

■ **Facteurs favorisants**
□ Informations incomplètes.
□ *Manque de connaissances sur la méthode d'administration du médicament.*
□ *Manque de connaissances sur les moyens de réduire la photosensibilité et sur l'importance d'un suivi ophtalmologique.*

INTERVENTIONS INFIRMIÈRES

■ **Préparation ophtalmique :** Le mode d'emploi des préparations ophtalmiques est indiqué à l'annexe H.
■ **Pellet oculaire :** Deux applicateurs par boîte. Introduire le pellet dans le fond du sac conjonctival inférieur.

ENSEIGNEMENT AU PATIENT ET À SES PROCHES

■ **Directives générales :** Montrer au patient comment instiller la solution ou comment introduire le pellet. S'il n'a pu s'administrer l'agent au moment habituel, il doit le faire dès que possible. Le patient devrait consulter le médecin avant de porter des verres de contact.
□ Prévenir le patient que les larmes artificielles peuvent rendre la vision trouble. Lui recommander de ne pas conduire jusqu'à ce qu'on ait la certitude que le médicament n'entraîne pas cet effet chez lui. Les larmes artificielles peuvent également accroître

L

la photosensibilité; le port de lunettes de soleil peut soulager ce trouble.

☐ Expliquer au patient que ses cils peuvent s'entremêler. Lui conseiller de se laver les paupières en partant du canthus interne vers le canthus externe.

☐ Recommander au patient de prévenir le médecin si l'irritation ou la gêne oculaires augmentent ou si la vision trouble persiste.

☐ Recommander au patient utilisant des préparations en vente libre de consulter le médecin si le trouble ne disparaît pas en l'espace de trois jours.

■ Pellet: Recommander au patient de remplacer le pellet oculaire par un nouveau si le premier venait à tomber afin de prévenir la contamination de l'œil. Si le patient a la vue passagèrement brouillée, lui conseiller de retirer le pellet quelques heures après l'avoir placé afin de prévenir cet effet secondaire. Il peut par la suite en introduire un nouveau, au besoin.

☐ Insister sur le besoin d'examens ophtalmologiques réguliers permettant de déterminer la réponse au traitement.

VÉRIFICATION DES RÉSULTATS

L'efficacité du traitement peut être démontrée par: le soulagement de la sécheresse des yeux.

LEUCOVORINE CALCIQUE
5-formyl tétrahydrofolate, acide folinique, Facteur Citrovorum, Lederle Leucovorin calcique, Leucovorine calcique, (Wellcovorin)

CLASSIFICATION:
Antidote du méthotrexate et des antagonistes de l'acide folique; vitamine – analogue de l'acide folique

Grossesse – catégorie C

INDICATIONS

■ Réduction des effets hématologiques d'un traitement avec des doses élevées de méthotrexate («récupération par la leucovorine») ■ Traitement du surdosage par les antagonistes de l'acide folique (pyriméthamine et triméthoprime) ■ Traitement de l'anémie mégaloblastique due à une carence en folate ■ Traitement palliatif du cancer colorectal avancé en association avec le fluorouracile.

ACTION

■ Forme réduite de l'acide folique servant de cofacteur dans la synthèse de l'ADN et de l'ARN. **Effets thérapeutiques:** ■ Renversement des effets toxiques des antagonistes de l'acide folique, comme le méthotrexate et le triméthoprime ■ Renversement des effets de la carence en acide folique ■ Augmentation de la cytotoxicité du fluorouracile.

PHARMACOCINÉTIQUE

Absorption: Par suite de l'administration PO, l'absorption est rapide. Plus la dose augmente, plus la biodisponibilité du médicament diminue.

Distribution: L'agent se répartit dans tout l'organisme. Il se concentre dans le SNC et dans le foie.

Métabolisme et excrétion: Une importante fraction est transformée en dérivés tétrahydrofoliques dont le 5-méthyltétrahydrofolate, forme sous laquelle le médicament est mis en réserve dans l'organisme en quantités importantes.

Demi-vie: 3,5 h.

CONTRE-INDICATIONS ET PRÉCAUTIONS

Contre-indications: Hypersensibilité.

Précautions: ■ Anémie non diagnostiquée (la leucovorine calcique peut masquer l'évolution de l'anémie pernicieuse) ■ Grossesse et allaitement (bien que l'innocuité du médicament n'ait pas été établie, il existe des antécédents d'utilisation sans danger dans le traitement de l'anémie mégaloblastique pendant la grossesse) ■ Administration concomitante de fortes doses de méthotrexate (il faut synchroniser parfaitement les doses et connaître les concentrations de méthotrexate ■ Ascite ■ Insuffisance rénale ■ Déshydratation ■ Épanchement pleural ■ pH urinaire inférieur à 7.

RÉACTIONS INDÉSIRABLES ET EFFETS SECONDAIRES

Hémat.: thrombocytose (méthotrexate par voie intra-artérielle seulement).

Divers: réactions allergiques (rash, urticaire, respiration sifflante).

INTERACTIONS

Médicament – médicament: La leucovorine calcique peut réduire l'effet anticonvulsivant des **barbituriques**, de la **phénytoïne** ou de la **primidone**.

VOIES D'ADMINISTRATION ET POSOLOGIE

Doses élevées de méthotrexate – Récupération par la leucovorine

Remarque: La leucovorine doit être administrée dans les 24 h suivant l'administration du méthotrexate.

■ **PO, IM et IV (adultes et enfants):** 10 mg/m^2, puis 10 mg/m^2 PO, toutes les 6 h pendant 72 h. Si après 24 h la concentration de créatinine sérique a augmenté de 50 % par rapport à la valeur initiale, augmenter la dose à 100 mg/m^2, toutes les 3 h, jusqu'à ce que la concentration sérique de méthotrexate soit inférieure à 1×10^{-8} M. De nombreux autres protocoles de récupération peuvent être utilisés.

Anémie mégaloblastique

■ **PO, IM et IV (adultes et enfants):** jusqu'à 1 mg par jour.

Traitement de la toxicité hématologique attribuable à d'autres antagonistes de l'acide folique

■ **PO, IM et IV (adultes et enfants) (É.-U.):** de 5 à 15 mg.

Prévention de la toxicité hématologique attribuable à d'autres antagonistes de l'acide folique

■ **IM et IV (adultes et enfants) (É.-U.):** de 0,4 à 0,5 mg avec chaque dose d'antagoniste de l'acide folique.

Cancer colorectal avancé

■ **IV (adultes et enfants):** 200 mg/m^2 pendant 5 jours consécutifs en association avec le fluorouracile. Le traitement peut être répété toutes les 4 semaines.

PHARMACODYNAMIE (concentrations sériques de folate)

	DÉBUT D'ACTION	PIC	DURÉE
PO	< 5 min	inconnu	3 – 6 h
IM	< 5 min	inconnu	3 – 6 h
IV	< 5 min	inconnu	3 – 6 h

☀ SOINS INFIRMIERS

ÉVALUATION DE LA SITUATION

■ **Directives générales:** Surveiller l'apparition de nausées et de vomissements attribuables au traitement par le méthotrexate ou au surdosage par un antagoniste de l'acide folique (pyriméthamine et triméthoprime); prévenir le médecin, le cas échéant. L'administration parentérale pourrait s'avérer nécessaire pour s'assurer que le patient reçoive la dose adéquate.

☐ Suivre de près l'apparition d'une réaction allergique: rash, urticaire, respiration sifflante. Prévenir le médecin si ces symptômes se manifestent.

■ **Anémie mégaloblastique:** Déterminer le degré de faiblesse et de fatigue.

■ **Récupération par la leucovorine:** Examiner les concentrations sériques de méthotrexate afin de déterminer la dose à administrer et l'efficacité du traitement. Les concentrations de leucovorine calcique devraient être égales ou supérieures à celles du méthotrexate. Le traitement doit se poursuivre jusqu'à ce que les concentrations sériques de méthotrexate soient inférieures à 1×10^{-8} M.

☐ Noter la clearance de la créatinine et la concentration sérique de créatinine avant le traitement et toutes les 24 h durant le traitement afin de déceler les effets toxiques du méthotrexate. Une élévation de plus de 50 %, après 24 h, par rapport à la concentration antérieure au traitement, est associée à une toxicité rénale grave.

☐ Obtenir le pH de l'urine toutes les 6 h pendant toute la durée du traitement. Le pH doit demeurer supérieur à 7 pour pouvoir diminuer les effets néphrotoxiques des doses élevées de méthotrexate. Le médecin peut prescrire du bicarbonate de sodium ou de l'acétazolamide pour alcaliniser l'urine.

■ **Anémie mégaloblastique:** Noter les concentrations plasmatiques d'acide folique, l'hémoglobine, l'hématocrite et le nombre de réticulocytes avant le traitement et à intervalles réguliers pendant toute sa durée.

DIAGNOSTICS INFIRMIERS POSSIBLES

■ **Énoncés diagnostiques**
☐ Risque élevé d'accident.
☐ Déficit nutritionnel.
☐ Prise en charge inefficace du programme thérapeutique.
☐ *Risque élevé d'accident.*

■ **Facteurs favorisants**
☐ Informations incomplètes.
☐ *Manque de connaissances sur les modalités du traitement.*
☐ *Manque de connaissances sur le régime alimentaire à suivre.*

INTERVENTIONS INFIRMIÈRES

■ **Directives générales:** S'assurer que la leucovorine calcique se trouve à portée de la main avant l'administration de fortes doses de méthotrexate. Administrer la leucovorine dans les 24 h suivant l'administration du méthotrexate.

☐ Administrer dès que possible après l'ingestion de doses toxiques d'antagonistes de l'acide folique (pyriméthamine et triméthoprime) puisque l'efficacité du traitement commence à s'atténuer 1 h après le surdosage.

■ **Cancer colorectal:** Administrer la leucovorine juste avant le fluorouracile.

■ **IM:** La voie IM est la voie d'administration préférée pour traiter l'anémie mégaloblastique. Le contenu des ampoules de leucovorine calcique pour injection IM ne nécessite aucune reconstitution.

■ **IV:** Reconstituer le contenu de la fiole de 50 mg de leucovorine calcique pour injection avec 5 mL d'eau bactériostatique ou d'eau stérile pour injection pour obtenir une concentration de 10 mg/mL. Utiliser 17,5 mL de diluant pour les fioles de 350 mg afin d'obtenir une concentration de 20 mg/mL. Utiliser immédiatement la solution reconstituée avec de l'eau stérile pour injection. La solution reste stable pendant 3 jours au réfrigérateur si elle a été reconstituée avec de l'eau bactériostatique pour injection.

■ **IV directe:** Ne pas administrer à une vitesse supérieure à 16 mL/min.

■ **Perfusion intermittente:** La leucovorine calcique peut être diluée dans 100 à 500 mL de solution de dextrose à 5 % dans de l'eau, de solution de NaCl à 0,9 %, de solution de Ringer ou de solution de lactate Ringer. La solution est stable pendant 24 h.

■ **Associations compatibles dans la même seringue et compatibilités (tubulure en Y):** Bléomycine, cisplatine, cyclophosphamide, doxorubicine, fluorouracile, furosémide, héparine, méthotrexate, métoclopramide, mitomycine, vinblastine ou vincristine.

■ **Association incompatible dans la même seringue ou incompatibilité (tubulure en Y):** Dropéridol.

■ **Compatibilité en addition au soluté:** Floxuridine.

ENSEIGNEMENT AU PATIENT ET À SES PROCHES

- **Directives générales:** Expliquer au patient le but du traitement. Insister sur la nécessité de respecter scrupuleusement la posologie recommandée. Conseiller au patient de prévenir le médecin s'il n'a pu prendre une dose.
- ☐ Recommander au patient de boire au moins 3 litres de liquides par jour pendant le traitement de récupération par la leucovorine.
- **Carence en acide folique:** Encourager le patient à consommer des aliments riches en acide folique (protéines d'origine animale, son, haricots secs et légumes verts à feuilles).

VÉRIFICATION DES RÉSULTATS

L'efficacité du traitement peut être démontrée par: ■ la résorption de la toxicité médullaire et gastro-intestinale en cas de traitement par le méthotrexate ou de surdosage par les antagonistes de l'acide folique ■ une sensation de mieux-être et l'élévation de la production de normoblastes chez les patients souffrant d'anémie mégaloblastique ■ le ralentissement de la propagation du cancer colorectal avancé.

LEUPROLIDE

Lupron, Lupron Dépôt, (Leuprorelin)

CLASSIFICATION:
Antinéoplasique – hormone

**Grossesse – catégorie X
(préparation retard seulement)**

INDICATIONS

■ **SC et IM:** Traitement palliatif du cancer avancé (stade D$_2$) de la prostate chez les patients qui ne peuvent tolérer l'orchidectomie ou l'œstrogénothérapie ■ **IM:** Traitement de l'endométriose.

ACTION

■ Analogue synthétique de l'hormone de libération de la gonadotrophine (LH-RH) ■ Initialement, élévation transitoire des concentrations de testostérone; toutefois, ces concentrations diminuent lors de l'administration continue du médicament. **Effets thérapeutiques:** ■ Diminution des concentrations de testostérone et, par conséquent, réduction de la propagation du cancer de la prostate ■ Diminution de la douleur et des lésions associées à l'endométriose.

PHARMACOCINÉTIQUE

Absorption: Absorption rapide et presque complète par suite de l'administration SC. Absorption plus lente par suite de l'administration IM de la préparation retard.
Distribution: Inconnue.
Métabolisme et excrétion: Inconnus.
Demi-vie: 3 h.

CONTRE-INDICATIONS ET PRÉCAUTIONS

Contre-indications: Intolérance aux analogues synthétiques de la LH-RH.
Précautions: Hypersensibilité à l'alcool benzylique (induration et érythème au point d'injection SC).

RÉACTIONS INDÉSIRABLES ET EFFETS SECONDAIRES

SNC: étourdissements, céphalées.
ORLO: vision trouble.
CV: œdème des membres inférieurs.
GI: constipation, anorexie, nausées, vomissements.
GU: baisse de la libido, impuissance, suppression de la fonction des gonades.
End.: gynécomastie.
Locaux: brûlures, démangeaisons, rougeur au point d'injection SC.
Loc.: intensification passagère de la douleur osseuse, myalgie.
SN: engourdissement ou picotements des mains ou des pieds.
Divers: bouffées vasomotrices, intensification passagère de la douleur tumorale.

INTERACTIONS

Médicament – médicament: Effets antinéoplasiques additifs lors de l'administration concomitante d'**agents antiandrogènes (mégestrol, flutamide)**.

VOIES D'ADMINISTRATION ET POSOLOGIE

Cancer de la prostate
- **SC (adultes):** 1 mg par jour.
- **IM (adultes):** 7,5 mg par mois.

Endométriose
- **IM (adultes):** 3,75 mg par mois pendant 6 mois.

PHARMACODYNAMIE
(baisse des concentrations sériques de testostérone)

	DÉBUT D'ACTION	PIC	DURÉE
SC	1 – 2 semaines*	2 – 4 semaines	inconnue

* Après une élévation passagère des concentrations de testostérone au cours de la première semaine de traitement.

SOINS INFIRMIERS

ÉVALUATION DE LA SITUATION

- **Cancer de la prostate:** Chez le patient présentant des métastases aux vertèbres, suivre de près l'intensification des douleurs lombaires et la diminution de la fonction sensorimotrice.
- Effectuer le bilan des ingesta et des excreta. Chez le patient présentant une occlusion des voies urinaires au début du traitement, surveiller également la distension de la vessie pendant les premières phases du traitement.
- **Endométriose:** Suivre de près la douleur endométriale avant le début du traitement et, à intervalles réguliers, pendant toute sa durée.
- **Étude des examens diagnostiques et biochimiques:** Le leuprolide entraîne, au départ, l'élévation et, ensuite, la diminution des concentrations d'hormone lutéinisante (LH) et d'hormone folliculostimulante (FSH). Chez les hommes, ce phénomène entraîne l'atteinte de concentrations de testostérone équivalentes à celle qu'on trouve lors d'une castration, 2 à 4 semaines après l'élévation initiale des concentrations.
- Suivre de près les concentrations de phosphatase acide pour évaluer la réponse au traitement. On peut noter une élévation passagère de ces concentrations au cours du 1er mois de traitement du cancer de la prostate.

DIAGNOSTICS INFIRMIERS POSSIBLES

- **Énoncés diagnostiques**
- Dysfonctionnement sexuel.
- Prise en charge inefficace du programme thérapeutique.
- *Risque élevé d'intolérance à l'activité.*
- *Risque élevé d'agitation.*
- *Risque élevé d'anxiété.*

- **Facteurs favorisants**
- Informations incomplètes.
- *Douleurs articulaires.*
- *Distension vésicale.*
- *Manque de connaissances sur les effets secondaires du médicament.*
- *Manque de connaissances sur la méthode d'administration du médicament.*
- *Manque de connaissances sur les modalités du traitement.*

INTERVENTIONS INFIRMIÈRES

- **SC et IM:** Utiliser la seringue fournie par le fabricant. Assurer la rotation des sites d'injection.
- Le leuprolide retard est *réservé* à l'administration IM.

ENSEIGNEMENT AU PATIENT ET À SES PROCHES

- **Directives générales:** Prévenir le patient que le médicament peut entraîner des bouffées vasomotrices. Lui recommander de contacter le médecin si celles-ci deviennent gênantes.
- **Cancer de la prostate:** Montrer au patient et à ses proches comment administrer les injections SC. Lire avec

lui les renseignements destinés aux patients inscrits sur le dépliant fourni avec la trousse d'administration du leuprolide.

□ Conseiller au patient de respecter scrupuleusement la posologie recommandée. S'il n'a pu prendre le médicament au moment habituel, il doit le prendre dès que possible, sauf s'il se rend compte de l'oubli le lendemain seulement.

□ Prévenir le patient que les douleurs osseuses peuvent s'intensifier au début du traitement, mais qu'elles disparaîtront après quelque temps. Conseiller au patient de demander au médecin s'il peut recourir à un analgésique pour soulager la douleur.

□ Recommander au patient de prévenir immédiatement le médecin en cas de difficultés de miction, de faiblesses ou d'engourdissements.

■ **Endométriose:** Pendant le traitement, conseiller à la patiente d'utiliser une autre méthode contraceptive que la prise de contraceptifs oraux. Prévenir la patiente que l'aménorrhée est prévisible, mais qu'on ne peut la considérer comme une garantie de contraception.

VÉRIFICATION DES RÉSULTATS

L'efficacité du traitement peut être démontrée par : ■ la diminution de la propagation du cancer avancé de la prostate ■ la diminution des lésions et de la douleur associées à l'endométriose.

LÉVAMISOLE
Ergamisol

CLASSIFICATION :
Antinéoplasique – modulateur du système immunitaire

Grossesse – catégorie C

INDICATIONS

■ Traitement d'appoint en association avec le fluorouracile, après une résection complète d'un carcinome du côlon du stade Dukes C ■ Traitement d'appoint en cas de mélanome malin à mauvais pronostic, après exérèse chirurgicale complète et exclusion de métastase ■ Syndrome néphrotique à récidives fréquentes et répondant aux corticostéroïdes chez les enfants.

ACTION

■ Rétablissement d'une fonction immunitaire déprimée incluant la formation d'anticorps, la réponse des lymphocytes T, la phagocytose et le chimiotactisme ■ Effets cholinergiques. **Effets thérapeutiques :** ■ Réponse immunitaire accrue à la présence de tumeurs, lors de l'administration en association ou non avec le fluorouracile ■ Rémission complète, réduction de la posologie des stéroïdes nécessaire pour obtenir une telle rémission ou réduction de l'incidence de la récidive du syndrome néphrotique.

PHARMACOCINÉTIQUE

Absorption : Absorption rapide par suite de l'administration PO.
Distribution : Inconnue.
Métabolisme et excrétion : Le médicament est fortement métabolisé par le foie.
Demi-vie : De 3 à 4 h.

CONTRE-INDICATIONS ET PRÉCAUTIONS

Contre-indications : ■ Hypersensibilité ■ Grossesse.
Précautions : ■ Aplasie médullaire ■ Autres maladies chroniques débilitantes ■ Patientes en âge de procréer ■ Allaitement et enfants (l'innocuité du médicament n'a pas été établie).

RÉACTIONS INDÉSIRABLES ET EFFETS SECONDAIRES

Remarque : Effets et réactions se manifestant lors du traitement d'association avec le fluorouracile.
SNC : fatigue, étourdissements, céphalées, somnolence, dépression, nervosité, insomnie, anxiété, oublis.

ORLO : altération de l'odorat, sécrétion anormale de larmes, conjonctivite, vision trouble.

GI : nausées, vomissements, stomatite, diarrhée, anorexie, douleurs abdominales, flatulence, dyspepsie, goût anormal.

Tég. : dermatite, alopécie, prurit, modification de la couleur de la peau.

Hémat. : anémie, leucopénie, thrombocytopénie, AGRANULOCYTOSE.

Loc. : arthralgie, myalgie.

SN : paresthésie, ataxie.

Divers : fièvre, frissons.

INTERACTIONS

Médicament – médicament : ■ Aplasie médullaire accrue lors de l'administration concomitante d'autres **antinéoplasiques** ou d'une **radiothérapie** ■ L'ingestion d'**alcool** peut entraîner une réaction similaire à celle provoquée par le disulfirame ■ Le lévamisole peut entraîner l'élévation des concentrations sanguines de **phénytoïne** et le risque de toxicité.

VOIES D'ADMINISTRATION ET POSOLOGIE

Carcinome du côlon

■ **PO (adultes) :** initialement 50 mg, toutes les 8 h, pendant 3 jours, toutes les 2 semaines en association avec 450 mg/m² par jour de fluorouracile pendant 5 jours ; 28 jours plus tard, 450 mg/m² de fluorouracile, une fois par semaine.

Mélanome malin

■ **PO (adultes) :** 2,5 mg/kg par jour, de préférence le soir, 2 jours de suite par semaine.

Syndrome néphrotique

■ **PO (enfants âgés de 1 à 15 ans) :** 2,5 mg/kg par jour, au moins 2 fois par semaine ou tous les 2 jours.

PHARMACODYNAMIE (concentrations sanguines)

	DÉBUT D'ACTION	PIC	DURÉE
PO	inconnu	1,5 – 2 h	inconnue

✶ SOINS INFIRMIERS

ÉVALUATION DE LA SITUATION

☐ Noter l'apparence des muqueuses, le nombre et la consistance des selles et la fréquence des vomissements. Surveiller l'apparition de la fièvre, de frissons, de maux de gorge et de signes d'infection. Suivre de près les saignements : saignements des gencives, formation d'ecchymoses, pétéchies, présence de sang occulte dans les selles, l'urine et les vomissements par la méthode de gaïac. Éviter les injections IM et la prise de température dans le rectum. Appliquer une pression sur les points de ponction veineuse pendant 10 min. Prévenir le médecin en présence des symptômes suivants de toxicité : stomatite, vomissements incoercibles, diarrhée, hémorragie digestive, nombre de leucocytes inférieur à $3,5 \times 10^9$/L, nombre de plaquettes inférieur à 100×10^9/L ou hémorragie quelle qu'elle soit. Si ces symptômes se manifestent, il faut arrêter le traitement.

■ **Étude des examens diagnostics et biochimiques :** Suivre de près la fonction hématologique avant le traitement et pendant toute sa durée. Examiner, le premier jour du traitement au lévamisole et au fluorouracile, la numération globulaire, la formule leucocytaire, la numération plaquettaire, les électrolytes et les résultats des tests de l'exploration fonctionnelle hépatique. Par la suite, noter la numération globulaire et la formule leucocytaire une fois par semaine, avant chaque traitement au fluorouracile. Examiner le bilan électrolytique et les résultats des tests de l'exploration fonctionnelle hépatique tous les 3 mois pendant 1 an. Si le nombre de leucocytes se situe entre 2,5 et $3,5 \times 10^9$/L, interrompre l'administration du fluorouracile jusqu'à ce que ce nombre soit supérieur à $3,5 \times 10^9$/L. Si le nombre de leucocytes < $2,5 \times 10^9$/L, suspendre l'administration du fluorouracile jusqu'à ce que ce nombre soit supérieur à $3,5 \times 10^9$/L et diminuer la dose de 20 %. Si la numération leucocytaire demeure inférieure à $2,5 \times 10^9$/L, pendant plus de 10 jours malgré l'interruption de l'administration du fluorouracile, arrêter le traitement au lévamisole. Interrompre le traitement au lévamisole et au fluorouracile si la numération plaquettaire est inférieure à 100×10^9/L. La neutropénie se résorbe habituellement après l'arrêt du traitement.

DIAGNOSTICS INFIRMIERS POSSIBLES

- **Énoncés diagnostiques**
- ☐ Risque élevé d'infection.
- ☐ Déficit nutritionnel.
- ☐ Prise en charge inefficace du programme thérapeutique.
- ☐ *Risque élevé d'atteinte à l'intégrité des tissus.*
- ☐ *Risque élevé d'atteinte à l'intégrité de la muqueuse buccale.*
- ☐ *Risque élevé de perturbation situationnelle de l'estime de soi.*

- **Facteurs favorisants**
- ☐ Informations incomplètes.
- ☐ *Manque de connaissances sur les moyens de prévenir les effets secondaires du médicament.*
- ☐ *Manque de connaissances sur les effets secondaires affectant l'appareil gastro-intestinal.*
- ☐ *Manque de connaissances sur les modalités du traitement.*
- ☐ *Manque de connaissances sur les moyens de prévenir ou de réduire la sécheresse de la bouche.*
- ☐ *Altération de l'image corporelle.*

INTERVENTIONS INFIRMIÈRES

- **Directives générales:** Le traitement au lévamisole ne doit être amorcé que 7 jours après l'intervention chirurgicale et, au plus tard, 30 jours après. Le traitement au fluorouracile ne doit être amorcé que 21 jours après l'intervention chirurgicale ou, au plus tard, 35 jours après, chez les patients non hospitalisés, ambulatoires, s'alimentant par voie orale, dont les plaies sont bien cicatrisées et qui se sont complètement remis des complications postopératoires. Si le traitement au lévamisole a été amorcé de 7 à 20 jours après l'intervention chirurgicale, instituer le traitement au fluorouracile lors de la deuxième cure de lévamisole; si le traitement au lévamisole est amorcé de 21 à 30 jours après l'intervention chirurgicale, instituer le traitement au fluorouracile lors de la première cure de lévamisole.
- ☐ Consulter la monographie du fluorouracile pour obtenir des renseignements précis sur son administration.
- **PO:** Administrer le lévamisole, toutes les 8 h, pendant 3 jours. Répéter la cure tous les 14 jours pendant 1 an.

ENSEIGNEMENT AU PATIENT ET À SES PROCHES

- ☐ Recommander au patient de signaler immédiatement au médecin la survenue de symptômes pseudo-grippaux ou de malaises. Il faut également prévenir le médecin en cas de fièvre, de frissons, de maux de gorge, de signes d'infection, de saignement des gencives, de formation d'ecchymoses, de pétéchies et de sang dans les selles, l'urine et les vomissements. Conseiller au patient d'éviter les foules et les personnes contagieuses. Lui recommander d'utiliser une brosse à dents à poils doux et un rasoir électrique. Prévenir le patient qu'il ne doit pas prendre de médicaments renfermant de l'aspirine.
- ☐ Recommander au patient de ne pas boire d'alcool, car il risque de manifester une réaction similaire à celle provoquée par le disulfirame (crampes abdominales, nausées, céphalées, bouffées vasomotrices, hypoglycémie).

- Conseiller au patient de se rincer la bouche avec de l'eau après avoir bu et mangé et de ne pas utiliser de la soie dentaire afin de réduire le risque de stomatite. Lui recommander de consulter le médecin si les douleurs buccales l'empêchent de s'alimenter.
- Expliquer au patient qu'il risque de perdre ses cheveux. Explorer avec lui les stratégies lui permettant de s'adapter à ce changement.
- Recommander au patient de ne pas se faire vacciner sans recommandation expresse du médecin.
- Inciter la patiente à recourir à une méthode de contraception pendant le traitement.
- Insister sur l'importance d'examens diagnostiques et biochimiques à intervalles réguliers, permettant de suivre de près l'évolution de la maladie et les effets secondaires du médicament.

VÉRIFICATION DES RÉSULTATS

L'efficacité du traitement peut être démontrée par : ■ l'intensification de la réponse immunologique en présence d'une tumeur lors du traitement d'association avec le fluorouracile ■ la réduction de la propagation du mélanome malin ■ une rémission complète, une réduction de la dose de corticostéroïdes nécessaire pour obtenir une telle rémission ou une réduction de l'incidence de la récidive du syndrome néphrotique.

LÉVOBUNOLOL
Betagan

CLASSIFICATION :
Gouttes ophtalmiques – bêtabloquant ; traitement du glaucome

Grossesse – catégorie C

INDICATIONS
Réduction de la pression intraoculaire chez les patients souffrant de glaucome chronique à angle ouvert ou d'hypertension oculaire d'intensité légère à modérée.

ACTION

■ Blocage des récepteurs bêta-adrénergiques de l'œil, ce qui réduit la production d'humeur aqueuse ■ Possibilité de blocage des récepteurs $bêta_1$ (myocardiques) et $bêta_2$ (pulmonaires), même si les effets systémiques sont minimes. **Effets thérapeutiques :** ■ Abaissement de la pression intraoculaire.

PHARMACOCINÉTIQUE

Absorption : Même si l'absorption systémique est minime, elle peut survenir par suite de l'administration dans l'œil.
Distribution : Par suite de l'administration dans l'œil, le médicament se répartit dans tous les tissus oculaires.
Métabolisme et excrétion : Le lévobunolol est surtout métabolisé par le foie.
Demi-vie : De 60 à 90 min (dans les yeux), de 5 à 6 h (dans le plasma).

CONTRE-INDICATIONS ET PRÉCAUTIONS

Contre-indications : ■ Hypersensibilité au lévobunolol ou aux bisulfites ■ Insuffisance cardiaque non compensée ■ Œdème pulmonaire ■ Choc cardiogène ■ Bradycardie ■ Bloc cardiaque.
Précautions : ■ Insuffisance cardiaque ■ Diabète sucré ■ Maladie pulmonaire sous-jacente, incluant l'asthme ■ Myasthénie grave ou thyrotoxicose ■ Grossesse, allaitement ou enfants (l'innocuité du médicament n'a pas été établie).

RÉACTIONS INDÉSIRABLES ET EFFETS SECONDAIRES

CV : bradycardie, œdème pulmonaire.
ORLO : picotements dans les yeux, conjonctivite, érythème, blépharite, réduction de l'acuité visuelle.
Resp. : bronchospasme.
Tég. : rash.

INTERACTIONS

Médicament – médicament : ■ Risque d'effets additifs de blocage bêta-adrénergique, lors de l'administration concomitante de **bêtabloquants systémiques (acébutolol, aténolol, labétalol, métoprolol, nadolol, pindolol, propranolol** ou **timolol)** ■ L'administration concomitante d'autres **antihypertenseurs** ou de **dérivés nitrés** peut entraîner des effets hypotenseurs additifs en cas d'absorption systémique du lévobunolol ■ Effets additifs lors de l'administration concomitante d'autres **gouttes ophtalmiques** douées de propriétés hypotensives.

VOIES D'ADMINISTRATION ET POSOLOGIE

Gouttes ophtalmiques (adultes) : 1 goutte de solution à 0,25 %, 2 fois par jour ou 1 goutte de solution à 0,5 %, 1 ou 2 fois par jour.

PHARMACODYNAMIE

	DÉBUT D'ACTION	PIC	DURÉE
gouttes ophtalmiques	1 h	2 – 6 h	24 h

SOINS INFIRMIERS

ÉVALUATION DE LA SITUATION

☐ Mesurer la pression intraoculaire à intervalles réguliers pendant tout le traitement.

☐ Mesurer la fréquence cardiaque et la pression artérielle à intervalles réguliers pendant toute la durée du traitement. Le lévobunolol peut réduire le débit cardiaque si une absorption systémique se produit.

■ **Étude des examens diagnostiques et biochimiques :** Le lévobunolol peut entraîner l'élévation ou la diminution de la glycémie.

DIAGNOSTICS INFIRMIERS POSSIBLES

■ **Énoncés diagnostiques**

☐ Altération de la perception visuelle.

☐ Prise en charge inefficace du programme thérapeutique.

☐ *Risque élevé d'accident.*

☐ *Risque élevé de surinfection.*

■ **Facteurs favorisants**

☐ Informations incomplètes.

☐ *Manque de connaissances sur les modalités du traitement.*

☐ *Altération de la perception visuelle.*

☐ *Manque de connaissances sur la méthode d'administration du médicament.*

☐ *Manque de connaissances sur les moyens de réduire la photosensibilité et sur l'importance d'un suivi ophtalmologique.*

INTERVENTIONS INFIRMIÈRES

■ **Gouttes ophtalmiques :** La méthode d'administration des gouttes ophtalmiques est indiquée à l'annexe H.

☐ Lorsque le lévobunolol est substitué à d'autres agents destinés au traitement du glaucome, arrêter le médicament administré en monothérapie. Si un bêtabloquant est utilisé avec plusieurs autres agents, arrêter l'administration du bêtabloquant avant d'amorcer le traitement au lévobunolol. Afin de stabiliser la pression intraoculaire, on peut administrer le lévobunolol en même temps qu'un agent muscarinique (pilocarpine, échothiopate, carbachol), un bêta-agoniste (gouttes ophtalmiques d'épinéphrine ou de dipivéfrine) et/ou un inhibiteur systémique de l'anhydrase carbonique (acétazolamide).

ENSEIGNEMENT AU PATIENT ET À SES PROCHES

☐ Conseiller au patient de respecter scrupuleusement la posologie recommandée et de ne pas augmenter la dose. S'il n'a pu prendre le médicament au moment habituel, il doit le prendre dès que possible, sauf s'il est presque l'heure prévue pour la dose suivante. Si la posologie est uniquotidienne, ne pas instiller la dose oubliée.

☐ Montrer au patient comment instiller les gouttes ophtalmiques. Lui expliquer qu'il doit éviter de toucher une quelconque surface avec le bout de l'applicateur.

☐ Informer le patient diabétique que le lévobunolol peut masquer certains signes d'hypoglycémie et qu'il peut entraîner l'élévation ou la diminution de la glycémie s'il y a absorption systémique.

☐ Recommander au patient qui doit suivre un traitement dentaire ou subir une intervention chirurgicale d'avertir le dentiste ou le médecin qu'il suit un traitement médicamenteux. L'arrêt graduel du lévobunolol peut être nécessaire.

☐ Recommander au patient de prévenir le médecin en présence d'irritation ou d'inflammation oculaire, de baisse de la vue, de rash ou de démangeaisons.

☐ Insister sur l'importance des examens de suivi permettant de mesurer l'efficacité du traitement.

VÉRIFICATION DES RÉSULTATS

L'efficacité du traitement peut être démontrée par : la baisse de la pression intraoculaire.

LÉVOCARNITINE

L-carnitine, (Carnitor), (VitaCarn)

CLASSIFICATION :
Dérivé des acides aminés

Grossesse – catégorie C

INDICATIONS

Traitement de la carence systémique primaire en carnitine.

ACTION

■ Composé d'acides aminés, dérivé de la méthionine et de la lysine, favorisant l'utilisation des acides gras pour le métabolisme cellulaire et la production d'énergie.
Effets thérapeutiques : ■ Baisse des concentrations de triglycérides et d'acides gras libres prévenant l'atteinte des organes cibles en présence d'une carence en carnitine.

PHARMACOCINÉTIQUE

Absorption : Bonne absorption par suite de l'administration PO.
Distribution : La lévocarnitine se retrouve dans le lait maternel.
Métabolisme et excrétion : La lévocarnitine est entièrement utilisée pendant le métabolisme cellulaire.
Demi-vie : Inconnue.

CONTRE-INDICATIONS ET PRÉCAUTIONS

Contre-indications : Aucune contre-indication connue.
Précautions : L'usage de la D, L-carnitine est déconseillée, car elle peut aggraver la carence en L-carnitine.

RÉACTIONS INDÉSIRABLES ET EFFETS SECONDAIRES

GI : nausées, vomissements, crampes abdominales, diarrhée.
Divers : odeur corporelle reliée à l'utilisation du médicament.

INTERACTIONS

Médicament – médicament : ■ L'administration concomitante d'**acide valproïque** peut augmenter les besoins en carnitine ■ Ne pas administrer la **D, L-carnitine** en présence d'une carence en L-carnitine, car l'agent peut aggraver cette carence.

VOIES D'ADMINISTRATION ET POSOLOGIE

■ **PO (adultes) :** initialement, 1 g par jour (ou 990 mg si on utilise les comprimés) ; augmenter graduellement, selon

la tolérance du patient, jusqu'à 3 g par jour en doses fractionnées, toutes les 3 ou 4 h.
- **PO (enfants):** initialement, 50 mg/kg par jour; augmenter, selon la tolérance du patient, jusqu'à 100 mg/kg par jour en doses fractionnées, toutes les 3 ou 4 h (ne pas dépasser 3 g par jour).

PHARMACODYNAMIE

	DÉBUT D'ACTION	PIC	DURÉE
PO	inconnu	inconnu	inconnue

SOINS INFIRMIERS

ÉVALUATION DE LA SITUATION
- ☐ Prendre les signes vitaux à intervalles réguliers pendant toute la durée du traitement.
- ☐ Surveiller les signes suivants de carence en carnitine: concentrations élevées de triglycérides et d'acides gras libres, hypoglycémie, hypotonie, léthargie, encéphalopathie, cardiomégalie, insuffisance cardiaque.
- ■ **Étude des examens diagnostiques et biochimiques:** Examiner les paramètres biochimiques du sang et les concentrations plasmatiques de carnitine pendant toute la durée du traitement.

DIAGNOSTICS INFIRMIERS POSSIBLES
- ■ **Énoncés diagnostiques**
- ☐ Déficit nutritionnel.
- ☐ Prise en charge inefficace du programme thérapeutique.
- ■ **Facteurs favorisants**
- ☐ Informations incomplètes.
- ☐ *Manque de connaissances sur les modalités du traitement.*

INTERVENTIONS INFIRMIÈRES
PO: Administrer la préparation telle quelle ou la dissoudre dans une boisson ou dans un aliment liquide. Administrer les doses à intervalles réguliers, toutes les 3 à 4 h avec les repas ou après ceux-ci.

ENSEIGNEMENT AU PATIENT ET À SES PROCHES
- ☐ Conseiller au patient de respecter scrupuleusement la posologie recommandée. Lui conseiller également de boire lentement la solution pour favoriser le plus possible la tolérance.
- ☐ Expliquer au patient que la D, L-carnitine, vendue sous le nom de vitamine B_T dans les magasins de produits naturels, peut aggraver la carence.

VÉRIFICATION DES RÉSULTATS
L'efficacité du traitement peut être démontrée par: ■ la diminution des concentrations de triglycérides et d'acides gras libres ☐ la prévention de l'atteinte des organes cibles en cas de carence prolongée en lévocarnitine.

LÉVODOPA
Larodopa, L-Dopa, (Dopar)

CLASSIFICATION:
Antiparkinsonien – agoniste dopaminergique

Grossesse – catégorie inconnue

INDICATIONS
Traitement des symptômes parkinsoniens modérés ou graves. Le médicament est inefficace en cas de réactions extrapyramidales médicamenteuses.

ACTION
■ La lévodopa est transformée en dopamine dans le SNC où elle sert de neurotransmetteur. **Effets thérapeutiques:** ■ Soulagement des tremblements et de la rigidité qui caractérisent le syndrome parkinsonien.

PHARMACOCINÉTIQUE
Absorption: Bonne absorption par suite de l'administration PO.

Distribution : Le médicament se répartit dans tout l'organisme. La lévodopa, administrée seule, pénètre dans le SNC en faible concentration. Elle pénètre aussi dans le lait maternel.

Métabolisme et excrétion : La lévodopa est principalement métabolisée par le tractus gastro-intestinal et le foie.

Demi-vie : 1 h.

CONTRE-INDICATIONS ET PRÉCAUTIONS

Contre-indications : ■ Hypersensibilité ■ Glaucome à angle étroit ■ Patients recevant des inhibiteurs de la MAO ■ Mélanome malin ■ Lésions cutanées non diagnostiquées ■ Allaitement.

Précautions : ■ Antécédents de cardiopathie, de troubles psychiatriques ou de maladie ulcéreuse ■ Grossesse et enfants de moins de 18 ans (l'innocuité du médicament n'a pas été établie).

RÉACTIONS INDÉSIRABLES ET EFFETS SECONDAIRES

SNC : mouvements involontaires, perte de la mémoire, anxiété, troubles psychiatriques, hallucinations, étourdissements.

ORLO : mydriase, vision trouble.

CV : hypertension, hypotension.

GI : nausées, vomissements, anorexie, sécheresse de la bouche (xérostomie), hépatotoxicité.

Tég. : mélanome.

Hémat. : anémie hémolytique, leucopénie.

Divers : coloration plus foncée de l'urine et de la transpiration.

INTERACTIONS

Médicament – médicament : ■ L'usage simultané d'**inhibiteurs de la MAO** peut déclencher une crise hypertensive ■ Les **phénothiazines**, l'**halopéridol**, la **papavérine**, la **phénytoïne** et la **réserpine** peuvent contrecarrer l'effet bénéfique de la lévodopa ■ Les doses élevées de **pyridoxine** peuvent renverser les effets de la lévodopa ■ L'administration concomi-

tante de **méthyldopa** peut altérer l'efficacité de la lévodopa et accroître le risque d'effets secondaires sur le SNC ■ L'administration concomitante d'**antihypertenseurs** peut entraîner des effets hypotensifs additifs ■ L'absorption de la lévodopa peut être réduite lors de l'administration simultanée d'**anticholinergiques** ■ Risque accru de réactions indésirables (dyskinésie, nausées, hypotension, confusion, hallucinations) lors de l'administration concomitante de **sélégiline** (réduire la dose de lévodopa) ■ Risque accru d'arythmies lors de l'administration simultanée de **cocaïne**.

Médicament – aliments : ■ La consommation d'aliments riches en **pyridoxine** peut renverser l'effet de la lévodopa.

VOIES D'ADMINISTRATION ET POSOLOGIE

PO (adultes) : initialement, de 500 à 1 000 mg, en doses fractionnées, toutes les 6 à 12 h. On peut augmenter la dose par paliers de 125 à 250 mg par jour, tous les 3 ou 4 jours, jusqu'à l'obtention d'une réponse ou jusqu'à concurrence de 8 000 mg par jour. La dose d'entretien habituelle est de 4 000 à 5 000 mg par jour.

PHARMACODYNAMIE (effet antiparkinsonien)

	DÉBUT D'ACTION	PIC	DURÉE
PO	10 – 15 min	inconnu	5 – 24 h ou plus

SOINS INFIRMIERS

ÉVALUATION DE LA SITUATION

☐ Avant le traitement et pendant toute sa durée, surveiller les symptômes parkinsoniens suivants : akinésie, rigidité, tremblements, démarche traînante, faciès rigide, bouche ouverte laissant échapper la salive (sialorrhée). En raison des fluctuations de réponse (effet « on-off »), certains symptômes peuvent survenir ou s'améliorer brusquement.

- ☐ Mesurer la pression artérielle et le pouls à intervalles fréquents pendant la période d'adaptation posologique.
- ■ **Toxicité et surdosage :** Suivre de près les signes suivants de toxicité : soubresauts musculaires involontaires, grimaces, clignements d'yeux spasmodiques, protrusion de la langue, modifications du comportement. Prévenir rapidement le médecin si ces symptômes se manifestent.
- ■ **Étude des examens diagnostiques et biochimiques :** Le médicament peut entraîner des résultats faussement positifs au test de Coombs ainsi que des concentrations faussement élevées d'acide urique sérique et urinaire, de gonadotrophine sérique, de norépinéphrine urinaire et de protéines urinaires.
- ☐ Le médicament peut modifier les résultats des tests de glycosurie et d'acétonurie. Le test de la glycosurie par la méthode au sulfate de cuivre (Clinitest) et celui de l'acétonurie par la méthode du bâtonnet (Ketostix) peuvent révéler des résultats faussement positifs. Le dosage de la glycosurie par la méthode à la glucose-oxydase (Tes-Tape) peut donner des résultats faussement négatifs.
- ☐ Les patients suivant un traitement prolongé doivent se soumettre à intervalles réguliers à des tests de l'exploration fonctionnelle hépatique et rénale et à des analyses pour déterminer la numération globulaire. Le médicament peut élever les concentrations d'urée, de TGOS (AST), de TGPS (ALT), de bilirubine, de phosphatase alcaline, de LDH et d'iode lié aux protéines.

DIAGNOSTICS INFIRMIERS POSSIBLES

■ Énoncés diagnostiques
- ☐ Altération de la mobilité physique.
- ☐ Risque élevé d'accident.

- ☐ Prise en charge inefficace du programme thérapeutique.
- ☐ *Risque élevé d'atteinte à l'intégrité de la muqueuse buccale.*
- ☐ *Risque élevé d'anxiété.*

■ Facteurs favorisants
- ☐ Informations incomplètes.
- ☐ *Manque de connaissances sur les modalités du traitement.*
- ☐ *Manque de connaissances sur le régime alimentaire à suivre.*
- ☐ *Manque de connaissances sur les moyens de prévenir ou de réduire la sécheresse de la bouche.*
- ☐ *Manque de connaissances sur les effets secondaires du médicament.*
- ☐ *Manque de connaissances sur les effets hypotensifs du médicament lors des changements brusques de position.*

INTERVENTIONS INFIRMIÈRES

- ■ **Directives générales :** Demander au médecin s'il faut continuer d'administrer le médicament au patient qui doit rester à jeun ou qui doit subir incessamment une intervention chirurgicale.
- ☐ Lors de la substitution de la lévodopa par la carbidopa/lévodopa, ne commencer ce nouveau traitement que 8 h après la dernière dose de lévodopa. L'ajout de la carbidopa réduit le besoin en lévodopa de 75 %. L'administration de la carbidopa, peu de temps après celle d'une dose entière de lévodopa, peut entraîner l'intoxication.
- ■ **PO :** Administrer le médicament peu de temps avant les repas pour réduire l'irritation gastrique. Si l'on administre le médicament après les repas ou lors des repas, on risque d'en retarder les effets. Cependant, une telle administration peut être nécessaire pour réduire l'irritation gastrique. Si le patient éprouve des difficultés de déglutition, demander conseil au pharmacien.

ENSEIGNEMENT AU PATIENT ET À SES PROCHES

☐ Conseiller au patient de respecter scrupuleusement la posologie recommandée. S'il n'a pu prendre le médicament au moment habituel, il doit le prendre aussitôt que possible mais au moins 2 h avant l'heure prévue pour la dose suivante. L'avertir qu'il ne doit jamais remplacer une dose manquée par une double dose.

☐ Expliquer au patient qu'il peut réduire l'irritation gastrique s'il prend le médicament peu avant les repas, mais que les aliments riches en protéines peuvent altérer les effets de la lévodopa. Conseiller au patient de répartir les aliments contenant des protéines entre tous les repas pour assurer un apport protéique adéquat et pour conserver l'efficacité du médicament, et de ne pas modifier de façon exagérée le régime alimentaire pendant le traitement sans consulter le médecin au préalable.

☐ Prévenir le patient que la lévodopa peut provoquer de la somnolence ou des étourdissements. Lui conseiller de ne pas conduire et d'éviter les activités qui exigent sa vigilance jusqu'à ce qu'on ait la certitude que le médicament n'entraîne pas ces effets chez lui.

☐ Recommander au patient de changer lentement de position pour réduire les risques d'hypotension orthostatique. Prévenir le médecin si l'hypotension orthostatique se manifeste.

☐ Expliquer au patient qu'il peut réduire la sécheresse buccale en se rinçant souvent la bouche, en pratiquant une bonne hygiène orale et en consommant des bonbons ou de la gomme à mâcher sans sucre.

☐ Conseiller au patient de consulter le médecin ou le pharmacien avant de prendre des médicaments en vente libre, et particulièrement des médicaments contre le rhume, pendant le traitement à la lévodopa. Les patients qui prennent la lévodopa seule ne devraient pas prendre de multivitamines. De fortes quantités de vitamine B_6 (pyridoxine) peuvent altérer les effets de la lévodopa.

☐ Prévenir le patient que l'urine ou la transpiration peuvent prendre une couleur foncée, mais que cet effet n'est pas nuisible.

☐ Recommander au patient de signaler au médecin les symptômes suivants : palpitations, rétention urinaire, mouvements involontaires, modifications du comportement, nausées et vomissements graves ou nouvelles lésions cutanées.

VÉRIFICATION DES RÉSULTATS

L'efficacité du traitement peut être démontrée par : ▪ la disparition des signes et des symptômes parkinsoniens. Les effets thérapeutiques deviennent habituellement manifestes après 2 ou 3 semaines de traitement, mais parfois ils ne sont notables qu'après 6 mois. Chez les patients qui prennent ce médicament pendant plusieurs années, l'effet peut diminuer. L'efficacité du traitement peut parfois être rétablie après un arrêt temporaire de la médication.

LÉVORPHANOL
Levo-Dromoran, (Levorphan)

CLASSIFICATION :
Analgésique narcotique – agoniste
Stupéfiant
Grossesse – catégorie inconnue

INDICATIONS

▪ Traitement de la douleur modérée à grave ▪ Analgésie préopératoire et postopératoire.

ACTION

▪ Liaison aux récepteurs des opiacés du SNC, modifiant la perception de la dou-

leur et la réaction aux stimuli douloureux ■ Dépression généralisée du SNC.
Effets thérapeutiques: ■ Diminution de l'intensité de la douleur.

PHARMACOCINÉTIQUE

Absorption: Bonne absorption par suite de l'administration PO et SC.
Distribution: Inconnue.
Métabolisme et excrétion: Le médicament est surtout métabolisé par le foie.
Demi-vie: De 12 à 16 h.

CONTRE-INDICATIONS ET PRÉCAUTIONS

Contre-indications: ■ Hypersensibilité ■ Grossesse ou allaitement (traitement prolongé à éviter).
Précautions: ■ Traumatisme crânien ■ Pression intracrânienne accrue ■ Maladies rénale, hépatique ou pulmonaire graves ■ Hypothyroïdie ■ Insuffisance surrénalienne ■ Alcoolisme ■ Douleurs abdominales non diagnostiquées ■ Hypertrophie de la prostate ■ Personnes âgées ou patients débilités (il est conseillé de réduire la dose) ■ Antécédents de pharmacodépendance aux narcotiques.

RÉACTIONS INDÉSIRABLES ET EFFETS SECONDAIRES

SNC: sédation, confusion, céphalées, euphorie, sensation de flottement, rêves bizarres, hallucinations, dysphorie.
ORLO: myosis, diplopie, vision trouble.
Resp.: dépression respiratoire.
CV: hypotension, bradycardie.
GI: nausées, vomissements, constipation, sécheresse de la bouche (xérostomie).
GU: rétention urinaire.
Tég.: transpiration, rougeur de la peau.
Divers: tolérance à l'effet du médicament, dépendance physique, dépendance psychologique.

INTERACTIONS

Médicament – médicament: ■ Les **inhibiteurs de la MAO**, administrés simultanément, peuvent produire des réactions graves et imprévisibles (réduire la dose initiale de lévorphanol à 25 % de la dose habituelle) – une extrême prudence est de mise ■ Dépression additive du SNC lors de l'usage concomitant d'**alcool**, d'**antihistaminiques**, d'**antidépresseurs** et d'**hypnosédatifs** ■ L'administration concomitante d'**analgésiques narcotiques antagonistes partiels** peut déclencher le syndrome de sevrage aux narcotiques chez les patients présentant une dépendance physique ■ La **nalbuphine** ou la **pentazocine** peut diminuer l'effet analgésique du lévorphanol.

PRÉSENTATION

Le lévorphanol est présenté sous forme de comprimés ou de solution injectable.

VOIES D'ADMINISTRATION ET POSOLOGIE

Traitement de la douleur
- **PO (adultes):** initialement, de 1 à 2 mg, toutes les 4 à 5 h; on peut augmenter la dose jusqu'à 3 mg, au besoin.
- **SC et IV (adultes):** de 1 à 2 mg, toutes les 4 à 5 h; on peut augmenter la dose jusqu'à 4 mg si la douleur est intense.

Prémédication
- **SC (adultes):** de 1 à 2 mg avec de l'atropine ou de la scopolamine, 90 min avant l'opération.

PHARMACODYNAMIE
(effet analgésique)

	DÉBUT D'ACTION	PIC	DURÉE
PO	10 – 60 min	90 – 120 min	4 – 5 h
SC	inconnu	60 – 90 min	4 – 5 h
IV	inconnu	dans les 20 min	4 – 8 h

☀ SOINS INFIRMIERS

ÉVALUATION DE LA SITUATION

☐ Noter le type de douleur, son siège et son intensité avant l'administration du médicament et 60 min après.

L

□ Mesurer la pression artérielle, le pouls et la fréquence respiratoire avant l'administration et à intervalles réguliers pendant toute sa durée.

□ L'usage prolongé de lévorphanol peut entraîner la dépendance physique et psychologique, ainsi qu'une tolérance à l'effet du médicament, mais cela ne doit pas empêcher le patient de recevoir une quantité suffisante d'analgésique. La psychodépendance est rare chez la plupart des patients qui reçoivent le lévorphanol pour des raisons médicales. Lors d'un traitement prolongé, il faut parfois administrer des doses de plus en plus élevées pour soulager la douleur.

□ Examiner la fonction intestinale du patient à intervalles réguliers. Pour réduire les effets constipants du médicament, augmenter l'apport de liquides et d'aliments riches en fibres et administrer des laxatifs émollients ou des laxatifs d'un autre type.

□ Effectuer le bilan des ingesta et des excreta. En présence d'écarts importants, suivre de près les signes de rétention urinaire et prévenir le médecin.

■ **Étude des examens diagnostiques et biochimiques:** Le lévorphanol peut augmenter les concentrations plasmatiques d'amylase et de lipase.

■ **Toxicité et surdosage:** En cas de surdosage, l'antidote est la naloxone (Narcan).

DIAGNOSTICS INFIRMIERS POSSIBLES

■ **Énoncés diagnostiques**

□ Douleur.

□ Altération de la perception visuelle et auditive.

□ Risque élevé d'accident.

□ *Risque élevé de diarrhée.*

□ *Prise en charge inefficace du programme thérapeutique.*

■ **Facteurs favorisants**

□ *Perturbation de la vigilance.*

□ *Manque de connaissances sur les effets hypotensifs du médicament lors des changements brusques de position.*

□ *Manque de connaissances sur les moyens de stimuler la fonction intestinale.*

□ *Manque de connaissances sur la méthode d'administration du médicament.*

□ *Manque de connaissances sur les modalités du traitement.*

INTERVENTIONS INFIRMIÈRES

■ **Directives générales:** Expliquer au patient la valeur thérapeutique du lévorphanol, avant de l'administrer, pour augmenter l'effet analgésique du médicament.

□ Les doses administrées selon un horaire fixe peuvent être plus efficaces que celles administrées sur demande. Le médicament s'avère plus efficace s'il est administré avant que la douleur ne devienne intense.

□ Les analgésiques non narcotiques, administrés en même temps, peuvent exercer des effets analgésiques additifs, ce qui permet de diminuer les doses de narcotique.

□ Recommander au patient de tourner dans le lit, de tousser et de faire des exercices de respiration profonde toutes les 2 h pour prévenir l'atélectasie.

□ Après un traitement prolongé, interrompre l'administration graduellement pour prévenir les symptômes de sevrage.

■ **PO:** Les comprimés peuvent être administrés avec des aliments ou du lait pour réduire l'irritation gastrique.

■ **SC et IV:** Pour administrer la solution par voie parentérale, installer le patient en position couchée et lui demander de garder cette position pendant au moins 30 à 60 min afin de réduire les effets secondaires.

- **IV directe :** Administrer la solution lentement, en 3 à 5 min. Une administration rapide peut entraîner une dépression respiratoire accrue, de l'hypotension et le collapsus cardiovasculaire. Ne pas amorcer l'administration IV sans avoir l'antidote à portée de la main.
- **Association compatible dans la même seringue :** Glycopyrrolate.
- **Incompatibilités en addition au soluté :** Aminophylline, amobarbital, bicarbonate de sodium, chlorothiazide, chlorure d'ammonium, héparine, iodure de sodium, méthicilline, pentobarbital, phénobarbital, phénytoïne, sécobarbital ou thiopental.

ENSEIGNEMENT AU PATIENT ET À SES PROCHES

- □ Expliquer au patient ce qu'on entend par administration sur demande et à quel moment il doit réclamer l'analgésique.
- □ Conseiller au patient de respecter scrupuleusement la posologie recommandée. Si la dose perd de son efficacité après quelques semaines, ne pas l'augmenter sans avoir consulté le médecin au préalable.
- □ Prévenir le patient que le lévorphanol peut provoquer des étourdissements ou de la somnolence. Lui recommander de demander de l'aide lorsqu'il se déplace et de ne pas fumer lorsqu'il est seul. Lui conseiller de ne pas conduire et d'éviter les activités qui exigent sa vigilance jusqu'à ce qu'on ait la certitude que le médicament n'entraîne pas ces effets chez lui.
- □ Recommander au patient de changer lentement de position pour diminuer les risques d'hypotension orthostatique.
- □ Recommander au patient d'éviter de boire de l'alcool et de ne pas prendre d'autres dépresseurs du SNC en même temps que le lévorphanol.

□ Expliquer au patient ambulatoire qu'il peut soulager les nausées et les vomissements en s'allongeant.

VÉRIFICATION DES RÉSULTATS

L'efficacité du traitement peut être démontrée par : la diminution de l'intensité de la douleur sans modification importante de l'état de la conscience, de la fonction respiratoire ou de la pression artérielle.

LÉVOTHYROXINE
Eltroxin, Synthroid, T_4, (Levoid), (Levothroid), (Levoxine)

CLASSIFICATION :
Hormone – thyroïde

Grossesse – catégorie A

INDICATIONS

■ Suppression de l'hormone thyréotrope (TSH) hypophysaire dans le traitement préventif de divers types de goitres euthyroïdiens ■ Agent diagnostique utilisé lors des épreuves de suppression pour aider au diagnostic d'une hyperthyroïdie bénigne soupçonnée ou d'une glande thyroïde autonome ■ Hormonothérapie substitutive lorsque la fonction thyroïdienne est diminuée ou absente pour diverses raisons. La lévothyroxine entraîne un effet prévisible et normalisé.

ACTION

■ Accélération du métabolisme basal des tissus (effet principal) ■ Activation de la glyconéogenèse, augmentation de l'utilisation et de la mobilisation des réserves de glycogène et stimulation de la synthèse protéique ■ Stimulation de la croissance et de la différenciation cellulaires et effet favorable sur le développement du cerveau et du SNC. **Effets thérapeutiques :** ■ Hormonothérapie substitutive en cas de carence ■ Rétablissement de l'équilibre hormonal.

PHARMACOCINÉTIQUE

Absorption: Absorption variable (de 50 à 80 %) depuis le tractus gastro-intestinal.

Distribution: Le médicament se répartit dans presque tous les tissus de l'organisme. Les hormones thyroïdiennes ne traversent pas facilement le placenta et seule une quantité minime pénètre dans le lait maternel.

Métabolisme et excrétion: La lévothyroxine est métabolisée par le foie. Elle subit plusieurs cycles entérohépatiques. Le médicament est excrété dans les fèces par la bile.

Demi-vie: De 6 à 7 jours.

CONTRE-INDICATIONS ET PRÉCAUTIONS

Contre-indications: ■ Hypersensibilité ■ Infarctus du myocarde récent ■ Thyrotoxicose.

Précautions: ■ Maladie cardiovasculaire ■ Insuffisance rénale grave ■ Troubles corticosurrénaux non résolus ■ Personnes âgées et patients myxœdémateux (sensibilité intense aux hormones thyroïdiennes; réduire considérablement la dose initiale) ■ Grossesse (bien qu'il existe des antécédents d'utilisation sans problèmes).

RÉACTIONS INDÉSIRABLES ET EFFETS SECONDAIRES

SNC: irritabilité, insomnie, nervosité, céphalées.

CV: tachycardie, arythmies, débit cardiaque accru, angine de poitrine, pression artérielle accrue, COLLAPSUS CARDIOVASCULAIRE, hypotension.

GI: diarrhée, crampes, vomissements.

Tég.: sécrétion accrue de sueur, alopécie (enfants seulement).

End.: irrégularité du cycle menstruel.

Métab.: perte de poids, intolérance à la chaleur.

Loc.: maturation accélérée de la substance osseuse chez les enfants.

INTERACTIONS

Médicament – médicament: ■ La **cholestyramine** et le **colestipol**, administrés de façon concomitante, réduisent l'absorption par suite de l'administration PO ■ La **phénytoïne IV** entraîne la libération d'hormone thyroïdienne ■ Les hormones thyroïdiennes augmentent l'effet des **anticoagulants oraux** ■ La lévothyroxine peut accroître les besoins en **insuline** ou en **hypoglycémiants oraux** chez les diabétiques ■ Stimulation accrue du SNC et du cœur lors de l'administration concomitante d'**agents sympathicomimétiques (amphétamines, agents vasopresseurs, décongestionnants)** ■ La lévothyroxine peut réduire certains effets des **bêtabloquants**.

VOIES D'ADMINISTRATION ET POSOLOGIE

Hypothyroïdie

- **PO (adultes):** dose initiale uniquotidienne de 12,5 à 50 µg; on peut augmenter la dose toutes les 2 à 4 semaines. La plupart des patients n'ont pas besoin de plus de 200 µg/jour.
- **PO (enfants > 10 ans) (É.-U.):** dose uniquotidienne de 2 à 3 µg/kg.
- **PO (enfants 6 à 12 ans):** dose uniquotidienne de 4 à 5 µg/kg ou de 100 à 150 µg.
- **PO (enfants 1 à 5 ans):** dose uniquotidienne de 5 à 6 µg/kg ou de 75 à 100 µg.
- **PO (enfants 6 à 12 mois):** dose uniquotidienne de 6 à 8 µg/kg ou de 50 à 75 µg.
- **PO (enfants 0 à 6 mois):** dose uniquotidienne de 8 à 10 µg/kg ou de 25 à 50 µg.
- **IM et IV (adultes):** initialement, environ 50 % de la dose orale.
- **IM et IV (enfants) (É.-U.):** 75 % de la dose orale.

Coma myxœdémateux

- **IV (adultes):** 400 µg ou moins. La dose initiale est suivie de suppléments quotidiens de 100 à 200 µg. Une administration quotidienne d'entretien de 50 à 100 µg devrait suffire à maintenir l'euthyroïdie, une fois qu'elle est atteinte.

PHARMACODYNAMIE
(effets sur les tests de l'exploration fonctionnelle thyroïdienne)

	DÉBUT D'ACTION	PIC	DURÉE
PO	inconnu	1 – 3 semaines	1 – 3 semaines
IV	6 – 8 h	24 h	inconnue

SOINS INFIRMIERS

ÉVALUATION DE LA SITUATION

- **Directives générales:** Mesurer la pression artérielle et le pouls à la pointe du cœur avant le traitement et à intervalles réguliers pendant toute sa durée. Surveiller l'apparition de tachyarythmies et de douleurs thoraciques.
- **Enfants:** Mesurer la taille et le poids de l'enfant et évaluer son développement psychomoteur.
- **Étude des examens diagnostiques et biochimiques:** Examiner les résultats des tests de l'exploration fonctionnelle thyroïdienne avant le traitement et pendant toute sa durée.
- Mesurer la glycémie et la glycosurie chez les patients diabétiques. Il peut s'avérer nécessaire d'augmenter les doses d'insuline et d'hypoglycémiants oraux.
- **Toxicité et surdosage:** Le surdosage se caractérise par les signes suivants d'hyperthyroïdie: tachycardie, douleurs thoraciques, nervosité, insomnie, diaphorèse, tremblements, perte pondérale. Le traitement habituel consiste à interrompre la médication pendant 2 à 6 jours. Le surdosage aigu doit être traité par l'induction de vomissements ou le lavage gastrique, suivis par l'administration de char-

bon activé. La surstimulation sympathique peut être maîtrisée par l'administration d'agents adrénolytiques, comme le propranolol. On a aussi recours à l'oxygène et aux mesures de soutien pour réduire des symptômes comme la fièvre.

DIAGNOSTICS INFIRMIERS POSSIBLES

- **Énoncés diagnostiques**
- □ Prise en charge inefficace du programme thérapeutique.
- □ *Risque élevé de perturbation des habitudes de sommeil.*
- □ *Risque élevé d'anxiété.*

- **Facteurs favorisants**
- □ Informations incomplètes.
- □ *Manque de connaissances sur les modalités du traitement.*
- □ *Manque de connaissances sur la méthode d'administration du médicament.*
- □ *Manque de connaissances sur les effets secondaires du médicament.*

INTERVENTIONS INFIRMIÈRES

- **Directives générales:** Administrer la préparation en une seule dose, de préférence avant le petit déjeuner, pour prévenir l'insomnie.
- **IV:** Diluer 500 µg de lévothyroxine IV avec 5 mL de solution de NaCl à 0,9 % sans agents de conservation pour obtenir une concentration de 100 µg/mL. Bien agiter jusqu'à dissolution complète. Administrer la solution immédiatement après sa préparation ; jeter toute portion inutilisée.
- *Vitesse d'administration:* Administrer la préparation à un débit de 100 µg/min. Ne pas ajouter cette solution aux perfusions IV. On peut l'administrer dans une tubulure en Y ou par un robinet à trois voies.

ENSEIGNEMENT AU PATIENT ET À SES PROCHES

- **Directives générales:** Conseiller au patient de respecter scrupuleusement la posologie recommandée et de prendre le médicament à la même heure tous les jours. S'il n'a pu prendre le médicament au moment habituel, il doit le prendre dès que possible, à moins que ce ne soit presque l'heure prévue pour la dose suivante. S'il n'a pu prendre plus de 2 ou de 3 doses, lui recommander de prévenir le médecin. L'avertir qu'il est déconseillé d'arrêter le traitement sans consulter le médecin au préalable.

☐ Montrer au patient et à ses proches comment prendre le pouls. Conseiller au patient de ne pas prendre la lévothyroxine et de prévenir le médecin si le pouls au repos est supérieur à 100 bpm.

☐ Expliquer au patient que la lévothyroxine ne guérit pas l'hypothyroïdie, elle ne fait que remplacer les hormones thyroïdiennes ; le traitement doit être poursuivi toute la vie durant.

☐ Mettre en garde le patient contre la substitution d'une marque de lévothyroxine par une autre puisque la biodisponibilité des médicaments pourrait ne pas être la même.

☐ Conseiller au patient de prévenir le médecin si les symptômes suivants se manifestent : céphalées, nervosité, diarrhée, transpiration abondante, intolérance à la chaleur, douleurs thoraciques, fréquence accrue du pouls, palpitations, perte de poids de plus de 1 kg par semaine ou tout autre symptôme inhabituel.

☐ Prévenir le patient qu'il ne doit pas prendre d'autres médicaments en concomitance avec la lévothyroxine sauf sur recommandation contraire du médecin.

☐ Recommander au patient d'avertir le médecin ou le dentiste qu'il suit une hormonothérapie substitutive à la lévothyroxine.

☐ Insister sur l'importance des examens de suivi permettant d'évaluer l'efficacité du traitement. Les tests de l'ex-

ploration fonctionnelle thyroïdienne doivent être effectués au moins une fois par année.

■ **Enfants :** Expliquer aux parents l'importance des examens de suivi permettant d'assurer la croissance adéquate de l'enfant. Les prévenir qu'une chute partielle de cheveux peut se manifester chez les enfants suivant un traitement à la lévothyroxine. Cet effet est habituellement passager.

VÉRIFICATION DES RÉSULTATS

L'efficacité du traitement peut être démontrée par : ■ la réduction du volume du goitre ■ la résolution des symptômes d'hypothyroïdie. La réponse inclut : ☐ la diurèse ☐ la perte de poids ☐ une sensation de mieux-être ☐ un regain d'énergie, l'accélération du pouls, un gain d'appétit et l'augmentation de l'activité psychomotrice ☐ la normalisation de la texture de la peau et des cheveux ☐ la suppression de la constipation ☐ l'augmentation des concentrations de T_3 et de T_4. ■ Chez les enfants, l'efficacité du traitement est déterminée par : ☐ un développement physique et psychomoteur approprié.

LIDOCAÏNE
PMS-Lidocaïne visqueuse, Xylocaine, Xylocard, (Anestacon), (Baylocaine), (L-Caine), (LidoPen)

CLASSIFICATION :
*Antiarythmique – classe IB ;
anesthésique local*

Grossesse – catégorie B

INDICATIONS
■ **IV :** Traitement aigu des arythmies ventriculaires ■ **Administration locale :** Anesthésique local ou anesthésie d'infiltration.

ACTION
■ Suppression de l'automaticité des tissus conducteurs et de la dépolarisation

spontanée des ventricules pendant la diastole en modifiant le flux des ions sodiques à travers les membranes cellulaires. Peu d'effets sinon aucun sur la fréquence cardiaque. **Effets thérapeutiques:**
■ Réduction des arythmies ventriculaires
■ Effet anesthésique local.

PHARMACOCINÉTIQUE

Absorption: Par suite de l'application de la préparation topique, une certaine quantité peut être absorbée.
Distribution: Le médicament se répartit dans tout l'organisme. Il se concentre dans les tissus adipeux. Il traverse la barrière hémato-encéphalique et le placenta.
Métabolisme et excrétion: La lidocaïne est surtout métabolisée par le foie.
Demi-vie: Biphasique – phase initiale: de 7 à 30 min; phase terminale: de 90 à 120 min.

CONTRE-INDICATIONS ET PRÉCAUTIONS

Contre-indications: ■ Hypersensibilité ■ Bloc AV avancé.
Précautions: ■ Maladie hépatique, insuffisance cardiaque, patients pesant moins de 50 kg et personnes âgées (réduire la dose) ■ Dépression respiratoire, choc ou bloc cardiaque ■ Grossesse ou allaitement (l'innocuité du médicament n'a pas été établie).

RÉACTIONS INDÉSIRABLES ET EFFETS SECONDAIRES

SNC: somnolence, étourdissements, léthargie, confusion, nervosité, CONVULSIONS, tremblements.
CV: hypotension, arythmies, bradycardie, ARRÊT CARDIAQUE.
GI: nausées, vomissements.
Locaux: brûlures, picotements, érythème (préparation topique ou anesthésie d'infiltration).

INTERACTIONS

Médicament – médicament: ■ Dépression et toxicité cardiaques additives lors de l'administration concomitante de **phénytoïne**, de **quinidine**, de **procaïnamide** ou de **propranolol** ■ L'administration concomitante de **cimétidine** et de **bêta-bloquants** peut ralentir le métabolisme de la lidocaïne et en accroître le risque de toxicité.

PRÉSENTATION

La lidocaïne est présentée sous forme d'aérosol, de solutions, de pommades et de gels topiques et de solution injectable.

VOIES D'ADMINISTRATION ET POSOLOGIE

Remarque: Consulter le tableau des vitesses de perfusion à l'annexe D.
■ **IV (adultes):** bolus de 50 à 100 mg (ou 1 mg/kg; répéter l'administration de la moitié de la dose 5 min plus tard), puis perfusion à raison de 1 à 2 mg à la minute (de 15 à 30 µg/kg à la minute), jusqu'à concurrence de 200 à 300 mg en 1 h.
■ **IV (enfants) (É.-U.):** bolus de 0,5 à 1 mg/kg; répéter selon les besoins (la dose totale ne doit pas dépasser de 3 à 5 mg/kg) ou perfusion de 10 à 50 µg/kg à la minute.
■ **Préparation topique (adultes et enfants):** Appliquer sur la région touchée selon les besoins (l'usage accru ou fréquent augmente le risque d'absorption systémique et de réactions indésirables).

PHARMACODYNAMIE (IV: effets antiarythmiques; préparation topique: effets anesthésiques locaux)

	DÉBUT D'ACTION	PIC	DURÉE
IV	immédiat	immédiat	10 – 20 min
topique	inconnu	2 – 5 min	30 – 60 min

☀ SOINS INFIRMIERS

ÉVALUATION DE LA SITUATION

■ **Directives générales:** Surveiller les concentrations sériques d'électrolytes à intervalles réguliers pendant le traitement prolongé.

- **Antiarythmique :** Surveiller continuellement l'ÉCG, mesurer la pression artérielle et la fonction respiratoire à intervalles réguliers pendant toute la durée de l'administration.

- **Anesthésique :** Observer le degré d'engourdissement de la région touchée. Si la lidocaïne est vaporisée ou administrée sous forme visqueuse au fond de la gorge, vérifier le réflexe pharyngé avant de donner au patient des aliments ou des liquides.

- **Toxicité et surdosage :** Noter, à intervalles réguliers pendant toute la durée d'un traitement prolongé ou de l'administration de fortes doses, les concentrations sériques de lidocaïne. Les concentrations sériques thérapeutiques de lidocaïne se situent entre 5 et 25 µmol/L.

- □ Les signes et les symptômes de toxicité incluent la confusion, l'excitation, la vision double ou trouble, les nausées, les vomissements, les acouphènes, les tremblements, les soubresauts musculaires, les convulsions, les difficultés respiratoires, les étourdissements graves ou les évanouissements et une fréquence cardiaque inhabituellement lente.

- □ Si des symptômes de surdosage se manifestent, interrompre la perfusion et surveiller étroitement le patient.

DIAGNOSTICS INFIRMIERS POSSIBLES

- **Énoncés diagnostiques**
- □ Diminution du débit cardiaque.
- □ Douleur.
- □ Prise en charge inefficace du programme thérapeutique.
- □ *Risque élevé d'accident.*

- **Facteurs favorisants**
- □ Informations incomplètes.
- □ *Perturbation de la vigilance.*

INTERVENTIONS INFIRMIÈRES

- **IV :** La lidocaïne IV existe dans les concentrations suivantes : 1 %, 2 % et 20 %. Seules les solutions à 1 et à 2 % sont administrées par voie IV directe. La lidocaïne existe également à des concentrations de 0,2 %, 0,4 % et 0,8 % dans du dextrose à 5 % dans de l'eau pour perfusion IV.

- **IV directe :** Administrer la dose d'attaque de 1 mg/kg, non diluée, à un débit de 25 à 50 mg à la minute. On peut administrer, 5 min plus tard, une deuxième dose d'attaque de la moitié ou du tiers de la dose initiale. Administrer ensuite par perfusion. Ne pas administrer les préparations de lidocaïne renfermant des agents de conservation ou d'autres médicaments, comme l'épinéphrine, par injection IV.

- **Perfusion continue :** Pour préparer la perfusion, ajouter 1 g de lidocaïne à 250, 500 ou 1 000 mL de dextrose à 5 % dans de l'eau. La solution est stable pendant 24 h. Les autres solutions compatibles sont celles de dextrose à 5 % avec une solution de lactate Ringer, de dextrose à 5 % avec une solution de NaCl à 0,45 % ou à 0,9 %, de NaCl à 0,9 % ou à 0,45 % ou la solution de lactate Ringer.

- □ *Vitesse d'administration :* Administrer à l'aide d'une pompe à perfusion afin d'injecter la dose exacte, à un débit de 1 à 2 mg à la minute (consulter le tableau des vitesses de perfusion à l'annexe D).

- **Associations compatibles dans la même seringue :** Glycopyrrolate, héparine, hydroxyzine, méthicilline, métoclopramide, moxalactam ou nalbuphine.

- **Associations incompatibles dans la même seringue :** Amphotéricine, céfazoline ou dacarbazine.

- **Associations compatibles (tubulure en Y) :** Altéplase, amrinone, céfazoline, chlorure de potassium, dobutamine, énalaprilate, famotidine, héparine avec succinate d'hydrocortisone sodique, labétalol, nitroglycérine, nitroprussate de sodium ou streptokinase.

- **Compatibilités en addition au soluté :** Aminophylline, bicarbonate de sodium, brétylium, chlorure de calcium, chlorure de potassium, chloramphénicol, chlorothiazide, cimétidine, dexaméthasone, digoxine, diphenhydramine, dobutamine, dopamine, éphédrine, gluceptate de calcium, gluconate de calcium, héparine, hydroxyzine, insuline, lactobionate d'érythromycine, métaraminol, nitroglycérine, oxytétracycline, pénicilline G potassique, pentobarbital, phényléphrine, procaïnamide, prochlorpérazine, promazine, ranitidine, sucinate d'hydrocortisone sodique, tétracycline ou vérapamil.

■ **Incompatibilités en addition au soluté :** Méthohexital ou phénytoïne. Ne pas effectuer d'admixtion avec du sang pendant une transfusion.

■ **Infiltration :** Le médecin peut prescrire de la lidocaïne en association avec de l'épinéphrine pour réduire l'absorption systémique et prolonger l'anesthésie locale.

ENSEIGNEMENT AU PATIENT ET À SES PROCHES

Directives générales : Prévenir le patient que la lidocaïne peut provoquer des étourdissements ou de la somnolence. Lui recommander de demander de l'aide lorsqu'il se déplace.

VÉRIFICATION DES RÉSULTATS

L'efficacité du traitement peut être démontrée par : ■ la réduction des arythmies ventriculaires ■ l'anesthésie locale.

LINDANE
Hexachloro-gamma-benzène, Hexit, Lindane lotion, Lindane shampooing, PMS-Lindane, Kwellada, (G-well), (Kwell), (Kwildane), (Scabene)

CLASSIFICATION :
Antiparasitaire

Grossesse – catégorie B

INDICATIONS
■ Traitement □ de la gale □ des poux de la tête □ des poux du corps □ des poux du pubis (morpions) et de leurs lentes.

ACTION
■ Destruction des anthropodes parasites.
Effets thérapeutiques : ■ Traitement curatif de l'infestation par les anthropodes parasites (gale et poux).

PHARMACOCINÉTIQUE
Absorption : Par suite de l'application de la préparation topique, une absorption systémique importante (de 9 à 13 %) se produit lentement.
Distribution : Le lindane est emmagasiné dans les tissus adipeux.
Métabolisme et excrétion : L'agent est métabolisé par le foie.
Demi-vie : 18 h (nourrissons et enfants).

CONTRE-INDICATIONS ET PRÉCAUTIONS
Contre-indications : Hypersensibilité.
Précautions : ■ Enfants de moins de 6 ans (risque accru d'absorption systémique et d'effets secondaires sur le SNC) ■ Grossesse et allaitement (ne pas dépasser la dose recommandée ; ne pas administrer plus de 2 cures).

RÉACTIONS INDÉSIRABLES ET EFFETS SECONDAIRES
SNC : CONVULSIONS.
Tég. : irritation locale, eczéma de contact.

INTERACTIONS
Médicament – médicament : L'usage concomitant de **préparations topiques pour la peau, le cuir chevelu ou les cheveux** peut accroître le risque d'absorption systémique.

VOIES D'ADMINISTRATION ET POSOLOGIE
Gale
■ **Préparation topique (adultes et enfants) :** Appliquer la crème ou la lotion à 1 %

sur toutes les surfaces cutanées du cou aux orteils ; on peut répéter le traitement une semaine plus tard.

Poux du pubis (traitement de rechange)

■ **Préparation topique (adultes et enfants) :** Appliquer la crème ou la lotion à 1 % sur les surfaces pileuses touchées et les régions adjacentes. On peut répéter le traitement 1 semaine plus tard.

Poux de la tête et du pubis

■ **Préparation topique (adultes et enfants) :** Appliquer le shampooing à 1 % sur les cheveux secs ou sur les régions affectées et les surfaces pileuses adjacentes afin de bien les imbiber. Faire pénétrer la mousse pendant 4 min. Ajouter de l'eau petit à petit pour obtenir une mousse riche. Continuer à faire mousser pendant 4 min. Bien rincer. On peut répéter le traitement 1 semaine plus tard.

PHARMACODYNAMIE
(effet antiparasitaire)

	DÉBUT D'ACTION	PIC	DURÉE
Préparation topique	rapide	rapide	inconnue

☀ SOINS INFIRMIERS

ÉVALUATION DE LA SITUATION

□ Observer la peau et les cheveux à la recherche de signes d'infestation avant et après le traitement.

□ Examiner les membres de la famille et les personnes ayant eu des contacts étroits avec le patient pour déterminer s'ils sont infestés. Lorsque le lindane est utilisé dans le traitement de la pédiculose du pubis ou de la gale, il faut traiter simultanément les partenaires sexuels.

DIAGNOSTICS INFIRMIERS POSSIBLES

■ **Énoncés diagnostiques**

□ Altération de l'intégrité de la peau.

□ Prise en charge inefficace du programme thérapeutique.

□ *Risque élevé d'accident.*

□ *Risque élevé d'intoxication.*

■ **Facteurs favorisants**

□ Informations incomplètes.

□ *Manque de connaissances sur la méthode d'administration du médicament.*

□ *Difficulté à s'adapter aux changements nécessaires dans les habitudes de vie.*

□ *Manque de connaissances sur les modalités du traitement.*

INTERVENTIONS INFIRMIÈRES

■ **Préparation topique :** Lorsqu'une autre personne administre le lindane, elle doit porter des gants afin de prévenir l'absorption systémique chez elle-même.

□ Ne pas appliquer sur des plaies (égratignures, coupures, lésions de la peau ou du cuir chevelu) afin de minimiser l'absorption systémique. Éviter tout contact avec les yeux ; en cas de contact, bien rincer l'œil avec de l'eau et prévenir le médecin.

□ Prendre les mesures d'isolement de mise.

■ **Crème et lotion :** Poux du pubis – Employer suffisamment de crème ou de lotion pour couvrir toutes les régions pileuses infestées. Demander au patient de changer de vêtements. Gale – Si des croûtes se sont formées, faire prendre au patient un bain chaud et lui demander de se laver avec du savon. Bien sécher la peau et attendre qu'elle se refroidisse avant d'appliquer le médicament. Appliquer une quantité suffisante de crème ou de lotion pour couvrir toute la surface corporelle d'une mince couche allant du cou jusqu'aux orteils (60 mL chez l'adulte). Pour la gale et les poux du pubis, il faut garder le médicament sur la peau pendant 8 à 12 h ; ensuite, laver à l'eau pour l'enlever. En cas de rash, de sensation de brûlure ou de démangeaisons, se laver la peau pour enlever le médicament et prévenir le médecin.

■ **Shampooing:** Verser une quantité suffisante de shampooing pour en imbiber les cheveux et le cuir chevelu (30 mL, cheveux courts, 45 mL cheveux mi-longs, 60 mL cheveux longs) ou les régions infestées et les surfaces pileuses adjacentes. Bien faire pénétrer, puis laisser agir l'agent pendant 4 min. Ensuite, utiliser assez d'eau pour faire mousser et continuer à faire mousser pendant 4 min de plus; rincer abondamment et sécher. Une fois que les cheveux ou les poils sont secs, utiliser un peigne fin pour enlever les lentes et leurs enveloppes. On peut aussi appliquer du shampooing sur les brosses et les peignes afin de prévenir la propagation de l'infestation.

ENSEIGNEMENT AU PATIENT ET À SES PROCHES

■ **Directives générales:** Montrer au patient comment appliquer l'agent. Le prévenir qu'il ne doit répéter le traitement que sur recommandation du médecin. Lui expliquer les mesures d'hygiène qu'il doit prendre pour enrayer l'infestation. Le mettre en garde contre les risques de contamination. Lui expliquer aussi les raisons pour lesquelles il faut examiner toutes les personnes qui vivent sous le même toit et traiter simultanément le partenaire sexuel.

□ Conseiller au patient de laver tous les vêtements qu'il a portés récemment de même que sa literie et ses serviettes dans de l'eau très chaude ou de les faire nettoyer afin d'empêcher la réinfestation ou la propagation.

□ Expliquer au patient qu'il ne doit pas appliquer d'autres crèmes ou huiles pendant le traitement puisqu'elles augmentent l'absorption systémique

du lindane et peuvent entraîner la toxicité.

□ Expliquer au patient que les démangeaisons peuvent persister après le traitement; il ne faut répéter le traitement que s'il retrouve des parasites vivants.

■ **Shampooing:** Prévenir le patient qu'il ne faut utiliser le shampooing qu'en présence d'infestation. Insister sur le fait qu'il faut éviter le contact avec les yeux.

■ **Enfants:** Conseiller aux parents de surveiller étroitement leur enfant à la recherche de signes de toxicité du SNC pendant le traitement et immédiatement après. Recourir à un autre traitement lorsque des enfants de moins de 6 ans sont infestés.

VÉRIFICATION DES RÉSULTATS

L'efficacité du traitement peut être démontrée par: la résolution des signes d'infestations cutanées parasitaires (gale et poux).

LIOTHYRONINE

Cytomel, L-triiodothyronine, T_3

CLASSIFICATION:
Hormone – thyroïde

Grossesse – catégorie A

INDICATIONS

■ Goitre simple (non toxique) ■ Diagnostic différentiel entre une hyperthyroïdie soupçonnée et une euthyroïdie ■ Hormonothérapie substitutive lorsque la fonction thyroïdienne est diminuée ou absente pour diverses raisons.

ACTION

■ Accélération du métabolisme basal des tissus (effet principal) ■ Activation de la glyconéogenèse, augmentation de l'utilisation et de la mobilisation des réserves de glycogène et stimulation de la synthèse protéique ■ Stimulation de la croissance des cellules; effet favorable sur le développement du cerveau et du SNC. **Effets thérapeutiques:** ■ Hormonothérapie substitutive en cas de carence ■ Rétablissement de l'équilibre hormonal.

PHARMACOCINÉTIQUE

Absorption: Une fraction de 95 % est absorbée par suite de l'administration PO.
Distribution: Le médicament se répartit dans de nombreux tissus. Les hormones thyroïdiennes ne traversent pas facilement le placenta et seule une quantité minime pénètre dans le lait maternel.
Métabolisme et excrétion: La liothyronine est métabolisée par le foie et d'autres tissus.
Demi-vie: De 1 à 2 jours (accrue en présence d'hypothyroïdie).

CONTRE-INDICATIONS ET PRÉCAUTIONS

Contre-indications: ■ Hypersensibilité ■ Infarctus du myocarde récent ■ Thyrotoxicose.
Précautions: ■ Maladie cardiovasculaire ■ Insuffisance rénale grave ■ Troubles corticosurrénaux non résolus ■ Personnes âgées et patients myxœdémateux (sensibilité intense aux hormones thyroïdiennes; réduire considérablement la dose initiale).

RÉACTIONS INDÉSIRABLES ET EFFETS SECONDAIRES

SNC: irritabilité, nervosité, insomnie, céphalées.
CV: tachycardie, arythmies, débit cardiaque accru, angine de poitrine, pression artérielle accrue, COLLAPSUS CARDIOVASCULAIRE, hypotension.
GI: diarrhée, crampes, vomissements.
Tég.: sécrétion accrue de sueur, alopécie (enfants).
End.: irrégularité du cycle menstruel.
Métab.: perte de poids, intolérance à la chaleur.
Loc.: maturation accélérée de la substance osseuse chez les enfants.

INTERACTIONS

Médicament – médicament: ■ La **cholestyramine** et le **colestipol**, administrés de façon concomitante, réduisent l'absorption de la liothyronine ■ La **phénytoïne par voie IV** entraîne la libération d'hormone thyroïdienne ■ La liothyronine peut intensifier l'effet des **anticoagulants oraux** ■ La liothyronine peut modifier les besoins en **insuline** ou en **hypoglycémiants oraux** chez les patients diabétiques ■ Stimulation accrue du SNC et du cœur lors de l'administration concomitante d'**agents sympathicomimétiques (amphétamines, agents vasopresseurs, décongestionnants)** ■ La liothyronine peut réduire certains effets des **bêtabloquants**.

VOIES D'ADMINISTRATION ET POSOLOGIE

Hypothyroïdie légère
■ **PO (adultes):** 25 µg, une fois par jour; on peut ensuite augmenter par paliers de 12,5 à 25 µg par jour, à intervalles de 1 ou 2 semaines. La dose d'entretien habituelle est de 25 à 75 µg par jour.

Hypothyroïdie grave
■ **PO (adultes):** initialement, 5 µg, une fois par jour; augmenter par paliers de 5 à 10 µg par jour, à des intervalles de 1 ou 2 semaines jusqu'à concurrence d'une dose quotidienne de 25 µg, puis, augmenter par paliers de 12,5 à 25 µg par jour, à des intervalles de 1 ou 2 semaines.

Hypothyroïdie congénitale
■ **PO (nourrissons et enfants):** 5 µg, une fois par jour; augmenter par paliers de 5 µg par jour à des intervalles de 3 ou 4 jours, jusqu'à l'obtention de l'effet souhaité.

Goitre simple
■ **PO (adultes):** initialement, 5 µg, une fois par jour, augmenter par paliers de 5 à 10 µg par jour à des intervalles de 1 ou 2 semaines jusqu'à concur-

rence d'une dose quotidienne de 25 µg, puis, augmenter par paliers de 12,5 à 25 µg par jour à des intervalles de 1 ou 2 semaines jusqu'à l'obtention de l'effet désiré.

Épreuve de freinage de la sécrétion de T_3
- **PO (adultes):** de 75 à 100 µg par jour, pendant 7 jours. On administre l'I^{131} avant et après le traitement de 7 jours.

PHARMACODYNAMIE
(effets sur les tests de l'exploration fonctionnelle thyroïdienne)

	DÉBUT D'ACTION	PIC	DURÉE
PO	inconnu	24 – 72 h	72 h

SOINS INFIRMIERS

ÉVALUATION DE LA SITUATION
- **Directives générales:** Mesurer la pression artérielle et le pouls à la pointe du cœur avant le traitement et à intervalles réguliers pendant toute sa durée. Surveiller l'apparition de tachyarythmies et de douleurs thoraciques.
- Noter les résultats des tests de l'exploration fonctionnelle thyroïdienne avant le traitement et pendant toute sa durée.
- Mesurer la glycémie et la glycosurie chez le patient diabétique ; une augmentation de la dose d'insuline ou d'hypoglycémiants oraux pourrait s'avérer nécessaire.
- **Enfants:** Mesurer la taille et le poids de l'enfant et évaluer son développement psychomoteur.
- **Toxicité et surdosage:** Le surdosage se caractérise par les signes suivants d'hyperthyroïdie: tachycardie, douleurs thoraciques, nervosité, insomnie, diaphorèse, tremblements, perte de poids. Le traitement habituel consiste à interrompre la médication pendant 2 à 6 jours.

DIAGNOSTICS INFIRMIERS POSSIBLES
- **Énoncés diagnostiques**
- Prise en charge inefficace du programme thérapeutique.
- *Risque élevé d'anxiété.*
- *Risque élevé de perturbation des habitudes de sommeil.*
- **Facteurs favorisants**
- Informations incomplètes.
- *Manque de connaissances sur les effets secondaires du médicament.*
- *Manque de connaissances sur les modalités du traitement.*

INTERVENTIONS INFIRMIÈRES
- **Directives générales:** Administrer le médicament en une seule dose, de préférence avant le petit déjeuner, pour prévenir l'insomnie.
- La dose initiale doit être faible, particulièrement chez les personnes âgées et les patients cardiaques. Augmenter la dose graduellement selon les résultats des tests de l'exploration fonctionnelle thyroïdienne. Les effets secondaires de la liothyronine se manifestent plus rapidement en raison de son début d'action rapide.

ENSEIGNEMENT AU PATIENT ET À SES PROCHES
- **Directives générales:** Conseiller au patient de respecter scrupuleusement la posologie recommandée et de prendre le médicament à la même heure tous les jours. S'il n'a pu prendre le médicament au moment habituel, il doit le prendre dès que possible, à moins que ce ne soit presque l'heure prévue pour la dose suivante. Lui recommander de prévenir le médecin s'il n'a pu prendre plus de 2 ou de 3 doses. L'avertir qu'il est déconseillé d'arrêter le traitement sans consulter le médecin au préalable.
- Montrer au patient et à ses proches comment prendre le pouls. Il faut interrompre l'administration et prévenir le médecin si le pouls au repos est supérieur à 100 bpm.

L

□ Expliquer au patient que la liothyronine ne guérit pas l'hypothyroïdie; elle ne fait que remplacer les hormones thyroïdiennes. Le traitement doit être poursuivi toute la vie durant.

□ Conseiller au patient de prévenir le médecin si les symptômes suivants se manifestent: céphalées, nervosité, diarrhée, transpiration abondante, intolérance à la chaleur, douleurs thoraciques, fréquence accrue du pouls, palpitations, perte de poids de plus de 1 kg par semaine ou tout autre symptôme inhabituel.

□ Prévenir le patient qu'il ne doit pas prendre d'autres médicaments en concomitance avec la liothyronine sauf sur recommandation du médecin.

□ Conseiller au patient d'avertir le médecin ou le dentiste qu'il suit un traitement à la liothyronine.

□ Insister sur l'importance des examens de suivi permettant d'évaluer l'efficacité du traitement. Les tests de l'exploration fonctionnelle thyroïdienne doivent être effectués au moins une fois par année.

■ **Enfants:** Expliquer aux parents l'importance des examens de suivi permettant d'assurer la croissance adéquate de l'enfant. Expliquer aux parents qu'une chute partielle des cheveux est un effet possible du traitement, mais qu'il est habituellement passager.

VÉRIFICATION DES RÉSULTATS

L'efficacité du traitement peut être démontrée par: ■ la réduction du volume du goitre ■ la résolution des symptômes d'hypothyroïdie. La réponse inclut: □ la diurèse □ la perte de poids □ une sensation accrue de bien-être □ un regain d'énergie, l'accélération du pouls, un gain d'appétit et l'augmentation de l'activité psychomotrice □ la normalisation de la texture de la peau et des cheveux □ la suppression de la constipation □ l'augmentation des concentrations de T_3 et de T_4. ■ Chez les enfants, l'efficacité du traitement est

déterminée par: □ un développement physique et psychomoteur approprié.

LIOTRIX
(Euthroid), (T_3/T_4), (Thyrolar)

CLASSIFICATION:
Hormone – thyroïde

Grossesse – catégorie A

INDICATIONS
Hormonothérapie substitutive lorsque la fonction thyroïdienne est diminuée ou absente pour diverses raisons.

ACTION
■ Mélange synthétique de T_3 (liothyronine) et de T_4 (lévothyroxine) dans une proportion fixe ■ Accélération du métabolisme basal des tissus (effet principal) ■ Activation de la glyconéogenèse, augmentation de l'utilisation et de la mobilisation des réserves de glycogène et stimulation de la synthèse protéique ■ Stimulation de la croissance des cellules; effet favorable sur le développement du cerveau et du SNC. **Effets thérapeutiques:** ■ Hormonothérapie substitutive en cas de carence ■ Rétablissement de l'équilibre hormonal.

PHARMACOCINÉTIQUE
Absorption: Une fraction de 95 % de la liothyronine (T_3) est absorbée par suite de l'administration PO; par suite de l'administration PO, l'absorption de la lévothyroxine (T_4) est variable (de 50 à 80 %). **Distribution:** Le médicament se répartit dans de nombreux tissus. Les hormones thyroïdiennes ne traversent pas facilement le placenta et seule une quantité minime pénètre dans le lait maternel. **Métabolisme et excrétion:** Le liotrix est métabolisé par le foie et d'autres tissus. **Demi-vie:** Liothyronine: de 1 à 2 jours; lévothyroxine de 6 à 7 jours (accrue en présence d'hypothyroïdie).

L

CONTRE-INDICATIONS ET PRÉCAUTIONS

Contre-indications : ▪ Hypersensibilité ▪ Infarctus du myocarde récent ▪ Thyrotoxicose.

Précautions : ▪ Maladie cardiovasculaire ▪ Insuffisance rénale grave ▪ Troubles corticosurrénaux non résolus ▪ Personnes âgées et patients myxœdémateux (sensibilité intense aux hormones thyroïdiennes ; réduire considérablement la dose initiale) ▪ Grossesse (bien qu'il existe des antécédents d'utilisation sans problèmes).

RÉACTIONS INDÉSIRABLES ET EFFETS SECONDAIRES

SNC : irritabilité, nervosité, insomnie, céphalées.

CV : tachycardie, arythmies, débit cardiaque accru, angine de poitrine, pression artérielle accrue, COLLAPSUS CARDIOVASCULAIRE, hypotension.

Tég. : sécrétion accrue de sueur, alopécie (enfants).

End. : irrégularité du cycle menstruel.

GI : diarrhée, crampes, vomissements.

Métab. : perte de poids, intolérance à la chaleur.

INTERACTIONS

Médicament – médicament : ▪ La **cholestyramine** et le **colestipol**, administrés de façon concomitante, réduisent l'absorption du liotrix ▪ La **phénytoïne** par voie IV entraîne la libération d'hormone thyroïdienne ▪ Le liotrix peut intensifier l'effet des **anticoagulants oraux** ▪ Le liotrix peut modifier les besoins en **insuline** ou en **hypoglycémiants oraux** chez les patients diabétiques ▪ Stimulation accrue du SNC et du cœur lors de l'administration concomitante d'**agents sympathicomimétiques (amphétamines, agents vasopresseurs, décongestionnants)** ▪ Le liotrix peut réduire certains effets des **bêtabloquants**.

VOIES D'ADMINISTRATION ET POSOLOGIE

Remarque : Thyrolar renferme de la T_3 et de la T_4 en proportions fixes, représentant les équivalents hormonaux de la thyroïde (par exemple, Thyrolar 1/2 renferme l'équivalent de $^1/_2$ grain ou de 30 mg d'hormone thyroïdienne)

PRÉPARATION	ÉQUIVALENT THYROÏDIEN (mg)	T_3 (µg)	T_4 (µg)
Euthroid 1/2	30	7,5	30
Euthroid 1	60	15	60
Euthroid 2	120	30	120
Euthroid 3	180	45	180
Thyrolar 1/4	15	3,1	12,5
Thyrolar 1/2	30	6,25	25
Thyrolar 1	60	12,5	50
Thyrolar 2	120	25	100
Thyrolar 3	180	37,5	150

Hypothyroïdie

PO (adultes) : initialement, Thyrolar 1/4, Thyrolar 1/2 ou Euthroid 1/2 ; on peut augmenter la dose à des intervalles de 2 à 3 semaines.

PHARMACODYNAMIE (effets sur les tests de l'exploration fonctionnelle thyroïdienne)

	DÉBUT D'ACTION	PIC	DURÉE
PO (liothyronine)	inconnu	24 – 72 h	72 h
PO (lévothyroxine)	inconnu	1 – 3 semaines	1 – 3 semaines

SOINS INFIRMIERS

ÉVALUATION DE LA SITUATION

▪ **Directives générales :** Mesurer la pression artérielle et le pouls à la pointe du cœur avant le traitement et à intervalles réguliers pendant toute sa durée. Surveiller l'apparition de tachyarythmies et de douleurs thoraciques.

L

☐ Noter les résultats des tests de l'exploration fonctionnelle thyroïdienne avant le traitement et pendant toute sa durée.

☐ Mesurer la glycémie et la glycosurie chez le patient diabétique; une augmentation de la dose d'insuline ou d'hypoglycémiants oraux pourrait s'avérer nécessaire.

■ **Enfants:** Mesurer la taille et le poids de l'enfant et évaluer son développement psychomoteur.

■ **Toxicité et surdosage:** Le surdosage se caractérise par les signes suivants d'hyperthyroïdie: tachycardie, douleurs thoraciques, nervosité, insomnie, diaphorèse, tremblements, perte de poids. Le traitement habituel consiste à interrompre la médication pendant 2 à 6 jours.

DIAGNOSTICS INFIRMIERS POSSIBLES

■ **Énoncés diagnostiques**

☐ Prise en charge inefficace du programme thérapeutique.

☐ *Risque élevé d'anxiété.*

☐ *Risque élevé de perturbation des habitudes de sommeil.*

■ **Facteurs favorisants**

☐ Informations incomplètes.

☐ *Manque de connaissances sur les effets secondaires du médicament.*

☐ *Manque de connaissances sur les modalités du traitement.*

INTERVENTIONS INFIRMIÈRES

■ **Directives générales:** Administrer le médicament en une seule dose, de préférence avant le petit déjeuner, pour prévenir l'insomnie.

☐ La dose initiale doit être faible, particulièrement chez les personnes âgées et les patients cardiaques. Augmenter la dose graduellement selon les résultats des tests de l'exploration fonctionnelle thyroïdienne.

ENSEIGNEMENT AU PATIENT ET À SES PROCHES

■ **Directives générales:** Conseiller au patient de respecter scrupuleusement la posologie recommandée et de prendre le médicament à la même heure tous les jours. S'il n'a pu prendre le médicament au moment habituel, il doit le prendre dès que possible, à moins que ce ne soit presque l'heure prévue pour la dose suivante. Lui recommander de prévenir le médecin s'il n'a pu prendre plus de 2 ou de 3 doses. L'avertir qu'il est déconseillé d'arrêter le traitement sans consulter le médecin au préalable.

☐ Montrer au patient et à ses proches comment prendre le pouls. Il faut interrompre l'administration et prévenir le médecin si le pouls au repos est supérieur à 100 bpm.

☐ Expliquer au patient que le liotrix ne guérit pas l'hypothyroïdie; il ne fait que remplacer les hormones thyroïdiennes. Le traitement doit être poursuivi durant toute la vie.

☐ Expliquer au patient qu'il ne doit pas changer de marque de médicament, puisque la biodisponibilité des agents n'est pas identique.

☐ Conseiller au patient de prévenir le médecin si les symptômes suivants se manifestent: céphalées, nervosité, diarrhée, transpiration abondante, intolérance à la chaleur, douleurs thoraciques, fréquence accrue du pouls, palpitations, perte de poids de plus de 1 kg par semaine ou tout autre symptôme inhabituel.

☐ Prévenir le patient qu'il ne doit pas prendre d'autres médicaments en concomitance avec le liotrix sauf sur recommandation du médecin.

☐ Conseiller au patient d'avertir le médecin ou le dentiste qu'il suit un traitement au liotrix.

☐ Insister sur l'importance des examens de suivi permettant d'évaluer l'efficacité du traitement. Les tests de l'exploration fonctionnelle thyroïdienne doivent être effectués au moins une fois par année.

■ **Enfants:** Expliquer aux parents l'importance des examens de suivi permettant d'assurer la croissance adéquate de l'enfant. Expliquer aux parents qu'une chute partielle des cheveux est un effet possible du traitement, mais qu'il est habituellement passager.

VÉRIFICATION DES RÉSULTATS

L'efficacité du traitement peut être démontrée par: ■ la résolution des symptômes d'hypothyroïdie. La réponse inclut: □ la diurèse □ la perte de poids □ une sensation accrue de bien-être □ un regain d'énergie, l'accélération du pouls, un gain d'appétit et l'augmentation de l'activité psychomotrice □ la normalisation de la texture de la peau et des cheveux □ la suppression de la constipation □ l'augmentation des concentrations de T_3 et de T_4 □ la normalisation des concentrations de l'hormone thyréotrope (TSH). ■ Chez les enfants, l'efficacité du traitement est déterminée par: □ un développement physique et psychomoteur approprié.

LISINOPRIL
Prinivil, Zestril

CLASSIFICATION:
Antihypertenseur – inhibiteur de l'enzyme de conversion de l'angiotensine (ECA)

Grossesse – catégorie C

INDICATIONS

■ Hypertension essentielle et rénovasculaire en monothérapie ou en association avec d'autres antihypertenseurs ■ Traitement d'appoint de l'insuffisance cardiaque.

ACTION

■ Inhibition de la production d'angiotensine II, vasoconstricteur puissant qui stimule la production d'aldostérone, en bloquant sa transformation en une forme active, ce qui entraîne une vasodilatation systémique ■ Réduction de la précharge et de la postcharge du cœur. **Effets thérapeutiques:** ■ Abaissement de la pression artérielle chez les patients souffrant d'hypertension ■ Élévation du débit cardiaque et amélioration de la tolérance à l'effort chez les patients souffrant d'insuffisance cardiaque.

PHARMACOCINÉTIQUE

Absorption: Une fraction de 25 % est absorbée par suite de l'administration PO; l'absorption est très variable.
Distribution: Inconnue.
Métabolisme et excrétion: Le médicament est excrété à l'état inchangé par les reins.
Demi-vie: 12 h.

CONTRE-INDICATIONS ET PRÉCAUTIONS

Contre-indications: Hypersensibilité.
Précautions: ■ Insuffisance rénale (réduire la dose) ■ Grossesse, allaitement et enfants (l'innocuité du médicament n'a pas été établie) ■ Intervention chirurgicale et anesthésie (risque d'exacerbation de l'hypotension) ■ Sténose aortique, insuffisance cardiaque ou cérébrovasculaire.

RÉACTIONS INDÉSIRABLES ET EFFETS SECONDAIRES

SNC: céphalées, étourdissements, fatigue, insomnie.
Resp.: toux, dyspnée.
CV: hypotension, tachycardie, angine de poitrine.
GI: anorexie, diarrhée, nausées, altération du goût, stomatite.
GU: impuissance, concentrations accrues de l'urée.
Tég.: rash.
HÉ: hyperkaliémie.
Hémat.: neutropénie.
SN: paresthésie.

L

Divers: fièvre, ANGIO-ŒDÈME accompagné de laryngospasme.

INTERACTIONS

Médicament – médicament: ■ Effets additifs sur l'hypotension lors de l'administration concomitante d'autres **antihypertenseurs** et de **dérivés nitrés** ou de l'ingestion d'**alcool** ■ L'usage concomitant de **suppléments de potassium** ou de **diurétiques d'épargne potassique** peut entraîner l'hyperkaliémie ■ La réponse antihypertensive peut être diminuée par les **anti-inflammatoires non stéroïdiens** ■ L'administration concomitante d'**allopurinol** peut augmenter la fréquence des réactions d'hypersensibilité ■ Le lisinopril peut augmenter les concentrations sériques de **digoxine** ou de **lithium** et accroître le risque de toxicité. **Médicament – aliments:** ■ Une alimentation **riche en potassium** peut entraîner l'hyperkaliémie.

VOIES D'ADMINISTRATION ET POSOLOGIE

Hypertension essentielle

■ **PO (adultes):** 10 mg par jour, en une seule dose (5 mg si le patient prend des diurétiques); on peut augmenter cette dose jusqu'à 20 à 80 mg par jour.

Hypertension rénovasculaire

■ **PO (adultes):** initialement, de 2,5 à 5 mg par jour, en une seule dose; on peut augmenter cette dose en fonction de la réponse de la tension artérielle.

Insuffisance cardiaque

■ **PO (adultes):** initialement, 2,5 mg par jour, en une seule dose; la dose d'entretien habituelle se situe entre 5 et 20 mg par jour, en une seule dose.

PHARMACODYNAMIE
(effet sur la pression artérielle)

	DÉBUT D'ACTION	PIC	DURÉE
PO	1 h	7 h	24 h

❋ SOINS INFIRMIERS

ÉVALUATION DE LA SITUATION

☐ **Directives générales:** Mesurer souvent la pression artérielle et le pouls au cours de la période initiale d'adaptation posologique et à intervalles réguliers pendant tout le traitement. Signaler au médecin tout changement important.

☐ Peser le patient et suivre de près les signes suivants d'insuffisance cardiaque: œdème périphérique, râles et crépitations, dyspnée, gain pondéral.

■ **Étude des examens diagnostiques et biochimiques:** Noter à intervalles réguliers les concentrations sériques d'urée, de créatinine et d'électrolytes. L'agent peut entraîner l'élévation des concentrations sériques de potassium, l'élévation passagère des concentrations sériques d'urée et de créatinine et la diminution des concentrations de sodium.

DIAGNOSTICS INFIRMIERS POSSIBLES

■ **Énoncés diagnostiques**

☐ Diminution du débit cardiaque.

☐ Prise en charge inefficace du programme thérapeutique.

☐ Non-observance du traitement médicamenteux.

☐ *Risque élevé d'accident.*

☐ *Risque élevé d'anxiété.*

■ **Facteurs favorisants**

☐ Informations incomplètes.

☐ Doute quant aux bienfaits du médicament.

☐ *Perturbation de la vigilance.*

☐ *Manque de connaissances sur les effets hypotensifs du médicament lors des changements brusques de position.*

☐ *Difficulté à s'adapter aux changements nécessaires dans les habitudes de vie.*

□ *Manque de connaissances sur la méthode d'administration du médicament.*

□ *Manque de connaissances sur le régime alimentaire à suivre.*

□ *Manque de connaissances sur les effets secondaires du médicament.*

INTERVENTIONS INFIRMIÈRES

■ **Directives générales:** Afin de prévenir l'hypotension, interrompre, dans la mesure du possible, le traitement par le diurétique, pendant 2 ou 3 jours, avant d'administrer la dose initiale de lisinopril. Sinon, il peut s'avérer nécessaire de réduire la dose de lisinopril.

□ Si la pression artérielle n'est pas maîtrisée par le lisinopril, on peut ajouter un diurétique au traitement.

ENSEIGNEMENT AU PATIENT ET À SES PROCHES

□ Conseiller au patient de respecter scrupuleusement la posologie recommandée et de continuer de prendre le médicament même s'il se sent mieux. Lui expliquer que le médicament stabilise la pression artérielle, mais ne guérit pas l'hypertension. Prévenir le patient qu'il ne doit arrêter le traitement que sur recommandation du médecin.

□ Inciter le patient à appliquer d'autres mesures de réduction de l'hypertension: suivre un régime hyposodé, perdre du poids, cesser de fumer, boire de l'alcool avec modération, faire de l'exercice et diminuer le stress.

□ Montrer au patient et à ses proches comment prendre la pression artérielle. Leur demander de mesurer la pression artérielle au moins une fois par semaine et leur recommander de signaler au médecin tout changement important.

□ Conseiller au patient d'éviter les substituts de sel ou les aliments riches en potassium ou en sodium, sauf avis médical contraire (voir l'annexe K).

□ Prévenir le patient que le lisinopril peut provoquer une altération du goût qui se rétablit généralement en l'espace de 8 à 12 semaines.

□ Recommander au patient de changer lentement de position pour réduire les risques d'hypotension orthostatique, particulièrement après la première dose. Prévenir le patient que l'exercice par temps chaud peut augmenter les effets hypotenseurs du médicament.

□ Conseiller au patient de consulter le médecin ou le pharmacien avant de prendre un médicament en vente libre, particulièrement des médicaments contre le rhume, pendant le traitement au lisinopril. Lui conseiller de ne pas boire en quantités excessives du thé, du café ou des boissons à base de cola.

□ Recommander au patient qui doit suivre un traitement dentaire ou subir une intervention chirurgicale d'avertir le dentiste ou le médecin qu'il suit un traitement médicamenteux.

□ Recommander au patient de signaler au médecin les symptômes suivants: toux, rash, aphtes buccaux, maux de gorge, fièvre, œdème aux mains et aux pieds, extrasystoles, douleurs thoraciques, tuméfaction du visage, des yeux, des lèvres ou de la langue, fatigue persistante, céphalées ou difficultés respiratoires.

□ Insister sur l'importance des examens de suivi permettant d'évaluer les bienfaits du traitement.

VÉRIFICATION DES RÉSULTATS

L'efficacité du traitement peut être démontrée par: ■ la baisse de la pression artérielle sans apparition d'effets secondaires; le plein effet du médicament peut ne se manifester qu'après plusieurs semaines ■ l'élévation du débit cardiaque et l'amélioration de la tolérance à l'effort.

LITHIUM

Carbolith, Duralith, Lithane, Lithizine,
(Cibalith-S), (Eskalith), (Lithobid),
(Lithonate), (Lithotabs)

CLASSIFICATION:
Antimaniaque

Grossesse – catégorie D

INDICATIONS

■ Traitement des épisodes maniaques et
prévention de leur récurrence chez les
patients atteints de psychose maniaco-
dépressive. **Usages non approuvés :** ■ Dépression psychotique.

ACTION

■ Modification du transport des cations
dans les nerfs et dans les muscles ■ Influence possible sur le recaptage des neurotransmetteurs. **Effets thérapeutiques :**
■ Effets antimaniaques et antidépressifs.

PHARMACOCINÉTIQUE

Absorption : Par suite de l'administration
PO, l'absorption est complète.
Distribution : Le lithium se répartit dans
de nombreux tissus et liquides ; les
concentrations dans le liquide céphalorachidien correspondent à 50 % des concentrations plasmatiques. L'agent traverse le placenta et pénètre dans le lait
maternel.
Métabolisme et excrétion : Le médicament
est excrété à l'état pratiquement inchangé par les reins.
Demi-vie : De 20 à 27 h.

CONTRE-INDICATIONS ET PRÉCAUTIONS

Contre-indications : ■ Hypersensibilité
■ Maladies cardiaque ou rénale graves
■ Patients déshydratés ou débilités
■ Grossesse et allaitement ■ Administration réservée aux cas où le traitement,
y compris les concentrations sanguines,
peut être suivi de près.

Précautions : ■ Personnes âgées ■ Maladie cardiaque, rénale ou thyroïdienne de
quelque gravité que ce soit ■ Diabète
sucré ■ Enfants (l'innocuité du médicament n'a pas été établie).

RÉACTIONS INDÉSIRABLES ET EFFETS SECONDAIRES

SNC : tremblements, céphalées, perte de
mémoire, léthargie, fatigue, somnolence,
confusion, convulsions, ataxie, étourdissements, retard psychomoteur, agitation,
stupeur.
ORLO : acouphènes, vision trouble, dysarthrie, aphasie.
CV : modification de l'ÉCG, hypotension,
arythmies, œdème.
GI : nausées, anorexie, ballonnement épigastrique, diarrhée, douleurs abdominales, sécheresse de la bouche (xérostomie), goût métallique.
GU : polyurie, diabète insipide néphrogénique, glycosurie, toxicité rénale.
Tég. : éruptions acnéiformes, folliculite,
prurit, perte des sensations, alopécie.
End. : hypothyroïdie, goitre, hyperglycémie, hyperthyroïdie.
HÉ : hyponatrémie.
Hémat. : leucocytose.
Métab. : gain de poids.
Loc. : faiblesse musculaire, rigidité, hyper-
irritabilité.

INTERACTIONS

Médicament – médicament : ■ Le lithium
peut prolonger l'effet des **bloqueurs neuromusculaires** ■ Risque d'apparition du
syndrome encéphalopathique lors de
l'administration concomitante d'**halopéridol** ■ L'administration concomitante
de **diurétiques**, de **méthyldopa**, de **probénécide**, d'**indométhacine** et d'**autres
anti-inflammatoires non stéroïdiens**
peut accroître le risque de toxicité ■ L'administration concomitante d'**aminophylline**, de **phénothiazines**, de **bicarbonate
de sodium** et de **chlorure de sodium**
peut accélérer l'excrétion et entraîner
une diminution de l'effet ■ Le lithium

peut réduire les effets de la **chlorpromazine** ■ La chlorpromazine peut masquer les premiers signes de toxicité au lithium ■ Risque d'effets hypothyroïdiens additifs lors de l'administration concomitante d'**iodure de potassium** ou d'**agents antithyroïdiens** ■ Les médicaments renfermant des quantités importantes de **sodium (ticarcilline)** peuvent accroître l'élimination rénale et réduire l'efficacité du lithium. **Médicament- aliments :** ■ Une modification importante de la consommation de **sodium** peut altérer l'élimination rénale du lithium. L'augmentation de l'apport de sodium accroîtra l'élimination rénale.

PRÉSENTATION

Le lithium est présenté sous forme de comprimés, de capsules et de préparation à libération prolongée.

VOIES D'ADMINISTRATION ET POSOLOGIE

PO (adultes) : de 900 à 1 800 mg par jour en 3 doses fractionnées (dose habituelle de 300 à 600 mg, 3 fois par jour). Pour déterminer la dose appropriée, il faut suivre de près les concentrations sanguines. La préparation à libération prolongée (Duralith) peut être administrée deux fois par jour.

PHARMACODYNAMIE (effets antimaniaques)

	DÉBUT D'ACTION	PIC	DURÉE
PO	5 – 7 jours	10 – 21 jours	plusieurs jours
PO (comprimés à libération prolongée)	5 – 7 jours	10 – 21 jours	plusieurs jours

❉ SOINS INFIRMIERS

ÉVALUATION DE LA SITUATION

☐ Observer l'humeur, l'idéation et le comportement du patient à intervalles réguliers. Prendre les mesures de précaution nécessaires si le patient a des idées suicidaires.

☐ Effectuer le bilan des ingesta et des excreta. Informer le médecin de tout écart important dans les valeurs totales. Sauf contre-indication, inciter le patient à boire de 2 000 à 3 000 mL de liquides au moins par jour. Peser le patient au moins tous les 3 mois.

■ **Étude des examens diagnostiques et biochimiques :** Noter à intervalles réguliers, pendant toute la durée du traitement, les résultats de l'exploration fonctionnelle rénale et thyroïdienne, la numération et la formule leucocytaires, les concentrations d'électrolytes sériques et la glycémie.

■ **Toxicité et surdosage :** Noter les concentrations sériques de lithium deux fois par semaine au début du traitement et tous les 2 à 3 mois pendant un traitement prolongé. Les échantillons de sang doivent être prélevés le matin, juste avant d'administrer la dose. Les concentrations thérapeutiques se situent entre 0,5 et 1,5 mmol/L.

☐ Surveiller les signes et les symptômes suivants de toxicité au lithium : vomissements, diarrhée, trouble de l'élocution, perte de coordination, somnolence, faiblesse musculaire ou soubresauts musculaires. Si ces symptômes se manifestent, prévenir le médecin avant d'administrer la dose suivante.

DIAGNOSTICS INFIRMIERS POSSIBLES

■ **Énoncés diagnostiques**

☐ Altération des opérations de la pensée.

☐ Risque élevé de violence envers soi ou envers les autres.

☐ Prise en charge inefficace du programme thérapeutique.

☐ Non-observance du traitement médicamenteux.

☐ *Risque élevé d'intoxication.*

☐ *Risque élevé d'accident.*

☐ *Risque élevé d'excès nutritionnel.*

L

■ **Facteurs favorisants**

◻ Informations incomplètes.

◻ Doute quant aux bienfaits du médicament.

◻ *Manque de connaissances sur les modalités du traitement.*

◻ *Modification de l'état liquidien ou des volumes circulants.*

◻ *Manque de connaissances sur le régime alimentaire à suivre.*

◻ *Perturbation de la vigilance.*

◻ *Manque de connaissances sur les effets secondaires du médicament.*

INTERVENTIONS INFIRMIÈRES

PO: Administrer avec des aliments ou du lait afin de diminuer l'irritation gastro-intestinale. Les comprimés à libération prolongée doivent être avalés tels quels sans être scindés, broyés ni croqués.

ENSEIGNEMENT AU PATIENT ET À SES PROCHES

◻ Conseiller au patient de respecter scrupuleusement la posologie recommandée même s'il se sent mieux. S'il n'a pu prendre le médicament au moment habituel, il doit le prendre dès que possible à moins que la dose suivante ne soit prévue dans les 2 h (dans les 6 h, dans le cas d'un comprimé à libération prolongée).

◻ Prévenir le patient que le lithium peut provoquer de la somnolence ou des étourdissements. Lui conseiller de ne pas conduire et d'éviter les activités exigeant sa vigilance jusqu'à ce qu'on ait la certitude que ce médicament n'entraîne pas ces effets chez lui.

◻ Puisque les faibles concentrations de sodium peuvent prédisposer le patient à la toxicité, lui conseiller de boire de 2 à 3 L de liquides par jour et d'opter pour un régime alimentaire sans restriction de sodium. Lui conseiller également d'éviter la consommation excessive de café, de thé ou de boissons à base de cola en raison de leur effet diurétique et de ne pas s'en-

gager dans des activités qui entraînent des pertes excessives de sodium (efforts excessifs, exercice par temps chaud, sauna). Lui conseiller de contacter le médecin en cas de vomissements ou de diarrhée, puisqu'ils entraînent aussi une déplétion sodique.

◻ Prévenir le patient qu'il peut prendre du poids. Lui expliquer les principes d'un régime alimentaire hypocalorique.

◻ Conseiller au patient de consulter le médecin ou le pharmacien avant de prendre un médicament en vente libre pendant qu'il suit le traitement au lithium.

◻ Conseiller à la patiente de prendre des mesures contraceptives et de prévenir le médecin si elle croit être enceinte.

◻ Expliquer au patient les effets secondaires et les symptômes de la toxicité au lithium. Insister sur l'importance de signaler immédiatement au médecin les réactions indésirables.

◻ Expliquer au patient souffrant de maladie cardiaque ou âgé de plus de 40 ans la nécessité de se soumettre à un ÉCG avant le traitement et à intervalles réguliers pendant toute sa durée. Le patient doit prévenir le médecin en cas d'évanouissements, de pouls irrégulier ou de difficultés respiratoires.

■ Insister sur l'importance des examens diagnostiques et biochimiques permettant de déceler la toxicité au lithium.

VÉRIFICATION DES RÉSULTATS

L'efficacité du traitement peut être démontrée par : ■ la résolution des symptômes maniaques (hyperactivité, élocution précipitée, manque de jugement, diminution du besoin de sommeil) ; la normalisation de la symptomatologie peut se produire en l'espace de 1 à 3 semaines ■ la diminution de l'incidence des sautes d'humeur en cas de trouble bipolaire ■ l'amélioration de l'affect en cas de trouble unipolaire. L'amélioration de l'état n'est parfois notable qu'après 1 à 3 semaines.

LOMUSTINE
CCNU, CeeNu

CLASSIFICATION:
Antinéoplasique – nitrosourée

Grossesse – catégorie inconnue

INDICATIONS

■ En monothérapie ou en association avec d'autres modalités thérapeutiques pour traiter les tumeurs primaires et métastatiques du cerveau, la maladie de Hodgkin, le cancer du poumon, les mélanomes malins et le carcinome du sein. **Usages non approuvés:** ■ Carcinomes ovarien et pancréatique ■ Lymphome non hodgkinien ■ Cancer du tractus gastro-intestinal.

ACTION

■ Inhibition de la synthèse de l'ADN et de l'ARN par alkylation (action non spécifique sur l'une des phases du cycle cellulaire). **Effets thérapeutiques:** ■ Destruction des cellules à réplication rapide, particulièrement des cellules malignes.

PHARMACOCINÉTIQUE

Absorption: Par suite de l'administration PO, l'absorption est rapide.

Distribution: L'agent se répartit dans tout l'organisme. Les métabolites actifs pénètrent en grande quantité dans le liquide céphalorachidien. La lomustine pénètre dans le lait maternel.

Métabolisme et excrétion: La lomustine est surtout métabolisée par le foie. Certains métabolites sont des agents antinéoplasiques actifs.

Demi-vie: De 1 à 2 jours.

CONTRE-INDICATIONS ET PRÉCAUTIONS

Contre-indications: ■ Hypersensibilité ■ Grossesse ou allaitement.

Précautions: ■ Patientes en âge de procréer ■ Infections en évolution ■ Réserve médullaire réduite ■ Autres maladies chroniques débilitantes ■ Dysfonction hépatique.

RÉACTIONS INDÉSIRABLES ET EFFETS SECONDAIRES

SNC: désorientation, léthargie, ataxie, dysarthrie.

GI: nausées, vomissements, stomatite, hépatotoxicité, anorexie.

GU: azotémie, insuffisance rénale.

End.: suppression de la fonction des gonades.

Hémat.: anémie, leucopénie, thrombocytopénie.

Métab.: hyperuricémie.

Resp.: infiltrats pulmonaires, fibrose pulmonaire.

INTERACTIONS

Médicament – médicament: ■ Les autres **antinéoplasiques** ou la **radiothérapie**, administrés de façon concomitante, intensifient l'hypoplasie médullaire ■ Le médicament peut réduire la réponse des anticorps aux **vaccins vivants** et augmenter le risque de réactions indésirables.

VOIES D'ADMINISTRATION ET POSOLOGIE

PO (adultes et enfants): 130 mg/m^2 en une seule dose, toutes les 6 semaines. Une adaptation posologique est nécessaire en cas de traitement concomitant ou de baisse de la numération globulaire.

PHARMACODYNAMIE
(effet sur la numération globulaire)

	DÉBUT D'ACTION	PIC	DURÉE
PO	inconnu	4 – 7 semaines	1 – 2 semaines

☀ SOINS INFIRMIERS

ÉVALUATION DE LA SITUATION

☐ Surveiller l'apparition de fièvre, de maux de gorge et de signes d'infection et en prévenir le médecin, le cas échéant.

☐ Suivre de près les saignements : saignements des gencives, formation d'ecchymoses, pétéchies, sang occulte (par la méthode au gaïac) dans les selles, l'urine et les vomissures. Éviter l'administration d'injections par voie IM et la prise de la température par voie rectale. Appliquer une pression sur les points de vénoponction pendant 10 min.

☐ Suivre de près les nausées et les vomissements ; ils surviennent habituellement dans les 3 h suivant l'administration et persistent pendant 24 h. Consulter le médecin à propos de l'administration prophylactique d'antiémétiques. Effectuer le bilan des ingesta et des excreta, peser le patient tous les jours et noter son appétit. Pour prévenir l'anorexie, modifier le régime alimentaire selon les aliments que le patient peut tolérer.

■ **Étude des examens diagnostiques et biochimiques :** Noter la numération globulaire et la formule leucocytaire avant le traitement et à intervalles réguliers pendant toute sa durée. Le nadir de la leucopénie se produit en l'espace de 6 semaines. Prévenir le médecin si le nombre de leucocytes est inférieur à 4×10^9/L. Le nadir de la thrombocytopénie se produit en l'espace de 4 semaines. Prévenir le médecin si le nombre de plaquettes est inférieur à 100×10^9/L. Le nombre de leucocytes et de plaquettes se rétablit habituellement en 1 ou 2 semaines. L'hypoplasie médullaire est cumulative ; les cures ultérieures doivent être retardées jusqu'au rétablissement des valeurs.

☐ Examiner les résultats des tests de l'exploration fonctionnelle hépatique (TGOS [AST], TGPS [ALT], LDH, bilirubine) et de l'exploration fonctionnelle rénale (urée, créatinine) avant le traitement et à intervalles réguliers pendant toute sa durée afin de déceler la toxicité hépatique et rénale.

☐ La lomustine peut entraîner l'élévation des concentrations d'acide urique. Noter ces concentrations à intervalles réguliers pendant le traitement.

DIAGNOSTICS INFIRMIERS À SUIVRE

■ **Énoncés diagnostiques**

☐ Risque élevé d'infection.

☐ Déficit nutritionnel.

☐ Prise en charge inefficace du programme thérapeutique.

☐ *Risque élevé d'accident.*

☐ *Risque élevé d'atteinte à l'intégrité de la muqueuse buccale.*

☐ *Risque élevé de perturbation situationnelle de l'estime de soi.*

■ **Facteurs favorisants**

☐ Informations incomplètes.

☐ *Manque de connaissances sur les modalités du traitement.*

☐ *Manque de connaissances sur les effets secondaires affectant l'appareil gastro-intestinal.*

☐ *Manque de connaissances sur le régime alimentaire à suivre.*

☐ *Manque de connaissances sur les moyens de prévenir ou de réduire la sécheresse de la bouche.*

☐ *Altération de l'image corporelle.*

INTERVENTIONS INFIRMIÈRES

PO : Administrer le médicament à jeun, au coucher. Pour réduire les nausées, on peut administrer au préalable un antiémétique et un hypnotique.

ENSEIGNEMENT AU PATIENT ET À SES PROCHES

☐ Conseiller au patient de respecter scrupuleusement la posologie recommandée même si le médicament entraîne des nausées et des vomissements. Si les vomissements se produisent peu de temps après l'administration de la lomustine, prévenir le médecin.

□ Expliquer au patient que le flacon peut renfermer divers types de capsules. L'inciter à prendre toutes les capsules en une seule fois afin de s'assurer qu'il a reçu la dose appropriée.

□ Recommander au patient de signaler immédiatement au médecin les symptômes suivants : fièvre, frissons, maux de gorge, signes d'infection, saignement des gencives, formation d'ecchymoses, pétéchies, présence de sang dans l'urine, les selles ou les vomissements. Expliquer au patient qu'il doit éviter les foules et les personnes contagieuses. Lui conseiller d'utiliser une brosse à dents à poils souples et un rasoir électrique. Lui recommander de ne pas boire d'alcool et de ne pas prendre d'agents contenant de l'aspirine pendant le traitement.

□ Conseiller au patient de prévenir le médecin en cas de douleurs abdominales, de coloration jaune de la peau, de faiblesse, de toux, de trouble de l'élocution ou de diminution de la diurèse.

□ Recommander au patient d'inspecter sa muqueuse buccale pour déceler les rougeurs ou les aphtes. En cas d'ulcération, recommander au patient d'utiliser une brosse-éponge pour se brosser les dents et de se rincer la bouche à l'eau après avoir mangé et bu. Si la douleur l'empêche de s'alimenter, le médecin pourra lui recommander des gargarismes à la lidocaïne visqueuse.

□ Prévenir le patient qu'il risque de perdre ses cheveux. Explorer avec lui les stratégies lui permettant de s'adapter à ce changement.

□ Prévenir la patiente que même si la lomustine peut entraîner la stérilité, les mesures contraceptives restent de mise en raison des risques d'effets tératogènes sur le fœtus.

□ Conseiller au patient de ne pas se faire vacciner sans que le médecin le lui recommande expressément.

□ Insister sur l'importance des examens diagnostiques et biochimiques à intervalles réguliers permettant de suivre les effets secondaires de la lomustine.

VÉRIFICATION DES RÉSULTATS

L'efficacité du traitement peut être démontrée par : la diminution de la taille des tumeurs et de la propagation des métastases.

LOPÉRAMIDE
Imodium, (Imodium A-D)

CLASSIFICATION :
Antidiarrhéique

Grossesse – catégorie B

INDICATIONS

■ Traitement d'appoint de la diarrhée aiguë non spécifique ■ Traitement de la diarrhée chronique associée aux maladies intestinales inflammatoires non spécifiques ■ Diminution du volume des évacuations après iléostomie, colostomie et autres résections intestinales.

ACTION

■ Inhibition du péristaltisme et prolongation du transit intestinal par effet direct sur les nerfs de la paroi musculaire de l'intestin ■ Réduction du volume fécal, augmentation de la viscosité et de la masse fécales avec diminution parallèle des pertes de liquides et d'électrolytes. **Effets thérapeutiques :** ■ Soulagement de la diarrhée.

PHARMACOCINÉTIQUE

Absorption : Par suite de l'administration PO, le médicament est peu absorbé.
Distribution : Inconnue. L'agent ne traverse pas la barrière hémato-encéphalique.

Métabolisme et excrétion: Le lopéramide est métabolisé en partie par le foie et subit plusieurs cycles entérohépatiques. Une fraction de 30 % est excrétée dans les fèces et des quantités infimes sont excrétées dans l'urine.

Demi-vie: 10,8 h.

CONTRE-INDICATIONS ET PRÉCAUTIONS

Contre-indications: ■ Hypersensibilité ■ Patients chez lesquels la constipation doit être évitée ■ Douleurs abdominales d'étiologie inconnue, particulièrement lorsqu'elles s'accompagnent de fièvre. ■ Intolérance à l'alcool (préparation liquide seulement).

Précautions: ■ Dysfonctionnement hépatique ■ Grossesse, allaitement ou enfants de moins de 2 ans (l'innocuité du médicament n'a pas été établie).

RÉACTIONS INDÉSIRABLES ET EFFETS SECONDAIRES

SNC: somnolence, étourdissements.
GI: constipation, nausées, sécheresse de la bouche (xérostomie).

INTERACTIONS

Médicament – médicament: ■ Effets dépressifs additifs sur le SNC lors de l'usage concomitant de **dépresseurs du SNC**, y compris l'**alcool**, les **antihistaminiques**, les **narcotiques**, et les **hypnosédatifs** ■ Effets anticholinergiques additifs lors de l'administration concomitante de **médicaments doués de propriétés anticholinergiques**, y compris les **antidépresseurs** et les **antihistaminiques**.

PRÉSENTATION

Le lopéramide est présenté sous forme de « caplets » et de solution orale.

VOIES D'ADMINISTRATION ET POSOLOGIE

■ **PO (adultes):** 4 mg au départ, puis 2 mg après chaque émission de selles liquides ; la dose d'entretien habituelle est de 4 à 8 mg par jour (ne pas dépasser 16 mg par jour).

■ **PO (enfants de 8 à 12 ans ou > 30 kg):** 2 mg, 3 fois par jour au cours des 24 premières heures, puis 0,1 mg/kg après chaque émission de selles liquides (ne pas dépasser 6 mg en 24 h).

■ **PO (enfants de 5 à 8 ans ou de 20 à 30 kg):** 2 mg, 2 fois par jour au cours des 24 premières heures, puis 0,1 mg/kg après chaque émission de selles liquides (ne pas dépasser 4 mg en 24 h).

■ **PO (enfants de 2 à 5 ans ou de 10 à 20 kg):** 1 mg, 3 fois par jour au cours des 24 premières heures, puis 0,1 mg/kg après chaque émission de selles liquides (ne pas dépasser 3 mg en 24 h).

PHARMACODYNAMIE (soulagement de la diarrhée)

	DÉBUT D'ACTION	PIC	DURÉE
PO	1 h	2,5 – 5 h	10 h

SOINS INFIRMIERS

ÉVALUATION DE LA SITUATION

☐ Observer la fréquence et la consistance des selles et ausculter les bruits intestinaux avant le traitement et pendant toute sa durée.
☐ Effectuer le bilan hydro-électrolytique et observer la peau à la recherche de signes de déshydratation.

DIAGNOSTICS INFIRMIERS POSSIBLES

■ **Énoncés diagnostiques**
☐ Diarrhée.
☐ Risque élevé d'accident.
☐ Prise en charge inefficace du programme thérapeutique.

■ **Facteurs favorisants**
☐ Informations incomplètes.
☐ *Perturbation de la vigilance.*
☐ *Manque de connaissances sur les moyens de prévenir les effets secondaires du médicament.*
☐ *Manque de connaissances sur le régime alimentaire à suivre.*

□ Manque de connaissances sur les modalités du traitement.

INTERVENTIONS INFIRMIÈRES

■ Aucune intervention en particulier.

ENSEIGNEMENT AU PATIENT ET À SES PROCHES

□ Conseiller au patient de respecter scrupuleusement la posologie recommandée. Le prévenir qu'il ne doit pas prendre les doses manquées ni doubler la dose. En cas de diarrhée aiguë, le médecin peut lui recommander de prendre le médicament après chaque émission de selles liquides. Indiquer au patient le nombre maximal de doses qu'il peut prendre.

□ Prévenir le patient que le lopéramide peut provoquer de la somnolence. Lui conseiller de ne pas conduire et d'éviter les activités qui exigent sa vigilance jusqu'à ce qu'on ait la certitude que le médicament n'entraîne pas cet effet chez lui.

□ Conseiller au patient de se rincer fréquemment la bouche, de pratiquer une bonne hygiène orale et de consommer de la gomme à mâcher ou des bonbons sans sucre pour soulager la sécheresse de la bouche.

□ Prévenir le patient qu'il doit éviter de boire de l'alcool et de prendre d'autres dépresseurs du SNC pendant le traitement au lopéramide.

■ Conseiller au patient de prévenir le médecin si la diarrhée persiste ou si elle s'accompagne de fièvre.

VÉRIFICATION DES RÉSULTATS

L'efficacité du traitement peut être démontrée par : ■ la diminution de la diarrhée □ en cas de diarrhée aiguë, il faut arrêter le traitement en l'absence de toute amélioration après 48 h □ en cas de diarrhée chronique, en l'absence de toute amélioration après au moins 10 jours de traitement à la dose maximale, le lopéramide n'est vraisemblablement pas efficace.

LORAZÉPAM

Apo-Lorazepam, Ativan, Novo-Lorazem, Nu-Loraz, (Alzapam), (Loraz)

CLASSIFICATION :
Hypnosédatif – benzodiazépine ; anxiolytique

Grossesse – catégorie D – voie parentérale seulement ; inconnue – PO

INDICATIONS

■ Traitement d'appoint de l'anxiété excessive en période préopératoire et chez les patients souffrant de névrose d'angoisse ■ Traitement anticonvulsivant initial de l'état de mal épileptique. **Usages non approuvés :** ■ Traitement d'appoint de l'insomnie.

ACTION

■ Dépression du SNC, probablement par la potentialisation de l'activité de l'acide gamma-aminobutyrique (GABA), neurotransmetteur inhibiteur. **Effets thérapeutiques :** ■ Soulagement de l'anxiété ■ Sédation.

PHARMACOCINÉTIQUE

Absorption : Bonne absorption par suite de l'administration PO. Le lorazépam est rapidement et entièrement absorbé par suite de l'administration IM et sublinguale.

Distribution : Le médicament se répartit dans tout l'organisme. Il traverse la barrière hémato-encéphalique et le placenta et pénètre dans le lait maternel.

Métabolisme et excrétion : Le médicament est fortement métabolisé par le foie.

Demi-vie : De 10 à 20 h.

CONTRE-INDICATIONS ET PRÉCAUTIONS

Contre-indications : ■ Hypersensibilité ■ Risque de réactions de sensibilité croisée avec d'autres benzodiazépines ■ Coma ou dépression préexistante du SNC

■ Douleurs aiguës, non maîtrisées ■ Glaucome à angle étroit ■ Grossesse et allaitement.

Précautions : ■ Dysfonction hépatique ou rénale grave ■ Patients pouvant être suicidaires ou ayant des antécédents de toxicomanie ■ Personnes âgées ou patients débilités (réduire la dose) ■ Usage hypnotique – traitement de courte durée seulement.

RÉACTIONS INDÉSIRABLES ET EFFETS SECONDAIRES

SNC : étourdissements, somnolence, léthargie, sensation « droguée », excitation paradoxale, céphalées, dépression mentale.

ORLO : vision trouble.

Resp. : dépression respiratoire.

GI : nausées, vomissements, diarrhée, constipation.

Tég. : rash.

Divers : tolérance à l'effet du médicament, dépendance psychologique, dépendance physique.

INTERACTIONS

Médicament – médicament : ■ Dépression additive du SNC lors de l'usage concomitant d'autres **dépresseurs du SNC**, y compris l'**alcool**, les **antihistaminiques**, les **antidépresseurs**, les **analgésiques narcotiques** et les autres **hypnosédatifs** ■ Le lorazépam peut diminuer l'efficacité de la **lévodopa** ■ Le **tabagisme** peut accélérer le métabolisme et réduire l'efficacité du lorazépam ■ Le **probénécide** peut ralentir le métabolisme du lorazépam et en intensifier les effets.

VOIES D'ADMINISTRATION ET POSOLOGIE

Anxiété généralisée

■ **PO (adultes) :** 2 mg par jour, en 2 ou 3 doses fractionnées (dose habituelle de 2 à 3 mg par jour, jusqu'à concurrence de 6 mg par jour).

Insomnie

■ **PO (adultes) :** de 2 à 4 mg, au coucher.

Anxiété excessive et sédation préopératoires

■ **IV (adultes) :** 0,044 mg/kg (ne pas dépasser 2 mg), de 15 à 20 min avant l'intervention chirurgicale.

■ **IM et sublinguale (adultes) :** 0,05 mg/kg, 2 ou 3 h (voie IM) ou 1 ou 2 h (voie sublinguale) avant l'intervention chirurgicale (ne pas dépasser 4 mg).

Amnésie opératoire

■ **IV (adultes) :** jusqu'à 0,05 mg/kg (ne pas dépasser 4 mg).

État de mal épileptique

■ **IV (adultes) :** 0,05 mg/kg initialement, jusqu'à un maximum de 4 mg ; si les crises persistent ou récidivent de 10 à 15 min plus tard, répéter la dose de 0,05 mg/kg ; si cette seconde dose ne parvient pas à maîtriser les crises après une autre période de 10 à 15 min, prendre d'autres mesures. Ne pas dépasser 8 mg par 12 h.

PHARMACODYNAMIE (sédation)

	DÉBUT D'ACTION	PIC*	DURÉE
PO	15 – 45 min	1 – 6 h	jusqu'à 48 h
IM	15 – 30 min	1 – 1,5 h	jusqu'à 48 h
IV	5 – 15 min	inconnu	jusqu'à 48 h
sublinguale	6 min	1 h	inconnue

* Pic des concentrations plasmatiques.

☀ SOINS INFIRMIERS

ÉVALUATION DE LA SITUATION

☐ Noter le degré d'anxiété et ses manifestations avant le traitement et à intervalles réguliers pendant toute sa durée.

☐ Le traitement prolongé à des doses élevées peut entraîner une dépendance psychologique ou physique. Limiter la quantité de médicament dont le patient peut disposer.

■ **Étude des examens diagnostiques et biochimiques :** Les patients qui reçoivent des doses élevées devraient se soumettre à intervalles réguliers aux tests d'exploration fonctionnelle du foie, des reins et des organes formateurs du sang.

DIAGNOSTICS INFIRMIERS POSSIBLES

■ **Énoncés diagnostiques**
□ Anxiété.
□ Risque élevé d'accident.
□ Prise en charge inefficace du programme thérapeutique.

■ **Facteurs favorisants**
□ Informations incomplètes.
□ *Perturbation de la vigilance.*
□ *Manque de connaissances sur les modalités du traitement.*

INTERVENTIONS INFIRMIÈRES

■ **Directives générales:** Après l'administration par voie parentérale, demander au patient de garder le lit et l'observer étroitement pendant au moins 8 h.
■ **Voie sublinguale:** Demander au patient de ne pas avaler pour une période d'au moins 2 min suivant l'administration du médicament.
■ **IM:** Administrer les injections IM profondément dans la masse musculaire.
■ **IV directe:** Diluer, immédiatement avant l'administration, dans une quantité égale d'eau stérile, de dextrose à 5 % dans de l'eau ou de solution de NaCl à 9 % pour injection. Ne pas utiliser la solution si elle est colorée ou si elle renferme un précipité.
□ *Vitesse d'administration:* Administrer la solution par IV directe dans une tubulure en Y ou dans un robinet à 3 voies, à un débit de 2 mg/min. L'injection rapide peut entraîner l'apnée, l'hypotension, la bradycardie ou l'arrêt cardiaque.
■ **Association compatible dans la même seringue:** Cimétidine.
■ **Compatibilités (tubulure en Y):** Acyclovir, atracurium, pancuronium, vécuronium ou zidovudine.
■ **Incompatibilités (tubulure en Y):** Foscarnet ou ondansétron.

ENSEIGNEMENT AU PATIENT ET À SES PROCHES

□ Conseiller au patient de respecter scrupuleusement la posologie recommandée. Le prévenir qu'il ne doit pas sauter de dose ni remplacer une dose manquée par une double dose. Le sevrage brusque peut entraîner des tremblements, des nausées, des vomissements et des crampes musculaires ou abdominales.
□ Prévenir le patient que le lorazépam peut entraîner de la somnolence ou des étourdissements. Lui conseiller de ne pas conduire et d'éviter les activités qui exigent sa vigilance jusqu'à ce qu'on ait la certitude que le médicament n'entraîne pas ces effets chez lui.
□ Recommander au patient d'éviter de boire de l'alcool et de ne pas prendre d'autres dépresseurs du SNC pendant le traitement au lorazépam.
□ Conseiller à la patiente d'informer immédiatement le médecin si elle pense être enceinte ou si elle souhaite le devenir.
□ Insister sur l'importance des examens de suivi permettant d'évaluer l'efficacité du médicament.

VÉRIFICATION DES RÉSULTATS

L'efficacité du traitement peut être démontrée par: ■ une sensation de mieux-être ■ la diminution de la sensation subjective d'anxiété sans sédation excessive ■ la diminution de l'anxiété préopératoire ■ l'amnésie postopératoire ■ l'arrêt des convulsions.

LOVASTATINE
Mevacor, (Mevinolin)

CLASSIFICATION:
Hypolipidémiant

Grossesse – catégorie X

INDICATIONS

Traitement de l'hypercholestérolémie primaire, en association avec la diétothérapie.

ACTION

■ Inhibition de l'enzyme (HMG-CoA réductase) qui catalyse la synthèse du cholestérol à une étape précoce. **Effets thérapeutiques:** ■ Abaissement des concentrations de cholestérol total et de cholestérol-LDL. Augmentation des concentrations de cholestérol-HDL et diminution des concentrations de cholestérol-VLDL et de triglycérides.

PHARMACOCINÉTIQUE

Absorption: Par suite de l'administration PO, l'absorption est faible et variable.
Distribution: L'agent traverse la barrière hémato-encéphalique et le placenta.
Métabolisme et excrétion: La lovastatine est fortement métabolisée par le foie. Elle est excrétée dans la bile et les fèces. Une petite fraction (10 %) est excrétée à l'état inchangé par les reins.
Demi-vie: Inconnue.

CONTRE-INDICATIONS ET PRÉCAUTIONS

Contre-indications: ■ Hypersensibilité ■ Grossesse ou allaitement ■ Maladie hépatique en évolution.
Précautions: ■ Antécédents de maladie hépatique ■ Alcoolisme ■ Infection aiguë grave ■ Hypotension ■ Chirurgie majeure ■ Traumatisme ■ Troubles métaboliques, endocriniens ou électrolytiques graves ■ Convulsions non maîtrisées ■ Troubles visuels ■ Enfants (l'innocuité du médicament n'a pas été établie).

RÉACTIONS INDÉSIRABLES ET EFFETS SECONDAIRES

SNC: étourdissements, céphalées.
ORLO: vision trouble.
GI: constipation, diarrhée, dyspepsie, flatulence, crampes abdominales, brûlures d'estomac, nausées, hépatite, altération du goût.
Tég.: rash, prurit.
Loc.: crampes musculaires, myalgie, myopathie.

INTERACTIONS

Médicament – médicament: ■ Les **chélateurs des acides biliaires (cholestyramine, colestipol)**, administrés de façon concomitante, peuvent intensifier les effets hypocholestérolémiants de la lovastatine ■ Risque accru de myopathie lors de l'administration concomitante de **niacine**, de **gemfibrozil** ou de **cyclosporine**.

VOIES D'ADMINISTRATION ET POSOLOGIE

PO (adultes): 20 mg, une fois par jour, avec le repas du soir. On peut augmenter la dose à intervalles de 4 semaines, jusqu'à concurrence de 80 mg par jour, en une seule prise ou en prises fractionnées.

PHARMACODYNAMIE
(effet hypocholestérolémiant)

	DÉBUT D'ACTION	PIC	DURÉE
PO	2 semaines	4 – 6 semaines	inconnue

☀ SOINS INFIRMIERS

ÉVALUATION DE LA SITUATION

☐ Recueillir les données sur les habitudes alimentaires du patient, notamment sur sa consommation de matières grasses.

☐ Des examens ophtalmologiques sont recommandés avant le traitement et annuellement pendant sa durée.

■ **Étude des examens diagnostiques et biochimiques:** Noter les concentrations de cholestérol sérique, avant l'administration et à intervalles réguliers pendant toute la durée du traitement.

☐ Examiner les résultats des épreuves de l'exploration fonctionnelle hépatique, y compris les concentrations de TGOS (AST), avant le traitement, mensuellement pendant les 15 premiers mois de traitement, et à intervalles réguliers par la suite. Si les concentrations de TGOS sont 3 fois supérieures à la normale, il faut arrêter le traitement à la lovastatine.

□ Examiner les concentrations de CPK en présence d'une sensibilité musculaire. Si les concentrations de CPK sont fortement élevées ou si une myopathie se manifeste, il faut arrêter le traitement à la lovastatine.

DIAGNOSTICS INFIRMIERS POSSIBLES

■ **Énoncés diagnostiques**

□ Prise en charge inefficace du programme thérapeutique.

□ Non-observance du traitement médicamenteux.

□ *Risque élevé d'altération de la perception visuelle.*

■ **Facteurs favorisants**

□ Informations incomplètes.

□ Doute quant aux bienfaits du médicament.

□ *Manque de connaissances sur l'importance d'un suivi ophtalmologique.*

□ *Manque de connaissances sur le régime alimentaire à suivre.*

□ *Difficulté à s'adapter aux changements nécessaires dans les habitudes de vie.*

INTERVENTIONS INFIRMIÈRES

PO : Administrer la lovastatine avec des aliments. L'administration à jeun réduit l'absorption d'environ 30 %. Il faut administrer la dose uniquotidienne au repas du soir.

ENSEIGNEMENT AU PATIENT ET À SES PROCHES

□ Conseiller au patient de respecter scrupuleusement la posologie recommandée, de ne pas sauter de dose et de ne pas remplacer une dose man-

quée par une double dose. La lovastatine aide à réduire les taux sériques élevés de cholestérol, mais ne guérit pas l'hypercholestérolémie. Recommander au patient de consulter le médecin avant d'abandonner le traitement à la lovastatine puisque les concentrations sériques de lipides pourraient s'élever de façon marquée. Le traitement peut être de longue durée.

□ Expliquer au patient que le traitement médicamenteux ne peut être efficace que s'il suit en même temps un régime alimentaire pauvre en matières grasses, en cholestérol et en glucides, s'il évite de boire de l'alcool, s'il fait de l'exercice et s'il cesse de fumer.

□ Recommander à la patiente de prévenir immédiatement le médecin si elle souhaite devenir enceinte ou si elle croit l'être.

□ Recommander au patient qui doit suivre un traitement dentaire ou subir une intervention chirurgicale d'avertir le dentiste ou le médecin qu'il suit un traitement médicamenteux.

□ Insister sur l'importance des examens de suivi permettant de déterminer l'efficacité du traitement et de déceler les effets secondaires.

VÉRIFICATION DES RÉSULTATS

L'efficacité du traitement est démontrée par :
■ la baisse des concentrations sériques de cholestérol-LDL, de cholestérol-VLDL et de cholestérol total ■ l'élévation des concentrations de cholestérol-HDL.

LOXAPINE
Loxapac, (Loxitane), (Loxitane-C), (Loxitane IM)

CLASSIFICATION :
Antipsychotique

Grossesse – catégorie C

L

INDICATIONS

■ Traitement des manifestations de la schizophrénie. **Usages non approuvés:** ■ Traitement de la dépression et de l'anxiété associée à la dépression.

ACTION

■ Blocage possible de la dopamine aux sites des récepteurs post-synaptiques dans le SNC. **Effets thérapeutiques:** ■ Diminution du comportement schizophrénique.

PHARMACOCINÉTIQUE

Absorption: Bonne absorption par suite de l'administration PO ou IM.
Distribution: La distribution de la loxapine chez l'homme demeure inconnue.
Métabolisme et excrétion: La loxapine est fortement métabolisée par le foie. Une certaine fraction est transformée en composés antipsychotiques actifs.
Demi-vie: 19 h.

CONTRE-INDICATIONS ET PRÉCAUTIONS

Contre-indications: ■ Hypersensibilité ou intolérance à la loxapine ou à l'amoxapine ■ Coma ■ Dépression du SNC ■ Grossesse ou allaitement.
Précautions: ■ Glaucome ■ Hommes âgés ou souffrant d'hypertrophie de la prostate (prédisposition accrue à la rétention urinaire) ■ Personnes âgées (prédisposition accrue aux réactions indésirables) ■ Occlusion intestinale ■ Antécédents de convulsions ■ Alcoolisme ■ Maladie cardiovasculaire ■ Insuffisance hépatique ■ Enfants de moins de 16 ans (l'innocuité du médicament n'a pas été établie).

RÉACTIONS INDÉSIRABLES ET EFFETS SECONDAIRES

SNC: somnolence, syndromes extrapyramidaux, incluant le SYNDROME MALIN DES NEUROLEPTIQUES, dyskinésie tardive, insomnie, étourdissements, léthargie, sensation de tête légère, syncope, céphalées, ataxie, faiblesse, confusion.

ORLO: congestion nasale, vision trouble, opacité du cristallin.
CV: tachycardie, hypotension.
GI: constipation, sécheresse de la bouche (xérostomie), hépatite, nausées, vomissements, iléus.
GU: rétention urinaire.
Tég.: rash, dermatite, photosensibilité faciale, œdème, séborrhée, modification de la pigmentation.
End.: galactorrhée.
Hémat.: AGRANULOCYTOSE.
Divers: réactions allergiques, SYNDROME MALIN DES NEUROLEPTIQUES.

INTERACTIONS

Médicament – médicament: ■ La loxapine atténue les effets antihypertenseurs de la **guanéthidine** ou du **guanadrel** ■ La loxapine inhibe les effets alpha-adrénergiques de l'**épinéphrine** (risques d'hypotension et de tachycardie) ■ Dépression additive du SNC lors de l'usage concomitant d'autres **dépresseurs du SNC**, y compris l'**alcool**, les **antihistaminiques**, les **analgésiques narcotiques** et les **hypnosédatifs** ■ L'administration concomitante d'**antiacides** ou d'**antidiarrhéiques adsorbants** peut réduire l'absorption de la loxapine ■ Les **antidépresseurs** ou les **inhibiteurs de la MAO**, administrés de façon concomitante, peuvent prolonger la dépression du SNC et intensifier les effets anticholinergiques.

PRÉSENTATION

La loxapine est présentée sous forme de comprimés, de solution orale et d'injection par voie parentérale.

VOIES D'ADMINISTRATION ET POSOLOGIE

■ **PO (adultes):** 10 mg, 2 fois par jour; on peut augmenter graduellement la dose, au cours des 7 à 10 premiers jours de traitement, selon les besoins et la tolérance du patient. La dose d'entretien habituelle est de 60 à 100 mg par jour en 2 ou 4 prises fractionnées. Chez les patients gravement malades, on doit parfois administrer une dose initiale allant jusqu'à 50 mg et des doses d'entretien allant jusqu'à 250 mg par jour.

- **IM (adultes) :** de 12,5 à 50 mg, toutes les 4 à 6 h, selon les besoins et la tolérance du patient.

PHARMACODYNAMIE
(effet antipsychotique)

	DÉBUT D'ACTION	PIC	DURÉE
PO	30 min	1,5 – 3 h	12 h
IM	inconnu	inconnu	inconnue

SOINS INFIRMIERS

ÉVALUATION DE LA SITUATION

- ☐ Déterminer, avant le traitement et à intervalles réguliers pendant toute sa durée, l'état de la conscience du patient (délire, hallucinations, comportement).
- ☐ Mesurer le pouls et la pression artérielle (en position assise, couchée et debout) avant l'administration initiale et à intervalles fréquents pendant la période d'adaptation de la posologie.
- Observer attentivement le patient pendant qu'il prend le médicament pour s'assurer qu'il l'a bien avalé.
- Surveiller l'apparition des symptômes extrapyramidaux suivants : acathisie – agitation ; dystonie – spasmes musculaires et mouvements de contorsion ; pseudoparkinsonisme – faciès figé, rigidité, tremblements, bouche ouverte laissant s'échapper la salive (sialorrhée), démarche traînante et dysphagie. Signaler immédiatement au médecin l'apparition de ces symptômes, car une réduction de la dose ou l'arrêt du traitement pourraient s'imposer. Le médecin pourrait également prescrire un agent antiparkinsonien (trihexiphénidyle, benztropine) pour maîtriser ces symptômes.

- ☐ Suivre de près l'apparition de la dyskinésie tardive qui se traduit par des mouvements rythmiques de la bouche, du visage et des membres. Avertir immédiatement le médecin si ces symptômes se manifestent, car de tels effets secondaires peuvent être irréversibles.
- ☐ Noter la fréquence et la consistance des selles. La consommation accrue de fibres alimentaires et de liquides peut aider à réduire la constipation.
- ☐ La loxapine abaisse le seuil de convulsion. Prendre les précautions de mise dans le cas des patients ayant des antécédents de troubles convulsifs.
- ☐ Surveiller l'apparition du syndrome malin des neuroleptiques se manifestant par les symptômes suivants : fièvre, détresse respiratoire, tachycardie, convulsions, diaphorèse, hypertension ou hypotension, pâleur, fatigue. Signaler immédiatement au médecin l'apparition de ces symptômes.
- **Étude des examens diagnostiques et biochimiques :** Noter la numération globulaire et la formule leucocytaire avant le traitement et à intervalles réguliers pendant toute sa durée.
- ☐ Examiner les résultats des tests de l'exploration fonctionnelle hépatique avant le traitement et à intervalles réguliers pendant toute sa durée.
- **Toxicité et surdosage :** Les effets antiémétiques de la loxapine peuvent inhiber l'effet du sirop d'ipéca. En cas de surdosage, effectuer un lavage gastrique, administrer un barbiturique pour maîtriser les convulsions et administrer les soins de soutien en présence de fluctuations de la température corporelle. En cas d'hypotension, administrer des liquides par voie IV, de la norépinéphrine ou de la phényléphrine. Ne pas administrer d'épinéphrine, car elle pourrait aggraver l'hypotension.

DIAGNOSTICS INFIRMIERS POSSIBLES

■ Énoncés diagnostiques

☐ Altération des opérations de la pensée.

☐ Risque élevé d'accident.

☐ Prise en charge inefficace du programme thérapeutique.

☐ *Risque élevé d'anxiété.*

☐ *Risque élevé de diarrhée.*

☐ *Risque élevé d'atteinte à l'intégrité de la muqueuse buccale.*

■ Facteurs favorisants

☐ Informations incomplètes.

☐ *Perturbation de la vigilance.*

☐ *Manque de connaissances sur les effets hypotensifs du médicament lors des changements brusques de position.*

☐ *Altération de la perception visuelle.*

☐ *Manque de connaissances sur la méthode d'administration du médicament.*

☐ *Manque de connaissances sur les effets secondaires du médicament.*

☐ *Manque de connaissances sur les moyens de stimuler la fonction intestinale.*

☐ *Manque de connaissances sur les modalités du traitement.*

☐ *Manque de connaissances sur les moyens de prévenir ou de réduire la sécheresse de la bouche.*

INTERVENTIONS INFIRMIÈRES

■ **PO:** Administrer les comprimés avec des aliments ou du lait pour réduire l'irritation gastrique.

☐ Diluer la solution orale dans du jus d'orange ou de pamplemousse immédiatement avant l'administration. Mesurer la dose à l'aide du compte-gouttes fourni.

■ **IM:** Ne pas administrer la préparation par voie SC. Injecter lentement et en profondeur dans un muscle bien développé. Une légère coloration ambrée n'altère en rien la puissance de la solution. Ne pas administrer la solution si elle a fortement changé de couleur ou si elle renferme un précipité.

☐ Maintenir le patient en position couchée pendant au moins 30 min après l'administration par voie parentérale afin de réduire les effets hypotenseurs de la loxapine.

ENSEIGNEMENT AU PATIENT ET À SES PROCHES

☐ Conseiller au patient de respecter scrupuleusement la posologie recommandée. S'il n'a pas pu prendre le médicament au moment habituel, il doit le prendre dès que possible, jusqu'à 1 h avant l'heure prévue pour la dose suivante. Chez les patients suivant un traitement prolongé avec des fortes doses, un arrêt graduel de la médication pourrait s'avérer nécessaire afin d'éviter l'apparition des symptômes suivants de sevrage: dyskinésie, tremblements, étourdissements, nausées et vomissements.

☐ Montrer au patient recevant la solution orale comment mesurer la dose avec le compte-gouttes fourni.

☐ Mettre en garde le patient contre le risque d'apparition de symptômes extrapyramidaux ou d'une dyskinésie tardive. L'inciter à avertir immédiatement le médecin si ces symptômes se manifestent.

☐ Recommander au patient de changer lentement de position afin de réduire les risques d'hypotension orthostatique.

☐ Prévenir le patient que la loxapine peut provoquer de la somnolence. Lui conseiller de ne pas conduire et d'éviter les activités qui exigent sa vigilance jusqu'à ce qu'on ait la certitude que le médicament n'entraîne pas cet effet chez lui.

☐ Recommander au patient d'utiliser des crèmes solaires et de porter des vêtements protecteurs afin de prévenir les réactions de photosensibilité.

L

□ Mettre en garde le patient contre la consommation d'alcool, d'autres dépresseurs du SNC ou de médicaments en vente libre pendant son traitement à la loxapine sans avoir consulté au préalable le médecin.

□ Conseiller au patient de se rincer fréquemment la bouche, de pratiquer une bonne hygiène orale et de consommer de la gomme à mâcher ou des bonbons sans sucre pour soulager la sécheresse de la bouche. Lui recommander de consulter le médecin ou le pharmacien si la sécheresse de la bouche persiste pendant plus de 2 semaines.

□ Recommander au patient qui doit suivre un traitement dentaire ou subir une intervention chirurgicale d'avertir le dentiste ou le médecin qu'il suit un traitement médicamenteux.

□ Conseiller au patient d'informer rapidement le médecin de l'apparition des symptômes suivants : maux de gorge, fièvre, saignements ou ecchymoses inhabituels, rash, faiblesse, tremblements, troubles visuels, urine de couleur foncée ou selles couleur de glaise.

□ Insister sur l'importance des examens réguliers de suivi, des examens de la vue, des examens diagnostiques et biochimiques et d'une psychothérapie.

VÉRIFICATION DES RÉSULTATS

L'efficacité du traitement peut être démontrée par : la diminution des manifestations de la schizophrénie et de l'idéation psychotique.

LUBRIFIANTS OCULAIRES
Cellufresh, Cellusive, Duolube, Duratears, Hypotears, Isopto-Tears, Lacril, Lacril-Lube, Moisture Drops, Murine, Murocel, Oculube, Ocutears, PMS-Artificial Tears, PMS-Artificial Tears Xtra, Refresh,

R.O. yeux secs, TearDrops, Tears Encore, Tears Naturale, Tears Naturale II, Tears Naturale Free, Tears Plus, (Akwa Tears), (Artificial Tears), (Lacri-Lube N.P.), (Lacri-Lube SOP), (Refresh PM)

CLASSIFICATION :
Agent ophtalmique – lubrifiant
Grossesse – catégorie inconnue

INDICATIONS

■ Lubrification oculaire et protection dans les cas suivants : □ kératoconjonctivite sèche □ kératite d'exposition □ sensibilité réduite de la cornée □ érosion et lubrification de la cornée □ port de verres de contact rigides □ kératite sèche (usage nocturne) □ administration préopératoire et postopératoire □ administration après l'extraction d'un corps étranger.

ACTION

■ Effets émollients et lubrifiants (tous les onguents ophtalmiques renferment de la vaseline et de l'huile minérale stériles). **Effets thérapeutiques :** ■ Protection et lubrification des yeux.

PHARMACOCINÉTIQUE

Absorption : Aucune absorption systémique ; l'effet est surtout local.
Distribution : Absente.
Métabolisme et excrétion : Inconnus.
Demi-vie : Inconnue.

CONTRE-INDICATIONS ET PRÉCAUTIONS

Contre-indications : Hypersensibilité à la vaseline, à l'huile minérale ou aux autres ingrédients des préparations.
Précautions : Infections oculaires soupçonnées ou non diagnostiquées.

RÉACTIONS INDÉSIRABLES ET EFFETS SECONDAIRES

ORLO : vision trouble, gêne oculaire.

INTERACTIONS

Médicament – médicament: Les lubrifiants oculaires peuvent modifier l'effet des **médicaments ophtalmiques** administrés en même temps.

VOIES D'ADMINISTRATION ET POSOLOGIE

Préparations ophtalmiques (adultes): Instiller de petites quantités dans le sac conjonctival, plusieurs fois par jour.

PHARMACODYNAMIE (effet émollient)

	DÉBUT D'ACTION	PIC	DURÉE
préparations ophtalmiques	rapide	inconnu	inconnue

SOINS INFIRMIERS

ÉVALUATION DE LA SITUATION

Observer le patient pour déceler l'altération de la vue et l'irritation ou l'inflammation oculaires.

DIAGNOSTICS INFIRMIERS POSSIBLES

■ **Énoncés diagnostiques**
□ Altération de la perception visuelle.
□ Prise en charge inefficace du programme thérapeutique.
□ *Risque élevé d'accident.*

■ **Facteurs favorisants**
□ Informations incomplètes.
□ *Manque de connaissances sur la méthode d'administration du médicament.*
□ *Altération de la perception visuelle.*

INTERVENTIONS INFIRMIÈRES

■ **Gouttes ophtalmiques:** La méthode d'administration des gouttes ophtalmiques est indiquée à l'annexe H.
□ Jeter la solution si elle devient trouble.
■ **Onguent:** Appliquer un ruban d'onguent sur le sac conjonctival inférieur immédiatement avant le coucher. Bien refermer le tube. Attendre 10 min avant d'appliquer un autre onguent ophtalmique.
□ On peut conserver l'onguent pendant 8 semaines, à la température ambiante.

ENSEIGNEMENT AU PATIENT ET À SES PROCHES

□ Montrer au patient le mode d'emploi des gouttes ou de l'onguent ophtalmiques. S'il n'a pu administrer la préparation au moment habituel, il doit le faire dès que possible. Recommander au patient de consulter le médecin avant de porter des verres de contact.
□ Prévenir le patient que les préparations lubrifiantes peuvent rendre sa vision trouble. Lui recommander de ne pas conduire jusqu'à ce qu'on ait la certitude que le médicament n'entraîne pas cet effet chez lui. En cas d'hypersensibilité à la lumière, conseiller au patient de porter des lunettes de soleil.
□ Prévenir le patient que ses cils peuvent s'emmêler. Lui montrer la façon de se laver les paupières du canthus interne vers le canthus externe.
□ Conseiller au patient de prévenir le médecin si l'irritation ou la gêne oculaires s'intensifient ou si la vision trouble persiste.
□ Conseiller au patient utilisant une préparation en vente libre de consulter le médecin si l'irritation ne disparaît pas en l'espace de 3 jours.

VÉRIFICATION DES RÉSULTATS

L'efficacité du traitement peut être démontrée par: l'augmentation du film lacrymal en présence d'affections caractérisées par une sécheresse des yeux.

MAGALDRATE

Riopan, (Lowsium)

CLASSIFICATION:
Antiacide

Grossesse – catégorie inconnue

M

INDICATIONS

■ Traitement d'appoint de la douleur provoquée par l'ulcère gastroduodénal ■ Traitement de divers troubles gastriques incluant : □ l'hyperacidité □ l'indigestion □ l'œsophagite de reflux.

ACTION

■ Forme qui associe par un procédé chimique le magnésium et l'aluminium ■ Après dissolution dans l'estomac, neutralisation de l'acide gastrique. Inactivation de la pepsine si le pH est supérieur à 4. **Effets thérapeutiques :** ■ Neutralisation de l'acide gastrique avec guérison subséquente des ulcères et diminution de la douleur qu'ils provoquent.

PHARMACOCINÉTIQUE

Absorption : En général, lors d'un usage régulier, les antiacides ne sont pas absorbés. Toutefois, si l'usage est prolongé, une fraction de 15 à 30 % de magnésium et une plus petite quantité d'aluminium peuvent être absorbées.
Distribution : De petites quantités de magnésium et d'aluminium se répartissent dans tout l'organisme, traversent le placenta et pénètrent dans le lait maternel. L'aluminium s'accumule dans le SNC.
Métabolisme et excrétion : L'agent est excrété par les reins.
Demi-vie : Inconnue.

CONTRE-INDICATIONS ET PRÉCAUTIONS

Contre-indications : Douleur abdominale grave, de cause inconnue, particulièrement si elle s'accompagne de fièvre.
Précautions : Insuffisance rénale (dans ce cas, les antiacides contenant du magnésium devraient être administrés avec prudence).

RÉACTIONS INDÉSIRABLES ET EFFETS SECONDAIRES

GI : constipation (sels d'aluminium), diarrhée (sels de magnésium).
HÉ : hypermagnésémie (magnésium), hypophosphatémie (aluminium).

INTERACTIONS

Médicament – médicament : ■ Les sels de magnésium et d'aluminium modifient l'absorption de **nombreux médicaments administrés PO** ■ Le magaldrate peut réduire l'absorption des **tétracyclines**, des **phénothiazines**, des **sels de fer**, du **kétoconazole**, des **fluoroquinolones** et de l'**isoniazide**, administrés simultanément ■ Si le pH de l'urine est augmenté à cause de l'administration de doses élevées, les concentrations plasmatiques de **salicylates** peuvent diminuer tandis que les concentrations plasmatiques de **quinidine**, de **flécaïnide** et d'**amphétamine** peuvent s'élever.

PRÉSENTATION

Le magaldrate est présenté sous forme de comprimés et de préparations liquides.

VOIES D'ADMINISTRATION ET POSOLOGIE

Remarque : Les doses peuvent varier selon les concentrations des ingrédients de l'agent choisi. En général, on administre de 5 à 20 mL ou de 1 à 4 comprimés, de 20 min à 1 h après les repas et au coucher. Pendant la toute première phase de guérison de l'ulcère gastroduodénal, il peut s'avérer nécessaire d'administrer le médicament plus fréquemment.

Ulcère duodénal
■ **PO (adultes) (É.-U.) :** de 80 à 160 mmol de capacité de neutralisation par dose.

Ulcère gastrique
■ **PO (adultes) (É.-U.) :** de 40 à 80 mmol de capacité de neutralisation par dose.

PHARMACODYNAMIE (neutralisation de l'acide gastrique)

	DÉBUT D'ACTION	PIC	DURÉE	
			À JEUN	APRÈS LES REPAS
aluminium PO	(légèrement retardé)	30 min	30 min – 1 h	3 h
magnésium PO	(effet immédiat)	30 min	30 min – 1 h	3 h

M

SOINS INFIRMIERS

ÉVALUATION DE LA SITUATION

Suivre de près les brûlures d'estomac et l'indigestion ; déterminer le siège, la durée et les caractéristiques de la douleur gastrique ainsi que les facteurs qui la déclenchent.

DIAGNOSTICS INFIRMIERS POSSIBLES

■ **Énoncés diagnostiques**
□ Douleur.
□ Prise en charge inefficace du programme thérapeutique.
□ *Risque élevé de constipation.*
□ *Risque élevé de diarrhée.*

■ **Facteurs favorisants**
□ Informations incomplètes.
□ *Manque de connaissances sur les modalités du traitement.*
□ *Manque de connaissances sur les moyens de prévenir les effets secondaires affectant l'appareil gastrointestinal.*

INTERVENTIONS INFIRMIÈRES

■ **Directives générales:** Les comprimés doivent être bien mâchés avant d'être avalés. Bien agiter la suspension.
■ **PO:** Administrer le médicament entre les repas et au coucher.

ENSEIGNEMENT AU PATIENT ET À SES PROCHES

Inciter le patient à consulter le médecin s'il doit prendre des antiacides pendant plus de 2 semaines ou en cas de récurrence. Lui recommander de consulter également le médecin si la douleur n'est pas soulagée ou si les symptômes suivants d'hémorragie digestive se manifestent : selles noires et goudronneuses, vomissements ayant l'aspect du marc de café.

VÉRIFICATION DES RÉSULTATS

L'efficacité du traitement peut être démontrée par: le soulagement de la douleur et de l'irritation gastriques.

MAGNÉSIUM, CITRATE DE

Citro-Mag, solution Evac-Q-Kwik, (Citrate de magnésie), (Citroma), (Citro-Nesia), (Evac-Q-Mag)

CLASSIFICATION:
Laxatif salin

Grossesse – catégorie inconnue

INDICATIONS

Laxatif ou évacuation intestinale en vue d'une rectoscopie ou d'un examen radiologique du côlon.

ACTION

■ Augmentation de la pression osmotique au niveau du tractus gastro-intestinal par attraction de l'eau dans la lumière, ce qui entraîne des mouvements péristaltiques. **Effets thérapeutiques:** ■ Évacuation des matières du côlon.

PHARMACOCINÉTIQUE

Absorption: Par suite de l'administration PO, une fraction de 15 à 30 % de magnésium peut être absorbée.
Distribution: Le magnésium se répartit dans tout l'organisme. Il traverse le placenta et on le retrouve dans le lait maternel.
Métabolisme et excrétion: Le magnésium est excrété principalement par les reins.
Demi-vie: Inconnue.

CONTRE-INDICATIONS ET PRÉCAUTIONS

Contre-indications: ■ Hypermagnésémie ■ Hypocalcémie ■ Anurie ■ Bloc cardiaque ■ Période active du travail de l'accouchement.
Précautions: Insuffisance rénale quel qu'en soit le degré.

RÉACTIONS INDÉSIRABLES ET EFFETS SECONDAIRES

Remarque: On observe des réactions indésirables, autres que celles touchant le tractus gastro-intestinal, uniquement chez les patients qui reçoivent des doses élevées pendant des périodes prolongées et qui souffrent de maladie rénale sous-jacente.

SNC: somnolence.

Resp.: diminution de la fréquence respiratoire.

CV: bradycardie, arythmies, hypotension.

GI: diarrhée.

Tég.: rougeur de la peau, transpiration.

Métab.: hypothermie.

SN: affaiblissement des réflexes tendineux, PARALYSIE.

INTERACTIONS

Médicament – médicament: En cas d'absorption systémique, le citrate de magnésium peut potentialiser les effets des **bloqueurs neuromusculaires**.

VOIES D'ADMINISTRATION ET POSOLOGIE

Remarque: La préparation contient 33,50 mmol de magnésium par 100 mL (Citromag).

- **PO (adultes):** de 75 à 300 mL.
- **PO (enfants de 6 à 12 ans):** de 30 à 60 mL.
- **PO (enfants de 2 à 5 ans) (É.-U.):** de 4 à 12 mL.

PHARMACODYNAMIE (effet laxatif)

	DÉBUT D'ACTION	PIC	DURÉE
PO	3–6 h	inconnu	inconnue

☀ SOINS INFIRMIERS

ÉVALUATION DE LA SITUATION

- ☐ Suivre de près les signes de distension abdominale, ausculter les bruits intestinaux et observer les habitudes normales d'élimination.
- ☐ Déterminer la couleur, la consistance et la quantité des selles produites.

DIAGNOSTICS INFIRMIERS POSSIBLES

- ■ **Énoncés diagnostiques**
- ☐ Constipation.
- ☐ Prise en charge inefficace du programme thérapeutique.
- ☐ *Risque élevé de déficit de volume liquidien.*
- ☐ *Risque élevé de déséquilibre hydro-électrolytique.*

- ■ **Facteurs favorisants**
- ☐ Informations incomplètes.
- ☐ *Manque de connaissances sur la méthode d'administration du médicament.*
- ☐ *Modification de l'état liquidien et des volumes circulants.*
- ☐ *Manque de connaissances sur les modalités du traitement.*
- ☐ *Manque de connaissances sur les moyens de stimuler la fonction intestinale.*

INTERVENTIONS INFIRMIÈRES

- ■ **Directives générales:** Réfrigérer la solution de citrate de magnésium afin d'en améliorer le goût. On peut administrer le médicament avec des glaçons. Ne pas laisser le contenant de citrate de magnésium ouvert, car l'effervescence de la préparation peut disparaître avec le temps; cela n'affectera pas la puissance du médicament, mais en affectera le goût.
- ☐ Pour obtenir un effet laxatif plus rapide, administrer le médicament à jeun. Afin de prévenir la déshydratation et d'accélérer les effets, demander au patient de prendre les doses de laxatif avec un verre de liquide. Ne pas administrer le médicament au coucher ou en fin de journée.

ENSEIGNEMENT AU PATIENT ET À SES PROCHES

- ☐ Prévenir le patient que les laxatifs ne devraient être pris que pendant de courtes périodes. Le traitement prolongé peut entraîner un déséquilibre électrolytique et l'accoutumance.

□ Si le laxatif est administré dans le cadre d'une préparation intestinale, expliquer au patient comment le prendre par rapport aux autres laxatifs, aux suppositoires et aux modifications diététiques.

□ Recommander au patient de prendre d'autres mesures qui favorisent l'élimination intestinale : consommer des aliments riches en fibres, augmenter la consommation de liquides, faire de l'exercice. Expliquer au patient que chaque personne a ses propres habitudes d'élimination et qu'il est aussi normal de déféquer 3 fois par jour que 3 fois par semaine.

□ Recommander au patient de prévenir le médecin si la constipation n'est pas soulagée et si des saignements rectaux ou des symptômes de déséquilibre électrolytique (crampes ou douleurs musculaires, faiblesse, étourdissements, etc.) se manifestent.

VÉRIFICATION DES RÉSULTATS

L'efficacité du traitement peut être démontrée par : l'évacuation des matières du côlon ■ l'évacuation de selles molles et bien moulées.

MAGNÉSIUM, HYDROXYDE DE

Lait de magnésie, (comprimés de magnésie), (MOM)

CLASSIFICATION :
Laxatif salin ; antiacide

Grossesse – catégorie inconnue

INDICATIONS

■ Laxatif ■ Antécédents d'usage en tant qu'antiacide.

ACTION

■ Augmentation de la pression osmotique au niveau du tractus gastro-intestinal par attraction de l'eau dans la lumière, ce qui entraîne des mouvements péristaltiques ■ Neutralisation de l'acide gastrique. **Effets thérapeutiques :** ■ Évacuation des matières du côlon ■ Neutralisation de l'acide gastrique.

PHARMACOCINÉTIQUE

Absorption : Par suite de l'administration PO, une fraction de 15 à 30 % de magnésium peut être absorbée.

Distribution : Le magnésium se répartit dans tout l'organisme. Il traverse le placenta et on le retrouve dans le lait maternel.

Métabolisme et excrétion : Le magnésium est excrété principalement par les reins.

Demi-vie : Inconnue.

CONTRE-INDICATIONS ET PRÉCAUTIONS

Contre-indications : ■ Hypermagnésémie ■ Hypocalcémie ■ Anurie ■ Bloc cardiaque ■ Période active du travail de l'accouchement.

Précautions : Insuffisance rénale quel qu'en soit le degré.

RÉACTIONS INDÉSIRABLES ET EFFETS SECONDAIRES

Remarque : On observe des réactions indésirables, autres que celles touchant le tractus gastro-intestinal, uniquement chez les patients qui reçoivent des doses élevées pendant des périodes prolongées et qui souffrent de maladie rénale sousjacente.

SNC : somnolence.

Resp. : diminution de la fréquence respiratoire.

CV : bradycardie, arythmies, hypotension.

GI : diarrhée.

Tég. : rougeur de la peau, transpiration.

Métab. : hypothermie.

SN : affaiblissement des réflexes tendineux, PARALYSIE.

M

INTERACTIONS

Médicament – médicament : ■ En cas d'absorption systémique, l'hydroxyde de magnésium peut potentialiser les effets des **bloqueurs neuromusculaires** ■ L'hydroxyde de magnésium peut diminuer l'absorption des **fluoroquinolones**.

PRÉSENTATION

L'hydroxyde de magnésium est présenté sous forme de comprimés et de préparations liquides.

VOIES D'ADMINISTRATION ET POSOLOGIE

Laxatif
(41,00 mmol de magnésium par 30 mL de lait de magnésie)
- **PO (adultes) :** de 6 à 8 comprimés ou de 30 à 60 mL de suspension.
- **PO (enfants) :** de $\frac{1}{4}$ à $\frac{1}{2}$ de la dose liquide administrée chez l'adulte.
- **PO (enfants de 7 à 14 ans) :** de 2 à 4 comprimés.

Antiacide
- **PO (adultes) :** de 2 à 4 comprimés jusqu'à 4 fois par jour ou de 5 à 20 mL de suspension.
- **PO (enfants) :** de $\frac{1}{4}$ à $\frac{1}{2}$ de la dose liquide administrée chez l'adulte.
- **PO (enfants de 7 à 14 ans) :** 1 comprimé jusqu'à 4 fois par jour.

PHARMACODYNAMIE
(effet laxatif)

	DÉBUT D'ACTION	PIC	DURÉE
PO	3 – 6 h	inconnu	inconnue

☼ SOINS INFIRMIERS

ÉVALUATION DE LA SITUATION

- **Laxatif :** Suivre de près les signes de distension abdominale, ausculter les bruits intestinaux et observer les habitudes normales d'élimination.

□ Déterminer la couleur, la consistance et la quantité des selles produites.

- **Antiacide :** Suivre de près les brûlures d'estomac, l'indigestion ; déterminer l'emplacement, la durée et les caractéristiques de la douleur gastrique ainsi que les facteurs qui la déclenchent.

DIAGNOSTICS INFIRMIERS POSSIBLES

- **Énoncés diagnostiques**
□ Constipation.
□ Douleur.
□ Prise en charge inefficace du programme thérapeutique.
□ *Risque élevé de déficit de volume liquidien.*
□ *Risque élevé de déséquilibre hydro-électrolytique.*

- **Facteurs favorisants**
□ Informations incomplètes.
□ *Manque de connaissances sur la méthode d'administration du médicament.*
□ *Modification de l'état liquidien et des volumes circulants.*
□ *Manque de connaissances sur les modalités du traitement.*
□ *Manque de connaissances sur les moyens de stimuler la fonction intestinale.*

INTERVENTIONS INFIRMIÈRES

- **PO :** Le comprimé doit être mâché complètement avant d'être avalé afin de prévenir la pénétration de l'agent dans l'intestin grêle sous forme non dissoute. Demander ensuite au patient de boire un verre d'eau.
□ Bien agiter la suspension avant de l'administrer.
- **Laxatif :** Afin d'accélérer les effets du médicament et de prévenir la déshydratation, administrer la laxatif à jeun et demander au patient de boire par la suite un grand verre de liquide.

M

ENSEIGNEMENT AU PATIENT ET À SES PROCHES

- **Directives générales :** Demander au patient de ne pas prendre l'hydroxyde de magnésium dans les 2 h qui précèdent ou qui suivent la prise d'un autre médicament.
- **Laxatif :** Prévenir le patient que les laxatifs ne devraient être pris que pendant de courtes périodes. Le traitement prolongé peut entraîner un déséquilibre électrolytique et l'accoutumance.
- □ Recommander au patient de prendre d'autres mesures qui favorisent l'élimination intestinale : consommer des aliments riches en fibres, augmenter sa consommation de liquides, faire de l'exercice. Expliquer au patient que chaque personne a ses propres habitudes d'élimination et qu'il est aussi normal de déféquer 3 fois par jour que 3 fois par semaine.
- □ Recommander au patient de prévenir le médecin si la constipation n'est pas soulagée et si des saignements rectaux ou des symptômes de déséquilibre électrolytique (crampes ou douleurs musculaires, faiblesse, étourdissements, etc.) se manifestent.
- **Antiacide :** Inciter le patient à consulter le médecin s'il doit prendre des antiacides pendant plus de 2 semaines ou en cas de récurrence. Lui recommander de consulter également le médecin si la douleur n'est pas soulagée ou si les symptômes suivants de saignement gastrique se manifestent : selles noires et goudronneuses, vomissements ayant l'aspect du marc de café.

VÉRIFICATION DES RÉSULTATS

L'efficacité du traitement peut être démontrée par : ■ le soulagement de la douleur et de l'irritation gastriques ■ l'évacuation de selles molles et bien moulées, habituellement dans les 3 à 6 h qui suivent l'administration.

MAGNÉSIUM, HYDROXYDE DE, ET HYDROXYDE D'ALUMINIUM

Amphojel 500, Diovol, Diovol Ex, Gelusil, Gelusil Extra-Puissant, Maalox, Maalox TC, Mylanta-II simple, Neutralca-S, Univol, (Alamag), (Aludrox), (Alumid), (Creamalin), (Delcid), (Gelamal), (Gelusil-M), (Gelusil-II), (Kudrox Double Strength), (Maalox no.1), (Maalox no. 2), (Magmalin), (Mintox), (Rolox), (Rulox), (Rulox no.1), (Rulox no. 2), (WinGel)

CLASSIFICATION :
Antiacide ; traitement des ulcères

Grossesse – catégorie inconnue

INDICATIONS

■ Traitement d'appoint de la douleur provoquée par l'ulcère gastroduodénal et effet positif sur la guérison des ulcères duodénal et gastrique ■ Traitement de divers troubles gastriques incluant : □ l'hyperacidité □ l'indigestion □ l'œsophagite de reflux.

ACTION

■ Après dissolution dans l'estomac, neutralisation de l'acide gastrique. Inactivation de la pepsine si le pH est supérieur à 4. **Effets thérapeutiques :** ■ Neutralisation de l'acide gastrique avec guérison subséquente des ulcères et diminution de la douleur qu'ils provoquent.

PHARMACOCINÉTIQUE

Absorption : En général, lors d'un usage régulier, les antiacides ne sont pas absorbés. Toutefois, si l'usage est prolongé, une fraction de 15 à 30 % de magnésium et une plus petite quantité d'aluminium peuvent être absorbées.

Distribution : Les petites quantités de magnésium et d'aluminium absorbées se répartissent dans tout l'organisme, traversent le placenta et pénètrent dans le lait maternel. L'aluminium s'accumule dans le SNC.

Métabolisme et excrétion: L'agent est excrété par les reins.

Demi-vie: Inconnue.

CONTRE-INDICATIONS ET PRÉCAUTIONS

Contre-indications: ■ Douleur abdominale grave de cause inconnue, particulièrement si elle s'accompagne de fièvre ■ Anurie (le magnésium est contre-indiqué dans ce cas).

Précautions: Insuffisance rénale (dans ce cas, les antiacides contenant du magnésium devraient être administrés avec prudence).

RÉACTIONS INDÉSIRABLES ET EFFETS SECONDAIRES

GI: constipation (sels d'aluminium), diarrhée (sels de magnésium).

HÉ: hypermagnésémie (magnésium), hypophosphatémie (aluminium).

INTERACTIONS

Médicament – médicament: ■ Les sels de magnésium et d'aluminium modifient l'absorption de **nombreux médicaments administrés PO** ■ L'absorption des **tétracyclines**, des **phénothiazines**, des **sels de fer**, de l'**isoniazide** et des **fluoroquinolones**, administrés simultanément, peut être réduite ■ Si le pH de l'urine est augmenté à cause de l'administration de doses élevées, les concentrations plasmatiques de **salicylates** peuvent diminuer tandis que les concentrations plasmatiques de **quinidine** et d'**amphétamine** peuvent s'élever.

PRÉSENTATION

Cet agent est présenté sous forme de comprimés, de « caplets » et de préparations liquides. Les préparations liquides sont considérées comme plus efficaces.

VOIES D'ADMINISTRATION ET POSOLOGIE

Remarque: Les doses varient selon les concentrations des ingrédients de l'agent choisi. En général, on administre de 5 à 20 mL ou de 1 à 4 comprimés, de 20 min à 1 h après les repas et au coucher. Pendant la toute première phase de guérison de l'ulcère gastroduodénal, il peut s'avérer nécessaire d'administrer le médicament plus fréquemment.

Ulcère duodénal
■ **PO (adultes) (É.-U.):** de 80 à 160 mmol de capacité de neutralisation par dose.

Ulcère gastrique
■ **PO (adultes) (É.-U.):** de 40 à 80 mmol de capacité de neutralisation par dose.

PHARMACODYNAMIE (neutralisation de l'acide gastrique)

	DÉBUT D'ACTION	PIC	DURÉE	
			À JEUN	APRÈS LES REPAS
aluminium PO	(légèrement retardé)	30 min	30 min – 1 h	3 h
magnésium PO	(effet immédiat)	30 min	30 min – 1 h	3 h

SOINS INFIRMIERS

ÉVALUATION DE LA SITUATION

☐ Suivre de près les brûlures d'estomac et l'indigestion; déterminer l'emplacement, la durée et les caractéristiques de la douleur gastrique ainsi que les facteurs qui la déclenchent.

DIAGNOSTICS INFIRMIERS POSSIBLES

■ **Énoncés diagnostiques**
☐ Douleur.
☐ Prise en charge inefficace du programme thérapeutique.
☐ *Risque élevé d'atteinte à l'intégrité des tissus.*
☐ *Risque élevé de constipation.*
☐ *Risque élevé de diarrhée.*

- **Facteurs favorisants**
- □ Informations incomplètes.
- □ *Manque de connaissances sur les modalités du traitement.*
- □ *Manque de connaissances sur les moyens de prévenir les effets secondaires affectant l'appareil gastro-intestinal.*
- □ *Manque de connaissances sur la méthode d'administration du médicament.*

INTERVENTIONS INFIRMIÈRES

- **Directives générales:** Le magnésium et l'aluminium sont combinés sous forme d'antiacide pour équilibrer les effets constipants de l'aluminium et les effets diarrhéiques du magnésium.
- **PO:** Le comprimé doit être bien mâché avant d'être avalé afin de prévenir la pénétration de l'agent dans l'intestin grêle sous forme non dissoute. Demander ensuite au patient de boire un demi-verre d'eau.
- □ Bien agiter les suspensions avant de les administrer.
- □ Pour obtenir un effet antiacide, administrer l'agent de 20 min à 3 h après les repas et au coucher.

ENSEIGNEMENT AU PATIENT ET À SES PROCHES

- □ Inciter le patient à consulter le médecin s'il doit prendre des antiacides pendant plus de 2 semaines ou en cas de récurrence. Lui recommander de consulter également le médecin si la douleur n'est pas soulagée ou si les symptômes suivants d'hémorragie digestive se manifestent : selles noires et goudronneuses et vomissements ayant l'aspect du marc de café.
- □ Prévenir le patient qu'il ne faut pas prendre cette préparation dans les deux heures qui précèdent ou qui suivent la prise d'autres médicaments.
- □ Certains antiacides peuvent contenir de grandes quantités de sodium. Conseiller au patient qui doit suivre un régime alimentaire pauvre en sodium

de vérifier le contenu sodique de la préparation lors d'un traitement prolongé à des doses élevées.

VÉRIFICATION DES RÉSULTATS

L'efficacité du traitement peut être démontrée par: le soulagement de la douleur et de l'irritation gastriques.

MAGNÉSIUM, SULFATE DE
Sel d'Epsom, (Bilagog)

CLASSIFICATION:
Supplément électrolytique – supplément de magnésium; laxatif salin; anticonvulsivant.

Grossesse – catégorie inconnue

INDICATIONS

- Traitement et prévention de l'hypomagnésémie ■ Traitement de l'hypertension ou de l'encéphalopathie secondaire à une néphrite aiguë chez les enfants ■ Traitement anticonvulsivant en cas d'éclampsie ou de pré-éclampsie graves ■ Traitement de la tachycardie auriculaire paroxystique ■ Laxatif et évacuation intestinale en vue d'une intervention chirurgicale ou d'une radiographie ■ Empoisonnement au baryum.

ACTION

- Rôle essentiel à l'action de nombreuses enzymes ■ Rôle important dans la neurotransmission et l'excitation musculaire ■ Augmentation de la pression osmotique au niveau du tractus gastro-intestinal par attraction de l'eau dans la lumière, ce qui entraîne des mouvements péristaltiques. **Effets thérapeutiques:** ■ Substitution en cas d'états de carence, suppression de l'éclampsie, évacuation des matières du côlon et maîtrise de la tachycardie auriculaire paroxystique ■ Abaissement de la pression artérielle et maîtrise de l'encéphalopathie secondaires à la néphrite aiguë chez les enfants ▪ Inhibition d'une stimulation musculaire intense entraînée par un empoisonnement au baryum.

PHARMACOCINÉTIQUE

Absorption: Par suite de l'administration PO, une fraction de 15 à 30 % peut être absorbée. Bonne absorption depuis les points d'injection IM.
Distribution: Le sulfate de magnésium se répartit dans tout l'organisme. Il traverse le placenta et on le retrouve dans le lait maternel.
Métabolisme et excrétion: Le sulfate de magnésium est excrété principalement par les reins.
Demi-vie: Inconnue.

CONTRE-INDICATIONS ET PRÉCAUTIONS

Contre-indications: ▪ Hypermagnésémie ▪ Hypocalcémie ▪ Anurie ▪ Bloc cardiaque ▪ Période active du travail de l'accouchement.
Précautions: Insuffisance rénale quel qu'en soit le degré.

RÉACTIONS INDÉSIRABLES ET EFFETS SECONDAIRES

Remarque: Les réactions graves se manifestent lors de l'administration par voie parentérale seulement.
SNC: somnolence.
Resp.: diminution de la fréquence respiratoire.
CV: bradycardie, arythmies, hypotension.
GI: diarrhée.
Tég.: rougeur de la peau, transpiration.
Métab.: hypothermie.
SN: affaiblissement des réflexes tendineux, PARALYSIE.

INTERACTIONS

Médicament – médicament: ▪ Le sulfate de magnésium potentialise les effets des **bloqueurs neuromusculaires** ▪ Le magnésium pris PO diminue l'absorption des **fluoroquinolones**.

VOIES D'ADMINISTRATION ET POSOLOGIE

Remarque: 1 g de sulfate de magnésium contient 4 mmol de magnésium.

Hypomagnésémie

▪ **PO (adultes):** 3 g, toutes les 6 h, en 4 doses.
▪ **IM (adultes):** 1 g, toutes les 6 h, en 4 doses, jusqu'à concurrence de 250 mg/kg en 4 h.
▪ **IV (adultes):** 5 g dilués et perfusés lentement en 3 h.

Éclampsie, pré-éclampsie

▪ **IV (adultes):** initialement, 4 g par voie IV, suivis de l'administration IM, ou par la perfusion de 1 ou 2 g/h.
▪ **IM (adultes):** 4 ou 5 g, toutes les 4 h.

Anticonvulsivant

▪ **IM et IV (adultes):** 1 g.

Laxatif

▪ **PO (adultes):** de 5 à 15 g.
▪ **PO (enfants de 6 à 12 ans) (É.-U.):** de 5 à 10 g.
▪ **PO (enfants de 2 à 5 ans) (É.-U.):** de 2,5 à 5 g.

Intoxication par le baryum

▪ **IV (adultes):** de 1 à 2 g.

Tachycardie auriculaire paroxystique

▪ **IV (adultes):** de 3 à 4 g en 30 s; à administrer avec une extrême prudence.

Hypertension, encéphalopathie associées à la néphrite aiguë

▪ **IM (enfants):** 100 mg/kg (0,2 mL/kg) d'une solution à 50 %, toutes les 4 à 6 h, au besoin.

PHARMACODYNAMIE
(PO = effet laxatif; IM, IV = effet anticonvulsivant)

	DÉBUT D'ACTION	PIC	DURÉE
PO	3 – 6 h	inconnu	inconnue
IM	60 min	inconnu	3 – 4 h
IV	immédiat	inconnu	30 min

✳ SOINS INFIRMIERS

ÉVALUATION DE LA SITUATION

- **Directives générales:** Suivre les concentrations sériques de magnésium et les résultats des tests de l'exploration fonctionnelle rénale à intervalles réguliers tout au long de l'administration du sulfate de magnésium par voie parentérale.

- **Hypomagnésémie/Anticonvulsivant:** Mesurer le pouls, la pression artérielle et la fréquence respiratoire et suivre de près l'ÉCG à intervalles fréquents tout au long de l'administration du sulfate de magnésium par voie parentérale. S'assurer que la fréquence respiratoire est d'au moins 16 respirations à la minute avant d'administrer la dose.

- ☐ Noter l'état neurologique avant le traitement et pendant toute sa durée. Prendre toutes les précautions nécessaires en cas de crise. Le réflexe rotulien devrait être déterminé avant l'administration de la dose par voie parentérale de sulfate de magnésium. En l'absence de réponse, ne pas administrer de nouvelles doses jusqu'à l'obtention d'une réponse positive.

- ☐ Si la mère a reçu du sulfate de magnésium, suivre de près l'état du nouveau-né afin de déceler l'hypotension, l'hyporéflexie et la dépression respiratoire.

- ☐ Mesurer les ingesta et les excreta. La diurèse devrait être maintenue à au moins 100 mL toutes les 4 h.

- **Laxatif:** Noter la présence d'une distension abdominale; ausculter les bruits intestinaux; observer les habitudes normales d'élimination.

- ☐ Noter la couleur, la consistance et la quantité des selles produites.

- **Toxicité et surdosage:** La toxicité se manifeste par les signes suivants: allongement de l'intervalle PQ et élargissement de l'intervalle QRS, perte des réflexes tendineux, bloc cardiaque, paralysie respiratoire et arrêt cardiaque. Administrer du gluconate de calcium par voie IV pour contrecarrer les effets du magnésium.

DIAGNOSTICS INFIRMIERS POSSIBLES

- **Énoncés diagnostiques**
- ☐ Risque élevé d'accident.
- ☐ Constipation.
- ☐ Prise en charge inefficace du programme thérapeutique.
- ☐ *Risque élevé de déficit de volume liquidien.*

- **Facteurs favorisants**
- ☐ Informations incomplètes.
- ☐ *Manque de connaissances sur la méthode d'administration du médicament.*
- ☐ *Manque de connaissances sur les moyens de prévenir les effets secondaires affectant l'appareil gastro-intestinal.*
- ☐ *Manque de connaissances sur les moyens de stimuler la fonction intestinale.*

INTERVENTIONS INFIRMIÈRES

- **PO:** Pour accélérer l'effet laxatif, administrer le médicament à jeun. Dissoudre le sulfate de magnésium dans un verre d'eau. Pour masquer le goût amer de la préparation, on peut administrer l'agent dans une boisson gazéifiée citronnée. Demander ensuite au patient de boire un grand verre de liquide pour prévenir la déshydratation et accélérer l'effet du médicament. Ne pas administrer le médicament au coucher ou en fin de journée.

- **IM:** Administrer l'injection profondément dans le muscle fessier. Administrer les injections subséquentes en alternant les points d'injection.

- ☐ Chez l'adulte, administrer les concentrations à 20 ou à 50 % et, chez l'enfant âgé de moins de 14 ans, la concentration à 20 %.

- **IV directe:** Administrer la solution à 20 % sans la diluer, à un débit de 0,75 mL à la minute (ou de 150 mg à la minute).

- **Perfusion continue:** Lorsque le sulfate de magnésium est administré comme anticonvulsivant, diluer 4 g dans 250 mL de solution de dextrose à 5 % dans de l'eau ou de NaCl à 0,9 %.

  □ *Vitesse d'administration:* Ne pas administrer à un débit supérieur à 4 mL à la minute.

  □ Pour traiter l'hypomagnésémie, on peut diluer 5 g dans un litre de solution de dextrose à 5 % dans de l'eau ou de NaCl à 0,9 %, de solution de Ringer ou de lactate Ringer et l'administrer lentement en 3 h.

  □ Utiliser une pompe à perfusion pour régler le débit de façon précise.

- **Association compatible dans la même seringue:** Métoclopramide.

- **Compatibilités (tubulure en Y):** Acyclovir, amikacine, ampicilline, céfamandole, céfazoline, céfopérazone, céforanide, céfotaxime, céfoxitine, céphalothine, céphapirine, chloramphénicol, chlorure de potassium, clindamycine, co-trimoxazole, dobutamine, doxycycline, énalaprilate, lactobionate d'érythromycine, esmolol, famotidine, gentamicine, héparine, hydrocortisone, kanamycine, labétalol, métronidazole, minocycline, moxalactam, nafcilline, ondansétron, oxacilline, pénicilline G potassique, pipéracilline, tétracycline, ticarcilline, tobramycine ou vancomycine.

- **Compatibilités en addition au soluté:** Céphalothine, chloramphénicol, cisplatine, gluconate de calcium, isoprotérénol, méthyldopa, norépinéphrine, pénicilline G potassique, phosphate de potassium, succinate d'hydrocortisone sodique ou vérapamil.

- **Incompatibilités en addition au soluté:** Bicarbonate de sodium, chlorhydrate de procaïne, dobutamine, gluceptate de calcium, polymyxine, streptomycine ou tobramycine.

ENSEIGNEMENT AU PATIENT ET À SES PROCHES

- **Laxatif:** Prévenir le patient que les laxatifs devraient être pris pendant de courtes périodes seulement. Le traitement prolongé peut entraîner un déséquilibre électrolytique et l'accoutumance.

  □ Recommander au patient de prendre d'autres mesures qui favorisent l'élimination intestinale: consommer des aliments riches en fibres, augmenter la consommation de liquides, faire de l'exercice. Expliquer au patient que chaque personne a ses propres habitudes d'élimination et qu'il est tout aussi normal de déféquer 3 fois par jour que 3 fois par semaine.

  □ Conseiller au patient de prévenir le médecin si la constipation n'est pas soulagée et si des saignements rectaux ou des symptômes de déséquilibre électrolytique (crampes ou douleurs musculaires, faiblesse, étourdissements) se manifestent.

VÉRIFICATION DES RÉSULTATS

L'efficacité du traitement peut être démontrée par: ▪ le rétablissement des concentrations sériques normales de magnésium ▪ la suppression des convulsions associées aux toxémies de la grossesse ▪ l'évacuation de selles molles et bien moulées, habituellement dans les 3 à 6 h qui suivent l'administration ▪ l'abaissement de la pression artérielle et la maîtrise de l'encéphalopathie secondaires à la néphrite aiguë chez les enfants ▪ l'inhibition de la stimulation musculaire lors d'un empoisonnement au baryum ▪ la maîtrise de la tachycardie auriculaire paroxytique.

MANNITOL
Osmitrol

CLASSIFICATION:
Diurétique osmotique

Grossesse – catégorie C

INDICATIONS

■ Traitement d'appoint de l'insuffisance rénale oligurique aiguë ■ Traitement d'appoint de l'œdème ■ Réduction de la pression intracrânienne ou intraoculaire ■ Activation de l'excrétion de certaines substances toxiques.

ACTION

■ Augmentation de la pression osmotique du filtrat glomérulaire inhibant ainsi la réabsorption de l'eau et des électrolytes ■ Induction de l'excrétion : □ de l'eau □ du sodium □ du potassium □ des chlorures □ du calcium □ du phosphore □ du magnésium □ de l'urée □ de l'acide urique.

PHARMACOCINÉTIQUE

Absorption: L'administration est réservée à la voie IV. Dans ce cas, la biodisponibilité est totale.

Distribution: Le mannitol s'accumule seulement dans les espaces extracellulaires. Il ne traverse habituellement pas la barrière hémato-encéphalique ni oculaire.

Métabolisme et excrétion: Le mannitol est excrété par les reins. Le métabolisme hépatique est minime.

Demi-vie: 100 min.

CONTRE-INDICATIONS ET PRÉCAUTIONS

Contre-indications: ■ Hypersensibilité ■ Anurie ■ Déshydratation ■ Hémorragie intracrânienne active.

Précautions: Grossesse et allaitement (l'innocuité du médicament n'a pas été établie).

RÉACTIONS INDÉSIRABLES ET EFFETS SECONDAIRES

SNC: céphalées, confusion.

ORLO: vision trouble, rhinite.

CV: expansion volémique passagère, tachycardie, douleur thoracique, insuffisance cardiaque, œdème pulmonaire.

GI: soif, nausées, vomissements.

GU: insuffisance rénale, rétention urinaire.

HÉ: hyponatrémie, hypernatrémie, hypokaliémie, hyperkaliémie, déshydratation.

Locaux: phlébite au point d'injection IV.

INTERACTIONS

Médicament – médicament: Le mannitol augmente l'excrétion du **lithium** et peut en réduire l'efficacité.

VOIES D'ADMINISTRATION ET POSOLOGIE

Œdème, insuffisance rénale oligurique

■ **IV (adultes):** de 50 à 100 g, sous forme de solution de 10 à 25 %.

■ **IV (enfants):** 2 g/kg, sous forme de solution à 20 %, sur 2 à 6 h.

Réduction de la pression intracrânienne ou intraoculaire

■ **IV (adultes):** de 1,5 à 2 g/kg, sous forme de solution de 20 à 25 %, en 30 à 60 min.

■ **IV (enfants):** 2 g/kg, sous forme de solution à 20 %, en 30 à 60 min (chez les enfants jeunes ou débilités, une dose de 500 mg/kg peut suffire).

Diurèse en cas d'intoxication médicamenteuse

■ **IV (adultes):** de 50 à 200 g, sous forme de solution de 10 à 25 % ; adapter la dose pour maintenir un débit urinaire de 150 à 500 mL à l'heure.

■ **IV (enfants):** 2 g/kg, sous forme de solution à 10 %.

PHARMACODYNAMIE
(effet diurétique)

	DÉBUT D'ACTION	PIC	DURÉE
IV	30 – 60 min	1 h	6 – 8 h

SOINS INFIRMIERS

ÉVALUATION DE LA SITUATION

- **Directives générales:** Mesurer les signes vitaux, le débit urinaire, la pression veineuse centrale et la pression des artères pulmonaires avant l'administration et toutes les heures pendant toute la durée du traitement. Surveiller les signes et les symptômes de déshydratation (sécheresse de la peau et des muqueuses, fièvre, soif) ou de surcharge liquidienne (pression veineuse centrale accrue, dyspnée, râles et crépitations, œdème).

- Suivre de près l'anorexie, la faiblesse musculaire, l'engourdissement, les picotements, la paresthésie, la confusion et la soif excessive. Prévenir immédiatement le médecin si ces symptômes de déséquilibre électrolytique se manifestent.

- **Pression intracrânienne accrue:** Noter l'état neurologique et la pression intracrânienne du patient, si le mannitol est administré pour réduire l'œdème cérébral.

- **Pression intraoculaire accrue:** Suivre de près les douleurs oculaires accrues ou persistantes ou la diminution de l'acuité visuelle.

- **Étude des examens diagnostiques et biochimiques:** Noter à intervalles réguliers, tout au long du traitement, les résultats des tests de l'exploration fonctionnelle rénale et les concentrations sériques d'électrolytes.

DIAGNOSTICS INFIRMIERS POSSIBLES

- **Énoncés diagnostiques**
- Excès de volume liquidien.
- Déficit de volume liquidien.
- *Risque élevé de déséquilibre hydroélectrolytique.*
- *Risque élevé de douleur au point d'injection IV.*
- *Risque élevé d'accident.*

- **Facteurs favorisants**
- *Modification de l'état liquidien ou des volumes circulants.*
- *Inflammation locale du tissu vasculaire ou infiltration du médicament dans les tissus avoisinants.*
- *Manque de connaissances sur les modalités du traitement.*

INTERVENTIONS INFIRMIÈRES

- **Directives générales:** Observer le point de perfusion à intervalles fréquents pour déceler l'infiltration. L'extravasation peut provoquer l'irritation et la nécrose tissulaires.

- Ne pas administrer la solution de mannitol sans électrolytes en même temps que du sang. S'il faut administrer du sang et du mannitol simultanément, ajouter au moins 20 mmol de solution de NaCl à chaque litre de mannitol.

- Consulter le médecin au sujet de l'installation d'une sonde de Foley à demeure (sauf si le mannitol est administré pour réduire la pression intraoculaire).

- **IV:** Administrer la solution non diluée par perfusion IV. Si la solution contient des cristaux, réchauffer le flacon dans l'eau chaude et l'agiter vigoureusement. Ne pas administrer la solution si les cristaux ne se sont pas dissous. Refroidir la solution à la température du corps. Utiliser un filtre pour la perfusion des solutions à 20 et à 25 %.

- **Dose d'essai:** Administrer la dose en 3 à 5 min pour produire un débit urinaire de 30 à 50 mL à l'heure. Si le débit de l'urine n'augmente pas, administrer une deuxième dose d'essai. Si le débit urinaire n'est pas d'au moins 30 à 50 mL à l'heure, pendant 2 ou 3 h après l'administration de la deuxième dose d'essai, il faudrait réévaluer l'état du patient.

- **Oligurie:** La vitesse d'administration devrait être ajustée de façon à obtenir

M

un débit urinaire de 30 à 50 mL à l'heure.

- **Pression intracrânienne accrue:** Perfuser la dose en 30 à 60 min.
- **Pression intraoculaire:** Administrer la dose en 30 min. Si le mannitol est utilisé avant une intervention chirurgicale, l'administrer en 30 à 60 min avant l'intervention.
- **Compatibilité (tubulure en Y):** Ondansétron.
- **Compatibilités en addition au soluté:** Amikacine, brétylium, céfamandole, céfoxitine, cimétidine, cisplatine, dopamine, gentamicine, métoclopramide, nétilmicine, tobramycine ou vérapamil.
- **Incompatibilités en addition au soluté:** Produits du sang ou imipénem avec cilastatine.

ENSEIGNEMENT AU PATIENT ET À SES PROCHES

Expliquer au patient le but du traitement.

VÉRIFICATION DES RÉSULTATS

L'efficacité du traitement peut être démontrée par: ■ l'obtention d'un débit urinaire d'au moins 30 à 50 mL à l'heure ou l'augmentation du débit urinaire selon les paramètres établis par le médecin ■ la réduction de la pression intracrânienne ■ la réduction de la pression intraoculaire ■ l'excrétion de certaines substances toxiques.

MAPROTILINE
Ludiomil

CLASSIFICATION:
Antidépresseur tétracyclique

Grossesse – catégorie B

INDICATIONS

■ Traitement de diverses formes de dépression endogène, incluant la phase dépressive de la psychose maniaco-dépressive, la dépression psychotique et la mélancolie d'involution ■ Emploi utile dans certains cas de dépression névrotique grave.

ACTION

■ Potentialisation des effets de la sérotonine et de la noradrénaline ■ Propriétés anticholinergiques importantes; **Effets thérapeutiques:** ■ Effet antidépresseur qui peut ne se manifester qu'après plusieurs semaines.

PHARMACOCINÉTIQUE

Absorption: Absorption lente mais complète depuis le tractus gastro-intestinal.
Distribution: La maprotiline se répartit dans tout l'organisme. Elle traverse probablement le placenta et pénètre dans le lait maternel à des concentrations similaires à celles qu'on trouve dans le plasma.
Métabolisme et excrétion: La maprotiline est métabolisée lentement et fortement par le foie. Une certaine fraction est transformée en composés actifs. Une fraction de 30 % est excrétée dans les fèces.
Demi-vie: 51 h.

CONTRE-INDICATIONS ET PRÉCAUTIONS

Contre-indications: ■ Glaucome à angle étroit ■ Grossesse et allaitement ■ Infarctus aigu du myocarde ■ Troubles convulsifs (le médicament peut abaisser le seuil de crise).
Précautions: ■ Patients âgés (risque accru d'effets indésirables; il est conseillé de réduire la dose) ■ Maladie cardiovasculaire préexistante ■ Hommes âgés souffrant d'hypertrophie de la prostate (plus grande prédisposition à la rétention urinaire).

RÉACTIONS INDÉSIRABLES ET EFFETS SECONDAIRES

SNC: somnolence, sédation, léthargie, fatigue, confusion, agitation, hallucinations, CONVULSIONS.
ORLO: sécheresse de la bouche (xérostomie), sécheresse des yeux (alacrymie), vision trouble.

CV: hypotension, modifications de l'ÉCG, ARYTHMIES.
GI: constipation, iléus paralytique.
GU: rétention urinaire.
Tég.: photosensibilité.
End.: gynécomastie.
Hémat.: dyscrasie.

INTERACTIONS

Médicament – médicament: ■ L'administration simultanée d'**inhibiteurs de la MAO** peut entraîner l'hyperthermie, des convulsions, l'hypertension et même la mort (éviter l'administration concomitante; arrêter l'administration de ces agents 14 jours avant le traitement avec la maprotiline) ■ La maprotiline peut bloquer la réponse thérapeutique aux **antihypertenseurs** ■ Dépression additive du SNC lors de l'usage concomitant d'autres **dépresseurs du SNC** dont l'**alcool**, les **antihistaminiques**, les **analgésiques narcotiques**, la **clonidine** ou les **hypnosédatifs** ■ Les effets adrénergiques peuvent être additifs lors de l'administration concomitante d'autres agents adrénergiques incluant les **vasoconstricteurs** et les **décongestionnants** ■ Effets anticholinergiques additifs lors de l'administration concomitante d'autres **médicaments doués de propriétés anticholinergiques** incluant les **antihistaminiques**, l'**atropine**, l'**halopéridol**, les **phénothiazines**, la **quinidine** et le **disopyramide** ■ La **cimétidine** ou les **contraceptifs oraux** ou le **propranolol** augmentent les concentrations de maprotiline et peuvent provoquer une toxicité ■ Les **sympathomimétiques** augmentent le risque de réactions cardiovasculaires indésirables ■ Risque accru de convulsions lors de l'administration conjointe de **phénothiazines**.

VOIES D'ADMINISTRATION ET POSOLOGIE

■ **PO (adultes):** initialement, 75 mg par jour; on peut augmenter la dose de 25 mg, toutes les 2 semaines, jusqu'à concurrence de 150 mg par jour. Chez certains patients, on doit parfois administrer jusqu'à 225 mg par jour. On peut administrer la maprotiline en 2 ou 3 doses fractionnées ou en une seule dose au coucher.

■ **PO (patients âgés et débilités):** initialement, 30 mg par jour; on peut augmenter la dose graduellement, toutes les 2 semaines, jusqu'à concurrence de 75 mg par jour.

PHARMACODYNAMIE
(effet antidépresseur)

	DÉBUT D'ACTION	PIC	DURÉE
PO	3 – 7 jours	2 – 3 semaines	inconnue

SOINS INFIRMIERS

ÉVALUATION DE LA SITUATION

☐ Observer l'état de la conscience à intervalles fréquents. La confusion, l'agitation et les hallucinations peuvent se manifester en début de traitement et dicter la réduction de la dose. Suivre de près les sautes d'humeur. Surveiller les tendances suicidaires, particulièrement durant le traitement initial. Réduire la quantité de médicament dont le patient peut disposer.

☐ Mesurer la pression artérielle et le pouls à intervalles réguliers pendant le traitement initial. Prévenir le médecin en cas de modifications importantes.

☐ Suivre de près les crises chez les patients ayant des antécédents de convulsions ou d'alcoolisme. Prendre les précautions de mise.

■ **Étude des examens diagnostiques et biochimiques:** Noter la numération globulaire et les résultats des tests de l'exploration fonctionnelle hépatique avant le traitement et à intervalles réguliers pendant toute sa durée.

DIAGNOSTICS INFIRMIERS POSSIBLES

■ **Énoncés diagnostiques**

□ Stratégies d'adaptation individuelle inefficaces.

□ Anxiété.

□ Prise en charge inefficace du programme thérapeutique.

□ *Risque élevé d'accident.*

□ *Risque élevé d'atteinte à l'intégrité de la muqueuse buccale.*

□ *Risque élevé de constipation.*

■ **Facteurs favorisants**

□ Informations incomplètes.

□ *Perturbation de la vigilance.*

□ *Manque de connaissances sur les moyens de prévenir ou de réduire la sécheresse de la bouche.*

□ *Manque de connaissances sur les moyens de stimuler la fonction intestinale.*

□ *Manque de connaissances sur les modalités du traitement.*

□ *Manque de connaissances sur les effets hypotensifs du médicament lors des changements brusques de position.*

INTERVENTIONS INFIRMIÈRES

Directives générales : On peut administrer le médicament en une seule dose, au coucher, afin de réduire la somnolence ou les étourdissements excessifs.

ENSEIGNEMENT AU PATIENT ET À SES PROCHES

□ Conseiller au patient de respecter scrupuleusement la posologie recommandée. S'il n'a pas pu prendre le médicament au moment habituel, le faire aussitôt que possible à moins que ce ne soit presque l'heure prévue pour la dose suivante. Dans ce cas, lui recommander de ne pas prendre cette dose et de revenir à l'horaire habituel. Si le patient prend le médicament en une seule dose, au coucher, lui conseiller de ne pas prendre la dose manquée le lendemain matin, mais de consulter le médecin.

□ Prévenir le patient que la maprotiline peut provoquer de la somnolence et rendre la vision trouble. Lui recommander de ne pas conduire et d'éviter les activités qui exigent sa vigilance jusqu'à ce qu'on ait la certitude que le médicament n'entraîne pas ces effets chez lui.

□ Recommander au patient de changer lentement de position afin de réduire les risques d'hypotension orthostatique.

□ Mettre en garde le patient contre la consommation d'alcool ou d'autres dépresseurs du SNC en même temps que la maprotiline et pendant au moins 3 à 7 jours après l'arrêt du traitement.

□ Conseiller au patient de signaler au médecin la sécheresse de la bouche, la rétention urinaire ou la constipation. Lui recommander de se rincer fréquemment la bouche, de pratiquer une bonne hygiène orale et de consommer de la gomme ou des bonbons sans sucre pour soulager la sécheresse de la bouche. Lui conseiller de consommer plus de liquides et de fibres alimentaires et de faire de l'exercice pour prévenir la constipation.

□ Recommander au patient d'utiliser un écran solaire et de porter des vêtements protecteurs pour éviter les réactions de photosensibilité.

□ Recommander au patient de consulter le médecin ou le pharmacien avant de prendre des médicaments contre le rhume en vente libre en même temps que la maprotiline.

□ Recommander au patient qui doit suivre un traitement dentaire ou subir une intervention chirurgicale d'avertir le dentiste ou le médecin qu'il suit un traitement médicamenteux.

□ Prévenir le patient que le traitement de la dépression peut être prolongé. Insister sur l'importance des examens de suivi permettant d'évaluer l'efficacité du traitement et de suivre les effets secondaires du médicament.

M

L'efficacité du traitement peut être démontrée par : ■ la résolution des symptômes de dépression : □ sensation de mieux-être □ regain d'intérêt pour l'entourage □ gain d'appétit □ regain d'énergie □ amélioration du sommeil ■ la diminution de l'anxiété dépressive. Les effets thérapeutiques peuvent parfois se manifester dans les 3 à 7 jours qui suivent le début du traitement, bien qu'habituellement on ne note d'amélioration qu'en l'espace de 2 à 3 semaines.

MÉBENDAZOLE

Vermox, (Nemasole)

CLASSIFICATION :
Anthelminthique

Grossesse – catégorie C

INDICATIONS

■ Traitement des infections dues aux : □ trichocéphales (*Trichuris trichiura*) □ oxyures (*Enterobius vermicularis*) □ ascaris (*Ascaris lumbricoides*) □ ankylostomes □ vers solitaires (*Taenia solium*) **Usages non approuvés :** ■ Traitement des infections dues aux : □ nématodes □ strongyloïdés □ larves de parasites animaux (*Larva migrans*) □ *Capillaria* □ *Toxocara* (toxocarose).

ACTION

■ Inhibition du captage du glucose et d'autres éléments nutritifs par les helminthes sensibles. **Effets thérapeutiques :** ■ Destruction des parasites, des œufs et des kystes hydatiques (action vermicide et ovocide).

PHARMACOCINÉTIQUE

Absorption : Par suite de l'administration PO, l'absorption est minime (de 2 à 10 %).

Distribution : Inconnue.

Métabolisme et excrétion : Une fraction supérieure à 95 % est éliminée dans les fèces. Le médicament absorbé est en grande partie métabolisé par le foie. De petites quantités sont excrétées à l'état inchangé par les reins.

Demi-vie : De 2,5 à 9 h (prolongée en cas d'insuffisance hépatique).

CONTRE-INDICATIONS ET PRÉCAUTIONS

Contre-indication : Hypersensibilité.

Précautions : ■ Grossesse, allaitement ou enfants de moins de 2 ans (l'innocuité du médicament n'a pas été établie) ■ Dysfonction hépatique ■ Iléite terminale ou maladie de Crohn ■ Colite ulcéreuse.

RÉACTIONS INDÉSIRABLES ET EFFETS SECONDAIRES

Remarque : On observe la plupart des effets secondaires et réactions indésirables lors d'un traitement à doses élevées seulement.

SNC : céphalées, étourdissements.

ORLO : acouphènes.

GI : diarrhée, douleurs abdominales, nausées, vomissements.

Hémat. : myélodépression réversible (leucopénie, thrombocytopénie).

SN : engourdissement.

Divers : fièvre.

INTERACTIONS

Médicament – médicament : ■ La **carbamazépine** et la **phénytoïne** peuvent accélérer le métabolisme et réduire l'efficacité du traitement. **Médicament-aliments :** ■ L'absorption du médicament peut être augmentée par les aliments **riches en matières grasses**.

VOIES D'ADMINISTRATION ET POSOLOGIE

Oxyurose

■ **PO (adultes et enfants > 2 ans) :** 100 mg en une seule dose.

Trichocéphalose, ascaridiase, ankylostomiase, taeniase ou infections mixtes

- **PO (adultes et enfants > 2 ans):** 200 mg par jour, en 2 doses fractionnées, pendant 3 jours. En l'absence de guérison dans les 3 à 4 semaines qui suivent, amorcer une 2ᵉ cure.

Capillariose

- **PO (adultes et enfants > 2 ans):** 200 mg, deux fois par jour, pendant 20 à 30 jours.

Toxocarose

- **PO (adultes):** de 200 à 400 mg par jour, pendant 4 ou 5 jours.

Hydatide

- **PO (adultes et enfants > 2 ans):** 40 mg/kg, par jour, pendant 6 mois, ou 50 mg/kg, par jour, pendant 2 semaines ; par la suite, 200 mg/kg, par jour, pendant 2 semaines, et, finalement, 50 mg/kg, par jour, pendant 2 semaines.

Trichinose

- **PO (adultes):** de 200 à 400 mg, 3 fois par jour, pendant 3 jours ; par la suite, de 400 à 500 mg, 3 fois par jour, pendant 10 jours.

PHARMACODYNAMIE

	DÉBUT D'ACTION	PIC	DURÉE
PO	inconnu	inconnu	inconnue

❋ SOINS INFIRMIERS

ÉVALUATION DE LA SITUATION

- **Oxyurose:** Examiner la région périanale afin de déceler la présence de vers adultes. Effectuer un Scotch-test à l'aide de prélèvements par écouvillonnage de la région périanale, avant le traitement et 1 semaine après le traitement, afin de déceler la présence des œufs. Effectuer l'écouvillonnage tous les matins avant la défécation ou le bain, pendant au moins 3 jours. Les patients ne sont pas considérés comme guéris à moins que le

prélèvement périanal donne des résultats négatifs pendant 7 jours.

- **Ascaridiase:** Examiner les selles avant le traitement et de 1 à 3 semaines après le traitement.

- **Étude des examens diagnostiques et biochimiques:** Le mébendazole peut entraîner l'élévation passagère des concentrations sériques d'urée, de TGPS (ALT), de TGOS (AST) et de phosphatase alcaline.

  □ Déterminer la numération globulaire avant le traitement et 2 ou 3 fois par semaine du 10ᵉ au 25ᵉ jour, et, par la suite, toutes les semaines chez les patients qui reçoivent des doses élevées. Le mébendazole peut provoquer une leucopénie et une thrombocytopénie réversibles.

  □ Le mébendazole peut entraîner la réduction des concentrations sériques d'hémoglobine.

DIAGNOSTICS INFIRMIERS POSSIBLES

- **Énoncés diagnostiques**
  □ Risque élevé d'infection.
  □ Incapacité d'organiser et d'entretenir le domicile.
  □ Proise en charge inefficace du programme thérapeutique.
  □ *Risque élevé de surinfection.*

- **Facteurs favorisants**
  □ Informations incomplètes.
  □ *Manque de connaissances sur les modalités du traitement.*

INTERVENTIONS INFIRMIÈRES

- **Directives générales:** Aucun régime alimentaire spécial, jeûne ou lavement n'est nécessaire avant l'administration du mébendazole.

- **PO:** Le comprimé de mébendazole peut être croqué, avalé tel quel ou broyé et mélangé avec des aliments. Les patients recevant des doses élevées devraient prendre les comprimés avec des aliments riches en matières grasses, pour accroître l'absorption du médicament.

- **Oxyures:** Toutes les personnes vivant sous le même toit devraient être traités simultanément; le traitement doit être répété après 2 ou 3 semaines.
- **Ankylostomes et trichocéphales:** En cas d'anémie, le patient devrait prendre tous les jours un supplément de fer pendant qu'il prend du mébendazole ainsi que pendant 6 mois après avoir arrêté ce traitement.

ENSEIGNEMENT AU PATIENT ET À SES PROCHES

- **Directives générales:** Conseiller au patient de respecter scrupuleusement la posologie recommandée pendant toute la durée du traitement et de continuer à prendre le mébendazole même s'il se sent mieux. S'il n'a pas pu prendre le médicament au moment habituel, il doit le prendre aussitôt que possible. S'il doit le prendre 2 fois par jour, il doit espacer les prises de 4 à 5 h ou doubler la dose suivante; s'il doit le prendre 8 fois par jour, il doit prévoir $1^1/_2$ h entre la dose manquée et la dose suivante ou doubler la dose suivante. Une deuxième cure peut s'avérer nécessaire.
- Expliquer au patient les mesures d'hygiène à prendre pour diminuer les risques de réinfection: se laver les mains avec du savon avant de manger et après être allé aux toilettes; désinfecter la cuvette de la toilette tous les jours; ne pas se toucher la bouche avec les mains; laver tous les fruits et légumes; porter des chaussures.
- Prévenir le patient que le mébendazole peut provoquer des étourdissements. Lui conseiller de ne pas conduire et d'éviter les activités qui exigent sa vigilance jusqu'à ce qu'on ait la certitude que le médicament n'entraîne pas cet effet chez lui.
- Conseiller au patient de consulter le médecin si aucune amélioration ne survient après quelques jours.

- Insister sur l'importance des examens de suivi permettant d'évaluer l'efficacité du traitement, particulièrement si le médicament est pris à doses élevées.
- **Oxyures:** Recommander au patient de laver (sans secouer) toute la literie, les sous-vêtements, les serviettes et les vêtements de nuit après le traitement afin d'éviter le risque de réinfection.

VÉRIFICATION DES RÉSULTATS

L'efficacité du traitement peut être démontrée par: la disparition des signes et symptômes d'infection ou résultats négatifs aux analyses des échantillons de selles et des prélèvements périanaux. Le délai de guérison complète dépend du type de parasite.

MÉCHLORÉTHAMINE
Mustargen, moutarde à l'azote

CLASSIFICATION:
Antinéoplasique – alkylant

Grossesse – catégorie inconnue

INDICATIONS

- Traitement palliatif en cas de: □ maladie de Hodgkin □ cancer bronchopulmonaire □ lymphosarcome □ mycoses fongoïdes □ leucémies ■ Prévention de la réaccumulation d'épanchements malins – administration endocavitaire (cavité pleurale ou péritonéale).

ACTION

- Inhibition de la synthèse de l'ADN et de l'ARN par formation de liaisons transversales (effet non spécifique sur une phase du cycle cellulaire). **Effets thérapeutiques:** ■ Destruction des cellules à croissance rapide, particulièrement des cellules malignes.

PHARMACOCINÉTIQUE

Absorption: L'administration est réservée à la voie IV et endocavitaire. Par suite de l'instillation endocavitaire, l'absorption est minime.

Distribution: Inconnue.

Métabolisme et excrétion: La méchloréthamine se décompose rapidement dans les tissus et les liquides organiques.

Demi-vie: Inconnue.

CONTRE-INDICATIONS ET PRÉCAUTIONS

Contre-indications: ■ Hypersensibilité ■ Grossesse ou allaitement.

Précautions: ■ Patientes en âge de procréer ■ Infections ■ Réserve médullaire réduite ■ Autres maladies chroniques débilitantes ■ Avant radiothérapie (réduire la dose).

RÉACTIONS INDÉSIRABLES ET EFFETS SECONDAIRES

SNC: faiblesse, céphalées, somnolence, vertiges, convulsions.

GI: nausées, vomissements, diarrhée, anorexie.

GU: suppression de la fonction des gonades.

Hémat.: anémie, leucopénie, thrombocytopénie.

Tég.: rash, alopécie.

Locaux: phlébite au point d'injection IV, nécrose tissulaire.

Métab.: hyperuricémie.

Divers: réactivation du zona.

INTERACTIONS

Médicament – médicament: ■ Dépression médullaire additive lors de l'administration concomitante d'autres **agents antinéoplasiques** ou d'une **radiothérapie** ■ La méchloréthamine peut diminuer la réponse des anticorps aux **vaccins vivants** et augmenter le risque de réactions indésirables.

VOIES D'ADMINISTRATION ET POSOLOGIE

■ **IV (adultes):** 0,4 mg/kg ou de 6 à 10 mg/m^2 en une seule dose ou en doses fractionnées; on peut répéter l'administration toutes les 3 à 6 semaines.

■ **Voie endocavitaire (adultes):** de 10 à 20 mg.

PHARMACODYNAMIE
(effets sur la numération globulaire)

	DÉBUT D'ACTION	PIC	DURÉE
leucocytes	24 h	7 – 14 jours	10 – 21 jours
plaquettes	inconnu	9 – 16 jours	20 jours

SOINS INFIRMIERS

ÉVALUATION DE LA SITUATION

☐ Mesurer la pression artérielle, le pouls et la fréquence respiratoire, à intervalles fréquents, pendant toute la durée du traitement. Prévenir le médecin en cas de changement marqué.

☐ Examiner le point d'injection à intervalles fréquents pour déceler la rougeur, l'irritation ou l'inflammation. En cas d'extravasation, arrêter la perfusion et recommencer ailleurs pour éviter la lésion des tissus SC. Instiller rapidement dans la région affectée une solution de thiosulfate sodique isotonique à 1 % ou de la lidocaïne et appliquer des compresses de glace pendant 6 à 12 h, en suivant les recommandations du médecin.

☐ Effectuer le bilan des ingesta et des excreta. Noter l'appétit et l'apport nutritionnel du patient. Les nausées et les vomissements peuvent survenir de 1 à 3 h après le traitement; les vomissements peuvent persister pendant 8 h et les nausées, pendant 24 h. Administrer les antiémétiques par voie parentérale de 30 à 45 min avant le traitement et à intervalles réguliers au cours des 24 h qui suivent, selon les recommandations du médecin. Modifier le régime alimentaire selon les aliments que peut tolérer le patient afin de maintenir l'équilibre hydro-électrolytique et l'apport nutritionnel.

□ Suivre de près la fièvre, les frissons, les maux de gorge et les signes d'infection. Prévenir le médecin si ces symptômes se manifestent.

□ Suivre de près les saignements : saignement des gencives, ecchymoses, pétéchies, présence de sang occulte dans les selles, l'urine et les vomissements par la méthode au gaïac. Éviter les injections IM et la prise de la température rectale. Appliquer une pression sur les points de ponction veineuse pendant 10 min.

□ L'anémie peut survenir. Suivre de près la fatigue accrue et la dyspnée.

□ Surveiller les symptômes suivants de goutte : concentrations accrues d'acide urique, douleurs articulaires et œdème. Inciter le patient à boire au moins 2 L de liquide par jour. On peut administrer de l'allopurinol pour diminuer les concentrations d'acide urique. Le médecin peut recommander l'alcalinisation de l'urine pour accroître l'excrétion d'acide urique.

■ **Étude des examens diagnostiques et biochimiques :** Noter la numération globulaire et la formule leucocytaire avant le traitement et à intervalles réguliers pendant toute sa durée. Le nadir de la leucopénie survient dans les 7 à 14 jours. Prévenir le médecin si le nombre de leucocytes est $< 1 \times 10^9$/L. Le nadir de la thrombocytopénie survient dans les 9 à 16 jours. Prévenir le médecin si le nombre de plaquettes est $< 75 \times 10^9$/L. Le nombre de leucocytes et de plaquettes revient à la normale dans les 20 jours qui suivent.

□ Noter les résultats des tests de l'exploration fonctionnelle hépatique (TGOS [AST], TGPS [ALT], LDH et bilirubine) et ceux de l'exploration fonctionnelle rénale (urée et créatinine) avant le début du traitement et à intervalles réguliers pendant toute sa durée afin de déceler les signes d'hépatotoxicité et de néphrotoxicité.

□ La méchloréthamine peut entraîner l'élévation des concentrations d'acide urique.

DIAGNOSTICS INFIRMIERS POSSIBLES

■ **Énoncés diagnostiques**

□ Risque élevé d'infection.

□ Déficit nutritionnel.

□ Prise en charge inefficace du programme thérapeutique.

□ *Risque élevé d'accident.*

□ *Risque élevé de douleur au point d'injection IV.*

□ *Risque élevé de perturbation situationnelle de l'estime de soi.*

■ **Facteurs favorisants**

□ Informations incomplètes.

□ *Fatigue et faiblesse.*

□ *Inflammation locale du tissu vasculaire ou infiltration du médicament dans les tissus avoisinants.*

□ *Manque de connaissances sur les moyens de prévenir les effets secondaires affectant l'appareil gastrointestinal.*

□ *Manque de connaissances sur le régime alimentaire à suivre.*

□ *Manque de connaissances sur les modalités du traitement.*

□ *Altération de l'image corporelle.*

INTERVENTIONS INFIRMIÈRES

■ **Directives générales :** Préparer la solution sous une hotte biologique de sécurité. Porter des gants, une blouse et un masque pendant la manipulation de ce médicament. Tout le matériel qui a été en contact avec ce médicament doit être décontaminé avant d'être mis au rebut. Faire tremper les gants, les tubulures IV, les seringues, etc., dans une solution de thiosulfate de sodium à 5 % et de bicarbonate de sodium à 5 % pendant 45 min. Mélanger les portions du médicament inutilisées à des quantités égales de cette solution.

☐ Mettre au rebut tout le matériel contaminé dans les contenants réservés à cet effet. Si le médicament touche la peau, rincer la région atteinte avec beaucoup d'eau pendant 15 min et, ensuite, avec une solution de thiosulfate de sodium à 2 %. Si le médicament touche l'œil, rincer l'œil avec une solution de NaCl à 0,9 % et prévenir immédiatement le médecin (voir l'annexe I).

■ **IV directe :** Jeter la fiole si l'on observe, avant de reconstituer le médicament, que des gouttelettes d'eau se sont formées. Diluer à raison de 10 mg par 10 mL d'une solution de NaCl à 0,9 % ou d'eau stérile pour injection. Ne pas retirer l'aiguille du bouchon de la fiole avant d'agiter la solution. Laisser la solution se dissoudre complètement. La solution reconstituée se décompose en l'espace de 15 min. Administrer immédiatement. Ne pas utiliser une solution qui a changé de couleur ou qui contient un précipité.

☐ *Vitesse d'administration :* Prélever la quantité désirée de médicament et l'administrer en 3 à 5 min par une tubulure en Y ou par un robinet à trois voies par où s'écoule une solution de NaCl à 0,9 %.

■ **Administration endocavitaire :** On peut diluer de nouveau la solution dans 100 mL de solution de NaCl à 0,9 %. Aider le médecin lors de la paracentèse avant d'instiller la méchloréthamine. Demander conseil au médecin au sujet de l'administration d'analgésiques et des intervalles où des changements de position sont requis, afin de s'assurer que la méchloréthamine se répartit dans toute la cavité. Le reste de liquide peut être retiré après 24 à 36 h.

ENSEIGNEMENT AU PATIENT ET À SES PROCHES

☐ Recommander au patient de signaler au médecin les symptômes suivants : fièvre, frissons, maux de gorge, signes d'infection, saignement des gencives, formation d'ecchymoses, pétéchies, présence de sang dans l'urine, les selles ou les vomissements. Inciter le patient à éviter les foules et les personnes contagieuses. Lui recommander d'utiliser une brosse à dents à poils doux et un rasoir électrique et de ne pas prendre d'alcool ni de préparations à base d'acide acétylsalicylique.

☐ Expliquer à la patiente que ce médicament peut provoquer une suppression irréversible de la fonction des gonades ; toutefois, lui recommander de continuer à prendre des mesures contraceptives pendant le traitement et pendant au moins 4 mois après l'avoir arrêté, car la méchloréthamine peut avoir des effets tératogènes.

☐ Prévenir le patient qu'il risque de perdre ses cheveux. Explorer avec lui les stratégies lui permettant de s'adapter à ce changement.

☐ Prévenir le patient qu'il ne doit pas se faire vacciner sans recommandation expresse du médecin.

☐ Conseiller au patient de prévenir le médecin si un rash survient. Le rash peut indiquer une réaction idiosyncrasique ou la réactivation du zona.

☐ Insister sur l'importance des examens diagnostiques et biochimiques à intervalles réguliers permettant de déceler les effets secondaires.

VÉRIFICATION DES RÉSULTATS

L'efficacité du traitement peut être démontrée par : ■ la diminution de la taille de la tumeur ou de la propagation des cellules malignes ■ l'amélioration de l'état hématologique, en cas de leucémie.

M

MÉCLIZINE

Antivert*, Bonamine, (Bonine), (Ru-vert M)

CLASSIFICATION:
Antiémétique; antihistaminique

Grossesse – Catégorie B

INDICATIONS

■ Prévention et traitement des symptômes associés au mal des transports et au mal des rayons ■ Traitement de la labyrinthite ou du vertige de Ménière.

ACTION

■ Agent doué de propriétés anticholinergiques centrales et de propriétés antihistaminiques; il exerce des effets dépresseurs sur le SNC ■ Diminution de l'excitabilité du labyrinthe de l'oreille moyenne et dépression de la conduction des voies vestibulaires cérébelleuses de l'oreille moyenne. **Effets thérapeutiques:** ■ Diminution des symptômes du mal des transports ■ Diminution des vertiges dus à une maladie vestibulaire.

PHARMACOCINÉTIQUE

Absorption: La méclizine semble être absorbée par suite de l'administration PO.

Distribution: Inconnue.

Métabolisme et excrétion: Inconnus.

Demi-vie: 6 h.

CONTRE-INDICATIONS ET PRÉCAUTIONS

Contre-indications: ■ Hypersensibilité ■ Grossesse.

Précautions: ■ Hypertrophie de la prostate ■ Glaucome à angle étroit ■ Enfants ou allaitement (l'innocuité du médicament n'a pas été établie).

---

* Cette dénomination commerciale contient, au Canada, de la méclizine en association avec de la niacine.

RÉACTIONS INDÉSIRABLES ET EFFETS SECONDAIRES

SNC: somnolence, fatigue.
ORLO: vision trouble.
GI: sécheresse de la bouche (xérostomie).

INTERACTIONS

Médicament – médicament: ■ Dépression additive du SNC lors de l'usage concomitant d'autres **dépresseurs du SNC**, incluant l'**alcool**, les **antihistaminiques**, les **analgésiques narcotiques** et les **hypnosédatifs** ■ Effets anticholinergiques additifs lors de l'administration concomitante d'autres **agents doués de propriétés anticholinergiques**, incluant les **antihistaminiques**, les **antidépresseurs**, l'**atropine**, l'**halopéridol**, les **phénothiazines**, la **quinidine** et le **disopyramide**.

VOIES D'ADMINISTRATION ET POSOLOGIE

Mal des transports
■ **PO (adultes):** de 25 à 50 mg, 1 h avant le voyage; on peut répéter l'administration toutes les 24 h.

Labyrinthite ou vertige de Ménière
■ **PO (adultes):** de 25 à 100 mg par jour en doses fractionnées.

Mal des rayons
■ **PO:** 50 mg, de 2 à 12 h avant le traitement par irradiation.

PHARMACODYNAMIE
(effets antihistaminiques)

	DÉBUT D'ACTION	PIC	DURÉE
PO	1 h	inconnu	8 – 24 h

☀ SOINS INFIRMIERS

ÉVALUATION DE LA SITUATION

■ **Directives générales:** Observer le patient pour déterminer le degré de sédation après l'administration du médicament.

M

- **Mal des transports:** Noter les nausées et les vomissements avant l'administration du médicament et 60 min après.
- **Vertiges:** Déterminer l'intensité des vertiges à intervalles réguliers chez les patients recevant la méclizine pour le traitement de la labyrinthite.
- **Étude des examens diagnostiques et biochimiques:** Le médicament peut entraîner des résultats faussement négatifs aux tests cutanés allergologiques. Arrêter l'administration de la méclizine, 72 h avant le test.

DIAGNOSTICS INFIRMIERS POSSIBLES

- **Énoncés diagnostiques**
- □ Risque élevé d'accident.
- □ Prise en charge inefficace du programme thérapeutique.
- □ *Risque élevé d'atteinte à l'intégrité de la muqueuse buccale.*

- **Facteurs favorisants**
- □ Informations incomplètes.
- □ *Manque de connaissances sur les moyens de prévenir ou de réduire la sécheresse de la bouche.*
- □ *Perturbation de la vigilance.*

INTERVENTIONS INFIRMIÈRES

PO: On peut administrer le médicament par voie orale avec des aliments, de l'eau ou du lait afin de réduire l'irritation gastro-intestinale. Les comprimés peuvent être mâchés ou avalés tels quels.

ENSEIGNEMENT AU PATIENT ET À SES PROCHES

- **Directives générales:** Prévenir le patient que la méclizine peut provoquer de la somnolence. Lui conseiller de ne pas conduire et d'éviter les activités exigeant sa vigilance jusqu'à ce qu'on ait la certitude que le médicament n'entraîne pas cet effet chez lui.
- □ Pour soulager la sécheresse de la bouche, conseiller au patient de se rincer fréquemment la bouche, de pratiquer une bonne hygiène orale et de consommer de la gomme à mâcher ou des bonbons sans sucre.
- □ Mettre en garde le patient contre la consommation d'alcool ou d'autres dépresseurs du SNC en même temps que la méclizine.
- **Mal des transports:** En prophylaxie du mal des transports, le patient doit prendre la méclizine au moins 1 h avant le voyage.

VÉRIFICATION DES RÉSULTATS

L'efficacité du traitement peut être démontrée par: ■ la prévention et le traitement des symptômes du mal des transports ou du mal des rayons ■ la prévention et le traitement des vertiges entraînés par une maladie vestibulaire.

MÉCLOFÉNAMATE
(Meclomen)

CLASSIFICATION:
Anti-inflammatoire non stéroïdien; analgésique non narcotique

Grossesse – catégorie inconnue

INDICATIONS

■ Traitement des maladies inflammatoires dont: □ la polyarthrite rhumatoïde □ l'arthrose ■ Soulagement de la douleur légère à modérée.

ACTION

■ Inhibition de la synthèse des prostaglandines. **Effets thérapeutiques:** ■ Suppression de la douleur et de l'inflammation.

PHARMACOCINÉTIQUE

Absorption: Le médicament est bien absorbé depuis le tractus gastro-intestinal.
Distribution: Inconnue.
Métabolisme et excrétion: Le méclofénamate est surtout métabolisé par le foie.
Demi-vie: De 40 min à 2 h.

CONTRE-INDICATIONS ET PRÉCAUTIONS

Contre-indications : ■ Hypersensibilité ■ Risque de réactions de sensibilité croisée avec d'autres agents anti-inflammatoires non stéroïdiens incluant l'aspirine ■ Hémorragie digestive active ou ulcère gastroduodénal en évolution.

Précautions : ■ Maladies cardiovasculaire, hépatique ou rénale graves ■ Antécédents d'ulcère ■ Grossesse, allaitement ou enfants (l'innocuité du médicament n'a pas été établie).

RÉACTIONS INDÉSIRABLES ET EFFETS SECONDAIRES

SNC : céphalées, somnolence, étourdissements.

ORLO : vision trouble, acouphènes.

CV : œdème.

GI : nausées, dyspepsie, vomissements, diarrhée, constipation, HÉMORRAGIE DIGESTIVE, gêne gastrique, HÉPATITE, flatulence, anorexie, stomatite.

GU : insuffisance rénale.

Tég. : urticaire, démangeaisons.

Hémat. : dyscrasie, allongement du temps de saignement.

Divers : réactions allergiques incluant l'ANAPHYLAXIE et le SYNDROME DE STEVENS-JOHNSON, syndrome lupoïde induit par le médicament.

INTERACTIONS

Médicament – médicament : ■ L'aspirine peut réduire les concentrations sanguines de méclofénamate et en diminuer l'efficacité ■ Les **anticoagulants**, les **agents thrombolytiques**, le **céfamandole**, le **céfopérazone**, le **céfotétane**, le **moxalactam** ou la **plicamycine**, administrés conjointement, peuvent accroître le risque d'hémorragie ■ Effets indésirables gastrointestinaux additifs lors de l'administration concomitante d'**aspirine**, de **colchicine**, de **glucocorticoïdes**, de **suppléments de potassium** et d'autres **agents anti-inflammatoires non stéroïdiens** ou lors de l'ingestion d'**alcool** ■ Le **probénécide** élève les concentrations sanguines de méclofénamate et peut en augmenter la toxicité ■ L'administration prolongée de méclofénamate avec de l'**acétaminophène** ou des **sels d'or** peut augmenter le risque de réactions rénales indésirables ■ Le méclofénamate peut réduire l'efficacité des **antihypertenseurs** ou des **diurétiques** ■ Le méclofénamate peut aggraver l'hypoglycémie lors de l'administration concomitante d'**insuline** ou d'**hypoglycémiants oraux** ■ Risque accru de réactions hématologiques indésirables lors de l'administration concomitante d'**agents antinéoplasiques** ou d'une **radiothérapie** ■ Le méclofénamate peut élever les concentrations sanguines de **lithium** ou de **méthotrexate** et en accroître la toxicité.

VOIES D'ADMINISTRATION ET POSOLOGIE

Maladie inflammatoire

■ **PO (adultes) :** de 200 à 300 mg par jour, en 3 ou 4 doses fractionnées (ne pas dépasser 400 mg par jour).

Analgésie

■ **PO (adultes) :** de 50 à 100 mg, toutes les 4 à 6 h.

PHARMACODYNAMIE (effet anti-inflammatoire)

	DÉBUT D'ACTION	PIC	DURÉE
PO	quelques jours	2 – 3 semaines	quelques jours

☀ SOINS INFIRMIERS

ÉVALUATION DE LA SITUATION

■ **Directives générales :** Les patients souffrant d'asthme, d'allergie induite par l'aspirine ou de polypes nasaux sont davantage prédisposés aux réactions d'hypersensibilité. Suivre de près la rhinite, l'asthme et l'urticaire.

■ **Arthrite :** Suivre de près la douleur et vérifier la mobilité des articulations avant l'administration du méclofénamate et de 1 à 2 h plus tard.

- **Douleur:** Déterminer le siège, la durée et l'intensité de la douleur avant l'administration du méclofénamate et 1 h plus tard.
- **Étude des examens diagnostiques et biochimiques:** Le méclofénamate peut entraîner l'élévation des concentrations sériques d'urée, de créatinine, de potassium, de TGOS (ALT), de TGPS (AST), de LDH et de phosphatase alcaline.
- Le méclofénamate peut entraîner la diminution des concentrations d'hémoglobine et de l'hématocrite.

DIAGNOSTICS INFIRMIERS POSSIBLES

- **Énoncés diagnostiques**
- Douleur.
- Altération de la mobilité physique.
- Prise en charge inefficace du programme thérapeutique.
- *Risque élevé de déficit de volume liquidien.*
- *Risque élevé d'accident.*
- *Risque élevé d'atteinte à l'intégrité des tissus.*

- **Facteurs favorisants**
- Informations incomplètes.
- *Manque de connaissances sur les moyens de prévenir les effets secondaires affectant l'appareil gastrointestinal.*
- *Perturbation de la vigilance.*
- *Manque de connaissances sur la méthode d'administration du médicament.*
- *Manque de connaissances sur les modalités du traitement.*

INTERVENTIONS INFIRMIÈRES

PO: Pour obtenir un effet initial rapide, administrer la solution 30 min avant les repas ou 2 h après. On peut administrer le méclofénamate avec des aliments, du lait ou des antiacides pour réduire l'irritation gastro-intestinale. Les aliments peuvent ralentir l'absorption du médicament, mais ne réduisent pas la quantité absorbée.

ENSEIGNEMENT AU PATIENT ET À SES PROCHES

- Conseiller au patient de prendre le méclofénamate avec un grand verre d'eau et d'éviter de se coucher pendant les 15 à 30 min qui suivent.
- Inciter le patient à respecter scrupuleusement la posologie recommandée. S'il n'a pas pu prendre le médicament au moment habituel, il doit le prendre dès que possible à moins que ce ne soit presque l'heure prévue pour la dose suivante. Il ne faut jamais remplacer une dose manquée par une double dose.
- Prévenir le patient que le méclofénamate peut parfois provoquer de la somnolence ou des étourdissements. Lui conseiller de ne pas conduire et d'éviter les activités qui exigent sa vigilance jusqu'à ce qu'on ait la certitude que le médicament n'entraîne pas ces effets chez lui.
- Recommander au patient d'éviter de boire de l'alcool et de consulter le médecin ou le pharmacien avant de prendre une préparation à base d'aspirine ou d'acétaminophène ou un autre médicament en vente libre en même temps que le méclofénamate.
- Recommander au patient de prévenir le médecin en cas de rash, de démangeaisons, de frissons, de fièvre, de troubles visuels, d'acouphènes, de gain de poids, d'œdème, de selles noires, de diarrhée persistante ou grave ou de céphalées persistantes.
- Recommander au patient qui doit suivre un traitement dentaire ou subir une intervention chirurgicale d'avertir le dentiste ou le médecin qu'il suit un traitement médicamenteux.

VÉRIFICATION DES RÉSULTATS

L'efficacité du traitement peut être démontrée par: ■ la diminution de l'intensité de la douleur ■ l'amélioration de la mobilité des articulations. Un soulagement partiel de l'arthrite peut habituellement être noté en l'espace de quelques jours, mais le plein effet du médicament peut ne se manifester qu'après 2 ou 3 semaines de traitement continu. Les patients qui ne répondent pas à un anti-inflammatoire non stéroïdien peuvent répondre à un autre.

MÉDROXYPROGES-TÉRONE

Depo-Provera, Provera, (Amen), (Curretab), (Cycrin)

CLASSIFICATION:

Hormone – progestatif;
antinéoplasique – hormone

Grossesse – catégorie inconnue

INDICATIONS

■ Traitement de l'aménorrhée secondaire et de l'hémorragie utérine anormale dues à un déséquilibre hormonal ■ Traitement adjuvant des cancers du sein, de l'endomètre ou du rein (voie IM seulement) de stade avancé qui ne répondent pas au traitement habituel ■ Traitement de l'endométriose (voie IM seulement).
Usages non approuvés: ■ Contraception prolongée ■ Traitement des perversions sexuelles ■ Traitement du syndrome post-ménopausique ■ Traitement du syndrome pickwickien (obésité-hypoventilation) ■ Apnée du sommeil ■ Hypersomnolence ■ Puberté précoce ■ Hirsutisme ■ Drépanocytose chez les homozygotes.

ACTION

■ Forme synthétique de progestérone; ses effets comprennent la modification des sécrétions de l'endomètre, l'élévation de la température corporelle basale, des modifications histologiques de l'épithélium vaginal, la relaxation des muscles lisses utérins, la croissance des tissus alvéolaires mammaires, l'inhibition hypophysaire et le saignement de retrait lors d'une œstrogénothérapie. **Effets thérapeutiques:** ■ Rétablissement de l'équilibre hormonal et suppression des hémorragies utérines.

PHARMACOCINÉTIQUE

Absorption: Inconnue.
Distribution: La médroxyprogestérone pénètre dans le lait maternel.
Métabolisme et excrétion: Inconnus.
Demi-vie: Inconnue.

CONTRE-INDICATIONS ET PRÉCAUTIONS

Contre-indications: ■ Hypersensibilité ■ Hypersensibilité aux parabènes (suspension IM seulement) ■ Grossesse ■ Rétention fœtale ■ Maladie thromboembolique ■ Maladie cérébrovasculaire ■ Maladie hépatique grave ■ Cancer des organes génitaux ■ Porphyrie.
Précautions: ■ Antécédents de maladie hépatique ■ Maladie rénale ■ Maladie cardiovasculaire ■ Troubles convulsifs ■ Dépression.

RÉACTIONS INDÉSIRABLES ET EFFETS SECONDAIRES

SNC: dépression.
ORLO: thrombose de la rétine.
CV: THROMBOEMBOLIE, EMBOLIE PULMONAIRE, thrombophlébite.
GI: hémorragie des gencives, hépatite.
GU: érosions cervicales.
End.: saignement en cours de traitement, saignotements, aménorrhée, sensibilité mammaire, galactorrhée, modifications du flux menstruel.
Hémat.: rash, mélasmes, chloasma.
HÉ: œdème.
Divers: gain de poids, perte de poids, réactions allergiques incluant l'ANAPHYLAXIE et l'ANGIO-ŒDÈME.

INTERACTIONS

Médicament – médicament: La médroxyprogestérone peut diminuer l'efficacité de la **bromocriptine** administrée simultanément pour traiter la galactorrhée et l'aménorrhée.

PRÉSENTATION

La médroxyprogestérone est présentée sous forme de comprimés pour administration PO et de suspension pour injections IM.

VOIES D'ADMINISTRATION ET POSOLOGIE

Aménorrhée secondaire

- **PO (adultes):** de 5 à 10 mg par jour, pendant 5 à 10 jours, à partir du 16e jour du cycle menstruel.

Métrorragie fonctionnelle

- **PO (adultes):** de 5 à 10 mg par jour, pendant 5 à 10 jours ; amorcer le traitement le 16e jour ou le 21e jour du cycle menstruel.

Stimulation des sécrétions endométriales après imprégnation œstrogénique

- **PO (adultes):** 10 mg par jour, pendant 10 jours.

Cancer du rein ou de l'endomètre

- **PO (adultes):** de 200 à 400 mg par jour (cancer de l'endomètre).
- **IM (adultes):** de 400 à 1 000 mg ; on peut répéter l'administration toutes les semaines ; si une amélioration est notée, il faudrait essayer de réduire la dose à 400 mg par mois.

Cancer du sein

- **PO:** 400 mg par jour, en doses fractionnées.
- **IM:** 500 mg par jour, pendant 28 jours ; administrer ensuite, en traitement d'entretien, 500 mg, 2 fois par semaine.

Contraception

- **IM (adultes):** 150 mg, tous les 3 mois.

Endométriose

- **IM:** 50 mg par semaine ou 100 mg toutes les 2 semaines, pendant au moins 6 mois.

PHARMACODYNAMIE
(IM = effets antinéoplasiques)

	DÉBUT D'ACTION	PIC	DURÉE
PO	inconnu	inconnu	inconnue
IM	plusieurs semaines ou mois	plusieurs mois	inconnue

SOINS INFIRMIERS

ÉVALUATION DE LA SITUATION

- **Directives générales:** Mesurer la pression artérielle à intervalles réguliers tout au long du traitement.
- ☐ Déterminer la durée habituelle du cycle menstruel de la patiente. Commencer l'administration du médicament le 16e ou le 21e jour du cycle chez les patientes souffrant d'aménorrhée ou de métrorragie fonctionnelle.
- ☐ Effectuer le bilan des ingesta et des excreta et peser le patient toutes les semaines. Signaler au médecin toute modification importante ou un gain pondéral constant.
- **Étude des examens diagnostiques et biochimiques:** Noter les résultats des tests de l'exploration fonctionnelle hépatique avant le début du traitement et à intervalles réguliers pendant toute sa durée.
- ☐ La médroxyprogestérone peut entraîner l'élévation des concentrations de phosphatase alcaline, de prothrombine et des facteurs VII, IX et X. Elle peut diminuer les concentrations de pregnandiol éliminé dans l'urine.
- ☐ La médroxyprogestérone peut entraîner l'élévation des concentrations sériques de LDL et la diminution des concentrations sériques de HDL.
- ☐ Le médicament peut modifier les résultats des dosages de l'hormone thyroïdienne.

DIAGNOSTICS INFIRMIERS POSSIBLES

- **Énoncés diagnostiques**
- ☐ Dysfonctionnement sexuel.
- ☐ Altération de l'irrigation tissulaire.
- ☐ Prise en charge inefficace du programme thérapeutique.
- ☐ *Risque élevé d'atteinte à l'intégrité des tissus.*

- **Facteurs favorisants**
- ☐ Informations incomplètes.

- *Manque de connaissances sur les moyens de réduire la photosensibilité.*
- *Manque de connaissances sur les modalités du traitement.*

INTERVENTIONS INFIRMIÈRES

- **IM:** Bien agiter la fiole avant de préparer la dose IM. Administrer profondément dans le muscle.
- Chez les patients souffrant de cancer, il faut parfois administrer initialement la dose IM toutes les semaines. Une fois l'état du patient stabilisé, la dose IM pourrait n'être nécessaire qu'une fois par mois.
- Lorsque la médroxyprogestérone est utilisée comme contraceptif, la dose IM ne doit être administrée qu'une fois tous les 3 mois.

ENSEIGNEMENT AU PATIENT ET À SES PROCHES

- **Directives générales:** Expliquer au patient le schéma posologique. Lui recommander de prendre le médicament à la même heure tous les jours. S'il n'a pas pu prendre le médicament au moment habituel, il doit le prendre dès que possible à moins que ce ne soit presque l'heure prévue pour la dose suivante. L'avertir qu'il ne faut jamais remplacer une dose manquée par une double dose.
- Prévenir la patiente qui reçoit la médroxyprogestérone pour le traitement de l'aménorrhée que le saignement de retrait peut se manifester dans les 3 à 7 jours qui suivent l'arrêt du traitement.
- Expliquer au patient les données contenues dans le dépliant de conditionnement. Insister sur l'importance de prévenir le médecin si les effets secondaires suivants se manifestent: modifications de la vision, faiblesse soudaine, manque de coordination, difficultés d'élocution, céphalées, douleur de la jambe ou du mollet, essoufflement, douleurs thoraciques,

modification de la morphologie des saignements vaginaux, jaunissement de la peau, œdème des membres, dépression ou rash. Les patients qui reçoivent la médroxyprogestérone comme traitement anticancéreux pourraient ne pas avoir lu le dépliant.

- Conseiller au patient de toujours garder à sa portée la provision de médroxyprogestérone qu'il doit utiliser pendant 1 mois.
- Montrer à la patiente la méthode d'auto-examen des seins. Lui conseiller d'effectuer cet examen tous les mois. Une sensibilité mammaire accrue peut survenir.
- Prévenir le patient que ses gencives peuvent commencer à saigner. Lui recommander de pratiquer une bonne hygiène orale et de se faire examiner et traiter les dents à intervalles réguliers.
- Recommander à la patiente de prévenir le médecin si elle n'a pas eu ses règles au moment habituel ou si elle pense être enceinte. La patiente ne devrait pas essayer de devenir enceinte pendant les 3 mois qui suivent l'arrêt du traitement afin de réduire les risques d'effets nocifs sur le fœtus.
- Prévenir le patient que la médroxyprogestérone peut entraîner l'apparition de mélasmes (taches brunes sur le visage) lors des expositions au soleil. Lui recommander de ne pas s'exposer au soleil, d'utiliser un écran solaire et de porter des vêtements protecteurs.
- Insister sur l'importance d'un suivi médical régulier comprenant la prise de la pression artérielle, l'examen des seins, de l'abdomen et du pelvis et le test de Papanicoulaou, tous les 6 à 12 mois.

VÉRIFICATION DES RÉSULTATS

L'efficacité du traitement peut être démontrée par: ■ la régularisation du cycle menstruel ■ la prévention de la grossesse

M

■ l'arrêt de la propagation des métastases en cas de cancer de l'endomètre, du sein ou des reins.

MÉGESTROL
Megace

CLASSIFICATION:
Antinéoplasique – hormone

Grossesse – catégorie inconnue

INDICATIONS

■ Traitement palliatif du cancer de l'endomètre et du sein en monothérapie ou en association avec une intervention chirurgicale ou la radiothérapie. **Usages non approuvés:** ■ Traitement de l'anorexie, de la perte de poids et de la cachexie associées au sida.

ACTION

■ L'effet antinéoplasique peut être le résultat de l'inhibition de la fonction hypophysaire. **Effets thérapeutiques:** ■ Diminution de la taille de la tumeur.

PHARMACOCINÉTIQUE

Absorption: Le médicament est bien absorbé depuis le tractus gastro-intestinal.
Distribution: Inconnue.
Métabolisme et excrétion: Le médicament est entièrement métabolisé par le foie.
Demi-vie: Inconnue.

CONTRE-INDICATIONS ET PRÉCAUTIONS

Contre-indications: ■ Hypersensibilité ■ Grossesse, rétention fœtale ou allaitement ■ Hémorragie vaginale non diagnostiquée ■ Maladie hépatique grave.
Précautions: ■ Diabète ■ Dépression ■ Maladie rénale ■ Antécédents de thrombophlébite ■ Maladie cardiovasculaire ■ Troubles convulsifs.

RÉACTIONS INDÉSIRABLES ET EFFETS SECONDAIRES

GI: irritation gastrique.
Tég.: alopécie.
Hémat.: thrombophlébite.
Loc.: syndrome du canal carpien.

INTERACTIONS

Médicament – médicament: Aucune interaction notable.

VOIES D'ADMINISTRATION ET POSOLOGIE

Cancer du sein
■ **PO (adultes):** 160 mg par jour, en 4 doses fractionnées ou en une seule prise.

Cancer de l'endomètre
■ **PO (adultes):** de 80 à 320 mg par jour, en doses fractionnées.

PHARMACODYNAMIE (effet antinéoplasique)

	DÉBUT D'ACTION	PIC	DURÉE
PO	plusieurs semaines ou mois	2 mois	inconnue

SOINS INFIRMIERS

ÉVALUATION DE LA SITUATION

Suivre de près l'état du patient pour déceler l'œdème, la douleur ou la sensibilité des jambes. Prévenir le médecin si ces signes de thrombophlébite des veines profondes se manifestent.

DIAGNOSTICS INFIRMIERS POSSIBLES

■ **Énoncés diagnostiques**
□ Prise en charge inefficace du programme thérapeutique.
□ *Risque élevé de perturbation situationnelle de l'estime de soi.*

■ **Facteurs favorisants**
□ Informations incomplètes.
□ *Altération de l'image corporelle.*

INTERVENTIONS INFIRMIÈRES

PO : Administrer le médicament avec les repas si l'irritation gastrique devient gênante.

ENSEIGNEMENT AU PATIENT ET À SES PROCHES

□ Conseiller au patient de respecter scrupuleusement la posologie recommandée. Le prévenir qu'il ne doit pas sauter de dose ni remplacer une dose manquée par une double dose. S'il n'a pas pu prendre le médicament au moment habituel, il doit le prendre dès que possible à moins que ce ne soit presque l'heure prévue pour la dose suivante.

□ Recommander à la patiente de signaler au médecin tout saignement vaginal inhabituel.

□ Prévenir la patiente que le mégestrol peut avoir des effets tératogènes. Lui conseiller de prendre des moyens de contraception pendant toute la durée du traitement et pendant au moins 4 mois après l'avoir arrêté.

□ Prévenir le patient qu'il risque de perdre ses cheveux. Explorer avec lui les stratégies lui permettant de s'adapter à ces changements.

VÉRIFICATION DES RÉSULTATS

L'efficacité du traitement peut être démontrée par : le ralentissement ou l'arrêt de la propagation des métastases en présence de cancer de l'endomètre ou du sein. Les effets thérapeutiques se manifestent habituellement dans les 2 mois qui suivent le début du traitement.

MELPHALAN
Alkeran, L-PAM, L-Sarcolysine, moutarde à la phénylalanine

CLASSIFICATION :
Antinéoplasique – agent alkylant
Grossesse – catégorie inconnue

INDICATIONS

■ En monothérapie ou en association avec d'autres modalités thérapeutiques en cas de : □ myélomes multiples □ cancer des ovaires. **Usages non approuvés :** ■ Cancer du sein ■ Cancer de la prostate ■ Cancer des testicules ■ Leucémie myélogène chronique ■ Sarcome ostéogénique.

ACTION

■ Inhibition de la synthèse de l'ADN et de l'ARN par formation de liaisons transversales (effet non spécifique sur une phase du cycle cellulaire). **Effets thérapeutiques :** ■ Destruction des cellules à croissance rapide, particulièrement des cellules malignes ■ Propriétés immunosuppressives.

PHARMACOCINÉTIQUE

Absorption : Par suite de l'administration PO, l'absorption est incomplète et variable.

Distribution : Le médicament se répartit rapidement dans l'eau corporelle totale.

Métabolisme et excrétion : Le melphalan est rapidement métabolisé pendant qu'il est transporté par le sang. Une quantité minime (10 %) est excrétée à l'état inchangé par les reins.

Demi-vie : 1,5 h.

CONTRE-INDICATIONS ET PRÉCAUTIONS

Contre-indications : ■ Hypersensibilité au melphalan ou au chlorambucil ■ Grossesse ou allaitement.

Précautions : ■ Patientes en âge de procréer ■ Infections en évolution ■ Réserve médullaire réduite ■ Autres maladies chroniques débilitantes ■ Dysfonction rénale ■ Enfants (l'innocuité du médicament n'a pas été établie).

RÉACTIONS INDÉSIRABLES ET EFFETS SECONDAIRES

Resp. : fibrose pulmonaire, dysplasie bronchopulmonaire.

M

GI: nausées, vomissements, stomatite, diarrhée.

GU: suppression de la fonction des gonades.

Tég.: rash, prurit, alopécie.

End.: cycle menstruel irrégulier.

Hémat.: leucopénie, thrombocytopénie, anémie.

Métab.: hyperuricémie.

Divers: réactions allergiques incluant l'ANAPHYLAXIE.

INTERACTIONS

Médicament – médicament: ■ Dépression médullaire additive lors de l'administration concomitante d'autres **agents antinéoplasiques** ou d'une **radiothérapie** ■ Le melphalan peut diminuer la réponse des anticorps aux **vaccins vivants** et augmenter le risque de réactions indésirables.

VOIES D'ADMINISTRATION ET POSOLOGIE

Myélome multiple

■ **PO (adultes):** initialement, 6 mg par jour, pendant 2 à 3 semaines; arrêter ensuite le traitement pendant 4 semaines pour que la moelle osseuse puisse se régénérer; puis le reprendre à raison de 2 mg par jour; ou, initialement, 0,15 mg/kg par jour, pendant 7 jours; arrêter ensuite le traitement pendant au moins 14 jours (jusqu'à 5 ou 6 semaines), puis le reprendre à raison de 0,05 mg/kg ou moins par jour.

■ **IV (adultes):** 1 mg/kg; une nouvelle dose peut être administrée 8 semaines plus tard.

Cancer des ovaires

■ **PO (adultes);** 0,2 mg/kg par jour, pendant 5 jours, toutes les 4 ou 5 semaines.

■ **IV (adultes):** 1 mg/kg; une nouvelle dose peut être administrée 8 semaines plus tard.

PHARMACODYNAMIE (effets sur la numération globulaire)

	DÉBUT D'ACTION	PIC	DURÉE
PO	5 jours	2 – 3 semaines	5 – 6 semaines

⁂ SOINS INFIRMIERS

ÉVALUATION DE LA SITUATION

□ Suivre de près la fièvre, les maux de gorge et les signes d'infection. Prévenir le médecin si ces symptômes se manifestent.

□ Suivre de près les saignements: saignement des gencives, ecchymoses, pétéchies, présence de sang occulte dans les selles, l'urine et les vomissements par la méthode au gaïac. Éviter les injections par voie IM et la prise de la température par voie rectale. Appliquer une pression sur les points de ponction veineuse pendant 10 min.

□ Le melphalan peut provoquer des nausées et des vomissements. Effectuer le bilan des ingesta et des excreta. Observer l'appétit du patient et noter l'apport nutritionnel. Consulter le médecin à propos de l'utilisation prophylactique d'un antiémétique. Modifier le régime alimentaire selon les aliments que le patient peut tolérer.

□ Surveiller les symptômes suivants de goutte: concentrations accrues d'acide urique, douleurs articulaires et œdème. Inciter le patient à boire au moins 2 L de liquide par jour. On peut administrer de l'allopurinol pour réduire les concentrations d'acide urique.

□ L'anémie peut survenir. Suivre de près la fatigue accrue et la dyspnée.

□ Déterminer si le patient n'est pas allergique au chlorambucil. Des réactions de sensibilité croisée peuvent se manifester.

■ **Étude des examens diagnostiques et biochimiques:** Noter la numération globulaire et la formule leucocytaire, toutes les semaines, pendant toute la durée du traitement. Le nadir de la leucopénie survient dans les 2 à 3 semaines. Prévenir le médecin si le nombre de leucocytes est $< 3 \times 10^9$/L. Le nadir de la thrombocytopénie survient dans les 2 à 3 semaines. Prévenir le médecin si le nombre de plaquettes est $< 100 \times 10^9$/L. Le nombre de leucocytes et de plaquettes revient à la normale dans les 5 à 6 semaines qui suivent.

□ Noter les résultats des tests de l'exploration fonctionnelle hépatique (TGOS [AST], TGPS [ALT], LDH et bilirubine) et ceux de l'exploration fonctionnelle rénale (urée et créatinine) avant le début du traitement et à intervalles réguliers pendant toute sa durée, afin de déceler les signes d'hépatotoxicité et de néphrotoxicité.

□ La melphalan peut entraîner l'élévation des concentrations d'acide urique. Mesurer les concentrations d'acide urique à intervalles réguliers tout au long du traitement.

□ Le melphalan peut entraîner l'élévation des concentrations d'acide 5-hydroxy-indol-acétique (5-HIAA) par suite de la désintégration de la tumeur.

DIAGNOSTICS INFIRMIERS POSSIBLES

■ **Énoncés diagnostiques**

□ Risque élevé d'accident.

□ Risque élevé d'infection.

□ Prise en charge inefficace du programme thérapeutique.

□ *Risque élevé d'atteinte à l'intégrité des tissus.*

□ *Risque élevé de déficit nutritionnel.*

■ **Facteurs favorisants**

□ Informations incomplètes.

□ *Fatigue et faiblesse.*

□ *Manque de connaissances sur les modalités du traitement.*

□ *Manque de connaissances sur le régime alimentaire à suivre.*

INTERVENTIONS INFIRMIÈRES

■ **Directives générales :** Préparer la solution sous une hotte biologique de sécurité. Porter un masque, des gants et un vêtement protecteur pendant la manipulation de ce médicament. Mettre au rebut le matériel dans les contenants réservés à cet effet (voir l'annexe I).

□ Reconstituer la poudre lyophilisée avec 10 mL du diluant fourni par le fabricant et bien agiter jusqu'à dissolution complète. La solution finale renferme 5 mg/mL.

□ Entreprendre la dilution immédiatement avant l'administration, car la stabilité du médicament est de courte durée. Jeter toute portion inutilisée ainsi que toute solution trouble ou contenant un précipité. La solution reconstituée ne doit pas être réfrigérée, puisqu'il s'ensuit une précipitation.

■ **IV directe :** Administrer la solution par injection lente dans une solution pour perfusion à débit rapide.

■ **Perfusion intermittente :** S'il est impossible d'administrer la solution par IV directe, diluer l'agent dans une solution de NaCl à 0,9 % exclusivement et administrer la perfusion moins de 1,5 h après la préparation.

□ La dilution du médicament dans une solution en réduit la stabilité et la décomposition augmente sous l'effet des élévations de température.

■ **PO :** Le médecin peut prescrire le melphalan en doses fractionnées ou en une seule dose quotidienne.

ENSEIGNEMENT AU PATIENT ET À SES PROCHES

□ Conseiller au patient de respecter scrupuleusement la posologie recommandée même si des nausées ou des vomissements surviennent. L'inciter à demander conseil au médecin si les vomissements surviennent peu de temps après la prise du médicament.

Si le patient n'a pu prendre le médicament au moment habituel, il ne doit pas le prendre du tout.

□ Recommander au patient de signaler au médecin les symptômes suivants : fièvre, frissons, maux de gorge, signes d'infection, saignement des gencives, formation d'ecchymoses, pétéchies, présence de sang dans l'urine, dans les selles ou dans les vomissements. Inciter le patient à éviter les foules et les personnes contagieuses. Lui recommander d'utiliser une brosse à dents à poils doux et un rasoir électrique et de ne pas prendre d'alcool ni de préparations à base d'aspirine.

□ Conseiller au patient de signaler au médecin le rash, les démangeaisons, les douleurs articulaires ou l'œdème.

□ Recommander au patient d'examiner ses muqueuses buccales pour déceler l'érythème et les aphtes. En cas d'aphtes, conseiller au patient de remplacer la brosse à dents par une brosse-éponge et de se rincer la bouche avec de l'eau après avoir bu ou mangé. Lui conseiller de consulter le médecin à propos de l'utilisation de la xylocaïne visqueuse si la douleur l'empêche de s'alimenter.

□ Recommander à la patiente de continuer à prendre des mesures contraceptives tout au long du traitement, car, bien que le melphalan puisse réduire la fécondité, il peut avoir des effets tératogènes.

□ Prévenir le patient qu'il ne doit pas se faire vacciner sans recommandation expresse du médecin.

□ Insister sur l'importance des examens diagnostiques et biochimiques à intervalles réguliers permettant de déceler les effets secondaires.

VÉRIFICATION DES RÉSULTATS

L'efficacité du traitement peut être démontrée par : la diminution de la taille de la tumeur ou la réduction de la propagation des cellules malignes.

MÉNADIOL
Vitamine K₃, (Synkayvite)

CLASSIFICATION :
Vitamine liposoluble

Grossesse – catégorie inconnue

INDICATIONS

Prévention et traitement de l'hypoprothrombinémie.

ACTION

■ Élément essentiel à la synthèse hépatique des facteurs de coagulation sanguine II (prothrombine), VII, IX et X. **Effets thérapeutiques :** ■ Prévention de l'hémorragie due à l'hypoprothrombinémie.

PHARMACOCINÉTIQUE

Absorption : Bonne absorption par suite de l'administration PO et IM.
Distribution : Inconnue.
Métabolisme et excrétion : Inconnus.
Demi-vie : Inconnue.

CONTRE-INDICATIONS ET PRÉCAUTIONS

Contre-indications : Hypersensibilité aux bisulfites (préparation parentérale seulement).
Précautions : ■ Carence en glucose-6-phosphate déshydrogénase (G6-PD) ■ Maladie hépatique grave ■ Enfants prématurés (risque accru d'hyperbilirubinémie, d'ictère nucléaire et d'anémie hémolytique).

RÉACTIONS INDÉSIRABLES ET EFFETS SECONDAIRES

GI : gêne gastrique (préparation orale seulement).
Tég. : rash, urticaire, rougeur de la peau.
Hémat. : hémolyse (en présence de carence en G6-PD).
Locaux : érythème, œdème, douleur au point d'injection.

Divers: anémie hémolytique, ictère nucléaire, hyperbilirubinémie (aux doses élevées chez les enfants très prématurés), réactions allergiques.

INTERACTIONS

Médicament – médicament: ■ À des doses élevées, le ménadiol contrecarre les effets des **anticoagulants oraux** ■ Risque accru d'hémolyse lors de l'administration simultanée de **primaquine** ■ Les **anticonvulsivants**, les **salicylates** administrés à doses élevées ou les **anti-infectieux** à large spectre peuvent augmenter les besoins en vitamine K ■ La **cholestyramine**, le **colestipol**, l'**huile minérale** et le **sucralfate** peuvent diminuer l'absorption de la vitamine K.

VOIES D'ADMINISTRATION ET POSOLOGIE

- **PO (adultes):** de 5 à 10 mg par jour.
- **PO (enfants):** de 50 à 100 µg par jour.
- **IV, SC et IM (adultes):** de 5 à 15 mg, 1 ou 2 fois par jour.
- **IV, SC et IM (enfants):** de 5 à 10 mg, 1 ou 2 fois par jour.

PHARMACODYNAMIE (effets sur le temps de prothrombine)

	DÉBUT D'ACTION	PIC	DURÉE
PO	inconnu	inconnu	inconnue
SC, IM	1 – 2 h	8 – 24 h	inconnue
IV	inconnu	inconnu	inconnue

☀ SOINS INFIRMIERS

ÉVALUATION DE LA SITUATION

- Suivre de près la présence de sang franc et occulte (méthode au gaïac) dans les selles, l'urine et les vomissements. Mesurer la fréquence du pouls et la pression artérielle à intervalles fréquents; prévenir immédiatement le médecin si des symptômes d'hémorragie interne ou de choc hypovo-

lémique se manifestent. Informer tout le personnel soignant que le patient a des tendances au saignement afin d'éviter le risque de tout nouveau traumatisme. Exercer une pression sur tous les points de ponction veineuse pendant au moins 5 min; éviter toute injection par voie IM qui n'est pas essentielle.

☐ Mesurer le temps de prothrombine avant et après le traitement afin d'évaluer l'efficacité du médicament.

- **Étude des examens diagnostiques et biochimiques:** Le ménadiol peut entraîner des concentrations urinaires faussement élevées de 17-hydroxycorticostéroïde.

DIAGNOSTICS INFIRMIERS POSSIBLES

- **Énoncés diagnostiques**
☐ Déficit nutritionnel.
☐ Risque élevé de diminution de l'irrigation tissulaire.
☐ Prise en charge inefficace du programme thérapeutique.
☐ *Risque élevé d'atteinte à l'intégrité des tissus.*

- **Facteurs favorisants**
☐ Informations incomplètes.
☐ *Manque de connaissances sur les modalités du traitement.*
☐ *Manque de connaissances sur le régime alimentaire à suivre.*

INTERVENTIONS INFIRMIÈRES

- **Directives générales:** Le ménadiol *n'est pas* indiqué pour le traitement du surdosage par les anticoagulants (warfarine sodique).
- **SC et IM:** La durée d'action du médicament est plus longue s'il est administré par voies SC et IM plutôt que par voie IV.
- **IV directe:** Administrer en 1 min dans une tubulure IV par laquelle s'écoule une solution de dextrose à 5 % dans de l'eau, une solution de NaCl à 0,9 %, une solution de Ringer ou de lactate

Ringer ou une solution de dextrose à 5 % dans du lactate Ringer.

■ **Compatibilités (tubulure en Y):** Chlorure de potassium, héparine ou succinate d'hydrocortisone sodique.

ENSEIGNEMENT AU PATIENT ET À SES PROCHES

☐ Conseiller au patient de suivre scrupuleusement la posologie recommandée. S'il n'a pas pu prendre le médicament au moment habituel, il doit le prendre aussitôt que possible à moins que ce ne soit presque l'heure prévue pour la dose suivante. Lui conseiller de prévenir le médecin s'il n'a pu prendre plusieurs doses.

☐ Passer en revue les aliments riches en vitamine K: légumes verts à feuilles, viande et produits laitiers (voir l'annexe K). Expliquer au patient que la cuisson ne détruit pas considérablement la vitamine K.

☐ Recommander au patient d'éviter les injections IM et les activités pouvant causer des traumatismes. Lui recommander d'utiliser une brosse à dents à poils doux, de ne pas se servir de soie dentaire et de se raser avec un rasoir électrique jusqu'à ce que le trouble de coagulation soit guéri.

☐ Recommander au patient de signaler au médecin les symptômes suivants de saignement ou d'ecchymose inhabituels: saignement des gencives, saignement du nez, selles noires et goudronneuses, hématurie, flux menstruel abondant.

☐ Recommander au patient de consulter le médecin ou le pharmacien avant de prendre un médicament en vente libre, particulièrement des préparations renfermant de l'alcool ou à base d'aspirine, en même temps que le ménadiol.

☐ Recommander au patient qui doit suivre un traitement dentaire ou subir une intervention chirurgicale d'avertir le dentiste ou le médecin qu'il suit un traitement médicamenteux.

☐ Conseiller au patient de toujours porter sur lui une pièce d'identité où est inscrit son problème de santé.

☐ Insister sur l'importance des études diagnostiques et biochimiques à intervalles fréquents permettant de vérifier les concentrations des facteurs de coagulation.

VÉRIFICATION DES RÉSULTATS

L'efficacité du traitement peut être démontrée par: la prévention de l'hémorragie spontanée ou l'arrêt des saignements chez les patients souffrant d'hypoprothrombinémie secondaire à une absorption intestinale altérée ou à un traitement par des salicylates ou des antibiotiques.

MÉPÉRIDINE
Demerol, Péthidine

CLASSIFICATION:
Analgésique narcotique agoniste
Stupéfiant
Grossesse – catégorie inconnue

INDICATIONS

■ Soulagement de la douleur modérée à grave, en monothérapie ou en association avec des analgésiques non narcotiques ■ Antécédents d'usage comme: ☐ adjuvant à l'anesthésie ☐ analgésique au cours du travail de l'accouchement ☐ sédatif avant une intervention chirurgicale.

ACTION

■ Liaison aux récepteurs des opiacés du SNC. Modification de la perception de la douleur et de la réaction aux stimuli douloureux avec dépression généralisée du SNC. **Effets thérapeutiques:** ■ Diminution de l'intensité de la douleur.

PHARMACOCINÉTIQUE

Absorption: Absorption modérée (50 %) depuis le tractus gastro-intestinal. Bonne absorption à partir des points d'injection IM. Les doses PO et par voie parentérale ne sont pas équivalentes.

Distribution: Le médicament se répartit dans tout l'organisme. Il traverse le placenta et pénètre dans le lait maternel.

Métabolisme et excrétion: Le médicament est surtout métabolisé par le foie. Une certaine fraction est transformée en norméperidine dont la demi-vie est longue (de 15 à 20 h) et qui exerce des effets stimulants sur le SNC. Une fraction de 5 % est excrétée à l'état inchangé par les reins.

Demi-vie: De 3 à 8 h (prolongée en cas de dysfonction hépatique ou rénale).

CONTRE-INDICATIONS ET PRÉCAUTIONS

Contre-indications: ■ Hypersensibilité ■ Grossesse ou allaitement (traitement prolongé) ■ Traitement par les inhibiteurs de la MAO au cours des 14 jours précédents.

Précautions: ■ Traumatisme crânien ■ Pression intracrânienne accrue ■ Maladies rénale, hépatique ou pulmonaire graves ■ Hypothyroïdie ■ Insuffisance surrénalienne ■ Alcoolisme ■ Personnes âgées ou patients débilités (il est conseillé de réduire la dose) ■ Douleurs abdominales non diagnostiquées ou hypertrophie de la prostate ■ Travail de l'accouchement (risque de dépression respiratoire chez le nouveau-né).

RÉACTIONS INDÉSIRABLES ET EFFETS SECONDAIRES

SNC: sédation, confusion, céphalées, euphorie, sensation de flottement, rêves bizarres, hallucinations, dysphorie.

ORLO: myosis, diplopie, vision trouble.

CV: hypotension, bradycardie.

GI: nausées, vomissements, constipation.

GU: rétention urinaire.

Tég.: transpiration, rougeur de la peau.

Resp.: dépression respiratoire.

Divers: tolérance aux effets du médicament, dépendance physique, dépendance psychologique.

INTERACTIONS

Médicament – médicament: ■ Une extrême prudence est de mise chez les patients recevant des **inhibiteurs de la MAO** ou de la **procarbazine** (le traitement simultané peut produire des réactions graves et imprévisibles; la mépéridine est contre-indiquée dans les 14 jours qui suivent un traitement par un inhibiteur de la MAO) ■ Effet dépressif additif sur le SNC, lors de l'usage concomitant d'**alcool**, d'**antihistaminiques** et d'**hypnosédatifs** ■ L'administration simultanée d'**analgésiques narcotiques antagonistes partiels** peut déclencher le syndrome de sevrage aux narcotiques chez les patients présentant une dépendance physique ■ La **nalbuphine** ou la **pentazocine** peut diminuer l'effet analgésique de la mépéridine.

PRÉSENTATION

La mépéridine est présentée sous forme de comprimés et de solution injectable. Elle existe aussi en association avec la prométhazine (voir l'annexe A).

VOIES D'ADMINISTRATION ET POSOLOGIE

Analgésie

■ **PO, IM, SC (adultes):** de 50 à 150 mg, toutes les 3 à 4 h.

■ **PO, IM, SC (enfants):** de 1,1 à 1,8 mg/kg, toutes les 3 à 4 h (ne pas dépasser la dose recommandée chez l'adulte).

■ **IV (adultes) (É.-U.):** de 15 à 35 mg à l'heure en perfusion continue.

Analgésie au cours du travail de l'accouchement

■ **IM, SC (adultes):** de 50 à 100 mg lorsque les contractions deviennent régulières. On peut répéter l'administration toutes les 1 à 3 h.

M

Sédation préopératoire

- **IM, SC (adultes):** de 50 à 100 mg, de 30 à 90 min avant l'anesthésie.
- **IM, SC (enfants):** de 1,1 à 2,2 mg/kg, de 30 à 90 min avant l'anesthésie (ne pas dépasser la dose recommandée chez l'adulte).

PHARMACODYNAMIE
(effet analgésique)

	DÉBUT D'ACTION	PIC	DURÉE
PO	15 min	60 min	2 – 4 h
IM	10 – 15 min	30 – 50 min	2 – 4 h
SC	10 – 15 min	40 – 60 min	2 – 4 h
IV	immédiat	5 – 7 min	2 – 4 h

SOINS INFIRMIERS

ÉVALUATION DE LA SITUATION

- ▢ Mesurer la pression artérielle, le pouls et la fréquence des respirations avant l'administration et à intervalles réguliers pendant toute sa durée.
- ▢ Noter le type de douleur, son siège et son intensité, avant l'administration et 30 à 60 min après.
- ▢ L'utilisation prolongée de mépéridine peut entraîner la dépendance physique et psychologique, ainsi qu'une tolérance aux effets du médicament, mais cela ne doit pas empêcher le patient de recevoir une quantité suffisante d'analgésique. La psychodépendance est rare chez la plupart des patients qui reçoivent la mépéridine pour des raisons médicales. Lors d'un traitement prolongé, il faut parfois administrer des doses de plus en plus élevées pour soulager la douleur.
- ▢ Examiner la fonction intestinale du patient à intervalles réguliers. Pour réduire les effets constipants du médicament, augmenter l'apport de liquides et d'aliments riches en fibres et administrer des émollients fécaux ou des laxatifs.

- ■ **Étude des examens diagnostiques et biochimiques:** La mépéridine peut entraîner l'élévation des concentrations plasmatiques d'amylase et de lipase.
- ■ **Toxicité et surdosage:** En cas de surdosage, l'antidote est la naloxone (Narcan). Suivre de près l'état du patient pour déterminer s'il faut répéter l'administration de la naloxone ou l'administrer en perfusion.

DIAGNOSTICS INFIRMIERS POSSIBLES

- ■ **Énoncés diagnostiques**
- ▢ Douleur.
- ▢ Altération de la perception visuelle et auditive.
- ▢ Risque élevé d'accident.
- ▢ *Risque élevé de déficit de volume liquidien.*
- ▢ *Risque élevé de constipation.*
- ▢ *Risque élevé d'infection.*

- ■ **Facteurs favorisants**
- ▢ Informations incomplètes.
- ▢ *Perturbation de la vigilance.*
- ▢ *Manque de connaissances sur les effets hypotensifs du médicament lors des changements brusques de position.*
- ▢ *Manque de connaissances sur les moyens de prévenir les effets secondaires affectant l'appareil gastrointestinal.*
- ▢ *Manque de connaissances sur les moyens de stimuler la fonction intestinale.*
- ▢ *Mode de respiration inefficace.*

INTERVENTIONS INFIRMIÈRES

- ■ **Directives générales:** Pour augmenter l'effet analgésique de la mépéridine, expliquer au patient la valeur thérapeutique de ce médicament avant de l'administrer.
- ▢ Les doses administrées selon un horaire fixe peuvent être plus efficaces que celles administrées sur demande. Le médicament s'avère plus efficace s'il est administré avant que la douleur ne devienne intense.

- Les analgésiques non narcotiques, administrés simultanément, peuvent exercer des effets analgésiques additifs, ce qui permet parfois de diminuer les doses de narcotique.
- L'efficacité de la dose orale équivaut à 50 % ou moins de l'efficacité de la dose parentérale. Lorsqu'on substitue la voie orale à la voie parentérale, on doit parfois augmenter la dose.
- Après un traitement prolongé, interrompre l'administration graduellement pour prévenir les symptômes de sevrage.
- On peut administrer la mépéridine par une pompe de contrôle de l'analgésie que le patient fait fonctionner lorsqu'il en ressent le besoin.
- **PO :** Administrer la mépéridine avec des aliments ou du lait pour réduire l'irritation gastrique.
- **IM :** La voie IM est la voie parentérale de prédilection lorsqu'on doit administrer plusieurs doses. L'administration SC peut provoquer une irritation locale.
- **IV directe :** Diluer le médicament pour administration IV jusqu'à une concentration de 10 mg/mL avec de l'eau stérile ou avec une solution de NaCl à 0,9 % pour injection.
- *Vitesse d'administration :* Administrer la solution lentement, à un débit inférieur à 25 mg à la minute. Une administration trop rapide peut aggraver la dépression respiratoire et provoquer l'hypotension et un collapsus circulatoire. Lors de l'administration IV, garder un antidote à portée de la main.
- **Perfusion continue :** Diluer jusqu'à l'obtention d'une concentration de 1 mg/mL avec une solution de dextrose à 5 % ou à 10 % dans de l'eau, de dextrose et de soluté salin, de dextrose dans une solution de Ringer ou dans du lactate Ringer, de solution de NaCl à 0,45 % ou à 0,9 %, de solution de Ringer ou de lactate Ringer.

Administrer à l'aide d'une pompe de perfusion. Adapter la dose selon les besoins du patient.

- **Associations compatibles dans la même seringue :** Atropine, benzquinamide, butorphanol, chlorpromazine, cimétidine, dimenhydrinate, diphenhydramine, dropéridol, fentanyl, glycopyrrolate, hydroxyzine, métoclopramide, midazolam, pentazocine, perphénazine, prochlorpérazine, promazine, prométhazine, ranitidine ou scopolamine.
- **Associations incompatibles dans la même seringue :** Héparine, morphine ou pentobarbital.
- **Compatibilités (tubulure en Y) :** Acyclovir, amikacine, ampicilline, ampicilline avec sulbactam, céfamandole, céfazoline, céforanide, céfotaxime, céfotétane, céfoxitine, ceftizoxime, céfuroxime, céphalothine, céphapirine, chloramphénicol, clindamycine, cotrimoxazole, doxycycline, gentamicine, héparine, insuline, kanamycine, lactobionate d'érythromycine, métronidazol, moxalactam, ocytocine, ondansétron, oxacilline, pénicilline G potassique, pipéracilline, ranitidine, ticarcilline, ticarcilline avec clavulanate, tobramycine ou vancomycine.
- **Incompatibilités (tubulure en Y) :** Céfopérazone, mezlocilline, minocycline ou tétracycline.
- **Compatibilités en addition au soluté :** Dobutamine, scopolamine, succinylcholine, triflupromazine ou vérapamil.
- **Incompatibilités en addition au soluté :** Aminophylline, amobarbital, héparine, iodure de sodium, méthicilline, morphine, phénobarbital ou thiopental.

ENSEIGNEMENT AU PATIENT ET À SES PROCHES

- Expliquer au patient ce qu'on entend par administration sur demande et à quel moment il doit réclamer l'analgésique.

- Prévenir le patient que la mépéridine peut provoquer des étourdissements et de la somnolence. Lui recommander de demander de l'aide lorsqu'il se déplace et de ne pas fumer lorsqu'il est seul. Lui conseiller de ne pas conduire et d'éviter les activités qui exigent sa vigilance jusqu'à ce qu'on ait la certitude que le médicament n'entraîne pas ces effets chez lui.
- Recommander au patient de changer lentement de position pour diminuer les risques d'hypotension orthostatique.
- Recommander au patient d'éviter de boire de l'alcool et de ne pas prendre d'autres dépresseurs du SNC en même temps que la mépéridine.
- Recommander au patient de se tourner dans le lit, de tousser et de faire des exercices de respiration profonde toutes les 2 h pour prévenir l'atélectasie.

VÉRIFICATION DES RÉSULTATS
L'efficacité du traitement peut être démontrée par : la diminution de l'intensité de la douleur sans modification importante de l'état de conscience ou de la fonction respiratoire.

MÉPROBAMATE
Apo-Meprobamate, Equanil, Novo-Mepro, (Meprospan), (Miltown), (Neuramate), (Sedabamate), (Tranmep)

CLASSIFICATION :
Hypnosédatif – divers

Grossesse – catégorie inconnue

INDICATIONS
Sédation dans le traitement des troubles anxieux.

ACTION
■ Dépression du SNC par une action s'exerçant à de nombreux endroits de ce système. **Effets thérapeutiques :** ■ Sédation.

PHARMACOCINÉTIQUE
Absorption : Par suite de l'administration par voie orale, l'agent est bien absorbé.
Distribution : Le méprobamate se répartit dans tout l'organisme. Il traverse le placenta et pénètre dans le lait maternel où on le retrouve en fortes concentrations.
Métabolisme et excrétion : Le médicament est métabolisé par le foie.
Demi-vie : De 6 à 16 h.

CONTRE-INDICATIONS ET PRÉCAUTIONS
Contre-indications : ■ Hypersensibilité ■ Patients comateux ou ceux présentant une dépression du SNC préexistante ■ Douleur grave non maîtrisée ■ Grossesse et allaitement.
Précautions : ■ Insuffisance rénale grave ou dysfonctionnement hépatique ■ Patients ayant des tendances suicidaires ou ayant des antécédents de toxicomanie ■ Personnes âgées (il est conseillé de réduire la dose).

RÉACTIONS INDÉSIRABLES ET EFFETS SECONDAIRES
SNC : somnolence, ataxie.
ORLO : vision trouble.
CV : hypotension.
GI : anorexie, nausées, vomissements, diarrhée.
Tég. : prurit, urticaire, rash.
Divers : réactions d'hypersensibilité, tolérance aux effets du médicament, dépendance psychologique, dépendance physique.

INTERACTIONS
Médicament – médicament : Dépression additive du SNC lors de l'usage concomitant d'autres **dépresseurs du SNC**, dont l'**alcool**, les **antihistaminiques**, les **analgésiques narcotiques** ou les autres **hypnosédatifs**.

VOIES D'ADMINISTRATION ET POSOLOGIE

- **PO (adultes):** de 1 200 à 1 600 mg par jour en 3 ou en 4 doses fractionnées (dose maximale de 2 400 mg par jour).
- **PO (enfants de 6 à 12 ans):** de 100 à 200 mg, 2 ou 3 fois par jour.

PHARMACODYNAMIE (sédation)

	DÉBUT D'ACTION	PIC	DURÉE
PO	< 1 h	1 – 3 h	6 – 12 h

SOINS INFIRMIERS

ÉVALUATION DE LA SITUATION

- ☐ Déterminer le degré d'anxiété dont souffre le patient et les manifestations du trouble avant le début du traitement et à intervalles réguliers pendant toute sa durée.
- ☐ Mesurer la pression artérielle et le pouls avant et pendant le traitement initial.
- ☐ Le traitement prolongé à doses élevées peut entraîner une dépendance physique et psychologique. Limiter la quantité de médicament dont peut disposer le patient.
- ■ **Étude des examens diagnostiques et biochimiques:** Noter la numération globulaire à intervalles réguliers pendant toute la durée du traitement.
- ☐ Le méprobamate peut entraîner de fausses élévations des concentrations urinaires de stéroïdes.

DIAGNOSTICS INFIRMIERS POSSIBLES

- ■ **Énoncés diagnostiques**
- ☐ Anxiété.
- ☐ Risque élevé d'accident.
- ☐ Prise en charge inefficace du programme thérapeutique.

- ■ **Facteurs favorisants**
- ☐ Informations incomplètes.
- ☐ *Perturbation de la vigilance.*
- ☐ *Manque de connaissances sur les modalités du traitement.*

- ☐ *Manque de connaissances sur les effets hypotensifs du médicament lors des changements brusques de position.*

INTERVENTIONS INFIRMIÈRES

PO: Pour réduire l'irritation gastrique, on peut administrer le méprobamate avec des aliments.

ENSEIGNEMENT AU PATIENT ET À SES PROCHES

- ☐ Conseiller au patient de respecter scrupuleusement la posologie recommandée. S'il n'a pas pu prendre le médicament au moment habituel, il doit le prendre dans l'heure qui suit, mais non pas plus tard. Lui expliquer qu'il ne doit jamais doubler les doses. L'arrêt brusque du traitement peut déclencher les symptômes préexistants ou des réactions de sevrage dans les 12 à 48 h qui suivent (vomissements, ataxie, soubresauts musculaires, confusion, hallucinations, convulsions). Les symptômes disparaissent habituellement dans les 12 à 48 h qui suivent.
- ☐ Prévenir le patient que le méprobamate peut provoquer de la somnolence et une vision trouble. Lui conseiller de ne pas conduire et d'éviter les activités qui exigent sa vigilance jusqu'à ce qu'on ait la certitude que le médicament n'entraîne pas ces effets chez lui.
- ☐ Recommander au patient de changer lentement de position pour réduire les risques d'hypotension orthostatique.
- ☐ Recommander au patient d'éviter de boire de l'alcool et de ne pas prendre d'autres dépresseurs du SNC en même temps que le méprobamate.
- ☐ Conseiller à la patiente de prévenir le médecin si elle prévoit être enceinte ou si elle pense l'être.
- ☐ Conseiller au patient de signaler au médecin le rash, les maux de gorge ou la fièvre.

□ Inciter le patient à suivre une psycho-thérapie si le médecin l'a recommandée et insister sur l'importance des examens de suivi qui permettent d'évaluer les bienfaits du traitement.

VÉRIFICATION DES RÉSULTATS

L'efficacité du traitement peut être démontrée par: ■ la diminution des signes et des symptômes d'anxiété ■ la sédation. L'efficacité du médicament devrait être réévaluée à intervalles réguliers. La durée du traitement est en général inférieure à 4 mois.

MERCAPTOPURINE
6-MP, Purinethol

CLASSIFICATION:
Antinéoplasique – antimétabolite

Grossesse – catégorie inconnue

INDICATIONS

■ Traitement des leucémies en association avec d'autres médicaments. **Usages non approuvés:** ■ Traitement: □ de certains lymphomes □ de la polycythémie vraie □ des affections intestinales inflammatoires non spécifiques □ de l'arthrite psoriasique.

ACTION

■ Inhibition de la synthèse de l'ADN et de l'ARN (effet spécifique sur la phase S du cycle cellulaire). **Effets thérapeutiques:** ■ Destruction des cellules à réplication rapide, particulièrement des cellules malignes ■ Propriétés immunosuppressives.

PHARMACOCINÉTIQUE

Absorption: Par suite de l'administration par voie orale, l'absorption est variable et incomplète (entre 5 et 50 %).
Distribution: La mercaptopurine se répartit dans l'eau corporelle totale.

Métabolisme et excrétion: Le médicament est surtout métabolisé par le foie; une petite partie est métabolisée par les muqueuses gastro-intestinales. De petites quantités sont excrétées à l'état inchangé par les reins.
Demi-vie: Inconnue.

CONTRE-INDICATIONS ET PRÉCAUTIONS

Contre-indications: ■ Hypersensibilité ■ Grossesse ou allaitement ■ Maladie hépatique grave.
Précautions: ■ Patientes en âge de procréer ■ Infections ■ Réserve médullaire réduite ■ Autres maladies chroniques débilitantes.

RÉACTIONS INDÉSIRABLES ET EFFETS SECONDAIRES

SNC: faiblesse.
Tég.: hyperpigmentation, rash.
GI: nausées, vomissements, anorexie, diarrhée, HÉPATOTOXICITÉ.
GU: suppression de la fonction des gonades.
Hémat.: <u>anémie</u>, <u>leucopénie</u>, <u>thrombocytopénie</u>.
Métab.: hyperuricémie.
Divers: fièvre.

INTERACTIONS

Médicament – médicament: ■ L'**allopurinol** inhibe le métabolisme et augmente par conséquent le risque de toxicité par la mercaptopurine (réduire la dose de mercaptopurine jusqu'à 25 à 33 % de la dose habituelle) ■ Hépatotoxicité additive lors de l'administration simultanée d'autres **agents hépatotoxiques** ■ Hypoplasie médullaire additive lors de l'administration concomitante d'autres **antinéoplasiques** ou d'une **radiothérapie** ■ La mercaptopurine peut modifier l'effet de la **warfarine** (en augmenter ou en réduire l'efficacité) ■ La mercaptopurine peut diminuer la réponse des anticorps aux **vaccins vivants** et augmenter le risque de réactions indésirables.

M

VOIES D'ADMINISTRATION ET POSOLOGIE

PO (adultes et enfants): 2,5 mg/kg par jour, en une seule dose.

PHARMACODYNAMIE
(effets sur la numération globulaire)

	DÉBUT D'ACTION	PIC	DURÉE
PO	7 – 10 jours	14 jours	21 jours

SOINS INFIRMIERS

ÉVALUATION DE LA SITUATION

□ Mesurer la pression artérielle, le pouls, la fréquence respiratoire et la température à intervalles fréquents tout au long du traitement. Prévenir le médecin de tout changement notable.

□ Surveiller les signes d'infection. Suivre de près l'apparition de la fièvre, des frissons et des maux de gorge. Prévenir le médecin si ces symptômes se manifestent.

□ Suivre de près les saignements: saignement des gencives, formation d'ecchymoses, pétéchies, présence de sang occulte dans les selles, l'urine et les vomissements. Éviter les injections IM et la prise de la température par voie rectale. Appliquer une pression sur les points de ponction veineuse pendant 10 min.

□ Effectuer le bilan des ingesta et des excreta et prévenir le médecin en cas d'écarts importants. Inciter le patient à boire de 2 000 à 3 000 mL de liquides par jour. Le médecin peut également prescrire de l'allopurinol et l'alcalinisation de l'urine afin de réduire les concentrations sériques d'acide urique et de prévenir la formation de cristaux uratiques.

□ Déterminer l'état nutritionnel du patient. L'anorexie et la perte de poids peuvent être réduites si le patient prend des repas légers mais fréquents.

On peut réduire les nausées et les vomissements en administrant un agent antiémétique au moins 1 h avant d'administrer le médicament.

□ L'anémie peut survenir. Suivre de près la fatigue accrue et la dyspnée.

■ **Étude des examens diagnostiques et biochimiques:** Noter les résultats de la numération globulaire et de la formule leucocytaire avant le traitement et toutes les semaines pendant toute sa durée. La mercaptopurine peut provoquer la leucopénie, la thrombocytopénie et l'anémie. Prévenir le médecin en cas de baisse soudaine des valeurs.

□ Examiner les résultats des tests de l'exploration fonctionnelle hépatique (concentrations sériques de transaminase, de phosphatase alcaline et de bilirubine) toutes les semaines pendant toute la durée du traitement.

□ La mercaptopurine peut entraîner l'élévation des concentrations d'acide urique. Noter les concentrations à intervalles réguliers pendant toute la durée du traitement.

□ La mercaptopurine peut entraîner de fausses élévations des concentrations sériques de glucose et d'acide urique lorsqu'on utilise un système multianalyseur pour déterminer ces valeurs.

DIAGNOSTICS INFIRMIERS POSSIBLES

■ **Énoncés diagnostiques**

□ Risque élevé d'infection.

□ Déficit nutritionnel.

□ Prise en charge inefficace du programme thérapeutique.

□ *Risque élevé d'accident.*

□ *Risque élevé d'atteinte à l'intégrité des tissus.*

□ *Risque élevé d'altération de l'élimination urinaire.*

■ **Facteurs favorisants**

□ Informations incomplètes.

□ *Fatigue et faiblesse.*

□ *Manque de connaissances sur les modalités du traitement.*

□ Modification de l'état liquidien ou des volumes circulants.

□ Manque de connaissances sur le régime alimentaire à suivre.

□ Manque de connaissances sur les moyens de prévenir les effets secondaires affectant l'appareil gastro-intestinal.

INTERVENTIONS INFIRMIÈRES

■ **Directives générales:** Il faudrait réduire la dose de mercaptopurine jusqu'à $^1/_3$ à $^1/_4$ de la dose habituelle chez les patients recevant simultanément de l'allopurinol afin de réduire les risques d'effets toxiques de la mercaptopurine.

■ **PO:** Administrer le médicament avec les repas. Si le patient éprouve des difficultés de déglutition, on peut broyer les comprimés.

ENSEIGNEMENT AU PATIENT ET À SES PROCHES

□ Conseiller au patient de respecter scrupuleusement la posologie recommandée. S'il n'a pas pu prendre le médicament au moment habituel, il doit sauter cette dose.

□ Recommander au patient de signaler au médecin les symptômes suivants: fièvre, frissons, maux de gorge, signes d'infection, saignement des gencives, formation d'ecchymoses, pétéchies, présence de sang dans l'urine, les selles ou les vomissements. Inciter le patient à éviter les foules et les personnes contagieuses. Lui recommander d'utiliser une brosse à dents à poils doux et un rasoir électrique, de ne pas boire d'alcool et de ne pas prendre de produits à base d'aspirine, car ces substances peuvent déclencher une hémorragie digestive.

□ Conseiller au patient de prévenir immédiatement le médecin si sa peau ou ses yeux deviennent jaunes, ses urines, foncées ou ses selles, couleur de glaise.

□ Prévenir la patiente que ce médicament peut avoir des effets tératogènes. Lui recommander de prendre des mesures contraceptives pendant toute la durée du traitement et pendant au moins 4 mois après l'avoir arrêté.

□ Recommander au patient de ne pas se faire vacciner sans recommandation expresse du médecin.

□ Insister sur la nécessité de se soumettre à des examens diagnostiques et biochimiques permettant d'évaluer les effets secondaires du traitement.

VÉRIFICATION DES RÉSULTATS

L'efficacité du traitement peut être démontrée par: la rémission de la leucémie aiguë. Les patients peuvent recevoir des doses subséquentes si le bilan hématologique se situe dans les limites normales et si les effets secondaires ne sont pas graves.

MESNA
Uromitexan, (Mesnex)

CLASSIFICATION:
Antidote – agent de détoxification

Grossesse – catégorie B

INDICATIONS

Prévention de la cystite hémorragique induite par l'ifosfamide et le cyclophosphamide (oxazaphosphorines).

ACTION

Liaison aux métabolites toxiques de l'ifosfamide et du cyclophosphamide dans les reins, en prévenant ainsi la cystite hémorragique.

PHARMACOCINÉTIQUE

Absorption: Par suite de l'administration par voie orale, une fraction d'environ 50 % est absorbée.
Distribution: Inconnue.

M

Métabolisme et excrétion: Le médicament est rapidement transformé en disulfite de mesna, puis retransformé en mesna dans les reins, où il peut se lier aux métabolites toxiques des oxazaphosphorines.

Demi-vie: Mesna – 0,36 h; disulfite de mesna, 1,17 h.

CONTRE-INDICATIONS ET PRÉCAUTIONS

Contre-indications: Hypersensibilité au mesna ou à d'autres dérivés du caoutchouc.

Précautions: Grossesse ou allaitement (l'innocuité du médicament n'a pas été établie).

RÉACTIONS INDÉSIRABLES ET EFFETS SECONDAIRES

GI: nausées, vomissements, diarrhée, goût désagréable.

INTERACTIONS

Médicament – médicament: Aucune interaction notable.

VOIES D'ADMINISTRATION ET POSOLOGIE

- **IV (adultes):** Administrer une dose de mesna équivalente à 20 % de la dose d'ifosfamide ou de cyclophosphamide au même moment que ces agents et 4 et 8 h plus tard.
- **PO (adultes):** Administrer une dose de mesna équivalente à 40 % de la dose d'ifosfamide ou de cyclophosphamide au même moment que ces agents et 4 et 8 h plus tard, ou 4 et 8 h plus tard seulement (précédée d'une dose parentérale de mesna équivalente à 20 % de celle des oxazaphosphorines au même moment que ces agents).

PHARMACODYNAMIE

	DÉBUT D'ACTION	PIC	DURÉE
IV	rapide	inconnu	4 h

SOINS INFIRMIERS

ÉVALUATION DE LA SITUATION

- ☐ Chez le patient recevant l'ifosfamide ou le cyclophosphamide, observer l'apparition d'une cystite hémorragique.
- ■ **Étude des examens diagnostiques et biochimiques:** Le mesna peut entraîner des résultats faussement positifs au dosage de la cétonurie.

DIAGNOSTICS INFIRMIERS POSSIBLES

- ■ **Énoncés diagnostiques**
- ☐ Prise en charge inefficace du programme thérapeutique.
- ☐ *Risque élevé d'anxiété.*
- ☐ *Risque élevé de déficit de volume liquidien.*

- ■ **Facteurs favorisants**
- ☐ Informations incomplètes.
- ☐ *Manque de connaissances sur les effets secondaires du médicament.*
- ☐ *Manque de connaissances sur les modalités du traitement.*
- ☐ *Manque de connaissances sur les moyens de prévenir les effets secondaires affectant l'appareil gastrointestinal.*

INTERVENTIONS INFIRMIÈRES

- ■ **Directives générales:** Administrer le premier bolus au même moment que l'oxazaphosphorine, la deuxième dose, 4 h plus tard et la troisième dose, 8 h plus tard. Maintenir le même schéma posologique lors de l'administration de chaque dose subséquente d'ifosfamide ou de cyclophosphamide.
- ■ **PO:** Diluer les doses dans du jus ou du cola.
- ■ **IV directe:** Le mesna existe en ampoules de 4 et de 10 mL, à une teneur de 100 mg/mL par ampoule. Diluer l'agent dans une solution de dextrose à 5 % dans de l'eau, de NaCl à 0,9 %, de dextrose à 5 % dans une solution de NaCl à 0,9 % ou de lactate Ringer,

M

respectivement, jusqu'à l'obtention d'une concentration finale égale ou supérieure à 1 mg/mL. Garder la solution au réfrigérateur ou à la température de la pièce. Utiliser la préparation dans les 24 h qui suivent.

- **Association compatible dans la même seringue:** Ifosfamide.
- **Compatibilité (tubulure en Y):** Ondansétron.
- **Compatibilités en addition au soluté:** Hydroxyzine ou ifosfamide.
- **Incompatibilité en addition au soluté:** Cisplatine.

ENSEIGNEMENT AU PATIENT ET À SES PROCHES

☐ Prévenir le patient que le goût désagréable est un effet prévisible se manifestant pendant l'administration du médicament.

☐ Conseiller au patient de prévenir le médecin si les nausées, les vomissements ou la diarrhée persistent ou s'ils sont graves.

VÉRIFICATION DES RÉSULTATS

L'efficacité du traitement peut être démontrée par: la prévention de la cystite hémorragique associée au traitement par l'ifosfamide ou le cyclophosphamide.

MÉSORIDAZINE
Serentil

CLASSIFICATION:
Antipsychotique – phénothiazine
Grossesse – catégorie inconnue

INDICATIONS

■ Traitement de la schizophrénie aiguë et chronique, du syndrome organique cérébral et de l'arriération mentale ■ Traitement symptomatique du sevrage éthylique.

ACTION

■ Modification des effets de la dopamine dans le SNC ■ Action anticholinergique et blocage alpha-adrénergique. **Effets thérapeutiques:** ■ Diminution des signes et des symptômes de psychose ■ Diminution des symptômes du sevrage éthylique.

PHARMACOCINÉTIQUE

Absorption: Par suite de l'administration par voie orale, le médicament semble être bien absorbé.
Distribution: L'agent se répartit dans tout l'organisme. Il traverse la barrière hémato-encéphalique et le placenta et pénètre probablement dans le lait maternel.
Métabolisme et excrétion: Le médicament est surtout métabolisé par le foie.
Demi-vie: Inconnue.

CONTRE-INDICATIONS ET PRÉCAUTIONS

Contre-indications: ■ Hypersensibilité ■ Risque de réactions de sensibilité croisée avec d'autres phénothiazines ■ Glaucome à angle étroit ■ Aplasie médullaire ■ Maladies hépatique ou cardiovasculaire graves.
Précautions: ■ Personnes âgées ou patients débilités (réduire la dose, au besoin) ■ Grossesse ou allaitement (l'innocuité du médicament n'a pas été établie) ■ Diabète sucré ■ Maladie respiratoire ■ Hypertrophie de la prostate ■ Tumeurs du SNC ■ Épilepsie ■ Occlusion intestinale.

RÉACTIONS INDÉSIRABLES ET EFFETS SECONDAIRES

SNC: sédation, réactions extrapyramidales, dyskinésie tardive, SYNDROME MALIN DES NEUROLEPTIQUES.
ORLO: sécheresse des yeux (alacrymie), vision trouble, opacité du cristallin.
CV: hypotension, tachycardie.
GI: constipation, sécheresse de la bouche (xérostomie), occlusion intestinale, anorexie, hépatite.

GU: rétention urinaire.

Tég. : rash, photosensibilité, modification de la pigmentation.

End. : galactorrhée.

Hémat. : AGRANULOCYTOSE, leucopénie.

Divers : réactions allergiques, hyperthermie.

INTERACTIONS

Médicament – médicament : ■ Effets hypotensifs additifs lors de l'administration simultanée d'**antihypertenseurs** ou de **dérivés nitrés** ou lors de l'ingestion d'**alcool** ■ Effets additifs sur la dépression du SNC lors de l'usage concomitant d'autres **dépresseurs du SNC** dont l'**alcool**, les **antidépresseurs**, les **antihistaminiques**, les **inhibiteurs de la MAO**, les **analgésiques narcotiques**, les **hypnosédatifs** ou les **anesthésiques généraux** ■ L'administration concomitante de **lithium** peut provoquer l'une ou l'autre des réactions suivantes : encéphalopathie aiguë, diminution de l'absorption de la mésoridazine, augmentation de l'excrétion du lithium, risque accru de réactions extrapyramidales ou dissimulation des premiers signes de toxicité par le lithium ■ Les **antiacides** ou les **antidiarrhéiques adsorbants (kaolin)** peuvent diminuer l'absorption de la mésoridazine ■ Risque accru d'agranulocytose lors de l'administration simultanée d'**agents antithyroïdiens** ■ La mésoridazine peut réduire les effets antiparkinsoniens de la **lévodopa** et de la **bromocriptine** ■ La mésoridazine diminue l'effet vasopresseur de l'**épinéphrine** et de la **norépinéphrine** ■ La mésoridazine diminue l'effet antihypertenseur de la **guanéthidine** ■ L'administration concomitante de **bêtabloquants** peut inhiber le métabolisme de l'un des médicaments ou des deux à la fois entraînant une intensification de la réponse ■ Risque accru d'effets anticholinergiques lors de l'administration simultanée d'**autres agents doués de propriétés anticholinergiques** dont les **antihistaminiques**, les **antidépresseurs tricycliques**, le **disopyramide** ou la **quinidine**.

VOIES D'ADMINISTRATION ET POSOLOGIE

Schizophrénie
■ **PO (adultes) :** de 75 à 400 mg par jour ; la dose habituelle est de 150 mg par jour en 2 ou 3 prises fractionnées.

Arriération mentale, syndrome organique cérébral chronique
■ **PO (adultes) :** de 75 à 300 mg par jour ; la dose habituelle est de 100 mg par jour en prises fractionnées.

Symptômes du sevrage éthylique
■ **PO (adultes) :** de 50 à 200 mg par jour ; la dose habituelle est de 100 mg par jour en prises fractionnées.

PHARMACODYNAMIE (effets sédatifs)

	DÉBUT D'ACTION	PIC	DURÉE
PO	inconnu	inconnu	inconnue

SOINS INFIRMIERS

ÉVALUATION DE LA SITUATION

□ Déterminer l'état de la conscience (orientation, humeur, comportement) avant le traitement et à intervalles réguliers pendant toute sa durée.

□ Mesurer la pression artérielle (en position assise, debout et en position couchée), le pouls et la fréquence respiratoire avant l'administration et à intervalles fréquents pendant la période d'adaptation de la posologie.

□ Observer attentivement le patient lorsqu'on lui administre les comprimés pour s'assurer qu'il les a bien avalés.

□ Observer le patient afin de déterminer le degré de sédation après l'administration de la mésoridazine.

□ Suivre de près l'apparition des symptômes extrapyramidaux suivants : akathisie – agitation ; dystonie – spasmes musculaires et mouvements d'émiettement; pseudoparkinsonisme – faciès rigide, tremblements, bouche ouverte laissant s'échapper la salive (sialorrhée), démarche traînante, dysphagie. Le risque d'effets extrapyramidaux est plus faible lors de l'administration de la mésoridazine que lors de l'administration de la plupart des phénothiazines. Prévenir le médecin si ces symptômes se manifestent, car la réduction de la dose ou l'arrêt du traitement peuvent s'avérer nécessaires. Le médecin peut aussi prescrire des agents antiparkinsoniens (trihexyphénidyle ou benztropine) afin de maîtriser ces symptômes.

□ Surveiller les symptômes suivants de dyskinésie tardive : mouvements rythmiques de la bouche, du visage et des membres. Prévenir immédiatement le médecin si ces symptômes se manifestent, car ces effets secondaires peuvent être irréversibles.

□ Surveiller l'apparition des symptômes suivants du syndrome malin des neuroleptiques : fièvre, détresse respiratoire, tachycardie, convulsions, diaphorèse, hypertension ou hypotension, pâleur, fatigue. Signaler sans tarder ces symptômes au médecin.

■ **Étude des examens diagnostiques et biochimiques :** Noter la numération globulaire et la formule leucocytaire avant le début du traitement et à intervalles réguliers pendant toute sa durée. La mésoridazine peut provoquer la dyscrasie.

□ Noter les résultats des tests de l'exploration fonctionnelle hépatique avant le traitement et à intervalles réguliers pendant toute sa durée.

□ La mésoridazine peut entraîner l'élévation des concentrations sériques de prolactine.

DIAGNOSTICS INFIRMIERS POSSIBLES

■ **Énoncés diagnostiques**

□ Altération des opérations de la pensée.

□ Risque élevé d'accident.

□ Prise en charge inefficace du programme thérapeutique.

□ *Risque élevé d'atteinte à l'intégrité de la muqueuse buccale.*

□ *Risque élevé de constipation.*

□ *Risque élevé d'atteinte à l'intégrité de la peau.*

■ **Facteurs favorisants**

□ Informations incomplètes.

□ *Perturbation de la vigilance.*

□ *Altération de la perception visuelle.*

□ *Manque de connaissances sur les effets hypotensifs du médicament lors des changements brusques de position.*

□ *Manque de connaissances sur les moyens de prévenir ou de réduire la sécheresse de la bouche.*

□ *Manque de connaissances sur les moyens de réduire la photosensibilité et sur l'importance d'un suivi ophtalmologique.*

□ *Manque de connaissances sur les moyens de stimuler la fonction intestinale.*

INTERVENTIONS INFIRMIÈRES

■ Administrer les comprimés avec des aliments ou du lait pour diminuer l'irritation gastrique.

ENSEIGNEMENT AU PATIENT ET À SES PROCHES

□ Conseiller au patient de changer lentement de position afin de prévenir les risques d'hypotension orthostatique.

□ Conseiller au patient de respecter scrupuleusement la posologie recommandée. S'il n'a pas pu prendre le médicament au moment habituel, il doit le prendre aussitôt que possible à moins que ce ne soit presque l'heure prévue pour la dose suivante. Les patients recevant un traitement prolongé à des doses élevées doivent interrompre graduellement la prise du médicament afin de prévenir l'apparition des symptômes de sevrage suivants : dyskinésie, tremblements, étourdissements, nausées et vomissements.

☐ Prévenir le patient que la mésoridazine peut provoquer de la somnolence. Lui conseiller de ne pas conduire et d'éviter les activités qui exigent sa vigilance jusqu'à ce qu'on ait la certitude que le médicament n'entraîne pas cet effet chez lui.

☐ Conseiller au patient de se rincer fréquemment la bouche avec de l'eau, de pratiquer une bonne hygiène orale et de consommer de la gomme ou des bonbons sans sucre pour essayer de soulager la sécheresse de la bouche. Lui recommander de consulter le médecin ou le dentiste si la sécheresse de la bouche persiste pendant plus de 2 semaines.

☐ Recommander au patient d'utiliser un écran solaire et de porter des vêtements protecteurs afin de prévenir les réactions de photosensibilité.

☐ Mettre en garde le patient contre la consommation d'alcool et la prise d'autres dépresseurs du SNC et de médicaments en vente libre, en même temps que la mésoridazine, sans avoir consulté au préalable le médecin ou le pharmacien.

☐ Informer le patient qu'il doit prévenir sans délai le médecin s'il souffre de maux de gorge, de fièvre, de saignements ou d'ecchymoses inhabituels, de rash, de faiblesse, de tremblements ou de troubles de la vue, si son urine devient foncée ou si ses selles prennent une couleur de glaise.

☐ Recommander au patient qui doit suivre un traitement dentaire ou subir une intervention chirurgicale d'avertir le dentiste ou le médecin qu'il suit un traitement médicamenteux.

☐ Informer le patient qu'il risque de souffrir de symptômes extrapyramidaux ou de dyskinésie tardive. Lui

recommander de signaler immédiatement ces symptômes au médecin.

☐ Recommander au patient d'éviter de faire de l'exercice par temps chaud et de prendre des bains ou des douches très chaudes.

☐ Expliquer au patient qu'un apport accru de liquides et d'aliments riches en fibres peut réduire les effets constipants du médicament.

☐ Insister sur l'importance des examens réguliers de suivi incluant des examens de la vue et des examens diagnostiques et biochimiques et inciter le patient schizophrène à suivre une psychothérapie.

VÉRIFICATION DES RÉSULTATS

L'efficacité du traitement peut être démontrée par : ■ la diminution de l'idéation psychotique ■ la diminution des symptômes de sevrage éthylique.

MÉTARAMINOL
(Aramine)

CLASSIFICATION :
Vasopresseur

Grossesse – catégorie inconnue

INDICATIONS

Traitement de l'hypotension et du choc circulatoire impossibles à corriger par le remplissage vasculaire, attribuables à l'hémorragie, à des réactions aux médicaments ou à l'anesthésie.

ACTION

■ Stimulation des récepteurs alpha- et bêta₁-adrénergiques produisant une vasoconstriction et la stimulation cardiaque (effet inotrope) ■ Libération de la noradrénaline des sites de stockage ; l'administration prolongée peut mener à la déplétion des réserves et à la tachyphylaxie (une tolérance aux effets du médicament qui survient rapidement) ■ Effet

M

minime sur les récepteurs bêta$_2$ (pulmonaires). **Effets thérapeutiques:** ■ Maintien de la pression artérielle avec irrigation des organes vitaux.

PHARMACOCINÉTIQUE

Absorption: Bonne absorption par suite de l'administration IM ou SC.
Distribution: Le métaraminol ne traverse pas la barrière hémato-encéphalique. Le reste de la distribution est inconnu.
Métabolisme et excrétion: Métabolisme tissulaire.
Demi-vie: Inconnue.

CONTRE-INDICATIONS ET PRÉCAUTIONS

Contre-indications: ■ Hypersensibilité au métaraminol, aux parabènes ou aux bisulfites ■ Thrombose vasculaire périphérique ou mésentérique ■ Hypoxie ■ Hypercapnie ■ Anesthésie par le cyclopropane ou les hydrocarbures ayant subi une halogénation.
Précautions: ■ Hyperthyroïdie ■ Hypertension ■ Maladie cardiaque ■ Diabète sucré ■ Maladie hépatique grave ■ Grossesse ou allaitement (l'innocuité du médicament n'a pas été établie) ■ Acidose concomitante (risque de diminution de l'efficacité du médicament) ■ Maladie vasculaire périphérique ■ Antécédents de malaria.

RÉACTIONS INDÉSIRABLES ET EFFETS SECONDAIRES

SNC: appréhension, anxiété, agitation, étourdissements, lipothymie, céphalées, nervosité.
Resp.: détresse respiratoire.
CV: arythmies, bradycardie, vasoconstriction périphérique et viscérale, douleur précordiale.
Tég.: rougeur de la peau, pâleur, transpiration.
GI: nausées.
GU: débit urinaire réduit.
Locaux: irritation, desquamation, nécrose tissulaire au point d'injection IV.
Divers: tachyphylaxie.

INTERACTIONS

Médicament – médicament: ■ Risque d'antagonisme partiel de l'effet vasopresseur, lors de l'administration simultanée de **bloqueurs alpha-adrénergiques (labétalol, phénoxybenzamine, phentolamine, prazosine** ou **tolazoline)** ou d'**agents doués de propriétés de blocage alpha-adrénergique (halopéridol, loxapine, phénothiazines,** ou **thioxanthènes)** ■ Les **bêtabloquants** peuvent réduire les effets cardiaques du métaraminol ■ L'administration simultanée de **cyclopropane** ou d'autres **anesthésiques à base d'hydrocarbures ayant subi une halogénation,** d'**antidépresseurs tricycliques,** de **maprotiline** ou de **dérivés digitaliques** augmente le risque d'arythmies ■ Risque accru d'hypertension et d'arythmies cardiaques lors de l'administration simultanée de **guanéthidine,** de **guanadrel** et d'**inhibiteurs de la MAO** ■ L'effet vasopresseur peut être intensifié par l'**atropine,** administrée simultanément ■ Les **diurétiques** peuvent réduire la réponse artérielle au métaraminol ■ L'administration concomitante de **bêtabloquants** peut entraîner une hypertension et une bradycardie excessives ■ Risque de vasoconstriction additive lors de l'administration simultanée d'**ergotamine,** d'**ergonovine, de méthylergonovine,** de **méthysergide** ou d'**ocytocine.**

VOIES D'ADMINISTRATION ET POSOLOGIE

Traitement intensif de l'hypotension
■ **IV (adultes):** de 15 à 100 mg dans 500 mL de solution, perfusée à la vitesse nécessaire au maintien de la pression artérielle souhaitée.
■ **IV (enfants):** 0,4 mg/kg ou 12 mg/m^2, dilués et perfusés à la vitesse nécessaire au maintien de la pression artérielle souhaitée.

Prophylaxie intensive de l'hypotension
■ **SC, IM (adultes):** de 2 à 10 mg; ne pas répéter l'administration avant 10 min au moins.

- **SC, IM (enfants) :** 0,1 mg/kg ou 3 mg/m² ; ne pas répéter l'administration avant 10 min au moins.

Traitement du choc grave

- **IV (adultes) :** de 0,5 à 5 mg, suivis d'une perfusion IV à la vitesse nécessaire au maintien de la pression artérielle.
- **IV (enfants) :** 0,01 mg/kg ou 0,3 mg/m².

PHARMACODYNAMIE
(effet vasopresseur)

	DÉBUT D'ACTION	PIC	DURÉE
SC	5 – 20 min	inconnu	1 h (variable)
IM	10 min	inconnu	1 h (variable)
IV	1 – 2 min	inconnu	20 min

SOINS INFIRMIERS

ÉVALUATION DE LA SITUATION

- ☐ Mesurer la pression artérielle, le pouls et la fréquence respiratoire, suivre l'ECG et les paramètres hémodynamiques toutes les 5 à 15 min pendant et après l'administration jusqu'à ce que l'état du patient reste stable pendant au moins une heure. Prévenir le médecin de tout changement notable des signes vitaux ou de l'apparition d'arythmies. Consulter le médecin concernant les paramètres qui dictent une adaptation de la dose ou l'arrêt de la médication (pouls, pression artérielle ou modification de l'ECG).
- ☐ Mesurer le débit urinaire toutes les heures. Au début du traitement, la diurèse peut diminuer, mais augmenter par la suite au fur et à mesure que la pression artérielle se stabilise. Prévenir le médecin si le débit urinaire reste faible.
- ☐ Examiner le point d'injection IV à intervalles fréquents. L'extravasation peut entraîner la nécrose et la desquamation tissulaires. En cas d'extravasation, interrompre l'administration du métaraminol et instiller dans

la région atteinte de 10 à 15 mL de solution de NaCl à 0,9 % contenant de 5 à 10 mg de phentolamine.

- **Toxicité et surdosage :** Les symptômes de surdosage comprennent les convulsions, l'hypertension grave et les arythmies.
- ☐ En cas d'hypertension excessive, la perfusion devrait être ralentie ou passagèrement interrompue jusqu'à ce que la pression artérielle s'abaisse. Bien qu'il ne soit pas nécessaire de prendre des mesures supplémentaires, étant donné la courte durée d'action du métaraminol, on peut administrer de la phentolamine par voie IV si l'épisode d'hypertension persiste.

DIAGNOSTICS INFIRMIERS POSSIBLES

- **Énoncés diagnostiques**
- ☐ Diminution du débit cardiaque.
- ☐ Diminution de l'irrigation tissulaire.
- ☐ *Risque élevé de douleur au point d'injection IV.*
- ☐ *Prise en charge inefficace du programme thérapeutique.*

- **Facteurs favorisants**
- ☐ *Manque de connaissances sur les modalités du traitement.*
- ☐ *Inflammation locale du tissu vasculaire ou infiltration du médicament dans les tissus avoisinants.*

INTERVENTIONS INFIRMIÈRES

- **Directives générales :** La cause de l'hypovolémie doit être corrigée avant d'administrer le métaraminol.
- ☐ Interrompre graduellement l'administration du métaraminol afin de prévenir l'hypotension récurrente. Suivre de près l'état du patient après l'arrêt de la médication pour déterminer s'il faut continuer le traitement par le métaraminol. Recommencer l'administration si la pression systolique chute en dessous de 70 à 80 mmHg.
- **IM et SC :** La voie IV doit être préférée aux voies IM et SC. S'il faut utiliser la

M

voie IM ou SC, choisir un point d'injection dans une région où la circulation est appropriée afin d'améliorer la réponse du patient et de diminuer les risques de nécrose ou de desquamation tissulaires ou d'abcès. Ne pas masser le point après l'injection.

☐ Après l'injection IM ou SC, observer la réponse du patient pendant au moins 10 min avant de répéter l'administration, car l'effet maximal pourrait ne pas être notable immédiatement.

■ **IV:** Administrer le métaraminol par voie IV dans une grosse veine. Éviter les veines de la cheville ou du dos de la main.

■ **IV directe:** Les injections par voie IV directe devraient être suivies par une perfusion continue.

☐ *Vitesse d'administration:* En cas de choc grave, on peut administrer le métaraminol lentement, à un débit maximal de 0,5 mg/min.

■ **Perfusion continue:** Pour administrer chez l'adulte, diluer de 15 à 100 mg de métaraminol dans 500 mL de solution de NaCl à 0,9 %, de dextrose à 5, 10 ou 20 % dans de l'eau, de dextrose à 5 % dans du lactate Ringer, de dextrose à 5 % dans une solution de NaCl à 0,9 %, ou dans une solution de Ringer. Pour administrer chez l'enfant, diluer à raison de 1 mg dans 25 mL. La solution est stable durant 24 h.

☐ *Vitesse d'administration:* Ajuster la vitesse d'administration afin de maintenir la pression artérielle souhaitée. Utiliser une pompe de perfusion pour s'assurer que le patient reçoit la quantité de médicament qui convient.

■ **Compatibilité (tubulure en Y):** Amrinone.

■ **Compatibilités en addition au soluté:** Acides aminés, amikacine, bicarbonate de sodium, céphalothine, céphapirine, chloramphénicol, chlorure de potassium, cimétidine, cyanocobalamine, dobutamine, éphédrine, épinéphrine,

lidocaïne, ocytocine, phosphate d'hydrocortisone sodique, promazine, tétracycline ou vérapamil.

■ **Incompatibilités en addition au soluté:** Amphotéricine B, barbituriques, dexaméthasone, fibrinogène, lactobionate d'érythromycine, méthicilline, méthylprednisolone, pénicilline G potassique, phénytoïne ou phosphate de prednisolone sodique.

ENSEIGNEMENT AU PATIENT ET À SES PROCHES

Inciter le patient à informer immédiatement l'infirmière d'une douleur au point d'injection, d'une sensation de froid dans les membres ou d'une paresthésie.

VÉRIFICATION DES RÉSULTATS

L'efficacité du traitement peut être démontrée par: l'élévation de la pression systolique jusqu'à 80 à 100 mmHg chez les patients normotendus ou jusqu'à 30 à 40 mmHg en dessous de la pression systolique habituelle chez les patients hypertendus.

MÉTHADONE
(Dolophine), (Methadose)

CLASSIFICATION:
Analgésique narcotique – agoniste
Stupéfiant
Grossesse – catégorie inconnue

INDICATIONS

■ Soulagement de la douleur grave, en monothérapie ou en association avec des analgésiques non narcotiques (acétaminophène ou aspirine) ■ Traitement substitutif à l'héroïne ou à d'autres analgésiques narcotiques lors de cures de désintoxication ou d'entretien.

ACTION

■ Liaison aux récepteurs des opiacés du SNC ■ Modification de la perception de la douleur et de la réaction aux stimuli douloureux avec dépression généralisée du SNC. **Effets thérapeutiques :** ■ Diminution de l'intensité de la douleur ■ Cure de désintoxication ou d'entretien des héroïnomanes.

PHARMACOCINÉTIQUE

Absorption : Bonne absorption depuis le tractus gastro-intestinal.

Distribution : Le médicament se répartit dans tout l'organisme. Il traverse le placenta et pénètre dans le lait maternel.

Métabolisme et excrétion : Le médicament est surtout métabolisé par le foie.

Demi-vie : 25 h.

CONTRE-INDICATIONS ET PRÉCAUTIONS

Contre-indications : ■ Hypersensibilité ■ Grossesse ou allaitement (traitement prolongé à éviter).

Précautions : ■ Traumatisme crânien ■ Pression intracrânienne accrue ■ Maladies rénale, hépatique ou pulmonaire graves ■ Hypothyroïdie ■ Insuffisance surrénalienne ■ Alcoolisme ■ Personnes âgées ou patients débilités (il est conseillé de réduire la dose) ■ Douleurs abdominales non diagnostiquées ■ Hypertrophie de la prostate.

RÉACTIONS INDÉSIRABLES ET EFFETS SECONDAIRES

SNC : sédation, confusion, céphalées, euphorie, sensation de flottement, rêves bizarres, hallucinations, dysphorie, étourdissements.

ORLO : myosis, diplopie, vision trouble.

Resp. : dépression respiratoire.

CV : hypotension, bradycardie.

GI : nausées, vomissements, constipation.

GU : rétention urinaire.

Tég. : transpiration, rougeur de la peau.

Divers : tolérance aux effets du médicament, dépendance physique, dépendance psychologique.

INTERACTIONS

Médicament – médicament : ■ Administrer le médicament avec une extrême pru-

dence chez les patients recevant des **inhibiteurs de la MAO** (le traitement peut produire des réactions graves et imprévisibles ; réduire la dose initiale de méthadone jusqu'à 25 % de la dose habituelle) ■ Dépression additive du SNC, lors de l'usage concomitant d'**alcool**, d'**antihistaminiques** et d'**hypnosédatifs** ■ L'administration simultanée d'**analgésiques narcotiques antagonistes partiels** peut déclencher le syndrome de sevrage aux narcotiques chez les patients physicodépendants ■ La **nalbuphine** ou la **pentazocine** peut diminuer l'effet analgésique de la méthadone.

PRÉSENTATION

La méthadone est présentée sous forme de poudre que le pharmacien reconstitue pour obtenir une solution extemporanément.

VOIES D'ADMINISTRATION ET POSOLOGIE

Analgésique

■ **PO (adultes) (É.-U.) :** de 2,5 à 10 mg, toutes les 3 à 4 h, jusqu'à concurrence de 5 à 20 mg, toutes les 6 à 12 h.

Cure de désintoxication

■ **PO (adultes) (É.-U.) :** de 15 à 40 mg par jour.

Cure d'entretien

■ **PO (adultes) (É.-U.) :** de 20 à 120 mg par jour.

PHARMACODYNAMIE (effet analgésique)

	DÉBUT D'ACTION	PIC	DURÉE
PO	30 – 60 min	90 – 120 min	4 – 12 h

✳ SOINS INFIRMIERS

ÉVALUATION DE LA SITUATION

☐ Noter le type de douleur, son siège et son intensité, avant l'administration du médicament et 60 min après. En raison des effets cumulatifs de la méthadone, il faut parfois effectuer des adaptations posologiques à intervalles réguliers.

☐ Mesurer la pression artérielle, le pouls et la fréquence des respirations avant et à intervalles réguliers tout au long de l'administration.

☐ L'utilisation prolongée de la méthadone peut entraîner la dépendance physique et psychologique, ainsi qu'une tolérance aux effets du médicament, mais cela ne doit pas empêcher le patient de recevoir une quantité suffisante d'analgésique. La psychodépendance est rare chez les patients qui reçoivent de la méthadone pour des raisons médicales.

☐ Examiner la fonction intestinale du patient à intervalles réguliers. Pour réduire les effets constipants du médicament, augmenter l'apport de liquides et d'aliments riches en fibres et administrer des émollients fécaux ou des laxatifs.

■ **Étude des examens diagnostiques et biochimiques :** La méthadone peut augmenter les concentrations plasmatiques d'amylase et de lipase.

■ **Toxicité et surdosage :** En cas de surdosage, l'antidote est la naloxone (Narcan).

DIAGNOSTICS INFIRMIERS POSSIBLES

■ **Énoncés diagnostiques**

☐ Douleur.

☐ Altération de la perception visuelle et auditive.

☐ Risque élevé d'accident.

☐ *Risque élevé de constipation.*

☐ *Prise en charge inefficace du programme thérpeutique.*

■ **Facteurs favorisants**

☐ *Perturbation de la vigilance.*

☐ *Manque de connaissances sur les effets hypotensifs du médicament lors des changements brusques de position.*

☐ *Manque de connaissances sur les moyens de stimuler la fonction intestinale.*

☐ *Manque de connaissances sur les modalités du traitement.*

INTERVENTIONS INFIRMIÈRES

■ **Directives générales :** Pour augmenter l'effet analgésique de la méthadone, expliquer au patient la valeur thérapeutique de ce médicament avant de l'administrer.

☐ Les doses administrées selon un horaire fixe peuvent être plus efficaces que celles administrées sur demande. Le médicament s'avère plus efficace s'il est administré avant que la douleur ne devienne intense.

☐ Les analgésiques non narcotiques, administrés simultanément, peuvent exercer des effets analgésiques additifs, ce qui permet parfois de diminuer les doses de narcotique.

☐ Après un traitement prolongé, interrompre l'administration graduellement pour prévenir les symptômes de sevrage.

■ **PO :** Administrer le médicament avec des aliments ou du lait pour réduire l'irritation gastrique.

ENSEIGNEMENT AU PATIENT ET À SES PROCHES

☐ Expliquer au patient ce qu'on entend par administration sur demande et à quel moment il doit réclamer l'analgésique.

☐ Prévenir le patient que la méthadone peut provoquer des étourdissements et de la somnolence. Lui recommander de demander de l'aide lorsqu'il se déplace et de ne pas fumer lorsqu'il est seul. Lui conseiller de ne pas conduire et d'éviter les activités qui exigent sa vigilance jusqu'à ce qu'on ait la certitude que le médicament n'entraîne pas ces effets chez lui.

☐ Recommander au patient de changer lentement de position pour diminuer

M

les risques d'hypotension orthostatique.

☐ Recommander au patient d'éviter de boire de l'alcool et de ne pas prendre d'autres dépresseurs du SNC en même temps que la méthadone.

☐ Recommander au patient de tourner dans le lit, de tousser et de faire des exercices de respiration profonde toutes les 2 h pour prévenir l'atélectasie.

VÉRIFICATION DES RÉSULTATS

L'efficacité du traitement peut être démontrée par : ■ la diminution de l'intensité de la douleur sans modification importante de l'état de la conscience ou de l'état de la respiration ■ la prévention de l'apparition des symptômes de sevrage lors des cures de désintoxication des héroïnomanes et d'autres analgésiques narcotiques.

MÉTHAZOLAMIDE
Neptazane

CLASSIFICATION :
Traitement du glaucome – inhibiteur de l'anhydrase carbonique

Grossesse – catégorie inconnue

INDICATIONS

Abaissement de la pression intraoculaire lors du traitement du glaucome.

ACTION

■ Inhibition de l'enzyme anhydrase carbonique présente dans l'œil diminuant ainsi les sécrétions d'humeur aqueuse. Inhibition de l'anhydrase carbonique présente dans les reins entraînant l'excrétion urinaire transitoire de sodium, de potassium, de bicarbonate et d'eau. **Effets thérapeutiques :** ■ Abaissement de la pression intraoculaire.

PHARMACOCINÉTIQUE

Absorption : Par suite de l'administration par voie orale, l'absorption est lente, mais complète.

Distribution : Le médicament se répartit dans divers tissus et liquides de l'organisme, incluant l'humeur aqueuse, et traverse le placenta.

Métabolisme et excrétion : Le méthazolamide est partiellement métabolisé par le foie. Une fraction de 20 à 30 % est excrétée par les reins.

Demi-vie : 14 h.

CONTRE-INDICATIONS ET PRÉCAUTIONS

Contre-indications : ■ Hypersensibilité au méthazolamide ou aux autres sulfamidés ■ Glaucome à angle fermé non congestif (administration prolongée) ■ Maladies rénale ou hépatique graves ■ Insuffisance surrénalienne.

Précautions : ■ Maladie respiratoire chronique ■ Anomalies électrolytiques ■ Diabète sucré ■ Grossesse ou allaitement (l'innocuité du médicament n'a pas été établie).

RÉACTIONS INDÉSIRABLES ET EFFETS SECONDAIRES

SNC : étourdissements, somnolence, céphalées, CONVULSIONS, malaises, dépression.

ORLO : myopie passagère.

CV : diarrhée, nausées, vomissements, goût métallique, anorexie.

GU : cristallurie, calculs rénaux.

Tég. : rash.

End. : hyperglycémie.

HÉ : acidose hyperchlorémique, hypokaliémie.

Hémat. : anémie, leucopénie, thrombocytopénie, ANÉMIE APLASIQUE.

Métab. : hyperuricémie.

SN : paresthésie.

Divers : réactions allergiques, perte de poids.

INTERACTIONS

Médicament – médicament: ■ Le méthazolamide augmente l'excrétion des **barbituriques**, de l'**aspirine** et du **lithium**, ce qui peut en réduire l'efficacité ■ Le méthazolamide réduit l'excrétion des **amphétamines**, de la **flécaïnide**, de la **quinidine** ou du **procaïnamide** et parfois celle des **antidépresseurs tricycliques**, ce qui peut entraîner un état de toxicité ■ Le méthazolamide diminue l'efficacité de la **méthénamine**.

VOIES D'ADMINISTRATION ET POSOLOGIE

PO (adultes): de 50 à 100 mg, 2 ou 3 fois par jour.

PHARMACODYNAMIE
(effets sur la pression intraoculaire)

	DÉBUT D'ACTION	PIC	DURÉE
PO	2 – 4 h	6 – 8 h	10 – 18 h

SOINS INFIRMIERS

ÉVALUATION DE LA SITUATION

- ☐ Suivre de près les douleurs oculaires ou une perte de l'acuité visuelle.
- ☐ Effectuer le bilan quotidien des ingesta et des excreta et peser le patient tous les jours.
- ☐ Surveiller les signes suivants d'hypokaliémie: faiblesse musculaire, malaise, fatigue, modification de l'ÉCG, vomissements.
- ☐ Déterminer si le patient n'est pas allergique aux sulfamidés.
- ■ **Étude des examens diagnostiques et biochimiques:** Noter la numération globulaire avant d'amorcer le traitement et à intervalles réguliers pendant toute la durée d'un traitement prolongé. Le méthazolamide peut entraîner la leucopénie et la thrombocytopénie.
- ☐ Le méthazolamide peut entraîner une légère diminution passagère des concentrations de potassium, de sodium et de bicarbonate ainsi qu'une légère élévation passagère des concentrations sériques de chlorure.
- ☐ Le méthazolamide peut entraîner la diminution des concentrations sériques de citrate et l'élévation des concentrations sériques d'acide urique.
- ☐ Le méthazolamide peut entraîner des résultats faussement positifs au dosage des protéines dans l'urine.

DIAGNOSTICS INFIRMIERS POSSIBLES

■ **Énoncés diagnostiques**
- ☐ Prise en charge inefficace du programme thérapeutique.
- ☐ *Risque élevé de déficit de volume liquidien.*
- ☐ *Risque élevé d'anxiété.*
- ☐ *Risque élevé de déséquilibre hydroélectrolytique.*
- ☐ *Risque élevé d'accident.*

■ **Facteurs favorisants**
- ☐ Informations incomplètes.
- ☐ *Manque de connaissances sur les moyens de prévenir les effets secondaires affectant l'appareil gastrointestinal.*
- ☐ *Manque de connaissances sur les effets secondaires du médicament.*
- ☐ *Modification de l'état liquidien ou des volumes circulants.*
- ☐ *Perturbation de la vigilance.*
- ☐ *Manque de connaissances sur les modalités du traitement.*

INTERVENTIONS INFIRMIÈRES

- ■ **Directives générales:** Inciter le patient à boire de 2 000 à 3 000 mL de liquides par jour, sauf contre-indication, afin de prévenir la cristallurie et la formation de calculs.
- ■ **PO:** Administrer le méthazolamide avec des aliments pour diminuer l'irritation gastrique.

ENSEIGNEMENT AU PATIENT ET À SES PROCHES

- ☐ Conseiller au patient de suivre scrupuleusement la posologie recommandée. S'il n'a pas pu prendre le médicament au moment habituel, il doit le prendre dès que possible à moins que ce ne soit presque l'heure prévue pour la dose suivante.

□ Prévenir le patient que le goût métallique est un effet prévisible du traitement. Lui conseiller de prendre le médicament avec des aliments pour diminuer la gêne gastrique et de prévenir le médecin en cas d'anorexie, de nausées, de vomissements ou de diarrhée persistante.

□ Conseiller au patient de signaler au médecin l'engourdissement des membres ou des picotements dans les mains et les pieds, la faiblesse, le rash, les maux de gorge, les saignements inhabituels ou la fièvre.

□ Prévenir le patient que le méthazolamide peut provoquer de la somnolence. Lui conseiller de ne pas conduire et d'éviter les activités qui exigent sa vigilance jusqu'à ce qu'on ait la certitude que le médicament n'entraîne pas cet effet chez lui.

□ Insister sur l'importance des examens ophtalmologiques à intervalles réguliers. Expliquer au patient que le glaucome à angle ouvert chronique est indolore et la perte de la vue, graduelle. Le médecin devrait par conséquent mesurer régulièrement la pression intraoculaire.

VÉRIFICATION DES RÉSULTATS

L'efficacité du traitement peut être démontrée par: la baisse de la pression intraoculaire.

MÉTHICILLINE
(Staphcillin)

CLASSIFICATION:
anti-infectieux – pénicilline résistante à la pénicillinase

Grossesse – catégorie B

INDICATIONS

■ Traitement des infections suivantes dues à des souches sensibles de staphylocoques produisant de la pénicillinase: □ Infections des voies respiratoires □ Infections de la peau et des tissus mous □ Infections des os et des articulations □ Infections des voies urinaires □ Endocardite □ Septicémie □ Méningite.

ACTION

■ Liaison à la paroi cellulaire bactérienne provoquant la destruction de la bactérie ■ Résistance à l'action de la pénicillinase, enzyme capable d'inactiver la pénicilline. **Effets thérapeutiques:** ■ Effet bactéricide contre les bactéries sensibles. **Spectre d'action:** ■ Activité contre la plupart des cocci aérobies à Gram positif, mais cette activité est moindre que celle de la pénicilline ■ Activité notable surtout contre certaines souches produisant de la pénicillinase dont: □ *Staphylococcus aureus* □ *Staphylococcus epidermidis* ■ Aucune activité contre les staphylocoques résistants à la méthicilline.

PHARMACOCINÉTIQUE

Absorption: Faible absorption depuis le tractus gastro-intestinal. Bonne absorption à partir des points d'injection IM. **Distribution:** La méthicilline se répartit dans tout l'organisme. Elle pénètre dans le liquide céphalorachidien en quantité infime, mais suffisante en présence d'une inflammation des méninges. L'agent traverse le placenta et pénètre dans le lait maternel. **Métabolisme et excrétion:** Le médicament est excrété à l'état inchangé par les reins. **Demi-vie:** De 20 à 30 min (prolongée en cas d'insuffisance rénale).

CONTRE-INDICATIONS ET PRÉCAUTIONS

Contre-indications: Hypersensibilité aux pénicillines. **Précautions:** ■ Insuffisance rénale grave (il est recommandé de réduire la dose)

M

■ Grossesse ou allaitement (l'innocuité du médicament n'a pas été établie) ■ Antécédents de réactions d'hypersensibilité.

RÉACTIONS INDÉSIRABLES ET EFFETS SECONDAIRES

SNC: CONVULSIONS (doses élevées).
Tég.: rash, urticaire.
GI: nausées, vomissements, diarrhée, hépatite.
GU: néphrite interstitielle.
Hémat.: dyscrasie.
Locaux: phlébite au point d'injection IV, douleur au point d'injection IM.
Divers: surinfection, réactions allergiques incluant l'ANAPHYLAXIE et la maladie sérique.

INTERACTIONS

Médicament – médicament: ■ Le **probénécide**, administré simultanément, diminue l'excrétion rénale de la méthicilline et en augmente les concentrations sanguines ■ La méthicilline peut modifier l'effet des **anticoagulants oraux**.

VOIES D'ADMINISTRATION ET POSOLOGIE

Remarque: 1 g de méthicilline contient de 2,6 à 3,1 mmol de sodium.
■ **IM (adultes):** 1 g, toutes les 4 à 6 h (jusqu'à 24 g par jour).
■ **IM (enfants):** 25 mg/kg, toutes les 6 h (jusqu'à 300 mg/kg par jour).
■ **IV (adultes):** 1 ou 2 g, toutes les 4 h (jusqu'à 24 g par jour).
■ **IV (enfants):** de 100 à 300 mg/kg par jour, en doses fractionnées, toutes les 4 à 6 h.

PHARMACODYNAMIE (concentrations sanguines)

	DÉBUT D'ACTION	PIC	DURÉE
IM	rapide	30 – 60 min	4 – 6 h
IV perfusion	rapide	fin de la perfusion	4 – 6 h

SOINS INFIRMIERS

ÉVALUATION DE LA SITUATION

☐ Au début du traitement et pendant toute sa durée, surveiller les signes suivants d'infection: altération des signes vitaux; aspect de la plaie, des crachats, des urines et des selles; accroissement du nombre de leucocytes.

☐ Recueillir les antécédents du patient avant d'amorcer le traitement afin de déterminer ses réactions antérieures à une pénicilline ou à une céphalosporine. Même les personnes n'ayant jamais manifesté de sensibilité à une pénicilline peuvent présenter une réaction allergique.

☐ Prélever des échantillons pour les cultures et les antibiogrammes avant le début du traitement. La première dose peut être administrée avant même que les résultats soient connus.

☐ Surveiller les signes et les symptômes suivants d'anaphylaxie: rash, prurit, œdème laryngé, respiration sifflante. Si ces réactions se manifestent, arrêter l'administration du médicament et avertir immédiatement le médecin. Garder à portée de la main de l'épinéphrine, un antihistaminique et le matériel de réanimation pour parer à une éventuelle réaction anaphylactique.

☐ Examiner les veines pour déceler les signes d'irritation et de phlébite. Changer le point d'injection IV toutes les 48 h pour prévenir la phlébite.

■ **Étude des examens diagnostiques et biochimiques:** Noter les résultats des tests de l'exploration fonctionnelle rénale à intervalles réguliers pendant toute la durée d'un traitement prolongé.

☐ La méthicilline peut entraîner des résultats positifs au test de Coombs direct.

DIAGNOSTICS INFIRMIERS POSSIBLES

■ **Énoncés diagnostiques**
☐ Risque élevé d'infection.

☐ Prise en charge inefficace du programme thérapeutique.

☐ *Risque élevé de déficit de volume liquidien.*

☐ *Risque élevé de douleur au point d'injection IV.*

☐ *Risque élevé d'accident.*

■ **Facteurs favorisants**

☐ Informations incomplètes.

☐ *Manque de connaissances sur les moyens de prévenir les effets secondaires affectant l'appareil gastrointestinal.*

☐ *Inflammation locale du tissu vasculaire ou infiltration du médicament dans les tissus avoisinants.*

☐ *Manque de connaissances sur les modalités du traitement.*

INTERVENTIONS INFIRMIÈRES

■ **Directives générales :** Pour reconstituer les solutions à administrer par voie IM ou IV, ajouter 1,5 mL d'eau stérile ou de solution de NaCl à 0,9 % pour injection à chaque fiole de 1 g, 5,7 mL à chaque fiole de 5 g et 8,6 mL à chaque fiole de 6 g, pour obtenir une concentration de 500 mg/mL. La solution est de couleur jaune paille.

■ **IM :** Administrer la solution lentement en injectant profondément dans le muscle fessier.

■ **IV directe :** On doit diluer de nouveau la solution reconstituée, à raison de 1 mL (500 mg) dans 20 à 25 mL d'eau stérile ou de solution de NaCl à 0,9 % pour injection.

☐ *Vitesse d'administration :* Administrer la préparation à un débit de 10 mL à la minute.

■ **Perfusion intermittente :** Diluer le médicament dans une solution de NaCl à 0,9 %, de dextrose à 5 ou à 10 % dans de l'eau, de dextrose à 5 % dans une solution de NaCl à 0,9 %, de dextrose à 5 % dans du lactate Ringer, dans une solution de Ringer ou dans du lactate Ringer. Les concentrations diluées de 2 à 60 mg/mL sont stables pendant 8 h à la température am-

biante. Le fabricant ne recommande pas de mélanger la méthicilline à d'autres médicaments.

☐ *Vitesse d'administration :* Perfuser en 30 min à 8 h.

■ **Associations compatibles dans la même seringue :** Chloramphénicol, colistiméthate, gentamicine, lactobionate d'érythromycine, lidocaïne, polymyxine B ou procaïne.

■ **Associations incompatibles dans la même seringue :** Héparine, kanamycine, oxytétracycline ou tétracycline.

■ **Compatibilités (tubulure en Y) :** Chlorure de potassium, héparine, succinate d'hydrocortisone sodique ou vérapamil.

■ **Compatibilités en addition au soluté :** Acide ascorbique, aminophylline, céphalothine, chloramphénicol, chlorure de calcium, chlorure de potassium, colistiméthate, corticotrophine, dimenhydrinate, diphenhydramine, érythromycine, gentamicine, gluconate de calcium, pénicilline G, polymyxine B, prednisolone, procaïne ou vérapamil.

■ **Incompatibilités en addition au soluté :** Amikacine, chlorpromazine, codéine, lévorphanol, mépéridine, métaraminol, méthadone, méthohexital, morphine, oxytétracycline, prométhazine, tétracycline ou vancomycine.

ENSEIGNEMENT AU PATIENT ET À SES PROCHES

☐ Conseiller au patient de signaler rapidement au médecin les allergies et les signes suivants de surinfection : excroissance pileuse noire sur la langue, démangeaisons ou pertes vaginales, selles molles ou nauséabondes.

☐ Recommander au patient de signaler au médecin l'apparition de fièvre ou de diarrhée, particulièrement si les selles contiennent du sang, du pus ou des mucosités. Lui conseiller de ne pas traiter la diarrhée sans avoir consulté au préalable le médecin ou le pharmacien.

M

VÉRIFICATION DES RÉSULTATS

La réponse clinique peut être déterminée par : la disparition des signes et symptômes d'infection. Le temps de résolution dépend du micro-organisme infectant et du siège de l'infection.

MÉTHIMAZOLE
Tapazole

CLASSIFICATION :
Antithyroïdien

Grossesse – catégorie D

INDICATIONS

■ Traitement palliatif de l'hyperthyroïdie ■ Traitement d'appoint visant à améliorer l'hyperthyroïdie en préparation à une thyroïdectomie partielle ou à un traitement par de l'iode radioactif.

ACTION

■ Inhibition de la synthèse des hormones thyroïdiennes. **Effets thérapeutiques :** ■ Diminution des signes et des symptômes d'hyperthyroïdie.

PHARMACOCINÉTIQUE

Absorption : Par suite de l'administration PO, le médicament est rapidement absorbé.

Distribution : Le médicament traverse le placenta et pénètre dans le lait maternel en concentrations élevées.

Métabolisme et excrétion : Le méthimazole est surtout métabolisé par le foie ; une fraction inférieure à 10 % est éliminée à l'état inchangé par les reins.

Demi-vie : De 3 à 5 h.

CONTRE-INDICATIONS ET PRÉCAUTIONS

Contre-indications : ■ Hypersensibilité ■ Allaitement.

Précautions : ■ Réserve médullaire réduite ■ Grossesse (administrer avec prudence ; toutefois, des troubles thyroïdiens peuvent se manifester chez le fœtus) ■ Patients âgés de plus de 40 ans (risque accru d'agranulocytose).

RÉACTIONS INDÉSIRABLES ET EFFETS SECONDAIRES

SNC : céphalées, somnolence, vertiges.
GI : diarrhée, nausées, vomissements, hépatite, parotidite, perte du goût.
Hémat. : AGRANULOCYTOSE, anémie, leucopénie, thrombocytopénie.
Tég. : rash, urticaire, changement de couleur de la peau.
Loc. : arthralgie.
Divers : fièvre, lymphadénopathie.

INTERACTIONS

Médicament – médicament : ■ Aplasie médullaire additive lors de l'administration simultanée d'**agents antinéoplasiques** ou d'une **radiothérapie** ■ L'**iodure de potassium** ou le **lithium**, administrés simultanément, peuvent intensifier l'effet antithyroïdien ■ Risque accru d'agranulocytose lors de l'administration simultanée de **phénothiazines**.

VOIES D'ADMINISTRATION ET POSOLOGIE

■ **PO (adultes) :** de 5 à 20 mg, toutes les 8 h.
■ **PO (enfants) :** 0,4 mg/kg par jour, en doses fractionnées, toutes les 8 h.

PHARMACODYNAMIE
(effet sur l'état de la thyroïde)

	DÉBUT D'ACTION	PIC	DURÉE
PO	1 semaine	4 – 10 semaines	plusieurs semaines

SOINS INFIRMIERS

ÉVALUATION DE LA SITUATION

□ Suivre de près la réponse du patient pour déceler les symptômes suivants d'hyperthyroïdie ou de thyrotoxicose : tachycardie, palpitations, nervosité,

insomnie, fièvre, diaphorèse, intolérance à la chaleur, tremblements,
perte de poids, diarrhée.

☐ Suivre de près l'apparition de l'hypothyroïdie : intolérance au froid,
constipation, peau sèche, céphalées,
apragmatisme, fatigue ou faiblesse.
Une adaptation de la posologie peut
s'avérer nécessaire.

☐ Suivre de près l'apparition du rash ou
d'une tuméfaction des ganglions lymphatiques du cou. Si ces symptômes
se manifestent, on peut interrompre
le traitement.

■ **Étude des examens diagnostiques et biochimiques :** Examiner les résultats des
tests de l'exploration fonctionnelle
thyroïdienne avant le traitement, puis
tous les mois au cours du traitement
initial et, par la suite, tous les 2 à
3 mois pendant toute la durée du traitement.

☐ Examiner la numération et la formule
leucocytaires à intervalles réguliers
pendant toute la durée du traitement.
L'agranulocytose peut survenir rapidement. Elle se manifeste habituellement au cours des deux premiers
mois et elle est plus fréquente chez les
patients âgés de plus de 40 ans et
chez ceux recevant une dose supérieure à 40 mg par jour. Dans ce cas,
il faut arrêter le traitement.

☐ Le méthimazole peut entraîner l'élévation des concentrations de TGOS
(AST), de TGPS (ALT), de LDH, de
phosphatase alcaline et de bilirubine
sérique ainsi que l'allongement du
temps de prothrombine.

DIAGNOSTICS INFIRMIERS POSSIBLES

■ **Énoncés diagnostiques**

☐ Prise en charge inefficace du programme thérapeutique.

☐ Non-observance du traitement médicamenteux.

☐ *Risque élevé d'accident.*

■ **Facteurs favorisants**

☐ Informations incomplètes.

☐ Doute quant aux bienfaits du médicament.

☐ *Manque de connaissances sur les
moyens de prévenir les effets secondaires du médicament.*

☐ *Perturbation de la vigilance.*

☐ *Manque de connaissances sur le régime alimentaire à suivre.*

☐ *Manque de connaissances sur les
modalités du traitement.*

INTERVENTIONS INFIRMIÈRES

■ **PO :** Administrer le méthimazole au
même moment tous les jours par rapport à l'heure des repas. Les aliments
peuvent augmenter ou diminuer l'absorption du médicament.

ENSEIGNEMENT AU PATIENT ET À SES PROCHES

☐ Conseiller au patient de suivre scrupuleusement la posologie recommandée et de prendre le méthimazole
24 h sur 24. S'il n'a pas pu prendre le
médicament au moment habituel, il
doit le prendre dès que possible ; s'il
est presque l'heure prévue pour la
dose suivante, il devrait prendre les
deux doses ensemble. Conseiller au
patient de consulter le médecin s'il a
oublié de prendre plus d'une dose ou
s'il veut arrêter le traitement.

☐ Conseiller au patient de se peser deux
ou trois fois par semaine et de prévenir le médecin si des changements
importants surviennent.

☐ Prévenir le patient que le méthimazole
peut provoquer de la somnolence.
Lui conseiller de ne pas conduire et
d'éviter les activités qui exigent sa
vigilance jusqu'à ce qu'on ait la certitude que le médicament n'entraîne
pas cet effet chez lui.

☐ Recommander au patient de consulter le médecin au sujet des sources
alimentaires d'iode : sel iodé, crustacés.

☐ Recommander au patient de signaler
rapidement au médecin les maux de

gorge, la fièvre, les frissons, les céphalées, les malaises, la faiblesse, le jaunissement des yeux ou de la peau, les saignements ou les ecchymoses inhabituels, le rash ou les symptômes d'hyperthyroïdie ou d'hypothyroïdie.

□ Conseiller au patient de consulter le médecin ou le pharmacien avant de prendre un médicament en vente libre.

□ Recommander au patient de porter sur lui en tout temps une pièce d'identité où est inscrit son traitement médicamenteux.

□ Recommander au patient qui doit suivre un traitement dentaire ou subir une intervention chirurgicale d'avertir le dentiste ou le médecin qu'il suit un traitement médicamenteux.

□ Insister sur l'importance des examens réguliers de suivi permettant d'évaluer l'évolution de la maladie et de vérifier les effets secondaires du traitement.

VÉRIFICATION DES RÉSULTATS

L'efficacité du traitement peut être démontrée par : ■ la diminution de la gravité des symptômes d'hyperthyroïdie □ diminution de la fréquence du pouls □ gain de poids ■ le rétablissement des résultats des tests de l'exploration fonctionnelle thyroïdienne. Le méthimazole peut être administré en traitement d'appoint de courte durée pour préparer le patient à la thyroïdectomie ou à la radiothérapie ou en traitement de l'hyperthyroïdie. Le traitement peut durer de 6 mois à plusieurs années ; habituellement, la durée moyenne est de 1 an.

MÉTHOCARBAMOL
Robaxin, (Delaxin), (Marbaxin), (Robomol)

CLASSIFICATION :
Relaxant des muscles squelettiques (myorelaxant) à action centrale

Grossesse – catégorie inconnue

INDICATIONS

■ Adjuvant pharmaceutique au repos, à la physiothérapie et à d'autres mesures en vue de soulager les spasmes musculaires associés à des maladies musculosquelettiques aiguës douloureuses ■ Traitement d'appoint du tétanos.

ACTION

■ Relaxation des muscles squelettiques, probablement grâce à la dépression du SNC. **Effets thérapeutiques :** ■ Relaxation des muscles squelettiques.

PHARMACOCINÉTIQUE

Absorption : Le méthocarbamol est rapidement absorbé depuis le tractus gastro-intestinal.

Distribution : Le médicament se répartit dans tout l'organisme. Il traverse le placenta.

Métabolisme et excrétion : Le méthocarbamol est métabolisé par le foie.

Demi-vie : De 1 à 2 h.

CONTRE-INDICATIONS ET PRÉCAUTIONS

Contre-indications : ■ Hypersensibilité ■ Hypersensibilité au polyéthylène glycol (préparations parentérales seulement) ■ Insuffisance rénale (préparations parentérales).

Précautions : ■ Grossesse, allaitement ou enfants (l'innocuité du médicament n'a pas été établie) ■ Convulsions (préparations parentérales).

RÉACTIONS INDÉSIRABLES ET EFFETS SECONDAIRES

SNC : CONVULSIONS (voie IV et IM seulement), somnolence, étourdissements, sensation de tête légère.

ORLO : vision trouble, congestion nasale.

CV : voie IV – hypotension, bradycardie.

GI : nausées, anorexie, gêne gastrique.

GU : urine brune, noire ou verte.

Tég. : urticaire, prurit, rash, rougeur de la peau (voie IV seulement).

M

Locaux: douleur au point d'injection IM, phlébite au point d'injection IV.

Divers: fièvre, réactions allergiques incluant l'ANAPHYLAXIE (voies IM et IV seulement).

INTERACTIONS

Médicament – médicament: Dépression additive du SNC lors de l'usage concomitant d'autres **dépresseurs du SNC** incluant l'**alcool**, les **antihistaminiques**, les **analgésiques narcotiques** et les **hypnosédatifs**.

VOIES D'ADMINISTRATION ET POSOLOGIE

Spasmes musculaires

- **PO (adultes):** initialement, 1,5 g, 4 fois par jour (jusqu'à 8 g par jour) pendant 2 à 3 jours; ensuite, 4 g par jour en 3 à 6 doses fractionnées.
- **IM et IV (adultes):** 1 g, si la voie orale n'est pas utilisable; on peut administrer jusqu'à 1 g, toutes les 8 h pendant au maximum 3 jours.

Tétanos

- **PO (adultes):** jusqu'à 24 g par jour, en doses fractionnées.
- **IV (adultes):** 1 ou 2 g; on peut administrer 1 ou 2 g supplémentaires (la dose initiale totale ne doit pas dépasser 3 g); répéter l'administration de 1 ou 2 g, toutes les 6 h, jusqu'à ce qu'on installe un tube naso-gastrique, puis administrer par voie orale.
- **IV (enfants):** 15 mg/kg; on peut répéter l'administration toutes les 6 h.

PHARMACODYNAMIE (relaxation des muscles squelettiques)

	DÉBUT D'ACTION	PIC	DURÉE
PO	30 min	2 h	inconnue
IM	rapide	inconnu	inconnue
IV perfusion	immédiat	fin de la perfusion	inconnue

☀ SOINS INFIRMIERS

ÉVALUATION DE LA SITUATION

- ☐ Noter l'intensité de la douleur, la rigidité des muscles et l'amplitude des mouvements avant le début du traitement et à intervalles réguliers pendant toute sa durée.

- ☐ Mesurer le pouls et la pression artérielle toutes les 15 min tout au long de l'administration par voie parentérale.

- ☐ Après l'administration par voie parentérale, surveiller les réactions allergiques suivantes: rash, asthme, urticaire, respiration sifflante, hypotension. Garder à la portée de la main de l'épinéphrine et de l'oxygène pour contrer une telle réaction.

- ☐ Examiner le point d'injection IV. L'injection est hypertonique et peut provoquer une thrombophlébite. Éviter l'extravasation.

- ■ **Étude des examens diagnostiques et biochimiques:** Examiner les résultats des tests de l'exploration fonctionnelle rénale à intervalles réguliers pendant toute la durée du traitement prolongé par voie parentérale (durée supérieure à 3 jours), car le véhicule de polyéthylène glycol 300 est néphrotoxique.

DIAGNOSTICS INFIRMIERS POSSIBLES

- ■ **Énoncés diagnostiques**
- ☐ Douleur.
- ☐ Altération de la mobilité physique.
- ☐ Risque élevé d'accident.
- ☐ *Risque élevé de douleur au point d'injection IV.*
- ☐ *Risque élevé de déficit nutritionnel.*
- ☐ *Risque élevé d'anxiété.*

- ■ **Facteurs favorisants**
- ☐ *Perturbation de la vigilance.*
- ☐ *Manque de connaissances sur les moyens de prévenir les effets secon-*

daires affectant l'appareil gastro-intestinal.

☐ *Inflammation locale du tissu vasculaire ou infiltration du médicament dans les tissus avoisinants.*

☐ *Manque de connaissances sur les effets secondaires du médicament.*

☐ *Manque de connaissances sur les modalités du traitement.*

☐ *Manque de connaissances sur les effets hypotensifs du médicament lors des changements brusques de position.*

INTERVENTIONS INFIRMIÈRES

■ **Directives générales:** Prendre des mesures de sécurité, selon les besoins. Suivre de près les déplacements et le transport des patients.

■ **PO:** On peut administrer le méthocarbamol avec des aliments pour réduire l'irritation gastrique. Les comprimés de méthocarbamol peuvent être broyés et mélangés aux aliments ou à des liquides pour en faciliter la déglutition. Lors de l'administration par un tube naso-gastrique, broyer le comprimé et le mettre en suspension dans de l'eau ou dans une solution de NaCl.

■ **IM:** Ne pas administrer la préparation par voie SC. Ne pas injecter par voie IM plus de 5 mL (500 mg) en une seule fois dans la région fessière.

■ **IV directe:** On peut administrer la préparation non diluée à une vitesse de 3 mL (300 mg)/min.

■ **Perfusion intermittente:** Diluer chacune des doses dans 250 mL au maximum de solution de NaCl à 0,9 % ou de dextrose à 5 %/eau pour injection. Ne pas réfrigérer la solution après dilution.

☐ Demander au patient de rester couché pendant la perfusion et pendant au moins 10 à 15 min après pour prévenir l'hypotension orthostatique.

ENSEIGNEMENT AU PATIENT ET À SES PROCHES

☐ Conseiller au patient de respecter scrupuleusement la posologie recommandée. Lui expliquer que, s'il ne peut prendre le médicament au moment habituel, il doit le prendre dans l'heure qui suit, sinon il doit reprendre son schéma posologique habituel. Il ne faut jamais remplacer une dose manquée par une double dose.

☐ Inciter le patient à appliquer les autres mesures prescrites pour contrer les spasmes musculaires: repos, physiothérapie, application de chaleur.

☐ Prévenir le patient que le méthocarbamol peut provoquer des étourdissements, de la somnolence et la vision trouble. Lui conseiller de ne pas conduire et d'éviter les activités qui exigent sa vigilance jusqu'à ce qu'on ait la certitude que le médicament n'entraîne pas ces effets chez lui.

☐ Recommander au patient de changer lentement de position pour réduire les risques d'hypotension orthostatique.

☐ Conseiller au patient d'éviter de boire de l'alcool et de ne pas prendre d'autres dépresseurs du SNC en même temps que ce médicament.

☐ Prévenir le patient que ses urines peuvent devenir noires, brunes ou vertes, particulièrement si on les laisse décanter.

☐ Recommander au patient de signaler au médecin le rash, les démangeaisons, la fièvre ou la congestion nasale.

☐ Insister sur l'importance des examens de suivi réguliers permettant d'évaluer les bienfaits du traitement.

VÉRIFICATION DES RÉSULTATS

L'efficacité du traitement peut être démontrée par: ■ la réduction des spasmes musculaires et de la douleur musculo-squelettique ■ l'augmentation de l'amplitude du mouvement.

MÉTHOHEXITAL
Briétal sodique, (Brevital)

CLASSIFICATION :
*Agent anesthésique – action générale ;
barbiturique – action de très courte durée*

Substance contrôlée

Grossesse – catégorie C

INDICATIONS

■ Induction d'une anesthésie générale
■ Anesthésie légère lors d'interventions
peu douloureuses et de courte durée
(< 15 min) ■ Supplément à d'autres
agents anesthésiques ■ Induction de la
perte de conscience au cours de l'anesthésie.

ACTION

■ Induction de l'anesthésie par dépression du SNC, probablement par potentialisation des effets de l'acide gamma-
aminobutyrique (GABA), neurotransmetteur inhibiteur. **Effets thérapeutiques :**
■ Perte de conscience et anesthésie générale.

PHARMACOCINÉTIQUE

Absorption : Bonne absorption par suite
de l'administration IM.

Distribution : Le méthohexital s'accumule
dans les tissus lipoïdes d'où il peut être
libéré lentement de nouveau. Il est excrété dans le lait maternel par suite
d'administration de doses élevées.

Métabolisme et excrétion : Le médicament
est surtout métabolisé par le foie. Faible
métabolisme dans les reins et le cerveau.

Demi-vie : 4 h (prolongée chez les patients âgés).

CONTRE-INDICATIONS ET PRÉCAUTIONS

Contre-indications : ■ Hypersensibilité
■ Porphyrie ■ Allaitement.

Précautions : ■ Maladie d'Addison ■ Anémie grave ■ Maladies cardiovasculaire ou
hépatique graves ■ Myxœdème ■ Choc
ou hypotension ■ Maladie pulmonaire
■ Personnes âgées ou patients débilités
■ Obésité ■ Grossesse (l'innocuité du
médicament n'a pas été établie).

RÉACTIONS INDÉSIRABLES ET EFFETS SECONDAIRES

SNC : CONVULSIONS, agitation, anxiété,
céphalées, délire postanesthésique.

ORLO : rhinite.

Resp. : toux, LARYNGOSPASME, APNÉE,
dépression respiratoire, dyspnée, bronchospasme.

CV : ARRÊT CARDIORESPIRATOIRE, hypotension.

GI : hoquet, salivation, nausées, vomissements, douleurs abdominales.

Tég. : érythème, prurit, urticaire.

Loc. : soubresauts musculaires.

Locaux : phlébite au point d'injection IV,
douleur au point d'injection IM.

Divers : frissons, réactions allergiques.

INTERACTIONS

Médicament – médicament : Dépression
additive du SNC lors de l'usage simultané
d'**alcool**, d'**antihistaminiques**, d'**analgésiques narcotiques** et d'**hypnosédatifs**.

VOIES D'ADMINISTRATION ET POSOLOGIE

Remarque : Toutes les doses doivent être
adaptées aux besoins particuliers de chaque patient.

Induction d'une anesthésie générale

■ **IV (adultes) :** de 5 à 12 mL d'une solution à 1 % (de 50 à 120 mg).
■ **IV (enfants) (É.-U.) :** 1 ou 2 mg/kg.
■ **IM (enfants) (É.-U.) :** de 5 à 10 mg/kg,
selon les besoins.

Traitement d'entretien

■ **IV (adultes) :** Solution à 0,2 %, en perfusion continue, habituellement à un
débit de 3 mL/min (6 mg/min) ; ou
doses de 2 à 4 mL (20 à 40 mg) de la
solution à 1 %, toutes les 4 à 7 min,
selon les besoins (injections intermittentes).

Anesthésie de base chez les enfants

- **PR (enfants) (É.-U.):** de 15 à 30 mg/kg sous forme de solution à 10 % (réduire la dose dans le cas de patients inactifs ou débilités). La solution rectale n'étant pas vendue dans le commerce, elle doit être préparée extemporanément.

PHARMACODYNAMIE (anesthésie)

	DÉBUT D'ACTION	PIC	DURÉE
IM	inconnu	inconnu	inconnue
IV	dans les 60 s	inconnu	5 – 7 min

SOINS INFIRMIERS

ÉVALUATION DE LA SITUATION

- ☐ Mesurer la pression artérielle, la fréquence cardiaque et la fréquence respiratoire et suivre le tracé de l'ÉCG pendant toute la durée du traitement par le méthohexital. Le méthohexital ne devrait être administré que par le personnel autorisé à effectuer une anesthésie et ayant une bonne expérience de l'intubation endotrachéale. Garder à portée de la main tout le matériel nécessaire à cette intervention. L'apnée peut survenir immédiatement après l'injection IV, particulièrement si des narcotiques ont été administrés en prémédication.

- ☐ Examiner avec attention les points d'injection IV. L'extravasation peut provoquer des douleurs, une tuméfaction, des ulcérations et la nécrose. L'injection intra-artérielle peut provoquer l'artérite, des vasospasmes, de l'œdème, une thrombose et la gangrène des membres.

- **Toxicité et surdosage:** Le surdosage peut survenir par suite d'une injection rapide (chute de la pression artérielle allant parfois jusqu'au choc) ou par suite d'injections répétées ou d'injections de doses trop élevées (détresse respiratoire, laryngospasme, apnée).

DIAGNOSTICS INFIRMIERS POSSIBLES

- **Énoncés diagnostiques**
- ☐ Mode de respiration inefficace.
- ☐ Risque élevé d'accident.
- ☐ *Risque élevé de douleur au point d'injection IV.*
- ☐ *Risque élevé d'anxiété.*

- **Facteurs favorisants**
- ☐ *Inflammation locale du tissu vasculaire ou infiltration du médicament dans les tissus avoisinants.*
- ☐ *Manque de connaissances sur les modalités du traitement.*
- ☐ *Perturbation de la vigilance.*

INTERVENTIONS INFIRMIÈRES

- **Directives générales:** La dose doit être adaptée à chaque cas particulier, selon le degré d'anesthésie souhaité, les autres médicaments administrés simultanément, l'état du patient, son âge, son poids et son sexe. Il faut aussi adapter la dose si l'on administre simultanément du protoxyde d'azote.

- ☐ Chez les patients d'âge moyen et chez les personnes âgées, il faut parfois administrer des doses plus faibles que chez les patients plus jeunes. Une tolérance aux effets du médicament peut survenir lors d'un usage répété, comme dans le cas de brûlures. Chez les patients ayant développé une tolérance à l'alcool ou aux barbituriques, il faut parfois administrer des doses plus élevées.

- **PR (É.-U.):** On peut administrer le médicament par voie rectale sous forme de suspension. Pour préparer une solution rectale à 10 %, dissoudre la quantité appropriée de méthohexital dans de l'eau chaude du robinet. Jeter la solution qui est trouble ou qui contient un précipité.

- **IV:** L'administration répétée ou la perfusion continue de méthohexital peut provoquer une somnolence prolongée et une dépression respiratoire et circulatoire. S'il faut administrer au patient une seconde anesthésie le même jour, il est parfois nécessaire de réduire la dose de méthohexital.

□ On peut administrer le méthohexital en doses suffisamment élevées pour produire une anesthésie chirurgicale profonde mais de telles doses peuvent provoquer une dépression respiratoire et circulatoire dangereuses.

□ On peut administrer en prémédication des anticholinergiques (atropine, glycopyrrolate) pour diminuer les sécrétions de mucus. On peut administrer des narcotiques avant l'intervention chirurgicale pour intensifier les faibles effets analgésiques du méthohexital. Administrer les médicaments que le patient doit recevoir avant l'intervention chirurgicale de façon à ce que le pic de leur effet s'exerce peu de temps avant l'induction de l'anesthésie. Les myorelaxants ne devraient pas être administrés en même temps que le méthohexital.

□ Diluer le méthohexital avec de l'eau stérile pour injection, une solution de dextrose à 5 % dans de l'eau ou une solution de NaCl à 0,9 %. La solution devrait être préparée peu de temps avant son utilisation et administrée dans les 24 h qui suivent sa reconstitution. Conserver la solution dans un contenant hermétiquement fermé. Ne pas administrer la solution si elle contient un précipité.

- **IV directe:** Administrer la dose d'induction à un débit inférieur à 1 mL (10 mg)/5 s. Pour maintenir l'anesthésie, administrer par injections intermittentes, toutes les 4 à 7 min ou par perfusion continue.

- **Perfusion continue:** Pour préparer une solution à 1 %, (10 mg/mL), reconstituer le contenu de la fiole de 500 mg avec 50 mL d'eau stérile, de dextrose à 5 % dans de l'eau ou de solution de NaCl à 0,9 %. La préparation ne devrait être utilisée que si elle est transparente et incolore.

□ Pour préparer la solution à 0,2 %, diluer 500 mg dans 250 mL de solution de dextrose à 5 % dans de l'eau ou de solution de NaCl à 0,9 %. Ne pas diluer avec de l'eau stérile pour éviter que la solution ne devienne hypotonique.

□ La solution est stable pendant 24 h.

- **Association incompatible dans la même seringue:** Glycopyrrolate.

- **Incompatibilités en addition au soluté:** Atropine, chlorpromazine, cimétidine, clindamycine, dropéridol, fentanyl, hydralazine, kanamycine, lidocaïne, méchloréthamine, métaraminol, méthicilline, méthyldopa, métocurine, oxytétracycline, pancuronium, pénicilline G potassique, pentazocine, prochlorpérazine, promazine, prométhazine, propiomazine, scopolamine, succinylcholine, streptomycine, tétracycline ou tubocurarine.

ENSEIGNEMENT AU PATIENT ET À SES PROCHES

□ Prévenir le patient que le méthohexital peut provoquer un ralentissement psychomoteur pendant les 24 h qui suivent l'administration. Lui conseiller de ne pas conduire et d'éviter les activités qui exigent sa vigilance pendant 24 h.

□ Recommander au patient de ne pas consommer d'alcool et de ne pas prendre d'autres dépresseurs du SNC pendant les 24 h qui suivent l'anesthésie, sauf si le médecin ou le dentiste le lui a recommandé.

VÉRIFICATION DES RÉSULTATS

L'efficacité du traitement peut être démontrée par: ■ la perte de conscience ■ le maintien du degré d'anesthésie souhaité sans complications.

MÉTHOTREXATE
Améthoptérine, Rheumatrex, (Folex),
(Folex PFS), (Mexate), (Mexate-AQ)

CLASSIFICATION:
*Antinéoplasique – antimétabolite ;
immunosuppresseur*

Grossesse – catégorie X

INDICATIONS

■ Monothérapie ou traitement d'association avec d'autres types de traitement
(autres antinéoplasiques, chirurgie ou
radiothérapie) en présence des affections suivantes : □ Néoplasmes tropho-
blastiques (choriocarcinome gestationnel, chorio-adénome destruens, môle
hydatiforme) □ Leucémies lymphocytaire
et méningée □ Lymphosarcome, stades
avancés (surtout chez les enfants) ■ Traitement du psoriasis et de la polyarthrite
rhumatoïde graves rebelles au traitement
habituel ■ Traitement de la mycose fongoïde avancée. **Usages non approuvés :**
□ Cancer du sein □ Cancer du cerveau
□ Cancer du cou □ Cancer du poumon
□ Ostéosarcome.

ACTION

■ Altération du métabolisme de l'acide
folique, entraînant l'inhibition de la synthèse de l'ADN et de la reproduction
cellulaire (action spécifique sur la phase S
du cycle cellulaire) ■ Activité immuno-
suppressive. **Effets thérapeutiques :** ■ Destruction des cellules à réplication rapide,
particulièrement des cellules malignes et
effet immunosuppresseur.

PHARMACOCINÉTIQUE

Absorption : Les faibles doses sont bien absorbées depuis le tractus gastro-intestinal.
Les doses plus élevées ne sont pas complètement absorbées.

Distribution : Le méthotrexate traverse les
membranes cellulaires par transport actif et se répartit dans tout l'organisme. Il

n'atteint pas des concentrations thérapeutiques dans le liquide céphalorachidien. Il traverse le placenta et pénètre
dans le lait maternel où on le retrouve à
faibles concentrations.

Métabolisme et excrétion : Le médicament
est surtout excrété à l'état inchangé par
les reins.

Demi-vie : De 2 à 4 h (prolongée en cas
d'insuffisance rénale).

CONTRE-INDICATIONS ET PRÉCAUTIONS

Contre-indications : ■ Hypersensibilité
■ Grossesse ou allaitement.

Précautions : ■ Insuffisance rénale (réduire
la dose) ■ Patientes en âge de procréer
■ Infections en évolution ■ Réserve médullaire réduite ■ Autres maladies chroniques débilitantes.

RÉACTIONS INDÉSIRABLES ET EFFETS SECONDAIRES

SNC : arachnoïdite (voie intrathécale seulement), céphalées, vision trouble, somnolence, malaises, étourdissements.

GI : stomatite, anorexie, nausées, vomissements, hépatotoxicité.

GU : suppression de la fonction des gonades.

Tég. : rash, urticaire, photosensibilité,
prurit, alopécie.

Hémat. : anémie, leucopénie, thrombocytopénie.

Métab. : hyperuricémie.

Divers : maladie rénale, frissons, fièvre.

INTERACTIONS

Médicament – médicament : ■ Les médicaments suivants peuvent augmenter la toxicité par le méthotrexate : les **salicylates**
à doses élevées, les **anti-inflammatoires
non stéroïdiens**, les **sulfonylurées** (hypoglycémiants oraux), la **phénytoïne**, le
phénylbutazone, les **tétracyclines**, le **probénécide** et le **chloramphénicol** ■ Hépatotoxicité additive lors de l'administration simultanée d'autres **médicaments
hépatotoxiques** ■ Néphrotoxicité addi-

tive lors de l'administration simultanée d'autres **médicaments néphrotoxiques** ■ Aplasie médullaire additive lors de l'administration concomitante d'autres **antinéoplasiques** ou d'une **radiothérapie** ■ Le méthotrexate peut diminuer la réponse des anticorps aux **vaccins vivants** et augmenter le risque de réactions indésirables ■ Risque accru de réactions neurologiques lors de l'administration concomitante d'**acyclovir** (voie intrathécale seulement) ■ L'**asparaginase** peut diminuer les effets du méthotrexate.

VOIES D'ADMINISTRATION ET POSOLOGIE

Néoplasmes trophoblastiques
■ **PO et IM (adultes):** de 15 à 30 mg par jour pendant 5 jours; ce régime, en alternance avec des périodes sans traitement d'une semaine ou plus, peut être répété de 3 à 5 fois.

Leucémie – traitement d'induction
■ **PO (adultes et enfants):** 3,3 mg/m^2 par jour, habituellement en même temps que la prednisone.
■ **Voie intrathécale (adultes et enfants):** Une dose de 12 mg/m^2 chaque semaine pendant 2 semaines, suivie de l'administration mensuelle de la même dose ou de 0,2 à 0,5 mg/kg, tous les 2 à 5 jours.

Leucémie – traitement d'entretien
■ **PO et IM (adultes et enfants):** 30 mg/m^2, 2 fois par semaine.
■ **IV (adultes et enfants):** 2,5 mg/kg toutes les deux semaines.

Ostéosarcome
■ **IV (adultes et enfants) (É.-U.):** 12 g/m^2 en perfusion d'une durée de 4 h, suivie par une récupération par la leucovorine, habituellement dans le cadre d'une chimiothérapie d'association.

Psoriasis
Administrer au préalable une dose d'essai de 5 à 10 mg.
■ **PO (adultes):** 2,5 mg, toutes les 12 h, à raison de 3 doses, une fois par se-

maine, ou toutes les 8 h jusqu'à concurrence de 4 doses; on peut augmenter de 2,5 mg par semaine, jusqu'à concurrence de 30 mg par semaine.
■ **PO, IM, IV (adultes):** de 10 à 25 mg, une fois par semaine; on peut augmenter jusqu'à concurrence de 50 mg par semaine.

Lymphome
■ **PO (enfants):** de 10 à 25 mg par jour pendant 4 à 8 jours (stades I et II) ou de 0,625 à 2,5 mg/kg par jour en association avec d'autres agents antitumoraux (stade III); ces régimes doivent être administrés en alternance avec une période de 7 à 10 jours sans traitement.

Arthrite
Administrer au préalable une dose d'essai de 5 à 10 mg.
■ **PO (adultes):** 7,5 mg, une fois par semaine, ou 2,5 mg, toutes les 12 h, jusqu'à concurrence de 3 doses; ne pas dépasser 20 mg par semaine.

Mycose fongoïde
■ **PO (adultes):** de 2,5 à 10 mg par jour pendant plusieurs semaines ou mois.
■ **IM (adultes):** 50 mg, une fois par semaine ou 25 mg, deux fois par semaine.

PHARMACODYNAMIE (effets sur la numération globulaire)

	DÉBUT D'ACTION	PIC	DURÉE
PO, IM, IV	4 – 7 jours	7 – 14 jours	21 jours

☀ SOINS INFIRMIERS

ÉVALUATION DE LA SITUATION
■ **Directives générales:** Mesurer la pression artérielle, le pouls et la fréquence respiratoire à intervalles réguliers pendant toute la durée de l'administration. Informer le médecin de tout changement notable.

M

- Suivre de près la douleur abdominale, la diarrhée ou la stomatite. Prévenir le médecin si ces symptômes surviennent, car ils peuvent dicter l'arrêt du traitement.

- Suivre de près la fièvre, les maux de gorge et les signes d'infection. Prévenir immédiatement le médecin si ces symptômes surviennent.

- Suivre de près les saignements : saignement des gencives, ecchymose, pétéchies, présence de sang occulte dans les selles, l'urine et les vomissements par la méthode au gaïac. Éviter les injections par voie IM et la prise de la température par voie rectale. Appliquer une pression sur les points de ponction veineuse pendant au moins 10 min.

- Effectuer le bilan quotidien des ingesta et des excreta et peser le patient tous les jours. Prévenir le médecin en cas de changements importants des valeurs totales.

- Observer l'apparition des symptômes suivants de goutte : élévation des concentrations d'acide urique, douleurs articulaires et œdème. Inciter le patient à boire au moins 2 litres de liquide par jour. On peut administrer de l'allopurinol ou alcaliniser l'urine afin de diminuer les concentrations d'acide urique.

- Noter l'état nutritionnel du patient. Administrer un antiémétique avant le traitement et à intervalles réguliers pendant toute sa durée. Adapter le régime selon les aliments que le patient peut tolérer, dans le but de maintenir l'équilibre hydroélectrolytique et l'apport nutritionnel.

- L'anémie peut survenir. Suivre de près la fatigue accrue, la dyspnée et l'hypotension orthostatique.

- **Voie intrathécale** : Suivre de près la rigidité de la nuque, les céphalées, la fièvre, la confusion, la somnolence, les étourdissements, la faiblesse ou les convulsions.

- **Étude des examens diagnostiques et biochimiques** : Noter la numération globulaire et la formule leucocytaire avant le traitement et à intervalles fréquents pendant toute sa durée. Le nadir de la leucopénie et de la thrombocytopénie survient en l'espace de 7 à 14 jours. Le nombre de leucocytes et de thrombocytes revient habituellement à la normale 7 jours après l'apparition des nadirs. Prévenir le médecin en cas de chute soudaine des valeurs.

- Noter les résultats des tests de l'exploration fonctionnelle rénale (concentrations d'urée et de créatinine) et hépatique (concentrations de TGOS [AST], de TGPS [ALT], de bilirubine et de LDH) avant le début du traitement et à intervalles réguliers pendant toute sa durée. Suivre de près le pH de l'urine avant d'administrer des doses élevées de méthotrexate et toutes les 6 h pendant la récupération par la leucovorine. Maintenir le pH de l'urine au-dessus de 7 pour prévenir les lésions rénales.

- Suivre de près les concentrations sériques de méthotrexate toutes les 12 à 24 h au cours du traitement par des doses élevées, jusqu'à ce que les concentrations descendent en dessous de 5×10^{-8} M. Cette surveillance est essentielle pour établir la dose appropriée de leucovorine et la durée du traitement de récupération.

- Le méthotrexate peut entraîner l'élévation des concentrations sériques d'acide urique, particulièrement au cours du traitement initial de la leucémie et du lymphome.

- **Toxicité et surdosage** : Lors d'un traitement à doses élevées, le patient doit recevoir de l'acide folinique, également appelé facteur citrovorum (récupération par la leucovorine), au moment exact où cette administration est prescrite afin de prévenir une toxicité d'issue fatale.

DIAGNOSTICS INFIRMIERS POSSIBLES

■ Énoncés diagnostiques

- □ Risque élevé d'infection.
- □ Déficit nutritionnel.
- □ Prise en charge inefficace du programme thérapeutique.
- □ *Risque élevé d'accident.*
- □ *Risque élevé d'altération de l'élimination urinaire.*
- □ *Risque élevé d'atteinte à l'intégrité des tissus.*
- □ *Risque élevé de perturbation situationnelle de l'estime de soi.*

■ Facteurs favorisants

- □ Informations incomplètes.
- □ *Manque de connaissances sur les moyens de prévenir les effets secondaires affectant l'appareil gastro-intestinal.*
- □ *Perturbation de la vigilance.*
- □ *Fatigue et faiblesse.*
- □ *Manque de connaissances sur les modalités du traitement.*
- □ *Modification de l'état liquidien ou des volumes circulants.*
- □ *Manque de connaissances sur le régime alimentaire à suivre.*
- □ *Manque de connaissances sur les moyens de prévenir les effets secondaires du médicament.*
- □ *Altération de l'image corporelle.*

INTERVENTIONS INFIRMIÈRES

- ■ **Directives générales:** On peut administrer le méthotrexate par voie orale, IM, IV, intra-artérielle ou intrathécale. Les préparations injectables existent sous forme de solution avec ou sans agent de conservation ou de poudre. Reconstituer la préparation juste avant l'utilisation. Jeter toute portion inutilisée.
- □ Préparer les solutions pour injection sous une hotte biologique de sécurité. Porter des gants, un vêtement protecteur et un masque pendant la manipulation du méthotrexate. Mettre au rebut le matériel dans les contenants réservés à cet effet (voir l'annexe I).

- ■ **PO:** Administrer les doses 1 h avant les repas ou 2 h après.
- ■ **IV directe:** Reconstituer le contenu de chaque fiole avec 2 à 10 mL de solution stérile de NaCl à 0,9 % ou d'eau stérile pour injection sans agent de conservation. Ne pas utiliser les préparations qui ont changé de couleur ou qui contiennent un précipité.
- □ *Vitesse d'administration:* Administrer à un débit de 10 mg/min dans une tubulure en Y ou le robinet à trois voies d'une tubulure IV qui laisse s'écouler une solution compatible.
- ■ **Perfusion intermittente ou continue:** On peut diluer la préparation dans une solution de dextrose à 5 % dans de l'eau, de dextrose à 5 % dans une solution de NaCl à 0,9 % ou dans une solution de NaCl à 0,9 % sous forme de perfusion intermittente ou continue.
- ■ **Associations compatibles dans la même seringue:** Bléomycine, cisplatine, cyclophosphamide, doxapram, doxorubicine, fluorouracile, furosémide, leucovorine, mitomycine, vinblastine ou vincristine.
- ■ **Associations incompatibles dans la même seringue:** Dropéridol ou ranitidine.
- ■ **Compatibilités (tubulure en Y):** bléomycine, cisplatine, cyclophosphamide, doxorubicine, fluorouracile, furosémide, héparine, leucovorine, métoclopramide, mitomycine, ondansétron, vinblastine ou vincristine.
- ■ **Incompatibilité (tubulure en Y):** Dropéridol.
- ■ **Compatibilités en addition au soluté:** Bicarbonate de sodium, céphalothine, cytarabine, hydroxyzine ou vincristine.
- ■ **Incompatibilités en addition au soluté:** Bléomycine, fluorouracile ou prednisolone.
- ■ **Voie intrathécale:** Reconstituer la préparation de méthotrexate sans agent de conservation avec une solution de NaCl à 0,9 % sans agent de conservation, une solution B de Elliot ou avec

le liquide céphalorachidien du patient jusqu'à l'obtention d'une concentration de 1 mg/mL. On peut administrer le méthotrexate par ponction lombaire ou par un réservoir d'Ommaya. Utiliser immédiatement la préparation afin de prévenir toute contamination bactérienne.

ENSEIGNEMENT AU PATIENT ET À SES PROCHES

☐ Conseiller au patient de suivre scrupuleusement la posologie recommandée. S'il n'a pas pu prendre le médicament au moment habituel, il ne doit pas le prendre du tout. Lui recommander de prévenir le médecin si les vomissements surviennent peu de temps après la prise du médicament.

☐ Conseiller au patient d'éviter les foules et les personnes contagieuses. L'inciter à informer immédiatement le médecin si des symptômes d'infection surviennent.

☐ Recommander au patient de signaler au médecin tout saignement inhabituel. Lui conseiller de prendre des mesures de précaution pour prévenir la thrombocytopénie : utiliser une brosse à dents à poils doux et un rasoir électrique, prendre garde aux chutes, ne pas boire d'alcool et ne pas prendre de préparations à base d'aspirine, car ces substances peuvent déclencher une hémorragie digestive.

☐ Recommander au patient d'examiner sa muqueuse buccale à la recherche d'érythème et d'aphtes. En présence d'aphtes, lui recommander de remplacer la brosse à dents par une brosse-éponge, de se rincer la bouche avec de l'eau après avoir bu ou mangé et de consulter le médecin au sujet de gargarismes à la lidocaïne visqueuse si la douleur buccale l'empêche de s'alimenter.

☐ Conseiller au patient de consulter le médecin ou le pharmacien avant de prendre des médicaments en vente libre.

☐ Prévenir la patiente que le méthotrexate peut avoir des effets tératogènes. Lui conseiller de prendre des mesures de contraception pendant toute la durée du traitement et pendant au moins 8 semaines après l'avoir arrêté.

☐ Expliquer au patient qu'il risque de perdre ses cheveux ; explorer avec lui les stratégies lui permettant de s'adapter à ce changement.

☐ Prévenir le patient qu'il ne doit pas se faire vacciner sans recommandation expresse du médecin.

☐ Recommander au patient d'utiliser des écrans solaires et de porter des vêtements protecteurs afin de prévenir les réactions de photosensibilité.

☐ Insister sur l'importance des examens diagnostiques et biochimiques à intervalles réguliers permettant de suivre de près les effets secondaires.

VÉRIFICATION DES RÉSULTATS

L'efficacité du traitement peut être démontrée par : ■ l'amélioration des paramètres hématopoïétiques en cas de leucémie ☐ la diminution des symptômes d'atteinte méningée en présence de leucémie ■ la diminution de la taille des lymphomes non hodgkiniens et d'autres tumeurs solides et de la propagation des métastases ■ la cicatrisation de lésions cutanées en cas de psoriasis grave ■ la diminution des douleurs articulaires et de l'œdème ☐ l'amélioration de la mobilité chez les patients souffrant de polyarthrite rhumatoïde ■ la régression des lésions en cas de mycose fongoïde.

MÉTHOTRIMÉPRAZINE
Nozinan, (Levoprome)

CLASSIFICATION :
Analgésique non narcotique – phénothiazine

Grossesse – catégorie inconnue

M

INDICATIONS

■ Traitement de la douleur ■ Potentialisation de l'anesthésie ■ Sédation et analgésie pré- et post-opératoires ■ Traitement de l'insomnie ■ Traitement des troubles psychotiques ■ Traitement des troubles accompagnés d'angoisse, d'anxiété et de tension ■ Prévention des nausées et vomissements d'origine centrale.

ACTION

■ Modification des effets de la dopamine dans le SNC ■ Suppression des influx sensoriels entraînant l'élévation du seuil de la douleur ■ Induction de l'amnésie ■ Blocage des récepteurs alpha-adrénergiques, ce qui entraîne de l'hypotension orthostatique. **Effets thérapeutiques:** ■ Réduction de l'intensité de la douleur ■ Potentialisation de l'anesthésie ■ Sédation ■ Diminution des signes et symptômes de la psychose ■ Soulagement de l'anxiété et de l'angoisse ■ Soulagement des nausées et vomissements.

PHARMACOCINÉTIQUE

Absorption: Bonne absorption par suite de l'administration par voies orale et IM.
Distribution: La méthotriméprazine pénètre dans le liquide céphalorachidien et traverse le placenta. Elle pénètre en quantités minimes dans le lait maternel.
Métabolisme et excrétion: Le médicament est surtout métabolisé par le foie. Certains métabolites sont actifs. Une fraction de 1 % est excrétée à l'état inchangé par les reins.
Demi-vie: De 15 à 30 h.

CONTRE-INDICATIONS ET PRÉCAUTIONS

Contre-indications: ■ Hypersensibilité à la méthotriméprazine ou aux sulfites ■ Patients comateux ■ Maladies rénale, cardiaque ou hépatique graves ■ Antécédents de surdose de dépresseurs du SNC ■ Travail prématuré.
Précautions: ■ Antécédents de convulsions ■ Allaitement (l'innocuité du médicament n'a pas été établie) ■ Administration prolongée (> 30 jours) ■ Personnes âgées ou patients débilités (il est recommandé de réduire la dose initiale).

RÉACTIONS INDÉSIRABLES ET EFFETS SECONDAIRES

SNC: somnolence, sédation excessive, amnésie, désorientation, euphorie, céphalées, faiblesse, troubles de l'élocution, réactions extrapyramidales, CONVULSIONS.
ORLO: congestion nasale.
CV: hypotension orthostatique, tachycardie, bradycardie, palpitations.
GI: gêne abdominale, sécheresse de la bouche (xérostomie), nausées, vomissements.
GU: difficultés de miction.
Locaux: douleur au point d'injection.
Divers: frissons.

INTERACTIONS

Médicament – médicament: ■ Dépression additive du SNC lors de l'usage concomitant d'autres dépresseurs du SNC incluant l'**alcool**, les **antihistaminiques**, les **antidépresseurs**, les **analgésiques narcotiques** et les **hypnosédatifs** (réduire les doses de barbituriques ou de narcotiques d'au moins la moitié lors d'une administration simultanée) ■ Effets anticholinergiques additifs lors de l'administration simultanée d'**antihistaminiques**, d'**antidépresseurs**, de **phénothiazines**, de **quinidine**, de **disopyramide**, d'**atropine** ou de **scopolamine** (réduire les doses d'atropine ou de scopolamine administrées simultanément) ■ La méthotriméprazine renverse les effets vasopresseurs de l'**épinéphrine** (éviter l'usage concomitant; s'il faut administrer un vasopresseur, utiliser la phényléphrine, la méthoxamine ou la norépinéphrine) ■ Hypotension additive lors de l'ingestion d'**alcool** ou de l'administration simultanée de **dérivés nitrés**, d'**inhibiteurs de la MAO** ou d'**antihypertenseurs**.

M

PRÉSENTATION

Le méthotriméprazine existe sous forme de comprimés, de liquide, de gouttes orales et de solutions pour injection.

VOIES D'ADMINISTRATION ET POSOLOGIE

Psychoses, douleurs intenses

- **IM (adultes):** de 75 à 100 mg, en 3 ou 4 injections.
- **PO (adultes):** initialement, de 50 à 75 mg par jour, en 2 ou 3 prises fractionnées; augmenter jusqu'à l'obtention de l'effet désiré (on peut administrer 1 g et plus par jour).
- **PO (enfants):** initialement, 0,25 mg/kg par jour, en 2 ou 3 prises fractionnées; cette dose peut être augmentée de façon graduelle jusqu'à l'atteinte de la dose efficace. Ne pas dépasser 40 mg par jour chez l'enfant de moins de 12 ans.

Prémédication, douleurs postopératoires

- **IM (adultes):** de 10 à 25 mg, toutes les 8 h. La dernière dose de la prémédication, administrée 1 h avant l'intervention chirurgicale, peut être de 25 à 50 mg.
- **PO (adultes):** de 20 à 40 mg toutes les 8 h.
- **IM (enfants):** de 0,0625 à 0,125 mg/kg par jour en une ou plusieurs injections.
- **PO (enfants):** initialement, 0,25 mg/kg par jour, en 2 ou 3 prises fractionnées; cette dose peut être augmentée de façon graduelle jusqu'à l'atteinte de la dose efficace. Ne pas dépasser 40 mg par jour chez l'enfant de moins de 12 ans.

Potentialisation de l'aneshtésie

- **IV (adultes):** de 10 à 25 mg pendant l'intervention chirurgicale ou pendant le travail.
- **IV (enfants):** 0,0625 mg/kg pendant l'intervention chirurgicale.

Insomnie

- **PO (adultes):** de 10 à 25 mg le soir, au coucher.

Angoisse, anxiété, douleurs modérées

- **PO (adultes):** initialement, de 6 à 25 mg par jour, en 3 prises fractionnées avec les repas; augmenter par paliers pour atteindre la dose efficace.
- **PO (enfants):** initialement, 0,25 mg/kg par jour en 2 ou 3 prises fractionnées; cette dose peut être augmentée de façon graduelle jusqu'à l'atteinte de la dose efficace. Ne pas dépasser 40 mg par jour chez l'enfant de moins de 12 ans.

PHARMACODYNAMIE (analgésie)

	DÉBUT D'ACTION	PIC	DURÉE
IM	inconnu	20 – 40 min	4 h

SOINS INFIRMIERS

ÉVALUATION DE LA SITUATION

- ☐ Déterminer le type de douleur, son siège et son intensité, avant l'administration du médicament et 30 min plus tard.
- ☐ Mesurer la pression artérielle à intervalles fréquents après l'injection. L'hypotension orthostatique, les évanouissements, la syncope et la faiblesse surviennent souvent de 10 min à 12 h après l'administration. Le patient devrait demeurer en position couchée pendant 6 à 12 h après l'injection.
- ☐ Suivre de près le patient à la recherche des symptômes extrapyramidaux suivants: mouvements d'émiettement, bouche ouverte laissant s'échapper la salive (sialorrhée), tremblements, rigidité, démarche traînante.
- **Étude des examens diagnostiques et biochimiques:** Noter la numération globulaire et les résultats des tests de l'exploration fonctionnelle hépatique à intervalles réguliers tout au long d'un traitement prolongé (> 30 jours).

DIAGNOSTICS INFIRMIERS POSSIBLES

■ **Énoncés diagnostiques**

☐ Douleur.

☐ Risque élevé d'accident.

☐ Prise en charge inefficace du programme thérapeutique.

☐ *Risque élevé d'atteinte à l'intégrité de la muqueuse buccale.*

■ **Facteurs favorisants**

☐ Informations incomplètes.

☐ *Perturbation de la vigilance.*

☐ *Manque de connaissances sur les effets hypotensifs du médicament lors des changements brusques de position.*

☐ *Manque de connaissances sur les modalités du traitement.*

☐ *Manque de connaissances sur la méthode d'administration du médicament.*

☐ *Manque de connaissances sur les moyens de prévenir ou de réduire la sécheresse de la bouche*

INTERVENTIONS INFIRMIÈRES

■ **Directives générales :** Pour prévenir la dermatite de contact, éviter les éclaboussures de la solution injectable sur les mains.

☐ L'administration des phénothiazines devrait être arrêtée 48 h avant la myélographie par le métrizamide et reprise seulement 24 h plus tard, car elles abaissent le seuil de convulsion.

■ **IM :** Ne pas injecter la solution par voie SC. Injecter lentement et profondément dans un muscle bien développé. Assurer la rotation des points d'injection.

■ **IV :** Diluer la dose dans 250 mL (enfants) ou 500 mL (adultes) d'une solution de dextrose à 5 % dans de l'eau et administrer lentement à un débit de 20 à 40 gouttes à la minute.

■ **Associations compatibles dans la même seringue :** Atropine ou scopolamine.

ENSEIGNEMENT AU PATIENT ET À SES PROCHES

☐ Expliquer au patient ce qu'on entend par administration sur demande et à quel moment il doit réclamer l'analgésique.

☐ Conseiller au patient de changer lentement de position et de rester couché pendant 6 à 12 h après l'administration de la méthotriméprazine afin de diminuer les risques d'hypotension orthostatique.

☐ Prévenir le patient que la méthotriméprazine peut provoquer de la somnolence. Lui recommander de demander de l'aide lorsqu'il se déplace, de ne pas conduire et d'éviter les activités qui exigent sa vigilance jusqu'à ce qu'on ait la certitude que le médicament n'entraîne pas cet effet chez lui.

☐ Recommander au patient d'éviter de boire de l'alcool et de ne pas prendre de dépresseurs du SNC en même temps que la méthotriméprazine.

☐ Expliquer au patient qu'il peut soulager la sécheresse de la bouche en se rinçant souvent la bouche, en pratiquant une bonne hygiène orale et en consommant des bonbons ou de la gomme à mâcher sans sucre.

☐ Conseiller au patient de prévenir rapidement le médecin en cas de maux de gorge, de fièvre, de saignements ou d'ecchymoses inhabituels, de rash, de faiblesse, de tremblements, d'urine de couleur foncée ou de selles couleur de glaise.

VÉRIFICATION DES RÉSULTATS

L'efficacité du traitement peut être démontrée par : ■ la diminution de l'intensité de la douleur ■ la sédation ■ la potentialisation de l'anesthésie ■ un moindre recours à un comportement excitable ou paranoïaque et au repli sur soi ■ le soulagement de l'anxiété et de l'angoisse ■ le soulagement des nausées et des vomissements.

M

MÉTHYLDOPA (PO)
Aldomet, Apo-Methyldopa, Dopamet, Novo-Medopa

MÉTHYLDOPATE (IV)
Aldomet

CLASSIFICATION:
Antihypertenseur – agoniste alpha-adrénergique à action centrale

Grossesse – catégorie inconnue

INDICATIONS
■ Monothérapie ou traitement d'association avec d'autres antihypertenseurs – hypertension de divers degrés ■ La présentation parentérale ne devrait pas être administrée dans les situations d'urgence, car son début d'action est retardé.

ACTION
■ Stimulation des récepteurs alpha-adrénergiques centraux entraînant la diminution du débit sympathique, ce qui a comme résultat l'inhibition du centre cardioaccélérateur et du centre vasoconstricteur ■ L'effet global est la diminution de la résistance périphérique avec peu de modification de la fréquence cardiaque ou du débit cardiaque. **Effets thérapeutiques:** ■ Abaissement de la pression artérielle.

PHARMACOCINÉTIQUE
Absorption: Une fraction de 50 % est absorbée depuis le tractus gastro-intestinal. La forme parentérale, soit le chlorhydrate de méthyldopate, est lentement transformée en méthyldopa.
Distribution: Le médicament traverse la barrière hémato-encéphalique et le placenta et pénètre en faibles quantités dans le lait maternel.
Métabolisme et excrétion: Le médicament est partiellement métabolisé par le foie et partiellement excrété à l'état inchangé par les reins.
Demi-vie: 1,7 h.

CONTRE-INDICATIONS ET PRÉCAUTIONS
Contre-indications: ■ Hypersensibilité ■ Hypersensibilité aux sulfites et aux parabènes (injections seulement) ■ Maladie hépatique en évolution.
Précautions: ■ Antécédents de maladie hépatique ■ Grossesse (antécédents d'utilisation sans effets nocifs) ■ Allaitement.

RÉACTIONS INDÉSIRABLES ET EFFETS SECONDAIRES
SNC: sédation, dépression, perte de l'acuité mentale.
ORLO: congestion nasale.
CV: hypotension orthostatique, bradycardie, MYOCARDITE, œdème.
GI: diarrhée, sécheresse de la bouche (xérostomie), HÉPATITE.
GU: impuissance.
Hémat.: anémie hémolytique.
Divers: fièvre.

INTERACTIONS
Médicament – médicament: ■ Hypotension additive lors de l'administration concomitante d'autres **antihypertenseurs** et de **dérivés nitrés** ou lors de l'ingestion d'**alcool** ■ L'administration simultanée d'**amphétamines**, d'**antidépresseurs tricycliques**, d'**anti-inflammatoires non stéroïdiens** et de **phénothiazines** peut réduire l'effet antihypertenseur du méthyldopa ■ Le méthyldopa peut augmenter la toxicité par le **lithium** ■ Hypotension additive et toxicité du SNC lors de l'administration simultanée de **lévodopa**.

PRÉSENTATION
Le méthyldopa existe sous forme de comprimés, de suspension orale et de préparation injectable. Il est également présenté en association avec des diurétiques de type thiazidique (voir l'annexe A).

VOIES D'ADMINISTRATION ET POSOLOGIE
■ **PO (adultes):** de 500 à 2 000 mg par jour, en 2 ou 4 doses fractionnées (ne pas dépasser 3 000 mg/24 h).

- **PO (enfants):** de 10 à 65 mg/kg par jour, en 2 à 4 doses fractionnées (ne pas dépasser 3 000 mg/24 h).
- **IV (adultes):** de 250 à 1 000 mg, toutes les 6 h.
- **IV (enfants) (É.-U.):** de 20 à 40 mg/kg en 24 h, en doses fractionnées toutes les 6 h (ne pas dépasser 3 000 mg/24 h).

PHARMACODYNAMIE
(effet antihypertenseur)

	DÉBUT D'ACTION	PIC	DURÉE
PO	12 – 24 h	4 – 6 h	24 – 48 h
IV	4 – 6 h	inconnu	10 – 16 h

SOINS INFIRMIERS

ÉVALUATION DE LA SITUATION

- ☐ Mesurer la pression artérielle et le pouls à intervalles fréquents au cours de la période initiale d'adaptation de la posologie et à intervalles réguliers pendant toute la durée du traitement. Signaler au médecin tout changement important.
- ☐ Effectuer le bilan quotidien des ingesta et des excreta, peser le patient tous les jours ; suivre quotidiennement la formation d'œdème, particulièrement au début du traitement. Prévenir le médecin si un gain de poids ou l'œdème surviennent, car la rétention du sodium et de l'eau peut être traitée par des diurétiques.
- ☐ Suivre de près la dépression ou d'autres modifications de l'état de la conscience. Prévenir immédiatement le médecin si ces symptômes se manifestent.
- ■ **Étude des examens diagnostiques et biochimiques :** Examiner les résultats des tests de l'exploration fonctionnelle rénale et hépatique et noter la numération globulaire avant le début du traitement et à intervalles réguliers pendant toute sa durée.

- ☐ Le méthyldopa peut positiver le test de Coombs direct, mais il s'agit rarement d'un signe d'anémie hémolytique.
- ■ Le méthyldopa peut entraîner l'élévation des concentrations sériques d'urée, de potassium, de sodium, de prolactine, d'acide urique, de TGOS (AST), de TGPS (ALT), de phosphatase alcaline et de bilirubine.
- ☐ Le méthyldopa peut modifier la mesure des concentrations de créatinine sérique et de TGOS (AST).
- ■ **Toxicité et surdosage :** En cas de surdosage, mesurer la pression artérielle à intervalles fréquents. Le traitement comprend l'élévation des jambes, la réhydratation par voie IV et l'administration d'un vasopresseur si l'hypotension est grave.

DIAGNOSTICS INFIRMIERS POSSIBLES

■ Énoncés diagnostiques
- ☐ Risque élevé d'accident.
- ☐ Prise en charge inefficace du programme thérapeutique.
- ☐ Non-observance du traitement médicamenteux.
- ☐ *Risque élevé de perturbation de la sexualité.*
- ☐ *Risque élevé d'anxiété.*
- ☐ *Risque élevé d'atteinte à l'intégrité de la muqueuse buccale.*

■ Facteurs favorisants
- ☐ Informations incomplètes.
- ☐ Doute quant aux bienfaits du traitement.
- ☐ *Perturbation de la vigilance.*
- ☐ *Manque de connaissances sur les effets hypotensifs du médicament lors des changements brusques de position.*
- ☐ *Manque de connaissances sur les effets secondaires du médicament et sur les moyens de les prévenir.*
- ☐ *Difficulté à s'adapter aux changements nécessaires dans les habitudes de vie.*

□ *Manque de connaissances sur les moyens de prévenir ou de réduire la sécheresse de la bouche.*

INTERVENTIONS INFIRMIÈRES

■ **Directives générales:** La rétention hydrique et l'expansion du volume vasculaire peuvent entraîner une tolérance aux effets du médicament qui surviendra dans les 2 à 3 mois qui suivent le début du traitement. On peut ajouter des diurétiques au traitement à ce moment-là afin de continuer à maîtriser les symptômes.

□ On doit augmenter la dose de médicament dans la soirée afin de diminuer la somnolence diurne.

□ Lorsqu'on substitue une préparation orale à la préparation IV, la posologie doit être adaptée selon les équivalences.

■ **PO:** Bien agiter la suspension avant de l'administrer.

■ **Perfusion intermittente:** Diluer le médicament dans 100 mL de dextrose à 5 % dans de l'eau, de solution de NaCl à 0,9 %, de dextrose à 5 % dans une solution de NaCl à 0,9 %, de solution de bicarbonate de sodium à 5 % ou de solution de Ringer.

□ *Vitesse d'administration:* Perfuser lentement en 30 à 60 min.

■ **Compatibilité (tubulure en Y):** Esmolol.

■ **Compatibilités en addition au soluté:** Acide ascorbique, aminophylline, bicarbonate de sodium, chloramphénicol, chlorure de potassium, diphenhydramine, héparine, multivitamines, nétilmicine, oxytétracycline, promazine, succinylcholine, sulfate de magnésium ou vérapamil.

■ **Incompatibilités en addition au soluté:** Barbituriques ou sulfamides.

ENSEIGNEMENT AU PATIENT ET À SES PROCHES

□ Conseiller au patient de suivre scrupuleusement la posologie recommandée et de continuer à prendre le médicament même s'il se sent mieux.

Recommander au patient de prendre le médicament tous les jours à la même heure. La dernière dose de la journée devrait être prise au coucher. Si le patient n'a pu prendre le médicament au moment habituel, il doit le prendre aussitôt que possible à moins que ce ne soit presque l'heure prévue pour la dose suivante. Le prévenir qu'il ne faut jamais remplacer une dose manquée par une double dose. Le méthyldopa stabilise la pression artérielle mais ne guérit pas l'hypertension.

□ Inciter le patient à appliquer d'autres mesures de réduction de l'hypertension: perdre du poids, réduire sa consommation de sel, cesser de fumer, boire avec modération, faire régulièrement de l'exercice et diminuer le stress.

□ Montrer au patient et à ses proches comment prendre la pression artérielle. Leur demander de mesurer la pression artérielle au moins une fois par semaine et de prévenir le médecin si des changements importants surviennent.

□ Prévenir le patient que son urine peut devenir foncée ou virer au rouge-noir lorsqu'on la laisse décanter.

□ Prévenir le patient que le méthyldopa peut provoquer de la somnolence. Lui conseiller de ne pas conduire et d'éviter les activités qui exigent sa vigilance jusqu'à ce qu'on ait la certitude que le médicament n'entraîne pas cet effet chez lui. La somnolence disparaît habituellement après 7 à 10 jours de traitement continu.

□ Conseiller au patient de changer lentement de position afin de réduire les risques d'hypotension orthostatique.

□ Conseiller au patient de pratiquer une bonne hygiène orale, de se rincer fréquemment la bouche avec de l'eau et de consommer de la gomme à mâcher ou des bonbons sans sucre pour diminuer la sécheresse de la bouche.

Si la sécheresse de la bouche persiste pendant plus de 2 semaines, inciter le patient à consulter le dentiste ou le médecin.

☐ Recommander au patient d'éviter de boire de l'alcool et de ne pas prendre d'autres dépresseurs du SNC en même temps que le méthyldopa.

☐ Conseiller au patient de consulter le médecin ou le pharmacien avant de prendre un médicament contre la toux, le rhume ou les allergies. Lui conseiller également de limiter sa consommation de thé, de café ou de boissons à base de cola.

☐ Recommander au patient qui doit suivre un traitement dentaire ou subir une intervention chirurgicale de prévenir le dentiste ou le médecin qu'il suit un traitement antihypertenseur.

☐ Recommander au patient de signaler au médecin les symptômes suivants : fièvre, douleur musculaire ou syndrome pseudogrippal.

VÉRIFICATION DES RÉSULTATS

L'efficacité du traitement peut être démontrée par : la baisse de la pression artérielle sans apparition d'effets indésirables.

MÉTHYLERGONOVINE
Méthylergométrine, (Methergine)

CLASSIFICATION :
Ocytoxique

Grossesse – catégorie C

INDICATIONS

Prévention et traitement de l'hémorragie qui survient suite à un accouchement ou à un avortement, provoquée par l'atonie utérine ou la subinvolution de l'utérus.

ACTION

■ Stimulation directe des muscles lisses utérins et vasculaires. **Effets thérapeutiques :** ■ Contraction de l'utérus.

PHARMACOCINÉTIQUE

Absorption : Bonne absorption par suite de l'administration par voie orale ou IM.

Distribution : Inconnue. La méthylergonovine pénètre dans le lait maternel en petites quantités.

Métabolisme et excrétion : Le sort métabolique est inconnu. La méthylergonovine est probablement métabolisée par le foie.

Demi-vie : De 30 à 120 min.

CONTRE-INDICATIONS ET PRÉCAUTIONS

Contre-indications : ■ Hypersensibilité ■ Hypersensibilité au phénol (injections seulement) ■ Induction du travail de l'accouchement (contre-indication absolue).

Précautions : ■ Hypertension ou éclampsie (ces patientes sont davantage prédisposées aux effets secondaires hypertensifs et arythmogènes) ■ Maladies rénale ou hépatique graves ■ Maladie infectieuse.

Extrême prudence : Troisième phase du travail de l'accouchement.

RÉACTIONS INDÉSIRABLES ET EFFETS SECONDAIRES

SNC : étourdissements, céphalées.

ORLO : acouphènes.

Resp. : dyspnée.

CV : palpitations, HYPOTENSION, douleurs thoraciques, hypertension, arythmies.

GI : nausées, vomissements.

GU : crampes.

Tég. : diaphorèse.

Divers : réactions allergiques.

INTERACTIONS

Médicament – médicament : Risque de vasoconstriction excessive lors de l'administration simultanée d'autres **vasopresseurs,** comme la **dopamine,** ou en cas de **tabagisme excessif.**

VOIES D'ADMINISTRATION ET POSOLOGIE

- **PO (adultes):** de 0,2 à 0,4 mg, toutes les 6 à 12 h, pendant 2 à 7 jours.
- **IM, IV (adultes):** 0,2 mg, toutes les 2 à 4 h, jusqu'à concurrence de 5 doses; puis substituer à cette voie la voie orale.

PHARMACODYNAMIE
(effet sur les contractions utérines)

	DÉBUT D'ACTION	PIC	DURÉE
PO	5 – 15 min	inconnu	3 h
IM	2 – 5 min	inconnu	3 h
IV	immédiat	inconnu	45 min – 3 h

SOINS INFIRMIERS

ÉVALUATION DE LA SITUATION

□ Mesurer la pression artérielle, la fréquence cardiaque et la réponse de l'utérus à intervalles fréquents pendant l'administration du médicament. Prévenir immédiatement le médecin si la relaxation utérine se prolonge ou si les caractéristiques des saignements vaginaux se modifient.

□ Suivre de près l'apparition des signes suivants d'ergotisme: doigts et orteils engourdis et froids, douleurs thoraciques, nausées, vomissements, céphalées, douleurs musculaires, faiblesse.

- **Étude des examens diagnostiques et biochimiques:** En l'absence d'une réponse à la méthylergonovine, on devrait déterminer les concentrations de calcium. L'efficacité du médicament est réduite en présence d'hypocalcémie.

□ La méthylergonovine peut entraîner la réduction des concentrations sériques de prolactine.

DIAGNOSTICS INFIRMIERS POSSIBLES

- **Énoncés diagnostiques**
□ Douleur.
□ Prise en charge inefficace du programme thérapeutique.
□ *Risque élevé d'anxiété.*

- **Facteurs favorisants**
□ Informations incomplètes.
□ *Manque de connaissances sur les effets secondaires du médicament et sur les moyens de les prévenir.*
□ *Manque de connaissances sur les modalités du traitement.*

INTERVENTIONS INFIRMIÈRES

- **IV:** La voie IV est utilisée en cas d'urgence seulement. Les voies orale et IM sont les voies préférées.

- **IV directe:** On peut administrer la solution non diluée ou la diluer dans 5 mL de solution de NaCl à 0,9 % et l'administrer dans une tubulure en Y ou dans un robinet à 3 voies. Ne pas ajouter ce médicament à des solutions IV. Ne pas mélanger la solution avec un autre médicament dans la même seringue. Réfrigérer la solution; elle reste stable à la température ambiante pendant 60 jours, mais se détériore avec le temps. N'utiliser que les solutions transparentes et incolores qui ne contiennent pas de précipité.

□ *Vitesse d'administration:* Administrer la préparation à un débit de 0,2 mg à la minute.

- **Compatibilités (tubulure en Y):** Chlorure de potassium, héparine ou succinate d'hydrocortisone sodique.

ENSEIGNEMENT AU PATIENT ET À SES PROCHES

□ Conseiller à la patiente de suivre scrupuleusement la posologie recommandée. La prévenir qu'elle ne doit jamais remplacer une dose manquée par une double dose ni sauter de dose. Si elle n'a pas pu prendre le médicament au moment habituel, ne pas prendre cette dose et revenir au schéma posologique régulier.

□ Prévenir la patiente que le médicament peut provoquer des crampes qui ressemblent aux crampes menstruelles.

□ Recommander à la patiente de ne pas fumer, car la nicotine provoque la constriction des vaisseaux sanguins.

□ Recommander à la patiente d'informer le médecin si une infection se manifeste, car elle peut entraîner une sensibilité accrue au médicament.

VÉRIFICATION DES RÉSULTATS

L'efficacité du traitement peut être démontrée par: des contractions qui maintiennent le tonus utérin et permettent de prévenir l'hémorragie après un accouchement.

MÉTHYLPHÉNIDATE
PMS-Méthylphénidate, Ritalin, Ritalin-SR

CLASSIFICATION:
Stimulant du SNC

Substance contrôlée

Grossesse – catégorie inconnue

INDICATIONS

■ Traitement d'appoint du trouble déficitaire de l'attention avec hyperactivité (TDAH) ■ Traitement symptomatique de la narcolepsie.

ACTION

■ Stimulation du SNC et de l'appareil respiratoire, avec faible activité sympathomimétique. **Effets thérapeutiques:** ■ Augmentation de la durée de la concentration en cas de trouble déficitaire de l'attention avec hyperactivité ■ Augmentation de l'activité motrice et de la vigilance et diminution de la fatigue chez les patients narcoleptiques.

PHARMACOCINÉTIQUE

Absorption: Bonne absorption par suite de l'administration par voie orale, bien que l'absorption des comprimés à libération prolongée (SR) soit retardée.
Distribution: Inconnue.

Métabolisme et excrétion: Le médicament est surtout métabolisé par le foie (80 %).
Demi-vie: De 1 à 3 h.

CONTRE-INDICATIONS ET PRÉCAUTIONS

Contre-indications: ■ Hypersensibilité ■ Grossesse ou allaitement ■ État d'hyperexcitation ■ Hyperthyroïdie ■ Personnalités psychotiques, patients ayant manifesté des tendances suicidaires ou homicides ■ Glaucome ■ Tics moteurs.
Précautions: ■ Antécédents de maladie cardiovasculaire ■ Hypertension ■ Diabète sucré ■ Personnes âgées ou patients débilités ■ Usage continu (risque de dépendance psychologique ou physique) ■ Troubles convulsifs (le médicament peut abaisser le seuil de convulsions).

RÉACTIONS INDÉSIRABLES ET EFFETS SECONDAIRES

SNC: agitation, tremblement, hyperactivité, insomnie, irritabilité, étourdissements, céphalées.
ORLO: vision trouble.
CV: tachycardie, palpitations, hypertension, hypotension.
GI: nausées, vomissements, anorexie, sécheresse de la bouche (xérostomie), crampes, diarrhée, constipation, goût métallique.
Tég.: rash.
SN: akathisie, dyskinésie.
Divers: réactions d'hypersensibilité, fièvre.

INTERACTIONS

Médicament – médicament: ■ Effets sympathomimétiques additifs lors de l'administration simultanée d'autres agents **sympathomimétiques**, incluant les **vasoconstricteurs** et les **décongestionnants** ■ L'usage simultané d'**inhibiteurs de la MAO** ou de **vasopresseurs** peut déclencher une crise hypertensive ■ Le méthylphénidate peut contrecarrer l'effet hypotenseur de la **guanéthidine** ■ Risque d'inhibition du métabolisme des **anticoagulants oraux**, des **anticonvulsivants** et

M

des **antidépresseurs tricycliques** et d'accroissement de leurs effets. **Médicament – aliments: ■** La consommation excessive d'aliments ou de boissons contenant de la **caféine** (café, boissons à base de cola, thé) peut mener à une stimulation additive du SNC.

VOIES D'ADMINISTRATION ET POSOLOGIE

Trouble déficitaire de l'attention avec hyperactivité

■ PO (enfants > 6 ans): On peut administrer une dose initiale de 5 à 10 mg, 3 fois par jour, et augmenter la dose quotidienne de 5 à 10 mg à intervalles de 1 semaine (ne pas dépasser 60 mg par jour).

Narcolepsie

■ PO (adultes): 10 mg, 2 ou 3 fois par jour (la dose maximale est de 60 mg par jour).

PHARMACODYNAMIE (stimulation du SNC)

	DÉBUT D'ACTION	PIC	DURÉE
PO	inconnu	1–3 h	4–6 h
PO action prolongée	inconnu	inconnu	jusqu'à 8 h

SOINS INFIRMIERS

ÉVALUATION DE LA SITUATION

■ Directives générales: Mesurer la pression artérielle, le pouls et la fréquence respiratoire avant l'administration et à intervalles réguliers pendant toute la durée du traitement.
☐ Suivre de près la croissance de l'enfant qui suit un traitement prolongé en mesurant sa taille et son poids.
☐ Le méthylphénidate peut provoquer un faux sentiment d'euphorie et de bien-être. Prévoir des repos fréquents et suivre de près l'apparition d'une dépression rebond après que les effets du médicament se sont épuisés.

☐ L'usage du méthylphénidate comporte des risques élevés de dépendance et de toxicomanie. L'accoutumance aux effets du médicament survient rapidement; ne pas augmenter la dose.

■ Trouble déficitaire de l'attention avec hyperactivité: Noter la durée de l'attention, la maîtrise des impulsions et les interactions de l'enfant avec autrui. On peut interrompre le traitement pendant un certain temps afin de déterminer si les symptômes sont suffisamment graves pour justifier la poursuite du traitement.

■ Narcolepsie: Observer la fréquence des épisodes de narcolepsie et les consigner dans les dossiers.

■ Étude des examens diagnostiques et biochimiques: Mesurer la numération globulaire et plaquettaire et la formule leucocytaire à intervalles réguliers chez les patients qui reçoivent un traitement prolongé.

DIAGNOSTICS INFIRMIERS POSSIBLES

■ Énoncés diagnostiques
☐ Altération des opérations de la pensée.
☐ Prise en charge inefficace du programme thérapeutique.
☐ *Risque élevé d'agitation.*
☐ *Risque élevé de perturbation des habitudes de sommeil.*
☐ *Risque élevé de déficit nutritionnel.*
☐ *Risque élevé d'accident.*

■ Facteurs favorisants
☐ Informations incomplètes.
☐ *Manque de connaissances sur les effets secondaires du médicament et sur les moyens de les prévenir.*
☐ *Manque de connaissances sur les modalités du traitement.*
☐ *Perturbation de la vigilance.*

INTERVENTIONS INFIRMIÈRES

PO: Administrer de 30 à 45 min avant les repas. Les comprimés à libération prolongée devraient être avalés tels quels sans être brisés, broyés ni croqués.

ENSEIGNEMENT AU PATIENT ET À SES PROCHES

- **Directives générales:** Conseiller au patient de suivre scrupuleusement la posologie recommandée. S'il n'a pas pu prendre le médicament au moment habituel, il devrait prendre les autres doses de la journée en les espaçant également, sans jamais doubler les doses. Afin de réduire les risques d'insomnie, la dernière dose de la journée devrait être prise avant 18 h. Insister sur le fait qu'il ne faut pas modifier la posologie sans consulter le médecin. Le sevrage brusque après un traitement à doses élevées peut provoquer une fatigue extrême ou la dépression mentale.
- ▫ Recommander au patient de se peser 2 ou 3 fois par semaine et de signaler au médecin toute perte de poids.
- ▫ Prévenir le patient que le méthylphénidate peut provoquer des étourdissements ou une vision trouble. Lui conseiller de ne pas conduire et d'éviter les activités qui exigent sa vigilance jusqu'à ce qu'on ait la certitude que le médicament n'entraîne pas ces effets chez lui.
- ▫ Conseiller au patient d'éviter de consommer des boissons à base de caféine en même temps que ce médicament.
- ▫ Recommander au patient de signaler au médecin la nervosité, l'insomnie, les palpitations, les vomissements, le rash ou la fièvre.
- ▫ Informer le patient que le médecin peut prescrire des arrêts temporaires de la médication lui permettant d'évaluer les bienfaits du traitement et de diminuer la dépendance.
- ▫ Insister sur l'importance des examens réguliers de suivi permettant d'évaluer les bienfaits du traitement.
- **Trouble déficitaire de l'attention avec hyperactivité:** Conseiller aux parents d'informer l'infirmière de l'école du traitement que suit leur enfant.

VÉRIFICATION DES RÉSULTATS

L'efficacité du traitement peut être démontrée par: ■ la diminution de la fréquence des symptômes narcoleptiques ■ l'augmentation de la durée de l'attention et l'amélioration des interactions sociales.

MÉTHYLPREDNISOLONE
Medrol

MÉTHYLPREDNISOLONE, ACÉTATE DE
Depo-Medrol, Medrol-Crème Veriderm, (dep Medalone), (Depoject), (Depopred), (D-Med), (Duralone), (Dura-meth), (Medralone), (Medrol Enpak), (Medrone), (M-Prednisol), (Rep-Pred)

MÉTHYLPREDNISOLONE, SUCCINATE SODIQUE DE
Solu-Medrol, (A-Methapred)

CLASSIFICATION:
Glucocorticoïde à action intermédiaire
Grossesse – catégorie inconnue

INDICATIONS

■ Traitement systémique et local d'une grande variété d'affections dont: ▫ les maladies inflammatoires chroniques ▫ les maladies allergiques ▫ les maladies hématologiques ▫ les maladies néoplasiques ▫ les maladies auto-immunes ■ Médicament pouvant être administré un jour sur deux.

ACTION

■ Suppression de l'inflammation et de la réponse immunitaire normale ■ Nombreux effets métaboliques intenses ■ Suppression de la fonction des surrénales à des doses de 4 mg par jour, administrées sur une période prolongée ■ Médicament pratiquement dénué de toute activité minéralocorticoïde (rétention sodique). **Effets thérapeutiques:** ■ Suppression de l'inflammation et modification de la réponse immunitaire normale.

PHARMACOCINÉTIQUE

Absorption: Bonne absorption par suite de l'administration par voie orale et IM. L'application prolongée de doses élevées de préparation topique peut également mener à l'absorption systémique. Le sel d'acétate, administré par voie IM, a une longue durée d'action.

Distribution: Le médicament se répartit dans tout l'organisme. Il traverse le placenta et pénètre en quantités minimes dans le lait maternel.

Métabolisme et excrétion: Le médicament est surtout métabolisé par le foie. De petites quantités sont excrétées à l'état inchangé par les reins.

Demi-vie: De 80 à 190 min. La suppression de la fonction surrénalienne dure de 1,25 à 1,5 jour.

CONTRE-INDICATIONS ET PRÉCAUTIONS

Contre-indications: ■ Infections en évolution qui n'ont pas été traitées, à l'exception de certaines formes de méningite ■ Allaitement (éviter l'administration prolongée) ● ■ Hypersensibilité aux additifs (dérivés des parabènes, alcool benzylique).

Précautions: ■ Traitement prolongé (risque de suppression de la fonction surrénalienne) ■ Sevrage brusque (à proscrire) ■ Stress (intervention chirurgicale, infection) – au cours d'un traitement prolongé, il faut administrer des doses supplémentaires ■ Grossesse ou allaitement (l'innocuité du médicament n'a pas été établie) ■ Enfants (l'administration prolongée peut entraîner une diminution de la croissance) ■ Infections (le médicament peut masquer la fièvre et l'inflammation).

RÉACTIONS INDÉSIRABLES ET EFFETS SECONDAIRES

SNC: céphalées, agitation, psychose, dépression, euphorie, changements de personnalité, pression intracrânienne accrue (enfants seulement).

ORLO: cataractes, pression intraoculaire accrue.

CV: hypertension.

GI: nausées, vomissements, anorexie, ulcère gastroduodénal.

Hémat.: thromboembolie, thrombophlébite.

Tég.: ralentissement de la cicatrisation des plaies, pétéchies, ecchymoses, fragilité, hirsutisme, acné.

End.: suppression de la fonction surrénalienne, hyperglycémie.

HÉ: hypokaliémie, alcalose hypokaliémique, rétention hydrique (traitement prolongé à des doses élevées).

Métab.: perte de poids, gain de poids.

Loc.: atrophie musculaire, douleurs musculaires, nécrose aseptique des articulations, ostéoporose.

Divers: prédisposition accrue aux infections, aspect cushingoïde (faciès lunaire, bosse de bison).

INTERACTIONS

Médicament – médicament: ■ Hypokaliémie additive lors de l'administration concomitante de **diurétiques**, d'**amphotéricine B**, de **mezlocilline**, de **pipéracilline** ou de **ticarcilline** ■ L'hypokaliémie peut augmenter le risque de toxicité aux **dérivés digitaliques** ■ La méthylprednisolone peut augmenter les besoins en **insuline** ou en **hypoglycémiants** ■ La méthylprednisolone peut diminuer la réponse des anticorps aux **vaccins vivants** et augmenter le risque de réactions indésirables.

PRÉSENTATION

La méthylprednisolone est présentée sous forme de préparations orales, de préparations topiques et de solutions pour injection. Les solutions pour injection sont destinées à l'administration par voie IM, IV, intra-articulaire et pour l'administration dans la lésion.

VOIES D'ADMINISTRATION ET POSOLOGIE

- **PO (adultes):** initialement, de 4 à 48 mg par jour en 1 dose ou en 2 à 4 doses fractionnées.
- **PO (enfants) (É.-U.):** de 0,117 à 1,66 mg/kg par jour en 3 ou en 4 doses fractionnées.
- **IM (adultes):** de 40 à 120 mg toutes les semaines ou toutes les 2 semaines (acétate) ou 1 dose par jour équivalente à la dose orale quotidienne totale de méthylprednisolone.
- **IM (enfants) (É.-U.):** de 0,139 à 1,66 mg/kg par jour en 1 dose ou en 2 doses fractionnées.
- **IM, IV (adultes):** de 10 à 500 mg, toutes les 4 à 6 h (succinate).
- **Voie intra-articulaire, administration dans la lésion (adultes);** de 4 à 80 mg (acétate).
- **Préparation topique (adultes):** onguent à 0,25 %, 1 à 3 fois par jour.

PHARMACODYNAMIE (effet anti-inflammatoire)

	DÉBUT D'ACTION	PIC	DURÉE
PO	quelques heures	1 – 2 h	1,25 – 1,5 jour
IM (acétate)	6 – 48 h	4 – 8 jours	1 – 4 semaines
IM (succinate)	rapide	inconnu	inconnue
IV (succinate)	rapide	inconnu	inconnue
intra-articulaire ou administration dans la lésion (acétate)	très lent	7 jours	1 – 5 semaines

✳ SOINS INFIRMIERS

ÉVALUATION DE LA SITUATION

- **Directives générales:** Ce médicament est indiqué pour le traitement de nombreuses maladies. Examiner les systèmes atteints avant le début du traitement et à intervalles réguliers pendant toute sa durée.
- ☐ Avant le début du traitement et à intervalles réguliers pendant toute sa durée, surveiller les symptômes suivants d'insuffisance surrénalienne: hypotension, perte de poids, faiblesse, nausées, vomissements, anorexie, léthargie, confusion, agitation.
- ☐ Effectuer le bilan quotidien des ingesta et des excreta et peser le patient tous les jours. Suivre de près l'aspect de l'œdème périphérique, le gain de poids constant, les râles, les crépitations ou la dyspnée. Prévenir le médecin si ces symptômes se manifestent.
- ☐ Les enfants devraient également subir des examens réguliers pour déterminer leur rythme de croissance.
- **Voie intra-articulaire:** Déterminer l'intensité de la douleur, surveiller l'apparition d'un œdème et vérifier l'amplitude du mouvement des articulations atteintes.
- **Préparation topique, administration dans la lésion:** Examiner la peau affectée avant le début du traitement et tous les jours pendant toute sa durée. Noter le degré d'inflammation, le prurit, les caractéristiques des lésions et leur taille.
- **Étude des examens diagnostiques et biochimiques:** Les patients qui suivent un traitement prolongé devraient subir à intervalles réguliers des analyses permettant de mesurer les valeurs hématologiques, les concentrations sériques d'électrolytes et les concentrations sériques et urinaires de glucose. La méthylprednisolone peut entraîner la diminution du nombre de leucocytes. Elle peut déclencher l'hyperglycémie, particulièrement chez les patients souffrant de diabète. Le médicament peut entraîner la diminution des concentrations sériques de potassium et de calcium et l'élévation des concentrations sériques de sodium.
- ☐ Signaler rapidement au médecin la présence de sang occulte dans les selles déterminée par la méthode au gaïac.

☐ Le médecin peut prescrire des tests de l'exploration fonctionnelle surrénalienne à intervalles réguliers pour déterminer le degré de suppression de l'axe hypothalamo-hypophysosurrénalien, lors d'un traitement systémique ou d'un traitement prolongé par voie topique.

☐ La méthylprednisolone peut entraîner l'élévation des concentrations sériques de cholestérol et de lipides.

☐ Le médicament peut diminuer les concentrations sériques de thyroxine et d'iode lié aux protéines.

☐ La méthylprednisolone supprime les réactions aux tests cutanés allergologiques.

DIAGNOSTICS INFIRMIERS POSSIBLES

■ **Énoncés diagnostiques**

☐ Risque élevé d'infection.

☐ Prise en charge inefficace du programme thérapeutique.

☐ *Risque élevé d'atteinte à l'intégrité de la peau.*

☐ *Risque élevé de déficit nutritionnel.*

☐ *Risque élevé d'intolérance à l'activité.*

☐ *Risque élevé d'accident.*

■ **Facteurs favorisants**

☐ Informations incomplètes.

☐ *Manque de connaissances sur les moyens de prévenir les effets secondaires du médicament.*

☐ *Manque de connaissances sur les modalités du traitement.*

☐ *Manque de connaissances sur les moyens de prévenir les effets secondaires affectant l'appareil gastrointestinal.*

☐ *Douleur*

☐ *Manque de connaissances sur le régime alimentaire à suivre.*

INTERVENTIONS INFIRMIÈRES

■ **Directives générales:** Dans le cas d'un traitement quotidien ou d'un jour sur deux, administrer la dose le matin pour faire coïncider la prise du médicament avec les sécrétions naturelles de cortisol.

■ **PO:** Administrer la méthylprednisolone avec des aliments afin de réduire l'irritation gastrique.

■ **IM:** Bien agiter la suspension avant de la retirer de la fiole. Ne pas administrer le médicament par voie IM lorsqu'un effet rapide est souhaitable.

■ **IV directe:** Reconstituer le médicament avec la solution fournie (Mix-O-Vials) ou avec 7,8 ou 15,6 mL d'eau bactériostatique (avec de l'alcool benzylique) pour injection.

☐ *Vitesse d'administration:* On peut administrer le médicament par IV directe en une ou plusieurs minutes.

■ **Perfusion intermittente ou continue:** On peut diluer la solution de nouveau dans une solution de dextrose à 5 % dans de l'eau, de NaCl à 0,9 % ou de dextrose à 5 % dans une solution de NaCl à 0,9 % et l'administrer sous forme de perfusion intermittente ou continue au débit prescrit. La solution peut devenir trouble après dilution.

Succinate sodique de méthylprednisolone

■ **Association compatible dans la même seringue:** Métoclopramide.

■ **Compatibilités (tubulure en Y):** Acyclovir, amrinone ou famotidine.

■ **Compatibilités en addition au soluté:** Chloramphénicol, cimétidine, clindamycine, dopamine, héparine, norépinéphrine, pénicilline G potassique, théophylline ou vérapamil.

■ **Incompatibilités en addition au soluté:** Gluconate de calcium, glycopyrrolate, insuline, métaraminol, nafcilline, pénicilline G sodique ou tétracycline.

■ **Préparation topique:** Appliquer la préparation sur une peau propre, légèrement humectée. Porter des gants. Ne recouvrir d'un pansement occlusif que si le médecin le recommande.

ENSEIGNEMENT AU PATIENT ET À SES PROCHES

☐ Montrer au patient la méthode appropriée d'administration de la préparation prescrite. Lui conseiller de suivre scrupuleusement la posologie recommandée et de ne pas sauter de dose. S'il n'a pas pu prendre le médicament au moment habituel, il ne doit pas doubler la dose. Le sevrage brusque peut entraîner une insuffisance surrénalienne se manifestant par l'anorexie, des nausées, la fatigue, la faiblesse, l'hypotension, la dyspnée et l'hypoglycémie. Si ces signes apparaissent, prévenir immédiatement le médecin, car la vie du patient peut être en danger.

☐ Encourager le patient qui suit un traitement prolongé à consommer des aliments riches en protéines, en calcium et en potassium et pauvres en sodium et en hydrates de carbone (voir l'annexe K).

☐ La méthylprednisolone supprime la réponse immunitaire et peut masquer les symptômes d'infection. Conseiller au patient d'éviter les personnes contagieuses et de signaler au médecin toute infection possible.

☐ Expliquer au patient les effets secondaires possibles du médicament. Lui recommander de prévenir rapidement le médecin s'il souffre de fortes douleurs abdominales ou si ses selles deviennent goudronneuses. Lui recommander de signaler également au médecin toute enflure inhabituelle, un gain de poids, la fatigue, des douleurs osseuses, la formation d'ecchymoses, les plaies qui ne cicatrisent pas, les troubles visuels ou des modifications de comportement.

☐ Recommander au patient de prévenir le médecin si les symptômes de la maladie sous-jacente ressurgissent ou s'aggravent.

☐ Conseiller au patient de porter sur lui une pièce d'identité où sont inscrits son problème de santé et son traitement pour parer à toute urgence lors de circonstances où il est incapable d'exposer ses antécédents médicaux.

☐ Recommander au patient de ne pas se faire vacciner sans recommandation expresse du médecin.

☐ Insister sur l'importance des examens de suivi permettant d'évaluer les bienfaits du traitement et les effets secondaires.

VÉRIFICATION DES RÉSULTATS

L'efficacité du traitement peut être démontrée par : ■ la suppression des réponses inflammatoire et immunitaire en présence de maladies auto-immunes et de réactions allergiques ■ la résolution des symptômes d'insuffisance surrénalienne.

MÉTHYSERGIDE
Sansert

CLASSIFICATION :
Traitement des céphalées vasculaires

Grossesse – catégorie inconnue

INDICATIONS

Prévention des céphalées vasculaires incluant la migraine et les céphalées vasculaires de Horton.

ACTION

■ Activité antisérotoninergique au niveau des muscles lisses produisant une vasoconstriction directe. **Effets thérapeutiques :** ■ Prévention des céphalées vasculaires.

PHARMACOCINÉTIQUE

Absorption : Par suite de l'administration PO, l'absorption est rapide.

Distribution : Le médicament se répartit dans tout l'organisme et pénètre probablement dans le lait maternel.

Métabolisme et excrétion : Le méthysergide est métabolisé par le foie. Une certaine partie se transforme en méthylergonovine (composé actif).

Demi-vie : 10 h.

CONTRE-INDICATIONS ET PRÉCAUTIONS

Contre-indications : ■ Hypersensibilité ■ Hypersensibilité à la tartrazine ■ Maladie pulmonaire ■ Maladie cardiovasculaire grave ■ Valvulopathie ■ Maladie infectieuse ■ Maladie vasculaire périphérique ■ Grossesse, allaitement ou enfants.

Précautions : ■ Dysfonction rénale ou hépatique ■ Ulcère gastroduodénal ■ Prurit ■ Polyarthrite rhumatoïde et affections connexes.

RÉACTIONS INDÉSIRABLES ET EFFETS SECONDAIRES

SNC : insomnie, somnolence, légère euphorie, léthargie, dépression, vertige, étourdissements, ataxie, sensation de tête légère, agitation, nervosité, élocution rapide, confusion, hallucinations, psychoses.

ORLO : troubles visuels.

Resp. : fibrose pulmonaire.

CV : fibrose myocardique, vasoconstriction périphérique, hypotension, tachycardie, œdème.

GI : irritation gastrique.

Tég. : bouffées vasomotrices, rash, dermatite, épaississement de la peau, démangeaisons.

SN : neuropathie périphérique.

Divers : fibrose rétropéritonéale.

INTERACTIONS

Médicament – médicament : Vasoconstriction additive en cas d'usage simultané de **cocaïne** et d'autres **vasopresseurs** ou en cas de **tabagisme** excessif.

VOIES D'ADMINISTRATION ET POSOLOGIE

PO (adultes) : de 4 à 8 mg par jour en doses fractionnées (ne pas administrer pendant plus de 6 mois sans un arrêt temporaire de la médication de 3 à 4 semaines).

PHARMACODYNAMIE
(prophylaxie des céphalées)

	DÉBUT D'ACTION	PIC	DURÉE
PO	1 – 2 jours	inconnu	1 – 2 jours

 SOINS INFIRMIERS

ÉVALUATION DE LA SITUATION

☐ Déterminer la fréquence, le siège, la durée et les caractéristiques des céphalées chroniques (douleurs, nausées, vomissements, troubles visuels).

☐ Mesurer la pression artérielle et le pouls périphérique à intervalles réguliers pendant toute la durée du traitement. Prévenir le médecin si des signes d'insuffisance vasculaire ou de neuropathie périphérique se manifestent.

☐ Suivre de près les signes suivants d'ergotisme : doigts et orteils engourdis et froids, nausées, vomissements, céphalées, douleurs musculaires, faiblesse.

DIAGNOSTICS INFIRMIERS POSSIBLES

■ **Énoncés diagnostiques**

☐ Douleur aiguë.

☐ Risque élevé d'accident.

☐ Prise en charge inefficace du programme thérapeutique.

☐ *Risque élevé d'atteinte à l'intégrité de la peau.*

☐ *Risque élevé d'agitation.*

■ **Facteurs favorisants**

☐ Informations incomplètes.

☐ *Manque de connaissances sur les moyens de prévenir les effets secondaires du médicament.*

☐ *Manque de connaissances sur les modalités du traitement.*

☐ *Perturbation de la vigilance.*

☐ *Manque de connaissances sur les effets hypotensifs du médicament lors des changements brusques de position.*

M

- **PO:** Administrer le méthysergide avec du lait ou des aliments afin de réduire l'irritation gastrique.

ENSEIGNEMENT AU PATIENT ET À SES PROCHES

☐ Conseiller au patient de suivre scrupuleusement la posologie recommandée. S'il n'a pas pu prendre le médicament au moment habituel, lui recommander de ne pas prendre cette dose. Lui expliquer qu'il ne faut jamais remplacer une dose manquée par une double dose.

☐ Recommander au patient de ne pas arrêter le traitement sans consulter le médecin au préalable car, pour prévenir les céphalées rebond, un sevrage graduel de 2 à 3 semaines pourrait s'avérer nécessaire. Le méthysergide ne devrait pas être administré de façon continue pendant plus de 6 mois.

☐ Prévenir le patient que le méthysergide peut provoquer des étourdissements, une sensation de tête légère ou de la somnolence. Lui conseiller de ne pas conduire et d'éviter les activités qui exigent sa vigilance jusqu'à ce qu'on ait la certitude que le médicament n'entraîne pas ces effets chez lui.

☐ Conseiller au patient de signaler rapidement au médecin les signes d'infection.

☐ Conseiller au patient de changer lentement de position afin de réduire les étourdissements ou la sensation de tête légère.

☐ Recommander au patient de ne pas fumer et d'éviter de s'exposer au froid, car ces vasoconstricteurs peuvent altérer davantage la circulation périphérique.

☐ Conseiller au patient d'éviter de consommer des boissons alcoolisées, car l'alcool peut déclencher des céphalées vasculaires.

VÉRIFICATION DES RÉSULTATS

L'efficacité du traitement peut être démontrée par: la prévention des céphalées vasculaires.

MÉTIPRANOLOL
(OptiPranolol)

CLASSIFICATION:
Agent ophtalmique – bêtabloquant;
traitement du glaucome

Grossesse – catégorie C

INDICATIONS

Abaissement de la pression intraoculaire chez les patients souffrant de glaucome chronique à angle ouvert ou d'hypertension oculaire.

ACTION

■ Blocage des récepteurs bêta-adrénergiques oculaires diminuant ainsi la production d'humeur aqueuse ■ Blocage possible des récepteurs bêta$_1$ (myocardiques) et bêta$_2$ (pulmonaires), bien que les effets systémiques du médicament soient minimes. **Effets thérapeutiques:** ■ Abaissement de la pression intraoculaire.

PHARMACOCINÉTIQUE

Absorption: Par suite de l'administration dans l'œil, l'absorption systémique est minime, mais elle peut cependant survenir.
Distribution: Par suite de l'administration dans l'œil, le médicament se répartit dans tous les tissus oculaires.
Métabolisme et excrétion: Inconnus.
Demi-vie: Inconnue.

CONTRE-INDICATIONS ET PRÉCAUTIONS

Contre-indications: ■ Hypersensibilité au métipranolol ou au chlorure de benzalkonium ■ Insuffisance cardiaque non

M

compensée ■ Œdème pulmonaire ■ Choc cardiogène ■ Bradycardie ■ Bloc cardiaque.

Précautions : ■ Insuffisance cardiaque ■ Diabète sucré (en cas d'absorption systémique, certains symptômes d'hypoglycémie peuvent être masqués) ■ Maladie pulmonaire sous-jacente, incluant l'asthme ■ Myasthénie grave ou thyrotoxicose ■ Grossesse, allaitement ou enfants (l'innocuité du médicament n'a pas été établie).

RÉACTIONS INDÉSIRABLES ET EFFETS SECONDAIRES

CV : bradycardie, œdème pulmonaire, hypotension.

SNC : fatigue.

ORLO : picotement oculaire, conjonctivite, érythème, blépharite, acuité visuelle réduite, leucoplasie conjonctivale, larmoiement, douleurs au niveau des sourcils, dermatite des paupières, photophobie.

Resp. : bronchospasme.

Tég. : rash.

INTERACTIONS

Médicament – médicament : ■ Risque de blocage bêta-adrénergique additif lors de l'administration concomitante de **bêtabloquants à action systémique** (acébutolol, aténolol, bétaxolol, cartéolol, labétalol, métoprolol, nadolol, oxprénolol, pindolol, propranolol, sotalol ou timolol) ■ En cas d'absorption systémique, les **antihypertenseurs** ou les **dérivés nitrés**, administrés simultanément, exerceront des effets hypotensifs additifs ■ Lors de l'administration simultanée d'**autres agents qui abaissent la pression intraoculaire**, les effets sont additifs.

VOIES D'ADMINISTRATION ET POSOLOGIE

Gouttes ophtalmiques (adultes) : 1 goutte de solution à 0,3 %, deux fois par jour.

PHARMACODYNAMIE
(effets sur la pression intraoculaire)

	DÉBUT D'ACTION	PIC	DURÉE
gouttes ophtalmiques	30 min	2 h	12 – 24 h

✳ SOINS INFIRMIERS

ÉVALUATION DE LA SITUATION

☐ La pression intraoculaire doit être mesurée à intervalles réguliers pendant toute la durée du traitement.

☐ Mesurer la fréquence cardiaque et la pression artérielle à intervalles réguliers tout au long du traitement. En cas d'absorption systémique, le métipranolol peut réduire le débit cardiaque.

DIAGNOSTICS INFIRMIERS POSSIBLES

■ **Énoncés diagnostiques**

☐ Altération de la perception visuelle.

☐ Prise en charge inefficace du programme thérapeutique.

☐ *Risque élevé d'anxiété.*

■ **Facteurs favorisants**

☐ Informations incomplètes.

☐ *Manque de connaissances sur les moyens de réduire la photosensibilité et sur l'importance d'un suivi ophtalmologique.*

☐ *Manque de connaissances sur la méthode d'administration du médicament.*

☐ *Manque de connaissances sur les effets secondaires du médicament et sur les moyens de les prévenir.*

INTERVENTIONS INFIRMIÈRES

■ **Préparation ophtalmique :** Pour administrer les gouttes ophtalmiques, demander au patient de pencher la tête vers l'arrière et de regarder vers le haut. Abaisser délicatement la paupière inférieure avec l'index pour exposer le sac conjonctival et instiller le médicament. Après l'instillation, maintenir une légère pression sur le canthus interne pendant une minute, pour prévenir l'absorption systémique du médicament. Attendre au moins 5 min avant d'instiller un autre type de gouttes ophtalmiques.

ENSEIGNEMENT AU PATIENT ET À SES PROCHES

☐ Conseiller au patient de suivre scrupuleusement la posologie recommandée et de ne pas prendre des doses plus élevées que celles qui lui ont été prescrites. S'il n'a pas pu instiller le médicament au moment habituel, il doit le faire dès que possible à moins que ce ne soit presque l'heure prévue pour la dose suivante. Lui rappeler qu'il faut prendre la dose suivante à l'heure prévue.

☐ Montrer au patient comment instiller les gouttes ophtalmiques. Lui expliquer pourquoi il est important d'éviter tout contact entre l'embout de l'applicateur et une autre surface, quelle qu'elle soit.

☐ Recommander au patient qui doit suivre un traitement dentaire ou subir une intervention chirurgicale d'avertir le dentiste ou le médecin qu'il suit un traitement médicamenteux. Le sevrage graduel du métipranolol peut être nécessaire.

☐ Recommander au patient de signaler au médecin l'irritation ou l'inflammation oculaire, la diminution de l'acuité visuelle, le rash ou les démangeaisons.

☐ Insister sur l'importance des examens de suivi à intervalles réguliers permettant d'évaluer les bienfaits du traitement.

VÉRIFICATION DES RÉSULTATS

L'efficacité du traitement peut être démontrée par: la baisse de la pression intraoculaire.

MÉTOCLOPRAMIDE

Apo-Metoclop, Emex, Maxeran, Reglan, (Clopra), (Maxolon), (Octamide), (Recomide)

M

CLASSIFICATION:

Antiémétique ; stimulant gastro-intestinal

Grossesse – catégorie B

INDICATIONS

■ Traitement d'appoint du ralentissement de la vidange gastrique ■ Prévention des vomissements induits par la chimiothérapie ■ Adjuvant pour faciliter l'intubation de l'intestin grêle lors des procédés radiographiques ■ Prévention des vomissements postopératoires lorsque l'aspiration nasogastrique est déconseillée ■ Adjuvant pour faciliter l'évacuation gastro-intestinale de repas barytés et la visualisation radiologique de la région gastro-duodénale. **Usages non approuvés:** ■ Traitement de la gastroparésie diabétique et postchirurgicale ■ Traitement du reflux œsophagien.

ACTION

■ Blocage des récepteurs dopaminergiques dans la zone chémoréceptrice réflexogène du SNC ■ Stimulation de la motilité des voies digestives supérieures et accélération de la vidange gastrique. **Effets thérapeutiques:** ■ Diminution des nausées et des vomissements ■ Diminution des symptômes de gastroparésie.

PHARMACOCINÉTIQUE

Absorption: Le médicament est bien absorbé depuis le tractus gastro-intestinal et les points d'injection IM.

Distribution: Le médicament se répartit dans tous les tissus et liquides de l'organisme. Il traverse la barrière hémato-encéphalique et le placenta et on le retrouve dans le lait maternel à des concentrations plus élevées que dans le plasma.

Métabolisme et excrétion: Le métoclopramide est partiellement métabolisé par le foie; une fraction de 25 % est éliminée à l'état inchangé dans l'urine.
Demi-vie: De 2,5 à 5 h.

CONTRE-INDICATIONS ET PRÉCAUTIONS

Contre-indications: ■ Hypersensibilité ■ Risque d'occlusion ou d'hémorragie gastro-intestinale ■ Antécédents de convulsions ■ Phéochromocytome.

Précautions: ■ Enfants et personnes âgées (fréquence accrue de réactions extrapyramidales) ■ Grossesse ou allaitement (l'innocuité du médicament n'a pas été établie).

RÉACTIONS INDÉSIRABLES ET EFFETS SECONDAIRES

SNC: agitation, somnolence, fatigue, réactions extrapyramidales, dépression, irritabilité, anxiété.
CV: arythmies.
GI: constipation, diarrhée, nausées, sécheresse de la bouche (xérostomie).
End.: gynécomastie.

INTERACTIONS

Médicament – médicament: ■ Effets additifs sur la dépression du SNC lors de l'usage concomitant d'autres **dépresseurs du SNC**, incluant l'**alcool**, les **antidépresseurs**, les **antihistaminiques**, les **analgésiques narcotiques** ou les **hypnosédatifs** ■ Lors de l'administration du métoclopramide à des patients diabétiques, il faut parfois ajuster la posologie de l'**insuline** ■ Le métoclopramide peut affecter l'absorption gastro-intestinale d'autres **médicaments administrés par voie orale** en raison de son effet sur la motilité gastro-intestinale ■ Le métoclopramide peut exacerber l'hypotension au cours d'une **anesthésie générale** ■ Risque accru de réactions extrapyramidales lors de l'administration simultanée

d'agents comme l'**halopéridol** ou les **phénothiazines**.

PRÉSENTATION

Le métoclopramide existe aussi sous forme de sirop.

VOIES D'ADMINISTRATION ET POSOLOGIE

Usage en radiologie diagnostique
■ **PO (adultes):** 20 mg, 5 à 10 min avant le repas baryté.

Prévention des vomissements dus au cisplatine
■ **IV (adultes):** de 1 à 2 mg/kg; administrer une deuxième dose 2 h plus tard et une troisième dose 3 h plus tard s'il y a lieu (ne pas administrer la troisième dose si la dose est de 2 mg/kg).

Intubation de l'intestin grêle
■ **IV (adultes):** 10 mg.
■ **IV (enfants):** 0,1 mg/kg.

Gastroparésie diabétique
■ **PO, IM, IV (adultes) (É.-U.):** 10 mg, 30 min avant les repas et au coucher.

Reflux gastro-œsophagien
■ **PO (adultes) (É.-U.):** de 10 à 15 mg, 30 min avant les repas et au coucher (jusqu'à 4 fois par jour; ne pas dépasser 0,5 mg/kg par jour).

Prévention des vomissements postopératoires
■ **IM (adultes):** de 10 à 20 mg vers la fin de l'intervention et toutes les 4 à 6 h par la suite, selon les besoins.
■ **PO (adultes):** 20 mg, 2 h avant l'anesthésie.

Accélération de la vidange gastrique
■ **PO (adultes):** de 5 à 10 mg, 3 ou 4 fois par jour, avant les repas et au coucher.
■ **PO (enfants de 5 à 14 ans):** de 2,5 à 5 mg, 3 fois par jour avant les repas; ne pas dépasser 0,5 mg/kg par jour.
■ **IM, IV (adultes):** 10 mg, 2 à 3 fois par jour, au besoin.

PHARMACODYNAMIE
(effets sur le péristaltisme)

	DÉBUT D'ACTION	PIC	DURÉE
PO	30 – 60 min	inconnu	1 – 2 h
IM	10 – 15 min	inconnu	1 – 2 h
IV	1 – 3 min	immédiat	1 – 2 h

SOINS INFIRMIERS

ÉVALUATION DE LA SITUATION

☐ Suivre de près les nausées et les vomissements ; ausculter les bruits intestinaux et observer la distension abdominale avant et après l'administration du métoclopramide.

☐ Surveiller à intervalles réguliers, pendant toute la durée du traitement, les effets extrapyramidaux suivants : mouvements involontaires, grimaces, rigidité, démarche traînante, tremblements des mains. Les effets extrapyramidaux se manifestent plus souvent chez les enfants et chez les personnes âgées ; on peut les traiter avec de la diphenhydramine par voie IM.

DIAGNOSTICS INFIRMIERS POSSIBLES

■ **Énoncés diagnostiques**
☐ Déficit nutritionnel.
☐ Risque élevé d'accident.
☐ Prise en charge inefficace du programme thérapeutique.

■ **Facteurs favorisants**
☐ Informations incomplètes.
☐ *Perturbation de la vigilance.*
☐ *Manque de connaissances sur le régime alimentaire à suivre.*

INTERVENTIONS INFIRMIÈRES

■ **PO :** Administrer les doses 30 min avant les repas et au coucher.
■ **IV directe :** La dose IV doit être administrée 30 min avant celle de l'agent chimiothérapeutique.
☐ *Vitesse d'administration :* Les doses peuvent être administrées lentement

en 1 ou 2 min. L'administration rapide peut provoquer de l'agitation et une sensation d'anxiété passagères, mais intenses, suivies par de la somnolence.

■ **Perfusion intermittente :** On peut diluer la solution destinée à la perfusion IV dans 50 mL d'une solution de dextrose à 5 % dans de l'eau, de NaCl à 0,9 %, de dextrose à 5 % dans une solution de NaCl à 0,45 %, de solution de Ringer ou de lactate Ringer. La solution diluée est stable jusqu'à 48 h si elle est gardée à un éclairage normal et à une température se situant entre 4 et 30 °C.

☐ *Vitesse d'administration :* Perfuser lentement en au moins 15 min.

■ **Associations compatibles dans la même seringue :** Acide ascorbique, aminophylline, atropine, benztropine, bléomycine, chlorpromazine, cisplatine, cyclophosphamide, cytarabine, dexaméthasone, dimenhydrinate, diphenhydramine, doxorubicine, dropéridol, fentanyl, fluorouracile, héparine, hydrocortisone, hydroxyzine, insuline régulière, leucovorine, lidocaïne, mépéridine, midazolam, mitomycine, morphine, pentazocine, perphénazine, prochlorpérazine, promazine, prométhazine, ranitidine, scopolamine, succinate sodique de méthylprednisolone, sulfate de magnésium, vinblastine ou vincristine.

■ **Associations incompatibles dans la même seringue :** Ampicilline, bicarbonate de sodium, céphalothine, chloramphénicol, furosémide, gluconate de calcium ou pénicilline G potassique.

■ **Compatibilités (tubulure en Y) :** Acyclovir, bléomycine, cisplatine, cyclophosphamide, doxorubicine, dropéridol, famotidine, fluorouracile, foscarnet, héparine, leucovorine, méthotrexate, mitomycine, ondansétron, vinblastine, vincristine ou zidovudine.

■ **Incompatibilité (tubulure en Y) :** Furosémide.

- **Compatibilités en addition au soluté :** Acétate de potassium, chlorure de potassium, clindamycine, multivitamines, phosphate de potassium ou vérapamil.
- **Incompatibilités en addition au soluté :** Cisplatine, lactobionate d'érythromycine ou tétracycline.

ENSEIGNEMENT AU PATIENT ET À SES PROCHES

□ Conseiller au patient de suivre scrupuleusement la posologie recommandée. S'il n'a pas pu prendre le médicament au moment habituel, il doit le prendre aussitôt que possible à moins que ce ne soit presque l'heure prévue pour la dose suivante.

□ Prévenir le patient que le métoclopramide peut provoquer de la somnolence. Lui conseiller de ne pas conduire et d'éviter les activités qui exigent sa vigilance jusqu'à ce qu'on ait la preuve que le médicament n'entraîne pas cet effet chez lui.

□ Conseiller au patient d'éviter de boire de l'alcool et de ne pas prendre d'autres dépresseurs du SNC durant le traitement par le métoclopramide.

□ Recommander au patient de signaler immédiatement au médecin les mouvements involontaires des yeux, de la face ou des membres.

VÉRIFICATION DES RÉSULTATS

L'efficacité du traitement peut être démontrée par : ■ le soulagement des nausées et des vomissements ■ la diminution des symptômes de gastroparésie.

MÉTOCURINE
Iodure de Metubine

CLASSIFICATION :
Bloqueur neuromusculaire du type non dépolarisant

Grossesse – catégorie C

INDICATIONS

■ Paralysie des muscles squelettiques après induction de l'anesthésie lors d'une intervention chirurgicale ■ Prémédication lors de l'administration d'électrochocs ■ Traitement des patients soumis à la ventilation mécanique.

ACTION

■ Prévention de la transmission neuromusculaire par le blocage de l'effet de l'acétylcholine à la jonction neuromusculaire. **Effets thérapeutiques :** ■ Paralysie des muscles squelettiques, sans effets analgésiques ou anxiolytiques.

PHARMACOCINÉTIQUE

Absorption : La métocurine est réservée à l'administration par voie IV ; dans ce cas, sa biodisponibilité est totale.
Distribution : La métocurine se répartit dans tout l'organisme ; elle traverse le placenta.
Métabolisme et excrétion : Une fraction de 50 % est excrétée à l'état inchangé dans l'urine.
Demi-vie : 3,6 h.

CONTRE-INDICATIONS ET PRÉCAUTIONS

Contre-indications : Hypersensibilité à la métocurine, aux iodures ou au phénol.
Précautions : ■ Antécédents de maladie pulmonaire ou d'insuffisance rénale ou hépatique ■ Personnes âgées (le temps de récupération peut être prolongé, les doses à administrer peuvent varier d'un patient à l'autre) ■ Myasthénie grave ou syndrome myasthénique (paralysie respiratoire prolongée).

RÉACTIONS INDÉSIRABLES ET EFFETS SECONDAIRES

ORLO : salivation excessive.
Resp. : bronchospasme, APNÉE.
CV : hypotension, arythmies.
GI : diminution du tonus gastro-intestinal, diminution de la motilité gastro-intestinale.
Loc. : faiblesse musculaire.
Divers : réactions allergiques.

INTERACTIONS

Médicament – médicament: ■ L'intensité et la durée de la paralysie peuvent être prolongées en cas de prétraitement avec la **succinylcholine**, des **anesthésiques généraux**, des **aminosides**, la **polymyxine B**, la **colistine**, la **clindamycine**, la **lidocaïne**, la **quinidine**, le **procaïnamide**, les **bêtabloquants**, les **diurétiques provoquant une déplétion potassique** et le **magnésium** ■ L'**éther**, le **méthoxyflurane**, l'**halothane**, l'**enflurane** ou l'**isoflurane** augmentent l'intensité et prolongent la durée de l'action de la métocurine (il est conseillé de réduire la dose de métocurine) ■ Le **doxapram** peut masquer les effets résiduels de la métocurine ■ Le prétraitement par la **succinylcholine** intensifie la paralysie musculaire.

VOIES D'ADMINISTRATION ET POSOLOGIE

Intervention chirurgicale
■ **IV (adultes):** Initialement, de 0,05 à 0,1 mg/kg; on peut administrer des doses supplémentaires de 0,5 à 1 mg.

Prémédication lors de l'administration d'électrochocs
■ **IV (adultes):** 2 ou 3 mg (écart posologique de 1,75 à 5,5 mg).

PHARMACODYNAMIE (paralysie des muscles squelettiques)

	DÉBUT D'ACTION	PIC	DURÉE
IV	en quelques min	6 min	25 – 90 min*

* Le rétablissement complet de la fonction musculaire peut prendre plusieurs heures.

☀ SOINS INFIRMIERS

ÉVALUATION DE LA SITUATION

☐ Suivre de près l'état respiratoire pendant toute la durée du traitement par la métocurine. La métocurine ne devrait être administrée que par les personnes sachant pratiquer l'intubation endotrachéale; garder à portée de la main le matériel nécessaire à cette intervention.

☐ Évaluer la réponse neuromusculaire à la métocurine pendant l'intervention par la stimulation des nerfs périphériques. La paralysie des muscles est initialement sélective et elle se produit habituellement dans l'ordre suivant: muscles releveurs des paupières, muscles masticateurs, muscles des membres, muscles abdominaux, muscles de la glotte, muscles intercostaux et diaphragme. Le rétablissement de la fonction musculaire se produit habituellement dans l'ordre inverse.

☐ Pendant la période de récupération, surveiller les symptômes résiduels de faiblesse musculaire et de détresse respiratoire.

■ **Toxicité et surdosage:** En cas de surdosage, stimuler les nerfs périphériques pour déterminer le degré de blocage neuromusculaire. Maintenir la perméabilité des voies aériennes et la ventilation jusqu'au rétablissement de la respiration normale.

☐ On peut administrer des agents anticholinestérasiques (édrophonium, néostigmine, pyridostigmine) pour contrecarrer les effets de la métocurine. L'atropine est habituellement administrée avant les agents anticholinestérasiques ou en même temps qu'eux pour contrecarrer les effets muscariniques.

☐ Il peut s'avérer nécessaire d'administrer des liquides et des vasopresseurs pour traiter l'hypotension grave et le choc.

DIAGNOSTICS INFIRMIERS POSSIBLES

■ **Énoncés diagnostiques**
☐ Mode de respiration inefficace.
☐ Altération de la communication verbale.
☐ Peur.

■ **Facteurs favorisants**
☐ *Manque de connaissances sur les modalités du traitement.*

M

INTERVENTIONS INFIRMIÈRES

- **Directives générales :** La posologie doit être ajustée selon la réaction du patient.
- ☐ La métocurine ne modifie pas l'état de conscience ni le seuil de la douleur. Il faut *toujours* assurer une anesthésie adéquate lorsque la métocurine est utilisée lors d'une intervention chirurgicale en tant qu'adjuvant.
- **IV directe :** Administrer la dose en 30 à 60 s. La relaxation produite par la dose initiale dure de 25 à 90 min (60 min en moyenne) ; administrer des doses supplémentaires de 0,5 à 1 mg, selon les besoins.
- **Associations incompatibles dans la même seringue :** Barbituriques, bicarbonate de sodium, mépéridine ou morphine.

ENSEIGNEMENT AU PATIENT ET À SES PROCHES

- ☐ Expliquer toutes les interventions au patient qui reçoit un traitement à la métocurine sans anesthésie générale, étant donné que ce médicament, administré seul, ne modifie pas l'état de la conscience.
- ☐ Expliquer au patient que ses capacités de communication se rétabliront lorsque les effets du médicament s'épuiseront.

VÉRIFICATION DES RÉSULTATS

L'efficacité du traitement peut être démontrée par : la suppression adéquate des soubresauts musculaires, testée par la stimulation des nerfs périphériques, et une paralysie musculaire subséquente.

MÉTOLAZONE

Zaroxolyn, (Diulo), (Mykrox)

CLASSIFICATION :
Diurétique de type thiazidique ; antihypertenseur – diurétique

Grossesse – catégorie B

INDICATIONS

■ Monothérapie ou traitement d'association avec d'autres agents – hypertension légère à modérée ■ Monothérapie ou traitement d'association – œdème attribuable à l'insuffisance cardiaque ou au syndrome néphrotique ■ Médicament qui peut rester efficace même en présence d'insuffisance rénale ■ Œdème se produisant durant la grossesse et attribuable à des causes pathologiques.

ACTION

■ Excrétion accrue du sodium et de l'eau par l'inhibition de la réabsorption sodique au niveau des tubules distaux ■ Effet favorable sur l'excrétion des chlorures, du potassium, du magnésium et du bicarbonate ■ Dilatation artériolaire possible. **Effets thérapeutiques :** ■ Abaissement de la pression artérielle chez les hypertendus ■ Diurèse suivie de la diminution de l'œdème.

PHARMACOCINÉTIQUE

Absorption : Par suite de l'administration PO, l'absorption est variable.
Distribution : Inconnue.
Métabolisme et excrétion : Le médicament est excrété à l'état pratiquement inchangé par les reins.
Demi-vie : 8 h.

CONTRE-INDICATIONS ET PRÉCAUTIONS

Contre-indications : ■ Hypersensibilité ■ Risque de réactions de sensibilité croisée avec d'autres sulfamidés ■ Anurie ■ Allaitement.
Précautions : ■ Insuffisance hépatique grave ■ Grossesse ou enfants (l'innocuité du médicament n'a pas été établie).

RÉACTIONS INDÉSIRABLES ET EFFETS SECONDAIRES

SNC : somnolence, léthargie.
CV : hypotension, palpitations, douleurs thoraciques.
Tég. : rash, photosensibilité.
End. : hyperglycémie.

HÉ: hypokaliémie, alcalose hypochlorémique, hyponatrémie, hypercalcémie, hypophosphatémie, hypomagnésémie, déshydratation, hypovolémie.

GI: anorexie, nausées, vomissements, crampes, hépatite, ballonnement.

Hémat.: dyscrasie.

Métab.: hyperuricémie.

Loc.: crampes musculaires.

Divers: pancréatite, frissons.

INTERACTIONS

Médicament – médicament: ■ Effet hypotenseur additif, lors de l'administration simultanée d'**autres agents antihypertenseurs** ou de **dérivés nitrés** et lors de l'ingestion d'**alcool** ■ Effet hypokaliémique additif, lors de l'administration simultanée de **glucocorticoïdes**, d'**amphotéricine B**, d'**azlocilline**, de **carbénicilline**, de **mezlocilline**, de **pipéracilline** ou de **ticarcilline** ■ Le métolazone entraîne l'hypokaliémie, ce qui peut augmenter le risque de toxicité **digitalique** ■ Le métolazone diminue l'excrétion du **lithium** et peut provoquer une toxicité ■ Le métolazone peut diminuer l'efficacité de la **méthénamine**. **Médicament – aliments:** ■ L'ingestion simultanée d'**aliments** peut augmenter l'ampleur de l'absorption.

VOIES D'ADMINISTRATION ET POSOLOGIE

Diurétique

■ **PO (adultes):** de 5 à 20 mg par jour en une seule dose.

Antihypertenseur

■ **PO (adultes):** de 2,5 à 5 mg par jour en une seule dose.

PHARMACODYNAMIE
(indiqué pour les effets diurétiques; le plein effet antihypertenseur peut ne se manifeste qu'après plusieurs jours ou plusieurs semaines)

	DÉBUT D'ACTION	PIC	DURÉE
PO	1 h	2 h	12 – 24 h

☀ SOINS INFIRMIERS

ÉVALUATION DE LA SITUATION

☐ Mesurer la pression artérielle, effectuer le bilan quotidien des ingesta et des excreta et peser le patient tous les jours. Examiner quotidiennement les pieds, les jambes et la région sacrée pour déceler la formation d'œdème.

☐ Surveiller (particulièrement chez le patient qui prend des dérivés digitaliques) les symptômes suivants: anorexie, nausées, vomissements, crampes musculaires, paresthésie et confusion. Ces patients sont davantage prédisposés à la toxicité digitalique en raison de l'effet de déplétion potassique entraîné par le diurétique.

☐ Interroger le patient à propos de ses antécédents d'allergie aux sulfamidés.

■ **Étude des examens diagnostiques et biochimiques:** Noter les concentrations d'électrolytes (particulièrement, celles de potassium), la glycémie, les concentrations sériques d'urée et d'acide urique avant le traitement et à intervalles réguliers pendant toute sa durée.

☐ Le métolazone peut entraîner l'élévation des concentrations de glucose sérique et urinaire chez les patients diabétiques.

☐ L'agent peut entraîner l'élévation des concentrations sériques de bilirubine, de calcium et d'acide urique et la diminution des concentrations sériques de magnésium, de potassium et de sodium.

DIAGNOSTICS INFIRMIERS POSSIBLES

■ **Énoncés diagnostiques**

☐ Excès de volume liquidien.

☐ Déficit de volume liquidien.

☐ Prise en charge inefficace du programme thérapeutique.

☐ *Risque élevé d'accident.*

☐ *Risque élevé de déséquilibre hydro-électrolytique.*

☐ *Risque élevé d'altération de l'élimination urinaire.*

M

□ *Risque élevé d'atteinte à l'intégrité de la peau.*

■ **Facteurs favorisants**

□ Informations incomplètes.

□ *Perturbation de la vigilance.*

□ *Manque de connaissances sur les effets hypotensifs du médicament lors des changements brusques de position.*

□ *Manque de connaissances sur le régime alimentaire à suivre.*

□ *Modification de l'état liquidien ou des volumes circulants.*

□ *Difficulté à s'adapter aux changements nécessaires dans les habitudes de vie.*

□ *Manque de connaissances sur les moyens de réduire la photosensibilité.*

□ *Manque de connaissances sur les modalités du traitement.*

INTERVENTIONS INFIRMIÈRES

■ **Directives générales:** Administrer le matin afin d'éviter l'interruption du cycle du sommeil.

□ On peut utiliser un schéma posologique intermittent afin d'assurer un traitement continu de l'œdème.

■ **PO:** Administrer le métolazone avec des aliments ou du lait afin de réduire l'irritation gastrique.

ENSEIGNEMENT AU PATIENT ET À SES PROCHES

□ Conseiller au patient de prendre ce médicament au même moment tous les jours. S'il n'a pas pu prendre le médicament au moment habituel, il doit le prendre aussitôt que possible, à moins que ce ne soit presque l'heure prévue pour la dose suivante. L'avertir qu'il ne doit jamais remplacer une dose manquée par une double dose. Expliquer également au patient qui reçoit le métolazone pour le traitement de l'hypertension qu'il doit continuer de prendre le médicament même s'il se sent mieux. Le

métolazone stabilise la pression artérielle mais ne guérit pas l'hypertension.

□ Inciter le patient à appliquer d'autres mesures de réduction de l'hypertension: perdre du poids, réduire sa consommation de sel, faire régulièrement de l'exercice, cesser de fumer, boire avec modération et diminuer le stress.

□ Recommander au patient de se peser deux fois par semaine et de signaler au médecin toute modification importante du poids. Lui montrer comment prendre sa pression artérielle et l'inciter à la mesurer une fois par semaine.

□ Recommander au patient de changer lentement de position pour prévenir les risques d'hypotension orthostatique. Lui expliquer que l'alcool peut intensifier l'effet hypotensif du médicament.

□ Recommander au patient d'utiliser des écrans solaires (les préparations qui contiennent de l'acide para-amino-benzoïque [PABA] sont à éviter) et de porter des vêtements protecteurs lors des expositions au soleil pour prévenir les réactions de photosensibilité.

□ Recommander au patient de suivre un régime alimentaire riche en potassium (voir l'annexe K).

□ Conseiller au patient de consulter le médecin ou le pharmacien avant de prendre des médicaments en vente libre en même temps que le métolazone.

□ Inciter le patient à signaler au médecin les symptômes suivants: faiblesse musculaire, crampes, nausées ou étourdissements.

□ Recommander au patient qui doit suivre un traitement dentaire ou subir une intervention chirurgicale d'avertir le dentiste ou le médecin qu'il suit un traitement médicamenteux.

□ Insister sur l'importance des examens réguliers de suivi.

M

VÉRIFICATION DES RÉSULTATS

L'efficacité du traitement peut être démontrée par : ■ ■ la baisse de la pression artérielle ■ l'augmentation du débit urinaire □ la diminution de l'œdème.

MÉTOPROLOL

Apo-Metoprolol, Betaloc, Lopresor, Novo-Metoprol, Nu-Metop

CLASSIFICATION:

Antihypertenseur – bêtabloquant ; antiangineux ; bêtabloquant cardiosélectif

Grossesse – catégorie B

INDICATIONS

■ Monothérapie ou traitement d'association avec d'autres agents – hypertension ou angine de poitrine ■ **PO et IV** : Prophylaxie de l'infarctus du myocarde. **Usages non approuvés** : ■ Prophylaxie et traitement des arythmies ■ Traitement de la myocardiopathie obstructive ■ Prolapsus valvulaire mitral ■ Tremblements ■ Traitement symptomatique du phéochromocytome ■ Prophylaxie des céphalées vasculaires ■ Traitement du comportement agressif.

ACTION

■ Blocage de la stimulation des récepteurs bêta$_1$-adrénergiques (myocardiques) avec moins d'effets sur les récepteurs bêta$_2$ (pulmonaires, vasculaires ou utérins). **Effets thérapeutiques** : ■ Diminution de la fréquence cardiaque ■ Abaissement de la pression artérielle.

PHARMACOCINÉTIQUE

Absorption : Bonne absorption par suite de l'administration par voie orale.

Distribution : Le métoprolol traverse la barrière hémato-encéphalique et le placenta et pénètre en faibles quantités dans le lait maternel.

Métabolisme et excrétion : Le médicament est surtout métabolisé par le foie, principalement lors du premier passage.

Demi-vie : De 3 à 7 h.

CONTRE-INDICATIONS ET PRÉCAUTIONS

Contre-indications : ■ Insuffisance cardiaque non compensée ■ Œdème pulmonaire ■ Choc cardiogène ■ Bradycardie ou bloc cardiaque.

Précautions : ■ Grossesse (risque d'apnée, de faible indice d'Apgar, de bradycardie et d'hypoglycémie chez le nouveau-né) ; ■ Hyperthyroïdie (le métoprolol peut en masquer les symptômes) ■ Diabète sucré (le médicament peut masquer les signes d'hypoglycémie) ■ Allaitement ou enfants (l'innocuité du médicament n'a pas été établie).

RÉACTIONS INDÉSIRABLES ET EFFETS SECONDAIRES

SNC : fatigue, faiblesse, étourdissements, dépression, pertes de mémoire, modification de l'état de conscience, cauchemars.

ORLO : vision trouble.

Resp. : bronchospasme, respiration sifflante.

CV : BRADYCARDIE, INSUFFISANCE CARDIAQUE, ŒDÈME PULMONAIRE, vasoconstriction périphérique.

GI : constipation, diarrhée, nausées.

GU : impuissance, perte de la libido.

End. : hyperglycémie, hypoglycémie.

INTERACTIONS

Médicament – médicament : ■ L'anesthésie générale, la phénytoïne par voie IV et le vérapamil peuvent avoir un effet additif sur la dépression du myocarde ■ Risque de bradycardie additive lors de l'administration simultanée de dérivés digitaliques ■ Risque d'hypotension additive

M

lors de l'administration simultanée d'**anti-hypertenseurs** ou de **dérivés nitrés** ainsi que lors de l'ingestion d'**alcool** ■ L'administration concomitante d'**amphétamines**, de **cocaïne**, d'**éphédrine**, d'**épinéphrine**, de **norépinéphrine**, de **phényléphrine** ou de **pseudoéphédrine** peut entraîner une stimulation alpha-adrénergique excessive, de l'hypertension et de la bradycardie ■ Le métoprolol peut provoquer l'hypertension s'il est administré dans les 14 jours qui suivent un traitement par un **inhibiteur de la MAO** ■ Le métoprolol peut annuler les effets bénéfiques de la **dopamine** ou de la **dobutamine** sur les récepteurs bêta$_1$ cardiaques ■ Les **agents thyroïdiens**, administrés simultanément, peuvent diminuer l'efficacité du métoprolol ■ Le métoprolol administré simultanément à l'**insuline** peut prolonger l'hypoglycémie.

VOIES D'ADMINISTRATION ET POSOLOGIE

Traitement prolongé de l'hypertension et de l'angine ; prophylaxie de l'infarctus du myocarde

■ **PO (adultes) :** de 100 à 400 mg par jour en une seule dose ou en 2 ou 3 doses.

Prophylaxie de l'infarctus du myocarde – traitement de la phase aiguë

■ **IV (adultes) :** 5 mg, toutes les 2 min, jusqu'à concurrence de 3 doses.

PHARMACODYNAMIE (PO = effets hypotenseurs ; IV = blocage bêta-adrénergique)

	DÉBUT D'ACTION	PIC	DURÉE
PO*	15 min	inconnu (plusieurs heures)	6 – 12 h
IV	immédiat	20 min	5 – 8 h

* Au cours d'un traitement prolongé, les effets maximaux sur la pression artérielle peuvent ne pas se manifester pendant la première semaine.
Les effets hypotenseurs peuvent persister jusqu'à 4 semaines après l'arrêt du traitement.

SOINS INFIRMIERS

ÉVALUATION DE LA SITUATION

■ **Directives générales :** Effectuer le bilan quotidien des ingesta et des excreta et peser le patient tous les jours. Observer régulièrement les signes et les symptômes suivants de surcharge hydrique : œdème périphérique, dyspnée, râles et crépitations, fatigue, gain pondéral, turgescence des jugulaires.

■ **Hypertension :** Mesurer souvent la pression artérielle et le pouls pendant la période d'ajustement de la posologie et à intervalles réguliers pendant toute la durée du traitement. Consulter le médecin avant d'administrer le médicament si le pouls est inférieur à 50 bpm. Prendre les signes vitaux et suivre l'ÉCG toutes les 5 à 15 min pendant l'administration par voie parentérale et plusieurs heures par la suite.

■ **Angine :** Noter la fréquence et la durée des épisodes de douleur thoracique tout au long du traitement.

■ **Étude des examens diagnostiques et biochimiques :** Le métoprolol peut à l'occasion entraîner l'élévation des concentrations sériques de potassium, d'acide urique, de lipoprotéines et d'urée.

□ Noter les résultats des tests de l'exploration fonctionnelle hépatique et rénale ainsi que la numération globulaire à intervalles réguliers chez les patients qui reçoivent un traitement prolongé.

DIAGNOSTICS INFIRMIERS POSSIBLES

■ **Énoncés diagnostiques**

□ Diminution du débit cardiaque.

□ Prise en charge inefficace du programme thérapeutique.

□ Non-observance du traitement médicamenteux.

□ *Risque élevé d'accident.*

■ **Facteurs favorisants**
- □ Informations incomplètes.
- □ Doute quant aux bienfaits du médicament.
- □ *Fatigue et faiblesse.*
- □ *Difficulté à s'adapter aux changements nécessaires dans les habitudes de vie.*
- □ *Modification de l'état liquidien ou des volumes circulants.*
- □ *Manque de connaissances sur les modalités du traitement.*
- □ *Manque de connaissances sur la méthode d'administration du médicament.*
- □ *Manque de connaissances sur les effets secondaires du médicament et sur les moyens de les prévenir.*

INTERVENTIONS INFIRMIÈRES

- ■ **PO:** Administrer le médicament avec des aliments ou tout de suite après les repas.
- ■ **IV directe:** Injecter 5 mg lentement, en 2 min.

ENSEIGNEMENT AU PATIENT ET À SES PROCHES

- □ Conseiller au patient de suivre scrupuleusement la posologie recommandée et de continuer à prendre le médicament même s'il se sent mieux. S'il n'a pas pu prendre le médicament au moment habituel, il doit le prendre aussitôt que possible, mais au moins 4 h avant l'heure prévue pour la dose suivante. Le sevrage brusque peut déclencher de l'hypertension, une ischémie du myocarde ou des arythmies mettant la vie en danger.
- □ Montrer au patient et à ses proches comment prendre le pouls et la pression artérielle. Leur demander de prendre le pouls tous les jours et la pression artérielle 2 fois par semaine. Conseiller au patient de ne pas prendre le médicament et de prévenir le médecin si le pouls est inférieur à 50 bpm ou si la pression artérielle se modifie considérablement.

- □ Inciter le patient à appliquer d'autres mesures de réduction de l'hypertension : perdre du poids, réduire sa consommation de sel, diminuer le stress, faire régulièrement de l'exercice, boire avec modération et cesser de fumer. Expliquer au patient que le métoprolol stabilise la pression artérielle, mais ne guérit pas l'hypertension.
- □ Prévenir le patient que le médicament peut le rendre plus sensible au froid.
- □ Conseiller au patient de consulter le médecin ou le pharmacien avant de prendre un médicament en vente libre, particulièrement des médicaments contre le rhume, en même temps que le métoprolol. Les patients qui suivent un traitement antihypertenseur devraient également éviter de boire des quantités excessives de café, de thé et de boissons à base de cola.
- □ Recommander au patient diabétique de mesurer soigneusement sa glycémie, particulièrement lorsqu'il se sent fatigué, faible ou irritable. Le médicament bloque tous les signes d'hypoglycémie, sauf la transpiration.
- □ Recommander au patient qui doit suivre un traitement dentaire ou subir une intervention chirurgicale d'avertir le dentiste ou le médecin qu'il suit un traitement médicamenteux.
- □ Conseiller au patient de toujours porter sur lui une pièce d'identité où est inscrit son traitement médicamenteux.
- □ Recommander au patient de signaler au médecin les symptômes suivants : ralentissement du pouls, étourdissements, sensation de tête légère ou état dépressif.

VÉRIFICATION DES RÉSULTATS

L'efficacité du traitement peut être démontrée par : ■ la baisse de la pression artérielle ■ la réduction de la fréquence des attaques d'angine et l'amélioration de la tolérance à l'effort ■ la prévention de l'infarctus du myocarde.

M

MÉTRONIDAZOLE
Apo-Metronidazole, Flagyl, MetroGel,
Novo-Nidazol, Trikacide, (Flagyl IV),
(Flagyl IV RTU), (Metizol), (Metric 21),
(Metro IV), (Metryl), (Metryl IV), (Protostat),
(Satric)

CLASSIFICATION:
Anti-infectieux – divers

Grossesse – catégorie B

INDICATIONS

■ Traitement des infections suivantes
provoquées par des micro-organismes
anaérobies: □ Infections intraabdominales □ Infections gynécologiques □ Infections de la peau et des tissus mous
□ Infections des voies respiratoires inférieures □ Infections des os et des articulations □ Infections du SNC □ Septicémie □ Endocardite ■ Traitement topique
de l'acné rosacée ■ Traitement de l'amibiase intestinale aiguë et des abcès hépatiques amibiens (dus à *Entamœba histolytica*), de la giardiase et des infections
à *Trichomonas* ■ Traitement de la vagi-
nose bactérienne. **Usages non approuvés:**
■ Prophylaxie périopératoire lors des interventions colorectales.

ACTION

■ Inhibition de la synthèse de l'ADN et
des protéines chez les microorganismes
sensibles. **Effets thérapeutiques:** ■ Action
bactéricide, trichomonacide ou amœbi-
cide. **Spectre d'action:** ■ Action notable
surtout contre les bactéries anaérobies
incluant: □ *Bacteroides* □ *Clostridium*
■ L'action du métronidazole s'exerce également contre: □ *Trichomonas vaginalis* □ *Entamœba histolytica* □ *Giardia
lamblia*.

PHARMACOCINÉTIQUE

Absorption: Une fraction de 80 % du médicament est absorbée par suite de l'administration par voie orale. Par suite de
l'application topique, l'absorption est
minime.
Distribution: Le médicament se répartit
dans la plupart des liquides et tissus de
l'organisme incluant le liquide céphalorachidien. Il traverse le placenta et péné-
tre dans le lait maternel à des concentrations équivalentes à celles qu'on trouve
dans le plasma.
Métabolisme et excrétion: Le médicament
est partiellement métabolisé par le foie
(de 30 à 60 %) et partiellement excrété à
l'état inchangé dans l'urine. Une fraction
de 6 à 15 % est éliminée dans les fèces.
Demi-vie: De 6 à 8 h.

CONTRE-INDICATIONS ET PRÉCAUTIONS

Contre-indications: ■ Hypersensibilité
■ Hypersensibilité aux parabènes (préparation topique seulement) ■ Premier
trimestre de la grossesse.
Précautions: ■ Antécédents de dyscrasie
■ Enfants (l'innocuité de la préparation
IV n'a pas été établie, pas plus que celle
des préparations orales en cas d'infections autres que l'amibiase chez les enfants) ■ Grossesse (bien que l'innocuité
du médicament n'ait pas été établie, on
l'a utilisé pour traiter la trichomonase au
cours du deuxième et du troisième trimestres de la grossesse, mais il ne s'agis-
sait pas d'un traitement à dose unique)
■ Allaitement (au besoin, administrer un
traitement à dose unique et interrompre
l'allaitement pendant les 24 h qui suivent) ■ Antécédents de convulsions ou
de troubles neurologiques ■ Insuffisance
hépatique grave (il est recommandé de
réduire la dose).

RÉACTIONS INDÉSIRABLES ET EFFETS SECONDAIRES

SNC: céphalées, vertige, CONVULSIONS,
étourdissements.
ORLO: larmoiement (préparation topique
seulement).
GI: nausées, vomissements, douleurs
abdominales, anorexie, sécheresse de la
bouche (xérostomie), diarrhée, goût dé-

sagréable, excroissance pileuse sur la langue, glossite.

Tég.: rougeurs passagères, légère séche-resse, brûlures, irritation cutanée (pré-paration topique seulement), urticaire, rash.

Hémat.: leucopénie.

Locaux: phlébite au point d'injection IV.

SN: neuropathie périphérique.

Divers: surinfection.

INTERACTIONS

Médicament – médicament: ■ La **cimétidine** peut ralentir le métabolisme du mé-tronidazole ■ Le **phénobarbital** accélère le métabolisme du métronidazole et peut en réduire l'efficacité ■ Le métronida-zole augmente les effets des **anticoagulants oraux** ■ Une réaction semblable à celle au disulfirame peut survenir lors de l'ingestion simultanée d'**alcool** ■ Le mé-tronidazole peut provoquer une psy-chose aiguë et de la confusion lors de l'administration simultanée de **disulfirame** ■ Risque accru de leucopénie lors de l'administration simultanée de **fluorouracile** ou d'**azathioprine**.

VOIES D'ADMINISTRATION ET POSOLOGIE

Remarque: Le métronidazole injectable contient 14 mmol de sodium par 500 mg.

Infections dues à des micro-organismes anaérobies
■ **PO (adultes):** 500 mg, toutes les 8 h ou 7,5 mg/kg, toutes les 6 ou 8 h (ne pas dépasser 4 g par jour).
■ **IV (adultes):** 500 mg, toutes les 8 h ou 7,5 mg/kg, toutes les 6 ou 8 h (ne pas dépasser 4 g par jour).

Trichomonase
■ **PO (adultes):** 250 mg, toutes les 8 h, pendant 7 jours ou 250 mg, 2 fois par jour, pendant 10 jours (on peut admi-nistrer une seule dose de 2 g).
■ **PO (enfants):** 15 mg/kg par jour en 3 doses fractionnées, toutes les 8 h, pendant 5 à 7 jours.

■ **Préparation vaginale (adultes):** 1 com-primé vaginal de 500 mg tous les soirs ou le contenu entier d'un applicateur de crème vaginale 1 ou 2 fois par jour, pendant 10 ou 20 jours.

Prophylaxie périopératoire
■ **IV (adultes) (É.-U.):** Initialement, 15 mg/ kg, 1 h avant l'intervention chirurgi-cale, puis 7,5 mg/kg, 6 et 12 h plus tard.

Amibiase
■ **PO (adultes):** de 500 à 750 mg, toutes les 8 h, pendant 5 à 7 jours.
■ **PO (enfants):** de 35 à 50 mg/kg par jour, en 3 doses fractionnées, toutes les 8 h, pendant 5 à 7 jours.
■ **IV (adultes):** de 500 à 750 mg, toutes les 8 h, pendant 5 à 7 jours.

Giardiase
■ **PO (adultes):** 250 mg, 2 fois par jour, pendant 5 à 7 jours ou une seule dose de 2 g pendant 3 jours.
■ **PO (enfants):** de 25 à 35 mg/kg par jour en 2 prises fractionnées pendant 5 à 7 jours.

Vaginose bactérienne
■ **PO (adultes):** 500 mg, 2 fois par jour, pendant 7 jours.

Acné rosacée
■ **Préparation topique (adultes):** Appli-quer une mince couche sur la région atteinte, 2 fois par jour.

PHARMACODYNAMIE
(PO, IV, application vaginale = concentrations sanguines; application topique = amélioration de l'acné rosacée)

	DÉBUT D'ACTION	PIC
PO	rapide	1 – 3 h
IV	rapide	fin de la perfusion
préparation topique	3 semaines	9 semaines
préparation vaginale	inconnu	inconnu

M

✴ SOINS INFIRMIERS

ÉVALUATION DE LA SITUATION

- **Directives générales :** Au début du traitement et pendant toute sa durée, surveiller les signes suivants d'infection : altération des signes vitaux, aspect de la plaie, des crachats, de l'urine et des selles ; accroissement du nombre de leucocytes.
- ☐ Prélever des échantillons pour les cultures et les antibiogrammes avant de commencer le traitement. On peut administrer la première dose avant même de recevoir les résultats.
- ☐ Suivre l'état neurologique du patient pendant et après les perfusions IV. Signaler au médecin l'engourdissement des membres, la paresthésie, la faiblesse, l'ataxie ou les convulsions.
- ☐ Effectuer le bilan quotidien des ingesta et des excreta et peser le patient tous les jours, particulièrement s'il doit suivre un régime hyposodé. Une dose de 500 mg de métronidazole injectable contient 14 mmol de sodium.
- ☐ **Giardiase :** Faire analyser 3 échantillons de selles, prélevées à plusieurs jours d'intervalle, en commençant 1 ou 2 semaines après le début du traitement.
- **Étude des examens diagnostiques et biochimiques :** Le métronidazole peut entraîner la diminution des concentrations sériques de TGOS (AST).

DIAGNOSTICS INFIRMIERS POSSIBLES

- **Énoncés diagnostiques**
- ☐ Risque élevé d'infection.
- ☐ Diarrhée.
- ☐ Prise en charge inefficace du programme thérapeutique.
- ☐ *Risque élevé de déficit nutritionnel.*
- ☐ *Risque élevé de douleur au point d'injection IV.*
- ☐ *Risque élevé d'accident.*
- ☐ *Risque élevé d'atteinte à l'intégrité de la muqueuse buccale.*

- **Facteurs favorisants**
- ☐ Informations incomplètes.
- ☐ *Manque de connaissances sur les moyens de prévenir les effets secondaires affectant l'appareil gastro-intestinal.*
- ☐ *Inflammation locale du tissu vasculaire ou infiltration du médicament dans les tissus avoisinants.*
- ☐ *Perturbation de la vigilance.*
- ☐ *Manque de connaissances sur les modalités du traitement.*
- ☐ *Manque de connaissances sur la méthode d'administration du médicament.*
- ☐ *Manque de connaissances sur les moyens de prévenir ou de réduire la sécheresse de la bouche.*

INTERVENTIONS INFIRMIÈRES

- **PO :** Administrer le métronidazole avec des aliments ou du lait pour réduire l'irritation gastrique. On peut broyer le comprimé, si le patient éprouve des difficultés de déglutition.
- **Perfusion intermittente :** Toutes les préparations injectables sont diluées d'avance et prêtes à être utilisées (5 mg/mL).
- ☐ *Vitesse d'administration :* Administrer les doses IV en perfusion lente. Chaque dose doit être perfusée en 1 h. Ne pas mélanger avec d'autres médicaments. Arrêter l'administration IV du soluté principal pendant la perfusion du métronidazole.
- **Compatibilités (tubulure en Y) :** Acyclovir, cyclophosphamide, énalaprilate, esmolol, foscarnet, hydromorphone, labétalol, mépéridine, morphine, perphénazine ou sulfate de magnésium.
- **Compatibilités en addition au soluté :** Amikacine, aminophylline, céfazoline, céfotaxime, ceftazidime, céfuroxime, chloramphénicol, ciprofloxacine, clindamycine, gentamicine, héparine, moxalactam, multivitamines, nétilmicine ou tobramycine.

- **Incompatibilités en addition au soluté :** Acides aminés, aztréonam ou dopamine.
- **Préparation topique :** Nettoyer la région atteinte avant d'appliquer la préparation. Appliquer une mince couche de préparation, 2 fois par jour, le matin et le soir et faire pénétrer en massant. Éviter tout contact avec les yeux.

ENSEIGNEMENT AU PATIENT ET À SES PROCHES

☐ Conseiller au patient de suivre scrupuleusement la posologie recommandée et, même s'il se sent mieux, d'espacer les prises à intervalles égaux. Le prévenir qu'il ne faut pas sauter de dose ni remplacer une dose manquée par une double dose. S'il n'a pas pu prendre le médicament au moment habituel, il doit le prendre dès que possible à moins que ce ne soit presque l'heure prévue pour la dose suivante.

☐ Prévenir le patient qui reçoit le médicament pour le traitement de la trichomonase que le partenaire sexuel peut le réinfecter même s'il est asymptomatique, raison pour laquelle il faut le traiter simultanément. Le patient devrait également pratiquer l'abstinence ou utiliser un préservatif afin de prévenir une réinfection.

☐ Recommander au patient d'éviter de consommer des boissons alcoolisées ou des préparations contenant de l'alcool pendant le traitement par le métronidazole et pendant au moins 24 h après l'avoir arrêté. Le métronidazole peut provoquer une réaction, semblable à celle au disulfirame, se manifestant par des bouffées vasomotrices, des nausées, des vomissements, des céphalées ou des crampes abdominales.

☐ Prévenir le patient que le métronidazole peut provoquer des étourdissements ou une sensation de tête légère. Lui conseiller de ne pas conduire et d'éviter les activités qui exigent sa vigilance jusqu'à ce qu'on ait la certitude que le médicament n'entraîne pas ces effets chez lui.

☐ Conseiller au patient de consulter le médecin ou le pharmacien avant de prendre un médicament en vente libre en même temps que le métronidazole.

☐ Conseiller au patient de se rincer fréquemment la bouche, de pratiquer une bonne hygiène orale et de consommer de la gomme à mâcher ou des bonbons sans sucre pour réduire la sécheresse de la bouche. Lui recommander de prévenir le médecin ou le dentiste si la sécheresse de la bouche persiste pendant plus de deux semaines.

☐ Recommander à la patiente de prévenir le médecin avant de commencer le traitement par le métronidazole si elle pense être enceinte.

☐ Prévenir le patient que le métronidazole peut rendre l'urine foncée.

☐ Conseiller au patient de consulter le médecin en l'absence d'une amélioration dans les quelques jours qui suivent le début du traitement. Lui recommander d'informer le médecin si des réactions allergiques ou si les signes et les symptômes suivants de surinfection se manifestent : excroissance noire et pileuse sur la langue, démangeaisons ou pertes vaginales, selles molles ou nauséabondes.

- **Préparation topique :** Montrer au patient comment appliquer le gel topique. On peut utiliser des produits cosmétiques après l'application du gel.
- **Préparations vaginales :** Recommander à la patiente d'utiliser les préparations vaginales au coucher, sauf sur recommandation médicale contraire. Un applicateur pour la crème et les comprimés est inclus dans l'emballage. Recommander à la patiente d'introduire la préparation profondément

dans le vagin et d'utiliser une serviette hygiénique pour ne pas tacher ses vêtements ou la literie. L'inciter à rester ensuite couchée pendant au moins 30 min. Lui conseiller de ne pas se donner de douche vaginale sans consulter le médecin au préalable.

VÉRIFICATION DES RÉSULTATS

L'efficacité du traitement peut être démontrée par : ■ la disparition des signes et des symptômes d'infection ; le temps de résolution dépend du micro-organisme infectant et du siège de l'infection □ une amélioration notable dans les 3 semaines suivant l'application du gel topique ; on peut poursuivre l'application pendant 9 semaines.

MEXILÉTINE
Mexitil

CLASSIFICATION :
Antiarythmique classe IB

Grossesse – catégorie C

INDICATIONS

Prophylaxie et traitement des arythmies ventriculaires graves incluant la tachycardie ventriculaire et les contractions ventriculaires prématurées.

ACTION

■ Diminution de la durée du potentiel d'action et de la période réfractaire effective dans les tissus cardiaques de conduction par modification du transport du sodium à travers la membrane des cellules du myocarde ■ Le médicament a peu ou pas d'effet sur la fréquence cardiaque. **Effets thérapeutiques :** ■ Réduction des arythmies ventriculaires.

PHARMACOCINÉTIQUE

Absorption : Bonne absorption depuis le tractus gastro-intestinal.

Distribution : La mexilétine pénètre dans le lait maternel à des concentrations semblables à celles qu'on trouve dans le plasma.

Métabolisme et excrétion : Le médicament est surtout métabolisé par le foie. Une fraction de 10 % est excrétée à l'état inchangé par les reins.

Demi-vie : De 10 à 12 h.

CONTRE-INDICATIONS ET PRÉCAUTIONS

Contre-indications : ■ Hypersensibilité ■ Choc cardiogène ■ Bloc cardiaque du 2ᵉ ou du 3ᵉ degré (en l'absence d'un stimulateur cardiaque) ■ Allaitement.

Précautions : ■ Anomalies de conduction du nœud SA ou de conduction intraventriculaire ■ Hypotension ■ Insuffisance cardiaque ■ Insuffisance hépatique grave (il est conseillé de réduire la dose) ■ Grossesse ou enfants (l'innocuité du médicament n'a pas été établie).

RÉACTIONS INDÉSIRABLES ET EFFETS SECONDAIRES

SNC : étourdissements, sensation de tête légère, nervosité.

ORLO : vision trouble, acouphènes.

CV : arythmies, palpitations, douleurs thoraciques, céphalées, modification des habitudes de sommeil, fatigue, confusion, œdème.

GI : NÉCROSE HÉPATIQUE, nausées, vomissements, brûlures d'estomac.

Tég. : rash.

Hémat. : dyscrasie.

SN : tremblement, troubles de coordination, paresthésie.

Resp. : dyspnée.

INTERACTIONS

Médicament – médicament : ■ Les **narcotiques**, l'**atropine** et les **antiacides** peuvent ralentir l'absorption de la mexilétine ■ Le **métoclopramide** peut accélérer l'absorption de la mexilétine ■ La **phénytoïne**, la **rifampine** et le **phénobarbital** ainsi que le **tabagisme** peuvent accélérer le métabolisme et diminuer l'efficacité de la mexilétine ▪ La **cimétidine** peut ralentir le métabolisme de la mexilétine et augmenter la toxicité ▪ Risque d'effets cardiaques additifs lors de l'administration simultanée d'**autres antiarythmiques** ▪ Les **médicaments qui modifient de façon notable le pH de l'urine** peuvent modifier les concentrations sanguines de la mexilétine (l'alcalinisation de l'urine augmente la réabsorption de la mexilétine et, par le fait même, les concentrations sanguines; l'acidification de l'urine augmente l'excrétion de la mexilétine et en diminue les concentrations sanguines). **Médicament – aliments:** ▪ Les **aliments qui modifient de façon notable le pH de l'urine** (voir l'annexe K) peuvent modifier les concentrations sanguines de mexilétine. L'alcalinisation de l'urine augmente la réabsorption de la mexilétine et, par le fait même, les concentrations sanguines; l'acidification de l'urine augmente l'excrétion du médicament et peut en diminuer l'efficacité (voir l'annexe K).

VOIES D'ADMINISTRATION ET POSOLOGIE

- **PO (adultes):** initialement, une dose d'attaque de 400 mg; par la suite, 200 mg toutes les 8 h. Ne pas dépasser 1 200 mg par jour.

PHARMACODYNAMIE (effets antiarythmiques, si une dose d'attaque a été administrée)

	DÉBUT D'ACTION	PIC	DURÉE
PO	30 min – 2 h	2 – 3 h	8 – 12 h

⁂ SOINS INFIRMIERS

ÉVALUATION DE LA SITUATION

- ☐ Mesurer le pouls et la pression artérielle et suivre de près l'ÉCG à intervalles réguliers tout au long du traitement. Une surveillance constante à l'aide d'un appareil Holter et des examens radiographiques thoraciques peuvent s'avérer nécessaires pour déterminer l'efficacité du médicament. Ils peuvent également servir de guide pour l'adaptation de la posologie.

- ▪ **Étude des examens diagnostiques et biochimiques:** La mexilétine peut parfois positiver la recherche des anticorps antinucléaires.

- ☐ La mexilétine peut entraîner une élévation passagère des concentrations de TGOS (AST).

- ☐ La mexilétine peut provoquer la thrombocytopénie quelques jours après le début du traitement. La numération globulaire revient habituellement aux valeurs normales dans le mois qui suit l'arrêt du traitement.

- ▪ **Toxicité et surdosage:** On peut déterminer les concentrations sériques de mexilétine au cours de la période d'adaptation de la posologie. Les effets secondaires sont plus fréquents si on administre le médicament à des concentrations supérieure à 2 mg/L.

DIAGNOSTICS INFIRMIERS POSSIBLES

- ▪ **Énoncés diagnostiques**
- ☐ Diminution du débit cardiaque.
- ☐ Prise en charge inefficace du programme thérapeutique.
- ☐ *Risque élevé d'accident.*
- ☐ *Risque élevé de déficit nutritionnel.*

- ▪ **Facteurs favorisants**
- ☐ Informations incomplètes.
- ☐ *Perturbation de la vigilance.*
- ☐ *Manque de connaissances sur les moyens de prévenir les effets secondaires affectant l'appareil gastro-intestinal.*
- ☐ *Manque de connaissances sur les modalités du traitement.*
- ☐ *Manque de connaissances sur les effets secondaires du médicament et sur les moyens de les prévenir.*
- ☐ *Manque de connaissances sur la méthode d'administration du médicament.*

INTERVENTIONS INFIRMIÈRES

- **Directives générales :** Lorsqu'on substitue la mexilétine à un autre antiarythmique, on doit administrer la première dose de mexilétine de 6 à 12 h après la dernière dose de quinidine, de 3 à 6 h après la dernière dose de procaïnamide ou de 8 à 12 h après la dernière dose de tocaïnide. Lorsqu'on substitue la mexilétine à la lidocaïne par voie parentérale, on doit réduire la dose de lidocaïne ou arrêter le traitement 1 ou 2 h après l'administration de la mexilétine ou administrer des doses initiales plus faibles de mexilétine.

- ☐ Chez les patients souffrant d'arythmies qui peuvent mettre la vie en danger, on doit substituer la mexilétine au traitement par un autre agent antiarythmique en milieu hospitalier.

- **PO :** Administrer la mexilétine avec des aliments ou des antiacides pour réduire l'irritation gastrique.

ENSEIGNEMENT AU PATIENT ET À SES PROCHES

- ☐ Conseiller au patient de suivre scrupuleusement la posologie recommandée et, même s'il se sent mieux, d'espacer les doses à intervalles égaux. S'il n'a pas pu prendre le médicament au moment habituel, il doit le prendre dans les 4 h qui suivent ou ne pas prendre cette dose. Lui indiquer qu'il ne faut pas sauter de dose ni remplacer une dose manquée par une double dose.

- ☐ Montrer au patient comment mesurer le pouls. Lui conseiller de contacter le médecin si son pouls est inférieur à 50 bpm ou s'il devient irrégulier.

- ☐ Prévenir le patient que la mexilétine peut provoquer des étourdissements et une sensation de tête légère. Lui conseiller de ne pas conduire et d'éviter les activités qui exigent sa vigilance jusqu'à ce qu'on ait la certitude

que le médicament n'entraîne pas ces effets chez lui.

- ☐ Inciter le patient à éviter toute modification de l'alimentation qui peut entraîner une acidification ou une alcalinisation notables de l'urine (les aliments en question sont indiqués à l'annexe K).

- ☐ Recommander au patient qui doit suivre un traitement dentaire ou subir une intervention chirurgicale d'avertir le dentiste ou le médecin qu'il souffre d'arythmie et qu'il suit un traitement médicamenteux.

- ☐ Conseiller au patient de signaler au médecin les symptômes suivants : fatigue généralisée, jaunissement de la peau ou des yeux, fièvre, maux de gorge et de l'informer si des effets secondaires persistants se manifestent.

- ☐ Conseiller au patient de porter sur lui en tout temps une pièce d'identité où sont inscrits son problème de santé et son traitement.

VÉRIFICATION DES RÉSULTATS

L'efficacité du traitement peut être démontrée par : la diminution de la fréquence des arythmies ventriculaires graves ou leur suppression.

MEZLOCILLINE
(Mezlin)

CLASSIFICATION :
Anti-infectieux – pénicilline à large spectre
Grossesse – catégorie B

INDICATIONS

- Traitement des infections graves provoquées par des micro-organismes sensibles dont : ☐ les infections de la peau et des tissus mous ☐ les infections des os et des articulations ☐ la septicémie ☐ les infections des voies respiratoires ☐ les infections intra-abdominales et gynécologiques et les infections des voies urinaires

■ Traitement d'association avec un aminoside (l'effet contre *Pseudomonas* peut être synergique) ■ Traitement d'association avec d'autres antibiotiques en présence d'infections chez des patients immunodéprimés.

ACTION

■ Liaison à la membrane de la paroi cellulaire bactérienne provoquant la destruction de la bactérie. **Effets thérapeutiques:** ■ Effet bactéricide contre les bactéries sensibles. **Spectre d'action:** ■ La mezlocilline possède un spectre d'action semblable à celui de la pénicilline mais plus étendu, qui englobe plusieurs agents pathogènes aérobies importants à Gram négatif dont: □ *Pseudomonas aeruginosa* □ *Escherichia coli* □ *Proteus mirabilis* □ *Providencia rettgeri* ■ La mezlocilline est également active contre certaines bactéries anaérobies comprenant *Bacteroides* ■ La mezlocilline n'a pas d'effet sur les staphylocoques qui produisent des pénicillinases ou les entérobactéries qui produisent des bêta-lactamases.

PHARMACOCINÉTIQUE

Absorption: Bonne absorption depuis les points d'injections IM.

Distribution: Le médicament se répartit dans tout l'organisme. Il ne pénètre adéquatement dans le liquide céphalorachidien qu'en présence d'une inflammation des méninges. Il traverse le placenta et pénètre à faibles concentrations dans le lait maternel.

Métabolisme et excrétion: Une fraction de 40 à 70 % est excrétée à l'état inchangé par les reins. De petites quantités sont métabolisées par le foie. Une fraction de 15 à 30 % est excrétée dans la bile.

Demi-vie: De 0,7 à 1,3 h (prolongée en cas d'insuffisance rénale).

CONTRE-INDICATIONS ET PRÉCAUTIONS

Contre-indications: Hypersensibilité aux pénicillines ou aux céphalosporines.

Précautions: ■ Insuffisance rénale (il est recommandé de réduire la dose) ■ Grossesse ou allaitement (l'innocuité du médicament n'a pas été établie) ■ Maladie hépatique grave.

RÉACTIONS INDÉSIRABLES ET EFFETS SECONDAIRES

SNC: confusion, léthargie, CONVULSIONS (doses élevées).

CV: insuffisance cardiaque, arythmies.

GI: nausées, diarrhée.

GU: hématurie (enfants seulement).

Tég.: rash, urticaire.

HÉ: hypokaliémie, hypernatrémie.

Hémat.: hémorragie, dyscrasie, allongement du temps de saignement.

Locaux: phlébite au point d'injection IV, douleur au point d'injection IM.

Métab.: alcalose métabolique.

Divers: surinfection, réactions d'hypersensibilité incluant l'ANAPHYLAXIE et la maladie du sérum.

INTERACTIONS

Médicament – médicament: ■ Le **probénécide** diminue l'excrétion rénale de la mezlocilline et en augmente les concentrations sanguines ■ La mezlocilline peut modifier l'excrétion du **lithium** ■ Les **diurétiques** peuvent augmenter le risque d'hypokaliémie ■ L'hypokaliémie augmente le risque de toxicité **digitalique**.

VOIES D'ADMINISTRATION ET POSOLOGIE

Remarque: La préparation contient 1,85 mmol/g de sodium.

■ **IV (adultes):** de 6 à 24 g par jour, en doses fractionnées, toutes les 4 à 6 h.

■ **IM (adultes):** de 1,5 à 2 g, toutes les 6 h.

■ **IM et IV (enfants de 1 mois à 12 ans):** 50 mg/kg, toutes les 4 h.

■ **IM et IV (nouveau-nés ≥ 8 jours et > 2 kg):** 75 mg/kg, toutes les 6 h.

■ **IM et IV (nouveau-nés ≥ 8 jours et < 2 kg):** 75 mg/kg, toutes les 8 h.

■ **IM et IV (nouveau-nés de 0 à 7 jours):** 75 mg/kg, toutes les 12 h.

M

PHARMACODYNAMIE
(concentrations sanguines)

	DÉBUT D'ACTION	PIC
IM	rapide	45 – 90 min
IV	rapide	fin de la perfusion

SOINS INFIRMIERS

ÉVALUATION DE LA SITUATION

□ Au début du traitement et pendant toute sa durée, surveiller les signes suivants d'infection : altération des signes vitaux, aspect de la plaie, des crachats, de l'urine et des selles, accroissement du nombre de leucocytes.

□ Recueillir les antécédents du patient avant d'amorcer le traitement afin de déterminer ses réactions antérieures à une pénicilline ou à une céphalosporine. Même les personnes n'ayant jamais manifesté de sensibilité à une pénicilline peuvent présenter une réaction allergique.

□ Prélever les échantillons pour les cultures et les antibiogrammes avant le début du traitement. La première dose peut être administrée avant même que les résultats soient connus.

□ Surveiller les signes et les symptômes suivants d'anaphylaxie : rash, prurit, œdème laryngé, respiration sifflante. Si ces réactions se manifestent, arrêter l'administration du médicament et avertir immédiatement le médecin. Garder à portée de la main de l'épinéphrine, un antihistaminique et le matériel de réanimation pour parer à une éventuelle réaction anaphylactique.

■ **Étude des examens diagnostiques et biochimiques :** Noter avant le traitement et à intervalles réguliers pendant toute sa durée les résultats des tests de l'exploration fonctionnelle hépatique et rénale, la numération globulaire et les concentrations sériques de potassium.

□ La mezlocilline peut entraîner des résultats faussement positifs au dosage des protéines urinaires.

□ La mezlocilline peut entraîner l'élévation des concentrations sériques de créatinine, de TGOS (AST), de TGPS (ALT), de bilirubine et de phosphatase alcaline ainsi que des concentrations sériques de sodium. Elle peut entraîner la diminution des concentrations sériques de potassium.

□ La mezlocilline peut positiver le test de Coombs direct.

DIAGNOSTICS INFIRMIERS POSSIBLES

■ **Énoncés diagnostiques**

□ Risque élevé d'infection.

□ Prise en charge inefficace du programme thérapeutique.

□ *Risque élevé de douleur au point d'injection IV.*

□ *Risque élevé de déséquilibre hydroélectrolytique.*

■ **Facteurs favorisants**

□ Informations incomplètes.

□ *Inflammation locale du tissu vasculaire ou infiltration du médicament dans les tissus avoisinants.*

□ *Manque de connaissances sur les modalités du traitement.*

□ *Manque de connaissances sur le régime alimentaire à suivre.*

□ *Manque de connaissances sur les moyens de prévenir les effets secondaires affectant l'appareil gastro-intestinal.*

INTERVENTIONS INFIRMIÈRES

■ **Directives générales :** La solution reconstituée est stable pendant 48 h à la température ambiante et pendant 72 h si elle est gardée au réfrigérateur. La solution est incolore ou jaune pâle mais, même si la couleur devient plus foncée, cela n'altère en rien l'efficacité du médicament.

■ **IM :** Pour reconstituer la solution destinée à la voie IM, ajouter 3 ou 4 mL d'eau stérile pour injection ou de chlorhydrate de lidocaïne à 0,5 ou à 1 % pour injection (sans épinéphrine) au contenu de chaque fiole de 1 g et agiter vigoureusement. Injecter profondément dans une masse musculaire bien développée, en 12 à 15 s pour réduire la douleur, puis bien masser le point d'injection. On ne devrait pas administrer plus de 2 g dans un seul point d'injection.

- **IV:** La reconstitution initiale doit se faire avec au moins 10 mL d'eau stérile pour injection, de solution de NaCl à 0,9 % ou de dextrose à 5 % dans de l'eau.
- ☐ Changer de point d'injection IV toutes les 48 h pour prévenir la phlébite.
- **IV directe:** Injecter lentement 1 g, en 3 à 5 min, pour réduire l'irritation veineuse.
- **Perfusion intermittente:** Diluer la mezlocilline dans 50 à 100 mL de solution de NaCl à 0,9 %, de solution de dextrose à 5 ou à 10 % dans de l'eau, de dextrose à 5 % dans une solution de NaCl à 0,25 ou à 0,45 %, de solution de Ringer ou de lactate Ringer.
- ☐ *Vitesse d'administration:* Administrer la solution en 30 min dans une tubulure en Y ou par IV directe. Si l'on utilise une tubulure en Y, interrompre la perfusion principale pendant l'administration de la mezlocilline
- **Association compatible dans la même seringue:** Héparine.
- **Compatibilités (tubulure en Y):** Cyclophosphamide, famotidine, hydromorphone, morphine ou perphénazine.
- **Incompatibilités (tubulure en Y):** Ciprofloxacine, mépéridine, ondansétron ou vérapamil.
- **Incompatibilités en addition au soluté:** Ciprofloxacine. La mezlocilline n'est pas compatible avec les aminosides; ne pas effectuer d'admixtion avec ces agents. Espacer les administrations d'au moins une heure.

ENSEIGNEMENT AU PATIENT ET À SES PROCHES

- ☐ Recommander au patient de signaler au médecin l'allergie et les signes suivants de surinfection: excroissance noire pileuse sur la langue, démangeaisons et écoulements vaginaux, selles molles ou nauséabondes.
- ☐ Conseiller au patient de prévenir le médecin en cas de fièvre ou de diarrhée, particulièrement si les selles contiennent du sang, du pus ou des mucosités. Recommander au patient de ne pas traiter la diarrhée sans consulter au préalable le médecin ou le pharmacien.

VÉRIFICATION DES RÉSULTATS

La réponse clinique peut être déterminée par: la disparition des signes et des symptômes d'infection. Le temps de résolution dépend du micro-organisme infectant et du siège de l'infection.

MICONAZOLE

Micatin, Monistat, Monistat Derm, (Monistat IV)

CLASSIFICATION:
Antifongique

Grossesse – catégorie inconnue

INDICATIONS

Traitement de plusieurs infections fongiques de la peau et des muqueuses.

ACTION

- Altération de la perméabilité de la membrane de la cellule fongique et de la fonction des enzymes fongiques. **Effets thérapeutiques:** ■ Action fongicide ou fongistatique. **Spectre d'action:** ■ Le miconazole est actif contre les champignons et contre les bactéries à Gram positif ■ Son activité est surtout notable

M

contre: □ *Candida albicans* □ *Derma-tophytes*.

PHARMACOCINÉTIQUE

Absorption: Par suite de l'application topique, de petites quantités sont absorbées par voie systémique.
Distribution: Inconnue.
Métabolisme et excrétion: Inconnus.
Demi-vie: Inconnue.

CONTRE-INDICATIONS ET PRÉCAUTIONS

Contre-indications: Hypersensibilité au miconazole ou à l'un des ingrédients.
Précautions: Grossesse (précédents d'usage de la préparation vaginale pendant la grossesse).

RÉACTIONS INDÉSIRABLES ET EFFETS SECONDAIRES

Locaux: irritation, brûlure, démangeaisons.

INTERACTIONS

Médicament – médicament: Aucune interaction notable.

PRÉSENTATION

Le miconazole est présenté sous forme de crème pour usage topique, d'ovules, de tampons ou de suppositoires vaginaux.

VOIES D'ADMINISTRATION ET POSOLOGIE

- **Préparation vaginale (adultes):** suppositoires à 100 mg, administrés une fois par jour dans le vagin pendant 7 jours; ou ovules à 400 mg, une fois par jour, pendant 3 jours ou tampons à 100 mg, une fois par jour, pendant 5 jours ou le contenu d'un applicateur rempli de crème vaginale, une fois par jour, pendant 7 ou 14 jours.
- **Préparation topique (adultes et enfants):** Appliquer la crème à 2 %, 2 fois par jour, matin et soir.

PHARMACODYNAMIE (effets antifongiques)

	DÉBUT D'ACTION	PIC
préparation vaginale	inconnu	inconnu
préparation topique	1 – 2 semaines	inconnu

✳ SOINS INFIRMIERS

ÉVALUATION DE LA SITUATION

Examiner la peau et les muqueuses affectées avant le traitement et à intervalles réguliers pendant toute sa durée.

DIAGNOSTICS INFIRMIERS POSSIBLES

- **Énoncés diagnostiques**
- □ Risque élevé d'infection.
- □ Atteinte à l'intégrité de la peau.
- □ Prise en charge inefficace du programme thérapeutique.

- **Facteurs favorisants**
- □ Informations incomplètes.
- □ *Manque de connaissances sur les effets secondaires du médicament et sur les moyens de les prévenir.*
- □ *Manque de connaissances sur la méthode d'administration du médicament.*

INTERVENTIONS INFIRMIÈRES

Aucune intervention en particulier.

ENSEIGNEMENT AU PATIENT ET À SES PROCHES

- **Directives générales:** Conseiller au patient de suivre scrupuleusement la posologie recommandée pour le miconazole destiné à l'usage topique. S'il n'a pas pu appliquer le médicament au moment habituel, il doit le faire aussitôt que possible à moins que ce ne soit presque l'heure prévue pour l'application suivante.
- **Préparations vaginales:** Conseiller à la patiente d'utiliser les préparations vaginales au coucher, sauf recommandation médicale contraire. Un applicateur est inclus dans chaque embal-

M

lage. Recommander à la patiente d'introduire la préparation profondément dans le vagin et d'utiliser une serviette hygiénique pour ne pas tacher ses vêtements ou la literie. L'inciter à rester ensuite couchée pendant au moins 30 min. Lui conseiller de ne pas se donner de douche vaginale sans consulter au préalable le médecin.

□ Conseiller à la patiente traitée pour une infection vaginale d'éviter les rapports sexuels pendant le traitement pour prévenir la réinfection.

■ **Préparation topique:** Expliquer au patient qui utilise la crème pour usage topique qu'il doit en appliquer une quantité suffisante pour couvrir la région affectée et qu'il doit faire pénétrer la préparation en massant délicatement. Lui recommander d'éviter tout contact avec les yeux et de ne pas utiliser de pansement occlusif, sauf recommandation contraire du médecin.

□ Recommander au patient de consulter le médecin s'il ne note aucune amélioration dans les quatre semaines qui suivent le début du traitement.

VÉRIFICATION DES RÉSULTATS

L'efficacité du traitement peut être démontrée par: ■ la disparition des signes et des symptômes d'infection. □ L'application vaginale devrait être poursuivie pendant 3 à 14 jours. □ L'application topique devrait parfois se poursuivre pendant une période de 2 semaines à un mois afin de prévenir les rechutes.

MIDAZOLAM
Versed

CLASSIFICATION:
Hypnosédatif – benzodiazépine

Grossesse – catégorie D

INDICATIONS

■ Sédation préopératoire et amnésie postopératoire ■ Adjuvant à l'induction de l'anesthésie ■ Sédation sans perte de connaissance avant et pendant des interventions diagnostiques ou endoscopiques et pendant la cardioversion électrique.

ACTION

■ Dépression généralisée du SNC par un effet s'exerçant à de nombreux niveaux de ce système ■ Effets probablement attribuables à la médiation par l'acide gamma-aminobutyrique (GABA), neurotransmetteur inhibiteur. **Effets thérapeutiques:** ■ Sédation de courte durée ■ Amnésie postopératoire.

PHARMACOCINÉTIQUE

Absorption: Bonne absorption par suite de l'administration par voie IM.
Distribution: Le midazolam traverse la barrière hémato-encéphalique et le placenta.
Métabolisme et excrétion: Le midazolam est presque exclusivement métabolisé par le foie.
Demi-vie: De 1 à 12 h (prolongée en cas d'insuffisance rénale ou cardiaque).

CONTRE-INDICATIONS ET PRÉCAUTIONS

Contre-indications: ■ Hypersensibilité ■ Risque de réactions de sensibilité croisée avec d'autres benzodiazépines ■ Choc ■ Coma ou dépression préexistante du SNC ■ Douleur grave, impossible à soulager ■ Grossesse ou allaitement.
Précautions: ■ Maladie pulmonaire ■ Insuffisance cardiaque ■ Insuffisance rénale ■ Insuffisance hépatique grave ■ Personnes âgées ou patients débilités (davantage prédisposés aux effets dépresseurs; réduire la dose) ■ Enfants (l'innocuité du médicament n'a pas été établie).

RÉACTIONS INDÉSIRABLES ET EFFETS SECONDAIRES

SNC: céphalées, sédation excessive, somnolence, agitation.

ORLO: vision trouble.

Resp.: toux, LARYNGOSPASME, bronchospasme, DÉPRESSION RESPIRATOIRE, APNÉE.

CV: arythmies, ARRÊT CARDIAQUE.

GI: hoquet, nausées, vomissements.

Tég.: rash.

Locaux: douleur au point d'injection IM, phlébite au point d'injection IV.

INTERACTIONS

Médicament – médicament: ■ Dépression additive du SNC lors de l'usage concomitant d'**alcool**, d'**antihistaminiques**, d'**analgésiques narcotiques** et d'**hypnosédatifs** (diminuer la dose de midazolam de 30 à 50 % en cas d'administration concomitante) ■ Risque accru d'hypotension lors de l'administration simultanée d'**antihypertenseurs** ou de **dérivés nitrés** ou lors de l'ingestion d'**alcool**.

VOIES D'ADMINISTRATION ET POSOLOGIE

Remarque: Il faut adapter la dose à chaque cas particulier et la diminuer chez les personnes âgées et chez les patients ayant déjà reçu un sédatif.

Sédation préopératoire

■ **IM (adultes):** de 70 à 80 µg/kg, de 30 à 60 min avant l'intervention chirurgicale (la dose habituelle est de 5 mg).

Prémédication lors d'examens endoscopiques ou diagnostiques et lors d'une cardioversion

■ **IV (adultes):** dose initiale de 2 à 2,5 mg. On peut augmenter cette dose selon les besoins. Il est rarement nécessaire d'administrer des doses supérieures à 5 mg. Chez les personnes âgées (> 55 ans) ou chez les patients débilités, la dose initiale ne devrait pas dépasser de 1 à 1,5 mg; des doses supérieures à 3,5 mg sont rarement nécessaires.

Induction de l'anesthésie

■ **IV (adultes):** de 300 à 350 µg/kg; on peut administrer des doses supplémentaires par paliers correspondant à 25 % de la dose initiale (jusqu'à 600 µg/kg). Si le patient est âgé de plus de 55 ans, s'il est débilité ou s'il a déjà reçu un sédatif, amorcer le traitement avec 150 µg/kg.

PHARMACODYNAMIE (sédation)

	DÉBUT D'ACTION	PIC	DURÉE
IM	15 min	30 – 60 min	2 – 6 h
IV	1,5 – 5 min	rapide	2 – 6 h

SOINS INFIRMIERS

ÉVALUATION DE LA SITUATION

☐ Noter le degré de sédation et le niveau de la conscience du patient tout au long de l'administration du médicament et pendant les 2 à 6 h qui suivent.

☐ Mesurer la pression artérielle, le pouls et la fréquence respiratoire tout au long de l'administration IV. Garder à portée de la main de l'oxygène et le matériel de réanimation pour parer à toute urgence.

■ **Toxicité et surdosage:** En cas de surdosage, mesurer continuellement le pouls, la fréquence respiratoire et la pression artérielle. Maintenir la perméabilité des voies aériennes et assister la ventilation, selon les besoins. En cas d'hypotension, administrer des liquides par voie IV, faire changer au patient de position et lui administrer des vasopresseurs.

DIAGNOSTICS INFIRMIERS POSSIBLES

■ **Énoncés diagnostiques**

☐ Mode de respiration inefficace.

☐ Risque élevé d'accident.

☐ Prise en charge inefficace du programme thérapeutique.

☐ *Risque élevé de douleur au point d'injection IV.*

■ **Facteurs favorisants**

☐ Informations incomplètes.

☐ *Perturbation de la vigilance.*

□ *Inflammation du tissu vasculaire ou infiltration du médicament dans les tissus avoisinants.*

□ *Perturbation des échanges gazeux.*

INTERVENTIONS INFIRMIÈRES

■ **IM:** Administrer les doses par voie IM profondément dans la masse musculaire.

■ **IV directe:** Administrer la solution sans la diluer ou la diluer dans une solution de dextrose à 5 % dans de l'eau, ou de NaCl à 0,9 %, ou dans du lactate Ringer. Administrer dans une tubulure en Y ou dans un robinet à 3 voies.

□ Lorsqu'on administre le midazolam en même temps que des analgésiques narcotiques, la dose devrait être réduite de 30 à 50 %.

□ *Vitesse d'administration:* Administrer chacune des doses lentement, en au moins 2 min. Suivre de près le point d'injection IV pour prévenir l'extravasation. Adapter la dose selon la réponse du patient.

■ **Associations compatibles dans la même seringue:** Atropine, benzquinamide, buprénorphine, butorphanol, chlorpromazine, cimétidine, diphenhydramine, dropéridol, fentanyl, glycopyrrolate, hydromorphone, hydroxyzine, mépéridine, métoclopramide, morphine, nalbuphine, promazine, prométhazine, scopolamine, thiéthylpérazine ou triméthobenzamide.

■ **Associations incompatibles dans la même seringue:** Dimenhydrinate, pentobarbital, perphénazine, prochlorpérazine ou ranitidine.

■ **Compatibilités (tubulure en Y):** Atracurium, pancuronium ou vécuronium.

■ **Incompatibilité (tubulure en Y):** Foscarnet.

ENSEIGNEMENT AU PATIENT ET À SES PROCHES

□ Expliquer au patient que ce médicament entraînera une perte de mémoire et, de ce fait, ses souvenirs de l'intervention seront estompés.

□ Prévenir le patient que le midazolam peut provoquer de la somnolence ou des étourdissements. Conseiller au patient de demander de l'aide lors de ses déplacements, de ne pas conduire et d'éviter les activités qui exigent sa vigilance pendant les 24 h qui suivent l'administration du midazolam.

□ Recommander à la patiente d'informer le médecin si elle pense être enceinte, avant que ce médicament lui soit administré.

□ Recommander au patient d'éviter de boire de l'alcool et de ne pas prendre d'autres dépresseurs du SNC dans les 24 h qui suivent l'administration du midazolam.

VÉRIFICATION DES RÉSULTATS

L'efficacité du traitement peut être démontrée par: la sédation au cours des interventions chirurgicales, diagnostiques et endoscopiques et l'amnésie par la suite.

MINOCYCLINE
Minocin

CLASSIFICATION:
Anti-infectieux – tétracycline

Grossesse – catégorie inconnue

INDICATIONS

■ Usage fréquent pour traiter les infections attribuables à des micro-organismes inhabituels (atypiques) incluant: □ les mycoplasmes □ *Chlamydia* □ les rickettsies ■ Traitement de la gonorrhée et de la syphilis chez les patients qui ne peuvent tolérer le traitement classique ■ Traitement de l'acné inflammatoire ou traitement adjuvant de l'acné grave ■ Traitement adjuvant de l'amibiase intestinale aiguë. **Usages non approuvés:** ■ Éradication chez les porteurs asymptomatiques de *Neisseria meningitidis* dans le cas des patients qui présentent une intolérance à la rifampine.

ACTION

■ Inhibition de la synthèse des protéines bactériennes au niveau du ribosome 30S.
Effets thérapeutiques: ■ Action bactériostatique contre les bactéries sensibles.
Spectre d'action: ■ La minocycline est active contre une grande variété de microorganismes à Gram positif ou à Gram négatif et de micro-organismes atypiques incluant: □ *Neisseria meningitidis* □ *Neisseria gonorrhoeæ* □ *Treponema pallidum* □ *Chlamydia trachomatis* ■ *Ureaplasma urealyticum* ■ *Mycoplasma pneumoniæ* ■ *Norcadia*.

PHARMACOCINÉTIQUE

Absorption: Bonne absorption depuis le tractus gastro-intestinal.
Distribution: Le médicament se répartit dans tout l'organisme et une faible quantité pénètre dans le liquide céphalorachidien. Il traverse le placenta et pénètre dans le lait maternel.
Métabolisme et excrétion: Une fraction de 5 à 20 % est excrétée à l'état inchangé dans l'urine. Le médicament est partiellement métabolisé par le foie et subit plusieurs cycles entérohépatiques avant d'être excrété dans la bile et les fèces.
Demi-vie: De 11 à 26 h.

CONTRE-INDICATIONS ET PRÉCAUTIONS

Contre-indications: ■ Hypersensibilité ■ Enfants de moins de 13 ans (coloration sombre permanente des dents) ■ Grossesse ou allaitement.
Précautions: ■ Patients cachectiques ou débilités ■ Maladie hépatique ou rénale.

RÉACTIONS INDÉSIRABLES ET EFFETS SECONDAIRES

SNC: sensation de tête légère, étourdissements, vertige.
ORLO: réactions vestibulaires.

GI: nausées, vomissements, diarrhée, pancréatite, hépatotoxicité.
Tég.: rash, photosensibilité.
Hémat.: dyscrasie.
Locaux: phlébite au point d'injection IV.
Divers: surinfection, réactions d'hypersensibilité.

INTERACTIONS

Médicament – médicament: ■ La minocycline peut intensifier l'effet des **anticoagulants oraux** ■ La minocycline peut diminuer l'efficacité des **contraceptifs oraux** ■ Le **calcium**, le **fer** ou le **magnésium**, administrés simultanément, forment avec la minocycline un complexe par chélation et peuvent en diminuer l'absorption ■ Les **antidiarrhéiques au kaolin/pectine** peuvent diminuer l'absorption de la minocycline.

VOIES D'ADMINISTRATION ET POSOLOGIE

Traitement des infections, éradication chez les porteurs de méningocoques
■ **PO (adultes):** initialement, de 100 à 200 mg; par la suite, 100 mg toutes les 12 h ou 50 mg toutes les 6 h.

Acné inflammatoire
■ **PO (adultes) (É.-U.):** 50 mg, de 1 à 3 fois par jour.

PHARMACODYNAMIQUE
(concentrations sanguines)

	DÉBUT D'ACTION	PIC
PO	rapide	2 – 3 h

☀ SOINS INFIRMIERS

ÉVALUATION DE LA SITUATION

■ Au début du traitement et pendant toute sa durée, surveiller les signes suivants d'infection: altération des signes vitaux, aspect de la plaie, des crachats, de l'urine et des selles; accroissement du nombre de leucocytes.

□ Prélever des échantillons pour les cultures et les antibiogrammes avant le début du traitement. La première dose peut être administrée avant même que les résultats soient connus.

■ **Étude des examens diagnostiques et biochimiques :** Le médicament peut entraîner l'élévation des concentrations sériques de TGOS (AST), de TGPS (ALT), de phosphatase alcaline, de bilirubine et d'amylase.

DIAGNOSTICS INFIRMIERS POSSIBLES

■ **Énoncés diagnostiques**

□ Risque élevé d'infection.

□ Prise en charge inefficace du programme thérapeutique.

□ Non-observance du traitement médicamenteux.

□ *Risque élevé d'accident.*

□ *Risque élevé de déficit de volume liquidien.*

□ *Risque élevé d'atteinte à l'intégrité de la peau.*

■ **Facteurs favorisants**

□ Informations incomplètes.

□ Doute quant aux bienfaits du médicament.

□ *Perturbation de la vigilance.*

□ *Manque de connaissances sur les moyens de prévenir les effets secondaires affectant l'appareil gastrointestinal.*

□ *Manque de connaissances sur les modalités du traitement.*

□ *Manque de connaissances sur les effets secondaires du médicament.*

□ *Manque de connaissances sur les moyens de réduire la photosensibilité.*

INTERVENTIONS INFIRMIÈRES

■ **Directives générales :** La minocycline peut rendre les dents de couleur jaune brun et réduire la densité des dents et des os, si elle est administrée pendant la grossesse ou chez les enfants de moins de 13 ans.

■ **PO :** Administrer la préparation, à intervalles réguliers, 24 h sur 24. La minocycline peut être prise avec des aliments. Administrer avec un grand verre de liquide au moins une heure avant le coucher.

□ Espacer de 1 à 3 h l'administration d'autres médicaments.

□ Ne pas administrer de sels de calcium, d'antiacides, de médicaments contenant du magnésium ou de suppléments de fer dans les 1 à 3 h qui suivent ou qui précèdent l'administration de la minocycline.

ENSEIGNEMENT AU PATIENT ET À SES PROCHES

□ Expliquer au patient qu'il doit prendre le médicament, à intervalles réguliers, 24 h sur 24 et utiliser toute la quantité qui lui a été prescrite, même s'il se sent mieux. S'il n'a pas pu prendre le médicament au moment habituel, il doit le prendre dès que possible à moins que ce ne soit presque l'heure prévue pour la dose suivante. Insister sur le fait qu'il peut être dangereux de donner ce médicament à une autre personne.

□ Prévenir le patient que la minocycline peut provoquer des étourdissements, une sensation de tête légère ou l'instabilité. Lui conseiller de ne pas conduire et d'éviter les activités qui exigent sa vigilance jusqu'à ce qu'on ait la certitude que le médicament n'entraîne pas ces effets chez lui. Lui recommander de prévenir le médecin si ces symptômes se manifestent.

□ Conseiller au patient d'utiliser un écran solaire et de porter des vêtements protecteurs afin d'éviter les réactions de photosensibilité.

□ Recommander à la patiente d'utiliser une méthode de contraception non hormonale pendant le traitement à la minocycline.

☐ Recommander au patient qui doit suivre un traitement dentaire ou subir une intervention chirurgicale d'avertir le dentiste ou le médecin qu'il suit un traitement médicamenteux.

☐ Conseiller au patient de signaler les signes suivants de surinfection: excroissance noire et pileuse sur la langue, démangeaisons ou pertes vaginales, selles molles ou nauséabondes. Recommander au patient de signaler également le rash, le prurit, et l'urticaire.

☐ Recommander au patient d'avertir le médecin si les symptômes ne s'améliorent pas.

☐ Recommander au patient de jeter tout produit périmé ou décomposé étant donné qu'il peut être toxique.

VÉRIFICATION DES RÉSULTATS

La réponse clinique peut être déterminée par: ■ la disparition des signes et des symptômes d'infection; le temps de résolution dépend du micro-organisme infectant et du siège de l'infection ■ l'amélioration de l'acné.

MINOXIDIL
Apo-Gain, Loniten, Rogaine, (Minodyl)

CLASSIFICATION:
Antihypertenseur – vasodilatateur; agent dermatologique – traitement de l'alopécie

Grossesse – catégorie C (PO)

INDICATIONS

■ **PO:** Traitement de l'hypertension symptomatique grave ou de l'hypertension associée à la lésion des organes cibles qui n'a pas pu être maîtrisée par des traitements d'association plus classiques ■ **Préparation topique:** Traitement de l'alopécie androgénogénétique.

ACTION

■ Relaxation directe du muscle lisse vasculaire, probablement par inhibition de la phosphodiestérase, ce qui entraîne une vasodilatation qui est plus prononcée au niveau des artérioles qu'au niveau des veines ■ Repousse des cheveux, probablement grâce à un débit sanguin cutané accru ou à la stimulation des follicules pileux qui passent de la phase de repos à la phase de croissance. **Effets thérapeutiques:** ■ Abaissement de la pression artérielle ■ Repousse des cheveux.

PHARMACOCINÉTIQUE

Absorption: Bonne absorption depuis le tractus gastro-intestinal si le médicament est pris PO. Par suite de l'application topique, l'absorption est minime (< 2 %), mais elle est accentuée si l'on augmente la dose ou si l'on applique le médicament sur une surface plus étendue.
Distribution: Le médicament se répartit dans tout l'organisme. Il pénètre dans le lait maternel.
Métabolisme et excrétion: Une fraction de 90 % est métabolisée par le foie.
Demi-vie: 4,2 h.

CONTRE-INDICATIONS ET PRÉCAUTIONS

Contre-indications: ■ Hypersensibilité ■ Phéochromocytome ■ Patients qui prennent de la guanéthidine.
Précautions: ■ **PO:** Infarctus du myocarde récent ■ Grossesse ou allaitement (l'innocuité du médicament n'a pas été établie) ■ Insuffisance rénale grave (on peut administrer le médicament en présence d'une insuffisance rénale modérée) ■ **Préparation topique:** Maladie cardiovasculaire ■ Abrasion ou irritation cutanée (risque accru d'absorption systémique).

RÉACTIONS INDÉSIRABLES ET EFFETS SECONDAIRES

SNC: PO – céphalées.
Resp.: PO – œdème pulmonaire.

M

CV: PO – œdème, INSUFFISANCE CARDIAQUE, tachycardie, modifications de l'ÉCG (modification des ondes T), épanchement péricardique, angine.

GI: PO – nausées.

Tég.: PO – hypertrichose, modification de la pigmentation, rash; préparation topique – brûlure ou démangeaison du cuir chevelu, rash, enflure du visage.

End.: PO – sensibilité mammaire, gynécomastie, irrégularités du cycle menstruel.

HÉ: PO – rétention hydrosodique.

Divers: claudication intermittente.

INTERACTIONS

Remarque: Sauf indication contraire, ces interactions concernent le minoxidil par voie orale.

Médicament–médicament: ■ Hypotension additive lors de l'administration simultanée d'autres **antihypertenseurs** ou de **dérivés nitrés** ou lors de l'ingestion d'**alcool** ■ Risque d'hypotension grave lors de l'administration simultanée de **guanéthidine** ■ Les **anti-inflammatoires non stéroïdiens** peuvent diminuer l'efficacité antihypertensive du minoxidil ■ **Préparation topique:** Les **glucocorticoïdes**, la **vaseline** ou les **rétinoïdes** topiques peuvent accentuer l'absorption du minoxidil et entraîner des effets secondaires systémiques.

VOIES D'ADMINISTRATION ET POSOLOGIE

Hypertension

■ **PO (adultes et enfants > 12 ans):** initialement, 5 mg par jour, en deux doses fractionnées; on peut augmenter la dose à des intervalles de 3 jours ou plus (pour maîtriser rapidement les symptômes, on peut ajuster les doses toutes les 6 h en observant étroitement l'état du patient), jusqu'à concurrence de 10 mg par jour; par la suite, 20 mg par jour et, enfin, 40 mg par jour, en deux doses fractionnées. La dose habituelle est de 10 à 40 mg

par jour. On a déjà administré des doses allant jusqu'à 100 mg.

■ **PO (enfants < 12 ans):** initialement, 0,2 mg/kg par jour (dose maximale: 5 mg); on peut augmenter graduellement la dose à des intervalles de 3 jours ou plus, par paliers de 50 à 100 %, jusqu'à obtention de la réponse souhaitée. La dose habituelle est de 0,25 à 1 mg/kg par jour en une seule prise ou en deux prises fractionnées. Pour une maîtrise rapide des symptômes, on peut adapter les doses toutes les 6 h (la dose quotidienne ne doit pas dépasser 50 mg).

Alopécie

■ **Préparation topique (adultes):** Appliquer 1 mL de solution à 2 % sur la région atteinte, 2 fois par jour (jusqu'à concurrence de 2 mL par jour).

PHARMACODYNAMIE (Préparation orale = effet antihypertenseur; préparation topique = repousse des cheveux)

	DÉBUT D'ACTION	PIC	DURÉE
préparation orale	30 min	2–8 h	2–5 jours
préparation topique	4 mois	inconnu	3–4 mois

✷ SOINS INFIRMIERS

ÉVALUATION DE LA SITUATION

■ **Hypertension:** Mesurer fréquemment le pouls et la pression artérielle pendant la période initiale d'adaptation de la posologie et à intervalles réguliers pendant toute la durée du traitement. Prévenir le médecin de tout changement important.

☐ Effectuer le bilan quotidien des ingesta et des excreta, peser le patient tous les jours et suivre de près l'œdème, surtout au début du traitement. Prévenir le médecin en cas de gain de poids ou d'œdème, car la rétention hydrosodique peut être traitée par des diurétiques.

- **Étude des examens diagnostiques et biochimiques :** Examiner les résultats des tests de l'exploration fonctionnelle rénale et hépatique, la numération globulaire et les concentrations d'électrolytes avant le début du traitement et à intervalles réguliers pendant toute sa durée.

□ Le minoxidil peut entraîner l'élévation des concentrations sériques d'urée, de créatinine, de phosphatase alcaline et de sodium. Il peut également entraîner la diminution du nombre d'érythrocytes, des concentrations d'hémoglobine et de l'hématocrite.

DIAGNOSTICS INFIRMIERS POSSIBLES

- **Énoncés diagnostiques**
□ Diminution de l'irrigation tissulaire.
□ Perturbation situationnelle de l'estime de soi.
□ Prise en charge inefficace du programme thérapeutique.
□ *Risque élevé d'accident.*
□ *Risque élevé d'excès de volume liquidien.*

- **Facteurs favorisants**
□ Informations incomplètes.
□ *Altération de l'image corporelle.*
□ *Manque de connaissances sur les effets hypotensifs du médicament lors des changements brusques de position.*
□ *Difficulté à s'adapter aux changements nécessaires dans les habitudes de vie.*
□ *Manque de connaissances sur les modalités du traitement.*
□ *Manque de connaissances sur le régime alimentaire à suivre.*
□ *Manque de connaissances sur la méthode d'administration du médicament.*

INTERVENTIONS INFIRMIÈRES

- **Hypertension :** Il faut parfois interrompre graduellement le traitement afin de prévenir l'hypertension rebond.
□ Sauf chez les patients hémodialysés, le minoxidil est administré avec un diurétique.
□ Il ne faudrait pas faire d'adaptations posologiques plus souvent que tous les 3 jours afin d'assurer l'efficacité maximale du médicament, à moins qu'une maîtrise rapide des symptômes ne soit nécessaire.
- **PO :** On peut administrer le minoxidil sans égard aux repas.
- **Préparation topique :** La même dose de 1 mL doit être utilisée sans égard à l'étendue de la calvitie. Une dose supérieure à 2 mL par jour n'accélèrera pas la repousse des cheveux, mais les effets secondaires peuvent être plus nombreux.
□ La solution de minoxidil est accompagnée des applicateurs doseurs jetables suivants : pulvérisateur, rallonge de pulvérisateur et applicateur caoutchouté.

ENSEIGNEMENT AU PATIENT ET À SES PROCHES

- **Hypertension :** Expliquer au patient pourquoi il doit poursuivre la prise de ce médicament même s'il se sent mieux. Lui conseiller de prendre le médicament à la même heure tous les jours. S'il n'a pas pu prendre le médicament au moment habituel, il doit le prendre dès que possible dans les quelques heures qui suivent l'heure prévue, autrement il devrait sauter cette dose et reprendre le schéma posologique habituel. Il ne faut jamais doubler les doses. Prévenir le patient qu'il ne doit pas arrêter de prendre le minoxidil sans consulter le médecin au préalable. Le minoxidil stabilise la pression artérielle mais ne guérit pas l'hypertension.
□ Inciter le patient à appliquer d'autres mesures de réduction de l'hyperten-

sion : perdre du poids, réduire sa consommation de sel, cesser de fumer, boire avec modération, faire régulièrement de l'exercice et diminuer le stress.

☐ Montrer au patient et à ses proches comment prendre la pression artérielle et le pouls. Leur recommander de mesurer la pression artérielle au moins une fois par semaine et de signaler au médecin tout changement important. Leur conseiller de prévenir également le médecin si la fréquence du pouls au repos monte à plus de 20 bpm au-dessus des valeurs initiales.

☐ Recommander au patient de se peser tous les jours et de signaler au médecin tout gain rapide de poids de plus de 2,5 kg ou tout signe de rétention hydrique.

☐ Recommander au patient de changer lentement de position pour réduire les risques d'hypotension orthostatique.

☐ Conseiller au patient de consulter le médecin ou le pharmacien avant de prendre des médicaments contre la toux, le rhume ou les allergies. Lui conseiller également de ne pas consommer des quantités excessives de thé, de café ou de boissons à base de cola.

☐ Expliquer au patient que les crèmes dépilatoires peuvent réduire une croissance pileuse accrue. Ce phénomène est passager et disparaît dans les un à six mois qui suivent l'arrêt du traitement par le minoxidil.

■ **Préparation topique :** Conseiller au patient de suivre scrupuleusement la posologie recommandée. L'inciter à ne pas utiliser une plus grande quantité de médicament ni à l'appliquer plus fréquemment pour éviter les effets secondaires systémiques. Si le patient n'a pas pu appliquer le médicament au moment habituel, il doit le faire

dès que possible à moins que ce ne soit presque l'heure prévue pour la dose suivante.

☐ Expliquer au patient qu'il doit appliquer la solution seulement sur le cuir chevelu, et non pas sur les autres parties du corps, afin de réduire les effets secondaires. Lui recommander de ne pas utiliser le minoxidil en même temps que d'autres médicaments topiques pour le cuir chevelu et de ne pas l'appliquer sur le cuir chevelu en présence d'un érythème solaire. Il faut appliquer la solution sur des cheveux secs.

☐ Prévenir le patient que les premiers cheveux qui repoussent peuvent être fins, incolores et à peine visibles. Si le traitement est poursuivi, les cheveux qui repousseront prendront la même couleur et la même épaisseur que le reste de la chevelure.

☐ Prévenir le patient que s'il arrête le traitement, les cheveux nouvellement poussés tomberont dans les quelques mois qui suivent.

☐ Conseiller au patient de se faire un shampooing tous les matins avant l'application quotidienne et d'appliquer la solution sur la région atteinte en commençant par le centre de la calvitie. Lui recommander de se laver les mains immédiatement après l'application et de ne pas utiliser de séchoir pour accélérer le séchage. Lui conseiller de ne pas se coucher dans les 30 min qui suivent l'application afin que le médicament ne s'enlève pas par frottement à l'oreiller.

☐ Recommander au patient d'éviter tout contact avec les yeux, le nez ou la bouche. En cas de contact accidentel, il faut rincer soigneusement la région atteinte avec de l'eau.

☐ Conseiller au patient de signaler au médecin les symptômes suivants : démangeaisons, brûlures, rash ou enflure du visage, douleurs thoraciques, gain de poids ou tachycardie.

M

L'efficacité du traitement peut être démontrée par : ■ la baisse de la pression artérielle sans apparition d'effets secondaires graves ■ la repousse des cheveux dans les cas d'alopécie androgénogénétique. La repousse des cheveux prend habituellement 4 mois sinon plus.

MISOPROSTOL
Cytotec

CLASSIFICATION :
Agent gastro-intestinal – agent antiulcéreux

Grossesse – catégorie X

INDICATIONS

■ Prévention de l'ulcère gastrique causé par les anti-inflammatoires non stéroïdiens incluant l'aspirine, chez les patients à risque élevé (personnes âgées, patients débilités ou ceux ayant des antécédents d'ulcère) ■ Traitement de l'ulcère gastrique causé par les anti-inflammatoires non stéroïdiens ■ Traitement de l'ulcère duodénal.

ACTION

■ Action qui ressemble à celle des analogues des prostaglandines : diminution des sécrétions d'acide gastrique (effet antisécrétoire) et augmentation de la production d'une muqueuse de protection (effet cytoprotecteur). **Effets thérapeutiques :** ■ Prévention et traitement de l'ulcération gastrique provoquée par les anti-inflammatoires non stéroïdiens ■ Traitement de l'ulcère duodénal.

PHARMACOCINÉTIQUE

Absorption : Bonne absorption par suite de l'administration PO. Le misoprostol est rapidement transformé en sa forme active (misoprostol acide).

Distribution : Inconnue.

Métabolisme et excrétion : Le misoprostol est partiellement métabolisé et ensuite excrété par les reins.

Demi-vie : De 20 à 40 min.

CONTRE-INDICATIONS ET PRÉCAUTIONS

Contre-indications : ■ Hypersensibilité aux prostaglandines ■ Grossesse ou allaitement.

Précautions : ■ Patientes en âge de procréer ■ Enfants de moins de 18 ans (l'innocuité du médicament n'a pas été établie).

RÉACTIONS INDÉSIRABLES ET EFFETS SECONDAIRES

SNC : céphalées.

GI : diarrhée, douleurs abdominales, nausées, flatulence, dyspepsie, vomissements, constipation.

GU : troubles menstruels, avortement spontané.

INTERACTIONS

Médicament – médicament : Risque accru de diarrhée lors de l'administration simultanée d'**antiacides contenant du magnésium**.

VOIES D'ADMINISTRATION ET POSOLOGIE

Traitement de l'ulcère duodénal

■ **PO (adultes) :** 200 µg, 4 fois par jour, pendant ou après les repas et au coucher ou 400 µg, 2 fois par jour (la dernière dose est administrée au coucher) pendant 4 semaines.

Traitement et prévention des ulcères gastriques causés par les anti-inflammatoires non stéroïdiens

■ **PO (adultes) :** de 400 à 800 µg par jour, en doses fractionnées.

■ En cas d'intolérance, on peut diminuer la dose à 100 µg.

PHARMACODYNAMIE
(sécrétion d'acide gastrique)

	DÉBUT D'ACTION	PIC	DURÉE
PO	30 min	inconnu	3 h

SOINS INFIRMIERS

ÉVALUATION DE LA SITUATION

□ Observer le patient à intervalles réguliers pour déceler les douleurs abdominales ou épigastriques et la présence de sang occulte ou franc dans les selles, les vomissements ou les sécrétions gastriques.

□ Faire passer un test de grossesse aux patientes en âge de procréer. On amorce habituellement le traitement le 2e ou le 3e jour du cycle menstruel si le test de grossesse est négatif.

DIAGNOSTICS INFIRMIERS POSSIBLES

■ **Énoncés diagnostiques**

□ Douleur.

□ Prise en charge inefficace du programme thérapeutique.

□ *Risque élevé de déficit de volume liquidien.*

■ **Facteurs favorisants**

□ Informations incomplètes.

□ *Manque de connaissances sur les modalités du traitement.*

□ *Manque de connaissances sur les moyens de prévenir les effets secondaires affectant l'appareil gastro-intestinal.*

INTERVENTIONS INFIRMIÈRES

PO: Administrer le médicament aux repas et au coucher pour réduire la gravité de la diarrhée.

ENSEIGNEMENT AU PATIENT ET À SES PROCHES

□ Conseiller au patient de suivre scrupuleusement la posologie recommandée pendant toute la durée du traitement, même s'il se sent mieux. Lui expliquer qu'il peut être dangereux de donner ce médicament à une autre personne.

□ Prévenir la patiente que le misoprostol provoque des fausses couches. Il faut informer de cet effet verbalement et par écrit toute femme en âge de procréer et lui recommander de prendre des mesures de contraception pendant toute la durée du traitement. Si on soupçonne une grossesse, il faut arrêter de prendre le misoprostol et prévenir immédiatement le médecin.

□ Prévenir le patient qu'il peut souffrir de diarrhée. Lui conseiller de prévenir le médecin si la diarrhée persiste pendant plus d'une semaine. Lui conseiller également de contacter le médecin si les selles deviennent noires et goudronneuses ou si des douleurs abdominales graves surviennent.

□ Conseiller au patient d'éviter de boire de l'alcool et de ne pas consommer des aliments qui peuvent augmenter l'irritation gastrique.

VÉRIFICATION DES RÉSULTATS

L'efficacité du traitement peut être démontrée par: ■ la prévention et le traitement des ulcères gastriques chez les patients recevant un traitement prolongé par des anti-inflammatoires non stéroïdiens ■ le traitement de l'ulcère duodénal.

MITOMYCINE
Mutamycin

CLASSIFICATION :
Antinéoplasique – antibiotique antitumoral

Grossesse – catégorie inconnue

INDICATIONS

■ Traitement palliatif et adjuvant de l'adénocarcinome disséminé de l'estomac et du côlon ■ Traitement topique du cancer vésical de type transitionnel. **Usages**

non approuvés : ■ Traitement palliatif des cancers suivants : □ cancer du sein □ tumeur de la tête et du cou □ adénocarcinome du pancréas □ cancer épidermoïde avancé des voies biliaires, des poumons et du col.

ACTION

■ Principalement, inhibition de la synthèse de l'ADN par la formation de liaisons transversales ; également, inhibition de la synthèse des protéines et de l'ARN (phase non spécifique du cycle cellulaire, mais effet plus intense au cours des phases S et G). **Effets thérapeutiques :** ■ Destruction des cellules à réplication rapide, particulièrement les cellules malignes.

PHARMACOCINÉTIQUE

Absorption : Par suite de l'administration par voie intravésicale, la mitomycine n'est pas absorbée de façon notable.
Distribution : Le médicament se répartit dans tout l'organisme et se concentre dans les tissus tumoraux. Il ne pénètre pas dans le liquide céphalorachidien.
Métabolisme et excrétion : Le médicament est surtout métabolisé par le foie ; il est excrété en quantités minimes (< 10 %) à l'état inchangé par les reins et dans la bile.
Demi-vie : 50 min.

CONTRE-INDICATIONS ET PRÉCAUTIONS

Contre-indications : ■ Hypersensibilité ■ Grossesse ou allaitement.
Précautions : ■ Patientes en âge de procréer ■ Infections en évolution ■ Réserve médullaire réduite ■ Autres maladies chroniques débilitantes ■ Dysfonctionnement hépatique ■ Antécédents de troubles pulmonaires.

RÉACTIONS INDÉSIRABLES ET EFFETS SECONDAIRES

Resp. : toxicité pulmonaire (hémoptysie, dyspnée, toux, pneumonie).
CV : œdème.

GI : nausées, vomissements, anorexie, stomatite.
GU : insuffisance rénale, suppression de la fonction des gonades ; voie intravésicale – irritation.
Tég. : alopécie, desquamation.
Hémat. : anémie, leucopénie, thrombocytopénie.
Locaux : phlébite au point d'injection IV.
Divers : malaise prolongé, fièvre, SYNDROME HÉMOLYTIQUE ET URÉMIQUE.

INTERACTIONS

Médicament – médicament : ■ Hypoplasie médullaire additive lors de l'administration simultanée d'autres **antinéoplasiques** ou d'une **radiothérapie** ■ La mitomycine peut diminuer la réponse des anticorps aux **vaccins vivants** et augmenter le risque de réactions indésirables.

VOIES D'ADMINISTRATION ET POSOLOGIE

■ **IV (adultes) :** 20 mg/m^2 en une seule dose ou 2 mg/m^2 par jour pendant 5 jours ; prévoir ensuite une période de 2 jours sans médicament, puis administrer une dose de 2 mg/m^2 par jour pendant 5 jours. Ces régimes peuvent être utilisés à des intervalles de 6 à 8 semaines.
■ **Voie intravésicale (adultes) :** de 20 à 40 mg, 1 fois par semaine, pendant 8 semaines.

PHARMACODYNAMIE (effets sur la numération globulaire)

	DÉBUT D'ACTION	PIC	DURÉE
IV	3 – 8 semaines	4 – 8 semaines	jusqu'à 3 mois
voie intravésicale	inconnu	inconnu	inconnue

⁂ SOINS INFIRMIERS

ÉVALUATION DE LA SITUATION

□ Mesurer les signes vitaux à intervalles réguliers tout au long de l'administration.

- Suivre de près la fièvre, les maux de gorge et les signes d'infection attribuables à la leucopénie. Prévenir le médecin si ces symptômes se manifestent.

- Suivre de près les saignements attribuables à la thrombocytopénie : saignement des gencives, formation d'ecchymoses, pétéchies, présence de sang occulte dans les selles, dans l'urine et dans les vomissements (par la méthode au gaïac). Éviter les injections IM et la prise de la température PR. Appliquer une pression sur les points de ponction veineuse pendant 10 min.

- Effectuer le bilan des ingesta et des excreta ; noter l'appétit du patient et sa consommation de nourriture. Les nausées et les vomissements se manifestent habituellement une heure ou deux après l'administration du médicament. Les vomissements peuvent s'arrêter dans les 3 à 4 h ; les nausées peuvent persister pendant 2 ou 3 jours. Le médecin peut recommander l'administration prophylactique d'un antiémétique. Afin de favoriser le maintien de l'équilibre hydroélectrolytique et de la nutrition, adapter le régime alimentaire du patient en fonction des aliments qu'il peut tolérer.

- Examiner l'état de la fonction respiratoire et noter les résultats des examens radiographiques du thorax avant le traitement et à intervalles réguliers pendant toute sa durée. Prévenir le médecin en cas de toux, de bronchospasme ou de dyspnée.

- Chez le patient qui reçoit un traitement prolongé, suivre de près l'apparition d'un syndrome hémolytique et urémique qui peut être d'issue fatale. Les symptômes comprennent l'anémie hémolytique microangiopathique, la thrombocytopénie, l'insuffisance rénale et l'hypertension.

- **Étude des examens diagnostiques et biochimiques :** Noter la numération globulaire et la formule leucocytaire avant le traitement, à intervalles réguliers pendant toute sa durée et pendant plusieurs mois par la suite.

- Noter les résultats des tests de l'exploration fonctionnelle hépatique (TGOS [AST], TGPS [ALT], LDH, bilirubine) et rénale (urée, créatinine) avant le traitement et à intervalles réguliers pendant toute sa durée, pour déceler les signes d'hépatotoxicité et de néphrotoxicité. Prévenir le médecin si les concentrations de créatinine sont supérieures à 150 µmol/L.

- Le nadir de la leucopénie survient dans les 4 semaines qui suivent le début du traitement. Prévenir le médecin si le nombre de leucocytes est $< 4 \times 10^9$/L. Le nadir de la thrombocytopénie survient dans les 4 semaines qui suivent le début du traitement. Prévenir le médecin si le nombre de plaquettes est $< 150 \times 10^9$/L ou s'il diminue graduellement. Le nombre de leucocytes et de plaquettes se rétablit dans les 10 jours qui suivent l'arrêt du traitement. L'hypoplasie médullaire est cumulative et peut être irréversible. Ne pas administrer des cures subséquentes jusqu'à ce que le nombre de leucocytes soit $> 3 \times 10^9$/L et celui des plaquettes $> 75 \times 10^9$/L.

DIAGNOSTICS INFIRMIERS POSSIBLES

- **Énoncés diagnostiques**

- Risque élevé d'accident.
- Risque élevé d'infection.
- Perturbation situationnelle de l'estime de soi.
- *Risque élevé de déficit nutritionnel.*
- *Risque élevé de douleur au point d'injection IV.*
- *Risque élevé de surinfection.*
- *Risque élevé d'atteinte à l'intégrité des tissus.*
- *Risque élevé de perturbation des échanges gazeux.*

M

■ **Facteurs favorisants**

□ *Inflammation locale du tissu vasculaire ou infiltration du médicament dans les tissus avoisinants.*

□ *Manque de connaissances sur les moyens de prévenir les effets secondaires affectant l'appareil gastrointestinal.*

□ *Manque de connaissances sur les modalités du traitement.*

□ *Altération de l'image corporelle.*

□ *Manque de connaissances sur le régime alimentaire à suivre.*

INTERVENTIONS INFIRMIÈRES

■ **Directives générales :** Préparer la solution sous une hotte biologique de sécurité. Porter des gants, un vêtement protecteur et un masque pendant la manipulation de ce médicament. Mettre au rebut le matériel ayant servi à la préparation dans les contenants réservés à cet effet (voir l'annexe I).

□ Vérifier la perméabilité de la voie IV. L'extravasation peut provoquer une nécrose tissulaire grave. Si le patient se plaint de douleurs au point d'injection IV, arrêter immédiatement l'administration et reprendre la perfusion à un autre point. Prévenir immédiatement le médecin en cas d'extravasation.

■ **IV directe :** Reconstituer le contenu de la fiole à 5 mg avec 10 mL et celle de la fiole à 20 mg, avec 40 mL d'eau stérile pour injection. Bien agiter la fiole ; on doit laisser la préparation reposer à la température ambiante pendant un certain temps afin que l'agent se dissolve complètement ; la solution devient alors bleu-gris. La solution reconstituée est stable pendant 7 jours à la température ambiante et pendant 14 jours au réfrigérateur.

□ *Vitesse d'administration :* On peut administrer par injection directe en 5 à 10 min dans une tubulure IV par où s'écoule une solution de NaCl à 0,9 % ou de dextrose à 5 % dans de l'eau.

■ **Associations compatibles dans la même seringue :** Bléomycine, cisplatine, cyclophosphamide, doxorubicine, dropéridol, fluorouracile, furosémide, héparine, leucovorine, méthotrexate, métoclopramide, vinblastine ou vincristine.

■ **Compatibilités (tubulure en Y) :** Bléomycine, cisplatine, cyclophosphamide, doxorubicine, dropéridol, fluorouracile, furosémide, héparine, leucovorine, méthotrexate, métoclopramide, ondansétron, vinblastine ou vincristine.

■ **Compatibilité en addition au soluté :** Lactate de sodium.

■ **Incompatibilité en addition au soluté :** Bléomycine.

ENSEIGNEMENT AU PATIENT ET À SES PROCHES

□ Conseiller au patient de signaler au médecin les symptômes suivants : fièvre, frissons, maux de gorge, signes d'infection, saignement des gencives, formation d'ecchymoses, pétéchies ou présence de sang dans les urines, les selles ou les vomissements. Conseiller au patient d'éviter les foules et les personnes contagieuses. Lui recommander d'utiliser une brosse à dents à poils doux et un rasoir électrique. Mettre en garde le patient contre la consommation de boissons alcoolisées ou de produits contenant de l'aspirine.

□ Conseiller au patient de signaler au médecin les symptômes suivants : diminution du débit urinaire, œdème des membre inférieurs, essoufflement, ulcération cutanée ou nausées persistantes.

□ Recommander au patient d'examiner sa muqueuse buccale à la recherche d'érythèmes et d'aphtes. En présence d'aphtes, lui recommander d'utiliser une brosse-éponge et de se rincer la bouche avec de l'eau après avoir bu et mangé. Le médecin peut lui prescrire des gargarismes à la lidocaïne visqueuse si la douleur l'empêche de s'alimenter.

□ Expliquer au patient qu'il risque de perdre ses cheveux. Explorer avec lui les stratégies lui permettant de s'adapter à ce changement.

□ Prévenir la patiente que même si la mitomycine peut la rendre stérile, elle doit continuer à prendre des mesures de contraception puisque ce médicament peut avoir des effets tératogènes.

□ Prévenir le patient qu'il ne doit pas se faire vacciner sans recommandation expresse du médecin.

□ Insister sur la nécessité des examens diagnostiques et biochimiques à intervalles réguliers permettant de déceler les effets secondaires du médicament.

Vérification des résultats

L'efficacité du traitement peut être démontrée par: la diminution de la taille des tumeurs malignes et le ralentissement de la propagation des métastases.

MITOTANE

o, p'-DDD, Lysodren

CLASSIFICATION:

Antinéoplasique – divers

Grossesse – catégorie C

INDICATIONS

■ Traitement du corticosurrénalome inopérable. **Usages non approuvés:** ■ Syndrome de Cushing attribuable aux troubles hypophysaires.

ACTION

■ Suppression de la fonction des surrénales ■ Effets cytotoxiques directs sur les tumeurs des surrénales ■ Sur le plan structural, le médicament est apparenté au DDT (insecticide). **Effets thérapeutiques:** ■ Régression des tumeurs corticosurrénales.

PHARMACOCINÉTIQUE

Absorption: Par suite de l'administration PO, une fraction de 30 à 40 % est absorbée.

Distribution: Le médicament se répartit dans tous les tissus de l'organisme. Il s'accumule dans les tissus adipeux.

Métabolisme et excrétion: Le médicament est libéré lentement depuis les tissus adipeux. Le mitotane est surtout métabolisé par le foie. Une fraction de 10 % est excrétée par les reins et une fraction de 15 % est excrétée dans la bile.

Demi-vie: De 18 à 159 jours.

CONTRE-INDICATIONS ET PRÉCAUTIONS

Contre-indications: Hypersensibilité.

Précautions: ■ Grossesse ou allaitement (particulièrement, au cours du premier trimestre; l'innocuité du médicament n'a pas été établie) ■ Obésité (risque accru de réactions indésirables).

RÉACTIONS INDÉSIRABLES ET EFFETS SECONDAIRES

SNC: encéphalopathie, altération fonctionnelle (traitement prolongé, à des doses élevées), léthargie, somnolence, étourdissements, vertiges, dépression, céphalées, irritabilité, tremblements, faiblesse, fatigue.

ORLO: vision trouble, diplopie, opacité du cristallin, névrite optique, rétinopathie toxique, surdité partielle.

Resp.: respiration sifflante, essoufflement.

CV: hypotension, hypertension.

GI: anorexie, nausées, vomissements, diarrhée, salivation accrue.

GU: cystite hémorragique, hématurie, albuminurie.

Tég.: rash maculopapulaire, rougeur de la peau.

End.: suppression de la fonction des surrénales, gynécomastie.

Métab.: hypouricémie, hypercholestérolémie.

Loc.: arthralgie, myalgie, douleurs.

Divers: fièvre.

INTERACTIONS

Médicament – médicament: ■ Le mitotane
stimule les enzymes hépatiques qui métabolisent les médicaments, ce qui peut
diminuer l'efficacité des **médicaments
qui subissent un fort métabolisme hépatique** (**warfarine** et **phénytoïne**) ■ Dépression additive du SNC lors de l'utilisation concomitante d'autres **dépresseurs
du SNC** incluant l'**alcool**, les **antihistaminiques**, les **antidépresseurs**, les **analgésiques narcotiques** ou les **hypnosédatifs** ■ La **spironolactone** peut bloquer
les effets du mitotane en cas de maladie
de Cushing.

VOIES D'ADMINISTRATION ET POSOLOGIE

Corticosurrénalome

■ **PO (adultes):** de 9 à 10 g/jour en 3 ou
4 doses fractionnées; on peut augmenter la dose selon la tolérance du
patient (écart posologique de 2 à
16 g/jour).

■ **PO (enfants) (É.-U.):** de 0,1 à 0,5 mg/kg
par jour ou de 1 à 2 g par jour en doses fractionnées. On peut augmenter
graduellement les doses jusqu'à 5 à
7 g par jour en prises fractionnées.

Maladie de Cushing

■ **PO (adultes) (É.-U.):** initialement, de 3 à
6 g par jour, en 3 ou 4 doses fractionnées qu'on réduit ensuite pour atteindre une dose d'entretien de 500 mg,
deux fois par semaine – 2 g par jour.

PHARMACODYNAMIE
**(début d'action = inhibition de la
fonction corticosurrénale;
pic = réponse tumorale)**

	DÉBUT D'ACTION	PIC	DURÉE
PO	2 – 4 semaines	6 semaines	inconnue

SOINS INFIRMIERS

ÉVALUATION DE LA SITUATION

☐ Suivre de près les symptômes suivants
d'insuffisance surrénale: anorexie,
nausées, vomissements, diarrhée, fatigue, faiblesse, hypotension, peau
devenant plus foncée. Les patients
obèses sont davantage prédisposés à
ces effets secondaires.

☐ Suivre de près l'apparition des effets
secondaires suivants qui dictent une
réduction de la dose: nausées graves,
vomissements, anorexie ou diarrhée.
Le médecin peut prescrire un antiémétique. Adapter le régime alimentaire selon les aliments que le patient
peut tolérer afin de maintenir l'apport
nutritionnel et l'équilibre hydroélectrolytique.

☐ Suivre de près l'état neurologique du
patient; signaler au médecin la dépression, la léthargie et les étourdissements.

■ **Étude des examens diagnostiques et biochimiques:** Noter, avant le traitement
et à intervalles réguliers pendant
toute sa durée, le dosage du cortisol
dans le plasma, à 8 h du matin ainsi
que les concentrations de 17-hydroxy-
corticostéroïde dans les urines de
24 h, afin de déterminer le degré de la
suppression des surrénales.

☐ Le mitotane peut entraîner la réduction des concentrations sériques
d'acide urique et d'iode lié aux protéines.

DIAGNOSTICS INFIRMIERS POSSIBLES

■ **Énoncés diagnostiques**

☐ Prise en charge inefficace du programme thérapeutique.

☐ *Risque élevé d'accident.*

☐ *Risque élevé de déficit nutritionnel.*

☐ *Risque élevé d'anxiété.*

☐ *Risque élevé d'infection.*

■ **Facteurs favorisants**

☐ Informations incomplètes.

□ *Perturbation de la vigilance.*
□ *Manque de connaissances sur les moyens de prévenir les effets secondaires affectant l'appareil gastro-intestinal.*
□ *Manque de connaissances sur le régime alimentaire à suivre.*
□ *Manque de connaissances sur les effets secondaires du médicament et sur les moyens de les prévenir.*
□ *Manque de connaissances sur les modalités du traitement.*

INTERVENTIONS INFIRMIÈRES

PO : Il peut s'avérer nécessaire d'administrer un antiémétique avant le traitement par le mitotane.

ENSEIGNEMENT AU PATIENT ET À SES PROCHES

□ Conseiller au patient de suivre scrupuleusement la posologie recommandée. S'il n'a pas pu prendre le médicament au moment habituel, il doit le prendre aussitôt que possible à moins que ce ne soit presque l'heure prévue pour la dose suivante. Lui recommander d'informer le médecin s'il n'a pu prendre une dose.
□ Expliquer au patient que ce médicament supprime la fonction des glandes surrénales et, par conséquent, altère la capacité de l'organisme à gérer le stress. Le médecin peut recommander un traitement concomitant par des glucocorticoïdes ou des minéralocorticoïdes afin d'assurer la présence d'une quantité suffisante d'hormones surrénaliennes dans l'organisme. Conseiller au patient de prévenir le médecin en cas d'infection, de maladie ou d'accident étant donné qu'un apport supplémentaire de stéroïdes peut s'avérer nécessaire. Dans le cas d'un traumatisme grave ou de choc, il faut parfois arrêter le traitement par le mitotane.
□ Conseiller au patient de porter sur lui une pièce d'identité où est inscrit son traitement médicamenteux, pour pa-

rer à toute urgence lors de circonstances où il est incapable d'exposer ses antécédents médicaux.
□ Prévenir le patient que le mitotane peut provoquer de la somnolence. Lui conseiller de ne pas conduire et d'éviter les activités qui exigent sa vigilance jusqu'à ce qu'on ait la certitude que le médicament n'entraîne pas cet effet chez lui.
□ Conseiller au patient de prévenir le médecin en cas de dépression, de léthargie, d'étourdissements, de nausées persistantes, de vomissements, de diarrhée ou de rash.
□ Recommander au patient d'éviter de boire de l'alcool et de ne pas prendre d'autres dépresseurs du SNC en même temps que le mitotane.
□ Insister sur l'importance des examens de suivi constants, incluant des examens neurologiques, permettant de déterminer l'efficacité du médicament et ses effets secondaires possibles.

VÉRIFICATION DES RÉSULTATS

L'efficacité du traitement peut être démontrée par : la diminution de la taille de la tumeur et le ralentissement de la propagation des métastases, démontrées par la diminution de la douleur et des symptômes d'hypercorticisme.

MITOXANTRONE
Novantrone

CLASSIFICATION :
Antinéoplasique – agent antitumoral ; antibiotique

Grossesse catégorie D

INDICATIONS

■ Traitement de la leucémie aiguë non lymphocytaire (LANL) de l'adulte en association avec d'autres antinéoplasiques

■ Cancer du sein, cancer du foie, leucémie récurrente et lymphome non hodgkinien en monothérapie ou en traitement d'association.

ACTION

■ Inhibition de la synthèse de l'ADN (phase non spécifique du cycle cellulaire). **Effets thérapeutiques :** ■ Élimination des cellules à réplication rapide, particulièrement des cellules malignes.

PHARMACOCINÉTIQUE

Absorption : L'administration est réservée à la voie IV ; dans ce cas, la biodisponibilité de l'agent est totale.
Distribution : Le médicament se répartit dans tout l'organisme. Il pénètre en quantités limitées dans le liquide céphalorachidien.
Métabolisme et excrétion : Une petite fraction (< 10 %) est excrétée à l'état inchangé par les reins. L'élimination se fait surtout par clearance hépatobiliaire.
Demi-vie : 5,8 jours.

CONTRE-INDICATIONS ET PRÉCAUTIONS

Contre-indications : ■ Hypersensibilité ■ Grossesse ou allaitement.
Précautions : ■ Antécédents de maladie cardiaque ■ Patientes en âge de procréer ■ Infections en évolution ■ Réserve médullaire réduite ■ Antécédents de radiothérapie du médiastin ■ Autres maladies chroniques débilitantes ■ Enfants (l'innocuité du médicament n'a pas été établie) ■ Dysfonctionnement hépatobiliaire ou numération globulaire réduite (réduire la dose).

RÉACTIONS INDÉSIRABLES ET EFFETS SECONDAIRES

SNC : céphalées, CONVULSIONS.
ORLO : conjonctivite, sclérotiques de couleur bleu-vert.
Resp. : toux, dyspnée.
CV : cardiotoxicité, modifications de l'ÉCG, arythmies.

GI : nausées, vomissements, diarrhée, douleurs abdominales, stomatite, toxicité hépatique.
GU : insuffisance rénale, suppression de la fonction des gonades, urine de couleur bleu-vert.
Tég. : alopécie, rash.
Hémat. : anémie, leucopénie, thrombocytopénie.
Métab. : hyperuricémie.
Divers : fièvre, réactions d'hypersensibilité.

INTERACTIONS

Médicament – médicament : ■ Aplasie médullaire additive lors de l'administration concomitante d'autres **antinéoplasiques** ou d'une **radiothérapie** ■ Risque accru de cardiomyopathie en cas de traitement préalable par une **anthracycline antinéoplasique** ou d'une **radiothérapie du médiastin** ■ Le mitoxantrone peut diminuer la réponse des anticorps aux **vaccins vivants** et augmenter le risque de réactions indésirables.

VOIES D'ADMINISTRATION ET POSOLOGIE

Leucémie

■ **IV (adultes) :** *Dose d'induction* – de 10 à 12 mg/m^2 par jour pendant 3 jours sous forme de perfusion IV (habituellement, avec de la cytarabine à 100 mg/m^2 par jour, pendant 7 jours, sous forme de perfusion IV continue) ; si la rémission n'est pas complète, on peut administrer une seconde dose d'induction. *Traitement de consolidation* – 12 mg/m^2 par jour, pendant 5 jours, sous forme de perfusion IV (habituellement, avec de la cytosine arabinoside à 100 mg/m^2 par jour, pendant 5 jours, sous forme de perfusion IV continue) ; cette dose est administrée 6 semaines après la dose d'induction, suivie d'une nouvelle cure, 4 semaines plus tard.

M

Cancer du sein, lymphome, hépatome

- **IV (adultes):** initialement, 14 mg/m^2 en une seule dose; on peut répéter l'administration à des intervalles de 21 jours.

PHARMACODYNAMIE (effets sur la numération globulaire)

	DÉBUT D'ACTION	PIC	DURÉE
IV	inconnu	10 – 14 jours	28 jours

SOINS INFIRMIERS

ÉVALUATION DE LA SITUATION

- Suivre de près l'apparition des réactions d'hypersensibilité suivantes: rash, urticaire, bronchospasme, tachycardie, hypotension. Si ces symptômes se manifestent, arrêter la perfusion et prévenir le médecin. Garder à portée de la main de l'épinéphrine, un antihistaminique et le matériel de réanimation pour contrer toute réaction anaphylactique éventuelle.

- Suivre de près la fièvre, les maux de gorge et les signes d'infection attribuables à la leucopénie. Prévenir le médecin si ces symptômes se manifestent.

- Suivre de près les saignements attribuables à la thrombocytopénie: saignement des gencives, formation d'ecchymoses, pétéchies, présence de sang occulte dans les selles, l'urine et les vomissements (par la méthode au gaïac). Éviter les injections IM et la prise de température par voie rectale. Appliquer une pression sur les points de ponction veineuse pendant 10 min.

- Effectuer le bilan des ingesta et des excreta, noter l'appétit du patient et sa consommation de nourriture. Suivre de près les nausées et les vomissements. Demander au médecin si l'on peut administrer un antiémétique en prophylaxie. Modifier le régime alimentaire du patient en fonction des éléments qu'il peut tolérer afin de favoriser le maintien de l'équilibre hydroélectrolytique et de l'état nutritionnel.

- Le mitoxantrone peut provoquer une cardiotoxicité, particulièrement chez les patients ayant reçu de la daunorubicine ou de la doxorubicine. Suivre de près les râles et les crépitations, la dyspnée, l'œdème, la turgescence des jugulaires, les modifications de l'ÉCG, les arythmies et les douleurs thoraciques.

- Observer le patient à la recherche des symptômes suivants de goutte: concentrations accrues d'acide urique, douleurs articulaires et œdème. Inciter le patient à boire au moins 2 L de liquide par jour. On peut administrer de l'allopurinol pour diminuer les concentrations sériques d'acide urique.

- **Étude des examens diagnostiques et biochimiques:** Noter la numération globulaire et la formule leucocytaire avant le traitement et à intervalles réguliers pendant toute sa durée.

- Examiner les résultats des tests de l'exploration fonctionnelle hépatique (concentrations de TGOS [AST], de TGPS [ALT], de LDH et de bilirubine) et rénale (concentrations d'urée et de créatinine) avant le traitement et à intervalles réguliers pendant toute sa durée, pour déceler l'hépatotoxicité et la néphrotoxicité.

- Le mitoxantrone peut entraîner l'élévation des concentrations d'acide urique. Suivre de près ces concentrations à intervalles réguliers pendant toute la durée du traitement.

DIAGNOSTICS INFIRMIERS POSSIBLES

- **Énoncés diagnostiques**
- Risque élevé d'accident.
- Risque élevé d'infection.
- Perturbation situationnelle de l'estime de soi.

□ *Risque élevé de perturbation des échanges gazeux.*

□ *Risque élevé d'agitation.*

□ *Risque élevé de déficit de volume liquidien.*

□ *Risque élevé d'atteinte à l'intégrité des tissus.*

□ *Risque élevé d'anxiété.*

■ **Facteurs favorisants**

□ *Mode de respiration inefficace.*

□ *Manque de connaissances sur les moyens de prévenir les effets secondaires affectant l'appareil gastro-intestinal.*

□ *Altération de l'image corporelle.*

□ *Fatigue et faiblesse.*

□ *Manque de connaissances sur les modalités du traitement.*

□ *Difficulté à s'adapter aux changements nécessaires dans les habitudes de vie.*

□ *Manque de connaissances sur le régime alimentaire à suivre.*

INTERVENTIONS INFIRMIÈRES

■ **Directives générales :** Préparer les solutions sous une hotte biologique de sécurité. Porter des gants, un vêtement protecteur et un masque pendant la manipulation de ce médicament. Mettre au rebut le matériel dans les contenants réservés à cet effet (voir l'annexe I).

□ Éviter tout contact avec la peau. Utiliser une tubulure à verrouillage Luer pour prévenir les fuites accidentelles. En cas de contact avec la peau, laver immédiatement à l'eau et au savon.

□ Nettoyer les éclaboussures avec une solution aqueuse d'hypochlorite de calcium. Mélanger la solution en ajoutant 5,5 parts (par poids) d'hypochlorite de calcium à 13 parts d'eau.

■ **IV :** Examiner les points d'injection IV. En cas d'extravasation, interrompre l'administration et la reprendre à un autre point d'injection. Le mitoxantrone n'est pas vésicant.

■ **IV directe :** Diluer la solution dans au moins 50 mL de solution de NaCl à 0,9 % ou de dextrose à 5 % dans de l'eau. Jeter toute portion inutilisée selon les directives de l'établissement.

□ *Vitesse d'administration :* Administrer la solution lentement en au moins 3 min dans une tubulure IV par où s'écoule une solution de NaCl à 0,9 % ou de dextrose à 5 % dans de l'eau.

■ **Perfusion intermittente :** On peut diluer de nouveau la solution dans une solution de dextrose à 5 % dans de l'eau, de NaCl à 0,9 % ou de dextrose à 5 % dans une solution de NaCl à 0,9 %. Utiliser la solution immédiatement.

■ **Compatibilité (tubulure en Y) :** Ondansétron.

■ **Compatibilité en addition au soluté :** Succinate d'hydrocortisone sodique.

■ **Incompatibilité en addition au soluté :** Héparine.

ENSEIGNEMENT AU PATIENT ET À SES PROCHES

□ Conseiller au patient de prévenir immédiatement le médecin si les symptômes suivants se manifestent : fièvre, frissons, maux de gorge, signes d'infection, saignement des gencives, formation d'ecchymoses, pétéchies ou présence de sang dans l'urine, les selles ou les vomissements.

□ Recommander au patient d'éviter les foules et les personnes contagieuses. Lui conseiller d'utiliser une brosse à dents à poils doux et un rasoir électrique. L'inciter à ne pas boire de boissons alcoolisées et à ne pas prendre de préparations contenant de l'aspirine en même temps que le mitoxantrone.

□ Conseiller au patient de signaler au médecin les douleurs abdominales, le jaunissement de la peau, la toux, la diarrhée ou un débit urinaire réduit.

□ Prévenir le patient que son urine et ses sclérotiques peuvent virer au bleu-vert.

☐ Recommander au patient d'examiner sa muqueuse buccale à la recherche d'érythème et d'aphtes. En présence d'aphtes, lui conseiller de remplacer la brosse à dents par une brosse-éponge et de se rincer la bouche avec de l'eau après avoir bu et mangé. Le médecin peut prescrire des gargarismes à la lidocaïne visqueuse si la douleur empêche le patient de s'alimenter.

☐ Expliquer au patient qu'il risque de perdre ses cheveux. Explorer avec lui les stratégies lui permettant de s'adapter à ce changement.

☐ Expliquer à la patiente que même si la mitoxantrone peut la rendre stérile, elle doit continuer à prendre des mesures de contraception pendant toute la durée du traitement en raison des risques d'effets tératogènes du médicament.

☐ Recommander au patient de ne pas se faire vacciner sans recommandation expresse du médecin.

☐ Insister sur la nécessité d'effectuer des examens diagnostiques et biochimiques à intervalles réguliers permettant de suivre de près les effets secondaires du médicament.

VÉRIFICATION DES RÉSULTATS

L'efficacité du traitement peut être démontrée par : ■ la diminution de la production et de la propagation de cellules leucémiques ■ la diminution de la taille de la tumeur et le ralentissement de la propagation des métastases.

MOLINDONE
(Moban)

CLASSIFICATION :
Antipsychotique

Grossesse – catégorie inconnue

INDICATIONS
Traitement de la schizophrénie.

ACTION
■ Blocage des effets de la dopamine dans le système limbique et dans le système d'activation réticulaire du cerveau. **Effets thérapeutiques :** ■ Diminution des psychoses associées au comportement schizophrénique.

PHARMACOCINÉTIQUE
Absorption : Le médicament est rapidement absorbé lorsqu'il est pris PO.

Distribution : Le médicament semble se répartir dans tout l'organisme. Il pénètre probablement dans le SNC et on le retrouve dans le lait maternel.

Métabolisme et excrétion : Le médicament est surtout métabolisé par le foie (> 90 %). Une petite fraction (< 3 %) est excrétée à l'état inchangé par les reins.

Demi-vie : 1,5 h.

CONTRE-INDICATIONS ET PRÉCAUTIONS
Contre-indications : ■ Hypersensibilité à la molindone ■ Risque de réactions de sensibilité croisée avec d'autres antipsychotiques ■ Hypersensibilité aux bisulfites, aux parabènes ou à l'alcool (solution orale) ou à la povidone (comprimés).

Précautions : ■ Personnes âgées ou patients débilités ■ Diabète sucré ■ Maladie respiratoire ■ Hypertrophie de la prostate ■ Tumeur du SNC ■ Épilepsie ■ Occlusion intestinale ■ Grossesse, allaitement ou enfants (l'innocuité du médicament n'a pas été établie).

RÉACTIONS INDÉSIRABLES ET EFFETS SECONDAIRES
SNC : sédation, réactions extrapyramidales, dyskinésie tardive, céphalées, étourdissements, insomnie, dépression, euphorie, SYNDROME MALIN DES NEUROLEPTIQUES.

ORLO : sécheresse des yeux (alacrymie), vision trouble, congestion nasale.

CV : hypotension, tachycardie.

GI : constipation, sécheresse de la bouche (xérostomie), nausées, anorexie, hépatite.

M

Tég.: rash, photosensibilité.
End.: galactorrhée, cycle menstruel irrégulier, libido accrue.
Divers: réactions allergiques.

INTERACTIONS

Médicament – médicament: ■ Le calcium contenu dans les préparations peut diminuer l'absorption de la **phénytoïne** ou des **tétracyclines** ■ Dépression additive du SNC lors de l'usage concomitant d'autres **dépresseurs du SNC** incluant l'**alcool**, les **antihistaminiques**, les **antidépresseurs**, les **inhibiteurs de la MAO**, les **analgésiques narcotiques** et les **hypnosédatifs** ■ Effets anticholinergiques additifs lors de l'administration simultanée d'**agents doués de propriétés anticholinergiques**, incluant les **phénothiazines**, l'**halopéridol**, les **antihistaminiques**, les **inhibiteurs de la MAO** ou le **disopyramide** ■ Risque d'encéphalopathie lors de l'administration simultanée de **lithium** ■ La molindone peut masquer les signes précoces de toxicité par le **lithium** ■ La molindone peut contrecarrer les effets bénéfiques de la **lévodopa**.

PRÉSENTATION

La molindone existe sous forme de comprimés et de solution orale.

VOIES D'ADMINISTRATION ET POSOLOGIE

PO (adultes): initialement, de 50 à 75 mg par jour en 3 ou 4 doses fractionnées (schizophrénie aiguë). On peut augmenter la dose jusqu'à 100 mg par jour après 3 ou 4 jours (ne pas dépasser 225 mg par jour). La dose d'entretien habituelle est de 5 à 15 mg, 3 ou 4 fois par jour. (On a déjà administré en cas de psychose grave jusqu'à 225 mg par jour, en doses fractionnées).

PHARMACODYNAMIE
(pic = concentrations sanguines; durée = effets antipsychotiques)

	DÉBUT D'ACTION	PIC	DURÉE
PO	inconnu	1,5 h	24 – 36 h

SOINS INFIRMIERS

ÉVALUATION DE LA SITUATION

□ Déterminer avant le traitement et à intervalles réguliers pendant toute sa durée l'état de la conscience du patient: orientation, humeur, comportement, degré de sédation.

□ Observer attentivement le patient pendant qu'il prend le médicament pour s'assurer qu'il l'a bien avalé.

□ Déterminer l'apport de liquides et examiner la fonction intestinale. Afin de réduire les effets constipants du médicament, augmenter l'apport de liquides et d'aliments riches en fibres.

□ Suivre de près l'apparition de symptômes extrapyramidaux (mouvements d'émiettement, bouche ouverte laissant s'échapper la salive [sialorrhée], tremblements, rigidité, démarche traînante) et de symptômes de dyskinésie tardive (mouvements incontrôlés du visage, de la bouche, de la langue ou des mâchoires et mouvements involontaires des membres). Prévenir le médecin dès l'apparition de ces symptômes.

□ Suivre de près les signes suivants d'akathisie: agitation, besoin irrépressible de bouger. Ces symptômes peuvent apparaître au cours des premiers jours de traitement et s'intensifier lorsqu'on augmente la dose. Les personnes âgées sont davantage prédisposées à l'akathisie. Le traitement peut comprendre l'administration d'agents antiparkinsoniens, de propranolol ou de diazépam ou la diminution de la dose de molindone.

□ La molindone peut abaisser le seuil des convulsions. Prendre les mesures nécessaires pour protéger le patient ayant des antécédents de troubles convulsifs.

□ Suivre de près les signes suivants de syndrome malin des neuroleptiques: fièvre, détresse respiratoire, tachycardie, convulsions, diaphorèse, hypertension ou hypotension, pâleur, fatigue. Prévenir immédiatement le médecin si ces symptômes se manifestent.

☐ Pendant toute la durée d'un traitement prolongé ou à des doses élevées, il peut s'avérer nécessaire d'effectuer des examens oculaires à intervalles réguliers pour déceler la présence de dépôts de particules sur le cristallin ou sur la cornée.

■ **Étude des examens diagnostiques et biochimiques:** Noter la numération leucocytaire à intervalles réguliers pendant toute la durée du traitement. Que le nombre de leucocytes augmente ou diminue, on peut poursuivre le traitement par la molindone si des symptômes cliniques de leucocytose ou de leucopénie ne se manifestent pas. Toutefois, si le nombre de leucocytes est $< 4 \times 10^9$/L sans que des symptômes cliniques se manifestent, il est recommandé d'arrêter le traitement jusqu'à ce que le nombre de leucocytes augmente. Par la suite, il faudrait réévaluer le besoin de traitement.

☐ Examiner les résultats des tests de l'exploration fonctionnelle hépatique à intervalles réguliers pendant toute la durée du traitement.

☐ La molindone peut entraîner la modification de la numération érythrocytaire et des concentrations sériques d'urée et de glucose. Ces modifications ne sont pas significatives sur le plan clinique.

☐ La molindone peut entraîner l'élévation des concentrations sériques de prolactine au cours d'un traitement prolongé.

DIAGNOSTICS INFIRMIERS POSSIBLES

■ **Énoncés diagnostiques**

☐ Altération des opérations de la pensée.

☐ Constipation.

☐ Prise en charge inefficace du programme thérapeutique.

☐ *Risque élevé d'accident.*

☐ *Risque élevé d'atteinte à l'intégrité de la muqueuse buccale.*

☐ *Risque élevé d'altération de la perception visuelle.*

☐ *Risque élevé d'atteinte à l'intégrité de la peau.*

■ **Facteurs favorisants**

☐ Informations incomplètes.

☐ *Perturbation de la vigilance.*

☐ *Manque de connaissances sur les moyens de prévenir ou de réduire la sécheresse de la bouche.*

☐ *Manque de connaissances sur les moyens de stimuler la fonction intestinale.*

☐ *Manque de connaissances sur le régime alimentaire à suivre.*

☐ *Manque de connaissances sur les modalités du traitement.*

☐ *Manque de connaissances sur les moyens de réduire la photosensibilité et sur l'importance d'un suivi ophtalmologique.*

INTERVENTIONS INFIRMIÈRES

PO: Administrer la molindone avec des aliments ou avec un grand verre d'eau ou de lait afin de réduire l'irritation gastrique. On peut administrer la préparation liquide sans la diluer ou on peut la mélanger avec de l'eau, du lait, du jus de fruits ou des boissons gazéifiées.

ENSEIGNEMENT AU PATIENT ET À SES PROCHES

■ Conseiller au patient de suivre scrupuleusement la posologie recommandée et de ne pas prendre une quantité de médicament supérieure ou inférieure à celle qui lui a été prescrite. S'il n'a pas pu prendre le médicament au moment habituel, il doit le prendre dès que possible, mais non pas moins de 2 h avant la dose suivante. Lui conseiller de ne pas remplacer une dose manquée par une double

M

dose. Lui conseiller également de consulter le médecin avant d'arrêter le traitement par la molindone ; parfois, le sevrage devra être graduel.

- Prévenir le patient qu'il risque de manifester des symptômes extrapyramidaux et une dyskinésie tardive. L'inciter à avertir immédiatement le médecin si ces symptômes se manifestent.

☐ Recommander au patient de ne pas prendre de molindone dans les 2 h qui précèdent ou qui suivent la prise d'antiacides ou d'antidiarrhéiques.

☐ Recommander au patient de changer lentement de position afin de réduire les risques d'hypotension orthostatique. Le prévenir que l'exercice, le temps chaud ou les bains chauds peuvent augmenter les effets hypotensifs de la molindone.

☐ Prévenir le patient que la molindone peut provoquer de la somnolence. Lui conseiller de ne pas conduire et d'éviter les activités qui exigent sa vigilance jusqu'à ce qu'on ait la certitude que le médicament n'entraîne pas cet effet chez lui.

☐ Recommander au patient d'éviter de boire de l'alcool et de ne pas prendre des dépresseurs du SNC en même temps que la molindone.

☐ Conseiller au patient de se rincer fréquemment la bouche, de pratiquer une bonne hygiène orale et de consommer de la gomme à mâcher ou des bonbons sans sucre pour soulager la sécheresse de la bouche.

☐ Recommander au patient d'utiliser des écrans solaires et de porter des vêtements protecteurs pour prévenir les réactions de photosensibilité.

☐ Recommander au patient de signaler rapidement au médecin les tremblements, les soubresauts musculaires involontaires ou les troubles visuels.

☐ Insister sur l'importance des examens de suivi réguliers.

VÉRIFICATION DES RÉSULTATS

L'efficacité du traitement peut être démontrée par : la diminution des hallucinations, de l'insomnie, de l'agitation, de l'hostilité et des délires. La pleine efficacité du médicament peut ne pas se manifester avant plusieurs semaines.

MORICIZINE
(Ethmozine)

CLASSIFICATION :
Antiarythmique – classe I
Grossesse – catégorie B

INDICATIONS

Traitement des arythmies ventriculaires qui peuvent mettre la vie en danger, incluant la tachycardie ventriculaire soutenue.

ACTION

■ Suppression de l'automaticité anormale et allongement de l'intervalle PR et du complexe QRS par le blocage des canaux sodiques rapides des tissus du myocarde ■ Propriétés d'anesthésique local et de stabilisation des membranes. **Effets thérapeutiques :** ■ Suppression des arythmies qui peuvent mettre la vie en danger.

PHARMACOCINÉTIQUE

Absorption : Par suite de l'administration PO, le médicament est bien absorbé, mais rapidement métabolisé.

Distribution : Une fraction de 95 % se lie aux protéines plasmatiques. Le médicament pénètre dans le lait maternel.

Métabolisme et excrétion : Le médicament est fortement métabolisé. Une fraction inférieure à 1 % est excrétée à l'état inchangé dans l'urine. Les métabolites peuvent être actifs.

Demi-vie : De 1,5 à 3,5 h.

M

CONTRE-INDICATIONS ET PRÉCAUTIONS

Contre-indications: ■ Hypersensibilité ■ Choc cardiogène ■ Bloc AV du 2e et du 3e degré ou bloc de branche (à moins qu'un stimulateur cardiaque n'ait été installé).

Précautions: ■ Déséquilibres électrolytiques ■ Insuffisance hépatique ou rénale graves (réduire la dose, au besoin) ■ Grossesse, allaitement ou enfants (l'innocuité du médicament n'a pas été établie) ■ Insuffisance cardiaque.

Extrême prudence: Syndrome de dysfonctionnement sinusal.

RÉACTIONS INDÉSIRABLES ET EFFETS SECONDAIRES

SNC: étourdissements, céphalées, fatigue, faiblesse, nervosité, troubles du sommeil.

ORLO: vision trouble.

Resp.: dyspnée.

CV: ARYTHMIES, douleurs thoraciques, insuffisance cardiaque, palpitations.

GI: nausées, vomissements, dyspepsie, diarrhée, sécheresse de la bouche (xérostomie).

Tég.: transpiration.

Loc.: douleurs musculosquelettiques.

SN: paresthésie.

Divers: fièvre d'origine médicamenteuse.

INTERACTIONS

Médicament – médicament: ■ La moricizine diminue les concentrations sanguines de **théophylline** ■ La **cimétidine** augmente les concentrations sanguines de moricizine.

VOIES D'ADMINISTRATION ET POSOLOGIE

PO (adultes): de 600 à 900 mg par jour, toutes les 8 à 12 h. On peut augmenter la dose de 150 mg par jour, tous les trois jours, selon les besoins et la tolérance du patient.

PHARMACODYNAMIE

	DÉBUT D'ACTION	PIC*	DURÉE
PO	inconnu	0,5 – 2 h	8 – 12 h

* concentrations sanguines.

SOINS INFIRMIERS

ÉVALUATION DE LA SITUATION

☐ Examiner le tracé ÉCG ou l'enregistrement Holter avant le traitement et à intervalles réguliers pendant toute sa durée. La moricizine peut allonger les intervalles PR et QT.

☐ Mesurer la pression artérielle et le pouls à intervalles réguliers pendant toute la durée du traitement.

☐ Effectuer le bilan quotidien des ingesta et des excreta et peser le patient tous les jours. Suivre de près le patient pour déceler les signes suivants d'insuffisance cardiaque: œdème périphérique, râles ou crépitations, dyspnée, gain pondéral, turgescence des jugulaires.

■ **Étude des examens diagnostiques et biochimiques:** Examiner à intervalles réguliers tout au long d'un traitement prolongé les résultats des tests de l'exploration fonctionnelle rénale, pulmonaire et hépatique et la numération globulaire.

DIAGNOSTICS INFIRMIERS POSSIBLES

■ **Énoncés diagnostiques**

☐ Diminution du débit cardiaque.

☐ Prise en charge inefficace du programme thérapeutique.

☐ *Risque élevé d'accident.*

■ **Facteurs favorisants**

☐ Informations incomplètes.

☐ *Perturbation de la vigilance.*

☐ *Manque de connaissances sur les modalités du traitement.*

INTERVENTIONS INFIRMIÈRES

■ **Directives générales:** Le traitement par la moricizine doit être amorcé dans

M

un centre hospitalier qui dispose de l'appareillage nécessaire pour la surveillance du rythme cardiaque.
- □ Toute médication antiarythmique préalable devrait être arrêtée pendant une période équivalant à une ou à deux demi-vies avant d'amorcer le traitement par la moricizine.
- □ Espacer les adaptations posologiques d'au moins trois jours en raison de la longue demi-vie de la moricizine.
- □ Avant d'amorcer le traitement, il faut corriger toute hypokaliémie, hyperkaliémie ou hypomagnésémie préexistantes.
- ■ **PO:** Habituellement, on doit administrer les comprimés toutes les 8 h. Cependant, pour favoriser l'observance du traitement, on peut fractionner la dose quotidienne totale et l'administrer toutes les 12 h, mais le risque de réactions indésirables est plus élevé si l'on administre une dose plus élevée en une seule fois.

ENSEIGNEMENT AU PATIENT ET À SES PROCHES
- □ Conseiller au patient de respecter scrupuleusement la posologie recommandée et de prendre le médicament, à intervalles réguliers, 24 h sur 24, même s'il se sent mieux. S'il n'a pu prendre le médicament au moment habituel, il doit le prendre dans les 6 h qui suivent, sinon il doit sauter cette dose. Une réduction graduelle de la dose peut s'avérer nécessaire.
- □ Prévenir le patient que la moricizine peut provoquer des étourdissements ou des troubles visuels. Lui conseiller de ne pas conduire et d'éviter les activités qui exigent sa vigilance jusqu'à ce qu'on ait la certitude que le médicament n'entraîne pas ces effets chez lui.
- □ Recommander au patient qui doit suivre un traitement dentaire ou subir une intervention chirurgicale d'avertir le dentiste ou le médecin qu'il suit un traitement médicamenteux.

- □ Recommander au patient de signaler au médecin les douleurs thoraciques, l'essoufflement, la fièvre ou la diaphorèse.
- □ Conseiller au patient de porter sur lui en tout temps une pièce d'identité où sont inscrits son problème de santé et son traitement médicamenteux.
- □ Insister sur l'importance des examens de suivi permettant de déterminer l'efficacité du traitement.

VÉRIFICATION DES RÉSULTATS

L'efficacité du traitement peut être démontrée par: la diminution de la fréquence des arythmies ventriculaires.

MORPHINE

Epimorph, Morphine HP, Morphitec, M.O.S., M.O.S.-SR, MS, MSO₄, MS Contin, Ms•IR, Oramorph SR, Statex, (Astramorph), (Duramorph), (Roxanol), (Roxanol SR)

CLASSIFICATION:
Analgésique narcotique – agoniste
Stupéfiant
Grossesse – catégorie C

INDICATIONS

■ Traitement de la douleur intense ■ Traitement de la douleur associée à l'infarctus du myocarde. **Usages non approuvés:** ■ Traitement de l'œdème pulmonaire.

ACTION

■ Liaison aux récepteurs des opiacées du SNC. Modification de la perception de la douleur et de la réaction aux stimuli douloureux tout en entraînant une dépression généralisée du SNC. **Effets thérapeutiques:** ■ Diminution de l'intensité de la douleur.

PHARMACOCINÉTIQUE

Absorption: Par suite de l'administration PO, l'absorption est variable. L'absorption du médicament est plus prévisible s'il est administré par voies rectale, SC ou IM.

Distribution: Le médicament se répartit dans tout l'organisme. Il traverse le placenta et pénètre dans le lait maternel en petites quantités.

Métabolisme et excrétion: Le médicament est surtout métabolisé par le foie.

Demi-vie: De 2 à 3 h.

CONTRE-INDICATIONS ET PRÉCAUTIONS

Contre-indications: ■ Hypersensibilité ■ Grossesse ou allaitement (il est conseillé d'éviter l'administration prolongée).

Précautions: ■ Traumatisme crânien ■ Pression intracrânienne accrue ■ Maladie pulmonaire, hépatique ou rénale grave ■ Hypothyroïdie ■ Insuffisance surrénalienne ■ Alcoolisme ■ Personnes âgées ou patients débilités (il est conseillé de réduire la dose) ■ Douleur abdominale non diagnostiquée ■ Hypertrophie de la prostate ■ Travail de l'accouchement (précédents d'usage pour soulager la douleur; risque de dépression respiratoire chez le nouveau-né).

RÉACTIONS INDÉSIRABLES ET EFFETS SECONDAIRES

SNC: sédation, confusion, céphalées, euphorie, sensation de flottement, rêves bizarres, hallucinations, dysphorie, étourdissements.

ORLO: myosis, diplopie, vision trouble.

Resp.: dépression respiratoire.

CV: hypotension, bradycardie.

GI: nausées, vomissements, constipation.

GU: rétention urinaire.

Tég.: transpiration, rougeur de la peau.

Divers: tolérance aux effets du médicament, dépendance physique, dépendance psychologique.

INTERACTIONS

Médicament – médicament: ■ La morphine doit être administrée avec une **extrême prudence** chez les patients recevant des **IMAO**, car elle peut provoquer des réactions graves et imprévisibles (réduire la dose initiale de morphine à 25 % de la dose habituelle) ■ Dépression additive du SNC lors de l'usage concomitant d'**alcool**, d'**hypnosédatifs** et d'**antihistaminiques** ■ L'administration d'**analgésiques narcotiques antagonistes partiels** peut déclencher des symptômes de sevrage chez les patients qui présentent une dépendance physique aux narcotiques ■ La morphine peut augmenter le risque de toxicité par la **zidovudine** ■ La **nalbuphine** ou la **pentazocine** peuvent diminuer l'analgésie.

PRÉSENTATION

La morphine est présentée sous forme de comprimés, de comprimés à action prolongée, de solution, de solution concentrée, de suppositoires et de préparations injectables.

VOIES D'ADMINISTRATION ET POSOLOGIE

■ **PO (adultes):** de 10 à 30 mg, toutes les 4 h, ou 30 mg, toutes les 12 h, sous forme de préparation à libération continue.

■ **IM et SC (adultes):** de 5 à 20 mg, toutes les 4 h, selon les besoins.

■ **SC (enfants) (É.-U.):** de 0,1 à 0,2 mg/kg, toutes les 4 h (ne pas dépasser 15 mg par dose).

■ **IV (adultes):** de 2,5 à 15 mg, toutes les 4 h, ou sous forme de perfusion IV amorcée avec une dose d'attaque de 15 mg, suivie d'une perfusion à un débit de 0,8 à 10 mg/h; on peut augmenter le débit selon les besoins. On a déjà administré des doses de 20 à 150 mg/h.

■ **IM et IV (enfants) (É.-U.):** de 50 à 100 µg/kg (ne pas dépasser 10 mg par dose).

■ **PR (adultes):** de 10 à 30 mg, toutes les 4 h.

■ **Voie épidurale (adultes):** initialement, 5 mg; administrer ensuite des doses supplémentaires au besoin.

■ **Voie intrathécale (adultes) (É.-U.):** de 0,2 à 1 mg en une seule dose.

PHARMACODYNAMIE
(effets analgésiques)

	DÉBUT D'ACTION	PIC	DURÉE
PO	inconnu	60 min	4 – 5 h
PO (préparation retard)	inconnu	inconnu	8 – 12 h
IM	10 – 30 min	30 – 60 min	4 – 5 h
SC	20 min	50 – 90 min	4 – 5 h
PR	inconnu	20 – 60 min	4 – 5 h
IV	rapide	20 min	4 – 5 h
épidurale	6 – 30 min	inconnu	jusqu'à 24 h
intrathécale	rapide (quelques minutes)	inconnu	jusqu'à 24 h

SOINS INFIRMIERS

ÉVALUATION DE LA SITUATION

□ Déterminer le type de douleur, son siège et son intensité, avant l'administration du médicament et de 30 à 60 min après.

□ Mesurer la pression artérielle, le pouls et la fréquence respiratoire avant l'administration et à intervalles réguliers pendant toute sa durée.

□ L'usage prolongé peut entraîner la dépendance physique et psychologique ainsi que la tolérance aux effets du médicament, mais cela ne doit pas empêcher le patient de recevoir une quantité suffisante d'analgésique. La psychodépendance est rare chez la plupart des patients qui reçoivent de la morphine pour des raisons médicales. Lors d'un traitement prolongé, il faut parfois administrer des doses de plus en plus élevées pour soulager la douleur.

□ Examiner régulièrement la fonction intestinale. La consommation accrue de liquides et d'aliments riches en fibres et la prise de laxatifs émollients ou d'un autre type peuvent réduire les effets constipants du médicament.

□ Effectuer le bilan des ingesta et des excreta. En cas d'écarts importants,

suivre de près la rétention urinaire et en informer le médecin.

■ **Étude des examens diagnostiques et biochimiques :** La morphine peut entraîner l'élévation des concentrations plasmatiques d'amylase et de lipase.

■ **Toxicité et surdosage :** En cas de surdosage, l'antidote à administrer est la naloxone (Narcan). Suivre de près les réactions du patient ; parfois, il faut répéter l'administration de la naloxone ou l'administrer sous forme de perfusion.

DIAGNOSTICS INFIRMIERS POSSIBLES

■ **Énoncés diagnostiques**

□ Douleur.

□ Altération de la perception visuelle et auditive.

□ Risque élevé d'accident.

□ Prise en charge inefficace du programme thérapeutique.

□ *Risque élevé de perturbation des échanges gazeux.*

□ *Risque élevé de dégagement inefficace des voies respiratoires.*

□ *Risque élevé d'infection.*

□ *Risque élevé de constipation.*

■ **Facteurs favorisants**

□ Informations incomplètes.

□ *Mode de respiration inefficace.*

□ *Fatigue et faiblesse.*

□ *Manque de connaissances sur les modalités du traitement.*

□ *Perturbation de la vigilance.*

□ *Manque de connaissances sur les effets hypotensifs du médicament lors des changements brusques de position.*

□ *Manque de connaissances sur les moyens de stimuler la fonction intestinale.*

□ *Manque de connaissances sur le mode d'administration du médicament.*

INTERVENTIONS INFIRMIÈRES

■ **Directives générales :** Pour augmenter l'effet analgésique de la morphine,

- expliquer au patient le rôle thérapeutique de ce médicament avant de l'administrer.
- ☐ Les doses administrées selon un horaire fixe peuvent être plus efficaces que celles administrées sur demande. L'analgésique s'avère plus efficace s'il est administré avant que la douleur ne devienne intense.
- ☐ Les analgésiques non narcotiques, administrés simultanément, peuvent exercer des effets analgésiques additifs, ce qui permet parfois de diminuer les doses de morphine.
- ☐ Si l'on substitue les comprimés à libération retard à d'autres narcotiques ou à d'autres formes de morphine, administrer PO une dose quotidienne totale de morphine équivalente à la dose quotidienne précédente (voir l'annexe B), fractionnée pour être administrée toutes les 12 h (MS Contin, Oramorph SR).
- ☐ Après un traitement prolongé, interrompre l'administration graduellement pour prévenir les symptômes de sevrage.
- ■ **PO:** Pour réduire l'irritation gastrique, on peut administrer la morphine avec des aliments ou du lait.
- ☐ Les comprimés à libération retard doivent être avalés tels quels. Il ne faut pas les broyer, les mâcher ni les briser.
- ☐ Pour améliorer le goût de la solution, on peut la diluer dans un verre de jus de fruit juste avant de l'administrer.
- ■ **SC et IM:** S'il faut administrer des doses répétées, utiliser la voie IM, car la morphine irrite les tissus sous-cutanés.
- ■ **IV:** La solution est incolore ou de couleur jaune pâle. Ne pas administrer une solution qui a changé de couleur.
- ■ **IV directe:** Diluer le médicament dans au moins 5 mL d'eau stérile ou de solution de NaCl à 0,9 % pour injection.

- ☐ *Vitesse d'administration:* Administrer de 2,5 à 15 mg de solution en 4 à 5 min. Une administration trop rapide peut aggraver la dépression respiratoire et provoquer de l'hypotension et un collapsus circulatoire.
- ☐ Ne pas administrer la préparation par voie IV si l'antidote n'est pas à portée de la main.
- ■ **Perfusion continue:** On peut ajouter la solution à une solution de dextrose à 5 ou à 10 % dans de l'eau, de NaCl à 0,9 ou à 0,45 %, de Ringer ou de lactate Ringer, de dextrose dans une solution de NaCl ou de dextrose dans une solution de Ringer ou de lactate Ringer à une concentration de 0,1 à 1 mg/mL ou plus destinée à la perfusion continue.
- ☐ *Vitesse d'administration:* Administrer à l'aide d'une pompe de perfusion permettant de régler le débit. La dose doit être adaptée pour assurer le soulagement de la douleur sans sédation, dépression respiratoire ou hypotension excessives.
- ☐ On peut administrer la préparation par une pompe de contrôle de l'analgésie (PCA) que le patient fait fonctionner lorsqu'il en ressent le besoin.
- ■ **Associations compatibles dans la même seringue:** Atropine, benzquinamide, butorphanol, chlorpromazine, cimétidine, dimenhydrinate, diphenhydramine, dropéridol, fentanyl, glycopyrrolate, hydroxyzine, métoclopramide, midazolam, pentazocine, perphénazine, promazine, ranitidine ou scopolamine.
- ■ **Associations incompatibles dans la même seringue:** Mépéridine ou thiopental.
- ■ **Compatibilités (tubulure en Y):** Acyclovir, amikacine, aminophylline, ampicilline, ampicilline avec sulbactam, atracurium, bicarbonate de sodium, chlorure de calcium, chlorure de potassium, céfamandole, céfazoline, céfopérazone, céforanide, céfotaxime, céfotétane, céfoxitine, ceftizoxime,

céfuroxime, céphalothine, céphapirine, chloramphénicol, clindamycine, co-trimoxazole, doxycycline, énalaprilate, esmolol, famotidine, foscarnet, gentamicine, héparine, insuline, kanamycine, labétalol, lactobionate d'érythromycine, métronidazole, mezlocilline, moxalactam, nafcilline, ocytocine, ondansétron, oxacilline, pancuronium, pénicilline G potassique, pipéracilline, ranitidine, succinate d'hydrocortisone sodique, ticarcilline, ticarcilline avec clavulanate, tobramycine, vancomycine ou vécuronium.

- **Incompatibilités (tubulure en Y):** Minocycline ou tétracycline.
- **Compatibilités en addition au soluté:** Dobutamine, succinylcholine ou vérapamil.
- **Incompatibilités en addition au soluté:** Aminophylline, amobarbital, bicarbonate de sodium, chlorothiazide, héparine, iodure de sodium, mépéridine, méthicilline, phénobarbital, phénytoïne ou thiopental.

ENSEIGNEMENT AU PATIENT ET À SES PROCHES

☐ Expliquer au patient ce qu'on entend par administration sur demande et à quel moment il doit réclamer l'analgésique.

☐ Prévenir le patient que la morphine peut provoquer des étourdissements et de la somnolence. Lui recommander de demander de l'aide lorsqu'il se déplace et de ne pas fumer lorsqu'il est seul. Lui conseiller de ne pas conduire et d'éviter les activités qui exigent sa vigilance jusqu'à ce qu'on ait la certitude que le médicament n'entraîne pas ces effets chez lui.

☐ Recommander au patient de changer lentement de position pour diminuer les risques d'hypotension orthostatique.

☐ Recommander au patient d'éviter de boire de l'alcool et de ne pas prendre

d'autres dépresseurs du SNC en même temps que la morphine.

☐ Recommander au patient de se tourner dans le lit, de tousser et de respirer profondément toutes les deux heures pour prévenir l'atélectasie.

VÉRIFICATION DES RÉSULTATS

L'efficacité du traitement peut être démontrée par: la diminution de l'intensité de la douleur sans modification importante de l'état de la conscience, de la fonction respiratoire ou de la pression artérielle.

MOXALACTAM
(Lamoxactam), (Latamoxef), (Moxam)

CLASSIFICATION:
Anti-infectieux – céphalosporine de la troisième génération

Grossesse – catégorie C

INDICATIONS

- Traitement des maladies suivantes:
☐ infections de la peau et des tissus mous ☐ infections des os et des articulations ☐ infections des voies urinaires et gynécologiques ☐ infections des voies respiratoires ☐ infections intra-abdominales ☐ septicémie ☐ méningite.

ACTION

- Liaison à la membrane de la paroi cellulaire de la bactérie provoquant la destruction de la cellule. **Effets thérapeutiques:**
- Action bactéricide contre les bactéries sensibles. **Spectre d'action:** ■ Le spectre d'action du moxalactam est semblable à celui des céphalosporines de la deuxième génération; toutefois, son activité contre les staphylocoques est plus faible tandis que son activité contre les agents pathogènes à Gram négatif est accentuée même dans le cas des micro-organismes résistants aux agents de la première et de la deuxième génération ■ Action notable contre: ☐ *Citrobacter* ☐ *Enterobacter*

□ *Escherichia coli* □ *Klebsiella pneumoniae* □ *Neisseria* □ *Proteus* □ *Providencia* □ *Serratia* □ *Pseudomonas aeruginosa* ■ Faible activité contre les bactéries anaérobies, incluant *Bacteroides fragilis*.

PHARMACOCINÉTIQUE

Absorption: Bonne absorption par suite de l'administration IM.

Distribution: Le médicament se répartit dans tout l'organisme. Il traverse le placenta et pénètre dans le lait maternel en faibles concentrations. Il pénètre en plus grande quantité dans le liquide céphalorachidien que les agents de la première et de la deuxième génération.

Métabolisme et excrétion: Le médicament est principalement excrété par les reins (> 90 %).

Demi-vie: De 2,0 à 3,5 h.

CONTRE-INDICATIONS ET PRÉCAUTIONS

Contre-indications: ■ Hypersensibilité aux céphalosporines ■ Forte hypersensibilité aux pénicillines.

Précautions: ■ Insuffisance rénale (réduire la dose) ■ Grossesse ou allaitement (l'innocuité du médicament n'a pas été établie).

RÉACTIONS INDÉSIRABLES ET EFFETS SECONDAIRES

SNC: CONVULSIONS (doses élevées).

GI: nausées, vomissements, diarrhée, crampes, COLITE PSEUDOMEMBRANEUSE.

Tég.: rash, urticaire.

Hémat.: dyscrasie, anémie hémolytique, saignement.

Locaux: phlébite au point d'injection IV, douleur au point d'injection IM.

Divers: surinfection, réactions allergiques incluant l'ANAPHYLAXIE et la maladie sérique.

INTERACTIONS

Médicament – médicament: ■ Le **probénécide** diminue l'excrétion du moxalactam et en accroît les concentrations sériques ■ En cas d'ingestion d'**alcool** dans les 48 à 72 h qui suivent ou qui précèdent l'administration de moxalactam, une réaction semblable à la réaction au disulfirame peut se manifester ■ Risque accru de saignements lors de l'administration simultanée d'**anticoagulants**, d'**agents thrombolytiques**, de **plicamycine** ou d'**anti-inflammatoires non stéroïdiens**.

VOIES D'ADMINISTRATION ET POSOLOGIE

- **IM et IV (adultes):** de 2 à 4 g par jour, en doses fractionnées, toutes les 8 h (12 g par jour au maximum). Il suffit d'administrer 250 mg toutes les 12 h pour traiter les infections des voies urinaires.
- **IM et IV (enfants de 1 à 14 ans):** 50 mg/kg, toutes les 6 à 8 h.
- **IM et IV (enfants de 1 mois à 1 an):** 50 mg/kg, toutes les 6 h.
- **IM et IV (nouveau-nés de 1 à 4 semaines):** 50 mg/kg, toutes les 8 h.
- **IM et IV (nouveau-nés < 1 semaine):** 50 mg/kg, toutes les 12 h.

PHARMACODYNAMIE (concentrations sanguines)

	DÉBUT D'ACTION	PIC
IM	rapide	0,5 – 1 h
IV	rapide	fin de la perfusion

SOINS INFIRMIERS

ÉVALUATION DE LA SITUATION

□ Au début du traitement et pendant toute sa durée, surveiller les signes suivants d'infection: altération des signes vitaux, aspect de la plaie, des crachats, de l'urine et des selles, accroissement du nombre de leucocytes.

□ Recueillir les antécédents du patient avant d'amorcer le traitement afin de déterminer ses réactions antérieures à une pénicilline ou à une céphalosporine. Même les personnes n'ayant jamais manifesté d'hypersensibilité à la pénicilline peuvent présenter une réaction allergique.

☐ Prélever des échantillons pour les cultures et les antibiogrammes avant le début du traitement. La première dose peut être administrée avant même que les résultats soient connus.

☐ Suivre de près les signes et les symptômes suivants d'anaphylaxie : rash, prurit, œdème laryngé, respiration sifflante. Si ces réactions se manifestent, arrêter l'administration du médicament et avertir immédiatement le médecin. Garder à portée de la main de l'épinéphrine, un antihistaminique et le matériel de réanimation pour parer à une éventuelle réaction anaphylactique.

☐ Suivre quotidiennement le temps de prothrombine et les saignements : présence de sang occulte dans les selles, hématurie, saignement des gencives, formation d'ecchymoses, car le moxalactam peut provoquer l'hypoprothrombinémie. Les personnes âgées ou les patients débilités y sont davantage prédisposés. En cas de saignement, administrer de la vitamine K. On peut aussi administrer de la vitamine K en traitement prophylactique, à raison de 10 mg par semaine.

■ **Étude des examens diagnostiques et biochimiques :** Il faut établir à intervalles réguliers les pics et les creux des concentrations sanguines chez les patients présentant un dysfonctionnement rénal.

☐ Le moxalactam peut entraîner des résultats faussement positifs à l'épreuve de Coombs et peut altérer les résultats des épreuves de compatibilité croisée du sang.

DIAGNOSTICS INFIRMIERS POSSIBLES

■ **Énoncés diagnostiques**

☐ Risque élevé d'infection.

☐ Diarrhée.

☐ Prise en charge inefficace du programme thérapeutique.

☐ *Risque élevé de déficit nutritionnel.*

☐ *Risque élevé de douleur au point d'injection IV.*

☐ *Risque élevé d'anxiété.*

■ **Facteurs favorisants**

☐ Informations incomplètes.

☐ *Manque de connaissances sur les moyens de prévenir les effets secondaires affectant l'appareil gastro-intestinal.*

☐ *Inflammation locale du tissu vasculaire ou infiltration du médicament dans les tissus avoisinants.*

☐ *Manque de connaissances sur les modalités du traitement.*

☐ *Manque de connaissances sur la méthode d'administration du médicament.*

INTERVENTIONS INFIRMIÈRES

■ **Directives générales :** La solution peut être transparente à jaune paille.

■ **IM :** Reconstituer le contenu d'une fiole de 1 g avec 3 mL d'eau stérile ou d'eau bactériostatique pour injection ou avec une solution de NaCl à 0,9 %. Bien agiter la fiole pour en dissoudre le contenu. Le médecin pourrait recommander une dilution supplémentaire avec du chlorhydrate de lidocaïne à 0,5 % pour réduire la douleur au point d'injection.

☐ Injecter en profondeur dans une masse musculaire bien développée ; bien masser.

■ **IV :** Changer de point d'injection toutes les 48 à 72 h afin de prévenir la phlébite. Arrêter l'administration d'autres solutions IV pendant l'administration par voie IV de céphalosporines.

■ **IV directe :** Reconstituer le contenu de la fiole de 1 g avec 10 mL d'eau stérile, de dextrose à 5 % dans de l'eau ou de solution de NaCl à 0,9 %.

☐ *Vitesse d'administration :* Administrer la solution lentement en 3 à 5 min (15 et 20 min chez les enfants).

M

- **Perfusion intermittente :** Diluer de nouveau le contenu de la fiole de 1 g dans au moins 20 mL de solution de NaCl à 0,9 %, de dextrose à 5 ou à 10 % dans de l'eau, de dextrose à 5 % dans une solution de NaCl à 0,25, à 0,45 ou à 0,9 %, de dextrose à 5 % dans du lactate Ringer ou de la solution de Ringer. La solution est stable pendant 24 h à température ambiante et pendant 96 h au réfrigérateur.
- □ *Vitesse d'administration :* Administrer la solution en 30 min. Observer le point d'injection pour déceler la phlébite.
- **Perfusion continue :** On peut diluer le moxalactam dans 500 à 1 000 mL de l'une des solutions ci-dessus mentionnées.
- **Association compatible dans la même seringue :** Héparine.
- **Compatibilités (tubulure en Y) :** Cyclophosphamide, hydromorphone, mépéridine, morphine, perphénazine ou sulfate de magnésium.
- **Compatibilités en addition au soluté :** Métronidazole, ranitidine ou vérapamil.
- **Incompatibilités en addition au soluté :** Ne pas effectuer d'admixtion avec des aminosides.

ENSEIGNEMENT AU PATIENT ET À SES PROCHES

- □ Conseiller au patient de signaler au médecin l'allergie et les signes suivants de surinfection : excroissance pileuse sur la langue, démangeaisons ou pertes vaginales, selles molles ou nauséabondes.
- □ Mettre en garde le patient contre la consommation d'alcool pendant un traitement au moxalactam, en raison des risques de manifestation d'une réaction semblable à la réaction au disulfirame (crampes abdominales, nausées, vomissements, hypotension, palpitations, dyspnée, tachycardie, transpiration, bouffées vasomotrices). Il faut éviter la prise d'alcool et

de médicaments contenant de l'alcool pendant le traitement et plusieurs jours après sa fin.
- □ Recommander au patient de prévenir le médecin en cas de fièvre ou de diarrhée, particulièrement si ses selles renferment du sang, du pus ou des mucosités. Conseiller au patient de ne pas traiter la diarrhée sans consulter au préalable le médecin ou le pharmacien.

VÉRIFICATION DES RÉSULTATS

La réponse clinique peut être démontrée par : la disparition des signes et des symptômes d'infection. Le temps de résolution dépend du micro-organisme infectant et du siège de l'infection.

MULTIVITAMINES, PO

Abdec, Fortamines 10, Maxi-10, One-a-Day, Pardec liquide, Poly-Vi-Sol, (Day-Vite), (Multi-Thera), (Optilets 500), (Quintabs), (Theragran), (Theravee), (Unicap), (Vi-Daylin)

MULTIVITAMINES, PERFUSION

Béminal avec C Fortis Injectable (déshydraté), Bérocca-C, Multi 1000, MVI-12, MVI Pediatrique, MVI-1000, Néo-Bex, (Berocca Parenteral Nutrition), (M.V.C. 9+3), (M.V.C. Plus)

CLASSIFICATION :

Multivitamines – préparation parentérale
Multivitamines – préparation orale

Grossesse – catégorie inconnue

INDICATIONS

- **PO :** Traitement et prévention des carences vitaminiques. Il existe des préparations spéciales destinées aux patients ayant des besoins particuliers, incluant :
- □ les multivitamines destinées aux femmes enceintes (à concentration plus élevée d'acide folique) □ les multivitamines

avec du fer □ les multivitamines avec du fluorure □ les multivitamines avec des minéraux ou des oligo-éléments ■ **Voie parentérale:** Traitement et prévention des carences vitaminiques chez les patients qui sont incapables de s'alimenter ou de prendre des vitamines PO.

ACTION

■ Les multivitamines contiennent des vitamines liposolubles (A, D et E) et hydrosolubles (vitamines du complexe B: vitamines B_1, B_2, B_3, B_5, B_6, B_{12}, vitamine C, biotine et acide folique). Ces vitamines sont des composés essentiels à la croissance et au développement normaux qui agissent en tant que co-enzymes ou de catalyseurs lors de nombreux processus métaboliques. **Effets thérapeutiques:** ■ **PO:** Prévention des carences ou traitement de substitution chez les patients dont l'état nutritionnel est altéré ■ **Voie parentérale:** Traitement de substitution chez les patients qui sont incapables de s'alimenter ou de prendre des vitamines PO.

PHARMACOCINÉTIQUE

Absorption: Par suite de l'administration PO, bonne absorption depuis le tractus gastro-intestinal. Certains processus sont actifs, d'autres passifs. L'absorption des vitamines hydrosolubles augmente généralement en cas de carence. L'absorption de certaines vitamines liposolubles peut nécessiter la présence d'acides biliaires.
Distribution: Les multivitamines se répartissent dans tout l'organisme; elles traversent le placenta et pénètrent dans le lait maternel. Les vitamines liposolubles (A, D et E) sont emmagasinées dans les tissus adipeux et dans le foie.
Métabolisme et excrétion: Les multivitamines participent à divers processus biologiques. Les quantités excessives de vitamines hydrosolubles (vitamines B, vitamine C et acide folique) sont excrétées à l'état inchangé par les reins.
Demi-vie: Inconnue.

CONTRE-INDICATIONS ET PRÉCAUTIONS

Contre-indications: ■ Hypersensibilité aux agents de conservation, aux colorants ou aux additifs (préparations orales) ■ Hypersensibilité aux agents de conservation incluant le polysorbate, le propylène glycol, les parabènes ou l'alcool benzylique (préparations parentérales).

RÉACTIONS INDÉSIRABLES ET EFFETS SECONDAIRES

Remarque: Aux doses recommandées, les réactions indésirables sont extrêmement rares.
Divers: réactions allergiques aux agents de conservation, aux additifs ou aux colorants.

INTERACTIONS

Médicament – médicament: La vitamine B_6, administrée en grande quantité, peut entraver l'effet bénéfique de la **lévodopa**.

PRÉSENTATION

Les multivitamines sont présentées sous forme de nombreuses associations avec de l'acide folique, des fluorures, des minéraux et des oligo-éléments. Les associations qui renferment plus de 1 mg d'acide folique ne peuvent être obtenues que sur ordonnance.

VOIES D'ADMINISTRATION ET POSOLOGIE

■ **PO (adultes et enfants):** Une dose, selon la présentation (comprimé, capsule ou quantité contenue dans le compte-gouttes), par jour ou la quantité recommandée par le fabricant.
■ **IV (adultes et enfants):** Quantité suffisante selon les taux quotidiens recommandés (voir l'annexe L) pour le groupe d'âge en question. On ajoute habituellement la préparation à un volume important de solution parentérale ou de solution destinée à l'alimentation parentérale totale (hyperalimentation).

■ **IM (adultes):** 2 mL ou plus, 1 fois par jour ou 1 mL, 2 ou 3 fois par semaine (Berocca-C ou Néo-Bex).

PHARMACODYNAMIE

	DÉBUT D'ACTION	PIC	DURÉE
PO	inconnu	inconnu	inconnue
IV	inconnu	inconnu	inconnue
IM	inconnu	inconnu	inconnue

SOINS INFIRMIERS

ÉVALUATION DE LA SITUATION

□ Surveiller les signes de carence vitaminique avant le traitement et pendant toute sa durée. Les patients prédisposés aux carences sont les personnes âgées, les patients débilités, les brûlés, les patients qui sont incapables de s'alimenter par voie orale et ceux qui souffrent du syndrome de malabsorption ou d'alcoolisme chronique.

■ **Toxicité et surdosage:** La toxicité par les préparations de multivitamines est très rare étant donné les petites quantités de vitamines liposolubles contenues dans chaque unité. Les symptômes de toxicité et surdosage, provoqués par chacune des vitamines, sont indiqués dans la monographie de l'agent en question.

□ En cas de surdosage, il faut induire des vomissements ou effectuer un lavage gastrique, administrer du gluconate de calcium par voie IV si le patient est hypocalcémique et maintenir une forte diurèse.

DIAGNOSTICS INFIRMIERS POSSIBLES

■ **Énoncés diagnostiques**

□ Déficit nutritionnel.

□ Prise en charge inefficace du programme thérapeutique.

■ **Facteurs favorisants**

□ Informations incomplètes.

□ *Manque de connaissances sur les modalités du traitement.*

□ *Manque de connaissances sur le régime alimentaire à suivre.*

INTERVENTIONS INFIRMIÈRES

■ **Directives générales:** On administre habituellement les vitamines PO, mais si cette forme d'administration ne peut être envisagée, on peut aussi les administrer par voie parentérale.

■ **PO:** Les préparations ne sont pas standardisées.

□ Les comprimés à croquer devraient être broyés ou bien mâchés avant d'être avalés.

□ Les préparations liquides peuvent être versées directement dans la bouche ou mélangées à du jus ou à des céréales.

■ **IM:** Administrer les doses par voie IM profondément dans la masse musculaire.

■ **IV:** Les multivitamines pour perfusion ne doivent être administrées que de cette façon; ne pas les administrer par voie IV directe.

□ La préparation est le plus souvent de couleur jaune et elle teint la solution IV.

■ **Perfusion continue:** Diluer le contenu de l'ampoule de 5 ou de 10 mL dans 500 à 1 000 mL de solution de dextrose à 5 % dans du lactate Ringer, de dextrose à 5 % dans une solution de NaCl à 0,9 %, de solution de dextrose à 5, à 10 ou à 20 % dans de l'eau, dans du lactate Ringer pour injection, dans une solution de NaCl à 0,9 ou à 3 % ou dans du lactate de sodium à $\frac{1}{6}$ M. Ne pas administrer la solution si elle contient des cristaux.

■ **Compatibilités (tubulure en Y):** Acyclovir, ampicilline, céfazoline, céphalothine, céphapirine, gentamicine, lactobionate d'érythromycine ou tétracycline.

■ **Compatibilités en addition au soluté:** Bicarbonate de sodium, céfoxitine, isoprotérénol, méthyldopate, métoclopramide, métronidazole avec bicarbonate de sodium, nétilmicine, norépinéphrine ou vérapamil.

M

■ **Incompatibilités en addition au soluté:** Les multivitamines sont incompatibles avec des solutions contenant plusieurs antibiotiques ou de la bléomycine.

ENSEIGNEMENT AU PATIENT ET À SES PROCHES

☐ Conseiller au patient de suivre scrupuleusement la posologie recommandée et toutes les autres recommandations du médecin. Lui expliquer que la meilleure source de vitamines est une alimentation bien équilibrée comprenant des aliments provenant des quatre principaux groupes alimentaires.

☐ Expliquer aux parents qu'ils ne doivent pas donner aux enfants l'impression que les multivitamines à croquer sont des bonbons.

VÉRIFICATION DES RÉSULTATS

L'efficacité du traitement peut être démontrée par: la prévention ou la diminution des symptômes de carence vitaminique.

MUPIROCINE

Acide pseudomonique A, Bactroban

CLASSIFICATION:
Anti-infectieux – agent topique

Grossesse – catégorie B

INDICATIONS

■ Traitement topique de certaines infections causées par des souches sensibles de staphylocoques et de streptocoques incluant l'impétigo ■ Prévention des infections dues aux bactéries à Gram positif sensibles lors de blessures légères.

ACTION

■ Inhibition de la synthèse des protéines bactériennes. **Effets thérapeutiques:** ■ Inhibition de la croissance et de la re-

production bactériennes. **Spectre d'action:** ■ Agent doté d'une activité notable surtout contre les micro-organismes à Gram positif, incluant: ■ *Staphylococcus aureus* ■ les streptocoques bêta-hémolytiques.

PHARMACOCINÉTIQUE

Absorption: L'absorption systémique est minime.
Distribution: Le médicament demeure dans la couche cornée pendant de longues périodes (72 h).
Métabolisme et excrétion: Le médicament est métabolisé au niveau de la peau; il est éliminé par desquamation.
Demi-vie: Inconnue.

CONTRE-INDICATIONS ET PRÉCAUTIONS

Contre-indications: Hypersensibilité à la mupirocine ou au polyéthylène glycol.
Précautions: Grossesse ou allaitement (l'innocuité du médicament n'a pas été établie).

RÉACTIONS INDÉSIRABLES ET EFFETS SECONDAIRES

Tég.: brûlures, picotements, douleurs, érythème, sécheresse de la peau, sensibilité, dermatite de contact, exsudation accrue.
GI: nausées.

INTERACTIONS

Médicament – médicament: Aucune interaction notable.

VOIES D'ADMINISTRATION ET POSOLOGIE

Préparation topique (adultes et enfants): onguent à 2 % à appliquer 3 fois par jour.

PHARMACODYNAMIE

	DÉBUT D'ACTION	PIC	DURÉE
préparation topique	inconnu	3 – 5 jours	72 h

SOINS INFIRMIERS

ÉVALUATION DE LA SITUATION

Examiner les lésions avant le traitement et tous les jours pendant toute sa durée.

DIAGNOSTICS INFIRMIERS POSSIBLES

- **Énoncés diagnostiques**
  □ Altération de l'intégrité de la peau.
  □ Risque élevé d'infection.
  □ Prise en charge inefficace du programme thérapeutique.

- **Facteurs favorisants**
  □ Informations incomplètes.
  □ *Manque de connaissances sur les modalités du traitement.*
  □ *Manque de connaissances sur la méthode d'administration du médicament.*

INTERVENTIONS INFIRMIÈRES

Préparation topique : Appliquer une petite quantité d'onguent de mupirocine sur la région affectée, trois fois par jour. On peut couvrir la région traitée d'un pansement de gaze.

ENSEIGNEMENT AU PATIENT ET À SES PROCHES

□ Montrer au patient comment appliquer l'onguent de mupirocine. Lui conseiller de suivre scrupuleusement la posologie recommandée pendant toute la durée du traitement.

□ Enseigner au patient et à ses proches les mesures d'hygiène appropriées pour éviter la propagation de l'impétigo.

□ Conseiller aux parents de prévenir l'infirmière de l'école que l'enfant souffre d'impétigo afin qu'elle puisse prendre des mesures de dépistage et de prévention de la contamination.

□ Recommander au patient de consulter le médecin si les symptômes ne se sont pas améliorés dans les 3 à 5 jours qui suivent le début du traitement.

VÉRIFICATION DES RÉSULTATS

L'efficacité du traitement peut être démontrée par : la cicatrisation des lésions cutanées. En l'absence d'une réponse clinique en l'espace de 3 à 5 jours, il faut réévaluer l'état du patient.

MUROMONAB-CD3
Orthoclone OKT 3

CLASSIFICATION :
Immunosuppresseur – anticorps monoclonal

Grossesse – catégorie C

INDICATIONS

Traitement des réactions aiguës de rejet des allogreffes rénales, cardiaques ou hépatiques chez les patients ayant subi une transplantation qui n'ont pas réagi aux traitements classiques visant à contrer le rejet ou qui ne les tolèrent pas.

ACTION

■ Anticorps d'immunoglobuline purifiée qui agit en tant qu'immunosuppresseur en entravant la fonction normale des cellules T. **Effets thérapeutiques :** ■ Renversement des réactions de rejet de la greffe chez les patients ayant subi une transplantation.

PHARMACOCINÉTIQUE

Absorption : L'administration est réservée à la voie IV ; dans ce cas, la biodisponibilité est totale.

Distribution : Inconnue.

Métabolisme et excrétion : Inconnus.

Demi-vie : Inconnue.

CONTRE-INDICATIONS ET PRÉCAUTIONS

Contre-indications : ■ Hypersensibilité au muromonab-CD3, aux protéines d'origine murine (souris) ou au polysorbate

M

- Traitement préalable au muromonab
- Surcharge liquidienne ■ Fièvre > 37,8 °C
- Varicelle ou exposition récente à la varicelle ■ Zona.

Précautions: ■ Infections en évolution ■ Réserve médullaire réduite ■ Maladies chroniques débilitantes ■ Insuffisance cardiaque ■ Grossesse, allaitement ou enfants de moins de 2 ans (l'innocuité du médicament n'a pas été établie).

RÉACTIONS INDÉSIRABLES ET EFFETS SECONDAIRES

SNC: tremblements, méningite aseptique, étourdissements.

Resp.: dyspnée, essoufflements, respiration sifflante, ŒDÈME PULMONAIRE.

CV: douleurs thoraciques.

GI: vomissements, nausées, diarrhée.

Divers: fièvre, frissons, INFECTIONS, risque accru de lymphome, réactions d'hypersensibilité.

INTERACTIONS

Médicament – médicament: ■ Effet immunosuppresseur additif lors de l'administration simultanée d'autres agents **immunosuppresseurs** ■ La posologie de la **prednisone** et de l'**azathioprine**, administrées simultanément, devrait être réduite au cours du traitement par le muromonab (risque accru d'infection et de troubles lymphoprolifératifs) ■ La posologie de la **cyclosporine**, administrée simultanément, devrait être réduite ou le traitement interrompu pendant le traitement par le muromonab-CD3 (risque accru d'infection et de troubles lymphoprolifératifs).

VOIES D'ADMINISTRATION ET POSOLOGIE

IV (adultes): 5 mg par jour, pendant 10 à 14 jours (pour diminuer les réactions fébriles, un prétraitement par des glucocorticoïdes, de l'acétaminophène et des antihistaminiques pourrait s'avérer nécessaire).

PHARMACODYNAMIE
(d'après les concentrations des cellules T en circulation pourvues de CD3)

	DÉBUT D'ACTION	PIC	DURÉE
IV	quelques minutes	2 – 7 jours	1 semaine

SOINS INFIRMIERS

ÉVALUATION DE LA SITUATION

☐ Suivre de près les signes de surcharge liquidienne: peser le patient, effectuer le bilan des ingesta et des excreta, suivre de près l'œdème et les râles ou crépitations. Prévenir le médecin si le patient a connu un gain de poids de 3 % ou plus au cours de la semaine précédente. Avant d'amorcer le traitement, examiner les radiographies thoraciques. Les patients présentant une surcharge liquidienne sont exposés à un risque élevé d'œdème pulmonaire. Mesurer les signes vitaux et ausculter attentivement le murmure vésiculaire.

☐ Suivre de près la fièvre, les frissons, les nausées et les vomissements, les douleurs thoraciques, l'essoufflement, les étourdissements, la diarrhée et le tremblement des mains. La gravité de cette réaction est plus importante lors de l'administration de la dose initiale. Les réactions se manifestent dans les 45 à 60 min après l'administration et peuvent persister pendant 6 h. Le médecin peut prescrire un traitement prophylactique par des glucocorticoïdes, des antihistaminiques et de l'acétaminophène avant l'administration du muromonab-CD3, particulièrement en début de traitement. Le médecin peut également prescrire de l'hydrocortisone par voie IV, 30 min après la première dose et, s'il y a lieu, après la deuxième dose, afin de maîtriser les effets secondaires sur l'appareil respiratoire.

- Surveiller les signes suivants d'infection : fièvre, frissons, rash, maux de gorge, écoulements purulents, dysurie. Prévenir immédiatement le médecin si ces symptômes se manifestent, car ils peuvent dicter l'arrêt du traitement.
- Suivre de près l'apparition d'une méningite aseptique. Cette maladie survient habituellement dans les trois jours qui suivent le début du traitement. Suivre de près la fièvre, les céphalées, la rigidité de la nuque et la photophobie.
- **Étude des examens diagnostiques et biochimiques :** Noter la numération globulaire et la formule leucocytaire avant le début du traitement et à intervalles réguliers pendant toute sa durée.
- Effectuer quotidiennement le dosage des cellules T pourvues d'antigènes CD3.

DIAGNOSTICS INFIRMIERS POSSIBLES

- **Énoncés diagnostiques**
- Risque élevé d'infection.
- Excès de volume liquidien.
- Prise en charge inefficace du programme thérapeutique.
- *Risque élevé de perturbation des échanges gazeux.*
- *Risque élevé de déficit nutritionnel.*

- **Facteurs favorisants**
- Informations incomplètes.
- *Mode de respiration inefficace.*
- *Manque de connaissances sur les modalités du traitement.*
- *Manque de connaissances sur les moyens de prévenir les effets secondaires affectant l'appareil gastro-intestinal.*

INTERVENTIONS INFIRMIÈRES

- **Directives générales :** Le médecin réduira la dose de glucocorticoïdes et d'azathioprine et recommandera d'interrompre l'administration des cyclosporines pendant une cure de 10 à 14 jours par le muromonab-CD3. L'administration des cyclosporines peut être reprise trois jours avant la fin du traitement.
- La dose initiale doit être administrée en milieu hospitalier ; suivre de près l'état du patient pendant 48 h. Les doses subséquentes peuvent être administrées en consultation externe.
- Garder le médicament au réfrigérateur à une température de 2 à 8 °C. Ne pas agiter la fiole.
- **IV directe :** Prélever la solution dans une seringue à travers un filtre de 0,2 ou 0,22 µm qui se lie faiblement aux protéines, pour extraire les particules translucides de protéines qui pourraient être présentes dans la solution. Mettre au rebut le filtre et munir la seringue d'une aiguille de calibre 20 pour administration IV.
- Ne pas administrer la préparation sous forme de perfusion ; ne pas faire d'admixtion ; ne pas administrer dans une tubulure IV par où s'écoulent d'autres médicaments.
- *Vitesse d'administration :* Administrer la solution en moins de 1 min.

ENSEIGNEMENT AU PATIENT ET À SES PROCHES

- Expliquer au patient le rôle thérapeutique de ce médicament. Le prévenir des effets secondaires possibles lors de l'administration de la dose initiale et l'informer qu'ils seront considérablement moins importants lors de l'administration des doses subséquentes. Lui expliquer qu'il devra reprendre les autres traitements immunosuppresseurs après l'arrêt du traitement par le muromonab-CD3 et les poursuivre pendant toute sa vie.
- Conseiller au patient de ne pas se faire vacciner sans recommandation expresse du médecin et d'éviter tout contact avec des personnes qui ont reçu le vaccin de la polio par voie orale.

□ Recommander au patient d'éviter les foules et les personnes contagieuses, car ce médicament déprime également le système immunitaire.

VÉRIFICATION DES RÉSULTATS

L'efficacité du traitement peut être démontrée par: la résolution des symptômes associés aux réactions aiguës de rejet des greffes.

NADOLOL
Apo-Nadol, Corgard, Syn-Nadolol

CLASSIFICATION:
Bêtabloquant non sélectif – antihypertenseur; bêtabloquant – antiangineux

Grossesse – catégorie C

INDICATIONS

■ Hypertension – en monothérapie ou en traitement d'association avec d'autres agents ■ Angine de poitrine – en monothérapie ou en traitement d'association avec d'autres agents. **Usages non approuvés:** ■ Traitement: □ des tachyarythmies □ de l'anxiété □ du comportement agressif □ des tremblements □ des hémorragies récidivantes des varices de l'œsophage □ de prophylaxie des migraines.

ACTION

■ Inhibition de la stimulation des récepteurs bêta$_1$ (myocardiques) et bêta$_2$ (pulmonaires, vasculaires ou utérins). **Effets thérapeutiques:** ■ Diminution de la fréquence cardiaque et abaissement de la pression artérielle.

PHARMACOCINÉTIQUE

Absorption: Par suite de l'administration par voie orale, l'absorption du médicament est variable (30 %).
Distribution: Le nadolol pénètre dans le SNC en quantités infimes. Il traverse le placenta et pénètre dans le lait maternel.

Métabolisme et excrétion: Une fraction de 70 % du médicament est excrétée à l'état inchangé par les reins.
Demi-vie: De 10 à 24 h (prolongée en cas d'insuffisance rénale).

CONTRE-INDICATIONS ET PRÉCAUTIONS

Contre-indications: ■ Insuffisance cardiaque non compensée ■ Œdème pulmonaire ■ Choc cardiogène ■ Bradycardie ■ Bloc cardiaque ■ Bronchopneumopathie chronique obstructive ou asthme;
Précautions: ■ Thyrotoxicose ou hypoglycémie (le médicament peut en masquer les symptômes) ■ Insuffisance rénale (il est conseillé de réduire la dose) ■ Grossesse et allaitement (le médicament peut entraîner l'apnée, un faible indice d'Apgar, la bradycardie et l'hypoglycémie chez le nouveau-né) ■ Enfants (l'innocuité du médicament n'a pas été établie).

RÉACTIONS INDÉSIRABLES ET EFFETS SECONDAIRES

SNC: fatigue, faiblesse, dépression, pertes de mémoire, modification des opérations de la pensée, somnolence.
ORLO: sécheresse des yeux (alacrymie), vision trouble, congestion nasale.
Resp.: bronchospasme, respiration sifflante.
CV: BRADYCARDIE, INSUFFISANCE CARDIAQUE, ŒDÈME PULMONAIRE, hypotension, vasoconstriction périphérique.
GI: constipation, diarrhée, nausées, vomissements.
GU: impuissance, baisse de la libido.
Tég.: rash, démangeaisons.
End.: hyperglycémie, hypoglycémie.
Divers: maladie de Raynaud.

INTERACTIONS

Médicament – médicament: ■ L'administration concomitante d'une **anesthésie générale**, de **phénytoïne par voie IV** ou de **vérapamil** peut entraîner une dépression myocardique additive ■ Les **dérivés**

digitaliques, administrés simultanément, peuvent exercer des effets additifs sur la bradycardie ■ Risque d'effets hypotenseurs additifs lors de l'administration concomitante d'autres **antihypertenseurs** ou de **dérivés nitrés** ou de l'ingestion d'**alcool** ■ Le nadolol peut contrecarrer les effets bénéfiques des **bronchodilatateurs bêta-adrénergiques**, de la **dopamine** ou de la **dobutamine** ■ Les **anti-inflammatoires non stéroïdiens** ou les extraits **thyroïdiens**, administrés simultanément, peuvent diminuer l'efficacité du nadolol ■ L'administration concomitante d'**amphétamines**, de **cocaïne**, d'**éphédrine**, d'**épinéphrine**, de **norépinéphrine**, de **phényléphrine** ou de **pseudoéphédrine** peut entraîner une stimulation alpha-adrénergique excessive, l'hypertension et la bradycardie ■ Le nadolol, administré en même temps que l'**insuline**, peut prolonger l'hypoglycémie ■ Le nadolol, administré dans les 14 jours qui suivent un traitement par des **inhibiteurs de la MAO**, peut entraîner de l'hypertension.

VOIES D'ADMINISTRATION ET POSOLOGIE

PO (adultes): de 40 à 80 mg, une fois par jour (on a déjà administré des doses allant jusqu'à 320 mg par jour).

PHARMACODYNAMIE
(effet antihypertenseur)

	DÉBUT D'ACTION	PIC	DURÉE
PO	jusqu'à 5 jours	6 – 9 jours	24 h

☀ SOINS INFIRMIERS

ÉVALUATION DE LA SITUATION

☐ Mesurer la pression artérielle et le pouls à intervalles fréquents au cours de la période d'adaptation de la posologie et à intervalles réguliers pendant toute la durée du traitement. Si le pouls est inférieur à 50 battements par minute, consulter le médecin avant d'administrer le médicament. Aider le patient à se lever et surveiller l'hypotension orthostatique.

■ Effectuer le bilan quotidien des ingesta et des excreta et peser le patient tous les jours. Observer le patient à intervalles réguliers à la recherche des signes suivants d'insuffisance cardiaque: œdème périphérique, dyspnée, râles et crépitations, fatigue, gain pondéral, turgescence des jugulaires.

■ **Angine:** Noter la fréquence et la durée des épisodes de douleurs thoraciques à intervalles réguliers pendant toute la durée du traitement.

■ **Étude des examens diagnostiques et biochimiques:** Examiner les résultats des tests de l'exploration des fonctions rénale et hépatique et la numération globulaire à intervalles réguliers lors d'un traitement prolongé.

☐ Le nadolol peut entraîner l'élévation des concentrations sériques de potassium, d'acide urique, de triglycérides, de LDH, de phosphatase alcaline et d'urée.

DIAGNOSTICS INFIRMIERS POSSIBLES

■ **Énoncés diagnostiques**
☐ Diminution du débit cardiaque.
☐ Prise en charge inefficace du programme thérapeutique.
☐ Non-observance du traitement médicamenteux.
☐ *Risque élevé d'accident.*

■ **Facteurs favorisants**
☐ Informations incomplètes.
☐ Doute quant aux bienfaits du médicament.
☐ *Fatigue et faiblesse.*
☐ *Manque de connaissances sur les effets hypotensifs du médicament lors des changements brusques de position.*
☐ *Manque de connaissances sur les modalités du traitement.*
☐ *Difficulté à s'adapter aux changements nécessaires dans les habitudes de vie.*

INTERVENTIONS INFIRMIÈRES

PO: Administrer le médicament avec des aliments ou à jeun. On peut broyer le comprimé et le mélanger à des aliments ou à une boisson si le patient éprouve des difficultés de déglutition.

ENSEIGNEMENT AU PATIENT ET À SES PROCHES

☐ Conseiller au patient de respecter scrupuleusement la posologie recommandée et de continuer à prendre le médicament même s'il se sent mieux. S'il n'a pu prendre le médicament au moment habituel, il doit le prendre dès que possible, mais au moins 8 h avant l'heure prévue pour la dose suivante. Le sevrage brusque peut déclencher des arythmies qui mettent la vie en danger, de l'hypertension ou l'ischémie du myocarde.

☐ Montrer au patient et à ses proches comment prendre le pouls et la pression artérielle. Leur demander de mesurer le pouls tous les jours et la pression artérielle deux fois par semaine. Recommander au patient de ne pas prendre le médicament et d'informer le médecin si son pouls est inférieur à 50 battements par minute ou si sa pression artérielle diminue considérablement.

☐ Inciter le patient à appliquer d'autres mesures de réduction de l'hypertension : perdre du poids, réduire sa consommation de sel, diminuer le stress, faire régulièrement de l'exercice, boire modérément et cesser de fumer. Le nadolol stabilise la pression artérielle, mais ne guérit pas l'hypertension.

☐ Prévenir le patient que le nadolol peut provoquer de la somnolence. Lui conseiller de ne pas conduire et d'éviter les activités qui exigent sa vigilance jusqu'à ce qu'on ait la certitude que le médicament n'entraîne pas cet effet chez lui.

☐ Prévenir le patient que le médicament peut le rendre plus sensible au froid.

☐ Conseiller au patient de consulter le médecin ou le pharmacien avant de prendre un médicament en vente libre, particulièrement un médicament contre le rhume, en même temps que le nadolol. Lui recommander de consommer avec modération du café, du thé et des boissons à base de cola.

☐ Recommander au patient diabétique de mesurer minutieusement sa glycémie, particulièrement lorsqu'il se sent fatigué, faible ou irritable.

☐ Recommander au patient qui doit suivre un traitement dentaire ou subir une intervention chirurgicale d'avertir le dentiste ou le médecin qu'il suit un traitement médicamenteux.

☐ Conseiller au patient de porter sur lui en tout temps une pièce d'identité où est inscrit son traitement médicamenteux.

☐ Recommander au patient de prévenir le médecin en cas de ralentissement du pouls, de dépression ou de rash.

VÉRIFICATION DES RÉSULTATS

L'efficacité du traitement peut être démontrée par : ■ la baisse de la pression artérielle ■ la diminution de la fréquence des crises d'angine ☐ la tolérance accrue à l'effort. Les effets du médicament peuvent ne se manifester que 5 jours après le début du traitement.

NAFARÉLINE
Synarel

CLASSIFICATION :
Hormone – gonadolibérine (hormone de libération de la gonadotrophine)

Grossesse – catégorie X

INDICATIONS
Traitement de l'endométriose.

ACTION

■ Analogue synthétique de la gonadolibérine (GnRH). L'agent accroît initialement la production hypophysaire d'hormone lutéinisante (LH) et d'hormone folliculostimulante (FSH) ce qui stimule la stéroïdogenèse ovarienne. L'administration prolongée entraîne une diminution de cette production. Les lésions attribuables à l'endométriose sont sensibles aux hormones ovariennes. **Effets thérapeutiques :** ■ Diminution des lésions et de la douleur associées à l'endométriose.

PHARMACOCINÉTIQUE

Absorption : Le médicament est bien absorbé par suite de l'administration intranasale.

Distribution : Inconnue.

Métabolisme et excrétion : Une fraction de 20 à 40 % du médicament est excrétée dans les fèces et une fraction de 3 % est excrétée à l'état inchangé par les reins.

Demi-vie : 3 h.

CONTRE-INDICATIONS ET PRÉCAUTIONS

Contre-indications : ■ Hypersensibilité à la gonadolibérine, à ses analogues, au chlorure de benzalkonium, à l'acide acétique ou au sorbitol ■ Grossesse ou allaitement.

Précautions : ■ Enfants (l'innocuité du médicament n'a pas été établie) ■ Rhinite.

RÉACTIONS INDÉSIRABLES ET EFFETS SECONDAIRES

SNC : céphalées, instabilité de l'affect, insomnie, dépression.

ORLO : irritation nasale.

CV : œdème.

GU : sécheresse vaginale.

Tég. : acné, séborrhée, hirsutisme.

End. : diminution du volume des seins, altération de la fécondité, arrêt des règles.

Loc. : myalgie, diminution de la densité osseuse.

Divers : bouffées vasomotrices, baisse de la libido, gain pondéral, réactions d'hypersensibilité.

INTERACTIONS

Médicament – médicament : L'administration concomitante d'un **décongestionnant nasal topique** peut réduire l'absorption de la nafaréline (administrer le décongestionnant au moins 30 min après la nafaréline).

VOIES D'ADMINISTRATION ET POSOLOGIE

Remarque : 200 µg de nafaréline par vaporisation.

Voie intranasale (adultes) : Une vaporisation dans une narine le matin et une vaporisation dans l'autre narine, le soir.

PHARMACODYNAMIE
(baisse de la stéroïdogenèse ovarienne)

	DÉBUT D'ACTION	PIC	DURÉE
voie intranasale	inconnu	4 semaines	inconnue

☀ SOINS INFIRMIERS

ÉVALUATION DE LA SITUATION

Suivre à intervalles réguliers pendant toute la durée du traitement la douleur attribuable à l'endométriose.

DIAGNOSTICS INFIRMIERS POSSIBLES

■ **Énoncés diagnostiques**

□ Douleur.

□ Dysfonctionnement sexuel.

□ Prise en charge inefficace du programme thérapeutique.

□ *Risque élevé de perturbation situationnelle de l'estime de soi.*

□ *Risque élevé d'atteinte à l'intégrité des tissus.*

■ **Facteurs favorisants**

□ Informations incomplètes.

□ *Manque de connaissances sur les moyens de prévenir les effets secondaires du médicament.*

□ *Altération de l'image corporelle.*

N

Directives générales: Amorcer le traitement entre le 2ᵉ et le 4ᵉ jour du cycle menstruel.

ENSEIGNEMENT AU PATIENT ET À SES PROCHES

□ Montrer à la patiente comment utiliser le vaporisateur nasal. Lui expliquer qu'il faut vaporiser une fois dans une narine le matin et une fois, dans l'autre narine, le soir. Un flacon devrait lui suffire pour 30 jours.

□ Recommander à la patiente d'utiliser pendant le traitement une autre méthode de contraception que celle par des contraceptifs oraux. La prévenir que l'aménorrhée est un effet normal du traitement. Lui recommander de prévenir le médecin si le cycle menstruel reste régulier ou si elle n'a pu prendre plusieurs doses successives.

□ Recommander à la patiente de prévenir le médecin si une rhinite survient au cours du traitement. Si elle doit avoir recours à un décongestionnant topique, lui conseiller d'attendre 30 min après l'administration de la nafaréline, avant de l'utiliser.

□ Prévenir la patiente que le médicament peut entraîner des bouffées vasomotrices. Lui conseiller de contacter le médecin si celles-ci deviennent gênantes.

VÉRIFICATION DES RÉSULTATS

L'efficacité du traitement peut être démontrée par: la diminution des lésions et des douleurs provoquées par l'endométriose.

NAFCILLINE
Unipen, (Nafcil), (Nallpen)

CLASSIFICATION:
Anti-infectieux – pénicilline résistante à la pénicillinase

Grossesse – catégorie B

INDICATIONS

■ Traitement des infections suivantes attribuables à des souches sensibles de streptocoques ou de staphylocoques produisant de la pénicillinase: □ infections des voies respiratoires □ infections de la peau et des tissus mous □ infections des os et des articulations □ infections des voies urinaires □ septicémie.

ACTION

■ Liaison à la membrane de la paroi de la cellule bactérienne entraînant la destruction de la bactérie ■ Résistance à l'action de la pénicillinase, enzyme capable d'inactiver la pénicilline. **Effets thérapeutiques:** ■ Action bactéricide contre les bactéries sensibles. **Spectre d'action:** ■ La nafcilline agit contre la plupart des cocci aérobies à Gram positif, mais son activité est plus faible que celle de la pénicilline ■ Elle exerce une activité marquée contre les souches suivantes produisant de la pénicillinase: □ *Staphylococcus aureus* □ *Staphylococcus epidermidis* ■ La nafcilline est inactive contre les staphylocoques résistants à la méthicilline.

PHARMACOCINÉTIQUE

Absorption: Bonne absorption par suite de l'administration par voie IM.
Distribution: Le médicament se répartit dans tout l'organisme. De faibles quantités pénètrent dans le liquide céphalorachidien, mais elles sont cependant suffisantes en présence d'une inflammation des méninges. La nafcilline traverse le placenta et pénètre dans le lait maternel.
Métabolisme et excrétion: Le médicament est excrété à l'état inchangé par les reins.
Demi-vie: De 30 à 90 min (prolongée en cas de dysfonction rénale grave).

CONTRE-INDICATIONS ET PRÉCAUTIONS

Contre-indications: Hypersensibilité aux pénicillines.
Précautions: ■ Insuffisance rénale grave (réduire la dose) ■ Grossesse ou allai-

tement (l'innocuité du médicament n'a pas été établie) ∎ Antécédents de réactions d'hypersensibilité.

RÉACTIONS INDÉSIRABLES ET EFFETS SECONDAIRES

SNC: CONVULSIONS (doses élevées).
GI: nausées, vomissements, diarrhée, hépatite.
GU: néphrite interstitielle.
Tég.: rash, urticaire.
Hémat.: dyscrasie.
Locaux: phlébite au point d'injection IV, douleur au point d'injection IM.
Divers: surinfection, réactions allergiques incluant l'ANAPHYLAXIE et la maladie sérique.

INTERACTIONS

Médicament – médicament: ∎ Le **probénécide** diminue l'excrétion rénale et accroît les concentrations de nafcilline dans le sang. ∎ Le médicament peut modifier l'effet des **anticoagulants oraux**.

VOIES D'ADMINISTRATION ET POSOLOGIE

Remarque: La nafcilline réservée à l'administration parentérale renferme 2,9 mmol de sodium par gramme.
- ∎ **IM (adultes):** 500 mg, toutes les 4 à 6 h.
- ∎ **IM (enfants et nourrissons):** 25 mg/kg, toutes les 12 h.
- ∎ **IM (nouveau-nés):** 10 mg/kg, toutes les 12 h.
- ∎ **IV (adultes):** de 500 à 1 000 mg, toutes les 4 h.
- ∎ **IV (enfants) (É.-U.):** de 50 à 200 mg/kg par jour, en doses fractionnées, toutes les 4 à 6 h.

PHARMACODYNAMIE (concentrations sanguines)

	DÉBUT D'ACTION	PIC
IM	30 min	1 – 2 h
IV	rapide	fin de la perfusion

SOINS INFIRMIERS

ÉVALUATION DE LA SITUATION

- ☐ Surveiller au début du traitement et pendant toute sa durée, les signes suivants d'infection: altération des signes vitaux, aspect de la plaie, des crachats, de l'urine et des selles, accroissement du nombre de leucocytes.
- ☐ Recueillir les antécédents du patient avant d'amorcer le traitement afin de déterminer ses réactions antérieures à une pénicilline ou à une céphalosporine. Même les personnes n'ayant jamais manifesté de sensibilité aux pénicillines peuvent présenter une réaction allergique.
- ☐ Prélever des échantillons pour les cultures et les antibiogrammes avant le début du traitement. La première dose peut être administrée avant même que les résultats soient connus.
- ☐ Surveiller les signes et les symptômes suivants d'anaphylaxie: rash, prurit, œdème laryngé, respiration sifflante. Si ces réactions se manifestent, ne pas administrer le médicament et avertir immédiatement le médecin. Garder à portée de la main de l'épinéphrine, un antihistaminique et le matériel de réanimation pour parer à une éventuelle réaction anaphylactique.
- ∎ **Étude des examens diagnostiques et biochimiques:** La nafcilline peut entraîner des résultats faussement positifs au test de Coombs direct.

DIAGNOSTICS INFIRMIERS POSSIBLES

- ∎ **Énoncés diagnostiques**
- ☐ Risque élevé d'infection
- ☐ Prise en charge inefficace du programme thérapeutique.
- ☐ Non-observance du traitement médicamenteux.
- ☐ *Risque élevé de surinfection.*
- ☐ *Risque élevé d'accident.*
- ☐ *Risque élevé de déficit de volume liquidien.*

■ **Facteurs favorisants**
□ Informations incomplètes.
□ Doute quant aux bienfaits du médicament.
□ *Manque de connaissances sur les modalités du traitement.*
□ *Manque de connaissances sur les moyens de prévenir les effets secondaires du médicament.*

INTERVENTIONS INFIRMIÈRES

■ **IV et IM :** Reconstituer le contenu des fioles de 500 mg avec 1,7 mL d'eau stérile pour injection pour obtenir une concentration de 250 mg/mL. La solution est stable pendant 2 jours au réfrigérateur.
■ **IV directe :** Diluer la solution reconstituée dans 15 à 30 mL d'eau stérile ou de solution de NaCl à 0,9 % pour injection.
■ *Vitesse d'administration :* Administrer en 5 à 10 min.
■ **Perfusion intermittente :** Diluer avec de l'eau stérile pour injection, une solution de NaCl à 0,9 %, une solution de dextrose à 5 % ou à 10 % dans l'eau, une solution de dextrose à 5 % et de NaCl à 0,25 %, à 0,45 % ou à 0,9 %, une solution de dextrose à 5 % dans du lactate Ringer, une solution de Ringer ou une solution de lactate Ringer pour obtenir une concentration de 2 à 30 mg/mL. La solution est stable pendant 24 h à la température ambiante.
□ *Vitesse de perfusion :* Administrer en 30 à 60 min au minimum, afin d'éviter l'irritation veineuse.
■ **Associations compatibles dans la même seringue :** Cimétidine ou héparine.
■ **Compatibilités (tubulure en Y) :** Acyclovir, atropine, cyclophosphamide, diazépam, esmolol, famotidine, fentanyl, hydromorphone, morphine, perphénazine, sulfate de magnésium ou zidovudine.
■ **Incompatibilités (tubulure en Y) :** Dropéridol, dropéridol et fentanyl, labéta-

lol, nalbuphine, pentazocine ou vérapamil.
■ **Compatibilités en addition au soluté :** Bicarbonate de sodium, chloramphénicol, chlorothiazide, chlorure de potassium, dexaméthasone, diphenhydramine, éphédrine, héparine, hydroxyzine, lactate de sodium ou prochlorpérazine.
■ **Incompatibilités en addition au soluté :** Acide ascorbique, aztréonam, bléomycine, cytarabine, promazine, succinate d'hydrocortisone sodique ou succinate de méthylprednisolone sodique.

ENSEIGNEMENT AU PATIENT ET À SES PROCHES

Conseiller au patient de signaler l'allergie et les signes suivants de surinfection : excroissance pileuse noire sur la langue, démangeaisons ou pertes vaginales, selles molles ou nauséabondes.

VÉRIFICATION DES RÉSULTATS

La réponse clinique peut être déterminée par : la disparition des signes et des symptômes d'infection. Le temps de résolution dépend du micro-organisme infectant et du siège de l'infection.

NAFTIFINE
Naftin

CLASSIFICATION :
Antifongique topique
Grossesse – catégorie B

INDICATIONS

Traitement du pied d'athlète (tinea pedis), de l'eczéma marginé de Hebra (tinea cruris) et de la teigne (tinea corporis).

ACTION

■ Inhibition de la synthèse des stérols fongiques. **Effets thérapeutiques :** ■ Effet fongicide ou fongistatique. **Spectre d'action :** ■ Large spectre d'action antifongique incluant une action fongicide contre : □ *Trichophyton rubrum* □ *T. mentagrophytes* □ *T. tonsurans* □ *Epidermophyton floccosum* □ *Microsporum canis* □ *M. audouini* □ *M. gypseum* ■ La naftifine exerce aussi une action fongistatique contre les espèces *Candida* dont *C. albicans*.

PHARMACOCINÉTIQUE

Absorption : Par suite de l'administration des préparations topiques, une fraction de 6 % du médicament entre dans la circulation systémique.
Distribution : L'agent pénètre dans la couche cornée.
Métabolisme et excrétion : Le métabolisme est inconnu.
Demi-vie : De 2 à 3 jours.

CONTRE-INDICATIONS ET PRÉCAUTIONS

Contre-indications : Hypersensibilité à la naftifine ou à l'un de ses composants.
Précautions : Grossesse, allaitement ou enfants (l'innocuité du médicament n'a pas été établie).

RÉACTIONS INDÉSIRABLES ET EFFETS SECONDAIRES

Tég. : brûlures, sensation de piqûre, sécheresse, érythème, démangeaisons, irritation.

INTERACTIONS

Médicament – médicament : Aucune interaction connue.

VOIES D'ADMINISTRATION ET POSOLOGIE

Préparation topique (adultes) : crème et gel à 1 % : appliquer 2 fois par jour (matin et soir).

PHARMACODYNAMIE (cicatrisation des lésions cutanées)

	DÉBUT D'ACTION	PIC	DURÉE
préparation topique	1 – 4 semaines	inconnu	inconnue

☀ SOINS INFIRMIERS

ÉVALUATION DE LA SITUATION

Inspecter les lésions cutanées avant le traitement et quotidiennement pendant toute sa durée.

DIAGNOSTICS INFIRMIERS POSSIBLES

Énoncés diangostiques
- Atteinte à l'intégrité de la peau.
- Risque élevé d'infection.
- Prise en charge inefficace du programme thérapeutique.
- *Risque élevé d'anxiété.*

- **Facteurs favorisants**
- □ Informations incomplètes.
- □ *Manque de connaissances sur les effets secondaires du médicament.*

INTERVENTIONS INFIRMIÈRES

- **Administration topique :** Laver et assécher la zone affectée avant l'application. Appliquer suffisamment de médicament pour couvrir la région affectée et les régions avoisinantes ; faire pénétrer en massant délicatement. Administrer la préparation deux fois par jour (matin et soir). Se laver les mains après l'application. Ne pas recouvrir de pansements occlusifs ou de bandages sauf indications contraires.
- □ Une amélioration clinique devrait se manifester pendant la première semaine de traitement. Maintenir le traitement pendant 1 à 2 semaines après la disparition des symptômes afin d'assurer une guérison complète et de prévenir la récurrence.

ENSEIGNEMENT AU PATIENT ET À SES PROCHES

- □ Montrer au patient comment appliquer la naftifine. Lui conseiller d'appliquer le médicament pendant toute la durée prescrite en suivant scrupuleusement les recommandations du médecin.

□ Conseiller au patient de prévenir le médecin s'il ne note aucune amélioration au cours de la première semaine de traitement.

VÉRIFICATION DES RÉSULTATS

L'efficacité du traitement peut être démontrée par : la cicatrisation des lésions cutanées. Si aucune amélioration clinique n'est notée après 4 semaines de traitement, l'affection doit être évaluée de nouveau.

NALBUPHINE
Nubain

CLASSIFICATION :
Analgésique narcotique – agoniste/antagoniste

Drogue contrôlée

Grossesse – catégorie C

INDICATIONS

■ Soulagement de la douleur modérée à grave ■ Analgésie pendant le travail de l'accouchement, analgésie préopératoire et supplément à l'analgésie chirurgicale.

ACTION

■ Liaison aux récepteurs des opiacés du SNC ■ Modification de la perception de la douleur et de la réaction aux stimuli douloureux avec dépression généralisée du SNC ■ Propriétés antagonistes partielles qui peuvent entraîner les symptômes d'une réaction de sevrage aux narcotiques en cas de pharmacodépendance physique. **Effets thérapeutiques :** ■ Diminution de la douleur modérée à grave.

PHARMACOCINÉTIQUE

Absorption : Bonne absorption par suite de l'administration par voies IM et SC.
Distribution : La nalbuphine traverse probablement le placenta et pénètre dans le lait maternel.
Métabolisme et excrétion : Le médicament est surtout métabolisé par le foie et éliminé dans les fèces par excrétion biliaire. Des quantités minimes sont excrétées à l'état inchangé par les reins.
Demi-vie : 5 h.

CONTRE-INDICATIONS ET PRÉCAUTIONS

Contre-indications : ■ Hypersensibilité à la nalbuphine, aux bisulfites ou aux parabènes ■ Dépendance aux narcotiques chez les patients n'ayant pas été désintoxiqués (l'agent risque de déclencher des symptômes de sevrage).
Précautions : ■ Traumatisme crânien ■ Pression intracrânienne accrue ■ Maladies rénale, hépatique ou pulmonaire graves ■ Hypothyroïdie ■ Insuffisance surrénalienne ■ Alcoolisme ■ Personnes âgées ou patients débilités (il est conseillé de réduire la dose) ■ Douleurs abdominales non diagnostiquées ■ Hypertrophie de la prostate ■ Grossesse (antécédents d'utilisation lors du travail de l'accouchement, mais le médicament peut entraîner une dépression respiratoire chez le nouveau-né) ■ Allaitement ou enfants (l'innocuité du médicament n'a pas été établie).

RÉACTIONS INDÉSIRABLES ET EFFETS SECONDAIRES

SNC : sédation, confusion, céphalées, euphorie, sensation de flottement, rêves bizarres, hallucinations, dysphorie, étourdissements, vertiges.
ORLO : myosis (fortes doses), vision trouble, diplopie.
Resp. : dépression respiratoire.
CV : hypotension orthostatique, hypertension, palpitations.
GI : nausées, vomissements, constipation, occlusion intestinale, sécheresse de la bouche (xérostomie).
GU : mictions impérieuses.
Tég. : transpiration, sensation de peau moite.
Divers : tolérance aux effets du médicament, dépendance physique, dépendance psychologique.

INTERACTIONS

Médicament – médicament: ■ La nalbuphine doit être administrée avec une extrême prudence chez les patients recevant des **inhibiteurs de la MAO** (risque de réactions graves imprévisibles – réduire la dose initiale de nalbuphine à 25 % de la dose habituelle). ■ Dépression additive du SNC lors de l'usage simultané d'**alcool**, d'**antihistaminiques** et d'**hypnosédatifs.** ■ La nalbuphine peut déclencher des symptômes de sevrage chez les patients présentant une dépendance physique aux **analgésiques narcotiques agonistes** qui n'ont pas été désintoxiqués. ■ Le médicament peut diminuer les effets analgésiques des autres **analgésiques narcotiques** administrés simultanément (éviter l'administration concomitante de ces agents).

VOIES D'ADMINISTRATION ET POSOLOGIE

Analgésie
■ **IM, SC, IV (adultes):** la dose habituelle est de 10 mg, toutes les 3 à 6 h (0,14 mg/kg), chez les patients ne présentant pas de dépendance aux agonistes narcotiques (les doses uniques ne doivent pas dépasser 20 mg et la dose quotidienne totale, 160 mg).

Supplément à l'analgésie chirurgicale
■ **IV (adultes) (É.-U.):** initialement, de 0,3 à 3 mg/kg en 10 à 15 min. La dose d'entretien est de 0,25 à 0,5 mg/kg, selon les besoins.

PHARMACODYNAMIE (analgésie)

	DÉBUT D'ACTION	PIC	DURÉE
IM	< 15 min	60 min	3 – 6 h
SC	< 15 min	inconnu	3 – 6 h
IV	2 – 3 min	30 min	3 – 6 h

❋ SOINS INFIRMIERS

ÉVALUATION DE LA SITUATION
▢ Noter le type de douleur, son siège et son intensité, avant l'administration du médicament, 60 min après l'administration par voie IM et 30 min après l'administration par voie IV.

▢ Mesurer la pression artérielle, le pouls et la fréquence respiratoire avant l'administration du médicament et à intervalles réguliers pendant toute sa durée. La nalbuphine entraîne une dépression respiratoire, mais qui ne s'aggrave pas de façon marquée lorsqu'on augmente la dose.

▢ Bien que le risque de dépendance soit faible, l'administration prolongée de la nalbuphine peut entraîner une pharmacodépendance physique et psychologique ainsi que la tolérance aux effets du médicament, ce qui ne doit cependant pas empêcher le patient de recevoir une quantité suffisante d'analgésique. La psychodépendance est rare chez la plupart des patients qui reçoivent la nalbuphine pour des raisons médicales. Lors d'un traitement prolongé, il faut parfois administrer des doses de plus en plus élevées pour soulager la douleur.

▢ Recueillir des données sur les antécédents de prise d'analgésiques. En raison de ses propriétés antagonistes, le médicament peut induire, chez les patients présentant une dépendance physique aux analgésiques narcotiques, les symptômes de sevrage suivants: vomissements, agitation, crampes abdominales, pression artérielle accrue et fièvre.

■ **Étude des examens diagnostiques et biochimiques:** La nalbuphine peut entraîner l'élévation des concentrations sériques d'amylase et de lipase.

■ **Toxicité et surdosage:** En cas de surdosage, la dépression respiratoire peut être partiellement renversée par la naloxone (Narcan) qui est l'antidote de la nalbuphine.

DIAGNOSTICS INFIRMIERS POSSIBLES

■ **Énoncés diagnostiques**
▢ Douleur.

□ Risque élevé d'accident.

□ Altération de la perception visuelle et auditive.

□ *Risque élevé d'atteinte à l'intégrité de la muqueuse buccale.*

■ **Facteurs favorisants**

□ *Perturbation de la vigilance.*

□ *Manque de connaissances sur les effets hypotensifs du médicament lors des changements brusques de position.*

□ *Manque de connaissances sur les moyens de prévenir ou de réduire la sécheresse de la bouche.*

□ *Manque de connaissances sur les moyens de prévenir les effets secondaires du médicament.*

INTERVENTIONS INFIRMIÈRES

■ **Directives générales:** Pour augmenter l'effet analgésique de la nalbuphine, expliquer au patient la valeur thérapeutique de ce médicament avant de l'administrer.

□ Les doses administrées selon un horaire fixe peuvent être plus efficaces que celles administrées au besoin. L'analgésie est plus marquée si le médicament est administré avant que la douleur ne devienne intense.

□ Les analgésiques non narcotiques, administrés simultanément, peuvent exercer des effets analgésiques additifs, ce qui permet de diminuer les doses de narcotique.

■ **IM:** Injecter profondément dans un muscle bien développé. Assurer la rotation des points d'injection.

■ **IV directe:** On peut administrer ce médicament par voie IV sans le diluer.

□ *Vitesse d'administration:* Administrer lentement à raison de 10 mg en 3 à 5 min.

■ **Associations compatibles dans la même seringue:** Atropine, cimétidine, dropéridol, hydroxyzine, lidocaïne, midazolam, prochlorpérazine, promé-

thazine, ranitidine, scopolamine ou triméthobenzamide.

■ **Associations incompatibles dans la même seringue:** Diazépam ou pentobarbital.

■ **Incompatibilité (tubulure en Y):** Nafcilline.

ENSEIGNEMENT AU PATIENT ET À SES PROCHES

□ Expliquer au patient ce qu'on entend par administration au besoin et à quel moment il doit demander un analgésique.

□ Prévenir le patient que la nalbuphine peut provoquer des étourdissements et de la somnolence. Lui recommander de demander de l'aide lorsqu'il se déplace et lui conseiller de ne pas conduire et d'éviter les activités qui exigent sa vigilance jusqu'à ce qu'on ait la certitude que le médicament n'entraîne pas ces effets chez lui.

□ Recommander au patient de changer lentement de position pour diminuer le risque d'hypotension orthostatique.

□ Expliquer au patient que pour diminuer la sécheresse buccale, il devrait se rincer fréquemment la bouche, maintenir une bonne hygiène orale et comsommer de la gomme ou des bonbons sans sucre.

□ Recommander au patient de tourner dans le lit, de tousser et de faire des exercices de respiration profonde toutes les 2 h pour prévenir l'atélectasie.

□ Recommander au patient d'éviter de boire de l'alcool ou de prendre d'autres dépresseurs du SNC en même temps que la nalbuphine.

VÉRIFICATION DES RÉSULTATS

L'efficacité du traitement peut être démontrée par: la diminution de l'intensité de la douleur sans altération importante de l'état de conscience ni de la fonction respiratoire.

NALOXONE

Narcan

CLASSIFICATION:

Antagoniste narcotique ; antidote – analgésique narcotique

Grossesse – catégorie B

INDICATIONS

■ Renversement de la dépression du SNC et de la dépression respiratoire dues à un surdosage soupçonné par des narcotiques ■ Diagnostic d'une intoxication aiguë due à un surdosage soupçonné par des narcotiques.

ACTION

■ Inhibition compétitive des effets des narcotiques, y compris la dépression du SNC et la dépression respiratoire, sans entraîner d'effets agonistes (semblables aux effets narcotiques). **Effets thérapeutiques :** ■ Renversement des signes associés au surdosage par les narcotiques.

PHARMACOCINÉTIQUE

Absorption : Par suite de l'administration IM ou SC, le médicament est bien absorbé.

Distribution : L'agent se répartit rapidement dans les tissus. Il traverse le placenta.

Métabolisme et excrétion : La naloxone est métabolisée par le foie.

Demi-vie : De 60 à 90 min (jusqu'à 3 h chez les nouveau-nés).

CONTRE-INDICATIONS ET PRÉCAUTIONS

Contre-indications : Hypersensibilité.

Précautions : ■ Maladie cardiovasculaire ■ Patients présentant une dépendance physique aux analgésiques narcotiques (l'agent risque de déclencher des symptômes de sevrage graves) ■ Grossesse (risque de symptômes de sevrage chez la mère et le fœtus si la mère présente une

dépendance aux narcotiques) ■ Allaitement (l'innocuité du médicament n'a pas été établie) ■ Nouveau-nés de mères présentant une dépendance aux narcotiques.

RÉACTIONS INDÉSIRABLES ET EFFETS SECONDAIRES

CV : tachycardie ventriculaire, fibrillation ventriculaire, hypotension, hypertension. **GI :** nausées, vomissements.

INTERACTIONS

Médicament – médicament : ■ La naloxone peut déclencher des symptômes de sevrage chez les patients présentant une dépendance physique aux **analgésiques narcotiques** ■ La naloxone peut contrecarrer les effets de l'**analgésie** postopératoire.

VOIES D'ADMINISTRATION ET POSOLOGIE

Dépression respiratoire ou dépression du SNC induite par un narcotique, diagnostic d'une toxicité induite par un narcotique

■ **IV, IM, SC (adultes) :** de 0,4 à 2 mg ; on peut répéter l'administration toutes les 2 ou 3 min (la voie IV est la voie d'administration privilégiée). Si l'on soupçonne une dépendance aux narcotiques, réduire la dose initiale jusqu'à 0,1 ou 0,2 mg. La naloxone peut aussi être administrée par perfusion IV à une vitesse adaptée à la réaction du patient. Le diagnostic d'une toxicité induite par un narcotique doit être remis en question si aucune réaction n'a été observée après l'administration de 10 mg.

■ **IV, IM, SC (enfants) :** 0,01 mg/kg. Lorsque la réponse est inadéquate, augmenter jusqu'à 0,1 mg/kg. On peut répéter l'administration IV toutes les 2 ou 3 min, selon les besoins.

Dépression respiratoire postopératoire

■ **IV (adultes) :** de 0,1 à 0,2 mg, toutes les 2 ou 3 min jusqu'à l'obtention de la réponse désirée. On peut répéter l'administration à des intervalles de 1 ou 2 h, au besoin, ou administrer en perfusion continue à un débit de 3,7 µg/kg à l'heure.

■ **IV (enfants):** de 5 à 10 µg. On peut répéter l'administration toutes les 2 ou 3 min jusqu'à l'obtention de la réaction désirée. On peut administrer des doses supplémentaires 2 ou 3 h plus tard, au besoin.

PHARMACODYNAMIE (renversement des effets narcotiques)

	DÉBUT D'ACTION	PIC	DURÉE
IV	1 – 2 min	inconnu	45 min
IM, SC	2 – 5 min	inconnu	> 45 min

☀ SOINS INFIRMIERS

ÉVALUATION DE LA SITUATION

■ Noter la fréquence, le rythme et la profondeur des respirations. Suivre de près l'ÉCG, le niveau de conscience, le pouls et mesurer la pression artérielle, à intervalles fréquents, jusqu'à l'épuisement des effets du narcotique. Les effets de certains narcotiques peuvent persister plus longtemps que ceux de la naloxone. Dans ce cas, il peut s'avérer nécessaire de répéter l'administration de l'agent.

□ Noter l'intensité de la douleur après l'administration de la naloxone, lorsque ce médicament est destiné au traitement de la dépression respiratoire postopératoire. La naloxone diminue la dépression respiratoire, mais elle renverse aussi l'analgésie.

□ Surveiller les signes et les symptômes suivants d'une réaction de sevrage aux narcotiques: vomissements, agitation, crampes abdominales, élévation de la pression artérielle et fièvre. Les symptômes peuvent se manifester en quelques minutes ou dans les deux heures qui suivent l'administration. La gravité des symptômes dépend de la dose de naloxone, du narcotique ayant entraîné le surdosage et de l'importance de la dépendance physique.

□ L'absence d'amélioration notable indique que les symptômes sont attribuables à l'évolution de la maladie ou à un autre dépresseur du SNC non narcotique ne réagissant pas à la naloxone.

DIAGNOSTICS INFIRMIERS POSSIBLES

■ **Énoncés diagnostiques**
□ Mode de respiration inefficace.
□ Stratégies d'adaptation individuelle inefficaces.
□ Douleur.
□ *Risque élevé d'intoxication.*
□ *Risque élevé d'anxiété.*
□ *Risque élevé de perturbation des échanges gazeux.*

■ **Facteurs favorisants**
□ *Manque de connaissances sur les modalités du traitement.*
□ *Manque de connaissances sur les effets secondaires du médicament.*

INTERVENTIONS INFIRMIÈRES

■ **Directives générales:** Des doses plus élevées de naloxone peuvent être nécessaires pour contrecarrer les effets de la buprénorphine, du butorphanol, de la nalbuphine, de la pentazocine et du propoxyphène.

□ Garder à portée de la main le matériel de réanimation, de l'oxygène, des vasopresseurs et l'appareillage destiné à la ventilation assistée afin de pouvoir compléter le traitement à la naloxone selon les besoins.

■ **IV directe:** Administrer la naloxone non diluée à un débit de 0,4 mg en 15 s. Adapter la posologie selon la réponse du patient.

■ **Perfusion continue:** Diluer dans une solution de dextrose à 5 % dans de l'eau ou dans une solution de NaCl à

0,9 % pour injection. La dilution de 2 mg de naloxone dans 500 mL donne une concentration de 4 μg/mL. La solution est stable pendant 24 h. Jeter toute portion inutilisée.

☐ *Vitesse d'administration :* Adapter la dose selon la réaction du patient. Des doses additionnelles administrées par voie IM ou une perfusion continue peuvent assurer des effets de plus longue durée.

☐ Adapter les doses avec prudence dans le cas de patients ayant subi une intervention chirurgicale afin de ne pas contrecarrer l'analgésie postopératoire.

■ **Associations compatibles dans la même seringue :** Benzquinamide ou héparine.

■ **Compatibilité en addition au soluté :** Vérapamil.

■ **Incompatibilités en addition au soluté :** Préparations renfermant du bisulfite ou des sulfites et solutions dont le pH est alcalin.

ENSEIGNEMENT AU PATIENT ET À SES PROCHES

Lorsque la naloxone commence à agir, expliquer au patient le but et les effets de ce traitement.

VÉRIFICATION DES RÉSULTATS

L'efficacité du traitement peut être démontrée par : ■ une respiration appropriée ☐ un regain de la vigilance sans que des douleurs marquées se manifestent.

NANDROLONE

NANDROLONE, DÉCANOATE DE

Deca-Durabolin, (Anabolin LA), (Androlone-D), (Hybolin Decanoate), (Kabolin), (Nandrobolic L.A.), (Neo-Durabolic)

NANDROLONE, PHENPROPIONATE DE

Durabolin, (Anabolin IM), (Hybolin Improved), (Nandrobolic)

CLASSIFICATION :
Hormone – stéroïde anabolisant

Drogue contrôlée (décanoate de nandrolone)

Grossesse – catégorie X

INDICATIONS

■ Traitement adjuvant de certaines anémies réfractaires attribuables à une production déficiente des érythrocytes ■ Traitement palliatif du cancer métastatique du sein de stade avancé sensible aux hormones ■ Traitement de rechange ou traitement adjuvant du nanisme d'origine hypophysaire ■ Traitement adjuvant de l'ostéoporose sénile, postménopausique ou provoquée par les stéroïdes.

ACTION

■ La nandrolone favorise l'anabolisme des protéines entraînant le renversement du catabolisme et d'un bilan azoté négatif ■ Stimulation de la production d'érythropoïétine ■ Effet antinéoplasique sur le cancer du sein sensible aux hormones. **Effets thérapeutiques :** ■ Gain d'appétit et de poids (si l'apport énergétique est suffisant) ■ Augmentation du nombre d'érythrocytes ■ Régression de la tumeur ■ Soulagement de la douleur osseuse.

PHARMACOCINÉTIQUE

Absorption : Absorption lente depuis les points d'injection IM.
Distribution : Inconnue.
Métabolisme et excrétion : Inconnus.
Demi-vie : Inconnue.

CONTRE-INDICATIONS ET PRÉCAUTIONS

Contre-indications : ■ Hypersensibilité à la nandrolone, à l'alcool benzylique ou à

N

l'huile de sésame ■ Grossesse, allaitement ou prime enfance ■ Hypertrophie de la prostate ■ Insuffisance hypophysaire ■ Antécédents d'infarctus du myocarde ■ Dysfonctionnement hépatique ■ Néphrose ■ Phase néphrotique de la néphrite ■ Hypercalcémie ■ Certains types de cancer du sein.

Précautions: Enfants (l'innocuité du médicament n'a pas été établie).

RÉACTIONS INDÉSIRABLES ET EFFETS SECONDAIRES

SNC: excitation, insomnie, confusion toxique.

ORLO: voix grave chez la femme.

CV: œdème, insuffisance cardiaque.

GI: hépatotoxicité, NÉCROSE HÉPATIQUE, TUMEURS HÉPATIQUES, nausées, vomissements, diarrhée, plénitude gastrique, perte d'appétit, langue brûlante.

Tég.: acné, hirsutisme, pigmentation accrue.

End.: gynécomastie; garçons avant la puberté et femmes – virilisation; hommes après la puberté – oligospermie, atrophie des testicules, baisse de la libido.

HÉ: hypercalcémie.

Métab.: concentrations sanguines accrues des lipides, gain pondéral, troubles de la croissance chez les enfants.

Loc.: crampes musculaires, soudure prématurée des cartilages épiphysaires chez les enfants.

Divers: frissons

INTERACTIONS

Médicament – médicament: ■ Risque accru d'œdème lors de l'administration simultanée de **glucocorticoïdes** ■ La nandrolone peut accroître l'efficacité des **anticoagulants oraux** ■ La nandrolone peut réduire les besoins en **insuline** ou en **hypoglycémiants oraux**.

VOIES D'ADMINISTRATION ET POSOLOGIE

Directives générales:

■ **IM (adultes):** de 50 à 100 mg par mois pendant 4 mois (décanoate) ou une dose initiale de 25 à 50 mg par semaine, suivie d'une dose d'entretien de 25 mg par semaine pendant 12 semaines (phenpropionate); au besoin, répéter le traitement après un arrêt de la médication.

Anémie provoquée par une insuffisance rénale chronique

■ **IM (adultes) (É.-U.):** Hommes: de 100 à 200 mg de décanoate par semaine; Femmes: de 50 à 100 mg de décanoate par semaine.

■ **IM (enfants de 2 à 13 ans) (É.-U.):** de 25 à 50 mg de décanoate par semaine.

Traitement antinéoplasique – Cancer du sein

■ **IM (adultes) (É.-U.):** de 25 à 100 mg de phenpropionate par semaine.

PHARMACODYNAMIE (concentrations sanguines)

	DÉBUT D'ACTION	PIC	DURÉE
IM décanoate	inconnu	3 – 6 jours	inconnue
IM phenproprionate	inconnu	1 – 2 jours	inconnue

☀ SOINS INFIRMIERS

ÉVALUATION DE LA SITUATION

■ **Femmes:** Surveiller les effets secondaires virilisants suivants: acné, voix grave, cycle menstruel irrégulier, pousse ou perte inhabituelle de cheveux, augmentation de la taille du clitoris. Dans le cas du cancer métastatique du sein, observer la patiente à la recherche des symptômes d'hypercalcémie suivants: nausées, vomissements, faiblesse ou fatigue inhabituelles.

■ **Hommes :** Surveiller les signes suivants de puberté précoce chez les garçons : acné, peau plus foncée, développement des caractères sexuels secondaires – augmentation de la taille du pénis, érections fréquentes, pousse de poils.

□ Suivre de près l'augmentation du volume des seins, les érections persistantes et les envies fréquentes d'uriner chez les hommes. Chez les hommes âgés, noter les difficultés de miction puisqu'une hypertrophie de la prostate peut se produire.

■ **Étude des examens diagnostiques et biochimiques :** La nandrolone peut entraîner l'hépatotoxicité. Noter les résultats des tests de l'exploration fonctionnelle hépatique. L'agent peut entraîner l'élévation des concentrations de TGOS (AST), de TGPS (ALT), de phosphatase alcaline et de bilirubine. Il peut allonger le temps de prothrombine et entraîner la diminution des concentrations des facteurs de coagulation II, V, VII et X.

□ Suivre de près les concentrations sériques de cholestérol et de lipides. La nandrolone peut entraîner l'élévation des concentrations de lipoprotéines de basse densité (LDL) et la baisse des concentrations de lipoprotéines de haute densité (HDL) et des concentrations sériques de triglycérides.

□ La nandrolone peut entraîner l'élévation des concentrations sériques de calcium, de phosphate inorganique, de potassium et de sodium.

□ Suivre de près les concentrations sériques de fer et la capacité de fixation du fer.

□ La nandrolone peut entraîner la baisse des concentrations des 17-cétostéroïdes dans les urines de 24 h.

□ La nandrolone peut fausser les résultats de la glycémie à jeun, des épreuves d'hyperglycémie provoquée, des tests de l'exploration fonctionnelle thyroïdienne et des épreuves par la métopirone.

DIAGNOSTICS INFIRMIERS POSSIBLES

■ **Énoncés diagnostiques**

□ Dysfonctionnement sexuel.

□ Prise en charge inefficace du programme thérapeutique.

□ *Risque élevé d'anxiété.*

□ *Risque élevé de perturbation situationnelle de l'estime de soi.*

■ **Facteurs favorisants**

□ Informations incomplètes.

□ *Manque de connaissances sur les moyens de prévenir les effets secondaires du médicament.*

□ *Altération de l'image corprelle.*

□ *Manque de connaissances sur le régime alimentaire à suivre.*

INTERVENTIONS INFIRMIÈRES

IM : Administrer l'injection en profondeur dans le muscle fessier.

ENSEIGNEMENT AU PATIENT ET À SES PROCHES

□ Expliquer au patient les modifications qu'il doit apporter à son alimentation. Il devrait suivre un régime hyperprotéique et hypercalorique. Lui expliquer qu'il pourrait avoir meilleur appétit.

□ Recommander au patient de prévenir le médecin en cas de gain pondéral inattendu, d'œdème aux pieds, de saignements ou d'ecchymoses inhabituels, de douleurs abdominales, de nausées, de selles pâles ou d'urine de couleur foncée. Lui expliquer les effets secondaires correspondant à son âge et à son sexe. Lui recommander de prévenir le médecin si ces effets se manifestent.

□ Insister sur l'importance des examens de suivi permettant d'évaluer l'efficacité et les effets secondaires possibles de la nandrolone. Chez les enfants, il faut prendre des radiographies tous les 6 mois afin de déceler la soudure prématurée des cartilages épiphysaires.

VÉRIFICATION DES RÉSULTATS

L'efficacité du traitement peut être démontrée par : ■ l'amélioration des paramètres hématologiques en cas d'anémie ■ le soulagement de la douleur osseuse en cas d'ostéoporose ■ la diminution de la taille de la tumeur et le ralentissement de la propagation des métastases chez les femmes ménopausées atteintes de cancer du sein.

NAPHAZOLINE

Albalon, Clear Eyes, Diopticon, Naphcon Forte, Privine, R.O.-Naphz, Vasocon, (Ak-Con), (Allerest), (Allergy Drops), (Degest-2), (I-Naphline), (Muro's Opcon), (Naphcon), (Vasoclear), (Vasocon Regular)

CLASSIFICATION :
Décongestionnant local

Grossesse – catégorie C

INDICATIONS

■ Soulagement symptomatique de la rougeur oculaire ou de la congestion nasale attribuables à une irritation mineure provoquée par : □ la rhinite □ la sinusite □ le rhume □ les polluants naturels □ les allergies □ le vent □ l'eau de piscine □ les verres de contact.

ACTION

■ Agoniste alpha-adrénergique entraînant, par suite de l'instillation dans l'œil, une vasoconstriction locale. **Effets thérapeutiques :** ■ Décongestion nasale et oculaire et disparition de la rougeur oculaire.

PHARMACOCINÉTIQUE

Absorption : Par suite de l'instillation dans l'œil, l'absorption systémique est minime.

Distribution : Inconnue.
Métabolisme et excrétion : Inconnus.
Demi-vie : Inconnue.

CONTRE-INDICATIONS ET PRÉCAUTIONS

Contre-indications : Hypersensibilité à la naphazoline, au chlorure de benzalkonium ou à l'édétate disodique.

Précautions : ■ Maladie cardiovasculaire, y compris l'hypertension ■ Hyperthyroïdie ■ Diabète sucré ■ Enfants (l'innocuité de la préparation ophtalmique n'a pas été établie).

RÉACTIONS INDÉSIRABLES ET EFFETS SECONDAIRES

SNC : céphalées, nervosité, étourdissements, faiblesse.
ORLO : congestion rebond (lors d'un usage prolongé), irritation nasale ou conjonctivale, libération des granules pigmentaires de l'iris (usage ophtalmique chez les personnes âgées), vision trouble, éternuements.
CV : hypertension.
Tég. : transpiration.

INTERACTIONS

Médicament – médicament : L'effet vasopresseur peut être intensifié par les **antidépresseurs tricycliques**, la **maprotiline** ou les **inhibiteurs de la MAO**, administrés simultanément.

PRÉSENTATION

La naphazoline est présentée en association avec des antihistaminiques (voir l'annexe A).

VOIES D'ADMINISTRATION ET POSOLOGIE

■ **Gouttes ophtalmiques (adultes) :** instiller une goutte de la solution à 0,012 % dans la conjonctive, 2 ou 3 fois par jour, selon les besoins, ou 1 ou 2 gouttes de la solution à 0,1 %, toutes les 3 ou 4 h, selon les besoins.

- **Préparation nasale (adultes et enfants > 12 ans):** 2 vaporisations ou 2 gouttes de la solution à 0,05 % dans chaque narine, toutes les 4 à 6 h, selon les besoins.
- **Préparation nasale (enfants < 5 ans):** 1 goutte dans chaque narine 1 à 3 fois par jour, selon les besoins.

PHARMACODYNAMIE
(décongestion locale)

	DÉBUT D'ACTION	PIC	DURÉE
gouttes ophtalmiques	dans les 10 min	inconnu	2 – 6 h
préparation nasale	dans les 10 min	inconnu	2 – 6 h

☀ SOINS INFIRMIERS

ÉVALUATION DE LA SITUATION

- **Directives générales:** Suivre de près les effets secondaires systémiques suivants: élévation de la glycémie chez le patient diabétique, accélération du pouls et élévation de la pression artérielle. Prévenir le médecin si ces effets se manifestent.
- **Irritation oculaire:** Noter la gravité de l'irritation oculaire avant le traitement et à intervalles réguliers pendant toute sa durée.
- **Rhinite:** Noter la gravité de la congestion nasale avant le traitement et à intervalles réguliers pendant toute sa durée.

DIAGNOSTICS INFIRMIERS POSSIBLES

- **Énoncés diagnostiques**
- ☐ Altération de la perception visuelle.
- ☐ Dégagement inefficace des voies respiratoires.
- ☐ Prise en charge inefficace du programme thérapeutique.
- ☐ *Risque élevé d'anxiété.*
- **Facteurs favorisants**
- ☐ Informations incomplètes.

☐ *Manque de connaissances sur la méthode d'administration du médicamemt.*

INTERVENTIONS INFIRMIÈRES

Directives générales: La méthode d'administration des gouttes ophtalmiques est indiquée à l'annexe H.

ENSEIGNEMENT AU PATIENT ET À SES PROCHES

- **Directives générales:** Conseiller au patient d'éviter les allergènes connus.
- **Gouttes ophtalmiques:** Expliquer au patient la méthode d'administration des gouttes ophtalmiques. Préciser qu'il ne doit pas toucher les yeux, les doigts ou toute autre surface avec le bouchon ou le goulot du flacon.
- ☐ Expliquer au patient qu'il ne doit pas utiliser la solution si elle est brouillée ou si elle a changé de couleur.
- **Préparation nasale:** Conseiller au patient de respecter scrupuleusement la posologie recommandée. Une utilisation prolongée ou trop fréquente peut entraîner la congestion rebond.
- **Solution nasale:** Comprimer le flacon jusqu'à ce que le compte-gouttes renferme la quantité de médicament prescrite. Pencher la tête vers l'arrière et instiller 1 ou 2 gouttes de solution dans une narine. Pencher la tête vers l'avant, la tourner dans la direction opposée et inhaler par la narine. Répéter l'opération du côté opposé.
- **Vaporisateur nasal:** Maintenir la tête droite et comprimer vivement le flacon le nombre de fois prescrit en respirant par la narine.
- ☐ Recommander au patient de prévenir le médecin en cas d'absence d'amélioration ou d'aggravation de son état.

VÉRIFICATION DES RÉSULTATS

L'efficacité du traitement peut être démontrée par: ■ l'atténuation de la rougeur oculaire ■ la diminution de la congestion nasale.

NAPROXEN

Apo-Naproxen, Naprosyn, Naxen,
Novo-Naprox, Nu-Naprox

NAPROXEN SODIQUE

Anaprox, Apo-Napro-Na,
Novo-Naprox sodium, Synflex

CLASSIFICATION :

Analgésique non narcotique ;
anti-inflammatoire non stéroïdien

Grossesse – catégorie C

INDICATIONS

■ Traitement des maladies inflammatoires incluant □ la polyarthrite rhumatoïde □ l'arthrose ■ Traitement de la douleur légère à modérée ■ Traitement de la dysménorrhée et des crampes du postpartum.

ACTION

■ Inhibition de la synthèse des prostaglandines. **Effets thérapeutiques :** ■ Suppression de l'inflammation ■ Soulagement de la douleur.

PHARMACOCINÉTIQUE

Absorption : L'agent est entièrement absorbé depuis le tractus gastro-intestinal et le rectum. Le sel sodique (Anaprox) est absorbé plus rapidement.

Distribution : Le naproxen traverse le placenta et pénètre dans le lait maternel en petites quantités.

Métabolisme et excrétion : Le naproxen est surtout métabolisé par le foie.

Demi-vie : De 10 à 20 h.

CONTRE-INDICATIONS ET PRÉCAUTIONS

Contre-indications : ■ Hypersensibilité ■ Risque de réactions de sensibilité croisée avec d'autres anti-inflammatoires non stéroïdiens, y compris l'aspirine ■ Hémorragie digestive active ■ Ulcère.

Précautions : ■ Maladies cardiovasculaire, rénale ou hépatique graves ■ Antécédents d'ulcère ■ Grossesse ou allaitement (l'innocuité du médicament n'a pas été établie).

RÉACTIONS INDÉSIRABLES ET EFFETS SECONDAIRES

SNC : céphalées, somnolence, étourdissements.

CV : œdème, palpitations, tachycardie.

ORLO : acouphènes.

Resp. : dyspnée.

GI : nausées, dyspepsie, vomissements, diarrhée, constipation, HÉMORRAGIE DIGESTIVE, malaises, HÉPATITE, flatulence, anorexie.

GU : insuffisance rénale, hématurie, cystite.

Tég. : rash, transpiration, photosensibilité.

Hémat. : dyscrasie, allongement du temps de saignement.

Divers : réactions allergiques incluant l'ANAPHYLAXIE.

INTERACTIONS

Médicament – médicament : ■ L'**aspirine**, administrée simultanément, entraîne la baisse des concentrations sanguines de naproxen et peut en réduire l'efficacité ■ Risque accru de saignement lors de l'administration concomitante d'**anticoagulants oraux**, d'**agents thrombolytiques**, de **céfamandole**, de **céfotétane**, de **céfopérazone**, de **moxalactam** ou de **plicamycine** ■ Effets secondaires gastro-intestinaux additifs lors de l'usage concomitant d'**aspirine**, de **glucocorticoïdes** et d'autres **anti-inflammatoires non stéroïdiens** ■ Le **probénécide** élève les concentrations sanguines de naproxen et peut accroître la toxicité ■ Risque accru de photosensibilité lors de l'administration simultanée d'autres **agents provoquant la photosensibilité** ■ Le médicament accroît le risque de toxicité par le **méthotrexate**, les **antinéoplasiques** ou la **radiothérapie** ■ Le naproxen peut entraîner l'élévation des concentrations sériques du **lithium** et augmenter le risque de toxicité ■ L'administration concomitante d'**acétaminophène** pendant une période prolongée ou de **sels d'or** peut accroître le risque de réactions rénales indésirables ■ Le naproxen peut diminuer l'efficacité des **diurétiques** ou des **antihypertenseurs** ■ L'agent peut intensifier les effets hypoglycémiques de l'**insuline** ou des **hypoglycémiants oraux**.

PRÉSENTATION

Le naproxen est présenté sous forme de comprimés, de suspension, de suppositoires et de comprimés à libération progressive.

VOIES D'ADMINISTRATION ET POSOLOGIE

Remarque : 275 mg de naproxen sodique équivalent à 250 mg de naproxen.

Maladies inflammatoires
■ **PO (adultes) :** de 250 à 500 mg, 2 fois par jour, ou 750 mg, 1 fois par jour (comprimés à libération progressive).
■ **PO (enfants) :** 10 mg/kg par jour de naproxen en 2 doses fractionnées.
■ **PR (adultes) :** 1 suppositoire de 500 mg le soir au coucher.

Douleur, dysménorrhée, crampes du post-partum
■ **PO (adultes) :** 550 mg de naproxen sodique initialement, et ensuite 275 mg, toutes les 6 à 8 h ou 550 mg, 2 fois par jour (ne pas dépasser 1 375 g de naproxen sodique par jour).

PHARMACODYNAMIE

	DÉBUT D'ACTION	PIC	DURÉE
PO (analgésique)	1 h	inconnu	jusqu'à 7 h
PO (anti-inflammatoire)	14 jours	4 semaines	inconnue
PO comprimés à libération progressive (anti-inflammatoire)	14 jours	4 semaines	inconnue
PR (anti-inflammatoire)	14 jours	4 semaines	inconnue

☀ SOINS INFIRMIERS

ÉVALUATION DE LA SITUATION

■ **Directives générales :** Les patients souffrant d'asthme, d'allergie induite par l'aspirine et de polypes nasaux sont davantage prédisposés à des réactions d'hypersensibilité. Suivre de près la rhinite, l'asthme et l'urticaire.

■ **Arthrite :** Suivre de près la douleur et déterminer la mobilité des articulations avant l'administration et de 1 à 2 h plus tard.

■ **Douleur :** Noter le type de douleur, son siège et son intensité avant l'administration et de 1 à 2 h plus tard.

■ **Étude des examens diagnostiques et biochimiques :** Examiner à intervalles réguliers, tout au long du traitement prolongé, les concentrations sériques d'urée et de créatinine ainsi que la numération globulaire et les résultats des tests de l'exploration fonctionnelle hépatique.

□ Le naproxen peut entraîner l'élévation des concentrations sériques de potassium, de créatinine, d'urée, de TGOS (AST) et de TGPS (ALT).

□ Le naproxen peut allonger le temps de saignement jusqu'à 4 jours après l'arrêt du traitement.

DIAGNOSTICS INFIRMIERS POSSIBLES

■ **Énoncés diagnostiques**
□ Douleur.
□ Altération de la mobilité physique.
□ Prise en charge inefficace du programme thérapeutique.
□ *Risque élevé d'atteinte à l'intégrité des tissus.*
□ *Risque élevé d'accident.*
□ *Risque élevé d'atteinte à l'intégrité de la peau.*

■ **Facteurs favorisants**
□ Informations incomplètes.
□ *Perturbation de la vigilance.*

□ *Manque de connaissances sur les moyens de réduire la photosensibilité.*

INTERVENTIONS INFIRMIÈRES

■ **Directives générales:** L'administration concomitante d'analgésiques narcotiques peut intensifier les effets analgésiques, ce qui permet parfois de réduire la dose de narcotique. L'analgésique est plus efficace s'il est administré avant que la douleur ne devienne trop intense.

■ **PO:** Pour obtenir un effet initial rapide, administrer 30 min avant les repas ou 2 h après. On peut administrer le naproxen avec des aliments, du lait ou des antiacides pour réduire l'irritation gastrique. Les aliments ralentissent, mais ne réduisent pas l'absorption de ce médicament. Ne pas mélanger la suspension avec un antiacide ou un autre liquide avant l'administration.

■ **Dysménorrhée:** Administrer le naproxen dès que possible après le début des règles. On n'a pas prouvé que le traitement prophylactique était efficace.

ENSEIGNEMENT AU PATIENT ET À SES PROCHES

□ Conseiller au patient de prendre le naproxen avec un grand verre d'eau et de ne pas se coucher pendant les 15 à 30 min qui suivent.

□ Conseiller au patient de respecter scrupuleusement la posologie recommandée. S'il n'a pu prendre le médicament au moment habituel, il doit le prendre dès que possible, à moins que ce ne soit presque l'heure prévue pour la dose suivante. L'avertir qu'il ne doit jamais doubler la dose.

□ Prévenir le patient que le naproxen peut provoquer de la somnolence ou des étourdissements. Lui conseiller de ne pas conduire et d'éviter les activités qui exigent sa vigilance jusqu'à ce qu'on ait la certitude que le médicament n'entraîne pas ces effets chez lui.

□ Conseiller au patient d'éviter de prendre de l'alcool, de l'aspirine, de l'acétaminophène ou tout autre médicament en vente libre, en même temps que le naproxen, sans consulter au préalable le médecin ou le pharmacien.

□ Recommander au patient d'utiliser des écrans solaires et de porter des vêtements protecteurs afin de prévenir les réactions de photosensibilité.

□ Recommander au patient qui doit suivre un traitement dentaire ou subir une intervention chirurgicale d'avertir le dentiste ou le médecin qu'il suit un traitement médicamenteux.

□ Recommander au patient de prévenir le médecin en cas de rash, de démangeaisons, de douleurs musculaires, d'acouphènes, de gain de poids, d'œdème, de selles noires ou de céphalées persistantes.

VÉRIFICATION DES RÉSULTATS

L'efficacité du traitement peut être démontrée par: ■ le soulagement de la douleur ■ l'amélioration de la mobilité des articulations. Le soulagement partiel des douleurs arthritiques survient habituellement dans les 2 semaines qui suivent le début du traitement, mais le plein effet du médicament peut ne se manifester qu'après 2 à 4 semaines. Les patients qui ne répondent pas à un anti-inflammatoire non stéroïdien peuvent répondre à un autre.

NATAMYCINE
Pimaricine, (Natacyn)

CLASSIFICATION:
Antifongique ophtalmique
Grossesse – catégorie inconnue

INDICATIONS

■ Traitement des infections fongiques de l'œil provoquées par les champignons sensibles, dont : □ la blépharite □ la conjonctivite □ la kératite.

ACTION

■ Liaison à la membrane de la cellule fongique entraînant la fuite du contenu intracellulaire. **Effets thérapeutiques :** ■ Effet fongicide contre les micro-organismes sensibles. **Spectre d'action :** ■ Action contre □ *Aspergillus* □ *Cephalosporium* □ *Curvularia* □ *Fusarium solani* □ *Penicillium* □ *Microsporum* □ *Epidermophyton* □ *Blastomyces dermatidis* □ *Coccidioides immitis* □ *Cryptococcus neoformans* □ *Histoplasma capsulatum* □ *Sporothrix schenckii*.

PHARMACOCINÉTIQUE

Absorption : L'absorption systémique est négligeable.
Distribution : Le médicament adhère aux ulcères de la cornée et il est retenu dans les fornix de la paupière. Il ne pénètre pas dans les liquides ou les structures oculaires profondes.
Métabolisme et excrétion : Inconnus.
Demi-vie : Inconnue.

CONTRE-INDICATIONS ET PRÉCAUTIONS

Contre-indications : ■ Hypersensibilité à la natamycine ou au chlorure de benzalkonium ■ Administration concomitante de glucocorticoïdes ophtalmiques.
Précautions : Aucune précaution connue.

RÉACTIONS INDÉSIRABLES ET EFFETS SECONDAIRES

ORLO : apparition d'une irritation oculaire.

INTERACTIONS

Médicament – médicament : Risque accru de propagation de l'infection lors de l'administration concomitante de **glucocorticoïdes ophtalmiques** (éviter l'usage simultané).

VOIES D'ADMINISTRATION ET POSOLOGIE

Conjonctivite ou kératite fongiques
■ **Gouttes ophtalmiques (adultes) :** instiller 1 goutte de la suspension à 5 % dans le sac conjonctival, de 4 à 6 fois par jour.

Kératite fongique
■ **Gouttes ophtalmiques (adultes) :** instiller 1 goutte de la suspension à 5 % dans le sac conjonctival, toutes les 1 ou 2 h, pendant 3 ou 4 jours, puis la posologie peut être réduite à 1 goutte, de 6 à 8 fois par jour. Par la suite, diminuer graduellement la dose tous les 4 à 7 jours et continuer l'administration pendant 14 à 21 jours au total.

PHARMACODYNAMIE (résolution de l'infection fongique)

	DÉBUT D'ACTION	PIC
gouttes ophtalmiques	2 jours	2–4 semaines*

* Guérison complète.

SOINS INFIRMIERS

ÉVALUATION DE LA SITUATION

□ Évaluer la gravité de l'inflammation et de l'irritation oculaires, noter les caractéristiques et la quantité des écoulements pendant toute la durée du traitement.

■ **Étude des examens diagnostiques et biochimiques :** Le médecin obtiendra le résultat des cultures avant le traitement.

DIAGNOSTICS INFIRMIERS POSSIBLES

■ **Énoncés diagnostiques**
□ Altération de la perception visuelle.
□ Risque élevé d'infection.
□ Prise en charge inefficace du programme thérapeutique.

■ **Facteurs favorisants**
□ Informations incomplètes.
□ *Manque de connaissances sur les modalités du traitement.*

N

☐ *Manque de connaissances sur la méthode d'administration du médicament.*

INTERVENTIONS INFIRMIÈRES

■ **Directives générales :** Bien agiter le flacon avant d'instiller le médicament.

☐ Se laver les mains avant et après l'instillation de la natamycine. Porter des gants pour prévenir la propagation de l'infection.

ENSEIGNEMENT AU PATIENT ET À SES PROCHES

☐ Conseiller au patient de respecter scrupuleusement la posologie recommandée, de ne pas arrêter le traitement sans consulter le médecin au préalable et de poursuivre le traitement même s'il se sent mieux. S'il n'a pas pu prendre le médicament au moment habituel, il doit le prendre dès que possible. Lui expliquer qu'il est déconseillé de donner ce médicament à une autre personne en raison du risque de propagation de l'infection.

☐ Montrer au patient comment s'administrer les gouttes ophtalmiques (voir l'annexe H).

☐ Conseiller au patient de prévenir le médecin s'il ne note aucune amélioration après 7 à 10 jours, si l'infection s'aggrave ou si l'irritation oculaire persiste.

☐ Recommander au patient atteint d'une infection ophtalmique de ne pas porter de verres de contact tant que l'infection n'est pas guérie et que le médecin ne l'autorise pas à les remettre.

☐ Insister sur l'importance d'un suivi permettant de s'assurer que l'infection a été guérie.

VÉRIFICATION DES RÉSULTATS

L'efficacité du traitement peut être démontrée par : la résolution des infections fongiques oculaires.

NÉOMYCINE
Mycifradin, Myciguent

CLASSIFICATION :
Anti-infectieux – aminoside

Grossesse – catégorie D

INDICATIONS

■ **PO :** Préparation du tractus gastro-intestinal à une chirurgie colorectale élective ou diminution de la population de bactéries produisant de l'ammoniaque lors du traitement de l'encéphalopathie hépatique ■ **Administration topique :** Traitement des infections superficielles de la peau. **Usage non approuvé :** ■ **PO :** Traitement de la diarrhée provoquée par *Escherichia coli* entéropathogène.

ACTION

■ Inhibition de la synthèse des protéines de la cellule bactérienne au niveau du ribosome 30S. **Effets thérapeutiques :** ■ Effet bactéricide contre les bactéries sensibles.

PHARMACOCINÉTIQUE

Absorption : Faible absorption (< 3 %) par suite de l'administration topique ou par voie orale.

Distribution : Inconnue.

Métabolisme et excrétion : En cas d'absorption systémique, la néomycine est excrétée par les reins à l'état inchangé. La néomycine administrée par voie orale est excrétée à l'état inchangé dans les selles.

Demi-vie : De 2 à 3 h.

CONTRE-INDICATIONS ET PRÉCAUTIONS

Contre-indications : ■ Hypersensibilité ■ Risque de réactions de sensibilité croisée avec les autres aminosides ■ Insuffisance rénale (administration prolongée de doses élevées par voie orale).

Précautions : ■ Insuffisance rénale quelle qu'en soit la gravité (réduire la dose)

- Grossesse et allaitement (l'innocuité du médicament n'a pas été établie) ■ Maladies neuromusculaires, telle la myasthénie grave.

RÉACTIONS INDÉSIRABLES ET EFFETS SECONDAIRES

ORLO : neurotoxicité au niveau de la VIIIe paire de nerfs crâniens (vestibulaire et cochléaire).
GU : toxicité rénale.
Tég. : administration topique – rash.
Divers : réactions d'hypersensibilité.

INTERACTIONS

Médicament – médicament : ■ Risque de paralysie respiratoire après inhalation d'**anesthésiques (éther, cyclopropane, halothane** ou **protoxyde d'azote)** ou administration de **bloqueurs neuromusculaires (tubocurarine, succinylcholine, décaméthonium)**, en même temps que la néomycine ■ Risque accru de neurotoxicité pour la VIIIe paire de nerfs crâniens (effet ototoxique) lors de l'administration concomitante de **diurétiques de l'anse (acide éthacrynique, furosémide)** ■ Les **médicaments néphrotoxiques (cisplatine)**, administrés simultanément, peuvent augmenter le risque de toxicité rénale.

PRÉSENTATION

La néomycine est présentée en association avec d'autres antibiotiques topiques ou agents anti-inflammatoires destinés aux infections de la peau, des oreilles et des yeux (voir l'annexe A).

VOIES D'ADMINISTRATION ET POSOLOGIE

Préparation du tractus gastro-intestinal avant une chirurgie colorectale
- **PO (adultes) :** 1 g à 13 h, à 14 h et à 23 h, la veille d'une intervention qui aura lieu à 8 h le lendemain matin.
- **PO (enfants) (É.-U.) :** 88 mg/kg par jour, en doses fractionnées, toutes les 4 h, durant les 24 h précédant la chirurgie.

Encéphalopathie hépatique
- **PO (adultes) :** de 4 à 12 g par jour, en doses fractionnées, toutes les 6 h.
- **PO (enfants) (É.-U.) :** de 40 à 100 mg/kg par jour en doses fractionnées, toutes les 4 à 6 h.
- **PR (adultes) (É.-U.) :** de 100 à 200 mL d'une solution à 1 ou à 2 %, à retenir pendant 20 à 60 min.

Diarrhée provoquée par E. Coli entéropathogène
- **PO (adultes) (É.-U.) :** 50 mg/kg par jour, en doses fractionnées, toutes les 6 h.

Infections superficielles de la peau
- **Administration topique (adultes et enfants) :** onguent à 0,5 %, 2 à 5 fois par jour.

SOINS INFIRMIERS

ÉVALUATION DE LA SITUATION

- **Infections superficielles :** Observer l'aspect de la peau infectée au début du traitement et pendant toute sa durée à la recherche de signes d'infection.
- ☐ Prélever des échantillons pour les cultures. La première dose peut être administrée avant même que les résultats soient connus.
- **Encéphalopathie hépatique :** Suivre de près l'état neurologique. Avant d'administrer la néomycine par voie orale, déterminer si le patient peut avaler.
- **Étude des examens diagnostiques et biochimiques :** Noter les résultats des analyses d'urine, la densité de l'urine, les concentrations sériques d'urée et de créatinine ainsi que la clearance de la créatinine avant l'administration du médicament et tout au long du traitement prolongé.

DIAGNOSTICS INFIRMIERS POSSIBLES

- **Énoncés diagnostiques**
- ☐ Risque élevé d'infection.
- ☐ Prise en charge inefficace du programme thérapeutique.
- ☐ *Risque élevé de surinfection.*

N

■ **Facteurs favorisants**
□ Informations incomplètes.
□ *Manque de connaissances sur les modalités du traitement.*

INTERVENTIONS INFIRMIÈRES

■ **Préparation de l'intestin à une chirurgie colorectale:** La néomycine est habituellement administrée avec l'érythromycine, un régime alimentaire pauvre en résidus et un purgatif ou un lavement.

■ **PR:** Lorsque la néomycine est administrée comme lavement en cas d'encéphalopathie hépatique, on doit utiliser 100 à 200 mL de solution à 1 ou à 2 % obtenue par dilution de la solution orale. Le lavement doit être retenu pendant 20 à 60 min.

ENSEIGNEMENT AU PATIENT ET À SES PROCHES

■ **Directives générales:** Conseiller au patient de prendre toute la quantité de médicament qui lui a été prescrite même s'il se sent mieux.
□ Recommander au patient de prévenir le médecin en cas de rash, de diarrhée, d'acouphènes, de vertiges ou de perte de l'acuité auditive.
■ **Administration topique:** Conseiller au patient de laver délicatement la région infectée, de l'assécher par tapotements et d'appliquer une mince couche d'onguent. On ne doit recouvrir la peau d'un pansement occlusif que si le médecin le recommande. Conseiller au patient de suivre de près l'état de la peau et de prévenir le médecin en cas d'irritation cutanée ou d'aggravation de l'infection.

VÉRIFICATION DES RÉSULTATS

L'efficacité du traitement peut être démontrée par: ■ la résolution des signes et des symptômes d'infection ■ la prévention de l'infection lors d'une chirurgie colorectale ■ l'amélioration de l'état neurologique en cas d'encéphalopathie hépatique.

NÉOSTIGMINE
Prostigmin

CLASSIFICATION:
Cholinergique – anticholinestérasique

Grossesse – catégorie C

INDICATIONS

■ Augmentation de la force musculaire dans le traitement symptomatique de la myasthénie grave ■ Prévention et traitement de la distension vésicale et de la rétention urinaire ou de l'occlusion intestinale postopératoires ■ Renversement des effets des bloqueurs neuromusculaires de type non dépolarisant.

ACTION

■ Inhibition de la décomposition de l'acétylcholine entraînant son accumulation et la prolongation de son effet ■ Myosis, élévation du tonus des muscles intestinaux et locomoteurs, constriction bronchique et urétérale, bradycardie, salivation, larmoiement et transpiration accrus.
Effets thérapeutiques: ■ Amélioration de la fonction musculaire chez les patients souffrant de myasthénie grave; vidange de la vessie chez les patients souffrant de rétention urinaire ou renversement des effets des bloqueurs neuromusculaires du type non dépolarisant.

PHARMACOCINÉTIQUE

Absorption: Faible absorption par suite de l'administration par voie orale, ce qui dicte le recours à des doses plus élevées que celles administrées par voie parentérale.

Distribution: Le médicament ne semble pas traverser le placenta ni pénétrer dans le lait maternel.

Métabolisme et excrétion: La néostigmine est métabolisée par les cholinestérases plasmatiques et le foie.

Demi-vie: PO et IV, de 40 à 60 min, IM: de 50 à 90 min.

CONTRE-INDICATIONS ET PRÉCAUTIONS

Contre-indications: ■ Hypersensibilité ■ Occlusion mécanique du tractus gastro-intestinal ou génito-urinaire.

Précautions: ■ Antécédents d'asthme ■ Ulcère ■ Maladie cardiovasculaire ■ Épilepsie ■ Hyperthyroïdie ■ Grossesse (risque d'irritation utérine par suite de l'administration par voie IV près du terme; risque de faiblesse musculaire chez le nouveau-né) ■ Allaitement.

RÉACTIONS INDÉSIRABLES ET EFFETS SECONDAIRES

SNC: étourdissements, faiblesses, CONVULSIONS.

ORLO: myosis, larmoiement.

Resp.: sécrétions excessives, bronchospasme.

CV: bradycardie, hypotension.

GI: crampes abdominales, nausées, vomissements, diarrhée, salivation excessive.

Tég.: rash, transpiration.

INTERACTIONS

Médicament – médicament: ■ Les médicaments doués de propriétés anticholinergiques dont les **antihistaminiques**, les **antidépresseurs**, l'**atropine**, l'**halopéridol**, les **phénothiazines**, la **quinidine** et le **disopyramide** peuvent contrecarrer les effets de la néostigmine ■ La néostigmine prolonge l'effet des **relaxants musculaires du type dépolarisant** (succinylcholine, décaméthonium).

VOIES D'ADMINISTRATION ET POSOLOGIE

Myasthénie grave

■ **PO (adultes):** initialement, 30 mg, trois fois par jour; augmenter quotidiennement jusqu'à l'obtention de la réponse optimale. La dose d'entretien habituelle est de 150 mg par jour (des doses allant jusqu'à 300 mg par jour peuvent être nécessaires).

■ **PO (enfants) (É.-U.):** de 7,5 à 15 mg, 3 ou 4 fois par jour.

■ **IM (adultes):** 1 mg toutes les heures, au besoin, lors d'une crise myasthénique.

Prévention de l'atonie vésicale et de la distension abdominale

■ **IM et SC (adultes):** 0,25 mg, toutes les 4 à 6 h, pendant 2 ou 3 jours.

Traitement de l'atonie vésicale et de la distension abdominale

■ **IV, IM et SC (adultes):** 0,5 mg, toutes les 4 à 5 h (effectuer un cathétérisme vésical en l'absence d'une réaction après 1 h). Répéter toutes les 3 h, à 5 reprises, après la vidange de la vessie.

Antidote des bloqueurs neuromusculaires de type non dépolarisant

■ **IV (adultes):** administrer lentement de 0,5 à 2 mg; administrer au préalable de 0,6 à 1,2 mg d'atropine par voie IV.

PHARMACODYNAMIE (effet cholinergique, tonus musculaire accru)

	DÉBUT D'ACTION	PIC	DURÉE
PO	45 – 75 min	inconnu	2 – 4 h
IM	10 – 30 min	20 – 30 min	2 – 4 h
IV	10 – 30 min	20 – 30 min	2 – 4 h

⚕ SOINS INFIRMIERS

ÉVALUATION DE LA SITUATION

■ **Directives générales:** Mesurer le pouls, la fréquence respiratoire et la pression artérielle avant l'administration de la néostigmine. Prévenir le médecin en cas de changements marqués de la fréquence cardiaque.

■ **Myasthénie grave:** Examiner les réactions neuromusculaires, y compris la capacité vitale, le ptosis, la diplopie, la capacité de mastication, la capacité de déglutition, la préhension manuelle et la démarche, avant l'administration du médicament et au moment de

N

son effet pic. Conseiller au patient de tenir un journal où il notera quotidiennement son état et les effets du médicament.

▢ Surveiller les signes suivants de surdosage, de dosage insuffisant ou de résistance au traitement : faiblesse musculaire, dyspnée, dysphagie. En cas de surdosage, les symptômes se manifestent habituellement dans l'heure qui suit l'administration, alors que, en cas de dosage insuffisant, ils apparaissent 3 h après l'administration ou plus tard. Les symptômes de surdosage (crise cholinergique) peuvent aussi inclure l'intensification des sécrétions pulmonaires et de la salivation, la bradycardie, les nausées, les vomissements, les crampes, la diarrhée et la diaphorèse. On peut effectuer un test avec Tensilon (chlorure d'édrophonium) afin de distinguer le surdosage d'un dosage insuffisant.

▪ **Iléus postopératoire :** Examiner l'abdomen : déterminer la distension, ausculter les bruits intestinaux. On peut installer un cathéter rectal afin de faciliter l'expulsion des gaz.

▪ **Rétention urinaire postopératoire :** Évaluer la distension vésicale. Effectuer le bilan des ingesta et des excreta. Si le patient ne peut uriner dans l'heure qui suit l'administration de la néostigmine, consulter le médecin avant d'installer un cathéter.

▪ **Antidote contre les bloqueurs neuromusculaires de type non dépolarisant :** Suivre le renversement des effets des bloqueurs neuromusculaires à l'aide d'un stimulateur des nerfs périphériques. Le rétablissement musculaire s'effectue habituellement dans l'ordre suivant : diaphragme, muscles intercostaux, muscles des cordes vocales et de la gorge, muscles abdominaux, muscles des membres, muscles masticateurs et muscles releveurs de la paupière. Suivre de près la faiblesse musculaire résiduelle et la détresse

respiratoire pendant toute la période de récupération. Garder les voies aériennes dégagées et maintenir la ventilation jusqu'au rétablissement de la respiration normale.

▪ **Toxicité et surdosage :** En cas de surdosage, l'antidote est l'atropine.

DIAGNOSTICS INFIRMIERS POSSIBLES

▪ **Énoncés diagnostiques**

▢ Altération de la mobilité physique.

▢ Mode de respiration inefficace.

▢ Prise en charge inefficace du programme thérapeutique.

▢ *Risque élevé de déficit du volume liquidien.*

▢ *Risque élevé d'intoxication.*

▪ **Facteurs favorisants**

▢ Informations incomplètes.

▢ *Manque de connaissances sur les moyens de prévenir les effets secondaires affectant l'appareil gastrointestinal.*

▢ *Manque de connaissances sur les modalités du traitement.*

▢ *Difficulté à s'adapter aux changements nécessaires dans les habitudes de vie.*

INTERVENTIONS INFIRMIÈRES

▪ **Directives générales :** Les doses par voies orale et parentérale ne sont pas interchangeables.

▢ Lorsque l'agent est utilisé comme antidote des bloqueurs neuromusculaires de type non dépolarisant, le médecin peut prescrire l'administration d'atropine avant celle de la néostigmine ou en association avec celle-ci afin de prévenir ou de traiter la bradycardie.

▪ **PO :** Administrer le médicament avec du lait ou des aliments afin de réduire les effets secondaires. Chez les patients éprouvant des difficultés de mastication, le médecin peut recommander d'administrer la néostigmine 30 min avant les repas.

- **IV directe :** Administrer les doses sans les diluer. Ne rien ajouter à la solution IV. Administrer dans une tubulure en Y ou dans un robinet à trois voies par où s'écoule une solution de dextrose à 5 % dans l'eau, de NaCl à 0,9 %, de solution de Ringer ou de lactate Ringer.
- *Vitesse d'administration :* Administrer à raison de 0,5 mg à la minute.
- **Associations compatibles dans la même seringue :** Glycopyrrolate, héparine, pentobarbital ou thiopental.
- **Compatibilités (tubulure en Y) :** Chlorure de potassium, héparine ou succinate d'hydrocortisone sodique.
- **Compatibilité en addition au soluté :** Nétilmicine.

ENSEIGNEMENT AU PATIENT ET À SES PROCHES

- Conseiller au patient de respecter scrupuleusement la posologie recommandée. Le prévenir qu'il ne doit ni sauter une dose, ni remplacer une dose manquée par une double dose. Les patients présentant des antécédents de dysphagie devrait recourir en tout temps à un réveil-matin afin de pouvoir prendre le médicament exactement à l'heure prévue. Les patients souffrant de dysphagie peuvent être incapables d'avaler le médicament s'il n'est pas pris à l'heure prévue. Si la dose est prise en retard, une crise myasthénique peut se déclencher. La prise prématurée du médicament peut entraîner une crise cholinergique. Les patients souffrant de myasthénie grave doivent suivre ce traitement pendant toute leur vie.
- Conseiller au patient souffrant de myasthénie grave d'espacer ses activités afin d'éviter la fatigue.
- Conseiller au patient de toujours porter sur lui une pièce d'identité où sont mentionnés son état de santé et son traitement médicamenteux.

VÉRIFICATION DES RÉSULTATS

L'efficacité du traitement peut être démontrée par : ■ le soulagement du ptosis et de la diplopie □ l'amélioration de la mastication, de la déglutition, de la force des membres, de la respiration, sans apparition de symptômes cholinergiques en cas de myasthénie grave ■ le soulagement ou la prévention de l'iléus gastro-intestinal postopératoire ■ le soulagement de la rétention urinaire postopératoire non obstructive ■ le renversement des effets des bloqueurs neuromusculaires du type non dépolarisant lors d'une anesthésie générale.

NÉTILMICINE
Netromycin

CLASSIFICATION :
Anti-infectieux – aminoside
Grossesse – catégorie D

INDICATIONS

■ Traitement des infections dues aux bacilles à Gram négatif et aux staphylocoques, lorsque les pénicillines ou les autres médicaments moins toxiques sont contre-indiqués ou lorsqu'il y a résistance à d'autres aminosides ■ Traitement des infections suivantes provoquées par des micro-organismes sensibles : □ infections des os □ infections des voies respiratoires □ infections de la peau et des tissus mous □ infections abdominales □ infections des voies urinaires avec complications □ endocardite □ septicémie. **Usage non approuvé :** □ infections du SNC (administration intrathécale).

ACTION

■ Inhibition de la synthèse des protéines de la cellule bactérienne au niveau du ribosome 30S. **Effets thérapeutiques :** ■ Effet bactéricide contre les bactéries sensibles. **Spectre d'action :** ■ La nétilmicine est particulièrement efficace dans le traitement des infections bacillaires graves à Gram négatif attribuables à *Pseudomonas aeruginosa* et à de nombreuses entérobactéries, y compris : □ *Citrobacter diversus* □ *C. freundii* □ *Enterobacter aerogenes* □ *E. cloacae* □ *Escherichia coli* □ *Klebsiella* □ *Morganella morganii* □ *Proteus* □ *Providencia* □ *Salmonella* □ *Shigella*.

PHARMACOCINÉTIQUE

Absorption : Bonne absorption par suite de l'administration par voie IM.

Distribution : Par suite de l'administration IM ou IV, la nétilmicine se répartit dans tous les liquides extracellulaires. Elle traverse le placenta et pénètre dans le lait maternel. La pénétration dans le liquide céphalorachidien est faible.

Métabolisme et excrétion : Excrétion surtout rénale (> 90 %). Il faut adapter la posologie en cas de fonction rénale diminuée. Des quantités infimes de médicament subissent un métabolisme hépatique.

Demi-vie : De 2 à 3,4 h (prolongée en cas d'insuffisance rénale).

CONTRE-INDICATIONS ET PRÉCAUTIONS

Contre-indications : ■ Hypersensibilité à la nétilmicine, aux bisulfites, aux parabènes ou à l'alcool benzylique ■ Risque de réactions de sensibilité croisée avec les autres aminosides.

Précautions : ■ Insuffisance rénale quelle qu'elle soit (réduire la dose) ■ Grossesse et allaitement (l'innocuité du médicament n'a pas été établie) ■ Maladies neuromusculaires, telle la myasthénie grave.

RÉACTIONS INDÉSIRABLES ET EFFETS SECONDAIRES

ORLO : neurotoxicité au niveau de la VIIIe paire de nerfs crâniens (vestibulaire et cochléaire).

GU : toxicité rénale.

SN : blocage neuromusculaire accru.

Divers : réactions d'hypersensibilité, surinfection.

INTERACTIONS

Médicament – médicament : ■ La **pénicilline** inactive la nétilmicine lors d'une administration en association chez les patients souffrant d'insuffisance rénale ■ Risque de paralysie respiratoire après une **anesthésie générale** ou l'administration de **bloqueurs neuromusculaires (tubocurarine, succinylcholine, décaméthonium)** ■ Risque accru de neurotoxicité au niveau de la VIIIe paire de nerfs crâniens (effet ototoxique) lors de l'administration concomitante de **diurétiques de l'anse** ■ L'administration d'autres **médicaments néphrotoxiques (cisplatine)** peut augmenter le risque de toxicité rénale.

VOIES D'ADMINISTRATION ET POSOLOGIE

Remarque : Toutes les doses suivant la dose d'attaque doivent être adaptées selon les concentrations sanguines et les résultats des tests de l'exploration fonctionnelle rénale.

■ **IM et IV (adultes) :** de 4 à 6 mg/kg par jour, toutes les 8 à 12 h (4 mg/kg par jour, en doses fractionnées, toutes les 12 h) pour traiter les infections urinaires.

■ **IM et IV (enfants > 1 semaine à 12 ans) :** de 2 à 2,5 mg/kg, toutes les 8 h ou de 2,5 à 3 mg/kg, toutes les 8 h.

■ **IM et IV (prématurés ou nourrissons à terme < 1 semaine) :** 3 mg/kg, toutes les 12 h.

PHARMACODYNAMIE
(concentrations sanguines)

	DÉBUT D'ACTION	PIC
IM	rapide	30 – 90 min
IV	rapide	fin de la perfusion

SOINS INFIRMIERS

ÉVALUATION DE LA SITUATION

- Au début du traitement et pendant toute sa durée, surveiller les signes suivants d'infection: altération des signes vitaux; aspect de la plaie, des crachats, de l'urine et des selles; accroissement du nombre de leucocytes.
- Prélever des échantillons pour les cultures et les antibiogrammes avant le début du traitement. La première dose peut être administrée avant même que les résultats soient connus.
- Mesurer par audiogramme la fonction de la VIIIe paire de nerfs crâniens avant le traitement et pendant toute sa durée. La perte de l'ouïe se situe habituellement au niveau des sons à haute fréquence. Le diagnostic et l'intervention rapides sont essentiels pour prévenir la surdité permanente. Observer également le patient à la recherche des symptômes suivants de dysfonction vestibulaire: vertiges, ataxie, nausées, vomissements. La dysfonction au niveau de la VIIIe paire de nerfs crâniens peut se produire s'il y a persistance de concentrations élevées (pics) de nétilmicine.
- Effectuer le bilan quotidien des ingesta et des excreta et peser le patient tous les jours pour évaluer l'état de l'hydratation et la fonction rénale.
- Suivre de près les signes suivants de surinfection: fièvre, infection des voies respiratoires supérieures, démangeaisons ou pertes vaginales, malaise accru, diarrhée. Signaler ces réactions au médecin.
- **Étude des examens diagnostiques et biochimiques:** Suivre de près la fonction rénale en notant les résultats des analyses d'urine, la densité de l'urine, les concentrations sériques d'urée et de créatinine ainsi que la clearance de la créatinine avant le traitement et pendant toute sa durée.

- La nétilmicine peut entraîner l'élévation des concentrations sériques d'urée, de TGPS (ALT), de TGOS (AST), de LDH, de phosphatase alcaline, de bilirubine et de créatinine.
- Le médicament peut entraîner la diminution des concentrations sériques de calcium, de magnésium, de potassium et de sodium.
- **Toxicité et surdosage:** Mesurer les concentrations sanguines à intervalles réguliers pendant toute la durée du traitement. Pour interpréter correctement les résultats, il est important de bien choisir le moment où l'on effectue les prélèvements sanguins. Pour déterminer les pics, prélever un échantillon de sang 1 h après l'injection IM ou de 15 à 30 min après la fin de la perfusion IV. Pour déterminer les creux, prélever l'échantillon juste avant l'administration de la dose suivante. Les pics acceptables se situent entre 6 et 10 mg/L; les creux ne devraient pas dépasser 4 mg/L.

DIAGNOSTICS INFIRMIERS POSSIBLES

- **Énoncés diagnostiques**
- Risque élevé d'infection.
- Altération de la perception auditive.
- *Risque élevé de surinfection.*
- *Risque élevé d'altération de l'élimination urinaire.*
- *Risque élevé d'intoxication.*

- **Facteurs favorisants**
- *Manque de connaissances sur les modalités du traitement.*
- *Manque de connaissances sur les moyens de prévenir les effets secondaires du médicament.*
- *Modification de l'état liquidien ou des volumes circulants.*

INTERVENTIONS INFIRMIÈRES

- **Directives générales:** Assurer une bonne hydratation (de 1 500 à 2 000 mL de liquides par jour) pendant tout le traitement.

□ La solution est transparente et d'incolore à jaune pâle.

■ **Perfusion intermittente :** Diluer chaque dose dans 50 à 200 mL de solution de dextrose à 5 % et de lactate Ringer, de solution de dextrose à 5 % et de solution de NaCl à 0,9 %, de solution de dextrose à 5 % ou à 10 % dans de l'eau, de solution de Ringer ou de lactate Ringer, de solution de NaCl à 0,9 %, à 3 % ou à 5 %. Il faut diluer proportionnellement dans de plus petits volumes les préparations destinées aux enfants. La solution diluée à une concentration de 3 mg/mL est stable pendant 24 h à la température ambiante.

□ *Vitesse d'administration :* Administrer lentement en 30 min à 2 h.

■ **Compatibilités (tubulure en Y) :** Aminophylline ou gluconate de calcium.

■ **Incompatibilités (tubulure en Y) :** Furosémide ou héparine.

■ **Incompatibilités en addition au soluté :** Administrer la nétilmicine séparément ; le fabricant ne recommande pas d'admixtion. Administrer les aminosides et les pénicillines à au moins 1 h d'intervalle afin de prévenir l'inactivation.

ENSEIGNEMENT AU PATIENT ET À SES PROCHES

Conseiller au patient de signaler au médecin les signes d'hypersensibilité, les acouphènes, les vertiges ou la surdité.

VÉRIFICATION DES RÉSULTATS

La réponse clinique peut être déterminée par : la disparition des signes et des symptômes d'infection. Le temps de résolution dépend du micro-organisme infectant et du siège de l'infection. Si l'état du patient ne s'améliore pas dans les 3 à 5 jours, prélever des échantillons pour de nouvelles cultures.

NIACINE
Acide nicotinique, Novo-Niacin, vitamine B$_3$, (Niac), (Niacels), (Nico-400), (Nicobid), (Nicolar), (Nicotinex), (Span Niacin), (Tega-Span), (Tri-B3)

NIACINAMIDE
Nicotinamide, Papulex

CLASSIFICATION :
Hypolipidémiant ; vitamine hydrosoluble

Grossesse – catégorie C

INDICATIONS

■ Traitement et prévention de la carence en niacine (pellagre) ■ Traitement d'appoint dans le cas de certaines hyperlipidémies (niacine seulement) ■ Traitement topique de l'acné vulgaire non compliquée du visage (nicotinamide seulement).

ACTION

■ Coenzymes essentielles pour le métabolisme lipidique, la glycogénolyse et la respiration tissulaire ■ Diminution de la synthèse des lipoprotéines et des triglycérides (fortes doses) par inhibition de la libération des acides gras libres des tissus adipeux et par diminution de la synthèse hépatique des lipoprotéines (niacine seulement) ■ Vasodilatation périphérique lors de l'administration de fortes doses (niacine seulement). **Effets thérapeutiques :** ■ Diminution des concentrations sanguines de lipides (niacine seulement) ■ Supplément en cas de carence ■ Réduction du nombre de lésions inflammatoires acnéiques.

PHARMACOCINÉTIQUE

Absorption : Bonne absorption par suite de l'administration par voie orale.

Distribution : L'agent se répartit dans tout l'organisme après transformation en niacinamide. Il pénètre dans le lait maternel.

N

Métabolisme et excrétion: La quantité nécessaire au métabolisme est transformée en niacinamide. Les doses massives de niacine sont excrétées à l'état inchangé dans l'urine.

Demi-vie: 45 min.

CONTRE-INDICATIONS ET PRÉCAUTIONS

Contre-indications: ■ Hypersensibilité à la niacine ■ Hypersensibilité au chlorobutanol (niacinamide administrée par voie parentérale).

Précautions: ■ Maladie hépatique ■ Saignements artériels ■ Antécédents d'ulcère gastroduodénal ■ Goutte ■ Glaucome ■ Diabète sucré.

RÉACTIONS INDÉSIRABLES ET EFFETS SECONDAIRES

Remarque: Les réactions indésirables et les effets secondaires ont été notés lors de l'administration IV ou lors du traitement de l'hyperlipidémie ou du traitement de l'acné (effets topiques seulement).

SNC: nervosité, panique.

CV: hypotension orthostatique.

ORLO: amblyopie toxique, vision trouble, proptose, perte de la vision centrale.

GI: goût métallique (administration IV seulement), irritation gastrointestinale, nausées, ballonnements, flatulence, faim douloureuse, brûlures d'estomac, diarrhée, sécheresse de la bouche (xérostomie), ulcère gastroduodénal, hépatotoxicité (comprimés oraux à action prolongée seulement).

Tég.: rougeur du visage et du cou, prurit, sensation de brûlure, de picotement ou de fourmillement au niveau de la peau, activité accrue des glandes sébacées, rash, hyperpigmentation, peau sèche.

Hémat.: activation de la fibrinolyse (voie IV seulement).

Métab.: hyperuricémie, hyperglycémie, glycosurie.

Divers: CHOC ANAPHYLACTIQUE (voie IV seulement).

INTERACTIONS

Médicament – médicament: ■ Risque accru de myopathie lors de l'administration concomitante de **lovastatine** ■ Hypotension additive lors de l'administration simultanée de **ganglioplégiques (guanéthidine, guanadrel)** ■ L'administration de fortes doses peut atténuer les effets uricosuriques du **probénécide** ou de la **sulfinpyrazone**.

VOIES D'ADMINISTRATION ET POSOLOGIE

Niacine – supplément alimentaire

■ **PO (adultes et enfants):** de 15 à 20 mg par jour.

Niacine – hyperlipidémie

■ **PO (adultes):** de 1,5 à 6 g par jour, en 2 à 4 doses fractionnées.

Niacine – pellagre

■ **PO (adultes):** jusqu'à 500 mg par jour, en doses fractionnées ou en une seule dose (comprimé à libération prolongée).

■ **PO (enfants) (É.-U.):** de 100 à 300 mg par jour, en doses fractionnées.

■ **IM et SC (adultes):** de 50 à 100 mg, 5 fois par jour ou plus.

■ **IV (adultes) (É.-U.):** de 25 à 100 mg, à administrer lentement.

Niacinamide – pellagre

■ **PO (adultes):** de 10 à 20 mg par jour en traitement prophylactique ou jusqu'à 500 mg par jour, en doses fractionnées, dans le traitement de carences marquées.

■ **IV (adultes) (É.-U.):** de 25 à 100 mg, 2 fois par jour ou plus.

■ **IV (enfants) (É.-U.):** de moins de 100 mg à 300 mg par jour, en doses fractionnées.

Niacinamide – acné

■ **Voie topique (adultes):** gel à 4 %, 2 fois par jour.

PHARMACODYNAMIE
(effet sur les concentrations
sanguines de lipides)

	DÉBUT D'ACTION	PIC	DURÉE
PO (cholestérol)	plusieurs jours	inconnu	inconnue
PO (triglycérides)	plusieurs heures	inconnu	inconnue
IV	inconnu	inconnu	inconnue

SOINS INFIRMIERS

ÉVALUATION DE LA SITUATION

- **Carence vitaminique :** Suivre de près le patient, avant le début du traitement et à intervalles réguliers pendant toute sa durée, à la recherche des signes suivants de carence en niacine : pellagre – dermatite, stomatite, glossite, anémie, nausées et vomissements, confusion, perte de la mémoire et délire.

- **Hyperlipidémie :** Recueillir les antécédents alimentaires du patient, particulièrement en ce qui a trait à la consommation de matières grasses.

- **Étude des examens diagnostiques et biochimiques :** Noter à intervalles réguliers, pendant l'administration prolongée de fortes doses, les concentrations sériques de glucose et d'acide urique et les résultats des tests de l'exploration fonctionnelle hépatique. Prévenir le médecin en cas d'élévation des concentrations de TGOS (AST), de TGPS (ALT) ou de LDH. Le médicament peut allonger le temps de prothrombine et entraîner la diminution des concentrations sériques d'albumine.

- L'administration de fortes doses peut entraîner l'élévation des concentrations sériques de glucose et d'acide urique. Administré à forte dose, le médicament peut entraîner des résultats faussement élevés au dosage des catécholamines et au dosage du glu-

cose dans l'urine lorsque l'on utilise la méthode au sulfate de cuivre (Clinitest). Pour mesurer la glycosurie, recourir plutôt à la méthode au réactif glucose-oxydase (Tes-Tape).

- Noter, avant le traitement et à intervalles réguliers pendant toute sa durée, les concentrations sériques de cholestérol et de triglycérides, lorsque la niacine est utilisée en tant qu'hypolipidémiant.

DIAGNOSTICS INFIRMIERS POSSIBLES

- **Énoncés diagnostiques**
- Déficit nutritionnel.
- Prise en charge inefficace du programme thérapeutique.
- Non-observance du traitement médicamenteux.
- *Risque élevé d'atteinte à l'intégrité des tissus.*
- *Risque élevé d'anxiété.*

- **Facteurs favorisants**
- Informations incomplètes.
- Doute quant aux bienfaits du médicament.
- *Manque de connaissances sur les moyens de prévenir les effets secondaires du médicament.*
- *Manque de connaissances sur le régime alimentaire à suivre.*
- *Difficulté à s'adapter aux changements nécessaires dans les habitudes de vie.*

INTERVENTIONS INFIRMIÈRES

- **Directives générales :** Étant donné qu'il est rare que le patient ne présente qu'une carence en vitamine B seulement, on administre habituellement plusieurs vitamines en association.

- **PO :** Administrer l'agent avec des aliments ou du lait pour réduire l'irritation gastro-intestinale.

- Les comprimés à libération prolongée doivent être avalés tels quels sans être broyés ni croqués. Ils peuvent toutefois être coupés en deux si l'on désire administrer une dose plus faible.

■ **IV directe:** Diluer jusqu'à l'obtention d'une concentration de 2 mg/mL.

□ *Vitesse d'administration:* Administrer à une vitesse ne dépassant pas 2 mg à la minute.

■ **Perfusions intermittente et continue:** Ajouter la niacine à 500 mL de solution de NaCl à 0,9 %.

■ *Vitesse d'administration:* Administrer à une vitesse ne dépassant pas 2 mg à la minute.

■ **Compatibilités en addition au soluté:** Solutions destinées à l'alimentation parentérale totale.

■ **Incompatibilités en addition au soluté:** Érythromycine, kanamycine, streptomycine, alcalis ou acides puissants.

ENSEIGNEMENT AU PATIENT ET À SES PROCHES

■ **Directives générales:** Prévenir le patient qu'une rougeur de la peau et une sensation de chaleur, particulièrement au niveau du visage, du cou et des oreilles, des démangeaisons ou des picotements et des céphalées peuvent se manifester dans les 2 h suivant l'administration du médicament (réaction immédiate lors de l'administration IV). Ces effets sont habituellement passagers et disparaissent si le traitement est poursuivi.

□ Insister sur l'importance des examens de suivi permettant d'évaluer l'efficacité du traitement.

■ **Carence vitaminique:** Inciter le patient à respecter les recommandations du médecin relatives à l'alimentation. Lui expliquer que la meilleure source de vitamines est une alimentation bien équilibrée comprenant les aliments provenant des 4 principaux groupes alimentaires.

□ Informer le patient que les aliments riches en niacine sont: les viandes, les œufs, le lait et les produits laitiers; la perte de vitamines B_3 est faible lors de la cuisson ordinaire.

□ Prévenir les patients qui s'auto-administrent des suppléments vitaminiques qu'ils ne doivent pas dépasser les taux quotidiens recommandés (voir l'annexe L). L'efficacité de mégadoses dans le traitement de diverses maladies n'a pas été prouvée et leur administration peut entraîner des effets secondaires.

■ **Hyperlipidémie:** Expliquer au patient qu'en plus de prendre ce médicament, il doit se conformer à certaines restrictions alimentaires (graisses, cholestérol, glucides, alcool), faire de l'exercice et arrêter de fumer.

■ **Préparation topique:** Conseiller au patient de bien se laver la peau avec de l'eau chaude et du savon et d'appliquer suffisamment de gel pour recouvrir la région affectée.

■ Recommander au patient d'éviter tout contact avec les yeux et les muqueuses.

■ Prévenir le patient qu'il doit consulter le médecin en cas d'acné grave ou de trouble cutané concomitant, d'hypersensibilité, de sécheresse cutanée ou d'irritation excessives. Il devrait également consulter le médecin s'il ne note aucune amélioration après 8 à 12 semaines de traitement.

VÉRIFICATION DES RÉSULTATS

L'efficacité du traitement peut être démontrée par: ■ la prévention et le traitement de la carence en niacine ■ la baisse des concentrations sériques de cholestérol et de triglycérides ■ la réduction du nombre de papulopustules (préparation topique).

NICARDIPINE
Cardene

CLASSIFICATION:

Inhibiteur calcique; antiangineux; vasodilatateur coronarien; antihypertenseur

Grossesse – catégorie C

INDICATIONS

■ Angine de poitrine d'effort (angor stable chronique) ■ Hypertension – en monothérapie ou en traitement d'association avec d'autres agents.

ACTION

■ Inhibition du transport du calcium vers les cellules du myocarde et des muscles lisses vasculaires entraînant l'inhibition du couplage excitation-contraction et de la contraction subséquente. **Effets thérapeutiques :** ■ Vasodilatation coronarienne et diminution subséquente de la fréquence et de la gravité des crises d'angine de poitrine ■ Abaissement de la pression artérielle.

PHARMACOCINÉTIQUE

Absorption : Bonne absorption par suite de l'administration par voie orale, mais d'importantes quantités sont rapidement métabolisées, ce qui entraîne une biodisponibilité réduite (35 %).

Distribution : Inconnue.

Métabolisme et excrétion : La nicardipine est surtout métabolisée par le foie. Une fraction négligeable est excrétée par les reins.

Demi-vie : De 2 à 4 h.

CONTRE-INDICATIONS ET PRÉCAUTIONS

Contre-indications : ■ Hypersensibilité ■ Sténose aortique ■ Allaitement.

Précautions : ■ Insuffisance hépatique ■ Insuffisance cardiaque ■ Grossesse ou enfants (l'innocuité du médicament n'a pas été établie).

RÉACTIONS INDÉSIRABLES ET EFFETS SECONDAIRES

SNC : étourdissements, sensation de tête légère, céphalées, nervosité, somnolence, faiblesse.

Resp. : dyspnée.

CV : œdème périphérique, palpitations, angine, tachycardie, hypotension orthostatique.

GI : nausées, douleurs abdominales, sécheresse de la bouche (xérostomie), constipation.

Tég. : rougeur, rash.

SN : paresthésie.

INTERACTIONS

Médicament – médicament : ■ Risque accru de bradycardie, de troubles de conduction ou d'insuffisance cardiaque lors de l'administration simultanée de **bêtabloquants**, de **disopyramide** ou de **digoxine** ■ La **phénytoïne** et le **phénobarbital** peuvent accélérer le métabolisme et réduire l'efficacité de la nicardipine ■ La **cimétidine** et le **propranolol** peuvent ralentir le métabolisme et entraîner la toxicité ■ La nicardipine peut entraîner l'élévation des concentrations sanguines de **cyclosporine** et en accroître la toxicité ■ Les **anti-inflammatoires non stéroïdiens** peuvent entraîner une diminution de l'effet antihypertenseur ■ Hypotension additive lors de l'ingestion d'**alcool** ou de l'administration concomitante de **dérivés nitrés** ou d'autres **antihypertenseurs**. **Médicament – aliments :** ■ La consommation d'aliments **riches en matières grasses** peut entraîner une baisse de l'absorption de la nicardipine.

VOIES D'ADMINISTRATION ET POSOLOGIE

PO (adultes) : 20 mg, trois fois par jour ; on peut augmenter la dose à intervalles de 3 jours (dose habituelle : entre 20 et 40 mg, trois fois par jour).

PHARMACODYNAMIE (effets hypotensifs)

	DÉBUT D'ACTION	PIC	DURÉE
PO	20 min	1 – 2 h	8 h

SOINS INFIRMIERS

ÉVALUATION DE LA SITUATION

- **Angine:** Déterminer le siège, la durée et l'intensité de la douleur angineuse et les facteurs qui la déclenchent.
- **Hypertension:** Mesurer la pression artérielle et le pouls avant l'administration du médicament. Les mesures prises de 1 à 2 h après l'administration de la nicardipine reflètent l'efficacité maximale ; les mesures prises 8 h après l'administration permettent de vérifier si la dose est adéquate ou non.
- ☐ Effectuer le bilan quotidien des ingesta et des excreta et peser le patient tous les jours. Suivre de près les signes d'œdème périphérique à intervalles réguliers pendant toute la durée du traitement.

DIAGNOSTICS INFIRMIERS POSSIBLES

- **Énoncés diagnostiques**
- ☐ Diminution du débit cardiaque.
- ☐ Douleur.
- ☐ Prise en charge inefficace du programme thérapeutique.
- ☐ *Risque élevé d'accident.*
- ☐ *Risque élevé d'anxiété.*
- **Facteurs favorisants**
- ☐ Informations incomplètes.
- ☐ *Perturbation de la vigilance.*
- ☐ *Manque de connaissances sur les modalités du traitement.*
- ☐ *Difficulté à s'adapter aux changements nécessaires dans les habitudes de vie.*

INTERVENTIONS INFIRMIÈRES

- **Directives générales:** L'adaptation posologique ne doit se faire qu'à intervalles de trois jours, jamais plus souvent.
- **PO:** Administrer l'agent à jeun, 1 h avant les repas ou 3 h après. Les aliments très riches en matières grasses réduisent l'absorption de la nicardipine.

ENSEIGNEMENT AU PATIENT ET À SES PROCHES

- **Directives générales:** Conseiller au patient de respecter scrupuleusement la posologie recommandée. Le prévenir qu'il ne faut pas sauter de dose ni remplacer une dose manquée par une double dose.
- ☐ Prévenir le patient que la nicardipine peut entraîner des étourdissements et de la somnolence. Lui conseiller de ne pas conduire et d'éviter les activités qui exigent sa vigilance jusqu'à ce qu'on ait la certitude que le médicament n'entraîne pas ces effets chez lui.
- ☐ Conseiller au patient de consulter le médecin ou le pharmacien avant de prendre des médicaments en vente libre et d'éviter de boire de l'alcool en même temps qu'il suit un traitement à la nicardipine.
- ☐ Conseiller au patient de prévenir le médecin en cas d'extrasystoles, de dyspnée, d'enflure des mains et des pieds, d'étourdissements marqués, de nausées, de constipation ou d'hypotension.
- **Angine:** Expliquer au patient qu'une crise d'angine peut se manifester 30 min après l'administration de la nicardipine en raison de la tachycardie réflexe. Cet effet est habituellement passager et ne dicte pas l'abandon du traitement.
- ☐ Expliquer au patient qui suit un traitement simultané par un dérivé nitré ou un bêtabloquant qu'il doit prendre les deux médicaments comme ils lui ont été prescrits et utiliser la nitroglycérine sublinguale, selon les besoins, si une crise d'angine survient.
- ☐ Recommander au patient de prévenir le médecin si la douleur thoracique ne diminue pas ou si elle s'aggrave après le traitement, si elle s'accompagne de diaphorèse ou d'essoufflements ou si des céphalées graves et persistantes se manifestent.

N

- **Hypertension:** Inciter le patient à appliquer d'autres mesures de réduction de l'hypertension : perdre du poids, réduire sa consommation de sel, diminuer le stress, faire régulièrement de l'exercice, boire modérément et cesser de fumer.

VÉRIFICATION DES RÉSULTATS

L'efficacité du traitement peut être démontrée par : ■ la diminution de la fréquence et de l'intensité des crises d'angine de poitrine □ un moindre recours aux dérivés nitrés □ l'augmentation de la tolérance à l'effort et une sensation de mieux-être ■ la baisse de la pression artérielle.

NICOTINE POLACRILEX, GOMME À MÂCHER

Nicorette, Nicorette Plus

CLASSIFICATION :
Adjuvant pour aider le patient à cesser de fumer

Grossesse – catégorie X

INDICATIONS

Traitement d'appoint (accompagné d'une modification du comportement) lors du sevrage nicotinique chez les patients qui désirent abandonner la cigarette.

ACTION

■ Source de nicotine lors du sevrage graduel de la cigarette. **Effets thérapeutiques :** ■ Diminution des effets accompagnant le sevrage nicotinique (irritabilité, insomnie, somnolence, céphalées et gain d'appétit).

PHARMACOCINÉTIQUE

Absorption : L'agent est lentement absorbé depuis la muqueuse buccale pendant la mastication.
Distribution : Inconnue.
Métabolisme et excrétion : L'agent est surtout métabolisé par le foie. Une faible fraction est métabolisée par les reins et les poumons.
Demi-vie : De 30 à 60 min.

CONTRE-INDICATIONS ET PRÉCAUTIONS

Contre-indications : ■ Maladie cardiovasculaire grave ■ Atteinte de l'articulation temporomandibulaire ■ Grossesse ■ Enfants.

Précautions : ■ Maladie cardiovasculaire, y compris l'hypertension ■ Diabète sucré ■ Phéochromocytome ■ Maladies vasculaires périphériques ■ Problèmes dentaires ■ Hyperthyroïdie ■ Œsophagite, stomatite ou pharyngite ■ Allaitement (risque de réactions indésirables chez le nouveau-né).

RÉACTIONS INDÉSIRABLES ET EFFETS SECONDAIRES

SNC : céphalées, étourdissements, sensation de tête légère, irritabilité, insomnie.
ORLO : pharyngite, raucité de la voix.
Resp. : toux.
CV : fibrillation auriculaire, tachycardie, hypotension.
GI : lésions buccales, éructation, névralgie de la bouche, salivation accrue, gain d'appétit, constipation, sécheresse de la bouche (xérostomie), hoquet, perte d'appétit, diarrhée, nausées, vomissements, douleurs abdominales.
Loc. : douleur des muscles de la mâchoire.

INTERACTIONS

Médicament – médicament : ■ Lors du sevrage nicotinique, les besoins en **insuline** peuvent être diminués ■ Lors du sevrage nicotinique, les effets du **propranolol**, de la **théophylline** ou du **propoxyphène** peuvent être accrus (ralentissement du métabolisme).

VOIES D'ADMINISTRATION ET POSOLOGIE

Gomme à mâcher (adultes) : 2 mg (une gomme), selon les besoins ; la quantité est déterminée par l'intensité du besoin de fumer et la vitesse de mastication. Besoins initiaux habituels : 20 mg (10 gommes) par jour. Ne pas dépasser 20 gommes par jour.

PHARMACODYNAMIE
(concentrations sanguines de nicotine)

	DÉBUT D'ACTION	PIC	DURÉE
Gomme à mâcher	inconnu	15–30 min	inconnue

✴ SOINS INFIRMIERS

ÉVALUATION DE LA SITUATION

- ☐ Noter, avant le traitement, les données suivantes sur le tabagisme : nombre de cigarettes fumées par jour, moment où le besoin de fumer se manifeste, teneur en nicotine de la marque de cigarettes préférée, quantité de fumée inhalée.
- ☐ Noter les antécédents d'atteinte à l'articulation temporomandibulaire ou de dysfonctionnement de cette articulation.
- ■ **Toxicité et surdosage :** Suivre de près les nausées, les vomissements, la diarrhée, la salivation accrue, les douleurs abdominales, les céphalées, les étourdissements, les troubles auditifs ou visuels, la faiblesse, la dyspnée, l'hypotension et le pouls irrégulier.

DIAGNOSTICS INFIRMIERS POSSIBLES

- ■ **Énoncés diagnostiques**
- ☐ Stratégies d'adaptation individuelle inefficaces.
- ☐ Prise en charge inefficace du programme thérapeutique.
- ☐ *Risque élevé d'anxiété.*
- ☐ *Risque élevé d'intoxication.*
- ■ **Facteurs favorisants**
- ☐ Informations incomplètes.
- ☐ *Difficulté à s'adapter aux changements nécessaires dans les habitudes de vie.*
- ☐ *Manque de connaissances sur les modalités du traitement.*
- ☐ *Manque de connaissances sur les effets secondaires du médicament.*
- ☐ *Manque de connaissances sur la méthode d'administration du médicament.*

INTERVENTIONS INFIRMIÈRES

Directives générales : Conserver les gommes à l'abri de la lumière ; l'exposition à la lumière les fait brunir.

ENSEIGNEMENT AU PATIENT ET À SES PROCHES

- ☐ Expliquer au patient le but de ce traitement d'appoint. Le patient doit mâcher une gomme chaque fois qu'il éprouve un besoin impérieux de fumer. Recommander au patient de mâcher la gomme lentement jusqu'à ce qu'il ressente des picotements (après environ 4 à 5 mastications). Il doit arrêter de mâcher à ce moment et garder la gomme entre la gencive et la joue jusqu'à ce que la sensation de picotement disparaisse (après 1 min environ). Il faut répéter ces deux opérations pendant environ 30 min. Expliquer au patient que s'il mâche rapidement et vigoureusement la gomme, des effets secondaires similaires à ceux provoqués par la consommation d'un nombre excessif de cigarettes peuvent se manifester : céphalées, étourdissements, nausées, salivation accrue, brûlures d'estomac et hoquet.
- ☐ Les patients portant des dentiers peuvent habituellement mâcher cette gomme. Conseiller au patient de consulter le dentiste si la gomme adhère aux ponts.
- ☐ Expliquer au patient qu'il peut arrêter le traitement lorsque 1 ou 2 gommes par jour suffisent à satisfaire ses besoins en nicotine. La durée du traitement ne devrait pas dépasser 6 mois, en raison de la dépendance psychologique et physique qu'il peut entraîner. L'arrêt prématuré du traitement peut entraîner les symptômes de sevrage suivants : anxiété, irritabilité,

malaise gastro-intestinal, céphalées, étourdissements ou besoin impérieux de tabac).

☐ Prévenir le patient qu'il ne doit pas avaler la gomme.

☐ Expliquer au patient qu'il doit garder la gomme hors de la portée des enfants. Lui conseiller de contacter immédiatement le centre antipoison, le service d'urgence ou le médecin si un enfant avale la gomme.

☐ Insister sur le fait qu'il faut arrêter le traitement par la gomme et prévenir le médecin en cas de grossesse.

☐ Lire avec le patient le mode d'emploi qui se trouve dans l'emballage.

VÉRIFICATION DES RÉSULTATS

L'efficacité du traitement peut être démontrée par: la diminution des symptômes de sevrage nicotinique chez les patients participant à un programme surveillé d'abandon du tabac. Le traitement ne doit pas se prolonger au-delà de 6 mois; chez la plupart des patients le sevrage devrait être graduel après 3 mois de traitement.

NIFÉDIPINE

Adalat, Adalat PA, Adalat XL, Apo-Nifed, Gen-Nifédipine, Novo-Nifedin, Nu-Nifed, (Procardia), (Procardia XL)

CLASSIFICATION:
Inhibiteur calcique; antiangineux; vasodilatateur coronarien

Grossesse – catégorie C

INDICATIONS

■ **PO:** Traitement de l'angine de poitrine d'effort (angor stable chronique) ou de l'angine due à un vasospasme (angor de Prinzmetal) ■ Traitement de l'hypertension. **Usages non approuvés:** ■ **Administration sublinguale:** Traitement de la crise hypertensive ■ **PO:** Traitement des migraines, de la maladie de Raynaud et de l'insuffisance cardiaque.

ACTION

■ Vasodilatation coronarienne par action sur les canaux calciques lents du myocarde et des muscles lisses vasculaires. **Effets thérapeutiques:** ■ Vasodilatation coronarienne et diminution subséquente de la fréquence et de la gravité des crises d'angine de poitrine ■ Abaissement de la pression artérielle.

PHARMACOCINÉTIQUE

Absorption: Le médicament est bien absorbé par suite de l'administration par voie orale, mais des quantités importantes étant rapidement métabolisées, la biodisponibilité est réduite (de 45 à 70 %). La biodisponibilité de la préparation à libération prolongée (XL) est accrue (80 %).

Distribution: Inconnue.

Métabolisme et excrétion: Le médicament est surtout métabolisé par le foie.

Demi-vie: De 2 à 5 h.

CONTRE-INDICATIONS ET PRÉCAUTIONS

Contre-indications: ■ Hypersensibilité ■ Hypotension grave.

Précautions: ■ Maladie hépatique grave (réduire la dose) ■ Insuffisance cardiaque ■ Œdème ■ Sténose aortique ■ Grossesse, allaitement ou enfants (l'innocuité du médicament n'a pas été établie).

RÉACTIONS INDÉSIRABLES ET EFFETS SECONDAIRES

SNC: étourdissements, sensation de tête légère, vertiges, céphalées, nervosité.

ORLO: congestion nasale, maux de gorge.

Resp.: dyspnée, toux, respiration sifflante.

CV: œdème périphérique, hypotension, syncope, INSUFFISANCE CARDIAQUE, INFARCTUS DU MYOCARDE, arythmies ventriculaires, tachycardie.

GI: nausées, brûlures d'estomac, gêne abdominale, hépatite, diarrhée, constipation, flatulence.

Loc.: crampes musculaires.

Tég.: rougeur, chaleur, rash, transpiration.

Divers: fièvre.

INTERACTIONS

Médicament – médicament: ■ Risque accru de bradycardie, d'anomalies de la conduction et d'insuffisance cardiaque lors de l'administration concomitante de **bêtabloquants**, de **disopyramide** ou de **digoxine** ■ La **cimétidine** peut ralentir le métabolisme de la nifédipine et entraîner la toxicité ■ Risque d'hypotension grave lors de l'administration simultanée de **fentanyl** ■ Hypotension additive lors de l'administration simultanée d'**agents antihypertenseurs** ou de **dérivés nitrés** ou lors de l'ingestion d'**alcool** ■ La nifédipine peut entraîner l'élévation des concentrations sanguines de **digoxine** et le risque de toxicité ■ Les **anti-inflammatoires non stéroïdiens**, administrés simultanément, peuvent réduire les effets antihypertenseurs de la nifédipine.

VOIES D'ADMINISTRATION ET POSOLOGIE

- **PO (adultes):** de 10 à 30 mg, 3 ou 4 fois par jour (ne pas dépasser 120 mg par jour), de 10 à 20 mg de la préparation à libération prolongée (PA), 2 fois par jour (ne pas dépasser 80 mg par jour), ou de 30 à 60 mg de la préparation à libération prolongée (XL), une fois par jour (ne pas dépasser de 90 à 120 mg par jour).

- **Administration sublinguale (adultes):** dose initiale de 10 mg, suivie d'une deuxième dose de 20 à 30 min plus tard (usage non approuvé).

PHARMACODYNAMIE
(effets sur la pression artérielle)

	DÉBUT D'ACTION	PIC	DURÉE
PO	20 min	inconnu	6 – 8 h
PO (Adalat PA)	inconnu	inconnu	12 h
PO (Adalat XL)	inconnu	inconnu	24 h

※ SOINS INFIRMIERS

ÉVALUATION DE LA SITUATION

- **Directives générales:** Mesurer la pression artérielle et le pouls avant d'administrer le médicament. Suivre l'ÉCG à intervalles réguliers chez le patient recevant un traitement prolongé. Il faut suivre de près la pression artérielle chez les patients qui reçoivent l'agent pour le traitement de l'hypertension.

- ☐ Effectuer le bilan quotidien des ingesta et des excreta et peser le patient tous les jours. Suivre de près les signes suivants d'insuffisance cardiaque: œdème périphérique, râles ou crépitations, dyspnée, gain pondéral, turgescence des jugulaires.

- ☐ Doser régulièrement les concentrations sériques de digoxine et suivre les signes et les symptômes de toxicité digitalique chez les patients prenant ce type de médicament avec la nifédipine.

- ☐ Noter à intervalles réguliers les résultats des tests de l'exploration fonctionnelle hépatique et rénale chez les patients qui suivent un traitement prolongé.

- **Angine:** Déterminer l'emplacement, la durée et l'intensité de l'angine de poitrine et les facteurs qui la déclenchent.

- **Étude des examens diagnostiques et biochimiques:** La nifédipine peut entraîner l'élévation des concentrations de phosphatase alcaline, de CPK, de LDH, de TGOS (AST) et de TGPS (ALT).

- ☐ La nifédipine peut entraîner des résultats positifs au test de Coombs direct.

DIAGNOSTICS INFIRMIERS POSSIBLES

- **Énoncés diagnostiques**
- ☐ Diminution du débit cardiaque.
- ☐ Douleur.

□ Prise en charge inefficace du programme thérapeutique.

□ *Risque élevé d'accident.*

■ **Facteurs favorisants**

□ Informations incomplètes.

□ *Manque de connaissances sur les modalités du traitement.*

□ *Perturbation de la vigilance.*

□ *Manque de connaissances sur les effets hypotensifs du médicament lors des changements brusques de position.*

INTERVENTIONS INFIRMIÈRES

■ **PO :** On peut administrer le médicament avec des aliments si l'irritation gastrique devient gênante. Les comprimés à libération prolongée ou les capsules doivent être avalés tels quels, sans être croqués, mâchés ni broyés.

■ **Administration sublinguale :** On peut administrer la nifédipine en perçant la capsule à l'aide d'une aiguille stérile et en pressant le contenu de la capsule dans la cavité buccale. La dose est identique à celle administrée par voie orale. On a noté que, pour traiter une crise hypertensive, il est tout aussi utile de mâcher les capsules que de les administrer par voie sublinguale.

ENSEIGNEMENT AU PATIENT ET À SES PROCHES

■ **Directives générales :** Conseiller au patient de respecter scrupuleusement la posologie recommandée. L'avertir qu'il ne doit jamais sauter une dose, ni remplacer une dose manquée par une double dose. Dans certains cas, le traitement à la nifédipine doit être arrêté graduellement.

□ Recommander au patient de changer lentement de position pour diminuer le risque d'hypotension orthostatique.

□ Prévenir le patient que la nifédipine peut parfois provoquer des étourdissements. Lui conseiller de ne pas conduire et d'éviter les activités qui exigent sa vigilance jusqu'à ce qu'on

ait la certitude que le médicament n'entraîne pas cet effet chez lui.

□ Conseiller au patient d'éviter de boire de l'alcool et de consulter le médecin ou le pharmacien avant de prendre un médicament en vente libre en même temps que la nifédipine.

□ Inciter le patient à prévenir le médecin si les symptômes suivants se manifestent : extrasystoles, dyspnée, enflure des mains et des pieds, étourdissements prononcés, nausées, constipation ou hypotension.

■ **Angine :** Expliquer au patient qu'une crise d'angine peut se manifester 30 min après l'administration de la nifédipine en raison de la tachycardie réflexe. Cet effet est habituellement passager et ne dicte pas l'abandon du traitement.

□ Expliquer au patient, qui suit un traitement simultané par un dérivé nitré ou un bêtabloquant, qu'il doit prendre les deux médicaments comme ils lui ont été prescrits et utiliser la nitroglycérine sublinguale, selon les besoins, si une crise d'angine survient.

□ Recommander au patient de prévenir le médecin si la douleur thoracique ne diminue pas, si elle s'aggrave après le traitement, si elle s'accompagne de diaphorèse ou d'essoufflements ou si des céphalées graves et persistantes se manifestent.

■ **Hypertension :** Inciter le patient à appliquer d'autres mesures de réduction de l'hypertension : perdre du poids, réduire sa consommation de sel, diminuer le stress, faire régulièrement de l'exercice, boire modérément et cesser de fumer.

VÉRIFICATION DES RÉSULTATS

L'efficacité du traitement peut être démontrée par : ■ la diminution de la fréquence et de la gravité des crises d'angine □ un moindre recours aux dérivés nitrés □ l'augmentation de la tolérance à l'effort et une sensation de bien-être ■ l'abaissement de la pression artérielle.

NIMODIPINE
Nimotop

CLASSIFICATION:
Inhibiteur calcique

Grossesse – catégorie C

INDICATIONS
Prévention des spasmes cérébrovasculaires dans le traitement de l'hémorragie sous-arachnoïdienne à la suite de la rupture d'un anévrisme intracérébral.

ACTION
■ Vasodilatation par action sur les canaux calciques lents situés dans les cellules des muscles lisses vasculaires ■ Effet spasmolytique spécifique possible sur les artères cérébrales lorsque la nimodipine se trouve en forte concentration dans le SNC. **Effets thérapeutiques:** ■ Prévention des spasmes vasculaires à la suite d'une hémorragie sous-arachnoïdienne, réduisant l'atteinte neurologique.

PHARMACOCINÉTIQUE
Absorption: Le médicament est bien absorbé par suite de l'administration par voie orale, mais, en raison du métabolisme hépatique rapide, sa biodisponibilité est réduite.
Distribution: La nimodipine traverse la barrière hémato-encéphalique. Le reste de la distribution demeure inconnu.
Métabolisme et excrétion: Le médicament est surtout métabolisé par le foie.
Demi-vie: De 1 à 2 h

CONTRE-INDICATIONS ET PRÉCAUTIONS
Contre-indications: ■ Hypersensibilité ■ Hypersensibilité au polyéthylène-glycol et à l'éthanol (préparation IV seulement).
Précautions: Hypertension grave.

RÉACTIONS INDÉSIRABLES ET EFFETS SECONDAIRES
SNC: troubles psychiatriques, céphalées, étourdissements.

Resp.: essoufflement, dyspnée, respiration sifflante.
CV: hypotension, tachycardie, bradycardie, œdème périphérique.
GI: nausées, constipation, hépatite, gêne abdominale.
Tég.: dermatite, rash, rougeur.
Loc.: crampes musculaires.

INTERACTIONS
Médicament – médicament: ■ Hypotension additive lors de l'administration simultanée d'**antihypertenseurs** et de **dérivés nitrés** ou lors de l'ingestion d'**alcool** ■ Risque de dépression myocardique additive lors de l'administration simultanée de **bêtabloquants** ■ Risque d'hypotension grave lors de l'administration simultanée de **fentanyl** ■ Risque de dépression additive du SNC lors de l'usage d'**autres dépresseurs du SNC** en même temps que la nimodipine IV, car cette préparation renferme 20 % d'éthanol.

VOIES D'ADMINISTRATION ET POSOLOGIE
Remarque: Il faut amorcer le traitement dans les 96 h qui suivent le début de l'hémorragie sous-arachnoïdienne.
■ **PO (adultes):** 60 mg, toutes les 4 h, pendant 21 jours.
■ **IV (adultes):** 5 mL (1 mg) à l'heure pendant les deux premières heures; si la dose est tolérée ou s'il n'y a pas de baisse importante de la pression artérielle, augmenter la dose jusqu'à 10 mL (2 mg) à l'heure et poursuivre le traitement pendant 7 à 10 jours après le début de l'hémorragie sous-arachnoïdienne. Substituer ensuite la voie orale à la voie parentérale, si possible.

PHARMACODYNAMIE

	DÉBUT D'ACTION	PIC	DURÉE
PO	inconnu	inconnu	inconnue
IV	inconnu	inconnu	inconnue

✳ SOINS INFIRMIERS

ÉVALUATION DE LA SITUATION

- ☐ Évaluer l'état neurologique du patient (état de la conscience, mouvement) avant l'administration du médicament et pendant toute sa durée.
- ☐ Mesurer la pression artérielle avant et pendant l'administration du médicament.
- ☐ Effectuer le bilan quotidien des ingesta et des excreta et peser le patient tous les jours. Surveiller l'œdème périphérique à intervalles réguliers pendant toute la durée du traitement.
- ■ **Étude des examens diagnostiques et biochimiques:** La nimodipine peut entraîner la diminution du nombre de plaquettes.
- ☐ La nimodipine peut entraîner l'élévation des concentrations sériques de phosphatase alcaline, de LDH, de TGPS (ALT) et de glucose.

DIAGNOSTICS INFIRMIERS POSSIBLES

- ■ **Énoncés diagnostiques**
- ☐ Risque élevé d'accident.
- ☐ Prise en charge inefficace du programme thérapeutique.
- ■ **Facteurs favorisants**
- ☐ Informations incomplètes.
- ☐ *Manque de connaissances sur les effets hypotensifs du médicament lors des changements brusques de position.*

INTERVENTIONS INFIRMIÈRES

- ■ **Directives générales:** Amorcer l'administration du médicament dans les 96 h qui suivent le début de l'hémorragie sous-arachnoïdienne et poursuivre le traitement pendant 21 jours consécutifs.
- ■ **Perfusion continue:** La nimodipine IV doit être administrée avec une solution IV au moyen d'un robinet à 3 voies raccordé à un cathéter central. Seules les solutions de dextrose à 5 % dans de l'eau, de lactate Ringer,

de dextran 40 ou de NaCl sont compatibles avec le médicament.

- ☐ Un rapport de 1 : 4 entre le débit de la solution de nimodipine et celui de la solution IV doit toutefois être maintenu pour éviter la précipitation de l'agent, qu'on observe avec des dilutions plus élevées.
- ☐ Puisque le chlorure de polyvinyle (P.V.C.) adsorbe la nimodipine, n'utiliser que des tubulures de perfusion en polyéthylène et des rallonges, des robinets ou des raccords en polyéthylène ou en polypropylène.
- ☐ Éviter d'administrer la solution de nimodipine dans une pièce ensoleillée, car l'agent est légèrement photosensible. Par contre, aucune mesure de protection n'est nécessaire pendant une période allant jusqu'à 10 h si le médicament est administré dans une pièce où la lumière du jour est diffuse ou l'éclairage, artificiel.
- ☐ Les tubulures IV doivent être changées toutes les 24 h.
- ☐ Le fabricant ne recommande pas d'admixtion.
- ■ **PO:** Si le patient ne peut avaler la capsule, on peut perforer les 2 extrémités de celle-ci à l'aide d'une aiguille de calibre 18 et en aspirer le contenu dans une seringue. Verser ensuite dans de l'eau ou dans une sonde nasogastrique et rincer avec 30 mL de solution de NaCl à 0,9 %.

ENSEIGNEMENT AU PATIENT ET À SES PROCHES

- ☐ Conseiller au patient de respecter scrupuleusement la posologie recommandée. L'avertir qu'il ne doit jamais sauter de dose ni remplacer une dose manquée par une double dose.
- ☐ Recommander au patient de changer lentement de position pour diminuer le risque d'hypotension orthostatique.
- ☐ Inciter le patient à prévenir le médecin si les symptômes suivants se manifestent: extrasystoles, dyspnée, enflure

des mains et des pieds, étourdissements prononcés, nausées, constipation, hypotension ou céphalées persistantes.

VÉRIFICATION DES RÉSULTATS

L'efficacité du traitement peut être démontrée par: l'amélioration des lésions neurologiques attribuables aux spasmes vasculaires à la suite d'une hémorragie sous-arachnoïdienne.

NITROFURANTOÏNE

Apo-Nitrofurantoïn, Macrodantin, Nephronex, Novo-Furan, (Furadantin), (Furalan), (Furan), (Macpac)

CLASSIFICATION:
Anti-infectieux – divers

Grossesse – catégorie inconnue

INDICATIONS

■ Traitement des infections urinaires dues aux micro-organismes sensibles. La nitrofurantoïne n'est pas efficace dans le traitement des infections bactériennes systémiques ou des prostatites ■ Traitement suppressif de longue durée des infections des voies urinaires.

ACTION

■ Inhibition des enzymes bactériennes. **Effets thérapeutiques:** ■ Action bactéricide ou bactériostatique contre les micro-organismes sensibles. **Spectre d'action:** ■ Action contre de nombreux micro-organismes à Gram négatif et contre certains micro-organismes à Gram positif, notamment: □ *Citrobacter* □ *Corynebacterium* □ *Enterobacter* □ *Escherichia coli* □ *Klebsiella* □ *Neisseria* □ *Salmonella* □ *Shigella* □ *Staphylococcus aureus* □ *Staphylococcus epidermidis* □ *Enterococcus*.

PHARMACOCINÉTIQUE

Absorption: Par suite de l'administration par voie orale, l'absorption est rapide.

L'absorption est plus lente, mais plus complète lors de l'administration de la préparation contenant des macrocristaux (Macrodantin).

Distribution: L'agent traverse le placenta et pénètre dans le lait maternel.

Métabolisme et excrétion: La nitrofurantoïne est en partie métabolisée par le foie. Une fraction de 30 à 50 % est excrétée à l'état inchangé par les reins.

Demi-vie: 20 min (prolongée en cas d'insuffisance rénale).

CONTRE-INDICATIONS ET PRÉCAUTIONS

Contre-indications: ■ Hypersensibilité ■ Hypersensibilité aux parabènes (suspension) ■ Oligurie ou anurie ■ Nouveau-nés de moins de 1 mois et grossesse près du terme (risque accru d'anémie hémolytique chez le nouveau-né) ■ Carence en glucose-6-phosphate déshydrogénase (G6-PD).

Précautions: ■ Patients diabétiques ou débilités (risque accru de neuropathie) ■ Grossesse et allaitement (antécédents d'utilisation lors de la grossesse même si l'innocuité du médicament n'a pas été établie).

RÉACTIONS INDÉSIRABLES ET EFFETS SECONDAIRES

SNC: étourdissements, céphalées, somnolence.

ORLO: nystagmus.

Resp.: pneumopathie inflammatoire.

CV: douleurs thoraciques.

GI: nausées, vomissements, anorexie, diarrhée, douleurs abdominales, hépatite.

GU: urine de couleur rouille ou brune.

Tég.: photosensibilité.

Hémat.: dyscrasie, anémie hémolytique.

SN: neuropathie périphérique.

INTERACTIONS

Médicament – médicament: ■ Le **probénécide** et la **sulfinpyrazone**, administrés simultanément, empêchent l'atteinte de fortes concentrations dans l'urine et peuvent diminuer l'efficacité de la nitrofurantoïne ■ Les **antiacides** peuvent réduire l'absorption de la nitrofurantoïne ■ Risque accru de neurotoxicité lors de l'administration de **médicaments neurotoxiques** ■ Risque accru d'hépatotoxicité lors de l'administration de **médicaments hépatotoxiques** ■ Risque accru de pneumopathie inflammatoire lors de l'administration de **médicaments entraînant une toxicité pulmonaire** ■ La nitrofurantoïne diminue les effets anti-infectieux des **fluoroquinolones**.

VOIES D'ADMINISTRATION ET POSOLOGIE

Infection en évolution

- **PO (adultes):** de 50 à 100 mg, en doses fractionnées, toutes les 6 h.
- **PO (enfants > 1 mois):** de 5 à 7 mg/kg par jour, en doses fractionnées, toutes les 6 h.

Traitement suppressif de longue durée

- **PO (adultes):** de 50 à 100 mg, en une seule dose, le soir.
- **PO (enfants):** 1 mg/kg par jour, en une seule dose ou en 2 doses fractionnées.

PHARMACODYNAMIE
(concentrations urinaires)

	DÉBUT D'ACTION	PIC
PO	inconnu	30 min

☼ SOINS INFIRMIERS

ÉVALUATION DE LA SITUATION

- ☐ Avant le traitement et à intervalles réguliers pendant toute sa durée, surveiller les signes et les symptômes suivants d'infection urinaire : mictions fréquentes, besoin impérieux d'uriner, miction qui s'accompagne de douleurs ou de brûlures, fièvre, urine trouble ou nauséabonde.

- ☐ Prélever des échantillons pour les cultures et les antibiogrammes avant l'administration et pendant toute sa durée.
- ☐ Effectuer le bilan des ingesta et des excreta. Prévenir le médecin de tout écart important.
- ■ **Étude des examens diagnostiques et biochimiques :** Suivre de près la numération globulaire chez les patients qui suivent un traitement de longue durée.
- ☐ La nitrofurantoïne peut entraîner l'élévation des concentrations sériques de glucose, de bilirubine, de phosphatase alcaline, d'urée et de créatinine.
- ☐ La nitrofurantoïne peut entraîner des résultats faussement positifs au dosage du glucose urinaire par la méthode au sulfate de cuivre (Clinitest). Pour déterminer la glycosurie, utiliser plutôt la méthode à la glucose-oxydase (Ketodiastix ou Tes-Tape).

DIAGNOSTICS INFIRMIERS POSSIBLES

- ■ **Énoncés diagnostiques**
- ☐ Risque élevé d'infection.
- ☐ Douleur.
- ☐ Prise en charge inefficace du programme thérapeutique.
- ☐ *Risque élevé d'anxiété.*
- ☐ *Risque élevé d'accident.*
- ☐ *Risque élevé de déficit de volume liquidien.*

- ■ **Facteurs favorisants**
- ☐ Informations incomplètes.
- ☐ *Manque de connaissances sur la méthode d'administration du médicament.*
- ☐ *Perturbation de la vigilance.*
- ☐ *Manque de connaissances sur les effets secondaires du médicament.*
- ☐ *Manque de connaissances sur les effets secondaires affectant l'appareil gastro-intestinal.*

INTERVENTIONS INFIRMIÈRES

- ■ **PO:** Administrer la nitrofurantoïne avec des aliments ou du lait pour réduire l'irritation gastro-intestinale, pour retarder et intensifier l'absorption, pour augmenter les concentrations maximales et pour prolonger la durée des concentrations thérapeutiques dans l'urine.

☐ Ne pas broyer les comprimés, ne pas ouvrir les capsules.

☐ Mesurer les préparations liquides dans un récipient gradué. Bien agiter avant l'administration. On peut mélanger les suspensions orales avec de l'eau, du lait, du jus de fruits ou des préparations pour nourrissons. Recommander au patient de se rincer la bouche avec de l'eau après avoir pris la suspension orale, car elle tache les dents.

ENSEIGNEMENT AU PATIENT ET À SES PROCHES

☐ Prévenir le patient qu'il doit prendre le médicament à intervalles réguliers, 24 h sur 24, exactement comme il lui a été prescrit. S'il n'a pas pu prendre le médicament au moment habituel, il doit le faire dès que possible et prendre la dose suivante en l'espaçant de 2 à 4 h. Lui recommander de ne pas sauter de dose ni de remplacer une dose manquée par une double dose.

☐ Prévenir le patient que la nitrofurantoïne peut parfois provoquer des étourdissements et de la somnolence. Lui conseiller de ne pas conduire et d'éviter les activités qui exigent sa vigilance jusqu'à ce qu'on ait la certitude que le médicament n'entraîne pas ces effets chez lui.

☐ Prévenir le patient que son urine peut virer au jaune rouille ou au brun, mais que ce changement de couleur n'a aucun effet sur le plan clinique.

☐ Conseiller au patient de prévenir le médecin si les symptômes suivants se manifestent : fièvre, frissons, toux, douleurs thoraciques, dyspnée, rash, engourdissements ou picotements des doigts et des orteils ou gêne gastro-intestinale intolérable. Recomman-

der au patient d'informer également le médecin si les signes suivants de surinfection se manifestent : urine laiteuse et nauséabonde, irritation périnéale, dysurie.

☐ Inciter le patient à prévenir le médecin s'il ne note aucune amélioration quelques jours après le début du traitement.

VÉRIFICATION DES RÉSULTATS

L'efficacité du traitement peut être démontrée par : ■ la disparition des signes et des symptômes d'infection. Le traitement doit être maintenu pendant un minimum de 7 jours et pendant au moins 3 jours après que l'urine soit devenue stérile ■ la diminution de la fréquence des infections lors d'un traitement suppressif prolongé.

NITROGLYCÉRINE

NITROGLYCÉRINE, COMPRIMÉS À LIBÉRATION PROLONGÉE
Nitrong-SR, (Klavikordal), (Niong), (Nitronet)

NITROGLYCÉRINE BUCCO-GINGIVALE, COMPRIMÉS À LIBÉRATION PROLONGÉE
Nitrogard-SR, (Nitrogard)

NITROGLYCÉRINE IV
Tridil, (Nitro-bid), (Nitrol), (Nitrostat)

NITROGLYCÉRINE, PULVÉRISATEUR LINGUAL
Nitrolingual

NITROGLYCÉRINE, POMMADE
Nitrol, (Nitro-bid), (Nitrong)

N

NITROGLYCÉRINE, COMPRIMÉS SUBLINGUAUX

Nitrostat

NITROGLYCÉRINE, TIMBRE TRANSDERMIQUE

Nitro-Dur, Transderm-Nitro, (Deponit), (Nitrocine), (Nitro-Dur II), (NTS)

CLASSIFICATION:

*Vasodilatateur – dérivé nitré ;
antiangineux, vasodilatateur coronarien*

Grossesse – catégorie C

INDICATIONS

■ **Voies linguale et sublinguale, comprimé bucco-gingival:** Prévention et traitement des crises d'angine de poitrine ■ **Comprimé à libération prolongée, comprimé bucco-gingival, pommade, timbre transdermique:** Traitement prophylactique de longue durée de l'angine de poitrine ■ **IV:** Traitement de l'insuffisance cardiaque associée à un infarctus du myocarde aigu ; traitement de l'angine de poitrine chez les patients qui n'ont pas répondu au traitement traditionnel ■ **IV:** Induction d'une hypotension contrôlée pendant une intervention chirurgicale. **Usage non approuvé:** ■ **PO, timbre transdermique, pommade:** Traitement d'appoint de l'insuffisance cardiaque.

ACTION

■ Augmentation du débit coronarien par la dilatation des artères coronaires et par l'amélioration de l'irrigation des territoires ischémiés par la circulation collatérale ■ Vasodilatation (la vasodilation veineuse est plus importante que la vasodilatation artérielle) ■ Diminution de la pression et du volume télédiastolique du ventricule gauche (précharge) ■ Réduction de la consommation d'oxygène par le myocarde. **Effets thérapeutiques:** ■ Soulagement ou prévention des crises d'angine ■ Élévation du débit cardiaque.

PHARMACOCINÉTIQUE

Absorption: Bonne absorption par suite de l'administration par voies orale, buccogingivale et sublinguale. La nitroglycérine est également absorbée par la peau. La nitroglycérine administrée par voie orale est rapidement métabolisée, ce qui en réduit la biodisponibilité.

Distribution: Inconnue.

Métabolisme et excrétion: Le médicament est rapidement et presque entièrement métabolisé par le foie. Il est aussi métabolisé par les enzymes du sang.

Demi-vie: De 1 à 4 min.

CONTRE-INDICATIONS ET PRÉCAUTIONS

Contre-indications: ■ Hypersensibilité ■ Anémie grave ■ Tamponade cardiaque ■ Péricardite constrictive ■ Intolérance à l'alcool (doses IV importantes seulement).

Précautions: ■ Traumatisme crânien ou hémorragie cérébrale ■ Grossesse (risque d'altération de la circulation maternofœtale) ■ Enfants ou allaitement (l'innocuité du médicament n'a pas été établie) ■ Glaucome ■ Myocardiopathie hypertrophique ■ Insuffisance hépatique grave ■ Malabsorption ou hypermotilité (voie orale) ■ Hypovolémie (IV) ■ Pression capillaire pulmonaire normale ou basse (IV) ■ Cardioversion (retirer le timbre transdermique au préalable).

RÉACTIONS INDÉSIRABLES ET EFFETS SECONDAIRES

SNC: céphalées, appréhension, faiblesse, étourdissements, sensation de tête légère, agitation.

ORLO: vision trouble.

CV: hypotension, tachycardie, syncope.

GI: nausées, vomissements, douleurs abdominales.

Tég.: dermatite de contact (timbre transdermique ou pommade).

Divers: bouffées vasomotrices, tolérance aux effets du médicament, tolérance croisée, intoxication à l'alcool (doses IV importantes seulement).

INTERACTIONS

Médicament – médicament : ■ Hypotension additive, lors de l'administration simultanée d'**antihypertenseurs**, de **bêta-bloquants**, d'**inhibiteurs calciques**, d'**halopéridol** et de **phénothiazines** et lors de l'ingestion d'**alcool** ■ Les agents doués de **propriétés anticholinergiques (antidépresseurs tricycliques, antihistaminiques, phénothiazines)** peuvent diminuer l'absorption de la nitroglycérine sublinguale ou bucco-gingivale.

PRÉSENTATION

La nitroglycérine est présentée sous forme de comprimés bucco-gingivaux à libération prolongée, de pulvérisateur lingual, de comprimés à libération prolongée, de comprimés sublinguaux, de pommade, de timbre transdermique et de solution destinée à l'administration IV.

VOIES D'ADMINISTRATION ET POSOLOGIE

Remarque : Le tableau des vitesses de perfusion se trouve à l'annexe D.
- **Voie sublinguale (adultes) :** de 0,3 à 0,6 mg ; on peut répéter l'administration, toutes les 5 min pendant 15 min en cas de crise aiguë.
- **Pulvérisateur lingual (adultes) :** (0,4 mg/vaporisation) 1 ou 2 vaporisations ; on peut répéter l'administration de cette dose 2 fois à intervalles de 5 à 10 min.
- **Voie bucco-gingivale (adultes) :** déposer 1 comprimé à 1 mg sur la muqueuse buccale (sous la lèvre supérieure ou entre la joue et la gencive), toutes les 5 h ; la dose et la fréquence d'administration peuvent être augmentées selon les besoins.
- **PO (adultes) :** (Nitrong-SR) – 1 comprimé 3 fois par jour (on peut augmenter la posologie graduellement jusqu'à 2 comprimés, 3 fois par jour.

- **IV (adultes) :** 5 µg/min, augmenter par paliers de 5 µg/min, toutes les 3 à 5 min jusqu'à concurrence de 20 µg/min, puis augmenter par paliers de 10 puis de 20 µg/min, toutes les 3 à 5 min (la dose est déterminée par les paramètres hémodynamiques).
- **Pommade (adultes) :** (2,5 cm = 15 mg) de 1,25 à 10 cm, toutes les 3 à 8 h (jusqu'à 12,5 cm, toutes les 4 h).
- **Timbre transdermique :** de 2,4 à 19 mg par période de 24 h.

PHARMACODYNAMIE
(effets cardiovasculaires)

	DÉBUT D'ACTION	PIC	DURÉE
voie sublinguale	1 – 3 min	inconnu	30 – 60 min
voie bucco-gingivale (libération prolongée)	inconnu	inconnu	5 h
PO	40 – 60 min	inconnu	8 – 12 h
pommade	15 – 60 min	inconnu	3 – 8 h
timbre	40 – 60 min	inconnu	8 – 24 h
IV	immédiat	inconnu	plusieurs minutes

SOINS INFIRMIERS

ÉVALUATION DE LA SITUATION

- ☐ Établir le siège, la durée et l'intensité de la douleur angineuse de même que les facteurs déclenchants.
- ☐ Mesurer la pression artérielle et le pouls avant et après l'administration. Surveiller constamment l'ÉCG et la pression artérielle chez les patients recevant la nitroglycérine par voie IV. Le médecin peut prescrire l'évaluation d'autres paramètres hémodynamiques.
- ■ **Étude des examens diagnostiques et biochimiques :** La nitroglycérine peut entraîner l'élévation des concentrations urinaires de catécholamine et d'acide vanillylmandélique.

N

□ L'administration de doses excessives peut entraîner l'élévation des concentrations de méthémoglobine.

□ La nitroglycérine peut entraîner des concentrations sériques faussement élevées de cholestérol.

DIAGNOSTICS INFIRMIERS POSSIBLES

■ **Énoncés diagnostiques**

□ Douleur.

□ Diminution de l'irrigation des tissus cardiaques.

□ Prise en charge inefficace du programme thérapeutique.

□ *Risque élevé d'accident.*

□ *Risque élevé d'atteinte à l'intégrité de la peau.*

■ **Facteurs favorisants**

□ Informations incomplètes.

□ *Manque de connaissances sur les effets hypotensifs du médicament lors des changements brusques de position.*

□ *Manque de connaissances sur la méthode d'administration du médicament.*

□ *Manque de connaissances sur les modalités du traitement.*

INTERVENTIONS INFIRMIÈRES

■ **PO:** Administrer l'agent 1 h avant les repas ou 2 h après, avec un grand verre d'eau pour accélérer l'absorption. Les comprimés à libération prolongée doivent être avalés tels quels sans être broyés, brisés ni croqués.

■ **Voie sublinguale:** Les comprimés sublinguaux doivent être gardés sous la langue jusqu'à leur dissolution. Il ne faut pas manger, boire ou fumer jusqu'à ce que le comprimé soit dissous.

■ **Comprimé bucco-gingival:** Introduire le comprimé sous la lèvre supérieure ou entre la joue et les gencives. On peut accélérer le début d'action de la nitroglycérine en touchant le comprimé avec la langue ou en buvant des boissons chaudes.

■ **IV:** Diluer les doses et administrer en perfusion. Les nécessaires de perfusion standard en chlorure de polyvinyle (CPV) peuvent absorber jusqu'à 80 % de la nitroglycérine en solution. Utiliser exclusivement des flacons en verre et la tubulure fournie par le fabricant.

■ **Perfusion continue:** Diluer dans une solution de dextrose à 5 % dans de l'eau ou une solution de NaCl à 0,9 % à une concentration de 25 à 40 µg/mL selon la tolérance du patient aux liquides (le tableau des vitesses de perfusion se trouve à l'annexe D). La solution est stable pendant 24 h à la température ambiante. Elle n'est pas explosive ni avant ni après la dilution.

□ *Vitesse de perfusion:* Utiliser une pompe de perfusion afin d'assurer l'administration de quantités précises de médicament. Adapter la vitesse de perfusion selon la réaction du patient.

■ **Association compatible dans la même seringue:** Héparine.

■ **Compatibilités (tubulure en Y):** Amrinone, atracurium, dobutamine, dopamine, famotidine, lidocaïne, nitroprusside, pancuronium, ranitidine, streptokinase ou vécuronium.

■ **Incompatibilités en addition au soluté:** Le fabricant ne recommande pas de mélanger la nitroglycérine à d'autres médicaments.

■ **Préparation topique:** Il faut appliquer la préparation topique à des endroits différents afin de prévenir l'irritation cutanée. Retirer l'ancien timbre ou les restes de pommade avant d'effectuer une nouvelle administration.

□ On peut augmenter la dose jusqu'à la dose la plus élevée qui ne provoque pas d'hypotension symptomatique.

□ Pour appliquer la pommade, on devrait se servir du papier applicateur fourni dans l'emballage. Sortir du tube une quantité de pommade qui correspond à la gradation inscrite sur le papier applicateur. Étaler une mince couche uniforme de pommade à l'aide du papier applicateur sur une partie de peau dépourvue de poils (poitrine, abdomen, cuisses; éviter les parties distales des membres) pour en recouvrir un territoire cutané de 5 × 7,5 cm. Ne pas toucher la pommade avec les mains. Il ne faut pas masser ni faire pénétrer la pommade pour ne pas accélérer l'absorption et en entraver l'effet prolongé. Appliquer un pansement occlusif sur recommandation du médecin seulement.

□ Les timbres transdermiques peuvent être posés sur n'importe quelle surface cutanée glabre (éviter les parties distales des membres ou les régions qui présentent des coupures ou des callosités). Appliquer une forte pression sur le timbre, particulièrement sur son pourtour, afin d'assurer le contact avec la peau. Appliquer un nouveau timbre si le premier se détache ou tombe. Les timbres sont imperméables; ils ne sont par conséquent pas affectés par les douches ou les bains. Il ne faut pas essayer d'adapter la dose en coupant le timbre. Ne pas changer de marque puisque les doses contenues dans les différents timbres peuvent ne pas être équivalentes. Retirer le timbre avant la cardioversion ou la défibrillation afin de prévenir les brûlures. Le médecin peut recommander le retrait du timbre la nuit pour prévenir la tolérance à l'effet du médicament.

ENSEIGNEMENT AU PATIENT ET À SES PROCHES

■ **Directives générales:** Conseiller au patient de respecter scrupuleusement la posologie recommandée, même s'il se sent mieux. S'il n'a pu prendre le médicament au moment habituel, il doit le prendre dès que possible, à moins que la dose suivante ne soit prévue dans les 2 h (6 h dans le cas des préparations à libération prolongée). Le prévenir qu'il ne faut jamais prendre une double dose. Lui recommander de ne pas interrompre brusquement le traitement, car un sevrage graduel pourrait s'imposer pour prévenir l'angine rebond.

□ Recommander au patient de changer lentement de position pour réduire les risques d'hypotension orthostatique.

□ Conseiller au patient d'éviter de boire de l'alcool pendant qu'il suit le traitement à la nitroglycérine. Conseiller au patient de consulter le médecin ou le pharmacien avant de prendre un médicament en vente libre en même temps que la nitroglycérine.

□ Prévenir le patient que les céphalées sont un effet secondaire courant qui devrait diminuer en intensité à mesure que le traitement se poursuit. Le médecin peut prescrire de l'aspirine ou de l'acétaminophène pour le traitement des céphalées. Recommander au patient de prévenir le médecin si les céphalées sont graves ou persistantes.

□ Conseiller au patient de prévenir le médecin en cas de sécheresse de la bouche ou de vision trouble.

■ **Crises aiguës d'angine:** Recommander au patient de s'asseoir et de prendre le médicament aux premiers signes de crise. Le soulagement survient habituellement dans les 5 min. On peut répéter l'administration en l'absence d'un soulagement dans les 5 à 10 min; si la douleur persiste après l'administration de 3 comprimés en l'espace de 15 min, il faut appeler le médecin ou conduire le patient à l'urgence.

■ **Voie sublinguale:** Expliquer au patient que les comprimés doivent être conservés dans les flacons de verre d'origine et qu'il doit retirer le coton. Les comprimés perdent de leur puissance s'ils sont conservés dans des contenants en plastique ou en carton ou

s'ils sont mélangés à d'autres comprimés ou capsules. L'exposition à l'air, à la chaleur et à l'humidité peut aussi diminuer la puissance du comprimé. Recommander au patient de ne pas ouvrir fréquemment le flacon, de ne pas manipuler les comprimés et de ne pas conserver le flacon près du corps (par exemple dans la poche de la chemise) ni dans le coffre à gants de la voiture. Prévenir le patient qu'il doit remplacer les comprimés 6 mois après avoir ouvert le flacon afin de s'assurer que le médicament garde sa pleine puissance.
■ **Pulvérisateur lingual :** Recommander au patient de soulever sa langue et de vaporiser la dose en dessous.

VÉRIFICATION DES RÉSULTATS

L'efficacité du traitement peut être démontrée par : ■ la diminution de la fréquence et de l'intensité des crises d'angine □ l'augmentation de la tolérance à l'effort ; lors d'un traitement prolongé, la tolérance peut être réduite par une administration intermittente, c'est-à-dire, administrer pendant 12 h et arrêter d'administrer pendant les 12 h suivantes ■ une hypotension contrôlée au cours d'une intervention chirurgicale.

NITROPRUSSIDE

Nipride, (Nitropress)

CLASSIFICATION :
Antihypertenseur – vasodilatateur

Grossesse – catégorie C

INDICATIONS

■ Traitement des crises hypertensives ■ Induction d'une hypotension contrôlée pendant l'anesthésie. **Usage non approuvé :** ■ Traitement de la défaillance de la fonction « pompe » du cœur ou d'un choc cardiogène (en monothérapie ou en association avec de la dopamine).

ACTION

■ Vasodilatation périphérique grâce à l'action directe sur les muscles lisses des veines et des artérioles. **Effets thérapeutiques :** ■ Abaissement rapide de la pression artérielle ■ Diminution de la précharge et de la postcharge cardiaque.

PHARMACOCINÉTIQUE

Absorption : L'administration est réservée à la voie IV, ce qui entraîne une biodisponibilité totale.
Distribution : Inconnue.
Métabolisme et excrétion : Lors du métabolisme, le nitroprusside est rapidement transformé en cyanure dans les érythrocytes et dans les tissus, puis en thiocyanate par le foie.
Demi-vie : Inconnue.

CONTRE-INDICATIONS ET PRÉCAUTIONS

Contre-indications : ■ Hypersensibilité ■ Diminution de l'irrigation cérébrale.
Précautions : ■ Maladie rénale (risque accru d'accumulation de thiocyanate) ■ Maladie hépatique (risque accru d'accumulation de cyanure) ■ Hypothyroïdie ■ Hyponatrémie ■ Grossesse ou allaitement (l'innocuité du médicament n'a pas été établie ■ Carence en vitamine B_{12}.

RÉACTIONS INDÉSIRABLES ET EFFETS SECONDAIRES

SNC : céphalées, étourdissements, agitation.
ORLO : acouphènes, vision trouble.
CV : palpitations, dyspnée, hypotension excessive.
GI : nausées, vomissements, douleurs abdominales.
HÉ : acidose.
Locaux : phlébite au point d'injection IV.
Divers : toxicité au thiocyanate, toxicité au cyanure.

INTERACTIONS

Médicament – médicament : Effets hypotensifs accrus lors de l'administration concomitante de **ganglioplégiques**, d'**anes-**

thésiques généraux et d'autres **antihypertenseurs**.

VOIES D'ADMINISTRATION ET POSOLOGIE

Remarque: Consulter le tableau des vitesses de perfusion de l'annexe D.

- **IV (adultes et enfants):** de 0,5 à 8 µg/kg à la minute. Ne pas administrer pendant plus de 10 min à un débit de perfusion de 8 µg/kg à la minute.

PHARMACODYNAMIE
(effet hypotensif)

	DÉBUT D'ACTION	PIC	DURÉE
IV	immédiat	rapide	1 – 10 min

☀ SOINS INFIRMIERS

ÉVALUATION DE LA SITUATION

☐ Mesurer la pression artérielle et le pouls et surveiller l'ÉCG fréquemment pendant toute la durée du traitement; une surveillance continue est préférable. Consulter le médecin au sujet des paramètres qu'il recommande. Observer les signes d'hypertension rebond après l'arrêt du traitement par le nitroprusside.

☐ On peut suivre de près la pression capillaire pulmonaire chez les patients qui ont subi un infarctus du myocarde ou qui souffrent d'insuffisance cardiaque.

- **Étude des examens diagnostiques et biochimiques:** Le nitroprusside peut entraîner la diminution des concentrations de bicarbonate, de la pression partielle de gaz carbonique ($PaCO_2$) et du pH.

☐ Le nitroprusside peut entraîner l'élévation des concentrations de lactate.

☐ Le nitroprusside peut entraîner l'élévation des concentrations sériques de cyanure et de thiocyanate.

- **Toxicité et surdosage:** En cas d'hypotension grave, on peut inverser rapidement les effets du médicament en diminuant la vitesse de perfusion ou en l'interrompant passagèrement.

☐ Noter, toutes les 48 à 72 h, les concentrations plasmatiques de cyanure et de thiocyanate. Les concentrations de thiocyanate ne doivent pas dépasser 100 mg/L et celles de cyanure, 3 mmol/L.

- Les signes et les symptômes d'intoxication au thiocyanate incluent les acouphènes, la vision trouble, la dyspnée, les étourdissements, les céphalées, la syncope et l'acidose métabolique.

☐ Le traitement peut inclure l'inhalation de nitrite d'amyle et la perfusion de nitrite de sodium et de thiosulfate de sodium.

DIAGNOSTICS INFIRMIERS POSSIBLES

- **Énoncés diagnostiques**
☐ Diminution de l'irrigation du tissu cardiaque.
☐ *Risque élevé d'accident.*

- **Facteurs favorisants**
☐ *Manque de connaissances sur les modalités du traitement.*
☐ *Manque de connaissances sur les moyens de prévenir les effets secondaires du médicament.*

INTERVENTIONS INFIRMIÈRES

- **Directives générales:** Si la perfusion d'une dose de 8 µg/kg à la minute pendant 10 min ne réduit pas suffisamment la pression artérielle, le fabricant recommande d'abandonner le traitement.

☐ On peut administrer le nitroprusside en association avec un agent inotrope (dopamine, dobutamine) lors du traitement de l'insuffisance ventriculaire gauche si des doses appropriées de nitroprusside rétablissent la fonction « pompe », mais entraînent une hypotension excessive.

- **Perfusion continue:** Reconstituer 50 mg avec 3 mL de solution de dextrose à

5 % dans de l'eau pour injection. Diluer de nouveau dans 500 à 1 000 mL de solution de dextrose à 5 % dans de l'eau. Ne pas utiliser d'autres diluants pour la reconstitution ou la perfusion. Envelopper le flacon à perfusion dans du papier d'aluminium pour protéger son contenu de la lumière; il n'est pas nécessaire de recouvrir les tubulures destinées à l'administration. La solution fraîchement préparée a une légère teinte brunâtre; jeter la solution si elle devient brun foncé, orange, bleue, verte ou rouge foncé. Administrer la solution dans les 12 h suivant sa préparation.

□ *Vitesse d'administration*: Utiliser une pompe de perfusion afin d'assurer l'administration de quantités précises de médicament (consulter le tableau des vitesses de perfusion de l'annexe D).

□ Éviter l'extravasation.

■ **Incompatibilités en addition au soluté**: Ne pas mélanger à d'autres médicaments.

ENSEIGNEMENT AU PATIENT ET À SES PROCHES

Recommander au patient de signaler immédiatement l'apparition d'acouphènes, de dyspnée, d'étourdissements, de céphalées ou de vision trouble.

VÉRIFICATION DES RÉSULTATS

L'efficacité du traitement peut être démontrée par: ■ la baisse de la pression artérielle sans apparition d'effets secondaires ■ le traitement de la défaillance de la fonction « pompe » du cœur ou du choc cardiogène.

NIZATIDINE
Axid

CLASSIFICATION:
Antagoniste des récepteurs H_2 de l'histamine, traitement de l'ulcère

Grossesse -- catégorie C

INDICATIONS
■ Traitement de courte durée et traitement d'entretien préventif de l'ulcère duodénal ■ Traitement de courte durée de l'ulcère gastrique bénin ■ Traitement du reflux gastro-œsophagien pathologique.

ACTION
■ Inhibition de l'activité de l'histamine aux sites des récepteurs H_2 situés surtout dans les cellules de la paroi gastrique ■ Inhibition de la sécrétion d'acide gastrique. **Effets thérapeutiques**: ■ Guérison et prophylaxie des ulcères.

PHARMACOCINÉTIQUE
Absorption: Bonne absorption par suite de l'administration par voie orale.
Distribution: Inconnue. L'agent pénètre probablement dans le lait maternel.
Métabolisme et excrétion: Une fraction de 60 % est excrétée à l'état inchangé par les reins. Une fraction est métabolisée par le foie; un métabolite est actif.
Demi-vie: 1,6 h (prolongée en cas d'insuffisance rénale).

CONTRE-INDICATIONS ET PRÉCAUTIONS
Contre-indications: Hypersensibilité.
Précautions: ■ Grossesse, allaitement ou enfants (l'innocuité du médicament n'a pas été établie) ■ Insuffisance hépatique ■ Personnes âgées (risque accru de réactions indésirables) ■ Insuffisance rénale (il est recommandé de réduire la dose).

RÉACTIONS INDÉSIRABLES ET EFFETS SECONDAIRES
SNC: somnolence, étourdissements.
CV: arythmies.
Tég.: transpiration, urticaire.
GI: hépatite.
Métab.: hyperuricémie.

INTERACTIONS
Médicament – médicament: ■ La nizatidine peut entraîner l'élévation des concentra-

tions sériques de salicylate chez les patients prenant de fortes doses d'**aspirine** (> 3 900 mg par jour) ■ Les **antiacides**, administrés simultanément, peuvent réduire l'absorption de la nizatidine.

VOIES D'ADMINISTRATION ET POSOLOGIE

Ulcère gastroduodénal en évolution
■ **PO (adultes) :** 300 mg, au coucher.

Traitement d'entretien de l'ulcère duodénal
■ **PO (adultes) :** 150 mg, au coucher.

Reflux gastro-œsophagien pathologique
■ **PO (adultes) :** 150 mg, 2 fois par jour.

PHARMACODYNAMIE (inhibition des sécrétions d'acide gastrique)

	DÉBUT D'ACTION	PIC	DURÉE
PO	inconnu	inconnu	8 – 12 h

☀ SOINS INFIRMIERS

ÉVALUATION DE LA SITUATION

☐ Suivre à intervalles réguliers la douleur épigastrique ou abdominale et la présence de sang occulte ou franc dans les selles, les vomissements et les échantillons prélevés par aspiration gastrique.

■ **Étude des examens diagnostiques et biochimiques :** Examiner les résultats des tests de l'exploration fonctionnelle hépatique à intervalles réguliers pendant tout le traitement.

☐ La nizatidine peut entraîner l'élévation des concentrations de TGOS (AST), de TGPS (ALT) et de phosphatase alcaline.

☐ La nizatidine peut entraîner des résultats faussement positifs lors de la recherche d'urobilinogène.

DIAGNOSTICS INFIRMIERS POSSIBLES

■ **Énoncés diagnostiques**
☐ Douleur.

☐ Prise en charge inefficace du programme thérapeutique.

☐ *Risque élevé d'accident.*

■ **Facteurs favorisants**
☐ Informations incomplètes.

☐ *Manque de connaissances sur les modalités du traitement.*

☐ *Difficulté à s'adapter aux changements nécessaires dans les habitudes de vie.*

☐ *Perturbation de la vigilance.*

INTERVENTIONS INFIRMIÈRES

■ **Directives générales :** Avant d'amorcer le traitement par la nizatidine, on doit écarter le diagnostic de cancer gastrointestinal.

☐ Lorsqu'on administre un antiacide en même temps que la nizatidine pour soulager la douleur, ne pas l'administrer dans les 2 h précédant ou suivant la prise de la nizatidine pour ne pas en réduire l'absorption.

■ **PO :** On administre habituellement la nizatidine une fois par jour, au coucher, afin d'en prolonger l'effet. On peut aussi l'administrer en 2 doses fractionnées.

ENSEIGNEMENT AU PATIENT ET À SES PROCHES

☐ Conseiller au patient de respecter scrupuleusement la posologie recommandée pendant toute la durée du traitement et de continuer à prendre la nizatidine même s'il se sent mieux. S'il n'a pas pu prendre le médicament au moment habituel, il doit le prendre aussitôt que possible, à moins que ce ne soit presque l'heure prévue pour la dose suivante. L'avertir qu'il ne doit jamais remplacer une dose manquée par une double dose. Il n'est pas recommandé d'administrer la nizatidine pendant plus de 8 semaines lorsqu'il s'agit du traitement d'un ulcère gastroduodénal.

☐ Expliquer au patient que le tabagisme entrave l'effet de la nizatidine. L'inciter à cesser de fumer ou, au moins, à ne pas fumer après avoir pris la dernière dose de la journée.

☐ Prévenir le patient que la nizatidine peut provoquer de la somnolence. Lui conseiller de ne pas conduire et d'éviter les activités qui exigent sa vigilance jusqu'à ce qu'on ait la certitude que la nizatidine n'entraîne pas cet effet chez lui.

☐ Conseiller au patient d'éviter de boire de l'alcool, de prendre des préparations contenant de l'aspirine ou de consommer des aliments qui peuvent aggraver l'irritation gastrique.

☐ Recommander au patient de signaler rapidement au médecin l'apparition des signes et des symptômes suivants : selles noires ou goudronneuses ou étourdissements.

VÉRIFICATION DES RÉSULTATS

L'efficacité du traitement peut être démontrée par : ■ la diminution des douleurs abdominales ■ la prévention de l'irritation gastrique et de l'hémorragie digestive ☐ la guérison des ulcères duodénaux et gastriques prouvée par la radiographie ou l'endoscopie ■ l'amélioration des symptômes de reflux gastro-œsophagien.

NORÉPINÉPHRINE
Lévartérénol, Levophed

CLASSIFICATION :
Vasopresseur

Grossesse – catégorie C

INDICATIONS

Vasoconstriction et stimulation du myocarde pouvant être nécessaires en cas d'arrêt cardiaque, d'hypotension aiguë ou, après le remplacement du volume sanguin circulatoire, dans le traitement du choc hypovolémique.

ACTION

■ Stimulation des récepteurs alpha-adrénergiques situés surtout dans les vaisseaux sanguins entraînant la constriction des vaisseaux capacitifs et résistifs ■ Faible effet sur les récepteurs bêta$_1$-adrénergiques (stimulation du myocarde). **Effets thérapeutiques :** ■ Élévation de la pression artérielle ■ Élévation du débit cardiaque.

PHARMACOCINÉTIQUE

Absorption : La norépinéphrine est réservée à l'administration par voie IV ; dans ce cas sa biodisponibilité est totale.

Distribution : Le médicament se concentre dans les tissus du système nerveux sympathique. Il ne traverse pas la barrière hémato-encéphalique, mais traverse facilement le placenta.

Métabolisme et excrétion : La norépinéphrine est captée et métabolisée par les terminaisons des nerfs sympathiques. **Demi-vie :** Inconnue.

CONTRE-INDICATIONS ET PRÉCAUTIONS

Contre-indications : ■ Thrombose vasculaire, mésentérique ou périphérique ■ Grossesse (réduction du débit sanguin utérin) ■ Hypoxie ■ Hypercarbie ■ Hypotension secondaire à l'hypovolémie ■ Hypersensibilité aux bisulfites.

Précautions : ■ Hypertension ■ Hyperthyroïdie ■ Maladie cardiovasculaire ■ Allaitement (l'innocuité du médicament n'a pas été établie).

RÉACTIONS INDÉSIRABLES ET EFFETS SECONDAIRES

SNC : céphalées, anxiété, étourdissements, faiblesse, tremblements, agitation, insomnie.
Resp. : dyspnée.
CV : bradycardie, hypertension, arythmies, douleurs thoraciques.
GU : baisse de la diurèse, insuffisance rénale.
End. : hyperglycémie.
HÉ : acidose métabolique.
Locaux : phlébite au point d'injection IV.
Divers : fièvre.

INTERACTIONS

Médicament – médicament: ■ L'administration concomitante de **dérivés digitaliques**, de **doxapram**, de **cyclopropane** d'**halothane** ou de **cocaïne en application locale** peut intensifier l'irritation myocardique ■ L'administration simultanée d'**inhibiteurs de la MAO**, de **guanéthidine**, de **méthyldopa**, de **doxapram** ou d'**antidépresseurs tricycliques** peut entraîner une hypertension grave ■ Les **alpha-bloquants**, administrés simultanément, peuvent contrecarrer l'effet vasopresseur de la norépinéphrine ■ Les **bêtabloquants** peuvent accentuer l'hypertension ou inhiber la stimulation cardiaque ■ Les **alcaloïdes de l'ergot (ergotamine, ergonovine, méthylergonovine, méthysergide)** ou l'**ocytocine**, administrés simultanément, peuvent intensifier la vasoconstriction.

VOIES D'ADMINISTRATION ET POSOLOGIE

Remarque: Consulter le tableau des vitesses de perfusion de l'annexe D.

■ **IV (adultes):** initialement, de 8 à 12 μg/min ou selon la pression artérielle désirée ; perfuser ensuite au débit nécessaire au traitement d'entretien, soit de 2 à 4 μg/min, et l'adapter d'après la réponse de la pression artérielle.

■ **IV (enfants) (É.-U.):** initialement, 2 μg/min ou 2 μg/m^2 à la minute, débit d'une perfusion d'entretien, à adapter d'après la réponse de la pression artérielle. En cas d'hypotension grave pendant l'arrêt cardiaque, administrer initialement 0,1 μg/kg à la minute et adapter le débit de la perfusion d'entretien d'après la réponse de la pression artérielle.

PHARMACODYNAMIE
(effets sur la pression artérielle)

	DÉBUT D'ACTION	PIC	DURÉE
IV	immédiat	rapide	1–2 min

SOINS INFIRMIERS

ÉVALUATION DE LA SITUATION

☐ Mesurer la pression artérielle toutes les 2 ou 3 min jusqu'à ce que les valeurs se stabilisent et toutes les 5 min par la suite. Habituellement, la pression artérielle systolique doit être maintenue entre 80 et 100 mmHg ou à un niveau de 30 à 40 mmHg inférieur aux valeurs initiales chez les patients antérieurement hypertendus. Consulter le médecin au sujet des paramètres qu'il recommande. Prendre fréquemment la pression artérielle pour déceler l'hypotension qui peut se manifester après l'arrêt du traitement à la norépinéphrine.

☐ Surveiller constamment l'ÉCG. On peut aussi suivre la pression veineuse centrale, la pression intra-artérielle, la pression artérielle pulmonaire diastolique, la pression capillaire pulmonaire et le débit cardiaque.

☐ Mesurer le débit urinaire et prévenir le médecin s'il est inférieur à 30 mL à l'heure.

☐ Examiner fréquemment le point d'injection IV pendant toute la durée de la perfusion. Injecter dans la veine de l'avant-bras ou dans toute autre veine de gros calibre afin de réduire le risque d'extravasation, qui peut entraîner la nécrose des tissus. On peut ajouter de 5 à 10 mg de phentolamine à chaque litre de solution afin d'empêcher la formation d'une escarre en cas d'extravasation. En cas d'extravasation, infiltrer rapidement la région atteinte avec 10 à 15 mL de solution de NaCl à 0,9 % contenant de 5 à 10 mg de phentolamine afin de prévenir la nécrose et la formation d'une escarre. En cas de traitement prolongé ou de blêmissement le long de la veine, changer de point d'injection pour diminuer la vasoconstriction.

N

DIAGNOSTICS INFIRMIERS POSSIBLES

- **Énoncés diagnostiques**
- ☐ Diminution du débit cardiaque.
- ☐ Diminution de l'irrigation du tissu cardiaque.
- ☐ *Risque élevé d'altération de l'élimination urinaire.*
- ☐ *Risque élevé de douleur au point d'injection IV.*
- ☐ *Risque élevé d'accident.*
- ☐ *Risque élevé d'exacerbation des effets secondaires.*

- **Facteurs favorisants**
- ☐ *Modification de l'état liquidien ou des volumes circulants.*
- ☐ *Inflammation locale du tissu vasculaire ou infiltration du médicament dans les tissus avoisinants.*
- ☐ *Administration trop rapide du médicament par voie IV.*

INTERVENTIONS INFIRMIÈRES

- **Directives générales:** Dans la mesure du possible, il faut corriger l'hypovolémie avant d'amorcer le traitement par la norépinéphrine.
- ☐ Chez les patients souffrant d'hypotension grave à la suite d'un infarctus du myocarde, on peut ajouter de l'héparine à chaque 500 mL de solution afin de prévenir la thrombose de la veine perfusée, les réactions périveineuses et la nécrose.
- ☐ La norépinéphrine peut diminuer le volume plasmatique et entraîner l'ischémie des organes vitaux, provoquant l'hypotension à l'arrêt d'un traitement prolongé. L'administration prolongée ou l'administration de doses élevées peut aussi réduire le débit cardiaque.
- ☐ Pour prévenir l'hypotension, arrêter graduellement la perfusion lorsque les tissus sont suffisamment irrigués et que la pression artérielle s'est stabilisée. Ne reprendre le traitement que si la pression artérielle chute jusqu'à 70 à 80 mmHg.

- **Perfusion continue:** Diluer 4 mg de norépinéphrine dans 1 000 mL de solution de dextrose à 5 % dans de l'eau ou de NaCl à 0,9 % et de dextrose à 5 % pour obtenir une concentration de 4 µg/mL. Ne pas diluer dans une solution de NaCl à 0,9 % sans dextrose. Ne pas administrer des solutions qui ont changé de couleur (roses, jaunes, brunes) ou celles qui renferment un précipité.
- ☐ *Vitesse d'administration:* Adapter la vitesse de perfusion à la réponse du patient et utiliser le débit le plus lent qui permette de corriger l'hypotension (consulter le tableau des vitesses de perfusion de l'annexe D). Utiliser une pompe de perfusion afin d'assurer l'administration de quantités précises de médicament.
- **Compatibilités (tubulure en Y):** Amrinone, chlorure de potassium, famotidine, héparine, ranitidine ou succinate d'hydrocortisone sodique.
- **Compatibilités en addition au soluté:** Amikacine, chlorure de calcium, chlorure de potassium, cimétidine, dimenhydrinate, dobutamine, gluceptate de calcium, gluconate de calcium, héparine, multivitamines, nétilmicine, ranitidine, succinate d'hydrocortisone sodique, succinate de méthylprednisolone sodique, succinylcholine, sulfate de magnésium, tétracycline ou vérapamil.
- **Incompatibilités en addition au soluté:** Sang ou plasma, aminophylline, amobarbital, bicarbonate de sodium, céphapirine, chlorothiazide, chlorphéniramine, iodure de sodium, lidocaïne, pentobarbital, phénobarbital, phénytoïne, sécobarbital, streptomycine ou thiopental.

ENSEIGNEMENT AU PATIENT ET À SES PROCHES

Inciter le patient à signaler rapidement les céphalées, les étourdissements, la dyspnée, les douleurs thoraciques ou une douleur au point d'injection.

VÉRIFICATION DES RÉSULTATS

L'efficacité du traitement peut être démontrée par : ■ l'élévation de la pression artérielle jusqu'à des valeurs normales □ □ l'amélioration de l'irrigation des tissus.

NORFLOXACINE

Noroxin, (Chibroxin)

CLASSIFICATION :
Anti-infectieux – fluoroquinolone

Grossesse – catégorie C

INDICATIONS

■ **PO :** Traitement des infections des voies urinaires provoquées par les micro-organismes sensibles ■ **Gouttes ophtalmiques :** Traitement des infections oculaires superficielles provoquées par les micro-organismes sensibles.

ACTION

■ Inhibition de la synthèse bactérienne de l'ADN par l'inhibition de l'ADN-gyrase. **Effets thérapeutiques :** ■ Action bactéricide contre les bactéries sensibles. **Spectre d'action :** ■ Large spectre d'action contre de nombreux agents pathogènes à Gram positif dont : □ les staphylocoques (incluant *Staphylococcus epidermidis* et les souches de *Staphylococcus aureus* résistant à la méthicilline) □ les streptocoques du groupe D ■ Action marquée contre les micro-organismes à Gram négatif dont : □ *E. Coli* □ *Klebsiella pneumoniæ* □ *Enterobacter cloacæ* □ *Proteus mirabilis* □ *Proteus* indole positif (incluant *P. vulgaris, Providencia retgerii* et *Morganella morganii*) □ *Pseudomonas æruginosa* □ *Citrobacter freundii.*

PHARMACOCINÉTIQUE

Absorption : Une fraction de 30 à 40 % est absorbée par suite de l'administration par voie orale.

Distribution : On retrouve la norfloxacine à fortes concentrations dans l'urine.

Métabolisme et excrétion : Une faible fraction (10 %) est métabolisée par le foie. Une fraction de 30 % est excrétée à l'état inchangé par les reins et une fraction de 30 % est excrétée dans les fèces.

Demi-vie : 6,5 h (prolongée en cas de maladie rénale).

CONTRE-INDICATIONS ET PRÉCAUTIONS

Contre-indications : ■ Hypersensibilité ■ Risque de réactions d'hypersensibilité croisée avec d'autres fluoroquinolones ■ Grossesse, allaitement ou enfants de moins de 18 ans.

Précautions : ■ Maladie sous-jacente du SNC ■ Antécédents de troubles convulsifs ■ Insuffisance rénale grave (il est recommandé de réduire la dose).

RÉACTIONS INDÉSIRABLES ET EFFETS SECONDAIRES

Remarque : À moins d'indication contraire, il s'agit de réactions et d'effets de la norfloxacine administrée par voie orale.

SNC : étourdissements, céphalées, somnolence, fatigue, dépression, CONVULSIONS.

ORLO : acouphènes, photophobie ; gouttes ophtalmiques – hyperémie conjonctivale, œdème conjonctival, photophobie.

GI : nausées, douleurs abdominales, dyspepsie, constipation, flatulence, brûlures d'estomac, sécheresse de la bouche (xérostomie), diarrhée, vomissements ; gouttes ophtalmiques – goût amer.

GU : cristallurie.

Tég. : rash, érythème.

Loc. : œdème des articulations, tendinite.

Divers : fièvre.

INTERACTIONS

Remarque : Il s'agit des interactions médicamenteuses entraînées par la norfloxacine administrée par voie orale.

N

Médicament – médicament : ■ Le **probéné-cide**, administré simultanément, diminue les concentrations urinaires de norfloxa-cine ■ La **nitrofurantoïne** peut contre-carrer les effets anti-infectieux de la nor-floxacine ■ Les **agents qui alcalinisent l'urine** peuvent accroître le risque de cristallurie ■ Les **antiacides**, le **sucral-fate**, les **sels de fer** ou de **zinc** réduisent l'absorption de la norfloxacine ; ne pas administrer simultanément ■ Le médica-ment peut élever les concentrations séri-ques de **théophylline** ■ La norfloxacine peut augmenter les effets des **anticoagu-lants oraux**.

VOIES D'ADMINISTRATION ET POSOLOGIE

- **PO (adultes) :** 400 mg, toutes les 12 h, pendant 7 à 10 jours ou pendant 3 jours en cas de cystite aiguë non compliquée et 2 comprimés (800 mg) en une seule dose en cas d'urétrite go-nococcique ou de cervicite.
- **Gouttes ophtalmiques (adultes) :** initiale-ment, 1 ou 2 gouttes d'une solution à 3 mg/mL, toutes les 2 h, pendant la première journée, puis 1 ou 2 gouttes, 4 fois par jour.

PHARMACODYNAMIE (concentrations urinaires)

	DÉBUT D'ACTION	PIC
PO	inconnu	2 – 3 h

❄ SOINS INFIRMIERS

ÉVALUATION DE LA SITUATION

- **Infections des voies urinaires :** Au début du traitement et pendant toute sa durée, surveiller les signes suivants d'infection : altération des signes vi-taux, résultats anormaux aux analy-ses d'urine, miction fréquente et im-périeuse, accroissement du nombre de leucocytes, fièvre, urine trouble ou nauséabonde.

☐ Prélever des échantillons pour les cultures et les antibiogrammes avant le début du traitement. La première dose peut être administrée avant même que les résultats soient connus.

■ **Gouttes ophtalmiques :** Au début du traitement et pendant toute sa durée, suivre de près l'inflammation, la rou-geur ou la douleur de la conjonctive.

■ **Étude des examens diagnostiques et bio-chimiques :** La norfloxacine peut en-traîner l'élévation des concentrations d'urée, de TGOS (AST), de TGPS (ALT), de LDH, de phosphatase alca-line et de créatinine.

☐ Le médicament peut entraîner la di-minution du nombre de leucocytes et de polynucléaires neutrophiles ainsi que de l'hématocrite.

DIAGNOSTICS INFIRMIERS POSSIBLES

- **Énoncés diagnostiques**
☐ Risque élevé d'infection.
☐ Prise en charge inefficace du pro-gramme thérapeutique.
☐ Non-observance du traitement médi-camenteux.
☐ *Risque élevé d'altération de l'élimi-nation urinaire.*
☐ *Risque élevé d'accident.*

- **Facteurs favorisants**
☐ Informations incomplètes.
☐ Doute quant aux bienfaits du médica-ment.
☐ *Modification de l'état liquidien ou des volumes circulants.*
☐ *Perturbation de la vigilance.*
☐ *Manque de connaissances sur les moyens de réduire la photosensibi-lité et sur l'importance d'un suivi ophtalmologique.*

INTERVENTIONS INFIRMIÈRES

- **PO :** Administrer l'agent à jeun, avec un grand verre d'eau, au moins 1 h avant les repas ou 2 h après.
- **Gouttes ophtalmiques :** Consulter l'an-nexe H portant sur l'instillation des gouttes ophtalmiques.

ENSEIGNEMENT AU PATIENT ET À SES PROCHES

- **PO:** Expliquer au patient qu'il doit prendre le médicament régulièrement et finir toute la quantité qui lui a été prescrite en respectant scrupuleusement la posologie recommandée, même s'il se sent mieux. S'il n'a pu prendre le médicament au moment habituel, il doit le prendre dès que possible à moins que ce ne soit presque l'heure prévue pour la dose suivante. Lui recommander de ne pas remplacer une dose manquée par une double dose. Insister sur le fait qu'il peut être dangereux de donner ce médicament à une autre personne.

- Inciter le patient à boire au moins 1 200 à 1 500 mL de liquides par jour afin de prévenir la cristallurie.

- Prévenir le patient que les antiacides réduisent l'absorption de la norfloxacine ; il doit donc éviter de prendre de tels agents dans les 2 h précédant ou suivant la prise de norfloxacine.

- Prévenir le patient que la norfloxacine peut provoquer de la somnolence ou des étourdissements. Lui conseiller de ne pas conduire et d'éviter les activités qui exigent sa vigilance jusqu'à ce qu'on ait la certitude que le médicament n'entraîne pas ces effets chez lui.

- Recommander au patient de porter des verres fumés et d'éviter l'exposition prolongée à la lumière vive pour prévenir les réactions de photophobie.

- Recommander au patient de se rincer fréquemment la bouche, de pratiquer une bonne hygiène orale, de mâcher de la gomme ou de sucer des bonbons sans sucre pour diminuer la sécheresse de la bouche.

- Recommander au patient de prévenir le médecin si son état ne s'améliore pas après quelques jours.

- **Gouttes ophtalmiques:** Montrer au patient comment instiller les gouttes ophtalmiques (voir l'annexe H).

VÉRIFICATION DES RÉSULTATS

La réponse clinique peut être déterminée par : ■ la disparition des signes et des symptômes d'infection des voies urinaires ◻ des résultats négatifs des cultures d'urine ■ la résolution des signes et des symptômes d'infections ophtalmiques.

NORTRIPTYLINE
Aventyl, (Pamelor)

CLASSIFICATION:
Antidépresseur tricyclique

Grossesse – catégorie C

INDICATIONS

■ Traitement de diverses formes de dépression, souvent conjointement à la psychothérapie. **Usage non approuvé :** ■ Traitement d'appoint de la douleur neurogène chronique.

ACTION

■ Potentialisation des effets de la sérotonine et de la noradrénaline ■ Propriétés anticholinergiques importantes. **Effets thérapeutiques :** ■ Effet antidépresseur qui se manifeste graduellement sur plusieurs semaines.

PHARMACOCINÉTIQUE

Absorption : Bonne absorption par suite de l'administration par voie orale.

Distribution : Le médicament se répartit dans tout l'organisme. Il pénètre en faibles concentrations dans le lait maternel et traverse probablement le placenta.

Métabolisme et excrétion : La nortriptyline subit un fort métabolisme hépatique surtout lors de son premier passage. Une certaine fraction du médicament est transformée en métabolites actifs. Le médicament subit plusieurs cycles entérohépatiques et il est sécrété dans les liquides gastriques.

Demi-vie: De 18 à 28 h.

CONTRE-INDICATIONS ET PRÉCAUTIONS

Contre-indications: ■ Hypersensibilité ■ Glaucome à angle étroit ■ Grossesse et allaitement.

Précautions: ■ Personnes âgées (plus grande prédisposition à des réactions indésirables; il est recommandé de réduire la dose) ■ Enfants (plus grande prédisposition à des réactions indésirables) ■ Maladie cardiovasculaire préexistante ■ Hommes âgés souffrant d'hypertrophie de la prostate (plus grande prédisposition à la rétention urinaire) ■ Convulsions ou antécédents de troubles convulsifs ■ Asthme.

RÉACTIONS INDÉSIRABLES ET EFFETS SECONDAIRES

SNC: somnolence, sédation, léthargie, fatigue, confusion, agitation, hallucinations, insomnie, céphalées, réactions extrapyramidales.
CV: hypotension, modifications de l'ÉCG, ARYTHMIES.
Tég.: photosensibilité.
ORLO: sécheresse de la bouche (xérostomie), sécheresse des yeux (alacrymie), vision trouble.
End.: gynécomastie.
GI: constipation, iléus paralytique, nausées, goût désagréable.
GU: rétention urinaire.
Hémat.: dyscrasie, gain pondéral.

INTERACTIONS

Médicament – médicament: ■ La nortriptyline peut provoquer l'hypertension, l'hyperpyrexie, des convulsions et la mort si elle est administrée en même temps qu'un **inhibiteur de la MAO** (éviter l'administration conjointe; interrompre le traitement à l'IMAO deux semai-

nes avant d'administrer la nortriptyline) ■ Le médicament peut entraver la réponse thérapeutique à la plupart des **antihypertenseurs** ■ La nortriptyline peut déclencher une crise hypertensive si elle est administrée en même temps que la **clonidine** ■ Effets dépresseurs additifs sur le SNC lors de l'usage concomitant d'autres **dépresseurs du SNC dont l'alcool, les antihistaminiques, les analgésiques narcotiques et les hypnosédatifs** ■ Les effets sympathicomimétiques peuvent être additifs lors de l'administration d'**agents adrénergiques**, y compris les **vasoconstricteurs** et les **décongestionnants** ■ Effets anticholinergiques additifs lors de l'administration d'autres **agents doués de ces propriétés**, y compris les **antihistaminiques**, les **antidépresseurs**, l'**atropine**, l'**halopéridol**, les **phénothiazines**, la **quinidine** et le **disopyramide** ■ La **cimétidine** et les **contraceptifs oraux** entraînent l'élévation des concentrations sanguines et augmentent le risque de toxicité ■ Risque accru d'agranulocytose lors de l'administration simultanée d'**agents antithyroïdiens** ■ La **fluoxétine** accroît le risque de toxicité.

VOIES D'ADMINISTRATION ET POSOLOGIE

■ **PO (adultes):** 25 mg, 3 ou 4 fois par jour (ne pas dépasser 100 mg par jour).
■ **PO (personnes âgées et adolescents):** de 30 mg à 50 mg par jour, en doses fractionnées.

PHARMACODYNAMIE (effet antidépresseur)

	DÉBUT D'ACTION	PIC	DURÉE
PO	2–3 semaines	6 semaines	inconnue

☀ SOINS INFIRMIERS

ÉVALUATION DE LA SITUATION

■ **Directives générales:** Évaluer l'état de la conscience et l'affect du patient.

N

Rester à l'affût des tendances suicidaires, particulièrement au début du traitement. Limiter la quantité de médicament dont le patient peut disposer.

□ Mesurer la pression artérielle et le pouls avant l'administration du médicament et pendant toute la durée du traitement initial. Prévenir le médecin en cas de baisse marquée de la pression artérielle ou d'une augmentation brusque de la fréquence du pouls.

□ Évaluer le tracé de l'ECG à intervalles réguliers chez les personnes âgées ou les patients souffrant de maladie cardiaque. La nortriptyline peut allonger les intervalles PR et QT et aplatir l'onde T.

■ **Douleur:** Déterminer le siège de la douleur, son type et son intensité avant le traitement et à intervalles réguliers pendant toute sa durée.

■ **Étude des examens diagnostiques et biochimiques:** Examiner la numération et la formule leucocytaires ainsi que les résultats des tests de l'exploration fonctionnelle hépatique et rénale avant d'amorcer un traitement de longue durée ou à fortes doses et à intervalles réguliers par la suite.

□ On peut suivre de près les concentrations sériques chez les patients qui ne répondent pas à la dose thérapeutique habituelle. Les concentrations plasmatiques thérapeutiques se situent entre 190 et 570 mmol/L.

□ La nortriptyline peut modifier la glycémie.

DIAGNOSTICS INFIRMIERS POSSIBLES

■ **Énoncés diagnostiques**

□ Stratégies d'adaptation individuelle inefficaces.

□ Risque élevé d'accident.

□ Prise en charge inefficace du programme thérapeutique.

□ *Risque élevé de constipation.*

□ *Risque élevé d'altération de l'intégrité de la muqueuse buccale.*

■ **Facteurs favorisants**

□ Informations incomplètes.

□ *Perturbation de la vigilance.*

□ *Manque de connaissances sur les effets hypotensifs du médicament lors des changements brusques de position.*

□ *Manque de connaissances sur les moyens de stimuler la fonction intestinale.*

□ *Manque de connaissances sur les moyens de prévenir ou de réduire la sécheresse de la bouche.*

□ *Manque de connaissances sur les moyens de réduire la photosensibilité et sur l'importance d'un suivi ophtalmologique.*

□ *Manque de connaissances sur les modalités du traitement.*

INTERVENTIONS INFIRMIÈRES

■ **PO:** On devrait administrer la nortriptyline aux repas pour diminuer l'irritation gastrique.

□ On peut administrer la dose totale au coucher pour réduire la sédation diurne. L'augmentation de la dose devrait avoir lieu au coucher en raison des effets sédatifs du médicament.

ENSEIGNEMENT AU PATIENT ET À SES PROCHES

□ Conseiller au patient de respecter scrupuleusement la posologie recommandée. Lui expliquer qu'il ne doit pas sauter de dose ni remplacer une dose manquée par une dose double. S'il n'a pas pu prendre le médicament au moment habituel, il doit le faire dès que possible à moins que ce ne soit presque l'heure prévue pour la dose suivante. Le prévenir que les effets du médicament peuvent ne pas se manifester avant 2 semaines au moins. Le sevrage brusque après un traitement prolongé peut provoquer des nausées, des céphalées, des rêves saisissants et des malaises.

□ Prévenir le patient que la nortriptyline peut provoquer de la somnolence et rendre la vision trouble. Lui conseiller de ne pas conduire et d'éviter les activités qui exigent sa vigilance jusqu'à ce qu'on ait la certitude que le médicament n'entraîne pas ces effets chez lui.

□ Conseiller au patient de prévenir le médecin si sa vision change. L'informer que le médecin peut lui prescrire des examens ophtalmologiques à intervalles réguliers pendant le traitement prolongé pour suivre de près l'apparition du glaucome.

□ Recommander au patient de changer lentement de position afin de réduire les risques d'hypotension orthostatique. (Cet effet secondaire est moins prononcé dans le cas de la nortriptyline que dans le cas des autres antidépresseurs tricycliques.)

□ Recommander au patient d'éviter de boire de l'alcool et de ne pas prendre d'autres médicaments dépresseurs du SNC pendant toute la durée du traitement à la nortriptyline et pendant au moins 3 à 7 jours après l'avoir arrêté.

□ Conseiller au patient de prévenir le médecin en cas de rétention urinaire, de mouvements incontrôlables ou de fièvre et si la sécheresse de la bouche ou la constipation persistent. Lui expliquer que les bonbons ou la gomme à mâcher sans sucre peuvent diminuer la sécheresse de la bouche et qu'une consommation accrue de liquides et d'aliments riches en fibres peut prévenir la constipation.

□ Recommander au patient d'utiliser des écrans solaires et de porter des vêtements protecteurs afin de prévenir les réactions de photosensibilité.

□ Recommander au patient qui doit suivre un traitement dentaire ou subir une intervention chirurgicale d'avertir le dentiste ou le médecin qu'il suit un traitement médicamenteux.

□ Prévenir le patient que le traitement de la dépression est habituellement de longue durée. Insister sur l'importance d'un suivi régulier et des séances de psychothérapie si le médecin l'a prescrite.

VÉRIFICATION DES RÉSULTATS

L'efficacité du traitement peut être démontrée par : ■ un sentiment accru de bien-être □ un regain d'intérêt pour l'entourage □ l'amélioration de l'appétit □ un regain d'énergie □ l'amélioration du sommeil ■ la diminution de l'intensité des douleurs neurogènes chroniques. Le plein effet thérapeutique de la nortriptyline pourrait ne pas être notable avant 2 à 6 semaines de traitement.

NYSTATINE

Mycostatin, Nadostine, Nilstat, Nyaderm, PMS-Nystatin, (Mykinac), (Nystex)

CLASSIFICATION :
Antifongique

Grossesse – catégorie A (préparation vaginale), inconnue (autres voies d'administration)

INDICATIONS

■ **Préparations orale, vaginale et topique :** Traitement local des infections à *Candida* ■ **PO :** Traitement de la candidose intestinale □ Prévention d'une infection à *Candida* durant une thérapie antimicrobienne ou un traitement aux corticostéroïdes ■ **PO :** Asepsie préopératoire de l'intestin.

ACTION

■ Liaison à la membrane de la cellule fongique entraînant la fuite du contenu intracellulaire. **Effets thérapeutiques :** ■ Effet fongicide ou fongistatique. **Spectre d'action :** ■ Action contre la plupart des espèces pathogènes de *Candida*, y compris *Candida albicans*.

PHARMACOCINÉTIQUE

Absorption: L'absorption est médiocre. L'effet de la nystatine est local. Elle n'est pas absorbée par la peau ou les muqueuses intactes.

Distribution: Inconnue.

Métabolisme et excrétion: Par suite de l'administration PO, la nystatine est excrétée à l'état inchangé dans les fèces.

Demi-vie: Inconnue.

CONTRE-INDICATIONS ET PRÉCAUTIONS

Contre-indications: ■ Hypersensibilité ■ Hypersensibilité à la povidone, au propylèneglycol, à l'alcool, aux parabènes ou à la tartrazine (certaines préparations peuvent contenir ces additifs).

Précautions: Porteurs de prothèses dentaires (il faut faire tremper les dentiers dans une suspension de nystatine).

RÉACTIONS INDÉSIRABLES ET EFFETS SECONDAIRES

GI: PO – nausées, vomissements, diarrhée, douleurs gastriques (doses élevées).

INTERACTIONS

Médicament – médicament: Aucune interaction notable.

VOIES D'ADMINISTRATION ET POSOLOGIE

Infections fongiques mucocutanées
■ **Préparation topique (adultes et enfants):** crème, onguent et poudre – administrer plusieurs fois par jour.

Candidose buccale
■ **PO (adultes et enfants):** de 100 000 à 600 000 unités, toutes les 6 h.
■ **PO (nourrissons):** 100 000 unités, toutes les 6 à 8 h.

Candidose vaginale
■ **Préparation vaginale (adultes):** crème et comprimés vaginaux – 1 ou 2 fois par jour.

Infections intestinales
■ **PO (adultes):** de 500 000 à 1 000 000 d'unités, toutes les 8 h.

PHARMACODYNAMIE
(effets antifongiques)

	DÉBUT D'ACTION	PIC	DURÉE
préparation orale	rapide	inconnu	6 – 12 h
préparations topique et vaginale	24 – 72 h	inconnu	inconnue

☀ SOINS INFIRMIERS

ÉVALUATION DE LA SITUATION

Examiner les territoires cutanés ou les muqueuses atteintes avant le traitement et à intervalles fréquents par la suite. Une irritation cutanée accrue peut dicter l'arrêt du traitement.

DIAGNOSTICS INFIRMIERS POSSIBLES

■ **Énoncés diagnostiques**
□ Atteinte à l'intégrité de la peau.
□ Risque élevé d'infection.
□ Prise en charge inefficace du programme thérapeutique.

■ **Facteurs favorisants**
□ Informations incomplètes.
□ *Manque de connaissances sur la méthode d'administration du médicament.*
□ *Manque de connaissances sur les modalités du traitement.*

INTERVENTIONS INFIRMIÈRES

■ **PO:** Pour administrer la suspension, déposer une moitié de la dose de chaque côté de la bouche. Demander au patient de garder la suspension dans la bouche ou de la faire tourner dans la bouche pendant plusieurs minutes avant de l'avaler. Utiliser un récipient gradué pour mesurer les doses de solution. Bien agiter avant d'administrer.
□ Les comprimés vaginaux de nystatine destinés au traitement de la candidose buccale peuvent être administrés PO.
■ **Préparation topique:** Avant d'administrer la nystatine, demander au médecin quelle est la méthode de nettoyage

O

de la peau qu'il préconise. Avec une main gantée, appliquer suffisamment de médicament pour couvrir la région atteinte. Ne pas recouvrir d'un pansement occlusif. Éviter d'utiliser des couches trop ajustées ou des culottes en plastique chez les enfants.

□ Il faudrait utiliser la crème en cas de candidose des régions intertrigineuses et la poudre en cas de lésions très humides. Pour traiter les infections des pieds, appliquer généreusement la poudre sur les pieds ainsi que dans les bas et les souliers.

■ **Préparation vaginale :** Administrer avec les applicateurs fournis.

□ Les comprimés vaginaux et la crème peuvent être administrés de 3 à 6 semaines avant l'accouchement aux patientes atteintes de candidose vaginale afin de prévenir le muguet chez le nouveau-né.

ENSEIGNEMENT AU PATIENT ET À SES PROCHES

■ **Directives générales :** Conseiller au patient de respecter scrupuleusement la posologie recommandée. S'il n'a pas pu prendre le médicament au moment habituel, il doit le prendre dès que possible à moins que ce ne soit presque l'heure prévue pour la dose suivante. Le prévenir qu'il ne doit pas remplacer une dose manquée par une double dose.

□ Recommander au patient d'informer le médecin si l'irritation de la peau s'aggrave ou si aucune réponse thérapeutique ne se manifeste.

■ **Préparation vaginale :** Montrer à la patiente comment s'administrer la crème et les comprimés vaginaux à l'aide de l'applicateur. Lui recommander de rester couchée pendant au moins 30 min après l'administration et de porter des serviettes hygiéniques pour ne pas tacher les vêtements ou les draps. La prévenir que le traitement doit être maintenu pendant les règles

et qu'il faut éviter d'utiliser des tampons pendant le traitement.

□ Conseiller à la patiente de consulter le médecin à propos des rapports sexuels ou des douches vaginales pendant le traitement. Recommander à la patiente d'éviter les rapports sexuels pendant le traitement ou de demander à son partenaire de porter un condom pour prévenir la réinfection.

VÉRIFICATION DES RÉSULTATS

L'efficacité du traitement peut être démontrée par : ■ la diminution de l'irritation et de la douleur cutanées. □ Afin de prévenir les rechutes à la suite du traitement par voie orale, le maintenir pendant 48 h après la disparition des symptômes et l'obtention de cultures négatives. □ Le soulagement des symptômes survient habituellement dans les 24 à 72 h suivant le début du traitement topique ou vaginal. Un traitement de 2 semaines est habituellement suffisant, mais il est parfois nécessaire de le prolonger. La candidose persistante peut être signe d'un diabète sucré passé inaperçu. Il faut donc mesurer la glycémie et la glycosurie.

OCTRÉOTIDE
Sandostatin

CLASSIFICATION :
*Hormone gastro-intestinale ;
antidiarrhéique*

Grossesse – catégorie B

INDICATIONS

■ Traitement de la diarrhée grave et des bouffées vasomotrices chez les patients présentant des tumeurs endocrines au niveau du tractus gastro-intestinal, incluant les tumeurs carcinoïdes métastatiques et les tumeurs à peptide intestinal vasoactif (VIPomes). **Usage non approuvé :** ■ Soulagement des symptômes et arrêt de la croissance des tumeurs chez les patients présentant des tumeurs de l'hypophyse associées à l'acromégalie.

ACTION

■ Inhibition de la sécrétion de la sérotonine et des peptides gastro-entéropancréatiques ■ Augmentation de l'absorption des liquides et des électrolytes depuis le tractus gastro-intestinal et prolongation du temps de transit ■ Diminution des concentrations de métabolites sérotoninergiques ■ Inhibition des sécrétions d'hormone de croissance, d'insuline et de glucagon. **Effets thérapeutiques:** ■ Maîtrise des bouffées vasomotrices et de la diarrhée graves associées aux tumeurs endocrines au niveau du tractus gastro-intestinal.

PHARMACOCINÉTIQUE

Absorption: Bonne absorption par suite de l'administration SC.
Distribution: Inconnue.
Métabolisme et excrétion: Une fraction de 32 % est excrétée à l'état inchangé dans l'urine.
Demi-vie: 1,5 h.

CONTRE-INDICATIONS ET PRÉCAUTIONS

Contre-indications: Hypersensibilité.
Précautions: ■ Maladie de la vésicule biliaire (risque accru de formation de calculs) ■ Insuffisance rénale (une réduction de la dose pourrait s'avérer nécessaire) ■ Grossesse ou allaitement (l'innocuité du médicament n'a pas été établie) ■ Hyperglycémie ou hypoglycémie (risque de modification de la glycémie) ■ Malabsorption des matières grasses (risque d'exacerbation).

RÉACTIONS INDÉSIRABLES ET EFFETS SECONDAIRES

SNC: céphalées, étourdissements, fatigue, faiblesse, somnolence.
ORLO: troubles visuels.

CV: œdème, palpitations, hypotension orthostatique.
GI: nausées, diarrhée, douleurs abdominales, vomissements, malabsorption des matières grasses, cholélithiase.
Tég.: rougeur de la peau.
End.: hyperglycémie, hypoglycémie.
Locaux: douleur au point d'injection.

INTERACTIONS

Médicament – médicament: ■ L'octréotide peut modifier les besoins en **insuline** et en **hypoglycémiants oraux** ■ Le **glucagon** ou l'**hormone de croissance**, administrés simultanément, peuvent entraîner l'hypoglycémie ou l'hyperglycémie ■ L'octréotide peut entraîner la diminution des concentrations sanguines de **cyclosporine**.

VOIES D'ADMINISTRATION ET POSOLOGIE

Tumeurs carcinoïdes

■ **SC (adultes):** de 100 à 600 μg/jour, en 2 à 4 doses fractionnées, pendant les 2 premières semaines de traitement (écart posologique entre 50 et 1 500 μg par jour).

Tumeurs à peptide intestinal vasoactif

■ **SC (adultes):** de 200 à 300 μg/jour, en 2 à 4 doses fractionnées, pendant les 2 premières semaines de traitement (écart posologique entre 150 et 750 μg par jour).

PHARMACODYNAMIE

	DÉBUT D'ACTION	PIC	DURÉE
SC	inconnu	inconnu	jusqu'à 12 h

SOINS INFIRMIERS

ÉVALUATION DE LA SITUATION

□ Observer la fréquence et la consistance des selles et ausculter les bruits intestinaux pendant toute la durée du traitement.

O

□ Prendre le pouls et la pression artérielle avant le traitement et à intervalles réguliers pendant toute sa durée.

□ Effectuer le bilan hydro-électrolytique et observer la peau à la recherche de signes de déshydratation.

□ Observer chez les patients diabétiques l'apparition des signes d'hypoglycémie. On peut noter la diminution des besoins en insuline, en sulfanylurées et en diazoxide.

□ Observer l'apparition des signes de maladie de la vésicule biliaire; évaluer la douleur et étudier les résultats des échographies de la vésicule biliaire et des voies biliaires avant le traitement et à intervalles réguliers pendant un traitement prolongé.

■ **Étude des examens diagnostiques et biochimiques:** Noter les concentrations urinaires d'acide 5-hydroxy-indole-acétique et les concentrations plasmatiques de sérotonine et de substance P chez les patients qui présentent des carcinoïdes; les concentrations plasmatiques des peptides intestinaux vasoactifs chez les patients atteints d'un VIPome; les concentrations de T$_4$ libre et les concentrations sériques de glucose avant le traitement et à intervalles réguliers pendant toute sa durée chez tous les patients traités par l'octréotide.

□ Noter la quantité de graisse fécale dans les selles de 72 h et la concentration sérique de carotène à intervalles réguliers pour déceler l'aggravation de la malabsorption des matières grasses d'origine médicamenteuse.

□ L'octréotide peut entraîner une légère élévation des enzymes hépatiques.

DIAGNOSTICS INFIRMIERS POSSIBLES

■ **Énoncés diagnostiques**

□ Diarrhée.

□ Prise en charge inefficace du programme thérapeutique.

□ *Risque élevé de déséquilibre hydro-électrolytique.*

□ *Risque élevé d'anxiété.*

□ *Risque élevé d'accident.*

■ **Facteurs favorisants**

□ Informations incomplètes.

□ *Manque de connaissances sur les signes d'hypoglycémie et d'hyperglycémie et sur les moyens de les prévenir.*

□ *Perturbation de la vigilance.*

□ *Manque de connaissances sur les effets hypotensifs du médicament lors des changements brusques de position.*

□ *Manque de connaissances sur la méthode d'administration du médicament.*

□ *Manque de connaissances sur les effets secondaires du médicament.*

□ *Modification de l'état liquidien ou des volumes circulants.*

INTERVENTIONS INFIRMIÈRES

■ **Directives générales:** Ne pas administrer la solution si elle a changé de couleur ou si elle renferme des particules. On doit réfrigérer les ampoules, mais on peut aussi les conserver pendant 5 jours à la température ambiante.

■ **SC:** Assurer la rotation des points d'injection. Éviter d'administrer plusieurs injections au même endroit en un court laps de temps.

ENSEIGNEMENT AU PATIENT ET À SES PROCHES

□ Montrer au patient qui prend l'octréotide chez lui, comment l'injecter et l'entreposer et comment jeter le matériel utilisé.

□ Prévenir le patient que l'octréotide peut provoquer des étourdissements, de la somnolence ou des troubles de la vue. Lui conseiller de ne pas conduire et d'éviter les activités qui exigent sa vigilance jusqu'à ce qu'on ait la certitude que le médicament n'entraîne pas ces effets chez lui.

□ Recommander au patient de changer lentement de position afin de réduire les risques d'hypotension orthostatique.

VÉRIFICATION DES RÉSULTATS

L'efficacité du traitement peut être démontrée par : la diminution de la gravité de la diarrhée et le rééquilibrage électrolytique chez les patients qui présentent une tumeur carcinoïde ou un VIPome.

OCYTOCINE (OXYTOCIN)
Syntocinon, Toesen, (Pitocin)

CLASSIFICATION :
Hormone ocytocique

Grossesse – catégorie inconnue

INDICATIONS

■ Déclenchement du travail lorsque la grossesse est arrivée à terme ■ Stimulation des contractions de l'utérus lorsque la grossesse est arrivée à terme ■ Facilitation d'un avortement imminent ■ Maîtrise de l'hémorragie de la délivrance après l'expulsion du placenta. **Usage non approuvé :** ■ Surveillance fœtale (test de stress provoqué par des contractions, appelé parfois épreuve à l'ocytocine).

ACTION

■ Stimulation du muscle lisse de l'utérus déclenchant des contractions utérines similaires à celles produites lors du travail spontané ■ Stimulation du muscle lisse de la glande mammaire favorisant la lactation ■ Effets vasopresseurs et antidiurétiques. **Effets thérapeutiques :** ■ Déclenchement du travail.

PHARMACOCINÉTIQUE

Absorption : Bonne absorption par suite de l'administration IM.
Distribution : Le médicament se répartit dans les liquides extracellulaires. Une petite fraction pénètre dans la circulation fœtale.
Métabolisme et excrétion : L'ocytocine est rapidement métabolisée par le foie et les reins.
Demi-vie : De 3 à 9 min.

CONTRE-INDICATIONS ET PRÉCAUTIONS

Contre-indications : ■ Hypersensibilité ■ Hypersensibilité au chlorobutanol ■ Accouchement anticipé par césarienne.
Précautions : Première et deuxième périodes du travail.

RÉACTIONS INDÉSIRABLES ET EFFETS SECONDAIRES

Chez la mère
SNC : CONVULSIONS, COMA.
CV : hypotension.
HÉ : intoxication hydrique, hyponatrémie, hypochlorémie.
Hémat. : afibrinogénémie, thrombocytopénie.
Divers : décollement placentaire, hypersensibilité, contractions douloureuses, diminution du débit sanguin utérin, motilité accrue de l'utérus.

Chez le fœtus
SNC : HÉMORRAGIE INTRACRÂNIENNE.
Resp. : hypoxie, asphyxie.
CV : arythmies.

INTERACTIONS

Médicament – médicament : ■ Risque d'hypertension grave lorsque l'ocytocine est administrée après des **vasopresseurs** ■ L'administration simultanée d'une **anesthésie au cyclopropane** peut entraîner une hypotension excessive.

VOIES D'ADMINISTRATION ET POSOLOGIE

Déclenchement du travail
■ **IV (adultes) :** de 1 à 4 milliunités à la minute ; augmenter par paliers de 1 ou 2 milliunités, toutes les 15 à

0

30 min jusqu'à ce que les contractions deviennent efficaces (ne pas dépasser 20 milliunités à la minute), puis réduire la dose.

Post-partum

■ **IV (adultes):** de 5 à 10 unités perfusées au débit de 10 à 20 milliunités à la minute; on peut aussi administrer le médicament en perfusion continue.

■ **IM (adultes):** de 5 à 10 unités.

Test de stress fœtal

■ **IV (adultes) (É.-U.):** 0,5 milliunités à la minute; on peut augmenter la dose toutes les 15 min, jusqu'à ce que 3 contractions modérées se produisent dans un intervalle de 10 min; ne pas dépasser 20 milliunités; assurer la surveillance materno-fœtale.

PHARMACODYNAMIE
(voie IV = contractions utérines)

	DÉBUT D'ACTION	PIC	DURÉE
IV	immédiat	inconnu	1 h

SOINS INFIRMIERS

ÉVALUATION DE LA SITUATION

□ Il faut déterminer le degré de maturité du fœtus et sa présentation, ainsi que l'élargissement de l'espace pelvien avant d'administrer l'ocytocine pour déclencher le travail.

□ Déterminer à intervalles fréquents, au cours de l'administration, la nature, la fréquence et la durée des contractions, le tonus de l'utérus au repos et la fréquence cardiaque du fœtus. Si les contractions se produisent à moins de 2 min d'intervalle et si leur intensité est supérieure à 50 à 65 mmHg, si elles durent de 60 à 90 s ou plus, ou si la fréquence cardiaque du fœtus se modifie considérablement, arrêter la perfusion, tourner la patiente sur le côté gauche afin de prévenir l'anoxie

fœtale et appeler le médecin sans délai.

□ Mesurer fréquemment la pression artérielle et le pouls de la mère et surveiller continuellement la fréquence cardiaque du fœtus pendant toute la durée de l'administration.

□ L'ocytocine entraîne parfois une intoxication hydrique. Surveiller de près la patiente pour déceler les signes et les symptômes suivants d'intoxication: somnolence, apragmatisme, confusion, céphalées, anurie. Prévenir le médecin aussitôt qu'ils se manifestent.

□ Effectuer le bilan électrolytique de la patiente. La rétention hydrique peut entraîner l'hypochlorémie ou l'hyponatrémie.

DIAGNOSTICS INFIRMIERS POSSIBLES

■ **Énoncés diagnostiques**
□ Prise en charge inefficace du programme thérapeutique.
□ *Risque élevé d'anxiété.*
□ *Risque élevé d'accident.*

■ **Facteurs favorisants**
□ Informations incomplètes.
□ *Manque de connaissances sur les effets secondaires du médicament.*
□ *Administration trop rapide du médicament par voie IV.*

INTERVENTIONS INFIRMIÈRES

■ **Perfusion continue:** Renverser le sac afin de bien mélanger la solution.

□ Utiliser une pompe à perfusion afin d'assurer l'administration de quantités précises de médicament. Le sac d'ocytocine doit être raccordé par une tubulure en Y ou par un robinet à trois voies à une tubulure IV par où s'écoule une solution de NaCl à 0,9 % qui pourrait être utilisée pour admixtion en cas de réactions indésirables.

□ Garder à portée de la main du sulfate de magnésium pour assurer la relaxation du myomètre au besoin.

■ **Déclenchement du travail:** Diluer 1 mL (10 unités) dans 1 L de solution à perfusion compatible pour obtenir une concentration de 10 milliunités par millilitre.

- □ *Vitesse de perfusion*: Amorcer la perfusion à un débit de 1 à 4 milliunités à la minute (0,1 ou 0,4 mL); augmenter par paliers de 1 à 2 milliunités à la minute à intervalles de 15 à 30 min jusqu'à ce que les contractions se produisent au rythme du travail normal.
- ■ **Hémorragie post-partum:** Diluer 1 mL (10 unités) dans 1 L de solution compatible pour perfusion (10 milliunités par millilitre).
- ■ *Vitesse de perfusion:* Amorcer la perfusion à un débit de 10 à 20 milliunités à la minute afin de surmonter l'atonie utérine. Adapter le débit selon les besoins.
- ■ **Avortement partiel ou inévitable:** Diluer 1 mL (10 unités) dans 500 mL de solution compatible pour perfusion jusqu'à l'obtention d'une concentration de 20 milliunités par millilitre.
- □ *Vitesse de perfusion:* Perfuser à un débit de 10 à 20 milliunités à la minute.
- ■ **Compatibilités (tubulure en Y):** Chlorure de potassium, héparine, mépéridine, morphine ou succinate d'hydrocortisone sodique.
- ■ **Compatibilités en addition au soluté – compatibilités avec les solutions pour perfusion:** Bicarbonate de sodium, chloramphénicol, métaraminol, nétilmicine, tétracycline, thiopental ou vérapamil. Les solutions pour perfusion compatibles incluent: les mélanges de dextrose et de solution de Ringer ou de lactate Ringer, les mélanges de dextrose et de soluté salin, la solution de Ringer ou de lactate Ringer pour injection, la solution de dextrose à 5 % ou à 10 % dans de l'eau et la solution de NaCl à 0,45 ou à 0,9 %.

ENSEIGNEMENT AU PATIENT ET À SES PROCHES

Directives générales: Prévenir la patiente que les contractions qu'elle ressentira après le début de l'administration ressembleront aux crampes menstruelles.

VÉRIFICATION DES RÉSULTATS

L'efficacité du traitement peut être démontrée par: ■ le déclenchement de contractions efficaces ■ le raffermissement du tonus utérin.

ŒSTROGÈNES CONJUGUÉS

C.E.S., Congest, œstrogènes conjugués, Prémarine, (Conjugated estrogens C.S.D.)

CLASSIFICATION:

Hormone – œstrogènes

Grossesse – catégorie X

INDICATIONS

■ **PO:** Traitement des symptômes vasomoteurs de la ménopause et de divers états de carence œstrogénique dont: □ l'hypogonadisme (femmes) □ l'ovariectomie bilatérale □ l'insuffisance ovarienne primaire ■ **PO:** Traitement d'appoint de l'ostéoporose post-ménopausique ■ **PO:** Traitement palliatif du cancer de la prostate et du cancer du sein évolutifs et inopérables ■ **IM, IV:** Hémorragie utérine provoquée par un déséquilibre hormonal ■ **Voie intravaginale:** Traitement de la vaginite atrophique, de la dyspareunie et du kraurosis vulvaire.

ACTION

■ Les œstrogènes favorisent la croissance et le développement des organes sexuels et maintiennent les caractéristiques sexuelles secondaires chez la femme ■ Les effets métaboliques comprennent la réduction des concentrations sanguines de cholestérol, la synthèse protéique et la rétention hydrosodée. **Effets thérapeutiques:** ■ Rétablissement de l'équilibre hormonal dans le cas de divers états de carence et traitement des tumeurs sensibles aux hormones.

0

PHARMACOCINÉTIQUE

Absorption: Bonne absorption par suite de l'administration PO. L'hormone est rapidement absorbée par la peau et les membranes muqueuses.

Distribution: Les œstrogènes conjugués se répartissent dans tout l'organisme. Ils traversent le placenta et pénètrent dans le lait maternel.

Métabolisme et excrétion: Le métabolisme a surtout lieu dans le foie et les autres tissus. Les œstrogènes conjugués subissent plusieurs cycles entérohépatiques et leur absorption depuis le tractus gastro-intestinal peut en être accrue.

Demi-vie: Inconnue.

CONTRE-INDICATIONS ET PRÉCAUTIONS

Contre-indications: ■ Maladie thrombo-embolique ■ Hémorragie vaginale non diagnostiquée ■ Grossesse (risque d'effets nocifs sur le fœtus) ■ Allaitement.

Précautions: ■ Maladie cardiovasculaire sous-jacente ■ Maladies rénale ou hépatique graves ■ Ce type d'œstrogénothérapie comporte un risque accru de cancer de l'endomètre.

RÉACTIONS INDÉSIRABLES ET EFFETS SECONDAIRES

SNC: céphalées, étourdissements, léthargie, dépression.

ORLO: aggravation de la myopie ou de l'astigmatisme, intolérance aux lentilles cornéennes.

CV: œdème, thromboembolie, hypertension, infarctus du myocarde.

GI: nausées, vomissements, anorexie, appétit accru, variations pondérales, ictère.

GU: femmes: hémorragie utérine secondaire à l'œstrogénothérapie, dysménorrhée, aménorrhée, érosions cervicales, candidose vaginale, perte de la libido; hommes: atrophie testiculaire, impuissance.

Tég.: acné, urticaire, peau huileuse, hyperpigmentation.

End.: hyperglycémie, gynécomastie (hommes).

HÉ: rétention hydrosodée, hypercalcémie.

Loc.: crampes dans les jambes.

Divers: sensibilité mammaire.

INTERACTIONS

Médicament – médicament: ■ Les œstrogènes conjugués peuvent modifier les besoins en **anticoagulants oraux**, en **hypoglycémiants oraux** ou en **insuline** ■ Les **barbituriques** ou la **rifampine** peuvent diminuer l'efficacité des œstrogènes conjugués ■ Le **tabagisme** augmente le risque de réactions cardiovasculaires indésirables.

VOIES D'ADMINISTRATION ET POSOLOGIE

Ovariectomie bilatérale, insuffisance ovarienne primaire
- **PO (adultes):** 1,25 mg par jour pendant 21 jours; observer une pause de 7 jours, puis reprendre le traitement de façon cyclique.

Hypogonadisme, aménorrhée
- **PO (adultes):** de 2,5 à 7,5 mg par jour pendant 20 ou 21 jours; observer une pause de 10 jours, puis reprendre le traitement de façon cyclique jusqu'au retour de la menstruation.

Cancer du sein inopérable chez les femmes postménopausées
- **PO (adultes):** 10 mg, 3 fois par jour pendant au moins 3 mois.

Cancer évolutif et inopérable de la prostate
- **PO (adultes):** de 1,25 à 2,5 mg, 3 fois par jour.

Syndrome ménopausique
- **PO (adultes):** de 0,625 à 1,25 mg par jour pendant 21 à 25 jours; observer une pause de 5 à 7 jours, puis reprendre le traitement de façon cyclique.

Ostéoporose
- **PO (adultes):** de 0,3 à 1,25 mg par jour pendant 21 à 25 jours; observer une pause de 5 à 7 jours, puis reprendre le traitement de façon cyclique.

Hémorragie utérine
- **IM et IV (adultes):** 25 mg; on peut répéter la dose dans les 6 à 12 h, au besoin.

Vaginite atrophique, dyspareunie, kraurosis vulvaire
- **Voie intravaginale (adultes):** appliquer de 2 à 4 g de crème à 0,0625 % pendant 21 jours; observer une pause de 7 jours, puis reprendre le traitement de façon cyclique.

PHARMACODYNAMIE
(effets œstrogéniques)*

	DÉBUT D'ACTION	PIC	DURÉE
PO	rapide	inconnu	inconnue
IM	retardé	inconnu	inconnue
IV	rapide	inconnu	inconnue

* La réponse tumorale peut prendre plusieurs semaines.

⁂SOINS INFIRMIERS

ÉVALUATION DE LA SITUATION
- **Directives générales:** Mesurer la pression artérielle avant l'œstrogénothérapie et à intervalles réguliers pendant toute sa durée.
- ☐ Effectuer le bilan des ingesta et des excreta et peser le patient toutes les semaines. Signaler au médecin toute variation pondérale importante ou un gain de poids constant.
- **Ménopause:** Observer la fréquence et la gravité des symptômes vasomoteurs.
- **Étude des examens diagnostiques et biochimiques:** Étudier les résultats des tests de l'exploration fonctionnelle hépatique à intervalles réguliers pendant le traitement prolongé.
- ☐ Les œstrogènes conjugués peuvent entraîner l'élévation des concentrations sériques de glucose, de sodium, de triglycérides, de phospholipides, de cortisol, de prolactine, de prothrombine et des facteurs VII, VIII,

IX et X. Ils peuvent diminuer les concentrations sériques de folate, de pyridoxine, d'antithrombine III et les concentrations urinaires du prégnandiol.
- ☐ Les œstrogènes conjugués peuvent provoquer l'hypercalcémie chez les patients présentant des lésions osseuses métastatiques.
- ☐ Les œstrogènes conjugués peuvent modifier les résultats des tests de l'exploration de la fonction thyroïdienne. Ils peuvent entraîner de fausses élévations des concentrations de bromosulfone-phtaléine et de faux résultats à l'épreuve de l'agrégation plaquettaire induite par la norépinéphrine ainsi que de fausses diminutions des concentrations d'ACTH lors du test à la métyrapone.

DIAGNOSTICS INFIRMIERS POSSIBLES
- **Énoncés diagnostiques**
- ☐ Dysfonctionnement sexuel.
- ☐ Prise en charge inefficace du programme thérapeutique.
- ☐ *Risque élevé de perturbation situationnelle de l'estime de soi.*
- ☐ *Risque élevé d'excès nutritionnel.*
- ☐ *Risque élevé d'anxiété.*
- ☐ *Risque élevé d'atteinte à l'intégrité de la peau.*
- **Facteurs favorisants**
- ☐ Informations incomplètes.
- ☐ *Altération de l'image corporelle.*
- ☐ *Manque de connaissances sur les effets secondaires du médicament et sur les moyens de les prévenir.*
- ☐ *Difficulté à s'adapter aux changements nécessaires dans les habitudes de vie.*
- ☐ *Manque de connaissances sur les bienfaits de l'exercice.*
- ☐ *Manque de connaissances sur les modalités du traitement.*

INTERVENTIONS INFIRMIÈRES
- **PO:** Pour réduire les nausées, administrer les œstrogènes conjugués pendant le repas ou immédiatement après.

O

- **Voie intravaginale :** La dose de crème à utiliser est indiquée sur l'applicateur qu'on trouve dans l'emballage. Nettoyer l'applicateur après chaque utilisation avec de l'eau chaude et un savon doux.

- **IM :** Pour reconstituer la solution, retirer au moins 5 mL d'air de la fiole contenant la poudre sèche et injecter lentement 5 mL d'eau stérile pour injection ou d'eau stérile bactériostatique en la laissant couler sur la paroi de la fiole. Agiter doucement la fiole pour diluer la poudre ; ne pas agiter vigoureusement. La solution est stable pendant 90 jours à la température de la pièce et à l'abri de la lumière. Ne pas utiliser la solution si elle contient un précipité ou si elle a une couleur foncée.

- **IV directe :** Reconstituer la solution de la même façon que pour la voie IM. Injecter dans l'embout distal d'une tubulure IV où s'écoule une solution de NaCl à 0,9 %, une solution de dextrose à 5 % dans de l'eau, une solution de lactate Ringer.

- □ *Vitesse d'administration :* Pour prévenir les bouffées de chaleur, administrer lentement (ne pas dépasser 5 mg/min [É.-U.]).

- **Compatibilités (tubulure en Y) :** Chlorure de potassium ou héparine.

- **Incompatibilités en addition au soluté :** Acide ascorbique ou hydrolysat de protéines ou solutions acides.

ENSEIGNEMENT AU PATIENT ET À SES PROCHES

- **Directives générales :** Conseiller au patient de respecter scrupuleusement la posologie recommandée. S'il n'a pu prendre le médicament au moment habituel, il doit le prendre aussitôt que possible à moins que ce ne soit presque l'heure prévue pour la dose suivante. Il ne faut jamais remplacer une dose manquée par une double dose.

- □ Expliquer à la patiente le schéma posologique et le calendrier du traitement d'entretien. La prévenir que l'interruption brusque du traitement peut provoquer un saignement de retrait. L'hémorragie devrait survenir durant la semaine où l'œstrogénothérapie a été interrompue.

- □ Si les nausées deviennent gênantes, recommander au patient de manger des aliments solides qui peuvent parfois procurer un soulagement.

- □ Recommander au patient de prévenir le médecin si les signes et les symptômes suivants se manifestent : rétention hydrique (œdème des chevilles et des pieds, gain de poids) ; troubles thromboemboliques (douleurs, œdème et sensibilité des membres, céphalées, douleurs thoraciques, vision trouble) ; dépression ; dysfonctionnement hépatique (jaunissement de la peau ou des yeux, prurit, urine foncée, selles de couleur pâle) ou saignements vaginaux anormaux.

- □ Recommander à la patiente d'arrêter le traitement et de prévenir le médecin si elle pense être enceinte.

- □ Prévenir le patient que le tabagisme pendant l'œstrogénothérapie l'expose à des risques accrus d'effets secondaires graves, particulièrement dans le cas des femmes âgées de plus de 35 ans.

- □ Inciter le patient à utiliser des écrans solaires et à porter des vêtements protecteurs afin de prévenir l'hyperpigmentation.

- □ Recommander au patient qui doit suivre un traitement dentaire ou subir une intervention chirurgicale, d'avertir le dentiste ou le médecin qu'il suit un traitement médicamenteux.

- □ Expliquer à la patiente qui reçoit les œstrogènes conjugués pour le traitement de l'ostéoporose que l'exercice peut freiner et même renverser la perte de substance osseuse. Lui conseiller de consulter le médecin au sujet de toute restriction éventuelle avant de s'engager dans un programme d'exercice.

□ Insister sur l'importance des examens réguliers de suivi, tous les 6 à 12 mois, comprenant la prise de la pression artérielle, l'examen des seins, des organes pelviens et le prélèvement de frottis vaginaux pour le test de Papanicolaou. Le médecin évaluera la possibilité d'interrompre l'œstrogénothérapie tous les 3 à 6 mois.

■ **Préparation intravaginale :** Montrer à la patiente comment se servir de l'applicateur. Lui conseiller de rester couchée pendant au moins 30 min après avoir appliqué la crème. L'informer qu'elle peut utiliser des serviettes hygiéniques pour protéger ses vêtements, mais non pas des tampons. Si elle n'a pu appliquer la crème au moment habituel, lui recommander de sauter cette dose et de reprendre le schéma posologique qui lui a été prescrit.

VÉRIFICATION DES RÉSULTATS

L'efficacité du traitement peut être démontrée par : ■ la résolution des symptômes vasomoteurs de la ménopause □ la diminution des démangeaisons, de l'inflammation ou de la sécheresse du vagin et de la vulve provoquées par la ménopause ■ la normalisation des concentrations d'œstrogènes en cas d'ovariectomie ou d'hypogonadisme chez la femme ■ l'arrêt de la propagation des cancers évolutifs avancés du sein ou de la prostate ■ la prévention de l'ostéoporose.

OFLOXACINE
Floxin

CLASSIFICATION :
Anti-infectieux – fluoroquinolone
Grossesse – catégorie C

INDICATIONS

■ Traitement des infections suivantes provoquées par les micro-organismes sensibles : □ Infections des voies respiratoires inférieures □ Infections de la peau et des tissus mous □ Infections des voies urinaires, y compris la prostatite, la gonorrhée, la cervicite et l'urétrite.

ACTION

■ Inhibition de la synthèse bactérienne de l'ADN par inhibition de l'ADN-gyrase. **Effets thérapeutiques :** ■ Destruction des bactéries sensibles. **Spectre d'action :** ■ Large spectre d'action contre de nombreux agents pathogènes à Gram positif dont : □ les staphylocoques (incluant *Staphylococcus epidermidis* et les souches de *Staphylococcus aureus* résistant à la méthicilline) □ *Streptococcus pyogenes* □ *Streptococcus pneumoniæ* ■ Action marquée contre les micro-organismes à Gram négatif dont : □ *E. Coli* □ les espèces *Klebsiella* □ *Enterobacter* □ *Salmonella* □ *Shigella* □ *Proteus vulgaris* □ *Providencia stuartii* □ *Providencia retgerii* □ *Morganella morganii* □ *Pseudomonas æruginosa* □ *Serratia* □ les espèces *Hæmophilus* □ *Acinetobacter* □ *Neisseria gonorrhoeae* et *meningitidis* □ *Branhamella catarrhalis* □ *Yersinia, Vibrio, Brucella, Campylobacter* et les espèces *Aeromonas* ■ Action contres les micro-organismes anaérobies suivants : □ *Bacteroides fragilis* et *intermedius* □ *Clostridium perfringens* et *welchii* □ *Gardnerella vaginalis* □ *Peptococcus niger* □ les espèces *Peptostreptococcus* ■ Action contre : □ *Chlamydia pneumoniæ* et *trachomatis* □ *Legionella pneumoniæ* □ *Mycobacterium tuberculosis* □ *Mycoplasma pneumoniæ* □ *Urea urealyticum* ■ Absence d'activité contre *T. pallidum*.

PHARMACOCINÉTIQUE

Absorption : Bonne absorption par suite de l'administration par voie orale (la biodisponibilité est de l'ordre de 89 %).

Distribution : L'ofloxacine se répartit dans tous les tissus et liquides physiologiques.

Métabolisme et excrétion : Une fraction de 70 à 80 % est excrétée à l'état inchangé par les reins.

Demi-vie : De 5 à 7 h (prolongée en cas de maladie rénale).

CONTRE-INDICATIONS ET PRÉCAUTIONS

Contre-indications : ■ Hypersensibilité à l'ofloxacine ou aux autres fluoroquinolones ■ Enfants ■ Grossesse.

Précautions : ■ Maladie sous-jacente du SNC ■ Allaitement (concentrations élevées dans le lait maternel ; l'innocuité du médicament n'a pas été établie) ■ Insuffisance rénale grave (réduire la dose).

RÉACTIONS INDÉSIRABLES ET EFFETS SECONDAIRES

SNC : tremblements, agitation, confusion, troubles du sommeil, nervosité, somnolence, hallucinations, CONVULSIONS, étourdissements.

ORLO : photophobie.

CV : douleurs thoraciques.

GI : nausées, diarrhée, vomissements, douleurs abdominales, goût désagréable, perte d'appétit, sécheresse de la bouche (xérostomie).

GU : cristallurie, cylindrurie, hématurie, pertes vaginales, prurit génital.

Tég. : rash.

INTERACTIONS

Médicament – médicament : ■ L'ofloxacine élève les concentrations sériques de **théophylline** et peut entraîner une toxicité ■ Les **antiacides**, les **sels de fer**, les **sels de zinc** ou le **sucralfate** administrés simultanément, réduisent l'absorption de l'ofloxacine ■ **Les agents qui alcalinisent l'urine** augmentent le risque de cristallurie ■ L'ofloxacine peut augmenter les effets des **anticoagulants oraux**.

VOIES D'ADMINISTRATION ET POSOLOGIE

PO (adultes) : de 200 à 400 mg, toutes les 12 h.

PHARMACODYNAMIE (concentrations sanguines)

	DÉBUT D'ACTION	PIC
PO	rapide	1 – 2 h

☀ SOINS INFIRMIERS

ÉVALUATION DE LA SITUATION

☐ Au début du traitement et pendant toute sa durée, suivre de près les signes suivants d'infection : altération des signes vitaux, résultats anormaux aux analyses d'urine, miction fréquente et impérieuse, urine trouble ou nauséabonde, crachats d'aspect caractéristique, fièvre, accroissement du nombre de leucocytes.

☐ Prélever des échantillons pour les cultures et les antibiogrammes avant le début du traitement. La première dose peut être administrée avant même que les résultats soient connus.

■ **Étude des examens diagnostiques et biochimiques :** L'ofloxacine peut entraîner l'élévation des concentrations sériques de TGOS (AST) et de TGPS (ALT). Elle peut entraîner la baisse du nombre de leucocytes, de l'hyperglycémie ou de l'hypoglycémie, de la glycosurie, de l'hématurie, de la protéinurie et de l'albuminurie.

DIAGNOSTICS INFIRMIERS POSSIBLES

■ **Énoncés diagnostiques**

☐ Risque élevé d'infection.

☐ Prise en charge inefficace du programme thérapeutique.

☐ Non-observance du traitement médicamenteux.

☐ *Risque élevé de déséquilibre hydroélectrolytique.*

□ *Risque élevé de déficit de volume li-quidien.*

□ *Risque élevé d'accident.*

■ **Facteurs favorisants**

□ Informations incomplètes.

□ Doute quant aux bienfaits du médicament.

□ *Modification de l'état liquidien ou des volumes circulants.*

□ *Manque de connaissances sur les moyens de prévenir les effets secondaires affectant l'appareil gastrointestinal.*

□ *Manque de connaissances sur les modalités du traitement.*

□ *Perturbation de la vigilance.*

INTERVENTIONS INFIRMIÈRES

PO: Administrer l'agent avec un grand verre d'eau, à intervalles réguliers, à jeun, au moins 1 h avant les repas ou 2 h après. Ne pas l'administrer avec des aliments.

ENSEIGNEMENT AU PATIENT ET À SES PROCHES

□ Expliquer au patient qu'il doit prendre le médicament à intervalles réguliers et finir toute la quantité qui lui a été prescrite en respectant scrupuleusement la posologie recommandée, même s'il se sent mieux. S'il n'a pu prendre le médicament au moment habituel, il doit le prendre dès que possible à moins que ce ne soit presque l'heure prévue pour la dose suivante. Lui recommander de ne pas remplacer une dose manquée par une double dose. Insister sur le fait qu'il peut être dangereux de donner ce médicament à une autre personne.

□ Inciter le patient à boire au moins 1 200 à 1 500 mL de liquides par jour afin de prévenir la cristallurie.

□ Prévenir le patient que les antiacides ou les préparations à base de fer réduisent l'absorption ; il doit donc éviter de prendre de tels agents dans les 2 h précédant ou suivant la prise d'ofloxacine.

□ Prévenir le patient que l'ofloxacine peut provoquer de la somnolence ou des étourdissements. Lui conseiller de ne pas conduire et d'éviter les activités qui exigent sa vigilance jusqu'à ce qu'on ait la certitude que le médicament n'entraîne pas ces effets chez lui.

□ Recommander au patient de porter des verres fumés et d'éviter l'exposition prolongée à la lumière vive pour prévenir les réactions de photophobie.

□ Recommander au patient de se rincer fréquemment la bouche, de pratiquer une bonne hygiène orale, de mâcher de la gomme ou de sucer des bonbons sans sucre pour diminuer la sécheresse de la bouche.

□ Recommander au patient de prévenir le médecin si son état ne s'améliore pas après quelques jours.

VÉRIFICATION DES RÉSULTATS

La réponse clinique peut être déterminée par : la disparition des signes et des symptômes d'infection.

OLIGO-ÉLÉMENTS, SUPPLÉMENTS D'

Solution injectable de 4 oligo-éléments USP, (Concentrated Multiple Trace Element), (Conte-Pak-4), (MTE-4), (MTE-4 Concentrated), (MTE-5), (MTE-5 Concentrated), (MTE-6), (MTE-7), (Multe-Pak-4, (Multe-Pak-5), (Multiple Trace Element), (NeoTrace 4), (Pedte-Pak-4), (Pedtrace-4), (PTE-4), (PTE-5), (Pediatric Multiple Trace Element), (TEC)

CLASSIFICATION :
Supplément diététique

Grossesse – catégorie C

O

INDICATIONS

■ Élément d'une nutrition parentérale totale (NPT, hyperalimentation parentérale) ■ Préparation pouvant contenir l'un des oligo-éléments suivants ou plusieurs d'entre eux : □ chrome □ cuivre □ iode □ manganèse □ molybdène □ sélénium □ zinc.

ACTION

■ Les oligo-éléments servent de cofacteurs ou de catalyseurs dans divers processus homéostasiques. **Effets thérapeutiques :** ■ Supplément en cas de carence lorsque l'ingestion de ces oligo-éléments PO est impossible.

PHARMACOCINÉTIQUE

Absorption : Les oligo-éléments sont réservés à l'administration IV ; dans ce cas, leur biodisponibilité est totale.
Distribution : L'agent se répartit dans tout l'organisme.
Métabolisme et excrétion : Le mode d'excrétion de chacun des oligo-éléments est différent.
Demi-vie : Inconnue.

CONTRE-INDICATIONS ET PRÉCAUTIONS

Contre-indication : Hypersensibilité à l'iode (préparations contenant de l'iode seulement).
Précautions : ■ Grossesse ou allaitement ■ Aspiration nasogastrique, drainage de fistule, vomissements ou diarrhée prolongés (les besoins en oligo-éléments peuvent être accrus) ■ Insuffisance rénale ou obstruction biliaire (risque accru de toxicité) ■ Carence en un oligo-élément en particulier (les autres peuvent être en excès – n'administrer que ceux qui sont nécessaires).

RÉACTIONS INDÉSIRABLES ET EFFETS SECONDAIRES

Remarque : Les réactions indésirables et effets secondaires sont notés pour chacun des oligo-éléments séparément – habituellement, ils sont associés à la toxicité.

Chrome : nausées, vomissements, ulcération gastro-intestinale, atteinte rénale, atteinte hépatique, CONVULSIONS, COMA.
Cuivre : modifications du comportement, faiblesse, diarrhée, photophobie, œdème périphérique, marasme nutritionnel évolutif.
Iode : goût métallique, aphtes, salivation accrue, écoulements nasaux, éternuements, céphalées, œdème palpébral, parotidite, lésions cutanées acnéiformes.
Manganèse : irritabilité, troubles de l'élocution, troubles de la démarche, céphalées, anorexie, impuissance, apathie.
Molybdène : syndrome pseudo-goutteux.
Sélénium : alopécie, faiblesse des ongles, dépression mentale, nervosité, vomissements, haleine ailée, sueur à odeur ailée, goût métallique, gêne gastro-intestinale.
Zinc : toxicité mal définie, mais pouvant se traduire par les symptômes suivants : hypothermie, vision trouble, perte de conscience, tachycardie, œdème pulmonaire, jaunisse, oligurie, hypotension, vomissements.

INTERACTIONS

Médicament – médicament : Aucune interaction notable aux doses administrées à titre de traitement supplétif.

VOIES D'ADMINISTRATION ET POSOLOGIE

IV (adultes et enfants) : Quantité nécessaire pour maintenir les concentrations normales d'oligo-éléments

PHARMACODYNAMIE (substitution)

	DÉBUT D'ACTION	PIC	DURÉE
IV	rapide	inconnu	inconnue

❋ SOINS INFIRMIERS

ÉVALUATION DE LA SITUATION

□ Évaluer l'état nutritionnel du patient par le bilan des aliments consommés en l'espace de 24 h.

□ Suivre avant le traitement et pendant toute sa durée les signes et les symptômes de carence en oligo-éléments comme suit:

□ *chrome:* intolérance au glucose, ataxie, neuropathie périphérique, confusion.

□ *cuivre:* leucopénie, neutropénie, anémie, carence en fer, anomalies du squelette, formation tissulaire anormale.

□ *iode:* insuffisance thyroïdienne, goitre, crétinisme.

□ *manganèse:* nausées, vomissements, perte de poids, dermatite, modification de la texture des cheveux.

□ *molybdène:* tachycardie, tachypnée, céphalées, cécité nocturne, nausées, vomissements, œdème, léthargie, désorientation, coma, hypouricémie, hypouricosurie.

□ *sélénium:* cardiomyopatie, douleurs musculaires, kwashiorkor, maladie de Kershan.

□ *zinc:* initialement, diarrhée, apathie, dépression, anorexie, hypogonadisme, retard de la croissance, anémie, hépatosplénomégalie, retard de la cicatrisation.

■ **Étude des examens diagnostiques et biochimiques:** Mesurer à intervalles réguliers les concentrations sériques d'oligo-éléments pendant toute la durée de la nutrition parentérale totale.

DIAGNOSTICS INFIRMIERS POSSIBLES

■ **Énoncés diagnostiques**

□ Déficit nutritionnel.

□ Prise en charge inefficace du programme thérapeutique.

■ **Facteurs favorisants**

□ Informations incomplètes.

□ *Manque de connaissances sur les effets secondaires du médicament et sur les moyens de les prévenir.*

□ *Difficulté à s'adapter aux changements nécessaires dans les habitudes de vie.*

INTERVENTIONS INFIRMIÈRES

■ **IV:** Les solutions ne contiennent habituellement pas d'agent de conservation. Jeter toute portion inutilisée.

■ **Perfusion continue:** Il faut diluer la préparation avant de l'administrer. Diluer chaque dose dans au moins 1 litre de solution IV.

□ Administrer cette préparation à la vitesse de perfusion recommandée pour la solution destinée à la nutrition parentérale totale.

■ **Compatibilités en addition au soluté:** Les préparations sont habituellement compatibles avec les autres oligo-éléments, électrolytes et associations de dextrose et d'acides aminés destinés à la nutrition parentérale totale.

ENSEIGNEMENT AU PATIENT ET À SES PROCHES

Expliquer au patient le but de la nutrition parentérale totale et le rôle des ingrédients.

VÉRIFICATION DES RÉSULTATS

L'efficacité du traitement peut être démontrée par: la prévention ou le traitement des carences en oligo-éléments.

OLSALAZINE
Dipentum

CLASSIFICATION:
Anti-inflammatoire gastro-intestinal

Grossesse – catégorie C

INDICATIONS

Traitement de la rectocolite hémorragique aiguë ou en rémission.

ACTION

■ Action anti-inflammatoire localisée au côlon, probablement attribuable à l'inhibition de la synthèse des prostaglandines. **Effets thérapeutiques:** ■ Diminution

0

des symptômes de colite ulcéreuse, de rectite ou de rectosigmoïdite.

PHARMACOCINÉTIQUE

Absorption : Une fraction de 98 à 99 % est transformée dans le côlon, lieu d'action de l'olsalazine, en mésalamine (acide 5-aminosalicylique).

Distribution : L'action de l'olsalazine est surtout locale et se limite au côlon.

Métabolisme et excrétion : Une fraction de 2 % du médicament, absorbée dans la circulation systémique, est rapidement métabolisée. La majeure partie du médicament est excrétée dans les fèces sous forme de mésalamine.

Demi-vie : 0,9 h.

CONTRE-INDICATIONS ET PRÉCAUTIONS

Contre-indications : Hypersensibilité à la mésalamine, à l'olsalazine ou aux salicylates.

Précautions : ■ Insuffisance rénale (risque accru d'atteintes tubulaires) ■ Grossesse, allaitement ou enfants (l'innocuité du médicament n'a pas été établie).

RÉACTIONS INDÉSIRABLES ET EFFETS SECONDAIRES

SNC : vertiges, dépression.
GI : diarrhée, exacerbation de la colite, hépatite, douleurs abdominales, perte d'appétit, nausées, vomissements.
Hémat. : dyscrasie.
Tég. : rash, démangeaisons.

INTERACTIONS

Médicament – médicament : Aucune interaction notable.

VOIES D'ADMINISTRATION ET POSOLOGIE

PO (adultes) : initialement, 500 mg par jour ; augmenter graduellement la dose sur une période d'une semaine ; la posologie habituelle est de 500 mg, 4 fois par jour (crise) ou 2 fois par jour (prophylaxie).

PHARMACODYNAMIE

	DÉBUT D'ACTION	PIC	DURÉE
PO	inconnu	1 h* (4 – 8 h†)	inconnue

* olsalazine
† mésalamine

SOINS INFIRMIERS

ÉVALUATION DE LA SITUATION

☐ Évaluer la douleur abdominale et observer la fréquence, la quantité et la consistance des selles au début du traitement et pendant toute sa durée.

☐ Déterminer si le patient n'est pas allergique aux salicylates. Les patients allergiques à la sulfasalazine peuvent prendre l'olsalazine sans problème, mais on doit abandonner le traitement en cas de rash ou de fièvre.

■ **Étude des examens diagnostiques et biochimiques :** Suivre de près les résultats des analyses d'urine ainsi que les concentrations sériques d'urée et de créatinine afin de déceler tout signe de toxicité rénale.

■ L'olsalazine peut entraîner l'élévation des concentrations de TGOS (AST) et de TGPS (ALT).

DIAGNOSTICS INFIRMIERS POSSIBLES

■ **Énoncés diagnostiques**

☐ Douleur.

☐ Diarrhée.

☐ Prise en charge inefficace du programme thérapeutique.

☐ *Risque élevé d'anxiété.*

■ **Facteurs favorisants**

☐ Informations incomplètes.

☐ *Manque de connaissances sur le régime alimentaire à suivre.*

☐ *Manque de connaissances sur les modalités du traitement.*

☐ *Atteinte à l'intégrité de la muqueuse intestinale.*

☐ *Manque de connaissances sur les effets secondaires du médicament.*

INTERVENTIONS INFIRMIÈRES

PO: Administrer les gélules avec des aliments et les comprimés une demi-heure avant les repas.

ENSEIGNEMENT AU PATIENT ET À SES PROCHES

- Conseiller au patient de respecter scrupuleusement la posologie recommandée et de poursuivre le traitement, même s'il se sent mieux.
- Recommander au patient de prévenir le médecin en cas d'urticaire, de démangeaisons, de respiration sifflante, de rash ou de fièvre.
- Conseiller au patient de prévenir le médecin si les symptômes s'aggravent, si son état ne s'améliore pas ou si la diarrhée survient.
- Expliquer au patient que, pour déterminer sa réponse au traitement, le médecin pourrait lui recommander de se soumettre à intervalles réguliers à une rectoscopie ou à une sigmoïdoscopie.

VÉRIFICATION DES RÉSULTATS

La réponse clinique peut être déterminée par : ■ la diminution de la diarrhée et le soulagement des douleurs abdominales □ le rétablissement d'un mode d'élimination intestinale normal ■ la prévention de récidives.

OMÉPRAZOLE
Losec, (PriLosec)

CLASSIFICATION :
Traitement de l'ulcère gastro-intestinal ; inhibiteur de la pompe d'acide gastrique (pompe à protons)

Grossesse – catégorie C

INDICATIONS

■ Traitement de l'œsophagite par reflux gastro-œsophagien ■ Traitement des affections caractérisées par une hypersé-crétion gastrique associées au syndrome de Zollinger-Ellison, à la mastocytose systémique ou aux adénomes endocriniens ■ Traitement de courte durée de l'ulcère duodénal et de l'ulcère gastrique.

ACTION

■ Liaison à une enzyme présente dans les cellules gastriques pariétales lorsque le pH gastrique est acide, empêchant l'arrivée des ions d'hydrogène dans la lumière du tube gastrique. **Effets thérapeutiques :** ■ Diminution de l'accumulation d'acide dans la lumière gastrique et réduction du reflux gastro-œsophagien.

PHARMACOCINÉTIQUE

Absorption : Par suite de l'administration orale, l'absorption est rapide.

Distribution : L'oméprazole se répartit dans toutes les cellules gastriques pariétales.

Métabolisme et excrétion : L'oméprazole subit un important métabolisme hépatique.

Demi-vie : De 0,5 à 1 h (prolongée en cas de maladie hépatique).

CONTRE-INDICATIONS ET PRÉCAUTIONS

Contre-indications : Hypersensibilité.

Précautions : Grossesse, allaitement ou enfants (l'innocuité du médicament n'a pas été établie).

RÉACTIONS INDÉSIRABLES ET EFFETS SECONDAIRES

SNC : faiblesse, étourdissements, céphalées, somnolence, fatigue.

CV : douleurs thoraciques.

GI : douleurs abdominales, régurgitation d'acide, constipation, diarrhée, flatulence, nausées, vomissements.

Tég. : rash, démangeaisons.

INTERACTIONS

Médicament – médicament : ■ L'oméprazole ralentit le métabolisme et peut accentuer les effets de la **phénytoïne**, du

0

diazépam et de la **warfarine** ■ L'oméprazole peut entraver l'absorption de médicaments nécessitant un pH gastrique acide incluant le **kétoconazole**, les esters d'**ampicilline** et les **sels de fer** ■ L'utilisation avec les **antiacides** s'est prouvée sans danger.

VOIES D'ADMINISTRATION ET POSOLOGIE

Ulcère gastroduodénal

■ **PO (adultes)**: de 20 à 40 mg, une fois par jour, pendant 2 à 8 semaines.

Œsophagite par reflux gastro-œsophagien

■ **PO (adultes)**: de 20 à 40 mg, une fois par jour, pendant 4 à 8 semaines.

Affections caractérisées par une hypersécrétion gastrique

■ **PO (adultes)**: initialement, 60 mg, une fois par jour; on peut augmenter la dose jusqu'à 120 mg, trois fois par jour. Si la posologie recommandée est de plus de 80 mg par jour, administrer en 2 doses fractionnées.

PHARMACODYNAMIE

	DÉBUT D'ACTION	PIC	DURÉE
PO	< 1 h	< 2 h	72 – 96 h

SOINS INFIRMIERS

ÉVALUATION DE LA SITUATION

■ Noter à intervalles réguliers la douleur épigastrique ou abdominale et la présence de sang occulte ou franc dans les selles, les vomissements ou les échantillons gastriques prélevés par aspiration.

■ **Étude des examens diagnostiques et biochimiques**: Noter, à intervalles réguliers, la numération globulaire et la formule leucocytaire.

□ L'oméprazole peut entraîner l'élévation des concentrations de TGOS (AST), de TGPS (ALT), de phosphatase alcaline et de bilirubine.

DIAGNOSTICS INFIRMIERS POSSIBLES

■ **Énoncés diagnostiques**

□ Douleur.

□ Prise en charge inefficace du programme thérapeutique.

□ *Risque élevé d'anxiété.*

■ **Facteurs favorisants**

□ Informations incomplètes.

□ *Manque de connaissances sur les effets secondaires du médicament.*

INTERVENTIONS INFIRMIÈRES

■ **PO**: Administrer avant les repas, de préférence le matin. Les capsules doivent être avalées telles quelles sans être broyées, ouvertes ni croquées.

□ L'oméprazole peut être administré en association avec des antiacides.

ENSEIGNEMENT AU PATIENT ET À SES PROCHES

□ Conseiller au patient de respecter scrupuleusement la posologie recommandée et de prendre toute la quantité de médicament qui lui a été prescrite, même s'il se sent mieux. S'il n'a pu prendre le médicament au moment habituel, il doit le prendre dès que possible, à moins que ce ne soit presque l'heure prévue pour la dose suivante. Le prévenir qu'il ne doit pas remplacer une dose manquée par une double dose.

□ Prévenir le patient que l'oméprazole peut provoquer de la somnolence ou des étourdissements. Lui conseiller de ne pas conduire et d'éviter les activités qui exigent sa vigilance jusqu'à ce qu'on ait la certitude que le médicament n'entraîne pas ces effets chez lui.

□ Conseiller au patient d'éviter de boire de l'alcool, de prendre des préparations renfermant de l'aspirine ou de l'ibuprofène ou de consommer des aliments qui peuvent aggraver l'irritation gastrique.

□ Recommander au patient de signaler rapidement au médecin l'apparition des signes et des symptômes suivants:

selles noires et goudronneuses, diarrhée, douleurs abdominales ou céphalées persistantes.

VÉRIFICATION DES RÉSULTATS

L'efficacité du traitement peut être démontrée par : le soulagement de la douleur abdominale et la prévention de l'irritation gastrique et des hémorragies digestives. La guérison de l'ulcère duodénal ou gastrique peut être révélée par la radiographie ou l'endoscopie. Le traitement doit être maintenu pendant 2 à 8 semaines après l'épisode initial.

ONDANSÉTRON
Zofran

CLASSIFICATION :
Antiémétique – divers

Grossesse – catégorie B

INDICATIONS

Prophylaxie et traitement des nausées et des vomissements postopératoires et de ceux provoqués par la radiothérapie et la chimiothérapie anticancéreuse.

ACTION

■ Inhibition des effets de la sérotonine au niveau des sites récepteurs 5-HT_3 (antagoniste sélectif) situés sur les terminaisons du nerf vague et dans la zone gâchette des chimiorécepteurs du SNC. **Effets thérapeutiques :** ■ Diminution de la fréquence et de la gravité des nausées et des vomissements postopératoires et de ceux provoqués par la chimiothérapie et la radiothérapie anticancéreuse.

PHARMACOCINÉTIQUE

Absorption : Par suite de l'administration par voie orale, la biodisponibilité de l'ondansétron est d'environ 60 %.
Distribution : Inconnue.
Métabolisme et excrétion : Le médicament est fortement métabolisé par le foie. Une

fraction de 5 % est excrétée à l'état inchangé par les reins.
Demi-vie : De 3,5 à 5,5 h.

CONTRE-INDICATIONS ET PRÉCAUTIONS

Contre-indications : Hypersensibilité.
Précautions : Grossesse, allaitement et enfants de moins de 4 ans (l'innocuité du médicament n'a pas été établie).

RÉACTIONS INDÉSIRABLES ET EFFETS SECONDAIRES

SNC : céphalées.
GI : constipation.
SN : réactions extrapyramidales.

INTERACTIONS

Médicament – médicament : Aucune interaction notable.

VOIES D'ADMINISTRATION ET POSOLOGIE

Chimiothérapie émétique
- **IV (adultes) :** 8 mg de 15 à 30 min avant la chimiothérapie ; par la suite, une perfusion peut être administrée pendant une période allant jusqu'à 24 h, à raison de 1 mg à l'heure.
- **PO (adultes) :** 8 mg, 1 ou 2 h avant la chimiothérapie et toutes les 8 h, pendant une période allant jusqu'à 5 jours.
- **IV (enfants de 4 à 12 ans) :** de 3 à 5 mg/m^2, immédiatement avant la chimiothérapie.
- **PO (enfants de 4 à 12 ans) :** 4 mg toutes les 8 h pendant une période allant jusqu'à 5 jours après la chimiothérapie.

Radiothérapie
- **PO (adultes) :** 8 mg, 1 ou 2 h avant la radiothérapie et toutes les 8 h, pendant une période allant jusqu'à 5 jours.

Nausées et vomissements postopératoires
- **IV (adultes) :** 4 mg à l'induction de l'anesthésie.

O

- **PO (adultes):** 8 mg, 1 h avant l'anesthésie; ensuite, 2 doses de plus, administrées à des intervalles de 8 h.

PHARMACODYNAMIE

	DÉBUT D'ACTION	PIC	DURÉE
IV	rapide	15 – 30 min	4 h

SOINS INFIRMIERS

ÉVALUATION DE LA SITUATION

- □ Suivre de près les nausées, les vomissements et la distension abdominale; ausculter les bruits intestinaux avant et après l'administration de l'ondansétron.
- □ Suivre de près, à intervalles réguliers pendant tout le traitement, les effets extrapyramidaux suivants: mouvements involontaires, grimaces, rigidité, démarche traînante, tremblements des mains.
- ■ Étude des examens diagnostiques et biochimiques: L'ondansétron peut entraîner l'élévation passagère des concentrations de TGOS (AST) et de TGPS (ALT).

DIAGNOSTICS INFIRMIERS POSSIBLES

- ■ **Énoncés diagnostiques**
- □ Déficit nutritionnel.
- □ Diarrhée.
- □ Constipation.
- □ Prise en charge inefficace du programme thérapeutique.
- ■ **Facteurs favorisants**
- □ Informations incomplètes.
- □ *Manque de connaissances sur le régime alimentaire à suivre.*
- □ *Manque de connaissances sur les moyens de prévenir les effets secondaires affectant l'appareil gastrointestinal.*
- □ *Manque de connaissances sur les effets secondaires du médicament.*

INTERVENTIONS INFIRMIÈRES

- ■ **Perfusion continue:** Diluer dans 50 à 100 mL de solution de NaCl ou d'une autre solution compatible.
- ■ *Vitesse d'administration:* Administrer à un débit de 1 mg à l'heure.
- ■ **Perfusion intermittente:** Diluer dans 50 mL de solution de dextrose à 5 % dans de l'eau ou de NaCl à 0,9 %. Après la dilution, la solution est stable pendant 24 h à la température ambiante et pendant 72 h au réfrigérateur.
- □ *Vitesse d'administration:* Administrer la dose par perfusion IV en 15 min. Perfuser la première dose de 15 à 30 min avant d'amorcer la chimiothérapie qui induira des vomissements.
- ■ **Solutions compatibles:** L'ondansétron peut aussi être dilué dans une solution de Ringer, de dextrose à 5 % et de NaCl à 0,9 %, ou à 0,45 %, de NaCl à 3 % ou de mannitol à 10 %.

ENSEIGNEMENT AU PATIENT À SES PROCHES

Recommander au patient de prévenir immédiatement le médecin s'il note des mouvements involontaires des yeux, du visage ou des membres.

VÉRIFICATION DES RÉSULTATS

L'efficacité du traitement peut être démontrée par: la prévention ou le soulagement des nausées et des vomissements associés à une chimiothérapie anticancéreuse qui induit des vomissements, à une radiothérapie ou à une chirurgie.

ORCIPRÉNALINE
Alupent, Métaprotérénol,
(Arm-A-Med Metaproterenol), (Metaprel)

CLASSIFICATION:
Bronchodilatateur – agoniste bêta-adrénergique

Grossesse – catégorie C

INDICATIONS

Bronchodilatation en présence d'obstruction réversible des voies aériennes provoquée par l'asthme, la bronchopneumopathie chronique obstructive, la silicose, la tuberculose, la sarcoïdose ou le cancer du poumon.

ACTION

■ Agoniste bêta-adrénergique qui entraîne l'accumulation d'adénosine monophosphate cyclique (AMPc) ■ Augmentation des concentrations d'AMPc aux sites des récepteurs bêta-adrénergiques, entraînant la bronchodilatation, la stimulation du cœur et du SNC, la diurèse et la sécrétion d'acide gastrique. La sélectivité pour les récepteurs bêta$_2$ (pulmonaires) est relative. **Effets thérapeutiques:** ■ Bronchodilatation.

PHARMACOCINÉTIQUE

Absorption: Par suite de l'administration par voie orale, le médicament est bien absorbé, mais il est rapidement et fortement métabolisé.
Distribution: Inconnue.
Métabolisme et excrétion: Le médicament est fortement métabolisé par le foie et les autres tissus.
Demi-vie: Inconnue.

CONTRE-INDICATIONS ET PRÉCAUTIONS

Contre-indications: Hypersensibilité aux amines adrénergiques ou aux autres ingrédients des préparations (fluorocarbures dans l'aérosol-doseur, parabènes dans le sirop, édétate sodique et bisulfites dans la solution).
Précautions: ■ Personnes âgées (plus grande prédisposition aux réactions indésirables); il est conseillé de réduire la dose) ■ Grossesse et allaitement (l'innocuité du médicament n'a pas été établie) ■ Maladie cardiaque ■ Hypertension ■ Hyperthyroïdie ■ Diabète sucré ■ Glaucome ■ Usage excessif des préparations à inhaler (risque de tolérance aux effets

du médicament et de bronchospasme paradoxal).

RÉACTIONS INDÉSIRABLES ET EFFETS SECONDAIRES

SNC: nervosité, agitation, insomnie, tremblements, céphalées.
CV: hypertension, arythmies, angine.
End.: hyperglycémie.
GI: nausées, vomissements.

INTERACTIONS

Médicament – médicament: ■ Effets adrénergiques additifs lors de l'administration d'autres **amines adrénergiques (sympathomimétiques)** ■ L'administration concomitante d'**inhibiteurs de la MAO** peut déclencher une crise hypertensive ■ Les **bêtabloquants** peuvent inhiber l'effet thérapeutique.

PRÉSENTATION

L'orciprénaline existe sous forme de comprimés, de sirop, de préparation en aérosol et de solution pour vaporisateur ou pour respirateur à pression positive intermittente.

VOIES D'ADMINISTRATION ET POSOLOGIE

■ **PO (adultes):** 20 mg, 3 ou 4 fois par jour.
■ **PO (enfants > 12 ans):** 20 mg, 3 fois par jour.
■ **PO (enfants de 4 à 12 ans):** 10 mg, 3 fois par jour.
■ **Inhalation (adultes et enfants > 12 ans):** *aérosol-doseur* (750 µg/inhalation), 1 ou 2 inhalations, toutes les 3 ou 4 h (ne pas dépasser 12 inhalations par jour). *Nébuliseur à poire en caoutchouc* – de 5 à 15 inhalations de la solution non diluée à 5 %, jusqu'à 3 fois par jour (ne pas utiliser plus souvent que toutes les 4 h). *Respirateur à pression positive intermittente* – de 0,5 à 1 mL de la solution à 5 % pour nébulisation; diluer au besoin et administrer durant environ

20 min, 3 ou 4 fois par jour (ne pas utiliser plus souvent que toutes les 4 h).

PHARMACODYNAMIE (bronchodilatation)

	DÉBUT D'ACTION	PIC	DURÉE
PO	15 min	1 h	4 h
inhalation	1 – 5 min	1 h	3 – 4 h

✳ SOINS INFIRMIERS

ÉVALUATION DE LA SITUATION

☐ Mesurer la pression artérielle, le pouls et la fréquence respiratoire, ausculter le murmure vésiculaire et examiner les caractéristiques des expectorations avant et après le traitement.

☐ Déceler l'apparition d'une tolérance aux effets du médicament et d'un bronchospasme rebond.

■ **Étude des examens diagnostiques et biochimiques:** L'orciprénaline peut entraîner la diminution des concentrations sériques de potassium.

DIAGNOSTICS INFIRMIERS POSSIBLES

■ **Énoncés diagnostiques**

☐ Dégagement inefficace des voies respiratoires.

☐ Prise en charge inefficace du programme thérapeutique.

☐ Non-observance du traitement médicamenteux.

☐ *Risque élevé d'agitation.*

☐ *Risque élevé d'anxiété.*

■ **Facteurs favorisants**

☐ Informations incomplètes.

☐ Doute quant aux bienfaits du médicament.

☐ *Manque de connaissances sur la méthode d'administration du médicament.*

☐ *Manque de connaissances sur les modalités du traitement.*

INTERVENTIONS INFIRMIÈRES

■ **PO:** Administrer les préparations par voie orale avec des aliments si l'irritation gastrique devient gênante.

■ **Inhalation:** Pour l'administration par respirateur à pression positive intermittente, on peut diluer chaque dose dans 2,5 mL de solution de NaCl à 0,9 %.

ENSEIGNEMENT AU PATIENT ET À SES PROCHES

■ **Directives générales:** Conseiller au patient de respecter scrupuleusement la posologie recommandée. Le prévenir que s'il prend des doses à intervalles plus fréquents que ceux prescrits par le médecin, il risque de manifester un bronchospasme paradoxal. S'il n'a pas pu prendre le médicament au moment habituel, il doit le prendre dès que possible dans l'heure qui suit, mais non pas plus tard. Il ne faut jamais remplacer une dose manquée par une double dose.

☐ Conseiller au patient de maintenir un apport adéquat de liquides afin de liquéfier les sécrétions tenaces.

☐ Recommander au patient de consulter le médecin si les symptômes respiratoires ne sont pas soulagés ou s'ils s'aggravent après le traitement. Le patient devra également informer le médecin s'il souffre de douleurs thoraciques, de céphalées, d'étourdissements graves, de palpitations, de nervosité ou de faiblesse.

■ **Inhalation:** Recommander au patient de bien agiter l'aérosol-doseur, de libérer ses voies aériennes avant de prendre le médicament, d'expirer profondément avant de placer l'appareil dans la bouche, de refermer ses lèvres autour de l'embout buccal, d'inhaler profondément pendant qu'il s'administre le médicament et de retenir sa respiration pendant plusieurs secondes après l'inhalation. Lui expliquer qu'il doit inhaler la dose suivante 1 ou 2 min plus tard. Conseiller au patient de laver l'embout buccal après chaque utilisation.

□ Le patient recevant des glucocorticoïdes par inhalation en même temps que l'orciprénaline devraient prendre l'orciprénaline d'abord et attendre 5 min avant d'inhaler le deuxième médicament à moins que le médecin ne lui ait recommandé une autre utilisation.

VÉRIFICATION DES RÉSULTATS

L'efficacité du traitement peut être démontrée par : ■ la diminution des bronchospasmes □ l'amélioration de la fonction respiratoire.

OXACILLINE

(Bactocill), (Prostaphilin)

CLASSIFICATION :

Anti-infectieux – pénicilline résistante à la pénicillinase

Grossesse – catégorie B

INDICATIONS

■ Traitement des infections suivantes provoquées par les souches sensibles de staphylocoques produisant de la pénicillinase : □ infections des voies respiratoires □ infections de la peau et des tissus mous □ infections des os et des articulations □ infections des voies urinaires □ endocardite □ septicémie □ méningite.

ACTION

■ Liaison à la membrane de la paroi de la cellule bactérienne entraînant la destruction de la bactérie ■ Résistance à l'action de la pénicillinase, enzyme capable d'inactiver la pénicilline. **Effets thérapeutiques :** ■ Action bactéricide contre les micro-organismes sensibles. **Spectre d'action :** ■ Action contre la plupart des cocci aérobies à Gram positif, mais qui est plus faible que celle de la pénicilline ■ Action notable contre les souches suivantes

produisant de la pénicillinase : □ *Staphylococcus aureus* □ *Staphylococcus epidermidis* ■ Aucun effet sur les staphylocoques résistants à la méthicilline.

PHARMACOCINÉTIQUE

Absorption : Absorption rapide, mais incomplète depuis le tractus gastro-intestinal. Bonne absorption depuis les points d'injection IM.

Distribution : L'agent se répartit dans tout l'organisme ; il pénètre dans le liquide céphalorachidien en quantité infime, mais suffisante en présence d'inflammation des méninges. Il traverse le placenta et pénètre dans le lait maternel.

Métabolisme et excrétion : Une fraction du médicament (49 %) est métabolisée par le foie ; l'oxacilline est en partie excrétée par les reins à l'état inchangé.

Demi-vie : De 20 à 50 min (prolongée en cas d'insuffisance hépatique grave).

CONTRE-INDICATIONS ET PRÉCAUTIONS

Contre-indications : Hypersensibilité aux pénicillines.

Précautions : ■ Insuffisance hépatique grave (il est conseillé de réduire la dose) ■ Patients gravement malades ou patients souffrant de nausées ou de vomissements (administrer la solution parentérale) ■ Grossesse et allaitement (l'innocuité du médicament n'a pas été établie) ■ Antécédents d'hypersensibilité.

RÉACTIONS INDÉSIRABLES ET EFFETS SECONDAIRES

SNC : CONVULSIONS (doses élevées).

GI : nausées, vomissements, diarrhée, hépatite.

GU : néphrite interstitielle.

Tég. : rash, urticaire.

Hémat. : dyscrasie.

Locaux : phlébite au point d'injection IV, douleur au point d'injection IM.

Divers : surinfection, réactions allergiques incluant l'ANAPHYLAXIE et la maladie sérique.

O

INTERACTIONS

Médicament – médicament : ■ Le **probénécide** diminue l'excrétion rénale et accroît les concentrations de l'oxacilline dans le sang ■ L'oxacilline peut modifier les effets des **anticoagulants oraux**. **Médicament-aliments :** ■ Les **aliments**, les **jus acides** ou les **boissons gazéifiées** réduisent l'absorption de l'oxacilline.

VOIES D'ADMINISTRATION ET POSOLOGIE

Remarque : La préparation renferme de 2,5 à 3,1 mmol/g de sodium.

- **PO (adultes) :** 500 mg, toutes les 4 à 6 h.
- **PO (enfants > 1 mois et pesant < 40 kg) :** de 50 à 100 mg/kg par jour, en doses fractionnées, toutes les 4 à 6 h.
- **IM et IV (adultes) :** de 250 à 2 000 mg, toutes les 4 à 6 h.
- **IM et IV (enfants > 1 mois et pesant < 40 kg) :** de 50 à 200 mg/kg par jour, en doses fractionnées, toutes les 4 à 6 h.

PHARMACODYNAMIE
(concentrations sanguines)

	DÉBUT D'ACTION	PIC
PO	rapide	30 – 60 min
IM	rapide	30 min
IV	rapide	fin de la perfusion

⁂ SOINS INFIRMIERS

ÉVALUATION DE LA SITUATION

☐ Au début du traitement et pendant toute sa durée, suivre de près les signes suivants d'infection : altération des signes vitaux ; aspect de la plaie, des crachats, de l'urine et des selles ; accroissement du nombre de leucocytes.

☐ Recueillir les antécédents du patient avant d'amorcer le traitement afin de déterminer ses réactions à un traitement antérieur à une pénicilline ou à une céphalosporine. Même les personnes n'ayant jamais manifesté de sensibilité à la pénicilline peuvent présenter une réaction allergique.

☐ Prélever des échantillons pour les cultures et les antibiogrammes avant le début du traitement. La première dose peut être administrée avant même que les résultats soient connus.

☐ Surveiller les signes et les symptômes suivants d'anaphylaxie : rash, prurit, œdème laryngé, respiration sifflante. Si ces réactions se manifestent, arrêter l'administration du médicament et avertir immédiatement le médecin. Garder à portée de la main de l'épinéphrine, un antihistaminique et le matériel de réanimation pour parer à une éventuelle réaction anaphylactique.

■ **Étude des examens diagnostiques et biochimiques :** Examiner la numération globulaire, les concentrations sériques d'urée et de créatinine, les résultats de l'analyse des urines et des tests de l'exploration fonctionnelle hépatique à intervalles réguliers pendant tout le traitement.

☐ L'oxacilline peut entraîner l'élévation des concentrations de TGOS (AST) et de TGPS (ALT).

☐ Le médicament peut positiver les résultats du test de Coombs direct.

DIAGNOSTICS INFIRMIERS POSSIBLES

■ **Énoncés diagnostiques**

☐ Risque élevé d'infection.

☐ Prise en charge inefficace du programme thérapeutique.

☐ Non-observance du traitement médicamenteux.

☐ *Risque élevé de surinfection.*

☐ *Risque élevé d'accident.*

■ **Facteurs favorisants**

☐ Informations incomplètes.

☐ Doute quant aux bienfaits du médicament.

☐ *Manque de connaissances sur les modalités du traitement.*

☐ *Manque de connaissances sur les effets secondaires du médicament.*

INTERVENTIONS INFIRMIÈRES

- **PO:** L'oxacilline doit être administrée à intervalles réguliers, à jeun, au moins 1 h avant les repas ou 2 h après. Demander au patient de prendre l'oxacilline avec un grand verre d'eau; les jus acides ou les boissons gazeuses peuvent réduire l'absorption des pénicillines.

- ☐ Utiliser un récipient gradué pour mesurer les préparations liquides. Bien agiter. La solution est stable pendant 14 jours au réfrigérateur.

- **IM et IV:** Ajouter 1,4 mL d'eau stérile pour injection au contenu d'une fiole de 250 mg, 2,7 ou 2,8 mL au contenu d'une fiole de 500 mg, 5,7 mL au contenu d'une fiole de 1 g, 11,4 ou 11,5 mL au contenu d'une fiole de 2 g et de 21,8 à 23 mL, au contenu d'une fiole de 4 g pour obtenir une concentration de 250 mg/1,5 mL. La solution est stable pendant 3 jours à la température ambiante ou pendant 7 jours au réfrigérateur.

- **IV directe:** Diluer une fois de plus le contenu des fioles de 250 ou de 500 mg dans 5 mL d'eau stérile ou de solution de NaCl à 0,9 % pour injection, le contenu des fioles de 1 g, 2 g et 4 g dans 10 mL, 20 mL et 40 mL de solution, respectivement.

- ☐ *Vitesse d'administration:* Administrer lentement en 10 min.

- **Perfusion intermittente:** Diluer jusqu'à l'obtention d'une concentration de 0,5 à 40 mg/mL dans une solution de NaCl à 0,9 %, de dextrose à 5 % dans de l'eau, de dextrose à 5 % et de NaCl à 0,9 % ou de lactate Ringer.

- ☐ *Vitesse d'administration:* L'oxacilline peut être perfusée en 6 h.

- **Compatibilités (tubulure en Y):** Acyclovir, chlorure de potassium, cyclophosphamide, famotidine, foscarnet, héparine, hydromorphone, labétalol, mépéridine, morphine, perphénazine, succinate d'hydrocortisone sodique, sulfate de magnésium ou zidovudine.

- **Incompatibilité (tubulure en Y):** Vérapamil.

- **Compatibilités en addition au soluté:** Bicarbonate de sodium, céphapirine, chloramphénicol, chlorure de potassium ou dopamine.

- **Incompatibilités en addition au soluté:** Cytarabine, oxytétracycline ou tétracycline.

ENSEIGNEMENT AU PATIENT ET À SES PROCHES

- ☐ Expliquer au patient qu'il doit respecter scrupuleusement la posologie recommandée et prendre toute la quantité de médicament qui lui a été prescrite, à intervalles réguliers, 24 h sur 24, même s'il se sent mieux. S'il n'a pas pu prendre le médicament au moment habituel, il doit le prendre dès que possible. Insister sur le fait qu'il peut être dangereux de donner ce médicament à une autre personne.

- ☐ Recommander au patient de signaler immédiatement au médecin les allergies et les signes de surinfection suivants: excroissance noire et pileuse sur la langue, démangeaisons ou pertes vaginales, selles molles ou nauséabondes.

- ☐ Conseiller au patient de consulter le médecin si les symptômes ne s'améliorent pas.

VÉRIFICATION DES RÉSULTATS

La réponse clinique peut être déterminée par: la disparition des signes et des symptômes d'infection. Le temps de résolution dépend du micro-organisme infectant et du siège de l'infection.

OXAZÉPAM
Apo-Oxazepam, Novo-Xapam, Serax

CLASSIFICATION:
Hypnosédatif – benzodiazépine
Grossesse – catégorie inconnue

INDICATIONS

■ Traitement de l'anxiété ■ Traitement symptomatique du sevrage alcoolique.

ACTION

■ Dépression du SNC, probablement par la potentialisation de l'activité de l'acide gamma-aminobutyrique (GABA), neurotransmetteur inhibiteur. **Effets thérapeutiques:** ■ Soulagement de l'anxiété ■ Diminution des symptômes associés au sevrage alcoolique.

PHARMACOCINÉTIQUE

Absorption: Bonne absorption par suite de l'administration par voie orale. L'oxazépam est absorbé plus lentement que les autres benzodiazépines.

Distribution: Le médicament se répartit dans tout l'organisme. Il traverse la barrière hémato-encéphalique. Il semble traverser le placenta et pénétrer dans le lait maternel.

Métabolisme et excrétion: Par suite du métabolisme hépatique, le médicament est transformé en composés inactifs.

Demi-vie: De 5 à 15 h.

CONTRE-INDICATIONS ET PRÉCAUTIONS

Contre-indications: ■ Hypersensibilité ■ Risque de réactions de sensibilité croisée avec d'autres benzodiazépines ■ Coma ou dépression préexistante du SNC ■ Douleurs graves, non maîtrisées ■ Glaucome à angle étroit ■ Grossesse et allaitement.

Précautions: ■ Dysfonction hépatique ■ Patients qui pourraient manifester des tendances suicidaires ou qui ont des antécédents de toxicomanie ■ Personnes âgées ou patients débilités (il est recommandé de réduire la dose) ■ Bronchopneumopathie chronique obstructive grave ■ Myasthénie grave.

RÉACTIONS INDÉSIRABLES ET EFFETS SECONDAIRES

SNC: étourdissements, somnolence, léthargie, confusion, perte de mémoire, sensation « droguée », excitation paradoxale, dépression, céphalées, trouble de l'élocution.

ORLO: vision trouble.

Resp.: dépression respiratoire.

CV: tachycardie.

GI: nausées, vomissements, diarrhée, constipation, hépatite.

GU: troubles de miction.

Hémat.: leucopénie.

Tég.: rash.

Divers: tolérance aux effets du médicament, dépendance psychologique, dépendance physique.

INTERACTIONS

Médicament – médicament: ■ Dépression additive du SNC lors de l'usage concomitant d'**autres dépresseurs du SNC**, y compris l'**alcool**, les **antihistaminiques**, les **antidépresseurs**, les **analgésiques narcotiques** et les autres **hypnosédatifs** ■ L'oxazépam peut diminuer l'efficacité thérapeutique de la **lévodopa** ■ Les **contraceptifs oraux** ou la **phénytoïne**, administrés simultanément, peuvent diminuer l'efficacité de l'oxazépam ■ La **théophylline** peut réduire les effets sédatifs de l'oxazépam.

VOIES D'ADMINISTRATION ET POSOLOGIE

Anxiété légère à modérée

■ **PO (adultes):** de 10 à 30 mg, 3 ou 4 fois par jour.

Anxiété grave, sevrage alcoolique

■ **PO (adultes):** de 15 à 30 mg, 3 ou 4 fois par jour.

PHARMACODYNAMIE (sédation)

	DÉBUT D'ACTION	PIC	DURÉE
PO	45 – 90 min	inconnu	6 – 12 h

✳ SOINS INFIRMIERS

ÉVALUATION DE LA SITUATION

☐ Noter le degré d'anxiété et de sédation et suivre de près l'ataxie, les étourdis-

sements et le trouble de l'élocution à intervalles réguliers pendant toute la durée du traitement.

☐ Un traitement prolongé à des doses élevées peut entraîner une dépendance psychologique ou physique. Limiter la quantité de médicament dont le patient peut disposer.

■ **Étude des examens diagnostiques et biochimiques:** Noter à intervalles réguliers les résultats des tests de l'exploration fonctionnelle hépatique et la numération globulaire chez les patients qui reçoivent un traitement prolongé.

☐ L'oxazépam peut entraîner l'élévation des concentrations sériques de bilirubine, de TGOS (AST) et de TGPS (ALT).

DIAGNOSTICS INFIRMIERS POSSIBLES

■ **Énoncés diagnostiques**

☐ Anxiété.

☐ Risque élevé d'accident.

☐ Prise en charge inefficace du programme thérapeutique.

■ **Facteurs favorisants**

☐ Informations incomplètes.

☐ *Manque de connaissances sur les modalités du traitement.*

☐ *Manque de connaissances sur les effets secondaires du médicament.*

INTERVENTIONS INFIRMIÈRES

■ **Directives générales:** Lorsque le traitement arrive à terme, il faut interrompre graduellement l'administration de l'oxazépam. L'arrêt brusque du traitement peut entraîner les symptômes de sevrage suivants: insomnie, irritabilité, nervosité, tremblements.

■ **PO:** Administrer avec des aliments si l'irritation gastrique devient gênante.

ENSEIGNEMENT AU PATIENT ET À SES PROCHES

☐ Conseiller au patient de respecter scrupuleusement la posologie recommandée. S'il n'a pas pu prendre le

médicament au moment habituel, il doit le prendre dans l'heure qui suit, sinon, il doit sauter cette dose et reprendre l'horaire habituel. Le prévenir qu'il ne faut pas prendre de dose double ni augmenter les doses. Lui conseiller de prévenir le médecin si la dose est moins efficace après quelques semaines.

☐ Prévenir le patient que l'oxazépam peut entraîner de la somnolence ou des étourdissements. Lui conseiller de ne pas conduire et d'éviter les activités qui exigent sa vigilance jusqu'à ce qu'on ait la certitude que le médicament n'entraîne pas ces effets chez lui.

☐ Recommander au patient d'éviter de boire de l'alcool et de consulter le médecin ou le pharmacien avant de prendre des préparations en vente libre contenant des antihistaminiques ou de l'alcool.

☐ Conseiller à la patiente d'informer le médecin si elle pense être enceinte ou si elle souhaite le devenir.

VÉRIFICATION DES RÉSULTATS

L'efficacité du traitement peut être démontrée par: ■ la diminution de la sensation d'anxiété ☐ une meilleure capacité d'adaptation ■ la prévention ou le soulagement de l'agitation aiguë, des tremblements et des hallucinations au cours du sevrage alcoolique.

OXICONAZOLE
(Oxistat)

CLASSIFICATION:
Antifongique – topique

Grossesse – catégorie B

INDICATIONS

■ Traitement des infections superficielles, y compris: ☐

O

(épidermophytie interdigitale) □ *Tinea cruris* (eczéma marginé de Hebra) □ *Tinea corporis* (herpès circiné).

ACTION

■ Inhibition de la synthèse des stérols dans les cellules fongiques, ce qui porte atteinte à l'intégrité de la membrane. **Effets thérapeutiques:** ■ Effet fongicide contre les isolats sensibles. **Spectre d'action:** ■ Large spectre d'action antifongique qui englobe: □ *Tricophyton rubrum* □ *Trichophyton mentagrophytes*.

PHARMACOCINÉTIQUE

Absorption: Par suite de l'administration des préparations topiques, l'absorption systémique est infime.

Distribution: L'agent semble se concentrer dans l'épiderme; on le trouve à des concentrations plus faibles dans la couche cornée supérieure et inférieure.

Métabolisme et excrétion: Inconnus.

Demi-vie: Inconnue.

CONTRE-INDICATIONS ET PRÉCAUTIONS

Contre-indications: Hypersensibilité.

Précautions: Grossesse, allaitement ou enfants (l'innocuité du médicament n'a pas été établie).

RÉACTIONS INDÉSIRABLES ET EFFETS SECONDAIRES

Tég.: démangeaisons, brûlures, irritation, érythème, macération, fissures.

INTERACTIONS

Médicament – médicament: Aucune interaction notable.

VOIES D'ADMINISTRATION ET POSOLOGIE

Préparation topique (adultes): appliquer une fois par jour, le soir, sur les régions affectées.

PHARMACODYNAMIE (effet antifongique)

	DÉBUT D'ACTION	PIC	DURÉE
préparation topique	inconnu	2-4 semaines	inconnue

SOINS INFIRMIERS

ÉVALUATION DE LA SITUATION

□ Inspecter les territoires cutanés atteints à la recherche de signes d'infection avant l'administration et pendant tout le traitement.

□ Prélever des échantillons pour les cultures avant le début du traitement. La première dose peut être administrée avant même que les résultats soient connus.

DIAGNOSTICS INFIRMIERS POSSIBLES

■ **Énoncés diagnostiques**

□ Risque élevé d'infection.

□ Atteinte à l'intégrité de la peau.

□ Prise en charge inefficace du programme thérapeutique.

■ **Facteurs favorisants**

□ Informations incomplètes.

□ *Manque de connaissances sur la méthode d'administration du médicament.*

INTERVENTIONS INFIRMIÈRES

Administration topique: Appliquer la préparation une fois par jour, le soir, sur la région affectée. Il faut appliquer suffisamment de crème pour recouvrir tout le territoire affecté.

ENSEIGNEMENT AU PATIENT ET À SES PROCHES

■ **Directives générales:** Conseiller au patient d'appliquer l'oxiconazole topique en suivant scrupuleusement la posologie et le mode d'emploi recommandés. S'il n'a pas pu appliquer la crème au moment habituel, il doit le faire dès que possible sauf s'il est presque l'heure prévue pour la dose suivante.

- **Préparation topique:** Conseiller au patient de bien laver et de bien sécher la région atteinte avant d'appliquer le médicament. Éviter le contact avec les yeux.
- ☐ Conseiller au patient de prévenir le médecin s'il ne note aucune amélioration après 2 à 4 semaines.

VÉRIFICATION DES RÉSULTATS

L'efficacité du traitement peut être démontrée par: ■ la résolution des signes et des symptômes d'infection ☐ le traitement du *Tinea corporis* (herpès circiné) et de l'eczéma marginé de Hebra doit durer 2 semaines ☐ le traitement du *Tinea pedis* (épidermaphytie interdigitale) doit durer 1 mois afin de prévenir la récurrence.

OXTRIPHYLLINE
Apo-Oxtriphylline, Choledyl, Choledyl SA, Novo-Triphyl, PMS-Oxtriphylline

CLASSIFICATION:
Bronchodilatateur – inhibiteur de la phosphodiestérase

Grossesse – catégorie C

INDICATIONS
Bronchodilatation en cas d'obstruction réversible des voies respiratoires attribuables à l'asthme bronchique ou à la bronchopneumopathie chronique obstructive et aux troubles bronchospasmodiques.

ACTION
■ Inhibition de la phosphodiestérase, entraînant une élévation des concentrations d'adénosine monophosphate cyclique (AMPc) dans les tissus. Les concentrations accrues d'AMPc entraînent la bronchodilatation, la stimulation du SNC, des effets inotropes et chronotropes positifs, la diurèse et des sécrétions d'acide gastrique ■ L'oxtriphylline est un

sel de théophyllinate de choline; après l'administration, elle libère de la théophylline. **Effets thérapeutiques:** ■ Bronchodilatation.

PHARMACOCINÉTIQUE

Absorption: Bonne absorption par suite de l'administration par voie orale. L'absorption des comprimés à action prolongée peut être retardée, imprévisible ou inconstante.

Distribution: Le médicament se répartit dans tout l'organisme sous forme de théophylline. Il traverse le placenta et on le trouve dans le lait maternel à une concentration correspondant à 70 % des concentrations plasmatiques.

Métabolisme et excrétion: L'oxtriphylline est surtout métabolisée par le foie (90 %); une petite fraction est transformée en caféine. Les métabolites sont excrétés par les reins. Une fraction de 10 % est excrétée à l'état inchangé par les reins (fraction allant jusqu'à 50 % chez les nouveau-nés).

Demi-vie: De 3 à 13 h (théophylline); prolongée chez les personnes âgées (> 60 ans), les nouveau-nés et les patients souffrant d'insuffisance cardiaque ou de maladie hépatique; raccourcie chez les fumeurs et les enfants.

CONTRE-INDICATIONS ET PRÉCAUTIONS

Contre-indications: ■ Arythmies non maîtrisées ■ Hyperthyroïdie.

Précautions: ■ Personnes âgées (> 60 ans) ■ Insuffisance cardiaque ou maladie hépatique (diminuer la dose) ■ Grossesse (bien que l'innocuité du médicament n'ait pas été établie, il a déjà été utilisé sans qu'il donne lieu à des effets nocifs) ■ Allaitement (risque d'irritabilité chez le nouveau-né) ■ Intolérance à l'alcool (élixir seulement).

RÉACTIONS INDÉSIRABLES ET EFFETS SECONDAIRES

SNC: <u>nervosité</u>, <u>anxiété</u>, céphalées, insomnie, CONVULSIONS.

CV: tachycardie, palpitations, arythmies, angine de poitrine.
GI: nausées, vomissements, anorexie, crampes.
SN: tremblements.

INTERACTIONS

Médicament – médicament: ■ L'administration simultanée d'**adrénergiques (sympathomimétiques)** entraîne des effets secondaires additifs sur l'appareil cardiovasculaire et le SNC ■ L'oxtriphylline peut diminuer l'effet thérapeutique du **lithium** ■ Le tabagisme, les **adrénergiques**, le **phénobarbital**, la **rifampine**, le **kétoconazole**, la **phénytoïne** et la **carbamazépine** peuvent accélérer le métabolisme du médicament et en diminuer l'efficacité ■ L'**érythromycine**, les **bêtabloquants**, la **cimétidine**, le **vaccin antigrippal**, les **contraceptifs oraux**, les **glucocorticoïdes**, le **disulfirame**, l'**interféron**, la **mexilétine**, le **thiabendazole**, les **fluoroquinolones** et les doses élevées d'**allopurinol** diminuent le métabolisme du médicament et peuvent provoquer une toxicité ■ L'administration concomitante d'**halothane** augmente le risque d'arythmie. **Médicament – aliments:** ■ La consommation excessive de **caféine (cola, chocolat, café, thé)** peut entraîner l'élévation des concentrations sériques de théophylline et accroître le risque de toxicité ■ La consommation régulière de **viande de bœuf grillée sur le charbon de bois** peut accélérer le métabolisme et diminuer l'efficacité de l'oxtriphylline.

PRÉSENTATION

Le médicament est présenté sous forme de comprimés, de sirop, de comprimés à action prolongée et d'élixir.

VOIES D'ADMINISTRATION ET POSOLOGIE

Remarque: Pour déterminer la posologie de l'oxtriphylline, il faut se guider d'après les concentrations sériques de théophylline. La dose est indiquée en milligrammes d'oxtriphylline. L'oxtriphylline contient 64 % de théophylline.

- **PO (adultes):** initialement, de 200 à 400 mg, toutes les 6 à 8 h. Si la dose quotidienne est de 800 ou de 1 200 mg, on peut administrer des comprimés à action prolongée, toutes les 12 h.
- **PO (enfants de 10 à 14 ans):** 5,5 mg/kg, toutes les 6 h pendant les 24 premières heures; par la suite, la dose d'entretien habituelle se situe entre 3,75 et 5,5 mg/kg, toutes les 6 h. Si la dose quotidienne est de 800 ou de 1 200 mg, on peut administrer des comprimés à action prolongée, toutes les 12 h.
- **PO (enfants de 5 à 9 ans):** de 200 à 400 mg par jour, en doses fractionnées, toutes les 6 h.
- **PO (enfants < 5 ans):** de 24 à 36 mg/kg par jour, en doses fractionnées, toutes les 8 h.

PHARMACODYNAMIE
(début d'action = apparition de la bronchodilatation; pic = concentrations plasmatiques maximales; durée = durée de la bronchodilatation)

	DÉBUT D'ACTION	PIC	DURÉE
PO (élixir)	inconnu	1 h	inconnue
PO (comprimés)	15–60 min	5 h	6–8 h
PO (comprimés à action prolongée)	inconnu	4–7 h	12 h

☀ SOINS INFIRMIERS

ÉVALUATION DE LA SITUATION

☐ Mesurer la pression artérielle, le pouls et la fréquence des respirations; ausculter le murmure vésiculaire avant d'administrer le médicament et pendant tout le traitement.

O

- Effectuer le bilan des ingesta et des excreta pour déceler une augmentation de la diurèse.

- Chez les patients souffrant de maladies cardiovasculaires, suivre de près les modifications de l'ÉCG.

■ **Études des examens diagnostics et biochimiques:** La consommation de caféine peut entraîner une fausse élévation des concentrations du médicament.

■ **Toxicité et surdosage:** Suivre de près les signes suivants de toxicité médicamenteuse: anorexie, nausées, vomissements, agitation, insomnie, tachycardie, arythmies, convulsions. En informer le médecin sans délai.

- Suivre les concentrations de médicament à intervalles réguliers. Pour l'évaluation des concentrations maximales, effectuer les prélèvements de 1 à 2 h après l'administration des préparations à libération immédiate et de 4 à 12 h après l'administration des comprimés à action prolongée.

- Les concentrations plasmatiques thérapeutiques se situent entre 55 et 110 mmol/L. Des concentrations supérieures à 20 μg/mL sont le signe d'une toxicité.

DIAGNOSTICS INFIRMIERS POSSIBLES

■ **Énoncés diagnostiques**

- Dégagement inefficace des voies respiratoires.

- Intolérance à l'activité.

- Prise en charge inefficace du programme thérapeutique.

■ **Facteurs favorisants**

- Informations incomplètes.

- *Manque de connaissances sur les modalités du traitement.*

- *Manque de connaissances sur la méthode d'administration du médicament.*

- *Manque de connaissances sur le régime alimentaire à suivre.*

- *Difficulté à s'adapter aux changements nécessaires dans les habitudes de vie.*

INTERVENTIONS INFIRMIÈRES

■ **Directives générales:** Administrer l'oxtriphylline, à intervalles réguliers, 24 h sur 24, pour maintenir des concentrations plasmatiques thérapeutiques.

- Déterminer si le patient a reçu de la théophylline sous quelque forme que ce soit avant l'administration de la dose d'attaque.

■ **PO:** Administrer l'oxtriphylline avec des aliments ou un grand verre d'eau pour réduire l'irritation gastro-intestinale. Les aliments ralentissent mais ne réduisent pas l'absorption du médicament. Signaler au patient qu'il ne doit pas briser, broyer ni croquer les comprimés à action prolongée.

ENSEIGNEMENT AU PATIENT ET À SES PROCHES

- Expliquer au patient qu'il est important de ne prendre que la dose qui lui a été prescrite, aux heures prescrites. S'il n'a pas pu prendre le médicament au moment habituel, il doit le prendre dès que possible, à moins que ce ne soit presque l'heure prévue pour la dose suivante.

- Recommander au patient de boire suffisamment de liquides (2 000 mL par jour, au minimum) pour diminuer la viscosité des sécrétions des voies respiratoires.

- Conseiller au patient de consulter le médecin ou le pharmacien avant de prendre un médicament en vente libre pour traiter la toux, le rhume ou les difficultés respiratoires en même temps que l'oxtriphylline. Ces médicaments peuvent intensifier les effets secondaires de l'oxtriphylline et déclencher des arythmies.

- Recommander au patient de cesser de fumer. Une modification de l'usage du

0

tabac peut dicter la modification de la posologie.

□ Recommander au patient de réduire la consommation d'aliments et de boissons à base de xanthine (cola, café, chocolat) et de ne pas manger tous les jours des aliments grillés sur le charbon de bois.

□ Recommander au patient de ne pas changer de marque ni de forme de préparation sans consulter le médecin.

□ Recommander au patient de prévenir immédiatement le médecin si la dose habituelle de médicament ne produit pas les résultats escomptés, si les symptômes s'aggravent après le traitement ou si des effets toxiques se manifestent.

□ Insister sur l'importance de déterminer les concentrations sériques tous les 6 à 12 mois.

VÉRIFICATION DES RÉSULTATS

L'efficacité du traitement peut être démontrée par : ■ une respiration plus facile □ le dégagement des champs pulmonaires à l'auscultation.

OXYBUTYNINE
Ditropan

CLASSIFICATION :
Antispasmodique urinaire

Grossesse – catégorie inconnue

INDICATIONS

■ Traitement des symptômes urinaires suivants pouvant être associés à une vessie neurogène : □ miction fréquente □ miction impérieuse □ incontinence.

ACTION

■ Inhibition de l'action de l'acétylcholine au niveau des récepteurs postganglionnaires ■ Effet spasmolytique direct sur les muscles lisses, y compris les muscles lisses de la paroi du tractus génito-urinaire, sans affecter les muscles lisses vasculaires. **Effets thérapeutiques :** ■ Augmentation de la capacité de la vessie ■ Retard du besoin d'uriner.

PHARMACOCINÉTIQUE

Absorption : Absorption rapide par suite de l'administration par voie orale.

Distribution : Inconnue.

Métabolisme et excrétion : Inconnus.

Demi-vie : Inconnue.

CONTRE-INDICATIONS ET PRÉCAUTIONS

Contre-indications : ■ Hypersensibilité ■ Glaucome ■ Occlusion ou atonie intestinale ■ Syndrome colectasique (mégacôlon toxique) ■ Iléus paralytique ■ Colite grave ■ Myasthénie grave ■ Hémorragie aiguë accompagnée d'un état de choc ■ Uropathie obstructive.

Précautions : ■ Grossesse ou enfants de moins de 5 ans (l'innocuité du médicament n'a pas été établie) ■ Allaitement (inhibition possible de la lactation) ■ Maladie cardiovasculaire ■ Œsophagite de reflux.

RÉACTIONS INDÉSIRABLES ET EFFETS SECONDAIRES

SNC : somnolence, étourdissements, insomnie, faiblesse, hallucinations.

ORLO : vision trouble, mydriase, pression intraoculaire accrue, cycloplégie, photophobie.

CV : tachycardie, palpitations.

GI : sécheresse de la bouche (xérostomie), nausées, vomissements, sensation de ballonnement, constipation.

GU : retard de la miction avec effort pour uriner, rétention urinaire, impuissance.

Tég. : sécrétion réduite de sueur, urticaire.

End. : suppression de la lactation.

Métab. : hyperthermie.

Divers : réactions allergiques, bouffées vasomotrices, fièvre.

O

INTERACTIONS

Médicament – médicament: ■ Effets anticholinergiques additifs, lors de l'administration simultanée d'**autres agents doués de propriétés anticholinergiques,** y compris les **antidépresseurs,** les **phénothiazines,** le **disopyramide** et l'**halopéridol** ■ Dépression additive du SNC lors de l'usage concomitant d'**autres dépresseurs du SNC,** y compris l'**alcool,** les **antihistaminiques,** les **antidépresseurs,** les **analgésiques narcotiques** et les **hypnosédatifs.**

VOIES D'ADMINISTRATION ET POSOLOGIE

- **PO (adultes):** 5 mg, de 2 à 4 fois par jour (ne pas dépasser 20 mg par jour).
- **PO (enfants > 5 ans):** 5 mg, 2 ou 3 fois par jour (ne pas dépasser 15 mg par jour).

PHARMACODYNAMIE
(effet urinaire spasmolytique)

	DÉBUT D'ACTION	PIC	DURÉE
PO	30 – 60 min	3 – 6 h	6 – 10 h

SOINS INFIRMIERS

ÉVALUATION DE LA SITUATION

Noter le mode d'élimination urinaire, faire le bilan des ingesta et des excreta; examiner l'abdomen afin de déceler une distension de la vessie, avant le début du traitement et pendant toute sa durée. Le médecin peut faire installer une sonde afin d'évaluer les résidus post-mictionnels. La cystométrie, permettant de diagnostiquer le type de dysfonction vésicale, est habituellement effectuée avant que l'oxybutynine ne soit prescrite.

DIAGNOSTICS INFIRMIERS POSSIBLES

- **Énoncés diagnostiques**
- ☐ Altération de l'élimination urinaire.
- ☐ Douleur.
- ☐ Prise en charge inefficace du programme thérapeutique.

- ☐ *Risque élevé d'agitation.*
- ☐ *Risque élevé d'accident.*
- ☐ *Risque élevé de constipation.*
- ☐ *Risque élevé d'anxiété.*

- **Facteurs favorisants**
- ☐ Informations incomplètes.
- ☐ *Distension vésicale.*
- ☐ *Perturbation de la vigilance.*
- ☐ *Manque de connaissances sur les effets secondaires du médicament.*
- ☐ *Manque de connaissances sur les moyens de stimuler la fonction intestinale.*
- ☐ *Manque de connaissances sur les moyens de réduire la photosensibilité et sur l'importance d'un suivi ophtalmologique.*

INTERVENTIONS INFIRMIÈRES

PO: L'oxybutynine peut être administrée à jeun ou avec les repas ou du lait pour prévenir l'irritation gastrique.

ENSEIGNEMENT AU PATIENT ET À SES PROCHES

- ☐ Conseiller au patient de respecter scrupuleusement la posologie recommandée. S'il n'a pu prendre le médicament au moment habituel, il doit le prendre dès que possible, à moins que ce ne soit presque l'heure prévue pour la dose suivante.
- ☐ Prévenir le patient que l'oxybutynine peut provoquer de la somnolence ou des troubles de la vision. Lui conseiller de ne pas conduire et d'éviter les activités exigeant sa vigilance jusqu'à ce qu'on ait la certitude que ce médicament n'entraîne pas ces effets chez lui.
- ☐ Recommander au patient d'éviter de boire de l'alcool ou de prendre d'autres dépresseurs du SNC en même temps que l'oxybutynine.
- ☐ Conseiller au patient de se rincer fréquemment la bouche, de pratiquer une bonne hygiène orale et de consommer de la gomme à mâcher ou des bonbons sans sucre pour réduire

O

la sécheresse de la bouche. Lui recommander de prévenir le médecin ou le dentiste si la sécheresse de la bouche persiste pendant plus de 2 semaines.

□ Expliquer au patient que l'oxybutynine peut diminuer les sécrétions de sueur. Lui recommander d'éviter les activités épuisantes par temps chaud en raison des risques d'hyperthermie.

□ Recommander au patient de porter des lunettes fumées lorsqu'il est en plein soleil en raison du risque de sensibilité accrue à la lumière.

□ Conseiller au patient de prévenir le médecin en cas de rétention urinaire ou de constipation persistante. Lui expliquer qu'il peut prévenir la constipation en adoptant un régime alimentaire riche en fibres, en buvant plus de liquides et en faisant de l'exercice.

□ Insister sur la nécessité d'un suivi médical constant. Le médecin peut prescrire des cystométries, à intervalles réguliers, afin d'évaluer l'efficacité du traitement et des examens ophtalmiques, à intervalles réguliers, afin de déceler tout signe de glaucome, particulièrement chez les patients de plus de 40 ans.

VÉRIFICATION DES RÉSULTATS

L'efficacité du traitement peut être démontrée par : le soulagement du spasme de la vessie et des symptômes connexes (miction fréquente, miction impérieuse, nycturie et incontinence) chez les patients présentant une vessie neurogène.

OXYCODONE
Supeudol, (Roxicodone)

OXYCODONE ET ACÉTAMINOPHÈNE
Oxycocet, Percocet, Percocet-Demi, Roxicet, (Oxycet), (Tylox)

OXYCODONE ET ASPIRINE
Oxycodan, Percodan, Percodan-Demi, (Codoxy), (Roxiprin)

CLASSIFICATION :
Analgésique narcotique – agoniste
Stupéfiant
Grossesse – catégorie inconnue

INDICATIONS

En monothérapie et en traitement d'association pour soulager la douleur modérée à grave.

ACTION

■ Liaison aux récepteurs des opiacés du SNC ■ Modification de la perception de la douleur et de la réaction aux stimuli douloureux avec dépression généralisée du SNC. **Effets thérapeutiques :** ■ Diminution de l'intensité des douleurs modérées à graves.

PHARMACOCINÉTIQUE

Absorption : Bonne absorption depuis le tractus gastro-intestinal.

Distribution : Le médicament se répartit dans tout l'organisme. Il traverse le placenta et pénètre dans le lait maternel.

Métabolisme et excrétion : Le médicament est surtout métabolisé par le foie.

Demi-vie : De 2 à 3 h.

CONTRE-INDICATIONS ET PRÉCAUTIONS

Contre-indications : ■ Hypersensibilité ■ Grossesse et allaitement (administration prolongée à proscrire).

Précautions : ■ Traumatisme crânien ■ Pression intracrânienne accrue ■ Maladies rénale, hépatique ou pulmonaire graves ■ Hypothyroïdie ■ Insuffisance surrénalienne ■ Alcoolisme ■ Personnes âgées ou patients débilités (il est recommandé de réduire la dose) ■ Douleur abdominale non diagnostiquée ■ Hypertrophie de la prostate.

RÉACTIONS INDÉSIRABLES ET EFFETS SECONDAIRES

SNC: sédation, confusion, céphalées, euphorie, sensation de flottement, rêves bizarres, hallucinations, dysphorie, étourdissements.

ORLO: myosis, diplopie, vision trouble.

Resp.: dépression respiratoire.

CV: hypotension orthostatique.

GI: nausées, vomissements, constipation, sécheresse de la bouche (xérostomie).

GU: rétention urinaire.

Tég.: transpiration, bouffées vasomotrices.

Divers: tolérance aux effets du médicament, dépendance physique, dépendance psychologique.

INTERACTIONS

Médicament – médicament: ■ Risque de réactions imprévisibles lors de l'administration simultanée d'**inhibiteurs de la MAO** – une grande prudence est de mise lors d'un traitement concomitant (réduire la dose initiale d'oxycodone à 25 % de la dose habituelle) ■ Effet dépresseur additif sur le SNC, lors de l'usage concomitant d'**alcool**, d'**antihistaminiques** et d'**hypnosédatifs** ■ L'administration d'**analgésiques narcotiques antagonistes partiels** peut déclencher des symptômes de sevrage en cas de dépendance physique ■ La **nalbuphine** ou la **pentazocine** peuvent diminuer l'analgésie.

VOIES D'ADMINISTRATION ET POSOLOGIE

■ **PO (adultes):** de 2,5 à 5 mg, toutes les 6 h, selon les besoins, ou de 5 à 20 mg, 3 ou 4 fois par jour, selon les besoins.

■ **PR (adultes):** de 10 à 40 mg, 3 ou 4 fois par jour, selon les besoins.

■ **PO (enfants > 12 ans):** 1,25 mg, toutes les 6 h, selon les besoins.

■ **PO (enfants de 6 à 12 ans):** 0,625 mg, toutes les 6 h, selon les besoins.

PHARMACODYNAMIE (effets analgésiques)

	DÉBUT D'ACTION	PIC	DURÉE
PO	10 – 15 min	60 – 90 min	3 – 6 h
PR	inconnu	inconnu	4 h

SOINS INFIRMIERS

ÉVALUATION DE LA SITUATION

■ Déterminer le type de douleur, son siège et son intensité, avant l'administration du médicament et 60 min après.

□ Mesurer la pression artérielle, le pouls et la fréquence respiratoire avant l'administration du médicament et à intervalles réguliers pendant toute sa durée.

□ L'usage prolongé peut entraîner la dépendance physique et psychologique ainsi qu'une tolérance à l'effet du médicament, mais cela ne doit pas empêcher le patient de recevoir une quantité suffisante d'analgésique. La psychodépendance est rare chez la plupart des patients qui reçoivent de l'oxycodone pour des raisons médicales. Lors d'un traitement prolongé, il faut parfois administrer des doses de plus en plus élevées pour soulager la douleur.

□ Évaluer régulièrement le mode d'élimination intestinale. La consommation accrue de liquides et d'aliments riches en fibres ainsi que les laxatifs et les émollients fécaux peuvent réduire les effets constipants du médicament.

■ **Étude des examens diagnostiques et biochimiques:** Le médicament peut entraîner l'élévation des concentrations plasmatiques d'amylase et de lipase.

■ **Toxicité et surdosage:** En cas de surdosage, l'antidote de l'oxycodone est la naloxone (Narcan).

DIAGNOSTICS INFIRMIERS POSSIBLES

■ **Énoncés diagnostiques**

□ Douleur.

□ Altération de la perception visuelle et auditive.

□ Risque élevé d'accident.

□ *Risque élevé de constipation.*

■ **Facteurs favorisants**

□ *Manque de connaissances sur la méthode d'administration du médicament.*

□ *Perturbation de la vigilance.*

□ *Manque de connaissances sur les effets hypotensifs du médicament lors des changements brusques de position.*

□ *Manque de connaissances sur les modalités du traitement.*

□ *Manque de connaissances sur les moyens de stimuler la fonction intestinale.*

INTERVENTIONS INFIRMIÈRES

■ **Directives générales:** Pour augmenter l'effet analgésique de l'oxycodone, expliquer au patient la valeur thérapeutique de ce médicament avant de l'administrer.

□ Les doses administrées selon un horaire fixe peuvent être plus efficaces que celles administrées sur demande. L'analgésique s'avère plus efficace s'il est administré avant que la douleur ne devienne intense.

□ Les analgésiques non narcotiques, administrés simultanément, peuvent exercer des effets analgésiques additifs, ce qui permet parfois de diminuer les doses de narcotique.

□ Après un traitement prolongé, interrompre l'administration graduellement pour prévenir les symptômes de sevrage.

■ **PO:** On peut administrer l'oxycodone avec des aliments ou du lait pour réduire l'irritation gastrique.

ENSEIGNEMENT AU PATIENT ET À SES PROCHES

□ Expliquer au patient ce qu'on entend par administration sur demande et à quel moment il doit réclamer l'analgésique.

□ Prévenir le patient que l'oxycodone peut provoquer des étourdissements et de la somnolence. Lui recommander de demander de l'aide lorsqu'il se déplace et de ne pas fumer lorsqu'il est seul. Lui conseiller de ne pas conduire et d'éviter les activités qui exigent sa vigilance jusqu'à ce qu'on ait la certitude que le médicament n'entraîne pas ces effets chez lui.

□ Recommander au patient de changer lentement de position pour diminuer le risque d'hypotension orthostatique.

□ Recommander au patient d'éviter de boire de l'alcool ou de prendre d'autres dépresseurs du SNC en même temps que l'oxycodone.

□ Conseiller au patient de tourner dans le lit, de tousser et de faire des exercices de respiration profonde toutes les 2 h pour prévenir l'atélectasie.

VÉRIFICATION DES RÉSULTATS

L'efficacité du traitement peut être démontrée par: la diminution de l'intensité de la douleur sans modification importante de l'état de la conscience ou de la fonction respiratoire.

OXYMORPHONE
Numorphan

CLASSIFICATION:
Analgésique narcotique – agoniste

Stupéfiant

Grossesse – catégorie inconnue

INDICATIONS

■ Traitement de la douleur modérée à grave ■ Supplément lors d'une anesthésie équilibrée ■ Traitement de l'anxiété chez les patients souffrant de dyspnée associée à l'insuffisance ventriculaire aiguë et à l'œdème pulmonaire.

ACTION

■ Liaison aux récepteurs des opiacés du SNC ■ Modification de la perception de la douleur et de la réaction aux stimuli douloureux tout en entraînant une dépression généralisée du SNC. **Effets thérapeutiques:** ■ Diminution de l'intensité des douleurs modérées à graves.

PHARMACOCINÉTIQUE

Absorption: Bonne absorption par suite de l'administration IM, SC ou PR.
Distribution: Le médicament se répartit dans tout l'organisme. Il traverse le placenta et pénètre dans le lait maternel.
Métabolisme et excrétion: Le médicament est surtout métabolisé par le foie.
Demi-vie: De 2,6 à 4 h.

CONTRE-INDICATIONS ET PRÉCAUTIONS

Contre-indications: ■ Hypersensibilité ■ Hypersensibilité aux sulfites (sous forme d'injection seulement) ■ Grossesse et allaitement (administration prolongée à proscrire) ■ Enfants de moins de 12 ans.
Précautions: ■ Traumatisme crânien ■ Pression intracrânienne accrue ■ Maladies rénale, hépatique ou pulmonaire graves ■ Hypothyroïdie ■ Insuffisance surrénalienne ■ Alcoolisme ■ Personnes âgées ou patients débilités (il est recommandé de réduire la dose) ■ Douleur abdominale non diagnostiquée ■ Hypertrophie de la prostate.

RÉACTIONS INDÉSIRABLES ET EFFETS SECONDAIRES

SNC: sédation, confusion, céphalées, euphorie, sensation de flottement, rêves bizarres, hallucinations, dysphorie, étourdissements.
ORLO: myosis, diplopie, vision trouble.
Resp.: dépression respiratoire.

CV: hypotension orthostatique.
GI: nausées, vomissements, constipation, sécheresse de la bouche (xérostomie).
GU: rétention urinaire.
Tég.: transpiration, bouffées vasomotrices.
Divers: tolérance aux effets du médicament, dépendance physique, dépendance psychologique.

INTERACTIONS

Médicament – médicament: ■ Risque de réactions imprévisibles lors de l'administration simultanée d'**inhibiteurs de la MAO** – une grande prudence est de mise lors d'un traitement concomitant (réduire la dose initiale d'oxymorphone à 25 % de la dose habituelle) ■ Effet dépresseur additif sur le SNC, lors de l'usage concomitant d'**alcool**, d'**antihistaminiques** et d'**hypnosédatifs** ■ L'administration d'**analgésiques narcotiques antagonistes partiels** peut déclencher des symptômes de sevrage en cas de dépendance physique ■ La **nalbuphine** ou la **pentazocine** peuvent diminuer l'analgésie.

VOIES D'ADMINISTRATION ET POSOLOGIE

Analgésie – douleur modérée à grave
■ **Voies SC et IM (adultes):** de 1 à 1,5 mg, toutes les 4 à 6 h, selon les besoins.
■ **IV (adultes):** 0,5 mg, toutes les 4 à 6 h, selon les besoins; augmenter la dose selon les besoins.
■ **PR (adultes):** 5 mg, toutes les 4 à 6 h, selon les besoins.

Analgésie pendant le travail
■ **IM (adultes):** de 0,5 à 1 mg.

PHARMACODYNAMIE (effets analgésiques)

	DÉBUT D'ACTION	PIC	DURÉE
IM	10 – 15 min	30 – 90 min	3 – 6 h
IV	5 – 10 min	15 – 30 min	3 – 4 h
SC	10 – 20 min	inconnu	3 – 6 h
PR	15 – 30 min	120 min	3 – 6 h

0

✳ SOINS INFIRMIERS

ÉVALUATION DE LA SITUATION

☐ Déterminer le type de douleur, son siège et son intensité, avant l'administration du médicament et 60 min après.

☐ Mesurer la pression artérielle, le pouls et la fréquence respiratoire avant l'administration et à intervalles réguliers pendant toute sa durée.

☐ L'usage prolongé peut entraîner la dépendance physique et psychologique ainsi qu'une tolérance aux effets du médicament, mais cela ne doit pas empêcher le patient de recevoir une quantité suffisante d'analgésique. La psychodépendance est rare chez la plupart des patients qui reçoivent de l'oxymorphone pour des raisons médicales. Lors d'un traitement prolongé, il faut parfois administrer des doses de plus en plus élevées pour soulager la douleur.

☐ Évaluer régulièrement le mode d'élimination intestinale. La consommation accrue de liquides et d'aliments riches en fibres ainsi que les laxatifs et les émollients fécaux peuvent réduire les effets constipants du médicament.

■ **Étude des examens diagnostiques et biochimiques:** Le médicament peut entraîner l'élévation des concentrations plasmatiques d'amylase et de lipase.

■ **Toxicité et surdosage:** En cas de surdosage, l'antidote est la naloxone (Narcan).

DIAGNOSTICS INFIRMIERS POSSIBLES

■ **Énoncés diagnostiques**

☐ Douleur.

☐ Altération de la perception visuelle et auditive.

☐ Risque élevé d'accident.

☐ *Risque élevé de constipation.*

■ **Facteurs favorisants**

☐ *Manque de connaissances sur la méthode d'administration du médicament.*

☐ *Perturbation de la vigilance.*

☐ *Manque de connaissances sur les effets hypotensifs du médicament lors des changements brusques de position.*

☐ *Manque de connaissances sur les modalités du traitement.*

☐ *Manque de connaissances sur les moyens de stimuler la fonction intestinale.*

INTERVENTIONS INFIRMIÈRES

■ **Directives générales:** Pour augmenter l'effet analgésique de l'oxymorphone, expliquer au patient la valeur thérapeutique de ce médicament avant de l'administrer.

☐ Les doses administrées selon un horaire fixe peuvent être plus efficaces que celles administrées sur demande. L'analgésique s'avère plus efficace s'il est administré avant que la douleur ne devienne intense.

☐ Les analgésiques non narcotiques, administrés simultanément, peuvent exercer des effets analgésiques additifs, ce qui permet parfois de diminuer les doses de narcotique.

☐ Après un traitement prolongé, interrompre l'administration graduellement pour prévenir les symptômes de sevrage.

■ **PR:** Conserver les suppositoires au réfrigérateur.

■ **IV directe:** Administrer la solution non diluée en 2 à 3 min.

■ **Compatibilités (tubulure en Y):** Glycopyrrolate, hydroxyzine ou ranitidine.

ENSEIGNEMENT AU PATIENT ET À SES PROCHES

☐ Expliquer au patient ce qu'on entend par administration sur demande et à quel moment il doit réclamer l'analgésique.

☐ Prévenir le patient que l'oxymorphone peut provoquer des étourdissements et de la somnolence. Lui recommander de demander de l'aide lorsqu'il se déplace et de ne pas fumer lorsqu'il est seul. Lui conseiller de ne pas conduire et d'éviter les activités qui exigent sa vigilance jusqu'à ce qu'on ait la certitude que le médicament n'entraîne pas ces effets chez lui.

☐ Recommander au patient de changer lentement de position pour diminuer le risque d'hypotension orthostatique.

☐ Recommander au patient d'éviter de boire de l'alcool ou de prendre d'autres dépresseurs du SNC en même temps que l'oxymorphone.

☐ Conseiller au patient de tourner dans le lit, de tousser et de faire des exercices de respiration profonde toutes les 2 h pour prévenir l'atélectasie.

VÉRIFICATION DES RÉSULTATS

L'efficacité du traitement peut être démontrée par : la diminution de l'intensité de la douleur et de l'anxiété sans modification importante de l'état de la conscience ou de la fonction respiratoire.

PANCRÉLIPASE

Cotazym, Cotazym E.C.S., Cotazym-65 B, Creon, Ku-Zyme, Pancrease, Pancrease MT, Viokase, (Cotazym-S), (Entolase), (Entolase HP), (Ilozyme), (Zymase)

CLASSIFICATION :
Enzyme
Grossesse – catégorie C

INDICATIONS

■ Traitement de l'insuffisance pancréatique observée dans les cas suivants : ☐ pancréatite chronique ☐ pancréatectomie ☐ fibrose kystique ☐ dérivation au niveau du tractus gastro-intestinal ☐ obstruction du canal pancréatique ou biliaire entraînée par une tumeur.

ACTION

■ Effet lipolytique, amylolytique et protéolytique. **Effets thérapeutiques :** ■ Amélioration de la digestion des graisses, des glucides et des protéines dans le tractus gastro-intestinal.

PHARMACOCINÉTIQUE

Absorption : Inconnue.
Distribution : Inconnue.
Métabolisme et excrétion : Inconnus.
Demi-vie : Inconnue.

CONTRE-INDICATIONS ET PRÉCAUTIONS

Contre-indications : ■ Hypersensibilité aux protéines de porc ■ Hypersensibilité aux additifs (povidone).
Précaution : Grossesse ou allaitement (l'innocuité du médicament n'a pas été établie).

RÉACTIONS INDÉSIRABLES ET EFFETS SECONDAIRES

ORLO : congestion nasale.
Resp. : essoufflement, respiration sifflante, dyspnée.
GI : diarrhée, nausées, crampes gastriques, douleurs abdominales (doses élevées seulement), irritation buccale.
GU : hématurie.
Tég. : rash, urticaire.
Métab. : hyperuricémie.
Divers : réactions allergiques.

INTERACTIONS

Médicament – médicament : ■ Les **antiacides (carbonate de calcium** ou **hydroxyde de magnésium)**, administrés simultanément, peuvent diminuer l'efficacité de la pancrélipase ■ La pancrélipase peut diminuer l'absorption des **préparations à base de fer**, administrées simultanément. **Médicament – aliments :** ■ Les **aliments alcalins** détruisent l'enrobage des produits entérosolubles.

VOIES D'ADMINISTRATION ET POSOLOGIE

PO (adultes et enfants) : de 1 à 3 capsules avant ou pendant les repas ; augmenter la dose selon les besoins ; ou 1 ou 2 capsules à libération retardée (Pancrease MT, Creon, Cotazym E.C.S.) ; ou 0,7 g de poudre.

PHARMACODYNAMIE
(effets digestifs)

	DÉBUT D'ACTION	PIC	DURÉE
PO	rapide	inconnu	inconnue

SOINS INFIRMIERS

ÉVALUATION DE LA SITUATION

- Évaluer l'état nutritionnel du patient (taille, poids, épaisseur des plis cutanés, circonférence des muscles du bras et résultats des examens biochimiques) avant le traitement et à intervalles réguliers pendant toute sa durée.
- Examiner les selles pour déceler la stéatorrhée (augmentation anormale des graisses fécales). Les selles seront nauséabondes et mousseuses.
- Déterminer si le patient n'est pas allergique aux produits du porc ; l'hypersensibilité à la pancrélipase est également possible.
- **Étude des examens diagnostiques et biochimiques :** La pancrélipase peut entraîner une élévation des concentrations sériques et urinaires d'acide urique.

DIAGNOSTICS INFIRMIERS POSSIBLES

- **Énoncés diagnostiques**
- Déficit nutritionnel.
- Prise en charge inefficace du programme thérapeutique.
- *Risque élevé de réaction allergique.*
- *Risque élevé d'anxiété.*

- **Facteurs favorisants**
- Informations incomplètes.
- *Douleur.*
- *Manque de connaissances sur la méthode d'administration du médicament.*

- *Manque de connaissaces sur le régime alimentaire à suivre.*

INTERVENTIONS INFIRMIÈRES

- **PO :** Administrer la pancrélipase immédiatement avant ou pendant les repas et les collations.
- On peut ouvrir les capsules et en saupoudrer le contenu sur les aliments. Ne pas mâcher les capsules remplies de granules à enrobage entérique (en saupoudrer le contenu sur des aliments mous pouvant être avalés sans mastication, comme la compote de pommes ou les gelées).
- Les acides détruisent la pancrélipase. Le médecin peut prescrire de prendre, avec les préparations sans enrobage entérique, du bicarbonate de sodium ou des antiacides contenant de l'aluminium pour neutraliser le pH gastrique. Les granules à enrobage entérique résistent au pH acide de l'estomac. Il ne faut pas mâcher ces médicaments ni les mélanger avec des aliments alcalins avant de les ingérer sinon leur enrobage sera détruit.

ENSEIGNEMENT AU PATIENT ET À SES PROCHES

- Inciter le patient à observer scrupuleusement les recommandations diététiques du médecin (il s'agit généralement d'un régime hypercalorique, hyperprotéique, pauvre en matières grasses). La posologie devrait être adaptée selon la teneur en matières grasses des aliments. Habituellement, 300 mg de pancrélipase suffisent pour la digestion de 17 g de matières grasses d'origine alimentaire. Expliquer au patient que s'il ne peut prendre le médicament au moment habituel, il doit sauter cette dose.
- Recommander au patient de ne pas mâcher les comprimés ; il doit les avaler rapidement avec beaucoup de liquide pour prévenir l'irritation de la bouche et de la gorge. Lui conseiller de s'asseoir afin de faciliter la dégluti-

tion. Lui expliquer que s'il mange immédiatement après avoir pris le médicament, il peut mieux s'assurer que le médicament a été bien dégluti et qu'il n'est pas resté collé à la bouche ou à l'œsophage pendant une période prolongée. Conseiller au patient d'éviter de renifler la poudre contenue dans les capsules en raison du risque d'une réaction de sensibilité au niveau du nez et de la gorge (congestion nasale ou détresse respiratoire).

□ Conseiller au patient de prévenir le médecin en cas de douleurs articulaires, d'enflure des jambes, de douleurs gastriques ou de rash.

VÉRIFICATION DES RÉSULTATS

L'efficacité du traitement peut être démontrée par : ■ l'amélioration de l'état nutritionnel des patients souffrant d'insuffisance pancréatique □ la normalisation de la teneur en graisses des matières fécales chez les patients souffrant de stéatorrhée.

PANCURONIUM
Pavulon

CLASSIFICATION :
Bloqueur neuromusculaire du type non dépolarisant

Grossesse – catégorie C

INDICATIONS

■ Paralysie des muscles squelettiques et facilitation de l'intubation après induction de l'anesthésie lors d'une intervention chirurgicale ■ Augmentation de la compliance pulmonaire lors de la ventilation artificielle.

ACTION

■ Inhibition de la transmission neuromusculaire par le blocage de l'effet de l'acétylcholine à la jonction neuromusculaire ■ Absence d'effets analgésiques

ou anxiolytiques. **Effets thérapeutiques :** ■ Paralysie des muscles squelettiques.

PHARMACOCINÉTIQUE

Absorption : Le pancuronium est réservé à l'administration par voie IV ; dans ce cas, sa biodisponibilité est totale.

Distribution : Distribution rapide dans le liquide extracellulaire. De petites quantités traversent le placenta.

Métabolisme et excrétion : La plus grande partie du médicament est excrétée à l'état inchangé par les reins ; de petites quantités sont éliminées dans la bile.

Demi-vie : 2 h.

CONTRE-INDICATIONS ET PRÉCAUTIONS

Contre-indications : ■ Hypersensibilité au pancuronium ou à l'alcool benzylique ■ Nouveau-nés (éviter l'administration des préparations contenant de l'alcool benzylique).

Précautions : ■ Antécédents de maladie pulmonaire ou d'insuffisance rénale ou hépatique ■ Personnes âgées ou patients débilités ■ Déséquilibres électrolytiques ■ Patients recevant des dérivés digitaliques ■ Grossesse (précédents d'usage lors d'accouchements par césarienne). **Extrême prudence :** ■ Myasthénie grave ou syndromes myasthéniques.

RÉACTIONS INDÉSIRABLES ET EFFETS SECONDAIRES

Remarque : Presque toutes les réactions indésirables au pancuronium résultent de ses effets pharmacologiques.

CV : légère tachycardie.

ORLO : salivation excessive (enfants).

Resp. : apnée, respiration sifflante.

Locaux : sensation de brûlure le long de la veine.

Loc. : faiblesse musculaire.

Tég. : transpiration excessive (enfants), rash.

Divers : réactions allergiques.

INTERACTIONS

Médicament – médicament: L'intensité et la durée de la paralysie peuvent être prolongées en cas de prétraitement par la **succinylcholine**, un **anesthésique général**, des **aminosides**, des **antibiotiques**, de la **polymyxine B**, de la **colistine**, de la **clindamycine**, de la **lidocaïne**, de la **quinidine**, du **procaïnamide**, des **bêtabloquants**, des **diurétiques entraînant la perte de potassium** ou du **magnésium**.

VOIES D'ADMINISTRATION ET POSOLOGIE

IV (adultes et enfants): initialement, de 0,06 à 0,1 mg/kg; administrer des doses supplémentaires de 0,01 mg/kg toutes les 25 à 60 min pour maintenir la paralysie ou de 0,015 mg/kg pour faciliter la ventilation artificielle.

PHARMACODYNAMIE
(relaxation musculosquelettique)

	DÉBUT D'ACTION	PIC	DURÉE
IV	30 – 45 sec	3 – 4,5 min	35 – 45 min

SOINS INFIRMIERS

ÉVALUATION DE LA SITUATION

☐ Suivre continuellement la fonction respiratoire pendant toute la durée du traitement au pancuronium. L'administration du pancuronium devrait être réservée aux patients soumis à l'intubation endotrachéale. Observer l'augmentation des sécrétions respiratoires; effectuer des aspirations selon les besoins.

☐ Évaluer la réponse neuromusculaire au pancuronium pendant l'intervention chirurgicale par la stimulation des nerfs périphériques. Mesurer le réflexe tendineux profond lors d'une administration prolongée. La paralysie des muscles est initialement sélective et elle se produit habituellement dans l'ordre suivant: muscles releveurs des paupières, muscles masticateurs, muscles des membres, muscles abdominaux, muscles de la glotte, muscles intercostaux et diaphragme. Le rétablissement de la fonction musculaire se produit habituellement dans l'ordre inverse.

☐ Mesurer la fréquence cardiaque et la pression artérielle, et examiner l'ÉCG à intervalles réguliers pendant toute la durée du traitement au pancuronium. Cet agent peut entraîner une légère augmentation de la fréquence cardiaque et de la pression artérielle.

☐ Pendant la période de récupération, suivre de près les symptômes de faiblesse musculaire et de détresse respiratoire.

■ **Toxicité et surdosage:** En cas de surdosage, stimuler les nerfs périphériques pour déterminer le degré de blocage neuromusculaire. Maintenir la perméabilité des voies aériennes et la ventilation jusqu'au rétablissement de la respiration normale.

☐ On peut administrer des agents anticholinestérasiques (édrophonium, néostigmine, pyridostigmine) pour contrecarrer les effets du pancuronium. L'atropine est habituellement administrée avant les agents anticholinestérasiques ou en même temps qu'eux.

DIAGNOSTICS INFIRMIERS POSSIBLES

■ **Énoncés diagnostiques**

☐ Mode de respiration inefficace.

☐ Altération de la communication verbale.

☐ Peur.

☐ *Risque élevé d'anxiété.*

☐ *Risque élevé d'intoxication.*

☐ *Risque élevé d'accident.*

■ **Facteurs favorisants**

☐ *Manque de connaissances sur les modalités du traitement.*

☐ *Manque de connaissances sur les effets secondaires du médicament.*

□ *Manque de connaissances sur la méthode d'administration du médicament.*

INTERVENTIONS INFIRMIÈRES

■ **Directives générales:** Le pancuronium est environ 5 fois plus puissant que la tubocurarine.

□ Le pancuronium ne modifie pas l'état de la conscience ni le seuil de la douleur. Il faut *toujours* assurer une anesthésie adéquate lorsque le pancuronium est utilisé en tant qu'adjuvant lors d'une intervention chirurgicale ou d'une autre intervention douloureuse. On doit administrer simultanément des benzodiazépines ou des analgésiques lors d'un traitement prolongé au pancuronium pendant la ventilation artificielle, car le patient est éveillé et capable d'éprouver toutes les sensations.

□ Si les yeux du patient restent ouverts tout au long de l'administration prolongée, on devrait protéger la cornée par des larmes artificielles.

□ Afin de prévenir l'absorption du médicament par les matières plastiques, le pancuronium ne devrait pas être conservé dans des seringues de plastique. On peut toutefois l'administrer par de telles seringues.

■ **IV directe:** Administrer des doses supplémentaires toutes les 20 à 60 min, selon les besoins. La dose doit être adaptée d'après la réponse du patient.

■ **Perfusion intermittente:** On peut diluer le pancuronium dans une solution de NaCl à 0,9 %, de dextrose à 5 % dans de l'eau, de dextrose à 5 % dans une solution de NaCl à 0,9 % ou de lactate Ringer. La solution est stable pendant 48 h.

□ *Vitesse d'administration:* Adapter la vitesse d'administration d'après la réaction du patient.

■ **Association compatible dans la même seringue:** Héparine.

■ **Compatibilités (tubulure en Y):** Aminophylline, céfazoline, céfuroxime, cimétidine, co-trimoxazole, dobutamine, dopamine, épinéphrine, esmolol, fentanyl, gentamicine, héparine, isoprotérénol, lorazépam, midazolam, morphine, nitroglycérine, nitroprusside, ranitidine, succinate d'hydrocortisone sodique ou vancomycine.

■ **Incompatibilité (tubulure en Y):** Diazépam.

ENSEIGNEMENT AU PATIENT ET À SES PROCHES

□ Étant donné que ce médicament, administré seul, ne modifie pas l'état de la conscience, expliquer toutes les interventions au patient et à ses proches. Fournir au patient un soutien affectif.

□ Expliquer au patient que ses capacités de communication se rétabliront lorsque les effets du médicament s'épuiseront.

VÉRIFICATION DES RÉSULTATS

L'efficacité du traitement peut être démontrée par: la suppression adéquate des soubresauts musculaires, testée par la stimulation des nerfs périphériques et une paralysie musculaire subséquente.

PAPAVÉRINE

(Cerespan), (Genabid), (Pavabid), (Pavabid HP), (Pavacap), (Pavacen), (Pavagen), (Pava Par), (Pavarine), (Pavased), (Pavatine), (Pavatym), (Paverolan)

CLASSIFICATION:
Vasodilatateur

Grossesse – catégorie C

INDICATIONS

□ Traitement de l'ischémie cérébrale et périphérique, habituellement associée à un spasme artériel. **Usages non approuvés:**
■ Adjuvant (avec des alphabloquants)

dans le traitement de l'impuissance masculine attribuable à des causes organiques (injection dans le corps caverneux) ■ Traitement de l'ischémie du myocarde compliquée par des arythmies ■ Amélioration de la circulation collatérale chez les patients souffrant d'occlusion vasculaire aiguë ■ Traitement de la colique néphrétique, hépatique ou gastro-intestinale.

ACTION

■ Dilatation possible des artères coronaires, cérébrales, pulmonaires et périphériques par une action spasmolytique directe sur le muscle lisse vasculaire.
Effets thérapeutiques: ■ Vasodilatation artérielle possible.

PHARMACOCINÉTIQUE

Absorption: Absorption lente par suite de l'injection dans le corps caverneux.
Distribution: Inconnue.
Métabolisme et excrétion: La papavérine est principalement métabolisée par le foie.
Demi-vie: De 0,5 à 2 h (très variable, pouvant se prolonger jusqu'à 24 h).

CONTRE-INDICATIONS ET PRÉCAUTIONS

Contre-indications: Hypersensibilité ou bloc AV complet.
Précautions: ■ Glaucome ■ Conduction cardiaque déprimée ■ Priapisme ■ Drépanocytose ■ Altération de la fonction hépatique ■ Anomalies graves de coagulation ■ Grossesse, allaitement ou enfants (l'innocuité du médicament n'a pas été établie).

RÉACTIONS INDÉSIRABLES ET EFFETS SECONDAIRES

SNC: dépression, étourdissements, vertiges, céphalées, somnolence, sédation.
CV: arythmies (voie IV seulement), hypotension, légère hypertension.
Tég.: rougeur du visage, transpiration.
ORLO: sécheresse de la gorge, modifications de la vision.

GI: sécheresse de la bouche (xérostomie), constipation, nausées, diarrhée, douleurs abdominales, anorexie, hépatite.
GU: priapisme (injection dans le corps caverneux seulement).
Locaux: thrombose au point d'injection IV.
Resp.: APNÉE (voie IV seulement).

INTERACTIONS

Médicament – médicament: ■ La papavérine peut contrecarrer la réponse à la **lévodopa** des patients souffrant de la maladie de Parkinson ■ L'administration concomitante d'**agonistes alpha-adrénergiques (métaraminol, épinéphrine ou phényléphrine)** ou le **tabagisme** peuvent renverser les effets vasodilatateurs de la papavérine.

VOIES D'ADMINISTRATION ET POSOLOGIE

■ **SC, IM et IV (adultes):** initialement, 30 mg; administrer de nouveau de 30 à 65 mg toutes les 3 h, au besoin.
■ **Injection dans le corps caverneux (adultes):** 30 mg avec 0,5 à 1 mg de phentolamine ou 60 mg en monothérapie (ne pas dépasser 60 mg/dose, ne pas répéter plus de 3 fois par semaine).

PHARMACODYNAMIE (voie IM, voie IV = effets vasodilatateurs, injection dans le corps caverneux = érection du pénis)

	DÉBUT D'ACTION	PIC	DURÉE
IM	inconnu	inconnu	3 h
IV	inconnu	inconnu	3 h
injection dans le corps caverneux	10 min	inconnu	4 h

☼ SOINS INFIRMIERS

ÉVALUATION DE LA SITUATION

□ Mesurer la pression artérielle et le pouls avant le traitement et à intervalles réguliers pendant toute sa durée.

□ Suivre l'ÉCG chez les patients recevant la papavérine par voie IV. En cas de bloc AV, ne pas administrer le médicament et prévenir le médecin.

□ Observer le point d'injection IV pour déceler la thrombose (érythème, douleur, œdème).

■ **Étude des examens diagnostiques et biochimiques :** Examiner les résultats des tests de l'exploration fonctionnelle hépatique. La papavérine peut entraîner l'élévation des concentrations de TGOS (AST), de TGPS (ALT), de phosphatase alcaline et de bilirubine. Informer le médecin de ces symptômes de sensibilité hépatique. Le nombre de granulocytes éosinophiles peut également augmenter.

DIAGNOSTICS INFIRMIERS POSSIBLES

■ **Énoncés diagnostiques**

□ Atteinte à l'intégrité des tissus.

□ Prise en charge inefficace du programme thérapeutique.

□ *Risque élevé de douleur au point d'injection IV.*

□ *Risque élevé d'exacerbation des effets secondaires.*

■ **Facteurs favorisants**

□ Informations incomplètes.

□ *Inflammation locale du tissu vasculaire ou infiltration du médicament dans les tissus avoisinants.*

□ *Administration trop rapide du médicament par voie IV.*

INTERVENTIONS INFIRMIÈRES

■ **IV directe :** La solution doit être transparente, d'incolore à jaune clair. Ne pas réfrigérer.

□ *Vitesse d'administration :* Administrer la dose non diluée au moins en 2 min. L'administration rapide peut entraîner l'hypotension, la tachycardie, des étourdissements et la rougeur du visage.

■ **Association compatible dans la même seringue :** Phentolamine.

■ **Solutions compatibles ou compatibilités en addition au soluté :** Solution de NaCl à 0,9 % ou à 0,45 %, de dextrose à 5 % ou à 10 % dans de l'eau, de dextrose à 5 % dans une solution de NaCl à 0,9 %, à 0,45 % ou à 0,25 %, de solution de Ringer ou phentolamine.

■ **Solutions incompatibles ou incompatibilités en addition au soluté :** Aminophylline, bromures ou iodures, lactate Ringer, solutions alcalines.

■ **Impuissance :** La papavérine a été administrée en association avec de la phentolamine, pour traiter l'impuissance masculine associée à une lésion de la colonne vertébrale. Cette méthode d'administration nécessite une formation particulière du personnel soignant. L'injection de la papavérine dans le corps caverneux provoque l'érection. Cet agent peut provoquer le priapisme.

ENSEIGNEMENT AU PATIENT ET À SES PROCHES

□ Expliquer au patient le but du traitement.

VÉRIFICATION DES RÉSULTATS

L'efficacité du traitement peut être démontrée par : ■ l'absence de symptômes d'ischémie cérébrale, périphérique ou myocardique ■ le soulagement de la colique néphritique, hépatique ou gastro-intestinale ■ l'érection en cas d'impuissance, débutant 10 min après l'injection du médicament dans le corps caverneux et se maintenant pendant un laps de temps pouvant durer jusqu'à 4 h.

PÉMOLINE
Cylert

CLASSIFICATION :
Stimulant du SNC
Grossesse – catégorie B

INDICATIONS

■ Traitement d'appoint des troubles déficitaires de l'attention (TDA) chez les enfants de plus de 6 ans. **Usages non approuvés:** ■ Traitement de la fatigue ou de la dépression mentale ■ Schizophrénie ■ Stimulant chez les patients âgés.

ACTION

■ Stimulation du SNC, probablement par une médiation dopaminergique ■ Augmentation de l'activité motrice et de la vigilance, diminution de la fatigue et de l'appétit et légère euphorie. **Effets thérapeutiques:** ■ Augmentation de la durée de l'attention chez les enfants atteints d'un trouble déficitaire de l'attention.

PHARMACOCINÉTIQUE

Absorption: La pémoline est absorbée depuis le tractus gastro-intestinal.
Distribution: Inconnue.
Métabolisme et excrétion: La pémoline est partiellement métabolisée par le foie (50 %); une fraction de 40 % est excrétée à l'état inchangé par les reins.
Demi-vie: De 9 à 14 h.

CONTRE-INDICATIONS ET PRÉCAUTIONS

Contre-indications: ■ Hypersensibilité ■ Maladie hépatique.
Précautions: ■ Insuffisance rénale ■ Grossesse et allaitement (l'innocuité du médicament n'a pas été établie) ■ État affectif instable ou psychose ■ Antécédents de troubles convulsifs ■ Tics.

RÉACTIONS INDÉSIRABLES ET EFFETS SECONDAIRES

SNC: insomnie, CONVULSIONS, mouvements dyskinétiques, étourdissements, céphalées, dépression, irritabilité, nervosité (doses élevées).
CV: tachycardie (doses élevées).
GI: anorexie, hépatite.
Tég.: rash, transpiration.
Métab.: perte de poids.
Divers: fièvre.

INTERACTIONS

Médicament – médicament: Risque de stimulation additive du SNC lors de l'usage concomitant d'autres **stimulants du SNC**, ou d'**adrénergiques**, incluant les **décongestionnants**.

VOIES D'ADMINISTRATION ET POSOLOGIE

PO (enfants > 6 ans): initialement, 37,5 mg en une seule dose, le matin ; on peut augmenter la dose de 18,75 mg à des intervalles d'une semaine, jusqu'à l'obtention de la réponse optimale. La dose d'entretien habituelle se situe entre 56,25 et 75 mg par jour.

PHARMACODYNAMIE
(TDA = effets sur les troubles déficitaires de l'attention)

	DÉBUT D'ACTION	PIC	DURÉE
PO (TDA)	plusieurs jours ou semaines	2–3 semaines	plusieurs jours
PO (stimulation du SNC)	inconnu	4 h	8 h

☀ SOINS INFIRMIERS

ÉVALUATION DE LA SITUATION

☐ Noter la durée de l'attention, la maîtrise des impulsions et les interactions avec autrui chez les enfants souffrant de troubles déficitaires de l'attention. On peut interrompre l'administration du médicament à intervalles réguliers pour déterminer si les symptômes justifient la poursuite du traitement.

☐ Mesurer à intervalles réguliers la taille et le poids des enfants recevant un traitement prolongé. Prévenir le médecin en cas d'arrêt de la croissance.

■ **Étude des examens diagnostiques et biochimiques:** Examiner les résultats des tests de l'exploration fonctionnelle hépatique avant le traitement et à intervalles réguliers pendant toute sa durée. La pémoline peut entraîner l'élévation des concentrations de LDH, de phosphatase alcaline, de TGOS (AST) et de TGPS (ALT).

DIAGNOSTICS INFIRMIERS POSSIBLES

■ **Énoncés diagnostiques**

☐ Perturbation des habitudes de sommeil.

☐ Prise en charge inefficace du programme thérapeutique.

☐ *Risque élevé d'accident.*

☐ *Risque élevé de pharmacodépendance.*

■ **Facteurs favorisants**

☐ Informations incomplètes.

☐ *Manque de connaissances sur les modalités du traitement.*

☐ *Perturbation de la vigilance.*

☐ *Manque de connaissances sur les effets secondaires du médicament lors d'un usage prolongé.*

INTERVENTIONS INFIRMIÈRES

■ **Directives générales:** Administrer la dose quotidienne le matin.

ENSEIGNEMENT AU PATIENT ET À SES PROCHES

■ **Directives générales:** Recommander au patient de prendre le médicament le matin afin d'éviter les troubles du sommeil. S'il n'a pas pu prendre le médicament au moment habituel, il doit le prendre dès que possible; s'il ne peut le prendre que le jour suivant, il doit sauter cette dose et reprendre le programme thérapeutique prescrit. Lui expliquer qu'il ne doit jamais remplacer une dose manquée par une double dose. Lors d'un traitement à la pémoline, le risque de dépendance et d'abus est élevé. La tolérance aux effets du médicament se manifeste rapidement; ne pas augmenter la dose. Inciter le patient à consulter le médecin avant d'abandonner le traitement. Chez les patients suivant un traitement prolongé, il faut réduire gra-

duellement la dose afin de prévenir les symptômes de sevrage. Le sevrage brusque après un traitement à des doses élevées peut provoquer une fatigue extrême et la dépression.

☐ Prévenir le patient que la pémoline peut entraîner des étourdissements. Lui conseiller de ne pas conduire et d'éviter les activités qui exigent sa vigilance jusqu'à ce qu'on ait la certitude que le médicament n'entraîne pas cet effet chez lui.

☐ Conseiller au patient de ne pas consommer des quantités importantes de caféine.

☐ Recommander au patient de prévenir le médecin en présence des signes et des symptômes suivants: peau ou sclérotique jaunes, selles pâles ou urine foncée, palpitations, transpiration, fièvre ou tremblements incontrôlés. Lui recommander de prévenir également le médecin si la nervosité, l'agitation, l'insomnie, les étourdissements ou l'anorexie s'aggravent.

☐ Informer le patient que le médecin peut prescrire un arrêt temporaire de la médication permettant d'évaluer les bienfaits du traitement et de diminuer le risque de dépendance.

☐ Insister sur l'importance des examens réguliers de suivi permettant d'évaluer les bienfaits du traitement.

■ **Trouble déficitaire de l'attention:** Recommander aux parents d'informer l'infirmière de l'école que l'enfant suit un traitement médicamenteux.

VÉRIFICATION DES RÉSULTATS

L'efficacité du traitement peut être démontrée par: un effet calmant associé à une hyperactivité moindre et à une durée prolongée de l'attention chez les enfants souffrant d'un trouble déficitaire de l'attention. Les effets bénéfiques notables peuvent ne pas se manifester avant la troisième ou la quatrième semaine de traitement, car l'état clinique du patient s'améliore graduellement.

P

PENBUTOLOL
(Levatol)

CLASSIFICATION:
Antihypertenseur; bêtabloquant non sé-lectif

Grossesse – catégorie C

INDICATIONS

Hypertension – en monothérapie ou en association avec d'autres agents.

ACTION

■ Inhibition de la stimulation des récepteurs bêta$_1$ (myocardiques) et bêta$_2$ (pulmonaires, vasculaires ou utérins). Légère activité sympathomimétique intrinsèque (ASI) pouvant se traduire par une bradycardie moindre. **Effets thérapeutiques:** ■ Réduction de la fréquence cardiaque ■ Abaissement de la pression artérielle.

PHARMACOCINÉTIQUE

Absorption: Bonne absorption par suite de l'administration par voie orale.
Distribution: Inconnue.
Métabolisme et excrétion: Le médicament est surtout métabolisé par le foie.
Demi-vie: 5 h.

CONTRE-INDICATIONS ET PRÉCAUTIONS

Contre-indications: ■ Insuffisance cardiaque non compensée ■ Œdème pulmonaire ■ Choc cardiogène ■ Bradycardie ■ Bloc cardiaque ■ Bronchopneumopathie chronique obstructive ou asthme.
Précautions: ■ Thyrotoxicose ou hypoglycémie (le médicament peut en masquer les symptômes) ■ Maladie hépatique ■ Grossesse et allaitement (le médicament peut entraîner un faible indice d'Apgar et provoquer l'apnée, la bradycardie et l'hypoglycémie chez le nouveau-né) ■ Enfants (l'innocuité du médicament n'a pas été établie).

RÉACTIONS INDÉSIRABLES ET EFFETS SECONDAIRES

SNC: <u>fatigue</u>, <u>faiblesse</u>, dépression, perte de la mémoire, modification des opérations de la pensée.
ORLO: sécheresse des yeux (alacrymie), vision trouble, congestion nasale.
Resp.: bronchospasme, respiration sifflante.
CV: BRADYCARDIE, INSUFFISANCE CARDIAQUE, ŒDÈME PULMONAIRE, hypotension, vasoconstriction périphérique.
GI: constipation, diarrhée, nausées, vomissements.
GU: impuissance, diminution de la libido.
Tég.: rash, démangeaisons.
End.: hyperglycémie, hypoglycémie.
Divers: phénomène de Raynaud.

INTERACTIONS

Médicament – médicament: ■ Les **anesthésiques généraux**, la **phénytoïne par IV** et le **vérapamil**, administrés simultanément, peuvent entraîner une dépression myocardique additive ■ Les **amphétamines**, la **cocaïne**, l'**éphédrine**, la **norépinéphrine**, la **phényléphrine** ou la **pseudoéphédrine**, administrées simultanément, peuvent entraîner une stimulation alpha-adrénergique excessive, l'hypertension ou la bradycardie ■ Risque de bradycardie additive lors de l'administration concomitante de **dérivés digitaliques** ■ Risque d'hypotension additive lors de l'administration concomitante d'autres **antihypertenseurs** ou de **dérivés nitrés** ou de l'ingestion d'**alcool** ■ L'administration concomitante d'extraits de **thyroïde** peut diminuer l'efficacité du médicament ■ Le penbutolol peut contrecarrer les effets des **bronchodilatateurs bêta-adrénergiques** ■ Les **anti-inflammatoires non stéroïdiens**, administrés simultanément, peuvent diminuer les effets antihypertenseurs du penbutolol ■ Le penbutolol peut prolonger l'hypoglycémie induite par l'**insuline** ■ Le penbutolol peut contrecarrer les effets bénéfiques sur les récepteurs bêta$_1$ cardiaques de la **dopamine** ou de la **dobutamine** ■ Le penbutolol peut provoquer l'hypertension s'il est administré dans les 14 jours suivant un traitement par les **inhibiteurs de la MAO**.

VOIES D'ADMINISTRATION ET POSOLOGIE

PO (adultes): La dose habituelle est de 20 mg/jour (ne pas dépasser 80 mg/jour).

PHARMACODYNAMIE
(pleins effets antihypertenseurs)

	DÉBUT D'ACTION	PIC	DURÉE
PO	inconnu	2–6 semaines	inconnue

 SOINS INFIRMIERS

ÉVALUATION DE LA SITUATION

- Mesurer la pression artérielle et le pouls à intervalles fréquents au cours de la période d'ajustement de la posologie et, à intervalles réguliers, pendant toute la durée du traitement. Consulter le médecin avant d'administrer le médicament si le pouls est inférieur à 50 battements par minute.
- ■ Effectuer le bilan quotidien des ingesta et des excreta et peser le patient tous les jours. Observer le patient à intervalles réguliers à la recherche des signes suivants de surcharge hydrique : œdème périphérique, dyspnée, râles et crépitations, fatigue, gain pondéral, turgescence des jugulaires.

DIAGNOSTICS INFIRMIERS POSSIBLES

■ **Énoncés diagnostiques**
- Diminution du débit cardiaque.
- Prise en charge inefficace du programme thérapeutique.
- Non-observance du traitement médicamenteux.
- *Risque élevé d'accident.*

■ **Facteurs favorisants**
- Informations incomplètes.
- Doute quant aux bienfaits du médicament.

- *Difficulté à s'adapter aux changements nécessaires dans les habitudes de vie.*
- *Manque de connaissances sur les moyens de prévenir les effets secondaires du médicament.*
- *Manque de connaissances sur la méthode d'administration du médicament.*
- *Manque de connaissances sur les modalités du traitement.*
- *Fatigue et faiblesse.*

INTERVENTIONS INFIRMIÈRES

PO: Administrer le médicament en une seule dose quotidienne. Habituellement, cet agent n'est pas plus efficace s'il est administré à des doses supérieures à 20 mg.

ENSEIGNEMENT AU PATIENT ET À SES PROCHES

- Inciter le patient à respecter scrupuleusement la posologie recommandée et à continuer à prendre le médicament même s'il se sent bien. S'il n'a pu prendre le médicament au moment habituel, il doit le prendre aussitôt que possible, mais au moins 4 h avant l'heure prévue pour la dose suivante. Un sevrage brusque peut provoquer des arythmies qui risquent d'être mortelles, de l'hypertension ou une ischémie du myocarde.
- Montrer au patient et à ses proches comment prendre le pouls et la pression artérielle. Leur demander de mesurer le pouls tous les jours et la pression artérielle deux fois par semaine. Recommander au patient de ne pas prendre le médicament et d'informer le médecin si le pouls est inférieur à 50 battements par minute ou si sa pression artérielle diminue considérablement.
- Inciter le patient à appliquer d'autres mesures de réduction de l'hypertension : perdre du poids, réduire sa consommation de sel, diminuer le stress, faire régulièrement de l'exercice, boire modérément et cesser de fumer. Le

P

penbutolol stabilise la pression artérielle mais ne guérit pas l'hypertension.

- ☐ Prévenir le patient que ce médicament peut le rendre plus sensible au froid.
- ☐ Conseiller au patient de consulter le médecin ou le pharmacien avant de prendre un médicament en vente libre en même temps que le penbutolol, particulièrement des médicaments contre le rhume. Le patient qui prend des médicaments antihypertenseurs devrait également éviter les excès de café, de thé et de boissons à base de cola.
- ☐ Recommander au patient qui doit suivre un traitement dentaire ou subir une intervention chirurgicale d'avertir le dentiste ou le médecin qu'il suit un traitement médicamenteux.
- ☐ Conseiller au patient de toujours porter sur lui une pièce d'identité où est inscrit son traitement médicamenteux.
- ☐ Recommander au patient de signaler au médecin les symptômes suivants : ralentissement du pouls, dépression ou rash.

VÉRIFICATION DES RÉSULTATS

L'efficacité du traitement peut être démontrée par : la baisse de la pression artérielle. Habituellement, les pleins effets antihypertenseurs d'une dose quotidienne de 20 mg ou de 40 mg se manifestent à la fin de la 2ᵉ semaine de traitement. Les pleins effets de doses plus faibles peuvent ne pas être notés avant 4 à 6 semaines.

PÉNICILLAMINE
Cuprimine, Depen

CLASSIFICATION :
Anti-inflammatoire ; chélateur ; antiurolithique

Grossesse – catégorie inconnue

INDICATIONS

■ Traitement de la polyarthrite rhumatoïde évolutive, rebelle au traitement traditionnel ■ Traitement de la maladie de Wilson due à l'accumulation de dépôts de cuivre ■ Traitement de la cystinurie ■ Traitement du saturnisme chronique.

ACTION

■ Effet antirhumatismal probablement attribuable à une fonction lymphocytaire accrue ■ Chélation des métaux lourds, incluant le cuivre, le mercure, le plomb et le fer et formation de complexes excrétés par les reins ■ Formation de complexes solubles avec la cystine, facilement excrétés par les reins. **Effets thérapeutiques :** ■ Ralentissement de l'évolution de la polyarthrite rhumatoïde ■ Diminution de l'accumulation de dépôts de cuivre chez les patients souffrant de la maladie de Wilson ■ Réduction de la formation de calculs de cystine dans les reins.

PHARMACOCINÉTIQUE

Absorption : Bonne absorption par suite de l'administration par voie orale.
Distribution : La pénicillamine traverse le placenta.
Métabolisme et excrétion : Une fraction du médicament est excrétée dans l'urine sous forme de complexe pénicillamine-métaux lourds, une deuxième est excrétée dans l'urine sous la forme de complexe pénicillamine-cystine et une troisième est métabolisée par le foie.
Demi-vie : Inconnue.

CONTRE-INDICATIONS ET PRÉCAUTIONS

Contre-indications : ■ Hypersensibilité ■ Risque de réactions de sensibilité croisée avec la pénicilline.
Précautions : ■ Patients âgés (risque accru de toxicité hématologique ; il est recommandé de réduire la dose) ■ Insuffisance rénale (risque accru d'effets nocifs sur les reins chez les patients souffrant de polyarthrite rhumatoïde) ■ Grossesse

(limiter la dose quotidienne à < 1 g. Si un accouchement par césarienne est prévu, réduire la dose quotidienne à 250 mg pendant les six dernières semaines de grossesse et jusqu'à la cicatrisation de l'incision) ■ Antécédents d'anémie aplasique attribuable à la pénicillamine ■ Allaitement (l'innocuité du médicament n'a pas été établie) ■ Patients devant subir une intervention chirurgicale (le médicament peut retarder la cicatrisation de la plaie).

RÉACTIONS INDÉSIRABLES ET EFFETS SECONDAIRES

ORLO : douleur oculaire, vision trouble.

Resp. : toux, respiration sifflante, essoufflement.

GI : aphtes buccales, anorexie, nausées, vomissements, douleur épigastrique, dyspepsie, diarrhée, altération du goût, dysfonction hépatique, ictère cholestatique, pancréatite.

GU : protéinurie.

Tég. : pemphigus, rash, urticaire, démangeaisons, ecchymoses, formation de rides.

Hémat. : ANÉMIE APLASIQUE, leucopénie, thrombocytopénie, éosinophilie, thrombocytose, anémie.

Loc. : arthralgie, polyarthrite migratoire.

SN : myasthénie grave.

Divers : réactions allergiques, fièvre, lymphadénopathie, syndrome lupoïde, SYNDROME DE GOODPASTURE (glomérulonéphrite et hémorragie intra-alvéolaire).

INTERACTIONS

Médicament – médicament : ■ Risque accru d'effets nocifs hématopoïétiques lors de l'administration concomitante d'**antinéoplasiques**, d'**agents immunosuppresseurs** et de **sels d'or** ■ L'administration concomitante de **suppléments de fer** peut diminuer l'absorption de la pénicillamine. **Médicament – aliments :** ■ La pénicillamine peut augmenter les besoins en **pyridoxine** (vitamine B$_6$).

VOIES D'ADMINISTRATION ET POSOLOGIE

Agent antirhumatismal

■ **PO (adultes) :** de 125 à 250 mg/jour en une seule dose. On peut augmenter lentement la dose jusqu'à concurrence de 1,5 g/jour.

Chélateur (maladie de Wilson)

■ **PO (adultes et enfants plus âgés) :** 250 mg, 4 fois/jour.

Antiurolithique

■ **PO (adultes) :** 500 mg, 4 fois/jour.

■ **PO (enfants) :** 7,5 mg/kg, 4 fois/jour.

Saturnisme chronique

■ **PO (adultes) :** de 900 à 1 500 mg/jour, en trois doses fractionnées, pendant 1 ou 2 semaines ; ensuite, 750 mg/jour, en doses fractionnées.

■ **PO (enfants) :** de 30 à 40 mg/kg/jour (ou de 600 à 750 mg/m^2/jour) en une seule dose ou en 2 doses fractionnées ; ne pas dépasser 750 mg/jour.

PHARMACODYNAMIE

	DÉBUT D'ACTION	PIC	DURÉE
PO (agent antirhumatismal)	1–3 mois	inconnu	1–3 mois
PO (maladie de Wilson)	1–3 mois	inconnu	inconnue

SOINS INFIRMIERS

ÉVALUATION DE LA SITUATION

■ **Directives générales :** Effectuer le bilan quotidien des ingesta et des excreta, peser le patient tous les jours et rechercher l'apparition d'œdème pendant toute la durée du traitement. Prévenir le médecin en cas d'œdème ou de gain pondéral.

■ **Arthrite :** Noter l'intensité de la douleur et l'ampleur des mouvements des articulations à intervalles réguliers tout au long du traitement.

P

- **Cystinurie:** Étudier tous les ans les résultats des examens radiologiques rénaux pour déceler la formation de calculs.

- **Étude des examens diagnostiques et biochimiques:** Vérifier la numération globulaire et la formule leucocytaire, la numération plaquettaire et les résultats de l'analyse des urines (particulièrement pour déceler la protéinurie et l'hématurie) au moins toutes les 2 semaines durant les 6 premiers mois de traitement ou après l'augmentation de la dose, et tous les mois par la suite. La pénicillamine peut provoquer la leucopénie, l'anémie et la thrombocytopénie.

- Examiner les résultats des tests de l'exploration fonctionnelle hépatique tous les six mois durant les premiers 18 mois de traitement.

- *Arthrite:* Examiner les concentrations de protéines dans l'urine de 24 h à intervalles de 1 ou de 2 semaines chez les patients présentant une protéinurie modérée.

- *Maladie de Wilson:* Mesurer les concentrations urinaires de cuivre avant le début du traitement et peu après, puis tous les 3 mois tout au long d'un traitement continu.

- *Cystinurie:* Mesurer les concentrations urinaires de cystine. L'excrétion de cystine dans l'urine devrait être inférieure à 100 mg chez les patients ayant des antécédents de douleur ou de calculs ou de 100 à 200 mg chez les patients n'ayant aucun antécédent de calculs.

DIAGNOSTICS INFIRMIERS POSSIBLES

- **Énoncés diagnostiques**
- Douleur.
- Prise en charge inefficace du programme thérapeutique.
- *Risque élevé d'altération de l'élimination urinaire.*
- *Risque élevé d'accident.*

- **Facteurs favorisants**
- Informations incomplètes.
- *Modification de l'état liquidien ou des volumes circulants.*
- *Manque de connaissances sur les moyens de prévenir les effets secondaires du médicament.*
- *Manque de connaissances sur la méthode d'administration du médicament.*
- *Manque de connaissances sur les modalités du traitement.*
- *Manque de connaissances sur le régime alimentaire à suivre.*

INTERVENTIONS INFIRMIÈRES

- **PO:** Administrer la pénicillamine à jeun au moins 1 h avant les repas ou 2 h après. L'administration d'autres médicaments doit être espacée d'au moins 1 h afin d'assurer l'absorption maximale de la pénicillamine.
- Ne pas administrer la pénicillamine en même temps que des préparations contenant du fer.
- La pénicillamine augmente les besoins quotidiens en pyridoxine. Le médecin peut prescrire des suppléments de pyridoxine (vitamine B_6) à raison de 25 mg par jour chez les patients dont la nutrition est altérée.
- **Arthrite:** Une adaptation de la posologie peut s'avérer nécessaire tous les 2 ou 3 mois durant le traitement.
- Si aucune amélioration n'est observée après 3 ou 4 mois de traitement à des doses de 1 à 1,5 g par jour, il faut arrêter l'administration du médicament.
- **Maladie de Wilson:** On peut administrer de la sulfure de potassium (de 10 à 40 mg) avec des aliments afin de réduire l'absorption du cuivre.

ENSEIGNEMENT AU PATIENT ET À SES PROCHES

- **Directives générales:** Conseiller au patient de respecter scrupuleusement la posologie recommandée de pénicillamine. Dans le cas de prises uniquotidiennes, si le patient n'a pu prendre le médicament au moment habituel, il doit le prendre dès que possible au cours de la même journée ; s'il doit prendre le médicament deux fois par jour, il doit le prendre dès que possible à moins que ce ne soit presque l'heure prévue pour la dose suivante. S'il doit prendre le médicament plus de deux fois par jour, il doit prendre le médicament dans l'heure suivante, sinon il doit sauter cette dose. Il ne faut jamais remplacer une dose manquée par une double dose.

☐ Prévenir le patient qu'il doit consulter le médecin avant d'arrêter de prendre le médicament, car l'interruption du traitement peut entraîner des réactions de sensibilité lorsqu'il est repris. Le traitement doit être repris en commençant par la plus faible dose qu'on augmentera graduellement.

☐ Prévenir le patient que la pénicillamine peut altérer la sensibilité gustative. On peut traiter l'hypogueusie par l'administration de 5 à 10 mg de cuivre par jour. Lui recommander de mélanger de 5 à 10 gouttes de solution de sulfate de cuivre à 4 % à du jus de fruit et de prendre le mélange 2 fois par jour. Ce type de traitement est contre-indiqué chez les patients souffrant de la maladie de Wilson.

☐ Recommander au patient qui doit suivre un traitement dentaire ou subir une intervention chirurgicale d'avertir le dentiste ou le médecin qu'il suit un traitement médicamenteux. La dose de pénicillamine doit rester réduite jusqu'à la cicatrisation complète de la plaie.

☐ Recommander au patient de prévenir le médecin en cas de rash, de saignement ou d'ecchymoses inhabituelles, de maux de gorge, de dyspnée d'effort, de toux ou de respiration sifflante inexpliquées, de fièvre, de frissons ou d'autres effets inhabituels.

☐ Insister sur l'importance des examens réguliers de suivi permettant d'évaluer les bienfaits du traitement.

■ **Maladie de Wilson :** Recommander au patient de demander au médecin quelles sont les restrictions diététiques qu'il devrait observer. Une alimentation à faible teneur en cuivre pourrait s'avérer nécessaire. Recommander au patient d'éviter de consommer du chocolat, des noix, des fruits de mer, des champignons, du foie, de la mélasse, du brocoli et des céréales enrichies de cuivre. Si l'eau potable contient plus de 100 µg/L de cuivre, il devrait boire de l'eau distillée ou déminéralisée.

■ **Cystinurie :** Recommander au patient de consommer au moins 2 000 à 3 000 mL de liquides par jour, en prenant de plus grandes quantités le soir.

☐ Recommander au patient de demander au médecin quelles sont les restrictions diététiques qu'il devrait observer. Une alimentation à faible teneur en méthionine peut s'avérer nécessaire pour réduire la production de cystine, mais, en raison de sa faible teneur en protéines, elle est contre-indiquée chez les enfants en période de croissance ou chez la femme enceinte.

VÉRIFICATION DES RÉSULTATS

L'efficacité du traitement peut être démontrée par : ■ la diminution de la douleur et l'augmentation de l'amplitude des mouvements chez les patients souffrant de polyarthrite rhumatoïde ■ la prévention et le traitement des symptômes de la maladie de Wilson ■ la prévention et le traitement des calculs rénaux chez les patients présentant des concentrations excessives de cystine dans l'urine.

PÉNICILLINE G BENZATHINIQUE

Bicillin A-P, Bicillin L-A, Mégacilline suspension, (Permapen)

CLASSIFICATION:
Anti-infectieux – pénicilline

Grossesse – catégorie B

INDICATIONS

■ Traitement d'une vaste gamme d'infections dont : □ la pneumonie à pneumocoques □ la pharyngite à streptocoques □ la syphilis ■ Prophylaxie du rhumatisme articulaire aigu.

ACTION

■ Liaison à la paroi cellulaire provoquant la destruction de la bactérie. **Effets thérapeutiques:** ■ Effet bactéricide contre les bactéries sensibles. **Spectre d'action:** Le spectre de la pénicilline G benzathinique est le suivant : ■ la plupart des agents pathogènes à Gram positif dont : □ les streptocoques (*Streptococcus pneumoniae*, streptocoques bêta-hémolytiques du groupe A) □ les staphylocoques (souches ne produisant pas de pénicillinase) ■ certains micro-organismes à Gram négatif dont *Neisseria meningitis* et *Neisseria gonorrhoeae* ■ les spirochètes et certaines bactéries anaérobies.

PHARMACOCINÉTIQUE

Absorption: L'absorption depuis le point d'injection IM est lente et prolongée, entraînant des concentrations sanguines thérapeutiques persistantes. L'absorption depuis le tractus gastro-intestinal est variable en raison de la labilité en milieu acide.

Distribution: Le médicament se répartit dans tout l'organisme, bien qu'en l'absence d'une inflammation des méninges, il ne pénètre dans le liquide céphalo-rachidien qu'en quantités infimes. Il traverse le placenta et pénètre dans le lait maternel.

Métabolisme et excrétion: La pénicilline G benzathinique est faiblement métabolisée par le foie. Elle est principalement excrétée à l'état inchangé par les reins.

Demi-vie: De 30 à 60 min.

CONTRE-INDICATIONS ET PRÉCAUTIONS

Contre-indications: ■ Antécédents d'hypersensibilité aux pénicillines ■ Risque de réactions de sensibilité croisée avec les céphalosporines ■ Hypersensibilité à la benzathine.

Précautions: ■ Insuffisance rénale grave (il est recommandé de réduire la dose) ■ Grossesse (bien que l'innocuité du médicament n'ait pas été établie, il existe des précédents d'usage) ■ Allaitement.

RÉACTIONS INDÉSIRABLES ET EFFETS SECONDAIRES

SNC: CONVULSIONS

GI: <u>nausées</u>, <u>vomissements</u>, <u>diarrhée</u>, <u>douleurs épigastriques</u>.

GU: néphrite interstitielle.

Tég.: <u>rash</u>, urticaire.

Hémat.: éosinophilie, anémie hémolytique, leucopénie.

Locaux: <u>douleur</u> au point d'injection IM.

Divers: surinfection, réactions allergiques incluant l'ANAPHYLAXIE et la maladie du sérum.

INTERACTIONS

Médicament – médicament: ■ Le **probénécide** diminue l'excrétion rénale de la pénicilline et en augmente les concentrations sanguines. On peut utiliser un traitement d'association dans ce but ■ Le **chloramphénicol**, administré simultanément, peut diminuer l'efficacité de la pénicilline ■ La pénicilline, administrée simultanément, peut allonger la demi-vie du **chloramphénicol** ■ La **cholestyramine** et le **colestipol**, administrés simultanément, peuvent diminuer l'absorption de la pénicilline G. **Médicament –**

P

aliments: ■ Les **aliments**, les **jus acides** ou les **boissons gazéifiées** diminuent l'absorption de la pénicilline G benzathinique.

VOIES D'ADMINISTRATION ET POSOLOGIE

Remarque: 1 mg = 1 600 unités.

Infections streptococciques
■ **PO (adultes):** de 200 000 à 500 000 unités, toutes les 6 à 8 h.
■ **PO (enfants < 12 ans):** de 25 000 à 90 000 UI (15 à 50 mg)/kg par jour, en 3 à 6 doses fractionnées.
■ **IM (adultes):** 2 doses de 1,2 million d'unités, administrées à un intervalle de 2 ou 3 jours et répéter au besoin.
■ **IM (enfants):** 1,2 million d'unités, en une seule dose.
■ **IM (enfants < 27 kg) (É.-U.):** de 300 000 à 600 000 unités, en une seule dose.

Syphilis
■ **IM (adultes):** 2,4 millions d'unités, en une seule dose (syphilis primaire, secondaire ou sérologique).
■ **IM (enfants < 2 ans) (É.-U.):** 50 000 unités/kg, en une seule dose (syphilis congénitale).

Prophylaxie du rhumatisme articulaire aigu
■ **PO (adultes et enfants):** de 200 000 à 250 000 unités, 2 fois par jour.
■ **IM (adultes et enfants):** 1,2 million d'unités par mois.

PHARMACODYNAMIE
(concentrations sanguines)

	DÉBUT D'ACTION	PIC	DURÉE
IM	retardé	12–24 h	1–4 semaines

☀ SOINS INFIRMIERS

ÉVALUATION DE LA SITUATION
☐ Au début du traitement et pendant toute sa durée, suivre de près les signes suivants d'infection: altération des signes vitaux, aspect de la plaie, des crachats, de l'urine et des selles, accroissement du nombre de leucocytes.

☐ Recueillir les antécédents du patient avant d'amorcer le traitement afin de déterminer ses réactions antérieures à une pénicilline ou à une céphalosporine. Même les personnes n'ayant jamais manifesté de sensibilité à la pénicilline peuvent présenter une réaction allergique.

☐ Prélever les échantillons pour les cultures et les antibiogrammes avant le début du traitement. La première dose peut être administrée avant même que les résultats soient connus.

☐ Surveiller les signes et les symptômes suivants d'anaphylaxie: rash, prurit, œdème laryngé, respiration sifflante. Si ces réactions se manifestent, arrêter l'administration du médicament et prévenir immédiatement le médecin. Garder à portée de la main de l'épinéphrine, un antihistaminique et le matériel de réanimation pour parer à une éventuelle réaction anaphylactique.

■ **Étude des examens diagnostiques et biochimiques:** La pénicilline G benzathine peut entraîner des résultats faussement positifs au dosage du glucose dans l'urine par la méthode au sulfate de cuivre (Clinitest). Pour le dosage du glucose dans l'urine, recourir plutôt à la méthode à la glucose-oxydase (Keto-Diastix, Tes-Tape).

☐ La pénicilline peut positiver le test de Coombs direct.

DIAGNOSTICS INFIRMIERS POSSIBLES

■ **Énoncés diagnostiques**
☐ Risque élevé d'infection.
☐ Prise en charge inefficace du programme thérapeutique.
☐ Non-observance du traitement médicamenteux.
☐ *Risque élevé de douleur au point d'injection.*

- Risque élevé de déficit du volume liquidien.
- Risque élevé d'accident.

■ **Facteurs favorisants**

- Informations incomplètes.
- Doute quant aux bienfaits du médicament.
- Manque de connaissances sur la méthode d'administration du médicament.
- Manque de connaissances sur les modalités du traitement.
- Manque de connaissances sur les moyens de prévenir les effets secondaires affectant l'appareil gastro-intestinal.

INTERVENTIONS INFIRMIÈRES

- **PO :** Administrer la pénicilline G benzathinique à intervalles réguliers 24 h sur 24, à jeun, au moins 1 h avant les repas ou 2 h après. Les jus acides ou les boissons gazéifiées peuvent en diminuer l'absorption.
- Utiliser un récipient gradué pour mesurer les préparations liquides.
- Les suspensions peuvent être entreposées à la température ambiante jusqu'à la date de péremption.
- **IM :** Reconstituer la solution avec 1,4 mL d'eau stérile pour injection, en suivant les directives du fabricant.
- Bien mélanger la préparation avant l'administration. Injecter profondément dans un muscle bien développé à un débit lent et régulier afin de prévenir le blocage de l'aiguille. Bien masser le point d'injection. L'injection accidentelle dans un nerf ou à sa proximité peut entraîner une douleur et une dysfonction graves. Ne pas injecter la solution par voie SC en raison des risques de douleur et d'induration.
- Ne jamais administrer la suspension de pénicilline G benzathinique par voie IV en raison des risques d'embolie ou de réactions toxiques.

ENSEIGNEMENT AU PATIENT ET À SES PROCHES

- Recommander au patient de prendre toute la quantité de médicament qui lui a été prescrite à intervalles réguliers, 24 h sur 24, même s'il se sent mieux. Insister sur le fait qu'il peut être dangereux de donner ce médicament à une autre personne.
- Recommander au patient de signaler au médecin l'allergie et les signes suivants de surinfection : excroissance noire pileuse sur la langue, démangeaisons et écoulements vaginaux, selles molles ou nauséabondes.
- Recommander au patient de prévenir le médecin si les symptômes ne s'améliorent pas.
- Conseiller au patient allergique à la pénicilline de porter sur lui en tout temps une pièce d'identité où est inscrit ce renseignement.

VÉRIFICATION DES RÉSULTATS

La réponse clinique peut être déterminée par : la disparition des signes et des symptômes d'infection. Le temps de la résolution dépend du micro-organisme infectant et du siège de l'infection.

PÉNICILLINE G POTASSIQUE
Mégacilline, (Pentids), (Pfizerpen), (Pfizerpen G)

CLASSIFICATION :
Anti-infectieux – pénicilline

Grossesse – catégorie B

INDICATIONS

■ Traitement d'une vaste gamme d'infections dont : □ la pneumonie à pneumocoques □ la pharyngite à streptocoques □ la syphilis □ la gonorrhée □ la maladie de Lyme ■ Traitement des infections entérococciques (obligatoirement en association avec un aminoside) ▪ Prophylaxie du rhumatisme articulaire aigu.

ACTION

▪ Liaison à la paroi cellulaire provoquant la destruction de la bactérie. **Effets thérapeutiques:** ▪ Effet bactéricide contre les bactéries sensibles. **Spectre d'action:** Le spectre d'action de la pénicilline G potassique est le suivant: ▪ la plupart des agents pathogènes à Gram positif dont: □ les streptocoques (*Streptococcus pneumoniæ*, streptocoques bêta-hémolytiques du groupe A) □ les staphylocoques (souches ne produisant pas de pénicillinase) ▪ certains micro-organismes à Gram négatif dont *Neisseria meningitis* et *Neisseria gonorrhoeæ* ▪ les spirochètes et certaines bactéries anaérobies (dont *Treponema pallidum* et *Borrelia burgdorferi*).

PHARMACOCINÉTIQUE

Absorption: L'absorption depuis le tractus gastro-intestinal est variable en raison de la labilité en milieu acide. Bonne absorption par suite de l'administration IM. **Distribution:** Le médicament se répartit dans tout l'organisme, bien qu'en l'absence d'une inflammation des méninges, il ne pénètre dans le liquide céphalorachidien qu'en quantités infimes. Il traverse le placenta et pénètre dans le lait maternel.
Métabolisme et excrétion: La pénicilline G potassique est faiblement métabolisée par le foie. Elle est principalement excrétée à l'état inchangé par les reins.
Demi-vie: De 30 à 60 min.

CONTRE-INDICATIONS ET PRÉCAUTIONS

Contre-indications: ▪ Antécédents d'hypersensibilité aux pénicillines ▪ Risque de réactions de sensibilité croisée avec les céphalosporines.
Précautions: ▪ Insuffisance rénale grave (il est conseillé de réduire la dose) ▪ Grossesse (bien que l'innocuité du médica-

ment n'ait pas été établie, il existe des précédents d'usage) ▪ Allaitement.

RÉACTIONS INDÉSIRABLES ET EFFETS SECONDAIRES

SNC: CONVULSIONS.
GI: nausées, vomissements, diarrhée, douleurs épigastriques.
GU: néphrite interstitielle.
Tég.: rash, urticaire.
Hémat.: éosinophilie, anémie hémolytique, leucopénie.
Locaux: phlébite au point d'injection IV, douleur au point d'injection IM.
Divers: surinfection, réactions allergiques incluant l'ANAPHYLAXIE et la maladie du sérum.

INTERACTIONS

Médicament – médicament: ▪ Le **probénécide** diminue l'excrétion rénale de la pénicilline et en augmente les concentrations sanguines. On peut utiliser un traitement d'association dans ce but ▪ La **cholestyramine** et le **colestipol**, administrés simultanément, peuvent diminuer l'absorption de la pénicilline G ▪ Le **chloramphénicol**, administré simultanément, peut diminuer l'efficacité de la pénicilline ▪ La pénicilline, administrée simultanément, peut allonger la demi-vie du **chloramphénicol**. **Médicament – aliments:** ▪ Les **aliments**, les **jus acides** ou les **boissons gazéifiées** diminuent l'absorption de la pénicilline G potassique.

VOIES D'ADMINISTRATION ET POSOLOGIE

Remarque: 1 mg = 1 600 unités. Le médicament contient 1,7 mmol de potassium et moins de 1 mmol de sodium par million d'unités.
▪ **PO (adultes):** de 200 000 à 500 000 unités, toutes les 6 à 8 h.
▪ **PO (nourrissons et enfants < 12 ans):** de 25 000 à 90 000 unités/kg par jour, en 3 à 6 doses fractionnées (de 4 167 à 15 000 unités/kg, toutes les 4 h; de 6 250 à 22 500 unités/kg, toutes les 6 h; ou de 8 333 à 30 000 unités/kg,

toutes les 8 h). Des doses allant jusqu'à 400 000 unités/kg par jour ont déjà été administrées.

- **IM et IV (adultes):** de 1 million à 5 millions d'unités, toutes les 4 à 6 h.
- **IM et IV (nourrissons et enfants):** de 50 000 à 100 000 unités/kg par jour, en doses fractionnées, toutes les 4 à 6 h.

PHARMACODYNAMIE
(concentrations sanguines)

	DÉBUT D'ACTION	PIC
PO	rapide	0,5 – 1 h
IM	rapide	0,25 – 0,5 h
IV	rapide	rapide

✳ SOINS INFIRMIERS

ÉVALUATION DE LA SITUATION

- ☐ Au début du traitement et pendant toute sa durée, suivre de près les signes suivants d'infection: altération des signes vitaux, aspect de la plaie, des crachats, de l'urine et des selles, accroissement du nombre de leucocytes.
- ☐ Recueillir les antécédents du patient avant d'amorcer le traitement afin de déterminer ses réactions antérieures à une pénicilline ou à une céphalosporine. Même les personnes n'ayant jamais manifesté de sensibilité à la pénicilline peuvent présenter une réaction allergique.
- ☐ Prélever les échantillons pour les cultures et les antibiogrammes avant le début du traitement. La première dose peut être administrée avant même que les résultats soient connus.
- ☐ Surveiller les signes et les symptômes suivants d'anaphylaxie: rash, prurit, œdème laryngé, respiration sifflante. Si ces réactions se manifestent, arrêter l'administration du médicament et avertir immédiatement le médecin. Garder à portée de la main de l'épinéphrine, un antihistaminique et le

matériel de réanimation pour parer à une éventuelle réaction anaphylactique.

- **Étude des examens diagnostiques et biochimiques:** La pénicilline G peut entraîner des résultats faussement positifs au dosage du glucose dans l'urine par la méthode au sulfate de cuivre (Clinitest). Pour le dosage du glucose dans l'urine, recourir plutôt à la méthode à la glucose-oxydase (Keto-Diastix, Tes-Tape).
- ☐ La pénicilline peut positiver le test de Coombs direct.
- ☐ Une hyperkaliémie peut survenir par suite de l'administration de doses élevées de pénicilline G potassique.

DIAGNOSTICS INFIRMIERS POSSIBLES

- **Énoncés diagnostiques**
- ☐ Risque élevé d'infection.
- ☐ Prise en charge inefficace du programme thérapeutique.
- ☐ Non-observance du traitement médicamenteux.
- ☐ *Risque élevé de déficit du volume liquidien.*
- ☐ *Risque élevé de douleur au point d'injection IV.*
- ☐ *Risque élevé d'accident.*
- **Facteurs favorisants**
- ☐ Informations incomplètes.
- ☐ Doute quant aux bienfaits du médicament.
- ☐ *Manque de connaissances sur les moyens de prévenir les effets secondaires affectant l'appareil gastrointestinal.*
- ☐ *Manque de connaissances sur les modalités du traitement.*
- ☐ *Manque de connaissances sur la méthode d'administration du médicament.*
- ☐ *Inflammation locale du tissu vasculaire ou infiltration du médicament dans les tissus avoisinants.*

INTERVENTIONS INFIRMIÈRES

- **PO:** Administrer la pénicilline G potassique à intervalles réguliers, 24 h sur 24, à jeun, au moins 1 h avant les repas ou 2 h après. Les jus acides ou les boissons gazéifiées peuvent en diminuer l'absorption.

- **IM et IV:** Reconstituer la solution avec de l'eau stérile pour injection, une solution de dextrose à 5 % dans de l'eau ou une solution de NaCl à 0,9 %, en suivant les directives du fabricant.

- **IM:** Bien mélanger la préparation avant l'administration. Injecter profondément dans un muscle bien développé à un débit lent et régulier afin de prévenir le blocage de l'aiguille. Bien masser le point d'injection. L'injection accidentelle dans un nerf ou à sa proximité peut entraîner une douleur et une dysfonction graves. Ne pas injecter la solution par voie SC en raison des risques de douleur et d'induration.

- ☐ On peut diluer la pénicilline G potassique avec de la lidocaïne à 1 ou à 2 % (sans épinéphrine) afin de réduire la douleur provoquée par l'injection IM.

- **IV:** Changer de point d'injection toutes les 48 h afin de prévenir la phlébite.

- ☐ Administrer lentement la pénicilline destinée aux injections IV et observer de près le patient pour déceler les signes d'hypersensibilité.

- **Perfusion intermittente:** Diluer les doses de 3 millions d'unités ou moins dans au moins 50 mL et celles de plus de 3 millions d'unités dans 100 mL de solution de dextrose à 5 ou à 10 % dans de l'eau, de solution de NaCl à 0,45 ou 0,9 %, de solution de Ringer ou de lactate Ringer, d'une solution de dextrose et de soluté salin ou de dextrose et de solution de Ringer ou de lactate Ringer.

- ☐ *Vitesse d'administration:* Perfuser en 1 à 2 h, chez les adultes, et en 15 à 30 min, chez les enfants.

- **Perfusion continue:** On peut diluer la solution et la perfuser en 24 h.

- **Association compatible dans la même seringue:** Héparine.

- **Association incompatible dans la même seringue:** Métoclopramide.

- **Compatibilités (tubulure en Y):** Acyclovir, chlorure de potassium, cyclophosphamide, énalaprilate, esmolol, foscarnet, héparine avec succinate d'hydrocortisone sodique, hydromorphone, labétalol, mépéridine, morphine, perphénazine, sulfate de magnésium ou vérapamil.

- **Compatibilités en addition au soluté:** Acide ascorbique, céphapirine, chloramphénicol, chlorure de calcium, chlorure de potassium, cimétidine, clindamycine, colistiméthate, corticotropine, dimenhydrinate, diphenhydramine, édisylate de prochlorpérazine, éphédrine, érythromycine, gluconate de calcium, iodure de sodium, kanamycine, lidocaïne, méthicilline, phosphate de prednisolone sodique, polymyxine B, procaïne, succinate de méthylprednisolone sodique, succinate d'hydrocortisone sodique, sulfate de magnésium ou vérapamil.

- **Incompatibilités en addition au soluté:** Aminophylline, amphotéricine B, chlorpromazine, dopamine, hydroxyzine, mésylate de prochlorpérazine, métaraminol, oxytétracycline, pentobarbital, promazine, tétracycline ou thiopental. Ne pas mélanger à des aminosides.

ENSEIGNEMENT AU PATIENT ET À SES PROCHES

- ☐ Recommander au patient de prendre toute la quantité de médicament qui lui a été prescrite, à intervalles réguliers, 24 h sur 24, même s'il se sent mieux. Insister sur le fait qu'il peut être dangereux de donner ce médicament à une autre personne.

- ☐ Recommander au patient de signaler au médecin l'allergie et les signes suivants de surinfection: excroissance

noire pileuse sur la langue, démangeaisons et écoulements vaginaux, selles molles ou nauséabondes.
- □ Recommander au patient de prévenir le médecin si les symptômes ne s'améliorent pas.
- □ Conseiller au patient allergique à la pénicilline de porter sur lui en tout temps une pièce d'identité où est inscrit ce renseignement.

VÉRIFICATION DES RÉSULTATS

La réponse clinique peut être déterminée par: la disparition des signes et des symptômes d'infection. Le temps de la résolution dépend du micro-organisme infectant et du siège de l'infection.

PÉNICILLINE G PROCAÏNIQUE
Ayercilline, Wycillin, (Crysticillin), (Duracillin A.S.), (Pfizerpen-AS)

CLASSIFICATION:
Anti-infectieux – pénicilline
Grossesse – catégorie B

INDICATIONS

■ Traitement d'une vaste gamme d'infections dont: □ la pneumonie à pneumocoques □ la pharyngite à streptocoques □ les infections de la peau et des tissus mous, la scarlatine et l'érysipèle dus aux streptocoques □ la syphilis □ la gonorrhée.

ACTION

■ Liaison à la paroi cellulaire provoquant la destruction de la bactérie. **Effets thérapeutiques:** ■ Effet bactéricide contre les bactéries sensibles. **Spectre d'action:** Le spectre d'action de la pénicilline G procaïnique est le suivant: ■ la plupart des agents pathogènes à Gram positif dont: □ les streptocoques (*Streptococcus pneumoniae*, streptocoques bêta-hémolytiques

du groupe A) □ les staphylocoques (souches ne produisant pas de pénicillinase) ■ certains micro-organismes à Gram négatif dont *Neisseria meningitis* et *Neisseria gonorrhoeæ* ■ les spirochètes et certaines bactéries anaérobies.

PHARMACOCINÉTIQUE

Absorption: L'absorption depuis le point d'injection IM est lente et prolongée, entraînant des concentrations sanguines thérapeutiques persistantes.
Distribution: Le médicament se répartit dans tout l'organisme, bien qu'en l'absence d'une inflammation des méninges, il ne pénètre dans le liquide céphalorachidien qu'en quantités infimes. Il traverse le placenta et pénètre dans le lait maternel.
Métabolisme et excrétion: La pénicilline G procaïnique est faiblement métabolisée par le foie. Elle est principalement excrétée à l'état inchangé par les reins.
Demi-vie: De 30 à 60 min.

CONTRE-INDICATIONS ET PRÉCAUTIONS

Contre-indications: ■ Antécédents d'hypersensibilité aux pénicillines ■ Risque de réactions de sensibilité croisée avec les céphalosporines ■ Hypersensibilité à la procaïne.
Précautions: ■ Insuffisance rénale grave (il est recommandé de réduire la dose) ■ Grossesse (bien que l'innocuité du médicament n'ait pas été établie, il existe des précédents d'usage) ■ Allaitement.

RÉACTIONS INDÉSIRABLES ET EFFETS SECONDAIRES

SNC: CONVULSIONS.
GI: nausées, vomissements, diarrhée, douleurs épigastriques.
GU: néphrite interstitielle.
Tég.: rash, urticaire.
Hémat.: éosinophilie, anémie hémolytique, leucopénie.
Locaux: douleur au point d'injection IM.

Divers: surinfection, réactions allergiques incluant l'ANAPHYLAXIE et la maladie du sérum.

INTERACTIONS

Médicament – médicament: ■ Le **probénécide** diminue l'excrétion rénale de la pénicilline et en augmente les concentrations sanguines. On peut utiliser un traitement d'association dans ce but ■ Le **chloramphénicol**, administré simultanément, peut diminuer l'efficacité de la pénicilline ■ La pénicilline, administrée simultanément, peut allonger la demi-vie du **chloramphénicol**.

VOIES D'ADMINISTRATION ET POSOLOGIE

Remarque: 1 mg = 1 600 unités.

Infections modérées à graves

- **IM (adultes)**: de 600 000 à 1,2 million d'unités par jour, en une seule dose.
- **IM (enfants < 27 kg)**: 300 000 unités par jour, en une seule dose.

Gonorrhée sans complication

- **IM (adultes)**: 4,8 millions d'unités, administrées en 2 points d'injection séparés; administrer auparavant 1 g de probénécide PO.

PHARMACODYNAMIE
(concentrations sanguines)

	DÉBUT D'ACTION	PIC	DURÉE
IM	retardé	1 – 4 h	1 – 2 jours

☼ SOINS INFIRMIERS

ÉVALUATION DE LA SITUATION

- ☐ Au début du traitement et pendant toute sa durée, suivre de près les signes suivants d'infection: altération des signes vitaux, aspect de la plaie, des crachats, de l'urine et des selles, accroissement du nombre de leucocytes.

- ☐ Recueillir les antécédents du patient avant d'amorcer le traitement afin de déterminer ses réactions antérieures à une pénicilline ou à une céphalosporine. Même les personnes n'ayant jamais manifesté de sensibilité à la pénicilline peuvent présenter une réaction allergique.

- ☐ Prélever les échantillons pour les cultures et les antibiogrammes avant le début du traitement. La première dose peut être administrée avant même que les résultats soient connus.

- ☐ Surveiller les signes et les symptômes suivants d'anaphylaxie: rash, prurit, œdème laryngé, respiration sifflante. Si ces réactions se manifestent, arrêter l'administration du médicament et avertir immédiatement le médecin. Garder à portée de la main de l'épinéphrine, un antihistaminique et le matériel de réanimation pour parer à une éventuelle réaction anaphylactique.

- ■ **Étude des examens diagnostiques et biochimiques**: La pénicilline G peut entraîner des résultats faussement positifs au dosage du glucose dans l'urine par la méthode au sulfate de cuivre (Clinitest). Pour le dosage du glucose dans l'urine, recourir plutôt à la méthode à la glucose-oxydase (Keto-Diastix, Tes-Tape).

- ☐ La pénicilline peut positiver le test de Coombs direct.

DIAGNOSTICS INFIRMIERS POSSIBLES

- ■ **Énoncés diagnostiques**
- ☐ Risque élevé d'infection.
- ☐ Prise en charge inefficace du programme thérapeutique.
- ☐ *Risque élevé de douleur au point d'injection.*
- ☐ *Risque élevé de déficit du volume liquidien.*
- ☐ *Risque élevé d'accident.*

- ■ **Facteurs favorisants**
- ☐ Informations incomplètes.

- *Manque de connaissances sur la méthode d'administration du médicament.*
- *Manque de connaissances sur les modalités du traitement.*
- *Manque de connaissances sur les moyens de prévenir les effets secondaires affectant l'appareil gastrointestinal.*

INTERVENTIONS INFIRMIÈRES

- Bien mélanger la préparation avant l'administration. Injecter profondément dans un muscle bien développé à un débit lent et régulier afin de prévenir le blocage de l'aiguille. Bien masser le point d'injection. L'injection accidentelle dans un nerf ou à proximité peut provoquer une douleur et une dysfonction graves.
- Le patient peut présenter une réaction toxique passagère à la procaïne se manifestant par l'anxiété, la confusion, l'agitation, la combativité, la dépression, des convulsions, des hallucinations, la peur de mort imminente.
- Ne jamais administrer la suspension de pénicilline G procaïnique par voie IV en raison des risques d'embolie ou de réactions toxiques.

ENSEIGNEMENT AU PATIENT ET À SES PROCHES

- Recommander au patient de signaler au médecin l'allergie et les signes suivants de surinfection : excroissance noire pileuse sur la langue, démangeaisons et écoulements vaginaux, selles molles ou nauséabondes.
- Recommander au patient de prévenir le médecin si les symptômes ne s'améliorent pas.
- Conseiller au patient allergique à la pénicilline de porter sur lui en tout temps une pièce d'identité où est inscrit ce renseignement.

VÉRIFICATION DES RÉSULTATS

La réponse clinique peut être déterminée par : la disparition des signes et des symptômes d'infection. Le temps de la résolution dépend du micro-organisme infectant et du siège de l'infection.

PÉNICILLINE G SODIQUE

CLASSIFICATION :
Anti-infectieux – pénicilline

Grossesse – catégorie B

INDICATIONS

■ Traitement d'une vaste gamme d'infections dont : □ la pneumonie à pneumocoques □ la pharyngite à streptocoques □ la syphilis □ la gonorrhée ■ Traitement des infections entérococciques (obligatoirement, en association avec un aminoside) ■ Prophylaxie du rhumatisme articulaire aigu.

ACTION

■ Liaison à la paroi cellulaire provoquant la destruction de la bactérie. **Effets thérapeutiques :** ■ Effet bactéricide contre les bactéries sensibles. **Spectre d'action :** Le spectre de la pénicilline G sodique est le suivant : ■ la plupart des agents pathogènes à Gram positif dont : □ les streptocoques (*Streptococcus pneumoniæ*, streptocoques bêta-hémolytiques du groupe A) □ les staphylocoques (souches ne produisant pas de pénicillinase) ■ certains micro-organismes à Gram négatif dont *Neisseria meningitis* et *Neisseria gonorrhoeae* ■ les spirochètes et certaines bactéries anaérobies.

PHARMACOCINÉTIQUE

Absorption : Bonne absorption par suite de l'administration par voie IM.

Distribution : Le médicament se répartit dans tout l'organisme, bien qu'en l'absence d'une inflammation des méninges, il ne pénètre dans le liquide céphalorachidien qu'en quantités infimes. Il traverse le placenta et pénètre dans le lait maternel.

Métabolisme et excrétion: La pénicilline G sodique est faiblement métabolisée par le foie. Elle est principalement excrétée à l'état inchangé par les reins.

Demi-vie: De 30 à 60 min.

CONTRE-INDICATIONS ET PRÉCAUTIONS

Contre-indications: ■ Antécédents d'hypersensibilité aux pénicillines ■ Risque de réactions de sensibilité croisée avec les céphalosporines.

Précautions: ■ Insuffisance rénale grave (il est recommandé de réduire la dose) ■ Grossesse (bien que l'innocuité du médicament n'ait pas été établie, il existe des précédents d'usage) ■ Allaitement.

RÉACTIONS INDÉSIRABLES ET EFFETS SECONDAIRES

SNC: CONVULSIONS.
GI: nausées, vomissements, diarrhée, douleurs épigastriques.
GU: néphrite interstitielle.
Tég.: rash, urticaire.
Hémat.: éosinophilie, anémie hémolytique, leucopénie.
Locaux: phlébite au point d'injection IV, douleur au point d'injection IM.
Divers: surinfection, réactions allergiques incluant l'ANAPHYLAXIE et la maladie du sérum.

INTERACTIONS

Médicament – médicament: ■ La pénicilline G sodique peut diminuer l'efficacité des **contraceptifs oraux**, administrés simultanément ■ Le **probénécide** diminue l'excrétion rénale de la pénicilline et en augmente les concentrations sanguines. On peut utiliser un traitement d'association dans ce but ■ Le **chloramphénicol**, administré simultanément, peut diminuer l'efficacité de la pénicilline ■ La pénicilline, administrée simultanément, peut allonger la demi-vie du **chloramphénicol**.

VOIES D'ADMINISTRATION ET POSOLOGIE

Remarque: 1 mg = 1 600 unités. Le médicament contient 2 mmol de sodium par million d'unités.

■ **IM et IV (adultes):** de 1 million à 5 millions d'unités, toutes les 4 à 6 h (jusqu'à concurrence de 30 millions d'unités par jour).

■ **IM et IV (nourrissons et enfants):** de 50 000 à 100 000 unités/kg par jour, en doses fractionnées, toutes les 4 à 6 h.

PHARMACODYNAMIE (concentrations sanguines)

	DÉBUT D'ACTION	PIC
IM	rapide	0,25 – 0,5 h
IV	rapide	rapide

☀ SOINS INFIRMIERS

ÉVALUATION DE LA SITUATION

☐ Au début du traitement et pendant toute sa durée, suivre de près les signes suivants d'infection: altération des signes vitaux, aspect de la plaie, des crachats, de l'urine et des selles, accroissement du nombre de leucocytes.

☐ Recueillir les antécédents du patient avant d'amorcer le traitement afin de déterminer ses réactions antérieures à une pénicilline ou une céphalosporine. Même les personnes n'ayant jamais manifesté de sensibilité à la pénicilline peuvent présenter une réaction allergique.

☐ Prélever les échantillons pour les cultures et les antibiogrammes avant le début du traitement. La première dose peut être administrée avant même que les résultats soient connus.

☐ Surveiller les signes et les symptômes suivants d'anaphylaxie: rash, prurit, œdème laryngé, respiration sifflante. Si ces réactions se manifestent, arrêter l'administration du médicament et avertir immédiatement le médecin. Garder à portée de la main de l'épinéphrine, un antihistaminique et le matériel de réanimation pour parer à une éventuelle réaction anaphylactique.

■ **Étude des examens diagnostiques et biochimiques:** La pénicilline G sodique peut entraîner des résultats faussement positifs au dosage du glucose dans l'urine par la méthode au sulfate de cuivre (Clinitest). Pour le dosage du glucose dans l'urine, recourir plutôt à la méthode à la glucose-oxydase (Keto-Diastix, Tes-Tape).

□ La pénicilline peut positiver le test de Coombs direct.

□ Mesurer les concentrations de sodium chez les patients souffrant d'hypertension ou d'insuffisance cardiaque. Une hypernatrémie peut survenir après l'administration de doses élevées de pénicilline G sodique.

DIAGNOSTICS INFIRMIERS POSSIBLES

■ **Énoncés diagnostiques**

□ Risque élevé d'infection.

□ Prise en charge inefficace du programme thérapeutique.

□ *Risque élevé de déficit du volume liquidien.*

□ *Risque élevé de douleur au point d'injection IV.*

□ *Risque élevé d'accident.*

■ **Facteurs favorisants**

□ Informations incomplètes.

□ *Manque de connaissances sur les moyens de prévenir les effets secondaires affectant l'appareil gastro-intestinal.*

□ *Manque de connaissances sur les modalités du traitement.*

□ *Manque de connaissances sur la méthode d'administration du médicament.*

INTERVENTIONS INFIRMIÈRES

■ **IM et IV:** Reconstituer la solution avec de l'eau stérile pour injection, une solution de dextrose à 5 % dans de l'eau

ou une solution de NaCl à 0,9 %, en suivant les directives du fabricant.

■ **IM:** Bien mélanger la préparation avant l'administration. Injecter profondément dans un muscle bien développé à un débit lent et régulier afin de prévenir le blocage de l'aiguille. Bien masser le point d'injection. L'injection accidentelle dans un nerf ou à proximité peut provoquer une douleur et une dysfonction graves. Ne pas injecter la solution par voie SC en raison des risques de douleur et d'induration.

□ On peut diluer la pénicilline G sodique avec de la lidocaïne à 1 ou à 2 % (sans épinéphrine) afin de réduire la douleur provoquée par l'injection IM.

■ **IV:** Changer de point d'injection toutes les 48 h afin de prévenir la phlébite.

□ Administrer lentement la pénicilline destinée aux injections IV et observer de près le patient pour déceler les signes d'hypersensibilité.

■ **Perfusion intermittente:** Diluer les doses de 3 millions d'unités ou moins dans au moins 50 mL et celles de plus de 3 millions d'unités dans 100 mL de solution de dextrose à 5 % dans de l'eau ou de solution de NaCl à 0,9 %.

□ *Vitesse d'administration:* Perfuser en 1 à 2 h, chez les adultes, et en 15 à 30 min, chez les enfants.

■ **Perfusion continue:** On peut diluer la solution et la perfuser sur 24 h.

■ **Associations compatibles dans la même seringue:** Chloramphénicol, cimétidine, colistiméthate, héparine, lincomycine ou polymyxine B.

■ **Associations incompatibles dans la même seringue:** Oxytétracycline ou tétracycline.

■ **Compatibilités en addition au soluté:** Chloramphénicol, chlorure de calcium, clindamycine, colistiméthate, diphenhydramine, gluconate de calcium, lactobionate d'érythromycine, méthicilline, phosphate de prednisolone sodique, polymyxine B, procaïne, ranitidine, succinate d'hydrocortisone sodique ou vérapamil.

- **Incompatibilités en addition au soluté :** Amphotéricine B, bléomycine, céphalothine, chlorpromazine, cytarabine, hydroxyzine, mésylate de prochlorpérazine, oxytétracycline, prométhazine ou succinate de méthylprednisolone sodique. Ne pas mélanger à des aminosides.

ENSEIGNEMENT AU PATIENT ET À SES PROCHES

- ☐ Recommander au patient de signaler au médecin l'allergie et les signes suivants de surinfection : excroissance noire pileuse sur la langue, démangeaisons et écoulements vaginaux, selles molles ou nauséabondes.
- ☐ Recommander au patient de prévenir le médecin si les symptômes ne s'améliorent pas.
- ☐ Conseiller au patient allergique à la pénicilline de porter sur lui en tout temps une pièce d'identité où est inscrit ce renseignement.

VÉRIFICATION DES RÉSULTATS

La réponse clinique peut être déterminée par : la disparition des signes et des symptômes d'infection. Le temps de la résolution dépend du micro-organisme infectant et du siège de l'infection.

PÉNICILLINE V

Apo-Pen-VK, Ledercillin VK, Nadopen-V, Novo-Pen-VK, Nu-Pen-VK, Pen-Vee, PVF, PVF K, V-Cillin K, (Beepen-VK), (Betapen-VK), (Robicillin-VK), (Veetids)

CLASSIFICATION :
Anti-infectieux – pénicilline

Grossesse – catégorie B

INDICATIONS

- Traitement d'une vaste gamme d'infections dont : ☐ la pneumonie à pneumo-

coques ☐ l'érysipèle ☐ les infections de la peau et des tissus mous ☐ la pharyngite à streptocoques ■ Prophylaxie du rhumatisme articulaire aigu.

ACTION

- Liaison à la paroi cellulaire provoquant la destruction de la bactérie. **Effets thérapeutiques :** ■ Effet bactéricide contre les bactéries sensibles. **Spectre d'action :** Le spectre d'action de la pénicilline V est le suivant : ■ la plupart des agents pathogènes à Gram positif dont : ☐ les streptocoques (*Streptococcus pneumoniæ*, streptocoques bêta-hémolytiques du groupe A) ☐ les staphylocoques (souches ne produisant pas de pénicillinase) ■ certains micro-organismes à Gram négatif dont *Neisseria meningitis* et *Neisseria gonorrhoeae* ■ les spirochètes et certaines bactéries anaérobies.

PHARMACOCINÉTIQUE

Absorption : La pénicilline V résiste à la décomposition par le milieu acide du tractus gastro-intestinal et elle est mieux absorbée que la pénicilline G.

Distribution : Le médicament se répartit dans tout l'organisme, bien qu'en l'absence d'une inflammation des méninges, il ne pénètre dans le liquide céphalorachidien qu'en quantités infimes. Il traverse le placenta et pénètre dans le lait maternel.

Métabolisme et excrétion : La pénicilline V est faiblement métabolisée par le foie. Elle est principalement excrétée à l'état inchangé par les reins.

Demi-vie : De 30 à 60 min.

CONTRE-INDICATIONS ET PRÉCAUTIONS

Contre-indications : ■ Antécédents d'hypersensibilité aux pénicillines ■ Risque de réactions de sensibilité croisée avec les céphalosporines ■ Hypersensibilité à la benzathine (préparations benzathiniques seulement).

Précautions : ■ Insuffisance rénale grave (il est recommandé de réduire la dose) ■ Grossesse (bien que l'innocuité du médicament n'ait pas été établie, il existe des précédents d'usage) ■ Allaitement.

RÉACTIONS INDÉSIRABLES ET EFFETS SECONDAIRES

SNC : CONVULSIONS.

GI : nausées, vomissements, diarrhée, douleurs épigastriques.

GU : néphrite interstitielle.

Tég. : rash, urticaire.

Hémat. : éosinophilie, anémie hémolytique, leucopénie.

Divers : surinfection, réactions allergiques incluant l'ANAPHYLAXIE et la maladie du sérum.

INTERACTIONS

Médicament – médicament : ■ La pénicilline V peut diminuer l'efficacité des **contraceptifs oraux** ■ Le **probénécide** diminue l'excrétion rénale de la pénicilline et en augmente les concentrations sanguines. On peut utiliser un traitement d'association dans ce but ■ La **néomycine**, administrée simultanément, peut diminuer l'absorption de la pénicilline V ■ Le **chloramphénicol**, administré simultanément, peut diminuer l'efficacité de la pénicilline ■ La pénicilline, administrée simultanément, peut allonger la demi-vie du **chloramphénicol**.

VOIES D'ADMINISTRATION ET POSOLOGIE

Remarque : 1 mg = 1 600 unités.

Infections dues à des bactéries sensibles

■ **PO (adultes) :** de 200 000 à 500 000 unités, toutes les 6 à 8 h.

■ **PO (enfants) :** de 200 000 à 250 000 unités, toutes les 6 à 8 h.

Prophylaxie du rhumatisme articulaire aigu

■ **PO (adultes) :** de 200 000 à 250 000 unités, toutes les 12 h.

PHARMACODYNAMIE (concentrations sanguines)

	DÉBUT D'ACTION	PIC
PO	rapide	0,5 – 1 h

SOINS INFIRMIERS

ÉVALUATION DE LA SITUATION

☐ Au début du traitement et pendant toute sa durée, suivre de près les signes suivants d'infection : altération des signes vitaux, aspect de la plaie, des crachats, de l'urine et des selles, accroissement du nombre de leucocytes.

☐ Recueillir les antécédents du patient avant d'amorcer le traitement afin de déterminer ses réactions antérieures à une pénicilline ou à une céphalosporine. Même les personnes n'ayant jamais manifesté de sensibilité à la pénicilline peuvent présenter une réaction allergique.

☐ Prélever les échantillons pour les cultures et les antibiogrammes avant le début du traitement. La première dose peut être administrée avant même que les résultats soient connus.

☐ Surveiller les signes et les symptômes suivants d'anaphylaxie : rash, prurit, œdème laryngé, respiration sifflante. Si ces réactions se manifestent, arrêter l'administration du médicament et avertir immédiatement le médecin. Garder à portée de la main de l'épinéphrine, un antihistaminique et le matériel de réanimation pour parer à une éventuelle réaction anaphylactique.

■ **Étude des examens diagnostiques et biochimiques :** La pénicilline V peut positiver le test de Coombs direct.

DIAGNOSTICS INFIRMIERS POSSIBLES

■ **Énoncés diagnostiques**

☐ Risque élevé d'infection.

□ Prise en charge inefficace du programme thérapeutique.

□ Non-observance du traitement médicamenteux.

□ *Risque élevé de déficit du volume liquidien.*

□ *Risque élevé d'accident.*

■ **Facteurs favorisants**

□ Informations incomplètes.

□ Doute quant aux bienfaits du médicament.

□ *Manque de connaissances sur les modalités du traitement.*

□ *Manque de connaissances sur les moyens de prévenir les effets secondaires affectant l'appareil gastrointestinal.*

INTERVENTIONS INFIRMIÈRES

■ **PO :** Administrer la pénicilline V, à intervalles réguliers, 24 h sur 24, sans égard aux repas.

□ Utiliser un récipient gradué pour mesurer les préparations liquides. La solution est stable pendant 14 jours au réfrigérateur.

ENSEIGNEMENT AU PATIENT ET À SES PROCHES

□ Recommander au patient de prendre toute la quantité de médicament qui lui a été prescrite, à intervalles réguliers, 24 h sur 24, même s'il se sent mieux. Insister sur le fait qu'il peut être dangereux de donner ce médicament à une autre personne.

□ Recommander au patient de signaler au médecin l'allergie et les signes suivants de surinfection : excroissance noire pileuse sur la langue, démangeaisons et écoulements vaginaux, selles molles ou nauséabondes.

□ Recommander au patient de prévenir le médecin si les symptômes ne s'améliorent pas.

□ Conseiller à la patiente prenant des contraceptifs oraux d'utiliser une méthode de contraception supplémentaire pendant le traitement par la pénicilline V et jusqu'aux règles suivantes.

□ Conseiller au patient allergique à la pénicilline de porter sur lui en tout temps une pièce d'identité où est inscrit ce renseignement.

VÉRIFICATION DES RÉSULTATS

La réponse clinique peut être déterminée par : la disparition des signes et des symptômes d'infection. Le temps de la résolution dépend du micro-organisme infectant et du siège de l'infection.

PENTAMIDINE

Pentacarinat, (Nebupent), (Pentam)

CLASSIFICATION :
Anti-infectieux – antiprotozoaire

Grossesse – catégorie C

INDICATIONS

■ **IM et IV :** Traitement de la pneumonie attribuable à *Pneumocystis carinii* ■ **Inhalation :** Prévention de la pneumonie à *Pneumocystis carinii* chez les patients atteints du virus du SIDA ou chez les patients séropositifs ayant déjà souffert de pneumonie à *Pneumocystis carinii*, ceux dont la numération lymphocytaire des cellules CD4+ périphériques (cellules T auxiliaires) est inférieure ou égale à 200/mm^3 ou ceux dont le taux de CD4 est inférieur à 20 % du nombre total de lymphocytes. **Usages non approuvés :** ■ Traitement des troubles suivants : □ Trypanosomiase africaine □ Leishmaniose □ Babésiose.

ACTION

■ Inhibition probable de la synthèse de l'ADN et de l'ARN des protozoaires ■ Effet toxique direct sur les cellules des îlots pancréatiques. **Effets thérapeutiques :** ■ Destruction des protozoaires sensibles.

PHARMACOCINÉTIQUE

Absorption: Bonne absorption par suite de l'administration IM profonde. Par suite de l'inhalation, l'absorption systémique est minime.

Distribution: La pentamidine se répartit fortement dans tout l'organisme. Elle ne semble pas pénétrer le liquide céphalorachidien. Elle se concentre dans le foie, les reins, les poumons et la rate et reste emmagasinée pendant une période prolongée dans certains tissus.

Métabolisme et excrétion: Une fraction de 1 à 30 % est excrétée à l'état inchangé par les reins. Le reste du sort métabolique est inconnu.

Demi-vie: De 6,4 à 9,4 h (prolongée en cas d'insuffisance rénale).

CONTRE-INDICATIONS ET PRÉCAUTIONS

Contre-indication: Antécédents de réaction anaphylactique à la pentamidine.

Précautions: ■ Hypotension ■ Hypertension ■ Hypoglycémie ■ Hyperglycémie ■ Hypocalcémie ■ Leucopénie ■ Thrombocytopénie ■ Anémie ■ Insuffisance rénale (réduire la dose) ■ Diabète sucré ■ Insuffisance hépatique ■ Grossesse et allaitement (l'innocuité du médicament n'a pas été établie) ■ Maladie cardiovasculaire ■ Aplasie médullaire, traitement antinéoplasique ou radiothérapie préalables.

RÉACTIONS INDÉSIRABLES ET EFFETS SECONDAIRES

Remarque: Sauf indication contraire, les effets secondaires et les réactions ci-dessous ont été observés par suite de l'administration de la préparation parentérale.

SNC: étourdissements, confusion, hallucinations, anxiété, céphalées.

ORLO: sensation de brûlure dans la gorge (inhalation seulement).

CV: HYPOTENSION, ARYTHMIES.

GI: nausées, vomissements, douleurs abdominales, goût métallique désagréable, anorexie, PANCRÉATITE, hépatite.

GU: toxicité rénale.

Tég.: rash, pâleur.

End.: HYPOGLYCÉMIE, hyperglycémie.

HÉ: hypocalcémie, hyperkaliémie.

Hémat.: leucopénie, thrombocytopénie, anémie.

Locaux: douleur, induration, abcès stérile au point d'injection IM, nécrose au point d'injection IM, phlébite, prurit, urticaire au point d'injection IV.

Resp.: bronchospasme, toux (inhalation seulement).

Divers: fièvre, frissons, SYNDROME DE STEVENS-JOHNSON, réactions allergiques incluant l'ANAPHYLAXIE.

INTERACTIONS

Remarque: Les interactions ci-dessous ont été observées lors de l'administration du médicament par voie parentérale.

Médicament – médicament: ■ Toxicité rénale additive lors de l'usage concomitant d'autres **agents pouvant provoquer une toxicité rénale**, incluant les **aminosides**, l'**amphotéricine B** et la **vancomycine** ■ Aplasie médullaire additive lors de l'usage concomitant d'**antinéoplasiques** ou d'une **radiothérapie** préalable.

VOIES D'ADMINISTRATION ET POSOLOGIE

***Pneumonie à* Pneumocystis Carinii – Traitement**

■ **IM et IV (adultes):** 4 mg/kg, une fois par jour, pendant 14 à 21 jours (un traitement de plus de 21 jours peut s'avérer nécessaire chez les patients atteints du virus du SIDA).

■ **IM et IV (enfants) (É.-U.):** 4 mg/kg, une fois par jour, pendant 14 jours, ou 150 mg/m^2, pendant 5 jours, puis 100 mg/m^2, pendant 9 jours (un traitement d'une durée allant jusqu'à 21 jours ou plus peut s'avérer nécessaire chez les patients atteints du virus du SIDA).

Pneumonie à Pneumocystis Carinii –
Prophylaxie

■ **Inhalation (adultes) (É.-U.) :** 300 mg, toutes les 4 semaines, administrés par un nébuliseur Respirgard II.

PHARMACODYNAMIE
(concentrations sanguines)

	DÉBUT D'ACTION	PIC
IM	inconnu	0,5 – 1 h
IV	inconnu	fin de la perfusion
inhalation	inconnu	inconnu

SOINS INFIRMIERS

ÉVALUATION DE LA SITUATION

☐ Au début du traitement et pendant toute sa durée, suivre de près les signes suivants d'infection : altération des signes vitaux, aspect des crachats, accroissement du nombre de leucocytes. Suivre de près la fonction respiratoire (fréquence et caractéristique des respirations, murmure vésiculaire, dyspnée, aspect des crachats).

☐ Prélever des échantillons pour l'analyse des cultures et des antibiogrammes avant le début du traitement. On peut administrer la première dose avant même que les résultats de ces analyses soient connus.

☐ Mesurer la pression artérielle à intervalles fréquents pendant et après l'administration de la pentamidine par voie IM ou IV. Le patient doit rester couché durant l'administration du médicament. Une hypotension soudaine et grave peut survenir après l'administration d'une seule dose. Garder à portée de la main le matériel de réanimation cardiorespiratoire.

☐ Surveiller les signes d'hypoglycémie (anxiété, frissons, diaphorèse, peau pâle et froide, céphalées, faim accrue, nausées, nervosité, tremblements) et d'hyperglycémie (somnolence, peau sèche et rouge, haleine ayant une odeur fruitée, soif accrue, mictions accrues, perte d'appétit). Ces signes peuvent se manifester jusqu'à plusieurs mois après l'arrêt du traitement.

☐ Mesurer le pouls et examiner l'ÉCG avant le traitement et à intervalles réguliers pendant toute sa durée. On a signalé des décès attribuables à des arythmies cardiaques, à la tachycardie et à une toxicité cardiaque.

■ **Étude des examens diagnostiques et biochimiques :** Mesurer la glycémie avant le traitement, tous les jours pendant toute sa durée et pendant plusieurs mois après le traitement.

■ Mesurer les concentrations sériques d'urée et de créatinine avant le traitement et quotidiennement pendant toute sa durée pour déceler l'apparition d'une toxicité rénale.

☐ Examiner les numérations globulaire et plaquettaire avant le traitement et à intervalles réguliers pendant toute sa durée. La pentamidine peut provoquer une leucopénie, l'anémie et une thrombocytopénie.

☐ La pentamidine peut entraîner une élévation des concentrations sériques de bilirubine, de phosphatase alcaline, de TGOS (AST) et de TGPS (ALT). Il faut effectuer ces tests de l'exploration fonctionnelle hépatique avant le traitement et tous les 3 jours pendant toute sa durée.

☐ Suivre de près les concentrations sériques de calcium avant le traitement et tous les 3 jours pendant toute sa durée, car la pentamidine peut provoquer une hypocalcémie.

☐ La pentamidine peut entraîner une élévation des concentrations sériques de potassium.

DIAGNOSTICS INFIRMIERS POSSIBLES

■ **Énoncés diagnostiques**

☐ Risque élevé d'infection.

☐ Prise en charge inefficace du programme thérapeutique.

☐ *Risque élevé d'accident.*

P

■ **Facteurs favorisants**

☐ Informations incomplètes.

☐ *Manque de connaissances sur les modalités du traitement.*

☐ *Manque de connaissances sur les effets hypotensifs du médicament lors des changements brusques de position.*

☐ *Manque de connaissances sur les signes d'hypoglycémie et sur les moyens de les prévenir.*

☐ *Manque de connaissances sur les effets secondaires du médicament et sur les moyens de les prévenir.*

INTERVENTIONS INFIRMIÈRES

■ **Directives générales:** La pentamidine doit être administrée selon un horaire fixe pendant toute la durée du traitement. S'il est impossible d'administrer la dose au moment habituel, on doit le faire dès que possible. S'il est presque l'heure prévue pour la dose suivante, on doit sauter cette dose et reprendre l'horaire habituel. Il ne faut jamais doubler la dose.

■ **IM:** Reconstituer la solution en ajoutant 2 ou 3 mL d'eau stérile pour injection à chaque fiole de 200 ou de 300 mg. Injecter profondément dans un muscle bien développé. L'injection peut provoquer une induration ou des douleurs au point d'injection.

■ **Perfusion intermittente:** Pour reconstituer la solution, ajouter 2 ou 3 mL d'eau stérile pour injection à la fiole de 200 ou de 300 mg pour obtenir une concentration de 100 mg/mL, respectivement. Retirer la dose et diluer une fois de plus dans 50 à 500 mL de solution de dextrose à 5 % dans de l'eau ou de NaCl à 0,9 %. La solution qui a été diluée dans du dextrose à 5 % dans de l'eau, et dont la concentration finale est d'environ 2 mg/mL, est stable pendant 24 h à la température ambiante. Jeter toute portion inutilisée.

☐ *Vitesse d'administration:* Administrer la perfusion lentement, en au moins 60 min.

■ **Compatibilité (tubulure en Y):** Zidovudine.

■ **Incompatibilité (tubulure en Y):** Foscarnet.

■ **Inhalation:** Diluer 300 mg de pentamidine dans 6 mL d'eau stérile pour injection. Vider la solution reconstituée dans un nébuliseur Respirgard II. Ne pas diluer avec une solution de NaCl à 0,9 % et ne pas mélanger à d'autres médicaments, car la solution formera un précipité. Ne pas utiliser le nébuliseur Respirgard II pour administrer d'autres médicaments.

☐ Administrer la dose à inhaler à l'aide du nébuliseur jusqu'à ce que la chambre soit vide, soit pendant environ 30 à 45 min.

ENSEIGNEMENT AU PATIENT ET À SES PROCHES

☐ Inciter le patient à prendre toute la quantité de pentamidine qui lui a été prescrite, même s'il se sent mieux.

☐ Conseiller au patient de prévenir rapidement le médecin en cas de fièvre, de maux de gorge, de signes d'infection, de saignement des gencives, d'ecchymoses inhabituelles, de pétéchies ou de présence de sang dans les selles, l'urine et les vomissements. Recommander au patient d'éviter les foules et les personnes contagieuses. Lui conseiller d'utiliser une brosse à dents à poils doux et un rasoir électrique et de prendre garde aux chutes. Prévenir le patient qu'il ne doit pas recevoir d'injections IM ni faire prendre sa température par voie rectale. Prévenir le patient qu'il ne doit pas consommer de boissons alcoolisées ni prendre des préparations contenant de l'aspirine, en raison des risques d'hémorragie digestive.

□ Recommander au patient de changer lentement de position pour diminuer le risque d'hypotension orthostatique.

□ Expliquer au patient que le goût métallique désagréable est un effet secondaire prévisible de la pentamidine, mais qu'il ne s'agit pas d'un effet nuisible.

VÉRIFICATION DES RÉSULTATS

La réponse clinique peut être déterminée par : la prévention ou la disparition des signes et des symptômes d'infections protozoaires, particulièrement de la pneumonie à *Pneumocystis carinii* chez les patients infectés par le VIH.

PENTAZOCINE
Talwin, (Talwin NX)

CLASSIFICATION :
Analgésique narcotique – agoniste/antagoniste

Stupéfiant

Grossesse – catégorie C

INDICATIONS

■ Soulagement de la douleur modérée à grave ■ Précédents d'usage en tant que : □ analgésique durant le travail de l'accouchement □ sédatif avant une intervention chirurgicale □ supplément lors d'une anesthésie équilibrée.

ACTION

■ Liaison aux récepteurs des opiacés du SNC ■ Modification de la perception de la douleur et de la réaction aux stimuli douloureux avec dépression généralisée du SNC ■ Propriétés antagonistes partielles qui peuvent déclencher des symptômes de sevrage narcotique en cas de dépendance physique. **Effets thérapeutiques :** ■ Soulagement de la douleur modérée à grave.

PHARMACOCINÉTIQUE

Absorption : Bonne absorption par suite de l'administration par voies orale, IM et SC.

Distribution : Le médicament se répartit dans tout l'organisme. Il traverse le placenta.

Métabolisme et excrétion : Le médicament est surtout métabolisé par le foie. De petites quantités sont excrétées à l'état inchangé par les reins.

Demi-vie : De 2 à 3 h.

CONTRE-INDICATIONS ET PRÉCAUTIONS

Contre-indications : ■ Hypersensibilité ■ Patients narcodépendants n'ayant pas été désintoxiqués (le médicament peut déclencher des symptômes de sevrage).

Précautions : ■ Traumatisme crânien ■ Pression intracrânienne accrue ■ Maladies rénale, hépatique ou pulmonaire graves ■ Hypothyroïdie ■ Insuffisance surrénalienne ■ Alcoolisme ■ Personnes âgées, patients débilités ou patients souffrant d'insuffisance hépatique grave (il est recommandé de réduire la dose) ■ Douleurs abdominales non diagnostiquées ■ Hypertrophie de la prostate ■ Grossesse (bien que le médicament ait été administré durant le travail de l'accouchement, il peut entraîner une dépression respiratoire chez le nouveau-né) ■ Allaitement ou enfants (l'innocuité du médicament n'a pas été établie).

RÉACTIONS INDÉSIRABLES ET EFFETS SECONDAIRES

SNC : sédation, confusion, céphalées, euphorie, sensation de flottement, rêves bizarres, hallucinations, dysphorie, étourdissements, vertiges.

ORLO : myosis (fortes doses), vision trouble, diplopie.

Resp. : dépression respiratoire.

CV : hypotension, hypertension, palpitations.

P

GI: <u>nausées</u>, vomissements, constipation, <u>occlusion intestinale</u>, sécheresse de la bouche (xérostomie).
GU: rétention urinaire.
Tég.: transpiration, peau moite et froide.
Divers: tolérance aux effets du médicament, dépendance physique, dépendance psychologique.

INTERACTIONS

Médicament – médicament: ■ Risque de réactions imprévisibles chez les patients recevant en même temps un **inhibiteur de la MAO** (réduire la dose initiale de pentazocine à 25 % de la dose habituelle; administrer avec prudence) ■ Dépression additive du SNC lors de l'usage concomitant d'**alcool**, d'**antihistaminiques** et d'**hypnosédatifs** ■ La pentazocine peut déclencher des symptômes de sevrage chez les patients présentant une dépendance physique aux **analgésiques narcotiques agonistes** qui n'ont pas été désintoxiqués ■ Le médicament peut diminuer les effets analgésiques des autres **analgésiques narcotiques** administrés simultanément.

VOIES D'ADMINISTRATION ET POSOLOGIE

Douleur modérée à grave
■ **PO (adultes):** de 50 à 100 mg, toutes les 3 ou 4 h (ne pas dépasser 600 mg/ jour).
■ **IV (adultes):** 30 mg, toutes les 3 ou 4 h, selon les besoins (ne pas dépasser 360 mg/jour).
■ **IM et SC (adultes):** de 30 à 60 mg, toutes les 3 ou 4 h, selon les besoins (ne pas dépasser 360 mg/jour).

Usage obstétrique
■ **IM (adultes):** 30 mg, lorsque les contractions deviennent régulières; on peut répéter l'administration 1 ou 2 fois, à intervalles de 2 ou 3 h.
■ **IV (adultes):** 20 mg, lorsque les contractions deviennent régulières; on peut répéter l'administration 1 ou 2 fois, à intervalles de 2 ou 3 h.

PHARMACODYNAMIE
(effet analgésique)

	DÉBUT D'ACTION	PIC	DURÉE
PO	15 – 30 min	1 – 3 h	3 h
IM, SC	15 – 20 min	1 h	2 h
IV	2 – 3 min	15 min	1 h

☀ SOINS INFIRMIERS

ÉVALUATION DE LA SITUATION

☐ Noter le type de douleur, son siège et son intensité, avant l'administration du médicament, 60 min après l'administration IM et PO et 15 min après l'administration IV.

☐ Mesurer la pression artérielle, le pouls et les respirations avant l'administration du médicament et à intervalles réguliers pendant toute sa durée.

☐ Bien que le risque de dépendance soit faible, l'administration prolongée de cet agent peut entraîner une dépendance physique et psychologique ainsi qu'une tolérance aux effets du médicament, ce qui ne doit pas empêcher le patient de recevoir une quantité suffisante d'analgésique. La psychodépendance est rare chez la plupart des patients qui reçoivent la pentazocine pour des raisons médicales. Lors d'un traitement prolongé, il faut parfois administrer des doses de plus en plus élevées pour soulager la douleur.

☐ Recueillir des données sur les antécédents de prise d'analgésiques. En raison de ses propriétés antagonistes, le médicament peut induire, chez les patients dépendants aux narcotiques, les symptômes de sevrage suivants: vomissements, agitation, crampes abdominales, pression artérielle accrue et fièvre.

■ **Étude des examens diagnostiques et biochimiques:** La pentazocine peut entraîner une élévation des concentrations sériques d'amylase et de lipase.

- **Toxicité et surdosage :** En cas de surdosage, la dépression respiratoire peut être partiellement renversée par la naloxone (Narcan).

DIAGNOSTICS INFIRMIERS POSSIBLES

- **Énoncés diagnostiques**
  - Douleur.
  - Risque élevé d'accident.
  - Altération de la perception visuelle et auditive.

- **Facteurs favorisants**
  - *Perturbation de la vigilance.*
  - *Manque de connaissances sur les modalités du traitement.*
  - *Manque de connaissances sur les effets hypotensifs du médicament lors des changements brusques de position.*
  - *Manque de connaissances sur les moyens de prévenir les effets secondaires du médicament.*

INTERVENTIONS INFIRMIÈRES

- **Directives générales :** Pour augmenter l'effet analgésique de la pentazocine, expliquer au patient la valeur thérapeutique de ce médicament avant de l'administrer.
  - Les doses administrées selon un horaire fixe peuvent être plus efficaces que celles administrées au besoin. L'analgésie est plus importante si le médicament est administré avant que la douleur ne devienne intense.
  - Les analgésiques non narcotiques, administrés simultanément, peuvent exercer des effets analgésiques additifs, ce qui permet de diminuer les doses de narcotique.
- **PO :** L'administration par voie parentérale de la pentazocine destinée à la voie orale peut entraîner chez les patients narcodépendants des symptômes de sevrage et les réactions graves, qui risquent même d'être mortelles, qui suivent : embolie pulmonaire, occlusion vasculaire, ulcères et abcès.

- **IM et SC :** Administrer les injections IM profondément dans un muscle bien développé. Assurer la rotation des points d'injection. Les injections SC répétées peuvent provoquer des lésions tissulaires.

- **IV directe :** Le fabricant recommande de diluer chaque dose de 5 mg de pentazocine avec au moins 1 mL d'eau stérile pour injection.
  - *Vitesse d'administration :* Administrer lentement, à un débit maximal de 5 mg/min.

- **Associations compatibles dans la même seringue :** Atropine, benzquinamide, butorphanol, chlorpromazine, cimétidine, dimenhydrinate, diphenhydramine, dropéridol, édisylate de prochlorpérazine, hydroxyzine, métoclopramide, perphénazine, promazine, prométhazine, propiomazine, ranitidine ou scopolamine.

- **Associations incompatibles dans la même seringue :** Glycopyrrolate, héparine ou pentobarbital.

- **Compatibilités (tubulure en Y) :** Chlorure de potassium, héparine ou succinate d'hydrocortisone sodique.

- **Incompatibilité (tubulure en Y) :** Nafcilline.

- **Incompatibilités en addition au soluté :** Aminophylline, amobarbital, bicarbonate de sodium, pentobarbital, phénobarbital ou sécobarbital.

ENSEIGNEMENT AU PATIENT ET À SES PROCHES

- Expliquer au patient ce qu'on entend par administration au besoin et à quel moment il doit réclamer l'analgésique.
- Prévenir le patient que la pentazocine peut provoquer des étourdissements, de la somnolence ou des hallucinations. Lui recommander de demander de l'aide lorsqu'il se déplace et lui conseiller de ne pas conduire et d'éviter les activités qui exigent sa vigilance jusqu'à ce qu'on ait

la certitude que le médicament n'entraîne pas ces effets chez lui.

- ☐ Recommander au patient de se tourner dans le lit, de tousser et de faire des exercices de respiration profonde toutes les 2 h pour prévenir l'atélectasie.
- ☐ Recommander au patient de changer lentement de position pour diminuer le risque d'hypotension orthostatique.
- ☐ Recommander au patient d'éviter de boire de l'alcool et de prendre d'autres dépresseurs du SNC en même temps que la pentazocine.
- ☐ Conseiller au patient de se rincer fréquemment la bouche, de pratiquer une bonne hygiène orale et de consommer de la gomme à mâcher ou des bonbons sans sucre pour diminuer la sécheresse de la bouche.

VÉRIFICATION DES RÉSULTATS

L'efficacité du traitement peut être démontrée par: la diminution de l'intensité de la douleur sans altération importante de l'état de conscience ni de la fonction respiratoire.

PENTOBARBITAL
Nembutal, Nova-Rectal, Novo-Pentobarb

CLASSIFICATION:
Hypnosédatif – barbiturique

Drogue contrôlée

Grossesse – catégorie D

INDICATIONS

■ Induction d'un état d'hypnose (administration de courte durée) ■ Sédation préopératoire et autres circonstances où la sédation peut s'avérer nécessaire. **Usage non approuvé:** ■ IV: Induction du coma chez certains patients souffrant d'ischémie cérébrale et traitement de la pression intracrânienne accrue.

ACTION

■ Dépression du SNC probablement par potentialisation de l'acide gamma-aminobutyrique (GABA), neurotransmetteur inhibiteur ■ Dépression du SNC à tous les niveaux, incluant la dépression de la zone sensorielle du cortex, la diminution de l'activité motrice et la modification de la fonction cérébelleuse ■ Diminution possible du débit sanguin cérébral, de l'œdème cérébral et de la pression intracrânienne (IV seulement). **Effets thérapeutiques:** ■ Sédation et induction du sommeil.

PHARMACOCINÉTIQUE

Absorption: Bonne absorption par suite de l'administration par voies orale, rectale ou IM.

Distribution: Le pentobarbital se répartit dans tout l'organisme. Les concentrations les plus élevées se retrouvent au niveau du cerveau et du foie. Il traverse le placenta et pénètre en petites quantités dans le lait maternel.

Métabolisme et excrétion: Métabolisme hépatique. De petites quantités sont excrétées à l'état inchangé par les reins.

Demi-vie: De 35 à 50 h.

CONTRE-INDICATIONS ET PRÉCAUTIONS

Contre-indications: ■ Hypersensibilité ■ Hypersensibilité au propylène glycol ou à la tartrazine ■ Coma ou dépression préexistante du SNC (à moins que le médicament ne soit administré pour induire le coma) ■ Douleurs graves réfractaires ■ Grossesse ou allaitement.

Précautions: ■ Dysfonction hépatique ■ Insuffisance rénale grave ■ Patients suicidaires ou ayant des antécédents de toxicomanie ■ Personnes âgées (il est recommandé de réduire la dose) ■ Usage à titre d'hypnotique (administration de courte durée seulement; l'administration prolongée peut entraîner une dépendance).

P

RÉACTIONS INDÉSIRABLES ET EFFETS SECONDAIRES

SNC: somnolence, léthargie, vertiges, dépression, sensation « droguée », excitation, délirium.

Resp.: dépression respiratoire, LARYNGOSPASME (IV seulement), bronchospasme (IV seulement).

CV: hypotension (IV seulement).

GI: nausées, vomissements, diarrhée, constipation.

Tég.: rash, urticaire.

Locaux: phlébite au point d'injection IV.

Loc.: myalgie, arthralgie, névralgie.

Divers: réactions d'hypersensibilité incluant l'ANGIO-ŒDÈME et la maladie du sérum; dépendance physique, dépendance psychologique.

INTERACTIONS

Médicament – médicament: ■ Effets dépressifs additifs sur le SNC lors de l'usage simultané d'autres **dépresseurs du SNC** dont l'**alcool**, les **antihistaminiques**, les **analgésiques narcotiques** et d'autres **hypnosédatifs** ■ Le médicament peut activer les enzymes hépatiques qui métabolisent d'autres médicaments, diminuant ainsi leur efficacité. Il s'agit des médicaments suivants: **contraceptifs oraux, anticoagulants oraux, chloramphénicol, cyclosporine, dacarbazine, glucocorticoïdes, antidépresseurs tricycliques** et **quinidine** ■ Le pentobarbital peut accroître le risque de toxicité hépatique par l'**acétaminophène** ■ Les **inhibiteurs de la MAO**, l'**acide valproïque** ou le **divalproex**, administrés simultanément, peuvent diminuer le métabolisme du pentobarbital et intensifier ses effets sédatifs.

VOIES D'ADMINISTRATION ET POSOLOGIE

Sédation

- **PR (adultes):** de 25 à 50 mg, de 2 à 4 fois par jour.
- **PR (enfants):** 6 mg/kg par jour, en 3 doses fractionnées.

Insomnie

- **PO (adultes):** 100 mg, au coucher.
- **IM (adultes):** de 150 à 200 mg, au coucher.
- **IM (enfants) (É.-U.):** de 3 à 5 mg/kg (jusqu'à concurrence de 100 mg).
- **IV (adultes):** initialement, 100 mg (jusqu'à concurrence de 500 mg).
- **PR (adultes):** de 120 à 200 mg, au coucher.
- **PR (enfants de 12 à 14 ans):** de 60 à 120 mg, au coucher.
- **PR (enfants de 5 à 12 ans):** 60 mg, au coucher.
- **PR (enfants de 1 à 4 ans):** de 30 à 60 mg, au coucher.
- **PR (nourrissons de 2 mois à 1 an):** 30 mg, au coucher.

Sédation préopératoire

- **PO (adultes):** de 100 à 200 mg.

PHARMACODYNAMIE (sédation)*

	DÉBUT D'ACTION	PIC	DURÉE
PO	15 – 60 min	3 – 4 h	1 – 4 h
PR	15 – 60 min	inconnu	1 – 4 h
IM	10 – 25 min	inconnu	1 – 4 h
IV	immédiat	1 min	15 min

* effet hypnotique; les effets sédatifs durent plus longtemps.

☀ SOINS INFIRMIERS

ÉVALUATION DE LA SITUATION

- **Directives générales:** Observer les habitudes de sommeil du patient avant le traitement et à intervalles réguliers pendant toute sa durée. Les doses hypnotiques de pentobarbital suppriment le sommeil paradoxal (REM). Les patients peuvent connaître une intensification de l'activité onirique après l'arrêt du traitement.
- □ Suivre de près la fonction respiratoire, mesurer le pouls et la pression artérielle à intervalles fréquents chez les patients recevant le pentobarbital par voie IV. Garder à portée de la

main le matériel de réanimation et de respiration artificielle. La gravité de la dépression respiratoire est proportionnelle à la dose administrée.

☐ Le traitement prolongé peut entraîner une dépendance psychologique ou une dépendance physique. Diminuer la quantité de médicament dont le patient peut disposer, particulièrement s'il est déprimé ou suicidaire ou s'il a des antécédents de toxicomanie.

☐ Suivre de près la douleur chez les patients ayant subi une intervention chirurgicale. Le pentobarbital peut augmenter la réaction aux stimuli douloureux.

■ **Œdème cérébral :** Mesurer la pression intracrânienne et le degré de conscience du patient en cas de coma induit par le barbiturique.

DIAGNOSTICS INFIRMIERS POSSIBLES

■ **Énoncés diagnostiques**
■ Perturbation des habitudes de sommeil.
■ Risque élevé d'accident.
■ Prise en charge inefficace du programme thérapeutique.
■ *Risque élevé de douleur au point d'injection IV.*
■ *Risque élevé d'exacerbation des effets secondaires.*

■ **Facteurs favorisants**
☐ Informations incomplètes.
☐ *Manque de connaissances sur les modalités du traitement.*
☐ *Manque de connaissances sur les effets secondaires du médicament.*
☐ *Inflammation locale du tissu vasculaire ou infiltration du médicament dans les tissus avoisinants.*
☐ *Administration trop rapide du médicament par voie IV.*
☐ *Perturbation de la vigilance.*

INTERVENTIONS INFIRMIÈRES

■ **Directives générales :** Surveiller les déplacements du patient après l'administration du médicament et retirer

les cigarettes. Soulever les ridelles du lit et laisser la sonnette d'appel à portée de la main en tout temps. Garder le lit en position basse.

■ **IM :** Ne pas administrer par voie SC. Administrer les injections IM profondément dans le muscle fessier pour diminuer l'irritation des tissus. Ne pas injecter plus de 5 mL dans un seul point étant donné le risque d'irritation tissulaire.

■ **IV directe :** On peut administrer les doses telles quelles ou les diluer dans de l'eau stérile, dans une solution de NaCl à 0,45 ou à 0,9 %, de dextrose à 5 ou à 10 % dans l'eau, de solution de Ringer ou de lactate Ringer, dans une solution qui associe du dextrose et du soluté salin, ou du dextrose et la solution de Ringer ou du dextrose et le lactate Ringer. Ne pas administrer la solution si elle a changé de couleur ou si elle contient des particules.

☐ La solution est très alcaline ; éviter l'extravasation, en raison des risques de lésion et de nécrose des tissus. En cas d'extravasation, le médecin peut prescrire l'infiltration de la région affectée avec de la solution de procaïne à 5 % et l'application de chaleur humide.

☐ *Vitesse d'administration :* Administrer l'injection à un débit maximal de 50 mg/min. Ajuster lentement la dose jusqu'à l'obtention de la réaction désirée. L'administration rapide peut provoquer une dépression respiratoire, l'apnée, le laryngospasme, le bronchospasme ou l'hypertension.

■ **Associations compatibles dans la même seringue :** Aminophylline, bicarbonate de sodium, éphédrine, hydromorphone, iodure de sodium, néostigmine, scopolamine ou thiopental.

■ **Associations incompatibles dans la même seringue :** Benzquinamide, butorphanol, chlorpromazine, cimétidine, dimenhydrinate, diphenhydramine, dropéridol, édisylate de prochlorpérazine, fentanyl, glycopyrrolate, hydroxyzine, mépéridine, midazolam, nalbuphine, pentazocine, perphénazine, promazine, prométhazine ou ranitidine.

- **Compatibilités (tubulure en Y):** Acyclovir ou insuline régulière.

- **Compatibilités en addition au soluté:** Amikacine, aminophylline, céphapirine, chloramphénicol, chlorure de calcium, dimenhydrinate, lactobionate d'érythromycine, lidocaïne, thiopental ou vérapamil.

- **Incompatibilités en addition au soluté:** Chlorphéniramine, codéine, éphédrine, gluceptate d'érythromycine, hydrocortisone, hydroxyzine, insuline, lévorphanol, méthadone, norépinéphrine, oxytétracycline, pénicilline G potassique, pentazocine, phénytoïne, promazine, prométhazine, streptomycine, triflupromazine ou vancomycine.

- **PR:** Pour administrer une dose exacte, ne pas couper les suppositoires. Les suppositoires doivent être gardés à la température ambiante, loin d'une source de chaleur.

ENSEIGNEMENT AU PATIENT ET À SES PROCHES

▫ Conseiller au patient de respecter scrupuleusement la posologie recommandée et de ne jamais augmenter la dose de médicament sans avoir consulté le médecin au préalable.

▫ Expliquer au patient l'importance de préparer un cadre propice au sommeil: la pièce doit être sombre et calme; la nicotine et la caféine sont à proscrire.

▫ Prévenir le patient qui suit un traitement prolongé qu'il ne doit pas arrêter de prendre le médicament sans consulter le médecin au préalable. L'arrêt brusque du traitement peut déclencher des symptômes de sevrage.

▫ Prévenir le patient que le pentobarbital peut provoquer de la somnolence diurne. Lui conseiller de ne pas conduire et d'éviter les activités qui exigent sa vigilance jusqu'à ce qu'on ait la certitude que le médicament n'entraîne pas cet effet chez lui.

▫ Conseiller au patient d'éviter de boire de l'alcool et de prendre des dépresseurs du SNC en même temps que ce médicament.

▫ Recommander à la patiente de prévenir immédiatement le médecin si elle pense être enceinte.

VÉRIFICATION DES RÉSULTATS

L'efficacité du traitement peut être démontrée par: l'amélioration du sommeil sans sédation diurne excessive (habituellement, le traitement est limité à 2 semaines).

PENTOXIFYLLINE
Trental

CLASSIFICATION:
Agent vaso-actif

Grossesse – catégorie C

INDICATIONS

Traitement des symptômes de maladies vasculaires périphériques, oblitérantes et chroniques (claudication intermittente, ulcères trophiques).

ACTION

■ Augmentation de la flexibilité des érythrocytes par l'élévation des concentrations d'adénosine monophosphate cyclique (AMPc) ■ Diminution de la viscosité du sang par inhibition de l'agrégation plaquettaire et diminution du fibrinogène. **Effets thérapeutiques:** ■ Élévation du débit sanguin.

PHARMACOCINÉTIQUE

Absorption: Bonne absorption par suite de l'administration par voie orale.
Distribution: Inconnue.

Métabolisme et excrétion: Le médicament est métabolisé par les érythrocytes et le foie.

Demi-vie: De 25 à 50 min.

CONTRE-INDICATIONS ET PRÉCAUTIONS

Contre-indications: ■ Hypersensibilité ■ Intolérance aux autres dérivés de xanthine (caféine et théophylline).

Précautions: ■ Coronaropathie et maladie cérébrovasculaire ■ Grossesse, allaitement ou enfants (l'innocuité du médicament n'a pas été établie).

RÉACTIONS INDÉSIRABLES ET EFFETS SECONDAIRES

SNC: céphalées, tremblements, étourdissements, agitation, nervosité, somnolence, insomnie.

ORLO: vision trouble.

Resp.: dyspnée.

CV: angine, hypotension, arythmies, bouffées vasomotrices, œdème.

GI: dyspepsie, nausées, vomissements, éructations, flatuosités, ballonnements, gêne abdominale, diarrhée.

Hémat.: baisse du fibrinogène sérique, thrombocytopénie, leucopénie, anémie.

INTERACTIONS

Médicament – médicament: Risque d'hypotension additive lors de l'administration simultanée d'**antihypertenseurs** et de **dérivés nitrés**.

VOIES D'ADMINISTRATION ET POSOLOGIE

■ **PO (adultes):** 400 mg, deux ou trois fois par jour.

PHARMACODYNAMIE (amélioration du débit sanguin)

	DÉBUT D'ACTION	PIC	DURÉE
PO	2–4 semaines	8 semaines	inconnue

☀ SOINS INFIRMIERS

ÉVALUATION DE LA SITUATION

☐ Suivre de près la claudication intermittente et les ulcères trophiques avant le traitement et à intervalles réguliers pendant toute sa durée.

☐ Mesurer la pression artérielle à intervalles réguliers chez les patients recevant un traitement antihypertenseur concomitant.

DIAGNOSTICS INFIRMIERS POSSIBLES

■ **Énoncés diagnostiques**

☐ Douleur.

☐ Intolérance à l'activité.

☐ Prise en charge inefficace du programme thérapeutique.

☐ *Risque élevé d'accident.*

☐ *Risque élevé d'atteinte à l'intégrité des tissus.*

■ **Facteurs favorisants**

☐ Informations incomplètes.

☐ *Manque de connaissances sur la méthode d'administration du médicament.*

☐ *Manque de connaissances sur les effets hypotensifs du médicament lors des changements brusques de position.*

☐ *Perturbation de la vigilance.*

☐ *Manque de connaissances sur les effets secondaires du médicament.*

INTERVENTIONS INFIRMIÈRES

■ **PO:** Administrer la pentoxifylline avec des aliments afin de réduire l'irritation gastro-intestinale. Demander au patient d'avaler les comprimés tels quels sans les broyer, briser ni mâcher.

ENSEIGNEMENT AU PATIENT ET À SES PROCHES

☐ Conseiller au patient de respecter scrupuleusement la posologie recommandée. S'il n'a pu prendre le médicament au moment habituel, il doit le prendre dès que possible à moins qu'il ne soit presque l'heure prévue pour la dose suivante. Conseiller au patient de consulter le médecin avant d'arrêter de prendre le médicament, car plusieurs semaines peuvent s'écouler avant que les effets de cet agent se manifestent.

☐ Prévenir le patient que la pentoxifylline peut entraîner des étourdissements et une vision trouble. Lui conseiller de ne pas conduire et d'éviter les activités qui exigent sa vigilance jusqu'à ce qu'on ait la certitude que le médicament n'entraîne pas ces effets chez lui.

☐ Recommander au patient d'éviter de fumer puisque la nicotine a un effet vasoconstricteur sur les vaisseaux sanguins.

☐ Recommander au patient de prévenir le médecin en cas de nausées, de vomissements, de gêne gastro-intestinale, de somnolence, d'étourdissements et de céphalées persistantes, car il pourrait s'avérer nécessaire de réduire la dose.

VÉRIFICATION DES RÉSULTATS

L'efficacité du traitement peut être démontrée par: ■ le soulagement des crampes des muscles du mollet, des fesses, des cuisses et des pieds qui surviennent pendant l'effort ☐ l'amélioration de la résistance à la marche ☐ la diminution de la gravité et de l'incidence des ulcères trophiques.

PERGOLIDE
Permax

CLASSIFICATION:
Antiparkinsonien – agoniste de la dopamine
Grossesse – catégorie B

INDICATIONS

Traitement de la maladie de Parkinson en association avec de la lévodopa avec carbidopa.

ACTION

■ Agoniste de la dopamine, par stimulation directe des récepteurs dopaminergiques post-synaptiques du SNC. **Effets thérapeutiques:** ■ Soulagement continu des symptômes de la maladie de Parkinson tout en utilisant une dose plus faible de lévodopa avec carbidopa.

PHARMACOCINÉTIQUE

Absorption: Bonne absorption par suite de l'administration par voie orale.
Distribution: Inconnue.
Métabolisme et excrétion: Le pergolide est fortement métabolisé par le foie. Les métabolites sont excrétés par les reins.
Demi-vie: Inconnue.

CONTRE-INDICATIONS ET PRÉCAUTIONS

Contre-indication: Hypersensibilité au pergolide ou aux dérivés de l'ergot de seigle.
Précautions: ■ Arythmie ■ Grossesse ou enfants (l'innocuité du médicament n'a pas été établie) ■ Allaitement (risque d'inhibition de la lactation; l'innocuité du médicament n'a pas été établie).

RÉACTIONS INDÉSIRABLES ET EFFETS SECONDAIRES

SNC: hallucinations, dyskinésie, somnolence, insomnie, confusion.
ORLO: rhinite.
Resp.: dyspnée.
CV: hypotension orthostatique, palpitations, arythmies (contractions auriculaires prématurées, tachycardie sinusale).
GI: nausées, constipation, diarrhée, douleurs abdominales, dyspepsie.

INTERACTIONS

Médicament – médicament: Les **phénothiazines**, le **métoclopramide** ou l'**halopéridol**, administrés simultanément, peuvent réduire l'efficacité du pergolide en contrecarrant les effets de la dopamine.

P

VOIES D'ADMINISTRATION ET POSOLOGIE

PO (adultes): 50 µg/jour, en une seule dose, pendant 2 jours; augmenter la dose de 100 à 150 µg/jour tous les 3 jours, pendant 12 jours. On peut ensuite augmenter la dose de 250 µg/jour tous les 3 jours jusqu'à obtention d'une réaction optimale. La dose habituelle est de 3 mg/jour, en 3 doses fractionnées; ne pas dépasser 5 mg/jour.

PHARMACODYNAMIE (effets antiparkinsoniens)

	DÉBUT D'ACTION	PIC	DURÉE
PO	inconnu	inconnu	inconnue

SOINS INFIRMIERS

ÉVALUATION DE LA SITUATION

- Avant le traitement et pendant toute sa durée, suivre de près les signes et les symptômes parkinsoniens suivants: tremblements, faiblesse musculaire et rigidité, démarche ataxique.
- Suivre de près l'apparition d'un état de confusion et d'hallucinations et en avertir le médecin, le cas échéant.
- Observer l'ÉCG à intervalles fréquents durant la période d'adaptation de la posologie et à intervalles réguliers pendant toute la durée du traitement.

DIAGNOSTICS INFIRMIERS POSSIBLES

- **Énoncés diagnostiques**
- Altération de la mobilité physique.
- Risque d'accident.
- Prise en charge inefficace du programme thérapeutique.
- *Risque élevé de constipation.*

- **Facteurs favorisants**
- Informations incomplètes.
- *Manque de connaissances sur les effets hypotensifs du médicament lors des changements brusques de position.*
- *Perturbation de la vigilance.*

- *Manque de connaissances sur les moyens de stimuler la fonction intestinale.*

INTERVENTIONS INFIRMIÈRES

- **PO:** Pendant le traitement par le pergolide, on peut essayer de réduire avec grande prudence la dose de lévodopa avec carbidopa.

ENSEIGNEMENT AU PATIENT ET À SES PROCHES

- Inciter le patient à respecter scrupuleusement la posologie recommandée.
- Prévenir le patient que le pergolide peut provoquer de la somnolence. Lui conseiller de ne pas conduire et d'éviter les activités qui exigent sa vigilance jusqu'à ce qu'on ait la certitude que le médicament n'entraîne pas cet effet chez lui.
- Recommander au patient de changer lentement de position pour réduire les risques d'hypotension orthostatique.

VÉRIFICATION DES RÉSULTATS

L'efficacité du traitement peut être démontrée par: l'amélioration de la réponse à la lévodopa avec carbidopa chez les patients souffrant de la maladie de Parkinson.

PERMÉTHRINE
Nix, (Elimite)

CLASSIFICATION:
Anti-infectieux – pédiculicide
Grossesse – catégorie B

INDICATIONS

Éradication de *Pediculus humanus capitis* (les poux de la tête et leurs lentes) et de *Sarcoptes scabiei* (la gale).

ACTION

- Retard de la repolarisation de la membrane des cellules nerveuses et paralysie de l'insecte par inhibition du transport sodique cellulaire normal. **Effets thérapeutiques:** ■ Destruction des parasites.

PHARMACOCINÉTIQUE

Absorption: L'absorption systémique est minime (< 2 %). Le médicament reste dans les cheveux pendant 10 jours.
Distribution: Inconnue.
Métabolisme et excrétion: Le médicament est inactivé rapidement par les enzymes.
Demi-vie: Inconnue.

CONTRE-INDICATIONS ET PRÉCAUTIONS

Contre-indication: Hypersensibilité à la perméthrine, à la pyréthrine (insecticides ou pesticides pour usage vétérinaire), au chrysanthème ou à l'alcool isopropylique. **Précautions:** ■ Grossesse ou allaitement ■ Enfants de moins de 2 ans.

RÉACTIONS INDÉSIRABLES ET EFFETS SECONDAIRES

Tég.: démangeaisons, rougeur, enflure, rash, sensation de picotement, brûlure.
SN: engourdissement, fourmillements.

INTERACTIONS

Médicament – médicament: Aucune interaction notable.

VOIES D'ADMINISTRATION ET POSOLOGIE

Infestation par Pediculus Humanus Capitis
■ **Usage topique (adultes et enfants > 2 ans):** appliquer en une seule fois la lotion à 1 % sur les cheveux et laisser agir pendant 10 min, puis rincer. Si l'on observe encore des poux vivants 7 jours après le traitement initial, il faut effectuer une seconde application.

Infestation par Sarcoptes Scabiei
■ **Usage topique (adultes et enfants > 2 ans):** appliquer par massage la crème à 5 % sur toutes les surfaces cutanées touchées; laisser agir pendant 12 à 14 h,

puis laver la peau pour enlever l'agent. Si l'on observe des parasites vivants ou des nouvelles lésions 7 à 10 jours après le traitement initial, il faut effectuer une seconde application.

PHARMACODYNAMIE (action pédiculicide)

	DÉBUT D'ACTION	PIC	DURÉE
préparation topique	10 min	inconnu	14 jours

SOINS INFIRMIERS

ÉVALUATION DE LA SITUATION

■ **Pédiculose de la tête:** Examiner le cuir chevelu à la recherche de poux et d'œufs (lentes) avant l'application de la perméthrine et une semaine plus tard.

■ **Gale:** Examiner la peau pour déceler la gale avant et après le traitement.

DIAGNOSTICS INFIRMIERS POSSIBLES

■ **Énoncés diagnostiques**
□ Incapacité partielle d'organiser et d'entretenir le domicile.
□ Incapacité partielle de se laver et d'effectuer ses soins d'hygiène.
□ Prise en charge inefficace du programme thérapeutique.

■ **Facteurs favorisants**
□ Informations incomplètes.
□ *Manque de connaissances sur les modalités du traitement.*
□ *Difficulté à s'adapter aux changements nécessaires dans les habitudes de vie.*
□ *Manque de connaissances sur la méthode d'administration du médicament.*

INTERVENTIONS INFIRMIÈRES

■ **Usage topique:** Les préparations sont réservées à l'application topique.

P

- **Directives générales:** Recommander au patient de prévenir le médecin en cas de démangeaisons, d'engourdissement, de rougeur ou de rash du cuir chevelu.
- □ Recommander au patient d'éviter tout contact de la solution avec les yeux. Le cas échéant, lui conseiller de se rincer abondamment les yeux à l'eau et de prévenir le médecin si l'irritation oculaire persiste.
- □ Expliquer au patient que les autres personnes habitant avec lui devraient également passer un examen de dépistage des poux.
- □ Expliquer au patient les méthodes permettant de prévenir la réinfestation: laver à la machine, à l'eau très chaude, tous les vêtements, incluant les vêtements d'extérieur et le linge de maison, et les faire sécher dans une sécheuse à air chaud pendant au moins 20 min; faire nettoyer à sec les vêtements qu'on ne peut laver; faire tremper les brosses et les peignes dans de l'eau chaude (54 °C) savonneuse pendant 5 à 10 min; ne pas utiliser le même peigne ou brosse qu'une autre personne; faire un shampooing aux perruques et postiches; passer l'aspirateur sur les tapis et les meubles rembourrés; laver les jouets dans de l'eau chaude savonneuse; conserver les articles ne pouvant être lavés dans un sac de plastique hermétiquement clos pendant 2 semaines.
- □ Dans le cas de l'enfant, recommander aux parents d'informer l'infirmière de l'école ou de la garderie de la présence de poux pour que l'infestation puisse être enrayée.
- **Poux de la tête:** Recommander au patient de se laver les cheveux avec un shampooing ordinaire, de les rincer et de les sécher avec une serviette. Chaque flacon renferme suffisamment de médicament pour un traitement.

Le patient devrait utiliser autant de solution que nécessaire pour en recouvrir toute la chevelure et jeter la portion inutilisée. Bien mélanger la lotion avant de l'appliquer. Imbiber le cuir chevelu et les cheveux avec la lotion. Laisser agir pendant 10 min, puis rincer abondamment les cheveux et sécher avec une serviette propre. Peigner les cheveux avec un peigne fin afin de retirer les poux morts et les lentes.

- □ Expliquer au patient que la perméthrine le protégera de la réinfestation pendant 2 semaines. Les effets de la perméthrine se poursuivent même si le patient recommence à utiliser un shampooing ordinaire.
- **Gale:** Expliquer au patient qu'il doit faire pénétrer profondément la préparation dans la peau, de la tête à la plante des pieds. Chez les nourrissons, il faut traiter la lisière des cheveux, le cou, le cuir chevelu, les tempes et le front. Il faut ensuite laisser la crème sur la peau pendant 12 à 14 h et laver ensuite à l'eau les régions traitées.

VÉRIFICATION DES RÉSULTATS

L'efficacité du traitement peut être démontrée par: ■ la disparition de poux et de lentes 1 semaine après le traitement; une seconde application est indiquée si l'on décèle des poux à ce moment ■ l'éradication de la gale 7 à 10 jours après le traitement; une seconde application est indiquée si l'on décèle des parasites ou de nouvelles lésions à ce moment.

PERPHÉNAZINE
Apo-Perphenazine, Trilafon

CLASSIFICATION:
*Antipsychotique – phénothiazine;
antiémétique – phénothiazine*

Grossesse – catégorie inconnue

INDICATIONS

■ Traitement des psychoses aiguës et chroniques ■ Soulagement des nausées et des vomissements.

ACTION

■ Modification des effets de la dopamine dans le SNC ■ Action anticholinergique et alpha-adrénolytique marquées ■ Inhibition de la dopamine dans la zone gâchette des chimiorécepteurs. **Effets thérapeutiques :** ■ Diminution des signes et des symptômes de psychose ■ Soulagement des nausées et des vomissements.

PHARMACOCINÉTIQUE

Absorption : L'absorption des comprimés est variable ; elle pourrait être meilleure dans le cas des préparations liquides administrées par voie orale. Bonne absorption par suite de l'administration par voie IM.

Distribution : L'agent se répartit dans tout l'organisme ; on le retrouve à fortes concentrations dans le SNC. Il traverse le placenta et pénètre dans le lait maternel.

Métabolisme et excrétion : Le médicament est fortement métabolisé par le foie et la muqueuse gastro-intestinale. Il est transformé en partie en composés actifs.

Demi-vie : Inconnue.

CONTRE-INDICATIONS ET PRÉCAUTIONS

Contre-indications : ■ Hypersensibilité ■ Risque de réactions de sensibilité croisée avec d'autres phénothiazines ■ Glaucome à angle étroit ■ Aplasie médullaire ■ Maladie hépatique ou cardiovasculaire graves ■ Occlusion intestinale.

Précautions : ■ Personnes âgées ou patients débilités ■ Grossesse et allaitement (l'innocuité du médicament n'a pas été établie) ■ Diabète sucré ■ Maladie respiratoire ■ Hypertrophie de la prostate ■ Tumeurs du SNC ■ Antécédents de troubles convulsifs.

RÉACTIONS INDÉSIRABLES ET EFFETS SECONDAIRES

SNC : sédation, réactions extrapyramidales, dyskinésie tardive, SYNDROME MALIN DES NEUROLEPTIQUES.

CV : hypotension, tachycardie.

ORLO : sécheresse des yeux (alacrymie), vision trouble, opacité du cristallin.

GI : constipation, sécheresse de la bouche (xérostomie), occlusion intestinale, anorexie, hépatite.

GU : rétention urinaire.

Tég. : rash, photosensibilité, modification de la pigmentation.

End. : galactorrhée.

Hémat. : AGRANULOCYTOSE, leucopénie.

Métab. : hyperthermie.

Divers : réactions allergiques.

INTERACTIONS

Médicament – médicament : ■ Effets hypotenseurs additifs lors de l'administration concomitante d'**antihypertenseurs** et de **dérivés nitrés** ou de la consommation d'**alcool** ■ Effets additifs sur la dépression du SNC lors de l'usage concomitant d'**inhibiteurs de la MAO**, ou d'autres **dépresseurs du SNC** dont l'**alcool**, les **antihistaminiques**, les **analgésiques narcotiques**, les **hypnosédatifs** ou les **anesthésiques généraux** ■ Effets anticholinergiques additifs lors de l'usage concomitant d'autres **médicaments doués de propriétés anticholinergiques**, incluant les **antihistaminiques**, les **antidépresseurs**, l'**atropine**, le **disopyramide**, l'**halopéridol** et les autres **phénothiazines** ■ Risque d'hypotension et de tachycardie lors de l'administration simultanée d'**épinéphrine** ■ Risque accru d'agranulocytose lors de l'administration simultanée d'**antithyroïdiens** ■ Risque accru de réactions extrapyramidales lors de l'administration concomitante de **lithium** ■ La perphénazine peut masquer les signes de toxicité au **lithium** ■ Les **antiacides** ou le **lithium** peuvent diminuer l'absorption de la perphénazine ■ La perphénazine peut réduire les effets antiparkinsoniens de la **lévodopa**.

PRÉSENTATION

■ Le médicament est présenté sous forme de dragées, de concentré destiné à la voie orale, de sirop et de préparations injectables.

□ La perphénazine existe également en association avec l'amitriptyline (voir l'annexe A).

VOIES D'ADMINISTRATION ET POSOLOGIE

Psychoses

■ **PO (adultes):** de 8 à 16 mg, de 2 à 4 fois par jour.

■ **PO (enfants > 12 ans) (É.-U.):** de 6 à 12 mg par jour, en doses fractionnées.

■ **IM (adultes et enfants > 12 ans) (É.-U.):** initialement, 5 mg (jusqu'à concurrence de 10 mg); on peut répéter l'administration d'une dose de 5 mg, 6 h plus tard.

Nausées et vomissements

■ **PO (adultes):** de 8 à 16 mg par jour, en doses fractionnées (jusqu'à concurrence de 24 mg par jour).

■ **PO (enfants > 12 ans):** de 4 à 8 mg, 1 ou 2 fois par jour.

■ **IM (adultes) (É.-U.):** de 5 à 10 mg.

Nausées et vomissements graves

■ **IV (adultes) (É.-U.):** 1 mg, à des intervalles de 1 ou de 2 min, jusqu'à concurrence de 5 mg, ou perfusion administrée à un débit inférieur à 1 mg/min.

PHARMACODYNAMIE
(PO et IM = effet antipsychotique*, IV = effet antiémétique)

	DÉBUT D'ACTION	PIC	DURÉE
PO	2–6 h	inconnu	6–12 h
IM	2–6 h	inconnu	6–12 h
IV	rapide	inconnu	inconnue

* La réponse antipsychotique optimale peut ne se manifester que plusieurs semaines plus tard.

☀ SOINS INFIRMIERS

ÉVALUATION DE LA SITUATION

■ **Directives générales:** Évaluer l'état de la conscience du patient (orientation, humeur, comportement) avant le traitement et à intervalles réguliers pendant toute sa durée.

□ Mesurer le pouls, la fréquence respiratoire et la pression artérielle (en position assise, debout et couchée) avant le traitement et à intervalles fréquents pendant la période d'adaptation de la posologie.

□ Observer le patient attentivement lorsqu'on lui administre le médicament pour s'assurer qu'il l'a bien avalé.

□ Suivre de près les symptômes extrapyramidaux (akathésie – agitation; dystonie – spasmes musculaires et mouvements de torsion; ou pseudoparkinsonisme – faciès figé, mouvements d'émiettement, bouche ouverte laissant s'échapper la salive [sialorrhée], tremblements, rigidité, démarche traînante, dysphagie). Prévenir le médecin dès l'apparition de ces symptômes, car la réduction de la dose ou l'arrêt du traitement peut s'avérer nécessaire. Le médecin peut également prescrire des antiparkinsoniens (trihexyphénidyle ou benztropine) pour maîtriser ces symptômes.

□ Surveiller les symptômes suivants de dyskinésie tardive: mouvements incontrôlés du visage, de la bouche, de la langue ou de la mâchoire et mouvements involontaires des membres. Informer le médecin dès l'apparition de ces symptômes, car ces effets secondaires peuvent être irréversibles.

□ Surveiller les symptômes suivants du syndrome malin des neuroleptiques: fièvre, détresse respiratoire, tachycardie, convulsions, diaphorèse, hypertension ou hypotension, pâleur, fatigue. Informer le médecin dès que ces symptômes apparaissent.

- **Antiémétique:** Suivre de près les nausées et les vomissements avant et pendant l'administration de la perphénazine.
- ☐ Effectuer le bilan des ingesta et des excreta. Chez les patients souffrant de nausées et de vomissements graves, on doit parfois administrer des liquides et des électrolytes par voie IV en plus de l'antiémétique.
- **Étude des examens diagnostiques et biochimiques:** La perphénazine peut entraîner des résultats faussement positifs ou négatifs aux tests de grossesse.
- ☐ La perphénazine peut entraîner une dyscrasie; noter la numération globulaire à intervalles réguliers pendant toute la durée du traitement.
- ☐ Examiner à intervalles réguliers pendant toute la durée du traitement les résultats des tests de l'exploration fonctionnelle hépatique ainsi que les concentrations de bile et de bilirubine dans l'urine à la recherche de signes de toxicité hépatique. La perphénazine peut provoquer des résultats faussement élevés au dosage de la bilirubine urinaire.

DIAGNOSTICS INFIRMIERS POSSIBLES

- **Énoncés diagnostiques**
- ☐ Altération des opérations de la pensée.
- ☐ Prise en charge inefficace du programme thérapeutique.
- ☐ Non-observance du traitement médicamenteux.
- ☐ *Risque élevé d'accident.*
- ☐ *Risque élevé de constipation.*
- ☐ *Risque élevé d'atteinte à l'intégrité de la peau.*
- ☐ *Risque élevé d'anxiété.*
- **Facteurs favorisants**
- ☐ Informations incomplètes.
- ☐ Doute quant aux bienfaits du médicament.
- ☐ *Manque de connaissances sur les modalités du traitement.*
- ☐ *Perturbation de la vigilance.*

- ☐ *Manque de connaissances sur les moyens de stimuler la fonction intestinale.*
- ☐ *Manque de connaissances sur les effets secondaires du médicament.*
- ☐ *Manque de connaissances sur les moyens de réduire la photosensibilité.*
- ☐ *Manque de connaissances sur les effets hypotensifs du médicament lors des changements brusques de position.*

INTERVENTIONS INFIRMIÈRES

- **Directives générales:** Afin de prévenir la dermatite de contact, éviter les éclaboussures de préparation liquide sur les mains; le cas échéant, bien se laver les mains.
- **PO:** Diluer le concentré juste avant l'administration dans 120 mL d'eau, de lait, de boisson gazéifiée, de café, de soupe ou de jus de tomate ou de fruits. Ne pas mélanger à du thé.
- **IM:** Injecter profondément dans un muscle bien développé. Demander au patient de rester couché pendant au moins 30 min après l'injection et le suivre de près. La puissance de la solution n'est pas altérée si elle est de couleur jaune pâle. Ne pas administrer la solution si elle est devenue foncée ou si elle renferme un précipité.
- **IV directe:** Diluer dans une solution de NaCl à 0,9 % pour obtenir une concentration de 0,5 mg/mL.
- ☐ *Vitesse d'administration:* Administrer lentement, à une vitesse maximale de 1 mg/min.
- **Associations compatibles dans la même seringue:** Atropine, butorphanol, chlorpromazine, cimétidine, dimenhydrinate, diphenhydramine, dropéridol, fentanyl, mépéridine, métoclopramide, morphine, pentazocine, prochlorpérazine, prométhazine, ranitidine ou scopolamine.
- **Associations incompatibles dans la même seringue:** Midazolam, pentobarbital ou thiéthylpérazine.

P

- **Compatibilités (tubulure en Y):** Acyclovir, amikacine, ampicilline, azlocilline, céfamandole, céfazoline, céforanide, céfotaxime, céfoxitine, céfuroxime, céphalothine, céphapirine, chloramphénicol, clindamycine, co-trimoxazole, doxycycline, famotidine, gentamicine, kanamycine, lactobionate d'érythromycine, métronidazole, mezlocilline, minocycline, moxalactame, nafcilline, oxacilline, pénicilline G potassique, pipéracilline, tétracycline, ticarcilline, ticarcilline avec clavulanate, tobramycine ou vancomycine.
- **Incompatibilité (tubulures en Y):** Céfopérazone.

ENSEIGNEMENT AU PATIENT ET À SES PROCHES

- Expliquer au patient qu'il doit respecter scrupuleusement la posologie recommandée. L'avertir qu'il ne doit jamais sauter de dose ni remplacer une dose manquée par une double dose. S'il n'a pu prendre le médicament au moment habituel, il doit le prendre dès que possible à moins que ce ne soit presque l'heure prévue pour la dose suivante. S'il doit prendre plus de deux doses par jour, il faut prendre le médicament dans l'heure qui suit, sinon il faut sauter cette dose. Le sevrage brusque peut provoquer une gastrite, des nausées, des vomissements, des étourdissements, des céphalées, de la tachycardie et de l'insomnie.
- Informer le patient que des symptômes extrapyramidaux ou une dyskinésie tardive risquent de se manifester. Lui recommander de signaler immédiatement ces symptômes au médecin.
- Recommander au patient de changer lentement de position afin de réduire le risque d'hypotension orthostatique.
- Prévenir le patient que la perphénazine peut provoquer de la somnolence. Lui conseiller de ne pas conduire et d'éviter les activités qui exigent sa vigilance jusqu'à ce qu'on ait la certitude que le médicament n'entraîne pas cet effet chez lui.
- Recommander au patient d'éviter de boire de l'alcool et de prendre d'autres dépresseurs du SNC en même temps que la perphénazine.
- Recommander au patient d'utiliser un écran solaire et de porter des vêtements protecteurs lors des expositions au soleil. La pigmentation des surfaces exposées peut devenir bleugris, mais cette couleur peut s'estomper après l'arrêt du traitement. Lui recommander également d'éviter les températures extrêmes, car ce médicament altère la thermorégulation.
- Conseiller au patient de prévenir le médecin en cas de rétention urinaire, de mouvements incontrôlés, de rash, de fièvre, de jaunissement de la peau, ou si la sécheresse de la bouche ou la constipation persistent. Lui recommander de consommer de la gomme ou des bonbons sans sucre pour soulager la sécheresse de la bouche, et de prendre des liquides et des fibres alimentaires et de faire de l'exercice pour prévenir la constipation.
- Recommander au patient qui doit suivre un traitement dentaire ou subir une intervention chirurgicale d'avertir le dentiste ou le médecin qu'il suit un traitement médicamenteux.
- Informer le patient que la perphénazine peut rendre l'urine rose à rouge brun.
- Insister sur l'importance des examens réguliers de suivi, incluant des examens ophtalmiques lors d'un traitement prolongé. Lui expliquer également qu'il est important de suivre une psychothérapie.

VÉRIFICATION DES RÉSULTATS

L'efficacité du traitement peut être démontrée par: ■ la diminution de l'excitation et un moindre recours au comportement paranoïde ou au repli sur soi ■ le soulagement des nausées et des vomissements.

P

PHÉNAZOPYRIDINE

Phenazo, Pyridium, Pyronium, (Azo-Standard), (Baridium), (Eridium), (Geridium), (Phenazodine), (Pyrazodine), (Pyridiate), (Pyridin), (Urodine), (Urogesic), (Viridium)

CLASSIFICATION:

Analgésique non narcotique – analgésique des voies urinaires

Grossesse – catégorie B

INDICATIONS

■ Soulagement des symptômes urinaires suivants dus à une infection ou à une intervention urologique : □ douleur □ démangeaisons □ sensation de brûlure □ besoin urgent d'uriner □ mictions fréquentes.

ACTION

■ Action locale sur la muqueuse des voies urinaires pour produire un effet analgésique ou anesthésique local ■ Absence d'effet antimicrobien. **Effets thérapeutiques :** ■ Soulagement des douleurs reliées aux voies urinaires.

PHARMACOCINÉTIQUE

Absorption : Par suite de l'administration par voie orale, l'absorption semble bonne.
Distribution : Inconnue. De petites quantités traversent le placenta.
Métabolisme et excrétion : Le médicament est excrété rapidement à l'état inchangé dans l'urine.
Demi-vie : Inconnue.

CONTRE-INDICATIONS ET PRÉCAUTIONS

Contre-indications : ■ Hypersensibilité ■ Glomérulonéphrite ■ Grossesse ou allaitement ■ Hépatite, urémie ou insuffisance rénale graves.
Précautions : ■ Insuffisance rénale ■ Hépatite.

RÉACTIONS INDÉSIRABLES ET EFFETS SECONDAIRES

SNC : céphalées, vertiges.
GI : nausées, toxicité hépatique.
GU : insuffisance rénale, urine de couleur orange vif.
Tég. : rash.
Hémat. : méthémoglobinémie, anémie hémolytique.

INTERACTIONS

Médicament – médicament : Aucune interaction notable.

VOIES D'ADMINISTRATION ET POSOLOGIE

■ **PO (adultes) :** 200 mg, 3 fois par jour.

PHARMACODYNAMIE (analgésie des voies urinaires)

	DÉBUT D'ACTION	PIC	DURÉE
PO	inconnu	5–6 h	6–8 h

SOINS INFIRMIERS

ÉVALUATION DE LA SITUATION

□ Suivre de près le besoin impérieux d'uriner, la fréquence des mictions et la douleur lors de la miction avant le traitement et pendant toute sa durée.
■ **Étude des examens diagnostiques et biochimiques :** Examiner à intervalles réguliers, tout au long du traitement, les résultats des tests de l'exploration fonctionnelle rénale.
□ La phénazopyridine peut modifier les résultats des analyses des urines indiqués par les changements de couleur (glucose, corps cétoniques, bilirubine, stéroïdes, protéines). Recourir à la méthode au sulfate de cuivre (Clinitest) pour mesurer la glycosurie.

DIAGNOSTICS INFIRMIERS POSSIBLES

■ **Énoncés diagnostiques**
□ Douleur.
□ Altération de l'élimination urinaire.

P

□ Prise en charge inefficace du programme thérapeutique.
□ *Risque élevé d'anxiété.*

■ **Facteurs favorisants**
□ Informations incomplètes.
□ *Manque de connaissances sur les effets secondaires du médicament.*
□ *Manque de connaissances sur les modalités du traitement.*

INTERVENTIONS INFIRMIÈRES
■ **Directives générales:** Il faut arrêter l'administration de la phénazopyridine dès que la douleur ou la gêne sont soulagées, habituellement 2 jours après le début du traitement de l'infection des voies urinaires. Le patient doit cependant poursuivre l'antibiothérapie prescrite pendant toute la durée recommandée.
■ **PO:** Administrer la phénazopyridine avec des aliments ou après les repas pour réduire l'irritation gastrique.

ENSEIGNEMENT AU PATIENT ET À SES PROCHES
□ Conseiller au patient de respecter scrupuleusement la posologie recommandée. S'il n'a pu prendre le médicament au moment habituel, il doit le prendre dès que possible, à moins que ce ne soit presque l'heure prévue pour la dose suivante.
□ Prévenir le patient que, même si l'on arrête le traitement par la phénazopyridine une fois la douleur ou la gêne soulagées, il doit continuer à prendre les antibiotiques que le médecin lui a prescrits pendant toute la durée recommandée.
□ Expliquer au patient que le médicament rendra l'urine de couleur rouge orangé et qu'il risque de tâcher ses vêtements ou ses draps. Lui conseiller de porter des serviettes hygiéniques pour garder ses vêtements propres.
□ Recommander au patient de prévenir le médecin en cas de rash, de modification de la couleur de la peau ou de fatigue inhabituelle.

VÉRIFICATION DES RÉSULTATS
L'efficacité du traitement peut être démontrée par: la diminution de la douleur et de la sensation de brûlure pendant la miction.

PHÉNOBARBITAL
(Barbita), (Luminal), (Solfoton)

CLASSIFICATION:
Anticonvulsivant – barbiturique;
hypnosédatif – barbiturique
Drogue contrôlée
Grossesse – catégorie D

INDICATIONS
■ Anticonvulsivant en cas de crises tonicocloniques (grand mal), partielles et fébriles chez les enfants ■ Sédation préopératoire et autres circonstances où la sédation peut s'avérer nécessaire ■ Induction d'un état d'hypnose. **Usages non approuvés:** ■ Prévention et traitement de l'hyperbilirubinémie néonatale ■ Abaissement des concentrations de bilirubine et de lipides en cas de cholostase chronique.

ACTION
■ Dépression du SNC à tous les niveaux ■ Dépression de la zone sensorielle du cortex, diminution de l'activité motrice et modification de la fonction cérébelleuse ■ Inhibition de la transmission dans le SN et élévation du seuil de convulsions ■ Capacité d'accélérer l'activité des enzymes hépatiques qui métabolisent les médicaments, la bilirubine et d'autres composés. **Effets thérapeutiques:** ■ Effet anticonvulsivant ■ Sédation.

PHARMACOCINÉTIQUE
Absorption: L'absorption du phénobarbital est lente, mais relativement complète (de 70 à 90 %).
Distribution: Inconnue.

Métabolisme et excrétion: Une fraction de 75 % du médicament est métabolisée par le foie; une fraction de 25 % est excrétée à l'état inchangé par les reins.
Demi-vie: De 2 à 6 jours.

CONTRE-INDICATIONS ET PRÉCAUTIONS

Contre-indications: ■ Hypersensibilité ■ Coma ou dépression préexistante du SNC ■ Douleurs graves réfractaires ■ Allaitement.

Précautions: ■ Grossesse (l'administration prolongée provoque la pharmacodépendance chez le nourrisson; le médicament peut entraîner des troubles de la coagulation et des malformations chez le fœtus; l'administration de phénobarbital en cas de grossesse arrivée à terme peut provoquer la dépression respiratoire chez le nouveau-né) ■ Dysfonction hépatique ■ Insuffisance rénale grave ■ Patients suicidaires ou ayant des antécédents de toxicomanie ■ Personnes âgées (il est recommandé de réduire la dose) ■ Usage à titre d'hypnotique (administration de courte durée seulement; l'administration prolongée peut entraîner une dépendance).

RÉACTIONS INDÉSIRABLES ET EFFETS SECONDAIRES

SNC: somnolence, léthargie, vertiges, dépression, sensation « droguée », excitation, délirium.

Resp.: dépression respiratoire, LARYNGOSPASME (IV seulement), bronchospasme (IV seulement).

CV: hypotension (IV seulement).

GI: nausées, vomissements, diarrhée, constipation.

Tég.: rash, urticaire, photosensibilité.

Locaux: phlébite au point d'injection IV.

Loc.: myalgie, arthralgie, névralgie.

Divers: réactions d'hypersensibilité incluant l'ANGIO-ŒDÈME et la maladie du sérum; dépendance physique, dépendance psychologique.

INTERACTIONS

Médicament – médicament: ■ Effets dépressifs additifs sur le SNC lors de l'usage simultané d'autres **dépresseurs du SNC** dont l'**alcool**, les **antihistaminiques**, les **analgésiques narcotiques** et d'autres **hypnosédatifs** ■ Le phénobarbital peut activer les enzymes hépatiques qui métabolisent d'autres médicaments, diminuant ainsi leur efficacité. Il s'agit des médicaments suivants: **contraceptifs oraux, anticoagulants oraux, chloramphénicol, cyclosporine, dacarbazine, glucocorticoïdes, antidépresseurs tricycliques** et **quinidine** ■ Le phénobarbital peut accroître la toxicité hépatique par l'**acétaminophène** ■ Les **inhibiteurs de la MAO**, l'**acide valproïque** ou le **divalproex**, administrés simultanément, peuvent diminuer le métabolisme du phénobarbital et intensifier ses effets sédatifs ■ Le phénobarbital peut augmenter le risque de toxicité hématologique lors de l'administration simultanée de **cyclophosphamide**.

PRÉSENTATION

Le phénobarbital existe sous forme de comprimés, d'élixir et de préparations injectables. Il existe également en association avec de nombreux autres médicaments (voir l'annexe A).

VOIES D'ADMINISTRATION ET POSOLOGIE

Anticonvulsivant

■ **PO (adultes):** de 30 à 600 mg par jour, en une seule dose ou en 2 ou 3 doses fractionnées.

■ **PO (enfants):** de 15 à 50 mg, de 1 à 3 fois par jour.

■ **IM et IV (adultes):** de 100 à 320 mg par jour (dose maximale de 600 mg par période de 24 h).

■ **IV (enfants):** de 1 à 6 mg/kg par jour.

État de mal épileptique

■ **IV (adultes et enfants):** de 10 à 20 mg/kg; on peut répéter l'administration.

P

Sédation
- **PO (adultes):** de 15 à 30 mg, 2 ou 3 fois par jour.
- **PO (enfants):** 2 mg/kg ou 60 mg/m², 3 fois par jour.
- **IM et IV (adultes):** de 100 à 130 mg; cette dose peut être répétée à 6 h d'intervalle, au besoin.

Sédation préopératoire
- **IM (adultes) (É.-U.):** de 130 à 200 mg, de 60 à 90 min avant l'intervention chirurgicale.
- **PO, IM et IV (enfants) (É.-U.):** de 1 à 3 mg/kg.

Effet hypnotique
- **PO (adultes):** de 100 à 200 mg, au coucher.
- **IV et IM (adultes):** de 130 à 200 mg, au coucher.
- **IV, IM et SC (enfants) (É.-U.):** de 3 à 5 mg/kg, au coucher.

Hyperbilirubinémie
- **PO (adultes) (É.-U.):** de 30 à 60 mg, 3 fois par jour.
- **PO (enfants jusqu'à 12 ans) (É.-U.):** de 1 à 4 mg/kg, 3 fois par jour.
- **PO et IM (nourrissons) (É.-U.):** de 5 à 10 mg/kg par jour.

PHARMACODYNAMIE
(effets sédatifs; les pleins effets anticonvulsivants se manifestent après 2 à 3 semaines de traitement prolongé)

	DÉBUT D'ACTION	PIC	DURÉE
PO	30 – 60 min	inconnu	> 6 h
IM, SC	10 – 30 min	inconnu	4 – 6 h
IV	5 min	30 min	4 – 6 h

✳ SOINS INFIRMIERS

ÉVALUATION DE LA SITUATION

- **Directives générales:** Suivre de près la fonction respiratoire, mesurer le pouls et la pression artérielle à intervalles fréquents chez les patients recevant le phénobarbital par voie IV. Garder à portée de la main le matériel de réanimation et de respiration artificielle. La gravité de la dépression respiratoire est proportionnelle à la dose administrée.
- ☐ Le traitement prolongé peut entraîner une dépendance psychologique ou physique. Diminuer la quantité de médicament dont le patient peut disposer, particulièrement s'il est déprimé ou suicidaire ou s'il a des antécédents de toxicomanie.
- **Convulsions:** Déterminer l'emplacement, la durée et les caractéristiques des convulsions.
- **Sédation:** Déterminer le niveau de conscience du patient et le degré d'anxiété qu'il manifeste lorsque le phénobarbital est administré comme sédatif préopératoire.
- ☐ Suivre de près la douleur chez les patients ayant subi une intervention chirurgicale. Le phénobarbital peut augmenter la réaction aux stimuli douloureux.
- **Étude des examens diagnostiques et biochimiques:** Noter à intervalles réguliers les résultats des tests de l'exploration fonctionnelle hépatique et rénale ainsi que la numération globulaire chez les patients recevant un traitement prolongé.
- **Toxicité et surdosage:** Examiner à intervalles réguliers les concentrations sériques de phénobarbital lorsque le médicament est administré en tant qu'anticonvulsivant. Les concentrations sanguines thérapeutiques sont de 65 à 170 µmol/L. Les symptômes de toxicité incluent la confusion, la somnolence, la dyspnée, les troubles de l'élocution et la démarche chancelante.

DIAGNOSTICS INFIRMIERS POSSIBLES

- **Énoncés diagnostiques**
- ☐ Risque élevé d'accident.
- ☐ Prise en charge inefficace du programme thérapeutique.

□ *Risque élevé d'anxiété.*

□ *Risque élevé de douleur au point d'injection IV.*

□ *Risque élevé d'exacerbation des effets secondaires.*

■ **Facteurs favorisants**

□ Informations incomplètes.

□ *Manque de connaissances sur les modalités du traitement.*

□ *Douleur.*

□ *Inflammation locale du tissu vasculaire ou infiltration du médicament dans les tissus avoisinants.*

□ *Administration trop rapide du médicament par voie IV.*

□ *Perturbation de la vigilance.*

INTERVENTIONS INFIRMIÈRES

■ **Directives générales :** Surveiller les déplacements du patient après l'administration du médicament et retirer les cigarettes. Soulever les ridelles du lit et laisser la sonnette d'appel à portée de la main. Garder le lit en position basse. Prendre les précautions qui s'imposent en cas de crise convulsive.

■ Lorsque l'on substitue un autre anticonvulsivant au phénobarbital, il faut réduire graduellement la dose de phénobarbital tout en augmentant la dose du nouveau médicament afin de maintenir les effets anticonvulsivants.

■ **PO :** Dans le cas des patients éprouvant des difficultés de déglutition, on peut broyer les comprimés et les mélanger à des aliments ou des liquides (ne pas administrer à l'état sec). Utiliser un récipient gradué pour mesurer les préparations liquides.

■ **SC :** Il n'est pas recommandé d'administrer le phénobarbital sodique pour injection par voie SC.

■ **IM :** Administrer les injections IM profondément dans le muscle fessier pour diminuer l'irritation des tissus. Ne pas injecter plus de 5 mL dans un seul point en raison du risque d'irritation tissulaire.

■ **IV :** Les concentrations maximales dans le cerveau ne sont parfois pas atteintes avant 15 à 30 min. Administrer la plus faible dose possible et attendre que son efficacité puisse se manifester avant d'administrer une seconde dose afin de prévenir la dépression induite par l'accumulation de barbiturique.

■ **IV directe :** Diluer dans du soluté physiologique de façon à obtenir 10 mL de préparation. Ne pas administrer de solution qui contient un précipité.

□ La solution est très alcaline ; éviter l'extravasation en raison des risques de lésion et de nécrose des tissus. En cas d'extravasation, le médecin peut prescrire une infiltration de la région affectée avec de la solution de procaïne à 5 % et l'application de chaleur humide.

□ *Vitesse d'administration :* Administrer à un débit maximal de 60 mg/min. Ajuster lentement la dose jusqu'à l'obtention de la réaction désirée. L'administration rapide peut provoquer une dépression respiratoire.

■ **Association compatible dans la même seringue :** Héparine.

■ **Associations incompatibles dans la même seringue :** Benzquinamide, dimenhydrinate, diphenhydramine, gluceptate d'érythromycine, hydroxyzine, kanamycine, oxytétracycline, phénytoïne, prochlorpérazine, promazine, prométhazine, ranitidine ou tétracycline.

■ **Solutions compatibles ou compatibilités en addition au soluté :** Solution de dextrose à 5 et à 10 % dans l'eau, solution de NaCl à 0,45 et 0,9 %, solution de Ringer et lactate Ringer, solution qui associe du dextrose et du soluté salin, du dextrose et la solution de Ringer ou du dextrose et du lactate Ringer, amikacine, aminophylline, bicarbonate de sodium, céphapirine, chlorure de calcium, colistiméthate, dimenhydrinate, gluceptate de calcium, polymyxine B, thiopental ou vérapamil.

■ **Incompatibilités en addition au soluté:** Céphalothine, chlorpromazine, codéine, éphédrine, hydralazine, hydroxyzine, insuline, lévorphanol, mépéridine, mésylate de prochlorpérazine, méthadone, morphine, norépinéphrine, pentazocine, procaïne, promazine, prométhazine, streptomycine, succinate d'hydrocortisone sodique ou vancomycine.

ENSEIGNEMENT AU PATIENT ET À SES PROCHES

□ Conseiller au patient de respecter scrupuleusement la posologie recommandée. S'il n'a pu prendre le médicament au moment habituel, il doit le prendre dès que possible à moins que ce ne soit presque l'heure prévue pour la dose suivante. Le prévenir qu'il ne doit jamais remplacer une dose manquée par une double dose.

□ Prévenir le patient qui suit un traitement prolongé qu'il ne doit pas arrêter de prendre le médicament sans consulter le médecin. L'arrêt brusque du traitement peut déclencher des convulsions ou l'état de mal épileptique.

□ Prévenir le patient que le phénobarbital peut provoquer la somnolence diurne. Lui conseiller de ne pas conduire et d'éviter les activités qui exigent sa vigilance jusqu'à ce qu'on ait la certitude que le médicament n'entraîne pas cet effet chez lui. Recommander au patient de ne reprendre la conduite automobile que si le médecin l'autorise à le faire après s'être assuré que les crises ont été maîtrisées.

□ Conseiller au patient de ne pas boire d'alcool et de ne pas prendre d'autres dépresseurs du SNC en même temps que ce médicament.

□ Recommander à la patiente de prévenir immédiatement le médecin si elle pense être enceinte.

□ Recommander au patient de prévenir le médecin en cas de fièvre, de maux de gorge, d'aphtes, de saignements ou d'ecchymoses inhabituels, de saignements du nez ou de pétéchies.

VÉRIFICATION DES RÉSULTATS

L'efficacité du traitement peut être démontrée par: ■ la diminution ou l'arrêt des convulsions sans sédation excessive; les pleins effets anticonvulsivants peuvent ne pas se manifester avant plusieurs semaines ■ la sédation préopératoire ■ l'amélioration du sommeil.

PHÉNOLPHTALÉINE

Alophen, Correctol, Espotabs, Ex-Lax, Ex-Lax (comprimés), Feen-a-Mint, Feen-a-Mint (gomme), (Evac-U-Gen), (Evac-U-Lax), (Lax Pills), (Modane), (Modane Mild), (No. 973), (Phenolax)

CLASSIFICATION:
Laxatif stimulant

Grossesse – catégorie inconnue

INDICATIONS

Traitement de courte durée de la constipation.

ACTION

■ Stimulation du péristaltisme par action directe sur la muqueuse, stimulant ainsi le plexus myentérique ■ Modification du transport des liquides et des électrolytes entraînant l'accumulation de liquides dans l'intestin grêle ■ Le médicament ne peut agir qu'en présence de bile. **Effets thérapeutiques:** ■ Évacuation des matières du côlon.

PHARMACOCINÉTIQUE

Absorption: Une fraction de 15 % est absorbée par suite de l'administration par voie orale. L'action du médicament s'exerce surtout au niveau de l'intestin.

Distribution: De petites quantités sont excrétées dans le lait maternel.

Métabolisme et excrétion: Le médicament est éliminé par les reins et dans les fèces.

Demi-vie: Inconnue.

CONTRE-INDICATIONS ET PRÉCAUTIONS

Contre-indications: ■ Hypersensibilité ■ Hypersensibilité à la tartrazine et aux parabènes ■ Douleurs abdominales de cause inconnue, particulièrement lorsqu'elles s'accompagnent de fièvre ■ Fissures rectales ■ Hémorroïdes ulcérées.

Précautions: ■ Usage prolongé (risque de dépendance) ■ Grossesse ou allaitement (l'innocuité du médicament n'a pas été établie) ■ Risque d'occlusion intestinale.

RÉACTIONS INDÉSIRABLES ET EFFETS SECONDAIRES

GI: nausées, crampes abdominales, diarrhée, brûlures rectales.

Loc.: faiblesse musculaire (usage prolongé).

HÉ: hypokaliémie (usage prolongé).

Divers: entéropathie avec perte de protéines, tétanie (usage prolongé).

INTERACTIONS

Médicament – médicament: La phénolphtaléine peut diminuer l'absorption d'autres **médicaments administrés par voie orale** en raison d'une motilité accrue et d'un temps de transit réduit.

PRÉSENTATION

La phénolphtaléine existe sous forme de comprimés, de gomme à mâcher et de tablettes chocolatées. Elle existe également en association avec du docusate, de l'aloïne, de la glycérine et de l'huile minérale (voir l'annexe A).

VOIES D'ADMINISTRATION ET POSOLOGIE

■ **PO (adultes et enfants > 12 ans):** de 60 à 240 mg par jour, en une seule dose ou en doses fractionnées.

■ **PO (enfants de 6 à 11 ans):** jusqu'à 65 mg par jour, en une seule dose ou en doses fractionnées.

PHARMACODYNAMIE (effet laxatif)

	DÉBUT D'ACTION	PIC	DURÉE
PO	6 – 10 h	inconnu	plusieurs jours

☀ SOINS INFIRMIERS

ÉVALUATION DE LA SITUATION

☐ Surveiller de près la distension abdominale, ausculter les bruits intestinaux et noter les habitudes normales d'élimination.

☐ Noter la couleur, la consistance et la quantité des selles produites.

DIAGNOSTICS INFIRMIERS POSSIBLES

■ **Énoncés diagnostiques**

☐ Constipation.

☐ Diarrhée.

☐ Prise en charge inefficace du programme thérapeutique.

■ **Facteurs favorisants**

☐ Informations incomplètes.

☐ *Manque de connaissances sur les effets secondaires affectant l'appareil gastro-intestinal.*

☐ *Manque de connaissances sur les moyens de stimuler la fonction intestinale.*

☐ *Manque de connaissances sur le régime alimentaire à suivre.*

☐ *Manque de connaissances sur les effets secondaires du médicament.*

INTERVENTIONS INFIRMIÈRES

■ **PO:** Administrer le médicament avec un grand verre d'eau, au coucher, pour favoriser l'élimination, de 6 à 12 h plus tard. Pour obtenir des résultats plus rapides, administrer à jeun.

☐ On ne doit pas avaler telles quelles les tablettes chocolatées. Demander au

P

patient de bien les mastiquer avant de les avaler.

ENSEIGNEMENT AU PATIENT ET À SES PROCHES

□ Prévenir le patient que les laxatifs devraient être pris pendant une courte période seulement. Un traitement prolongé peut provoquer des déséquilibres électrolytiques et la dépendance.

□ Recommander au patient de prendre d'autres mesures qui favorisent la défécation, par exemple, augmenter la consommation de fibres alimentaires et de liquides et faire de l'exercice. Expliquer au patient que chaque personne a ses propres habitudes d'élimination et qu'il est tout aussi normal de déféquer 3 fois par jour que 3 fois par semaine.

□ Prévenir le patient que ce médicament peut rendre ses selles et ses urines roses, rouges, jaunes ou brunes.

□ Recommander au patient souffrant de cardiopathie d'éviter les efforts reliés à la défécation (manœuvre de Valsalva).

□ Conseiller au patient de ne pas prendre de laxatifs en présence de douleurs abdominales, de nausées, de vomissements ou de fièvre.

VÉRIFICATION DES RÉSULTATS

L'efficacité du traitement peut être démontrée par : l'émission de selles molles et bien moulées. Les effets laxatifs peuvent durer jusqu'à 3 jours.

PHÉNOXYBENZAMINE
(Dibenzyline)

CLASSIFICATION :
Antihypertenseur – bloqueur
alpha-adrénergique
Grossesse – catégorie inconnue

INDICATIONS

■ Traitement des symptômes du phéochromocytome (particulièrement l'hypertension et la transpiration) entraînés par un excès d'activité adrénergique (sympathomimétique) ■ Traitement de l'hypertension associée à un excès d'activité adrénergique incluant la crise hypertensive déclenchée par la consommation d'aliments contenant de la tyramine par les patients recevant un inhibiteur de la MAO. **Usage non approuvé :** ■ Traitement de la maladie vasculaire périphérique.

ACTION

■ Blocage de longue durée des récepteurs alpha-adrénergiques situés dans les muscles lisses et les glandes exocrines ■ Inhibition de la vasoconstriction provoquée par l'adrénaline et la noradrénaline entraînant l'hypotension et la tachycardie. **Effets thérapeutiques :** ■ Réduction des symptômes du phéochromocytome.

PHARMACOCINÉTIQUE

Absorption : Absorption variable depuis le tractus gastro-intestinal.
Distribution : Inconnue.
Métabolisme et excrétion : La phénoxybenzamine est surtout métabolisée par le foie.
Demi-vie : 24 h.

CONTRE-INDICATIONS ET PRÉCAUTIONS

Contre-indication : Choc (en l'absence d'un déficit hydrique non corrigé).
Précautions : ■ Artériosclérose coronarienne ou cérébrale ■ Insuffisance rénale ■ Grossesse (bien que l'innocuité du produit n'ait pas été établie, il existe des précédents d'usage durant le troisième trimestre de la grossesse) ■ Allaitement ou enfants ■ Patients âgés (prédisposition accrue aux effets hypotenseurs ; il est recommandé de réduire la dose) ■ Ulcère gastroduodénal ■ Infection des voies respiratoires.

RÉACTIONS INDÉSIRABLES ET EFFETS SECONDAIRES

SNC: somnolence, sédation, fatigue, faiblesse, malaise, confusion, céphalées, étourdissements.

ORLO: myosis, congestion nasale.

CV: hypotension, tachycardie, insuffisance cardiaque, angine.

GI: nausées, vomissements, diarrhée, sécheresse de la bouche (xérostomie).

GU: inhibition de l'éjaculation.

INTERACTIONS

Médicament – médicament: ■ La phénoxybenzamine contrecarre les effets des **stimulants alpha-adrénergiques** ■ Le médicament peut diminuer la réponse vasopressive à l'**éphédrine**, à la **phényléphrine** ou à la **méthoxamine** ■ Les médicaments **stimulant les récepteurs alpha et bêta**, comme l'**épinéphrine**, administrés simultanément, peuvent exacerber l'hypotension, la vasodilatation et la tachycardie ■ La **guanéthidine** ou le **guanadrel**, administrés simultanément, peuvent entraîner une hypotension et une bradycardie exagérées ■ La phénoxybenzamine diminue la vasoconstriction périphérique entraînée par les doses élevées de **dopamine**, administrées simultanément ■ Effets additifs sur la dépression du SNC lors de l'usage concomitant d'**antihistaminiques**, d'**antidépresseurs**, d'**alcool**, d'**analgésiques narcotiques** ou d'**hypnosédatifs**.

VOIES D'ADMINISTRATION ET POSOLOGIE

Remarque: La posologie doit être adaptée à chaque cas particulier.

■ **PO (adultes):** 10 mg, une fois par jour, puis augmenter par paliers de 10 mg par jour, à intervalles de 4 jours. La dose d'entretien habituelle est de 20 à 40 mg par jour, en 2 ou 3 doses fractionnées.

■ **PO (enfants):** 0,2 mg/kg ou 6 mg/m² par jour. La dose initiale ne doit pas dépasser 10 mg. La dose d'entretien

habituelle chez les enfants est de 0,4 à 1,2 mg/kg par jour, ou de 12 à 36 mg/m² par jour, en 3 ou 4 doses fractionnées (usage non approuvé chez les enfants).

PHARMACODYNAMIE (blocage alpha-adrénergique)

	DÉBUT D'ACTION	PIC	DURÉE
PO	1 – 4 h	1 semaine	3 – 4 jours

SOINS INFIRMIERS

ÉVALUATION DE LA SITUATION

☐ Mesurer le pouls et la pression artérielle (en position assise et couchée) et suivre de près la fonction respiratoire et les épisodes de diaphorèse à intervalles fréquents, particulièrement pendant le traitement initial.

■ **Étude des examens diagnostiques et biochimiques:** Noter à intervalles réguliers le dosage des catécholamines dans l'urine afin de déterminer la dose maximale.

DIAGNOSTICS INFIRMIERS POSSIBLES

■ **Énoncés diagnostiques**

☐ Atteinte à l'intégrité des tissus.

☐ Risque élevé d'accident.

☐ Prise en charge inefficace du programme thérapeutique.

■ **Facteurs favorisants**

☐ Informations incomplètes.

☐ *Manque de connaissances sur les effets hypotensifs du médicament lors des changements brusques de position.*

☐ *Altération de la perception visuelle.*

☐ *Perturbation de la vigilance.*

☐ *Manque de connaissances sur les modalités du traitement.*

☐ *Manque de connaissances sur les moyens de prévenir les effets secondaires du médicament.*

P

INTERVENTIONS INFIRMIÈRES

- **Directives générales :** Pour maîtriser la tachycardie réflexe, il peut s'avérer nécessaire d'administrer simultanément des bêtabloquants.
- **PO :** On peut administrer la phénoxybenzamine avec des aliments ou du lait si l'irritation gastro-intestinale devient gênante. Il peut s'avérer nécessaire de réduire la dose.

ENSEIGNEMENT AU PATIENT ET À SES PROCHES

- ☐ Conseiller au patient de respecter scrupuleusement la posologie recommandée et de prendre le médicament au même moment, chaque jour. Le prévenir qu'il ne doit pas sauter de dose ni remplacer une dose manquée par une double dose. Lui recommander de consulter le médecin avant d'arrêter le traitement.
- ☐ Prévenir le patient que la phénoxybenzamine peut entraîner de la somnolence ou des étourdissements. Lui conseiller de ne pas conduire et d'éviter les activités qui exigent sa vigilance jusqu'à ce qu'on ait la certitude que le médicament n'entraîne pas ces effets chez lui.
- ☐ Recommander au patient de changer lentement de position pour diminuer le risque d'hypotension orthostatique. Le prévenir que la station debout prolongée ou l'effort par temps chaud peuvent également provoquer l'hypotension orthostatique.
- ☐ Expliquer au patient que le rinçage fréquent de la bouche, une bonne hygiène orale et la consommation de gomme à mâcher ou de bonbons sans sucre peuvent l'aider à diminuer la sécheresse de la bouche. Lui conseiller d'avertir le médecin ou le dentiste si la sécheresse de la bouche persiste pendant plus de 2 semaines. Recommander au patient de se soumettre à des soins dentaires réguliers, car la sécheresse de la bouche peut

augmenter le risque de caries et de paradontolyse.

- ☐ Recommander au patient d'éviter de boire de l'alcool et de consulter le médecin ou le pharmacien avant de prendre des médicaments en vente libre, particulièrement des médicaments contre le rhume.
- ☐ Expliquer au patient que ce médicament peut entraîner la congestion nasale, l'inhibition de l'éjaculation et la constriction des pupilles, ce qui peut altérer la vision nocturne. Ces effets s'estompent habituellement lors d'un traitement continu. Conseiller au patient d'informer le médecin si ces effets secondaires persistent.
- ☐ Recommander au patient qui doit suivre un traitement dentaire ou subir une intervention chirurgicale d'avertir le dentiste ou le médecin qu'il suit un traitement médicamenteux.

VÉRIFICATION DES RÉSULTATS

L'efficacité du traitement peut être démontrée par : ■ la diminution de la pression artérielle, du pouls et de la transpiration chez les patients souffrant de phéochromocytome ■ la baisse de la pression artérielle attribuable à un excès d'activité adrénergique. Le plein effet du médicament peut ne pas se manifester avant 1 semaine de traitement.

PHENTOLAMINE

Rogitine, (Regitin)

CLASSIFICATION :
Bloqueur alpha-adrénergique

Grossesse – catégorie inconnue

INDICATIONS

■ Traitement de l'hypertension associée au phéochromocytome ■ Maîtrise de la pression artérielle lors de l'ablation d'un phéochromocytome ■ Prévention de la formation d'une escarre et traitement de la nécrose dermique par suite de l'administration ou de l'extravasation de norépinéphrine. **Usages non approuvés:** ■ Traitement d'appoint de l'impuissance (administration dans le corps caverneux) ■ Traitement de l'hypertension associée à un excès d'activité adrénergique (sympathique), comme celle qui suit l'administration de phényléphrine, la consommation d'aliments contenant de la tyramine par les patients recevant un inhibiteur de la MAO ou le sevrage de la clonidine.

ACTION

■ Blocage incomplet et de courte durée des récepteurs alpha-adrénergiques situés principalement dans les muscles lisses et les glandes exocrines ■ Induction de l'hypotension par la relaxation directe des muscles vasculaires lisses et par le blocage des récepteurs alpha. **Effets thérapeutiques:** ■ Abaissement de la pression artérielle si l'hypertension est attribuable à un excès d'activité adrénergique (sympathique) ■ Renversement de la vasoconstriction provoquée par la norépinéphrine ou la dopamine (en cas d'infiltration locale).

PHARMACOCINÉTIQUE

Absorption: Bonne absorption par suite de l'administration par voie IM.
Distribution: Inconnue.
Métabolisme et excrétion: Une fraction de 10 % est excrétée à l'état inchangé par les reins.
Demi-vie: Inconnue.

CONTRE-INDICATIONS ET PRÉCAUTIONS

Contre-indications: ■ Hypersensibilité ■ Artériosclérose coronarienne ou cérébrale ■ Insuffisance rénale.
Précautions: ■ Grossesse ou allaitement (l'innocuité du médicament n'a pas été établie) ■ Ulcère gastroduodénal ■ Patients âgés (davantage prédisposés aux effets hypotensifs; il est recommandé de réduire la dose).

RÉACTIONS INDÉSIRABLES ET EFFETS SECONDAIRES

SNC: SPASME CÉRÉBROVASCULAIRE, faiblesse, étourdissements.
CV: HYPOTENSION, tachycardie, arythmies, angine, INFARCTUS DU MYOCARDE
Tég.: rougeur du visage.
ORLO: congestion nasale.
GI: douleurs abdominales, nausées, vomissements, diarrhée, aggravation de l'ulcère gastroduodénal.

INTERACTIONS

Médicament – médicament: ■ La phentolamine contrecarre les effets des **stimulants alpha-adrénergiques**, administrés simultanément ■ La phentolamine peut diminuer la réaction vasopressive à l'**éphédrine**, à la **phényléphrine** ou à la **méthoxamine** ■ Les médicaments **stimulant les récepteurs alpha et bêta**, comme l'**épinéphrine**, administrés simultanément, peuvent exacerber l'hypotension, la vasodilatation et la tachycardie ■ La **guanéthidine** ou le **guanédrel**, administrés simultanément, peuvent provoquer une hypotension et une bradycardie exagérées ■ La phentolamine diminue la vasoconstriction périphérique entraînée par des doses élevées de **dopamine**, administrées simultanément.

VOIES D'ADMINISTRATION ET POSOLOGIE

Diagnostic du phéochromocytome

■ **IM et IV (adultes):** 5 mg (pouvant être administrés par voie IM, mais il est préférable de recourir à la voie IV).
■ **IV (enfants):** 1 mg ou 3 mg/m^2 ou 0,1 mg/kg.
■ **IM (enfants):** 3 mg.

Hypertension associée au phéochromocytome lors de l'intervention chirurgicale

■ **IV et IM (adultes):** de 2 à 5 mg, administrés 1 ou 2 h avant l'intervention; répéter l'administration selon les besoins.

- **IV et IM (enfants):** 1 mg ou 0,1 mg/kg ou 3 mg/m^2, administrés 1 ou 2 h avant l'intervention; répéter l'administration selon les besoins.

Prévention de la nécrose dermique par suite de l'extravasation de norépinéphrine

- **Infiltration:** de 5 à 10 mg de phentolamine dans 10 mL de solution de NaCl à 0,9 %, administrés dans les 12 h suivant l'extravasation.

Prévention de la nécrose dermique durant la perfusion de norépinéphrine

- Ajouter 10 mg de phentolamine par 1 000 mL de solution contenant de la norépinéphrine (É.-U.).

Traitement d'appoint de l'impuissance

- **Administration dans le corps caverneux (adultes) (É.-U.):** de 0,5 à 1 mg avec 30 à 60 mg de papavérine (ne pas dépasser 3 traitements par semaine).

PHARMACODYNAMIE
(IM et IV = blocage alpha-adrénergique, administration dans le corps caverneux = érection).

	DÉBUT D'ACTION	PIC	DURÉE
IM	inconnu	20 min	30–45 min
IV	immédiat	2 min	15–30 min
administration dans le corps caverneux	10 min	inconnu	4 h

SOINS INFIRMIERS

ÉVALUATION DE LA SITUATION

☐ Mesurer la pression artérielle et le pouls et examiner le tracé de l'ÉCG toutes les 2 min pendant l'administration IV jusqu'à ce que l'état du patient se stabilise. En cas de crise hypotensive, l'administration d'épinéphrine est contre-indiquée et elle pourrait entraîner une diminution paradoxale supplémentaire de la pres-

sion artérielle. Cependant, on peut utiliser de la norépinéphrine.

DIAGNOSTICS INFIRMIERS POSSIBLES

- **Énoncés diagnostiques**
☐ Atteinte à l'intégrité des tissus.
☐ Risque élevé d'accident.
☐ Prise en charge inefficace du programme thérapeutique.

- **Facteurs favorisants**
☐ Informations incomplètes.
☐ *Manque de connaissances sur les modalités du traitement.*
☐ *Manque de connaissances sur les effets hypotensifs du médicament lors des changements brusques de position.*

INTERVENTIONS INFIRMIÈRES

- **Directives générales:** Garder le patient en position couchée pendant toute la durée de l'administration par voie parentérale.
- **IV:** Reconstituer à raison de 5 mg de phentolamine par 1 mL d'eau stérile pour injection. Jeter toute solution inutilisée.
- **IV directe:** Injecter à raison de 5 mg par minute.
- **Perfusion continue:** Diluer de 5 à 10 mg de phentolamine dans 500 mL de solution de dextrose à 5 % dans l'eau.
☐ *Vitesse d'administration:* Adapter la vitesse de perfusion à la réponse du patient.
☐ On peut également ajouter 10 mg de phentolamine par 1 000 mL de solution contenant de la norépinéphrine pour prévenir la formation d'une escarre ou la nécrose dermique. Ce procédé ne modifie pas l'effet vasopresseur de la norépinéphrine.
- **Association compatible dans la même seringue:** Papavérine.
- **Compatibilités en addition au soluté:** Dobutamine ou vérapamil.
- **Infiltration:** Diluer l'agent dans 5 à 10 mL de solution de NaCl à 0,9 %. Infiltrer rapidement le territoire af-

fecté par l'extravasation. Afin que le traitement soit efficace, on doit administrer le médicament dans les 12 h suivant l'extravasation.

■ **Impuissance:** On a administré la phentolamine en association avec de la papavérine pour traiter l'impuissance masculine, habituellement attribuable à une lésion de la moelle épinière. Cette méthode ne peut être utilisée que par un personnel ayant reçu une formation spéciale. La solution doit être injectée dans le corps caverneux, ce qui entraîne l'érection. Cet agent peut provoquer le priapisme.

ENSEIGNEMENT AU PATIENT ET À SES PROCHES

☐ Recommander au patient de changer lentement de position pour diminuer le risque d'hypotension orthostatique.

☐ Conseiller au patient d'informer le médecin s'il ressent des douleurs thoraciques durant la perfusion IV.

VÉRIFICATION DES RÉSULTATS

La réponse clinique peut être déterminée par:
■ l'abaissement de la pression artérielle
■ la prévention de la nécrose dermique et de la formation d'une escarre en cas d'extravasation de norépinéphrine
■ l'érection chez les hommes souffrant d'impuissance débutant 10 min après l'injection de l'agent dans le corps caverneux et pouvant se maintenir pendant 4 h.

PHÉNYLÉPHRINE

PHÉNYLÉPHRINE, PRÉPARATION INTRANASALE

Neo-Synephrine, (Alcon-Efrin), (Coricidin Nasal Mist), (Doktors), (Duration Mild), (Nostril), (Rhinall), (Sinex)

PHÉNYLÉPHRINE, PRÉPARATION OPHTALMIQUE

Ak-Dilate, Dionephrine, Mydfrin, Phenylephrine Minims, Prefrin Liquifilm, (Ak-Nefrin), (I-Liqui-Tears-Plus), (I-Phrine), (Isopto Frin), (Neo-Synephrine), (Relief)

PHÉNYLÉPHRINE, PRÉPARATION ORALE

Novahistine décongestionnant

PHÉNYLÉPHRINE, PRÉPARATION PARENTÉRALE

Neo-Synephrine

CLASSIFICATION:

Vasopresseur; décongestionnant; agent ophtalmique – mydriatique

Grossesse – catégorie C (usage ophtalmique, voie parentérale)

INDICATIONS

■ **SC, IM et IV:** Traitement d'appoint du choc pour corriger l'hypotension pouvant persister après un remplissage vasculaire adéquat ■ Traitement de la tachycardie supraventriculaire paroxystique ■ **Préparation ophtalmique:** Induction de la mydriase ■ **Préparations orale, intranasale et ophtalmique:** décongestionnant ■ Adjuvant à la rachianesthésie (pour prolonger la durée de l'anesthésie) ■ Adjuvant à l'anesthésie régionale (pour circonscrire l'effet de l'anesthésique).

ACTION

■ Vasoconstriction par la stimulation des récepteurs alpha-adrénergiques. **Effets thérapeutiques:** ■ **SC, IM et IV:** Élévation de la pression artérielle; maîtrise de la tachycardie ventriculaire paroxystique ■ **Préparation ophtalmique:** Mydriase ■ **Préparations orale, intranasale et ophtalmique:** Soulagement de la congestion.

PHARMACOCINÉTIQUE

Absorption: Par suite de l'administration par voie orale, l'absorption de la phényléphrine est variable; elle est métabolisée rapidement dans le tractus gastrointestinal. Bonne absorption depuis les points d'injection IM. Absorption minime par suite de l'administration des préparations intranasales et ophtalmiques.

Distribution: Inconnue.

Métabolisme et excrétion: La phényléphrine est métabolisée par le foie et d'autres tissus.

Demi-vie: Inconnue.

CONTRE-INDICATIONS ET PRÉCAUTIONS

Contre-indications: ■ Déficit hydrique non corrigé ■ Phéochromocytome ■ Glaucome à angle fermé ■ Hypersensibilité aux bisulfites (voie parentérale) ■ Hypersensibilité au chlorure de benzalkonium, aux bisulfites, aux parabènes, à l'EDTA, au sorbitol (préparations orale, intranasale et ophtalmique).

Précautions: ■ Maladie vasculaire occlusive ■ Maladie cardiovasculaire ■ Patients âgés ■ Hyperthyroïdie ■ Grossesse et allaitement (l'innocuité du médicament n'a pas été établie) ■ Diabète sucré.

RÉACTIONS INDÉSIRABLES ET EFFETS SECONDAIRES

Remarque: Les réactions indésirables et les effets secondaires suivants ont surtout été observés par suite de l'administration par voie parentérale.

SNC: étourdissements, tremblements, agitation, anxiété, nervosité, faiblesse, insomnie, céphalées.

ORLO: Préparations ophtalmiques – brûlures, picotements, douleur au niveau des sourcils, photophobie, larmoiement, irritation; préparations intranasales – brûlures, picotements, sécheresse de la muqueuse nasale, congestion de rebond.

Resp.: détresse respiratoire, dyspnée.

CV: tachycardie, ARYTHMIES, hypertension, douleurs thoraciques, bradycardie, vasoconstriction.

Tég.: blémissement, horripilation, pâleur, transpiration.

Locaux: phlébite, formation d'une escarre au point d'injection IV.

INTERACTIONS

Médicament – médicament: ■ L'administration simultanée d'**inhibiteurs de la MAO**, d'**alcaloïdes de l'ergot de seigle (ergonovine, méthylergonovite)** ou d'**ocytociques** peut mener à une hypertension grave ■ L'administration simultanée d'**anesthésiques généraux** peut entraîner l'irritabilité du myocarde ■ Les **bloqueurs alpha-adrénergiques (phénoxybenzamine, phentolamine)**, administrés simultanément, peuvent contrecarrer les effets vasopresseurs de la phényléphrine ■ L'**atropine**, administrée simultanément, bloque la bradycardie entraînée par la phényléphrine et accentue ses effets vasopresseurs.

PRÉSENTATION

La phényléphrine existe sous forme de gouttes ophtalmiques, de sirop, de solution intranasale et de solution parentérale. Elle existe également en association avec de nombreux autres médicaments destinés au traitement symptomatique du rhume et des allergies (voir l'annexe A).

VOIES D'ADMINISTRATION ET POSOLOGIE

Remarque: Consulter le tableau des vitesses de perfusion de l'annexe D.

Hypotension

■ **SC et IM (adultes):** de 2 à 5 mg; on peut répéter l'administration 1 ou 2 h plus tard.

■ **SC (enfants) (É.-U.):** 0,1 mg/kg; on peut répéter l'administration 1 ou 2 h plus tard.

- **IV (adultes):** initialement, de 0,1 à 0,18 mg/min; la dose d'entretien est de 0,04 à 0,06 mg/min.

Mydriase

- **Préparation ophtalmique (adultes):** 1 goutte de solution à 2,5 % ou à 10 %.

Décongestionnant

- **Gouttes ophtalmiques (adultes et enfants > 2 ans):** de 1 à 2 gouttes de solution de 0,12 %; on peut répéter l'administration toutes les 3 ou 4 h.
- **Préparation intranasale (adultes):** 2 ou 3 gouttes ou vaporisations de solution de 0,25 à 1 %; on peut répéter l'administration toutes les 3 à 4 h, mais ne pas dépasser 6 administrations par jour.
- **Préparation intranasale (enfants de 6 à 12 ans):** 2 ou 3 gouttes ou vaporisations d'une solution à 0,25 %; on peut répéter l'administration toutes les 4 h.
- **Préparation intranasale (enfants < 6 ans):** 1 goutte ou vaporisation de solution à 0,25 %; on peut répéter l'administration toutes les 4 h.
- **Préparation orale (enfants de 6 à 12 ans):** 5 mL, toutes les 4 h (maximum: 4 doses en 24 h).
- **Préparation orale (enfants de 2 à 5 ans):** 2,5 mL, toutes les 4 h (maximum: 4 doses en 24 h).

PHARMACODYNAMIE (IV, IM et SC = effets vasopresseurs; préparation ophtalmique = mydriase; préparation intranasale = effet décongestionnant)

	DÉBUT D'ACTION	PIC	DURÉE
IV	immédiat	inconnu	15 – 20 min
IM	10 – 15 min	inconnu	30 min – 2 h
SC	10 – 15 min	inconnu	50 – 60 min
préparation intranasale	inconnu	inconnu	30 min – 4 h
préparation ophtalmique	plusieurs min	10 – 90 min	3 – 7 h

SOINS INFIRMIERS

ÉVALUATION DE LA SITUATION

- **Hypotension:** Mesurer la pression artérielle toutes les 2 ou 3 min jusqu'à ce qu'elle se stabilise, puis toutes les 5 min tout au long de l'administration IV.
- □ Surveiller continuellement le tracé de l'ÉCG pour déceler les arythmies durant l'administration IV.
- □ Observer le point d'injection IV à intervalles fréquents tout au long de la perfusion. Administrer dans la veine antébrachiale ou dans toute autre grosse veine afin de réduire le risque d'extravasation pouvant entraîner la nécrose des tissus. En cas d'extravasation, infiltrer rapidement le point d'injection avec 10 à 15 mL de solution de NaCl à 0,9 % contenant de 5 à 10 mg de phentolamine afin de prévenir la nécrose et la formation d'une escarre.
- **Décongestionnant:** Interroger le patient à propos de ses symptômes d'allergie avant le traitement et à intervalles réguliers pendant toute sa durée. Un usage prolongé et excessif peut entraîner une congestion rebond.

DIAGNOSTICS INFIRMIERS POSSIBLES

- Diminution du débit cardiaque.
- Diminution de l'irrigation tissulaire.
- Prise en charge inefficace du programme thérapeutique.
- *Risque élevé de douleur au point d'injection IV.*
- *Risque élevé d'anxiété.*
- *Risque élevé d'altération de la perception visuelle.*
- **Facteurs favorisants**
- □ Informations incomplètes.
- □ *Inflammation locale du tissu vasculaire ou infiltration du médicament dans les tissus avoisinants.*
- □ *Manque de connaissances sur les effets secondaires du médicament.*

□ *Manque de connaissances sur la méthode d'administration du médicament.*

□ *Manque de connaissances sur les moyens de réduire la photosensibilité et sur l'importance d'un suivi ophtalmologique.*

INTERVENTIONS INFIRMIÈRES

□ La phényléphrine existe en plusieurs concentrations. Lire attentivement l'étiquette pour connaître la teneur en phényléphrine de la préparation avant de l'administrer.

■ **IV:** Corriger, dans la mesure du possible, toute perte liquidienne vasculaire avant d'administrer la phényléphrine par voie IV.

■ **IV directe:** Diluer 1 mL de la solution à 1 % dans 9 mL d'eau stérile pour injection.

□ *Vitesse d'administration:* Administrer chaque dose unique en 1 min.

■ **Perfusion continue:** Diluer 10 mg de phényléphrine dans 500 mL d'une solution qui associe du dextrose et de la solution de Ringer ou du lactate Ringer, ou du dextrose et du soluté salin, ou de solution de dextrose à 5 % ou à 10 % dans de l'eau, de solution de Ringer ou de lactate Ringer, ou de solution de NaCl à 0,45 ou à 0,9 % pour obtenir une solution de 1 : 50 000.

□ *Vitesse d'administration:* Adapter la vitesse d'administration selon la réponse du patient. Administrer par une pompe de perfusion afin d'assurer l'administration du débit prescrit.

■ **Compatibilités (tubulure en Y):** Amrinone, famotidine ou zidovudine.

■ **Compatibilités en addition au soluté:** Bicarbonate de sodium, chloramphénicol, chlorure de potassium, dobutamine ou lidocaïne.

■ **Anesthésie:** On peut ajouter de 2 à 5 mg de phényléphrine à une solution destinée à la rachianesthésie afin d'en prolonger les effets.

□ On peut ajouter 1 mg de phényléphrine à chaque dose de 20 mL d'anesthésique local pour entraîner une vasoconstriction.

ENSEIGNEMENT AU PATIENT ET À SES PROCHES

■ **IV:** Recommander au patient de signaler rapidement les céphalées, les étourdissements, la dyspnée ou la douleur au point de perfusion IV.

■ **Gouttes ophtalmiques:** Montrer au patient comment administrer les gouttes ophtalmiques: pencher la tête vers l'arrière et regarder vers le haut. Abaisser délicatement la paupière inférieure pour créer un petit sac et y instiller le nombre de gouttes prescrit. Après l'instillation, maintenir une légère pression sur le canthus interne pendant 1 min afin de prévenir l'absorption systémique. Prévenir le patient que la solution peut entraîner une sensation de picotement ou de brûlure.

□ Prévenir le patient que les préparations ophtalmiques entraîneront la dilatation de la pupille et pourraient rendre les yeux plus sensibles à la lumière. Lui recommander de porter des lunettes de soleil pour réduire cette sensibilité.

■ **Préparation intranasale:** Recommander au patient de se moucher délicatement avant d'instiller les préparations intranasales. Lui montrer le mode d'administration des gouttes intranasales: pencher la tête vers l'arrière ou se coucher et laisser pencher sa tête dans le vide. Après l'instillation, lui recommander de garder cette position pour permettre au médicament de se répandre dans tout le nez. Après utilisation, laver le compte-gouttes dans de l'eau chaude et le sécher avec des mouchoirs en papier propres.

□ Pour vaporiser la préparation dans le nez, conseiller au patient de tenir sa tête droite et de presser la bouteille rapidement et fermement. Attendre de 3 à 5 min, se moucher et répéter l'opération.

☐ Recommander au patient de jeter la solution qui est devenue brune ou qui contient un précipité, car sa puissance est altérée.

☐ Informer le patient que l'administration prolongée ou excessive de phényléphrine peut entraîner une congestion de rebond. Lui conseiller d'utiliser la plus faible concentration qui s'avère efficace et de respecter scrupuleusement la posologie recommandée.

VÉRIFICATION DES RÉSULTATS

L'efficacité du traitement peut être démontrée par : ■ l'élévation de la pression artérielle jusqu'aux valeurs normales ■ la maîtrise de la tachycardie supraventriculaire paroxystique ■ la mydriase ■ le soulagement de la congestion nasale et oculaire ■ la prolongation de la durée de la rachianesthésie ■ la localisation de l'anesthésie régionale.

PHÉNYLPROPANOLAMINE

(Acutrim), (Control), (Dex-A-Diet), (Dexatrim), (Diadax), (Efed-II Yellow), (Help), (PPA), (Prolamine), (Propagest), (Rhinedecon), (Unitrol), (Westrim), (Westrim-LA)

CLASSIFICATION :
Décongestionnant

Grossesse – catégorie inconnue

INDICATIONS

■ Traitement de courte durée de la congestion nasale. **Usage non approuvé :** ■ Traitement d'appoint de courte durée de l'obésité exogène en association avec une modification du comportement, un régime alimentaire et l'exercice.

ACTION

■ Agoniste de la dopamine et de la noradrénaline ■ Suppression de l'appétit par la dépression du centre de contrôle de l'appétit situé dans le SNC ■ Stimulation des récepteurs alpha-adrénergiques situés dans la muqueuse nasale, entraînant une vasoconstriction. **Effets thérapeutiques :** ■ Diminution de l'appétit ■ Soulagement de la congestion nasale.

PHARMACOCINÉTIQUE

Absorption : Bonne absorption par suite de l'administration par voie orale.
Distribution : Inconnue.
Métabolisme et excrétion : Une fraction de 80 à 90 % du médicament est excrétée à l'état inchangé par les reins. De petites quantités sont métabolisées par le foie.
Demi-vie : De 3 à 4 h.

CONTRE-INDICATIONS ET PRÉCAUTIONS

Contre-indications : ■ Hypersensibilité ■ Grossesse ou allaitement.
Précautions : ■ Glaucome ■ Hypertrophie de la prostate ■ Hyperthyroïdie ■ Maladie cardiovasculaire incluant l'hypertension ■ Diabète sucré.

RÉACTIONS INDÉSIRABLES ET EFFETS SECONDAIRES

SNC : nervosité, agitation, insomnie, étourdissements, céphalées, somnolence.
ORLO : congestion rebond (usage à titre de décongestionnant seulement).
CV : douleurs thoraciques, arythmies, hypertension.
GI : nausées.
Divers : tachyphylaxie (usage à titre de décongestionnant seulement).

INTERACTIONS

Médicament – médicament : ■ Effets sympathomimétiques additifs lors de l'administration simultanée d'autres **agents adrénergiques (sympathomimétiques)** ■ Effets vasopresseurs accrus lors de l'administration simultanée d'**inhibiteurs de la MAO** ▪ Risque accru d'arythmie lors de l'administration simultanée de **certains anesthésiques généraux** ▪ Risque accru d'hypertension lors de l'administration simultanée d'**alcaloïdes de rauwolfia (réserpine)**, d'**antidépresseurs tricycliques** ou de **ganglioplégiques**.

PRÉSENTATION

La phénylpropanolamine existe en association avec de nombreuses préparations contre le rhume et les allergies (voir l'annexe A).

VOIES D'ADMINISTRATION ET POSOLOGIE

Décongestionnant

▪ **PO (adultes):** de 25 à 50 mg, toutes les 4 h (ne pas dépasser 150 mg par jour).
▪ **PO (enfants de 6 à 12 ans) (É.-U.):** de 10 à 12,5 mg, toutes les 4 h (ne pas dépasser 75 mg par jour).
▪ **PO (enfants de 2 à 6 ans) (É.-U.):** 6,25 mg, toutes les 4 h (ne pas dépasser 37,5 mg par jour).

PHARMACODYNAMIE (soulagement de la congestion nasale)

	DÉBUT D'ACTION	PIC	DURÉE
PO	15 – 30 min	inconnu	3 h

SOINS INFIRMIERS

ÉVALUATION DE LA SITUATION

Suivre la congestion nasale à intervalles réguliers pendant toute la durée du traitement.

DIAGNOSTICS INFIRMIERS POSSIBLES

▪ **Énoncés diagnostiques**
☐ Prise en charge inefficace du programme thérapeutique.

▪ **Facteurs favorisants**
☐ Informations incomplètes.

☐ Manque de connaissances sur la méthode d'administration du médicament.
☐ Manque de connaissances sur les modalités du traitement.

INTERVENTIONS INFIRMIÈRES

▪ **Directives générales:** Administrer la dernière dose quelques heures avant l'heure du coucher (12 h pour la préparation à libération prolongée) afin de réduire l'insomnie.
▪ **PO:** Administrer les comprimés à libération prolongée une fois par jour, le matin, après le petit déjeuner. Les comprimés à libération prolongée doivent être avalés tels quels; on ne doit pas les broyer ni les mâcher.

ENSEIGNEMENT AU PATIENT ET À SES PROCHES

☐ Conseiller au patient de respecter scupuleusement la posologie recommandée. Le prévenir qu'il ne doit pas prendre de doses plus grandes ni poursuivre le traitement pendant plus longtemps que le médecin ne l'a recommandé, car une tolérance aux effets du médicament peut apparaître.
☐ Recommander au patient de ne pas consommer de grandes quantités de café, de thé ou de boissons à base de cola contenant de la caféine.
▪ **Décongestionnant nasal:** Expliquer au patient que, s'il n'a pu prendre le médicament au moment habituel, il doit le prendre dès que possible, mais pas plus tard que 2 h avant l'heure prévue pour la dose suivante. L'avertir qu'il ne doit jamais remplacer une dose manquée par une double dose.
☐ Inciter le patient à prévenir le médecin si les symptômes ne s'améliorent pas en l'espace de 7 jours ou s'ils s'accompagnent de fièvre.

VÉRIFICATION DES RÉSULTATS

L'efficacité du traitement peut être démontrée par: le soulagement de la congestion nasale.

PHÉNYTOÏNE

diphénylhydantoïne, Dilantin, DPH, (Diphenylan)

CLASSIFICATION:

Anticonvulsivant – hydantoïne ; antiarythmique – classe IB

Grossesse – catégorie inconnue

INDICATIONS

■ Traitement et prévention des crises tonicocloniques généralisées (grand mal) et des crises partielles à sémiologie complexe ■ Traitement et prévention des convulsions se produisant durant et après une intervention neurochirurgicale. **Usages non approuvés :** ■ Antiarythmique, particulièrement en cas d'arythmies associées à une toxicité digitalique ■ Traitement des syndromes douloureux incluant la névralgie essentielle du trijumeau.

ACTION

■ Limitation de la propagation de la crise convulsive par la modification du transport de sodium ■ Effets antiarythmiques découlant de l'amélioration de la conduction AV ■ Diminution possible de la transmission synaptique. **Effets thérapeutiques :** ■ Diminution de l'activité convulsivante ■ Réduction des arythmies ■ Diminution de la douleur.

PHARMACOCINÉTIQUE

Absorption : Absorption lente depuis le tractus gastro-intestinal. La phénytoïne est absorbée de façon irrégulière et imprévisible depuis les points d'injection IM. La biodisponibilité des diverses préparations est différente. Dilantin (capsules) est considéré comme une préparation à libération prolongée. Les autres formes pharmaceutiques de Dilantin sont considérées comme des préparations à libération rapide.

Distribution : Inconnue. La phénytoïne traverse le placenta et pénètre dans le lait maternel.

Métabolisme et excrétion : La phénytoïne est surtout métabolisée par le foie. Des quantités minimes sont excrétées dans l'urine.

Demi-vie : 22 h.

CONTRE-INDICATIONS ET PRÉCAUTIONS

Contre-indications : ■ Hypersensibilité ■ Hypersensibilité au propylène glycol (injection seulement) ■ Intolérance à l'alcool (injection seulement) ■ Bradycardie sinusale et bloc cardiaque (usage à titre d'antiarythmique).

Précautions : ■ Maladie hépatique grave (il est recommandé de réduire la dose) ■ Grossesse (l'innocuité du médicament n'a pas été établie ; l'administration prolongée peut déclencher le « syndrome fœtal de l'hydantoïne » et l'administration au terme de la grossesse peut provoquer l'hémorragie chez le nouveau-né) ■ Allaitement (l'innocuité du médicament n'a pas été établie) ■ Personnes âgées ou patients souffrant de maladie cardiaque ou respiratoire graves (administration parentérale – risque accru de réactions indésirables graves).

RÉACTIONS INDÉSIRABLES ET EFFETS SECONDAIRES

SNC : nystagmus, ataxie, diplopie, somnolence, léthargie, coma, étourdissements, céphalées, nervosité, dyskinésie.

ORLO : hyperplasie gingivale.

CV : hypotension (IV seulement).

GI : nausées, vomissements, anorexie, perte de poids, constipation, hépatite.

GU : urine de couleur rose, rouge et rougebrun.

Tég. : hypertrichose, rash, dermatite exfoliative.

HÉ : hypocalcémie.

Hémat. : ANÉMIE APLASIQUE, AGRANULOCYTOSE, leucopénie, thrombocytopénie, anémie mégaloblastique.

Loc. : ostéomalacie.

Divers: lymphadénopathie, fièvre, réactions allergiques incluant le SYNDROME DE STEVENS-JOHNSON.

INTERACTIONS

Médicament – médicament: ■ Le **phénylbutazone**, le **disulfirame**, l'**isoniazide**, le **chloramphénicol** et la **cimétidine**, administrés simultanément, peuvent ralentir le métabolisme de la phénytoïne et en augmenter les concentrations sanguines ■ Les **barbituriques**, l'**alcool** et la **warfarine**, administrés simultanément, peuvent stimuler le métabolisme de la phénytoïne et en diminuer les concentration sanguines ■ La phénytoïne peut stimuler le métabolisme de la **digitoxine** et des **contraceptifs oraux**, administrés simultanément, et en diminuer l'efficacité ■ Risque d'hypotension additive lors de l'administration IV simultanée de phénytoïne et de **dopamine** ■ Dépression additive du SNC lors de l'administration simultanée d'autres **dépresseurs du SNC** incluant l'**alcool**, les **antihistaminiques**, les **antidépresseurs**, les **analgésiques narcotiques** et les **hypnosédatifs** ■ La phénytoïne peut modifier l'effet des **anticoagulants oraux** ■ Les **antiacides** peuvent diminuer l'absorption de la phénytoïne administrée PO. **Médicament – aliments:** ■ La phénytoïne peut diminuer l'absorption de l'**acide folique**.

PRÉSENTATION

La phénytoïne existe en association avec le phénobarbital (voir l'annexe A).

VOIES D'ADMINISTRATION ET POSOLOGIE

Remarque: L'administration IM ne devrait se faire qu'en dernier recours. La posologie devrait être augmentée de 50 % par rapport à la posologie quotidienne PO précédemment établie.

Anticonvulsivant
■ **PO (adultes):** de 300 à 400 mg par jour, en 3 ou 4 doses fractionnées ou en une seule dose. La dose habituelle maximale est de 600 mg par jour.
■ **PO (enfants):** initialement 5 mg/kg; la dose d'entretien est de 4 à 8 mg/kg par jour, en doses fractionnées, toutes les 8 à 12 h.
■ **IM (adultes):** de 100 à 200 mg, toutes les 4 h environ, pendant la chirurgie et la phase postopératoire.

État de mal épileptique
■ **IV (adultes):** de 10 à 15 mg/kg (la vitesse d'administration ne devrait pas dépasser de 25 à 50 mg/min).
■ **IV (enfants):** de 15 à 20 mg/kg (à un débit de 1 à 3 mg/kg à la minute).

Antiarythmique
■ **IV (adultes) (É.-U.):** 100 mg, toutes les 5 min, ou de 50 à 100 mg, toutes les 10 à 15 min, jusqu'à ce que l'arythmie soit interrompue, que l'on ait administré 1 000 mg ou qu'une toxicité ne survienne.
■ **PO (adultes) (É.-U.):** 100 mg, de 2 à 4 fois par jour.

PHARMACODYNAMIE
(effet anticonvulsivant)

	DÉBUT D'ACTION*	PIC	DURÉE
PO	2–24 h (1 semaine)	1,5–3 h	6–12 h
PO libération prolongée	2–24 h (1 semaine)	4–12 h	12–36 h
IV	1–2 h (1 semaine)	rapide	12–24 h
IM	inconnu (imprévisible)	imprévisible	12–24 h

* ( ) = délai jusqu'à ce que l'on note le début de l'action sans administrer une dose d'attaque.

✳ SOINS INFIRMIERS

ÉVALUATION DE LA SITUATION
■ **Directives générales:** Suivre de près l'hygiène buccale du patient. Un nettoyage vigoureux commençant dans les 10 jours suivant le début du traitement par la phénytoïne peut aider à maîtriser l'hyperplasie gingivale.

- **Crises convulsives:** Évaluer l'emplacement, la durée et les caractéristiques des crises convulsives.
- **Arythmies:** Surveiller continuellement l'ÉCG durant le traitement des arythmies.
- **Névralgie essentielle du trijumeau:** Suivre de près la douleur (emplacement, durée, intensité, facteurs déclenchants) avant le traitement et à intervalles réguliers pendant toute sa durée.
- **Étude des examens diagnostiques et biochimiques:** Examiner les résultats de la numération globulaire et plaquettaire, les concentrations sériques de calcium et les résultats des analyses des urines et des tests de l'exploration fonctionnelle hépatique et thyroïdienne avant le traitement, une fois par mois pendant les premiers mois, puis à intervalles réguliers pendant toute la durée du traitement.
- □ La phénytoïne peut entraîner l'élévation des concentrations sériques de phosphatase alcaline et de glucose.
- **Toxicité et surdosage:** Noter à intervalles réguliers les concentrations sériques de phénytoïne. Les concentrations sanguines thérapeutiques se situent entre 40 et 80 μmol/L.
- □ Les signes et les symptômes toxiques graduels incluent le nystagmus, l'ataxie, la confusion, les nausées, les troubles de l'élocution et les étourdissements.

DIAGNOSTICS INFIRMIERS POSSIBLES

- **Énoncés diagnostiques**
- □ Risque élevé d'accident.
- □ Atteinte à l'intégrité de la muqueuse buccale.
- □ Prise en charge inefficace du programme thérapeutique.
- □ *Risque élevé de douleur au point d'injection IV.*

- **Facteurs favorisants**
- □ Informations incomplètes.
- □ *Manque de connaissances sur les moyens de prévenir ou de réduire la sécheresse de la bouche.*

- □ *Manque de connaissances sur les modalités du traitement.*
- □ *Manque de connaissances sur les effets secondaires du médicament.*
- □ *Manque de connaissances sur la méthode d'administration du médicament.*
- □ *Inflammation locale du tissu vasculaire ou infiltration du médicament dans les tissus avoisinants.*
- □ *Perturbation de la vigilance.*

INTERVENTIONS INFIRMIÈRES

- **Directives générales:** Prendre les précautions qui s'imposent en cas de crise.
- □ Lors de la substitution de la phénytoïne par un autre anticonvulsivant, il faut adapter la posologie graduellement pendant plusieurs semaines.
- **PO:** Administrer le médicament avec les repas ou immédiatement après afin de réduire l'irritation gastro-intestinale. Bien mélanger les préparations liquides avant de les verser. Utiliser un récipient gradué pour administrer la dose exacte. Les comprimés de Dilantin Infatabs peuvent être croqués avant d'être avalés. Dans le cas des patients éprouvant des difficultés de déglutition, on peut ouvrir les capsules et en mélanger le contenu avec des aliments ou des liquides. Afin de prévenir le contact direct du médicament alcalin avec la muqueuse, conseiller au patient d'avaler d'abord une gorgée de liquide, de prendre ensuite le médicament et de boire après un grand verre d'eau ou de lait ou de consommer des aliments.
- □ Les comprimés à 50 mg et les capsules à 100 mg ne sont pas interchangeables; les capsules contiennent 92 mg de phénytoïne et n'équivalent pas à deux comprimés de 50 mg.
- **IV:** La couleur légèrement jaune de la solution ne signifie pas que sa puissance est altérée. Si elle est réfrigérée, la solution peut former un précipité qui se dissoudra lorsqu'elle sera laissée

à la température ambiante. Jeter toute solution qui n'est pas transparente.

- **IV directe:** Administrer à un débit ne dépassant pas 50 mg à la minute (25 mg/min chez les patients âgés et de 1 à 3 mg/kg à la minute chez les nouveau-nés). L'administration rapide peut provoquer une hypotension grave ou une dépression du SNC.

- **Perfusion continue:** Mélanger la phénytoïne avec une solution de NaCl à 0,9 % à une concentration de 1 à 10 mg/mL. Administrer immédiatement après avoir préparé le mélange. Utiliser une tubulure renfermant un filtre de 0,22 μm.

☐ Afin de prévenir la précipitation et de réduire l'irritation veineuse locale, administrer une solution de NaCl à 0,9 % après la perfusion. Éviter l'extravasation; la phénytoïne a un effet caustique.

☐ *Vitesse d'administration:* Terminer la perfusion en l'espace de 4 h à un débit inférieur à 50 mg/min. Suivre la fonction cardiaque et la pression artérielle tout au long de la perfusion.

- **Compatibilités (tubulure en Y):** Esmolol, famotidine ou foscarnet.

- **Incompatibilité (tubulure en Y):** Chlorure de potassium.

- **Incompatibilités en addition au soluté:** Ne pas mélanger avec d'autres solutions ou médicaments, particulièrement le dextrose, car un précipité se formera.

ENSEIGNEMENT AU PATIENT ET À SES PROCHES

☐ Conseiller au patient de prendre le médicament tous les jours en respectant scrupuleusement la posologie recommandée. Le prévenir qu'il doit avertir le médecin s'il n'a pu prendre la phénytoïne 2 jours de suite. Le sevrage brusque peut provoquer un état de mal épileptique.

☐ Prévenir le patient que la phénytoïne peut entraîner de la somnolence ou des étourdissements. Lui conseiller de ne pas conduire et d'éviter les activités qui exigent sa vigilance jusqu'à ce qu'on ait la certitude que le médicament n'entraîne pas ces effets chez lui. Le prévenir qu'il ne doit reprendre la conduite automobile que si le médecin l'autorise à le faire après s'être assuré que le trouble convulsif a été maîtrisé.

☐ Recommander au patient d'éviter de boire de l'alcool ou de prendre des médicaments en vente libre en même temps que la phénytoïne sans consulter au préalable le médecin ou le pharmacien.

☐ Expliquer au patient l'importance d'une bonne hygiène orale. L'inciter à se soumettre à des soins d'hygiène dentaire à intervalles réguliers afin de prévenir la sensibilité, les saignements et l'hyperplasie des gencives. L'amorce d'un programme d'hygiène orale dans les 10 jours suivant le début du traitement par la phénytoïne peut réduire la gravité de l'hyperplasie gingivale et sa propagation. Les patients de moins de 23 ans et ceux qui prennent des doses supérieures à 500 mg par jour sont particulièrement prédisposés à l'hyperplasie gingivale.

☐ Informer le patient que la phénytoïne peut colorer son urine en rose, rouge ou rouge-brun, mais que ce changement de couleur n'est pas important.

☐ Recommander au patient diabétique de mesurer soigneusement sa glycosurie et de signaler au médecin tout changement important.

☐ Recommander au patient qui doit suivre un traitement dentaire ou subir une intervention chirurgicale d'avertir le dentiste ou le médecin qu'il suit un traitement médicamenteux.

☐ Recommander au patient de ne pas prendre la phénytoïne dans les 2 ou 3 h qui précèdent ou qui suivent la prise d'un antiacide.

☐ Conseiller au patient de porter sur lui en tout temps une pièce d'identité où

P

sont inscrits son trouble de santé et son traitement médicamenteux.

□ Inciter le patient à prévenir le médecin si les symptômes suivants surviennent : rash, nausées ou vomissements graves, somnolence, troubles d'élocution, démarche chancelante, enflure des ganglions, gencives sensibles ou qui saignent, jaunissement des yeux ou de la peau, douleurs articulaires, fièvre, maux de gorge, saignements ou ecchymoses inhabituels et céphalées persistantes. Recommander à la patiente de prévenir le médecin si elle est enceinte.

□ Insister sur l'importance des examens médicaux réguliers permettant d'évaluer l'efficacité du traitement. Le patient devrait se soumettre à des examens physiques de routine, particulièrement à un examen de la peau et des ganglions lymphatiques et à un EEG.

VÉRIFICATION DES RÉSULTATS

L'efficacité du traitement peut être démontrée par : ■ la diminution ou l'arrêt des crises sans sédation excessive ■ la suppression des arythmies ■ le soulagement de la douleur attribuable à la névralgie essentielle du trijumeau.

PHYSOSTIGMINE
Antilirium, (Isopto-Eserine)

CLASSIFICATION :
Cholinergique – anticholinestérasique

INDICATIONS

■ Renversement des effets sur le SNC d'une surdose de médicaments pouvant entraîner le syndrome anticholinergique incluant : □ la belladone ou d'autres alcaloïdes végétaux □ les phénothiazines □ les antidépresseurs tricycliques □ les antihistaminiques (le médicament peut supprimer le délire, les hallucinations, le coma et certaines arythmies, mais il ne peut pas totalement corriger les anomalies de conduction cardiaque ni interrompre la tachycardie ■ Traitement de la détresse respiratoire et de la somnolence provoquées par la morphine.

ACTION

■ Inhibition de la décomposition de l'acétylcholine entraînant son accumulation et un effet prolongé se traduisant par une réaction cholinergique généralisée incluant : □ le myosis □ l'augmentation du tonus intestinal et des muscles squelettiques □ la constriction bronchique et urétérale □ la bradycardie □ l'intensification de la salivation □ le larmoiement □ la sudation □ la stimulation du SNC.
Effets thérapeutiques : ■ Renversement d'une activité anticholinergique excessive ■ Renversement de la détresse respiratoire et de la somnolence provoquées par la morphine.

PHARMACOCINÉTIQUE

Absorption : Absorption rapide depuis les points d'injection IM.
Distribution : La physostigmine se répartit dans tout l'organisme et traverse la barrière hémato-encéphalique.
Métabolisme et excrétion : La physostigmine est métabolisée par la cholinestérase présente dans de nombreux tissus. De petites quantités sont excrétées à l'état inchangé dans l'urine.
Demi-vie : Inconnue.

CONTRE-INDICATIONS ET PRÉCAUTIONS

Contre-indications : ■ Hypersensibilité ■ Occlusion mécanique du tractus gastro-intestinal ou génito-urinaire ■ Grossesse ou allaitement (de 10 à 20 % des nouveau-nés présenteront une faiblesse musculaire).
Précautions : ■ Antécédents d'asthme ■ Ulcère ■ Maladie cardiovasculaire ■ Épilepsie ■ Hyperthyroïdie.

RÉACTIONS INDÉSIRABLES ET EFFETS SECONDAIRES

SNC : étourdissements, faiblesse, agitation, hallucinations, CONVULSIONS.
ORLO : myosis, larmoiement.
Resp. : sécrétions respiratoires excessives, bronchospasme.
CV : bradycardie, hypotension.
GI : crampes abdominales, nausées, vomissements, diarrhée, salivation excessive.
Tég. : rash.

INTERACTIONS

Médicament – médicament : ■ Les effets cholinergiques de la physostigmine peuvent être contrecarrés par les autres **médicaments doués de propriétés anticholinergiques**, administrés simultanément, incluant les **antihistaminiques**, les **antidépresseurs**, l'**atropine**, l'**halopéridol**, les **phénothiazines**, la **quinidine** et le **disopyramide** ■ La physostigmine prolonge l'action des **myorelaxants de type dépolarisant (succinylcholine, décaméthonium)**.

VOIES D'ADMINISTRATION ET POSOLOGIE

- **IM et IV (adultes) :** initialement, de 0,5 à 2 mg ; on peut répéter l'administration toutes les 10 à 30 min jusqu'à la manifestation d'une réponse. On peut ensuite administrer de 1 à 4 mg, toutes les 30 à 60 min, si les symptômes récidivent.
- **IV (enfants) :** 0,5 mg ou moins ; on peut répéter l'administration toutes les 5 à 10 min, jusqu'à ce que l'effet thérapeutique souhaité soit atteint ou jusqu'à concurrence de 2 mg.

PHARMACODYNAMIE (IM et IV = effets cholinergiques systémiques)

	DÉBUT D'ACTION	PIC	DURÉE
IM	3 – 8 min	inconnu	45 – 60 min*
IV	3 – 8 min	inconnu	45 – 60 min*

* L'action peut durer jusqu'à 5 h.

SOINS INFIRMIERS

ÉVALUATION DE LA SITUATION

- **Directives générales :** Mesurer le pouls, la fréquence des respirations et la pression artérielle à intervalles fréquents tout au long de l'administration parentérale. Suivre de près l'ÉCG tout au long de l'administration IV.
- **Excès d'activité anticholinergique :** Observer l'état neurologique à intervalles fréquents. Prendre les précautions nécessaires en cas de convulsions. Protéger le patient contre tout comportement d'auto-mutilation attribuable aux effets de la surdose sur le SNC.
- **Toxicité et surdosage :** Le surdosage se manifeste par la bradycardie, la détresse respiratoire, des convulsions, la faiblesse, les nausées, les vomissements, les crampes abdominales, la diarrhée, la diaphorèse et l'intensification de la salivation et des sécrétions de larmes.
- □ L'antidote de la physostigmine est l'atropine.
- □ Pour traiter le surdosage, il faut dégager les voies aériennes, assister la ventilation, administrer de 2 à 4 mg de sulfate d'atropine (on peut répéter l'administration toutes les 3 à 10 min afin de maîtriser les effets muscariniques), ainsi que de 50 à 100 mg de chlorure de pralidoxime à la minute (pour contrer les effets neurologiques et musculosquelettiques) et instaurer le traitement de soutien.

DIAGNOSTICS INFIRMIERS POSSIBLES

- **Énoncés diagnostiques**
- □ Risque élevé d'accident.
- □ Prise en charge inefficace du programme thérapeutique.
- □ *Risque élevé d'intoxication.*

- **Facteurs favorisants**
- □ Informations incomplètes.
- □ *Manque de connaissances sur les modalités du traitement.*

INTERVENTIONS INFIRMIÈRES

- **IV directe :** Il peut s'avérer nécessaire de répéter l'administration en raison de la courte durée d'action de la physostigmine.
- *Vitesse d'administration :* Administrer la préparation dans une tubulure en Y ou dans un robinet à trois voies à un débit de 1 mg à la minute (0,5 mg à la minute chez les enfants). L'administration rapide peut provoquer la bradycardie et une salivation accrue pouvant entraîner la détresse respiratoire ou des convulsions.
- **Incompatibilité en addition au soluté :** Ne pas ajouter la physostigmine à des solutions IV.

ENSEIGNEMENT AU PATIENT ET À SES PROCHES

- Expliquer au patient le but du traitement et la nécessité d'une surveillance étroite.

VÉRIFICATION DES RÉSULTATS

L'efficacité du traitement peut être démontrée par : ■ le renversement des symptômes sur le SNC secondaires à un excès d'activité anticholinergique attribuable à une dose trop élevée de médicament ou à l'ingestion de plantes vénéneuses ■ le renversement de la détresse respiratoire et de la somnolence provoquées par la morphine sans toutefois que l'analgésie soit diminuée.

PHYTONADIONE
vitamine K$_1$, (AquaMEPHYTON), (Konakion), (Mephyton)

CLASSIFICATION :
Vitamine liposoluble

Grossesse – catégorie inconnue

INDICATIONS

- Prévention et traitement de l'hypoprothrombinémie pouvant être attribuable à :

□ des doses excessives d'anticoagulants oraux □ des salicylates □ certains anti-infectieux □ des carences nutritionnelles □ une alimentation parentérale totale prolongée ■ Prévention et traitement des hémorragies du nouveau-né.

ACTION

- Élément nécessaire à la synthèse hépatique des facteurs de coagulation II (prothrombine), VII, IX et X. **Effets thérapeutiques :** ■ Prévention de l'hémorragie provoquée par l'hypoprothrombinémie.

PHARMACOCINÉTIQUE

Absorption : Bonne absorption par suite de l'administration par voies IM ou SC. Une certaine quantité de vitamine K est produite par les bactéries du tractus gastro-intestinal.
Distribution : La phytonadione traverse le placenta, mais ne pénètre pas dans le lait maternel.
Métabolisme et excrétion : Métabolisme hépatique rapide.
Demi-vie : Inconnue.

CONTRE-INDICATIONS ET PRÉCAUTIONS

Contre-indications : ■ Hypersensibilité ■ Hypersensibilité à l'alcool benzylique.
Précaution : Insuffisance hépatique.

RÉACTIONS INDÉSIRABLES ET EFFETS SECONDAIRES

GI : irritation gastrique, goût inhabituel.
Tég. : rash, urticaire, rougeur du visage.
Locaux : érythème, enflure, douleur au point d'injection.
Divers : anémie hémolytique, ictère nucléaire, hyperbilirubinémie (doses élevées chez les nouveau-nés très prématurés), réactions allergiques.

INTERACTIONS

Médicament – médicament : ■ Les doses élevées de phytonadione contrecarreront l'effet des **anticoagulants oraux**, administrés simultanément ■ Les doses élevées

P

de **salicylates** ou d'**anti-infectieux à large spectre**, administrés simultanément, peuvent augmenter les besoins en vitamine K.

VOIES D'ADMINISTRATION ET POSOLOGIE

Traitement de l'hypoprothrombinémie

- **SC et IM (adultes):** de 2,5 à 10 mg; répéter le traitement au besoin de 6 à 8 h plus tard (ne pas dépasser 50 mg).
- **SC et IM (enfants):** de 5 à 10 mg.
- **IM et SC (nourrissons):** 2 mg.

Prévention de l'hypoprothrombinémie pendant l'alimentation parentérale totale

- **IM (adultes):** de 5 à 10 mg, une fois par semaine.
- **IM (enfants):** de 2 à 5 mg, une fois par semaine.

Prévention des hémorragies du nouveau-né

- **IM:** de 0,5 à 1 mg, dans les 6 h suivant la naissance.
- **PO:** 2 mg dans les 6 h suivant la naissance.

Traitement des hémorragies du nouveau-né

- **SC et IM:** 1 mg, répéter l'administration au besoin 6 à 8 h plus tard.

PHARMACODYNAMIE

	DÉBUT D'ACTION	PIC*	DURÉE†
IM, SC	1–2 h	3–6 h	12–14 h

* = arrêt de l'hémorragie
† = obtention d'un temps de prothrombine normal

SOINS INFIRMIERS

ÉVALUATION DE LA SITUATION

☐ Suivre de près la présence de saignements francs et occultes (présence de sang occulte dans les selles, l'urine et les vomissements). Mesurer le pouls et la pression artérielle à intervalles fréquents. Prévenir immédiatement le médecin si des symptômes d'hémorragie interne ou de choc hypovolémique se manifestent. Afin de prévenir tout risque de nouveau traumatisme, informer tout le personnel que le patient a des tendances au saignement. Exercer une pression sur tous les points de ponction veineuse pendant au moins 5 min; éviter toute injection IM superflue.

- **Étude des examens diagnostiques et biochimiques:** Noter le temps de prothrombine avant le traitement par la vitamine K et pendant toute sa durée afin de déterminer la réponse du patient et le besoin de poursuivre le traitement.

DIAGNOSTICS INFIRMIERS POSSIBLES

- **Énoncés diagnostiques**
☐ Déficit nutritionnel.
☐ Atteinte à l'intégrité des tissus.
☐ Prise en charge inefficace du programme thérapeutique.
☐ *Risque élevé d'accident.*

- **Facteurs favorisants**
☐ Informations incomplètes.
☐ *Manque de connaissances sur le régime alimentaire à suivre.*
☐ *Manque de connaissances sur les modalités du traitement.*
☐ *Manque de connaissances sur les effets secondaires du médicament.*

INTERVENTIONS INFIRMIÈRES

- **Directives générales:** En raison du risque de réactions d'hypersensibilité grave, on ne recommande pas d'administrer de la vitamine K par voie IV.
☐ L'administration de plasma ou de sang entier peut également s'avérer nécessaire dans les cas d'hémorragie grave en raison du début d'action retardé de ce médicament.
☐ La phytonadione est l'antidote de la warfarine en cas de surdosage, mais elle ne contrecarre pas l'activité anticoagulante de l'héparine.
- **PO (nouveau-nés):** La dose orale doit être administrée avec la première préparation liquide claire avant l'alimentation au lait. On a déjà administré

à des nouveau-nés des préparations parentérales par voie orale.

ENSEIGNEMENT AU PATIENT ET À SES PROCHES

☐ Conseiller au patient de respecter scrupuleusement la posologie recommandée. S'il n'a pu prendre le médicament au moment habituel, il doit le prendre dès que possible à moins qu'il ne soit presque l'heure prévue pour la dose suivante. Lui conseiller de prévenir le médecin s'il n'a pu prendre plusieurs doses.

☐ Les aliments riches en vitamine K incluent les légumes verts en feuilles, la viande et les produits laitiers. La cuisson de ces aliments ne détruit pas beaucoup la vitamine K. Les patients qui prennent de la vitamine K ne doivent pas apporter des modifications considérables à leur alimentation.

☐ Recommander au patient d'éviter les injections par voie IM et les activités pouvant entraîner des blessures. L'inciter à utiliser une brosse à dents à poils doux et un rasoir électrique et à ne pas se servir de soie dentaire jusqu'à ce que le trouble de coagulation soit corrigé.

☐ Recommander au patient de signaler au médecin les symptômes de saignements ou les ecchymoses inhabituels : saignement des gencives, saignement de nez, selles noires et goudronneuses, hématurie, débit menstruel abondant.

☐ Conseiller au patient qui reçoit un traitement par la vitamine K de consulter le médecin ou le pharmacien avant de prendre des médicaments en vente libre.

☐ Recommander au patient qui doit suivre un traitement dentaire ou subir une intervention chirurgicale d'avertir le dentiste ou le médecin qu'il suit un traitement médicamenteux.

☐ Conseiller au patient de porter sur lui en tout temps une pièce d'identité où est inscrit son trouble de santé.

☐ Insister sur l'importance d'examens biochimiques fréquents permettant de mesurer les facteurs de coagulation.

VÉRIFICATION DES RÉSULTATS

L'efficacité du traitement peut être démontrée par : ■ la prévention des hémorragies spontanées ou l'arrêt du saignement chez les patients souffrant d'hypoprothrombinémie secondaire à une mauvaise absorption intestinale ou à un traitement par des anticoagulants oraux, des salicylates ou des antibiotiques ■ la prévention et le traitement des hémorragies du nouveau-né.

PILOCARPINE

Akarpine, Diocarpine, Isopto Carpine, Miocarpine, Ocusert Pilo, Pilocarpine Minims, Pilopine HS, P.V. Carpine Liquifilm, R.D.-Carpine, Spersacarpine, (Adsorbocarpine), (Almocarpine), (I-Pilopine), (Pilocar), (Pilokair)

CLASSIFICATION :
Usage ophtalmique – traitement du glaucome ; usage ophtalmique – myotique

Grossesse – catégorie C

INDICATIONS

■ Glaucome – en monothérapie ou en association avec d'autres agents ■ Myosis – après l'intervention chirurgicale ou après l'administration de cycloplégiques et de mydriatiques.

ACTION

■ Stimulation directe des récepteurs cholinergiques de l'œil entraînant : ☐ le myosis ☐ une meilleure accommodation ☐ la contraction des pupilles ☐ l'abaissement de la pression intraoculaire attribuable à l'augmentation du débit d'humeur aqueuse. **Effets thérapeutiques :** ■ Abaissement de la pression intraoculaire ■ Myosis.

PHARMACOCINÉTIQUE

Absorption: Par suite de l'administration dans l'œil, une certaine quantité du médicament peut être absorbée par voie systémique.

Distribution: La pilocarpine se lie aux tissus oculaires.

Métabolisme et excrétion: Inconnus.

Demi-vie: Inconnue.

CONTRE-INDICATIONS ET PRÉCAUTIONS

Contre-indications: ■ Hypersensibilité ■ Risque ou antécédents de décollement de la rétine ■ Inflammation oculaire aiguë ■ Synéchie postérieure (adhérence de l'iris au cristallin).

Précautions: ■ Abrasion de la cornée ■ Asthme ■ Hypertension ■ Hyperthyroïdie ■ Maladie cardiovasculaire ■ Épilepsie ■ Parkinsonisme ■ Bradycardie ■ Ulcère ■ Obstruction des voies urinaires ■ Hypotension ■ Occlusion gastrointestinale.

RÉACTIONS INDÉSIRABLES ET EFFETS SECONDAIRES

SNC: céphalées.

ORLO: vision trouble, douleurs oculaires, irritation oculaire, douleurs au niveau des sourcils.

Resp.: dyspnée, respiration sifflante.

GI: nausées, vomissements, diarrhée, salivation.

Tég.: sécrétion accrue de sueur.

Loc.: tremblements musculaires.

INTERACTIONS

Médicament – médicament: ■ Effets additifs sur la diminution de la pression intraoculaire lors de l'administration simultanée de préparations ophtalmiques d'**épinéphrine** et de **bêtabloquants** et d'**inhibiteurs de l'anhydrase carbonique** par voie systémique ■ La pilocarpine contrecarre la mydriase provoquée par le **cyclopentolate** ou les **préparations ophtalmiques d'alcaloïdes de la belladone** (**atropine**, **scopolamine**), administrés simultanément.

VOIES D'ADMINISTRATION ET POSOLOGIE

Traitement prolongé du glaucome

■ **Préparations ophtalmiques (adultes):** initialement, 1 ou 2 gouttes de solution à 1 ou 2 % dans la conjonctive, toutes les 6 ou 8 h; ou 1,5 cm de gel à 4 % dans la conjonctive, une fois par jour, au coucher; ou application du timbre oculaire de 20 mg ou de 40 mg sur la conjonctive, une fois par semaine.

Traitement actif du glaucome à angle fermé

■ **Préparations ophtalmiques (adultes):** 1 ou 2 gouttes de solution à 2 %, toutes les minutes, pendant 5 min, puis 1 ou 2 gouttes, toutes les 5 min, pendant 25 min, suivi de 1 ou 2 gouttes, 3 ou 4 fois à l'heure, jusqu'à ce que la pression intraoculaire diminue (on peut appliquer dans l'œil indemne: 3 gouttes de solution à 1 %, toutes les 8 h).

Myosis

■ **Préparations ophtalmiques (adultes):** 1 ou 2 gouttes de solution à 2 ou à 4 %, au besoin.

PHARMACODYNAMIE

	DÉBUT D'ACTION	PIC	DURÉE
Préparations ophtalmiques (myosis)	10 – 30 min	inconnu	4 – 8 h
Préparations ophtalmiques (abaissement de la pression intraoculaire)	inconnu	75 min	4 – 14 h
Préparations ophtalmiques –Ocusert– (abaissement de la pression intraoculaire)	inconnu	1,5 – 2 h	7 jours

☀ SOINS INFIRMIERS

ÉVALUATION DE LA SITUATION

☐ Suivre de près toute modification de la vision ainsi que l'irritation oculaire et les céphalées persistantes.

- Observer le patient à la recherche des signes suivants d'effets secondaires systémiques : transpiration, salivation accrue, nausées, vomissements, diarrhée et détresse respiratoire. En prévenir le médecin le cas échéant.

- **Toxicité et surdosage :** La toxicité se manifeste par des effets secondaires systémiques. L'antidote de la pilocarpine est l'atropine.

DIAGNOSTICS INFIRMIERS POSSIBLES

- **Énoncés diagnostiques**
- Altération de la perception visuelle.
- Prise en charge inefficace du programme thérapeutique.
- *Risque élevé d'anxiété.*
- *Risque élevé d'accident.*

- **Facteurs favorisants**
- Informations incomplètes.
- *Manque de connaissances sur la méthode d'administration du médicament.*
- *Manque de connaissances sur l'importance d'un suivi ophtalmologique.*
- *Manque de connaissances sur les effets secondaires du médicament.*
- *Altération de la perception visuelle.*

INTERVENTIONS INFIRMIÈRES

- **Préparations ophtalmiques :** La pilocarpine existe en plusieurs concentrations. Lire attentivement la teneur indiquée sur l'étiquette avant d'administrer l'agent.

ENSEIGNEMENT AU PATIENT ET À SES PROCHES

- Conseiller au patient de respecter scrupuleusement la posologie recommandée et de ne pas arrêter le traitement sans avoir consulté le médecin au préalable. Prévenir le patient qu'il devra peut-être suivre ce traitement toute sa vie durant. S'il n'a pas pu prendre le médicament au moment habituel, il devrait le prendre dès que possible à moins qu'il ne soit presque l'heure prévue pour la dose suivante.

S'il n'a pu appliquer une dose d'onguent au moment habituel, il devrait le faire dès que possible. S'il ne peut le faire que le jour suivant, lui conseiller d'attendre l'heure prévue pour la dose suivante.

- Montrer au patient comment administrer les gouttes ophtalmiques : se laver les mains, se coucher sur le dos ou renverser la tête en arrière et regarder vers le haut. Abaisser doucement la paupière inférieure pour exposer le sac conjonctival et instiller le nombre de gouttes prescrit, en espaçant d'au moins 5 min l'instillation de chaque goutte. Appliquer une pression sur le canthus interne pendant 1 ou 2 min afin de limiter les effets du médicament à l'œil. Attendre au moins 5 min avant d'administrer les autres types de gouttes ophtalmiques prescrits.

- Pour l'administration de l'onguent ophtalmique, conseiller au patient de garder d'abord le tube dans la main pendant plusieurs minutes pour le réchauffer. Appliquer une bande d'onguent dans la partie inférieure du sac conjonctival au coucher, immédiatement avant d'aller au lit. Fermer doucement les paupières et bouger l'œil dans toutes les directions. Bien refermer le tube après utilisation. Attendre 10 min avant d'appliquer tout autre onguent ophtalmique. On peut réfrigérer l'onguent ou le garder à la température ambiante pendant 8 semaines. Ne pas toucher les yeux, les doigts ou toute autre surface avec le bouchon ou l'extrémité du tube.

- Montrer au patient comment installer le timbre oculaire à la pilocarpine (Ocusert). Conserver le timbre Ocusert au réfrigérateur avant l'utilisation. Changer le timbre une fois par semaine, au coucher, pour réduire les effets initiaux sur la vision (myopie). On peut appliquer le timbre Ocusert dans le sac conjonctival supérieur ou inférieur, mais il risque moins de tomber durant la nuit s'il est placé dans le sac conjonctival supérieur. Pour le retirer de l'œil, on doit exercer une légère pression à travers les paupières closes ou le pousser directement avec les doigts (se laver les mains auparavant). Si le timbre Ocusert tombe, il faut le laver à l'eau tiède du robinet et le réintroduire dans l'œil. Ne pas appliquer un timbre contaminé ou endommagé. Si le patient qui porte le timbre Ocusert aux deux yeux en perd un, il devrait remplacer les deux timbres afin de pouvoir respecter le même calendrier des changements pour les deux yeux. Expliquer au patient les symptômes d'absorption systémique et lui recommander de retirer le timbre et de prévenir le médecin si ces effets secondaires se manifestent.

□ Prévenir le patient que le rétrécissement de la pupille, des picotements passagers et la vision trouble sont des effets prévisibles. Lui recommander de prévenir le médecin si la vision trouble et les douleurs au niveau des sourcils persistent.

□ Prévenir le patient que sa vision nocturne peut être altérée. Lui recommander de ne pas conduire la nuit jusqu'à ce qu'on ait la certitude que le médicament n'entraîne pas cet effet chez lui. Pour éviter les accidents dans l'obscurité, conseiller au patient de se servir d'une lampe de poche et de retirer les obstacles qui peuvent le gêner dans ses déplacements.

□ Inciter le patient à faire examiner son champ de vision et mesurer sa pression intraoculaire à intervalles réguliers.

VÉRIFICATION DES RÉSULTATS

L'efficacité du traitement peut être démontrée par : ■ l'abaissement d'une pression intraoculaire élevée ■ le renversement des effets des agents mydriatiques.

PINDOLOL
Apo-Pindol, Novo-Pindol, Nu-Pindol, Syn-Pindolol, Visken

CLASSIFICATION :
Antihypertenseur – bêtabloquant ; bêtabloquant non sélectif

Grossesse – catégorie B

INDICATIONS

■ Hypertension – en monothérapie ou en association avec d'autres agents ■ Prévention de l'angine de poitrine. **Usages non approuvés :** ■ Myocardiopathie obstructive ■ Tremblements ■ Syndrome du prolapsus de la valvule mitrale.

ACTION

■ Inhibition de la stimulation des récepteurs adrénergiques bêta$_1$ (myocardiques) et bêta$_2$ (pulmonaires, vasculaires ou utérins) ■ Légère activité sympathomimétique intrinsèque (ASI) pouvant entraîner une bradycardie moindre. **Effets thérapeutiques :** ■ Réduction de la fréquence cardiaque ■ Abaissement de la pression artérielle.

PHARMACOCINÉTIQUE

Absorption : Bonne absorption par suite de l'administration par voie orale.
Distribution : Le pindolol pénètre dans le SNC en quantités moyennes. Il traverse le placenta et pénètre dans le lait maternel.
Métabolisme et excrétion : Le médicament est partiellement métabolisé par le foie ; une fraction allant jusqu'à 50 % est excrétée à l'état inchangé par les reins.
Demi-vie : De 3 à 4 h.

CONTRE-INDICATIONS ET PRÉCAUTIONS

Contre-indications : ■ Insuffisance cardiaque non compensée ■ Œdème pulmonaire ■ Choc cardiogène ■ Bradycardie ■ Bloc cardiaque ■ Grossesse ou allaitement (le médicament peut entraîner des scores bas au test d'Apgar et provoquer l'apnée, la bradycardie et l'hypoglycémie chez le nouveau-né) ■ Asthme ou bronchopneumopathie chronique obstructive. **Précautions:** ■ Thyrotoxicose ou hypoglycémie (le médicament peut en masquer les symptômes) ■ Insuffisance rénale (il est conseillé de réduire la dose) ■ Enfants (l'innocuité du médicament n'a pas été établie).

RÉACTIONS INDÉSIRABLES ET EFFETS SECONDAIRES

SNC: fatigue, faiblesse, dépression, insomnie, perte de la mémoire, modifications des opérations de la pensée, cauchemars, anxiété, nervosité, étourdissements.
CV: BRADYCARDIE, INSUFFISANCE CARDIAQUE, ŒDÈME PULMONAIRE, vasoconstriction périphérique, hypotension, œdème.
ORLO: sécheresse des yeux (alacrymie), vision trouble.
Resp.: bronchospasme, respiration sifflante.
GI: diarrhée, nausées.
GU: impuissance, diminution de la libido.
Tég.: rash.
End.: hyperglycémie, hypoglycémie.
Loc.: douleurs articulaires, arthralgie.

INTERACTIONS

Médicament – médicament: ■ Risque de dépression myocardique additive lors de l'administration concomitante d'une **anesthésie générale**, de **phénytoïne par voie IV** et de **vérapamil** ■ Risque de bradycardie additive lors de l'administration concomitante de **dérivés digitaliques** ■ Risque d'hypotension additive lors de l'administration concomitante d'autres **antihypertenseurs** et de **dérivés nitrés** ou lors de la consommation d'**alcool** ■ L'**épinéphrine**, la **cocaïne**, les **amphétamines**, l'**éphédrine**, la **norépinéphrine**, la **phényléphrine** ou la **pseudoéphédrine**, administrées simultanément, peuvent entraîner une stimulation alpha-adrénergique non compensée, l'hypertension ou la bradycardie ■ Les ex-

traits **thyroïdiens**, administrés simultanément, peuvent diminuer l'efficacité du pindolol ■ L'**insuline**, administrée simultanément, peut prolonger l'hypoglycémie ■ Le pindolol peut contrecarrer les effets des **bronchodilatateurs bêta-adrénergiques** ■ Le pindolol peut abolir les effets bénéfiques sur les récepteurs bêta$_1$ cardiaques de la **dopamine** ou de la **dobutamine**.

VOIES D'ADMINISTRATION ET POSOLOGIE

Hypertension
■ **PO (adultes):** initialement, 5 mg, deux fois par jour; on peut augmenter par paliers de 10 mg par jour, à des intervalles de 1 ou de 2 semaines. La dose d'entretien habituelle est de 15 à 45 mg par jour, en deux ou trois prises fractionnées. Pour des doses quotidiennes allant de 10 à 20 mg, le médicament peut être administré une fois par jour.

Angine
■ **PO (adultes):** initialement, 5 mg, 3 fois par jour; on peut augmenter la dose à des intervalles de 1 ou de 2 semaines. La dose d'entretien habituelle est de 15 à 40 mg par jour, en trois ou quatre prises fractionnées.

PHARMACODYNAMIE (effet antihypertenseur)

	DÉBUT D'ACTION	PIC	DURÉE
PO	7 jours	2 semaines	8–24 h

☆ SOINS INFIRMIERS

ÉVALUATION DE LA SITUATION
■ **Directives générales:** Mesurer la pression artérielle et le pouls à intervalles fréquents au cours de la période d'adaptation de la posologie et à intervalles réguliers pendant toute la durée du traitement. Si le pouls est

inférieur à 50 battements par minute, consulter le médecin avant d'administrer le médicament. Suivre de près l'hypotension orthostatique pendant qu'on aide le patient à sortir du lit.

☐ Effectuer le bilan quotidien des ingesta et des excreta et peser le patient tous les jours. Observer le patient à intervalles réguliers à la recherche des signes suivants d'insuffisance cardiaque : œdème périphérique, dyspnée, râles et crépitations, fatigue, gain pondéral, turgescence des jugulaires.

■ **Angine :** Noter la fréquence et la durée des épisodes de douleurs thoraciques à intervalles réguliers pendant toute la durée du traitement.

■ **Étude des examens diagnostiques et biochimiques :** Examiner régulièrement les résultats des tests de l'exploration fonctionnelle hépatique et rénale ainsi que la numération globulaire chez les patients recevant un traitement prolongé.

☐ Le pindolol peut entraîner l'élévation des concentrations sériques de potassium, d'urée, d'acide urique, de triglycérides et de lipoprotéines. Le médicament peut également positiver la recherche d'anticorps antinucléaires.

DIAGNOSTICS INFIRMIERS POSSIBLES

■ **Énoncés diagnostiques**

☐ Diminution du débit cardiaque.

☐ Prise en charge inefficace du programme thérapeutique.

☐ Non-observance du traitement médicamenteux.

☐ *Risque élevé d'anxiété.*

☐ *Risque élevé d'accident.*

☐ *Risque élevé d'intolérance à l'activité.*

■ **Facteurs favorisants**

☐ Informations incomplètes.

☐ Doute quant aux bienfaits du médicament.

☐ *Manque de connaissances sur les effets secondaires du médicament.*

☐ *Fatigue et faiblesse.*

☐ *Douleurs articulaires.*

☐ *Modification de l'état liquidien ou des volumes circulants.*

☐ *Manque de connaissances sur les modalités du traitement.*

☐ *Manque de connaissances sur la méthode d'administration du médicament.*

☐ *Manque de connaissances sur les effets hypotensifs du médicament lors des changements brusques de postion.*

☐ *Difficulté à s'adapter aux changements nécessaires dans les habitudes de vie.*

☐ *Manque de connaissances sur le régime alimentaire à suivre.*

INTERVENTIONS INFIRMIÈRES

■ **PO :** On peut administrer le pindolol avec des aliments ou à jeun. Si le patient éprouve des difficultés de déglutition, on peut broyer et mélanger les comprimés avec des aliments ou des liquides.

ENSEIGNEMENT AU PATIENT ET À SES PROCHES

☐ Conseiller au patient de respecter scrupuleusement la posologie recommandée et de continuer à prendre le médicament même s'il se sent mieux. S'il n'a pu prendre le médicament au moment habituel, il doit le prendre dès que possible, mais au moins 4 h avant l'heure prévue pour la dose suivante. Un sevrage brusque peut provoquer des arythmies qui risquent d'être mortelles, de l'hypertension ou une ischémie du myocarde.

☐ Montrer au patient et à ses proches comment prendre le pouls et la pression artérielle. Leur demander de mesurer le pouls tous les jours et la pression artérielle deux fois par semaine. Recommander au patient de ne pas prendre le médicament et d'informer le médecin si le pouls est inférieur à 50 battements par minute ou si la pression artérielle change considérablement.

◻ Recommander au patient de changer lentement de position et d'éviter de rester debout sans bouger pendant de longues périodes afin de diminuer le risque d'hypotension orthostatique.

◻ Inciter le patient à appliquer d'autres mesures de réduction de l'hypertension : perdre du poids, réduire sa consommation de sel, diminuer le stress, faire régulièrement de l'exercice, modérer sa consommation d'alcool et cesser de fumer. Le pindolol stabilise la pression artérielle, mais ne guérit pas l'hypertension.

◻ Prévenir le patient que le pindolol peut le rendre plus sensible au froid.

◻ Conseiller au patient de consulter le médecin ou le pharmacien avant de prendre des médicaments en vente libre en même temps que le pindolol, particulièrement des médicaments pour le rhume. Lui conseiller également d'éviter les excès de café, de thé et de boissons à base de cola.

◻ Recommander au patient diabétique de mesurer minutieusement sa glycémie, particulièrement lorsqu'il se sent fatigué, faible ou irritable.

◻ Recommander au patient qui doit suivre un traitement dentaire ou subir une intervention chirurgicale d'avertir le dentiste ou le médecin qu'il suit un traitement médicamenteux.

◻ Conseiller au patient de porter sur lui en tout temps une pièce d'identité où est inscrit son traitement médicamenteux.

◻ Recommander au patient de signaler au médecin les symptômes suivants : ralentissement du pouls, étourdissements, dépression ou rash.

VÉRIFICATION DES RÉSULTATS

L'efficacité du traitement peut être démontrée par : ■ la baisse de la pression artérielle ; les effets hypotenseurs peuvent commencer à se manifester en l'espace de 7 jours, mais le plein effet n'est atteint qu'environ 2 semaines après le début du traitement ■ la diminution de la fréquence des crises d'angine.

PIPÉCURONIUM
(Arduan)

CLASSIFICATION :
Bloqueur neuromusculaire de type non dépolarisant

Grossesse – catégorie C

INDICATIONS

Paralysie des muscles squelettiques et facilitation de l'intubation après induction de l'anesthésie lors d'interventions chirurgicales d'une durée supérieure à 90 min.

ACTION

■ Inhibition de la transmission neuromusculaire par blocage de l'effet de l'acétylcholine à la jonction neuromusculaire ■ Absence d'effets analgésiques ou anxiolytiques. **Effets thérapeutiques :** ■ Paralysie des muscles squelettiques.

PHARMACOCINÉTIQUE

Absorption : Le pipécuronium est réservé à l'administration IV ; dans ce cas, sa biodisponibilité est totale.

Distribution : Inconnue.

Métabolisme et excrétion : Une fraction supérieure à 75 % est excrétée par les reins, principalement sous forme de médicament non métabolisé.

Demi-vie : 1,7 h (prolongée en cas d'insuffisance rénale).

CONTRE-INDICATIONS ET PRÉCAUTIONS

Contre-indications : ■ Hypersensibilité au pipécuronium ou aux bromures ■ Patients en soins intensifs nécessitant une ventilation artificielle prolongée ■ Traitement d'association avec d'autres bloqueurs neuromusculaires de type non dépolarisant (usage à éviter) ■ Administration avant la succinylcholine (le médicament peut être administré après le réveil du patient).

Précautions: ■ Maladie cardiovasculaire, états œdémateux, patients âgés (début d'action retardé) ■ Obésité (prolongation de la durée de la paralysie; calculer la dose d'après le poids corporel idéal) ■ Déséquilibres électrolytiques ■ Myasthénie grave ou syndromes myasthéniques (administrer avec une extrême prudence; la prolongation de la durée d'action peut mettre le patient en danger) ■ Insuffisance rénale ■ Grossesse ou allaitement (l'innocuité du médicament n'a pas été établie).

RÉACTIONS INDÉSIRABLES ET EFFETS SECONDAIRES

Remarque: Presque toutes les réactions indésirables au pipécuronium découlent de ses effets pharmacologiques.
Resp.: apnée, insuffisance respiratoire.
CV: hypotension, bradycardie.
Loc.: faiblesse musculaire.
Divers: réactions allergiques.

INTERACTIONS

Médicament – médicament: ■ L'intensité et la durée de la paralysie peuvent être prolongées lors d'un traitement préalable par des **aminosides**, de la **polymyxine B**, de la **tétracycline**, de la **colistine**, de la **clindamycine**, de la **lidocaïne**, de la **quinidine** ou du **procaïnamide** ■ Blocage neuromusculaire additif (prolongation de la durée d'action et de la période de récupération) lors de l'administration simultanée d'**anesthésiques par inhalation (enflurane, isoflurane, halothane)**.

VOIES D'ADMINISTRATION ET POSOLOGIE

Remarque: Les doses indiquées ici s'appliquent au patient ne souffrant pas

d'obésité et dont la fonction rénale est normale.

■ **IV (adultes):** de 70 à 85 µg/kg (adapter la dose chez les patients obèses ou chez ceux souffrant d'insuffisance rénale). Si le pipécuronium est administré durant l'intubation après la période de récupération par suite de l'administration de succinylcholine, diminuer la dose jusqu'à 50 µg/kg. Des doses supplémentaires de 10 à 15 µg/kg peuvent s'avérer nécessaires en traitement d'entretien (réduire la dose lors de l'administration simultanée d'anesthésiques par inhalation).
■ **IV (enfants de 1 à 14 ans):** 57 µg/kg.
■ **IV (nourrissons de 3 mois à 1 an):** 40 µg/kg.

PHARMACODYNAMIE

	DÉBUT D'ACTION	PIC	DURÉE
IV	2,5–3 min	5 min	1–2 h

SOINS INFIRMIERS

ÉVALUATION DE LA SITUATION

□ Suivre continuellement la fonction respiratoire pendant toute la durée du traitement au pipécuronium. Le pipécuronium ne devrait être administré que par les personnes sachant pratiquer l'intubation endotrachéale. Garder à portée de la main le matériel nécessaire à cette intervention.

□ Évaluer la réponse neuromusculaire au pipécuronium pendant l'intervention chirurgicale par la stimulation des nerfs périphériques. La paralysie des muscles est initialement sélective et elle se produit habituellement dans l'ordre suivant: muscles releveurs des paupières, muscles masticateurs, muscles des membres, muscles abdominaux, muscles de la glotte, muscles intercostaux et diaphragme. Le rétablissement de la fonction musculaire se produit habituellement dans l'ordre inverse.

□ Pendant la période de récupération, suivre de près les symptômes de faiblesse musculaire et de détresse respiratoire.

■ **Toxicité et surdosage :** En cas de surdosage, stimuler les nerfs périphériques pour déterminer le degré de blocage neuromusculaire. Maintenir la perméabilité des voies aériennes et la ventilation jusqu'au rétablissement de la respiration normale.

□ On peut administrer les agents anticholinestérasiques (néostigmine, pyridostigmine) pour contrecarrer les effets du pipécuronium une fois que l'on décèle un certain déblocage neuromusculaire spontané.

□ Il peut s'avérer nécessaire d'administrer des liquides et des vasopresseurs pour traiter l'hypotension grave ou le choc.

DIAGNOSTICS INFIRMIERS POSSIBLES

■ **Énoncés diagnostiques**
□ Mode de respiration inefficace.
□ Altération de la communication verbale.
□ Peur.
□ *Risque élevé d'accident.*
□ *Risque élevé d'anxiété.*

■ **Facteurs favorisants**
□ *Manque de connaissances sur les modalités du traitement.*

INTERVENTIONS INFIRMIÈRES

■ **Directives générales :** La dose doit être adaptée à la réponse du patient.
□ Le pipécuronium ne modifie pas l'état de la conscience ni le seuil de la douleur. Il faut *toujours* pratiquer une anesthésie adéquate lorsque le pipécuronium est utilisé comme adjuvant lors d'une intervention chirurgicale.
□ Conserver le pipécuronium à la température ambiante.
■ **IV directe :** Reconstituer avec une solution de NaCl à 0,9 %, de dextrose à 5 % dans de l'eau, de dextrose à 5 % dans une solution de NaCl à 0,9 %,

de lactate Ringer, dans de l'eau stérile pour injection ou dans de l'eau bactériostatique pour injection. La solution reconstituée avec de l'eau bactériostatique contient de l'alcool benzylique et ne devrait pas être administrée aux nouveau-nés. Utiliser dans les 5 jours suivant la reconstitution. La solution reconstituée avec de l'eau stérile ou d'autres solutions IV devrait être conservée au réfrigérateur et utilisée dans les 24 h. Ne pas diluer ni administrer dans de gros volumes de solutions IV.

ENSEIGNEMENT AU PATIENT ET À SES PROCHES

□ Expliquer toutes les interventions au patient qui reçoit du pipécuronium sans anesthésie étant donné que ce médicament, administré seul, ne modifie pas l'état de la conscience.

□ Expliquer au patient que ses capacités de communication se rétabliront lorsque les effets du médicament s'épuiseront.

VÉRIFICATION DES RÉSULTATS

L'efficacité du traitement peut être démontrée par : la suppression adéquate des soubresauts musculaires testés par la stimulation des nerfs périphériques et une paralysie musculaire subséquente.

PIPÉRACILLINE
Pipracil

CLASSIFICATION :
Anti-infectieux – pénicilline à large spectre

Grossesse – catégorie B

INDICATIONS

■ Traitement des infections graves dues aux micro-organismes sensibles dont : □ les infections de la peau et des tissus mous □ les infections des os et des articulations □ la septicémie □ les infections des voies respiratoires inférieures □ les infections intra-abdominales □ les infections gynécologiques et urinaires ■ Traitement d'association avec un aminoside (l'action contre les *Pseudomonas* peut être synergique) ■ Antécédents de traitement d'association avec d'autres anti-infectieux en présence d'infections chez des patients immunosupprimés. **Usage non approuvé :** ■ Prophylaxie péri-opératoire, lors des interventions abdominales ou génito-urinaires ou lors des chirurgies à la tête et au cou.

ACTION

■ Liaison à la membrane de la paroi cellulaire bactérienne provoquant la destruction de la bactérie. Le spectre d'action est plus large que celui d'autres pénicillines. **Effets thérapeutiques :** ■ Effet bactéricide contre les bactéries sensibles. **Spectre d'action :** ■ La pipéracilline possède un spectre d'action semblable à celui des pénicillines, mais considérablement plus large, qui englobe plusieurs agents pathogènes aérobies à Gram négatif importants, dont : □ *Pseudomonas æruginosa* □ *Escherichia coli* □ *Proteus mirabilis* □ *Providencia rettgeri* ■ La pipéracilline est également active contre certaines bactéries anaérobies comprenant les *Bacteroides* ■ La pipéracilline n'a pas d'effet sur les staphylocoques qui produisent des pénicillinases ni sur les *Enterobacteriaceae* qui produisent des bêta-lactamases.

PHARMACOCINÉTIQUE

Absorption : Bonne absorption (80 %) depuis les points d'injection IM.

Distribution : Le médicament se répartit dans tout l'organisme. Il ne pénètre suffisamment dans le liquide céphalorachidien qu'en présence d'une inflammation des méninges. Il traverse le placenta et pénètre à faibles concentrations dans le lait maternel.

Métabolisme et excrétion : Le médicament est surtout excrété à l'état inchangé par les reins (90 %). Une fraction de 10 % est excrétée dans la bile.

Demi-vie : De 0,7 à 1,3 h.

CONTRE-INDICATIONS ET PRÉCAUTIONS

Contre-indication : Hypersensibilité aux pénicillines ou aux céphalosporines.
Précautions : ■ Insuffisance rénale (il est recommandé de réduire la dose) ■ Grossesse et allaitement (l'innocuité du médicament n'a pas été établie) ■ Régimes hyposodés.

RÉACTIONS INDÉSIRABLES ET EFFETS SECONDAIRES

SNC : confusion, léthargie, CONVULSIONS (doses élevées).
CV : insuffisance cardiaque, arythmies.
Tég. : rash, urticaire.
HÉ : hypokaliémie, hypernatrémie.
GI : nausées, diarrhée, hépatite.
GU : hématurie (chez les enfants seulement), néphrite interstitielle.
Hémat. : hémorragie, dyscrasie, allongement du temps de saignement.
Locaux : phlébite au point d'injection IV, douleur au point d'injection IM.
Métab. : alcalose métabolique.
Divers : surinfection, réactions d'hypersensibilité incluant l'ANAPHYLAXIE et la maladie du sérum.

INTERACTIONS

Médicament – médicament : ■ Le probénécide diminue l'excrétion rénale de la pipéracilline et en augmente les concentrations sanguines ■ La pipéracilline peut modifier l'excrétion du lithium ■ Les diurétiques, les glucocorticoïdes ou l'amphotéricine B, administrés simultanément, peuvent augmenter le risque d'hypokaliémie ■ Risque additif de toxicité hépatique lors de l'administration simultanée d'autres agents hépatotoxiques ■ La pipéracilline peut diminuer la demi-vie des aminosides (administrés par différentes voies) lors d'un traitement d'association chez les patients souffrant d'insuffisance rénale.

VOIES D'ADMINISTRATION ET POSOLOGIE

Remarque : La préparation contient 1,85 mmol de sodium par gramme de pipéracilline.

- **IM (adultes) :** de 6 à 8 g par jour, toutes les 6 à 12 h.
- **IV (adultes) :** de 1,5 à 4 g, toutes les 4 à 12 h (jusqu'à 4 g, toutes les 4 h, jusqu'à concurrence de 24 g par jour).

PHARMACODYNAMIE (concentrations sanguines)

	DÉBUT D'ACTION	PIC
IM	rapide	30–50 min
IV	rapide	fin de la perfusion

SOINS INFIRMIERS

ÉVALUATION DE LA SITUATION

- ☐ Au début du traitement et pendant toute sa durée, suivre de près les signes suivants d'infection : altération des signes vitaux, aspect de la plaie, des crachats, de l'urine et des selles, accroissement du nombre de leucocytes.
- ☐ Recueillir les antécédents du patient avant d'amorcer le traitement afin de déterminer ses réactions à un traitement antérieur à une pénicilline ou à une céphalosporine. Même les personnes n'ayant jamais manifesté de sensibilité à la pénicilline peuvent présenter une réaction allergique.
- ☐ Prélever des échantillons pour la culture et les antibiogrammes avant le début du traitement. La première dose peut être administrée avant même que les résultats soient connus.
- ☐ Surveiller les signes et les symptômes suivants d'anaphylaxie : rash, prurit, œdème laryngé, respiration sifflante. Si ces réactions se manifestent, arrê-

ter l'administration du médicament et avertir immédiatement le médecin. Garder à portée de la main de l'épinéphrine, un antihistaminique et le matériel de réanimation pour parer à une éventuelle réaction anaphylactique.

- ■ **Étude des examens diagnostiques et biochimiques :** Noter, avant le traitement et à intervalles réguliers pendant toute sa durée, les résultats des tests de l'exploration fonctionnelle hépatique et rénale, la numération globulaire, les concentrations sériques de potassium et le temps de saignement.
- ☐ La pipéracilline peut positiver les résultats du test de Coombs direct.
- ☐ La pipéracilline peut entraîner l'élévation des concentrations sériques d'urée, de créatinine, de TGOS (AST), de TGPS (ALT), de bilirubine et de LDH.
- ☐ La pipéracilline peut entraîner l'élévation des concentrations sériques de sodium et la diminution des concentrations sériques de potassium.

DIAGNOSTICS INFIRMIERS POSSIBLES

- ■ **Énoncés diagnostiques**
- ☐ Risque élevé d'infection.
- ☐ Prise en charge inefficace du programme thérapeutique.
- ☐ *Risque élevé de douleur au point d'injection IV.*
- ☐ *Risque élevé d'anxiété.*
- ☐ *Risque élevé de déséquilibre hydroélectrolytique.*
- ☐ *Risque élevé d'accident.*

- ■ **Facteurs favorisants**
- ☐ Informations incomplètes.
- ☐ *Inflammation locale du tissu vasculaire ou infiltration du médicament dans les tissus avoisinants.*
- ☐ *Douleur au point d'injection IV.*
- ☐ *Manque de connaissances sur les modalités du traitement.*
- ☐ *Manque de connaissances sur les moyens de prévenir les effets secondaires du médicament.*

P

INTERVENTIONS INFIRMIÈRES

- **IM :** Pour reconstituer la solution destinée à la voie IM, ajouter 4 mL d'eau stérile pour injection ou de chlorhydrate de lidocaïne à 0,5 ou à 1 % dans de l'eau stérile pour injection (sans épinéphrine) au contenu d'une fiole de 2 g, 6 mL au contenu d'une fiole de 3 g et 8 mL au contenu d'une fiole de 4 g, afin d'obtenir une concentration de 1 g/2,5 mL.

- ☐ Injecter la préparation profondément dans une masse musculaire bien développée et bien masser. On ne devrait pas administrer plus de 2 g dans un seul point d'injection.

- **IV :** La reconstitution initiale de la solution destinée à la voie IV doit se faire avec au moins 10 mL d'eau stérile pour injection. Bien mélanger jusqu'à dissolution complète. La solution reconstituée est stable pendant 24 h à la température ambiante et pendant 3 jours au réfrigérateur.

- ☐ Changer de point d'injection IV toutes les 48 h pour prévenir la phlébite.

- **IV directe :** Injecter la préparation lentement, en 3 à 5 min, pour réduire l'irritation veineuse.

- **Perfusion intermittente :** Diluer la pipéracilline dans au moins 50 mL de solution de NaCl à 0,9 %, de dextrose à 5 % dans de l'eau, de dextrose à 5 % dans une solution de NaCl à 0,9 % ou de lactate Ringer.

- ☐ *Vitesse d'administration :* Administrer l'agent en 20 à 40 min dans une tubulure en Y. Le fabricant recommande d'interrompre la perfusion principale pendant l'administration de la pipéracilline.

- **Association compatible dans la même seringue :** Héparine.

- **Compatibilités (tubulure en Y) :** Acyclovir, ciprofloxacine, cyclophosphamide, énalaprilate, esmolol, famotidine, foscarnet, hydromorphone, labétalol, mépéridine, morphine, perphénazine, sulfate de magnésium, vérapamil ou zidovudine.

- **Incompatibilité (tubulure en Y) :** Ondansétron.

- **Compatibilités en addition au soluté :** Chlorure de potassium, ciprofloxacine, clindamycine, succinate d'hydrocortisone sodique ou vérapamil.

- **Incompatibilités en addition au soluté :** La pipéracilline n'est pas compatible avec les aminosides ; ne pas effectuer d'admixtion avec ces agents. Espacer l'administration des deux agents d'au moins 1 h.

ENSEIGNEMENT AU PATIENT ET À SES PROCHES

- ☐ Recommander au patient de signaler au médecin l'allergie et les signes suivants de surinfection : excroissance noire pileuse sur la langue, démangeaisons ou pertes vaginales, selles molles ou nauséabondes.

VÉRIFICATION DES RÉSULTATS

La réponse clinique peut être déterminée par : la disparition des signes et des symptômes d'infection. Le temps de la résolution dépend du micro-organisme infectant et du siège de l'infection.

PIRBUTÉROL
(Maxair)

CLASSIFICATION :
Bronchodilatateur – agoniste bêta-adrénergique

Grossesse – catégorie C

INDICATIONS

Bronchodilatation en présence d'une obstruction réversible des voies respiratoires attribuable à l'asthme ou à la bronchopneumopathie chronique obstructive.

ACTION

- Accumulation de l'adénosine monophosphate cyclique (AMPc) au niveau des récepteurs bêta-adrénergiques entraînant : □ la bronchodilatation □ la stimulation du SNC et du cœur □ la diurèse □ la sécrétion d'acide gastrique ■ Sélectivité relative au niveau des récepteurs bêta$_2$ (pulmonaires). **Effets thérapeutiques :** ■ Bronchodilatation.

PHARMACOCINÉTIQUE

Absorption : Par suite de l'inhalation, l'absorption systémique est minime.
Distribution : Inconnue.
Métabolisme et excrétion : Métabolisme hépatique.
Demi-vie : 2 h.

CONTRE-INDICATIONS ET PRÉCAUTIONS

Contre-indication : Hypersensibilité aux amines sympathomimétiques.
Précautions : ■ Maladie cardiaque ■ Hypertension ■ Hyperthyroïdie ■ Diabète sucré ■ Glaucome ■ Grossesse (près du terme) ■ Patients âgés (davantage prédisposés aux réactions indésirables ; il est recommandé de réduire la dose) ■ Allaitement et enfants (l'innocuité du médicament n'a pas été établie) ■ Usage excessif (pouvant entraîner la tolérance aux effets du médicament et un bronchospasme paradoxal).

RÉACTIONS INDÉSIRABLES ET EFFETS SECONDAIRES

SNC : nervosité, insomnie, tremblements, céphalées.
ORLO : sécheresse de la bouche (xérostomie).
Resp. : toux, bronchospasme paradoxal.
CV : palpitations, tachycardie.
GI : nausées.

INTERACTIONS

Médicament – médicament : ■ Risque accru d'effets cardiovasculaires indésirables (hypertension, arythmies) lors de l'administration concomitante d'**anesthésiques par inhalation**, de **cocaïne**, d'**antidépresseurs**, de **dérivés digitaliques**, de **décongestionnants**, de **stimulants du SNC** et de **vasopresseurs** ■ Risque de crise hypertensive lors de l'administration concomitante d'**inhibiteurs de la MAO** ■ Les **bêtabloquants adrénergiques**, administrés simultanément, peuvent diminuer l'efficacité du pirbutérol ■ Bien que ce médicament soit fréquemment administré en association avec les **bronchodilatateurs de type théophylline**, la toxicité au niveau du SNC et de l'appareil cardiovasculaire peut être additive.

VOIES D'ADMINISTRATION ET POSOLOGIE

Inhalation (adultes et enfants > 12 ans) : 1 ou 2 inhalations (200 µg/vaporisation), toutes les 4 à 6 h ; ne pas dépasser 12 inhalations en 24 h.

PHARMACODYNAMIE

	DÉBUT D'ACTION	PIC	DURÉE
inhalation	5–15 min	60–90 min	4–6 h

☀ SOINS INFIRMIERS

ÉVALUATION DE LA SITUATION

□ Mesurer la pression artérielle et le pouls ; ausculter le murmure vésiculaire ; déterminer les caractéristiques de la respiration et des sécrétions avant d'administrer le médicament et pendant le pic de son effet.

□ Examiner les résultats des tests de l'exploration fonctionnelle pulmonaire avant d'amorcer le traitement et à intervalles réguliers pendant toute sa durée afin d'en déterminer l'efficacité.

□ Suivre de près l'apparition d'un bronchospasme paradoxal (respiration sifflante). Le cas échéant, cesser d'administrer le médicament et prévenir le médecin immédiatement.

DIAGNOSTICS INFIRMIERS POSSIBLES

■ Dégagement inefficace des voies respiratoires.

- Prise en charge inefficace du programme thérapeutique.
- *Risque élevé d'anxiété.*
- *Risque élevé d'accident.*

- **Facteurs favorisants**
□ Informations incomplètes.
□ *Manque de connaissances sur la méthode d'administration du médicament.*
□ *Manque de connaissances sur les effets secondaires du médicament.*
□ *Manque de connaissances sur les modalités du traitement.*

INTERVENTIONS INFIRMIÈRES

Inhalation: Espacer d'au moins 1 min les inhalations de médicaments en aérosol. Conseiller au patient de se rincer la bouche avec de l'eau après chaque inhalation afin de diminuer la sécheresse de la bouche et de la gorge.

ENSEIGNEMENT AU PATIENT ET À SES PROCHES

□ Montrer au patient comment utiliser l'inhalateur : bien agiter le flacon, expirer, bien fermer les lèvres autour de l'embout buccal, administrer le médicament durant la deuxième moitié de l'inhalation et retenir la respiration aussi longtemps que possible après le traitement pour assurer l'instillation du médicament en profondeur. Il ne faut pas inhaler plus de deux fois de suite ; espacer les inhalations de 1 ou de 2 min. Laver l'appareillage au moins une fois par jour dans de l'eau chaude.

□ Recommander au patient de ne pas dépasser la dose recommandée, en raison du risque d'effets indésirables ou de perte de l'efficacité du médicament.

□ Prévenir le patient recevant un traitement simultané par des glucocorticoïdes et du pirbutérol par inhalation qu'il doit prendre le pirbutérol d'abord et attendre 5 min avant d'utiliser d'autres aérosols, sauf sur recommandation contraire du médecin.

□ Conseiller au patient de prévenir immédiatement le médecin si le médicament ne soulage pas les essoufflements ou si ces derniers s'accompagnent de diaphorèse, d'étourdissements, de palpitations ou de douleurs thoraciques.

□ Recommander au patient de boire suffisamment de liquides (de 2 000 à 3 000 mL par jour) pour diminuer la viscosité des sécrétions tenaces.

□ Conseiller au patient de consulter le médecin ou le pharmacien avant de prendre un médicament en vente libre ou des boissons alcoolisées en même temps que le pirbutérol.

VÉRIFICATION DES RÉSULTATS

L'efficacité du traitement peut être démontrée par : ■ la diminution de la bronchoconstriction et du bronchospasme □ une respiration plus facile.

PIROXICAM
Apo-Piroxicam, Feldene, Novo-Pirocam, Nu-Pirox

CLASSIFICATION :
Anti-inflammatoire non stéroïdien
Grossesse – catégorie inconnue

INDICATIONS

■ Traitement des troubles inflammatoires dont : □ la polyarthrite rhumatoïde □ l'arthrose.

ACTION

■ Inhibition de la synthèse des prostaglandines. **Effets thérapeutiques :** ■ Soulagement de la douleur et de l'inflammation.

PHARMACOCINÉTIQUE

Absorption : Bonne absorption depuis le tractus gastro-intestinal.

Distribution: Inconnue. Le piroxicam pénètre dans le lait maternel en faibles quantités.

Métabolisme et excrétion: Le médicament est surtout métabolisé par le foie. De petites quantités sont excrétées à l'état inchangé par les reins.

Demi-vie: 50 h.

CONTRE-INDICATIONS ET PRÉCAUTIONS

Contre-indications: ▪ Hypersensibilité ▪ Risque de réactions de sensibilité croisée avec d'autres anti-inflammatoires non stéroïdiens incluant l'aspirine ▪ Hémorragie digestive ou ulcère en évolution ▪ Grossesse.

Précautions: ▪ Maladie cardiovasculaire ou hépatique graves ▪ Antécédents d'ulcère ▪ Allaitement ou enfants (l'innocuité du médicament n'a pas été établie) ▪ Insuffisance rénale (il est recommandé de réduire la dose).

RÉACTIONS INDÉSIRABLES ET EFFETS SECONDAIRES

SNC: céphalées, somnolence, étourdissements.

ORLO: vision trouble, acouphènes.

CV: œdème.

GI: nausées, dyspepsie, vomissements, diarrhée, constipation, HÉMORRAGIE DIGESTIVE, gêne gastro-intestinale, HÉPATITE, flatulence, anorexie.

GU: insuffisance rénale.

Tég.: rash.

Hémat.: dyscrasie, allongement du temps de saignement.

Divers: réactions allergiques incluant l'ANAPHYLAXIE.

INTERACTIONS

Médicament – médicament: ▪ L'aspirine, administrée simultanément, peut diminuer les concentrations sanguines de piroxicam et en diminuer l'efficacité ▪ Risque accru d'hémorragie lors de l'usage concomitant d'anticoagulants oraux, de céfamandole, de céfopérazone, de céfotétane, de moxalactam, d'héparine, d'agents thrombolytiques ou de plicamycine ▪ Effets nocifs additifs sur le tractus gastro-intestinal lors de l'usage concomitant d'aspirine, de glucocorticoïdes et d'autres anti-inflammatoires non stéroïdiens ▪ Le probénécide, administré simultanément, élève les concentrations sanguines de piroxicam et peut en augmenter la toxicité ▪ Le piroxicam peut diminuer la réponse aux antihypertenseurs ou aux diurétiques ▪ Le piroxicam peut élever les concentrations sériques de lithium et le risque de toxicité ▪ Risque accru de photosensibilité lors de l'usage concomitant d'autres agents entraînant la photosensibilité ▪ Risque accru d'hypoglycémie lors de l'usage concomitant d'insuline ou d'hypoglycémiants oraux ▪ Risque accru d'effets nocifs sur les reins lors de l'administration simultanée de sels d'or ou de l'usage prolongé d'acétaminophène ▪ Les antinéoplasiques ou la radiothérapie, administrés simultanément, peuvent augmenter le risque de toxicité hématologique.

VOIES D'ADMINISTRATION ET POSOLOGIE

▪ **PO et PR (adultes):** de 10 à 20 mg par jour, administrés en une seule dose ou en deux doses fractionnées.

PHARMACODYNAMIE

	DÉBUT D'ACTION	PIC	DURÉE
PO (effet analgésique)	1 h	inconnu	48 – 72 h
PO (effet anti-inflammatoire)	7 – 12 jours	2 – 3 semaines*	inconnue

* Le pic n'est parfois atteint qu'en l'espace de 12 semaines.

SOINS INFIRMIERS

ÉVALUATION DE LA SITUATION

▪ **Directives générales:** Les patients souffrant d'asthme, d'allergie induite par l'aspirine ou de polypes nasaux sont davantage prédisposés aux réactions d'hypersensibilité. Suivre de près la rhinite, l'asthme et l'urticaire.

- **Arthrite:** Suivre de près la douleur et examiner la mobilité des articulations avant l'administration du piroxicam et de 1 à 2 h plus tard.

- **Étude des examens diagnostiques et biochimiques:** Chez les patients qui suivent un traitement prolongé, examiner à intervalles réguliers les résultats des tests de l'exploration fonctionnelle hépatique, la numération globulaire et les concentrations sériques d'urée, de créatinine et de potassium.

  ☐ Le piroxicam peut entraîner l'élévation des concentrations sériques de potassium et de phosphatase alcaline, de LDH, de TGOS (AST) et de TGPS (ALT).

  ☐ Le piroxicam peut diminuer l'hématocrite et les concentrations d'hémoglobine et d'acide urique. Il peut également augmenter ou diminuer la glycémie.

  ☐ Le piroxicam peut allonger le temps de saignement jusqu'à 2 semaines après l'arrêt du traitement.

DIAGNOSTICS INFIRMIERS POSSIBLES

■ Énoncés diagnostiques

- ☐ Douleur.
- ☐ Altération de la mobilité physique.
- ☐ Prise en charge inefficace du programme thérapeutique.
- ☐ *Risque élevé d'accident.*

■ Facteurs favorisants

- ☐ Informations incomplètes.
- ☐ *Manque de connaissances sur les moyens de prévenir les effets secondaires du médicament.*
- ☐ *Manque de connaissances sur la méthode d'administration du médicament.*
- ☐ *Perturbation de la vigilance.*
- ☐ *Manque de connaissances sur les modalités du traitement.*

INTERVENTIONS INFIRMIÈRES

- **PO:** Administrer le piroxicam avec des aliments ou des antiacides (de préférence ceux contenant du magnésium ou de l'aluminium) afin de diminuer l'irritation gastrique.

ENSEIGNEMENT AU PATIENT ET À SES PROCHES

- ☐ Conseiller au patient de prendre le piroxicam avec un grand verre d'eau et de ne pas se coucher pendant 15 à 30 min.

- ☐ Inciter le patient à respecter scrupuleusement la posologie recommandée. S'il n'a pu prendre le médicament au moment habituel, il doit le prendre dès que possible à moins que ce ne soit presque l'heure prévue pour la dose suivante. Il ne faut jamais doubler les doses.

- ☐ Prévenir le patient que le piroxicam peut provoquer des étourdissements ou de la somnolence. Lui conseiller de ne pas conduire et d'éviter les activités qui exigent sa vigilance jusqu'à ce qu'on ait la certitude que le médicament n'entraîne pas ces effets chez lui.

- ☐ Recommander au patient d'éviter de boire de l'alcool et de consulter le médecin ou le pharmacien avant de prendre une préparation à base d'aspirine ou d'acétaminophène ou d'autres médicaments en vente libre en même temps que le piroxicam.

- ☐ Recommander au patient qui doit suivre un traitement dentaire ou subir une intervention chirurgicale d'avertir le dentiste ou le médecin qu'il suit un traitement médicamenteux.

- ☐ Recommander au patient de prévenir le médecin en cas de rash, de démangeaisons, de frissons, de fièvre, de douleurs musculaires, de troubles visuels, de gain de poids, d'œdème, de selles noires ou de céphalées persistantes.

VÉRIFICATION DES RÉSULTATS

L'efficacité du traitement peut être démontrée par : la diminution de la douleur et l'amélioration de la mobilité des articulations. On observe habituellement un soulagement partiel de l'arthrite en l'espace de 2 semaines, mais le plein effet du médicament peut ne se manifester qu'après 12 semaines de traitement ininterrompu. Les patients qui ne répondent pas à un anti-inflammatoire non stéroïdien peuvent répondre à un autre.

PLASMA, FRACTION PROTÉINIQUE DE
Plasmanate, (Plasma-Plex), (Plasmatein), (Protenate)

CLASSIFICATION :
Solution de remplissage vasculaire

Grossesse – catégorie C

INDICATIONS

■ Expansion du volume plasmatique et maintien du débit cardiaque en présence d'états hypovolémiques incluant : □ le choc □ l'hémorragie □ les brûlures. **Usage non approuvé :** ■ Traitement substitutif temporaire en cas d'œdème associé à de faibles concentrations de protéines plasmatiques, comme en cas de syndrome néphrotique et de maladie hépatique en phase terminale.

ACTION

■ Établissement d'une pression osmotique colloïdale (sous forme d'albumine et de globulines) dans l'espace intravasculaire poussant l'eau des tissus extravasculaires vers les compartiments intravasculaires. **Effets thérapeutiques :** ■ Passage des liquides du tissu extravasculaire aux compartiments intravasculaires.

PHARMACOCINÉTIQUE

Absorption : La fraction protéinique de plasma est réservée à l'administration par voie IV ; dans ce cas, la biodisponibilité est complète.

Distribution : Le médicament reste principalement dans les compartiments intravasculaires.

Métabolisme et excrétion : Inconnus.

Demi-vie : Inconnue.

CONTRE-INDICATIONS ET PRÉCAUTIONS

Contre-indications : ■ Réactions allergiques à l'albumine ■ Anémie grave ■ Insuffisance cardiaque ■ Volume intravasculaire normal ou accru ■ Pontage cardiopulmonaire.

Précautions : ■ Maladie hépatique ou rénale graves ■ Perfusion rapide (risque d'hypotension ou d'hypertension) ■ Déshydratation (l'administration de liquides supplémentaires peut s'avérer nécessaire) ■ Doses élevées (risque d'anémie, dictant une transfusion).

RÉACTIONS INDÉSIRABLES ET EFFETS SECONDAIRES

SNC : céphalées.

CV : tachycardie, hypotension, surcharge vasculaire.

GI : nausées, vomissements, salivation excessive.

Tég. : érythème, urticaire.

Loc. : douleurs lombaires.

Divers : fièvre, frissons, bouffées vasomotrices.

INTERACTIONS

Médicament – médicament : Aucune interaction notable.

VOIES D'ADMINISTRATION ET POSOLOGIE

Remarque : La dose varie considérablement selon chaque cas particulier et le trouble traité. La préparation contient approximativement 145 mmol/L de sodium.

P

Hypovolémie

- **IV (adultes) :** de 250 à 500 mL (de 12,5 à 25 g de protéines).
- **IV (nourrissons et jeunes enfants) (É.-U.) :** de 6,3 à 33 mL/kg (de 0,33 à 1,65 g/kg de protéines).

Hypoprotéinémie

- **IV (adultes) (É.-U.) :** de 1 000 à 1 500 mL (de 50 à 75 g de protéines).

PHARMACODYNAMIE (expansion du volume intravasculaire)

	DÉBUT D'ACTION	PIC	DURÉE
IV	15 – 30 min	inconnu	inconnue

SOINS INFIRMIERS

ÉVALUATION DE LA SITUATION

- ☐ Mesurer les signes vitaux, la pression veineuse centrale et la pression capillaire pulmonaire ; effectuer le bilan des ingesta et des excreta avant le traitement et à intervalles fréquents pendant toute sa durée. Une perfusion trop rapide peut provoquer de l'hypotension.
- ☐ Pendant et après l'administration du médicament, surveiller les signes suivants de surcharge vasculaire : pression veineuse centrale élevée, pression capillaire pulmonaire élevée, râles et crépitations, dyspnée, hypertension, turgescence des jugulaires.
- ☐ Après l'administration du médicament, observer les patients ayant subi une intervention chirurgicale, à la recherche d'une intensification de l'hémorragie attribuable à une pression artérielle et à un volume de sang circulant accrus. La fraction protéinique de plasma ne contient pas de facteur de coagulation.
- **Étude des examens diagnostiques et biochimiques :** Suivre de près l'hématocrite et les concentrations d'hémoglobine, de protéines sériques et

d'électrolytes pendant toute la durée du traitement.

DIAGNOSTICS INFIRMIERS POSSIBLES

- **Énoncés diagnostiques**
- ☐ Diminution du débit cardiaque.
- ☐ Déficit de volume liquidien.
- ☐ Excès de volume liquidien.

- **Facteurs favorisants**
- ☐ *Modification de l'état liquidien ou des volumes circulants.*

INTERVENTIONS INFIRMIÈRES

- **Directives générales :** Administrer la préparation par une aiguille de gros calibre (au moins 20). Utiliser la trousse d'administration fournie par le fabricant.
- ☐ La solution peut être presque incolore ou sa couleur peut varier de jaune pâle à brunâtre. Ne pas utiliser de solution trouble. Un litre de fraction protéinique de plasma contient approximativement 145 mmol de sodium. Conserver à la température ambiante. Ne pas administrer plus de 250 g (5 000 mL à 5 %) en 48 h.
- ☐ L'administration de la fraction protéinique de plasma n'expose pas le patient au risque d'hépatite sérique. Il n'est pas nécessaire d'effectuer des épreuves de compatibilité croisée.
- ☐ Corriger la déshydratation par l'administration de solutés IV supplémentaires.
- **Perfusion intermittente :** Administrer la fraction protéinique de plasma par perfusion IV sans la diluer. La perfusion doit être terminée en 4 h.
- ☐ *Vitesse d'administration :* La vitesse d'administration varie selon le volume sanguin, l'indication et la réponse du patient, mais elle ne devrait pas dépasser 10 mL/min afin de réduire le risque d'hypotension. Lorsque le volume plasmatique s'approche des valeurs normales, la vitesse d'administration ne devrait pas dépasser 5 à 8 mL/min. La vitesse d'administra-

tion chez les nourrissons et les enfants ne devrait pas dépasser 5 à 10 mL/min. Observer le patient à la recherche de signes d'hypervolémie.
- **Compatibilités en addition au soluté:** Solutions de glucides et d'électrolytes, sang entier, hématies concentrées, chloramphénicol ou tétracycline.
- **Incompatibilités en addition au soluté:** Solutions contenant des hydrolysats de protéines, des acides aminés, de l'alcool ou de la norépinéphrine.

ENSEIGNEMENT AU PATIENT ET À SES PROCHES

☐ Expliquer au patient le but de ce traitement.

VÉRIFICATION DES RÉSULTATS

L'efficacité du traitement peut être démontrée par: ■ l'élévation de la pression artérielle et l'augmentation du volume sanguin lors du traitement du choc ■ l'élévation des concentrations sériques de protéines plasmatiques chez les patients souffrant d'hypoprotéinémie.

PLICAMYCINE

mithramycine, (Mithracin)

CLASSIFICATION:

Antinéoplasique – antibiotique antitumoral; électrolyte et supplément électrolytique – agent hypocalcémique

Grossesse – catégorie X

INDICATIONS

■ Traitement du cancer avancé des testicules rebelle à tout traitement ■ Traitement de l'hypercalcémie et de l'hypercalciurie associées au cancer.

ACTION

■ Inhibition de la synthèse de l'ARN par la formation d'un complexe avec l'ADN ■ Opposition à l'action de la vitamine D et inhibition de l'action de l'hormone parathyroïdienne sur les ostéoclastes. **Effets thérapeutiques:** ■ Destruction des cellules à réplication rapide, particulièrement des cellules malignes ■ Abaissement des concentrations sériques de calcium.

PHARMACOCINÉTIQUE

Absorption: La plicamycine est réservée à l'administration par voie IV; dans ce cas sa biodisponibilité est complète.
Distribution: La plicamycine semble se concentrer dans le foie, les tubules rénaux et à la surface des os. Elle traverse la barrière hémato-encéphalique.
Métabolisme et excrétion: La plicamycine est surtout excrétée par les reins.
Demi-vie: Inconnue.

CONTRE-INDICATIONS ET PRÉCAUTIONS

Contre-indications: ■ Hypersensibilité ■ Troubles hémorragiques ■ Aplasie médullaire ■ Hypocalcémie ■ Maladie rénale ou hépatique grave ■ Grossesse ou allaitement.
Précautions: ■ Patientes en âge de procréer ■ Infections en évolution ■ Autres maladies chroniques débilitantes ■ Insuffisance rénale ou hépatique (réduire la dose) ■ Enfants (l'innocuité du médicament n'a pas été établie).

RÉACTIONS INDÉSIRABLES ET EFFETS SECONDAIRES

SNC: somnolence, faiblesse, léthargie, malaise, céphalées, dépression, nervosité, irritabilité, étourdissements, fatigue.
ORLO: épistaxis.
GI: anorexie, nausées, vomissements, stomatite, diarrhée, hépatite.
GU: insuffisance rénale, suppression de la fonction des gonades.
Tég.: rougeur du visage, rash.
HÉ: hypocalcémie, hypophosphatémie, hypokaliémie, hypercalcémie rebond.
Hémat.: HÉMORRAGIE, thrombocytopénie, leucopénie, anémie.

P

Locaux: phlébite au point d'injection IV.
Divers: fièvre.

INTERACTIONS

Médicament – médicament: ■ Effet additif sur l'aplasie médullaire lors de l'administration concomitante d'**autres antinéoplasiques** ou d'une **radiothérapie** ■ Risque accru d'hémorragie lors de l'administration concomitante d'**aspirine**, d'**anticoagulants oraux**, d'**agents thrombolytiques**, d'**héparine**, de **certaines céphalosporines**, d'**anti-inflammatoires non stéroïdiens**, de **sulfinpyrazone**, d'**acide valproïque** ou de **dextran** ■ Risque accru de toxicité hépatique lors de l'usage concomitant d'autres **agents hépatotoxiques** ■ Risque accru de toxicité rénale lors de l'administration concomitante d'**agents néphrotoxiques**.

VOIES D'ADMINISTRATION ET POSOLOGIE

Tumeurs testiculaires

■ **IV (adultes):** de 25 à 30 µg/kg, une fois par jour, pendant 8 à 10 jours ou jusqu'à ce qu'une toxicité survienne (ne pas dépasser 30 µg/kg par jour; ne pas prolonger le traitement au-delà de 10 jours; ne pas administrer plus de 2,5 à 50 µg/kg, tous les deux jours, jusqu'à concurrence de 8 doses). On peut répéter le traitement tous les mois.

Hypercalcémie, Hypercalciurie

■ **IV (adultes):** de 15 à 25 µg/kg, une fois par jour, pendant 3 ou 4 jours; on peut répéter l'administration tous les 3 à 7 jours.

PHARMACODYNAMIE

	DÉBUT D'ACTION	PIC	DURÉE
IV (effets hématologiques)	inconnu	7 – 10 jours	3 – 4 semaines
IV (effets hypocalcémiques)	24 – 48 h	inconnu	3 – 15 jours

SOINS INFIRMIERS

ÉVALUATION DE LA SITUATION

■ **Directives générales:** Suivre de près les saignements: saignement des gencives, formation d'ecchymoses, pétéchies, présence de sang occulte dans les selles, l'urine et les vomissements. L'hémorragie peut commencer sous forme d'épistaxis et évoluer vers une hémorragie généralisée ou une hémorragie digestive graves. Pour arrêter l'hémorragie, on peut administrer des transfusions sanguines, du plasma frais congelé, de la vitamine K ou de l'acide aminocaproïque. Éviter les injections IM et la prise de la température par voie rectale. Appliquer une pression sur les points de ponction veineuse pendant 10 min.

□ Effectuer le bilan des ingesta et des excreta; noter l'appétit du patient et sa consommation de nourriture. La plicamycine peut provoquer des nausées et des vomissements. Consulter le médecin concernant l'administration prophylactique d'un antiémétique. Modifier le régime alimentaire du patient afin de maintenir l'équilibre hydroélectrolytique et l'état nutritionnel.

□ Suivre de près la fièvre, les maux de gorge et les signes d'infection. En informer le médecin, le cas échéant.

■ **Hypercalcémie:** Suivre de près les symptômes suivants d'hypercalcémie: nausées, vomissements, anorexie, soif, faiblesse, constipation, iléus paralytique et bradycardie. Observer le patient à la recherche des signes suivants d'hypocalcémie: paresthésie, soubresauts musculaires, laryngospasme, coliques, arythmies cardiaques et signes de Chvostek ou de Trousseau.

■ **Étude des examens diagnostiques et biochimiques:** Noter la numération plaquettaire, le temps de prothrombine et le temps de saignement avant le traitement et à intervalles réguliers pendant toute sa durée. Informer le médecin si la numération plaquettaire est inférieure à 150×10^9/L ou si le temps de prothrombine s'élève à 4 s ou plus au-dessus des valeurs témoins.

□ Vérifier la numération globulaire et la formule leucocytaire avant le traitement et à intervalles réguliers pendant toute sa durée. Informer le médecin si le nombre de leucocytes est inférieur à 4×10^9/L.

□ Mesurer les électrolytes sériques avant le traitement et quotidiennement pendant toute sa durée. La plicamycine peut entraîner l'hypocalcémie, l'hypokaliémie et l'hypophosphatémie. Corriger les déséquilibres électrolytiques avant le début du traitement. On peut observer une augmentation rebond des concentrations de calcium et de phosphate après le traitement.

□ Examiner les résultats des tests de l'exploration fonctionnelle hépatique (TGOS [AST], TGPS [ALT], LDH, bilirubine) et des tests de l'exploration fonctionnelle rénale (urée, créatinine, analyse des urines) avant le traitement et à intervalles réguliers pendant toute sa durée afin de déceler le risque de toxicité hépatique ou rénale.

DIAGNOSTICS INFIRMIERS POSSIBLES

■ **Énoncés diagnostiques**

□ Risque élevé d'accident.

□ Risque élevé d'infection.

□ Perturbation situationnelle de l'estime de soi.

□ *Risque élevé de douleur au point d'injection IV.*

□ *Risque élevé d'anxiété.*

□ *Risque élevé de déficit nutritionnel.*

□ *Risque élevé d'exacerbation des effets secondaires.*

□ *Risque élevé d'atteinte à l'intégrité de la muqueuse buccale.*

■ **Facteurs favorisants**

□ *Altération de l'image corporelle.*

□ *Inflammation locale du tissu vasculaire ou infiltration du médicament dans les tissus avoisinants.*

□ *Manque de connaissances sur les effets secondaires du médicament.*

□ *Manque de connaissances sur les modalités du traitement.*

□ *Manque de connaissances sur les moyens de prévenir les effets secondaires affectant l'appareil gastro-intestinal.*

□ *Manque de connaissances sur les signes d'hypocalcémie et d'hypercalcémie et sur les moyens de les prévenir.*

□ *Manque de connaissances sur les moyens de prévenir ou de réduire la sécheresse de la bouche.*

□ *Douleur au point d'injection.*

INTERVENTIONS INFIRMIÈRES

■ **Directives générales :** Préparer la solution sous une hotte biologique de sécurité. Porter des vêtements protecteurs comprenant un masque et des gants pendant la manipulation de ce médicament. Mettre au rebut le matériel dans les contenants réservés à cet effet (voir l'annexe I).

□ Vérifier la perméabilité de la tubulure IV. En cas de douleur au point d'injection IV ou d'extravasation, changer de point d'injection. L'extravasation peut entraîner de l'irritation et de la cellulite. Appliquer de la glace au point d'injection afin de prévenir la douleur et l'enflure. En cas d'enflure, demander au médecin s'il y a lieu d'appliquer de la chaleur modérée.

■ **Perfusion intermittente :** Pour reconstituer la solution, ajouter 4,9 mL d'eau stérile pour injection au contenu d'une fiole de 2,5 mg de plicamycine pour obtenir une concentration finale de 500 µg/mL. Utiliser le mélange immédiatement après la reconstitution.

□ *Vitesse d'administration:* Ajouter le médicament à 1 000 mL de solution de dextrose à 5 % dans de l'eau ou de NaCl à 0,9 % et perfuser en 4 à 6 h. Un débit rapide de perfusion augmentera les effets secondaires gastro-intestinaux.

ENSEIGNEMENT AU PATIENT ET À SES PROCHES

□ Recommander au patient de prévenir rapidement le médecin en cas de fièvre, de frissons, de maux de gorge, de signes d'infection, de saignement des gencives, de formation d'ecchymoses, de pétéchies ou en présence de sang dans les selles, l'urine et les vomissements. Lui conseiller d'éviter les foules et les personnes contagieuses. Lui recommander d'utiliser une brosse à dents à poils doux et un rasoir électrique. Prévenir le patient qu'il ne doit pas consommer de boissons alcoolisées ni prendre des préparations contenant de l'aspirine en même temps que la plicamycine.

□ Recommander au patient de prévenir le médecin en cas de faiblesse, de rash, de nausées ou de vomissements persistants ou de dépression.

□ Recommander au patient d'examiner sa muqueuse buccale à la recherche de rougeur et d'aphtes. En présente d'aphtes, lui conseiller d'utiliser une brosse-éponge et de se rincer la bouche avec de l'eau après avoir bu et mangé. Le médecin peut prescrire de la lidocaïne visqueuse si la douleur empêche le patient de s'alimenter.

□ Prévenir la patiente que, même si la plicamycine peut entraîner une diminution de la fécondité, elle doit continuer à prendre des mesures de contraception pendant le traitement en raison des risques d'effets tératogènes du médicament sur le fœtus.

□ Expliquer au patient qu'il ne doit pas se faire vacciner sans recommandation expresse du médecin.

□ Insister sur la nécessité des examens diagnostiques et biochimiques à intervalles réguliers permettant de déceler les effets secondaires du médicament.

VÉRIFICATION DES RÉSULTATS

L'efficacité du traitement peut être démontrée par : ■ la diminution de la taille de la tumeur maligne et du risque de propagation des métastases ■ la normalisation des concentrations élevées de calcium chez les patients souffrant d'hypercalcémie et d'hypercalciurie en l'espace de 24 à 48 h.

POLYCARBOPHILE

Mitrolan, (Equalactin), (FiberCon)

CLASSIFICATION:
Laxatif augmentant le volume du bol fécal ; antidiarrhéique

Grossesse – catégorie inconnue

INDICATIONS
Traitement de la constipation ou de la diarrhée.

ACTION
■ Effet laxatif par augmentation du volume du bol fécal grâce au maintien de l'eau dans la lumière intestinale ■ Effet antidiarrhéique par attraction de l'eau dans la lumière intestinale pour former des selles bien moulées. **Effets thérapeutiques :** ■ Traitement de la diarrhée et de la constipation grâce à la normalisation du contenu en eau des intestins et à l'augmentation du volume du bol fécal.

PHARMACOCINÉTIQUE
Absorption : L'absorption systémique est minime.
Distribution : Inconnue.
Métabolisme et excrétion : Le complexe et l'eau absorbée sont excrétés dans les fèces.
Demi-vie : Inconnue.

CONTRE-INDICATIONS ET PRÉCAUTIONS

Contre-indications : ■ Hypersensibilité ■ Douleurs abdominales ■ Nausées ou vomissements (particulièrement lorsqu'elles s'accompagnent de fièvre ou d'autres signes d'abdomen aigu) ■ Adhérences intra-abdominales graves ■ Dysphagie.

Précautions : Grossesse ou allaitement (antécédents d'administration sans danger).

RÉACTIONS INDÉSIRABLES ET EFFETS SECONDAIRES

GI : plénitude gastrique.

INTERACTIONS

Médicament – médicament : Le polycarbophile peut diminuer l'absorption de la **tétracycline**, administrée simultanément.

VOIES D'ADMINISTRATION ET POSOLOGIE

- **PO (adultes) :** 1 g, 4 fois par jour, ou selon les besoins ; ne pas dépasser 6 g en 24 h.
- **PO (enfants de 6 à 12 ans) :** 500 mg, 3 fois par jour, ou selon les besoins ; ne pas dépasser 3 g en 24 h.
- **PO (enfants de 3 à 6 ans) :** 500 mg, 2 fois par jour, ou selon les besoins ; ne pas dépasser 1,5 g en 24 h.

PHARMACODYNAMIE
(effet sur la fonction intestinale)

	DÉBUT D'ACTION	PIC	DURÉE
PO	12 – 24 h*	inconnu	inconnue

* Le délai d'action peut prendre jusqu'à 72 h.

SOINS INFIRMIERS

ÉVALUATION DE LA SITUATION

- **Directives générales :** Surveiller l'apparition de fièvre, de nausées, de vomissements, de distension abdominale et de douleurs. En informer le médecin, le cas échéant. Ausculter les bruits intestinaux. Interroger le patient sur son régime alimentaire habituel, sa consommation de liquide, ses activités physiques et sa fonction intestinale.
- ☐ Noter la couleur, la consistance et la quantité des selles éliminées.
- **Diarrhée :** Suivre de près les signes suivants de déshydratation : sécheresse de la peau et des muqueuses, perte de poids, diminution du débit urinaire, tachycardie et hypotension.

DIAGNOSTICS INFIRMIERS POSSIBLES

- ■ **Énoncés diagnostiques**
- ☐ Constipation.
- ☐ Diarrhée.
- ☐ Prise en charge inefficace du programme thérapeutique.

- ■ **Facteurs favorisants**
- ☐ Informations incomplètes.
- ☐ *Manque de connaissances sur les moyens de stimuler la fonction intestinale.*
- ☐ *Manque de connaissances sur le régime alimentaire à suivre.*
- ☐ *Manque de connaissances sur les bienfaits de l'exercice.*

INTERVENTIONS INFIRMIÈRES

- **Directives générales :** Administrer l'agent 1 h avant ou 2 h après la tétracycline.
- **Diarrhée :** Pour traiter la diarrhée grave, répéter l'administration toutes les 30 min. Ne pas dépasser la dose quotidienne totale prescrite.
- **Constipation :** Pour traiter la constipation, administrer la préparation avec 250 mL d'eau ou de jus.

ENSEIGNEMENT AU PATIENT ET À SES PROCHES

- ☐ Recommander au patient de prendre d'autres mesures qui favorisent l'élimination intestinale, par exemple : augmenter la consommation de fibres alimentaires et de liquides, faire plus d'exercice. Expliquer au patient que chaque personne a ses propres habitudes d'élimination et qu'il est tout aussi normal de déféquer trois fois par jour que trois fois par semaine.

☐ Prévenir le patient que si la constipation survient brusquement, il faut en avertir le médecin, car un examen médical pourrait s'avérer nécessaire.

☐ Recommander au patient souffrant de diarrhée de consulter le médecin en cas de fièvre ou de selles sanguinolentes ou si la diarrhée persiste ou s'aggrave. L'inciter à modifier sa consommation d'aliments et de liquides durant un épisode de diarrhée.

VÉRIFICATION DES RÉSULTATS

L'efficacité du traitement peut être démontrée par: l'élimination de selles molles et bien moulées. Les résultats peuvent ne pas être manifestes avant 3 jours de traitement.

POLYÉTHYLÈNEGLYCOL, SOLUTION D'ÉLECTROLYTES ET DE

Colyte, Klean-Prep, Peglyte, (Colovage), (Golytely), (NuLytely), (OCL), (PEG-ES)

CLASSIFICATION:
Laxatif osmotique

Grossesse – catégorie C

INDICATIONS

■ Évacuation intestinale en vue d'un examen gastro-intestinal ou d'une chirurgie ■ Traitement du fécalome et de la constipation. **Usage non approuvé:** ■ Traitement du surdosage aigu par le fer chez les enfants.

ACTION

■ Le polyéthylène glycol en solution agit comme un agent osmotique en attirant l'eau dans la lumière intestinale. **Effets thérapeutiques:** ■ Évacuation intestinale

sans apparition d'un déséquilibre hydro-électrolytique.

PHARMACOCINÉTIQUE

Absorption: Les ions de la solution ne sont pas absorbés.
Distribution: Inconnue.
Métabolisme et excrétion: La solution est excrétée dans les selles.
Demi-vie: Inconnue.

CONTRE-INDICATIONS ET PRÉCAUTIONS

Contre-indications: ■ Occlusion intestinale ■ Rétention gastrique ■ Colite toxique ■ Mégacôlon.

Précautions: ■ Patients dont le réflexe pharyngé est absent ou réduit ■ Patients inconscients ou semi-comateux, chez lesquels il faut administrer la préparation par une sonde naso-gastrique ■ Lavement baryté pour la technique en double contraste (la préparation peut empêcher le baryum de recouvrir complètement la muqueuse) ■ Douleurs abdominales d'étiologie inconnue, particulièrement si elles s'accompagnent de fièvre ■ Enfants (l'innocuité du médicament n'a pas été établie).

RÉACTIONS INDÉSIRABLES ET EFFETS SECONDAIRES

GI: plénitude gastrique, nausées, ballonnements, crampes, vomissements.

INTERACTIONS

Médicament – médicament: La préparation entrave l'absorption des **médicaments administrés par voie orale**, en diminuant leur temps de transit. (Ne pas administrer de médicaments dans l'heure qui suit le début du traitement.)

VOIES D'ADMINISTRATION ET POSOLOGIE

Évacuation intestinale
■ **PO (adultes):** 4 L de solution, à raison de 240 mL toutes les 10 min.

Fécalome

- **PO (adultes):** 2 à 3 L de solution, administrés en 3 à 4 h.

Constipation

- **PO (adultes):** de 240 à 480 mL par jour

PHARMACODYNAMIE

	DÉBUT D'ACTION	PIC	DURÉE
PO	1 h	inconnu	4 h

SOINS INFIRMIERS

ÉVALUATION DE LA SITUATION

- □ Suivre de près la distension abdominale, ausculter les bruits intestinaux et noter les habitudes normales d'élimination.
- □ Noter la couleur, la consistance et la quantité des selles évacuées.
- □ Suivre de près les patients semi-inconscients ou inconscients pour déceler toute régurgitation si le médicament est administré par une sonde nasogastrique.

DIAGNOSTICS INFIRMIERS POSSIBLES

- **Énoncés diagnostiques**
- □ Diarrhée.
- □ Prise en charge inefficace du programme thérapeutique.
- □ *Risque élevé d'anxiété.*
- **Facteurs favorisants**
- □ Informations incomplètes.
- □ *Manque de connaissances sur les modalités du traitement.*
- □ *Manque de connaissances sur la méthode d'administration du médicament.*

INTERVENTIONS INFIRMIÈRES

- **Directives générales:** Ne pas ajouter d'aromatisants ou d'ingrédients supplémentaires à la solution avant de l'administrer.
- □ Le patient devrait être à jeun pendant 3 ou 4 h avant l'administration du médicament et ne devrait pas consommer d'aliments solides dans les 2 h suivant l'administration du médicament.
- □ Après l'administration du médicament, le patient ne doit consommer que des liquides clairs.
- **PO:** La solution peut être reconstituée avec de l'eau du robinet. Mélanger vigoureusement jusqu'à ce que la poudre soit dissoute.

ENSEIGNEMENT AU PATIENT ET À SES PROCHES

Expliquer au patient qu'il doit boire la totalité des 4 L de médicament, à raison de 240 mL toutes les 10 min. Lui expliquer qu'il est préférable de boire rapidement chaque verre de 240 mL plutôt que d'en avaler le contenu par petites gorgées.

VÉRIFICATION DES RÉSULTATS

L'efficacité du traitement peut être démontrée par: ■ la diarrhée, pour évacuer l'intestin en l'espace de 4 h; la première défécation se produit habituellement dans l'heure qui suit l'administration du médicament ■ l'élimination de selles molles et bien moulées.

POLYMYXINE B

Aerosporin

CLASSIFICATION:
Anti-infectieux – divers

Grossesse – catégorie inconnue

INDICATIONS

■ **IM et IV:** Traitement des infections graves suivantes dues à des micro-organismes sensibles chez les patients qui ne peuvent tolérer des anti-infectieux moins toxiques: □ infections des voies urinaires □ méningite (administration intrathécale seulement) □ septicémie ■ **Préparation ophtalmique (extemporanée):** Infections ophtalmiques ■ **Préparation topique :** Traitement et prévention des infections superficielles en association avec d'autres anti-infectieux en administration locale (vaste gamme de présentations) ■ **Préparation pour inhalation (extemporanée) :** Infections pulmonaires.

ACTION

■ Liaison à la membrane de la paroi cellulaire bactérienne provoquant la destruction de la bactérie. **Effets thérapeutiques :** ■ Effet bactéricide. **Spectre d'action :** ■ L'action de la polymyxine B se limite à certains agents pathogènes à Gram négatif qui pourraient résister à d'autres anti-infectieux dont : □ *Haemophilus influenzae* □ *Pseudomonas aeruginosa* □ *Enterobacter aerogenes* □ *Klebsiella pneumoniae* ■ La polymyxine B n'a pas d'effet contre les espèces *Proteus* ou *Neisseria*.

PHARMACOCINÉTIQUE

Absorption : Faible absorption par suite de l'administration PO (jusqu'à 10 % chez les nouveau-nés). Bonne absorption par suite de l'administration IM. Absorption systémique minime par suite de l'usage topique.
Distribution : Le médicament se répartit dans tout l'organisme. Il ne pénètre pas dans le SNC et ne traverse pas le placenta.
Métabolisme et excrétion : Une fraction de 60 % du médicament est excrétée à l'état inchangé par les reins.
Demi-vie : De 4,3 à 6 h (prolongée en cas d'insuffisance rénale).

CONTRE-INDICATIONS ET PRÉCAUTIONS

Contre-indication : Hypersensibilité.
Précautions : ■ Maladies neuromusculaires, incluant la myasthénie grave ■ Insuffisance rénale (il est recommandé de réduire la dose) ■ Grossesse ou allaitement (l'innocuité du médicament n'a pas été établie).

RÉACTIONS INDÉSIRABLES ET EFFETS SECONDAIRES

SNC : neurotoxicité ; voie intrathécale – céphalées.
ORLO : préparation ophtalmique – vision trouble, sensation de piqûre, brûlure, démangeaisons.
Resp. : PARALYSIE RESPIRATOIRE.
GU : toxicité rénale.
Tég. : rougeur du visage, rash ; préparation topique – dermatite de contact de nature allergique.
Locaux : <u>douleur</u> au point d'injection IM, phlébite au point d'injection IV
Loc. : voie intrathécale – raideur du cou.
SN : blocage neuromusculaire.
Divers : fièvre, réactions d'hypersensibilité incluant l'ANAPHYLAXIE, surinfection fongique.

INTERACTIONS

Médicament – médicament : Risque accru de blocage neuromusculaire lors de l'usage concomitant d'**anesthésiques généraux** ou de **bloqueurs neuromusculaires**, d'**aminosides**, de **procaïnamide** ou de **quinidine**.

PRÉSENTATION

La polymyxine B est présentée sous forme de préparation injectable. Elle existe également en association avec d'autres antibiotiques dans diverses présentations (voir l'annexe A).

VOIES D'ADMINISTRATION ET POSOLOGIE

Remarque : 1 mg = 10 000 unités.
■ **IV (adultes et enfants > 2 ans) :** de 15 000 à 25 000 unités/kg/jour, en doses fractionnées, toutes les 12 h (ne pas dépasser 25 000 unités/kg/jour chez les adultes).
■ **IM (adultes et enfants > 2 ans) :** de 25 000 à 30 000 unités/kg/jour, en doses fractionnées, toutes les 4 à 6 h (ne pas dépasser 25 000 unités/kg/jour chez les adultes).

- IV et IM (nourrissons): jusqu'à 40 000 unités/kg/jour, en doses fractionnées.

- **Voie intrathécale (adultes et enfants > 2 ans):** 50 000 unités/jour, pendant 3 ou 4 jours, puis tous les 2 jours pendant au moins 2 semaines après que les cultures du liquide céphalorachidien sont négatives et que sa teneur en glucose est revenue à la normale.

- **Voie intrathécale (enfants < 2 ans):** 20 000 unités/jour, pendant 3 ou 4 jours, puis 25 000 unités, tous les 2 jours, pendant au moins 2 semaines après que les cultures du liquide céphalorachidien sont négatives et que sa teneur en glucose est revenue à la normale; ou 25 000 unités, tous les 2 jours, à poursuivre pendant 2 semaines après que les cultures du liquide céphalorachidien sont négatives et que sa teneur en glucose est revenue à la normale.

- **Préparation ophtalmique:** de 1 à 3 gouttes de solution (la solution renferme de 10 000 à 25 000 unités/mL) toutes les heures; on peut espacer les administrations à mesure qu'une réponse se manifeste.

- **Préparation pour inhalation:** de 1 à 2 mL de solution de 1 à 10 mg/mL, de 4 à 6 fois/jour (la dose quotidienne ne devrait pas dépasser 2,5 mg/kg/jour).

PHARMACODYNAMIE
(concentrations sanguines)

	DÉBUT D'ACTION	PIC
IV	rapide	fin de la perfusion
IM	rapide	en l'espace de 2 h

⁂ SOINS INFIRMIERS

ÉVALUATION DE LA SITUATION

☐ Au début du traitement et pendant toute sa durée, suivre de près les signes suivants d'infection: altération des signes vitaux, aspect de la plaie, des crachats, de l'urine et des selles, accroissement du nombre de leucocytes.

☐ Prélever des échantillons pour les cultures et les antibiogrammes avant le début du traitement. La première dose peut être administrée avant même que les résultats soient connus.

☐ Effectuer le bilan quotidien des ingesta et des excreta et peser le patient tous les jours afin d'évaluer l'hydratation et la fonction rénale. Signaler au médecin la diminution du débit urinaire.

☐ Pendant toute la durée du traitement, surveiller les réactions neurotoxiques suivantes: irritabilité, faiblesse, ataxie, somnolence, paresthésie périorale, engourdissement des membres, vision trouble. La neurotoxicité traduit habituellement des concentrations sériques élevées.

☐ Suivre de près les signes suivants de surinfection: fièvre, infection des voies respiratoires supérieures, démangeaisons ou pertes vaginales, malaises accrus, diarrhée. Prévenir le médecin de l'apparition de ces signes.

☐ Observer le point d'injection IV tout au long du traitement pour déceler la thrombophlébite.

- **Étude des examens diagnostiques et biochimiques:** Suivre la fonction rénale en notant les résultats de l'analyse des urines, la densité de l'urine, les concentrations sériques d'urée et de créatinine et la clearance de la créatinine avant le traitement et pendant toute sa durée.

DIAGNOSTICS INFIRMIERS POSSIBLES

Énoncés diangostiques

- Risque élevé d'infection.
- Risque élevé d'accident.
- *Risque élevé de douleur au point d'injection IV.*
- *Risque élevé d'anxiété.*
- *Risque élevé d'altération de l'élimination urinaire.*

- *Risque élevé d'intoxication.*
- *Risque élevé de surinfection.*

■ **Facteurs favorisants**
□ *Manque de connaissances sur les modalités du traitement.*
□ *Inflammation locale du tissu vasculaire ou infiltration du médicament dans les tissus avoisinants.*
□ *Douleur au point d'injection.*
□ *Modification de l'état liquidien ou des volumes circulants.*
□ *Manque de connaissances sur la méthode d'administration du médicament.*
□ *Manque de connaissances sur les effets secondaires du médicament.*

INTERVENTIONS INFIRMIÈRES

- **Directives générales :** Assurer une hydratation suffisante (de 1 500 à 2 000 mL/jour) tout au long du traitement.
- **IM :** Reconstituer le contenu de chaque fiole de 500 000 unités avec 3 à 6 mL de procaïne à 1 ou à 2 %.
□ L'administration IM n'est généralement pas recommandée en raison des fortes douleurs qui se produisent au point d'injection. Administrer l'agent profondément, dans un muscle bien développé.
- **Perfusion intermittente :** Diluer le contenu de chaque fiole de 500 000 unités dans 300 à 500 mL de solution de dextrose à 5 % dans de l'eau. La solution devrait être réfrigérée ; jeter toute portion inutilisée après 24 h.
□ *Vitesse d'administration :* Administrer par perfusion lente en 60 à 90 min.
- **Associations compatibles dans la même seringue :** Méthicilline ou pénicilline G sodique.
- **Compatibilité (tubulure en Y) :** Esmolol.
- **Compatibilités en addition au soluté :** Acide ascorbique, amikacine, colistiméthate, diphenhydramine, kanamycine, lactobionate d'érythromycine, méthicilline, pénicilline G potassique et sodique, phénobarbital ou succinate d'hydrocortisone sodique.

- **Incompatibilités en addition au soluté :** Amphotéricine B, céfazoline, céphalothine, chloramphénicol, chlorothiazide, héparine, phosphate de prednisolone sodique, sulfate de magnésium ou tétracycline.
- **Voie intrathécale :** Dissoudre 500 000 unités de polymyxine B dans 10 mL de solution de NaCl à 0,9 % pour obtenir une concentration de 50 000 unités/mL.
- **Préparation ophtalmique :** Dissoudre 500 000 unités de polymyxine B dans 20 à 50 mL d'eau stérile pour injection ou de solution saline pour obtenir une concentration de 10 000 à 25 000 unités/mL.
- **Solution topique :** Dissoudre 50 mg de polymyxine B dans 20 ou 50 mL d'eau stérile pour injection ou de solution saline pour obtenir une concentration de 0,25 ou de 0,1 %, respectivement.
- **Préparation pour inhalation :** Dissoudre 50 mg dans 5 à 50 mL de solution de dextrose à 5 % dans de l'eau ou de solution saline.

ENSEIGNEMENT AU PATIENT ET À SES PROCHES

- **IM et IV :** Conseiller au patient de prévenir le médecin ou l'infirmière si des symptômes de surinfection se manifestent.
- **Préparation ophtalmique :** Montrer au patient comment instiller la préparation ophtalmique (voir l'annexe H). La solution peut entraîner une vision trouble ou une sensation de brûlure passagères.
□ Recommander au patient de prévenir le médecin si les sensations de piqûre et de brûlure ou les démangeaisons deviennent prononcées ou si la rougeur, l'irritation, l'enflure ou la douleur persistent ou s'intensifient.

VÉRIFICATION DES RÉSULTATS

La réponse clinique peut être déterminée par : la disparition des signes et des symptômes d'infection. Le temps de la résolution dépend du micro-organisme infectant et du siège de l'infection.

POLYSTYRÈNE SODIQUE, SULFONATE DE

Kayexalate, PMS-Sodium Polystyrène Sulfonate, (SPS)

CLASSIFICATION:
Électrolyte de substitution – résine échangeuse de cations

Grossesse – catégorie inconnue

INDICATIONS

Traitement de l'hyperkaliémie légère à modérée (dans les cas graves, il faut prendre des mesures plus immédiates, telles que l'administration IV de bicarbonate de sodium, de calcium ou d'une perfusion de glucose et d'insuline).

ACTION

■ Échange entre les ions sodium et les ions potassium dans l'intestin (chaque gramme de résine est échangé contre 0,5 à 1 mmol de potassium). **Effets thérapeutiques:** ■ Diminution des concentrations sériques de potassium.

PHARMACOCINÉTIQUE

Absorption: L'agent se répartit dans l'intestin, mais il n'est pas absorbé.
Distribution: Aucune.
Métabolisme et excrétion: L'agent est éliminé dans les fèces.
Demi-vie: Inconnue.

CONTRE-INDICATIONS ET PRÉCAUTIONS

Contre-indications: ■ Hyperkaliémie mettant la vie en danger (il faut prendre d'autres mesures plus immédiates) ■ Hypersensibilité aux parabènes (certaines préparations) ■ Iléus.

Précautions: ■ Personnes âgées ■ Insuffisance cardiaque, hypertension, œdème ■ Régime hyposodé ■ Constipation.

RÉACTIONS INDÉSIRABLES ET EFFETS SECONDAIRES

GI: constipation, fécalome, anorexie, nausées, vomissements, irritation gastrique.
HÉ: hypokaliémie, hypocalcémie, rétention sodique.

INTERACTIONS

Médicament – médicament: ■ L'administration concomitante d'**antiacides contenant du magnésium** ou de **calcium** peut diminuer la capacité d'échange de la résine et augmenter le risque d'alcalose systémique ■ L'hypokaliémie peut intensifier la toxicité **digitalique**.

VOIES D'ADMINISTRATION ET POSOLOGIE

Remarque: 4 cuillerées à thé rases = 15 g ; 4,1 mmol de sodium par gramme.
■ **PO (adultes):** 15 g, de 1 à 4 fois par jour dans de l'eau ou du sorbitol (jusqu'à concurrence de 160 g par jour).
■ **PO et PR (enfants) (É.-U.):** 1 g/kg par dose.
■ **PR (adultes):** de 30 à 50 g dans 150 à 200 mL d'excipient aqueux, 1 ou 2 fois par jour, à 6 h d'intervalle.

PHARMACODYNAMIE (diminution des concentrations sériques de potassium)

	DÉBUT D'ACTION	PIC	DURÉE
PO	2 – 12 h	inconnu	6 – 24 h
PR	2 – 12 h	inconnu	4 – 6 h

SOINS INFIRMIERS

ÉVALUATION DE LA SITUATION

☐ Suivre de près la réponse du patient et les symptômes suivants d'hyperkaliémie : fatigue, faiblesse musculaire, paresthésie, confusion, dyspnée, ondes T pointues, dépression des segments ST, allongement des segments QT, élargissement des complexes QRS, disparition des ondes P et arythmies. Suivre de près l'hypokaliémie se manifestant par des faiblesses, de la fatigue, des arythmies, des ondes T inversées ou plates, des ondes U proéminentes.

□ Effectuer le bilan quotidien des ingesta et des excreta et peser le patient tous les jours. Suivre de près les symptômes suivants de surcharge liquidienne : dyspnée, râles ou crépitations, turgescence des jugulaires, œdème périphérique. En cas d'insuffisance cardiaque, le médecin peut prescrire simultanément un régime hyposodé (voir l'annexe K).

□ Chez les patients recevant des dérivés digitaliques, suivre de près les signes et les symptômes de toxicité digitalique : anorexie, nausées, vomissements, troubles de la vision, arythmies.

□ Ausculter l'abdomen et noter les caractéristiques et la fréquence des selles. Le médecin peut prescrire simultanément du sorbitol ou des laxatifs pour prévenir la constipation ou la formation d'un fécalome. Certains produits renferment déjà du sorbitol pour prévenir la constipation. Idéalement, le patient devrait éliminer des selles aqueuses, 1 ou 2 fois par jour, pendant toute la durée du traitement.

■ **Étude des examens diagnostiques et biochimiques :** Noter, avant le traitement et à intervalles réguliers pendant toute sa durée, les résultats des tests de l'exploration fonctionnelle rénale et les concentrations des électrolytes, particulièrement, celles de potassium, de sodium, de calcium et de magnésium. Prévenir le médecin lorsque les concentrations de potassium diminuent jusqu'à 4 à 5 mmol/L.

DIAGNOSTICS INFIRMIERS POSSIBLES

■ **Énoncés diagnostiques**

□ Constipation.

□ Prise en charge inefficace du programme thérapeutique.

□ *Risque élevé de déséquilibre hydroélectrolytique.*

□ *Risque élevé d'excès de volume liquidien.*

■ **Facteurs favorisants**

□ Informations incomplètes.

□ *Manque de connaissances sur le régime alimentaire à suivre.*

□ *Manque de connaissances sur la méthode d'administration du médicament.*

INTERVENTIONS INFIRMIÈRES

■ **Directives générales :** La solution est stable pendant 24 h au réfrigérateur.

■ **PO :** Pour prévenir la constipation, on administre habituellement avec ce médicament un laxatif osmotique (sorbitol).

□ Avant d'administrer la préparation PO, ajouter la quantité de poudre prescrite à 3 à 4 mL d'eau par gramme de poudre. Bien mélanger. Le médecin peut recommander d'ajouter à la solution du sirop pour en améliorer le goût. On peut également préparer avec cette résine des bonbons ou des biscuits ; demander conseil au pharmacien ou au diététiste.

■ **Lavement :** Administrer un lavement évacuateur avant ce lavement. Administrer la solution par une canule rectale ou un cathéter de Foley, type French 28, avec poire de 30 mL. Introduire la canule sur au moins 20 cm et maintenir en place à l'aide d'un sparadrap.

□ Pour préparer le lavement, ajouter la poudre à 150 mL de la solution prescrite (habituellement, de l'eau, du sorbitol ou du dextrose à 10 % dans de l'eau). Bien mélanger pour dissoudre la poudre complètement ; la préparation doit être de consistance liquide. Si la solution commence à fuir, installer le patient sur le côté gauche et garder ses hanches surélevées à l'aide d'un oreiller. Après avoir administré le médicament, administrer de 50 à 100 mL de diluant pour s'assurer que toute la dose a été administrée. Inciter le patient à retenir la solution aussi longtemps que possible, à savoir, pendant au moins 30 à 60 min.

☐ Une fois ce délai écoulé, irriguer le côlon avec un litre ou deux d'une solution sans sodium. On peut raccorder une tubulure en Y au cathéter de Foley ou à la canule rectale; la solution de nettoyage est ainsi administrée par un orifice du raccord en Y et elle peut s'écouler par gravité par l'autre orifice.

ENSEIGNEMENT AU PATIENT ET À SES PROCHES

☐ Expliquer au patient le but du traitement et la méthode d'administration du médicament.

☐ Insister sur l'importance d'examens biochimiques à intervalles fréquents permettant de vérifier l'efficacité du traitement.

VÉRIFICATION DES RÉSULTATS

L'efficacité du traitement peut être démontrée par: la normalisation des concentrations sériques de potassium.

POTASSIUM ET SODIUM, PHOSPHATES DE

PHOSPHATES DE POTASSIUM ET DE SODIUM MONOBASIQUES

(K-Phos M.F.), (K-Phos Neutral), (K-Phos No.2)

PHOSPHATES DE POTASSIUM ET DE SODIUM

(Neutra-Phos), (Uro-KP Neutral)

CLASSIFICATION:
Électrolyte – supplément de phosphate; supplément électrolytique – acidifiant urinaire; antiurolithique

Grossesse – catégorie C

INDICATIONS

■ Traitement et prévention du déficit en phosphates chez les patients incapables d'absorber une quantité suffisante de phosphate d'origine alimentaire ■ Traitement d'appoint des infections urinaires en association avec l'hippurate ou le mandélate de méthénamine (phosphates de potassium et de sodium ou phosphate de potassium monobasique) ■ Prévention de la formation de calculs calciques urinaires (phosphates de potassium et de sodium ou phosphate de potassium monobasique) ■ Traitement des patients hypokaliémiques souffrant d'acidose métabolique ou présentant en même temps une carence en phosphates (sels de phosphate de potassium).

ACTION

■ Les phosphates sont présents dans les os et participent au transport d'énergie et au métabolisme des glucides ■ Tampon pour l'excrétion des ions d'hydrogène par les reins ■ Le phosphate de potassium dibasique est transformé dans les tubules rénaux en sel monobasique par les ions d'hydrogène, entraînant l'acidification de l'urine ■ L'acidification de l'urine est essentielle pour que l'hippurate ou le mandélate de méthénamine deviennent des anti-infectieux urinaires actifs ■ L'acidification de l'urine augmente la solubilité du calcium et diminue la formation de calculs calciques. **Effets thérapeutiques:** ■ Supplément de phosphates en cas de carence ■ Acidification de l'urine ■ Augmentation de l'efficacité de la méthénamine ■ Diminution de la formation de calculs calciques dans les voies urinaires.

P

PHARMACOCINÉTIQUE

Absorption: Bonne absorption par suite de l'administration par voie orale. La vitamine D favorise l'absorption gastro-intestinale des phosphates.
Distribution: Les phosphates pénètrent dans les liquides extracellulaires d'où ils parviennent par le transport actif à leur lieu d'action.
Métabolisme et excrétion: L'agent est surtout excrété par les reins (> 90 %).
Demi-vie: Inconnue.

CONTRE-INDICATIONS ET PRÉCAUTIONS

Contre-indications: ■ Hyperkaliémie (sels de potassium) ■ Hyperphosphatémie ■ Hypocalcémie ■ Insuffisance rénale grave ■ Maladie d'Addison non traitée (sels de potassium) ■ Traumatisme tissulaire grave (sels de potassium) ■ Paralysie périodique familiale de forme hyperkaliémique (sels de potassium).
Précautions: ■ Hyperparathyroïdie ■ Maladie cardiaque ■ Hypernatrémie (phosphate de sodium seulement) ■ Hypertension (phosphate de sodium seulement) ■ Insuffisance rénale.

RÉACTIONS INDÉSIRABLES ET EFFETS SECONDAIRES

Remarque: Sauf indication contraire, les réactions indésirables et effets secondaires suivants sont reliés à l'hyperphosphatémie.
SNC: apragmatisme, confusion, faiblesse.
CV: ARYTHMIES, modifications de l'ÉCG (absence des ondes P, élargissement du complexe QRS avec courbe biphasique), ARRÊT CARDIAQUE, hypotension; hyperkaliémie – ARYTHMIES, modifications de l'ÉCG (allongement de l'intervalle PR, dépression du segment ST, grandes ondes T pointues); hypernatrémie – œdème.
HÉ: hypomagnésémie, hyperphosphatémie, hyperkaliémie, hypocalcémie, hypernatrémie.
GI: diarrhée, nausées, vomissements, douleurs abdominales.

Locaux: phlébite, irritation au point d'injection IV.
Loc.: hypocalcémie – tremblements; hyperkaliémie – crampes musculaires.
SN: paresthésie des membres, paralysie flasque, jambes lourdes.

INTERACTIONS

Médicament – médicament: ■ Les **diurétiques d'épargne potassique** ou les **inhibiteurs de l'enzyme de conversion de l'angiotensine (ECA)**, administrés simultanément au phosphate de potassium, peuvent entraîner une hyperkaliémie ■ Les **glucocorticoïdes**, administrés en même temps que le phosphate de sodium, peuvent provoquer l'hypernatrémie ■ Les composés contenant du **calcium**, du **magnésium** ou de l'**aluminium**, administrés simultanément, diminuent l'absorption des phosphates par formation de complexes insolubles ■ La **vitamine D**, administrée simultanément, favorise l'absorption des phosphates.
Médicament – aliments: ■ Les **oxalates** (contenus dans les épinards et la rhubarbe) et les **phytates** (contenus dans le son et les grains entiers) peuvent diminuer l'absorption des phosphates en se liant à eux dans le tractus gastro-intestinal.

VOIES D'ADMINISTRATION ET POSOLOGIE

Phosphates de potassium et de sodium monobasiques

Remarque: La dose de 155 mg de phosphate de potassium monobasique et de 350 mg de phosphate de sodium monobasique anhydre renferme 125,6 mg (4 mmol) de phosphore, 1,14 mmol de potassium et 2,9 mmol de sodium. La dose de 155 mg de phosphate de potassium monobasique, de 130 mg de phosphate de sodium monobasique aqueux et de 852 mg de phosphate de sodium dibasique anhydre renferme 250 mg (8 mmol) de phosphore, 1,15 mmol de potassium et 12,9 mmol de sodium.

- **PO (adultes):** 250 mg (8 mmol), 4 fois par jour; on peut augmenter la dose jusqu'à 250 mg (8 mmol) toutes les 2 h (ne pas dépasser 2 g de phosphore en 24 h).

Phosphates de potassium et de sodium

Remarque: Un comprimé de 173 mg renferme 173 mg (5,5 mmol) de phosphore, 1,28 mmol de potassium et 9,8 mmol de sodium. Une capsule de 1,25 g renferme 250 mg (8 mmol) de phosphore, 7,125 mmol de potassium et 7,125 mmol de sodium.

- **PO (adultes et enfants > 4 ans):** 250 mg (8 mmol) de phosphore, 4 fois par jour, ou 346 mg (11 mmol), 3 fois par jour.
- **PO (enfants <4 ans):** 200 mg (6,4 mmol), 4 fois par jour.

PHARMACODYNAMIE (effets sur les concentrations sériques de phosphate)

	DÉBUT D'ACTION	PIC	DURÉE
PO	inconnu	inconnu	inconnue

SOINS INFIRMIERS

ÉVALUATION DE LA SITUATION

- ☐ Pendant toute la durée du traitement, surveiller les signes et les symptômes d'hypokaliémie (faiblesse, fatigue, arythmies, présence d'ondes U sur le tracé de l'ECG, polyurie et polydipsie) et d'hypophosphatémie (anorexie, faiblesse, diminution des réflexes, douleurs osseuses, confusion, dyscrasie sanguine).
- ☐ Effectuer le bilan quotidien des ingesta et des excreta et peser le patient tous les jours. Signaler tout écart important au médecin.
- ■ **Étude des examens diagnostiques et biochimiques:** Noter les concentrations sériques de phosphates, de potassium, de sodium et de calcium avant le traitement et à intervalles réguliers pen-

dant toute sa durée. L'élévation des concentrations de phosphates peut provoquer une hypocalcémie.
- ☐ Examiner les résultats des tests de l'exploration fonctionnelle rénale avant le traitement et à intervalles réguliers pendant toute sa durée.
- ☐ Mesurer le pH de l'urine des patients recevant du phosphate de potassium et de sodium pour acidifier l'urine.

DIAGNOSTICS INFIRMIERS POSSIBLES

- ■ **Énoncés diagnostiques**
- ☐ Déficit nutritionnel.
- ☐ Prise en charge inefficace du programme thérapeutique.
- ☐ *Risque élevé d'accident.*
- ☐ *Risque élevé de diarrhée.*
- ■ **Facteurs favorisants**
- ☐ Informations incomplètes.
- ☐ *Manque de connaissances sur les signes d'hypokaliémie et d'hyperkaliémie et sur les moyens de les prévenir.*
- ☐ *Manque de connaissances sur les effets secondaires du médicament.*
- ☐ *Manque de connaissances sur les modalités du traitement.*
- ☐ *Manque de connaissances sur la méthode d'administration du médicament.*
- ☐ *Manque de connaissances sur le régime alimentaire à suivre.*

INTERVENTIONS INFIRMIÈRES

- ■ **PO:** Dissoudre les comprimés dans un grand verre d'eau. Ouvrir les capsules et bien mélanger leur contenu dans $\frac{1}{3}$ de tasse d'eau par capsule. Laisser reposer le mélange pendant 2 à 5 min afin qu'il soit complètement dissous. Les solutions préparées par le pharmacien ne doivent pas être diluées de nouveau.
- ☐ Administrer le médicament après les repas afin de réduire l'irritation gastrique et l'effet laxatif.
- ☐ Ne pas administrer le médicament en même temps que des antiacides contenant de l'aluminium, du magnésium ou du calcium.

P

Enseignement au patient et à ses proches

☐ Expliquer au patient le but du traitement et lui conseiller de respecter scrupuleusement la posologie recommandée. S'il n'a pu prendre le médicament au moment habituel, il devrait le prendre dès que possible à moins qu'il ne reste qu'une heure ou deux avant l'heure prévue pour la dose suivante. Lui expliquer que les comprimés et les capsules ne devraient pas être avalés tels quels : on doit dissoudre les comprimés dans de l'eau et ouvrir les capsules pour en mélanger le contenu avec de l'eau.

☐ Inciter le patient à suivre un régime hyposodé (voir l'annexe K).

☐ Recommander au patient de prévenir rapidement le médecin en cas de diarrhée, de faiblesse, de fatigue, de crampes musculaires, de gain de poids inexpliqué, d'enflure des membres inférieurs, d'essoufflements, de soif inhabituelle ou de tremblements.

Vérification des résultats

L'efficacité du traitement peut être démontrée par : ■ la prévention et la correction du déficit en phosphate et en potassium sériques ■ le maintien de l'acidité de l'urine ■ la diminution des concentrations de calcium dans l'urine, prévenant ainsi la formation de calculs rénaux.

POTASSIUM, BICARBONATE DE
(Klor-Con/EF)

CLASSIFICATION :
Électrolyte et supplément électrolytique – sel de potassium

Grossesse – catégorie C

INDICATIONS

Traitement ou prévention du déficit potassique chez les patients incapables d'absorber une quantité suffisante de potassium d'origine alimentaire.

ACTION

■ Maintien des caractéristiques cellulaires suivantes : ☐ équilibre acidobasique ☐ isotonicité ☐ électrophysiologie ■ Activation de nombreuses réactions enzymatiques et élément essentiel à de nombreuses fonctions dont : ☐ la transmission de l'influx nerveux ☐ la contraction des muscles squelettiques, cardiaques et lisses ☐ les sécrétions d'acide gastrique ☐ la fonction rénale ☐ la synthèse des tissus ☐ le métabolisme des glucides. **Effets thérapeutiques :** ■ Supplément de potassium en cas de carence ■ Prévention du déficit potassique.

PHARMACOCINÉTIQUE

Absorption : Bonne absorption par suite de l'administration de la préparation liquide par voie orale.
Distribution : Le bicarbonate de potassium pénètre dans le liquide extracellulaire d'où il parvient aux cellules par le transport actif.
Métabolisme et excrétion : Excrétion rénale.
Demi-vie : Inconnue.

CONTRE-INDICATIONS ET PRÉCAUTIONS

Contre-indications : ■ Hyperkaliémie ■ Insuffisance rénale grave ■ Maladie d'Addison non traitée ■ Traumatisme tissulaire grave ■ Paralysie périodique familiale de forme hyperkaliémique.
Précautions : ■ Maladie cardiaque ■ Insuffisance rénale.

RÉACTIONS INDÉSIRABLES ET EFFETS SECONDAIRES

SNC : paresthésie, agitation, confusion, faiblesse, paralysie.
CV : arythmie, modifications de l'ÉCG (allongement de l'intervalle PR, dépression du segment ST, grandes ondes T pointues).

GI: <u>nausées</u>, <u>vomissements</u>, <u>diarrhée</u>, <u>douleurs abdominales</u>, ulcère gastrique (comprimés seulement).

INTERACTIONS

Médicament – médicament: Les **diurétiques d'épargne potassique** ou les **inhibiteurs de l'enzyme de conversion de l'angiotensine (ECA)**, administrés simultanément, peuvent entraîner une hyperkaliémie.

PRÉSENTATION

Le bicarbonate de potassium existe en association avec le chlorure de potassium.

VOIES D'ADMINISTRATION ET POSOLOGIE

Remarque: Les préparations de bicarbonate de potassium renferment 10 mmol de potassium par gramme.

Prévention de l'hypokaliémie
- **PO (adultes):** 20 mmol par jour, en 2 à 4 doses fractionnées.

Traitement de l'hypokaliémie
- **PO (adultes):** de 40 à 100 mmol par jour, en 2 à 4 doses fractionnées.
- **PO (nourrissons et enfants):** de 2 à 3 mmol/kg par jour ou 40 mmol/m^2 par jour.

PHARMACODYNAMIE
(élévation des concentrations sériques de potassium)

	DÉBUT D'ACTION	PIC	DURÉE
PO	inconnu	1 – 2 h	inconnue

☼ SOINS INFIRMIERS

ÉVALUATION DE LA SITUATION

- ☐ Surveiller les signes et les symptômes d'hypokaliémie (faiblesse, fatigue, apparition d'ondes U sur le tracé ÉCG, arythmies, polyurie et polydipsie) et d'hyperkaliémie (fatigue, faiblesse musculaire, paresthésie, confusion, dyspnée, ondes T pointues, dépression des segments ST, allongement des segments QT, élargissement des complexes QRS, disparition des ondes P et arythmies cardiaques).

- ■ **Étude des examens diagnostiques et biochimiques:** Examiner les concentrations sériques de potassium avant le traitement et à intervalles réguliers pendant toute sa durée.

- ☐ Suivre de près l'état de la fonction rénale, les concentrations de bicarbonate sérique et le pH. En cas d'hypokaliémie réfractaire, on devrait déterminer les concentrations sériques de magnésium, car il faut corriger l'hypomagnésémie pour rendre les suppléments de potassium plus efficaces. Si on n'administre pas en même temps des suppléments de chlorure, on doit noter les concentrations sériques de chlorure, en raison du risque d'hypochlorémie.

DIAGNOSTICS INFIRMIERS POSSIBLES

- ■ **Énoncés diagnostiques**
- ☐ Déficit nutritionnel.
- ☐ Prise en charge inefficace du programme thérapeutique.
- ☐ *Risque élevé d'accident.*
- ☐ *Risque élevé de diarrhée.*
- ☐ *Risque élevé de déficit de volume liquidien.*

- ■ **Facteurs favorisants**
- ☐ Informations incomplètes.
- ☐ *Manque de connaissances sur les signes d'hypokaliémie et d'hyperkaliémie et sur les moyens de les prévenir.*
- ☐ *Manque de connaissances sur les effets secondaires du médicament.*
- ☐ *Manque de connaissances sur les modalités du traitement.*
- ☐ *Manque de connaissances sur la méthode d'administration du médicament.*
- ☐ *Manque de connaissances sur le régime alimentaire à suivre.*

□ *Manque de connaissances sur les moyens de prévenir les effets secondaires affectant l'appareil gastro-intestinal.*

INTERVENTIONS INFIRMIÈRES

■ **PO:** Pour réduire l'irritation gastro-intestinale, administrer le bicarbonate de potassium avec des aliments ou après les repas.

□ Dissoudre les poudres et les comprimés effervescents dans 250 mL d'eau froide ou de jus. S'assurer que le comprimé effervescent est complètement dissous. Recommander au patient de boire le mélange lentement.

ENSEIGNEMENT AU PATIENT ET À SES PROCHES

□ Expliquer au patient le but du traitement et la nécessité de respecter scrupuleusement la posologie recommandée, particulièrement s'il reçoit en même temps des dérivés digitaliques ou des diurétiques. S'il n'a pu prendre le médicament au moment habituel, il doit le prendre dès que possible, dans les 2 h; sinon, il doit reprendre l'horaire habituel. Le prévenir qu'il ne faut jamais remplacer une dose manquée par une double dose.

□ Expliquer au patient comment prendre le médicament. Si le comprimé effervescent n'est pas suffisamment dilué, une irritation ou une ulcération gastro-intestinales peuvent survenir.

□ Recommander au patient d'éviter les substituts de sel à moins qu'ils ne soient autorisés par le médecin.

□ Expliquer au patient quelles sont les sources de potassium alimentaire (voir l'annexe K). L'inciter à respecter scrupuleusement le régime alimentaire recommandé.

□ Prévenir le patient qu'il doit signaler au médecin sans tarder des selles foncées, goudronneuses ou sanguinolentes, la faiblesse, la fatigue inhabituelle ou les picotements dans les membres.

□ Recommander au patient d'informer le médecin si les nausées, les vomissements, la diarrhée ou la gêne gastrique persistent. Il peut s'avérer nécessaire de modifier la dose.

□ Insister sur l'importance des examens de suivi réguliers permettant de surveiller les concentrations sériques et d'évaluer l'efficacité du traitement.

VÉRIFICATION DES RÉSULTATS

L'efficacité du traitement peut être démontrée par: la prévention ou le traitement du déficit en potassium sérique.

POTASSIUM, CHLORURE DE

Apo-K, K-10, Kalium Durules, Kaochlor, Kaochlor-20 concentré, KCl, K-Dur, K-Lor, K-Lyte/Cl, K-Med 900, Micro-K Extencaps, Roychlor, Slow-K, (Cena-K), (Kaon CL), (Kato), (Kay Ciel), (Klor-10%), (Klor-Con), (Klor-Con/25), (Klorvess), (Klotrix), (K-Norm), (K-Tab), (Potachlor), (Potasalane), (Rum-K), (Ten-K)

CLASSIFICATION:
Électrolyte et supplément électrolytique – sel de potassium

Grossesse – catégorie C

INDICATIONS

■ **PO et IV:** Traitement ou prévention du déficit potassique chez les patients incapables d'absorber une quantité suffisante de potassium d'origine alimentaire
■ **IV:** Traitement de certaines arythmies attribuables à la toxicité digitalique.

ACTION

■ Maintien des caractéristiques cellulaires suivantes: □ équilibre acidobasique □ isotonicité □ électrophysiologie ■ Activation de nombreuses réactions enzymatiques et élément essentiel à de nombreuses fonctions dont: □ la transmission de l'influx nerveux □ la contraction des muscles squelettiques, cardiaques et lisses □ les sécrétions d'acide gastrique □ la fonction rénale □ la synthèse des tissus □ le métabolisme des glucides. **Effets thérapeutiques :** ■ Supplément de potassium en cas de carence ■ Prévention du déficit potassique.

PHARMACOCINÉTIQUE

Absorption : Bonne absorption par suite de l'administration de la préparation liquide par voie orale. L'absorption des préparations à libération prolongée ayant une matrice de cire est lente, mais complète.

Distribution : Le chlorure de potassium pénètre dans le liquide extracellulaire d'où il parvient aux cellules par transport actif.

Métabolisme et excrétion : Excrétion rénale.

Demi-vie : Inconnue.

CONTRE-INDICATIONS ET PRÉCAUTIONS

Contre-indications : ■ Hyperkaliémie ■ Insuffisance rénale grave ■ Maladie d'Addison non traitée ■ Traumatisme tissulaire grave ■ Paralysie périodique familiale de forme hyperkaliémique ■ Intolérance à l'alcool (certaines préparations liquides peuvent contenir de l'alcool) ■ Allergie à l'aspirine (certaines préparations peuvent contenir de la tartrazine).

Précautions : ■ Maladie cardiaque ■ Insuffisance rénale ■ Hypomotilité gastrointestinale, incluant la dysphagie ou la compression de l'œsophage due à l'hypertrophie auriculaire gauche (comprimés, comprimés ou capsules à libération prolongée) ■ Diabète sucré (les préparations liquides peuvent contenir du sucre).

RÉACTIONS INDÉSIRABLES ET EFFETS SECONDAIRES

SNC : paresthésie, agitation, confusion, faiblesse, paralysie.

CV : arythmie, modifications de l'ÉCG (allongement de l'intervalle PR, dépression du segment ST, grandes ondes T pointues).

GI : nausées, vomissements, diarrhée, douleurs abdominales, ulcère gastrique (comprimés seulement).

Locaux : irritation au point d'injection IV.

INTERACTIONS

Médicament – médicament : ■ Les **diurétiques d'épargne potassique** ou les **inhibiteurs de l'enzyme de conversion de l'angiotensine (ECA)**, administrés simultanément, peuvent entraîner une hyperkaliémie ■ Les **anticholinergiques**, administrés simultanément, peuvent aggraver les lésions de la muqueuse gastro-intestinale chez les patients recevant les préparations de chlorure de potassium à matrice de cire.

PRÉSENTATION

■ Le chlorure de potassium existe sous forme de comprimés, de comprimés et de capsules à libération prolongée, de comprimés effervescents destinés aux solutions orales (en association), de poudre et de préparations IV. Il existe également des préparations sans sucre destinées à l'administration par voie orale.

□ Le chlorure de potassium existe aussi en association avec d'autres sels de potassium ou de magnésium.

VOIES D'ADMINISTRATION ET POSOLOGIE

Remarque : Les préparations de chlorure de potassium renferment 13,4 mmol de potassium par gramme.

Prévention de l'hypokaliémie

■ **PO (adultes) :** de 20 à 40 mmol par jour, en 2 ou 3 doses fractionnées.

Traitement de l'hypokaliémie

■ **PO (adultes) :** de 40 à 100 mmol par jour, en 2 ou 3 doses fractionnées.

P

- **IV (adultes):** de 10 à 40 mmol à l'heure (ne pas dépasser de 200 à 400 mmol par jour).
- **PO et IV (nourrissons et enfants):** de 2 à 3 mmol/kg par jour ou 40 mmol/m^2 par jour.

PHARMACODYNAMIE
(élévation des concentrations sériques de potassium)

	DÉBUT D'ACTION	PIC	DURÉE
PO (liquides)	inconnu	1 – 2 h	inconnue
PO (matrice de cire)	inconnu	30 min	inconnue
IV	rapide	inconnu	inconnue

SOINS INFIRMIERS

ÉVALUATION DE LA SITUATION

- Suivre de près les signes et les symptômes d'hypokaliémie (faiblesse, fatigue, apparition d'ondes U sur le tracé ÉCG, arythmies, polyurie et polydipsie) et d'hyperkaliémie (voir la rubrique « Toxicité et surdosage »).
- Mesurer le pouls et la pression artérielle et surveiller l'ÉCG à intervalles réguliers pendant toute la durée du traitement par voie IV.
- **Étude des examens diagnostiques et biochimiques:** Examiner les concentrations sériques de potassium avant le traitement et à intervalles réguliers pendant toute sa durée.
- Examiner l'état de la fonction rénale, les concentrations sériques de bicarbonate et le pH. En cas d'hypokaliémie réfractaire, il faut déterminer les concentrations sériques de magnésium, car il faut corriger l'hypomagnésémie pour rendre les suppléments de potassium plus efficaces.
- **Toxicité et surdosage:** Les symptômes de toxicité sont les mêmes qu'en cas d'hyperkaliémie: fatigue, faiblesse musculaire, paresthésie, confusion, dyspnée, ondes T pointues, dépres-

sion des segments ST, allongement des segments QT, élargissement des complexes QRS, disparition des ondes P et arythmies cardiaques.
- Le traitement comprend l'arrêt de l'administration de potassium et l'administration de bicarbonate de sodium pour corriger l'acidose, de dextrose et d'insuline pour faciliter la pénétration du potassium dans les cellules, de sels de calcium pour renverser les effets sur l'ÉCG (chez les patients ne recevant pas des dérivés digitaliques), de polystyrène de sodium comme résine échangeuse de cations et (ou) la dialyse, chez les patients souffrant d'insuffisance rénale.

DIAGNOSTICS INFIRMIERS POSSIBLES

- **Énoncés diagnostiques**
- Déficit nutritionnel.
- Prise en charge inefficace du programme thérapeutique.
- *Risque élevé d'accident.*
- *Risque élevé de diarrhée.*
- *Risque élevé de déficit du volume liquidien.*
- *Risque élevé de douleur au point d'injection IV.*

- **Facteurs favorisants**
- Informations incomplètes.
- *Manque de connaissances sur les signes d'hypokaliémie et d'hyperkaliémie et sur les moyens de les prévenir.*
- *Manque de connaissances sur les effets secondaires du médicament.*
- *Manque de connaissances sur les modalités du traitement.*
- *Manque de connaissances sur la méthode d'administration du médicament.*
- *Manque de connaissances sur le régime alimentaire à suivre.*
- *Manque de connaissances sur les moyens de prévenir les effets secondaires affectant l'appareil gastrointestinal.*
- *Inflammation locale du tissu vasculaire ou infiltration du médicament dans les tissus avoisinants.*

INTERVENTIONS INFIRMIÈRES

- **PO:** Pour réduire l'irritation gastro-intestinale, administrer le chlorure de potassium avec des aliments ou après les repas.

- ☐ Administrer les comprimés avec un grand verre d'eau. Il ne faut pas mâcher ni broyer les comprimés ou les capsules à libération prolongée.

- ☐ Dissoudre les comprimés effervescents, les poudres et la solution dans 250 mL d'eau froide ou de jus. S'assurer que le comprimé effervescent est complètement dissous. Recommander au patient de boire le mélange lentement.

- **IV:** Ne pas administrer le chlorure de potassium par voies IM ou SC. Éviter l'extravasation, car elle peut provoquer de fortes douleurs et la nécrose des tissus.

- **Perfusion intermittente:** Ne pas administrer le chlorure de potassium sans le diluer. Diluer et bien mélanger chacune des doses avec 100 à 1 000 mL de solution IV. Habituellement, la teneur doit se limiter à 30 mmol/L de solution IV. Pour les cas d'hypokaliémie grave, la teneur de la solution peut atteindre 80 mmol/L.

- ☐ *Vitesse d'administration:* Administrer la perfusion à un débit de 10 à 40 mmol/h.

- **Solutions compatibles:** On peut diluer le chlorure de potassium dans du dextrose, du soluté salin, de la solution de Ringer, du lactate Ringer et dans des mélanges de dextrose et de soluté salin, de dextrose et de solution de Ringer et de dextrose et de lactate Ringer.

- **Compatibilités (tubulure en Y):** Acyclovir, aminophylline, ampicilline, amrinone, atropine, bétaméthasone, bicarbonate de sodium, céphalothine, céphapirine, chlordiazépoxide, chlorpromazine, cyanocobalamine, deslanoside, dexaméthasone, digoxine, diphenhydra-

mine, dobutamine, dopamine, dropéridol, dropéridol et fentanyl, édrophonium, énalaprilate, épinéphrine, esmolol, éthacrynate sodique, famotidine, fentanyl, fluorouracile, furosémide, gluconate de calcium, hydralazine, insuline, isoprotérénol, kanamycine, labétalol, lidocaïne, ménadiol, méthicilline, méthoxamine, méthylergonovine, minocycline, morphine, néostigmine, norépinéphrine, ocytocine, œstrogènes conjugués, ondansétron, oxacilline, pénicilline G potassique, pentazocine, phytonadione, prednisolone, procaïne, prochlorpérazine, propranolol, pyridostigmine, scopolamine, succinylcholine, sulfate de magnésium, triméthaphane, triméthobenzamide ou zidovudine.

- **Incompatibilités (tubulure en Y):** Diazépam, phénytoïne ou tartrate d'ergotamine.

- **Compatibilités en addition au soluté:** Aminophylline, bicarbonate de sodium, brétylium, céphalothine, céphapirine, chloramphénicol, cimétidine, clindamycine, corticotropine, dimenhydrinate, dopamine, gluceptate d'érythromycine, gluconate de calcium, héparine, isoprotérénol, lactobionate d'érythromycine, lidocaïne, métaraminol, méthicilline, méthyldope, métoclopramide, nafcilline, nétilmicine, norépinéphrine, oxacilline, oxytétracycline, pénicilline G potassique, phényléphrine, pipéracilline, ranitidine, succinate d'hydrocortisone sodique, succinate de méthylprednisolone sodique, tétracycline, thiopental, vancomycine ou vérapamil.

- **Incompatibilité en addition au soluté:** Amphotéricine B.

ENSEIGNEMENT AU PATIENT ET À SES PROCHES

- ☐ Expliquer au patient le but du traitement et la nécessité de respecter scrupuleusement la posologie recommandée, particulièrement s'il reçoit en même temps des dérivés digitaliques ou des diurétiques. S'il n'a pu prendre le médicament au moment habituel, il doit le prendre dès que possible dans les 2 h; sinon, il doit reprendre l'horaire habituel. Le prévenir qu'il ne faut jamais remplacer une dose manquée par une double dose.

☐ Expliquer au patient comment prendre le médicament. Si les préparations liquides ou les comprimés effervescents ne sont pas suffisamment dilués, une ulcération ou une irritation gastro-intestinales peuvent survenir.

☐ Les comprimés à libération prolongée contiennent du chlorure de potassium dans une matrice de cire qui peut être excrétée dans les selles. Ce fait n'a aucune conséquence clinique.

☐ Recommander au patient d'éviter les substituts de sel à moins qu'ils ne soient autorisés par le médecin.

☐ Expliquer au patient quelles sont les sources de potassium alimentaire (voir l'annexe K). L'inciter à suivre scrupuleusement le régime alimentaire recommandé.

☐ Prévenir le patient qu'il doit signaler au médecin sans tarder des selles foncées, goudronneuses ou sanguinolentes, la faiblesse, la fatigue inhabituelle ou les picotements dans les membres.

☐ Recommander au patient d'informer le médecin si les nausées, les vomissements, la diarrhée ou la gêne gastrique persistent. Il peut s'avérer nécessaire de modifier la dose.

☐ Souligner l'importance des examens de suivi réguliers permettant de surveiller les concentrations sériques et d'évaluer l'efficacité du traitement.

VÉRIFICATION DES RÉSULTATS

L'efficacité du traitement peut être démontrée par : la prévention ou le traitement du déficit en potassium sérique.

POTASSIUM, GLUCONATE DE

Kaon, Potassium-Rougier, (Bayon), (K-G Elixir)

CLASSIFICATION:
Électrolyte et supplément électrolytique – sel de potassium

Grossesse – catégorie C

INDICATIONS

Traitement ou prévention du déficit potassique chez les patients incapables d'absorber une quantité suffisante de potassium d'origine alimentaire.

ACTION

■ Maintien des caractéristiques cellulaires suivantes : ☐ équilibre acidobasique ☐ isotonicité ☐ électrophysiologie ■ Activation de nombreuses réactions enzymatiques et élément essentiel à de nombreuses fonctions incluant : ☐ la transmission de l'influx nerveux ☐ la contraction des muscles squelettiques, cardiaques et lisses ☐ les sécrétions d'acide gastrique ☐ la fonction rénale ☐ la synthèse des tissus ☐ le métabolisme des glucides. **Effets thérapeutiques :** ■ Supplément de potassium en cas de carence ■ Prévention du déficit potassique.

PHARMACOCINÉTIQUE

Absorption : Bonne absorption par suite de l'administration par voie orale.
Distribution : Le gluconate de potassium pénètre dans le liquide extracellulaire d'où il parvient aux cellules par transport actif.
Métabolisme et excrétion : Excrétion rénale.
Demi-vie : Inconnue.

CONTRE-INDICATIONS ET PRÉCAUTIONS

Contre-indications : ■ Hyperkaliémie ■ Insuffisance rénale grave ■ Maladie d'Addison non traitée ■ Traumatisme tissulaire grave ■ Paralysie périodique familiale de forme hyperkaliémique ■ Intolérance à l'alcool.

Précautions: ■ Maladie cardiaque ■ Insuffisance rénale ■ Diabète sucré (les préparations liquides peuvent contenir du sucre).

RÉACTIONS INDÉSIRABLES ET EFFETS SECONDAIRES

SNC: paresthésie, agitation, confusion, faiblesse, paralysie.

CV: arythmies, modifications de l'ÉCG (allongement de l'intervalle PR, dépression du segment ST, grandes ondes T pointues).

GI: nausées, vomissements, diarrhée, douleurs abdominales.

INTERACTIONS

Médicament – médicament: Les **diurétiques d'épargne potassique** ou les **inhibiteurs de l'enzyme de conversion de l'angiotensine (ECA)**, administrés simultanément, peuvent entraîner une hyperkaliémie.

VOIES D'ADMINISTRATION ET POSOLOGIE

Remarque: Les préparations de gluconate de potassium renferment 4,3 mmol/g de potassium.

Prévention de l'hypokaliémie
■ **PO (adultes):** de 20 à 40 mmol par jour, en 2 ou 3 doses fractionnées.

Traitement de l'hypokaliémie
■ **PO (adultes);** de 40 à 100 mmol par jour, en 2 ou 3 doses fractionnées.
■ **PO (nourrissons et enfants):** de 2 à 3 mmol/kg par jour ou 40 mmol/m^2 par jour.

PHARMACODYNAMIE
(élévation des concentrations sériques de potassium)

	DÉBUT D'ACTION	PIC	DURÉE
PO	inconnu	1 – 2 h	inconnue

SOINS INFIRMIERS

ÉVALUATION DE LA SITUATION

☐ Suivre de près les signes et les symptômes d'hypokaliémie (faiblesse, fatigue, apparition d'ondes U sur le tracé ÉCG, arythmies, polyurie et polydipsie) et d'hyperkaliémie (fatigue, faiblesse musculaire, paresthésie, confusion, dyspnée, ondes T pointues, dépression des segments ST, allongement des segments QT, élargissement des complexes QRS, disparition des ondes P et arythmies cardiaques).

■ **Étude des examens diagnostiques et biochimiques:** Examiner les concentrations sériques de potassium avant le traitement et à intervalles réguliers pendant toute sa durée.

☐ Suivre de près l'état de la fonction rénale, les concentrations de bicarbonate sérique et le pH. En cas d'hypokaliémie réfractaire, il faudrait déterminer les concentrations sériques de magnésium, car il faut corriger l'hypomagnésémie pour rendre les suppléments de potassium plus efficaces. Noter les concentrations sériques de chlorure, en raison du risque d'hypochlorémie si des suppléments de chlorure ne sont pas administrés simultanément au potassium.

DIAGNOSTICS INFIRMIERS POSSIBLES

■ **Énoncés diagnostiques**
☐ Déficit nutritionnel.
☐ Prise en charge inefficace du programme thérapeutique.
☐ *Risque élevé d'accident.*
☐ *Risque élevé de diarrhée.*
☐ *Risque élevé de déficit du volume liquidien.*

■ **Facteurs favorisants**
☐ Informations incomplètes.
☐ *Manque de connaissances sur les signes d'hypokaliémie et d'hyperkaliémie et sur les moyens de les prévenir.*

P

- *Manque de connaissances sur les effets secondaires du médicament.*
- *Manque de connaissances sur les modalités du traitement.*
- *Manque de connaissances sur la méthode d'administration du médicament.*
- *Manque de connaissances sur le régime alimentaire à suivre.*
- *Manque de connaissances sur les moyens de prévenir les effets secondaires affectant l'appareil gastro-intestinal.*

INTERVENTIONS INFIRMIÈRES

- Pour réduire l'irritation gastro-intestinale, administrer le gluconate de potassium avec des aliments ou après le repas.
- Utiliser un récipient gradué pour mesurer les préparations liquides. Mélanger dans 120 mL d'eau froide ou de jus.

ENSEIGNEMENT AU PATIENT ET À SES PROCHES

- Expliquer au patient le but du traitement et la nécessité de respecter scrupuleusement la posologie recommandée, particulièrement s'il reçoit en même temps des dérivés digitaliques ou des diurétiques. S'il n'a pu prendre le médicament au moment habituel, il doit le prendre dès que possible dans les deux heures; sinon, il doit reprendre l'horaire habituel. Le prévenir qu'il ne faut jamais remplacer une dose manquée par une double dose.
- Expliquer au patient comment prendre le médicament. Une ulcération ou une irritation gastro-intestinales peuvent survenir si les préparations liquides sont insuffisamment diluées.
- Recommander au patient d'éviter les substituts de sel à moins qu'ils ne soient autorisés par le médecin.
- Expliquer au patient quelles sont les sources de potassium alimentaire (voir l'annexe K). L'inciter à suivre scrupuleusement le régime alimentaire recommandé.
- Prévenir le patient qu'il doit signaler au médecin sans tarder des selles foncées, goudronneuses ou sanguinolentes, la faiblesse, la fatigue inhabituelle ou les picotements dans les membres.
- Recommander au patient d'informer le médecin si les nausées, les vomissements, la diarrhée ou la gêne gastrique persistent. Il peut s'avérer nécessaire de modifier la dose.
- Insister sur l'importance des examens de suivi réguliers permettant de surveiller les concentrations sériques et d'évaluer l'efficacité du traitement.

VÉRIFICATION DES RÉSULTATS

L'efficacité du traitement peut être démontrée par : la prévention ou le traitement du déficit en potassium sérique.

POTASSIUM, IODURE DE (SSKI)
Thyro-Block, (Iostat), (Pima)

CLASSIFICATION :
Antithyroïdien

Grossesse – catégorie inconnue

INDICATIONS

■ Traitement d'appoint avec d'autres antithyroïdiens lors de la préparation du patient à la thyroïdectomie ■ Traitement de la crise thyrotoxique ou de la thyrotoxicose néonatale ■ Prévention de la captation thyroïdienne d'iode radioactif lors d'une urgence nucléaire.

ACTION

■ Inhibition rapide de la libération et de la synthèse d'hormones thyroïdiennes ■ Diminution de la vascularité de la glande thyroïde ■ Prévention de la captation de l'iode radioactif par la thyroïde lors d'une urgence nucléaire. **Effets thérapeutiques :** ■ Maîtrise de l'hyperthyroïdie

P

■ Diminution de l'hémorragie durant une intervention chirurgicale à la thyroïde ■ Prévention des cancers de la thyroïde par suite d'une urgence nucléaire.

PHARMACOCINÉTIQUE

Absorption : L'iodure de potassium est transformé dans le tractus gastro-intestinal et pénètre dans la circulation sous forme d'iode.
Distribution : Le médicament se concentre dans la glande thyroïde. Il traverse le placenta et pénètre dans le lait maternel.
Métabolisme et excrétion : Le médicament est capté par la glande thyroïde.
Demi-vie : Inconnue.

CONTRE-INDICATIONS ET PRÉCAUTIONS

Contre-indication : Hypersensibilité.
Précautions : ■ Tuberculose ■ Bronchite ■ Hyperkaliémie ■ Insuffisance rénale ■ Grossesse et allaitement (bien qu'il existe des précédents d'administration d'iode durant la grossesse, il y a des risques d'anomalie de la fonction thyroïdienne chez le nouveau-né).

RÉACTIONS INDÉSIRABLES ET EFFETS SECONDAIRES

ORLO : parotidite.
Tég. : éruptions acnéiformes.
End. : hyperplasie de la thyroïde, hypothyroïdie, hyperthyroïdie.
GI : irritation gastrique, diarrhée.
Divers : hypersensibilité, iodisme.

INTERACTIONS

Médicament – médicament : ■ Le **lithium**, administré simultanément, peut provoquer une hypothyroïdie additive ■ L'iodure de potassium peut intensifier l'effet antithyroïdien des **agents antithyroïdiens** (**méthimazole, propylthiouracile**), administrés simultanément ■ Risque d'hyperkaliémie additive lors de l'usage concomitant de **diurétiques d'épargne potassique** ou d'**inhibiteurs de l'enzyme de conversion de l'angiotensine (ECA)**.

PRÉSENTATION

■ L'iodure de potassium existe sous forme de comprimés à 130 mg.
□ Le médicament existe également en association avec différentes préparations contre la toux et le rhume.

VOIES D'ADMINISTRATION ET POSOLOGIE

Remarque : La préparation d'iodure de potassium contient 6 mmol de potassium par gramme ; les doses sont données en mg d'iodure de potassium.

Préparation à la thyroïdectomie
■ **PO (adultes et enfants) (É.-U.) :** 250 mg, 3 fois par jour, pendant 10 jours avant la thyroïdectomie, habituellement administrés en même temps que des antithyroïdiens.

Prévention de la captation d'iode radioactif
■ **PO (adultes et enfants > 1 an) :** 130 mg par jour, pendant les 10 jours qui suivent l'exposition à des isotopes radioactifs d'iode.
■ **PO (nourrissons et enfants de 1 an et moins) :** 65 mg par jour, pendant les 10 jours qui suivent l'exposition à des isotopes radioactifs d'iode.

PHARMACODYNAMIE (effets sur les résultats des tests de l'exploration fonctionnelle de la thyroïde)

	DÉBUT D'ACTION	PIC	DURÉE
PO	24 h	10 – 15 jours	variable

SOINS INFIRMIERS

ÉVALUATION DE LA SITUATION
■ **Directives générales :** Suivre de près les signes et les symptômes suivants d'iodisme : goût métallique, stomatite, lésions cutanées, symptômes de rhume, gêne gastro-intestinale grave. Prévenir le médecin dès l'apparition de ces symptômes.

P

■ **Hyperthyroïdie :** Suivre de près les symptômes suivants d'hyperthyroïdie : tachycardie, palpitations, nervosité, insomnie, diaphorèse, intolérance à la chaleur, tremblements, perte de poids.

■ **Étude des examens diagnostiques et biochimiques :** Examiner les résultats des tests de l'exploration fonctionnelle thyroïdienne avant le traitement et à intervalles réguliers pendant toute sa durée.

□ Examiner les concentrations sériques de potassium à intervalles réguliers pendant toute la durée du traitement.

DIAGNOSTICS INFIRMIERS POSSIBLES

■ **Énoncés diagnostiques**

□ Dégagement inefficace des voies respiratoires.

□ Prise en charge inefficace du programme thérapeutique.

□ *Risque élevé d'accident.*

■ **Facteurs favorisants**

□ Informations incomplètes.

□ *Manque de connaissances sur les effets secondaires du médicament et sur les moyens de les prévenir.*

□ *Manque de connaissances sur le régime alimentaire à suivre.*

INTERVENTIONS INFIRMIÈRES

■ **PO :** Les comprimés peuvent être réduits en poudre et dissous dans 125 mL d'eau ou de lait. Administrer le médicament après les repas afin de réduire l'irritation gastro-intestinale.

■ **Prévention lors d'une urgence nucléaire :** Administrer la préparation dès que le médecin le recommande en suivant ses directives. Lors d'une urgence nucléaire, une protection de 90 à 99 % est assurée si la préparation est administrée immédiatement après l'exposition, et une protection de 50 %, si elle est administrée dans les 3 ou 4 h suivant l'exposition. La préparation ne protège que la glande thyroïde sans pouvoir prévenir les autres effets de l'exposition aux rayons.

ENSEIGNEMENT AU PATIENT ET À SES PROCHES

■ **Hyperthyroïdie :** Conseiller au patient de respecter scrupuleusement la posologie recommandée. Une dose manquée peut déclencher l'hyperthyroïdie. Prévenir le patient que s'il n'a pu prendre le médicament au moment habituel, il doit le prendre dès que possible à moins qu'il ne soit presque l'heure prévue pour la dose suivante.

□ Recommander à la patiente d'informer le médecin avant le traitement si elle pense être enceinte.

□ Recommander au patient de consulter le médecin au sujet des aliments riches en iode qu'il lui faudrait éviter, à savoir les fruits de mer, le sel iodé, le chou, le chou frisé, les navets.

□ Conseiller au patient de consulter le médecin ou le pharmacien avant de prendre un médicament en vente libre, particulièrement un médicament contre le rhume, car certaines de ces préparations peuvent contenir de l'iode comme expectorant.

VÉRIFICATION DES RÉSULTATS

L'efficacité du traitement peut être démontrée par : ■ la disparition des symptômes de crise thyroïdienne ■ la diminution de la taille et de la vascularité de la glande thyroïde avant la thyroïdectomie ■ la protection de la glande thyroïde contre les effets d'une exposition aux rayons.

POTASSIUM, PHOSPHATES DE

Phosphate de potassium monobasique
(K-Phos Original)

Phosphates de potassium
(Neutra-Phos-K)

CLASSIFICATION :
Électrolyte – supplément de phosphate ; supplément électrolytique

Grossesse – catégorie C

INDICATIONS

■ Traitement et prévention du déficit en phosphate chez les patients incapables d'absorber une quantité suffisante de phosphate d'origine alimentaire. **Usages non approuvés:** ■ Traitement d'appoint des infections des voies urinaires en association avec l'hippurate ou le mandélate de méthénamine (phosphate de potassium monobasique) ■ Prévention de la formation de calculs calciques urinaires (phosphate de potassium monobasique) ■ Traitement des patients hypokaliémiques souffrant d'acidose métabolique ou présentant en même temps une carence en phosphore (sels de phosphate de potassium).

ACTION

■ Les phosphates sont présents dans les os et participent au transport d'énergie et au métabolisme des glucides ■ Tampon pour l'excrétion des ions d'hydrogène par les reins ■ Le phosphate de potassium dibasique est transformé dans les tubules rénaux en sel monobasique par les ions d'hydrogène, entraînant l'acidification de l'urine ■ L'acidification de l'urine est essentielle pour que l'hippurate ou le mandélate de méthénamine deviennent des anti-infectieux urinaires actifs ■ L'acidification de l'urine augmente la solubilité du calcium et diminue la formation de calculs calciques. **Effets thérapeutiques:** ■ Supplément de phosphore en cas de carence ■ Acidification de l'urine ■ Augmentation de l'efficacité de la méthénamine ■ Diminution de la formation de calculs calciques dans les voies urinaires.

PHARMACOCINÉTIQUE

Absorption: Le médicament est réservé à l'administration par voie IV; dans ce cas, sa biodisponibilité est complète.
Distribution: Les phosphates pénètrent dans les liquides extracellulaires d'où ils parviennent par transport actif à leur lieu d'action.

Métabolisme et excrétion: L'agent est surtout excrété par les reins (> 90 %).
Demi-vie: Inconnue.

CONTRE-INDICATIONS ET PRÉCAUTIONS

Contre-indications: ■ Hyperkaliémie ■ Hyperphosphatémie ■ Hypocalcémie ■ Insuffisance rénale grave ■ Maladie d'Addison non traitée ■ Traumatisme tissulaire grave ■ Paralysie périodique familiale de forme hyperkaliémique.
Précautions: ■ Hyperparathyroïdie ■ Maladie cardiaque ■ Insuffisance rénale.

RÉACTIONS INDÉSIRABLES ET EFFETS SECONDAIRES

Remarque: Sauf indication contraire, les réactions indésirables et effets secondaires suivants sont reliés à l'hyperphosphatémie.
SNC: apragmatisme, confusion, faiblesse.
CV: ARYTHMIES, modifications de l'ÉCG (absence des ondes P, élargissement du complexe QRS avec courbe biphasique), ARRÊT CARDIAQUE, hypotension; hyperkaliémie – ARYTHMIES, modifications de l'ÉCG (allongement de l'intervalle PR, dépression du segment ST, grandes ondes T pointues).
HÉ: hypomagnésémie, hyperphosphatémie, hyperkaliémie, hypocalcémie.
GI: diarrhée, nausées, vomissements, douleurs abdominales.
Locaux: phlébite, irritation au point d'injection IV.
Loc.: hyperkaliémie – crampes musculaires; hypercalcémie – tremblements.
SN: paresthésie des membres, paralysie flasque, jambes lourdes.

INTERACTIONS

Médicament – médicament: Les **diurétiques d'épargne potassique** ou les **inhibiteurs de l'enzyme de conversion de l'angiotensine (ECA)**, administrés simultanément, peuvent entraîner une hyperkaliémie.

P

VOIES D'ADMINISTRATION ET POSOLOGIE

Phosphate de potassium monobasique
Remarque : 1 mL de solution injectable contient 40 mg (1,29 mmol) de phosphore et 1,29 mmol de potassium.

Phosphates de potassium
Remarque : 1 mL de solution injectable contient 3 mmol de phosphore et 4,4 mmol de potassium.
- **IV (adultes) (É.-U.) :** 10 mmol de phosphore par jour, sous forme de perfusion.
- **IV (enfants) (É.-U.) :** de 1,5 à 2 mmol de phosphore par jour, sous forme de perfusion.

PHARMACODYNAMIE
(effets sur les concentrations sériques de phosphate)

	DÉBUT D'ACTION	PIC	DURÉE
IV	rapide (plusieurs minutes ou plusieurs heures)	fin de la perfusion	inconnue

☼ SOINS INFIRMIERS

ÉVALUATION DE LA SITUATION
- ☐ Pendant toute la durée du traitement, suivre de près les signes et les symptômes d'hypokaliémie (faiblesse, fatigue, arythmie, présence d'ondes U sur le tracé de l'ECG, polyurie et polydipsie) et d'hypophosphatémie (anorexie, faiblesse, diminution des réflexes, douleurs osseuses, confusion, dyscrasie sanguine).
- ☐ Mesurer le pouls et la pression artérielle et surveiller l'ECG avant le traitement et à intervalles réguliers pendant toute sa durée.
- ☐ Effectuer le bilan quotidien des ingesta et des excreta et peser le patient tous les jours. Signaler tout écart important au médecin.
- ■ **Étude des examens diagnostiques et biochimiques :** Noter les concentrations sériques de phosphates, de potassium

et de calcium avant le traitement et à intervalles réguliers pendant toute sa durée. L'élévation des concentrations de phosphates peut provoquer une hypocalcémie.
- ☐ Examiner les résultats des tests de l'exploration fonctionnelle rénale avant le traitement et à intervalles réguliers pendant toute sa durée.
- ☐ Mesurer le pH de l'urine des patients recevant du phosphate de potassium comme acidifiant de l'urine.
- ■ **Toxicité et surdosage :** Les symptômes de la toxicité sont les mêmes qu'en cas d'hyperkaliémie (fatigue, faiblesse musculaire, paresthésie, confusion, dyspnée, ondes T pointues, dépression des segments ST, allongement des segments QT, élargissement des complexes QRS, disparition des ondes P et arythmies cardiaques) et de l'hyperphosphatémie ou de l'hypocalcémie (paresthésie, soubresauts musculaires, laryngospasme, colique, arythmies cardiaques ou signe de Chvostek ou de Trousseau).
- ☐ Le traitement comprend l'arrêt de la perfusion de potassium, l'administration de suppléments de calcium, et la diminution des concentrations sériques de potassium (par l'administration de dextrose et d'insuline pour faciliter la pénétration du potassium dans les cellules, de polystyrène de sodium comme résine échangeuse de cations et (ou) la dialyse, chez les patients souffrant d'insuffisance rénale).

DIAGNOSTICS INFIRMIERS POSSIBLES
- ■ **Énoncés diagnostiques**
- ☐ Déficit nutritionnel.
- ☐ Prise en charge inefficace du programme thérapeutique.
- ☐ *Risque élevé d'accident.*
- ☐ *Risque élevé d'intoxication.*
- ☐ *Risque élevé de douleur au point d'injection IV.*
- ■ **Facteurs favorisants**
- ☐ Informations incomplètes.

□ *Manque de connaissances sur les signes d'hypokaliémie et d'hyperkaliémie et sur les moyens de les prévenir.*

□ *Manque de connaissances sur les effets secondaires du médicament et sur les moyens de les prévenir.*

□ *Manque de connaissances sur les modalités du traitement.*

□ *Manque de connaissances sur le régime alimentaire à suivre.*

□ *Inflammation locale du tissu vasculaire et infiltration du médicament dans les tissus avoisinants.*

INTERVENTIONS INFIRMIÈRES

■ **Directives générales:** Administrer seulement les solutions diluées. Élément courant d'une alimentation parentérale totale. Ne pas administrer par voie IM.

■ **Perfusion continue:** Diluer l'agent pour obtenir une concentration inférieure à 160 mmol/L avec une solution de NaCl à 0,45 % ou à 0,9 %, de dextrose à 5 % ou à 10 % dans de l'eau, de dextrose à 5 % dans une solution de NaCl à 0,45 % ou à 0,9 % ou dans une solution destinée à l'alimentation parentérale totale.

□ *Vitesse d'administration:* Administrer sous forme de perfusion continue, à un débit lent.

■ **Compatibilités (tubulure en Y):** Énalaprilate, esmolol, famotidine ou labétalol.

■ **Compatibilités en addition au soluté:** Métoclopramide, sulfate de magnésium ou vérapamil.

■ **Solutions incompatibles ou incompatibilité en addition au soluté:** Solution de Ringer ou lactate Ringer, dextrose à 10 % dans une solution de NaCl à 0,9 %, dextrose à 5 % dans du lactate Ringer ou dobutamine.

ENSEIGNEMENT AU PATIENT ET À SES PROCHES

□ Recommander au patient de prévenir rapidement le médecin en cas de diarrhée, de faiblesse, de fatigue, de crampes musculaires ou de tremblements.

VÉRIFICATION DES RÉSULTATS

L'efficacité du traitement peut être démontrée par: ■ la prévention et la correction des déficits en phosphate et en potassium sériques ■ le maintien de l'acidité de l'urine ■ la diminution des concentrations de calcium dans l'urine, prévenant ainsi la formation de calculs rénaux.

PRALIDOXIME
Protopam

CLASSIFICATION:
Antidote, intoxication par les anticholinestérasiques

Grossesse – catégorie inconnue

INDICATIONS

■ Traitement précoce (dans les 24 à 36 premières heures) de l'intoxication par des insecticides organophosphorés anticholinestérasiques, habituellement avec de l'atropine et des mesures de soutien incluant la ventilation mécanique, le cas échéant ■ Traitement du surdosage par les anticholinestérasiques (néostigmine, pyridostigmine, ambémonium ou gaz asphyxiant).

ACTION

■ Réactivation de la cholinestérase par suite de l'intoxication par des agents anticholinestérasiques ■ Inactivation directe possible des organophosphorés. **Effets thérapeutiques:** ■ Renversement de la paralysie musculaire induite par l'intoxication par des organophosphorés.

PHARMACOCINÉTIQUE

Absorption: Bonne absorption par suite de l'administration par voie IM.

Distribution: Le médicament se répartit dans toute l'eau extracellulaire. Il ne semble pas pénétrer le SNC.
Métabolisme et excrétion: Une fraction de 80 à 90 % est excrétée à l'état inchangé par les reins.
Demi-vie: De 0,8 à 2,7 h.

CONTRE-INDICATIONS ET PRÉCAUTIONS

Contre-indication: Hypersensibilité.
Précautions: ■ Myasthénie grave (risque de déclenchement d'une crise myasthénique) ■ Insuffisance rénale (réduire la dose) ■ Grossesse, allaitement ou enfants (l'innocuité du médicament n'a pas été établie) ■ Intoxication par les insecticides contenant des carbamates (efficacité inconnue ; risque de toxicité accrue).

RÉACTIONS INDÉSIRABLES ET EFFETS SECONDAIRES

SNC: étourdissements, céphalées, somnolence.
ORLO: diplopie, vision trouble, altération de l'accommodation.
Resp.: hyperventilation, LARYNGOSPASME.
CV: tachycardie.
GI: nausées.
Tég.: rash.
Locaux: douleur au point d'injection IM.
Loc.: faiblesse musculaire, rigidité musculaire, blocage neuromusculaire.

INTERACTIONS

Médicament – médicament: Éviter l'administration simultanée de **succinylcholine**, de **morphine**, d'**aminophylline**, de **théophylline**, de **réserpine** et de **dépresseurs respiratoires**, incluant les **barbituriques**, les **analgésiques narcotiques** et les **hypnosédatifs** chez les patients intoxiqués par les anticholinestérasiques.

VOIES D'ADMINISTRATION ET POSOLOGIE

Remarque: La voie IV est la voie d'administration à préférer.

Intoxication par les organophosphorés
Administrer de 2 à 4 mg d'atropine par voie IV en même temps que la pralidoxime. En cas de cyanose, administrer de l'atropine par voie IM tout en essayant d'améliorer l'état ventilatoire. Répéter l'administration d'atropine toutes les 5 à 10 min jusqu'à ce que l'intoxication soit abolie ; poursuivre ensuite l'administration pendant au moins 48 h.

■ **SC, IM et IV (adultes):** 1 ou 2 g; on peut répéter l'administration 1 h après si la paralysie musculaire reste présente ou administrer sous forme de perfusion IV continue à un débit de 500 mg/h. Si l'exposition se poursuit, on peut administrer des doses supplémentaires toutes les 3 à 8 h.
■ **SC, IM et IV (enfants):** de 25 à 50 mg/kg; on peut répéter l'administration 1 h après si la paralysie musculaire reste présente. Si l'exposition se poursuit, on peut administrer des doses supplémentaires toutes les 3 à 8 h.
■ **Voie sous-conjonctivale (É.-U.):** 0,1 ou 0,2 mL de solution à 5 %.

Surdosage anticholinestérasique
■ **IV (adultes) (É.-U.):** 1 g, puis augmenter la dose par paliers de 250 mg, toutes les 5 min, selon les besoins.

PHARMACODYNAMIE (concentrations plasmatiques)

	DÉBUT D'ACTION	PIC	DURÉE
IM	inconnu	10 – 20 min	inconnue
IV	inconnu	5 – 15 min	inconnue

☀ SOINS INFIRMIERS

ÉVALUATION DE LA SITUATION

☐ Déterminer le type d'insecticide auquel le patient a été exposé ainsi que le moment de l'exposition. Le traitement devrait être amorcé le plus rapidement possible dans les 24 h suivant l'exposition. Contacter un centre antipoison pour obtenir tous les renseignements sur l'insecticide en question.

☐ Évaluer l'état neuromusculaire avant le traitement et à intervalles réguliers pendant toute sa durée. Noter la force musculaire, le volume courant et la capacité vitale. Noter la présence des effets nicotiniques des anticholinestérasiques : soubresauts, crampes musculaires, fasciculation, faiblesse, pâleur, tachycardie, élévation de la pression artérielle.

☐ Mesurer à intervalles fréquents les respirations, le pouls et la pression artérielle. Une perfusion IV rapide peut provoquer la tachycardie, un laryngospasme, la rigidité musculaire et l'hypertension. Prévenir immédiatement le médecin en cas d'hypertension, car une réduction du débit de la perfusion ou l'arrêt de l'administration pourraient s'imposer. L'administration de phentolamine peut s'avérer nécessaire pour stabiliser la pression artérielle.

■ **Étude des examens diagnostiques et biochimiques :** La pralidoxime peut entraîner l'élévation des concentrations de TGOS (AST), de TGPS (ALT) et de CPK. Ces valeurs retournent habituellement à la normale en l'espace de 2 semaines.

DIAGNOSTICS INFIRMIERS POSSIBLES

■ **Énoncés diagnostiques**

☐ Risque élevé d'accident.

☐ Dégagement inefficace des voies respiratoires.

☐ *Risque élevé d'anxiété.*

☐ *Risque élevé d'exacerbation des effets secondaires.*

☐ *Risque élevé d'atteinte à l'intégrité de la peau.*

■ **Facteurs favorisants**

☐ *Douleur au point d'injection.*

☐ *Mode de respiration inefficace.*

☐ *Manque de connaissances sur les modalités du traitement.*

☐ *Administration trop rapide du médicament par voie IV.*

☐ *Manque de connaissances sur les moyens de prévenir les effets secondaires du médicament.*

INTERVENTIONS INFIRMIÈRES

■ **Directives générales :** Le médecin peut recommander d'administrer en même temps de l'atropine et de prendre des mesures de soutien (aspiration, intubation et ventilation). L'atropine est administrée pour renverser les effets muscariniques suivants des anticholinestérasiques : bronchoconstriction, dyspnée, toux, sécrétions bronchiques accrues, nausées, vomissements, crampes abdominales, diarrhée, transpiration accrue, salivation, larmoiement, bradycardie, baisse de la pression artérielle, myosis, vision trouble, mictions fréquentes, incontinence. La pralidoxime est efficace contre les effets nicotiniques seulement.

☐ Il peut s'avérer nécessaire de répéter l'administration toutes les 3 à 8 h si l'insecticide a été ingéré, car l'absorption depuis l'intestin peut se poursuivre.

☐ Le médecin peut administrer la pralidoxime par voie sous-conjonctivale si l'insecticide a pénétré dans les yeux.

☐ En cas de contact avec la peau, retirer les vêtements et laver abondamment les cheveux et la peau du patient avec du bicarbonate de sodium ou de l'alcool dès que possible. Les soignants devraient porter des gants afin de prévenir l'exposition au produit. Mettre soigneusement au rebut les vêtements afin de prévenir la contamination.

■ **SC et IM :** On peut administrer la pralidoxime par voies SC ou IM chez les patients qui ne peuvent tolérer la perfusion IV.

■ **IV :** Reconstituer le contenu d'une fiole de 1 g de poudre de pralidoxime avec 20 mL d'eau stérile pour injection.

- **IV directe :** On peut administrer la pralidoxime non diluée (50 mg/mL) pendant au moins 2 min chez les patients qui ne peuvent tolérer la perfusion IV (par exemple, patients souffrant d'œdème pulmonaire).
- **Perfusion intermittente :** Diluer une fois de plus dans 250 mL de solution de NaCl à 0,9 %.
- ☐ *Vitesse de perfusion :* Administrer la perfusion en 30 min.

ENSEIGNEMENT AU PATIENT ET À SES PROCHES
- ☐ Expliquer au patient le but du traitement.

VÉRIFICATION DES RÉSULTATS
L'efficacité du traitement peut être démontrée par : le renversement de la faiblesse respiratoire et musculosquelettique provoquée par l'exposition à des insecticides organophosphorés anticholinestérasiques ou par le surdosage par les anticholinestérasiques.

PRAVASTATINE
Pravachol

CLASSIFICATION :
Hypolipidémiant

Grossesse – catégorie X

INDICATIONS
Traitement d'appoint de l'hypercholestérolémie primaire, en association avec la diétothérapie.

ACTION
- Inhibition de l'enzyme (HMG-CoA réductase) qui catalyse une étape précoce de la synthèse du cholestérol. **Effets thérapeutiques :** ■ Abaissement des concentrations de cholestérol total, de cholestérol-LDL, de cholestérol-VLDL et de triglycérides ■ Élévation des concentrations de HDL.

PHARMACOCINÉTIQUE
Absorption : La faible absorption par suite de l'administration par voie orale et le métabolisme hépatique rapide entraînent une biodisponibilité réduite (18 %).
Distribution : La pravastatine ne traverse pas la barrière hémato-encéphalique. Elle pénètre dans le lait maternel en petites quantités. Elle pénètre aussi dans les hépatocytes qui constituent son lieu d'action. Le reste de la distribution est inconnu.
Métabolisme et excrétion : La pravastatine est fortement métabolisée par le foie. Une fraction de 71 % est excrétée dans les fèces. Une faible fraction (8 %) est excrétée à l'état inchangé par les reins.
Demi-vie : 1,8 h.

CONTRE-INDICATIONS ET PRÉCAUTIONS
Contre-indications : ■ Hypersensibilité ■ Grossesse ou allaitement ■ Maladie hépatique en évolution.
Précautions : ■ Femmes en âge de procréer ■ Antécédents de maladie hépatique ■ Alcoolisme ■ Enfants de moins de 18 ans (l'innocuité du médicament n'a pas été établie).

RÉACTIONS INDÉSIRABLES ET EFFETS SECONDAIRES
SNC : céphalées.
Tég. : rash.
Loc. : myalgie.

INTERACTIONS
Médicament – médicament : ■ Les chélateurs des acides biliaires (cholestyramine, colestipol), administrés simultanément, peuvent intensifier les effets hypocholestérolémiants de la pravastatine, mais en diminuer l'absorption (administrer 1 h avant ou 4 h après les chélateurs des acides biliaires) ■ Risque accru de myopathie lors de l'administration simultanée de niacine, de gemfibrozil, d'érythromycine ou de cyclosporine.

VOIES D'ADMINISTRATION ET POSOLOGIE

■ **PO (adultes):** de 10 à 40 mg, une fois par jour, au coucher.

PHARMACODYNAMIE (effets hypolipidémiants)

	DÉBUT D'ACTION	PIC	DURÉE
PO	1 semaine	4 semaines	inconnue

☀ SOINS INFIRMIERS

ÉVALUATION DE LA SITUATION

☐ Recueillir les données sur les habitudes alimentaires du patient, notamment sur sa consommation de matières grasses.

☐ Des examens ophtalmologiques sont recommandés avant le traitement et annuellement pendant toute sa durée.

■ **Étude des examens diagnostiques et biochimiques:** Noter les concentrations sériques de cholestérol et de triglycérides, avant l'administration et à intervalles réguliers pendant toute la durée du traitement.

☐ Examiner les résultats des tests de l'exploration fonctionnelle hépatique, y compris les concentrations de TGOS (AST), avant le traitement, toutes les 6 semaines durant les trois premiers mois de traitement, toutes les 8 semaines pendant le reste de la première année et tous les 6 mois par la suite. Si les concentrations de TGOS (AST) sont trois fois supérieures à la normale, il faut arrêter le traitement par la pravastatine.

☐ En cas de sensibilité musculaire, examiner les concentrations de CPK; si elles sont fortement élevées ou si une myopathie se manifeste, il faut arrêter le traitement par la pravastatine.

DIAGNOSTICS INFIRMIERS POSSIBLES

■ **Énoncés diagnostiques**

☐ Prise en charge inefficace du programme thérapeutique.

☐ Non-observance du traitement médicamenteux.

■ **Facteurs favorisants**

☐ Informations incomplètes.

☐ Doute quant aux bienfaits du médicament.

☐ *Manque de connaissances sur le régime alimentaire à suivre.*

☐ *Difficulté à s'adapter aux changements nécessaires dans les habitudes de vie.*

☐ *Manque de connaissances sur les modalités du traitement.*

INTERVENTIONS INFIRMIÈRES

■ **PO:** Administrer la pravastatine une fois par jour au coucher sans égard aux repas.

■ Si la pravastatine est administrée en association avec des chélateurs des acides biliaires (cholestyramine, colestipol), l'administrer 1 h avant ou au moins 4 h après ces agents.

ENSEIGNEMENT AU PATIENT ET À SES PROCHES

☐ Conseiller au patient de respecter scrupuleusement la posologie recommandée, de ne pas sauter de dose et de ne pas remplacer une dose manquée par une double dose. La pravastatine aide à réduire les taux sériques élevés de cholestérol, mais ne guérit pas l'hypercholestérolémie.

☐ Expliquer au patient que le traitement médicamenteux ne peut être efficace que s'il suit en même temps un régime alimentaire pauvre en matières grasses, en cholestérol et en glucides, s'il évite de boire de l'alcool, s'il fait de l'exercice et s'il cesse de fumer.

☐ Recommander au patient de prévenir le médecin en cas de douleur, de sensibilité ou de faiblesse musculaires inexpliquées, particulièrement si ces symptômes s'accompagnent de fièvre ou de malaise. Recommander à la patiente de prévenir immédiatement le médecin si elle pense être enceinte ou si elle souhaite le devenir.

P

- ☐ Recommander au patient qui doit suivre un traitement dentaire ou subir une intervention chirurgicale d'avertir le dentiste ou le médecin qu'il suit un traitement médicamenteux.
- ☐ Insister sur l'importance des examens de suivi permettant de déterminer l'efficacité du traitement et de déceler les effets secondaires du médicament.

VÉRIFICATION DES RÉSULTATS

L'efficacité du traitement peut être démontrée par : ■ la baisse des concentrations sériques de lipoprotéines de basse densité (LDL), de lipoprotéines de très basse densité (VLDL) et de cholestérol total ■ l'élévation des concentrations sériques de lipoprotéines de haute densité (HDL) ■ la baisse des concentrations sériques de triglycérides.

PRAZÉPAM

(Centrax)

CLASSIFICATION :
Hypnosédatif – benzodiazépine

Grossesse – catégorie inconnue

INDICATIONS

Adjuvant au traitement de l'anxiété.

ACTION

■ Dépression du SNC, probablement par potentialisation de l'activité de l'acide gamma-aminobutyrique (GABA), un neurotransmetteur inhibiteur. **Effets thérapeutiques :** ■ Sédation ■ Soulagement de l'anxiété.

PHARMACOCINÉTIQUE

Absorption : Par suite de l'administration par voie orale, l'absorption du prazépam est lente, mais son métabolisme est rapide.

Distribution : Le médicament se répartit dans tout l'organisme ; il traverse la barrière hémato-encéphalique et le placenta et pénètre dans le lait maternel.

Métabolisme et excrétion : Le médicament est surtout métabolisé par le foie et transformé en benzodiazépines actives (desméthyldiazépam et oxazépam).

Demi-vie : Oxazépam, de 5 à 15 h ; desméthyldiazépam, de 30 à 100 h.

CONTRE-INDICATIONS ET PRÉCAUTIONS

Contre-indications : ■ Hypersensibilité ■ Risque de réactions de sensibilité croisée avec d'autres benzodiazépines ■ Coma ou dépression préexistante du SNC ■ Douleurs graves non maîtrisées ■ Glaucome à angle étroit ■ Grossesse et allaitement.

Précautions : ■ Dysfonction hépatique ■ Insuffisance rénale grave ■ Patients pouvant être suicidaires ou ayant des antécédents de toxicomanie ■ Personnes âgées ou patients débilités (il est recommandé de réduire la dose) ■ Enfants (l'innocuité du médicament n'a pas été établie).

RÉACTIONS INDÉSIRABLES ET EFFETS SECONDAIRES

SNC : étourdissements, somnolence, léthargie, sensation « droguée », excitation paradoxale, céphalées.
ORLO : vision trouble.
Resp. : dépression respiratoire.
GI : nausées, vomissements, diarrhée, constipation.
Tég. : rash.
Divers : tolérance aux effets du médicament, dépendance psychologique, dépendance physique.

INTERACTIONS

Médicament – médicament : ■ Dépression additive du SNC lors de l'usage concomitant d'**autres dépresseurs du SNC** incluant l'**alcool**, les **antihistaminiques**, les **antidépresseurs**, les **analgésiques narcotiques** et les autres **hypnosédatifs** ■ La **cimétidine**, les **contraceptifs oraux**, le **disulfirame**, la **fluoxétine**, l'**isoniazide**, le **kétoconazole**, le **métoprolol**, le **pro-**

P

poxyphène**, le **propranolol** et l'**acide valproïque**, administrés simultanément, peuvent diminuer le métabolisme du prazépam et intensifier la dépression du SNC ■ Le prazépam peut diminuer l'efficacité de la **lévodopa** ■ La **rifampine** ou les **barbituriques**, administrés simultanément, peuvent augmenter le métabolisme du prazépam et en diminuer l'efficacité ■ La **théophylline**, administrée simultanément, peut diminuer les effets sédatifs du prazépam.

PRÉSENTATION
Le prazépam est présenté sous forme de comprimés et de capsules.

VOIES D'ADMINISTRATION ET POSOLOGIE
PO (adultes): 30 mg/jour, en doses fractionnées (dose habituelle: de 20 à 60 mg/jour), ou une seule dose de 20 mg, au coucher (jusqu'à concurrence de 50 mg).

PHARMACODYNAMIE
(effets anxiolytiques)

	DÉBUT D'ACTION	PIC	DURÉE
PO	inconnu	plusieurs jours à plusieurs semaines	plusieurs jours

☀ SOINS INFIRMIERS

ÉVALUATION DE LA SITUATION
□ Suivre de près l'anxiété et noter le degré de sédation (ataxie, étourdissements, troubles de l'élocution) à intervalles réguliers pendant toute la durée du traitement.
□ Le traitement prolongé avec des doses élevées peut entraîner la dépendance psychologique ou physique. Limiter la quantité de médicament dont peut disposer le patient.
■ **Étude des examens diagnostiques et biochimiques:** Examiner les résultats des tests de l'exploration fonctionnelle hépatique ainsi que la numération globulaire à intervalles réguliers tout au long d'un traitement prolongé.
□ Le prazépam peut entraîner l'élévation des concentrations sériques de bilirubine, de TGOS (AST) et de TGPS (ALT).

DIAGNOSTICS INFIRMIERS POSSIBLES
■ **Énoncés diagnostiques**
□ Anxiété.
□ Risque élevé d'accident.
□ Prise en charge inefficace du programme thérapeutique.

■ **Facteurs favorisants**
□ Informations incomplètes.
□ *Perturbation de la vigilance.*
□ *Manque de connaissances sur les modalités du traitement.*

INTERVENTIONS INFIRMIÈRES
■ **PO:** Administrer le prazépam avec des aliments si l'irritation gastrique devient gênante.
□ À la fin d'un traitement prolongé, il faut réduire la posologie graduellement. L'arrêt brusque du traitement peut entraîner les symptômes de sevrage suivants: insomnie, irritabilité, nervosité, tremblements.

ENSEIGNEMENT AU PATIENT ET À SES PROCHES
□ Conseiller au patient de respecter scrupuleusement la posologie recommandée. Le prévenir qu'il ne doit pas dépasser la dose prescrite ni augmenter la dose si elle devient moins efficace après quelques semaines de traitement. Lui recommander de consulter le médecin avant de modifier la posologie ou d'arrêter le traitement.
□ Prévenir le patient que le prazépam peut entraîner de la somnolence ou des étourdissements. Lui conseiller de ne pas conduire et d'éviter les activités qui exigent sa vigilance jusqu'à ce qu'on ait la certitude que le médicament n'entraîne pas ces effets chez lui.

P

□ Recommander au patient de ne pas boire d'alcool et de consulter le médecin ou le pharmacien avant de prendre des préparations en vente libre contenant des antihistaminiques ou de l'alcool.

□ Conseiller à la patiente d'informer le médecin si elle pense être enceinte ou si elle souhaite le devenir.

□ Insister sur l'importance des examens de suivi permettant d'évaluer l'efficacité du médicament.

VÉRIFICATION DES RÉSULTATS

L'efficacité du traitement peut être démontrée par : ■ la diminution de l'anxiété □ une meilleure capacité d'adaptation. Les pleins effets anxiolytiques se manifestent habituellement en l'espace de 1 ou 2 semaines de traitement. Il faudrait réévaluer l'efficacité du médicament après 4 mois.

PRAZOSINE
Apo-Prazo, Minipress, Novo-Prazin, Nu-Prazo

CLASSIFICATION :
Antihypertenseur – adrénolytique à action périphérique

Grossesse – catégorie inconnue

INDICATIONS

■ Traitement de l'hypertension légère à modérée. **Usages non approuvés :** ■ Traitement de l'insuffisance cardiaque qui ne répond pas aux dérivés digitaliques et aux diurétiques ■ Traitement des troubles vasculaires périphériques incluant le vasospasme périphérique et le syndrome de Raynaud.

ACTION

■ Dilatation des artères et des veines par blocage des récepteurs alpha$_1$-adrénergiques postsynaptiques. **Effets thérapeutiques :** ■ Abaissement de la pression arté-rielle ■ Diminution de la précharge et de la postcharge cardiaque.

PHARMACOCINÉTIQUE

Absorption : Par suite de l'administration par voie orale, une fraction de 60 % est absorbée.

Distribution : Le médicament se répartit dans tout l'organisme.

Métabolisme et excrétion : La prazosine est fortement métabolisée par le foie. Une fraction infime (de 5 à 10 %) est excrétée à l'état inchangé par les reins.

Demi-vie : De 2 à 3 h.

CONTRE-INDICATIONS ET PRÉCAUTIONS

Contre-indication : Hypersensibilité.

Précautions : ■ Insuffisance rénale (sensibilité accrue aux effets ; une réduction de la dose peut s'avérer nécessaire) ■ Grossesse, allaitement ou enfants (l'innocuité du médicament n'a pas été établie) ■ Angine de poitrine.

RÉACTIONS INDÉSIRABLES ET EFFETS SECONDAIRES

SNC : étourdissements, somnolence, syncope, dépression, céphalées, faiblesse.

ORLO : vision trouble.

CV : hypotension orthostatique induite par la première dose, palpitations, angine, œdème.

GI : sécheresse de la bouche (xérostomie), nausées, vomissements, diarrhée, crampes abdominales.

GU : impuissance, priapisme.

INTERACTIONS

Médicament – médicament : ■ Hypotension additive lors de l'administration concomitante d'autres **antihypertenseurs** ou de **dérivés nitrés** ou lors de la consommation d'**alcool** ■ Les **anti-inflammatoires non stéroïdiens**, administrés simultanément, peuvent diminuer les effets antihypertenseurs de la prazosine.

VOIES D'ADMINISTRATION ET POSOLOGIE

PO (adultes): initialement, 0,5 mg au repas du soir, au moins 2 à 3 h avant le coucher; la dose d'entretien habituelle est de 2 à 20 mg par jour, en 2 ou 3 doses fractionnées.

PHARMACODYNAMIE (effets antihypertenseurs)

	DÉBUT D'ACTION	PIC	DURÉE
PO	2 h	2 – 4 h*	10 h

* Par suite de l'administration d'une seule dose; les pleins effets antihypertenseurs se manifestent habituellement après 3 ou 4 semaines de traitement prolongé.

❋ SOINS INFIRMIERS

ÉVALUATION DE LA SITUATION

☐ Mesurer la pression artérielle et le pouls à intervalles fréquents pendant la période initiale d'ajustement de la posologie et à intervalles réguliers pendant toute la durée du traitement. Signaler au médecin tout changement important.

☐ Effectuer le bilan quotidien des ingesta et des excreta; peser le patient tous les jours; surveiller quotidiennement l'apparition d'œdème, particulièrement en début de traitement. Informer le médecin de tout gain pondéral ou de la présence d'œdème.

■ **Étude des examens diagnostiques et biochimiques:** La prazosine peut entraîner l'élévation des concentrations sériques de sodium.

DIAGNOSTICS INFIRMIERS POSSIBLES

■ **Énoncés diagnostiques**
■ Risque élevé d'accident.
■ Prise en charge inefficace du programme thérapeutique.
■ Non-observance du traitement médicamenteux.
■ *Risque élevé d'anxiété.*

■ **Facteurs favorisants**
☐ Informations incomplètes.
☐ Doute quant aux bienfaits du médicament.
☐ *Perturbation de la vigilance.*
☐ *Manque de connaissances sur les effets hypotensifs du médicament lors des changements brusques de position.*
☐ *Manque de connaissances sur les modalités du traitement.*
☐ *Manque de connaissances sur les effets secondaires du médicament.*
☐ *Difficulté à s'adapter aux changements nécessaires dans les habitudes de vie.*
☐ *Manque de connaissances sur le régime alimentaire à suivre.*

INTERVENTIONS INFIRMIÈRES

■ **Directives générales:** Après la dose initiale, le patient peut manifester une « réaction d'hypotension orthostatique induite par la première dose », qui se produit, le plus souvent, de 30 min à 2 h après l'administration de la dose initiale et qui peut se manifester par des étourdissements, de la faiblesse, une sensation de tête légère et la syncope. Observer de près le patient durant cette période et prendre les précautions qui s'imposent pour prévenir les accidents. La première dose peut être administrée au coucher afin de réduire les risques auxquels une telle réaction pourrait exposer le patient.

☐ La prazosine est habituellement administrée en association avec un diurétique thiazidique ou un bêtabloquant.

ENSEIGNEMENT AU PATIENT ET À SES PROCHES

☐ Inciter le patient à continuer à prendre ce médicament, même s'il se sent mieux. Lui recommander de prendre la prazosine tous les jours, au même moment. S'il n'a pu prendre le médicament au moment habituel, il doit

P

le prendre dès que possible à moins que ce ne soit presque l'heure prévue pour la dose suivante. Prévenir le patient qu'il ne doit jamais doubler la dose.

□ Inciter le patient à suivre d'autres mesures de réduction de l'hypertension : perdre du poids, réduire sa consommation de sel, cesser de fumer, boire de l'alcool avec modération, faire régulièrement de l'exercice et diminuer le stress.

□ Montrer au patient et à ses proches comment mesurer la pression artérielle. Leur recommander de prendre la pression artérielle au moins une fois par semaine et de signaler au médecin tout changement important.

□ Prévenir le patient que la prazosine peut entraîner de la somnolence ou des étourdissements. Lui conseiller de ne pas conduire et d'éviter les activités qui exigent sa vigilance jusqu'à ce qu'on ait la certitude que le médicament n'entraîne pas ces effets chez lui.

□ Recommander au patient d'éviter de changer brusquement de position pour prévenir les risques d'hypotension orthostatique.

□ Conseiller au patient de consulter le médecin ou le pharmacien avant de prendre un médicament contre la toux, le rhume ou les allergies. Lui conseiller également de limiter sa consommation de café, de thé ou de boissons à base de cola.

□ Insister sur l'importance des examens de suivi permettant d'évaluer les bienfaits du traitement.

VÉRIFICATION DES RÉSULTATS

L'efficacité du traitement peut être démontrée par : la baisse de la pression artérielle sans que des effets secondaires se manifestent.

PREDNISOLONE

Ak-Tate, Diopred, Inflamase Forte, Inflamase Mild, Novoprednisolone, Ophtho-Tate, Pred Forte, Pred Mild, Prednisolone Minims, R.O.-Predphate Forte, (Articulose), (Cortalone), (Delta-Cortef), (Hydeltra-T.B.A.), (Hydeltrasol), (Key-Pred), (Metalone T.B.A.), (Nor-Pred T.B.A.), (Pediapred), (Predaject), (Predalone), (Predalone T.B.A.), (Predate), (Predate-S), (Predate T.B.A.), (Predcor), (Predicort), (Predicort-RP), (Predicort T.B.A.), (Prelone)

CLASSIFICATION :
Glucocorticoïde à action intermédiaire
Grossesse – catégorie inconnue

INDICATIONS

■ Traitement systémique et local d'une grande variété d'affections chroniques dont : □ les maladies inflammatoires □ les maladies allergiques □ les maladies hématologiques □ les maladies néoplasiques □ les maladies auto-immunes ■ Traitement de substitution en cas d'insuffisance surrénalienne.

ACTION

■ Suppression de l'inflammation et de la réponse immunitaire normale ; nombreux effets métaboliques intenses ■ Suppression de la fonction des surrénales à des doses de 5 mg par jour, administrées sur une période prolongée ■ Médicament doué d'une activité minéralocorticoïde (rétention sodique) minime. **Effets thérapeutiques :** ■ Suppression de l'inflammation et modification de la réponse immunitaire normale ■ Traitement de substitution de l'insuffisance surrénalienne.

PHARMACOCINÉTIQUE

Absorption : Bonne absorption par suite de l'administration par voie orale. L'application prolongée de doses élevées de préparations topiques peut aussi mener à une absorption systémique.

Distribution: Le médicament se répartit dans tout l'organisme. Il traverse le placenta et pénètre probablement dans le lait maternel.

Métabolisme et excrétion: Le médicament est surtout métabolisé par le foie et d'autres tissus. De petites quantités sont excrétées à l'état inchangé par les reins.

Demi-vie: De 115 à 212 min; la suppression de la fonction surrénalienne dure de 1,25 à 1,5 jour.

CONTRE-INDICATIONS ET PRÉCAUTIONS

Contre-indications: ■ Infections en évolution qui n'ont pas été traitées, à l'exception de la méningite tuberculeuse ■ Allaitement (administration prolongée).

Précautions: ■ Traitement prolongé (risque de suppression de la fonction surrénalienne) ■ Sevrage brusque (à proscrire) ■ Période de stress (intervention chirurgicale, infection) – administrer des doses supplémentaires, au besoin ■ Grossesse (l'innocuité du médicament n'a pas été établie) ■ Enfants (l'administration prolongée peut entraîner un ralentissement de la croissance) ■ Infections (le médicament peut masquer les signes d'infection, à savoir la fièvre et l'inflammation) ■ Administrer la plus petite dose possible pendant la période la plus courte possible.

RÉACTIONS INDÉSIRABLES ET EFFETS SECONDAIRES

SNC: céphalées, agitation, psychose, dépression, euphorie, modifications de la personnalité, pression intracrânienne accrue (enfants seulement).

ORLO: cataractes, pression intraoculaire accrue.

CV: hypertension.

GI: nausées, vomissements, anorexie, ulcère gastroduodénal.

Tég.: ralentissement de la cicatrisation des plaies, pétéchies, ecchymoses, fragilité, hirsutisme, acné.

End.: suppression de la fonction des surrénales, hyperglycémie.

HÉ: hypokaliémie, alcalose hypokaliémique, rétention hydrique (traitement prolongé à des doses élevées).

Hémat.: thrombo-embolie, thrombophlébite.

Métab.: perte de poids, gain de poids.

Loc.: atrophie musculaire, douleurs musculaires, nécrose aseptique des articulations, ostéoporose.

Divers: sensibilité accrue aux infections, aspect cushingoïde (faciès lunaire, bosse de bison).

INTERACTIONS

Médicament – médicament: ■ Hypokaliémie additive lors de l'administration simultanée de **diurétiques**, d'**amphotéricine B**, de **mezlocilline**, de **pipéracilline** ou de **ticarcilline** ■ L'hypokaliémie peut augmenter le risque de toxicité aux **dérivés digitaliques** ■ La prednisolone peut augmenter les besoins en **insuline** ou en **hypoglycémiants oraux** ■ Risque accru d'effets gastro-intestinaux indésirables lors de l'usage simultané d'**alcool**, d'**aspirine** ou d'**anti-inflammatoires non-stéroïdiens**.

PRÉSENTATION

La prednisolone est présentée sous forme de comprimés et de suspension ou de solution ophtalmique.

VOIES D'ADMINISTRATION ET POSOLOGIE

■ **PO (adultes):** de 20 à 30 mg par jour (polyarthrite rhumatoïde); la dose d'entretien se situe généralement entre 5 et 20 mg par jour.

■ **Préparation ophtalmique (adultes et enfants):** 1 ou 2 gouttes, toutes les une ou deux heures (acétate et phosphate).

P

PHARMACODYNAMIE
(effets anti-inflammatoires)

	DÉBUT D'ACTION	PIC	DURÉE
PO	plusieurs heures	1 – 2 h	1,25 – 1,5 jour

❋ SOINS INFIRMIERS

ÉVALUATION DE LA SITUATION

■ **Directives générales:** Ce médicament est indiqué pour le traitement de nombreuses maladies. Examiner les systèmes ou appareils atteints avant le début du traitement et à intervalles réguliers pendant toute sa durée.

☐ Avant le début du traitement et à intervalles réguliers pendant toute sa durée, surveiller les symptômes suivants d'insuffisance surrénalienne : hypotension, perte de poids, faiblesse, nausées, vomissements, anorexie, léthargie, confusion, agitation.

☐ Effectuer le bilan quotidien des ingesta et des excreta et peser le patient tous les jours. Suivre de près l'œdème périphérique, un gain de poids constant, les râles et les crépitations ou la dyspnée. Prévenir le médecin si ces symptômes se manifestent.

☐ Les enfants devraient subir des examens réguliers permettant d'évaluer leur croissance.

■ **Étude des examens diagnostiques et biochimiques:** Les patients qui suivent un traitement prolongé devraient se soumettre à intervalles réguliers à des analyses permettant de mesurer les valeurs hématologiques, les concentrations sériques d'électrolytes et les concentrations de glucose dans le sérum et dans les urines. La prednisolone peut entraîner la diminution du nombre de leucocytes. Elle peut déclencher l'hyperglycémie, particulièrement chez les patients souffrant de diabète. Le médicament peut entraîner la diminution des concentrations sériques de potassium et de calcium

et l'élévation des concentrations sériques de sodium.

☐ Signaler rapidement au médecin la présence de sang occulte dans les selles décelée par la méthode au gaïac.

☐ La prednisolone peut entraîner l'élévation des concentrations sériques de cholestérol et de lipides et la diminution des concentrations sériques de thyroxine et d'iode lié aux protéines.

☐ La prednisolone supprime les réactions aux tests cutanés allergologiques.

☐ Le médecin peut prescrire des tests de l'exploration fonctionnelle surrénalienne à intervalles réguliers pour déterminer le degré de suppression de l'axe hypothalamo-hypophyso-surrénalien.

DIAGNOSTICS INFIRMIERS POSSIBLES

■ **Énoncés diagnostiques**

☐ Risque élevé d'infection.

☐ Perturbation situationnelle de l'estime de soi.

☐ Prise en charge inefficace du programme thérapeutique.

☐ *Risque élevé d'accident.*

■ **Facteurs favorisants**

☐ Informations incomplètes.

☐ *Manque de connaissances sur les effets secondaires du médicament et sur les moyens de les prévenir.*

☐ *Manque de connaissances sur le régime alimentaire à suivre.*

☐ *Altération de l'image corporelle.*

INTERVENTIONS INFIRMIÈRES

■ **Directives générales:** Si le médicament doit être administré une fois par jour ou tous les 2 jours, l'administrer le matin pour faire coïncider la prise avec les sécrétions normales de cortisol de l'organisme.

■ **PO:** Administrer la prednisolone avec des aliments afin de réduire l'irritation gastrique.

■ **Gouttes ophtalmiques:** Demander au patient de pencher la tête vers l'arrière et de regarder vers le haut.

Abaisser doucement la paupière inférieure avec l'index jusqu'à ce que le sac conjonctival soit exposé et instiller le médicament. Attendre au moins 5 min avant d'instiller d'autres types de gouttes.

ENSEIGNEMENT AU PATIENT ET À SES PROCHES

☐ Conseiller au patient de respecter scrupuleusement la posologie recommandée, de ne pas sauter de dose et de ne pas remplacer une dose manquée par une double dose. Le sevrage brusque peut entraîner une insuffisance surrénalienne se manifestant par l'anorexie, des nausées, la fatigue, la faiblesse, l'hypotension, la dyspnée et l'hypoglycémie. Si ces signes apparaissent, prévenir immédiatement le médecin, car la vie du patient peut être en danger.

☐ Encourager le patient qui suit un traitement prolongé à consommer des aliments riches en protéines, en calcium et en potassium et pauvres en sodium et en hydrates de carbone (voir l'annexe K).

☐ Prévenir le patient que la prednisolone supprime la réponse immunitaire et peut masquer les symptômes d'infection. Lui conseiller d'éviter les personnes contagieuses et de signaler au médecin toute infection possible.

☐ Expliquer au patient les effets secondaires de ce médicament. Lui recommander de prévenir rapidement le médecin s'il souffre de fortes douleurs abdominales ou si ses selles deviennent goudronneuses et de signaler également toute enflure inhabituelle, le gain de poids, la fatigue, les douleurs osseuses, la formation d'ecchymoses, les plaies qui ne cicatrisent pas, les troubles visuels ou des modifications du comportement.

☐ Prévenir le patient que le traitement pourrait affecter son image corporelle. Explorer avec lui les stratégies

d'adaptation auxquelles il pourrait recourir.

☐ Recommander au patient de prévenir le médecin si les symptômes de la maladie sous-jacente ressurgissent ou s'aggravent.

☐ Conseiller au patient de toujours porter sur lui une pièce d'identité où sont inscrits son problème de santé et son traitement médicamenteux pour parer à toute urgence lors de circonstances où il est incapable d'exposer ses antécédents médicaux.

☐ Recommander au patient de ne pas se faire vacciner sans recommandation expresse du médecin.

☐ Insister sur l'importance des examens de suivi permettant d'évaluer les bienfaits du traitement et les effets secondaires du médicament. Le médecin peut prescrire à intervalles réguliers des examens diagnostiques, biochimiques et ophtalmiques.

VÉRIFICATION DES RÉSULTATS

L'efficacité du traitement peut être démontrée par : ■ la suppression des réponses inflammatoire et immunitaire en présence de maladies auto-immunes, de réactions allergiques ou de greffes d'organes ■ la maîtrise des symptômes d'insuffisance surrénalienne.

PREDNISONE

Apo-Prednisone, Deltasone, Novoprednisone, Winpred, (Liquid Pred), (Meticorten), (Orasone), (Panasol), (Prednicen-M), (Sterapred)

CLASSIFICATION :
Glucocorticoïde à action intermédiaire

Grossesse – catégorie inconnue

INDICATIONS

■ Traitement systémique et local d'une grande variété d'affections chroniques dont : □ les maladies inflammatoires □ les maladies allergiques □ les maladies hématologiques □ les maladies néoplasiques □ les maladies auto-immunes ■ Médicament pouvant être administré un jour sur deux pour traiter les maladies chroniques ■ Traitement de substitution dans les cas d'insuffisance surrénalienne.

ACTION

■ Suppression de l'inflammation et de la réponse immunitaire normale ; nombreux effets métaboliques intenses ■ Suppression de la fonction des surrénales à des doses de 5 mg par jour, administrées sur une période prolongée ■ Médicament doué d'une activité minéralocorticoïde (rétention sodique) minime. **Effets thérapeutiques : ■** Suppression de l'inflammation et modification de la réponse immunitaire normale ■ Traitement de substitution de l'insuffisance surrénalienne.

PHARMACOCINÉTIQUE

Absorption : Bonne absorption par suite de l'administration par voie orale.
Distribution : Le médicament se répartit dans tout l'organisme. Il traverse le placenta et pénètre probablement dans le lait maternel.
Métabolisme et excrétion : Le médicament est transformé par le foie en prednisolone, métabolite qui subit ensuite un métabolisme hépatique.
Demi-vie : De 3,4 à 3,8 h ; la suppression de la fonction surrénalienne dure de 1,25 à 1,5 jour.

CONTRE-INDICATIONS ET PRÉCAUTIONS

Contre-indications : ■ Infections en évolution qui n'ont pas été traitées ■ Allaitement (éviter l'administration prolongée).
Précautions : ■ Traitement prolongé (risque de suppression de la fonction surrénalienne) ■ Sevrage brusque (à proscrire) ■ Période de stress (intervention chirurgicale, infection) – administrer des doses supplémentaires, au besoin ■ Grossesse (l'innocuité du médicament n'a pas été établie) ■ Enfants (l'administration prolongée peut entraîner un ralentissement de la croissance) ■ Infections (le médicament peut masquer les signes d'infection, à savoir la fièvre et l'inflammation) ■ Administrer la plus petite dose possible pendant la période la plus courte possible.

RÉACTIONS INDÉSIRABLES ET EFFETS SECONDAIRES

SNC : céphalées, agitation, psychose, dépression, euphorie, modifications de la personnalité, pression intracrânienne accrue (enfants seulement).
ORLO : cataractes, pression intraoculaire accrue.
CV : hypertension.
GI : nausées, vomissements, anorexie, ulcère gastroduodénal.
Tég. : ralentissement de la cicatrisation des plaies, pétéchies, ecchymoses, fragilité, hirsutisme, acné.
End. : suppression de la fonction des surrénales, hyperglycémie.
HÉ : hypokaliémie, alcalose hypokaliémique, rétention hydrique (traitement prolongé à des doses élevées).
Hémat. : thrombo-embolie, thrombophlébite.
Métab. : perte de poids, gain de poids.
Loc. : atrophie musculaire, douleurs musculaires, nécrose aseptique des articulations, ostéoporose.
Divers : sensibilité accrue aux infections, aspect cushingoïde (faciès lunaire, bosse de bison).

INTERACTIONS

Médicament – médicament : ■ Hypokaliémie additive lors de l'administration simultanée de **diurétiques**, d'**amphotéricine B**, de **mezlocilline**, de **pipéracilline** ou de **ticarcilline** ■ L'hypokaliémie peut augmenter le risque de toxicité aux **dérivés digitaliques** ■ La prednisone peut augmenter les besoins en **insuline** ou en **hypoglycémiants oraux** ■ Risque accru d'effets gastro-intestinaux indésirables lors de l'usage simultané d'**alcool**, d'**aspirine** ou d'**anti-inflammatoires non-stéroïdiens**.

PRÉSENTATION

La prednisone est présentée sous forme de comprimés.

VOIES D'ADMINISTRATION ET POSOLOGIE

Remarque: On peut administrer le traitement d'entretien une fois par jour ou tous les deux jours.

- **PO (adultes):** de 2,5 à 15 mg, de 2 à 4 fois par jour.
- **PO (enfants) (É.-U.):** de 0,14 à 2 mg/kg par jour, en 4 doses fractionnées.

PHARMACODYNAMIE (effets anti-inflammatoires)

	DÉBUT D'ACTION	PIC	DURÉE
PO	plusieurs heures	inconnu	1,25 – 1,5 jour

✳ SOINS INFIRMIERS

ÉVALUATION DE LA SITUATION

- ☐ Ce médicament est indiqué pour le traitement de nombreuses maladies. Examiner les systèmes ou appareils atteints avant le traitement et à intervalles réguliers pendant toute sa durée.
- ☐ Avant le début du traitement et à intervalles réguliers pendant toute sa durée, suivre de près les symptômes suivants d'insuffisance surrénalienne : hypotension, perte de poids, faiblesse, nausées, vomissements, anorexie, léthargie, confusion, agitation.
- ☐ Effectuer le bilan quotidien des ingesta et des excreta et peser le patient tous les jours. Suivre de près l'œdème périphérique, un gain de poids constant, les râles et les crépitations ou la dyspnée. Prévenir le médecin si ces symptômes se manifestent.

- ☐ Les enfants devraient subir des examens réguliers permettant d'évaluer leur croissance.
- ■ **Étude des examens diagnostiques et biochimiques:** Les patients qui suivent un traitement prolongé devraient se soumettre à intervalles réguliers à des analyses permettant de mesurer les valeurs hématologiques, les concentrations sériques d'électrolytes et les concentrations de glucose dans le sérum et dans les urines. La prednisone peut entraîner la diminution du nombre de leucocytes. Elle peut déclencher l'hyperglycémie, particulièrement chez les patients souffrant de diabète. Le médicament peut entraîner la diminution des concentrations sériques de potassium et de calcium et l'élévation des concentrations sériques de sodium.
- ☐ Signaler rapidement au médecin la présence de sang occulte dans les selles décelée par la méthode au gaïac.
- ☐ La prednisone peut entraîner l'élévation des concentrations sériques de cholestérol et de lipides et la diminution des concentrations sériques de thyroxine et d'iode lié aux protéines.
- ☐ La prednisone supprime les réactions aux tests cutanés allergologiques.
- ☐ Le médecin peut prescrire des tests de l'exploration fonctionnelle surrénalienne à intervalles réguliers afin de déterminer le degré de suppression de l'axe hypothalamo-hypophyso-surrénalien.

DIAGNOSTICS INFIRMIERS POSSIBLES

- ■ **Énoncés diagnostiques**
- ☐ Risque élevé d'infection.
- ☐ Perturbation situationnelle de l'estime de soi.
- ☐ Prise en charge inefficace du programme thérapeutique.
- ☐ *Risque élevé d'accident.*

- ■ **Facteurs favorisants**
- ☐ Informations incomplètes.

P

□ *Manque de connaissances sur les effets secondaires du médicament et sur les moyens de les prévenir.*
□ *Manque de connaissances sur le régime alimentaire à suivre.*
□ *Altération de l'image corporelle.*

INTERVENTIONS INFIRMIÈRES

■ **Directives générales :** Si le médicament doit être administré une fois par jour ou tous les 2 jours, l'administrer le matin pour faire coïncider la prise avec les sécrétions normales de cortisol de l'organisme.

■ **PO :** Administrer la prednisone avec des aliments afin de réduire l'irritation gastrique.

ENSEIGNEMENT AU PATIENT ET À SES PROCHES

■ Conseiller au patient de respecter scrupuleusement la posologie recommandée, de ne pas sauter de dose et de ne pas remplacer une dose manquée par une double dose. Le sevrage brusque peut entraîner une insuffisance surrénalienne se manifestant par l'anorexie, des nausées, la fatigue, la faiblesse, l'hypotension, la dyspnée et l'hypoglycémie. Si ces signes apparaissent, prévenir immédiatement le médecin, car la vie du patient peut être en danger.

□ Encourager le patient qui suit un traitement prolongé à consommer des aliments riches en protéines, en calcium et en potassium et pauvres en sodium et en hydrates de carbone (voir l'annexe K).

□ Prévenir le patient que la prednisone supprime la réponse immunitaire et peut masquer les symptômes d'infection. Lui conseiller d'éviter les personnes contagieuses et de signaler au médecin toute infection possible.

□ Expliquer au patient les effets secondaires de ce médicament. Lui recommander de prévenir rapidement le médecin s'il souffre de fortes douleurs abdominales ou si ses selles deviennent goudronneuses et de signaler

également toute enflure inhabituelle, le gain de poids, la fatigue, les douleurs osseuses, la formation d'ecchymoses, les plaies qui ne cicatrisent pas, les troubles visuels ou des modifications du comportement.

□ Prévenir le patient que le traitement pourrait affecter son image corporelle. Explorer avec lui les stratégies d'adaptation auxquelles il pourrait recourir.

□ Recommander au patient de prévenir le médecin si les symptômes de la maladie sous-jacente ressurgissent ou s'aggravent.

□ Conseiller au patient de toujours porter sur lui une pièce d'identité où sont inscrits son problème de santé et son traitement médicamenteux pour parer à toute urgence lors de circonstances où il est incapable d'exposer ses antécédents médicaux.

□ Recommander au patient de ne pas se faire vacciner sans recommandation expresse du médecin.

□ Insister sur l'importance des examens de suivi permettant d'évaluer les bienfaits du traitement et les effets secondaires du médicament. Le médecin peut prescrire à intervalles réguliers des examens diagnostiques, biochimiques et ophtalmiques.

VÉRIFICATION DES RÉSULTATS

L'efficacité du traitement peut être démontrée par : ■ la suppression des réponses inflammatoire et immunitaire en présence de maladies auto-immunes, de réactions allergiques ou de greffes d'organes ■ la maîtrise des symptômes d'insuffisance surrénalienne.

PRIMIDONE
Apo-Primidone, Mysoline, Sertan, (Myidone)

CLASSIFICATION :
Anticonvulsivant – divers

Grossesse – catégorie inconnue

INDICATIONS

Traitement des crises généralisées et to-nicocloniques et des crises épileptiques focales ou partielles à sémiologie complexe.

ACTION

■ Diminution de l'excitabilité des neurones ■ Élévation du seuil de stimulation électrique du cortex moteur. **Effets thérapeutiques:** ■ Prévention des crises épileptiques.

PHARMACOCINÉTIQUE

Absorption: Une fraction de 60 à 80 % de la primidone est absorbée depuis le tractus gastro-intestinal.
Distribution: Le médicament se répartit dans tout l'organisme. Il traverse le placenta et pénètre dans le lait maternel.
Métabolisme et excrétion: La primidone est transformée par le foie en phénobarbital et en un autre composé anticonvulsivant actif (PEMA).
Demi-vie: De 3 à 24 h.

CONTRE-INDICATIONS ET PRÉCAUTIONS

Contre-indications: ■ Antécédents d'hypersensibilité ■ Porphyrie.
Précautions: ■ Maladie hépatique grave (réduire la dose) ■ Grossesse et allaitement (l'innocuité du médicament n'a pas été établie; le médicament peut provoquer l'hémorragie chez le nouveau-né).

RÉACTIONS INDÉSIRABLES ET EFFETS SECONDAIRES

SNC: somnolence, ataxie, vertige, léthargie, excitation (enfants).
ORLO: modifications de la vision.
Resp.: dyspnée.
CV: œdème, hypotension orthostatique.
GI: nausées, anorexie, vomissements, hépatite.
Tég.: rash, alopécie.
Hémat.: dyscrasie, anémie mégaloblastique.
Divers: carence en acide folique.

INTERACTIONS

Médicament – médicament: ■ La primidone induit les enzymes hépatiques et peut accélérer le métabolisme et diminuer l'efficacité d'autres médicaments métabolisés par le foie incluant les **contraceptifs oraux**, le **chloramphénicol**, l'**acébutolol**, le **propranolol**, le **métoprolol**, le **timolol**, la **doxycycline**, les **glucocorticoïdes**, les **antidépresseurs tricycliques**, les **phénothiazines**, la **phénylbutazone** et la **quinidine** ■ Dépression additive du SNC lors de l'usage concomitant d'autres **dépresseurs du SNC** incluant l'**alcool**, les **antihistaminiques**, les **analgésiques narcotiques** et les **hypnosédatifs** ■ L'usage concomitant de **phénobarbital** peut provoquer une intoxication par le phénobarbital. **Médicament – aliments:** ■ La primidone diminue l'absorption de l'**acide folique**.

VOIES D'ADMINISTRATION ET POSOLOGIE

- ■ **PO (adultes et enfants > 8 ans):** initialement, de 100 à 125 mg au coucher, pendant 3 jours, puis de 100 à 125 mg deux fois par jour pendant 3 jours, puis de 100 à 125 mg, trois fois par jour pendant 3 jours, puis la dose d'entretien de 250 mg, 3 ou 4 fois par jour (jusqu'à concurrence de 2 g par jour).

- ■ **PO (enfants < 8 ans):** initialement, 50 mg au coucher pendant 3 jours, puis 50 mg deux fois par jour pendant les 3 prochains jours, puis 100 mg, deux fois par jour pendant 3 jours, puis la dose d'entretien de 125 à 250 mg, trois fois par jour (de 10 à 25 mg/kg par jour).

PHARMACODYNAMIE (effets anticonvulsivants)

	DÉBUT D'ACTION	PIC	DURÉE
PO	4 – 7 jours	7 – 10 jours	8 – 12 h

P

☀ SOINS INFIRMIERS

ÉVALUATION DE LA SITUATION

☐ Déterminer le siège, la durée et les caractéristiques des crises convulsives. Prendre les précautions qui s'imposent.

☐ Suivre de près l'allergie au phénobarbital puisqu'il s'agit d'un métabolite de la primidone.

☐ Suivre de près les signes suivants de carence en acide folique : dysfonction mentale, fatigue ou faiblesse inhabituelles, troubles psychiatriques, neuropathie, anémie mégaloblastique. La carence peut être traitée par l'administration d'acide folique.

■ **Étude des examens diagnostiques et biochimiques :** Suivre à intervalles réguliers les concentrations sériques de primidone et de phénobarbital (principal métabolite de la primidone). Les concentrations sanguines thérapeutiques de la primidone sont de 27 à 55 µmol/L et du phénobarbital de 65 à 170 µmol/L.

☐ Évaluer les résultats de la numération globulaire et ceux des tests effectués par le Sequential Multiple Analyzer-12 (SMA-12) tous les 6 mois pendant toute la durée du traitement. La primidone peut provoquer une leucopénie et une thrombocytopénie. Elle peut également entraîner la diminution des concentrations sériques de bilirubine.

■ **Toxicité et surdosage :** Les signes d'une intoxication par la primidone incluent l'ataxie, la léthargie, les modifications de la vision, la confusion et la dyspnée.

DIAGNOSTICS INFIRMIERS POSSIBLES

■ **Énoncés diagnostiques**

☐ Risque élevé d'accident.

☐ Prise en charge inefficace du programme thérapeutique.

☐ *Risque élevé de déficit nutritionnel.*

■ **Facteurs favorisants**

☐ Informations incomplètes.

☐ *Perturbation de la vigilance.*

☐ *Manque de connaissances sur les modalités du traitement.*

☐ *Manque de connaissances sur les moyens de prévenir les effets secondaires du médicament.*

☐ *Manque de connaissances sur le régime alimentaire à suivre.*

☐ *Manque de connaissances sur les effets hypotensifs du médicament lors des changements brusques de position.*

☐ *Manque de connaissances sur les moyens de prévenir les effets secondaires affectant l'appareil gastrointestinal.*

INTERVENTIONS INFIRMIÈRES

■ **Directives générales :** Lors de la substitution par la primidone d'un autre anticonvulsivant ou de l'ajout de la primidone au traitement médicamenteux, il faut augmenter graduellement la dose de primidone et diminuer la dose de l'autre anticonvulsivant ou continuer à l'administrer à la même dose afin de maintenir la maîtrise des crises épileptiques. Le passage du traitement antérieur à une monothérapie par la primidone devrait prendre au moins 2 semaines. L'ajustement des doses se fait habituellement au coucher.

■ **PO :** La primidone peut être administrée avec des aliments afin de réduire l'irritation gastrique. Dans le cas des patients éprouvant des difficultés de déglutition, on peut broyer les comprimés et les mélanger avec des aliments ou des liquides.

ENSEIGNEMENT AU PATIENT ET À SES PROCHES

☐ Conseiller au patient de prendre le médicament chaque jour en respectant scrupuleusement la posologie recommandée. S'il n'a pu prendre le médicament au moment habituel, il doit le prendre dès que possible à moins qu'il ne reste qu'une heure avant l'heure prévue pour la dose suivante. Le sevrage brusque peut déclencher l'état de mal épileptique.

☐ Prévenir le patient que la primidone peut provoquer la somnolence ou des étourdissements. Lui conseiller de ne pas conduire et d'éviter les activités qui exigent sa vigilance jusqu'à ce qu'on ait la certitude que le médicament n'entraîne pas ces effets chez lui. Ces symptômes diminuent habituellement en fréquence et en intensité lorsque le traitement est poursuivi sans interruption. Expliquer au patient qu'il ne doit reprendre la conduite automobile que si le médecin l'autorise à le faire après s'être assuré que le trouble convulsif a été maîtrisé.

☐ Recommander au patient d'éviter de boire de l'alcool ou de prendre d'autres dépresseurs du SNC en même temps que ce médicament.

☐ Recommander au patient de changer lentement de position pour réduire les risques d'hypotension orthostatique.

☐ Recommander au patient qui doit suivre un traitement dentaire ou subir une intervention chirurgicale d'avertir le dentiste ou le médecin qu'il suit un traitement médicamenteux.

☐ Conseiller au patient de porter sur lui en tout temps une pièce d'identité où est inscrit son traitement médicamenteux.

☐ Inciter le patient à prévenir le médecin si les symptômes suivants surviennent : rash, démarche chancelante, douleurs articulaires, fièvre, modifications de la vision, dyspnée ou excitation paradoxale (particulièrement chez les enfants et les personnes âgées). Recommander à la patiente d'informer le médecin dès qu'elle est enceinte.

☐ Insister sur l'importance des examens médicaux réguliers permettant d'évaluer l'efficacité du traitement.

VÉRIFICATION DES RÉSULTATS

L'efficacité du traitement peut être démontrée par : la diminution ou l'arrêt des crises sans sédation excessive. La réponse thérapeutique peut ne se manifester qu'après 1 semaine ou plus.

PROBÉNÉCIDE
Benemid, Benuryl, (Parbenem), (Probalan)

CLASSIFICATION :
Traitement de la goutte – uricosurique
Grossesse – catégorie inconnue

INDICATIONS
■ Prévention des accès récurrents de goutte et d'arthrite goutteuse ■ Traitement de l'hyperuricémie induite par des diurétiques thiazidiques ■ Élévation et prolongation des concentrations sériques de pénicilline et d'anti-infectieux apparentés.

ACTION
■ Inhibition de la réabsorption de l'acide urique par les tubules rénaux favorisant ainsi son excrétion par les reins. **Effets thérapeutiques :** ■ Diminution des concentrations sériques d'acide urique.

PHARMACOCINÉTIQUE
Absorption : Bonne absorption par suite de l'administration par voie orale.
Distribution : Le médicament traverse le placenta.
Métabolisme et excrétion : Le probénécide est métabolisé par le foie. De petites quantités (10 %) sont excrétées à l'état inchangé dans l'urine.
Demi-vie : De 4 à 17 h.

CONTRE-INDICATIONS ET PRÉCAUTIONS
Contre-indications : ■ Hypersensibilité ■ Traitement prolongé par des doses élevées de salicylés.

P

Précautions: ■ Ulcère gastroduodénal ■ Dyscrasie sanguine ■ Calculs rénaux d'acide urique ■ Grossesse (précédents d'usage sans danger) ■ Insuffisance rénale (il est recommandé de réduire la dose).

RÉACTIONS INDÉSIRABLES ET EFFETS SECONDAIRES

SNC: céphalées, étourdissements.

GI: nausées, vomissements, diarrhée, douleurs gingivales, hépatite, douleurs abdominales.

GU: mictions fréquentes, calculs d'acide urique.

Tég.: rougeur du visage, rash.

Hémat.: anémie, ANÉMIE APLASIQUE.

INTERACTIONS

Médicament – médicament: ■ Le probénécide entraîne l'élévation des concentrations sanguines de **pénicillines**, de **céphalosporines** et de **fluoroquinolones** ■ Le probénécide inhibe l'excrétion des **anti-inflammatoires non stéroïdiens**, du **méthotrexate** et de la **nitrofurantoïne** et peut en augmenter la toxicité ou l'efficacité ■ Les doses massives d'**aspirine**, administrées simultanément, peuvent diminuer l'effet uricosurique du probénécide.

VOIES D'ADMINISTRATION ET POSOLOGIE

Hyperuricémie

■ **PO (adultes):** 250 mg, deux fois par jour, pendant 1 semaine puis augmenter à 500 mg, deux fois par jour. On peut par la suite augmenter par paliers de 500 mg par jour toutes les 4 semaines (jusqu'à concurrence de 2 g par jour).

Intensification du traitement par une pénicilline ou une céphalosporine

■ **PO (adultes):** 500 mg, 4 fois par jour.

■ **PO (enfants > 2 ans):** initialement, 25 mg/kg; puis 40 mg/kg par jour en 4 doses fractionnées.

Traitement de la gonorrhée par une seule dose

■ **PO (adultes):** 1 g avec de l'amoxicilline, de l'ampicilline ou de la pénicilline G procaïnique.

PHARMACODYNAMIE
(effets sur les concentrations sériques d'acide urique)

	DÉBUT D'ACTION	PIC	DURÉE
PO	30 min	2–4h	8 h

SOINS INFIRMIERS

ÉVALUATION DE LA SITUATION

■ **Goutte:** Suivre de près les douleurs, l'enflure et la mobilité des articulations pendant tout le traitement.

□ Effectuer le bilan des ingesta et des excreta. Inciter le patient à boire beaucoup de liquides pour prévenir la formation de calculs uratiques (de 2 000 à 3 000 mL par jour). Pour contrer cet effet, le médecin peut prescrire l'alcalinisation de l'urine avec du bicarbonate de sodium, du citrate de potassium ou de l'acétazolamide.

■ **Étude des examens diagnostiques et biochimiques:** Le probénécide peut entraîner des résultats faussement positifs lors du dosage du glucose dans l'urine lorsqu'on utilise la méthode au sulfate de cuivre (Clinitest). Recourir plutôt aux méthodes à la glucose-oxydase (Keto-Diastix ou Tes-Tape). Noter la numération globulaire, les concentrations sériques d'acide urique et les résultats du test de l'exploration fonctionnelle rénale à intervalles réguliers tout au long d'un traitement prolongé.

□ On peut suivre à intervalles réguliers les dosages sériques et urinaires d'acide urique lorsque le probénécide est administré pour le traitement de l'hyperuricémie.

DIAGNOSTICS INFIRMIERS POSSIBLES

■ **Énoncés diagnostiques**

□ Douleur.

□ Altération de la mobilité physique.

□ Prise en charge inefficace du programme thérapeutique.

□ *Risque élevé de déficit nutritionnel.*

□ *Risque élevé d'altération de l'élimination urinaire.*

■ **Facteurs favorisants**

□ Informations incomplètes.

□ *Manque de connaissances sur les moyens de prévenir les effets secondaires du médicament sur l'appareil gastro-intestinal.*

□ *Modification de l'état liquidien ou des volumes circulants.*

□ *Manque de connaissances sur les modalités du traitement.*

□ *Manque de connaissances sur le régime alimentaire à suivre.*

INTERVENTIONS INFIRMIÈRES

■ **Directives générales:** Le probénécide n'est pas destiné au traitement de la goutte ou de l'arthrite goutteuse, mais plutôt à leur prévention. Si des crises aiguës se produisent durant le traitement, on poursuit habituellement l'administration du probénécide à pleine dose et on administre en même temps de la colchicine ou des anti-inflammatoires non stéroïdiens.

■ **PO:** Administrer le probénécide avec des aliments ou des antiacides afin de réduire l'irritation gastrique.

ENSEIGNEMENT AU PATIENT ET À SES PROCHES

□ Conseiller au patient de respecter scrupuleusement la posologie recommandée et de ne pas arrêter le traitement sans consulter le médecin au préalable. Une prise irrégulière du médicament peut entraîner l'élévation des concentrations d'acide urique et déclencher une crise de goutte.

□ Expliquer au patient le but du traitement par le probénécide lorsque cet agent est administré en association avec la pénicilline.

□ Inciter le patient à suivre les recommandations du médecin concernant la perte de poids, le régime alimentaire et la consommation d'alcool.

□ Recommander au patient de ne pas prendre de l'aspirine ou d'autres salicylés, car ces agents diminuent les effets du probénécide.

□ Conseiller au patient de signaler immédiatement au médecin les nausées, les vomissements, les douleurs abdominales, les saignements ou les ecchymoses inhabituels, les maux de gorge, la fatigue, les malaises ou le jaunissement de la peau ou des yeux.

VÉRIFICATION DES RÉSULTATS

L'efficacité du traitement peut être démontrée par: ■ l'atténuation de la douleur et de l'enflure des articulations touchées et la diminution de la fréquence des accès de goutte (les pleins effets du médicament peuvent ne pas se manifester avant plusieurs mois de traitement continu) ■ le prolongement de la durée des concentrations thérapeutiques des pénicillines et d'autres antibiotiques apparentés dans le sérum.

PROBUCOL
Lorelco

CLASSIFICATION:
Hypolipidémiant

Grossesse – catégorie B

INDICATIONS

Traitement d'appoint de l'hypercholestérolémie primaire.

ACTION

■ Réduction possible du transport du cholestérol depuis l'intestin ou inhibition possible de la synthèse du cholestérol

P

■ Augmentation possible de l'excrétion fécale du cholestérol et des acides biliaires ■ Diminution des concentrations de cholestérol-HDL. **Effets thérapeutiques:** ■ Diminution des concentrations sériques de cholestérol ■ Diminution des concentrations de cholestérol-LDL.

PHARMACOCINÉTIQUE

Absorption: Par suite de l'administration PO, l'absorption est limitée et variable (de 2 à 8 %). L'absorption est accrue si le médicament est pris avec des aliments. **Distribution:** Par suite d'une administration prolongée, le probucol s'accumule dans les tissus adipeux.
Métabolisme et excrétion: Après l'élimination biliaire, le probucol semble être excrété dans les fèces.
Demi-vie: 20 jours.

CONTRE-INDICATIONS ET PRÉCAUTIONS

Contre-indications: ■ Hypersensibilité ■ Grossesse (il faut recourir à des mesures de contraception pendant six mois après le traitement par le probucol) ■ Allaitement ■ Cirrhose biliaire primaire.
Précautions: ■ Arythmies cardiaques ■ Insuffisance cardiaque non traitée ■ Enfants (l'innocuité du médicament n'a pas été établie).

RÉACTIONS INDÉSIRABLES ET EFFETS SECONDAIRES

SNC: étourdissements, céphalées, insomnie.
ORLO: vision trouble, acouphènes, diminution du sens de l'odorat, conjonctivite, larmoiement.
CV: arythmie, modifications de l'ÉCG (allongement de l'intervalle QT), MORT SUBITE
GI: diarrhée, ballonnements, flatulence, douleurs abdominales, nausées, vomissements, indigestion, hémorragie digestive, diminution du goût.
Tég.: rash, prurit, transpiration.
End.: augmentation du goitre.

Hémat.: éosinophilie, anémie, thrombocytopénie.
SN: paresthésie, névrite périphérique.

INTERACTIONS

Médicament – médicament: ■ Risque accru d'effets cardiovasculaires indésirables lors de l'administration simultanée d'**antidépresseurs tricycliques**, d'**anticholinergiques**, d'**antiarythmiques de classe I et II**, de **phénothiazines**, de **bêtabloquants** ou de **dérivés digitaliques** ■ L'usage concomitant de **clofibrate** peut diminuer davantage les concentrations de cholestérol-HDL. **Médicament – aliments:** ■ Les **aliments** augmentent l'absorption du probucol.

VOIES D'ADMINISTRATION ET POSOLOGIE

PO (adultes): 500 mg, deux fois par jour (jusqu'à concurrence de 1 g par jour).

PHARMACODYNAMIE (effets hypolipidémiants)

	DÉBUT D'ACTION	PIC	DURÉE
PO	inconnu	20 – 50 jours	1 – 3 mois

☀ SOINS INFIRMIERS

ÉVALUATION DE LA SITUATION

□ Recueillir les données sur les habitudes alimentaires du patient, notamment sur sa consommation de matières grasses et d'alcool.

■ **Étude des examens diagnostiques et biochimiques:** Le probucol peut entraîner une légère élévation des concentrations sériques de bilirubine, de la glycémie et des concentrations d'urée, de CPK, de TGOS (AST), de TGPS (ALT), de phosphatase alcaline et d'acide urique.

□ Examiner les concentrations sériques de triglycérides et de cholestérol avant le traitement, 1 mois après le début du traitement et ensuite tous les 3 à

P

6 mois. On doit arrêter l'administration du médicament si les concentrations sériques de triglycérides augmentent même lorsque le patient suit un régime alimentaire faible en matières grasses.

☐ Le probucol peut diminuer les concentrations d'hémoglobine, le nombre de polynucléaires éosinophiles et l'hématocrite.

DIAGNOSTICS INFIRMIERS POSSIBLES

■ Énoncés diagnostiques

☐ Prise en charge inefficace du programme thérapeutique.

☐ Non-observance du traitement médicamenteux.

☐ Diarrhée.

☐ *Risque élevé d'accident.*

☐ *Risque élevé de déficit du volume liquidien.*

■ Facteurs favorisants

☐ Informations incomplètes.

☐ Doute quant aux bienfaits du médicament.

☐ *Manque de connaissances sur le régime alimentaire à suivre.*

☐ *Difficulté à s'adapter aux changements nécessaires dans les habitudes de vie.*

☐ *Perturbation de la vigilance.*

☐ *Manque de connaissances sur les effets secondaires affectant l'appareil gastro-intestinal.*

☐ *Manque de connaissances sur les effets secondaires du médicament.*

INTERVENTIONS INFIRMIÈRES

■ **PO**: Administrer le probucol avec des aliments afin de favoriser l'absorption du médicament.

ENSEIGNEMENT AU PATIENT ET À SES PROCHES.

☐ Conseiller au patient de respecter scrupuleusement la posologie recommandée. S'il n'a pu prendre le médicament au moment habituel, il doit le prendre dès que possible à moins qu'il ne soit presque l'heure prévue pour la dose suivante.

☐ Expliquer au patient que ce médicament ne peut être efficace que s'il suit en même temps un régime alimentaire pauvre en matières grasses, en cholestérol et en glucides, s'il évite de boire de l'alcool, s'il fait de l'exercice et s'il cesse de fumer.

☐ Prévenir le patient que le probucol peut parfois provoquer des étourdissements. Lui conseiller de ne pas conduire et d'éviter les activités qui exigent de la coordination jusqu'à ce qu'on ait la certitude que le médicament n'entraîne pas cet effet chez lui.

☐ Recommander au patient d'informer le médecin si la gêne abdominale, les nausées, la diarrhée ou les ballonnements persistent. Les effets secondaires gastro-intestinaux sont habituellement passagers.

☐ Insister sur l'importance des examens de suivi permettant d'évaluer la réponse au traitement et de déceler les effets secondaires du médicament. Chez les patients ayant des antécédents d'arythmies cardiaques, on devrait effectuer à intervalles réguliers un ÉCG et arrêter le traitement en cas d'allongement des intervalles QT ou d'arythmies plus intenses.

VÉRIFICATION DES RÉSULTATS

L'efficacité du traitement peut être démontrée par: la baisse des concentrations sériques de cholestérol. En l'absence d'une réponse en l'espace de 4 mois, on arrête habituellement le traitement par ce médicament.

PROCAÏNAMIDE

Procan SR, Pronestyl, Pronestyl-SR, (Promine), (Rhythmin)

CLASSIFICATION:

Antiarythmique – classe 1A

Grossesse – catégorie C

INDICATIONS

■ Traitement d'une vaste gamme d'arythmies ventriculaires et auriculaires dont : □ les contractions auriculaires prématurées □ les contractions ventriculaires prématurées □ la tachycardie ventriculaire □ la tachycardie auriculaire paroxystique ■ Maintien du rythme sinusal normal après cardioversion par suite d'une fibrillation ou d'un flutter auriculaire.

ACTION

■ Diminution de l'excitabilité du myocarde ■ Ralentissement de la vitesse de conduction ■ Dépression possible de la contractilité du myocarde. **Effets thérapeutiques :** ■ Réduction des arythmies.

PHARMACOCINÉTIQUE

Absorption : Par suite de l'administration PO et IM, le procaïnamide est bien absorbé (de 75 à 90 %). La préparation à libération prolongée destinée à la voie orale est absorbée plus lentement.

Distribution : Le médicament se répartit rapidement dans tout l'organisme.

Métabolisme et excrétion : Le procaïnamide est transformé par le foie en n-acétylprocaïnamide (NAPA), un composé antiarythmique actif. Le reste (de 40 à 70 %) est excrété à l'état inchangé par les reins.

Demi-vie : De 2,5 à 4,7 h (NAPA – 7 h) ; prolongée en cas d'insuffisance rénale.

CONTRE-INDICATIONS ET PRÉCAUTIONS

Contre-indications : ■ Hypersensibilité ■ Bloc AV ■ Myasthénie grave.

Précautions : ■ Infarctus du myocarde ou toxicité digitalique ■ Insuffisance cardiaque, rénale et hépatique (une réduction de la dose peut s'avérer nécessaire) ■ Grossesse, allaitement ou enfants (l'innocuité du médicament n'a pas été établie).

RÉACTIONS INDÉSIRABLES ET EFFETS SECONDAIRES

SNC : confusion, convulsions, étourdissements.

CV : hypotension, arythmies ventriculaires, asystole, bloc cardiaque.

GI : nausées, vomissements, goût amer.

Tég. : rash.

Hémat. : leucopénie, thrombocytopénie, AGRANULOCYTOSE, éosinophilie.

Divers : syndrome lupique d'origine médicamenteuse, fièvre, frissons.

INTERACTIONS

Médicament – médicament : ■ Risque d'effets additifs ou antagonistes lors de l'administration simultanée d'autres **antiarythmiques** ■ Toxicité neurologique additive (confusion, convulsions) lors de l'administration simultanée de **lidocaïne** ■ Les **antihypertenseurs** et les **dérivés nitrés**, administrés simultanément, peuvent potentialiser l'effet hypotenseur du procaïnamide ■ Le procaïnamide potentialise les effets des **bloqueurs neuromusculaires** ■ Le médicament peut contrecarrer partiellement les effets thérapeutiques des **anticholinestérasiques** administrés pour traiter la myasthénie grave ■ Effets anticholinergiques additifs lors de l'administration concomitante d'autres **médicaments doués de propriétés anticholinergiques** incluant les **antihistaminiques**, les **antidépresseurs**, l'**atropine**, l'**halopéridol** et les **phénothiazines**.

VOIES D'ADMINISTRATION ET POSOLOGIE

Remarque : Voir le tableau des vitesses de perfusion de l'annexe D.

■ **PO (adultes) :** de 250 à 1 000 mg, toutes les 3 à 6 h (on administre les préparations à libération prolongée toutes les 6 h).

■ **IM (adultes) :** de 500 à 1 000 mg, toutes les 3 h.

■ **Bolus intraveineux (adultes) :** 100 mg en 2 min ; répéter toutes les 5 min jusqu'à ce qu'une toxicité ou une réponse surviennent ou jusqu'à ce qu'on ait administré 1 000 mg au total.

■ **Perfusion intraveineuse (adultes):** de 2 à 6 mg par minute.

PHARMACODYNAMIE
(effets antiarythmiques)

	DÉBUT D'ACTION	PIC	DURÉE
PO	30 min	60 – 90 min	3 – 4 h
PO – libération prolongée	inconnu	inconnu	6 h
IV	immédiat	25 – 60 min	3 – 4 h
IM	10 – 30 min	15 – 60 min	3 – 4 h

SOINS INFIRMIERS

ÉVALUATION DE LA SITUATION

□ Mesurer continuellement la pression artérielle et le pouls et examiner le tracé de l'ÉCG tout au long de l'administration IV. Il faut mesurer ces paramètres à intervalles réguliers pendant l'administration du médicament par voie orale. L'administration IV doit habituellement être arrêtée dans les cas suivants: suppression des arythmies, élargissement de 50 % du complexe QRS, allongement de l'intervalle PR, chute de la pression artérielle de plus de 15 mmHg ou manifestation d'effets secondaires toxiques. Pour réduire les risques d'hypotension, garder le patient en position couchée tout au long de l'administration IV.

■ **Étude des examens diagnostiques et biochimiques:** Examiner la numération globulaire toutes les 2 semaines pendant les trois premiers mois du traitement. Le procaïnamide entraîne rarement la diminution du nombre de leucocytes, de plaquettes et de polynucléaires neutrophiles. On peut arrêter le traitement en cas de leucopénie.

□ Examiner les titres d'anticorps antinucléaires à intervalles réguliers durant un traitement prolongé ou si des symptômes lupiques se manifestent. Arrêter le traitement en présence d'une élévation constante des titres d'anticorps antinucléaires.

□ Le procaïnamide peut entraîner l'élévation des concentrations de TGOS (AST), de TGPS (ALT), de phosphatase alcaline, de LDH et de bilirubine et positiver le test de Coombs.

■ **Toxicité et surdosage:** Examiner les concentrations sériques de procaïnamide et de NAPA à intervalles réguliers durant la période d'adaptation de la posologie. Les concentrations sanguines thérapeutiques de procaïnamide sont de 17 à 34 µmol/L.

□ La toxicité peut survenir lorsque les concentrations sanguines de procaïnamide sont de 34 à 68 µmol/L ou plus.

□ Les signes de toxicité incluent la confusion, les étourdissements, la somnolence, la diminution de la miction, les nausées, les vomissements et les tachyarythmies.

DIAGNOSTICS INFIRMIERS POSSIBLES

■ **Énoncés diagnostiques**

□ Diminution du débit cardiaque.

□ Prise en charge inefficace du programme thérapeutique.

□ *Risque élevé d'accident.*

■ **Facteurs favorisants**

□ Informations incomplètes.

□ *Manque de connaissances sur les effets hypotensifs du médicament lors des changements brusques de position.*

□ *Manque de connaissances sur les effets secondaires du médicament.*

□ *Perturbation de la vigilance.*

□ *Manque de connaissances sur les modalités du traitement.*

INTERVENTIONS INFIRMIÈRES

■ **Directives générales:** Lors du passage de la forme IV à la préparation orale, administrer la première dose par voie orale de 3 à 4 h après la dernière dose par voie IV.

- **PO :** Pour accélérer l'absorption du procaïnamide, administrer à jeun, 1 h avant les repas ou 2 h après, avec un grand verre d'eau. On peut administrer le procaïnamide avec des aliments ou immédiatement après les repas si l'irritation gastrique devient gênante. Dans le cas des patients qui éprouvent des difficultés de déglutition, on peut ouvrir les capsules et en mélanger le contenu à des aliments ou à des liquides. Il ne faut pas briser, broyer ni mâcher les comprimés à libération prolongée (Procan SR, Pronestyl-SR). La matrice cireuse des comprimés à libération prolongée peut être éliminée dans les selles, mais ce fait n'a aucune conséquence clinique.

- **IM :** Administrer le procaïnamide par voie IM seulement si l'administration PO ou IV est impossible.

- **IV directe :** Diluer chaque mL de solution à 10 % (100 mg/mL) avec 10 à 20 mL de dextrose à 5 % dans de l'eau ou d'eau stérile pour injection.

- *Vitesse d'administration :* Administrer la préparation à un débit ne dépassant pas 50 mg à la minute. L'administration rapide peut provoquer la fibrillation ventriculaire ou l'asystole.

- **Perfusion intermittente :** Préparer la solution destinée à la perfusion IV en ajoutant de 200 mg à 1 g de procaïnamide à 50 à 500 mL de dextrose à 5 % dans de l'eau pour obtenir une concentration de 2 à 4 mg/mL. Même si la solution devient jaune pâle, sa puissance n'est en rien altérée. Ne pas administrer une solution dont la couleur est plus foncée que l'ambre clair ou qui contient un précipité.

- *Vitesse d'administration :* Administrer la perfusion initiale en 30 min. Pour maintenir l'effet antiarythmique du médicament, le débit de la perfusion en traitement d'entretien doit être de 2 à 6 mg/min. Recourir à une

pompe pour perfusion afin d'assurer l'administration de la dose juste (les vitesses d'administration sont indiquées à l'annexe D).

- **Compatibilités (tubulure en Y) :** Amrinone, chlorure de potassium, famotidine, héparine, ranitidine ou succinate d'hydrocortisone sodique.

- **Compatibilités en addition au soluté :** Dobutamine, lidocaïne, nétilmicine ou vérapamil.

- **Incompatibilités en addition au soluté :** Esmolol ou éthacrynate.

ENSEIGNEMENT AU PATIENT ET À SES PROCHES

- □ Prévenir le patient qu'il doit prendre le médicament à intervalles réguliers 24 h sur 24 en respectant scrupuleusement la posologie recommandée, même s'il se sent mieux. Lui expliquer que s'il n'a pu prendre le médicament au moment habituel, il doit le prendre dès que possible dans les 2 h qui suivent (4 h pour les comprimés à libération prolongée), sinon sauter cette dose. Lui expliquer qu'il ne doit jamais remplacer une dose manquée par une double dose. Recommander au patient de ne pas arrêter de prendre le médicament sans consulter le médecin au préalable, car une réduction graduelle de la dose peut s'avérer nécessaire pour prévenir l'aggravation de son état.

- □ Montrer au patient ou à ses proches comment prendre le pouls. Conseiller au patient de signaler au médecin toute modification du rythme ou de la fréquence du pouls.

- □ Prévenir le médecin que le procaïnamide peut provoquer des étourdissements. Lui conseiller de ne pas conduire et d'éviter les activités qui exigent sa vigilance jusqu'à ce qu'on ait la certitude que le médicament n'entraîne pas cet effet chez lui.

- □ Recommander au patient d'indiquer immédiatement au médecin toute manifestation des signes de syndrome lupique d'origine médicamenteuse (fièvre, frissons, douleurs ou enflure articulaires, respiration douloureuse, rash), de leucopénie (maux de gorge, de bouche ou des gencives) ou de thrombocytopénie (hémorragie ou pétéchie inhabituelles). Parfois, il faut arrêter le traitement dans un tel cas.

☐ Conseiller au patient de consulter le médecin ou le pharmacien avant de prendre des médicaments en vente libre en même temps que le procaïnamide.

☐ Recommander au patient qui doit suivre un traitement dentaire ou subir une intervention chirurgicale d'avertir le dentiste ou le médecin qu'il suit un traitement médicamenteux.

☐ Conseiller au patient de porter sur lui en tout temps une pièce d'identité où sont inscrits son trouble de santé et son traitement médicamenteux.

☐ Insister sur l'importance des examens de suivi permettant d'évaluer les bienfaits du médicament.

VÉRIFICATION DES RÉSULTATS

L'efficacité du traitement peut être démontrée par: la suppression des arythmies cardiaques sans effets secondaires nocifs.

PROCARBAZINE
Natulan, (Matulane)

CLASSIFICATION:
Antinéoplasique – agent alkylant
Grossesse – catégorie D

INDICATIONS

■ Traitement de la maladie de Hodgkin en association avec d'autres antinéoplasiques et d'autres interventions ■ Traitement de la réticulose maligne et d'une variété de lymphomes malins réfractaires à toute autre forme de traitement.

Usages non approuvés: ■ Tumeurs au cerveau et aux poumons ■ Myélome multiple ■ Mélanome malin ■ Polycythémie vraie.

ACTION

■ Inhibition de la synthèse de l'ADN, de l'ARN et des protéines (phase S du cycle cellulaire). **Effets thérapeutiques:** ■ Destruction des cellules à croissance rapide, particulièrement des cellules malignes.

PHARMACOCINÉTIQUE

Absorption: Bonne absorption par suite de l'administration par voie orale.
Distribution: Le médicament se répartit dans tout l'organisme. Il traverse la barrière hémato-encéphalique.
Métabolisme et excrétion: Métabolisme hépatique.
Demi-vie: 1 h.

CONTRE-INDICATIONS ET PRÉCAUTIONS

Contre-indications: ■ Hypersensibilité ■ Grossesse ou allaitement ■ Alcoolisme ■ Insuffisance hépatique ou rénale graves ■ Phéochromocytome ■ Insuffisance cardiaque.

Précautions: ■ Patientes en âge de procréer ■ Infections ■ Diminution de la réserve médullaire ■ Autres maladies chroniques débilitantes ■ Céphalées ■ Maladies psychiatriques ■ Insuffisance hépatique ■ Maladie cardiovasculaire.

RÉACTIONS INDÉSIRABLES ET EFFETS SECONDAIRES

SNC: neuropathie, confusion, dépression, psychoses, manie, céphalées, hallucinations, cauchemars, tremblements, convulsions, syncope, somnolence, étourdissements.
ORLO: hémorragie rétinienne, nystagmus, photophobie.
Resp.: toux, épanchements pleuraux.
CV: œdème, tachycardie, hypotension.

GI: nausées, vomissements, anorexie, stomatite, sécheresse de la bouche (xérostomie), dysphagie, diarrhée, dysfonction hépatique.

GU: suppression de la fonction des gonades.

Tég.: rash, prurit, alopécie, photosensibilité.

End.: gynécomastie.

Hémat.: anémie, leucopénie, thrombocytopénie.

SN: neuropathie, paresthésie.

Divers: ascite.

INTERACTIONS

Médicament – médicament: ■ Dépression additive du SNC lors de l'usage simultané d'autres **dépresseurs du SNC**, incluant l'**alcool**, les **antidépresseurs**, les **antihistaminiques**, les **analgésiques narcotiques** et les **hypnosédatifs** ■ La consommation simultanée d'**alcool** peut entraîner une réaction semblable à celle au disulfirame ■ Risque accru de réactions hypertensives lors de l'administration simultanée d'**amines sympathomimétiques**, d'**anesthésiques locaux**, de **lévodopa**, de **réserpine**, de **guanéthidine**, de **guanadrel**, de **vasoconstricteurs** et d'**antidépresseurs**, car la procarbazine est douée de certaines propriétés des inhibiteurs de la MAO (éviter l'usage concomitant) ■ Risque de réactions paradoxales graves lors de l'administration simultanée de **mépéridine** et d'autres **analgésiques narcotiques** (éviter l'usage concomitant de la mépéridine; diminuer la dose initiale des autres analgésiques narcotiques jusqu'à 25 % de la dose habituelle) ■ Risque de convulsions et d'hyperpyrexie lors de l'usage concomitant d'**inhibiteurs de la MAO** ou de la **carbamazépine** ■ Effet additif sur l'aplasie médullaire lors de l'administration concomitante d'autres **antinéoplasiques** ou d'une **radiothérapie**. **Médicament – aliments:** ■ La consommation d'aliments riches en **tyramine** (voir l'annexe K) peut provoquer l'hypertension.

VOIES D'ADMINISTRATION ET POSOLOGIE

■ **PO (adultes):** 1er jour, 50 mg; 2e jour, 100 mg; 3e jour, 150 mg; 4e jour, 200 mg; 5e jour, 250 mg; 6e jour et jours suivants, de 250 à 300 mg par jour jusqu'à l'obtention d'une rémission aussi complète que possible. La dose d'entretien est de 50 à 150 mg par jour.

■ **PO (enfants) (É.-U.):** 50 mg par jour, pendant 7 jours, puis 100 mg/m^2 par jour; la dose d'entretien est de 50 mg par jour.

PHARMACODYNAMIE
(effets sur la numération globulaire)

	DÉBUT D'ACTION	PIC	DURÉE
PO	14 jours	2 – 8 semaines	28 jours ou plus (jusqu'à 6 semaines)

⁂ SOINS INFIRMIERS

ÉVALUATION DE LA SITUATION

☐ Mesurer la pression artérielle, le pouls et la fréquence respiratoire à intervalles réguliers pendant toute la durée du traitement. Informer le médecin de tout changement important.

☐ Évaluer l'état nutritionnel du patient (appétit, bilan des ingesta et des excreta, poids, fréquence et quantité des vomissements). On peut soulager l'anorexie et diminuer la perte de poids en servant au patient des repas légers mais fréquents. On peut réduire les nausées et les vomissements si le patient prend un antiémétique au moins 1 h avant la dose de procarbazine.

■ **Étude des examens diagnostiques et biochimiques:** Vérifier les résultats des tests de l'exploration fonctionnelle rénale et hépatique et des analyses d'urine ainsi que la numération globulaire avant le traitement et à intervalles réguliers pendant toute sa durée. Prévenir le médecin si le nombre de leucocytes est inférieur à 4×10^9/L et celui des plaquettes à 100×10^9/L. Le nadir de la leucopénie et de la thrombocytopénie survient en l'espace d'environ 4 semaines et les valeurs se rétablissent habituellement en 6 semaines environ. L'anémie peut également survenir.

☐ Suivre de près les concentrations de glucose sérique chez les patients diabétiques. Il peut s'avérer nécessaire de réduire les doses d'hypoglycémiants oraux ou d'insuline, car les effets hypoglycémiants sont accrus.

■ **Toxicité et surdosage:** La consommation concomitante d'aliments riches en tyramine ou de nombreux médicaments peut provoquer une crise hypertensive mettant la vie du patient en danger. Les signes et les symptômes de la crise hypertensive sont les douleurs thoraciques, les céphalées graves, les nausées et les vomissements, la photosensibilité et la dilatation des pupilles. Le traitement inclut l'administration par voie IV de phentolamine.

DIAGNOSTICS INFIRMIERS POSSIBLES

■ **Énoncés diagnostiques**

☐ Risque élevé d'infection.

☐ Déficit nutritionnel.

☐ Prise en charge inefficace du programme thérapeutique.

☐ *Risque élevé d'accident.*

☐ *Risque élevé d'atteinte à l'intégrité de la muqueuse buccale.*

☐ *Risque élevé de perturbation situationnelle de l'estime de soi.*

■ **Facteurs favorisants**

☐ Informations incomplètes.

☐ *Manque de connaissances sur les effets secondaires affectant l'appareil gastro-intestinal.*

☐ *Manque de connaissances sur le régime alimentaire à suivre.*

☐ *Manque de connaissances sur les modalités du traitement.*

☐ *Manque de connaissances sur les moyens de prévenir ou de réduire la sécheresse de la bouche.*

☐ *Perturbation de la vigilance.*

☐ *Altération de l'image corporelle.*

☐ *Manque de connaissances sur les moyens de réduire la photosensibilité.*

INTERVENTIONS INFIRMIÈRES

■ **PO:** Administrer la procarbazine avec des aliments ou des liquides en cas d'irritation gastrique. Dans le cas du patient qui éprouve des difficultés de déglutition, demander au pharmacien si on peut ouvrir les capsules.

ENSEIGNEMENT AU PATIENT ET À SES PROCHES

☐ Insister sur la nécessité de prendre le médicament en respectant scrupuleusement la posologie recommandée. Si le patient n'a pu prendre le médicament au moment habituel, il devrait le prendre dès que possible à moins que ce ne soit presque l'heure prévue pour la dose suivante. On doit consulter le médecin si les vomissements se produisent peu après la prise du médicament.

☐ Recommander au patient de signaler immédiatement au médecin la fièvre, les maux de gorge, les signes d'infection, les saignements des gencives, la formation d'ecchymoses, les pétéchies ou la présence de sang dans les selles, l'urine et les vomissements. Expliquer au patient qu'il doit éviter les foules et les personnes contagieuses. Lui recommander d'utiliser une brosse à dents à poils doux et un rasoir électrique et de prendre garde aux chutes. Le patient ne devrait pas recevoir d'injections IM et la prise de la température PR devrait être évitée. Prévenir également le patient qu'il ne doit pas consommer de boissons alcoolisées ni prendre de préparations

P

contenant de l'aspirine en raison des risques d'hémorragie gastrique.

- Recommander au patient d'éviter de boire de l'alcool et des boissons contenant de la caféine, de prendre des dépresseurs du SNC et des médicaments en vente libre et de consommer des aliments ou des boissons contenant de la tyramine (voir l'annexe K) durant le traitement et pendant au moins 2 semaines après l'avoir arrêté, en raison des risques de crise hypertensive.

- Expliquer au patient que l'interaction alcool – procarbazine peut aussi entraîner une réaction semblable à la réaction au disulfirame dont les symptômes sont les bouffées vasomotrices, les nausées et les vomissements, les céphalées et les crampes abdominales.

- Recommander au patient d'examiner sa muqueuse buccale à la recherche d'érythème et d'aphtes. En présence d'aphtes, lui conseiller de remplacer la brosse à dents par une brosse-éponge et de se rincer la bouche avec de l'eau après avoir bu et mangé. Le médecin peut lui prescrire des gargarismes à la lidocaïne visqueuse si la douleur l'empêche de s'alimenter.

- Avertir le patient que la procarbazine peut entraîner de la somnolence ou des étourdissements. Lui conseiller de ne pas conduire et d'éviter les activités qui exigent sa vigilance jusqu'à ce qu'on ait la certitude que le médicament n'entraîne pas ces effets chez lui.

- Expliquer à la patiente que la procarbazine peut avoir des effets tératogènes. Lui conseiller d'utiliser une méthode de contraception efficace durant le traitement et pendant au moins 4 mois après l'avoir arrêté.

- Expliquer au patient qu'il risque de perdre ses cheveux. Explorer avec lui les stratégies lui permettant de s'adapter à ce changement.

- Recommander au patient d'utiliser un écran solaire et de porter des vêtements protecteurs pour prévenir les réactions de photosensibilité.

- Expliquer au patient qu'il ne doit pas se faire vacciner sans recommandation expresse du médecin.

- Recommander au patient qui doit suivre un traitement dentaire ou subir une intervention chirurgicale d'avertir le dentiste ou le médecin qu'il suit un traitement médicamenteux. Le traitement par la procarbazine devrait être arrêté au moins 2 semaines avant l'intervention.

- Insister sur la nécessité d'effectuer des examens diagnostiques et biochimiques à intervalles réguliers permettant de déceler les effets secondaires du médicament.

- Recommander au patient de signaler au médecin les symptômes suivants : confusion, hallucinations, toux, paresthésie, démarche instable, céphalées graves, rash, jaunisse ou diarrhée.

VÉRIFICATION DES RÉSULTATS

L'efficacité du traitement peut être démontrée par : la diminution de l'étendue de l'atteinte et de la propagation des cellules malignes en cas de maladie de Hodgkin.

PROCHLORPÉRAZINE

PMS-Prochlorperazine, Stémétil, (Chlorpazine), (Compazine)

CLASSIFICATION :

Antiémétique – phénothiazine ; antipsychotique – phénothiazine

Grossesse – catégorie inconnue

INDICATIONS

■ Soulagement des nausées et des vomissements ■ Traitement des psychoses aiguës et chroniques.

ACTION

■ Modification des effets de la dopamine sur le SNC ■ Forte action anticholinergique et blocage marqué des récepteurs alpha-adrénergiques ■ Dépression de la zone gâchette des chimiorécepteurs du SNC. **Effets thérapeutiques:** ■ Soulagement des nausées et des vomissements ■ Diminution des signes et des symptômes psychotiques.

PHARMACOCINÉTIQUE

Absorption: L'absorption par suite de l'administration des comprimés est variable; elle peut être améliorée dans le cas de l'administration de préparations liquides destinées à la voie orale. Bonne absorption par suite de l'administration IM.

Distribution: L'agent se répartit dans tout l'organisme et on le retrouve en fortes concentrations dans le SNC. Il traverse le placenta et pénètre probablement dans le lait maternel.

Métabolisme et excrétion: Le médicament est fortement métabolisé par le foie et la muqueuse gastro-intestinale. Il est transformé en certains composés exerçant un effet antipsychotique.

Demi-vie: Inconnue.

CONTRE-INDICATIONS ET PRÉCAUTIONS

Contre-indications: ■ Hypersensibilité ■ Risque de réactions de sensibilité croisée avec d'autres phénothiazines ■ Glaucome à angle étroit ■ Aplasie médullaire ■ Maladie hépatique ou cardiovasculaire graves ■ Hypersensibilité aux bisulfites (certaines préparations destinées à la voie parentérale).

Précautions: ■ Personnes âgées ou patients débilités (réduire la dose) ■ Grossesse ou allaitement (l'innocuité du médicament n'a pas été établie; la prochlorpérazine peut entraîner des réactions indésirables chez le nouveau-né) ■ Diabète sucré ■ Maladie respiratoire ■ Hypertrophie de la prostate ■ Tumeurs du SNC ■ Épilepsie ■ Occlusion intestinale.

RÉACTIONS INDÉSIRABLES ET EFFETS SECONDAIRES

SNC: sédation, réactions extrapyramidales, dyskinésie tardive, SYNDROME MALIN DES NEUROLEPTIQUES.

ORLO: sécheresse des yeux (alacrymie), vision trouble, opacité du cristallin.

CV: hypotension, tachycardie, modifications de l'ÉCG.

GI: constipation, sécheresse de la bouche (xérostomie), occlusion intestinale, anorexie, hépatite.

GU: rétention urinaire, urine de couleur rose à brun rougeâtre.

Tég.: rash, photosensibilité, modifications de la pigmentation.

End.: galactorrhée.

Hémat.: AGRANULOCYTOSE, leucopénie.

Métab.: hyperthermie.

Divers: réactions allergiques.

INTERACTIONS

Médicament – médicament: ■ Effets hypotenseurs additifs lors de l'administration simultanée d'**antihypertenseurs** ou de **dérivés nitrés** ou de l'ingestion d'**alcool** ■ Effets additifs sur la dépression du SNC lors de l'usage concomitant d'autres **dépresseurs du SNC**, incluant l'**alcool**, les **antidépresseurs**, les **antihistaminiques**, les **analgésiques narcotiques**, les **hypnosédatifs** ou les **anesthésiques généraux** ■ Effets anticholinergiques additifs lors de l'administration simultanée d'autres **médicaments doués de propriétés anticholinergiques** dont les **antihistaminiques**, les **antidépresseurs**, l'**atropine**, l'**halopéridol** et d'autres **phénothiazines** ■ Le **lithium**, administré simultanément, diminue l'absorption de la prochlorpérazine et augmente le risque de réactions extrapyramidales ■ La prochlorpérazine peut masquer les signes précoces de toxicité au **lithium** ■ Risque accru d'agranulocytose lors de l'administration simultanée d'**antithyroïdiens** ■ La prochlorpérazine diminue les effets bénéfiques de la **lévodopa** ■ Les **antiacides**,

P

administrés simultanément, peuvent diminuer l'absorption de la prochlorpérazine.

PRÉSENTATION

Le médicament existe sous forme de comprimés, de solution orale, de suppositoires et de solution injectable.

VOIES D'ADMINISTRATION ET POSOLOGIE

Antiémétique, troubles affectifs légers à modérés

- **PO et PR (adultes):** de 5 à 10 mg, 3 ou 4 fois par jour (ne pas dépasser 40 mg par jour).

- **IM (adultes):** de 5 à 10 mg, 2 ou 3 fois par jour (ne pas dépasser 40 mg par jour).

- **PO et PR (enfants de 18 à 39 kg):** 2,5 mg, 3 fois par jour, ou 5 mg, 2 fois par jour (ne pas dépasser 15 mg par jour).

- **PO et PR (enfants de 14 à 17 kg):** 2,5 mg, 2 ou 3 fois par jour (ne pas dépasser 10 mg par jour).

- **PO et PR (enfants de 9 à 13 kg):** 2,5 mg, 1 ou 2 fois par jour (ne pas dépasser 7,5 mg par jour).

- **IM (enfants > 2 ans):** 0,13 mg/kg, en une seule dose.

- **IV (adultes):** 20 mg par litre de soluté pendant les phases opératoire et postopératoire, pour une dose quotidienne totale généralement inférieure à 30 mg.

Agitation psychomotrice, psychoses

- **PO (adultes):** 10 mg, 3 ou 4 fois par jour; adapter et augmenter la dose selon les besoins (ne pas dépasser 150 mg par jour).

- **IM (adultes):** de 10 à 20 mg, toutes les 2 à 4 h, selon les besoins (ne pas dépasser de 150 à 200 mg par jour).

PHARMACODYNAMIE (effet antiémétique)

	DÉBUT D'ACTION	PIC	DURÉE
PO	30 – 40 min	inconnu	3 – 4 h
PR	60 min	inconnu	3 – 4 h
IM	10 – 20 min	inconnu	3 – 4 h
IV	rapide (quelques minutes)	inconnu	3 – 4 h

SOINS INFIRMIERS

ÉVALUATION DE LA SITUATION

- **Directives générales:** Mesurer la pression artérielle (en position assise, debout et en position couchée), le pouls et le nombre de respirations avant le traitement et à intervalles fréquents pendant la période d'adaptation de la posologie.

- Évaluer le degré de sédation après l'administration du médicament.

- Observer le patient pour déceler la manifestation des effets secondaires extrapyramidaux suivants: akathisie – agitation; dystonie – spasmes musculaires et mouvements de torsion; pseudoparkinsonisme – faciès figé, rigidité, tremblements, bouche ouverte laissant s'échapper la salive (sialorrhée), démarche traînante, dysphagie. Informer le médecin de l'apparition de ces symptômes, car la réduction de la posologie ou l'arrêt du traitement peuvent s'avérer nécessaires. Le médecin peut également prescrire des agents antiparkinsoniens (trihexyphénidyle ou benztropine) pour maîtriser ces symptômes.

- Surveiller les symptômes suivants de dyskinésie tardive: mouvements rythmiques de la bouche, des joues et des membres. Informer immédiatement le médecin de l'apparition de ces symptômes, car ces effets secondaires peuvent être irréversibles.

- Suivre de près l'apparition du syndrome malin des neuroleptiques se manifestant par de la fièvre, une détresse respiratoire, une tachycardie, des convulsions, la diaphorèse, l'hypertension ou l'hypotension, la pâleur ou la fatigue. Informer immédiatement le médecin de l'apparition de ces symptômes.

- **Antiémétique:** Suivre de près les nausées et les vomissements avant le traitement et de 30 à 60 min après l'administration.

- **Antipsychotique:** Suivre l'état de la conscience du patient (orientation spatiotemporelle et comportement) avant le traitement et à intervalles réguliers pendant toute sa durée.

□ Surveiller le patient attentivement pendant qu'on lui administre le médicament par voie orale pour s'assurer qu'il l'a bien avalé.

- **Étude des examens diagnostiques et biochimiques:** Noter à intervalles réguliers pendant toute la durée du traitement la numération globulaire et les résultats du test de l'exploration fonctionnelle hépatique. La prochlorpérazine peut entraîner une dyscrasie, particulièrement entre la 4e et la 10e semaine de traitement. L'hépatotoxicité risque plus vraisemblablement de se produire entre le 14e et le 30e jour de traitement.

□ La prochlorpérazine peut entraîner des résultats faussement positifs ou faussement négatifs aux tests de grossesse et des résultats faussement positifs au dosage de la bilirubine urinaire.

□ La prochlorpérazine peut entraîner l'élévation des concentrations sériques de prolactine et modifier ainsi les résultats des épreuves par la gonadolibérine.

□ La prochlorpérazine peut entraîner des modifications des ondes Q et T sur l'ÉCG.

DIAGNOSTICS INFIRMIERS POSSIBLES

- **Énoncés diagnostiques**
□ Déficit de volume liquidien.
□ Altération des opérations de la pensée.
□ Prise en charge inefficace du programme thérapeutique.
□ *Risque élevé d'anxiété.*
□ *Risque élevé d'accident.*
□ *Risque élevé d'atteinte à l'intégrité de la peau.*
□ *Risque élevé d'atteinte à l'intégrité de la muqueuse buccale.*
□ *Risque élevé de constipation.*

- **Facteurs favorisants**
□ Informations incomplètes.
□ *Manque de connaissances sur les effets secondaires du médicament et sur les moyens de les prévenir.*
□ *Manque de connaissances sur les modalités du traitement.*
□ *Manque de connaissances sur les effets hypotensifs du médicament lors des changements brusques de position.*
□ *Perturbation de la vigilance.*
□ *Manque de connaissances sur les moyens de prévenir la photosensibilité et sur l'importance d'un suivi ophtalmologique.*
□ *Manque de connaissances sur les moyens de prévenir ou de réduire la sécheresse de la bouche.*
□ *Manque de connaissances sur les moyens de stimuler la fonction intestinale.*

INTERVENTIONS INFIRMIÈRES

- **Directives générales:** Éviter les éclaboussures sur les mains en raison des risques de dermatite de contact.
□ Interrompre le traitement aux phénothiazines 48 h avant une myélographie au métrizamide et ne le reprendre que 24 h plus tard, car ces médicaments abaissent le seuil de convulsions.
- **PO:** Administrer le médicament avec des aliments, du lait ou un grand verre d'eau afin de diminuer l'irritation gastrique.
- **IM:** Ne pas injecter le médicament par voie SC Injecter lentement et profondément dans un muscle bien

développé. Afin de réduire les effets hypotenseurs du médicament, demander au patient de garder la position couchée pendant au moins 30 min après l'injection. Même si la solution devient jaune pâle, sa puissance n'est en rien altérée. Ne pas administrer la solution si elle a fortement changé de couleur ou si elle renferme un précipité.

- **IV directe :** Diluer jusqu'à l'obtention d'une concentration de 1 mg/mL.
- □ *Vitesse d'administration :* Administrer lentement à un débit ne dépassant pas 1 mg à la minute.
- **Perfusion intermittente :** Diluer 20 mg dans au maximum 1 litre de dextrose, de soluté salin, de solution de Ringer ou de lactate Ringer, de solution qui associe du dextrose et du soluté salin ou du dextrose et de la solution de Ringer ou du lactate Ringer.
- **Associations compatibles dans la même seringue :** Le fabricant ne recommande pas de mélanger la prochlorpérazine avec d'autres médicaments dans la même seringue. La prochlorpérazine est compatible en association dans la même seringue pendant une période limitée (15 min) avec les agents suivants : atropine, butorphanol, chlorpromazine, cimétidine, diphenhydramine, dropéridol, fentanyl, glycopyrrolate, hydroxyzine, mépéridine, métoclopramide, morphine, nalbuphine, pentazocine, perphénazine, promazine, prométhazine, ranitidine ou scopolamine.
- **Associations incompatibles dans la même seringue :** Dimenhydrinate, midazolam, pentobarbital ou thiopental.
- **Compatibilités (tubulure en Y) :** Chlorure de potassium, héparine, ondansétron ou succinate d'hydrocortisone sodique.
- **Incompatibilité (tubulure en Y) :** Foscarnet.
- **Compatibilités en addition au soluté :** Acide ascorbique, amikacine, bicarbonate

de sodium, éthacryate de sodium, lactobionate d'érythromycine, lidocaïne, nafcilline ou phosphate de dexaméthasone sodique.
- **Incompatibilités en addition au soluté :** Aminophylline, amphotéricine B, ampicilline, céphalothine, chloramphénicol, chlorothiazide, gluceptate de calcium, méthohexital, pénicilline G sodique, phénobarbital, succinate d'hydrocortisone sodique ou thiopental.

ENSEIGNEMENT AU PATIENT ET À SES PROCHES

- □ Conseiller au patient de respecter scrupuleusement la posologie recommandée. L'avertir qu'il ne doit jamais sauter de dose ni remplacer une dose manquée par une double dose. S'il n'a pu prendre le médicament au moment habituel, il doit le prendre dès que possible à moins qu'il ne soit presque l'heure prévue pour la dose suivante. S'il doit prendre le médicament plus de 2 fois par jour, il devrait prendre la dose manquée en l'espace d'environ 1 heure suivant l'heure prévue. Le sevrage brusque peut provoquer une gastrite, des nausées, des vomissements, des étourdissements, des céphalées, de la tachycardie et de l'insomnie.
- □ Informer le patient du risque d'apparition de symptômes extrapyramidaux et d'une dyskinésie tardive. Lui recommander de signaler immédiatement ces symptômes au médecin.
- □ Recommander au patient de changer lentement de position afin de réduire les risques d'hypotension orthostatique.
- □ Prévenir le patient que la prochlorpérazine peut provoquer de la somnolence. Lui conseiller de ne pas conduire et d'éviter les activités qui exigent sa vigilance jusqu'à ce qu'on ait la certitude que le médicament n'entraîne pas cet effet chez lui.

□ Recommander au patient d'éviter de boire de l'alcool ou de prendre d'autres dépresseurs du SNC en même temps que la prochlorpérazine.

□ Recommander au patient d'utiliser des écrans solaires et de porter des vêtements protecteurs lors des expositions au soleil, afin de prévenir les réactions de photosensibilité. Lui recommander également d'éviter les températures extrêmes, car ce médicament altère la thermorégulation.

□ Conseiller au patient de se rincer fréquemment la bouche, de pratiquer une bonne hygiène orale et de consommer de la gomme ou des bonbons sans sucre pour soulager la sécheresse de la bouche. Lui recommander de consulter le médecin ou le dentiste si la sécheresse de la bouche persiste pendant plus de 2 semaines.

□ Recommander au patient d'augmenter sa consommation de fibres alimentaires et de liquides et de faire de l'exercice pour réduire les effets constipants de ce médicament.

□ Informer le patient que le médicament peut faire virer l'urine au rose à rouge brun.

□ Recommander au patient qui doit suivre un traitement dentaire ou subir une intervention chirurgicale d'avertir le dentiste ou le médecin qu'il suit un traitement médicamenteux.

□ Informer le patient qu'il doit prévenir sans délai le médecin en cas de maux de gorge, de fièvre, de saignements ou d'ecchymoses inhabituels, de rash, de faiblesse, de tremblements, de trouble de la vue, d'urine de couleur foncée ou de selles couleur de glaise.

□ Insister sur l'importance des examens réguliers de suivi permettant d'évaluer la réponse au médicament et de déceler les effets secondaires. Des examens ophtalmologiques sont également indiqués à intervalles réguliers. Inciter le patient à suivre une psychothérapie si le médecin la lui a prescrite.

VÉRIFICATION DES RÉSULTATS

L'efficacité du traitement peut être démontrée par : ■ le soulagement des nausées et des vomissements ■ la diminution de l'excitation et un moindre recours à un comportement paranoïaque ou au repli sur soi lorsque le médicament est utilisé comme antipsychotique.

PROGESTÉRONE
PMS-Progestérone, (Femotrone), (Gestrol)

CLASSIFICATION :
Hormone – progestatif

Grossesse – catégorie inconnue

INDICATIONS

■ Traitement de l'aménorrhée secondaire et de l'hémorragie utérine anormale dues à un déséquilibre hormonal. **Usage non approuvé :** ■ Insuffisance fonctionnelle du corps jaune.

ACTION

■ Modification des sécrétions de l'endomètre : □ Élévation de la température corporelle basale □ Modifications histologiques de l'épithélium vaginal □ Relaxation des muscles lisses utérins □ Croissance des tissus alvéolaires mammaires □ Inhibition de l'hypophyse □ Hémorragie de privation lors d'une œstrogénothérapie parallèle. **Effets thérapeutiques :** ■ Rétablissement de l'équilibre hormonal et suppression des hémorragies utérines.

PHARMACOCINÉTIQUE

Absorption : Inconnue.
Distribution : La progestérone pénètre dans le lait maternel.
Métabolisme et excrétion : Inconnus.
Demi-vie : Inconnue.

CONTRE-INDICATIONS ET PRÉCAUTIONS

Contre-indications: ■ Hypersensibilité ■ Hypersensibilité à l'alcool benzylique ■ Grossesse (sauf en cas d'insuffisance fonctionnelle du corps jaune) ■ Rétention fœtale ■ Maladie thrombo-embolique ■ Maladie cérébrovasculaire ■ Maladie hépatique grave ■ Cancer du sein ou des organes génitaux ■ Porphyrie.

Précautions: ■ Antécédents de maladie hépatique ■ Maladie rénale ■ Maladie cardiovasculaire ■ Troubles convulsifs ■ Dépression.

RÉACTIONS INDÉSIRABLES ET EFFETS SECONDAIRES

SNC: dépression.
ORLO: thrombose de la rétine.
CV: THROMBO-EMBOLIE, EMBOLIE PULMONAIRE, thrombophlébite.
GI: saignement des gencives, hépatite.
GU: érosions cervicales.
End.: pertes sanguines intermenstruelles, saignotements, aménorrhée, sensibilité mammaire, galactorrhée, modifications du débit de sang menstruel.
Tég.: rash, mélasme, chloasma.
HÉ: œdème.
Locaux: douleur, irritation au point d'injection IM.
Divers: gain de poids, perte de poids, réactions allergiques incluant l'ANAPHYLAXIE et l'ANGIO-ŒDÈME.

INTERACTIONS

Médicament – médicament: La progestérone peut diminuer l'efficacité de la **bromocriptine**, administrée simultanément dans le traitement de la galactorrhée et de l'aménorrhée.

VOIES D'ADMINISTRATION ET POSOLOGIE

Aménorrhée secondaire
■ **IM (adultes):** de 5 à 10 mg par jour, pendant 6 à 10 jours, de 8 à 10 jours avant la date prévue d'apparition des règles.

Hémorragie utérine anormale
■ **IM (adultes):** de 5 à 10 mg par jour, pendant 6 à 10 jours.

Insuffisance fonctionnelle du corps jaune
■ **IM (adultes) (É.-U.):** 12,5 mg au début de l'ovulation et pendant 2 semaines (on peut poursuivre l'administration jusqu'à la 11e semaine de gestation).

PHARMACODYNAMIE

	DÉBUT D'ACTION	PIC	DURÉE
IM	inconnu	inconnu	inconnue

☀ SOINS INFIRMIERS

ÉVALUATION DE LA SITUATION

■ **Directives générales:** Mesurer la pression artérielle à intervalles réguliers tout au long du traitement.

☐ Effectuer le bilan des ingesta et des excreta et peser la patiente toutes les semaines. Signaler au médecin toute modification importante ou un gain de poids constant.

■ **Aménorrhée:** Déterminer la durée habituelle du cycle menstruel de la patiente. On commence habituellement l'administration du médicament de 8 à 10 jours avant la date prévue des règles. Les règles surviennent habituellement dans les 48 à 72 h qui suivent la fin du traitement. Il faut arrêter le traitement si les règles surviennent durant le cycle d'injections.

■ **Hémorragie utérine anormale:** Déterminer les caractéristiques du flot sanguin et la quantité de sang perdu (nombre de serviettes hygiéniques). L'hémorragie devrait se terminer vers la 6e journée de traitement. Il faut arrêter le traitement si les règles surviennent durant le cycle d'injections.

■ **Étude des examens diagnostiques et biochimiques:** Noter les résultats des tests de l'exploration fonctionnelle hépatique avant le traitement et à intervalles réguliers pendant toute sa durée.

□ La progestérone peut entraîner l'élévation des concentrations plasmatiques d'acides aminés et de phosphatase alcaline.

□ La progestérone peut diminuer l'excrétion de pregnandiol urinaire.

□ Les doses élevées de progestérone peuvent augmenter l'excrétion urinaire de sodium et de chlorure.

□ La progestérone peut modifier les résultats des tests de l'exploration fonctionnelle thyroïdienne.

DIAGNOSTICS INFIRMIERS POSSIBLES

■ **Énoncés diagnostiques**

□ Dysfonctionnement sexuel.

□ Prise en charge inefficace du programme thérapeutique.

□ *Risque élevé d'atteinte à l'intégrité de la peau.*

□ *Risque élevé d'accident.*

■ **Facteurs favorisants**

□ Informations incomplètes.

□ *Manque de connaissances sur les effets secondaires du médicament et sur les moyens de les prévenir.*

□ *Manque de connaissances sur les moyens de réduire la photosensibilité.*

INTERVENTIONS INFIRMIÈRES

■ **IM:** Bien agiter la fiole avant l'administration de la solution. Administrer profondément dans le muscle. Assurer la rotation des points d'injection.

ENSEIGNEMENT AU PATIENT ET À SES PROCHES

□ Recommander à la patiente de signaler au médecin les signes et les symptômes de rétention hydrique (enflure des chevilles et des pieds, gain pondéral), de troubles thrombo-emboliques (douleur, enflure, sensibilité des membres, céphalées, douleurs thoraciques, vision trouble), de dépression mentale ou de dysfonction hépatique (jaunissement de la peau ou des yeux, prurit, urine de couleur foncée, selles de couleur claire).

□ Recommander à la patiente de signaler au médecin toute modification des caractéristiques des saignements vaginaux ou l'apparition de saignotements.

□ Expliquer à la patiente qu'elle doit cesser de prendre le médicament et prévenir le médecin si elle pense être enceinte.

□ Recommander à la patiente d'utiliser un écran solaire et de porter des vêtements protecteurs afin de prévenir les réactions de photosensibilité.

□ Recommander à la patiente qui doit suivre un traitement dentaire ou subir une intervention chirurgicale d'avertir le dentiste ou le médecin qu'elle suit un traitement médicamenteux.

□ Insister sur l'importance d'un suivi médical régulier comprenant la prise de la pression artérielle, l'examen des seins, de l'abdomen et du pelvis ainsi que le test de Papanicolaou.

VÉRIFICATION DES RÉSULTATS

L'efficacité du traitement peut être démontrée par: la normalisation du cycle menstruel.

PROMAZINE

(Sparine)

CLASSIFICATION:

Antipsychotique – phénothiazine; antiémétique – phénothiazine

Grossesse – catégorie inconnue

INDICATIONS

■ Traitement des psychoses aiguës et chroniques ■ Soulagement des nausées et des vomissements.

ACTION

■ Modification des effets de la dopamine sur le SNC ■ Forte action anticholinergique et blocage marqué des récepteurs

P

alpha-adrénergiques ■ Dépression de la zone gâchette des chimiorécepteurs du SNC. **Effets thérapeutiques:** ■ Diminution de signes et des symptômes psychotiques ■ Soulagement des nausées et des vomissements.

PHARMACOCINÉTIQUE

Absorption: Bonne absorption par suite de l'administration IM.

Distribution: L'agent se répartit dans tout l'organisme et on le retrouve en fortes concentrations dans le SNC. Il traverse le placenta et pénètre probablement dans le lait maternel.

Métabolisme et excrétion: Le médicament est fortement métabolisé par le foie et la muqueuse gastro-intestinale.

Demi-vie: Inconnue.

CONTRE-INDICATIONS ET PRÉCAUTIONS

Contre-indications: ■ Hypersensibilité ■ Risque de réactions de sensibilité croisée avec d'autres phénothiazines ■ Glaucome à angle étroit ■ Aplasie médullaire ■ Maladie hépatique ou cardiovasculaire graves ■ Hypersensibilité aux bisulfites.

Précautions: ■ Personnes âgées ou patients débilités (réduire la dose au besoin) ■ Grossesse et allaitement (l'innocuité du médicament n'a pas été établie) ■ Diabète sucré ■ Maladie respiratoire ■ Hypertrophie de la prostate ■ Tumeurs du SNC ■ Épilepsie ■ Occlusion intestinale.

RÉACTIONS INDÉSIRABLES ET EFFETS SECONDAIRES

SNC: sédation, réactions extrapyramidales, dyskinésie tardive, SYNDROME MALIN DES NEUROLEPTIQUES.

ORLO: sécheresse des yeux (alacrymie), vision trouble, opacité du cristallin.

CV: hypotension, tachycardie.

GI: constipation, sécheresse de la bouche (xérostomie), occlusion intestinale, anorexie, hépatite.

GU: rétention urinaire.

Tég.: rash, photosensibilité, modifications de la pigmentation.

End.: galactorrhée.

Hémat.: AGRANULOCYTOSE, leucopénie.

Métab.: hyperthermie.

Divers: réactions allergiques.

INTERACTIONS

Médicament – médicament: ■ Effets hypotenseurs additifs lors de l'administration simultanée d'**antihypertenseurs** ou de **dérivés nitrés** ou de l'ingestion d'**alcool** ■ Effets additifs sur la dépression du SNC lors de l'usage concomitant d'autres **dépresseurs du SNC**, dont l'**alcool**, les **antihistaminiques**, les **analgésiques narcotiques**, les **hypnosédatifs** ou les **anesthésiques généraux** ■ Effets anticholinergiques additifs lors de l'administration simultanée d'autres **médicaments doués de propriétés anticholinergiques** dont les **antihistaminiques**, les **antidépresseurs**, l'**atropine**, l'**halopéridol** et les autres **phénothiazines** ■ Le **lithium**, administré simultanément augmente le risque de réactions extrapyramidales ■ La promazine peut masquer les signes précoces de toxicité au **lithium** ■ La promazine peut diminuer les effets bénéfiques de la **lévodopa** ■ Risque accru d'agranulocytose lors de l'administration simultanée d'agents **antithyroïdiens**.

VOIES D'ADMINISTRATION ET POSOLOGIE

Psychoses

■ **IM (adultes):** de 10 à 200 mg, toutes les 4 à 6 h, jusqu'à concurrence de 1 000 mg par jour.

Agitation grave

■ **IM (adultes):** initialement, de 50 à 150 mg; au besoin, on peut administrer des doses supplémentaires après 5 à 10 min, jusqu'à 300 mg au total. Administrer ensuite la dose d'entretien de 10 à 200 mg, toutes les 4 à 6 h, selon les besoins (ne pas dépasser 1 g en 24 h).

- **IV (adultes):** initialement, de 50 à 150 mg; au besoin, on peut administrer des doses supplémentaires après 5 à 10 min, jusqu'à 300 mg au total.

Antiémétique

- **IM et IV (adultes):** de 25 à 50 mg.

PHARMACODYNAMIE
(effets antipsychotiques)

	DÉBUT D'ACTION	PIC	DURÉE
IM	en l'espace de 30 min	inconnu	inconnue
IV	en l'espace de 30 min	inconnu	inconnue

SOINS INFIRMIERS

ÉVALUATION DE LA SITUATION

- **Directives générales:** Mesurer la pression artérielle (en position assise, debout et en position couchée), le pouls et le nombre de respirations avant le traitement et à intervalles fréquents pendant la période d'adaptation de la posologie.
- ☐ Évaluer le degré de sédation après l'administration du médicament.
- ☐ Déceler l'apparition des effets secondaires extrapyramidaux suivants: akathisie – agitation; dystonie – spasmes musculaires et mouvements de torsion; pseudoparkinsonisme – faciès figé, rigidité, tremblements, bouche ouverte laissant s'échapper la salive (sialorrhée), démarche traînante, dysphagie. Informer le médecin de l'apparition de ces symptômes, car la réduction de la dose ou l'arrêt du traitement peuvent s'avérer nécessaires. Le médecin peut également prescrire des agents antiparkinsoniens (trihexyphénidyle ou benztropine) pour maîtriser ces symptômes.
- ☐ Surveiller les symptômes suivants de dyskinésie tardive: mouvements rythmiques de la bouche, des joues et des membres. Informer immédiatement le médecin de l'apparition de ces symp-

tômes, car ces effets secondaires peuvent être irréversibles.

- ☐ Suivre de près l'apparition du syndrome malin des neuroleptiques se manifestant par de la fièvre, une détresse respiratoire, une tachycardie, des convulsions, la diaphorèse, l'hypertension ou l'hypotension, la pâleur ou la fatigue. Informer immédiatement le médecin de l'apparition de ces symptômes.
- ☐ Noter la consommation de liquides et la fonction intestinale. Une augmentation de la consommation de fibres alimentaires et de liquides peut réduire les effets constipants de ce médicament.
- **Antipsychotique:** Évaluer l'état de la conscience du patient (orientation spatiotemporelle et comportement) avant le traitement et à intervalles réguliers pendant toute sa durée.
- **Antiémétique:** Suivre de près les nausées et les vomissements avant le traitement et après l'administration du médicament.
- **Étude des examens diagnostiques et biochimiques:** Noter à intervalles réguliers pendant toute la durée du traitement la numération globulaire et les résultats du test de l'exploration fonctionnelle hépatique. La promazine peut entraîner une dyscrasie, particulièrement entre la 4e et la 10e semaine de traitement.
- ☐ La promazine peut entraîner des résultats faussement positifs ou faussement négatifs aux tests de grossesse et des résultats faussement positifs au dosage de la bilirubine urinaire.
- ☐ La promazine peut entraîner une élévation des concentrations sériques de prolactine et modifier ainsi les résultats des épreuves par la gonadolibérine.
- ☐ Le médicament peut entraîner des modifications des ondes Q et T sur le tracé de l'ÉCG.

DIAGNOSTICS INFIRMIERS POSSIBLES

■ **Énoncés diagnostiques**

☐ Déficit de volume liquidien.

☐ Altération des opérations de la pensée.

☐ Prise en charge inefficace du programme thérapeutique.

☐ Non-observance du traitement médicamenteux.

☐ *Risque élevé d'anxiété.*

☐ *Risque élevé d'accident.*

☐ *Risque élevé d'atteinte à l'intégrité de la peau.*

☐ *Risque élevé d'atteinte à l'intégrité de la muqueuse buccale.*

☐ *Risque élevé de constipation.*

■ **Facteurs favorisants**

☐ Informations incomplètes.

☐ Doute quant aux bienfaits du médicament.

☐ *Altération de la perception visuelle.*

☐ *Manque de connaissances sur les effets secondaires du médicament et sur les moyens de les prévenir.*

☐ *Manque de connaissances sur les modalités du traitement.*

☐ *Manque de connaissances sur les effets hypotensifs du médicament lors des changements brusques de position.*

☐ *Perturbation de la vigilance.*

☐ *Manque de connaissances sur les moyens de prévenir la photosensibilité et sur l'importance d'un suivi ophtalmologique.*

☐ *Manque de connaissances sur les moyens de prévenir ou de réduire la sécheresse de la bouche.*

☐ *Manque de connaissances sur les moyens de stimuler la fonction intestinale.*

INTERVENTIONS INFIRMIÈRES

■ **Directives générales :** Le médicament est présenté sous forme de préparation injectable.

☐ Éviter les éclaboussures sur les mains en raison des risques de dermatite de contact.

☐ Interrompre le traitement aux phénothiazines 48 h avant une myélographie au métrizamide et ne le reprendre que 24 h plus tard, car ces médicaments abaissent le seuil de convulsions.

■ **IM :** Ne pas injecter le médicament par voie SC. Injecter lentement et profondément dans un muscle bien développé. Afin de réduire les effets hypotenseurs du médicament, demander au patient de garder la position couchée pendant au moins 30 min après l'injection. Même si la solution devient jaune pâle, sa puissance n'est en rien altérée. Ne pas administrer la solution si elle a fortement changé de couleur ou si elle renferme un précipité.

■ **IV directe :** Utiliser des concentrations de 25 mg/mL ou moins.

☐ *Vitesse d'administration :* Administrer chaque dose de 25 mg en au moins une minute dans une tubulure intraveineuse par où s'écoule une solution de dextrose, du soluté salin, une solution de Ringer ou du lactate Ringer, une solution qui associe du dextrose et du soluté salin, du dextrose et de la solution de Ringer ou du dextrose et du lactate Ringer.

■ **Associations compatibles dans la même seringue :** Atropine, chlorpromazine, cimétidine, diphenhydramine, dropéridol, fentanyl, glycopyrrolate, hydroxyzine, mépéridine, métoclopramide, midazolam, morphine, pentazocine, prochlorpérazine, prométhazine ou scopolamine.

■ **Associations incompatibles dans la même seringue :** Dimenhydrinate ou pentobarbital.

■ **Compatibilités en addition au soluté :** Chloramphénicol, éthacrynate, héparine, lactobionate d'érythromycine, lidocaïne, métaraminol, méthyldopa ou tétracycline.

■ **Incompatibilités en addition au soluté :** Aminophylline, chlorothiazide, fibrinogène, fibrinolysine, méthohexital, nafcilline, pénicilline G potassique, pentobarbital, phénobarbital, thiopental ou warfarine.

ENSEIGNEMENT AU PATIENT ET À SES PROCHES

- Expliquer le but du traitement au patient.

VÉRIFICATION DES RÉSULTATS

L'efficacité du traitement peut être démontrée par : ■ la diminution de l'excitation et un moindre recours à un comportement paranoïde ou au repli sur soi ■ le soulagement des nausées et des vomissements.

PROMÉTHAZINE

Histantil, Phénergan, PMS Promethazine, (Anergan 25), (Anergan 50), (K-Phen), (Mallergan), (Pentazine), (Phenameth), (Phenazine 25), (Phenazine 50), (Phencen-50), (Phenergan Fortis), (Phenergan Plain), (Phenoject-50), (Pro-50), (Prometh-25), (Prometh-50), (Promethegan), (Prorex-25), (Prorex-50), (Protazine), (Prothazine Plain), (Remsed), (V-Gan-25), (V-Gan-50)

CLASSIFICATION :

Antihistaminique – phénothiazine ; antiémétique – phénothiazine ; hypnosédatif – phénothiazine

Grossesse – catégorie inconnue

INDICATIONS

■ Traitement de diverses allergies et du mal des transports ■ Sédation préopératoire ■ Traitement et prévention des nausées et des vomissements ■ Adjuvant à l'anesthésie et à l'analgésie ■ Soulagement du prurit et des brûlures légères.

ACTION

■ Inhibition des effets de l'histamine ■ Effets inhibiteurs sur la zone gâchette des chimiorécepteurs dans le bulbe rachidien, se traduisant par des propriétés antiémétiques ■ Modifications des effets de la dopamine dans le SNC ■ Effets anticholinergiques importants ■ Dépression du SNC par la diminution de la stimulation indirecte du système réticulé du SNC ■ Effet anesthésique local. **Effets thérapeutiques :** ■ Soulagement des symptômes associés à un surplus d'histamine, habituellement observé chez les patients souffrant de maladies allergiques ■ Diminution des nausées et des vomissements ■ Sédation ■ Soulagement du prurit et des brûlures légères.

PHARMACOCINÉTIQUE

Absorption : Bonne absorption par suite de l'administration PO et IM.

Distribution : Le médicament se répartit dans tout l'organisme. Il traverse la barrière hémato-encéphalique et le placenta.

Métabolisme et excrétion : Métabolisme hépatique.

Demi-vie : Inconnue.

CONTRE-INDICATIONS ET PRÉCAUTIONS

Contre-indications : ■ Hypersensibilité ■ Patients comateux ■ Hypertrophie de la prostate ■ Obstruction du col de la vessie ■ Glaucome à angle étroit.

Précautions : ■ Hypertension ■ Apnée du sommeil ■ Épilepsie ■ Grossesse (le médicament a été utilisé sans danger durant le travail ; éviter l'administration prolongée durant la grossesse) ■ Allaitement (l'innocuité du médicament n'a pas été établie ; il peut provoquer la somnolence chez le nourrisson).

RÉACTIONS INDÉSIRABLES ET EFFETS SECONDAIRES

SNC : sédation excessive, confusion, désorientation, étourdissements, fatigue, réactions extrapyramidales, nervosité, insomnie.

CV : tachycardie, bradycardie, hypotension, hypertension.

Tég.: rash, photosensibilité.
ORLO: vision trouble, acouphènes, diplopie.
GI: sécheresse de la bouche (xérostomie), hépatite, constipation.
Hémat.: dyscrasie.

INTERACTIONS

Médicament – médicament: ■ Dépression additive du SNC lors de l'usage concomitant d'autres **dépresseurs du SNC**, incluant l'**alcool**, les **anxiolytiques**, les autres **antihistaminiques** et les **analgésiques narcotiques** et les autres **hypnosédatifs** ■ Effets anticholinergiques additifs lors de l'administration simultanée d'autres **médicaments doués de propriétés anticholinergiques**, incluant les autres **antihistaminiques**, les **antidépresseurs**, l'**atropine**, l'**halopéridol**, les autres **phénothiazines**, la **quinidine** et le **disopyramide**.

PRÉSENTATION

La prométhazine existe sous forme de comprimés, de sirop, de crème et de préparations injectables. Elle existe également en association avec d'autres agents (voir l'annexe A).

VOIES D'ADMINISTRATION ET POSOLOGIE

Allergies
■ **PO (adultes)**: 25 mg, au coucher, ou 10 mg, 3 fois par jour et au coucher.
■ **PO (enfants > 2 ans)**: 25 mg, au coucher, ou de 5 à 10 mg, trois fois par jour, ou 0,5 mg/kg, au coucher ou 0,125 mg/kg, toutes les 4 à 6 h.
■ **IM et IV (adultes)**: 25 mg; on peut répéter l'administration 2 h plus tard.

Mal des transports
■ **PO (adultes) (É.-U.)**: 25 mg, de 30 à 60 min avant le départ; on peut répéter l'administration de 8 à 12 h plus tard. On peut administrer des doses supplémentaires le matin et au coucher, pendant toute la durée du voyage.

■ **PO (enfants) (É.-U.)**: de 12,5 à 25 mg ou 0,5 mg/kg, de 30 à 60 min avant le départ; on peut répéter l'administration de 8 à 12 h plus tard. On peut également administrer des doses supplémentaires le matin et au coucher, pendant toute la durée du voyage.

Sédation
■ **PO, IM et IV (adultes)**: de 25 à 50 mg (ne pas dépasser 100 mg par jour).
■ **PO, IM et IV (enfants > 2 ans)**: de 10 à 25 mg ou de 0,5 à 1 mg/kg.

Sédation durant le travail
■ **IM et IV (adultes) (É.-U.)**: 50 mg au début du travail; on peut administrer de 25 à 75 mg lorsque les contractions se sont bien établies et des doses supplémentaires de 25 à 50 mg, 1 ou 2 fois, à intervalles de 4 h (jusqu'à concurrence de 100 mg en 24 h).

Antiémétique
■ **PO, IM et IV (adultes)**: de 12,5 à 25 mg initialement, ensuite de 10 à 25 mg toutes les 4 à 6 h.
■ **PO, IM et IV (enfants > 2 ans)**: de 0,25 à 0,5 mg/kg ou de 10 à 25 mg toutes les 4 à 6 h.

Anesthésique local
■ **Préparation topique (adultes et enfants)**: en application 2 ou 3 fois par jour sur les régions affectées.

PHARMACODYNAMIE
(effets antihistaminiques; les effets sédatifs durent de 2 à 8 h)

	DÉBUT D'ACTION	PIC	DURÉE
PO	20 min	inconnu	jusqu'à 12 h
IM	20 min	inconnu	jusqu'à 12 h
IV	3 – 5 min	inconnu	jusqu'à 12 h

☼ SOINS INFIRMIERS

ÉVALUATION DE LA SITUATION

■ **Directives générales**: Mesurer la pression artérielle, le pouls et le nombre de respirations à intervalles fréquents chez les patients recevant le médicament par voie IV.

☐ Observer le degré de sédation du patient après l'administration du médicament.

☐ Déceler l'apparition des effets secondaires extrapyramidaux suivants : akathisie – agitation ; dystonie – spasmes musculaires et mouvements de torsion ; pseudoparkinsonisme – faciès figé, rigidité, tremblements, bouche ouverte laissant s'échapper la salive (sialorrhée), démarche traînante, dysphagie. Informer le médecin de l'apparition de ces symptômes.

■ **Antiémétique :** Suivre de près les nausées et les vomissements avant et après l'administration du médicament.

■ **Allergie :** Suivre de près avant le traitement et à intervalles réguliers pendant toute sa durée les symptômes allergiques suivants : rhinite, conjonctivite, urticaire.

■ **Anesthésique local :** Observer, avant le traitement et à intervalles réguliers pendant toute sa durée, les régions affectées et suivre de près le prurit.

■ **Étude des examens diagnostiques et biochimiques :** La prométhazine peut entraîner des résultats faussement positifs ou faussement négatifs aux tests de grossesse.

■ Examiner la numération globulaire à intervalles réguliers durant le traitement prolongé en raison des risques de dyscrasie.

☐ La prométhazine peut entraîner l'élévation des concentrations sériques de glucose.

☐ La prométhazine peut entraîner des résultats faussement négatifs aux tests cutanés avec des extraits allergènes. Arrêter l'administration de prométhazine 72 h avant ces tests.

DIAGNOSTICS INFIRMIERS POSSIBLES

■ **Énoncés diagnostiques**

☐ Déficit de volume liquidien.

☐ Risque élevé d'accident.

☐ Prise en charge inefficace du programme thérapeutique.

☐ *Risque élevé d'anxiété.*

■ **Facteurs favorisants**

☐ Informations incomplètes.

☐ *Perturbation de la vigilance.*

☐ *Manque de connaissances sur les effets secondaires du médicament et sur les moyens de les prévenir.*

☐ *Manque de connaissances sur les modalités du traitement.*

☐ *Manque de connaissances sur les effets hypotensifs du médicament lors des changements brusques de position.*

INTERVENTIONS INFIRMIÈRES

■ **Directives générales :** Lorsque la prométhazine est administrée en même temps qu'un analgésique narcotique, surveiller étroitement les déplacements du patient afin de prévenir les accidents imputables à une sédation accrue.

■ **PO :** Administrer le médicament avec des aliments, de l'eau ou du lait afin de réduire l'irritation gastrique. Dans le cas des patients éprouvant des difficultés de déglutition, on peut broyer les comprimés et les mélanger avec des aliments ou des liquides.

■ **Préparation topique :** Ne pas appliquer la préparation sur des régions excédant 10 % de la surface corporelle, car des surdosages ont été rapportés suite à l'application de la crème sur des surfaces cutanées étendues.

■ **IM :** Administrer l'agent profondément, dans un muscle bien développé. L'administration SC peut provoquer la nécrose tissulaire.

■ **IV directe :** La concentration de la préparation ne devrait pas dépasser 25 mg/mL. Même si la solution devient jaune pâle, sa puissance n'est en rien altérée. Ne pas utiliser la solution si elle renferme un précipité.

☐ *Vitesse d'administration :* Administrer lentement à raison de 25 mg/min

P

ou moins. L'administration rapide peut provoquer une chute passagère de la pression artérielle.

- **Solutions compatibles :** Dextrose, soluté salin, solution de Ringer ou lactate Ringer, solutions qui associent du dextrose et du soluté salin, du dextrose et de la solution de Ringer ou du dextrose et du lactate Ringer.

- **Associations compatibles dans la même seringue :** Atropine, butorphanol, chlorpromazine, cimétidine, diphenhydramine, dropéridol, fentanyl, glycopyrrolate, hydromorphone, hydroxyzine, mépéridine, métoclopramide, midazolam, morphine, pentazocine, perphénazine, prochlorpérazine, promazine, ranitidine ou scopolamine.

- **Associations incompatibles dans la même seringue :** Dimenhydrinate, héparine, pentobarbital ou thiopental.

- **Compatibilité (tubulure en Y) :** Ondansétron.

- **Incompatibilités (tubulure en Y) :** Céfopérazone, chlorure de potassium, foscarnet, héparine ou succinate d'hydrocortisone sodique.

- **Compatibilités en addition au soluté :** Acide ascorbique, amikacine ou nétilmicine.

- **Incompatibilités en addition au soluté :** Aminophylline, chloramphénicol, chlorothiazide, héparine, méthicilline, méthohexital, pénicilline G, pentobarbital, phénobarbital, succinate d'hydrocortisone sodique ou thiopental.

Enseignement au patient et à ses proches

- **Directives générales :** Expliquer au patient le schéma posologique. S'il doit prendre le médicament régulièrement et s'il n'a pas pu le prendre au moment habituel, il doit le prendre dès que possible à moins qu'il ne soit presque l'heure prévue pour la dose suivante.

- Prévenir le patient que la prométhazine peut provoquer de la somnolence. Lui conseiller de ne pas conduire et d'éviter les activités qui exigent sa vigilance jusqu'à ce qu'on ait la certitude que le médicament n'entraîne pas cet effet chez lui.

- Conseiller au patient de se rincer fréquemment la bouche, de pratiquer une bonne hygiène orale et de consommer de la gomme ou des bonbons sans sucre pour soulager la sécheresse de la bouche. Lui recommander de consulter le médecin ou le dentiste si la sécheresse de la bouche persiste pendant plus de 2 semaines.

- Recommander au patient d'utiliser un écran solaire et de porter des vêtements protecteurs lors des expositions au soleil, afin de prévenir les réactions de photosensibilité.

- Recommander au patient de changer lentement de position afin de réduire les risques d'hypotension orthostatique. Les personnes âgées sont davantage prédisposées à cet effet secondaire.

- Conseiller au patient d'éviter de boire de l'alcool ou de prendre d'autres dépresseurs du SNC en même temps que la prométhazine.

- Recommander au patient de prévenir sans délai le médecin en cas de maux de gorge, de fièvre, de jaunisse ou de mouvements incontrôlés.

- **Mal des transports :** Lorsque la prométhazine est administrée pour prévenir le mal des transports, recommander au patient de prendre le médicament au moins 30 min et de préférence de 1 à 2 h avant qu'il ne se trouve dans une circonstance où le mal des transports peut survenir.

Vérification des résultats

L'efficacité du traitement peut être démontrée par : ▪ le soulagement des nausées et des vomissements ▪ la prévention du mal des transports ▪ la sédation ▪ le soulagement des symptômes allergiques ▪ le soulagement du prurit et des brûlures légères.

PROPAFÉNONE
Rythmol

CLASSIFICATION:
Antiarythmique – classe IC

Grossesse – catégorie C

INDICATIONS

Traitement des arythmies ventriculaires qui risquent d'être mortelles incluant la tachycardie ventriculaire.

ACTION

■ Ralentissement de la conduction dans le tissu cardiaque par la modification du transport des ions à travers les membranes cellulaires. **Effets thérapeutiques:** ■ Réduction des arythmies ventriculaires.

PHARMACOCINÉTIQUE

Absorption: Bien que la propafénone soit bien absorbée par suite de l'absorption par voie orale, elle subit un métabolisme hépatique rapide (biodisponibilité de 3 à 11 %).

Distribution: Inconnue.

Métabolisme et excrétion: La propafénone est fortement métabolisée par le foie. Certains métabolites sont doués d'une activité antiarythmique. On considère que chez plus de 90 % des patients le métabolisme de la propafénone est très rapide. Chez les autres, le métabolisme est plus lent.

Demi-vie: De 2 à 10 h dans le cas des patients au métabolisme très rapide; de 10 à 32 h dans le cas des patients au métabolisme lent.

CONTRE-INDICATIONS ET PRÉCAUTIONS

Contre-indications: ■ Hypersensibilité ■ Choc cardiogène ■ Troubles de conduction incluant le syndrome de dysfonctionnement sinusal et le bloc AV (en l'absence de stimulateur cardiaque) ■ Bradycardie ■ Hypotension grave ■ Bron-chospasme non allergique ■ Déséquilibres électrolytiques ■ Insuffisance cardiaque non maîtrisée.

Précautions: ■ Grossesse, allaitement ou enfants (l'innocuité du médicament n'a pas été établie) ■ Insuffisance hépatique ou rénale graves (il peut s'avérer nécessaire de réduire la dose) ■ Patients âgés (il peut s'avérer nécessaire de réduire la dose).

RÉACTIONS INDÉSIRABLES ET EFFETS SECONDAIRES

SNC: étourdissements, tremblements, FAIBLESSE.

ORLO: vision trouble.

CV: ARYTHMIES VENTRICULAIRES, ARYTHMIES SUPRAVENTRICULAIRES, troubles de conduction, angine, hypotension, bradycardie.

GI: altération du goût, nausées, vomissements, constipation, diarrhée, sécheresse de la bouche (xérostomie).

Tég.: rash.

Loc.: douleurs articulaires.

INTERACTIONS

Médicament – médicament: ■ La propafénone élève les concentrations sériques de **digoxine**, administrée simultanément (il peut s'avérer nécessaire de réduire la dose) ■ La propafénone élève les concentrations sanguines de **métoprolol** et de **propranolol,** administrés simultanément (il peut s'avérer nécessaire de réduire la dose) ■ Les **anesthésiques locaux,** administrés simultanément, peuvent augmenter le risque d'effets indésirables sur le SNC ■ La propafénone peut augmenter les effets de la **warfarine,** administrée simultanément.

VOIES D'ADMINISTRATION ET POSOLOGIE

■ **PO (adultes):** 150 mg, toutes les 8 h; on peut augmenter la dose à intervalles de 3 à 4 jours, selon les besoins, jusqu'à concurrence de 300 mg, toutes les 8 h.

PHARMACODYNAMIE
(effets antiarythmiques)

	DÉBUT D'ACTION	PIC	DURÉE
PO	plusieurs heures à plusieurs jours	4 – 5 jours*	plusieurs heures

* Après un traitement prolongé.

✳ SOINS INFIRMIERS

ÉVALUATION DE LA SITUATION

- □ Suivre de près l'ÉCG ou le tracé Holter avant le traitement et à intervalles réguliers pendant toute sa durée. La propafénone peut entraîner l'allongement des intervalles PR et QT.
- □ Mesurer la pression artérielle et le pouls à intervalles réguliers pendant toute la durée du traitement.
- □ Effectuer le bilan quotidien des ingesta et des excreta et peser le patient tous les jours. Observer le patient à la recherche des signes suivants d'insuffisance cardiaque : œdème périphérique, râles et crépitations, dyspnée, gain de poids, turgescence des jugulaires.
- ■ **Étude des examens diagnostiques et biochimiques :** La propafénone peut entraîner l'élévation des titres d'anticorps antinucléaires, phénomène habituellement asymptomatique mais réversible.

DIAGNOSTICS INFIRMIERS POSSIBLES

- ■ **Énoncés diagnostiques**
- □ Diminution du débit cardiaque.
- □ Prise en charge inefficace du programme thérapeutique.
- □ *Risque élevé d'accident.*
- □ *Risque élevé de constipation.*
- □ *Risque élevé de déficit nutritionnel.*
- □ *Risque élevé d'anxiété.*

- ■ **Facteurs favorisants**
- □ Informations incomplètes.
- □ *Perturbation de la vigilance.*
- □ *Fatigue et faiblesse.*

- □ *Manque de connaissances sur les moyens de stimuler la fonction intestinale.*
- □ *Manque de connaissances sur les effets secondaires affectant l'appareil gastro-intestinal.*
- □ *Manque de connaissances sur les modalités du traitement.*
- □ *Manque de connaissances sur les effets secondaires du médicament.*

INTERVENTIONS INFIRMIÈRES

- ■ **Directives générales :** Le traitement par la propafénone doit être amorcé dans un centre hospitalier doté du matériel nécessaire à la surveillance du rythme cardiaque. On observe les effets proarythmiques les plus graves dans les 2 premières semaines de traitement.
- □ Avant d'amorcer le traitement par la propafénone, il faut arrêter l'administration de tout médicament antiarythmique sur une période équivalente à 2 à 5 demi-vies.
- □ La posologie doit être adaptée à intervalles d'au moins 3 ou 4 jours en raison de la longue demi-vie de la propafénone.
- □ Il faut corriger toute hypokaliémie ou hyperkaliémie préexistante avant d'amorcer le traitement.

ENSEIGNEMENT AU PATIENT ET À SES PROCHES

- □ Conseiller au patient de respecter scrupuleusement la posologie recommandée et de prendre le médicament à intervalles réguliers, 24 h sur 24, même s'il se sent mieux. S'il n'a pu prendre le médicament au moment habituel, il doit le prendre dès que possible dans les 4 h suivantes, sinon lui recommander de sauter cette dose. Une réduction graduelle de la dose peut s'avérer nécessaire.
- □ Prévenir le patient que la propafénone peut provoquer des étourdissements. Lui conseiller de ne pas conduire et d'éviter les activités qui exigent sa vigilance jusqu'à ce qu'on

ait la certitude que le médicament n'entraîne pas cet effet chez lui.
□ Recommander au patient qui doit suivre un traitement dentaire ou subir une intervention chirurgicale d'avertir le dentiste ou le médecin qu'il suit un traitement médicamenteux.
□ Recommander au patient de prévenir le médecin en cas de douleurs thoraciques, d'essoufflements ou de diaphorèse.
□ Conseiller au patient de porter sur lui en tout temps une pièce d'identité où sont inscrits son problème de santé et son traitement médicamenteux.
□ Insister sur l'importance des examens de suivi permettant d'évaluer les bienfaits du traitement.

VÉRIFICATION DES RÉSULTATS

L'efficacité du traitement peut être démontrée par: la diminution de la fréquence des arythmies ventriculaires.

PROPANTHÉLINE
Banlin, Pro-Banthine, (Norpanth)

CLASSIFICATION:
Anticholinergique – antimuscarinique
Grossesse – catégorie C

INDICATIONS

■ Traitement d'appoint de l'ulcère gastroduodénal, de la colite ulcéreuse, de la diverticulite, de la cholécystite et de la pancréatite ■ Traitement symptomatique du syndrome d'irritabilité intestinale ■ Traitement de la colique rénale et de l'hyperhidrose.

ACTION

■ Inhibition compétitive de l'action muscarinique de l'acétylcholine, entraînant une réduction des sécrétions, de la motilité et des spasmes gastro-intestinaux.
Effets thérapeutiques: ■ Diminution des

signes et des symptômes de certaines maladies gastro-intestinales.

PHARMACOCINÉTIQUE

Absorption: Absorption incomplète depuis le tractus gastro-intestinal.
Distribution: Inconnue. La propanthéline ne traverse pas la barrière hémato-encéphalique.
Métabolisme et excrétion: La propanthéline est inactivée dans la partie haute de l'intestin grêle.
Demi-vie: Inconnue.

CONTRE-INDICATIONS ET PRÉCAUTIONS

Contre-indications: ■ Hypersensibilité ■ Glaucome à angle étroit ■ Tachycardie secondaire à l'insuffisance cardiaque ou à la thyrotoxicose ■ Myasthénie grave.
Précautions: ■ Patients âgés (réduire la dose) ■ Hypertrophie de la prostate ■ Maladie chronique rénale, cardiaque ou pulmonaire ■ Risques d'infection intra-abdominale ■ Grossesse, allaitement ou enfants (l'innocuité du médicament n'a pas été établie).

RÉACTIONS INDÉSIRABLES ET EFFETS SECONDAIRES

SNC: somnolence, confusion, excitation, étourdissements.
ORLO: vision trouble, mydriase, photophobie.
CV: palpitations, tachycardie, hypotension orthostatique.
GI: sécheresse de la bouche (xérostomie), constipation.
GU: retard de la miction avec difficulté d'uriner, rétention urinaire.
Tég.: rash.
Divers: diminution de la transpiration.

INTERACTIONS

Médicament – médicament: ■ Effets anticholinergiques additifs lors de l'administration simultanée d'autres **médicaments doués de propriétés anticholinergiques** incluant les **antihistaminiques**, les **antidépresseurs**, l'**atropine**, l'**halopéridol**, les **phénothiazines**, la **quinidine** et le **disopyramide** ▪ La propanthéline peut modifier l'absorption d'autres **médicaments administrés par voie orale** en ralentissant la motilité du tractus gastro-intestinal ▪ Les **antiacides** et les **antidiarrhéiques adsorbants**, administrés simultanément, diminuent l'absorption des anticholinergiques ▪ La propanthéline peut aggraver les lésions de la muqueuse gastro-intestinale chez les patients prenant des **préparations de chlorure de potassium à matrice de cire**.

VOIES D'ADMINISTRATION ET POSOLOGIE

PO (adultes): initialement 15 mg, 3 fois par jour et 30 mg, au coucher; la dose d'entretien habituelle est de 15 à 30 mg, 4 fois par jour.

PHARMACODYNAMIE (effets anticholinergiques)

	DÉBUT D'ACTION	PIC	DURÉE
PO	30 – 60 min	2 – 6 h	6 h

SOINS INFIRMIERS

ÉVALUATION DE LA SITUATION

☐ Suivre de près les douleurs abdominales avant le traitement et à intervalles réguliers pendant toute sa durée.

▪ **Étude des examens diagnostiques et biochimiques:** La propanthéline contrecarre les effets de la pentagastrine et de l'histamine administrées en vue du test d'exploration de la sécrétion gastrique. Éviter d'administrer le médicament dans les 24 h qui précèdent ce test.

DIAGNOSTICS INFIRMIERS POSSIBLES

▪ **Énoncés diagnostiques**

☐ Douleur.

☐ Constipation.

☐ Prise en charge inefficace du programme thérapeutique.

☐ *Risque élevé d'agitation.*

☐ *Risque élevé d'atteinte à l'intégrité de la muqueuse buccale.*

☐ *Risque élevé d'accident.*

▪ **Facteurs favorisants**

☐ Informations incomplètes.

☐ *Distension vésicale.*

☐ *Manque de connaissances sur les moyens de prévenir ou de réduire la sécheresse de la bouche.*

☐ *Manque de connaissances sur les moyens de stimuler la fonction intestinale.*

☐ *Perturbation de la vigilance.*

☐ *Altération de la perception visuelle.*

☐ *Manque de connaissances sur les effets hypotensifs du médicament lors des changements brusques de position.*

INTERVENTIONS INFIRMIÈRES

▪ **PO:** Administrer la propanthéline 30 min avant les repas. La dose qui doit être prise au coucher devrait être administrée au moins 2 h après le dernier repas de la journée.

☐ Ne pas administrer la propanthéline dans l'heure précédant ou suivant la prise d'antiacides ou d'antidiarrhéiques.

ENSEIGNEMENT AU PATIENT ET À SES PROCHES

☐ Conseiller au patient de respecter scrupuleusement la posologie recommandée. S'il n'a pu prendre le médicament au moment habituel, il doit le prendre dès que possible à moins qu'il ne soit presque l'heure prévue pour la dose suivante. L'avertir qu'il ne doit jamais remplacer une dose manquée par une double dose.

☐ Prévenir le patient que la propanthéline peut provoquer de la somnolence ou des troubles visuels. Lui conseiller de ne pas conduire et d'éviter les activités qui exigent sa vigilance jusqu'à ce qu'on ait la certitude que le médicament n'entraîne pas ces effets chez lui.

□ Expliquer au patient que le rinçage fréquent de la bouche, une bonne hygiène orale et la consommation de gomme ou de bonbons sans sucre permettent de diminuer la sécheresse de la bouche. Si la sécheresse de la bouche persiste pendant plus de 2 semaines, lui recommander de consulter le médecin ou le dentiste concernant l'utilisation de substitut de salive.

□ Expliquer au patient qu'en augmentant sa consommation de liquides et de fibres alimentaires ainsi que les activités physiques, il peut réduire les effets constipants du médicament.

□ Recommander aux patients âgés de changer lentement de position pour diminuer les risques d'hypotension orthostatique induite par le médicament.

□ Recommander au patient d'éviter les températures extrêmes. Ce médicament diminue la sécrétion de sueur et peut augmenter le risque de coup de chaleur.

□ Conseiller au patient de prévenir le médecin en cas de confusion, d'excitation, d'étourdissements, de rash, de difficulté de miction ou de douleurs oculaires. Le médecin peut recommander des examens ophtalmiques à intervalles réguliers afin de mesurer la pression intraoculaire, particulièrement chez les personnes âgées.

VÉRIFICATION DES RÉSULTATS

L'efficacité du traitement peut être démontrée par : la diminution des signes et des symptômes de certaines maladies gastrointestinales.

PROPOFOL
disoprofol, Diprivan

CLASSIFICATION :
Anesthésique général

Grossesse – catégorie B

INDICATIONS

■ Induction d'une anesthésie générale ■ Maintien d'une anesthésie équilibrée lorsque le propofol est administré en association avec d'autres agents ■ Sédation des patients soumis à une intubation et à une ventilation assistée à l'unité des soins intensifs. **Usage non approuvé :** ■ Sédation et amnésie lorsque le médicament est administré comme supplément à l'anesthésie locale.

ACTION

■ Effet hypnotique de courte durée. Le mécanisme d'action du propofol est inconnu ■ Induction d'amnésie ■ Absence d'effets analgésiques. **Effets thérapeutiques :** ■ Induction et maintien de l'anesthésie.

PHARMACOCINÉTIQUE

Absorption : Le propofol est réservé à l'administration IV ; dans ce cas l'absorption est complète.

Distribution : Le médicament se répartit rapidement dans tout l'organisme. Il traverse bien la barrière hémato-encéphalique et est rapidement transporté vers les autres tissus. Le propofol traverse le placenta et pénètre dans le lait maternel.

Métabolisme et excrétion : Métabolisme hépatique rapide.

Demi-vie : De 3 à 12 h (temps de demi-vie d'équilibre avec le compartiment hématoencéphalique : 2,9 min).

CONTRE-INDICATIONS ET PRÉCAUTIONS

Contre-indications : ■ Hypersensibilité au propofol, à l'huile de soja, à la lécithine contenue dans l'œuf ou au glycérol ■ Travail et accouchement.

Précautions : ■ Maladie cardiovasculaire ■ Dyslipidémies (l'émulsion peut avoir un effet délétère) ■ Pression intracrânienne accrue ■ Maladies cérébrovasculaires ■ Personnes âgées, patients débilités ou hypovolémiques (il est recommandé de réduire la dose) ■ Enfants de moins de 3 ans ou allaitement (l'innocuité du médicament n'a pas été établie).

RÉACTIONS INDÉSIRABLES ET EFFETS SECONDAIRES

SNC : étourdissements, céphalées.
Resp. : APNÉE, toux.
CV : bradycardie, hypotension, hypertension.
GI : nausées, vomissements, crampes abdominales, hoquet.
Tég. : rougeur du visage.
Locaux : douleur, brûlure, picotements, fourmillement, engourdissements, froideur au point d'injection IV.
Loc. : myoclonie périopératoire, mouvements musculaires involontaires.
Divers : fièvre.

INTERACTIONS

Médicament – médicament : Dépression additive du SNC et de la respiration lors de l'usage concomitant d'**alcool**, d'**antihistaminiques**, d'**analgésiques narcotiques** et d'**hypnosédatifs** (réduire la dose, au besoin).

VOIES D'ADMINISTRATION ET POSOLOGIE

Induction de l'anesthésie
- **IV (adultes < 55 ans) :** de 2 à 2,5 mg/kg, administrés à raison de 40 mg toutes les 10 s, jusqu'à l'induction de l'anesthésie.
- **IV (adultes > 55 ans, patients débilités ou hypovolémiques) :** de 1 à 1,5 mg/kg, administrés à raison de 20 mg toutes les 10 s, jusqu'à l'obtention de l'effet anesthésique.
- **IV (enfants de 3 ans et plus) :** environ 2,5 mg/kg (enfants de 8 ans et plus) ou dose plus élevée, au besoin (enfants de 3 à 8 ans), jusqu'à l'induction de l'anesthésie.

Maintien de l'anesthésie
- **IV (adultes < 55 ans) :** la dose d'entretien est de 100 à 200 μg (de 0,1 à 0,2 mg)/kg à la minute. Il faut administrer ha-

bituellement de 150 à 200 μg (de 0,15 à 0,2 mg)/kg à la minute durant les 10 à 15 premières minutes suivant l'induction, puis diminuer le taux de perfusion de 30 à 50 % durant les 30 premières minutes du maintien de l'anesthésie. Une dose de 50 à 100 μg (0,05 à 0,1 mg)/kg à la minute assure un temps de réveil optimal. On peut également administrer des doses fractionnées de 25 à 50 mg de propofol de façon intermittente.
- **IV (adultes > 55 ans, patients débilités ou hypovolémiques) :** de 50 à 100 μg (de 0,05 à 0,1 mg)/kg à la minute.

Sédation – patients de l'unité des soins intensifs
- **IV (adultes) :** initialement, 5 μg/kg à la minute (0,3 mg/kg à l'heure) pendant au moins 5 min. La dose peut être augmentée par paliers de 5 à 10 μg/kg à la minute, toutes les 5 ou 10 min, jusqu'à l'obtention du niveau de sédation désiré. La dose d'entretien habituelle est de 5 à 50 μg/kg à la minute (de 0,3 à 3 mg/kg à l'heure).

PHARMACODYNAMIE

	DÉBUT D'ACTION	PIC	DURÉE*
IV	40 s	inconnu	3 – 5 min

* Le patient se réveille après 8 min (jusqu'à 19 min si l'on a administré des analgésiques narcotiques).

⁂ SOINS INFIRMIERS

ÉVALUATION DE LA SITUATION

☐ Mesurer continuellement la fonction respiratoire, le pouls et la pression artérielle tout au long de l'administration du propofol. Le propofol ne devrait être administré que par des personnes ayant de l'expérience dans l'intubation endotrachéale. Il faut garder à portée de la main le matériel nécessaire à cette intervention.

☐ Noter le degré de sédation et le niveau de conscience du patient tout au long de l'administration du médicament et après le traitement.

- **Toxicité et surdosage :** En cas de surdosage, mesurer continuellement le pouls, la fréquence respiratoire et la pression artérielle. Maintenir la perméabilité des voies aériennes et assister la ventilation selon les besoins. En cas d'hypotension, administrer des liquides par voie IV, changer la position du patient et lui administrer des vasopresseurs.

DIAGNOSTICS INFIRMIERS POSSIBLES

- **Énoncés diagnostiques**
- □ Mode de respiration inefficace.
- □ Risque élevé d'accident.
- □ Prise en charge inefficace du programme thérapeutique.
- □ *Risque élevé d'anxiété.*

- **Facteurs favorisants**
- □ Informations incomplètes.
- □ *Manque de connaissances sur les modalités du traitement.*
- □ *Douleur au point d'injection,*

INTERVENTIONS INFIRMIÈRES

- **Directives générales :** La dose de propofol doit être adaptée selon la réponse du patient.
- □ Le propofol n'exerce aucun effet sur le seuil de la douleur. On devrait *toujours* assurer une anesthésie appropriée lorsque le propofol est administré comme adjuvant lors des interventions chirurgicales.
- **IV directe :** Bien agiter la solution avant de l'administrer. Si le propofol est dilué avant l'administration, n'utiliser qu'une solution de dextrose à 5 % dans de l'eau afin d'obtenir une concentration d'au moins 2 mg/mL. La solution est opaque, ce qui rend difficile la détection d'agents contaminants. Ne pas utiliser la solution en présence de signes de séparation des phases de l'émulsion. La solution ne contient aucun agent de conservation ; utiliser une technique stérile et

administrer immédiatement après la préparation. Jeter toute portion inutilisée du médicament ainsi que la tubulure IV à la fin de l'intervention ou après 6 h.

- □ L'administration du propofol provoque souvent des douleurs, une sensation de brûlure ou de picotements au point d'injection. Administrer dans une grosse veine de l'avant-bras ou du pli du coude ou dans un cathéter IV déjà installé. Le médecin peut recommander l'administration de 10 à 20 mg de lidocaïne par voie IV avant l'injection afin de réduire la douleur.
- **Solutions compatibles :** Dextrose à 5 % dans de l'eau, lactate Ringer, dextrose à 5 % avec du NaCl à 0,45 % ou à 0,2 % ou lactate Ringer.
- **Incompatibilités (tubulure en Y) :** Sang ou plasma.
- **Incompatibilités en addition au soluté :** Le fabricant ne recommande pas l'admixtion du propofol avec d'autres médicaments.

ENSEIGNEMENT AU PATIENT ET À SES PROCHES

- □ Expliquer au patient que ce médicament entraînera une perte de la mémoire et, de ce fait, ses souvenirs de l'intervention seront estompés.
- □ Prévenir le patient que le propofol peut provoquer de la somnolence ou des étourdissements. Lui conseiller de demander de l'aide lors de ses déplacements, de ne pas conduire et d'éviter les activités qui exigent sa vigilance pendant 24 h après l'administration de ce médicament.
- □ Recommander au patient d'éviter de boire de l'alcool et de prendre d'autres dépresseurs du SNC dans les 24 h qui suivent l'administration du propofol.

VÉRIFICATION DES RÉSULTATS

L'efficacité du traitement peut être démontrée par : ■ l'induction et le maintien de l'anesthésie □ l'amnésie.

PROPOXYPHÈNE

Darvon-N, Dextropropoxyphene, Novo-Propoxyn, 642, (Darvon), (Dolene), (Doraphen), (Doxaphene), (Profene), (Pro-Pox), (Propoxycon)

PROPOXYPHÈNE AVEC ASPIRINE ET CAFÉINE

Darvon-N composé, Novo-Propoxyn composé, 692, (Bexophene), (Cotanal), (Darvon Compound-65), (Dolene Compound), (Doraphen Compound), (Doxaphene Compound), (Margesic A-C), (Pro-Pox Plus)

CLASSIFICATION:

Analgésique narcotique agoniste

Stupéfiant

Grossesse – catégorie C

INDICATIONS

Soulagement de la douleur légère à modérée.

ACTION

■ Liaison aux récepteurs des opiacés du SNC ■ Modification de la perception de la douleur et de la réaction aux stimuli douloureux avec dépression généralisée du SNC. **Effets thérapeutiques:** ■ Diminution de l'intensité de la douleur légère à modérée.

PHARMACOCINÉTIQUE

Absorption: Bonne absorption par suite de l'administration par voie orale. Le napsylate de propoxyphène est absorbé plus lentement.

Distribution: Le médicament se répartit dans tout l'organisme. Il traverse probablement le placenta et pénètre en petites quantités dans le lait maternel.

Métabolisme et excrétion: Le médicament est surtout métabolisé par le foie.

Demi-vie: De 6 à 12 h.

CONTRE-INDICATIONS ET PRÉCAUTIONS

Contre-indications: ■ Hypersensibilité ■ Grossesse ou allaitement (éviter l'administration prolongée).

Précautions: ■ Traumatisme crânien ■ Pression intracrânienne accrue ■ Maladies rénale, hépatique ou pulmonaire graves ■ Hypothyroïdie ■ Insuffisance surrénalienne ■ Alcoolisme ■ Personnes âgées ou patients débilités (il est recommandé de réduire la dose) ■ Douleur abdominale non diagnostiquée ■ Hypertrophie de la prostate ■ Allaitement (précédents d'utilisation sans danger).

RÉACTIONS INDÉSIRABLES ET EFFETS SECONDAIRES

SNC: étourdissements, sensation de tête légère, céphalées, faiblesse, sédation, somnolence, insomnie, euphorie, dysphorie, excitation paradoxale.

ORLO: vision trouble.

CV: hypotension.

GI: nausées, vomissements, douleurs abdominales, constipation.

Tég.: rash.

Divers: tolérance aux effets du médicament, dépendance physique, dépendance psychologique.

INTERACTIONS

Médicament – médicament: ■ Risque de réactions imprévisibles graves, qui peuvent même être mortelles, lors de l'administration simultanée d'**inhibiteurs de la MAO** – une grande prudence est de mise lors d'un traitement concomitant (réduire la dose initiale de propoxyphène à 25 % de la dose habituelle) ■ Dépression additive du SNC, lors de l'usage concomitant d'**alcool**, d'**antidépresseurs** et d'**hypnosédatifs** ■ Le **tabagisme (nicotine)** augmente le métabolisme du propoxyphène et peut en diminuer l'effet analgésique ■ Les **analgésiques narcotiques antagonistes partiels**, administrés simultanément, peuvent déclencher des symptômes de sevrage en cas de dépendance physique ■ La **nalbuphine** ou la **penta-zocine,** administrées simultanément, peuvent diminuer les effets analgésiques de l'agent.

VOIES D'ADMINISTRATION ET POSOLOGIE

Remarque: 100 mg de napsylate de propoxyphène = 65 mg de chlorhydrate de propoxyphène.

■ **PO (adultes):** 65 mg, 3 à 4 fois par jour (chlorhydrate 642) ou 100 mg, 3 à 4 fois par jour (napsylate – Darvon-N), selon les besoins.

PHARMACODYNAMIE (effets analgésiques)

	DÉBUT D'ACTION	PIC	DURÉE
PO	15 – 60 min	2 – 3 h	4 – 6 h

☀ SOINS INFIRMIERS

ÉVALUATION DE LA SITUATION

□ Déterminer le type de douleur, son siège et son intensité avant l'administration du médicament et 60 min après.

□ Un traitement prolongé à des doses élevées peut entraîner la dépendance physique et psychologique ainsi que la tolérance aux effets du médicament, mais le risque de dépendance est moins grand lors d'un traitement par le propoxyphène que lors de l'administration d'autres narcotiques agonistes. Cela ne doit cependant pas empêcher le patient de recevoir une quantité suffisante d'analgésique. La psychodépendance est rare chez la plupart des patients qui reçoivent le propoxyphène pour des raisons médicales. Lors d'un traitement prolongé, il faut parfois administrer des doses de plus en plus élevées pour soulager la douleur.

■ **Étude des examens diagnostiques et bio-chimiques:** Le propoxyphène peut entraîner l'élévation des concentrations sériques d'amylase et de lipase.

□ Le médicament peut entraîner l'élévation des concentrations de TGOS (AST), de TGPS (ALT), de phosphatase alcaline sérique, de LDH et de bilirubine.

■ **Toxicité et surdosage:** En cas de surdosage, l'antidote est la naloxone (Narcan).

DIAGNOSTICS INFIRMIERS POSSIBLES

■ **Énoncés diagnostiques**

□ Douleur.

□ Altération de la perception visuelle et auditive.

□ Risque élevé d'accident.

□ *Risque élevé de constipation.*

■ **Facteurs favorisants**

□ *Perturbation de la vigilance.*

□ *Manque de connaissances sur les modalités du traitement.*

□ *Manque de connaissances sur les effets hypotensifs du médicament lors des changements brusques de position.*

□ *Manque de connaissances sur les moyens de prévenir les effets secondaires du médicament.*

□ *Manque de connaissances sur les moyens de stimuler la fonction intestinale.*

INTERVENTIONS INFIRMIÈRES

■ **Directives générales:** Pour augmenter l'effet analgésique du propoxyphène, expliquer au patient la valeur thérapeutique de ce médicament avant de l'administrer.

□ Les doses administrées selon un horaire fixe peuvent être plus efficaces que celles administrées sur demande.

□ Le médicament s'avère plus efficace s'il est administré avant que la douleur ne devienne intense.

□ Les analgésiques non narcotiques, administrés simultanément, peuvent

P

exercer des effets analgésiques additifs, ce qui permet parfois de diminuer les doses de narcotiques.
- ☐ Après un traitement prolongé, interrompre l'administration graduellement pour prévenir les symptômes de sevrage.
- ■ **PO**: On peut administrer le propoxyphène avec des aliments ou du lait pour réduire l'irritation gastrique.

ENSEIGNEMENT AU PATIENT ET À SES PROCHES

- ☐ Expliquer au patient ce qu'on entend par administration sur demande et à quel moment il doit réclamer l'analgésique.
- ☐ Prévenir le patient que le propoxyphène peut provoquer des étourdissements et de la somnolence. Lui conseiller de ne pas conduire et d'éviter les activités qui exigent sa vigilance jusqu'à ce qu'on ait la certitude que le médicament n'entraîne pas ces effets chez lui.
- ☐ Recommander au patient de changer lentement de position pour diminuer les risques d'hypotension orthostatique.
- ☐ Recommander au patient d'éviter de boire de l'alcool ou de prendre d'autres dépresseurs du SNC en même temps que le propoxyphène.
- ☐ Recommander au patient de tourner dans le lit, de tousser et de faire des exercices de respiration profonde toutes les 2 h pour prévenir l'atélectasie.
- ☐ Conseiller au patient d'augmenter sa consommation de liquides et de fibres alimentaires, de faire plus d'exercice et de prendre des émollients fécaux ou des laxatifs pour réduire les effets constipants du médicament.

VÉRIFICATION DES RÉSULTATS

L'efficacité du traitement peut être démontrée par: la diminution de l'intensité de la douleur sans modification importante de l'état de la conscience.

PROPRANOLOL
Apo-Propranolol, Indéral, Indéral-LA, Novo-Pranol, PMS-Propranolol

CLASSIFICATION:
Antihypertenseur – bêtabloquant; antiangineux; bêtabloquant non sélectif; antiarythmique – classe II

Grossesse – catégorie C

INDICATIONS

■ Traitement des troubles suivants: ☐ Hypertension (en monothérapie ou en association avec d'autres agents) ☐ Angine de poitrine (en monothérapie ou en association avec d'autres agents) ☐ Tachyarythmies supraventriculaires, tachycardies ventriculaires et autres tachyarythmies ■ Symptômes associés à la sténose aortique sous-valvulaire hypertrophique (angine, palpitations, syncope) ☐ Tremblements ■ Prévention de l'infarctus du myocarde ■ Prophylaxie des migraines ■ Traitement du phéochromocytome. **Usages non approuvés:** ■ Traitement des arythmies associées à la thyrotoxicose ■ Traitement des symptômes associés au syndrome du prolapsus de la valvule mitrale ■ Traitement d'appoint de l'anxiété.

ACTION

■ Inhibition de la stimulation des récepteurs bêta$_1$ (myocardiques) et bêta$_2$ (pulmonaires, vasculaires ou utérins). **Effets thérapeutiques:** ■ Réduction de la fréquence cardiaque ■ Abaissement de la pression artérielle ■ Diminution de la conduction AV.

PHARMACOCINÉTIQUE

Absorption: Bonne absorption par suite de l'administration par voie orale. L'absorption des capsules à libération prolongée est lente.
Distribution: Le médicament se répartit dans tout l'organisme. Il traverse la bar-

rière hémato-encéphalique et le placenta et pénètre dans le lait maternel.

Métabolisme et excrétion: Le propranolol est presque complètement métabolisé par le foie.

Demi-vie: De 3,4 à 6 h.

CONTRE-INDICATIONS ET PRÉCAUTIONS

Contre-indications: ■ Insuffisance cardiaque non compensée ■ Œdème pulmonaire ■ Choc cardiogène ■ Bradycardie ■ Bloc cardiaque.

Précautions: ■ Thyrotoxicose ou hypoglycémie (le médicament peut en masquer les symptômes) ■ Grossesse ou allaitement (le médicament peut donner un score bas au test d'Apgar et provoquer l'apnée, la bradycardie et l'hypoglycémie chez le nouveau-né) ■ Sevrage brusque (à proscrire) ■ Insuffisance hépatique (il est recommandé de réduire la dose) ■ Enfants (l'innocuité du médicament n'a pas été établie).

RÉACTIONS INDÉSIRABLES ET EFFETS SECONDAIRES

SNC: fatigue, faiblesse, dépression, perte de mémoire, modification des opérations de la pensée, insomnie, somnolence, confusion, étourdissements.

ORLO: sécheresse des yeux (alacrymie), vision trouble, congestion nasale.

Resp.: bronchospasme, respiration sifflante.

CV: BRADYCARDIE, INSUFFISANCE CARDIAQUE, ŒDÈME PULMONAIRE, hypotension, œdème.

GI: constipation, diarrhée, nausées, vomissements.

GU: impuissance, baisse de la libido.

Tég.: rash.

End.: hyperglycémie, hypoglycémie.

Divers: phénomène de Raynaud.

INTERACTIONS

Médicament – médicament: ■ L'anesthésie générale, la phénytoïne par voie IV et le vérapamil, administrés simultanément, peuvent provoquer une dépression additive du myocarde (effet inotrope négatif) ■ Risque de bradycardie additive lors de l'administration concomitante de dérivés digitaliques ■ Risque d'hypotension additive lors de l'administration simultanée d'autres antihypertenseurs et de dérivés nitrés ou de la consommation d'alcool ■ Les amphétamines, la cocaïne, l'éphédrine, l'épinéphrine, la norépinéphrine, la phényléphrine ou la pseudoéphédrine, administrées simultanément, peuvent entraîner une stimulation alpha-adrénergique excessive, l'hypertension et la bradycardie ■ Le propranolol peut contrecarrer les effets bénéfiques de la dopamine ou de la dobutamine sur les récepteurs bêta$_1$ cardiaques ■ L'insuline, administrée simultanément, peut prolonger l'hypoglycémie ■ Le propranolol, administré dans les 14 jours suivant un traitement par un inhibiteur de la MAO, peut provoquer l'hypertension ■ Les préparations à base de thyroïde, administrées simultanément, peuvent diminuer l'efficacité du propranolol ■ Les anti-inflammatoires non stéroïdiens, administrés simultanément, peuvent diminuer les effets antihypertenseurs du propranolol ■ Le propranolol peut contrecarrer les effets des bronchodilatateurs bêta-adrénergiques ■ La cimétidine, administrée simultanément, peut diminuer le métabolisme du propranolol et en augmenter les effets.

PRÉSENTATION

Le propranolol existe sous forme de comprimés, de capsules à libération prolongée, de solution orale et de préparations injectables.

VOIES D'ADMINISTRATION ET POSOLOGIE

Hypertension

■ **PO (adultes):** initialement, 40 mg, deux fois par jour, ou 80 mg de la préparation à libération prolongée. Augmenter la dose à intervalles de 3 à 7 jours jusqu'à ce qu'une réponse survienne. La dose d'entretien habituelle est de 160 à 320 mg par jour, en deux doses fractionnées, ou de 60 à 320 mg par jour de la préparation à libération prolongée. Il faut parfois administrer jusqu'à 640 mg par jour. Chez certains patients, il faut administrer 3 ou 4 doses par jour.

Angine

- **PO (adultes):** initialement, de 20 à 40 mg, 2 fois par jour, ou 80 mg de la préparation à libération prolongée une fois par jour. Augmenter la dose à intervalles de 3 à 7 jours jusqu'à ce qu'une réponse survienne. La dose d'entretien habituelle est de 160 mg par jour. Parfois il faut administrer jusqu'à 400 mg par jour.

Tachyarythmies

- **PO (adultes):** de 10 à 30 mg, 3 ou 4 fois par jour.
- **IV (adultes):** de 1 à 3 mg; on peut répéter l'administration 2 min plus tard, au besoin. Des doses subséquentes peuvent être administrées toutes les 4 h.

Prévention de l'infarctus du myocarde

- **PO (adultes):** de 180 à 240 mg par jour, en 3 doses fractionnées, commençant de 5 à 21 jours après la manifestation d'un infarctus du myocarde.

Prophylaxie des migraines

- **PO (adultes):** 80 mg par jour, en 2 doses fractionnées. Augmenter graduellement la dose jusqu'à ce qu'une réponse survienne. La dose habituelle se situe entre 80 et 160 mg/jour.

Phéochromocytome

- **PO (adultes):** de 30 à 60 mg par jour, en 2 à 4 doses fractionnées.

Sténose aortique sous-valvulaire hypertrophique:

- **PO (adultes):** de 20 à 40 mg, 3 ou 4 fois par jour.

Tremblements

- **PO (adultes):** 40 mg, 3 ou 4 fois par jour; adapter les doses suivantes selon les besoins (écart posologique de 120 à 240 mg par jour).

PHARMACODYNAMIE
(PO, PO-libération prolongée = effets antihypertenseurs; IV = effets antiarythmiques)

	DÉBUT D'ACTION	PIC	DURÉE
PO	30 min	60 – 90 min	6 – 12 h
PO – libération prolongée	inconnu	6 h	24 h
IV	immédiat	1 min	4 – 6 h

☀ SOINS INFIRMIERS

ÉVALUATION DE LA SITUATION

- **Directives générales:** Mesurer la pression artérielle et le pouls à intervalles fréquents au cours de la période d'ajustement de la posologie et, à intervalles réguliers, pendant toute la durée du traitement. Si le pouls est inférieur à 50 battements par minute, informer le médecin avant d'administrer le médicament. Chez les patients recevant du propranolol par voie IV, examiner continuellement le tracé de l'ÉCG et mesurer la pression capillaire pulmonaire ou la pression veineuse centrale pendant l'administration et pendant plusieurs heures après. Suivre de près l'hypotension orthostatique pendant qu'on aide le patient à se lever.

- Effectuer le bilan quotidien des ingesta et des excreta et peser le patient tous les jours. Observer le patient à intervalles réguliers à la recherche des signes suivants d'insuffisance cardiaque : œdème périphérique, dyspnée, râles et crépitations, fatigue, gain pondéral, turgescence des jugulaires.

- **Angine :** Noter la fréquence et la durée des épisodes de douleurs thoraciques à intervalles réguliers pendant toute la durée du traitement.
- **Prophylaxie de la migraine :** Noter la fréquence et la gravité des migraines à intervalles réguliers pendant toute la durée du traitement.
- **Étude des examens diagnostiques et biochimiques :** Examiner à intervalles réguliers les résultats des tests de l'exploration fonctionnelle hépatique et rénale ainsi que la numération globulaire chez les patients recevant un traitement prolongé.
- ☐ Le propranolol peut entraîner l'élévation des concentrations sériques de potassium, d'acide urique, de LDH, de glucose, de lipoprotéines, de triglycérides et d'urée.

DIAGNOSTICS INFIRMIERS POSSIBLES

- **Énoncés diagnostiques**
- ☐ Diminution du débit cardiaque.
- ☐ Prise en charge inefficace du programme thérapeutique.
- ☐ Non-observance du traitement médicamenteux.
- ☐ *Risque élevé d'accident.*
- ☐ *Risque élevé de déficit du volume liquidien.*
- **Facteurs favorisants**
- ☐ Informations incomplètes.
- ☐ Doute quant aux bienfaits du médicament.
- ☐ *Perturbation de la vigilance.*
- ☐ *Fatigue et faiblesse.*
- ☐ *Manque de connaissances sur les moyens de prévenir les effets secondaires affectant l'appareil gastrointestinal.*
- ☐ *Manque de connaissances sur les moyens de prévenir les effets hypotensifs du médicament lors des changements brusques de position.*
- ☐ *Manque de connaissances sur les effets secondaires et sur les moyens de les prévenir.*

- ☐ *Manque de connaissances sur les modalités du traitement.*
- ☐ *Manque de connaissances sur la méthode d'administration du médicament.*
- ☐ *Difficulté à s'adapter aux changements nécessaires dans les habitudes de vie.*
- ☐ *Manque de connaissances sur le régime alimentaire à suivre.*

INTERVENTIONS INFIRMIÈRES

- **Directives générales :** Les doses administrées par voie orale et parentérale ne sont pas interchangeables. Vérifier attentivement la dose à administrer.
- **PO :** Administrer le médicament avec des aliments ou immédiatement après les repas. Dans le cas des patients éprouvant des difficultés de déglutition, on peut broyer les comprimés et les mélanger avec les aliments ou les liquides. Les capsules à libération prolongée doivent être avalées telles quelles sans être broyées, brisées ni mâchées.
- **IV directe :** Administrer le médicament sans le diluer ou le diluer à raison de 1 mg dans 10 mL de solution de dextrose à 5 % dans de l'eau.
- ☐ *Vitesse d'administration :* Le débit ne doit pas dépasser 1 mg à la minute.
- **Perfusion intermittente :** On peut également diluer le médicament destiné à la perfusion dans 50 mL de solution de NaCl à 0,9 %, de dextrose à 5 % dans de l'eau, de dextrose à 5 % dans une solution de NaCl à 0,45 ou à 0,9 % ou de lactate Ringer.
- ☐ *Vitesse d'administration :* Perfuser la solution en 10 à 15 min.
- **Association compatible dans la même seringue :** Benzquinamide.
- **Compatibilités (tubulure en Y) :** Chlorure de potassium, héparine ou succinate d'hydrocortisone sodique.
- **Compatibilités en addition au soluté :** Dobutamine ou vérapamil.

P

ENSEIGNEMENT AU PATIENT ET À SES PROCHES

☐ Conseiller au patient de respecter scrupuleusement la posologie recommandée et de continuer à prendre le médicament même s'il se sent mieux. S'il n'a pu prendre le médicament au moment habituel, il doit le prendre dès que possible, mais au moins 8 h avant l'heure prévue pour la dose suivante. Un sevrage brusque peut provoquer des arythmies qui risquent d'être mortelles, de l'hypertension ou l'ischémie du myocarde.

☐ Montrer au patient et à ses proches comment prendre le pouls et la pression artérielle. Leur demander de mesurer le pouls tous les jours et la pression artérielle au moins une fois par semaine. Recommander au patient de ne pas prendre le médicament et d'informer le médecin si le pouls est inférieur à 50 battements par minute ou si sa pression artérielle change considérablement.

☐ Inciter le patient à appliquer d'autres mesures de réduction de l'hypertension : perdre du poids, réduire sa consommation de sel, diminuer le stress, faire régulièrement de l'exercice, boire modérément et cesser de fumer. Le propranolol stabilise la pression artérielle mais ne guérit pas l'hypertension.

☐ Prévenir le patient que le propranolol peut provoquer de la somnolence. Lui conseiller de ne pas conduire et d'éviter les activités qui exigent sa vigilance jusqu'à ce qu'on ait la certitude que le médicament n'entraîne pas cet effet chez lui.

☐ Prévenir le patient que le médicament peut le rendre plus sensible au froid.

☐ Conseiller au patient de consulter le médecin ou le pharmacien avant de prendre un médicament en vente libre en même temps que le propranolol. Le patient devrait également éviter les excès de café, de thé et de boissons à base de cola.

☐ Recommander au patient diabétique de mesurer minutieusement sa glycémie, particulièrement lorsqu'il se sent fatigué, faible ou irritable.

☐ Recommander au patient de signaler au médecin les symptômes suivants : ralentissement du pouls, étourdissements, sensation de tête légère, confusion, dépression ou rash.

☐ Recommander au patient qui doit suivre un traitement dentaire ou subir une intervention chirurgicale d'avertir le dentiste ou le médecin qu'il suit un traitement médicamenteux.

☐ Conseiller au patient de porter sur lui en tout temps une pièce d'identité où est inscrit son traitement médicamenteux.

■ **Prophylaxie de la migraine :** Prévenir le patient qu'il peut être dangereux de donner ce médicament à une autre personne.

VÉRIFICATION DES RÉSULTATS

L'efficacité du traitement peut être démontrée par : ■ la baisse de la pression artérielle ■ la diminution de la fréquence des crises d'angine ■ la diminution des arythmies ■ la diminution de la fréquence et de la gravité des migraines ■ la diminution des tremblements.

PROPYLTHIOURACILE
Propyl-Thyracil, PTU

CLASSIFICATION :
Antithyroïdien

Grossesse – catégorie D

INDICATIONS

■ Traitement palliatif de l'hyperthyroïdie
■ Traitement d'appoint visant à maîtriser l'hyperthyroïdie en préparation à une

thyroïdectomie ou à un traitement par de l'iode radioactif.

ACTION

■ Inhibition de la synthèse des hormones thyroïdiennes. **Effets thérapeutiques :** ■ Diminution des signes et des symptômes d'hyperthyroïdie.

PHARMACOCINÉTIQUE

Absorption : Absorption rapide depuis le tractus gastro-intestinal.

Distribution : Le médicament se concentre dans la glande thyroïde. Il traverse le placenta et pénètre dans le lait maternel en faibles concentrations.

Métabolisme et excrétion : Métabolisme hépatique.

Demi-vie : De 1 à 2 h.

CONTRE-INDICATIONS ET PRÉCAUTIONS

Contre-indication : Hypersensibilité.

Précautions : ■ Aplasie médullaire ■ Grossesse (précédents d'administration sans danger ; toutefois, des troubles thyroïdiens peuvent se manifester chez le fœtus) ■ Allaitement (l'innocuité du médicament n'a pas été établie).

RÉACTIONS INDÉSIRABLES ET EFFETS SECONDAIRES

SNC : céphalées, somnolence, vertiges.
GI : diarrhée, nausées, vomissements, hépatite, perte du goût.
Tég. : rash, urticaire, changement de couleur de la peau.
Hémat. : AGRANULOCYTOSE, leucopénie, thrombocytopénie.
Loc. : arthralgie.
Divers : fièvre, parotidite, lymphadénopathie.

INTERACTIONS

Médicament – médicament : ■ Hypoplasie médullaire additive lors de l'administration simultanée d'**agents antinéoplasiques** ou d'une **radiothérapie** ■ Le li-

thium, l'**iodure de potassium** ou l'**iodure de sodium**, administrés simultanément, intensifient l'effet antithyroïdien ■ Risque accru d'agranulocytose lors de l'administration simultanée de **phénothiazines**.

VOIES D'ADMINISTRATION ET POSOLOGIE

- ■ **PO (adultes) :** de 50 à 100 mg, trois fois par jour (on a déjà administré jusqu'à 900 mg par jour ; 150 mg, toutes les 4 à 6 h en cas de crise thyréotoxique).
- ■ **PO (enfants > 10 ans) :** de 150 à 300 mg par jour, en doses fractionnées, toutes les 8 h.
- ■ **PO (enfants de 6 à 10 ans) :** de 50 à 150 mg par jour, en doses fractionnées, toutes les 8 h.

PHARMACODYNAMIE
(effets sur l'état de la thyroïde)

	DÉBUT D'ACTION	PIC	DURÉE
PO	10 – 21 jours*	6 – 10 semaines	plusieurs semaines

* Les effets sur les concentrations sériques d'hormones thyroïdiennes peuvent se produire dans l'espace de 60 min après l'administration d'une dose unique.

☀ SOINS INFIRMIERS

ÉVALUATION DE LA SITUATION

☐ Suivre de près la réponse du patient lorsque les symptômes suivants d'hyperthyroïdie ou de thyrotoxicose se manifestent : tachycardie, palpitations, nervosité, insomnie, fièvre, diaphorèse, intolérance à la chaleur, tremblements, perte de poids, diarrhée.

☐ Suivre de près l'apparition des symptômes suivants d'hypothyroïdie : intolérance au froid, constipation, peau sèche, céphalées, apragmatisme, fatigue ou faiblesse. Une adaptation de la posologie peut s'avérer nécessaire.

☐ Déceler l'apparition du rash ou d'une enflure des ganglions lymphatiques

P

cervicaux. Ces symptômes peuvent dicter l'arrêt du traitement.

- **Étude des examens diagnostiques et biochimiques :** Examiner les résultats des tests de l'exploration fonctionnelle thyroïdienne avant le traitement, puis tous les mois pendant la période initiale de traitement et, par la suite, tous les 2 à 3 mois pendant toute la durée du traitement.
- ☐ Examiner la numération et la formule leucocytaires à intervalles réguliers pendant toute la durée du traitement. Une agranulocytose peut survenir rapidement, habituellement au cours des deux premiers mois. Dans ce cas, on doit arrêter le traitement.
- ☐ Le propylthiouracile peut entraîner l'élévation des concentrations de TGOS (AST), de TGPS (ALT), de LDH, de phosphatase alcaline et de bilirubine sérique et allonger le temps de prothrombine.

DIAGNOSTICS INFIRMIERS POSSIBLES

- **Énoncés diagnostiques**
- ☐ Prise en charge inefficace du programme thérapeutique.
- ☐ Non-observance du traitement médicamenteux.
- ☐ *Risque élevé d'accident.*

- **Facteurs favorisants**
- ☐ Informations incomplètes.
- ☐ Doute quant aux bienfaits du médicament.
- ☐ *Manque de connaissances sur les effets secondaires du médicament.*
- ☐ *Manque de connaissances sur les modalités du traitement.*
- ☐ *Perturbation de la vigilance.*
- ☐ *Manque de connaissances sur le régime alimentaire à suivre.*

INTERVENTIONS INFIRMIÈRES

- **PO :** Administrer le propylthiouracile au même moment tous les jours par rapport à l'heure des repas. Les aliments peuvent augmenter ou diminuer l'absorption du médicament.

ENSEIGNEMENT AU PATIENT ET À SES PROCHES

- ☐ Conseiller au patient de respecter scrupuleusement la posologie recommandée et de prendre le propylthiouracile, à intervalles réguliers, 24 h sur 24. S'il n'a pas pu prendre le médicament au moment habituel, il doit le prendre dès que possible ; s'il est presque l'heure de la dose suivante, il peut prendre les 2 doses ensemble. Conseiller toutefois au patient de prévenir le médecin s'il n'a pas pu prendre plusieurs doses de suite ou s'il veut arrêter le traitement.
- ☐ Recommander au patient de se peser 2 ou 3 fois par semaine et de prévenir le médecin de tout changement important.
- ☐ Prévenir le patient que le propylthiouracile peut provoquer de la somnolence. Lui conseiller de ne pas conduire et d'éviter les activités qui exigent sa vigilance jusqu'à ce qu'on ait la certitude que le médicament n'entraîne pas cet effet chez lui.
- ☐ Recommander au patient de consulter le médecin concernant les sources alimentaires d'iode (sel iodé, crustacés).
- ☐ Recommander au patient de signaler immédiatement au médecin les maux de gorge, la fièvre, les frissons, les céphalées, les malaises, la faiblesse, le jaunissement des yeux ou de la peau, les saignements ou les ecchymoses inhabituels, le rash ou les symptômes d'hyperthyroïdie ou d'hypothyroïdie.
- ☐ Conseiller au patient de consulter le médecin ou le pharmacien avant de prendre tout médicament en vente libre contenant de l'iode en même temps que ce médicament.
- ☐ Recommander au patient de porter sur lui en tout temps une pièce d'identité où est inscrit son traitement médicamenteux et d'avertir le dentiste ou le médecin qu'il suit un traitement médicamenteux avant de suivre un

traitement dentaire ou de subir une intervention chirurgicale.

☐ Insister sur l'importance des examens réguliers de suivi permettant d'évaluer l'évolution de la maladie et de déceler les effets secondaires du traitement.

VÉRIFICATION DES RÉSULTATS

L'efficacité du traitement peut être démontrée par: ■ la diminution de la gravité des symptômes d'hyperthyroïdie (diminution de la fréquence du pouls et gain pondéral) ■ le rétablissement des concentrations sériques d'hormones thyroïdiennes. Le traitement doit parfois se poursuivre pendant 6 mois et jusqu'à plusieurs années. Habituellement, il dure 1 an en moyenne.

PROTAMINE, SULFATE DE

CLASSIFICATION:

Antidote – antagoniste de l'héparine

Grossesse – catégorie inconnue

INDICATIONS

■ Traitement d'un fort surdosage en héparine ■ Neutralisation de l'héparine administrée durant une dialyse, le maintien de la circulation extracorporelle lors d'une chirurgie à cœur ouvert et d'autres interventions.

ACTION

■ Base forte formant un complexe avec l'héparine (acide). **Effets thérapeutiques:** ■ Inactivation de l'héparine.

PHARMACOCINÉTIQUE

Absorption: Le sulfate de protamine est réservé à l'administration IV; dans ce cas, sa biodisponibilité est complète.

Distribution: Inconnue.

Métabolisme et excrétion: Le sort métabolique du sulfate de protamine est in-

connu. Le complexe protamine-héparine finit par se décomposer.

Demi-vie: Inconnue.

CONTRE-INDICATIONS ET PRÉCAUTIONS

Contre-indication: Hypersensibilité à la protamine ou aux produits de poisson.

Précautions: ■ Patients ayant reçu précédemment de l'insuline contenant de la protamine ou hommes ayant subi une vasectomie (risque accru de réactions d'hypersensibilité) ■ Grossesse, allaitement et enfants (l'innocuité du médicament n'a pas été établie).

RÉACTIONS INDÉSIRABLES ET EFFETS SECONDAIRES

CV: hypertension, hypotension, bradycardie, hypertension pulmonaire.

Resp.: dyspnée.

GI: nausées, vomissements.

Tég.: chaleur, rougeur du visage.

Hémat.: saignements.

Loc.: douleurs lombaires.

Divers: réactions d'hypersensibilité incluant l'angio-œdème, l'œdème pulmonaire et l'ANAPHYLAXIE.

INTERACTIONS

Médicament – médicament: Aucune interaction notable.

VOIES D'ADMINISTRATION ET POSOLOGIE

Administration dans les minutes suivant l'injection IV d'héparine

■ **IV (adultes):** de 1 à 1,5 mg de protamine par 100 unités d'héparine administrées.

Administration de 30 à 60 min après l'injection IV d'héparine

■ **IV (adultes):** de 0,5 à 0,75 mg de protamine par 100 unités d'héparine administrées.

P

Administration 2 h ou plus après l'injection IV d'héparine

- **IV (adultes):** de 0,25 à 0,375 mg de protamine par 100 unités d'héparine administrées.

Administration après une perfusion IV d'héparine

- **IV (adultes) (É.-U.):** de 25 à 50 mg de protamine.

Administration après injection SC profonde d'héparine

- **IV (adultes) (É.-U.):** De 1 à 1,5 mg de protamine par 100 unités d'héparine administrées ou une dose d'attaque de 25 à 50 mg de protamine, le reste étant administré par perfusion sur 8 à 16 h.

PHARMACODYNAMIE (renversement de l'effet de l'héparine)

	DÉBUT D'ACTION	PIC	DURÉE
IV	30 s – 1 min	inconnu	2 h*

* selon la température du corps.

SOINS INFIRMIERS

ÉVALUATION DE LA SITUATION

- ☐ Suivre de près les saignements et les hémorragies pendant toute la durée du traitement. L'hémorragie peut récidiver de 8 à 9 h après le traitement en raison des effets rebond de l'héparine. Les effets rebond peuvent se manifester jusqu'à 18 h après le traitement chez les patients héparinisés lors des interventions nécessitant l'établissement d'une circulation extracorporelle.
- ☐ Déterminer si le patient n'a pas d'antécédents d'allergie au poisson (saumon) ou à l'insuline contenant de la protamine ou au sulfate de protamine ou s'il prend des préparations qui en contiennent. Les hommes vasectomi-

sés ou stériles sont davantage prédisposés aux réactions d'hypersensibilité.

- ☐ Suivre de près les signes et les symptômes suivants de réactions d'hypersensibilité: urticaire, œdème, toux, respiration sifflante. Garder à la portée de la main de l'épinéphrine, un antihistaminique et le matériel de réanimation pour pouvoir parer à toute réaction d'anaphylaxie.
- ☐ Déceler l'hypovolémie avant le début du traitement. Si l'hypovolémie n'est pas corrigée, il y a risque de collapsus cardiovasculaire en raison des effets vasodilatateurs périphériques du sulfate de protamine.
- **Étude des examens diagnostiques et biochimiques:** Mesurer les facteurs de coagulation, le temps de coagulation activé (ACT), le temps de céphaline activé (APTT) et le temps de thrombine (TT) de 5 à 15 min après le traitement et à d'autres reprises selon les besoins.

DIAGNOSTICS INFIRMIERS POSSIBLES

- **Énoncés diagnostiques**
- ☐ Risque élevé d'accident.
- ☐ Atteinte à l'intégrité des tissus.
- ☐ *Risque élevé d'anxiété.*

- **Facteurs favorisants**
- ☐ *Manque de connaissances sur les modalités du traitement.*
- ☐ *Manque de connaissances sur les effets secondaires du médicament.*

INTERVENTIONS INFIRMIÈRES

- **Directives générales:** Arrêter la perfusion d'héparine. Lorsque le surdosage est léger, on peut traiter le patient en arrêtant tout simplement l'administration d'héparine.
- ☐ Pour juguler l'hémorragie en cas de fort surdosage, il faut parfois administrer également du plasma frais congelé ou du sang entier.
- ☐ Les doses varient selon le type d'héparine administrée, la voie d'admi-

nistration de l'héparine et le temps écoulé depuis qu'on a arrêté l'administration de cet agent.

☐ Ne pas administrer plus de 100 mg en 2 h sans vérifier à nouveau les résultats des études de coagulation, car le sulfate de protamine a ses propres propriétés anticoagulantes.

■ **IV directe :** La solution peut être administrée par IV lente, en 1 à 3 min.

■ **Perfusion intermittente :** Diluer l'agent dans une solution de dextrose à 5 % dans de l'eau ou de NaCl à 0,9 %.

☐ *Vitesse d'administration :* Administrer la perfusion à une vitesse inférieure ou égale à 50 mg/10 min. Une perfusion rapide peut provoquer de l'hypotension, de la bradycardie, des bouffées vasomotrices, ou une sensation de chaleur. Si ces symptômes se manifestent, arrêter la perfusion et prévenir le médecin. Pour assurer l'administration d'une dose exacte, ne pas effectuer d'admixtion.

■ **Compatibilités en addition au soluté :** Cimétidine ou vérapamil.

■ **Incompatibilités en addition au soluté :** Céphalosporines ou pénicillines.

ENSEIGNEMENT AU PATIENT ET À SES PROCHES

☐ Expliquer le but du traitement au patient. Lui recommander de signaler immédiatement tout saignement récurrent.

☐ Recommander au patient d'éviter toute activité pouvant entraîner des saignements, comme le rasage, le brossage des dents, les injections ou la prise de la température par voie rectale ou les déplacements, jusqu'à ce que le risque d'hémorragie soit écarté.

VÉRIFICATION DES RÉSULTATS

L'efficacité du traitement peut être démontrée par : ■ la maîtrise de l'hémorragie ■ la normalisation des facteurs de coagulation chez les patients héparinisés.

PSEUDOÉPHÉDRINE

Balminil – sirop décongestionnant, Durafedrin, Eltor 120, Maxenal, Pseudofrin, Robidrine, Sudafed, (Afrinol), (Cenafed), (Decofed), (Dorcol Children's Decongestant), (Gebafed), (Halofed), (Neofed), (Novafed), (PediaCare Infant's Oral Decongestant Drops), (Pseudogest), (Sinufed), (Sudrin), (Sufedrin)

CLASSIFICATION :
Décongestionnant

Grossesse – catégorie B

INDICATIONS

■ Traitement symptomatique de la congestion du nez et des sinus due à des infections virales aiguës des voies respiratoires supérieures ■ Administration en association avec des antihistaminiques dans le traitement des allergies ■ Ouverture des trompes d'Eustache obstruées en cas d'inflammation ou d'infections auriculaires chroniques.

ACTION

■ Stimulation des récepteurs alpha- et bêta-adrénergiques ■ Constriction des vaisseaux de la muqueuse des voies respiratoires (stimulation alpha-adrénergique) et bronchodilatation possible (stimulation bêta$_2$-adrénergique). **Effets thérapeutiques :** ■ Réduction de la congestion nasale, de l'hyperémie et de l'œdème des fosses nasales.

PHARMACOCINÉTIQUE

Absorption : Bonne absorption par suite de l'administration par voie orale.

Distribution : La pseudoéphédrine semble pénétrer dans le liquide céphalorachidien. Elle traverse probablement le placenta et pénètre dans le lait maternel.

Métabolisme et excrétion : La pseudoéphédrine est partiellement métabolisée par le foie. Une fraction de 55 à 75 % est excrétée à l'état inchangé par les reins (selon le pH de l'urine).

Demi-vie : 7 h (selon le pH de l'urine).

CONTRE-INDICATIONS ET PRÉCAUTIONS

Contre-indications : ■ Hypersensibilité aux amines sympathomimétiques ■ Coronaropathie grave ou hypertension ■ Traitement concomitant par un inhibiteur de la MAO.

Précautions : ■ Hyperthyroïdie ■ Diabète sucré ■ Hypertrophie de la prostate ■ Maladie cardiaque ischémique ■ Grossesse ou allaitement (l'innocuité du médicament n'a pas été établie) ■ Glaucome.

RÉACTIONS INDÉSIRABLES ET EFFETS SECONDAIRES

SNC : nervosité, excitabilité, agitation, faiblesse, étourdissements, insomnie, céphalées, somnolence, peur, anxiété, hallucinations, CONVULSIONS.

CV : COLLAPSUS CARDIOVASCULAIRE, tachycardie, palpitations, hypertension.

GI : anorexie, sécheresse de la bouche (xérostomie).

GU : dysurie.

Resp. : difficultés respiratoires.

INTERACTIONS

Médicament – médicament : ■ Effets sympathomimétiques additifs lors de l'administration concomitante d'autres **agents sympathomimétiques** ■ Les **inhibiteurs de la MAO**, administrés simultanément, peuvent déclencher une crise hypertensive ■ Les **bêtabloquants**, administrés simultanément, peuvent provoquer de l'hypertension ou de la bradycardie ■ Les **médicaments qui acidifient l'urine (chlorure d'ammonium)**, administrés simultanément, peuvent diminuer l'efficacité de la pseudoéphédrine ■ Les **médicaments qui alcalinisent l'urine (bicarbonate de sodium, doses élevées d'antiacides)**, administrés simultanément, peuvent augmenter l'efficacité de la pseudoéphédrine. **Médicament-aliments :** ■ Les **ali-**

ments qui acidifient l'urine peuvent diminuer l'efficacité de la pseudoéphédrine ■ Les **aliments qui alcalinisent l'urine** peuvent augmenter l'efficacité de la pseudoéphédrine (voir les listes de l'annexe K).

PRÉSENTATION

La pseudoéphédrine existe sous forme de comprimés, de sirop, de comprimés et de suspension orale à libération prolongée. Elle est également présentée sous forme d'associations médicamenteuses (voir l'annexe A).

VOIES D'ADMINISTRATION ET POSOLOGIE

■ **PO (adultes et enfants ≥ 12 ans) :** 60 mg, toutes les 4 à 6 h, selon les besoins (ne pas dépasser 240 mg par jour), ou 120 mg de la préparation à libération prolongée, toutes les 12 h.

■ **PO (enfants de 6 à 11 ans) :** 30 mg, toutes les 4 à 6 h, selon les besoins (ne pas dépasser 120 mg par jour), ou 60 mg de la préparation à libération prolongée, toutes les 12 h.

■ **PO (enfants de 2 à 5 ans) :** 15 mg, toutes les 4 à 6 h (ne pas dépasser 60 mg par jour), ou 30 mg de la préparation à libération prolongée, toutes les 12 h.

PHARMACODYNAMIE (effets décongestionnants)

	DÉBUT D'ACTION	PIC	DURÉE
PO	30 min	inconnu	4 – 8 h
PO (libération prolongée)	60 min	inconnu	12 h

SOINS INFIRMIERS

ÉVALUATION DE LA SITUATION

☐ Déterminer le degré de la congestion (nez, sinus, trompes d'Eustache), avant le traitement et à intervalles réguliers pendant toute sa durée.

□ Mesurer le pouls et la pression artérielle avant le traitement et à intervalles réguliers pendant toute sa durée.

□ Ausculter le murmure vésiculaire et observer les caractéristiques des sécrétions bronchiques. Maintenir la consommation de liquides de 1 500 à 2 000 mL par jour afin de réduire la viscosité des sécrétions.

DIAGNOSTICS INFIRMIERS POSSIBLES

■ **Énoncés diagnostiques**

□ Dégagement inefficace des voies respiratoires.

□ Prise en charge inefficace du programme thérapeutique.

■ **Facteurs favorisants**

□ Informations incomplètes.

□ *Manque de connaissances sur la méthode d'administration du médicament.*

□ *Manque de connaissances sur les effets secondaires du médicament et sur les moyens de les prévenir.*

INTERVENTIONS INFIRMIÈRES

■ **Directives générales:** Administrer la pseudoéphédrine au moins 2 h avant l'heure du coucher afin de réduire le risque d'insomnie.

■ **PO:** Les comprimés à libération prolongée devraient être avalés tels quels, sans être broyés, brisés ni mâchés.

ENSEIGNEMENT AU PATIENT ET À SES PROCHES

□ Inciter le patient à respecter scrupuleusement la posologie recommandée et à ne pas dépasser la dose prescrite. S'il n'a pu prendre le médicament à l'heure habituelle, il doit le prendre dans l'heure qui suit, sinon, il doit sauter la dose. L'avertir qu'il ne doit jamais remplacer une dose manquée par une double dose.

□ Conseiller au patient de prévenir le médecin en cas de nervosité, de fréquence cardiaque lente ou rapide, de difficultés respiratoires, d'hallucinations ou de convulsions, car ces symptômes peuvent indiquer un surdosage.

□ Recommander au patient de prévenir le médecin si les symptômes ne s'améliorent pas dans les 5 jours ou s'ils s'accompagnent de fièvre.

VÉRIFICATION DES RÉSULTATS

L'efficacité du traitement peut être démontrée par: la diminution de la congestion nasale ou sinusale ou de la congestion des trompes d'Eustache.

PSYLLIUM

Fibrepur, Karacil, Metamucil, Novo-Mucilax, Prodiem Simple, (Cillium), (Correctol Powder), (EfferSyllium), (Fiberall), (Hydrocil), (Konsyl-D), (Modane Bulk), (Naturacil), (Natural Vegetable), (Perdiem Plain), (Pro-Lax), (Reguloid), (Serutan), (Sibilin), (Syllact), (V-Lax)

CLASSIFICATION:
Laxatif augmentant le volume du bol fécal

Grossesse – catégorie inconnue

INDICATIONS

■ Traitement de la constipation simple ou chronique, particulièrement si elle est attribuable à une alimentation pauvre en fibres ■ Circonstances où les efforts reliés à la défécation sont contre-indiqués (après un infarctus du myocarde, une chirurgie au rectum ou un alitement prolongé). **Usage non approuvé:** ■ Traitement de la diarrhée aqueuse chronique.

ACTION

■ Combinaison avec l'eau contenue dans les matières intestinales pour former un gel émollient ou une solution visqueuse favorisant le péristaltisme et réduisant le temps de transit. **Effets thérapeutiques:** ■ Soulagement et prévention de la constipation.

P

PHARMACOCINÉTIQUE

Absorption: Le psyllium n'est pas absorbé depuis le tractus gastro-intestinal.
Distribution: L'agent ne se répartit pas dans l'organisme.
Métabolisme et excrétion: Le psyllium est excrété dans les fèces.
Demi-vie: Inconnue.

CONTRE-INDICATIONS ET PRÉCAUTIONS

Contre-indications: ■ Hypersensibilité ■ Douleurs abdominales, nausées ou vomissements (particulièrement si ces symptômes s'accompagnent de fièvre) ■ Adhérences importantes ■ Dysphagie.
Précautions: ■ Patients suivant des régimes alimentaires particuliers (certaines présentations contiennent du sucre ou de l'aspartame et ne devraient pas être administrées dans ce cas) ■ Grossesse et allaitement (il existe cependant des précédents d'usage sans danger).

RÉACTIONS INDÉSIRABLES ET EFFETS SECONDAIRES

GI: nausées, vomissements, crampes, occlusion intestinale ou œsophagienne.
Resp.: bronchospasme.

INTERACTIONS

Médicament – médicament: Le psyllium peut diminuer l'absorption des **anticoagulants oraux**, des **salicylés** ou des **dérivés digitaliques**, administrés simultanément.

PRÉSENTATION

Le psyllium existe sous forme de préparations sans sucre ou aromatisées et sous forme de biscuits. Le volume des granules contenues dans les sachets n'est pas standard, mais la teneur en psyllium est de 3 à 6 g.

VOIES D'ADMINISTRATION ET POSOLOGIE

■ **PO (adultes):** mélanger 1 ou 2 cuillerées à thé ou 1 sachet (3 ou 6 g de psyllium) dans un grand verre de liquide et administrer 1 à 3 fois par jour (ou jusqu'à 4 fois par jour pour Prodiem Simple) ou prendre 2 biscuits avec un grand verre de liquide, 1 à 3 fois par jour.

■ **PO (enfants > 6 ans):** mélanger $^1/_2$ à 1 cuillerée à thé ou un demi-sachet (1,5 ou 3 g de psyllium) dans un demi-verre de liquide et administrer 1 à 3 fois par jour (ou jusqu'à 4 fois par jour pour Prodiem Simple) ou prendre 1 biscuit avec un demi-verre de liquide, 1 à 3 fois par jour.

PHARMACODYNAMIE (effet laxatif)

	DÉBUT D'ACTION	PIC	DURÉE
PO	12 – 24 h	2– 3 jours	inconnue

SOINS INFIRMIERS

ÉVALUATION DE LA SITUATION

□ Déceler la distension abdominale, ausculter les bruits intestinaux et observer les habitudes normales d'élimination.
□ Noter la couleur, la consistance et la quantité des selles évacuées.
■ **Étude des examens diagnostiques et biochimiques:** Le psyllium peut entraîner une élévation de la glycémie lors de l'administration prolongée de préparations contenant du sucre.

DIAGNOSTICS INFIRMIERS POSSIBLES

■ **Énoncés diagnostiques**
□ Constipation.
□ Prise en charge inefficace du programme thérapeutique.

■ **Facteurs favorisants**
□ Informations incomplètes.
□ *Manque de connaissances sur les moyens de stimuler la fonction intestinale.*
□ *Manque de connaissances sur les bienfaits de l'exercice.*

□ *Manque de connaissances sur le régime alimentaire à suivre.*

□ *Manque de connaissances sur la méthode d'administration du médicament.*

INTERVENTIONS INFIRMIÈRES

■ **Directives générales :** Administrer l'agent avec un grand verre d'eau ou de jus suivi par un autre verre de liquide. La solution devrait être administrée immédiatement après avoir été mélangée sinon elle fige. Ne pas administrer le médicament sans une quantité suffisante de liquide ; il ne faut pas mâcher les granules.

ENSEIGNEMENT AU PATIENT ET À SES PROCHES

□ Recommander au patient de prendre d'autres mesures qui favorisent l'émission fécale : augmenter la consommation de fibres alimentaires, boire plus de liquides, faire de l'exercice. Expliquer au patient que chaque personne a ses propres habitudes d'élimination et qu'il est tout aussi normal de déféquer 3 fois par jour que 3 fois par semaine.

□ Le psyllium peut être administré de façon prolongée dans le traitement de la constipation chronique.

□ Recommander aux patients souffrant de maladie cardiaque d'éviter les efforts associés à la défécation (manœuvre de Valsalva).

□ Prévenir le patient que les laxatifs sont contre-indiqués si la constipation s'accompagne de douleurs abdominales, de nausées, de vomissements ou de fièvre.

VÉRIFICATION DES RÉSULTATS

L'efficacité du traitement peut être démontrée par : l'émission de selles molles et bien moulées, habituellement dans les 12 à 24 h. Les résultats peuvent ne pas se manifester avant 3 jours de traitement.

PYRAZINAMIDE
PMS-Pyrazinamide, Tebrazid

CLASSIFICATION :
Antituberculeux

Grossesse – catégorie inconnue

INDICATIONS

En association avec d'autres médicaments pour le traitement de la tuberculose évolutive après échec du traitement par les médicaments de première ligne.

ACTION

■ Mécanisme d'action inconnu. **Effets thérapeutiques :** ■ Effet bactériostatique contre les mycobactéries sensibles. **Spectre d'action :** ■ Le pyrazinamide n'est actif que contre les mycobactéries.

PHARMACOCINÉTIQUE

Absorption : Bonne absorption par suite de l'administration par voie orale.

Distribution : Le médicament se répartit dans tout l'organisme. De fortes concentrations sont atteintes dans le SNC (équivalentes aux concentrations plasmatiques). Le pyrazinamide est excrété dans le lait maternel.

Métabolisme et excrétion : Le pyrazinamide est surtout métabolisé par le foie. Son métabolite (acide pyrazinoïque) est doué d'une activité antimycobactérienne. Une fraction de 3 à 4 % est excrétée à l'état inchangé par les reins.

Demi-vie : Pyrazinamide – 9,5 h ; acide pyrazinoïque – 12 h. La demi-vie de ces deux composés est prolongée en cas d'insuffisance rénale.

CONTRE-INDICATIONS ET PRÉCAUTIONS

Contre-indications : ■ Hypersensibilité ■ Risque de réactions de sensibilité croisée avec l'éthionamide, l'isoniazide, la niacine ou l'acide nicotinique ■ Insuffisance hépatique grave.

P

Précautions: ■ Goutte ■ Diabète sucré ■ Porphyrie intermittente aiguë ■ Grossesse (l'innocuité du médicament n'a pas été établie).

RÉACTIONS INDÉSIRABLES ET EFFETS SECONDAIRES

GI: TOXICITÉ HÉPATIQUE, nausées, vomissements, diarrhée, anorexie.
GU: dysurie.
Tég.: démangeaisons, rash, photosensibilité, acné.
Hémat.: anémie, thrombocytopénie.
Métab.: hyperuricémie.
Loc.: arthrite goutteuse, arthralgie.

INTERACTIONS

Médicament – médicament: Aucune interaction notable.

VOIES D'ADMINISTRATION ET POSOLOGIE

■ **PO (adultes):** de 20 à 35 mg/kg par jour, en 4 doses fractionnées. Il faut administrer de 20 à 30 mg/kg par jour aux patients séropositifs (sidéens) pendant les deux premiers mois du traitement (É.-U.). On a déjà administré une dose allant jusqu'à 60 mg/kg par jour dans les cas de tuberculose résistant à l'isoniazide (ne pas dépasser 3 g par jour).

■ **PO (enfants) (É.-U.):** de 15 à 30 mg/kg par jour, en doses fractionnées (ne pas dépasser 2 g par jour).

PHARMACODYNAMIE (concentrations sanguines)

	DÉBUT D'ACTION	PIC
PO	inconnu	1 – 2 h (4 – 5 h*)

* Pour l'acide pyrazinoïque.

☀ SOINS INFIRMIERS

ÉVALUATION DE LA SITUATION

□ Prélever des échantillons pour les cultures de mycobactéries et les tests

de sensibilité avant de commencer le traitement et à intervalles réguliers par la suite afin de déceler toute résistance éventuelle.

■ **Étude des examens diagnostiques et biochimiques:** Examiner les résultats des tests de l'exploration fonctionnelle hépatique avant le traitement puis toutes les 2 à 4 semaines pendant toute sa durée. Des concentrations élevées de TGOS (AST) et de TGPS (ALT) peuvent ne pas être de bons indices d'hépatite clinique et peuvent retourner à la normale durant le traitement. Administrer le pyrazinamide aux patients souffrant d'insuffisance hépatique seulement si ce médicament leur est essentiel.

□ Noter les concentrations sériques d'acide urique tout au long du traitement. Le pyrazinamide peut entraîner l'élévation de ces concentrations déclenchant une crise de goutte aiguë.

□ Le pyrazinamide peut modifier les résultats du dosage des corps cétoniques dans l'urine.

DIAGNOSTICS INFIRMIERS POSSIBLES

■ **Énoncés diagnostiques**
□ Risque élevé d'infection.
□ Prise en charge inefficace du programme thérapeutique.
□ Non-observance du traitement médicamenteux.
□ *Risque élevé d'intoxication.*
□ *Risque élevé d'accident.*

■ **Facteurs favorisants**
□ Informations incomplètes.
□ Doute quant aux bienfaits du médicament.
□ *Manque de connaissances sur les modalités du traitement.*
□ *Manque de connaissances sur les effets secondaires du médicament.*

INTERVENTIONS INFIRMIÈRES

■ **Directives générales:** Le pyrazinamide peut être administré avec de l'isoniazide ou de la rifampine.

ENSEIGNEMENT AU PATIENT ET À SES PROCHES

☐ Conseiller au patient de respecter scrupuleusement la posologie recommandée. L'avertir qu'il ne faut jamais sauter une dose ni remplacer une dose manquée par une double dose. S'il n'a pu prendre le médicament au moment habituel, il doit le prendre dès que possible à moins que ce ne soit presque l'heure prévue pour la dose suivante. Insister sur l'importance de poursuivre le traitement même après la disparition des symptômes. Parfois, il faut suivre le traitement sans interruption pendant une période allant de 6 mois à 2 ans.

☐ Informer les patients diabétiques que le pyrazinamide peut modifier le dosage des corps cétoniques dans l'urine.

☐ Conseiller au patient de prévenir le médecin s'il ne note aucune amélioration en l'espace de 2 à 3 semaines.

☐ Insister sur l'importance des examens réguliers de suivi permettant d'évaluer les bienfaits du traitement et de déceler les effets secondaires.

VÉRIFICATION DES RÉSULTATS

L'efficacité du traitement peut être démontrée par: ■ la résolution des signes et des symptômes de tuberculose ☐ des résultats négatifs aux cultures des expectorations.

PYRIDOSTIGMINE

Mestinon, Mestinon-SR, Regonol, (Mestinon Timespan)

CLASSIFICATION:

Cholinergique – anticholinestérasique; traitement de la myasthénie

Grossesse – catégorie inconnue

INDICATIONS

■ Augmentation de la force musculaire lors du traitement symptomatique de la myasthénie grave ■ Renversement des effets des bloqueurs neuromusculaires de type non dépolarisant.

ACTION

■ Inhibition de la décomposition de l'acétylcholine entraînant son accumulation et la prolongation de ses effets ■ Les effets de la pyridostigmine comprennent: ☐ le myosis ☐ l'élévation du tonus des muscles intestinaux et locomoteurs ☐ la constriction bronchique et urétérale ☐ la bradycardie ☐ une salivation accrue ☐ le larmoiement ☐ la transpiration. **Effets thérapeutiques:** ■ Amélioration de la fonction musculaire chez les patients souffrant de myasthénie grave ■ Renversement des effets des bloqueurs neuromusculaires de type non dépolarisant.

PHARMACOCINÉTIQUE

Absorption: Puisque l'absorption par suite de l'administration par voie orale est faible, il faut recourir à des doses plus élevées que celles administrées par voie parentérale. La préparation orale à libération prolongée libère une fraction de 50 % du médicament, absorbée immédiatement; le reste est peu absorbé.

Distribution: Le médicament semble traverser le placenta.

Métabolisme et excrétion: La pyridostigmine est métabolisée par les cholinestérases plasmatiques et le foie.

Demi-vie: PO: 3,7 h; IV: 1,9 h.

CONTRE-INDICATIONS ET PRÉCAUTIONS

Contre-indications: ■ Hypersensibilité ■ Hypersensibilité aux parabènes (préparation parentérale seulement) ■ Occlusion mécanique du tractus gastro-intestinal ou génito-urinaire.

Précautions: ■ Grossesse ou allaitement (risque d'irritation utérine si le médicament est administré par voie IV près du terme; risque de faiblesse musculaire passagère chez 20 % des nouveau-nés)

■ Antécédents d'asthme ■ Ulcère ■ Maladie cardiovasculaire ■ Épilepsie ■ Hyperthyroïdie.

RÉACTIONS INDÉSIRABLES ET EFFETS SECONDAIRES

SNC: CONVULSIONS, étourdissements, faiblesse.
ORLO: myosis, larmoiement.
Resp.: sécrétions excessives, bronchospasme.
CV: bradycardie, hypotension.
GI: crampes abdominales, nausées, vomissements, diarrhée, salivation excessive.
Tég.: transpiration, rash.

INTERACTIONS

Médicament – médicament: ■ Les médicaments doués de propriétés anticholinergiques dont les **antihistaminiques**, les **antidépresseurs**, l'**atropine**, l'**halopéridol**, les **phénothiazines**, le **procaïnamide**, la **quinidine** ou le **disopyramide**, administrés simultanément, peuvent contrecarrer les effets cholinergiques de la pyridostigmine ■ La pyridostigmine prolonge l'effet des **relaxants musculaires de type dépolarisant (succinylcholine, décaméthonium)** ■ Toxicité additive lors de l'administration simultanée d'autres **inhibiteurs de la cholinestérase**, dont le **démécarium**, l'**écothiopate** et l'**isoflurophate** ■ Le **guanadrel**, la **guanéthidine** ou le **triméthaphan**, administrés simultanément, peuvent diminuer les effets de la pyridostigmine administrée dans le traitement de la myasthénie.

VOIES D'ADMINISTRATION ET POSOLOGIE

Myasthénie grave
■ **PO (adultes):** de 60 à 180 mg, de 2 à 4 fois par jour ou de 180 à 540 mg, 1 ou 2 fois par jour, pour la préparation à libération prolongée (jusqu'à concurrence de 1 500 mg par jour).
■ **PO (enfants) (É.-U.):** 7 mg/kg par jour, en 5 ou 6 doses fractionnées.

■ **IV et IM (adultes):** de 2 à 6 mg ou $^1/_{30}$ de la dose orale; on peut répéter l'administration toutes les 2 ou 3 h.

Antidote des bloqueurs neuromusculaires de type non dépolarisant
IV (adultes): de 10 à 20 mg; administrer au préalable de 0,6 à 1,2 mg d'atropine par voie IV.

PHARMACODYNAMIE (effets cholinergiques)

	DÉBUT D'ACTION	PIC	DURÉE
PO	30 – 35 min	inconnu	3 – 6 h
PO (libération prolongée)	30 – 60 min	inconnu	6 – 12 h
IM	15 min	inconnu	2 – 4 h
IV	2 – 5 min	inconnu	2 – 3 h

☀ SOINS INFIRMIERS

ÉVALUATION DE LA SITUATION

■ **Directives générales:** Mesurer le pouls, la fréquence respiratoire et la pression artérielle avant l'administration de la pyridostigmine. Prévenir le médecin en cas de modifications marquées de la fréquence cardiaque.

■ **Myasthénie grave:** Examiner les réactions neuromusculaires, y compris la capacité vitale, le ptosis, la diplopie, la capacité de mâcher, la capacité de déglutir, la force de préhension manuelle et la démarche avant l'administration du médicament et au moment de son effet maximal. Conseiller au patient de tenir un journal et d'y inscrire tous les jours des données sur son état et sur les effets du médicament.

□ Surveiller les signes suivants de surdosage et dosage insuffisant ou de résistance au traitement: faiblesse musculaire, dyspnée, dysphagie. En cas de surdosage, les symptômes se manifestent habituellement dans l'heure qui suit l'administration, alors que, en cas de dosage insuffisant, ils apparaissent 3 h après l'administration ou plus tard. Les symptômes du surdosage (crise cholinergique) peuvent aussi inclure l'intensification des sécrétions pulmonaires et de la salivation, la bradycardie, les nausées, les vomissements, les crampes, la diarrhée et la diaphorèse. On peut effectuer un test par Tensilon (chlorure d'édrophonium) afin de distinguer le surdosage d'un dosage insuffisant.

- **Antidote des bloqueurs neuromusculaires de type non dépolarisant:** Suivre le renversement des effets des bloqueurs neuromusculaires par la stimulation des nerfs périphériques. Le rétablissement musculaire s'effectue habituellement dans l'ordre suivant: diaphragme, muscles intercostaux, muscles de la glotte, muscles abdominaux, muscles des membres, muscles masticateurs et muscles releveurs de la paupière. Suivre de près la faiblesse musculaire résiduelle et la détresse respiratoire pendant toute la période de récupération. Garder les voies aériennes dégagées et maintenir la ventilation jusqu'au rétablissement de la respiration normale.

- **Toxicité et surdosage:** En cas de surdosage, l'antidote est l'atropine.

DIAGNOSTICS INFIRMIERS POSSIBLES

- **Énoncés diagnostiques**
  - ☐ Altération de la mobilité physique.
  - ☐ Mode de respiration inefficace.
  - ☐ Prise en charge inefficace du programme thérapeutique.
  - ☐ *Risque élevé d'accident.*
  - ☐ *Risque élevé de déficit du volume liquidien.*

- **Facteurs favorisants**
  - ☐ Informations incomplètes.
  - ☐ *Manque de connaissances sur les moyens de prévenir les effets secondaires du médicament.*
  - ☐ *Manque de connaissances sur les modalités du traitement.*

- ☐ *Manque de connaissances sur la méthode d'administration du médicament.*

- ☐ *Manque de connaissances sur les moyens de prévenir les effets secondaires affectant l'appareil gastrointestinal.*

INTERVENTIONS INFIRMIÈRES

- **Directives générales:** Chez les patients éprouvant des difficultés de mastication, la pyridostigmine peut être administrée 30 min avant les repas.

- ☐ Les doses par voies orale et IV ne sont pas interchangeables. Les préparations parentérales sont 30 fois plus puissantes.

- ☐ Lorsque l'agent est utilisé comme antidote des bloqueurs neuromusculaires de type non dépolarisant, le médecin peut prescrire l'administration d'atropine avant celle de la pyridostigmine ou en association avec cet agent, administré à fortes doses, afin de prévenir ou de traiter la bradycardie ou d'autres effets secondaires.

- **PO:** Administrer avec du lait ou des aliments afin de réduire les effets secondaires. Les comprimés à libération prolongée doivent être avalés tels quels sans être broyés, brisés ni mâchés. On peut administrer les comprimés ordinaires en même temps que les comprimés à libération prolongée pour mieux maîtriser les symptômes. Les tachetures sur les comprimés à libération prolongée n'altèrent en rien leur puissance.

- **IV directe:** Administrer la préparation sans la diluer. Ne pas ajouter l'agent à des solutions IV. On peut administrer la pyridostigmine dans une tubulure en Y ou dans un robinet à trois voies par où s'écoule une solution de dextrose à 5 % dans de l'eau, de NaCl à 0,9 %, de lactate Ringer ou de dextrose à 5 % dans une solution de Ringer ou dans du lactate Ringer.

P

□ *Vitesse d'administration :* Administrer la solution à un débit de 0,5 mg par minute pour renverser les effets des bloqueurs neuromusculaires de type non dépolarisant.

□ Administrer la préparation à un débit de 5 mg/min si l'agent est utilisé comme antagoniste des myorelaxants.

■ **Association compatible dans la même seringue :** Glycopyrrolate.

■ **Compatibilités (tubulure en Y) :** Chlorure de potassium, héparine ou succinate d'hydrocortisone sodique.

ENSEIGNEMENT AU PATIENT ET À SES PROCHES

□ Conseiller au patient de respecter scrupuleusement la posologie recommandée, de ne pas sauter de dose et de ne pas remplacer une dose manquée par une double dose. Les patients présentant des antécédents de dysphagie devraient recourir en tout temps à un réveil afin de pouvoir prendre le médicament à l'heure prévue. Ces patients pourraient être incapables d'avaler le médicament s'ils ne le prennent pas à l'heure prévue. Si la dose est prise en retard, une crise myasthénique peut survenir ; si elle est prise trop tôt, une crise cholinergique peut survenir. Les patients souffrant de myasthénie grave doivent suivre ce traitement pendant toute leur vie.

□ Conseiller au patient de toujours porter sur lui une pièce d'identité où sont mentionnés son état de santé et son traitement médicamenteux.

□ Conseiller au patient souffrant de myasthénie grave d'espacer ses activités afin d'éviter la fatigue.

VÉRIFICATION DES RÉSULTATS

L'efficacité du traitement peut être démontrée par : ■ le soulagement du ptosis et de la diplopie ; l'amélioration de la mastication, de la déglutition, de la force des membres et de la respiration, sans apparition de symptômes cholinergiques ■ le renversement des effets des bloqueurs neuromusculaires de type non dépolarisant lors d'une anesthésie générale.

PYRIDOXINE
vitamine B$_6$, (Beesix), (Rodex), (TexSix T.R.)

CLASSIFICATION :
Vitamine hydrosoluble

Grossesse – catégorie inconnue

INDICATIONS

■ Traitement et prévention des carences en pyridoxine (pouvant être associées à une alimentation inadéquate ou à des maladies chroniques débilitantes) ■ Traitement et prévention de la neuropathie pouvant être attribuable à un traitement par l'isoniazide, la pénicillamine ou l'hydralazine.

ACTION

■ Élément essentiel au métabolisme des acides aminés, des glucides et des lipides ■ Élément utilisé pour le transport des acides aminés, la formation des neurotransmetteurs et la synthèse des molécules d'hème. **Effets thérapeutiques :** ■ Prévention des carences en pyridoxine ■ Prévention ou renversement de la neuropathie attribuable au traitement par l'hydralazine, la pénicillamine ou l'isoniazide.

PHARMACOCINÉTIQUE

Absorption : Bonne absorption depuis le tractus gastro-intestinal.

Distribution : La pyridoxine est emmagasinée dans le foie, les muscles et le cerveau. Elle traverse le placenta et pénètre dans le lait maternel.

Métabolisme et excrétion : Les quantités supérieures aux besoins quotidiens sont excrétées à l'état inchangé par les reins.

Demi-vie : De 15 à 20 jours.

CONTRE-INDICATIONS ET PRÉCAUTIONS

Contre-indications: Aucune contre-indication connue.

Précautions: ■ Maladie de Parkinson (traitement par la lévodopa seulement) ■ Grossesse (l'ingestion prolongée de doses élevées peut provoquer le syndrome de dépendance à la pyridoxine du nouveau-né).

RÉACTIONS INDÉSIRABLES ET EFFETS SECONDAIRES

Remarque: Les réactions indésirables énumérées ci-dessous ont été observées lors de l'administration de doses très élevées seulement.

SNC: neuropathie sensorielle.

Divers: syndrome de dépendance à la vitamine B_6.

INTERACTIONS

Médicament – médicament: ■ La pyridoxine entrave la réponse thérapeutique à la **lévodopa** ■ L'**isoniazide**, l'**hydralazine**, le **chloramphénicol**, la **pénicillamine**, les **œstrogènes** et les **immunodépresseurs**, administrés simultanément, augmentent les besoins en pyridoxine.

PRÉSENTATION

La pyridoxine existe sous forme de comprimés et de préparations injectables.

VOIES D'ADMINISTRATION ET POSOLOGIE

Carence en pyridoxine
■ **PO, IM et IV (adultes):** de 10 à 20 mg par jour pendant 3 semaines.

Supplément diététique
■ **PO (adultes et enfants):** 2 mg (de 2,5 à 10 mg par jour durant la grossesse).

Carence induite par les médicaments (isoniazide, hydralazine, pénicillamine)
Prévention
■ **PO (adultes):** de 10 à 50 mg par jour (pénicillamine), de 100 à 300 mg par jour (hydralazine ou isoniazide).

Carence induite par les médicaments (isoniazide, hydralazine, pénicillamine)
Traitement
■ **PO, IM et IV (adultes) (É.-U.):** de 50 à 200 mg par jour, pendant 3 semaines, puis de 25 à 100 mg par jour.

Carence induite par les substances toxiques (alcoolisme chronique)
■ **PO (adultes) (É.-U.):** 50 mg par jour, pendant 2 à 4 semaines. Ce traitement peut être continué indéfiniment.

Syndrome de dépendance à la vitamine B_6
■ **PO (adultes) (É.-U.):** initialement, de 30 à 600 mg par jour, puis, 50 mg par jour, durant toute la vie.
■ **PO, IM et IV (nourrissons) (É.-U.):** initialement, de 10 à 100 mg; ensuite, un traitement par voie orale à raison de 2 à 100 mg par jour, puis de 2 à 10 mg par jour administrés par voie orale durant toute la vie.
■ **IM et IV (adultes) (É.-U.):** de 30 à 600 mg par jour (traitement initial).

PHARMACODYNAMIE

	DÉBUT D'ACTION	PIC	DURÉE
PO	inconnu	inconnu	inconnue
IM	inconnu	inconnu	inconnue
IV	inconnu	inconnu	inconnue

❋ SOINS INFIRMIERS

ÉVALUATION DE LA SITUATION

☐ Observer le patient avant le traitement puis à intervalles réguliers pendant toute sa durée à la recherche de signes de carence en vitamine B_6: anémie, dermatite, chéilite, irritabilité, convulsions, nausées et vomissements. Prendre les précautions qui s'imposent en cas de convulsions chez les nourrissons présentant une dépendance à la vitamine B_6.

■ **Étude des examens diagnostiques et biochimiques:** La pyridoxine peut entraîner des concentrations faussement élevées d'urobilinogène.

P

DIAGNOSTICS INFIRMIERS POSSIBLES

- **Énoncés diagnostiques**
- □ Déficit nutritionnel.
- □ Prise en charge inefficace du programme thérapeutique.
- □ *Risque élevé d'anxiété.*
- **Facteurs favorisants**
- □ Informations incomplètes.
- □ *Manque de connaissances sur le régime alimentaire à suivre.*
- □ *Manque de connaissances sur la méthode d'administration du médicament.*

INTERVENTIONS INFIRMIÈRES

- **Directives générales :** On administre habituellement la pyridoxine en association avec d'autres vitamines, car il est rare que le patient ne présente que ce seul type d'avitaminose.
- □ L'administration de la vitamine B_6 par voie parentérale est réservée aux patients qui sont incapables de prendre les comprimés par voie orale, qui souffrent de nausées ou de vomissements ou qui sont atteints du syndrome de malabsorption.
- □ Garder la solution parentérale à l'abri de la lumière, car elle peut se décomposer.
- **IM :** Assurer la rotation des points d'injection ; une sensation de brûlure ou de picotement peut se produire au point d'injection.
- **IV :** On peut administrer le médicament par IV directe ou par perfusion dans des solutions IV standard.
- □ Les convulsions attribuables à la dépendance à la vitamine B_6 devraient cesser dans les 2 ou 3 min suivant l'administration IV de pyridoxine.
- **Incompatibilités en addition au soluté :** Solutions alcalines, érythromycine, sels de fer, kanamycine, riboflavine ou streptomycine.

ENSEIGNEMENT AU PATIENT ET À SES PROCHES

- □ Conseiller au patient de prendre le médicament selon la posologie recommandée. S'il n'a pu prendre le médicament au moment habituel, il peut sauter la dose, car la carence en vitamine B_6 ne survient qu'après un long laps de temps.
- □ Conseiller au patient de respecter scrupuleusement les recommandations diététiques du médecin. Lui expliquer que la meilleure source de vitamines est une alimentation bien équilibrée contenant des aliments provenant des 4 principaux groupes. Les aliments riches en vitamine B_6 comprennent les bananes, les céréales de grain entier, les pommes de terre, les fèves de Lima et la viande.
- □ Recommander au patient qui pratique l'automédication par des suppléments vitaminiques de ne pas dépasser les taux quotidiens recommandés (voir l'annexe L). L'efficacité de mégadoses dans le traitement de diverses affections n'a pas été prouvée. De telles doses peuvent entraîner des effets secondaires comme une démarche instable, l'engourdissement des pieds et des problèmes de coordination du mouvement des mains.
- □ Insister sur l'importance des examens de suivi permettant d'évaluer les bienfaits du traitement.

VÉRIFICATION DES RÉSULTATS

L'efficacité du traitement peut être démontrée par : la diminution des symptômes de carence en vitamine B_6.

PYRIMÉTHAMINE
Daraprim

CLASSIFICATION :
Antipaludéen ; antiprotozoaire

Grossesse – catégorie C

INDICATIONS

■ Chimioprophylaxie de la malaria ■ Traitement de la malaria en association avec d'autres agents antipaludéens ■ Traitement de la toxoplasmose en association avec un sulfamidé. **Usage non approuvé:** ■ Traitement de la pneumonie à *Pneumocystis carinii* en association avec d'autres agents (sulfamidés, dapsone).

ACTION

■ Liaison à une enzyme des protozoaires entraînant la déplétion de l'acide folique. **Effets thérapeutiques:** ■ Destruction et arrêt de la croissance des micro-organismes sensibles (protozoaires).

PHARMACOCINÉTIQUE

Absorption: Bonne absorption par suite de l'administration par voie orale.
Distribution: Le médicament se répartit dans tout l'organisme; on le retrouve en fortes concentrations dans les globules sanguins, les reins, les poumons, le foie et la rate. Une certaine fraction pénètre dans le liquide céphalorachidien (de 13 à 26 % des concentrations sériques). La pyriméthamine traverse le placenta et pénètre dans le lait maternel.
Métabolisme et excrétion: La pyriméthamine est surtout métabolisée par le foie. Une fraction de 20 à 30 % est excrétée à l'état inchangé par les reins.
Demi-vie: 4 jours (plus courte chez les patients atteints du sida).

CONTRE-INDICATIONS ET PRÉCAUTIONS

Contre-indications: ■ Hypersensibilité ■ Les 14 à 16 premières semaines de la grossesse ■ Anémie mégaloblastique attribuable à une carence en folate ■ Traitement par des inhibiteurs des folates, administrés simultanément (risque d'anémie mégaloblastique).
Précautions: ■ Antécédents de convulsions (doses élevées) ■ Anémie ou aplasie médullaire sous-jacente ■ Insuffisance hépatique ■ Grossesse de plus de 16 semaines (l'administration concurrente de leucovorine peut s'avérer nécessaire) ■ Allaitement (des doses élevées

administrées à la mère peuvent provoquer une carence en acide folique chez le nourrisson) ■ Carence en G6-PD.

RÉACTIONS INDÉSIRABLES ET EFFETS SECONDAIRES

SNC: CONVULSIONS (doses élevées), insomnie, céphalées, sensation de tête légère, malaise, dépression.
Resp.: sécheresse de la gorge, éosinophilie pulmonaire.
CV: arythmies (doses élevées).
GI: anorexie, nausées, glossite atrophique (doses élevées), diarrhée.
GU: hématurie.
Tég.: dermatite, pigmentation anormale.
Hémat.: anémie mégaloblastique (doses élevées), thrombocytopénie, pancytopénie.
Divers: fièvre.

INTERACTIONS

Médicament – médicament: ■ Risque accru d'aplasie médullaire lors de l'administration concomitante d'autres **dépresseurs de la moelle osseuse** incluant les **antinéoplasiques** ou la **radiothérapie** ■ Risque accru d'anémie mégaloblastique lors de l'administration simultanée d'**inhibiteurs des folates (méthotrexate)**; éviter l'administration simultanée.

VOIES D'ADMINISTRATION ET POSOLOGIE

Chimioprophylaxie de la malaria

■ **PO (adultes et enfants ≥ 10 ans):** 25 mg, une fois par semaine.
■ **PO (enfants de 5 à 10 ans):** 12,5 mg, une fois par semaine.
■ **PO (nourrissons et enfants < 5 ans):** 6,25 mg, une fois par semaine.

Traitement de la malaria

■ **PO (adultes):** 25 mg, une fois par jour, pendant 2 jours si l'agent est administré en association ou 50 mg par jour, pendant 2 jours, si l'agent est administré seul; on peut également administrer 50 à 75 mg avec 1 à 1,5 g de

P

sulfalène ou de sulfadoxine en une seule dose.

- **PO (enfants de 4 à 10 ans):** 25 mg, une fois par jour, pendant 2 jours si l'agent est administré seul.
- **PO (enfants de 9 à 14 ans):** 50 mg, en association avec 1 g de sulfalène ou de sulfadoxine en une seule dose.
- **PO (enfants de 4 à 8 ans):** 25 mg, en association avec 500 mg de sulfalène ou de sulfadoxine en une seule dose.
- **PO (enfants < 4 ans):** 12,5 mg, en association avec 250 mg de sulfalène ou de sulfadoxine en une seule dose.

Toxoplasmose (avec de la sulfadiazine ou un autre sulfamidé)

Remarque: le traitement doit être administré pendant 3 à 6 semaines. Si un traitement supplémentaire est indiqué, une période de 2 semaines doit s'écouler entre les traitements.

- **PO (adultes et enfants > 6 ans):** 50 mg par jour, initialement; ensuite 25 mg par jour (des doses plus élevées peuvent s'avérer nécessaires chez les patients séropositifs ou sidéens); à administrer avec 150 mg/kg (maximum 4 g) de sulfadiazine par jour, en 4 doses fractionnées.
- **PO (enfants de 2 à 6 ans):** 25 mg par jour, initialement; ensuite 12,5 mg par jour; à administrer avec 150 mg/kg (maximum 2 g) de sulfadiazine par jour, en 4 doses fractionnées.
- **PO (enfants de 10 mois à 2 ans):** 12,5 mg par jour, à administrer avec 150 mg/kg (maximum 1,5 g) de sulfadiazine par jour, en 4 doses fractionnées.
- **PO (nourrissons de 3 à 9 mois):** 6,25 mg par jour, à administrer avec 100 mg/kg (maximum 1 g) de sulfadiazine par jour, en 4 doses fractionnées.
- **PO (nourrissons < 3 mois):** 6,25 mg tous les deux jours, à administrer avec 100 mg/kg (maximum 750 mg) de sulfadiazine tous les 2 jours, en 4 doses fractionnées.

PHARMACODYNAMIE
(concentrations sanguines)

	DÉBUT D'ACTION	PIC	DURÉE
PO	inconnu	3 h	2 semaines*

* Concentrations entraînant la disparition des symptômes

SOINS INFIRMIERS

ÉVALUATION DE LA SITUATION

- ☐ Observer le patient, tous les jours pendant toute la durée du traitement, pour déceler une amélioration des signes et des symptômes d'infection.
- ■ **Étude des examens diagnostiques et biochimiques:** Noter à intervalles réguliers pendant toute la durée du traitement la numération globulaire et la numération plaquettaire. La pyriméthamine peut diminuer le nombre de leucocytes et de plaquettes.

DIAGNOSTICS INFIRMIERS POSSIBLES

- ■ **Énoncés diagnostiques**
- ☐ Risque élevé d'infection.
- ☐ Prise en charge inefficace du programme thérapeutique.

- ■ **Facteurs favorisants**
- ☐ Informations incomplètes.
- ☐ *Manque de connaissances sur les effets secondaires du médicament.*
- ☐ *Manque de connaissances sur les modalités du traitement.*

INTERVENTIONS INFIRMIÈRES

- ■ **PO:** Administrer le médicament avec du lait ou avec des aliments afin de réduire la gêne gastro-intestinale.

ENSEIGNEMENT AU PATIENT ET À SES PROCHES

- ☐ Conseiller au patient de respecter scrupuleusement la posologie recommandée et de prendre toute la quantité de médicament qui lui a été prescrite même s'il se sent mieux.

□ Expliquer au patient recevant la pyriméthamine en prophylaxie les méthodes permettant de réduire l'exposition aux moustiques : utiliser des insectifuges, porter des chemises à manches longues et des pantalons longs, utiliser une moustiquaire.

□ Recommander au patient de prévenir rapidement le médecin en présence de maux de gorge, de pâleur, de purpura ou de glossite. Recommander au patient d'arrêter de prendre la pyriméthamine et d'avertir le médecin dès que les premiers signes de rash cutané se manifestent.

□ Insister sur l'importance des examens diagnostiques et biochimiques aux intervalles prévus, particulièrement dans le cas des patients prenant des doses élevées de médicament. Expliquer au patient qu'il ne devrait pas remettre ni annuler ses rendez-vous.

VÉRIFICATION DES RÉSULTATS

L'efficacité du traitement peut être démontrée par : ■ la prévention ou l'amélioration des signes et des symptômes de malaria ■ l'amélioration des signes et des symptômes de toxoplasmose ■ l'amélioration des signes et des symptômes de pneumonie à *Pneumocystis carinii*.

QUAZÉPAM
(Doral)

CLASSIFICATION :
Hypnosédatif – benzodiazépine
Grossesse – catégorie X

INDICATIONS
Traitement de courte durée (jusqu'à 4 semaines) de l'insomnie.

ACTION
■ Dépression du SNC, probablement par la potentialisation de l'acide gamma-aminobutyrique (GABA), neurotransmetteur inhibiteur. **Effets thérapeutiques :** ■ Amélioration du sommeil.

PHARMACOCINÉTIQUE

Absorption : Bonne absorption par suite de l'administration par voie orale.

Distribution : Une fraction supérieure à 95 % se lie aux protéines plasmatiques.

Métabolisme et excrétion : Le quazépam est surtout métabolisé par le foie. Deux de ses métabolites exercent un effet dépresseur sur le SNC (2-oxoquazépam et N-désalkylflurazépam).

Demi-vie : quazépam : 39 h (prolongée chez les personnes âgées) ; 2-oxoquazépam : 39 h ; n-désalkylflurazépam : de 70 à 75 h.

CONTRE-INDICATIONS ET PRÉCAUTIONS

Contre-indications : ■ Hypersensibilité ■ Risque de réactions de sensibilité croisée avec d'autres benzodiazépines ■ Dépression préexistante du SNC ■ Douleur grave non maîtrisée ■ Glaucome à angle étroit ■ Grossesse ou allaitement.

Précautions : ■ Dysfonctionnement hépatique, personnes âgées, patients débilités ou patients frêles (réduire la dose, au besoin) ■ Patients ayant des tendances suicidaires ou des antécédents de toxicomanie ■ Enfants âgés de moins de 18 ans (l'innocuité du médicament n'a pas été établie).

RÉACTIONS INDÉSIRABLES ET EFFETS SECONDAIRES

SNC : somnolence diurne, étourdissements, faiblesse, confusion, hallucinations, sommeil perturbé, nervosité, faux sentiment de bien-être, céphalées, troubles de l'élocution.

ORLO : vision trouble.

CV : palpitations.

GI : sécheresse de la bouche (xérostomie), douleurs abdominales, constipation, diarrhée, nausées, vomissements.

Q

GU: mictions fréquentes, retard de la miction avec effort pour uriner.

Tég.: rash, démangeaisons.

Loc.: spasmes musculaires.

SN: ataxie, tremblements.

Divers: réactions allergiques, modifications de la libido, dépendance physique, dépendance psychologique.

INTERACTIONS

Médicament – médicament: ■ Dépression additive du SNC lors de l'usage concomitant d'**alcool**, d'**antihistaminiques**, d'**antidépresseurs**, d'**inhibiteurs de la MAO**, d'autres **hypnosédatifs** ou d'**analgésiques narcotiques** ■ La **cimétidine** ou les **contraceptifs oraux** peuvent ralentir le métabolisme du quazépam et en intensifier les effets ■ Le quazépam peut diminuer l'efficacité de la **lévodopa** ■ La **rifampine** ou le **tabagisme** accélère le métabolisme du quazépam et en diminue l'efficacité.

VOIES D'ADMINISTRATION ET POSOLOGIE

PO (adultes): de 7,5 à 15 mg, au coucher (commencer par une dose de 7,5 mg chez les personnes âgées).

PHARMACODYNAMIE

	DÉBUT D'ACTION	PIC	DURÉE
PO	30 min	2 h	8 h

☀ SOINS INFIRMIERS

ÉVALUATION DE LA SITUATION

☐ Noter les habitudes de sommeil du patient, avant le traitement et à intervalles réguliers pendant toute sa durée.

☐ Le traitement prolongé peut entraîner une dépendance psychologique ou physique. Limiter la quantité du médicament dont le patient peut disposer, particulièrement s'il est déprimé ou suicidaire ou s'il a des antécédents de toxicomanie.

DIAGNOSTICS INFIRMIERS POSSIBLES

■ **Énoncés diagnostiques**

☐ Perturbation des habitudes de sommeil.

☐ Risque élevé d'accident.

☐ Prise en charge inefficace du programme thérapeutique.

■ **Facteurs favorisants**

☐ Informations incomplètes.

☐ *Perturbation de la vigilance.*

☐ *Manque de connaissances sur le régime alimentaire à suivre.*

☐ *Manque de connaissances sur les modalités du traitement.*

INTERVENTIONS INFIRMIÈRES

Directives générales: Surveiller les déplacements et le transport des patients après le traitement. Retirer les cigarettes. Soulever les ridelles du lit et laisser la sonnette d'appel à portée de la main en tout temps.

ENSEIGNEMENT AU PATIENT ET À SES PROCHES

☐ Conseiller au patient de respecter scrupuleusement la posologie recommandée. Lui expliquer qu'il est important de préparer un cadre propice au sommeil (par exemple, la pièce doit être sombre et calme; les cigarettes et la caféine sont à proscrire). Par suite de l'administration prolongée du quazépam, il faut souvent arrêter le traitement graduellement. Prévenir le patient que son sommeil peut être perturbé pendant les deux premières nuits qui suivent l'arrêt du traitement.

■ Prévenir le patient que le quazépam peut provoquer de la somnolence diurne. Lui conseiller de ne pas conduire et d'éviter les activités qui exigent sa vigilance jusqu'à ce qu'on ait la certitude que le médicament n'entraîne pas cet effet chez lui.

□ Recommander au patient d'éviter de boire de l'alcool ou de prendre des dépresseurs du SNC en même temps que le quazépam.

□ Conseiller à la patiente d'informer immédiatement le médecin si elle pense être enceinte ou si elle souhaite le devenir.

VÉRIFICATION DES RÉSULTATS

L'efficacité du traitement peut être démontrée par: l'amélioration du sommeil.

QUINAPRIL
Accupril

CLASSIFICATION:
Antihypertenseur – inhibiteur de l'enzyme de conversion de l'angiotensine (ECA)

Grossesse – catégorie inconnue

INDICATIONS

Hypertension – en monothérapie ou en association avec d'autres médicaments incluant les diurétiques de type thiazidique.

ACTION

■ Inhibition de la production d'angiotensine II, vasoconstricteur puissant qui stimule la sécrétion d'aldostérone, en empêchant sa transformation en une forme active, ce qui entraîne une vasodilatation généralisée ■ **Effets thérapeutiques:** Baisse de la pression artérielle chez les patients souffrant d'hypertension.

PHARMACOCINÉTIQUE

Absorption: Bonne absorption par suite de l'administration PO.
Distribution: Inconnue. Le quinapril semble traverser le placenta. Des quantités infimes peuvent pénétrer dans le lait maternel.
Métabolisme et excrétion: Inconnus.
Demi-vie: Inconnue.

CONTRE-INDICATIONS ET PRÉCAUTIONS

Contre-indications: ■ Hypersensibilité ■ Risque de réactions de sensibilité croisée avec les autres inhibiteurs de l'ECA ■ Allaitement.
Précautions: ■ Insuffisance rénale, hypovolémie, hyponatrémie, personnes âgées (réduire la dose) ■ Sténose aortique ■ Maladie cérébrovasculaire ou insuffisance cardiaque ■ Grossesse (risque d'hypotension, d'oligurie, d'insuffisance rénale, d'hypoplasie crânienne et d'autres anomalies fœtales ou de mort du fœtus) ■ Enfants (l'innocuité du médicament n'a pas été établie) ■ Intervention chirurgicale et anesthésie (risque d'exacerbation de l'hypotension).

RÉACTIONS INDÉSIRABLES ET EFFETS SECONDAIRES

SNC: céphalées, étourdissements, fatigue, insomnie, faiblesse.
ORLO: ANGIO-ŒDÈME.
Resp.: toux.
CV: hypotension, palpitations, douleurs thoraciques.
GI: nausées, diarrhée.
GU: insuffisance rénale, protéinurie, impuissance.
Tég.: rash.
Hémat.: leucopénie, éosinophilie.

INTERACTIONS

Médicament – médicament: ■ Hypotension additive et parfois excessive lors de l'administration concomitante d'autres **antihypertenseurs**, de **diurétiques**, de **dérivés nitrés** ou de l'ingestion d'**alcool** ■ Les **suppléments de potassium** ou les **diurétiques d'épargne potassique**, administrés simultanément, peuvent provoquer une hyperkaliémie ■ La réponse antihypertensive peut être diminuée par les **anti-inflammatoires non stéroïdiens** ■ Le quinapril élève les concentrations sanguines de **lithium** et en augmente le risque de toxicité ■ Risque accru de réactions d'hypersensibilité lors de l'administration concomitante d'**allopurinol**.

VOIES D'ADMINISTRATION ET POSOLOGIE

PO (adultes): initialement, 10 mg par jour ; la dose d'entretien habituelle est de 10 à 20 mg par jour. Il ne faut pas dépasser 40 mg par jour. Lors d'un traitement d'association avec un diurétique, il faut commencer le traitement par 5 mg, une fois par jour. On peut fractionner les doses élevées et les administrer 2 fois par jour. Augmenter les doses à intervalles de 2 semaines. Il faut adapter la posologie chez les patients souffrant d'insuffisance rénale.

PHARMACODYNAMIE
(effet antihypertenseur)

	DÉBUT D'ACTION	PIC	DURÉE
PO	inconnu	2 – 6 h	12 – 24 h

✳ SOINS INFIRMIERS

ÉVALUATION DE LA SITUATION

☐ Mesurer la pression artérielle et le pouls, à intervalles fréquents au cours de la période initiale d'adaptation de la posologie et à intervalles réguliers pendant toute la durée du traitement. Signaler au médecin tout changement important.

■ **Étude des examens diagnostiques et biochimiques :** Noter à intervalles réguliers les concentrations d'urée, de créatinine et d'électrolytes. Les concentrations sériques de potassium peuvent être accrues et les concentrations d'urée et de créatinine, passagèrement accrues alors que les concentrations de sodium peuvent être réduites.

DIAGNOSTICS INFIRMIERS POSSIBLES

■ **Énoncés diagnostiques**
☐ Diminution du débit cardiaque.
☐ Prise en charge inefficace du programme thérapeutique.
☐ Non-observance du traitement médicamenteux.
☐ *Risque élevé d'accident.*

■ **Facteurs favorisants**
☐ Informations incomplètes.
☐ Doute quant aux bienfaits du médicament.
☐ *Perturbation de la vigilance.*
☐ *Manque de connaissances sur les effets hypotensifs du médicament lors des changements brusques de position.*
☐ *Manque de connaissances sur la méthode d'administration du médicament.*
☐ *Difficulté à s'adapter aux changements nécessaires dans les habitudes de vie.*
☐ *Manque de connaissances sur le régime alimentaire à suivre.*
☐ *Manque de connaissances sur les effets secondaires du médicament.*

INTERVENTIONS INFIRMIÈRES

■ **PO :** On peut observer une chute brusque de la pression artérielle après l'administration de la première dose. On peut diminuer les risques d'hypotension en arrêtant le traitement par les diurétiques, 2 ou 3 jours avant le début du traitement par le quinapril. Reprendre le traitement par les diurétiques si le quinapril ne stabilise pas la pression artérielle.

☐ Les adaptations posologiques doivent être effectuées toutes les 2 semaines, selon la réponse de la pression artérielle au moment des pics sanguins (de 2 à 6 h) et des creux (avant l'administration de la dose).

ENSEIGNEMENT AU PATIENT ET À SES PROCHES

☐ Conseiller au patient de respecter scrupuleusement la posologie recommandée et de continuer de prendre le médicament, même s'il se sent mieux. S'il n'a pu prendre le médicament au moment habituel, il doit le prendre aussitôt que possible, sauf si c'est presque l'heure prévue pour la dose suivante. Il ne faut jamais remplacer une dose manquée par une double dose. Le médicament stabilise la pression artérielle, mais ne guérit pas l'hypertension. Prévenir le patient qu'il ne doit arrêter le traitement par le quinapril que si le médecin le lui recommande.

☐ Inciter le patient à appliquer d'autres mesures de réduction de l'hypertension : perdre du poids, cesser de fumer, boire avec modération, faire de l'exercice et diminuer le stress.

☐ Montrer au patient et à ses proches comment prendre la pression artérielle. Leur recommander de mesurer la pression artérielle au moins une fois par semaine et de signaler au médecin tout changement important.

☐ Conseiller au patient d'éviter les substituts de sel ou les aliments riches en potassium ou en sodium, sauf avis médical contraire (voir l'annexe K).

☐ Recommander au patient de changer lentement de position pour réduire les risques d'hypotension orthostatique, particulièrement après l'administration de la dose initiale. Prévenir le patient que l'effort par temps chaud peut augmenter les effets hypotensifs du médicament.

☐ Conseiller au patient de consulter le médecin ou le pharmacien avant de prendre des médicaments en vente libre, particulièrement des médicaments contre le rhume, en même temps que le quinapril. Lui conseiller également de ne pas boire du thé, du café ou des boissons à base de cola en quantités excessives.

☐ Prévenir le patient que le quinapril peut provoquer des étourdissements. Lui conseiller de ne pas conduire et d'éviter les activités qui exigent sa vigilance jusqu'à ce qu'on ait la certitude que le médicament n'entraîne pas cet effet chez lui.

☐ Recommander au patient qui doit suivre un traitement dentaire ou subir une intervention chirurgicale d'avertir le dentiste ou le médecin qu'il suit un traitement médicamenteux.

☐ Recommander au patient de signaler au médecin les symptômes suivants : rash, aphtes, maux de gorge, fièvre, œdème des mains ou des pieds, palpitations, douleurs thoraciques, toux sèche, enflure du visage, des yeux, des lèvres et de la langue ou difficultés respiratoires. Lui conseiller de prévenir également le médecin si l'altération du goût persiste.

☐ Insister sur l'importance des examens de suivi permettant d'évaluer les bienfaits du traitement.

VÉRIFICATION DES RÉSULTATS

L'efficacité du traitement peut être démontrée par : la baisse de la pression artérielle sans apparition d'effets secondaires.

QUINIDINE

quinidine, bisulfate de
Biquin Durules

quinidine, gluconate de
Quinaglute Duratabs, (Duraquin), (Quinalan), (Quinate), (Quinatime), (Quin-Release)

quinidine, phényléthylbarbiturate de
Natisédine, Quinobarb

quinidine, polygalacturonate de
Cardioquin

quinidine, sulfate de
Apo-Quinidine, Novo-Quinidin, Quinidex Extentabs, (Cin-Quin), (Quinidex), (Quinora)

CLASSIFICATION :
Antiarythmique – classe IA
Grossesse – catégorie C

INDICATIONS

■ Traitement d'une vaste gamme d'arythmies ventriculaires et auriculaires dont :
☐ les contractions auriculaires prématurées ☐ les contractions ventriculaires

prématurées □ la tachycardie ventriculaire □ la tachycardie auriculaire paroxystique □ le maintien d'un rythme sinusal normal après cardioversion, en cas de fibrillation ou de flutter auriculaire ■ Traitement adjuvant de l'anxiété, de la tension ou de l'insomnie associées à l'arythmie cardiaque (phényléthylbarbiturate). **Usages non approuvés:** ■ Traitement du paludisme (gluconate par voie IV seulement).

ACTION

■ Diminution de l'excitabilité du myocarde ■ Diminution de la vitesse de conduction. **Effets thérapeutiques:** ■ Suppression des arythmies.

PHARMACOCINÉTIQUE

Absorption: Bonne absorption depuis le tractus gastro-intestinal et les points d'injection IM. L'absorption des préparations PO à libération prolongée de sulfate de quinidine (Quinidex Extentabs) ou de gluconate de quinidine (Quinaglute Duratabs) et du sel de polygalacturonate est plus lente.

Distribution: Le médicament se répartit dans tout l'organisme. Il traverse le placenta et pénètre dans le lait maternel.

Métabolisme et excrétion: L'agent est métabolisé par le foie. Une fraction de 10 à 30 % est excrétée à l'état inchangé par les reins.

Demi-vie: De 6 à 8 h (prolongée en cas d'insuffisance cardiaque ou d'insuffisance hépatique grave).

CONTRE-INDICATIONS ET PRÉCAUTIONS

Contre-indications: ■ Hypersensibilité ■ Troubles de conduction ■ Toxicité digitalique.

Précautions: ■ Insuffisance cardiaque ou insuffisance hépatique grave (il est recommandé de réduire la dose) ■ Grossesse, allaitement ou enfants (l'innocuité du médicament n'a pas été établie; il ne faudrait pas administrer aux enfants des préparations à libération prolongée).

RÉACTIONS INDÉSIRABLES ET EFFETS SECONDAIRES

SNC: vertiges, céphalées, étourdissements.

ORLO: acouphènes, vision trouble, photophobie, mydriase, diplopie.

CV: HYPOTENSION, tachycardie, arythmies.

GI: diarrhée, nausées, crampes, anorexie, goût amer, hépatite.

Tég.: rash.

Hémat.: thrombocytopénie, anémie hémolytique.

Divers: fièvre.

INTERACTIONS

Médicament – médicament: ■ La quinidine élève les concentrations sériques de **digoxine** et peut mener à une toxicité (il est recommandé de réduire la dose de digoxine) ■ La **phénytoïne**, le **phénobarbital** et la **rifampine** peuvent accélérer le métabolisme de la quinidine et en réduire l'efficacité ■ La **cimétidine** peut ralentir le métabolisme de la quinidine et en augmenter les concentrations sanguines ■ La quinidine accentue l'effet des **bloqueurs neuromusculaires** et des **anticoagulants oraux** ■ Risque d'hypotension additive lors de l'administration concomitante d'**antihypertenseurs** et de **dérivés nitrés** ainsi que de l'ingestion d'**alcool** ■ La quinidine peut contrecarrer les effets du **traitement anticholinestérasique** chez les patients souffrant de myasthénie grave ■ Les **médicaments qui alcalinisent l'urine**, incluant les **antiacides** ou le **bicarbonate de sodium** en doses élevées, élèvent les concentrations sanguines de quinidine et augmentent le risque de toxicité. **Médicament – aliments:** ■ Les **aliments qui alcalinisent l'urine** (voir l'annexe K) peuvent élever les concentrations sanguines de quinidine et augmenter le risque de toxicité.

PRÉSENTATION

La quinidine existe sous forme de comprimés, de capsules, de comprimés à libération prolongée et de préparations injectables.

VOIES D'ADMINISTRATION ET POSOLOGIE

Bisulfate de quinidine
Un comprimé de bisulfate à 250 mg équivaut à 200 mg de sulfate de quinidine.
- **PO (adultes):** de 500 à 1250 mg de bisulfate, toutes les 12 h.

Gluconate de quinidine (quinidine à 62 %)
- **PO (adultes):** de 324 à 648 mg, toutes les 6 à 12 h (comprimés à libération prolongée).
- **IM (adultes):** initialement, une dose de 600 mg suivie, d'une dose allant jusqu'à 400 mg, toutes les 2 h.
- **IV (adultes):** habituellement, une dose de 330 mg ou moins permettra de mettre fin à l'arythmie. Dans certains cas, une dose IV pouvant atteindre 500 ou 750 mg peut s'avérer nécessaire. Perfuser à un débit de 16 mg à la minute.

Phényléthylbarbiturate de quinidine
- **PO (adultes):** de 100 à 300 mg par jour, en doses fractionnées.

Polygalacturonate de quinidine (quinidine à 60 %)
- **PO (adultes):** initialement, de 275 à 825 mg; on peut répéter l'administration de cette dose, 3 ou 4 plus tard. La dose peut être augmentée par paliers de 137,5 à 275 mg et administrée 3 ou 4 fois, jusqu'à ce que l'arythmie soit maîtrisée. La dose d'entretien habituelle est de 275 mg, toutes les 8 à 12 h.
- **PO (enfants) (É.-U.):** 8,25 mg/kg ou 247,5 mg/m^2, 5 fois par jour.

Sulfate de quinidine (quinidine à 83 %)

Contractions auriculaires ou ventriculaires prématurées
- **PO (adultes):** de 200 à 300 mg, toutes les 6 à 8 h ou, en traitement d'entretien, de 300 à 600 mg sous forme de préparation à libération prolongée, toutes les 8 à 12 h (ne pas dépasser 4 g par jour). On peut aussi administrer une dose d'attaque de 12 mg/kg, suivie d'une dose d'entretien de 6 mg/kg, toutes les 4 à 6 h.
- **PO (enfants) (É.-U.):** 6 mg/kg ou 180 mg/m^2, 5 fois par jour.

Tachycardie auriculaire paroxystique
- **PO (adultes):** de 400 à 600 mg, toutes les 2 à 3 h, jusqu'à l'arrêt de l'arythmie; par la suite, administrer de 200 à 300 mg, toutes les 6 à 8 h ou, en traitement d'entretien, de 300 à 600 mg sous forme de préparation à libération prolongée, toutes les 8 à 12 h (ne pas dépasser 4 g par jour).

Conversion de la fibrillation auriculaire
- **PO (adultes):** 200 mg, toutes les 2 à 3 h (de 5 à 8 doses). On peut augmenter la dose quotidienne selon les besoins. Par la suite, administrer de 200 à 300 mg, toutes les 6 à 8 h ou, en traitement d'entretien, de 300 à 600 mg sous forme de préparation à libération prolongée, toutes les 8 à 12 h (ne pas dépasser 4 g par jour).

PHARMACODYNAMIE (effets antiarythmiques)

	DÉBUT D'ACTION	PIC	DURÉE
PO (sulfate)	30 min	1 – 1,5 h	6 – 8 h
PO (sulfate – libération prolongée)	inconnu	4 h	8 – 12 h
PO (gluconate)	inconnu	3 – 4 h	6 – 8 h
PO (polyga-lacturonate)	inconnu	6 h	8 – 12 h
IM	30 min	30 – 90 min	6 – 8 h
IV	1 – 5 min	rapide	6 – 8 h

SOINS INFIRMIERS

ÉVALUATION DE LA SITUATION
☐ Mesurer la pression artérielle et le pouls, et examiner l'ÉCG constamment pendant toute la durée de l'administration IV. Ces paramètres doivent être suivis à intervalles réguliers

pendant toute la durée de l'administration PO. Il faut habituellement interrompre l'administration IV si l'arythmie est supprimée, si le complexe QRS s'élargit de 50 %, si les intervalles PR ou QT s'allongent ou si des extrasystoles ventriculaires fréquentes ou une tachycardie surviennent. Le patient doit rester couché pendant toute la durée de l'administration IV pour réduire les risques d'hypotension.

- **Étude des examens diagnostiques et biochimiques:** Examiner à intervalles réguliers pendant toute la durée du traitement prolongée, les résultats des tests de l'exploration fonctionnelle rénale et hépatique, la numération globulaire et les concentrations sériques de potassium.
- **Toxicité et surdosage:** On peut examiner à intervalles réguliers pendant l'ajustement de la posologie les concentrations sériques de quinidine. Les concentrations sériques thérapeutiques se situent entre 9,4 et 18,8 μmol/L. Les effets toxiques surviennent habituellement à des concentrations > 25 μmol/L.
- □ Les signes et symptômes de toxicité ou de cinchonisme sont les suivants: acouphènes, troubles visuels, céphalées et étourdissements.
- □ Les signes cardiaques de toxicité sont: l'élargissement du complexe QRS, les asystoles cardiaques, les extrasystoles ventriculaires, les rythmes idioventriculaires (tachycardie ventriculaire, fibrillation ventriculaire), la tachycardie paroxystique et l'embolie artérielle.

DIAGNOSTICS INFIRMIERS POSSIBLES

- **Énoncés diagnostiques**
- □ Diminution du débit cardiaque.
- □ Prise en charge inefficace du programme thérapeutique.
- □ *Risque élevé d'accident.*
- □ *Risque élevé de déficit nutritionnel.*
- □ *Risque élevé d'intoxication.*

- **Facteurs favorisants**
- □ Informations incomplètes.
- □ *Perturbation de la vigilance.*
- □ *Manque de connaissances sur les moyens de prévenir les effets secondaires affectant l'appareil gastro-intestinal.*
- □ *Manque de connaissances sur la méthode d'administration du médicament.*
- □ *Manque de connaissances sur les modalités du traitement.*

INTERVENTIONS INFIRMIÈRES

- **Directives générales:** Pour vérifier la tolérance du patient aux effets du médicament, on peut administrer avant le traitement par la quinidine un comprimé ordinaire comme dose d'essai.
- □ Pour corriger les arythmies auriculaires, on doit parfois administrer des doses plus élevées que celles administrées habituellement pour réduire les arythmies ventriculaires.
- **PO:** Administrer le médicament à jeun, une heure avant ou deux heures après les repas, pour en accélérer l'absorption, avec un grand verre d'eau. Si l'irritation gastrique devient gênante, administrer le médicament avec des aliments ou juste après les repas. Les préparations à libération prolongée (Duraquin, Quinaglute Duratabs, Quinidex Extentabs) doivent être avalées telles quelles, sans être brisées, broyées ni mâchées.
- **IV:** N'utiliser que la solution qui est transparente et incolore.
- **Perfusion intermittente:** Diluer 800 mg de gluconate de quinidine (10 mL) dans au moins 40 mL d'une solution pour injection de dextrose à 5 % dans de l'eau pour obtenir une concentration maximale de 16 mg/mL. La solution est stable pendant 24 h à la température ambiante.
- □ Diluer 600 mg de sulfate de quinidine dans 40 mL d'une solution de dextrose à 5 % dans de l'eau.

□ *Vitesse d'administration*: Administrer le gluconate de quinidine ou le sulfate de quinidine à un débit ne dépassant pas 1 mL/min. Administrer la solution par une pompe de perfusion pour s'assurer que le patient reçoit la dose exacte. Une administration trop rapide peut provoquer de l'hypotension.

■ **Compatibilités (tubulure en Y) :** GLUCONATE DE QUINIDINE avec du diazépam.

■ **Incompatibilités (tubulure en Y) :** GLUCONATE DE QUINIDINE avec du furosémide.

■ **Compatibilités en addition au soluté :** GLUCONATE DE QUINIDINE avec du brétylium, de la cimétidine ou du vérapamil.

ENSEIGNEMENT AU PATIENT ET À SES PROCHES

□ Conseiller au patient de prendre le médicament à intervalles réguliers, 24 h sur 24, en respectant scrupuleusement la posologie recommandée, même s'il se sent mieux. S'il n'a pu prendre le médicament au moment habituel, il doit le prendre dès que possible, dans les 2 h qui suivent. Sinon, il doit sauter cette dose. L'avertir qu'il ne faut jamais remplacer une dose manquée par une double dose.

□ Montrer au patient ou à ses proches comment prendre le pouls. Leur conseiller de signaler au médecin tout changement dans la fréquence ou le rythme du pouls.

□ Prévenir le patient que la quinidine peut provoquer des étourdissements ou une vision trouble. Lui conseiller de ne pas conduire et d'éviter les activités qui exigent sa vigilance jusqu'à ce qu'on ait la certitude que le médicament n'entraîne pas ces effets chez lui.

□ Prévenir le patient que la quinidine peut le rendre plus sensible à la lumière. Lui conseiller de porter des lunettes de soleil pour réduire cet effet.

□ Recommander au patient qui doit suivre un traitement dentaire ou subir une intervention chirurgicale d'avertir le dentiste ou le médecin qu'il suit un traitement médicamenteux.

□ Recommander au patient de consulter le médecin ou le pharmacien avant de prendre des médicaments en vente libre en même temps que la quinidine.

□ Recommander au patient de contacter le médecin en cas de diarrhée grave ou persistante.

□ Recommander au patient de porter sur lui en tout temps une pièce d'identité où sont inscrits son problème de santé et son traitement médicamenteux.

□ Insister sur l'importance des examens réguliers de suivi permettant d'évaluer les bienfaits du traitement.

VÉRIFICATION DES RÉSULTATS

L'efficacité du traitement peut être démontrée par : la résolution des arythmies cardiaques sans effets secondaires nocifs.

RAMIPRIL
Altace

CLASSIFICATION :
Antihypertenseur – inhibiteur de l'enzyme de conversion de l'angiotensine (ECA)

Grossesse – catégorie D

INDICATIONS

Hypertension – en monothérapie ou en association avec des diurétiques de type thiazidique.

ACTION

■ Inhibition de la production d'angiotensine II, vasoconstricteur puissant qui stimule la sécrétion d'aldostérone, en

R

empêchant sa transformation en une forme active, ce qui entraîne une vasodilatation généralisée ■ **Effets thérapeutiques:** Baisse de la pression artérielle chez les patients souffrant d'hypertension.

PHARMACOCINÉTIQUE

Absorption: Bonne absorption par suite de l'administration PO.

Distribution: Inconnue. Le ramipril semble traverser le placenta. Des quantités infimes peuvent pénétrer dans le lait maternel.

Métabolisme et excrétion: Le ramipril est surtout métabolisé par le foie. Une certaine fraction du médicament est transformée en ramiprilate, composé hypotenseur actif.

Demi-vie: Ramipril: 5 h; ramiprilate: 23,5 h.

CONTRE-INDICATIONS ET PRÉCAUTIONS

Contre-indications: ■ Hypersensibilité ■ Risque de réactions de sensibilité croisée avec les autres inhibiteurs de l'ECA ■ Allaitement.

Précautions: ■ Insuffisance rénale, hypovolémie, hyponatrémie, personnes âgées (réduire la dose) ■ Sténose aortique ■ Maladie cérébrovasculaire ou insuffisance cardiaque ■ Grossesse (risque d'hypotension, d'oligurie, d'insuffisance rénale, d'hypoplasie crânienne et d'autres anomalies fœtales ou de mort du fœtus) ■ Enfants (l'innocuité du médicament n'a pas été établie) ■ Interventions chirurgicales et anesthésie (risque d'exacerbation de l'hypotension).

RÉACTIONS INDÉSIRABLES ET EFFETS SECONDAIRES

SNC: céphalées, étourdissements, fatigue, insomnie, faiblesse.

ORLO: ANGIO-ŒDÈME.

Resp.: toux.

CV: hypotension, palpitations, douleurs thoraciques.

GI: nausées, diarrhée.

GU: insuffisance rénale, protéinurie, impuissance.

Tég.: rash.

Hémat.: leucopénie, éosinophilie.

INTERACTIONS

Médicament – médicament: ■ Hypotension additive et parfois excessive lors de l'administration concomitante d'autres **antihypertenseurs**, de **diurétiques**, de **dérivés nitrés** ou de l'ingestion d'**alcool** ■ Les **suppléments de potassium** ou les **diurétiques d'épargne potassique**, administrés simultanément, peuvent provoquer une hyperkaliémie ■ La réponse antihypertensive peut être diminuée par les **anti-inflammatoires non stéroïdiens** ■ Le ramipril élève les concentrations sanguines de **lithium** et augmente le risque de toxicité ■ Risque accru de réactions d'hypersensibilité lors de l'administration concomitante d'**allopurinol**.

VOIES D'ADMINISTRATION ET POSOLOGIE

PO (adultes): initialement, 2,5 mg, une fois par jour. la dose d'entretien habituelle est de 2,5 à 10 mg, une fois par jour. La dose quotidienne ne doit pas dépasser 20 mg.

PHARMACODYNAMIE
(effet antihypertenseur)

	DÉBUT D'ACTION	PIC	DURÉE
PO	1,5 – 2 h	6 – 8 h	24 – 72 h

☀ SOINS INFIRMIERS

ÉVALUATION DE LA SITUATION

☐ Mesurer la pression artérielle et le pouls à intervalles fréquents au cours de la période initiale d'adaptation de la posologie et à intervalles réguliers pendant toute la durée du traitement. Signaler au médecin tout changement important.

■ **Étude des examens diagnostiques et bio-chimiques :** Noter à intervalles réguliers les concentrations d'urée, de créatinine et d'électrolytes. Les concentrations sériques de potassium peuvent être accrues et les concentrations d'urée et de créatinine, passagèrement accrues, alors que les concentrations de sodium peuvent être réduites.

DIAGNOSTICS INFIRMIERS POSSIBLES

■ Énoncés diagnostiques

□ Diminution du débit cardiaque.

□ Prise en charge inefficace du programme thérapeutique.

□ Non-observance du traitement médicamenteux.

□ *Risque élevé d'accident.*

■ Facteurs favorisants

□ Informations incomplètes.

□ Doute quant aux bienfaits du médicament.

□ *Perturbation de la vigilance.*

□ *Manque de connaissances sur les effets hypotensifs du médicament lors des changements brusques de position.*

□ *Manque de connaissances sur la méthode d'administration du médicament.*

□ *Difficulté à s'adapter aux changements nécessaires dans les habitudes de vie.*

□ *Manque de connaissances sur le régime alimentaire à suivre.*

□ *Manque de connaissances sur les effets secondaires du médicament.*

INTERVENTIONS INFIRMIÈRES

PO : On peut observer une chute brusque de la pression artérielle après l'administration de la première dose. On peut diminuer les risques d'hypotension en arrêtant le traitement par les diurétiques, 2 ou 3 jours avant le début du traitement par le ramipril. Reprendre le traitement par les diurétiques si le ramipril ne stabilise pas la pression artérielle.

ENSEIGNEMENT AU PATIENT ET À SES PROCHES

□ Conseiller au patient de respecter scrupuleusement la posologie recommandée et de continuer de prendre le médicament, même s'il se sent mieux. S'il n'a pu prendre le médicament au moment habituel, il doit le prendre aussitôt que possible, sauf si c'est presque l'heure prévue pour la dose suivante. Il ne faut jamais remplacer une dose manquée par une double dose. Le médicament stabilise la pression artérielle, mais ne guérit pas l'hypertension. Prévenir le patient qu'il ne doit pas arrêter le traitement par le ramipril sans la recommandation expresse du médecin.

□ Inciter le patient à appliquer d'autres mesures de réduction de l'hypertension : perdre du poids, cesser de fumer, boire avec modération, faire de l'exercice et diminuer le stress.

□ Montrer au patient et à ses proches comment prendre la pression artérielle. Leur recommander de mesurer la pression artérielle au moins une fois par semaine et de signaler au médecin tout changement important.

□ Conseiller au patient d'éviter les substituts de sel ou les aliments riches en potassium ou en sodium, sauf avis médical contraire.

□ Recommander au patient de changer lentement de position pour réduire les risques d'hypotension orthostatique, particulièrement après l'administration de la dose initiale. Prévenir le patient que l'effort par temps chaud peut augmenter les effets hypotensifs du médicament.

□ Conseiller au patient de consulter le médecin ou le pharmacien avant de prendre des médicaments en vente libre, particulièrement des médicaments contre le rhume, en même temps que le ramipril. Lui conseiller également de ne pas boire du thé, du

R

café ou des boissons à base de cola en quantités excessives.

□ Prévenir le patient que le ramipril peut provoquer des étourdissements. Lui conseiller de ne pas conduire et d'éviter les activités qui exigent sa vigilance jusqu'à ce qu'on ait la certitude que le médicament n'entraîne pas cet effet chez lui.

□ Recommander au patient qui doit suivre un traitement dentaire ou subir une intervention chirurgicale d'avertir le dentiste ou le médecin qu'il suit un traitement médicamenteux.

□ Recommander au patient de signaler au médecin les symptômes suivants : rash, aphtes, maux de gorge, fièvre, œdème des mains ou des pieds, palpitations, douleurs thoraciques, toux sèche, enflure du visage, des yeux, des lèvres et de la langue ou difficultés respiratoires.

□ Insister sur l'importance des examens de suivi permettant d'évaluer les bienfaits du traitement.

VÉRIFICATION DES RÉSULTATS

L'efficacité du traitement peut être démontrée par : la baisse de la pression artérielle sans apparition d'effets secondaires.

RANITIDINE
Apo-Ranitidine, Novo-Ranidine, Nu-Ranit, Zantac, Zantac-C

CLASSIFICATION :
Antagoniste des récepteurs H₂ de l'histamine ; agent gastro-intestinal – traitement de l'ulcère

Grossesse – catégorie B

INDICATIONS

■ Traitement (de courte durée) et prophylaxie (de longue durée) de l'ulcère duodénal en évolution ■ Traitement de courte durée et prophylaxie des ulcères gastriques bénins ■ Traitement de l'ul-

cère gastro-duodénal postopératoire ■ Traitement du reflux gastro-œsophagien ■ Traitement de l'hypergastrinémie (syndrome de Zollinger-Ellison) ■ Traitement des lésions (ulcères ou érosions) provoquées par les anti-inflammatoires non stéroïdiens ■ Mesure prophylactique dans les cas d'hémorragie digestive consécutive à un ulcère de stress chez les patients gravement malades ■ Prophylaxie du syndrome d'aspiration acide avant une anesthésie générale chez les patients à risque (femmes en travail, personnes très obèses).

ACTION

■ Inhibition de l'activité de l'histamine aux sites des récepteurs H₂ situés surtout dans les cellules de la paroi gastrique ■ Inhibition de la sécrétion d'acide gastrique. **Effets thérapeutiques :** ■ Guérison et prophylaxie des ulcères.

PHARMACOCINÉTIQUE

Absorption : Par suite de l'administration PO et IM, le médicament est bien absorbé.

Distribution : Le médicament se répartit dans tout l'organisme. Il pénètre dans le lait maternel et traverse probablement le placenta. Il traverse la barrière hémato-encéphalique en petites quantités seulement.

Métabolisme et excrétion : La ranitidine est métabolisée par le foie, surtout lors d'un premier passage. Par suite de l'administration PO, une fraction de 30 % est excrétée à l'état inchangé par les reins. Par suite de l'administration par voie parentérale, une fraction allant de 70 à 80 % peut être excrétée à l'état inchangé par les reins.

Demi-vie : De 1,7 à 3 h (prolongée en cas d'insuffisance rénale).

CONTRE-INDICATIONS ET PRÉCAUTIONS

Contre-indication : Hypersensibilité.
Précautions : ■ Personnes âgées ■ Insuffisance rénale ■ Insuffisance hépatique

(risque accru de confusion; il est recommandé de réduire la dose) ■ Grossesse, allaitement ou enfants (l'innocuité du médicament n'a pas été établie).

RÉACTIONS INDÉSIRABLES ET EFFETS SECONDAIRES

SNC: confusion, étourdissements, céphalées, malaise, somnolence.
CV: bradycardie, tachycardie, contractions ventriculaires prématurées.
Tég.: rash.
ORLO: douleurs oculaires, vision trouble.
End.: gynécomastie.
GI: nausées, constipation, hépatite, douleurs abdominales, diarrhée.
GU: impuissance.

INTERACTIONS

Médicament – médicament: ■ Les **antiacides** peuvent réduire l'absorption de la ranitidine ■ Le **tabagisme** peut réduire l'efficacité de la ranitidine ■ La ranitidine diminue l'absorption du **kétoconazole**.

VOIES D'ADMINISTRATION ET POSOLOGIE

Ulcère en évolution – traitement de courte durée
■ **PO (adultes):** 150 mg, 2 fois par jour, ou 300 mg, au coucher, pendant 4 à 8 semaines. Lors du traitement des ulcères duodénaux, l'administration de 300 mg, 2 fois par jour, pendant 4 semaines, peut être utile pour accélérer la cicatrisation.
■ **IM (adultes):** 50 mg, toutes les 6 à 8 h (jusqu'à concurrence de 400 mg par jour).
■ **IV (adultes):** 50 mg, toutes les 6 à 8 h ou perfusion à un débit de 6,25 mg/h.

Ulcères gastroduodénaux – prophylaxie
■ **PO (adultes):** 150 mg, une fois par jour, au coucher.

Reflux gastro-œsophagien
■ **PO (adultes):** 150 mg, 2 fois par jour, ou 300 mg au coucher pendant une

période pouvant aller jusqu'à 8 semaines.

Hypergastrinémie
(syndrome de Zollinger-Ellison)
■ **PO (adultes):** 150 mg, 3 fois par jour (jusqu'à concurrence de 6 g par jour).
■ **IV (adultes) (É.-U.):** Initialement, 1 mg/kg à l'heure, par perfusion continue. Selon la sécrétion d'acide gastrique mesurée après 4 h, on peut augmenter le débit de 0,5 mg/kg à l'heure jusqu'à concurrence de 2,5 mg/kg à l'heure.

PHARMACODYNAMIE
(inhibition des sécrétions d'acide gastrique)

	DÉBUT D'ACTION	PIC	DURÉE
PO	inconnu	1 – 3 h	8 – 12 h
IM	inconnu	15 min	8 – 12 h
IV	inconnu	15 min	8 – 12 h

☀ SOINS INFIRMIERS

ÉVALUATION DE LA SITUATION

▢ Examiner régulièrement le patient pour déceler la douleur épigastrique ou abdominale et la présence de sang occulte ou franc dans les selles, les vomissures ou les échantillons prélevés par aspiration gastrique.
▢ Examiner régulièrement les personnes âgées ou les patients gravement malades pour déceler la confusion et prévenir rapidement le médecin, le cas échéant.
■ **Étude des examens diagnostiques et biochimiques:** Examiner la numération globulaire et la formule leucocytaire à intervalles réguliers pendant toute la durée du traitement.
▢ La ranitidine peut entraîner une élévation passagère des concentrations sériques de transaminase et de créatinine.
▢ La ranitidine contrecarre les effets de la pentagastrine et de l'histamine lors

du test d'exploration de la sécrétion gastrique. Ne pas administrer le médicament dans les 24 h qui précèdent ce test.

☐ La ranitidine peut entraîner des résultats faussement négatifs au dosage des protéines urinaires.

☐ La ranitidine peut entraîner des résultats faussement négatifs aux tests cutanés effectués à l'aide d'extraits d'allergène. Ne pas administrer le médicament dans les 24 h qui précèdent un tel test.

DIAGNOSTICS INFIRMIERS POSSIBLES

■ **Énoncés diagnostiques**
☐ Douleur.
☐ Prise en charge inefficace du programme thérapeutique.
☐ *Risque élevé d'accident.*

■ **Facteurs favorisants**
☐ Informations incomplètes.
☐ *Perturbation de la vigilance.*
☐ *Manque de connaissances sur les modalités du traitement.*
☐ *Difficulté à s'adapter aux changements nécessaires dans les habitudes de vie.*

INTERVENTIONS INFIRMIÈRES

■ **PO:** On peut administrer la ranitidine sans égard aux repas, car les aliments n'en altèrent pas l'absorption.
☐ Si les doses PO sont prescrites en association avec des antiacides, espacer la prise des deux médicaments d'au moins 1 h.
■ **IV directe:** Diluer à raison de 50 mg dans 20 mL de solution de NaCl à 0,9 % ou de dextrose à 5 % dans de l'eau pour injection.
☐ *Vitesse d'administration:* Administrer en au moins 5 min. L'administration rapide peut entraîner de l'hypotension et des arythmies.
■ **Perfusion intermittente:** Diluer à raison de 50 mg dans 100 mL de solution de NaCL à 0,9 % ou de dextrose à 5 % dans de l'eau. La solution diluée est stable pendant 24 h à la température

ambiante. Ne pas administrer la solution si elle a changé de couleur ou si elle renferme un précipité.

☐ *Vitesse d'administration:* Administrer la préparation en 15 à 20 min.

■ **Perfusion continue:** Diluer la ranitidine dans une solution de dextrose à 5 % dans de l'eau pour obtenir une concentration de 150 mg/250 mL (ne pas dépasser 2,5 mg/mL dans le cas des patients souffrant du syndrome de Zollinger-Ellison).

☐ *Vitesse d'administration:* Administrer à un débit de 6,25 mg/h. Chez les patients souffrant du syndrome de Zollinger-Ellison, amorcer la perfusion à un débit de 1 mg/kg à l'heure. Si la sécrétion d'acide gastrique est supérieure à 10 mmol/h ou si le patient devient symptomatique après 4 h, augmenter la dose par paliers de 0,5 mg/kg à l'heure et remesurer la sécrétion d'acide gastrique.

■ **Associations compatibles dans la même seringue:** Atropine, cyclizine, dexaméthasone, dimenhydrinate, diphenhydramine, dobutamine, dopamine, édisylate de prochlorpérazine, fentanyl, glycopyrrolate, hydromorphone, isoprotérénol, mépéridine, métoclopramide, morphine, nalbuphine, oxymorphone, pentazocine, perphénazine, prométhazine, scopolamine ou thiéthylpérazine.

■ **Associations incompatibles dans la même seringue:** Hydroxyzine, méthotriméprazine, midazolam, pentobarbital ou phénobarbital.

■ **Compatibilités (tubulure en Y):** Acyclovir, aminophylline, atracurium, brétylium, dobutamine, dopamine, énalaprilate, esmolol, héparine, labétalol, mépéridine, nitroglycérine, ondansétron, pancuronium, procaïnamide, vécuronium ou zidovudine.

■ **Compatibilités en addition au soluté:** Amikacine, aminophylline, chloramphénicol, chlorure de potassium, dobutamine, dopamine, doxycycline, gentamicine, héparine, lidocaïne, moxalactam, nitroprusside, norépinéphrine, pénicilline G sodique, ticarcilline, tobramycine ou vancomycine.

■ **Incompatibilités en addition au soluté :** Amphotéricine B ou clindamycine.

ENSEIGNEMENT AU PATIENT ET À SES PROCHES

▢ Conseiller au patient de respecter scrupuleusement la posologie recommandée pendant toute la durée du traitement prescrit et de continuer à prendre la ranitidine, même s'il se sent mieux. S'il n'a pas pu prendre le médicament au moment habituel, il doit le prendre aussitôt que possible, à moins que ce ne soit presque l'heure prévue pour la dose suivante. L'avertir qu'il ne doit jamais remplacer une dose manquée par une double dose.

▢ Expliquer au patient que le tabagisme entrave les effets de la ranitidine. L'inciter à cesser de fumer ou, au moins, à ne pas fumer après avoir pris la dernière dose de la journée.

▢ Prévenir le patient que la ranitidine peut provoquer de la somnolence ou des étourdissements. Lui conseiller de ne pas conduire et d'éviter les activités qui exigent sa vigilance jusqu'à ce qu'on ait la certitude que le médicament n'entraîne pas ces effets chez lui.

▢ Conseiller au patient d'éviter de boire de l'alcool, de prendre des préparations contenant de l'aspirine ou de consommer des aliments qui peuvent aggraver l'irritation gastrique.

▢ Recommander au patient de signaler rapidement au médecin l'apparition des symptômes suivants : selles noires ou goudronneuses, diarrhée, étourdissements, rash ou confusion.

VÉRIFICATION DES RÉSULTATS

L'efficacité du traitement peut être démontrée par : la diminution des douleurs abdomi-

nales ■ la prévention de l'irritation et de l'hémorragie gastriques. La guérison des ulcères duodénaux est révélée par la radiographie ou l'endoscopie. Il faudrait poursuivre le traitement pendant au moins 4 à 8 semaines après l'épisode initial.

RÉSERPINE

Novo-Réserpine, Serpasil, (Reserfia), (Serpalan)

CLASSIFICATION :

Antihypertenseur – adrénolytique à action périphérique

Grossesse – catégorie C

INDICATIONS

■ Traitement de l'hypertension légère à modérée, en association avec d'autres antihypertenseurs (diurétiques thiazidiques ou hydralazine ou les deux) ■ Traitement des états psychotiques agités (schizophrénie) chez les patients ne pouvant tolérer les phénothiazines ou chez lesquels il faut traiter une hypertension coexistante.

ACTION

■ Déplétion des réserves de noradrénaline et inhibition de son recaptage au niveau des terminaisons nerveuses adrénergiques postganglionnaires. **Effets thérapeutiques :** ■ Abaissement de la pression artérielle.

PHARMACOCINÉTIQUE

Absorption : Par suite de l'administration PO, une fraction de 40 à 50 % du médicament est absorbée.

Distribution : Le médicament se répartit dans tout l'organisme. Il traverse le placenta et pénètre dans le lait maternel.

Métabolisme et excrétion : La réserpine est fortement métabolisée par le foie. Par

R

suite de l'administration PO, une fraction d'au moins 50 % est excrétée dans les fèces sous forme de médicament non absorbé. De petites quantités sont excrétées à l'état inchangé par les reins. **Demi-vie :** 11 jours.

CONTRE-INDICATIONS ET PRÉCAUTIONS

Contre-indications : ■ Hypersensibilité ■ Ulcère gastroduodénal ou colite ulcéreuse en évolution ■ Calculs biliaires ■ Dépression ■ Électrochocs.

Précautions : ■ Insuffisance cardiaque, cérébrovasculaire ou rénale ■ Grossesse ou allaitement (l'innocuité du médicament n'a pas été établie).

RÉACTIONS INDÉSIRABLES ET EFFETS SECONDAIRES

SNC : somnolence, fatigue, léthargie, dépression, céphalées, nervosité, anxiété, cauchemars.

ORLO : congestion nasale, myosis, vision trouble, congestion conjonctivale.

CV : bradycardie, arythmies, angine, œdème.

GI : diarrhée, sécheresse de la bouche (xérostomie), crampes, nausées, vomissements, hémorragie digestive.

GU : impuissance.

Tég. : rougeur du visage.

End. : galactorrhée, gynécomastie.

HÉ : rétention hydrosodée.

INTERACTIONS

Médicament – médicament : ■ Hypotension additive lors de l'administration concomitante d'autres **antihypertenseurs** ou de **dérivés nitrés** et lors de l'ingestion d'**alcool** ■ Risque accru d'arythmies lors de l'administration simultanée de **dérivés digitaliques**, de **quinidine**, de **procaïnamide** ou d'autres **antiarythmiques** ■ Le traitement concomitant par des **IMAO** peut provoquer de l'agitation et de l'hypertension ■ La réserpine peut diminuer la réponse thérapeutique à l'**éphédrine** ou à la **lévodopa** ■ La ré-

serpine peut accentuer la réponse aux **amines sympathomimétiques à action directe (dopamine, dobutamine, métaraminol, phényléphrine)** ■ Effets dépresseurs additifs sur le SNC lors de l'usage concomitant d'autres **dépresseurs du SNC** dont l'**alcool**, les **antihistaminiques**, les **antidépresseurs**, les **analgésiques narcotiques** et les **hypnosédatifs**.

PRÉSENTATION

La réserpine existe sous forme d'association avec des diurétiques thiazidiques (voir l'annexe A).

VOIES D'ADMINISTRATION ET POSOLOGIE

Hypertension

■ **PO (adultes) :** de 0,125 à 0,25 mg par jour en 1 seule dose ou en 2 doses fractionnées.

■ **PO (enfants) (É.-U.) :** de 5 à 20 µg/kg par jour en 1 seule dose ou en 2 doses fractionnées.

Troubles psychiatriques

■ **PO (adultes) :** La dose initiale est de 0,5 mg par jour. La posologie d'entretien doit être adaptée selon la réponse du patient et peut varier entre 0,125 et 1 mg par jour.

PHARMACODYNAMIE (effet antihypertenseur)

	DÉBUT D'ACTION	PIC	DURÉE
PO	de plusieurs jours à 3 semaines	3 – 6 semaines	1 – 6 semaines

☼ SOINS INFIRMIERS

ÉVALUATION DE LA SITUATION

☐ Mesurer la pression artérielle et le pouls à intervalles fréquents pendant la période initiale d'ajustement de la posologie et, à intervalles réguliers, pendant tout le traitement. Signaler

R

au médecin tout changement important.

☐ Effectuer le bilan quotidien des ingesta et des excreta et peser le patient tous les jours; suivre quotidiennement l'apparition d'œdème, particulièrement en début de traitement. Signaler au médecin tout gain pondéral ou la présence d'œdème. La réserpine est administrée souvent avec des diurétiques.

☐ Observer le patient pour déceler la dépression, l'insomnie, l'anorexie, l'impuissance et la perte d'estime de soi. Prévenir rapidement le médecin si ces symptômes se manifestent, car ils peuvent dicter l'arrêt du traitement. La dépression peut s'installer insidieusement et devenir suffisamment grave pour mener au suicide. Le risque de dépression peut persister pendant plusieurs mois après l'arrêt du traitement.

■ **Étude des examens diagnostiques et biochimiques:** Le médicament peut entraîner l'élévation des concentrations sériques de prolactine.

☐ La réserpine peut entraîner la diminution de l'excrétion urinaire de catécholamines et d'acide vanillylmandélique.

DIAGNOSTICS INFIRMIERS POSSIBLES

■ **Énoncés diagnostiques**

☐ Stratégies d'adaptation individuelle inefficaces.

☐ Prise en charge inefficace du programme thérapeutique.

☐ Non-observance du traitement médicamenteux.

☐ *Risque élevé d'accident.*

☐ *Risque élevé d'anxiété.*

☐ *Risque élevé d'atteinte à l'intégrité de la muqueuse buccale.*

■ **Facteurs favorisants**

☐ Informations incomplètes.

☐ Doute quant aux bienfaits du médicament.

☐ *Perturbation de la vigilance.*

☐ *Manque de connaissances sur les effets secondaires du médicament.*

☐ *Manque de connaissances sur les modalités du traitement.*

☐ *Difficulté à s'adapter aux changements nécessaires dans les habitudes de vie.*

☐ *Manque de connaissances sur la méthode d'administration du médicament.*

☐ *Manque de connaissances sur les moyens de prévenir ou de réduire la sécheresse de la bouche.*

INTERVENTIONS INFIRMIÈRES

PO: Pour diminuer l'irritation gastrique, la réserpine peut être administrée avec du lait ou avec des aliments.

ENSEIGNEMENT AU PATIENT ET À SES PROCHES

☐ Conseiller au patient de respecter scrupuleusement la posologie recommandée et de continuer à prendre la réserpine, même s'il se sent mieux. Lui recommander de prendre le médicament au même moment chaque jour. S'il n'a pu prendre le médicament au moment habituel, il devrait sauter cette dose et revenir à l'horaire régulier. Prévenir le patient qu'il ne faut jamais doubler la dose. Lui conseiller de consulter le médecin avant d'arrêter ce traitement.

☐ Inciter le patient à suivre d'autres mesures de réduction de l'hypertension: perdre du poids, réduire sa consommation de sel, cesser de fumer, boire avec modération, faire régulièrement de l'exercice et diminuer le stress. La réserpine stabilise la pression artérielle, mais ne guérit pas l'hypertension.

☐ Montrer au patient et à ses proches comment mesurer la pression artérielle. Leur recommander de prendre la pression artérielle une fois par semaine au moins et de signaler au médecin tout changement important.

R

- □ Prévenir le patient que la réserpine peut entraîner de la somnolence. Lui conseiller de ne pas conduire et d'éviter les activités qui exigent sa vigilance jusqu'à ce qu'on ait la certitude que le médicament n'entraîne pas cet effet chez lui.

- □ En cas de sécheresse de la bouche, conseiller au patient de pratiquer une bonne hygiène orale, de se rincer la bouche fréquemment et de consommer de la gomme à mâcher ou des bonbons sans sucre. Si elle persiste pendant plus de 2 semaines, l'inciter à consulter le dentiste.

- □ Prévenir le patient qu'il devrait éviter de boire de l'alcool et de prendre d'autres dépresseurs du SNC en même temps que la réserpine.

- □ Prévenir le patient que la réserpine peut provoquer une congestion nasale. Lui conseiller de consulter le médecin ou le pharmacien avant de prendre un médicament contre la toux, le rhume, la congestion nasale ou les allergies en même temps que la réserpine. Lui conseiller également de limiter sa consommation de café, de thé ou de boissons à base de cola.

- □ Recommander au patient qui doit suivre un traitement dentaire ou subir une intervention chirurgicale de prévenir le dentiste ou le médecin qu'il suit un traitement médicamenteux.

- □ Recommander au patient de prévenir rapidement le médecin en cas de douleurs abdominales, de dépression ou de troubles de sommeil.

- □ Insister sur l'importance des examens de suivi permettant d'évaluer les bienfaits du traitement.

VÉRIFICATION DES RÉSULTATS

L'efficacité du traitement peut être démontrée par: ■ la baisse de la pression artérielle sans que des effets secondaires se manifestent ■ l'amélioration des symptômes caractérisant les états psychotiques agités.

RIBAVIRINE
Virazole (lyophilisé)

CLASSIFICATION:
Agent antiviral

Grossesse – catégorie X

INDICATIONS

■ Traitement chez les nourrissons et les jeunes enfants des infections graves des voies respiratoires inférieures dues au virus respiratoire syncytial (RSV). **Usages non approuvés:** ■ Traitement secondaire précoce (dans les 24 h qui suivent l'apparition des symptômes) de la grippe due aux virus de la grippe A ou B, chez les jeunes adultes.

ACTION

■ Inhibition de la synthèse de l'ADN et de l'ARN viraux et de la réplication subséquente du virus ■ L'agent devient actif après phosphorylation à l'intérieur de la cellule. **Effets thérapeutiques:** ■ Effet virostatique contre les virus sensibles.

PHARMACOCINÉTIQUE

Absorption: Une certaine absorption systémique survient par suite de l'inhalation par la bouche ou le nez.

Distribution: Une fraction de 70 % du médicament inhalé se dépose dans les voies respiratoires. L'agent semble se concentrer dans les voies respiratoires et dans les érythrocytes. Il pénètre dans le lait maternel.

Métabolisme et excrétion: La ribavirine est éliminée des voies respiratoires par diffusion par les membranes, les macrophages et le mouvement ciliaire. Elle est surtout métabolisée par le foie.

Demi-vie: 9,5 h (40 jours dans les érythrocytes).

CONTRE-INDICATIONS ET PRÉCAUTIONS

Contre-indications: ■ Hypersensibilité ■ Patientes en âge de procréer.

Précautions: ■ Ventilation assistée ■ Anémie sous-jacente ■ Adultes (l'innocuité du médicament n'a pas été établie).

RÉACTIONS INDÉSIRABLES ET EFFETS SECONDAIRES

SNC: étourdissements, évanouissement.
CV: ARRÊT CARDIAQUE, hypotension.
Tég.: rash.
ORLO: irritation oculaire, érythème de la paupière, conjonctivite, photosensibilité, vision trouble.
Hémat.: réticulocytose.

INTERACTIONS

Médicament – médicament: ■ La ribavirine peut contrecarrer l'action antivirale de la **zidovudine** ■ La ribavirine peut intensifier la toxicité hématologique de la **zidovudine** ■ La ribavirine peut augmenter le risque de **toxicité digitalique**.

VOIES D'ADMINISTRATION ET POSOLOGIE

Inhalation (nourrissons et jeunes enfants): 190 µg/L de médicament en aérosol, par un générateur d'aérosol, modèle SPAG-2 et un masque ou une tente à oxygène, à un débit de 12,5 L/min de brouillard, de 12 à 18 h par jour, pendant 3 à 7 jours, ou 15 L/min lorsqu'on utilise la tente à oxygène, et 12 L/min, lorsqu'on utilise le masque.

PHARMACODYNAMIE
(concentrations sanguines)

	DÉBUT D'ACTION	PIC	DURÉE
inhalation	inconnu	fin de l'inhalation	inconnue

☀SOINS INFIRMIERS

ÉVALUATION DE LA SITUATION

☐ Au début du traitement et pendant toute sa durée, surveiller les signes suivants d'infection: altération des signes vitaux; aspect des expectorations; accroissement du nombre de leucocytes.

☐ Prélever des échantillons pour les cultures et les antibiogrammes avant le début du traitement. La première dose peut être administrée avant même que les résultats soient connus.

☐ Surveiller la fonction respiratoire (murmure vésiculaire, qualité et nombre de respirations) avant le traitement et pendant toute sa durée.

DIAGNOSTICS INFIRMIERS POSSIBLES

■ Énoncés diagnostics
■ Risque élevé d'infection.
■ Perturbation des échanges gazeux.
■ Prise en charge inefficace du programme thérapeutique.
■ *Risque élevé d'accident.*
■ *Risque élevé d'altération de la perception visuelle.*

■ **Facteurs favorisants**
☐ Informations incomplètes.
☐ *Manque de connaissances sur les modalités du traitement.*
☐ *Manque de connaissances sur les effets secondaires du médicament.*

INTERVENTIONS INFIRMIÈRES

■ **Directives générales:** Ne pas administrer la ribavirine aux nourrissons qui ont besoin d'une ventilation assistée, étant donné que la précipitation du médicament dans le respirateur peut entraver l'efficacité de la ventilation.

☐ Pour que le traitement par la ribavirine soit efficace, il faudrait l'amorcer dans les 3 jours qui suivent l'apparition de l'infection à virus respiratoire syncytial (RSV).

■ **Inhalation:** La ribavirine en aérosol ne devrait être administrée qu'à l'aide du générateur d'aérosol Viratek SPAG, modèle SPAG-2. Ne pas administrer la préparation à l'aide d'autres dispositifs générateurs d'aérosol. L'agent est habituellement administré par une tente à oxygène pour nourrisson, reliée au générateur d'aérosol SPAG-2.

On peut également l'administrer par un masque si l'on ne peut se servir de la tente à oxygène.

☐ Reconstituer la fiole de 6 g de ribavirine dans de l'eau stérile sans agent de conservation, pour injection ou pour inhalation. Verser la solution dans l'erlenmeyer propre et stérile du réservoir SPAG-2 et diluer jusqu'à un volume final de 300 mL. On recommande d'utiliser cette concentration de ribavirine (20 mg/mL) dans le réservoir, pour assurer l'administration d'une dose de ribavirine en aérosol de 190 μg/L d'air par période de 12 h. La solution doit être jetée et remplacée toutes les 24 h.

☐ La fréquence des traitements par aérosol varie d'une aérosolthérapie continuelle de 3 à 7 jours à une aérosolthérapie de 4 h, 3 fois par jour, pendant 3 jours.

ENSEIGNEMENT AU PATIENT ET À SES PROCHES

☐ Expliquer au patient et à ses parents l'objectif du traitement et la façon de l'administrer.

☐ Prévenir le patient et ses parents que la ribavirine peut entraîner des troubles de vision et la photosensibilité.

☐ Insister sur le fait qu'il faut recevoir la ribavirine pendant toute la durée du traitement, selon un schéma posologique régulier ou continu.

VÉRIFICATION DES RÉSULTATS

La réponse clinique peut être démontrée par : la disparition des signes et des symptômes de l'infection à virus respiratoire syncytial.

RIBOFLAVINE
vitamine B₂

CLASSIFICATION :
Vitamine – hydrosoluble

Grossesse – catégorie inconnue

INDICATIONS

Traitement et prévention de la carence en riboflavine, pouvant être attribuable à une alimentation inadéquate ou à une maladie débilitante chronique.

ACTION

■ Co-enzyme dans les réactions métaboliques qui se produisent lors du transport des ions hydrogène ■ Élément indispensable au fonctionnement normal des érythrocytes. **Effets thérapeutiques :** ■ Traitement substitutif ou préventif d'un déficit vitaminique.

PHARMACOCINÉTIQUE

Absorption : Bonne absorption depuis les voies digestives hautes par transport actif.
Distribution : L'agent se répartit dans tout l'organisme. Il traverse le placenta et pénètre dans le lait maternel.
Métabolisme et excrétion : Les quantités supérieures aux besoins quotidiens sont excrétées à l'état inchangé par les reins.
Demi-vie : De 66 à 84 min.

CONTRE-INDICATIONS ET PRÉCAUTIONS

Contre-indication : Aucune contre-indication connue.
Précaution : Aucune précaution particulière.

RÉACTIONS INDÉSIRABLES ET EFFETS SECONDAIRES

GU : coloration jaune de l'urine (doses élevées seulement).

INTERACTIONS

Médicament – médicament : Les **phénothiazines**, les **antidépresseurs tricycliques**, le **probénécide** ou l'ingestion d'**alcool** augmentent les besoins en riboflavine.

VOIES D'ADMINISTRATION ET POSOLOGIE

Carence en vitamine B₂
■ **PO (adultes) :** de 5 à 30 mg par jour, en doses fractionnées.

- **PO (enfants):** de 3 à 10 mg par jour, en doses fractionnées.

Supplément alimentaire
- **PO (adultes et enfants):** de 1 à 4 mg par jour.

PHARMACODYNAMIE

	DÉBUT D'ACTION	PIC	DURÉE
PO	inconnu	inconnu	inconnue

SOINS INFIRMIERS

ÉVALUATION DE LA SITUATION

- ☐ Avant le traitement et à intervalles réguliers pendant toute sa durée, surveiller les signes suivants de carence en vitamine B_2: dermatoses, stomatite, inflammation et irritation oculaires, photophobie et chéilite.
- ■ **Étude des examens diagnostiques et biochimiques:** La riboflavine peut entraîner des concentrations faussement élevées d'urobilinogène et de catécholamines urinaires.

DIAGNOSTICS INFIRMIERS POSSIBLES

- ■ **Énoncés diagnostiques**
- ☐ Déficit nutritionnel.
- ☐ Prise en charge inefficace du programme thérapeutique.
- ☐ *Risque élevé d'anxiété.*
- ■ **Facteurs favorisants**
- ☐ Informations incomplètes.
- ☐ *Manque de connaissances sur le régime alimentaire à suivre.*
- ☐ *Manque de connaissances sur les modalités du traitement.*
- ☐ *Manque de connaissances sur les effets secondaires du médicament.*

INTERVENTIONS INFIRMIÈRES

Directives générales: On administre habituellement la riboflavine en association avec d'autres vitamines, car il est rare que le patient ne présente que ce seul type d'avitaminose.

ENSEIGNEMENT AU PATIENT ET À SES PROCHES

- ☐ Conseiller au patient de respecter la posologie recommandée. S'il n'a pas pu prendre la vitamine au moment habituel, il peut sauter cette dose, car la carence en riboflavine ne survient qu'après un long laps de temps.
- ☐ Encourager le patient à respecter scrupuleusement les recommandations diététiques du médecin. Lui expliquer que la meilleure source de vitamines est une alimentation bien équilibrée, contenant des aliments provenant des 4 principaux groupes. Les aliments riches en riboflavine comprennent les produits laitiers, la farine enrichie, les noix, la viande, les légumes à feuilles ; peu de riboflavine se perd lors de la cuisson.
- ☐ Recommander au patient qui pratique l'automédication par des suppléments vitaminiques de ne pas dépasser les taux quotidiens recommandés (voir l'annexe L). L'efficacité des mégadoses dans le traitement de diverses affections n'a pas été prouvée et elles peuvent entraîner des effets secondaires.
- ☐ Conseiller au patient d'éviter de boire des boissons alcoolisées, car l'alcool diminue l'absorption de la riboflavine.
- ☐ Expliquer au patient que la riboflavine peut rendre l'urine d'un jaune plus foncé, mais que cet effet n'a aucune importance sur le plan médical.
- ☐ Insister sur l'importance des examens de suivi permettant d'évaluer les bienfaits du traitement.

VÉRIFICATION DES RÉSULTATS

L'efficacité du traitement peut être démontrée par: la prévention ou l'amélioration des symptômes de carence en riboflavine.

RIFAMPINE
Rifadin, Rifampicine, Rimactane, Rofact

CLASSIFICATION:
Antituberculeux

Grossesse – catégorie inconnue

INDICATIONS
■ Traitement de la tuberculose évolutive en association avec d'autres médicaments ■ Prophylaxie de la méningite bactérienne ou traitement préventif en cas de portage de *N. meningitidis* ou de *H. influenzæ* de type B chez les personnes exposées à un cas primaire.

ACTION
■ Inhibition de la synthèse de l'ARN par le blocage de la transcription de l'ARN dans les micro-organismes sensibles. **Effets thérapeutiques:** ■ Effet bactéricide contre les micro-organismes sensibles. **Spectre d'action:** ■ Large spectre d'action qui englobe les: □ *Mycobacteria* □ *Staphylococcus aureus* □ *Hæmophilus influenzæ* □ *Legionella pneumophila* □ *Neisseria meningitidis.*

PHARMACOCINÉTIQUE
Absorption: Bonne absorption par suite de l'administration PO.

Distribution: Le médicament se répartit dans la plupart des tissus et des liquides physiologiques, incluant le liquide céphalorachidien. Il traverse le placenta et pénètre dans le lait maternel.

Métabolisme et excrétion: La rifampine est surtout métabolisée par le foie. Une fraction de 60 % est excrétée dans les fèces par élimination biliaire.

Demi-vie: 3 h.

CONTRE-INDICATIONS ET PRÉCAUTIONS
Contre-indications: ■ Hypersensibilité ■ Grossesse ou allaitement.

Précautions: ■ Antécédents de maladie hépatique ■ Administration concomitante d'autres agents hépatotoxiques.

RÉACTIONS INDÉSIRABLES ET EFFETS SECONDAIRES
SNC: céphalées, somnolence, confusion, fatigue, ataxie, faiblesse.

GI: nausées, vomissements, brûlures d'estomac, douleurs abdominales, flatulence, diarrhée, hépatite.

Hémat.: anémie hémolytique, thrombocytopénie.

Loc.: myalgie, arthralgie.

Divers: syndrome pseudo-grippal, coloration rouge de tous les liquides physiologiques.

INTERACTIONS
Médicament – médicament: ■ La rifampine stimule les enzymes hépatiques, ce qui peut accélérer le métabolisme et diminuer l'efficacité d'autres médicaments, dont les **glucocorticoïdes**, le **disopyramide**, la **quinidine**, les **analgésiques narcotiques**, les **hypoglycémiants oraux**, les **anticoagulants oraux**, les **œstrogènes** et les **contraceptifs oraux** ■ Risque accru d'hépatotoxicité lors de l'administration simultanée d'autres **agents hépatotoxiques**, incluant l'**alcool**, l'**isoniazide**, le **kétoconazole** et le **miconazole.**

VOIES D'ADMINISTRATION ET POSOLOGIE

Tuberculose
■ **PO (adultes):** 600 mg, en une seule prise quotidienne. Chez les malades souffrant d'altération de la fonction hépatique, ne pas dépasser 8 mg/kg par jour.
■ **PO (enfants > 5 ans):** de 10 à 20 mg/kg par jour (ne pas dépasser 600 mg par jour).

Prophylaxie de l'infection à Neisseria meningitidis
■ **PO (adultes):** 600 mg, 2 fois par jour, pendant 2 jours.

- **PO (enfants > 1 mois):** 10 mg/kg (jusqu'à 600 mg), 2 fois par jour, pendant 2 jours.
- **PO (nourrissons < 1 mois):** 5 mg/kg, 2 fois par jour, pendant 2 jours.

Prophylaxie de l'infection à Hæmophilus influenzæ de type B

- **PO (adultes):** 600 mg, en une seule prise quotidienne, pendant 4 jours.
- **PO (enfants > 1 mois):** 20 mg/kg (jusqu'à 600 mg), en une seule prise quotidienne, pendant 4 jours.
- **PO (enfants < 1 mois):** 10 mg/kg, en une seule prise quotidienne, pendant 4 jours.

PHARMACODYNAMIE
(concentrations sanguines)

	DÉBUT D'ACTION	PIC	DURÉE
PO	rapide	2 – 4 h	24 h

SOINS INFIRMIERS

ÉVALUATION DE LA SITUATION

- □ Prélever des échantillons pour les cultures de mycobactéries et les épreuves de sensibilité, avant le début du traitement et à intervalles réguliers par la suite, afin de déceler une résistance éventuelle.
- □ Ausculter le murmure vésiculaire et noter les caractéristiques des crachats et la quantité expulsée, à intervalles réguliers, pendant toute la durée du traitement.
- ■ **Étude des examens diagnostiques et biochimiques:** Examiner les résultats des tests de l'exploration fonctionnelle hépatique et rénale et des analyses d'urine ainsi que la numération globulaire, à intervalles réguliers, pendant toute la durée du traitement.
- □ La rifampine peut entraîner l'élévation des concentrations d'urée, de TGOS (AST) et de TGPS (ALT) et des concentrations sériques de phosphatase alcaline, de bilirubine et d'acide urique.

- □ La rifampine peut entraîner des résultats faussement positifs au test de Coombs direct et peut modifier les résultats des dosages de l'acide folique et de la vitamine B_{12}.

DIAGNOSTICS INFIRMIERS POSSIBLES

- ■ **Énoncés diagnostiques**
- □ Risque élevé d'infection.
- □ Prise en charge inefficace du programme thérapeutique.
- □ Non-observance du traitement médicamenteux.
- □ *Risque élevé d'anxiété.*
- □ *Risque élevé d'accident.*

- ■ **Facteurs favorisants**
- □ Informations incomplètes.
- □ Doute quant aux bienfaits du médicament.
- □ *Manque de connaissances sur les effets secondaires du médicament et sur les moyens de les prévenir.*
- □ *Manque de connaissances sur les modalités du traitement.*
- □ *Perturbation de la vigilance.*

INTERVENTIONS INFIRMIÈRES

- ■ **PO:** Administrer le médicament à jeun, au moins 1 h avant ou 2 h après les repas. Si l'irritation gastro-intestinale devient gênante, on peut administrer la rifampine avec des aliments. On peut également administrer un antiacide, 1 h avant la prise de la rifampine. Si le patient éprouve des difficultés de déglutition, on peut ouvrir les capsules et en mélanger le contenu à de la purée ou à de la gelée de pommes.
- □ Le pharmacien peut préparer un sirop pour les patients qui éprouvent des difficultés de déglutition.

ENSEIGNEMENT AU PATIENT ET À SES PROCHES

- □ Conseiller au patient de prendre le médicament tous les jours en respectant scrupuleusement la posologie recommandée (à moins que le médecin

S

n'ait prescrit la prise du médicament 2 fois par semaine). Prévenir le patient qu'il ne doit pas sauter de dose ni remplacer une dose manquée par une double dose. Insister sur l'importance de poursuivre le traitement, même après la disparition des symptômes. Le traitement dure habituellement un an ou deux. Insister également sur l'importance de l'observance du traitement dans le cas des patients qui reçoivent le médicament en prophylaxie de courte durée.

☐ Conseiller au patient de prévenir rapidement le médecin si des signes ou des symptômes d'hépatite (jaunissement des yeux et de la peau, nausées, vomissements, anorexie, fatigue inhabituelle ou faiblesse) ou de thrombocytopénie (saignements ou ecchymoses inhabituels) se manifestent.

☐ Conseiller au patient d'éviter de boire de l'alcool pendant le traitement en raison d'un risque accru d'hépatotoxicité.

☐ Recommander au patient de signaler rapidement au médecin l'apparition des symptômes pseudo-grippaux suivants : fièvre, frissons, myalgie, céphalées.

☐ Prévenir le patient que la rifampine peut provoquer de la somnolence. Lui conseiller de ne pas conduire et d'éviter les activités qui exigent sa vigilance jusqu'à ce qu'on ait la certitude que le médicament n'entraîne pas cet effet chez lui.

☐ Prévenir le patient que la rifampine peut changer la couleur de la salive, des expectorations, de la sueur, des larmes, de l'urine et des selles au rouge orangé ou au rouge-brun et modifier la couleur des verres de contact de façon permanente.

☐ Prévenir la patiente que la rifampine a des propriétés tératogènes. Lui conseiller d'utiliser une méthode contraceptive non hormonale pendant toute la durée du traitement.

☐ Insister sur l'importance des examens réguliers de suivi permettant d'évaluer les bienfaits du traitement et de déceler les effets secondaires.

VÉRIFICATION DES RÉSULTATS

L'efficacité du traitement peut être démontrée par : ■ la diminution de la fièvre et des sueurs nocturnes ☐ la diminution de la toux et de la production d'expectorations ☐ des résultats négatifs après mise en culture des expectorations ☐ un gain d'appétit ☐ un gain de poids ☐ une diminution de la fatigue ☐ une sensation de bien-être chez les patients atteints de tuberculose ■ la prévention de la méningite à méningocoques ■ la prévention de l'infection à *Haemophilus influenzae* de type B. Le traitement prophylactique est habituellement de courte durée.

SALBUTAMOL

Apo-Salvent, Gen-Salbutamol Sterinebs, Novo-Salmol, Ventodisk, Ventolin, Ventolin Rotacaps, Volmax, (Proventil)

CLASSIFICATION :

Bronchodilatateur – agoniste bêta adrénergique

Grossesse – catégorie C

INDICATIONS

■ **PO, inhalation :** Prévention et soulagement symptomatique du bronchospasme entraîné par l'asthme ou la bronchopneumopathie obstructive chronique ■ **Inhalation :** Prévention du bronchospasme provoqué par l'effort ■ **Solution pour respirateur et Nébules :** traitement du bronchospasme grave associé à des exacerbations de la bronchite chronique et de l'asthme bronchique ■ **Voie parentérale :** Soulagement du bronchospasme grave associé à des exacerbations aiguës de la bronchite chronique et de l'asthme bronchique.

ACTION

■ Accumulation d'adénosine monophosphate cyclique (AMPc) aux sites des récepteurs bêta adrénergiques ■ Bronchodilatation, stimulation du cœur et du SNC, diurèse et sécrétion d'acide gastrique ■ Sélectivité relative pour les récepteurs bêta$_2$ (pulmonaires). **Effets thérapeutiques:** ■ Bronchodilatation.

PHARMACOCINÉTIQUE

Absorption: Bonne absorption par suite de l'administration PO, mais l'agent subit rapidement un fort métabolisme.
Distribution: Insuffisamment connue. On retrouve de faibles quantités dans le lait maternel.
Métabolisme et excrétion: L'agent est fortement métabolisé dans le foie et dans les autres tissus.
Demi-vie: 3,8 h.

CONTRE-INDICATIONS ET PRÉCAUTIONS

Contre-indications: ■ Hypersensibilité aux amines adrénergiques ■ Hypersensibilité aux fluorocarbures (inhalateur) ou au chlorure de benzalkonium (solution pour nébuliseur).
Précautions: ■ Maladie cardiaque ■ Hypertension ■ Hyperthyroïdie ■ Diabète ■ Glaucome ■ Personnes âgées (prédisposition accrue aux réactions indésirables; une réduction de la dose pourrait s'avérer nécessaire) ■ Grossesse (près du terme), allaitement et enfants de moins de 5 ans (l'innocuité du médicament n'a pas été établie) ■ Utilisation excessive, car elle peut entraîner un épuisement de l'effet et un bronchospasme paradoxal (inhalation).

RÉACTIONS INDÉSIRABLES ET EFFETS SECONDAIRES

SNC: nervosité, agitation, insomnie, tremblements, céphalées.
CV: hypertension, arythmie, angine.
End.: hyperglycémie.
GI: nausées, vomissements.

INTERACTIONS

Médicament – médicament: ■ L'utilisation concomitante d'autres **agents sympathomimétiques (adrénergiques)** pourrait intensifier les effets adrénergiques nocifs ■ L'administration simultanée d'**IMAO** peut déclencher une crise hypertensive ■ Les **bêtabloquants** peuvent abolir l'effet thérapeutique du salbutamol.

PRÉSENTATION

Le salbutamol est présenté sous forme de comprimés, de sirop, d'aérosol pour inhalation (aérosol doseur) et de solution à inhaler par nébulisation.

VOIES D'ADMINISTRATION ET POSOLOGIE

■ **PO (adultes et enfants > 12 ans):** de 2 à 4 mg, 3 ou 4 fois par jour (ne pas dépasser 16 mg par jour).
■ **PO (enfants de 6 à 12 ans):** 2 mg, 3 ou 4 fois par jour. On peut augmenter la dose avec précaution selon les besoins (ne pas dépasser 8 mg par jour).
■ **PO (enfants de 2 à 6 ans):** 0,1 mg/kg, 3 ou 4 fois par jour.
■ **Inhalation (adultes et enfants > 12 ans):** aérosol doseur – 1 ou 2 inhalations, jusqu'à 4 fois par jour, ou 2 inhalations d'aérosol, 15 min (100 μg/dose) avant l'effort.
■ **Inhalation (adultes et enfants > 5 ans):** nébuliseur ou respirateur à pression positive intermittente – de 1,25 à 5 mg, 3 ou 4 fois par jour.
■ **Inhalation (adultes):** *Rotacaps*® – de 200 à 400 μg, 3 ou 4 fois par jour, ou de 200 à 400 μg, 15 min avant l'effort.
■ **Inhalation (enfants > 6 ans):** *Rotacaps*® – 200 μg, de 2 à 4 fois par jour, ou 200 μg, 15 min avant l'effort.
■ **Inhalation (adultes):** *Ventodisk*® – de 200 à 400 μg, 3 ou 4 fois par jour, ou de 200 à 400 μg, 15 min avant l'effort.
■ **Inhalation (enfants > 6 ans):** *Ventodisk*® – 200 μg, 3 ou 4 fois par jour, ou 200 μg, 15 min avant l'effort.

- **IM (adultes):** 500 µg (8 µg/kg) toutes les 4 h, jusqu'à concurrence de 2 000 µg par jour.
- **IV en bolus:** 250 µg (4 µg/kg) en 2 à 5 min. Répéter l'administration 15 min plus tard, selon les besoins, jusqu'à concurrence de 1 000 µg par jour.
- **Intraveineuse continue:** 5 µg/min, puis 10 µg/min et, enfin, 20 µg/min, toutes les 15 à 30 min, selon les besoins.

PHARMACODYNAMIE
(bronchodilatation)

	DÉBUT D'ACTION	PIC	DURÉE
PO	30 min	2 – 3 h	6 h ou plus
PO – libération retard	30 min	2 – 3 h	12 h
inhalation	5 – 15 min	60 – 90 min	4 – 6 h

✸ SOINS INFIRMIERS

ÉVALUATION DE LA SITUATION

☐ Ausculter le murmure vésiculaire, mesurer le pouls et la pression artérielle, avant l'administration du médicament et lorsque les concentrations atteignent un pic.

☐ Noter les résultats des tests de l'exploration fonctionnelle pulmonaire, avant le début du traitement et à intervalles réguliers pendant toute sa durée, pour déterminer l'efficacité du médicament.

☐ Suivre de près l'apparition du bronchospasme paradoxal (respiration sifflante). S'il survient, arrêter l'administration du médicament et prévenir immédiatement le médecin.

DIAGNOSTICS INFIRMIERS POSSIBLES

■ Énoncés diagnostiques

☐ Dégagement inefficace des voies respiratoires.

☐ Prise en charge inefficace du programme thérapeutique.

☐ *Risque élevé d'anxiété.*

☐ *Risque élevé d'atteinte à l'intégrité de la muqueuse buccale.*

■ Facteurs favorisants

☐ Informations incomplètes.

☐ *Manque de connaissances sur la méthode d'administration du médicament.*

☐ *Manque de connaissances sur les modalités du traitement.*

☐ *Manque de connaissances sur les effets secondaires du médicament.*

☐ *Manque de connaissances sur les moyens de prévenir ou de réduire la sécheresse de la bouche.*

INTERVENTIONS INFIRMIÈRES

- **PO:** Administrer les comprimés avec des aliments pour réduire l'irritation gastrique.
- **Inhalation:** Espacer d'au moins une minute les inhalations des médicaments en aérosol.
- **Voie parentérale:** La solution doit être diluée avant utilisation. Les mélanges aux solutés ne se conservent que 24 h au maximum.

ENSEIGNEMENT AU PATIENT ET À SES PROCHES

☐ Conseiller au patient de respecter scrupuleusement la posologie recommandée. Dans le cas où les doses doivent être prises à une heure précise, prendre toute dose manquée le plus rapidement possible en espaçant les doses restantes de façon à pouvoir les prendre à des intervalles réguliers. Ne pas doubler les doses. Prévenir le patient qu'il ne doit pas dépasser la dose recommandée; le médicament peut entraîner des effets nocifs ou le bronchospasme paradoxal; son efficacité peut aussi diminuer.

☐ Montrer au patient comment utiliser l'aérosol doseur. Bien agiter l'aérosol, expirer, serrer fortement les lèvres autour de l'embout buccal, administrer au cours de la deuxième moitié de l'inhalation et retenir la respiration le plus longtemps possible après le traitement pour favoriser l'installation du médicament en profondeur. Ne pas prendre plus de 2 inhalations à la fois ; espacer les inhalations de 1 ou de 2 min. Laver l'appareillage d'inhalation dans de l'eau courante chaude, au moins une fois par jour.

☐ Prévenir le patient qui prend d'autres médicaments par inhalation qu'il doit commencer par le salbutamol et attendre 5 min avant d'inhaler les autres médicaments, sauf recommandation médicale contraire.

☐ Conseiller au patient de prévenir immédiatement le médecin si l'essoufflement n'est pas soulagé par le médicament ou s'il s'accompagne de diaphorèse, d'étourdissements, de palpitations ou de douleurs thoraciques.

☐ Recommander au patient de se rincer la bouche avec de l'eau après chaque inhalation pour réduire la sécheresse buccale.

☐ Signaler au patient qu'il doit consulter le médecin ou le pharmacien avant de prendre un médicament en vente libre et d'éviter de boire de l'alcool en même temps que ce médicament. Mettre en garde le patient contre l'usage du tabac ou d'autres agents irritants des voies respiratoires.

VÉRIFICATION DES RÉSULTATS

L'efficacité du traitement peut être démontrée par : la prévention ou le soulagement du bronchospasme.

SALIVE, SUBSTITUTS DE
Moi-Stir, (Orex), (Salivart), (Xero-Lube)

CLASSIFICATION :
Substitut de salive

Grossesse – catégorie inconnue

INDICATIONS

■ Traitement de la sécheresse de la bouche (xérostomie) ou de la gorge qui peut suivre ☐ la prise de médicaments (antidépresseurs tricycliques, antihistaminiques, anticholinergiques) ☐ la radiothérapie ☐ la chimiothérapie ☐ certaines maladies.

ACTION

■ Composition similaire à celle de la salive ■ Les substituts de salives contiennent des électrolytes dans un agent épaississant (carboxyméthylcellulose). **Effets thérapeutiques :** ■ Soulagement de la sécheresse de la bouche (xérostomie).

PHARMACOCINÉTIQUE

Absorption : Les électrolytes peuvent être absorbés par la muqueuse buccale.

Distribution : Inconnue.

Métabolisme et excrétion : Inconnus.

Demi-vie : Inconnue.

CONTRE-INDICATIONS ET PRÉCAUTIONS

Contre-indication : Hypersensibilité au carboxyméthylcellulose, aux parabènes ou aux autres ingrédients.

Précautions : Patients chez lesquels l'absorption d'électrolytes peut être nuisible, par exemple, le potassium ou le magnésium doivent être utilisés avec prudence chez les patients souffrant d'insuffisance rénale, et le sodium, chez ceux souffrant d'insuffisance cardiaque ou d'hypertension.

RÉACTIONS INDÉSIRABLES ET EFFETS SECONDAIRES

HÉ : absorption excessive d'électrolytes.

INTERACTIONS

Médicament – médicament : Aucune interaction notable.

VOIES D'ADMINISTRATION ET POSOLOGIE

PO (adultes) : vaporiser ou appliquer sur la muqueuse buccale, selon les besoins.

PHARMACODYNAMIE
(soulagement de la sécheresse de la bouche)

	DÉBUT D'ACTION	PIC	DURÉE
PO	au moment de l'application	inconnu	inconnue

SOINS INFIRMIERS

ÉVALUATION DE LA SITUATION

□ Suivre de près la sécheresse de la bouche ou de la gorge avant le traitement et, à intervalles réguliers, pendant toute sa durée.

□ Examiner les gencives et la muqueuse buccale pour déceler l'apparition d'une stomatite.

DIAGNOSTICS INFIRMIERS POSSIBLES

■ Énoncés diagnostiques

□ Informations incomplètes.

□ *Manque de connaissances sur la méthode d'administration du médicament.*

□ *Manque de connaissances sur les modalités du traitement.*

□ *Manque de connaissances sur les moyens de prévenir ou de réduire la sécheresse de la bouche.*

INTERVENTIONS INFIRMIÈRES

Directives générales: Administrer la préparation selon les besoins pour soulager la sécheresse de la bouche et de la gorge.

ENSEIGNEMENT AU PATIENT ET À SES PROCHES

□ Recommander au patient de bien répartir le substitut de salive dans toute la cavité buccale après la vaporisation ou l'application.

□ Expliquer au patient qu'il doit pratiquer une bonne hygiène orale en même temps qu'il utilise des substituts de salive.

□ Insister sur l'importance des examens dentaires réguliers pendant toute la durée du traitement.

VÉRIFICATION DES RÉSULTATS

L'efficacité du traitement peut être démontrée par: la diminution de la sécheresse de la bouche et de la gorge.

SALSALATE
acide salicylsalicylique, Disalcid, (Arthra-G), (Mono-Gesic), (Salflex), (Salsitab)

CLASSIFICATION:
Analgésique non narcotique; anti-inflammatoire non stéroïdien; antipyrétique

Grossesse – catégorie C

INDICATIONS

■ Traitement de la douleur légère à modérée ■ Traitement des maladies inflammatoires incluant: □ la polyarthrite rhumatoïde □ l'arthrose ■ Traitement de la fièvre.

ACTION

■ Analgésie et diminution de l'inflammation par inhibition de la synthèse des prostaglandines ■ Contrairement à l'aspirine, l'agent n'a pas d'effet sur la fonction des plaquettes. **Effets thérapeutiques:** ■ Analgésie entraînant la diminution de la douleur légère à modérée ■ Diminution de l'inflammation ■ Abaissement de la fièvre.

PHARMACOCINÉTIQUE

Absorption: Par suite de l'administration PO, l'agent se divise en deux molécules d'acide salicylique. Il est absorbé dans l'intestin grêle.

Distribution: Le médicament se répartit rapidement dans tout l'organisme. Il traverse le placenta et pénètre dans le lait maternel.

Métabolisme et excrétion: Les quantités de salsalate excrétées à l'état inchangé par les reins dépendent du pH de l'urine. Au fur et à mesure que le pH augmente, la quantité excrétée à l'état inchangé augmente de 2 ou 3 %, jusqu'à 80 %.

Demi-vie: 2 ou 3 h, si l'agent est administré à faibles doses. S'il est administré à des doses plus élevées, la demi-vie peut atteindre jusqu'à 15 à 30 h en raison de la saturation du métabolisme hépatique.

CONTRE-INDICATIONS ET PRÉCAUTIONS

Contre-indications: Hypersensibilité à l'aspirine ou à d'autres anti-inflammatoires non stéroïdiens (moins de réactions de sensibilité croisée que lors de l'usage de l'aspirine).

Précautions: ■ Insuffisance rénale (risque de toxicité au magnésium) ■ Insuffisance hépatique grave ■ Grossesse (risque d'effets indésirables chez le fœtus et la mère) ■ Allaitement (l'innocuité du médicament n'a pas été établie) ■ Enfants ou adolescents atteints d'une infection virale (risque accru de manifestation du syndrome de Reye).

RÉACTIONS INDÉSIRABLES ET EFFETS SECONDAIRES

ORLO: acouphènes, surdité.

GI: dyspepsie, brûlures d'estomac, douleurs épigastriques, nausées, vomissements, anorexie, douleurs abdominales, HÉMORRAGIE DIGESTIVE, hépatotoxicité.

Divers: œdème pulmonaire lésionnel ; réactions allergiques incluant l'ANAPHYLAXIE ou l'ŒDÈME LARYNGÉ.

INTERACTIONS

Médicament – médicament: ■ Le salsalate peut intensifier les effets de la **pénicilline**, de la **phénytoïne**, du **méthotrexate**, des **hypoglycémiants oraux**, de l'**acide valproïque** et des **sulfamidés** ■ L'agent peut contrecarrer les effets bénéfiques du **probénécide** ou de la **sulfinpyrazone** ■ Les **glucocorticoïdes** peuvent réduire les concentrations sériques de salicylate ■ L'**acidification de l'urine** favorise la réabsorption des salicylates et peut en élever les concentrations sériques ■ L'**alcalini-**sation de l'urine** ou l'ingestion de quantités importantes d'**antiacides** favorise l'excrétion des salicylates et en réduit les concentrations sériques ■ Le salsalate peut diminuer la réponse thérapeutique aux **diurétiques** ou aux **antihypertenseurs** ■ L'administration concomitante d'**anticoagulants**, d'**agents thrombolytiques**, de **céfamandole**, de **céfopérazone**, de **céfotétane**, de **moxalactam**, d'**acide valproïque** ou de **plicamycine** peut augmenter le risque de saignement (l'effet est moins marqué que dans le cas de l'aspirine) ■ Risque accru d'irritation gastrique lors de l'usage concomitant d'autres **anti-inflammatoires non stéroïdiens** (l'effet est moins marqué que dans le cas de l'aspirine) ■ Risque accru de neurotoxicité au niveau de la VIIIe paire de nerfs crâniens (effet ototoxique), lors de l'administration concomitante de **vancomycine**. **Médicament – aliments:** ■ Les **aliments pouvant acidifier l'urine** (voir l'annexe K) peuvent accentuer la réabsorption des salicylates et en élever les concentrations sériques.

VOIES D'ADMINISTRATION ET POSOLOGIE

PO (adultes): 3 000 mg par jour, en doses fractionnées.

PHARMACODYNAMIE (analgésie et abaissement de la fièvre)[*]

	DÉBUT D'ACTION	PIC	DURÉE
PO	5 – 30 min	1 – 3 h	3 – 6 h

[*] L'effet antirhumatismal peut ne survenir que 2 à 3 semaines après le début du traitement prolongé.

SOINS INFIRMIERS

ÉVALUATION DE LA SITUATION

■ **Directives générales:** Les patients souffrant d'asthme, d'allergies et de polypes nasaux ou ceux qui sont allergiques aux colorants à la tartrazine sont davantage prédisposés à des réactions d'hypersensibilité.

■ **Douleur:** Évaluer la douleur et l'amplitude du mouvement; noter le type de douleur, son siège et son intensité, avant et de 1 à 3 h après l'administration.

■ **Fièvre:** Prendre la température et noter les signes connexes suivants: diaphorèse, tachycardie, malaise, frissons.

■ **Toxicité et surdosage:** Suivre de près les acouphènes, l'hyperventilation, l'agitation, la confusion mentale, la léthargie, la diarrhée et la transpiration. Si ces symptômes se manifestent, interrompre le traitement et prévenir immédiatement le médecin.

DIAGNOSTICS INFIRMIERS POSSIBLES

■ **Énoncés diagnostiques**
□ Douleur.
□ Altération de la mobilité physique.
□ Prise en charge inefficace du programme thérapeutique.
□ *Risque élevé d'accident.*

■ **Facteurs favorisants**
□ Informations incomplètes.
□ *Manque de connaissances sur les modalités du traitement.*
□ *Manque de connaissances sur les effets secondaires du médicament.*

INTERVENTIONS INFIRMIÈRES

PO: On peut administrer le médicament après les repas ou avec des aliments ou un antiacide pour réduire l'irritation gastrique. Les aliments ralentissent l'absorption de ce médicament, mais ne réduisent pas la quantité totale absorbée.

ENSEIGNEMENT AU PATIENT ET À SES PROCHES

□ Conseiller au patient de prendre le salsalate avec un grand verre d'eau et de ne pas s'étendre dans les 15 à 30 min qui suivent.
□ Recommander au patient de signaler les acouphènes, les saignements de gencives ou les ecchymoses inhabituels, les selles noires et goudronneuses ou la fièvre persistant pendant plus de 3 jours.

□ Conseiller au patient d'éviter de boire de l'alcool pendant qu'il prend ce médicament afin de réduire l'irritation gastrique.

□ Recommander au patient qui doit subir une intervention chirurgicale pendant qu'il suit un traitement prolongé avec ce médicament d'en avertir le dentiste ou le médecin.

□ Prévenir le patient que les centres épidémiologiques mettent en garde contre l'administration de salicylates aux enfants et aux adolescents qui souffrent de varicelle, de syndrome grippal ou de maladie virale, en raison du risque d'apparition du syndrome de Reye.

VÉRIFICATION DES RÉSULTATS

L'efficacité du traitement est démontrée par:
■ le soulagement de la douleur légère à modérée ■ la mobilité accrue des articulations ■ la baisse de la fièvre.

SARGRAMOSTIM

facteur recombinant humain – facteur de croissance de colonies de granulocytes et de macrophages, rhu GM-CSF, (Leukine), (Prokine)

CLASSIFICATION:
Facteur de croissance de colonies
Grossesse – catégorie C

INDICATIONS

Traitement servant à accélérer la régénération de la moelle osseuse après une autogreffe de moelle chez les patients souffrant de lymphome non hodgkinien, de leucémie lymphoblastique aiguë ou de maladie de Hodgkin.

ACTION

■ Glycoprotéine produite par une technique de recombinaison de l'ADN, pouvant se fixer aux granulocytes et aux macrophages et stimuler leur production, leur division, leur différenciation et leur activation. **Effets thérapeutiques:** ■ Accélération de la régénération de la moelle osseuse après une autogreffe de moelle, ce qui peut diminuer le risque d'infection et d'autres complications.

PHARMACOCINÉTIQUE

Absorption: Par suite de l'administration IV, l'absorption est pratiquement complète.
Distribution: Inconnue.
Métabolisme et excrétion: Inconnus.
Demi-vie: Inconnue.

CONTRE-INDICATIONS ET PRÉCAUTIONS

Contre-indications: ■ Concentration de blastocytes myéloïdes leucémiques ≥ 10 % dans la moelle ou dans le sang périphérique ■ Hypersensibilité au GM-CSF, aux produits à base de levure ou aux additifs (mannitol, trométhamine ou sucrose).
Précautions: ■ Rétention hydrique, insuffisance cardiaque ou infiltrats pulmonaires préexistants ■ Maladie cardiaque préexistante ■ Tumeurs myéloïdes malignes ■ Antécédents de radiothérapie ou de chimiothérapie massives (la réponse peut être moindre) ■ Grossesse (à utiliser seulement si le besoin est évident) ■ Allaitement ou enfants (l'innocuité du médicament n'a pas été établie).

RÉACTIONS INDÉSIRABLES ET EFFETS SECONDAIRES

SNC: faiblesse, malaise.
Resp.: dyspnée.
CV: tachycardie supraventriculaire passagère, œdème périphérique, épanchement péricardique.
GI: diarrhée.
Tég.: rash.

Loc.: douleurs osseuses.
Divers: fièvre, frissons.

INTERACTIONS

Médicament – médicament: Le **lithium** ou les **glucocorticoïdes** peuvent potentialiser les effets myéloprolifératifs du sargramostim.

VOIES D'ADMINISTRATION ET POSOLOGIE

IV (adultes): 250 µg/m^2 par jour, pendant 21 jours, sous forme de perfusion d'une durée de 2 h. Amorcer le traitement de 2 à 4 h après la perfusion de la moelle osseuse, et pas moins de 24 h après la dernière chimiothérapie ou pas moins de 12 h après la dernière radiothérapie. Si le nombre de leucocytes est > 50 × 10^9/L ou le nombre absolu de neutrophiles est > 20 × 10^9/L, modifier la posologie ou interrompre le traitement.

PHARMACODYNAMIE (effets sur les numérations globulaires)

	DÉBUT D'ACTION	PIC	DURÉE
IV	rapide	inconnu	3 – 7 jours

☀ SOINS INFIRMIERS

ÉVALUATION DE LA SITUATION

☐ Mesurer la fréquence cardiaque, la pression artérielle et la fonction respiratoire pendant la perfusion et immédiatement après. Si la dyspnée survient, réduire de moitié le débit de la perfusion; la dyspnée peut dicter l'interruption du traitement. Suivre de près l'apparition d'un œdème périphérique, quotidiennement, pendant toute la durée du traitement.

■ **Étude des examens diagnostiques et biochimiques:** Noter la numération globulaire et plaquettaire avant la chimiothérapie et deux fois par semaine pendant toute la durée du traitement pour prévenir la leucocytose. Suivre de près le nombre absolu des neutrophiles, car il peut s'élever rapidement. Si ce nombre est > 20×10^9/L, et si le nombre de leucocytes > 50×10^9/L ou celui de plaquettes > 500×10^9/L, interrompre l'administration du médicament et réduire la dose de moitié. Les concentrations sanguines excessives reviennent habituellement aux valeurs de base dans les 3 à 7 jours qui suivent l'arrêt du traitement.

■ Chez les patients souffrant d'insuffisance rénale ou hépatique, noter les résultats des tests de l'exploration fonctionnelle hépatique et rénale avant le traitement et deux fois par semaine pendant toute sa durée.

DIAGNOSTICS INFIRMIERS POSSIBLES

■ **Énoncés diagnostiques**
□ Risque élevé d'infection.
□ Prise en charge inefficace du programme thérapeutique.
□ *Risque élevé d'anxiété.*
□ *Risque élevé de perturbation des échanges gazeux.*

■ **Facteurs favorisants**
□ Informations incomplètes.
□ *Manque de connaissances sur les effets secondaires du médicament.*
□ *Mode de respiration inefficace.*

INTERVENTIONS INFIRMIÈRES

■ **Directives générales:** Administrer le médicament de 2 à 4 h après la greffe de moelle osseuse, mais pas moins de 24 h après la chimiothérapie cytotoxique ou pas moins de 12 h après la dernière radiothérapie.
□ Réfrigérer mais ne pas congeler la poudre ou la solution reconstituée ou diluée. Ne pas agiter la fiole. Jeter la préparation si elle a été laissée à la température ambiante pendant plus de 6 h. La fiole ne doit servir qu'à une seule administration.
■ **Perfusion intermittente:** Reconstituer la poudre avec 1 mL d'eau stérile sans

agent de conservation qu'on injectera en dirigeant l'aiguille vers la paroi de la fiole. Tourner délicatement la fiole pour éviter la formation de mousse. La solution doit être transparente et incolore.
□ Diluer dans une solution de NaCl à 0,9 %. Si la concentration finale est < 10 µg/mL, ajouter à la solution de NaCl à 0,9 % une concentration finale d'albumine humaine à 0,1 %, avant d'ajouter le sargramostim, pour prévenir l'absorption des ingrédients du système de libération du médicament. Ne pas effectuer d'admixtion avec d'autres médicaments.
□ *Vitesse d'administration:* Perfuser en 2 h.

ENSEIGNEMENT AU PATIENT ET À SES PROCHES

Recommander au patient de prévenir le médecin ou l'infirmière en cas de dyspnée ou de palpitations.

VÉRIFICATION DES RÉSULTATS

L'efficacité du traitement peut être démontrée par: la diminution de l'incidence d'infection chez les patients ayant subi une autogreffe de moelle osseuse.

SCOPOLAMINE

Buscopan, Transderm-V, (Isopto Hyoscine), (TransdermScop), (Triptone)

CLASSIFICATION:

Anticholinergique – antimuscarinique; antiémétique – anticholinergique

Grossesse – catégorie C

INDICATIONS

■ **Timbre transdermique:** Prévention des symptômes du mal des transports ■ **IM, IV et SC:** □ relâchement de la musculature lisse avant certains examens radiologiques □ induction de l'amnésie et inhibition de la salivation et des sécrétions excessives des voies respiratoires avant une intervention chirurgicale ■ **PO, PR, IM, IV et SC**: Soulagement du spasme de la musculature lisse des voies gastro-intestinales et génito-urinaires.

ACTION

■ Inhibition de l'activité muscarinique de l'acétylcholine ■ Correction du déséquilibre entre l'acétylcholine et la noradrénaline dans le SNC, qui peut être la cause du mal des transports. **Effets thérapeutiques:** ■ Diminution des nausées et des vomissements associés au mal des transports ■ Induction de l'amnésie et diminution des sécrétions avant une intervention chirurgicale ■ Soulagement des spasmes gastro-intestinaux et génito-urinaires.

PHARMACOCINÉTIQUE

Absorption: Bonne absorption par suite de l'administration PO, IM, SC et transdermique.

Distribution: La scopolamine traverse le placenta et la barrière hémato-encéphalique.

Métabolisme et excrétion: Le médicament est principalement métabolisé par le foie.

Demi-vie: 8 h.

CONTRE-INDICATIONS ET PRÉCAUTIONS

Contre-indications: ■ Hypersensibilité ■ Glaucome à angle étroit ■ Hémorragie aiguë ■ Tachycardie secondaire à l'insuffisance cardiaque ou à la thyrotoxicose.

Précautions: ■ Personnes âgées, enfants et nourrissons (prédisposition accrue à des réactions indésirables) ■ Risque d'occlusion intestinale ■ Hypertrophie de la prostate ■ Maladie rénale, hépatique ou pulmonaire chroniques ou maladie cardiaque ■ Grossesse et allaitement (l'innocuité du médicament n'a pas été établie).

RÉACTIONS INDÉSIRABLES ET EFFETS SECONDAIRES

SNC: <u>somnolence</u>, confusion.

ORLO: <u>vision trouble</u>, mydriase, photophobie.

CV: palpitations, <u>tachycardie</u>.

GI: <u>sécheresse de la bouche</u> (xérostomie), constipation.

GU: <u>retard de la miction avec effort pour uriner</u>, rétention urinaire.

Tég.: diminution de la transpiration.

INTERACTIONS

Médicament – médicament: ■ Effets anticholinergiques additifs lors de l'administration simultanée d'**antihistaminiques**, d'**antidépresseurs**, de **quinidine** ou de **disopyramide** ■ Effets additifs sur la dépression du SNC lors de l'usage concomitant d'**alcool**, d'**antidépresseurs**, d'**antihistaminiques**, d'**analgésiques narcotiques** ou d'**hypnosédatifs** ■ La scopolamine peut modifier l'absorption d'autres **médicaments administrés PO** en ralentissant la motilité du tractus gastrointestinal ■ La scopolamine peut aggraver les lésions de la muqueuse gastrointestinale chez les patients prenant des **préparations de chlorure de potassium à matrice de cire**.

VOIES D'ADMINISTRATION ET POSOLOGIE

Prévention du mal des transports

■ **Timbre transdermique (adultes):** Transderm-V libère 1 mg en 72 h et devrait être appliqué 12 h avant le voyage.

Amnésie/Inhibition de la salivation

■ **IM, IV et SC (adultes):** de 0,3 mg à 0,6 mg. On peut répéter l'administration 3 ou 4 fois par jour (effet antiémétique: de 0,2 à 1 mg; inhibition de la salivation; de 0,2 à 0,6 mg; effets amnésiques: de 0,3 à 0,6 mg; sédation: 0,6 mg).

■ **IM, IV et SC (enfants):** 0,006 mg/kg ou 0,2 mg/m^2.

S

Spasmes

- **PO (adultes):** 1 ou 2 dragées par jour (maximum de 6 dragées par jour).
- **PR (adultes):** 1 ou 2 suppositoires par jour (maximum de 6 suppositoires par jour).
- **IM, IV et SC (adultes):** de 10 à 20 mg par jour (maximum de 100 mg par jour).

Examens radiologiques

- **IM (adultes):** de 10 à 20 mg, 10 à 15 min avant l'examen.

PHARMACODYNAMIE (PO, IM, IV, SC et timbre transdermique = effets antiémétique et sédatif)

	DÉBUT D'ACTION	PIC	DURÉE
PO, IM, SC	30 min	1 h	4 – 6 h
IV	10 min	1 h	2 – 4 h
transdermique	12 h	inconnu	72 h

SOINS INFIRMIERS

ÉVALUATION DE LA SITUATION

- ☐ Surveiller les signes de rétention urinaire à intervalles réguliers pendant toute la durée du traitement.
- ☐ Mesurer la fréquence cardiaque à intervalles réguliers pendant toute la durée du traitement par voie parentérale.
- ☐ Déterminer la présence de douleurs avant l'administration du médicament. Si elle est administrée sans morphine ni mépéridine, la scopolamine peut agir comme stimulant en présence de douleurs, entraînant le délire.

DIAGNOSTICS INFIRMIERS POSSIBLES

- **Énoncés diagnostiques**
- ☐ Atteinte à l'intégrité de la muqueuse buccale.
- ☐ Risque élevé d'accident.
- ☐ Prise en charge inefficace du programme thérapeutique.
- ☐ *Risque élevé d'agitation.*

- **Facteurs favorisants**
- ☐ Informations incomplètes.
- ☐ *Perturbation de la vigilance.*
- ☐ *Manque de connaissances sur les moyens de prévenir ou de réduire la sécheresse de la bouche.*
- ☐ *Distension vésicale.*
- ☐ *Manque de connaissances sur les effets secondaires du médicament.*
- ☐ *Manque de connaissances sur les modalités du traitement.*
- ☐ *Manque de connaissances sur la méthode d'administration du médicament.*

INTERVENTIONS INFIRMIÈRES

- **IV directe:** Diluer la scopolamine dans de l'eau stérile pour injection avant l'administration IV. Injecter lentement. (Buscopan: il n'est pas nécessaire de diluer; administrer à un débit de 1 mL/min).
- **Associations compatibles dans la même seringue:** Atropine, benzquinamide, butorphanol, chlorpromazine, cimétidine, dimenhydrinate, diphenhydramine, dropéridol, édisylate de prochlorpérazine, fentanyl, glycopyrrolate, hydromorphone, hydroxyzine, mépéridine, métoclopramide, midazolam, morphine, nalbuphine, pentazocine, pentobarbital, perphénazine, promazine, prométhazine, ranitidine ou thiopental.
- **Compatibilités (tubulure en Y):** Chlorure de potassium, héparine ou succinate d'hydrocortisone sodique.
- **Compatibilités en addition au soluté:** Mépéridine ou succinylcholine.

ENSEIGNEMENT AU PATIENT ET À SES PROCHES

- **Directives générales:** Conseiller au patient de respecter scrupuleusement la posologie recommandée. S'il n'a pu prendre le médicament au moment habituel, il doit le prendre dès que possible sans jamais en doubler la dose.

S

□ Prévenir le patient que la scopolamine peut provoquer de la somnolence et une vision trouble. Lui recommander de ne pas conduire et d'éviter les activités qui exigent sa vigilance jusqu'à ce qu'on ait la certitude que le médicament n'entraîne pas ces effets chez lui.

□ Recommander au patient d'éviter l'effort par temps chaud, car la scopolamine peut augmenter le risque d'un coup de chaleur.

□ Recommander au patient d'éviter de boire de l'alcool ou de prendre d'autres dépresseurs du SNC en même temps que la scopolamine.

□ Expliquer au patient que pour soulager la sécheresse buccale, il devrait se rincer fréquemment la bouche, consommer des bonbons ou de la gomme à mâcher sans sucre et pratiquer une bonne hygiène orale.

■ **Timbre transdermique:** Montrer au patient comment appliquer le timbre transdermique. Pour prévenir le mal des transports, appliquer le timbre environ 12 h avant le voyage. Se laver les mains et bien les sécher avant et après l'application. Appliquer le timbre derrière l'oreille, sur la peau glabre, propre et sèche; éviter les régions éraflées ou irritées. Exercer une pression sur le timbre pour s'assurer qu'il a bien adhéré à la peau. Le timbre est efficace pendant 3 jours. S'il se déplace, le remplacer par un nouveau timbre qu'on appliquera sur une autre partie de la peau, derrière l'oreille. Le timbre est imperméable et son efficacité ne sera pas modifiée par l'eau du bain ou de la douche.

VÉRIFICATION DES RÉSULTATS

L'efficacité du traitement peut être démontrée par : ■ l'inhibition de la salivation et des sécrétions des voies respiratoires avant une intervention chirurgicale ■ l'amnésie postopératoire ■ la prévention des symptômes du mal des transports ■ le soulagement des spasmes gastro-intestinaux et génito-urinaires.

SÉCOBARBITAL
Novo-Secobarb, Seconal

CLASSIFICATION:
Hypnosédatif – barbiturique
Drogue contrôlée

Grossesse – catégorie C

INDICATIONS

■ Traitement de l'insomnie (administration de courte durée) ■ Sédation préopératoire et autres circonstances où la sédation peut s'avérer nécessaire.

ACTION

■ Dépression du SNC à tous les niveaux. **Effets thérapeutiques:** ■ Induction du sommeil ■ Sédation.

PHARMACOCINÉTIQUE

Absorption: Bonne absorption par suite de l'administration PO.
Distribution: Le sécobarbital se répartit dans tout l'organisme et se concentre surtout dans le cerveau et dans le foie. Il traverse le placenta et pénètre en petites quantités dans le lait maternel.
Métabolisme et excrétion: Métabolisme hépatique.
Demi-vie: 30 h.

CONTRE-INDICATIONS ET PRÉCAUTIONS

Contre-indications: ■ Hypersensibilité ■ Dépression préexistante du SNC ■ Douleurs graves réfractaires ■ Grossesse ou allaitement.
Précautions: ■ Insuffisance hépatique ou rénale ■ Patients suicidaires ou ayant des antécédents de toxicomanie ■ Personnes âgées (il est recommandé de réduire la dose) ■ Bronchopneumopathie chronique obstructive ■ Usage prolongé (risque de dépendance physique).

RÉACTIONS INDÉSIRABLES ET EFFETS SECONDAIRES

SNC: somnolence, léthargie, vertiges, dépression, sensation « droguée », excitation, délire.

Resp.: dépression respiratoire.

GI: nausées, vomissements, diarrhée, constipation.

Tég.: rash, urticaire, photosensibilité.

Loc.: arthralgie, myalgie.

SN: névralgie.

Divers: réactions d'hypersensibilité incluant l'ANGIO-ŒDÈME et la maladie du sérum; dépendance physique, dépendance psychologique.

INTERACTIONS

Médicament – médicament: ■ Effets dépressifs additifs sur le SNC lors de l'usage simultané d'autres **dépresseurs du SNC** dont l'**alcool**, les **antihistaminiques**, les **antidépresseurs**, les **analgésiques narcotiques** et d'autres **hypnosédatifs** ■ L'**acide valproïque** et le **divalproex** peuvent ralentir le métabolisme du sécobarbital et intensifier la dépression du SNC ■ Le médicament peut activer les enzymes hépatiques qui métabolisent d'autres médicaments, diminuant ainsi leur efficacité. Il s'agit des médicaments suivants: **contraceptifs oraux, chloramphénicol, cyclosporine, glucocorticoïdes, dacarbazine, lévothyroxine** et **quinidine**.

VOIES D'ADMINISTRATION ET POSOLOGIE

Insomnie
■ **PO (adultes):** 100 mg, au coucher.

Sédation préopératoire
■ **PO (adultes):** de 200 à 300 mg, 1 ou 2 h avant l'intervention.
■ **PO (enfants):** de 50 à 100 mg, 1 ou 2 h avant l'intervention.

Sédation
■ **PO (adultes) (É.-U.):** de 100 à 300 mg par jour, en 3 doses fractionnées.
■ **PO (enfants) (É.-U.):** 6 mg/kg par jour, en 3 doses fractionnées.

PHARMACODYNAMIE
(effet hypnotique)

	DÉBUT D'ACTION	PIC	DURÉE
PO	15 min	15 – 30 min	1 – 4 h

 SOINS INFIRMIERS

ÉVALUATION DE LA SITUATION

■ Observer les habitudes de sommeil du patient avant le traitement et à intervalles réguliers pendant toute sa durée. Les doses hypnotiques de sécobarbital suppriment le sommeil paradoxal. Les patients peuvent connaître une intensification de l'activité onirique après l'arrêt du traitement.

☐ Le traitement prolongé peut entraîner une dépendance psychologique ou physique. Diminuer la quantité de médicament dont le patient peut disposer, particulièrement s'il est déprimé ou suicidaire ou s'il a des antécédents de toxicomanie.

☐ Suivre de près la douleur chez les patients ayant subi une intervention chirurgicale. Le sécobarbital peut augmenter la réaction aux stimuli douloureux.

DIAGNOSTICS INFIRMIERS POSSIBLES

■ **Énoncés diagnostiques**
☐ Perturbation des habitudes de sommeil.
☐ Risque élevé d'accident.
☐ Prise en charge inefficace du programme thérapeutique.

■ **Facteurs favorisants**
☐ Informations incomplètes.
☐ *Perturbation de la vigilance.*
☐ *Manque de connaissances sur les modalités du traitement.*

INTERVENTIONS INFIRMIÈRES

Surveiller les déplacements du patient après l'administration du médicament et retirer les cigarettes. Soulever les ridelles du lit et laisser la sonnette d'appel à portée de la main en tout temps.

ENSEIGNEMENT AU PATIENT ET À SES PROCHES

- □ Conseiller au patient de respecter scrupuleusement la posologie recommandée et de ne jamais augmenter la dose de médicament sans avoir consulté le médecin au préalable.
- □ Expliquer au patient qu'il est important de préparer un cadre propice au sommeil (par exemple, la pièce doit être sombre et calme ; la nicotine et la caféine sont à proscrire).
- □ Prévenir le patient qui suit un traitement prolongé qu'il ne doit pas arrêter de prendre le médicament sans consulter le médecin. L'arrêt brusque du traitement peut déclencher des symptômes de sevrage.
- □ Prévenir le patient que le sécobarbital peut provoquer de la somnolence diurne. Lui conseiller de ne pas conduire et d'éviter les activités qui exigent sa vigilance jusqu'à ce qu'on ait la certitude que le médicament n'entraîne pas cet effet chez lui.
- □ Conseiller au patient d'éviter de boire de l'alcool ou de prendre d'autres dépresseurs du SNC en même temps que ce médicament.
- □ Recommander à la patiente de prévenir immédiatement le médecin si elle prévoit être enceinte ou si elle pense l'être.

VÉRIFICATION DES RÉSULTATS

L'efficacité du traitement peut être démontrée par : ▪ l'amélioration du sommeil sans sédation diurne excessive (habituellement, le traitement est limité à 2 semaines) ▪ la sédation.

SÉLÉGILINE
Eldepryl, L-deprenyl

CLASSIFICATION :
Antiparkinsonien

Grossesse – catégorie C

INDICATIONS

Traitement de la maladie de Parkinson en association avec la lévodopa avec carbidopa chez les patients n'ayant pas répondu à la monothérapie par cette association médicamenteuse, ou en monothérapie chez les patients nouvellement diagnostiqués.

ACTION

▪ Après sa transformation par la monoamine oxydase en son composé actif, la sélégiline inactive la monoamine oxydase en se liant à elle de façon irréversible aux sites du type B (cerveau) ▪ L'inactivation de la monoamine oxydase entraîne une élévation des concentrations de dopamine dans le SNC. **Effets thérapeutiques :** ▪ Soulagement symptomatique de la maladie de Parkinson et réponse accrue au traitement par la lévodopa avec carbidopa.

PHARMACOCINÉTIQUE

Absorption : La sélégiline semble être bien absorbée par suite de l'administration PO.

Distribution : Le médicament se répartit dans tout l'organisme.

Métabolisme et excrétion : Le métabolisme comporte une certaine transformation en amphétamine et en méthamphétamine. Une fraction de 45 % du médicament est excrétée dans l'urine sous forme de métabolites.

Demi-vie : Inconnue.

CONTRE-INDICATIONS ET PRÉCAUTIONS

Contre-indications : ▪ Hypersensibilité ▪ Traitement concomitant par la mépéridine ou par un analgésique narcotique (risque de réactions d'issue fatale).

Précautions : Administration de doses supérieures à 10 mg par jour (risque accru de réactions hypertensives en présence d'aliments contenant de la tyramine ou de certains médicaments).

S

RÉACTIONS INDÉSIRABLES ET EFFETS SECONDAIRES

SNC: étourdissements, sensation de tête légère, évanouissement, confusion, hallucinations, rêves saisissants.

GI: <u>nausées</u>, douleurs abdominales, sécheresse de la bouche (xérostomie).

INTERACTIONS

Médicament – médicament: ■ Initialement, la sélégiline peut augmenter le risque d'effets secondaires entraînés par l'association de **lévodopa avec carbidopa** (réduire de 10 à 30 % la posologie de la lévodopa avec carbidopa, le cas échéant) ■ L'administration concomitante de **mépéridine** ou d'autres **analgésiques narcotiques** peut provoquer une réaction d'issue fatale (excitation, transpiration, rigidité et hypertension ou hypotension et coma). **Médicament – aliments:** ■ L'administration de doses supérieures à 10 mg par jour peut entraîner des réactions hypertensives lors de la consommation simultanée d'**aliments contenant de la tyramine** (voir à l'annexe K).

VOIES D'ADMINISTRATION ET POSOLOGIE

PO (adultes): 5 mg, 2 fois par jour (au petit-déjeuner et au déjeuner).

PHARMACODYNAMIE
(début d'un effet antiparkinsonien bénéfique)

	DÉBUT D'ACTION	PIC	DURÉE
PO	2 – 3 jours	inconnu	inconnue

✳ SOINS INFIRMIERS

ÉVALUATION DE LA SITUATION

□ Avant le traitement et pendant toute sa durée, surveiller les signes et les symptômes parkinsoniens suivants: tremblements, faiblesse musculaire et rigidité, démarche ataxique.

□ Mesurer la pression artérielle à intervalles réguliers pendant toute la durée du traitement.

DIAGNOSTICS INFIRMIERS POSSIBLES

■ **Énoncés diagnostiques**

□ Altération de la mobilité physique.

□ Risque élevé d'accident.

□ Prise en charge inefficace du programme thérapeutique.

■ **Facteurs favorisants**

□ Informations incomplètes.

□ *Manque de connaissances sur les modalités du traitement.*

□ *Manque de connaissances sur les effets secondaires du médicament.*

INTERVENTIONS INFIRMIÈRES

■ **Directives générales:** On peut essayer de réduire la dose de l'association lévodopa-carbidopa de 10 à 30 % après 2 ou 3 jours de traitement par la sélégiline.

■ **PO:** Administrer le comprimé à 5 mg au petit-déjeuner et au déjeuner.

ENSEIGNEMENT AU PATIENT ET À SES PROCHES

□ Conseiller au patient de respecter scrupuleusement la posologie recommandée. Lui expliquer que la prise de doses plus élevées de médicament que celles prescrites peut augmenter les effets secondaires et le risque de crise hypertensive s'il mange des aliments contenant de la tyramine (voir l'annexe K).

□ Expliquer au patient et à ses proches les signes et les symptômes de la crise hypertensive déclenchée par un IMAO (céphalées graves, douleurs thoraciques, nausées, vomissements, photosensibilité, pupilles dilatées). Conseiller au patient de signaler immédiatement au médecin les céphalées graves ou tout autre symptôme inhabituel.

S

L'efficacité du traitement peut être démontrée par: le soulagement des symptômes et l'amélioration de la réponse au traitement par la lévodopa avec carbidopa, chez les patients souffrant de maladie de Parkinson.

SÉNÉ

Glysennid, Mucinum-Herbal, PMS-Sennosides, Senokot, Senolax, X-Prep, (Black Draught), (Fletcher's Castoria), (Senexon)

CLASSIFICATION:
Laxatif stimulant

Grossesse – catégorie inconnue

INDICATIONS

■ Traitement de la constipation, particulièrement lorsque la cause en est: □ un temps de transit ralenti □ la prise de médicaments constipants □ le syndrome du côlon irritable ou spasmodique □ un trouble neurologique.

ACTION

■ Modification du transport de l'eau et des électrolytes dans le gros intestin par les composants actifs (sennosides), entraînant une accumulation d'eau et la stimulation du péristaltisme. **Effets thérapeutiques:** ■ Effet laxatif.

PHARMACOCINÉTIQUE

Absorption: Par suite de l'administration PO, l'absorption est minime.
Distribution: Inconnue.
Métabolisme et excrétion: Le médicament est transformé par les bactéries du côlon en composés laxatifs actifs.
Demi-vie: Inconnue.

CONTRE-INDICATIONS ET PRÉCAUTIONS

Contre-indications: ■ Hypersensibilité ■ Douleurs abdominales de cause inconnue, particulièrement lorsqu'elles s'accompagnent de fièvre ■ Fissures rectales ■ Hémorroïdes ulcérées.
Précautions: ■ Usage prolongé (risque de dépendance) ■ Grossesse ou allaitement (l'innocuité du médicament n'a pas été établie) ■ Risque d'occlusion intestinale.

RÉACTIONS INDÉSIRABLES ET EFFETS SECONDAIRES

GI: diarrhée, crampes, nausées.
GU: urine rose-rouge ou brun-noir.
HÉ: déséquilibre électrolytique (usage prolongé ou dépendance).
Divers: dépendance aux laxatifs.

INTERACTIONS

Médicament – médicament: Le séné peut diminuer l'absorption d'autres **médicaments administrés PO** en raison du temps de transit réduit.

PRÉSENTATION

Le séné existe sous forme de comprimés, de sirop, de granules, de suppositoires et de confiture. Il existe également en association avec du docusate et du psyllium (voir l'annexe A).

VOIES D'ADMINISTRATION ET POSOLOGIE

Laxatif
■ **PO (adultes et enfants > 12 ans):** de 10 à 34 mg de sennosides, 1 ou 2 fois par jour.
■ **PO (enfants de 6 à 12 ans):** 50 % de la dose administrée chez l'adulte.
■ **PO (enfants de 2 à 5 ans):** de 25 à 33 % de la dose administrée chez l'adulte.
■ **PR (adultes):** 1 suppositoire, au besoin.
■ **PR (enfants > 25 kg):** $1/2$ suppositoire, au besoin.

Évacuation des matières fécales du côlon avant une radiographie
■ **PO (adultes):** de 119 à 157,5 mg de sennosides, en 2 doses fractionnées (à 10 h et à 14 h), la veille de l'examen radiographique.

S

PHARMACODYNAMIE
(effet laxatif)

	DÉBUT D'ACTION	PIC	DURÉE
PO	6 – 12 h*	inconnu	3 – 4 jours

* Le début d'action peut survenir jusqu'à 24 h après l'administration.

☀ SOINS INFIRMIERS

ÉVALUATION DE LA SITUATION

☐ Surveiller la distension abdominale, ausculter les bruits intestinaux et noter les habitudes normales d'élimination.

☐ Noter la couleur, la consistance et la quantité des selles produites.

DIAGNOSTICS INFIRMIERS POSSIBLES

■ **Énoncés diagnostiques**

☐ Diarrhée.

☐ Constipation.

☐ Prise en charge inefficace du programme thérapeutique.

☐ *Risque élevé d'anxiété.*

☐ *Risque élevé de déséquilibre électrolytique.*

■ **Facteurs favorisants**

☐ Informations incomplètes.

☐ *Manque de connaissances sur les effets secondaires du médicament.*

☐ *Manque de connaissances sur les modalités du traitement.*

☐ *Manque de connaissances sur la méthode d'administration du médicament.*

☐ *Manque de connaissances sur le régime alimentaire à suivre.*

☐ *Manque de connaissances sur les bienfaits de l'exercice.*

INTERVENTIONS INFIRMIÈRES

■ **PO:** Administrer le médicament avec un grand verre d'eau, au coucher, pour favoriser l'élimination, de 6 à 12 h plus tard. Pour obtenir des résultats plus rapides, administrer à jeun.

☐ Les granules doivent être dissous ou mélangés dans de l'eau ou dans un autre liquide avant d'être administrés.

ENSEIGNEMENT AU PATIENT ET À SES PROCHES

☐ Prévenir le patient que les laxatifs devraient être pris pendant une courte période seulement. Un traitement prolongé peut provoquer des déséquilibres électrolytiques et la dépendance.

☐ Recommander au patient de prendre d'autres mesures qui favorisent l'élimination intestinale: par exemple, augmenter la consommation de fibres alimentaires et de liquides, faire de l'exercice. Expliquer au patient que chaque personne a ses propres habitudes d'élimination et qu'il est tout aussi normal de déféquer 3 fois par jour que 3 fois par semaine.

☐ Prévenir le patient que ce médicament peut rendre ses urines roses, rouges, violettes, jaunes ou brunes.

☐ Recommander au patient souffrant de cardiopathie d'éviter les efforts reliés à la défécation (manœuvre de Valsalva).

☐ Conseiller au patient de ne pas prendre de laxatifs en présence de douleurs abdominales, de nausées, de vomissements ou de fièvre.

VÉRIFICATION DES RÉSULTATS

L'efficacité du traitement peut être démontrée par: l'émission de selles molles et bien moulées.

SIMÉTHICONE
Gas-X Extra-Fort, Gas-X, Ovol, Phazyme, (Mylicon)

CLASSIFICATION:
Antiflatulent

Grossesse – catégorie inconnue

INDICATIONS

■ Soulagement des symptômes douloureux entraînés par les excès de gaz dans le tractus gastro-intestinal, qui peuvent se former après une intervention chirurgicale ou à cause de : □ l'aérophagie □ la dyspepsie □ l'ulcère gastroduodénal □ la diverticulite.

ACTION

■ Stimulation de la coalescence des bulles de gaz ■ L'agent ne prévient pas la formation de gaz. **Effets thérapeutiques :** ■ Évacuation des gaz du tractus gastro-intestinal par la bouche (éructation) ou par l'anus.

PHARMACOCINÉTIQUE

Absorption : Aucune absorption systémique.
Distribution : Aucune distribution systémique.
Métabolisme et excrétion : La siméthicone est excrétée à l'état inchangé dans les fèces.
Demi-vie : Inconnue.

CONTRE-INDICATIONS ET PRÉCAUTIONS

Contre-indication : Coliques du nourrisson (à l'exception des préparations liquides de Ovol et de Phazyme).
Précautions : Douleurs abdominales d'étiologie inconnue, particulièrement en présence de fièvre.

RÉACTIONS INDÉSIRABLES ET EFFETS SECONDAIRES

Aucune réaction importante.

INTERACTIONS

Médicament – médicament : Aucune interaction notable.

PRÉSENTATION

La siméthicone existe en association avec de nombreux autres médicaments (voir l'annexe A).

VOIES D'ADMINISTRATION ET POSOLOGIE

■ **PO (adultes) :** de 40 à 160 mg, 4 fois par jour, après les repas et au coucher.
■ **PO (enfants de 2 à 12 ans) :** 0,6 mL, 4 fois par jour, après les repas et au coucher (Phazyme).
■ **PO (enfants < 2 ans) :** de 0,25 à 0,5 mL (Ovol) ou 0,3 mL (Phazyme), 4 fois par jour, après les repas et au coucher.

PHARMACODYNAMIE (effet sur les flatuosités)

	DÉBUT D'ACTION	PIC	DURÉE
PO	immédiat	inconnu	3 h

✳ SOINS INFIRMIERS

ÉVALUATION DE LA SITUATION

Suivre de près, avant le traitement et à intervalles réguliers pendant toute sa durée, la distension et les douleurs abdominales ainsi que la présence de bruits intestinaux. Noter également la fréquence des éructations ou de l'expulsion de gaz par l'anus.

DIAGNOSTICS INFIRMIERS POSSIBLES

■ **Énoncés diagnostiques**
□ Douleur.
□ Prise en charge inefficace du programme thérapeutique.

■ **Facteurs favorisants**
□ Informations incomplètes.
□ *Manque de connaissances sur la méthode d'administration du médicament.*
□ *Manque de connaissances sur les modalités du traitement.*
□ *Manque de connaissances sur les moyens de stimuler la fonction intestinale.*
□ *Manque de connaissances sur le régime alimentaire à suivre.*

S

INTERVENTIONS INFIRMIÈRES

- **PO:** Pour obtenir des résultats optimaux, administrer le médicament après les repas et au coucher. Bien mélanger les préparations liquides avant de les administrer. Pour obtenir un effet plus rapide et plus complet, demander au patient de bien mâcher les comprimés à croquer.
- ☐ Les préparations liquides peuvent être mélangées à d'autres liquides ou administrées directement avec le compte-gouttes.

ENSEIGNEMENT AU PATIENT ET À SES PROCHES

- ☐ Expliquer au patient qu'une bonne alimentation et l'exercice l'aideront à prévenir la formation de gaz intestinaux. Lui expliquer également que ce médicament ne prévient pas la formation des gaz.
- ☐ Conseiller au patient de prévenir le médecin si les symptômes persistent.

VÉRIFICATION DES RÉSULTATS

L'efficacité du traitement peut être déterminée par: la diminution de la distension abdominale et le soulagement de la gêne gastro-intestinale.

SODIUM, AUROTHIOMALATE DE
Myochrysine

CLASSIFICATION:
Anti-inflammatoire

Grossesse – catégorie C

INDICATIONS

- Traitement de la polyarthrite rhumatoïde évolutive, rebelle au traitement classique - Traitement du rhumatisme psoriasique et du syndrome de Felty.

ACTION

- Inhibition du processus inflammatoire
- Modification de la réponse immunitaire (propriétés d'immunomodulation) **Effets thérapeutiques:** - Soulagement de la douleur et de l'inflammation - Ralentissement de l'évolution du processus pathologique en cas de polyarthrite rhumatoïde.

PHARMACOCINÉTIQUE

Absorption: Le médicament est rapidement absorbé par suite de l'administration IM.

Distribution: Le médicament se répartit dans tout l'organisme et semble se concentrer dans les articulations touchées par l'arthrite plus que dans les articulations qui ne sont pas affectées. Il pénètre dans le lait maternel.

Métabolisme et excrétion: Une fraction de 60 à 90 % est lentement excrétée par les reins (jusqu'à 15 mois). Une fraction de 10 à 40 % est excrétée dans les fèces.

Demi-vie: Or, 26 jours dans le sang; de 40 à 128 jours dans les tissus.

CONTRE-INDICATIONS ET PRÉCAUTIONS

Contre-indications: - Hypersensibilité - Dysfonction hépatique ou rénale grave - Antécédents d'intoxication par les métaux lourds - Antécédents de colite ou de dermatite exfoliative - Diabète sucré non maîtrisé - Tuberculose - Insuffisance cardiaque - Lupus érythémateux disséminé - Radiothérapie récente - Grossesse ou allaitement - Patients débilités.

Précautions: - Antécédents de dyscrasie - Hypertension - Rash - Dès les premiers signes de toxicité, d'éruption cutanée, de protéinurie ou de stomatite, arrêter l'administration.

RÉACTIONS INDÉSIRABLES ET EFFETS SECONDAIRES

SNC: <u>étourdissements</u>, syncope, céphalées, neuropathie.

ORLO: dépôts d'or sur la cornée, ulcération de la cornée.

Resp.: pneumonite.

CV: bradycardie.

GI: goût métallique, difficultés de déglutition, stomatite, nausées, vomissements, diarrhée, douleurs abdominales, crampes, anorexie, dyspepsie, flatulence, hépatite.

GU: protéinurie, toxicité rénale.

Tég.: rash, dermatite, prurit, réactions de photosensibilité.

Hémat.: thrombocytopénie, ANÉMIE APLASIQUE, AGRANULOCYTOSE, leucopénie, éosinophilie.

Divers: réactions allergiques incluant l'ANAPHYLAXIE, œdème angioneurotique, réactions nitritoïdes.

INTERACTIONS

Médicament – médicament: ■ Les effets toxiques sur la moelle osseuse peuvent être additifs lors de l'administration d'autres **agents qui provoquent une hypoplasie médullaire (antinéoplasiques, radiothérapie)** ■ L'administration de **pénicillamine** augmente le risque de toxicité rénale et hématologique ■ L'administration **d'agents entraînant des réactions toxiques semblables** augmente le risque de dermatite, de toxicité hépatique ou de toxicité rénale.

VOIES D'ADMINISTRATION ET POSOLOGIE

■ **IM (adultes):** 10 mg la 1re semaine, 25 mg la 2e semaine, puis de 25 à 50 mg par semaine pendant les 20 semaines suivantes ou jusqu'à l'apparition d'un signe de toxicité. Chez les patients dont la réponse est bonne ou excellente, on peut passer au traitement d'entretien. Posologie d'entretien: 50 mg à des intervalles que l'on augmente graduellement toutes les 2, 3 ou 4 semaines et que l'on maintient indéfiniment.

■ **IM (enfants):** 10 mg la 1re semaine; ensuite 1 mg/kg par semaine, sans dépasser 50 mg par dose. Pour les intervalles à respecter entre les injections, voir la posologie pour adultes.

PHARMACODYNAMIE (effet anti-inflammatoire)

	DÉBUT D'ACTION	PIC	DURÉE
IM	6 – 8 semaines	inconnu	plusieurs mois

SOINS INFIRMIERS

ÉVALUATION DE LA SITUATION

☐ Déterminer l'amplitude des mouvements ainsi que le degré de tuméfaction et l'intensité de la douleur des articulations touchées avant l'administration initiale et à intervalles réguliers pendant tout le traitement. Après l'injection, les douleurs articulaires peuvent persister pendant un jour ou deux.

■ **Étude des examens diagnostiques et biochimiques:** Examiner les résultats des tests de l'exploration fonctionnelle rénale, hépatique et hématopoïétique et des analyses des urines avant l'administration initiale et tous les mois pendant toute la durée du traitement. Prévenir immédiatement le médecin si le nombre de leucocytes est inférieur à 4×10^9/L, le taux de polynucléaires éosinophiles est supérieur à 5 %, le nombre de granulocytes est inférieur à $1,5 \times 10^9$/L ou celui des plaquettes, à 100×10^9/L. Ces valeurs peuvent indiquer des réactions graves d'hypersensibilité et devraient s'améliorer après l'arrêt du traitement. La protéinurie ou l'hématurie peuvent dicter l'abandon du traitement.

☐ Le médicament peut modifier le résultat de la détermination des concentrations sériques d'iode lié aux protéines pendant la chrysothérapie et plusieurs semaines après l'arrêt du traitement.

S

■ **Toxicité et surdosage :** Si des signes de surdosage se manifestent, on peut habituellement renverser les effets de la chrysothérapie par des glucocorticoïdes. Si les glucocorticoïdes s'avèrent inefficaces, on peut administrer du dimercaprol (BAL), chélateur qui favorise l'excrétion de l'or.

DIAGNOSTICS INFIRMIERS POSSIBLES

■ **Énoncés diagnostiques**
□ Altération de la mobilité physique.
□ Diarrhée.
□ Prise en charge inefficace du programme thérapeutique.
□ *Risque élevé d'accident.*
□ *Risque élevé de déficit de volume liquidien.*
□ *Risque élevé d'atteinte à l'intégrité de la muqueuse buccale.*
□ *Risque élevé d'atteinte à l'intégrité de la peau.*

■ **Facteurs favorisants**
□ Informations incomplètes.
□ *Perturbation de la vigilance.*
□ *Douleurs articulaires.*
□ *Manque de connaissances sur les modalités du traitement.*
□ *Manque de connaissances sur les moyens de prévenir les effets secondaires affectant l'appareil gastro-intestinal.*
□ *Manque de connaissances sur les moyens de prévenir ou de réduire la sécheresse de la bouche.*
□ *Manque de connaissances sur les moyens de réduire la photosensibilité.*

INTERVENTIONS INFIRMIÈRES

■ **Directives générales :** Il faut habituellement administrer simultanément des salicylates, d'autres anti-inflammatoires non stéroïdiens ou des glucocorticoïdes, particulièrement au cours des premiers mois de chrysothérapie.
□ Ne jamais administrer par voie IV.
■ **IM :** À l'aide d'une aiguille de calibre 18 et d'une longueur de 4 cm, injecter profondément dans le muscle fessier.

La solution doit être jaune pâle ; ne pas administrer une solution qui est foncée ou qui contient un précipité.
□ Demander au patient de rester en position couchée pendant les 15 min qui suivent l'injection. Surveiller l'apparition d'une réaction nitritoïde se manifestant par des étourdissements, des bouffées vasomotrices, l'évanouissement ou la diaphorèse. Une réaction allergique se manifeste par la dyspnée, la bradycardie, l'œdème du visage, des lèvres ou des paupières ou l'épaississement de la langue.

ENSEIGNEMENT AU PATIENT ET À SES PROCHES

□ Inciter le patient à poursuivre sa physiothérapie et à prendre tout le repos dont il a besoin. Lui expliquer que les lésions articulaires ne peuvent pas être guéries. L'objectif du traitement est de ralentir ou de stopper le processus pathologique.
□ Inciter le patient à pratiquer une bonne hygiène orale pour réduire l'incidence de la stomatite.
□ Conseiller au patient d'utiliser des écrans solaires et de porter des vêtements protecteurs pour prévenir les réactions de photosensibilité.
□ Recommander au patient de signaler immédiatement au médecin les symptômes suivants de leucopénie : fièvre, maux de gorge, signes d'infection ; ou de thrombocytopénie : saignement des gencives, formation d'ecchymoses, pétéchies, présence de sang dans les selles, l'urine ou les vomissements.
□ Inciter la patiente à prendre des mesures de contraception pendant qu'elle reçoit ce médicament. Insister sur le fait qu'elle doit informer le médecin aussitôt qu'elle pense être enceinte.
□ Recommander au patient de signaler immédiatement au médecin les symptômes suivants d'intoxication par l'or : prurit, rash, goût métallique, stoma-

tite, diarrhée. Pour supprimer la diarrhée, on peut diminuer la dose.

☐ Insister sur l'importance d'un suivi médical régulier permettant de déterminer les bienfaits du traitement et d'examiner les résultats des analyses du sang et des urines pour contrer les effets secondaires.

VÉRIFICATION DES RÉSULTATS

L'efficacité du traitement peut être démontrée par : ■ la diminution de la tuméfaction, de la douleur et de la rigidité des articulations ■ l'augmentation de la mobilité. Parfois, il faut poursuivre le traitement pendant 3 à 6 mois avant que ses bienfaits ne deviennent manifestes.

SODIUM, BICARBONATE DE

Bicarbonate de soude, Citrocarbonate, Soude et Menthe, (Bell-ans), (Neut)

CLASSIFICATION :
Électrolyte de substitution – alcalinisant ; antiacide

Grossesse – catégorie C

INDICATIONS

■ **PO, IV :** Traitement de l'acidose métabolique ■ **PO, IV :** Alcalinisation de l'urine et stimulation de l'excrétion de certains médicaments en cas de surdosage (phénobarbital, aspirine) ■ **PO :** Antiacide.

ACTION

■ Agent alcalinisant par la libération d'ions bicarbonate ■ Par suite de l'administration PO, libération de bicarbonate pouvant neutraliser l'acide gastrique. **Effets thérapeutiques :** ■ Alcalinisation ■ Neutralisation de l'acide gastrique.

PHARMACOCINÉTIQUE

Absorption : Par suite de l'administration PO, le bicarbonate en excès est absorbé, ce qui entraîne une alcalose métabolique et l'alcalinisation de l'urine.

Distribution : Le bicarbonate de sodium se répartit dans tous les liquides extracellulaires.

Métabolisme et excrétion : Le sodium et le bicarbonate sont excrétés par les reins.

Demi-vie : Inconnue.

CONTRE-INDICATIONS ET PRÉCAUTIONS

Contre-indications : ■ Alcalose métabolique ou respiratoire ■ Hypocalcémie ■ Perte excessive de chlorure ■ En tant qu'antidote après ingestion d'acides minéraux forts ■ Patients qui suivent un régime hyposodé (administration PO comme antiacide seulement) ■ Insuffisance rénale grave (administration PO comme antiacide seulement) ■ Douleurs abdominales graves d'étiologie inconnue, surtout en présence de fièvre (administration PO comme antiacide seulement).

Précautions : ■ Insuffisance cardiaque ■ Insuffisance rénale ■ Traitement concomitant par des glucocorticoïdes ■ Utilisation prolongée comme antiacide (risque d'alcalose métabolique et de surcharge sodique).

RÉACTIONS INDÉSIRABLES ET EFFETS SECONDAIRES

CV : œdème.

HÉ : rétention hydrosodée, alcalose métabolique, hypernatrémie, hypokaliémie, hypocalcémie.

GI : PO – distension abdominale, flatulence.

Locaux : irritation au point d'injection IV.

SN : tétanie.

INTERACTIONS

Médicament – médicament : ■ Par suite de l'administration PO, le bicarbonate de sodium peut diminuer l'absorption du **kétoconazole** ■ Les **antiacides à base de calcium**, administrés simultanément, peuvent provoquer le syndrome du lait et des alcalins ■ L'alcalinisation de l'urine peut entraîner la diminution des concentrations sanguines des **salicylés**

S

ou des **barbituriques** ou l'élévation des concentrations sanguines de **quinidine**, de **mexilétine**, de **flécaïnide** ou d'amphétamines.

VOIES D'ADMINISTRATION ET POSOLOGIE

Remarque: Les préparations contiennent 12 mmol/g de sodium.

Antiacide
- **PO (adultes) (É.-U.):** de 0,3 à 4 g, 4 fois par jour.

Acidose métabolique
Les doses devraient être déterminées en fonction des résultats d'examens biochimiques fréquents.
- **PO (adultes) (É.-U.):** de 20 à 36 mmol par jour, en doses fractionnées.
- **IV (adultes et enfants > 2 ans):** de 2 à 5 mmol/kg en 4 à 8 h.

Réanimation cardiopulmonaire
Les doses devraient être déterminées en fonction des résultats d'examens biochimiques fréquents.
- **IV (adultes) (É.-U.):** 1 mmol/kg; on peut répéter l'administration de 0,5 mmol/kg, toutes les 10 min.
- **IV (nouveau-nés et enfants) (É.-U.):** 1 mmol/kg; on peut répéter l'administration de cette dose, toutes les 10 min.

Alcalinisation de l'urine
- **PO (adultes) (É.-U):** initialement, 48 mmol (4 g); par la suite, de 12 à 24 mmol (de 1 à 2 g), toutes les 4 h (jusqu'à concurrence de 48 mmol, toutes les 4 h).
- **PO (enfants) (É.-U.):** de 1 à 10 mmol/kg (de 12 à 120 mg/kg) par jour, en doses fractionnées.

PHARMACODYNAMIE
(PO = effet antiacide;
IV = alcalinisation)

	DÉBUT D'ACTION	PIC	DURÉE
PO	immédiat	30 min	1 – 3 h
IV	immédiat	rapide	inconnue

※ SOINS INFIRMIERS

ÉVALUATION DE LA SITUATION

☐ Effectuer le bilan hydrique pendant toute la durée du traitement: effectuer le bilan quotidien des ingesta et des excreta, peser le patient tous les jours, suivre de près l'œdème, ausculter le murmure vésiculaire. Prévenir le médecin si les symptômes suivants de surcharge liquidienne se manifestent: hypertension, œdème, dyspnée, râles et crépitations, crachats mousseux.

☐ Observer le patient pendant toute la durée du traitement pour déceler les signes et les symptômes d'acidose (désorientation, céphalées, faiblesse, dyspnée, hyperventilation), d'alcalose (confusion, irritabilité, paresthésie, tétanie, mode de respiration inefficace), d'hypernatrémie (œdème, gain pondéral, hypertension, tachycardie, fièvre, rougeur de la peau, irritabilité) ou d'hypokaliémie (faiblesse, fatigue, apparition d'une onde U sur le tracé de l'ÉCG, arythmies, polyurie, polydipsie).

☐ Observer attentivement le point d'injection IV. Éviter l'extravasation en raison des risques d'irritation tissulaire ou de cellulite. En cas d'infiltration, demander au médecin si on peut appliquer des compresses chaudes et infiltrer le point d'injection avec de la lidocaïne ou de l'hyaluronidase.

- **Étude des examens diagnostiques et biochimiques:** Noter, avant le traitement et à intervalles réguliers pendant toute sa durée, les concentrations sériques de sodium, de potassium, de calcium et de bicarbonate, l'osmolarité sérique, l'équilibre acidobasique ainsi que les résultats des tests de l'exploration fonctionnelle rénale.

☐ Dans les situations d'urgence, déterminer à intervalles fréquents les concentrations des gaz artériels.

- ☐ Noter à intervalles fréquents le pH urinaire lorsque le bicarbonate de sodium est utilisé pour l'alcalinisation de l'urine.
- ☐ Le bicarbonate de sodium inhibe les effets de la pentagastrine et de l'histamine lors des tests d'exploration de la sécrétion gastrique. En éviter l'administration dans les 24 h qui précèdent ce test.
- ■ **Antiacide :** Suivre de près les douleurs épigastriques et abdominales et la présence de sang franc ou occulte dans les selles, les vomissements ou les échantillons prélevés par aspiration gastrique.

DIAGNOSTICS INFIRMIERS POSSIBLES

- ■ **Énoncés diagnostiques**
- ☐ Perturbation des échanges gazeux.
- ☐ Excès de volume liquidien.
- ☐ Prise en charge inefficace du programme thérapeutique.
- ☐ *Risque élevé de douleur au point d'injection IV.*
- ☐ *Risque élevé d'accident.*
- ☐ *Risque élevé de déséquilibre hydro-électrolytique.*

- ■ **Facteurs favorisants**
- ☐ Informations incomplètes.
- ☐ *Inflammation locale du tissu vasculaire ou infiltration du médicament dans les tissus avoisinants.*
- ☐ *Manque de connaissances sur les modalités du traitement.*
- ☐ *Manque de connaissances sur la méthode d'administration du médicament.*
- ☐ *Manque de connaissances sur le régime alimentaire à suivre.*

INTERVENTIONS INFIRMIÈRES

- ■ **Directives générales :** Le bicarbonate de sodium peut entraîner la dissolution prématurée des comprimés à enrobage entérique dans l'estomac.
- ■ **PO :** Les comprimés doivent être bien mâchés et pris avec un grand verre d'eau. La poudre doit être totalement

dissoute dans de l'eau froide avant que le patient ne boive la solution.

- ☐ Lorsque le bicarbonate de sodium est administré dans le cadre du traitement de l'ulcère gastroduodénal, le médecin peut recommander au patient de le prendre 1 et 3 h après les repas et au coucher.
- ■ **SC :** Il faut diluer le bicarbonate de sodium jusqu'à ce qu'il devienne isotonique afin de prévenir l'irritation cutanée ou la cellulite. Pour préparer une solution isotonique à 1,5 %, diluer 1 mL de solution de bicarbonate de sodium à 8,4 % avec 4,6 mL d'eau stérile pour injection, 1 mL de solution à 7,5 % avec 4 mL d'eau stérile pour injection ou 1 mL de solution à 4,2 % avec 1,8 mL d'eau stérile pour injection.
- ■ **IV directe :** En cas d'arrêt cardiaque, administrer par IV directe. Afin d'administrer la dose exacte, utiliser des ampoules prédosées ou des seringues préremplies. Les doses doivent être établies d'après les concentrations des gaz artériels. On peut répéter l'administration toutes les 10 min.
- ☐ Rincer la tubulure IV avant et après l'administration pour empêcher que les médicaments incompatibles, administrés pour le traitement de l'arrêt cardiaque, forment des précipités.
- ■ **Perfusion continue et intermittente :** On peut diluer le médicament dans une solution de dextrose, dans du soluté salin ou dans une association de dextrose et de soluté salin.
- ■ **Association compatible dans la même seringue :** Pentobarbital.
- ■ **Associations incompatibles dans la même seringue :** Glycopyrrolate, métoclopramide ou thiopental.
- ■ **Compatibilités (tubulure en Y) :** Acyclovir, chlorure de potassium, famotidine, héparine avec succinate d'hydrocortisone sodique, insuline, morphine ou tolazoline.

- **Incompatibilités (tubulure en Y):** Amrinone, chlorure de calcium ou vérapamil.
- **Compatibilités en addition au soluté:** Amikacine, aminophylline, amobarbital, amphotéricine B, ampicilline, atropine, brétylium, céfoxitine, céphalothine, céphapirine, chloramphénicol, chlorothiazide, chlorure de calcium, chlorure de potassium, cimétidine, clindamycine, dropéridol avec fentanyl, érythromycine, gluceptate de calcium, héparine, hyaluronidase, iodure de sodium, kanamycine, lidocaïne, maléate d'ergonovine, métaraminol, méthotrexate, méthyldopa, multivitamines, nafcilline, nétilmicine, oxacilline, ocytocine, phénobarbital, phényléphrine, phénytoïne, phytonadione, prochlorpérazine, promazine, succinate d'hydrocortisone sodique, thiopental ou vérapamil.
- **Incompatibilités en addition au soluté:** Acide ascorbique, carmustine, céfotaxime, cisplatine, codéine, corticotrophine, dobutamine, dopamine, épinéphrine, hydromorphone, imipénem avec cilastatine, insuline, isoprotérénol, labétalol, mépéridine, méthadone, morphine, norépinéphrine, pénicilline G potassique, pentazocine, pentobarbital, procaïne, sécobarbital, streptomycine, succinylcholine, sulfate de magnésium ou tétracycline. Ne pas ajouter à une solution de Ringer, de lactate Ringer ou à des produits Ionosol, car la compatibilité varie selon les concentrations.

ENSEIGNEMENT AU PATIENT ET À SES PROCHES

- Conseiller au patient de respecter scrupuleusement la posologie recommandée. S'il n'a pas pu prendre le médicament au moment habituel, il doit le prendre aussitôt que possible à moins que ce ne soit presque l'heure prévue pour la dose suivante.

□ Expliquer au patient qui suit un traitement prolongé les symptômes d'un déséquilibre électrolytique; lui conseiller de prévenir le médecin si ces symptômes se manifestent.

□ Recommander au patient de ne pas consommer de produits laitiers en même temps que ce médicament afin d'éviter le risque de formation de calculs rénaux ou d'hypercalcémie (syndrome du lait et des alcalins).

□ Insister sur l'importance d'un suivi médical régulier pour déterminer les concentrations sériques d'électrolytes et l'équilibre acidobasique, et pour évaluer les bienfaits du traitement.

- **Antiacide:** Recommander au patient d'éviter l'utilisation régulière de bicarbonate de sodium en cas d'indigestion. La dyspepsie qui persiste plus de 2 semaines devrait faire l'objet d'un examen médical.

□ Recommander au patient qui suit un régime hyposodé d'éviter de prendre du bicarbonate de soude pour traiter l'indigestion.

□ Conseiller au patient de prévenir le médecin si l'indigestion s'accompagne de douleurs thoraciques, de difficultés respiratoires ou de diaphorèse ou si ses selles deviennent foncées et goudronneuses.

VÉRIFICATION DES RÉSULTATS

L'efficacité du traitement peut être démontrée par: ■ l'élévation du pH urinaire ■ l'amélioration clinique de l'acidose ■ l'augmentation de l'excrétion des substances nocives en cas d'empoisonnement ou de toxicomanie ■ la diminution de la gêne gastrique.

SODIUM, CHLORURE DE
Cordema, Muro-128, NaCl, Saline d'Otrivin, Salinex, sel

INDICATIONS

■ **IV et SC:** Hydratation et apport de chlorure de sodium dans les cas de carence ■ Maintien de l'équilibre hydroélectrolytique en cas de pertes excessives (diurèse excessive ou régime hyposodé strict) ■ La solution à 0,45 % (soluté demi-salin) est plus souvent utilisée pour l'hydratation et pour le traitement du diabète hyperosmolaire ■ La solution à 0,9 % (soluté « normal » salin)est utilisée pour les cas suivants: □ remplissage vasculaire □ traitement de l'alcalose métabolique □ liquide d'amorçage lors de l'hémodialyse □ début et fin des transfusions sanguines □ irrigation ■ Petits volumes de chlorure de sodium à 0,9 % (sans agent de conservation ni agent bactériostatique) – reconstitution ou dilution d'autres médicaments ■ La solution hypertonique (à 3 % et à 5 %) peut être utile dans les cas suivants où une réplétion sodique rapide s'avère nécessaire: □ hyponatrémie □ hypochlorémie □ insuffisance rénale □ insuffisance cardiaque ■ **PO:** Prévention des coups de chaleur en cas de transpiration excessive lors de l'exposition à des températures élevées ■ **Préparations ophtalmiques:** Traitement de l'œdème cornéen ■ **Préparations nasales:** Traitement de la congestion, de la sécheresse et de l'irritation des voies nasales. **Usages non approuvés:** ■ **Voie intra-amniotique:** La solution à 20 % est utilisée en tant qu'agent ocytocique pour provoquer l'avortement.

ACTION

■ Le sodium, principal cation du liquide extracellulaire, permet de maintenir la distribution de l'eau dans l'organisme, l'équilibre hydroélectrolytique, l'équilibre acidobasique et la pression osmotique ■ Le chlorure, principal anion du liquide extracellulaire, favorise le maintien de l'équilibre acidobasique. Les solutions de chlorure de sodium ressemblent au liquide extracellulaire. **Effets thérapeutiques:** ■ **IV, SC et PO:** Agent substitutif en cas de carence et maintien de l'homéostasie ■ **Voie intra-amniotique:** Évacuation du fœtus ■ **Préparations ophtalmiques:** Soulagement temporaire de l'œdème cornéen ■ **Préparations nasales:** Soulagement de la congestion, de la sécheresse et de l'irritation nasales.

PHARMACOCINÉTIQUE

Absorption: Bonne absorption par suite de l'administration PO. Les solutions de réplétion par le chlorure de sodium sont réservées à l'administration IV et SC. Par suite de l'instillation intra-amniotique, le sodium peut être absorbé par voie systémique.

Distribution: Le chlorure de sodium se répartit rapidement dans tout l'organisme.

Métabolisme et excrétion: Le chlorure de sodium est principalement excrété par les reins.

Demi-vie: Inconnue.

CONTRE-INDICATIONS ET PRÉCAUTIONS

Contre-indications: ■ **Solutions IV:** Aucune contre-indication connue ■ **Instillation intra-amniotique:** Contractions utérines ou utérus hypertonique, coagulopathie ou rupture de la membrane.

Précautions: ■ Hypersensibilité à l'un des ingrédients (préparations ophtalmiques) ■ Patients prédisposés à des anomalies métaboliques ou à des déséquilibres acidobasiques ou hydroélectrolytiques, dont: □ les personnes âgées □ les patients intubés.

Extrême prudence: ■ Vomissements ■ Diarrhée ■ Traitement par des diurétiques

S

- Traitement par des glucocorticoïdes
- Fistules ■ Insuffisance cardiaque ■ Insuffisance rénale grave ■ Maladies hépatiques graves (l'administration d'électrolytes supplémentaires peut s'avérer nécessaire). ■ Nouveau-nés (ne pas administrer du chlorure de sodium bactériostatique contenant de l'alcool benzylique). ■ **Instillation intra-amniotique:** ■ Maladies cardiovasculaires ■ Insuffisance rénale ■ Antécédents de chirurgie utérine ou d'adhérences ■ Antécédents de convulsions.

RÉACTIONS INDÉSIRABLES ET EFFETS SECONDAIRES

CV: EMBOLIE PULMONAIRE (instillation intra-amniotique seulement), œdème, insuffisance cardiaque, œdème pulmonaire.

Resp.: pneumonie (instillation intra-amniotique seulement).

GU: nécrose corticale des reins (instillation intra-amniotique seulement).

Tég.: rougeur du visage (instillation intra-amniotique seulement).

HÉ: hypokaliémie, hypervolémie, hypernatrémie.

Hémat.: COAGULATION INTRAVASCULAIRE DISSÉMINÉE (instillation intra-amniotique seulement).

ORLO: irritation passagère, brûlure (préparations ophtalmiques seulement).

Locaux: extravasation, irritation au point d'injection IV.

Divers: fièvre, infection au point d'injection (instillation intra-amniotique seulement).

INTERACTIONS

Médicament – médicament: ■ Les quantités excessives de chlorure de sodium peuvent contrecarrer partiellement les effets des **antihypertenseurs** ■ Risque accru d'hypertonie de l'utérus lorsque le chlorure de sodium est instillé en même temps que l'on administre des **agents**

ocytociques ■ L'usage concomitant de **glucocorticoïdes** peut entraîner une rétention sodée excessive.

VOIES D'ADMINISTRATION ET POSOLOGIE

Chlorure de sodium à 0,9 %
(solution isotonique)

- **IV (adultes):** 1 L (la solution contient 150 mmol/L de sodium).

Chlorure de sodium à 0,45 %
(solution hypotonique)

- **IV (adultes):** de 1 à 2 L (la solution contient 75 mmol /L de sodium).

Chlorure de sodium à 3 % et à 5 %
(solution hypertonique)

- **IV (adultes) (É.-U.):** 100 mL en 1 h (la solution à 3 % contient 50 mmol de sodium par 100 mL et la solution à 5 %, 83,3 mmol de sodium par 100 mL).

Substitution par voie orale

- **PO (adultes):** 1 g, 3 fois par jour ou selon les besoins.

Instillation intra-amniotique

- **Voie intra-amniotique (adultes):** Instiller le volume d'une solution à 20 % équivalant au volume de liquide amniotique prélevé par ponction (jusqu'à 200 à 250 mL). En cas d'échec, on peut répéter l'intervention 48 h plus tard.

Œdème cornéen

- **Préparations ophtalmiques (adultes):** Appliquer l'onguent une ou plusieurs fois par jour ou instiller 1 ou 2 gouttes de la solution, toutes les 3 ou 4 h.

Humidifiant/décongestionnant nasal

- **Préparations nasales (adultes):** de 1 à 3 vaporisations ou 2 ou 3 gouttes, de 1 à 3 fois par jour.
- **Préparations nasales (nourrissons et enfants):** 1 vaporisation ou 1 goutte, de 1 à 3 fois par jour.

PHARMACODYNAMIE
(PO, IV = effets sur les électrolytes ; voie intra-amniotique = délai jusqu'à l'avortement)

	DÉBUT D'ACTION	PIC	DURÉE
PO	inconnu	inconnu	inconnue
IV	rapide (quelques minutes)	fin de la perfusion	inconnue
Voie intra-amniotique	12 – 24 h	inconnu	36 h

SOINS INFIRMIERS

ÉVALUATION DE LA SITUATION

☐ Effectuer le bilan hydrique pendant toute la durée du traitement : établir le bilan quotidien des ingesta et des excreta, peser le patient tous les jours, suivre de près l'œdème, ausculter le murmure vésiculaire.

☐ Observer le patient pendant toute la durée du traitement pour déceler les signes et les symptômes d'hyponatrémie (céphalées, tachycardie, lassitude, sécheresse des muqueuses, nausées, vomissements, crampes musculaires) ou d'hypernatrémie (œdème, gain pondéral, hypertension, tachycardie, fièvre, rougeur de la peau, irritabilité). On mesure le sodium en fonction de sa concentration dans les liquides organiques ; les symptômes peuvent donc changer selon le degré d'hydratation du patient.

■ **Étude des examens diagnostiques et biochimiques :** Noter à intervalles réguliers pendant toute la durée du traitement prolongé au chlorure de sodium, les concentrations sériques de sodium, de potassium, de bicarbonate et de chlorure ainsi que l'équilibre acidobasique.

☐ Noter l'osmolarité sérique chez les patients recevant des solutés salins hypertoniques.

DIAGNOSTICS INFIRMIERS POSSIBLES

■ **Énoncés diagnostiques**
☐ Déficit de volume liquidien.
☐ Excès de volume liquidien.
☐ *Risque élevé de déséquilibre hydro-électrolytique.*
☐ *Prise en charge inefficace du programme thérapeutique.*
☐ *Risque élevé d'accident.*

■ **Facteurs favorisants**
☐ *Manque de connaissances sur le régime alimentaire à suivre.*
☐ *Manque de connaissances sur la méthode d'administration du médicament.*
☐ *Manque de connaissances sur les modalités du traitement.*

INTERVENTIONS INFIRMIÈRES

■ **Directives générales :** La posologie du chlorure de sodium dépend de l'âge du patient, de son poids, de son état et de l'équilibre hydroélectrolytique et acidobasique.

☐ Ne pas administrer à des nouveaunés une solution de chlorure de sodium bactériostatique contenant de l'alcool benzylique comme agent de conservation. Ne pas utiliser une telle solution pour reconstituer ou pour diluer une autre solution ou pour rincer les cathéters intravasculaires destinés aux nouveau-nés.

☐ La solution de NaCl à 0,45 % pour perfusion est hypotonique ; la solution de NaCl à 0,9 % pour perfusion est isotonique et les solutions à 3 % et à 5 % sont hypertoniques.

☐ Le chlorure de sodium existe également sous forme de diluant et de solution pour irrigation.

■ **SC :** Le chlorure de sodium injectable peut être administré par voie SC aux nourrissons. L'administration conjointe d'hyaluronidase facilite l'absorption de la solution.

■ **Perfusion intermittente :** Administrer la solution de NaCl à 3 ou à 5 % dans une grosse veine et prévenir l'infiltration. Après la perfusion des 100 premiers millilitres, réévaluer les concentrations de sodium, de chlorure et de bicarbonate afin de déterminer s'il est nécessaire de poursuivre l'administration.

- □ *Vitesse d'administration:* Perfuser à un débit inférieur à 100 mL/h.

- ■ **Compatibilités en addition au soluté:** Solution de dextrose à 5 ou à 10 % dans de l'eau, solution de Ringer ou de lactate Ringer pour injection, solution qui associe du dextrose et de la solution de Ringer, du dextrose et du lactate Ringer, du dextrose et du soluté salin ou solution de lactate de sodium à $\frac{1}{6}$ M.

- ■ **Incompatibilités en addition au soluté:** Amphotéricine B, mannitol ou streptomycine.

- ■ **Préparations ophtalmiques:** Voir l'annexe H.

- ■ **Préparations nasales:** Avant d'instiller les préparations nasales, demander au patient de se moucher délicatement et de pencher la tête vers l'arrière ou de se coucher et de laisser sa tête pendre vers le côté du lit. Après l'instillation, demander au patient de garder cette position pour que le médicament puisse se répartir dans le nez. Après usage, laver le compte-gouttes dans de l'eau chaude et sécher avec une serviette propre.

ENSEIGNEMENT AU PATIENT ET À SES PROCHES

- □ Expliquer au patient le but de la perfusion.

- □ Conseiller au patient de respecter scrupuleusement la posologie recommandée pendant toute la durée du traitement. S'il n'a pas pu appliquer la préparation au moment habituel, il doit le faire dès que possible à moins que ce ne soit presque l'heure prévue pour la dose suivante.

- □ Montrer au patient comment administrer les gouttes ou l'onguent ophtalmique. Insister sur l'importance d'éviter tout contact du bouchon ou de l'extrémité du tube avec les yeux ou avec toute autre surface.

VÉRIFICATION DES RÉSULTATS

L'efficacité du traitement peut être démontrée par: ■ la prévention de la déshydratation ou le rétablissement de l'équilibre hydrique ■ la normalisation des concentrations sériques de sodium et de chlorure ■ la prévention des coups de chaleur en cas d'exposition à des températures élevées ■ l'induction de l'avortement ■ le soulagement temporaire de l'œdème cornéen ■ le soulagement de la congestion, de la sécheresse et de l'irritation nasales.

SODIUM, CITRATE DE, ET ACIDE CITRIQUE

PMS-Dicitrate solution, solution de Shohl, (Bicitra), (Oracit)

CLASSIFICATION:
Électrolyte de substitution – alcalinisant; antiurolithique

Grossesse – catégorie inconnue

INDICATIONS

■ Traitement de l'acidose métabolique chronique associée à l'insuffisance rénale chronique ou à l'acidose tubulaire rénale ■ Alcalinisation de l'urine ■ Prévention de la formation de calculs de cystine et de calculs d'urate dans l'urine ■ Prévention du syndrome de Mendelson (pneumonite d'aspiration) au cours d'une intervention chirurgicale.

ACTION

■ Transformation en bicarbonate dans l'organisme, ce qui entraîne une élévation du pH sanguin ■ Alcalinisation de l'urine par suite de l'excrétion rénale du bicarbonate, ce qui augmente la solubilité de la cystine et de l'acide urique ■ Neutralisation de l'acide gastrique. **Effets thérapeutiques :** ■ Apport de bicarbonate en cas d'acidose métabolique ■ Alcalinisation de l'urine ■ Prévention de la formation de calculs de cystine et de calculs d'urate dans l'urine ■ Prévention du syndrome de Mendelson (pneumonite d'aspiration).

PHARMACOCINÉTIQUE

Absorption : Bonne absorption, par suite de l'administration PO.
Distribution : L'agent se répartit rapidement dans tout l'organisme.
Métabolisme et excrétion : L'agent est rapidement oxydé en bicarbonate lequel est excrété principalement par les reins. Une petite fraction (moins de 5 %) est excrétée à l'état inchangé par les poumons.
Demi-vie : Inconnue.

CONTRE-INDICATIONS ET PRÉCAUTIONS

Contre-indications : ■ Insuffisance rénale grave ■ Régime hyposodé strict ■ Insuffisance cardiaque, hypertension non traitée, œdème ou toxémie de la grossesse.
Précautions : Grossesse ou allaitement (l'innocuité du médicament n'a pas été établie).

RÉACTIONS INDÉSIRABLES ET EFFETS SECONDAIRES

GI : diarrhée.
HÉ : surcharge liquidienne, hypernatrémie (insuffisance rénale grave), alcalose métabolique (doses élevées seulement), hypocalcémie.
Loc. : tétanie.

INTERACTIONS

Médicament – médicament : ■ L'agent peut contrecarrer partiellement les effets des **antihypertenseurs** ■ L'alcalinisation de l'urine peut entraîner la diminution des

concentrations sanguines des **salicylés** ou des **barbituriques** ou l'élévation des concentrations sanguines de **quinidine**, de **flécaïnide** ou des **amphétamines**.

VOIES D'ADMINISTRATION ET POSOLOGIE

Remarque : Adapter la dose selon le pH de l'urine. Les préparations contiennent 1 mmol de sodium par millilitre de solution.

Alcalinisation

■ **PO (adultes) :** de 1 à 3 g (de 10 à 30 mL de solution) dilués dans l'eau, 4 fois par jour.
■ **PO (enfants) :** de 500 mg à 1,5 g (de 5 à 15 mL de solution), 4 fois par jour.

Effet antiurolithique

■ **PO (adultes) :** de 1 à 3 g (de 10 à 30 mL de solution) dilués dans l'eau, 4 fois par jour.

Neutralisation de l'acide gastrique

■ **PO (adultes) :** de 1,5 à 3 g (de 15 à 30 mL de solution) dilués dans 15 à 30 mL d'eau.

PHARMACODYNAMIE (effets sur le pH sérique)

	DÉBUT D'ACTION	PIC	DURÉE
PO	rapide (quelques minutes à quelques heures)	inconnu	4 – 6 h

SOINS INFIRMIERS

ÉVALUATION DE LA SITUATION

☐ Observer le patient pendant toute la durée du traitement pour déceler les signes et les symptômes d'alcalose (confusion, irritabilité, paresthésie, tétanie, mode de respiration inefficace) ou d'hypernatrémie (œdème, gain pondéral, hypertension, tachycardie, fièvre, rougeur de la peau, irritabilité).

S

- Suivre de près le patient souffrant d'insuffisance rénale pour déceler les signes et les symptômes suivants de surcharge liquidienne : écart entre les ingesta et les excreta, gain pondéral, œdème, râles et crépitations, hypertension.

- **Étude des examens diagnostiques et biochimiques :** Noter avant l'administration et tous les 4 mois pendant toute la durée d'un traitement prolongé, l'hématocrite, les concentrations d'hémoglobine et d'électrolytes, le pH, les concentrations de créatinine, le résultat de l'analyse des urines ainsi que celui de l'analyse des urines de 24 h pour déterminer les concentrations de citrate.

- Déterminer le pH urinaire lorsque l'agent est utilisé pour l'alcalinisation de l'urine.

DIAGNOSTICS INFIRMIERS POSSIBLES

- **Énoncés diagnostiques**
- Prise en charge inefficace du programme thérapeutique.
- *Risque élevé de déséquilibre hydroélectrolytique.*
- *Risque élevé d'excès de volume liquidien.*

- **Facteurs favorisants**
- Informations incomplètes.
- *Manque de connaissances sur le régime alimentaire à suivre.*
- *Manque de connaissances sur la méthode d'administration du médicament.*

INTERVENTIONS INFIRMIÈRES

- **PO :** La solution a meilleur goût si elle est froide. Il faut l'administrer avec 30 à 90 mL d'eau glacée, 30 min après les repas ou lors du goûter que le patient prend avant de se coucher afin de réduire l'effet laxatif de la solution saline.

- Lorsque l'agent est administré avant l'anesthésie, demander au patient de prendre de 15 à 30 mL de citrate de sodium avec 15 à 30 mL d'eau glacée.

ENSEIGNEMENT AU PATIENT ET À SES PROCHES

- Conseiller au patient de respecter scrupuleusement la posologie recommandée. S'il n'a pas pu prendre le médicament au moment habituel, il doit le prendre dans les 2 h qui suivent. Le prévenir qu'il ne doit jamais doubler les doses.

- Montrer au patient qui suit un traitement prolongé au citrate de sodium comment mesurer le pH et comment maintenir l'alcalinité de l'urine. Lui recommander d'augmenter sa consommation de liquides jusqu'à 3 L par jour.

- Recommander au patient recevant un traitement prolongé d'éviter de consommer des aliments salés.

VÉRIFICATION DES RÉSULTATS

L'efficacité du traitement peut être démontrée par : ■ la suppression de l'acidose métabolique ■ le maintien de l'alcalinité de l'urine diminuant ainsi la formation de calculs ■ la neutralisation du pH des sécrétions gastriques, ce qui permet de prévenir l'apparition du syndrome de Mendelson associé à l'intubation et à l'anesthésie.

SODIUM, PHOSPHATE DE

CLASSIFICATION :
Électrolyte – supplément de phosphate
Grossesse – catégorie C

INDICATIONS

Traitement et prévention du déficit en phosphate chez les patients incapables d'absorber une quantité suffisante de phosphate d'origine alimentaire.

ACTION

■ Élément présent dans les os et participant au transport d'énergie et au métabolisme des glucides ■ Tampon servant à l'excrétion des ions d'hydrogène par les reins. **Effets thérapeutiques :** ■ Supplément de phosphore en cas de carence.

PHARMACOCINÉTIQUE

Absorption : Le phosphate de sodium est réservé à l'administration par voie IV ; dans ce cas, sa biodisponibilité est totale.
Distribution : Le phosphate pénètre dans les liquides extracellulaires d'où il parvient par le transport actif à son lieu d'action.
Métabolisme et excrétion : L'agent est surtout excrété par les reins (> 90 %).
Demi-vie : Inconnue.

CONTRE-INDICATIONS ET PRÉCAUTIONS

Contre-indications : ■ Hyperphosphatémie ■ Hypocalcémie ■ Insuffisance rénale grave.
Précautions : ■ Hyperparathyroïdie ■ Maladie cardiaque ■ Hypernatrémie ■ Hypertension.

RÉACTIONS INDÉSIRABLES ET EFFETS SECONDAIRES

Remarque : Sauf indication contraire, les réactions indésirables et effets secondaires suivants sont reliés à l'hyperphosphatémie.
SNC : apragmatisme, confusion, faiblesse.
Resp. : hypernatrémie – essoufflements.
CV : ARYTHMIES, modifications de l'ÉCG (absence des ondes P, élargissement du complexe QRS avec courbe biphasique), ARRÊT CARDIAQUE, hypotension ; hypernatrémie – œdème.
HÉ : hypomagnésémie, hyperphosphatémie, hyperkaliémie, hypocalcémie, hypernatrémie.
GI : diarrhée, nausées, vomissements, douleurs abdominales.
Locaux : phlébite, irritation au point d'injection IV.

Loc. : hypocalcémie – tremblements.
SN : paresthésie des membres, paralysie flasque, jambes lourdes.

INTERACTIONS

Médicament – médicament : Les **glucocorticoïdes**, administrés simultanément, peuvent entraîner une hypernatrémie.

VOIES D'ADMINISTRATION ET POSOLOGIE

Remarque : 1mL de solution contient 276 mg de phosphate monobasique et 268 mg de phosphate dibasique (3 mmol de phosphore), et 4 mmol de sodium.

Hypophosphatémie légère à modérée (concentration sérique de phosphate > 1,0 mg/dL)
■ **IV (adultes) :** de 0,08 mmol/kg à 0,2 mmol/kg, en perfusion, sur une période de 6 h.

Hypophosphatémie grave
■ **IV (adultes) :** de 0,025 mmol/kg à 0,5 mmol/kg, en perfusion, sur une période de 4 h.

PHARMACODYNAMIE (effets sur les concentrations sériques de phosphate)

	DÉBUT D'ACTION	PIC	DURÉE
IV	rapide (quelques minutes à quelques heures)	fin de la perfusion	inconnue

SOINS INFIRMIERS

ÉVALUATION DE LA SITUATION

☐ Observer le patient pendant toute la durée du traitement pour déceler les signes et les symptômes suivants d'hypophosphatémie : anorexie, faiblesse, diminution des réflexes, douleurs osseuses, confusion, dyscrasie.

☐ Effectuer le bilan quotidien des ingesta et des excreta et peser le patient tous les jours. Signaler tout écart important au médecin.

S

- **Étude des examens diagnostiques et bio-chimiques:** Noter les concentrations sériques de phosphate, de potassium, de sodium et de calcium avant le traitement et à intervalles réguliers pendant toute sa durée. L'élévation des concentrations de phosphate peut entraîner l'hypocalcémie.
- ☐ Examiner les résultats des tests de l'exploration fonctionnelle rénale avant le traitement et à intervalles réguliers pendant toute sa durée.
- **Toxicité et surdosage:** Les symptômes de toxicité sont les mêmes qu'en cas d'hyperphosphatémie ou d'hypocalcémie (paresthésie, soubresauts musculaires, laryngospasme, colique, arythmies cardiaques ou signe de Chvostek ou de Trousseau) ou d'hypernatrémie (soif, sécheresse et rougeur de la peau, fièvre, tachycardie, hypotension, irritabilité, diminution du débit urinaire).

DIAGNOSTICS INFIRMIERS POSSIBLES

- **Énoncés diagnostiques**
- ☐ Déficit nutritionnel.
- ☐ Prise en charge inefficace du programme thérapeutique.
- ☐ *Risque élevé de diarrhée.*
- ☐ *Risque élevé de douleur au point d'injection IV.*
- ☐ *Risque élevé de déséquilibre hydroélectrolytique.*
- **Facteurs favorisants**
- ☐ Informations incomplètes.
- ☐ *Inflammation locale du tissu vasculaire ou infiltration du médicament dans les tissus avoisinants.*
- ☐ *Manque de connaissances sur le régime alimentaire à suivre.*

INTERVENTIONS INFIRMIÈRES

- **IV:** Administration réservée à la voie IV; diluer les solutions et perfuser lentement.
- **Incompatibilités en addition au soluté:** Calcium ou magnésium.

ENSEIGNEMENT AU PATIENT ET À SES PROCHES

Expliquer au patient le but du traitement.

VÉRIFICATION DES RÉSULTATS

L'efficacité du traitement peut être démontrée par: la prévention et la correction des déficits en phosphate sérique.

SODIUM, PHOSPHATE ET BIPHOSPHATE DE

Fleet Phospho-Soda, Gent-L-Tip, Lavement Fleet

CLASSIFICATION:
Laxatif – solution saline

Grossesse – catégorie inconnue

INDICATIONS

Préparation des intestins à une chirurgie ou à un examen radiologique. Usage intermittent dans le traitement de la constipation chronique.

ACTION

- Augmentation de la pression osmotique dans la lumière du tractus gastrointestinal ■ Effet laxatif par attraction de l'eau dans la lumière intestinale et stimulation du péristaltisme ■ Stimulation de la motilité de l'intestin grêle et inhibition de l'absorption des liquides et des électrolytes. **Effets thérapeutiques:** ■ Soulagement de la constipation ■ Évacuation intestinale.

PHARMACOCINÉTIQUE

Absorption: Une fraction de 1 à 20 % du sodium et du phosphate administrés par voie rectale peut être absorbée.
Distribution: Inconnue.
Métabolisme et excrétion: L'agent est excrété par les reins.
Demi-vie: Inconnue.

CONTRE-INDICATIONS ET PRÉCAUTIONS

Contre-indications: ■ Douleurs abdominales, nausées ou vomissements, particulièrement si elles s'accompagnent de fièvre ou d'autres signes d'abdomen aigu ■ Grossesse (à terme) ■ Maladie rénale ■ Maladie cardiaque grave ■ Occlusion intestinale.

Précautions: ■ Administration excessive ou prolongée (risque de dépendance) ■ Grossesse (risque de rétention sodique et d'œdème).

RÉACTIONS INDÉSIRABLES ET EFFETS SECONDAIRES

GI: crampes, nausées.
HÉ: rétention sodique, hyperphosphatémie, hypocalcémie.

INTERACTIONS

Médicament – médicament: Aucune interaction notable.

VOIES D'ADMINISTRATION ET POSOLOGIE

Remarque: Chaque trousse de Lavement Fleet contient 8 mmol de sodium/5 mL. La solution orale Fleet Phospho-Soda contient 24,1 mmol de sodium/5 mL.

- **PO (adultes):** 9,6 g de biphosphate et de 3,6 g de phosphate (20 mL).
- **PO (enfants > 10 ans):** 50 % de la dose pour adultes (10 mL de Phospho-Soda).
- **PO (enfants de 5 à 10 ans):** 25 % de la dose pour adultes (5 mL de Phospho-Soda).
- **PR (adultes):** 19 g de biphosphate et 7 g de phosphate (120 mL de Fleet).
- **PR (enfants > 2 ans):** 30, 60 ou 90 mL pour les enfants de 14, 27 ou 40 kg, respectivement.

PHARMACODYNAMIE
(effet laxatif)

	DÉBUT D'ACTION	PIC	DURÉE
PO	0,5 – 3 h	inconnu	inconnu
PR	2 – 5 min	inconnu	inconnu

SOINS INFIRMIERS

ÉVALUATION DE LA SITUATION

☐ Suivre de près la fièvre, la distension abdominale, la présence de bruits intestinaux et noter les habitudes d'élimination intestinale.
☐ Noter la couleur, la consistance et la quantité des selles produites.
■ **Étude des examens diagnostiques et biochimiques:** L'agent peut entraîner l'élévation des concentrations sériques de sodium et de phosphates, la diminution des concentrations sériques de calcium et l'acidose.

DIAGNOSTICS INFIRMIERS POSSIBLES

■ **Énoncés diagnostiques**
☐ Constipation.
☐ Prise en charge inefficace du programme thérpeutique.
☐ *Risque élevé d'anxiété.*

■ **Facteurs favorisants**
☐ Informations incomplètes.
☐ *Manque de connaissances sur les moyens de stimuler la fonction intestinale.*
☐ *Manque de connaissances sur la méthode d'administration du médicament.*

INTERVENTIONS INFIRMIÈRES

■ **Directives générales:** Ne pas administrer le médicament au coucher ou dans la soirée.
■ **PO:** Administrer le médicament à jeun pour obtenir des résultats plus rapides. Mélanger la dose dans au moins un demi-verre d'eau froide. Le patient peut prendre ensuite une boisson gazéifiée ou un jus de fruits pour faire passer le goût du médicament.
■ **PR:** Installer le patient sur le côté gauche, les genoux légèrement fléchis. Introduire le bout lubrifié dans le rectum sur 2 cm environ, le dirigeant vers le nombril. Presser doucement le flacon jusqu'à ce qu'il soit vide. Si on sent une résistance, arrêter le lavement,

S

car il y a risque de perforation si la solution est administrée de force dans le rectum.

ENSEIGNEMENT AU PATIENT ET À SES PROCHES

▫ Prévenir le patient que les laxatifs sont réservés à un traitement de courte durée. Lui expliquer que le traitement prolongé peut entraîner un déséquilibre électrolytique et la dépendance.

▫ Prévenir le patient qui suit un régime hyposodé que la teneur en sodium de ce médicament est élevée.

▫ Recommander au patient de ne pas prendre la préparation destinée à la voie orale dans les 2 h précédant ou suivant la prise d'autres médicaments.

▫ Recommander au patient de prendre d'autres mesures qui favorisent l'élimination intestinale : manger plus d'aliments riches en fibres, boire plus de liquides et faire de l'exercice. Expliquer au patient que chaque personne a ses propres habitudes d'élimination intestinale et qu'il est tout aussi normal de déféquer trois fois par jour que trois fois par semaine.

▫ Recommander au patient de signaler au médecin la constipation persistante, les saignements rectaux ou les symptômes suivants de déséquilibre électrolytique : crampes ou douleurs musculaires, faiblesse, étourdissements, etc.

VÉRIFICATION DES RÉSULTATS

L'efficacité du traitement peut être démontrée par : l'élimination de selles molles et bien moulées.

SOMATOTROPHINE
Humatrope

SOMATREM
Protropin

CLASSIFICATION :
Hormone de croissance
Grossesse – catégorie inconnue

INDICATIONS

Retard de la croissance chez l'enfant, dû à une carence en somatotrophine (hormone de croissance).

ACTION

■ Stimulation de la croissance (squelette et cellules) ■ Nombreux effets métaboliques, dont : ▫ une synthèse accrue des protéines ▫ un métabolisme accru des glucides ▫ la mobilisation des lipides ▫ la rétention du sodium, du phosphore et du potassium ■ La séquence d'acides aminés de la somatotrophine est identique à celle de l'hormone de croissance humaine ; cependant, le somatrem possède un acide aminé de plus. Les deux agents sont synthétisés par des manipulations génétiques. **Effets thérapeutiques :** ■ Stimulation de la croissance squelettique chez les enfants qui présentent une carence en somatotrophine.

PHARMACOCINÉTIQUE

Absorption : Bonne absorption, par suite de l'administration SC ou IM.
Distribution : Inconnue.
Métabolisme et excrétion : Inconnus.
Demi-vie : Inconnue.

CONTRE-INDICATIONS ET PRÉCAUTIONS

Contre-indications : ■ Soudure des cartilages épiphysaires ■ Tumeurs ■ Hypersensibilité au m-crésol ou à la glycérine (somatotrophine) ou à l'alcool benzylique (somatrem).
Précautions : ■ Carence en hormone de croissance secondaire à une lésion intracrânienne ■ Carence coexistante en ACTH (corticotrophine) ■ Dysfonctionnement thyroïdien.

RÉACTIONS INDÉSIRABLES ET EFFETS SECONDAIRES

CV: œdème.
End.: hyperglycémie, insulinorésistance, hypothyroïdie.
Locaux: douleurs au point d'injection.

INTERACTIONS

Médicament – médicament: L'administration de doses élevées de **glucocorticoïdes** peut diminuer la réponse à la somatotrophine.

VOIES D'ADMINISTRATION ET POSOLOGIE

Somatotrophine
- **IM et SC (enfants):** jusqu'à concurrence de 0,06 mg/kg (0,16 UI/kg), 3 fois par semaine.

Somatrem
- **IM et SC (enfants):** 0,1 mg/kg (0,26 UI/kg), 3 fois par semaine ou 0,3 mg/kg (0,78 UI/kg) par semaine.

PHARMACODYNAMIE
(croissance)

	DÉBUT D'ACTION	PIC	DURÉE
IM, SC	en l'espace des 3 premiers mois	inconnu	inconnue

SOINS INFIRMIERS

ÉVALUATION DE LA SITUATION

- Déterminer l'âge osseux, mesurer la taille et le poids du patient.
- **Étude des examens diagnostiques et biochimiques:** Noter, avant le traitement et pendant toute sa durée, les résultats des tests de l'exploration fonctionnelle thyroïdienne. Le médicament peut diminuer les concentrations de T_4, le captage de l'iode radioactif et la capacité de liaison à la thyroxine. En cas d'hypothyroïdie, il faut administrer simultanément une hormonothérapie thyroïdienne substitutive pour rendre la somatotrophine efficace.
- Noter la glycémie et la glycosurie à intervalles réguliers pendant toute la durée du traitement. Chez les patients diabétiques, il faut administrer, selon les besoins, une dose plus élevée d'insuline.
- Suivre de près la formation d'anticorps neutralisants si l'enfant ne grandit pas de plus de 2,5 cm en 6 mois.

DIAGNOSTICS INFIRMIERS POSSIBLES

- **Énoncés diagnostiques**
- Perturbation situationnelle de l'estime de soi.
- Prise en charge inefficace du programme thérapeutique.
- *Risque élevé d'anxiété.*
- **Facteurs favorisants**
- Informations incomplètes.
- *Manque de connaissances sur la méthode d'administration du médicament.*
- *Douleur au point d'injection.*
- *Altération de l'image corporelle.*

INTERVENTIONS INFIRMIÈRES

- **Somatrem:** Reconstituer le contenu des fioles à 5 mg (13 UI) et à 10 mg (26 UI) avec 1 à 5 mL ou 1 à 10 mL d'eau bactériostatique pour injection, respectivement. Ne pas secouer la fiole; la tourner plutôt délicatement jusqu'à la dissolution complète de la poudre. La solution doit être transparente. Elle est stable pendant 14 jours au réfrigérateur.
- **Somatotrophine:** Reconstituer le contenu de la fiole à 13 UI avec 1,5 à 5 mL d'eau pour injection fournie par le fabricant (contenant du m-crésol, en tant qu'agent de conservation). Ne pas secouer la fiole; la tourner plutôt délicatement jusqu'à la dissolution complète de la poudre. La solution doit être transparente. Elle est stable pendant 21 jours au réfrigérateur.

ENSEIGNEMENT AU PATIENT ET À SES PROCHES

☐ Montrer au patient et aux parents comment reconstituer le médicament, comment choisir le point d'injection et comment administrer l'injection IM ou SC. Leur expliquer le schéma posologique. Il faut prévoir un intervalle d'au moins 48 h entre les injections de somatotrophine. Conseiller aux parents de signaler au médecin les douleurs persistantes ou l'œdème au point d'injection.

☐ Expliquer les raisons qui sous-tendent l'interdiction d'utiliser cette hormone pour accroître la performance athlétique. L'administration de cet agent chez des personnes ne souffrant pas de carence en hormone de croissance ou dont les cartilages épiphysaires sont soudés peut entraîner l'acromégalie (épaississement des traits du visage, hypertrophie des mains, des pieds et des organes internes, élévation de la glycémie et hypertension).

☐ Insister sur l'importance d'un suivi régulier par un endocrinologue qui pourra s'assurer que le taux de croissance est adéquat, vérifier les résultats des examens diagnostiques et biochimiques et déterminer l'âge osseux par examen radiologique.

☐ Expliquer aux parents et à l'enfant que cet agent est synthétique; il n'y a par conséquent aucun risque de manifestation du syndrome de Creutzfeldt-Jacob, comme auparavant, lorsque la somatotrophine était extraite de cadavres humains.

VÉRIFICATION DES RÉSULTATS

La réponse clinique peut être démontrée par: l'atteinte d'une taille adulte chez l'enfant souffrant d'un arrêt de croissance secondaire d'une carence en hormone de croissance hypophysaire. Le traitement ne peut être administré qu'avant la soudure des cartilages épiphysaires (jusqu'à l'âge de 14 à 15 ans chez les filles et de 15 à 16 ans chez les garçons).

SPECTINOMYCINE
Trobicin

CLASSIFICATION:
Anti-infectieux – divers

Grossesse – catégorie inconnue

INDICATIONS

Traitement de la gonorrhée et de l'urétrite, de la cervicite ou de la rectite gonococciques chez les patients infectés par les souches sensibles de *Neisseria gonorrhoeae*.

ACTION

■ Inhibition de la synthèse des protéines bactériennes au niveau du ribosome 30S. **Effets thérapeutiques:** ■ Action bactéricide contre les micro-organismes sensibles. **Spectre d'action:** ■ Action notable surtout contre *Neisseria gonorrhoeae*, incluant les souches productrices de pénicillinase ■ Aucun effet contre *Treponema pallidum* ni contre *Chlamydia trachomatis*.

PHARMACOCINÉTIQUE

Absorption: Absorption rapide depuis les points d'injection IM.
Distribution: Inconnue.
Métabolisme et excrétion: Le médicament est surtout excrété par les reins.
Demi-vie: De 1,2 à 2,8 h.

CONTRE-INDICATIONS ET PRÉCAUTIONS

Contre-indication: Hypersensibilité.
Précautions: ■ Nouveau-nés (ne pas reconstituer l'agent avec de l'eau stérile contenant de l'alcool benzylique) ■ Infection survenant en même temps que d'autres maladies transmissibles sexuellement (l'administration d'anti-infectieux supplémentaires peut s'avérer nécessaire) ■ Grossesse, allaitement ou enfants (bien que l'innocuité du médicament n'ait pas été établie, on l'a déjà utilisé dans certains cas).

RÉACTIONS INDÉSIRABLES ET EFFETS SECONDAIRES

SNC: étourdissements, céphalées, nervosité, insomnie.

GI: nausées, vomissements.

Tég.: urticaire, rash passager, prurit.

Locaux: douleur au point d'injection IM.

Divers: réactions d'hypersensibilité, incluant l'ANAPHYLAXIE, frissons, fièvre.

INTERACTIONS

Médicament – médicament: Aucune interaction notable.

VOIES D'ADMINISTRATION ET POSOLOGIE

- **IM (adultes et enfants > 9 ans):** 2 g.
- **IM (enfants de 2 à 9 ans):** 40 mg/kg.

PHARMACODYNAMIE
(concentrations sanguines)

	DÉBUT D'ACTION	PIC
IM	rapide	1 h

☀ SOINS INFIRMIERS

ÉVALUATION DE LA SITUATION

- ☐ Suivre de près les signes suivants de gonorrhée: dysurie, écoulements urétraux, pertes vaginales, douleurs périanales.
- ☐ Prélever des échantillons pour les analyses par coloration de Gram et pour les cultures et les antibiogrammes avant de commencer le traitement. On peut administrer la première dose avant même de recevoir les résultats.
- ☐ Suivre de près les réactions d'hypersensibilité (urticaire, respiration sifflante) chez les patients ayant des antécédents d'allergie.
- ■ **Étude des examens diagnostiques et biochimiques:** Une analyse sérologique supplémentaire pour déceler la syphilis devrait être effectuée au début du traitement et 3 mois plus tard. La spectinomycine ne guérit pas la syphilis, mais elle peut en masquer les symptômes.
- ☐ Lors de l'administration de doses multiples de spectinomycine, on peut observer l'élévation des concentrations de TGPS (ALT), d'urée et de phosphatase alcaline et la diminution des concentrations d'hémoglobine, de l'hématocrite et de la clearance de la créatinine. Il se produit souvent une diminution du débit urinaire, mais elle n'est pas associée à une toxicité rénale.

DIAGNOSTICS INFIRMIERS POSSIBLES

- ■ **Énoncés diagnostiques**
- ☐ Risque élevé d'infection.
- ☐ Prise en charge inefficace du programme thérapeutique.
- ☐ *Risque élevé d'anxiété.*

- ■ **Facteurs favorisants**
- ☐ Informations incomplètes.
- ☐ *Douleur au point d'injection.*
- ☐ *Manque de connaissances sur les modalités du traitement.*
- ☐ *Difficulté à s'adapter aux changements nécessaires dans les habitudes de vie.*
- ☐ *Manque de connaissances sur les moyens de prévenir les effets secondaires du médicament.*

INTERVENTIONS INFIRMIÈRES

IM: Reconstituer le contenu de la fiole à 2 g avec 3,5 mL d'eau bactériostatique pour injection USP. Administrer profondément dans la partie bien développée du muscle dorsofessier. La fiole de 2 g donne 5 mL de solution qu'on peut injecter lentement en un seul point d'injection. Une dose de 10 mL peut être administrée en 2 points d'injection différents, à raison de 5 mL par dose. La suspension est stable pendant 24 h.

ENSEIGNEMENT AU PATIENT ET À SES PROCHES

- ☐ Expliquer au patient que tous ses partenaires sexuels doivent être traités.

Lui conseiller de s'abstenir de tout rapport sexuel jusqu'à ce que les résultats des cultures confirment la disparition de l'infection. Lui expliquer qu'il ne doit pas utiliser les mêmes débarbouillettes, serviettes ou sous-vêtements qu'une autre personne. Expliquer au patient les pratiques sexuelles sûres lui permettant de prévenir la réinfection.

□ Prévenir le patient que les symptômes suivants peuvent se manifester: douleurs passagères au point d'injection, nausées, fièvre, frissons, étourdissements et insomnie.

□ Insister sur le fait qu'il est nécessaire de faire des prélèvements pour les analyses par coloration de Gram, les cultures et les antibiogrammes, une semaine après le début du traitement, pour pouvoir en évaluer l'efficacité.

VÉRIFICATION DES RÉSULTATS

La réponse clinique peut être déterminée par:
■ la disparition des signes et des symptômes d'urétrite gonorrhéique. La récurrence des symptômes indique habituellement une nouvelle exposition aux micro-organismes infectants et non pas l'échec du traitement.

SPIRONOLACTONE
Aldactone, Novo-Spiroton

CLASSIFICATION:
Diurétique d'épargne potassique
Grossesse – catégorie inconnue

INDICATIONS

■ Principalement, rééquilibrage des concentrations de potassium, par suite des pertes induites par les autres diurétiques lors du traitement de l'œdème ou de l'hypertension ■ Traitement de l'hyper-aldostéronisme.

ACTION

■ La spironolactone agit au niveau des tubules rénaux distaux en contrecarrant les effets de l'aldostérone, ce qui favorise l'excrétion du sodium, du bicarbonate et du calcium tout en conservant les ions potassium et hydrogène. **Effets thérapeutiques:** ■ Effet antihypertenseur et diurétique faible par rapport aux autres diurétiques, mais sans perte potassique ■ Effet qui contrecarre ceux des excès d'aldostérone.

PHARMACOCINÉTIQUE

Absorption: Bonne absorption par suite de l'administration PO.
Distribution: La spironolactone traverse le placenta et pénètre dans le lait maternel (canrénone).
Métabolisme et excrétion: La spironolactone est transformée par le foie en son composé diurétique actif (canrénone).
Demi-vie: De 13 à 24 h (canrénone).

CONTRE-INDICATIONS ET PRÉCAUTIONS

Contre-indications: ■ Hypersensibilité ■ Hyperkaliémie ■ Insuffisance rénale ■ Grossesse ou allaitement ■ Anomalies du cycle menstruel ■ Hypertrophie mammaire.
Précautions: ■ Dysfonctionnement hépatique ■ Personnes âgées ou patients débilités.

RÉACTIONS INDÉSIRABLES ET EFFETS SECONDAIRES

SNC: céphalées, étourdissements.
CV: arythmies.
Tég.: hirsutisme, rash.
End.: gynécomastie.
HÉ: hyperkaliémie, hyponatrémie, hypochlorémie, acidose métabolique, déshydratation.
GI: nausées, vomissements, anorexie, diarrhée, crampes, constipation, flatulence.

GU: impuissance, cycle menstruel irrégulier.

INTERACTIONS

Médicament – médicament : ■ Hypotension additive lors de l'administration d'autres **antihypertenseurs** ou **de dérivés nitrés** et de l'ingestion **d'alcool** ■ Les **inhibiteurs de l'enzyme de conversion de l'angiotensine (ECA)** ou les **suppléments de potassium**, administrés simultanément, peuvent provoquer l'hyperkaliémie ■ La spironolactone diminue l'excrétion du **lithium** et peut entraîner une toxicité ■ Les **anti-inflammatoires non stéroïdiens**, administrés simultanément, peuvent diminuer la réponse antihypertensive à la spironolactone et augmenter le risque de réactions rénales indésirables.

PRÉSENTATION

La spironolactone est présentée en association avec l'hydrochlorothiazide (voir l'annexe A).

VOIES D'ADMINISTRATION ET POSOLOGIE

Œdème

■ **PO (adultes) :** de 25 à 200 mg par jour, en 1 dose ou en 2 doses fractionnées.

■ **PO (enfants) :** de 1 à 3 mg/kg par jour, en 1 dose ou en 2 doses fractionnées.

Hypertension

■ **PO (adultes) :** de 50 à 100 mg par jour, en 1 dose ou en 2 doses fractionnées.

■ **PO (enfants) (É.-U.) :** de 1 à 3 mg/kg par jour, en doses fractionnées.

Prévention de l'hypokaliémie en association avec des diurétiques favorisant les pertes potassiques

■ **PO (adultes) :** de 25 à 100 mg par jour, en 1 dose ou en 2 doses fractionnées.

Hyperaldostéronisme primaire

■ **PO (adultes) :** de 75 à 400 mg par jour, en 1 dose ou en 2 doses fractionnées.

PHARMACODYNAMIE
(effets sur les concentrations sériques de potassium)

	DÉBUT D'ACTION	PIC	DURÉE
PO	1 – 2 jours	5 jours	2 – 3 jours

SOINS INFIRMIERS

ÉVALUATION DE LA SITUATION

☐ Effectuer le bilan quotidien des ingesta et des excreta et peser le patient tous les jours pendant toute la durée du traitement.

☐ Si le médicament est administré en traitement d'appoint de l'hypertension, mesurer la pression artérielle et le pouls avant l'administration du médicament.

☐ Suivre de près les signes et les symptômes suivants d'hypokaliémie : faiblesse, fatigue, apparition d'ondes U sur le tracé de l'ECG, arythmies, polyurie, polydipsie. Observer le patient à intervalles fréquents pour déceler les signes suivants d'hyperkaliémie : fatigue, faiblesse musculaire, paresthésie, confusion, dyspnée, arythmies cardiaques. Les patients souffrant de diabète sucré ou de maladie rénale et les personnes âgées sont davantage prédisposés à ces symptômes.

☐ Il est recommandé de suivre l'ECG à intervalles réguliers chez les patients qui reçoivent un traitement prolongé.

■ **Étude des examens diagnostiques et biochimiques :** Noter, avant le traitement et à intervalles réguliers pendant toute sa durée, les concentrations sériques de potassium. Ne pas administrer le médicament et informer le médecin si une hyperkaliémie survient.

☐ Noter, avant le traitement et à intervalles réguliers pendant toute sa durée, les concentrations sériques d'électrolytes, de créatinine et d'urée. La spironolactone peut entraîner l'élévation des concentrations sériques de glucose, de magnésium, d'acide urique, de créatinine, de potassium et d'urée ainsi que des concentrations urinaires de calcium. Elle peut également entraîner la diminution des concentrations de sodium.

□ La spironolactone peut entraîner une fausse élévation des concentrations plasmatiques de cortisol. On devrait interrompre l'administration de spironolactone de 4 à 7 jours avant ce dosage.

DIAGNOSTICS INFIRMIERS POSSIBLES

■ **Énoncés diagnostiques**

□ Excès de volume liquidien.

□ Prise en charge inefficace du programme thérapeutique.

□ *Risque élevé d'accident.*

□ *Risque élevé de déséquilibre hydro-électrolytique.*

□ *Risque élevé de perturbation des habitudes de sommeil.*

■ **Facteurs favorisants**

□ Informations incomplètes.

□ *Perturbation de la vigilance.*

□ *Manque de connaissances sur les modalités du traitement.*

□ *Manque de connaissances sur les moyens de prévenir les effets secondaires du médicament.*

□ *Manque de connaissances sur le régime alimentaire à suivre.*

□ *Difficulté à s'adapter aux changements nécessaires dans les habitudes de vie.*

INTERVENTIONS INFIRMIÈRES

■ **Directives générales:** Administrer le médicament dans la matinée pour ne pas perturber le cycle du sommeil.

■ **PO:** Administrer la spironolactone avec des aliments ou du lait pour réduire l'irritation gastrique et pour augmenter la biodisponibilité de l'agent.

ENSEIGNEMENT AU PATIENT ET À SES PROCHES

■ **Directives générales:** Expliquer au patient qu'il doit continuer à prendre le médicament à la même heure tous les jours, même s'il se sent bien. S'il n'a pas pu prendre le médicament au moment habituel, lui recommander de le prendre dès que possible à moins qu'il ne soit presque l'heure prévue pour la dose suivante.

□ Conseiller au patient d'éviter les substituts de sel et les aliments riches en potassium ou en sodium, sauf si le médecin les a prescrits.

□ Prévenir le patient que la spironolactone peut provoquer des étourdissements. Lui conseiller de ne pas conduire et d'éviter les activités qui exigent sa vigilance jusqu'à ce qu'on ait la certitude que le médicament n'entraîne pas cet effet chez lui.

□ Conseiller au patient de consulter le médecin ou le pharmacien avant de prendre des médicaments en vente libre en même temps que la spironolactone.

□ Conseiller au patient de signaler au médecin les symptômes suivants: crampes ou faiblesse musculaires, fatigue, nausées, vomissements forts ou diarrhée.

■ **Hypertension:** Inciter le patient à appliquer d'autres mesures de réduction de l'hypertension: perdre du poids, réduire sa consommation de sel, diminuer le stress, faire régulièrement de l'exercice, boire de l'alcool avec modération et cesser de fumer. La spironolactone stabilise la pression artérielle, mais ne guérit pas l'hypertension.

□ Montrer au patient qui suit un traitement antihypertenseur comment mesurer sa pression artérielle et l'inciter à prendre cette mesure toutes les semaines.

VÉRIFICATION DES RÉSULTATS

L'efficacité du traitement peut être démontrée par: ■ la prévention de l'hypokaliémie chez les patients recevant des diurétiques ■ la rémission de l'hyperaldostéronisme.

STREPTOKINASE
Streptase, (Kabikinase)

CLASSIFICATION:
Agent thrombolytique

Grossesse – catégorie C

INDICATIONS

■ Traitement de la thrombose des coronaires associée à un infarctus myocardique transmural aigu ■ Traitement des affections suivantes: □ thrombose veineuse profonde, de nature récente, grave ou massive □ embolie pulmonaire □ embolie artérielle □ thrombose ■ Déblocage des canules artérioveineuses.

ACTION

■ Activation directe du plasminogène avec dissolution subséquente des dépôts de fibrine incluant ceux nécessaires à l'hémostasie normale. **Effets thérapeutiques:** ■ Préservation de la fonction ventriculaire gauche après infarctus myocardique transmural ■ Lyse des thrombus ou des emboles.

PHARMACOCINÉTIQUE

Absorption: Après administration IV ou administration directe dans une artère coronaire ou une canule, la biodisponibilité de l'agent est immédiate et complète.

Distribution: La streptokinase ne traverse pas le placenta.

Métabolisme et excrétion: Par suite de l'administration IV, l'agent est rapidement éliminé de la circulation par les anticorps et le système réticuloendothélial.

Demi-vie: 23 min (complexe streptokinase – plasmine).

CONTRE-INDICATIONS ET PRÉCAUTIONS

Contre-indications: ■ Hypersensibilité ■ Hémorragie interne active ■ Antécédents récents (moins de 2 mois) d'accident cérébrovasculaire, de chirurgie intracrânienne ou intrarachidienne, de néoplasie intracrânienne ou de chirurgie thoracique ■ Hypertension grave, non maîtrisée.

Précautions: ■ Grossesse, allaitement ou enfants (l'innocuité du médicament n'a pas été établie) ■ Chirurgie ou traumatisme mineurs récents (moins de 2 mois) ■ Maladie cérébrovasculaire ■ Rétinopathie diabétique hémorragique ■ Infection streptococcique récente ■ Traitement récent par la streptokinase ■ Personnes âgées de 75 ans et plus (risque accru d'hémorragie du SNC) ■ Embole artériel formé dans le cœur gauche (risque accru d'embolie cérébrale).

RÉACTIONS INDÉSIRABLES ET EFFETS SECONDAIRES

CV: arythmies par suite du rétablissement de l'irrigation du tissu cardiaque.

ORLO: œdème perorbitaire.

Tég.: urticaire, rougeur du visage.

Hémat.: SAIGNEMENTS.

Locaux: phlébite au point d'injection IV.

Divers: fièvre, réactions d'hypersensibilité, incluant l'ANAPHYLAXIE, bronchospasmes.

INTERACTIONS

Médicament – médicament: Risque accru de saignement lors de l'administration concomitante d'autres **anticoagulants**, de **céfamandole**, de **céfotétane**, de **moxalactam**, de **plicamycine** ou d'agents affectant la fonction plaquettaire, incluant l'**aspirine**, les **anti-inflammatoires non stéroïdiens** ou le **dipyridamole**.

VOIES D'ADMINISTRATION ET POSOLOGIE

Infarctus du myocarde

- **IV (adultes):** 1 500 000 UI.
- **Voie intracoronarienne (adultes):** bolus de 20 000 UI, suivi d'une perfusion à un débit de 2 000 à 4 000 UI/min.

Thrombose veineuse profonde, embolie pulmonaire, embolie artérielle ou thromboses

- **IV (adultes):** dose d'attaque de 250 000 UI, suivie d'une dose de 100 000 UI/h pendant 24 h, en cas d'embolie pulmonaire et de thrombose ou embolie artérielles, et de 72 h, en cas d'embolie pulmonaire récurrente ou de thrombose veineuse profonde.

Blocage de la canule artérioveineuse

- **IV (adultes):** injecter 250 000 UI dans chaque branche de la canule bloquée, clamper pendant 2 h, puis aspirer.

PHARMACODYNAMIE (fibrinolyse)

	DÉBUT D'ACTION	PIC	DURÉE
IV	immédiat	rapide	4 h (jusqu'à 12 h)

SOINS INFIRMIERS

ÉVALUATION DE LA SITUATION

- **Directives générales:** Suivre de près les signes vitaux et prendre la température à intervalles fréquents pendant toute la durée du traitement.
- □ Examiner attentivement le patient pour déceler les saignements, toutes les 15 min pendant la 1re h de traitement, toutes les 15 à 30 min pendant les 8 h suivantes et au moins toutes les 4 h pendant toute la durée du traitement. Une hémorragie patente peut survenir au siège des interventions invasives ou aux orifices corporels. Une hémorragie interne peut également survenir (état neurologique affaibli, douleurs abdominales avec des vomissures ayant l'aspect du marc de café, selles noires et goudronneuses, douleurs articulaires). En cas d'hémorragie, arrêter d'administrer le médicament et prévenir le médecin sans délai.

- □ Interroger le patient au sujet d'une réaction antérieure à la streptokinase. Déceler les réactions d'hypersensibilité suivantes: rash, dyspnée, fièvre. Signaler rapidement ces réactions au médecin. Garder de l'épinéphrine, un antihistaminique et le matériel de réanimation à portée de la main pour contrer une éventuelle réaction anaphylactique.

- □ Demander au patient s'il n'a pas contracté récemment une infection streptococcique. La streptokinase pourrait ne pas être efficace si elle est administrée dans les 5 jours à 6 mois qui suivent une telle infection.

- **Thrombose des coronaires:** Suivre constamment l'ÉCG. Prévenir le médecin en cas d'arythmie importante. Le médecin peut prescrire à titre prophylactique de la lidocaïne ou du procaïnamide (Pronestyl) par voie IV. Suivre de près les concentrations d'enzymes cardiaques.

- **Embolie pulmonaire:** Prendre le pouls et la pression artérielle et suivre de près les valeurs hémodynamiques et la fonction respiratoire (fréquence des respirations, gravité de la dyspnée, concentration des gaz artériels).

- **Thrombose veineuse profonde et occlusion artérielle aiguë:** Examiner les extrémités et palper les pulsations dans les membres touchés, toutes les heures. Prévenir immédiatement le médecin en cas d'insuffisance circulatoire.

- **Blocage de la canule ou du cathéter:** Déterminer la capacité d'aspiration du sang, ce qui est un indice de perméabilité. Afin de prévenir une aéroembolie, demander au patient d'expirer et de retenir sa respiration pendant qu'on insère et qu'on retire la seringue IV.

- **Étude des examens diagnostiques et biochimiques :** Examiner, avant l'administration et à intervalles fréquents tout au long du traitement, l'hématocrite, les concentrations d'hémoglobine, la numération plaquettaire, le temps de prothrombine (PT), le temps de thrombine et le temps de céphaline activée (APTT). On peut également noter le temps de saignement avant le traitement si le patient a reçu des antiagrégants plaquettaires.
- ☐ Obtenir le groupe sanguin et les compatibilités sanguines et garder du sang à portée de la main en tout temps pour traiter l'hémorragie.
- **Toxicité et surdosage :** En cas de saignement local, appliquer une pression sur le point de ponction. En cas de saignement interne ou grave, interrompre la perfusion. Les facteurs de coagulation et le volume sanguin peuvent être rétablis par la perfusion de sang entier, d'hématies concentrées, de plasma frais congelé ou de cryoprécipités. Ne pas administrer du dextran en raison de son activité antiplaquettaire. On peut utiliser comme antidote de l'acide aminocaproïque (Amicar).

DIAGNOSTICS INFIRMIERS POSSIBLES

- **Énoncés diagnostiques**
- ☐ Atteinte à l'intégrité des tissus.
- ☐ Risque élevé d'accident.
- **Facteurs favorisants**
- ☐ *Manque de connaissances sur les modalités du traitement.*
- ☐ *Manque de connaissances sur les moyens de prévenir les effets secondaires du médicament.*

INTERVENTIONS INFIRMIÈRES

- **Directives générales :** Ce médicament ne devrait être administré que dans les établissements où l'on peut suivre de près la fonction hématologique et la réponse clinique.
- ☐ On devrait éviter les interventions invasives, comme les injections IM ou

les ponctions artérielles, tout au long de ce traitement. Si l'on doit malgré tout faire de tels gestes thérapeutiques, appliquer une pression sur les points de ponction IV, pendant au moins 15 min, et sur les points de ponction artérielle, pendant au moins 30 min.

- ☐ L'anticoagulation systémique avec de l'héparine doit être habituellement amorcée plusieurs heures après la fin du traitement thrombolytique.
- ☐ Le médecin peut prescrire de l'acétaminophène pour juguler la fièvre.
- **IV :** Reconstituer avec 5 mL de solution de NaCl à 0,9 % ou de dextrose à 5 % dans de l'eau (qu'on injecte directement contre les parois de la fiole) et tourner délicatement sans agiter. Diluer une fois de plus dans une solution de NaCl à 0,9 % ou de dextrose à 5 % dans de l'eau pour obtenir un volume total de 45 à 500 mL et perfuser selon les recommandations du médecin. Utiliser une pompe de perfusion pour s'assurer qu'on administre la dose précise. Administrer la préparation par un filtre dont les pores sont de 0,8 µm. Utiliser la solution reconstituée dans les 24 h qui suivent sa préparation.
- **Incompatibilité (tubulure en Y) et incompatibilité en addition au soluté :** Ne pas mélanger à d'autres médicaments ; ne pas injecter simultanément d'autres agents dans la tubulure en Y.
- **Déblocage de la canule ou du cathéter :** Les préparations IV, utilisées pour débloquer les canules artérioveineuses ou les cathéters centraux bloqués, sont mélangés avec 2 mL de solution de NaCl à 0,9 %. Injecter lentement dans chacune des branches bouchées de la canule, puis clamper pendant au moins 2 h. Par la suite, aspirer soigneusement le contenu et rincer la tubulure avec une solution de NaCl à 0,9 %.

S

ENSEIGNEMENT AU PATIENT ET À SES PROCHES

☐ Expliquer au patient le but du traitement. Lui recommander de signaler au médecin ou à l'infirmière les réactions d'hypersensibilité (rash, dyspnée), les saignements et la formation d'ecchymoses.

☐ Conseiller au patient de garder le lit. Lui demander de ne pas manipuler les tubulures pour prévenir les accidents.

VÉRIFICATION DES RÉSULTATS

L'efficacité du traitement peut être démontrée par : ■ la lyse des thrombus et le rétablissement de la circulation sanguine ■ la perméabilité de la canule ou du cathéter.

STREPTOMYCINE

CLASSIFICATION :
Anti-infectieux – aminoside ; antituberculeux

Grossesse – catégorie inconnue

INDICATIONS

■ Traitement d'association de la tuberculose évolutive ■ Traitement de l'endocardite streptococcique ou entérococcique (en association avec une pénicilline) ■ Traitement de la tularémie et de la peste ■ Dans d'autres circonstances, la streptomycine ne devrait être utilisée qu'en présence de micro-organismes qui ne sont pas sensibles aux anti-infectieux moins toxiques ou d'une contre-indication à leur usage.

ACTION

■ Inhibition de la synthèse des protéines de la cellule bactérienne au niveau du ribosome 30S. **Effets thérapeutiques :** ■ Effet bactéricide contre les bactéries sensibles. **Spectre d'action :** ■ Malgré son activité contre de nombreux agents pathogènes à Gram négatif, l'utilisation de la streptomycine devrait être évitée dans la plu-

part des cas en raison de ses effets toxiques ■ Activité marquée contre les micro-organismes suivants : ☐ *Mycobacterium tuberculosis* ☐ *Brucella* ☐ *Nocardia* ☐ *Erisypelothrix* ☐ *Pasteurella multocida* ☐ *Yersinia pestis* ■ Lors du traitement des infections entérococciques, assurer une synergie médicamenteuse avec une pénicilline.

PHARMACOCINÉTIQUE

Absorption : Bonne absorption par suite de l'administration par voie IM.

Distribution : La streptomycine traverse le placenta et pénètre en petites quantités dans le lait maternel. La pénétration dans le liquide céphalorachidien est infime.

Métabolisme et excrétion : La streptomycine est principalement excrétée (> 90 %) par les reins.

Demi-vie : De 2 à 3 h (prolongée en cas d'insuffisance rénale).

CONTRE-INDICATIONS ET PRÉCAUTIONS

Contre-indications : ■ Hypersensibilité ■ Risque de réactions de sensibilité croisée avec les autres aminosides.

Précautions : ■ Insuffisance rénale quelle qu'en soit la gravité (réduire la dose) ■ Grossesse (risque de surdité irréversible chez le nouveau-né) ■ Allaitement (l'innocuité du médicament n'a pas été établie) ■ Maladies neuromusculaires, telle la myasthénie grave ■ Personnes âgées (il est recommandé de réduire la dose).

RÉACTIONS INDÉSIRABLES ET EFFETS SECONDAIRES

ORLO : neurotoxicité au niveau de la VIIIe paire de nerfs crâniens (vestibulaire ou cochléaire).

GU : toxicité rénale.

SN : blocage neuromusculaire accru.

Divers : réactions d'hypersensibilité.

INTERACTIONS

Médicament – médicament : ■ Chez les patients souffrant d'insuffisance rénale, la streptomycine peut être inactivée par les **pénicillines** lors d'un traitement d'association ■ Risque accru de paralysie respiratoire après l'administration concomitante d'**anesthésiques par inhalation (éther, cyclopropane, halothane, protoxyde d'azote)** ou de **bloqueurs neuromusculaires (tubocurarine, succinylcholine, décaméthonium)** ■ Fréquence accrue de neurotoxicité au niveau de la VIIIe paire de nerfs crâniens (effet ototoxique) lors de l'administration concomitante de **diurétiques de l'anse (acide éthacrynique, bumétanide, furosémide)** ■ Les **autres médicaments néphrotoxiques (cisplatine)**, administrés simultanément, peuvent augmenter le risque de toxicité rénale.

VOIES D'ADMINISTRATION ET POSOLOGIE

Tuberculose

- **IM (adultes):** 1 g ou 15 mg/kg par jour ou 1 g ou 25 mg/kg, 2 ou 3 fois par semaine.
- **IM (enfants):** de 20 à 40 mg/kg par jour.

Endocardite entérococcique

- **IM (adultes):** 1 g, toutes les 12 h, pendant 2 semaines, puis 500 mg, toutes les 12 h, pendant 4 semaines.

Endocardite streptococcique

- **IM (adultes):** 1 g, toutes les 12 h, pendant 1 semaine, puis 500 mg, toutes les 12 h, pendant 1 semaine.

Tularémie

- **IM (adultes):** de 1 à 2 g par jour, en doses fractionnées.

Peste

- **IM (adultes):** de 2 à 4 g par jour, en doses fractionnées.

PHARMACODYNAMIE (concentrations sanguines)

	DÉBUT D'ACTION	PIC
IM	rapide	1 – 2 h

SOINS INFIRMIERS

ÉVALUATION DE LA SITUATION

- Au début du traitement et pendant toute sa durée, suivre de près les signes suivants d'infection: altération des signes vitaux; aspect de la plaie, des expectorations, de l'urine et des selles; accroissement du nombre de leucocytes.

□ Prélever des échantillons pour les cultures et les antibiogrammes avant le début du traitement. La première dose peut être administrée avant même que les résultats soient connus.

□ Déterminer la fonction de la VIIIe paire de nerfs crâniens par audiométrie, avant le début du traitement et pendant toute sa durée. La perte de l'acuité auditive se situe habituellement au niveau des sons à haute fréquence. Le diagnostic et l'intervention rapides sont essentiels pour prévenir les lésions permanentes. Suivre de près également les signes suivants de dysfonctionnement vestibulaire: vertiges, ataxie, nausées, vomissements. Le dysfonctionnement de la VIIIe paire de nerfs crâniens est associé à des concentrations maximales élevées et persistantes de streptomycine. On peut également effectuer des tests pour déterminer la réaction vestibulaire thermique.

□ Effectuer le bilan quotidien des ingesta et des excreta et peser le patient tous les jours pour déterminer l'état de l'hydratation et de la fonction rénale.

□ Suivre de près les signes suivants de surinfection: fièvre, infection des voies respiratoires supérieures, démangeaisons et écoulements vaginaux, malaise accru, diarrhée. Prévenir le médecin dès l'apparition de ces symptômes.

- **Étude des examens diagnostiques et biochimiques:** Examiner la fonction rénale en notant les résultats des analyses des urines, la densité de l'urine, les concentrations d'urée et de créatinine ainsi que la clearance de la créatinine avant l'administration du médicament et pendant toute la durée du traitement.
- La streptomycine peut entraîner l'élévation des concentrations de TGOS (AST), de TGPS (ALT), de LDH, de bilirubine et des concentrations sériques de phosphatase alcaline.
- La streptomycine peut entraîner la diminution des concentrations sériques de calcium, de magnésium, de sodium et de potassium.
- **Toxicité et surdosage:** Noter, à intervalles réguliers pendant toute la durée du traitement, les concentrations sanguines. Le moment du prélèvement de l'échantillon est un élément important pour l'interprétation des résultats. Prélever du sang pour mesurer les concentrations maximales, de 30 à 60 min après l'injection IM. Les pics acceptables se situent entre 5 et 25 mg/L. Les creux ne devraient pas dépasser 5 mg/L.

DIAGNOSTICS INFIRMIERS POSSIBLES

- **Énoncés diagnostiques**
- Risque élevé d'infection.
- Altération de la percpetion auditive.
- *Risque élevé d'intoxication.*
- *Risque élevé d'altération de l'élimination urinaire.*
- **Facteurs favorisants**
- *Manque de connaissances sur les modalités du traitement.*
- *Modification de l'état liquidien ou des volumes circulants.*
- *Manque de connaissances sur les moyens de prévenir les effets secondaires du médicament.*

INTERVENTIONS INFIRMIÈRES

- **Directives générales:** Assurer une hydratation adéquate (de 1 500 à 2 000 mL de liquides par jour) pendant toute la durée du traitement.
- La solution peut être d'incolore à jaune et peut devenir foncée lorsqu'elle est exposée à la lumière. Ces changements n'affectent en rien sa puissance. Ne pas utiliser une solution qui contient un précipité.
- La solution doit être conservée au réfrigérateur.
- La solution IM devrait être injectée en profondeur dans un muscle bien développé. Assurer la rotation des points d'injection.
- **Association incompatible dans la même seringue:** Héparine.

ENSEIGNEMENT AU PATIENT ET À SES PROCHES

Recommander au patient de prévenir le médecin en cas de réactions d'hypersensibilité, d'acouphènes, de vertiges ou de surdité.

VÉRIFICATION DES RÉSULTATS

La réponse clinique peut être démontrée par: la disparition des signes et des symptômes d'infection. Le temps de résolution dépend du micro-organisme infectant et du siège de l'infection.

STREPTOZOCINE
Zanosar

CLASSIFICATION:
Antinéoplasique – antibiotique antitumoral
Grossesse – catégorie C

INDICATIONS

- Traitement du cancer métastatique des cellules des îlots pancréatiques. **Usages non approuvés:** - Administration en cas de: □ tumeurs carcinoïdes métastatiques □ maladie de Hodgkin □ adénocarcinome pancréatique □ cancer rectocolique.

ACTION

■ Inhibition de la synthèse de l'ADN par la formation de liaisons transversales des chaînes d'ADN (phase non spécifique du cycle cellulaire). **Effets thérapeutiques:** ■ Destruction des cellules à croissance rapide, particulièrement des cellules malignes.

PHARMACOCINÉTIQUE

Absorption: La streptozocine est réservée à l'administration par voie IV; dans ce cas, sa biodisponibilité est complète.

Distribution: La streptozocine se répartit rapidement dans l'organisme; elle se concentre dans le foie, le pancréas, les reins et les intestins. Elle semble traverser le placenta. Son métabolite actif pénètre dans le liquide céphalorachidien.

Métabolisme et excrétion: La streptozocine est fortement métabolisée par le foie et les reins. Une fraction de 10 à 20 % est excrétée à l'état inchangé par les reins. De faibles quantités sont éliminées par expiration (5 %) et dans les fèces (1 %).

Demi-vie: De 35 à 40 min.

CONTRE-INDICATIONS ET PRÉCAUTIONS

Contre-indication: Hypersensibilité.

Précautions: ■ Maladie rénale préexistante ou sous-jacente (il est recommandé de réduire la dose) ■ Maladie hépatique ■ Patientes en âge de procréer ■ Infections évolutives ■ Aplasie médullaire ■ Autres maladies chroniques débilitantes ■ Grossesse, allaitement ou enfants (l'innocuité du médicament n'a pas été établie).

RÉACTIONS INDÉSIRABLES ET EFFETS SECONDAIRES

SNC: confusion, léthargie, dépression.

GI: nausées, vomissements, HÉPATITE, diarrhée, ulcère duodénal.

GU: protéinurie, toxicité rénale, suppression de la fonction des gonades.

HÉ: hypophosphatémie.

Hémat.: leucopénie, thrombocytopénie, anémie.

Métab.: HYPOGLYCÉMIE (première dose), hyperglycémie, diabète.

Locaux: phlébite au point d'injection IV.

Divers: fièvre.

INTERACTIONS

Médicament – médicament: ■ Effet additif sur l'hypoplasie médullaire lors de l'administration concomitante d'autres **antinéoplasiques** ■ Risque accru de toxicité rénale lors de l'administration concomitante d'autres **agents néphrotoxiques (aminosides)** ■ L'effet toxique peut être accru lors de l'administration concomitante de **phénytoïne** ■ La streptozocine peut augmenter la toxicité de la **doxorubicine** ■ La streptozocine peut diminuer la réponse des anticorps aux **vaccins vivants** et augmenter le risque de réactions indésirables.

VOIES D'ADMINISTRATION ET POSOLOGIE

IV (adultes): 500 mg/m^2 par jour pendant 5 jours, toutes les 6 semaines, ou 1 g/m^2 par semaine pendant 2 semaines, puis augmenter graduellement la dose s'il y a lieu (ne pas dépasser 1,5 g/m^2 par dose unique).

PHARMACODYNAMIE

	DÉBUT D'ACTION	PIC	DURÉE
IV (effets sur la numération globulaire)	inconnu	1 – 2 semaines	inconnue
IV (réponse tumorale)	17 jours	35 jours	inconnue

⁂ SOINS INFIRMIERS

ÉVALUATION DE LA SITUATION

☐ Mesurer les signes vitaux avant le traitement et à intervalles réguliers pendant toute sa durée.

- Effectuer le bilan quotidien des ingesta et des excreta et peser le patient tous les jours. Prévenir le médecin en cas de changements importants ou d'œdème déclive, car il peut s'agir de signes de toxicité rénale. Inciter le patient à consommer 3 000 mL de liquides par jour afin de réduire le risque de lésions rénales.

- Observer attentivement le point d'injection IV et s'assurer de la perméabilité de la tubulure. Interrompre immédiatement la perfusion en cas de douleur grave, d'érythème le long de la veine ou d'infiltration. La streptozocine est un vésicant. L'ulcération ou la nécrose tissulaires peuvent être le résultat d'une infiltration. En prévenir le médecin.

- Suivre de près la fièvre, les frissons, les maux de gorge et les signes d'infection. En informer le médecin, le cas échéant.

- Mesurer la numération plaquettaire pendant toute la durée du traitement. Suivre de près les saignements : saignement des gencives, formation d'ecchymoses, de pétéchies, présence de sang occulte dans les selles, l'urine et les vomissements. En cas de thrombocytopénie, éviter les injections IM et la prise de la température PR. Appliquer une pression sur les points de ponction veineuse pendant 10 min.

- Évaluer l'hydratation, l'appétit et l'apport nutritionnel du patient. Des nausées et des vomissements intenses et prolongés peuvent survenir de 1 à 4 h après le début de la perfusion et peuvent s'aggraver lors de l'administration des doses suivantes. L'administration d'un antiémétique et la modification du régime alimentaire du patient en fonction des aliments qu'il peut tolérer peuvent favoriser le maintien de l'équilibre hydroélectrolytique et de l'état nutritionnel.

- L'anémie peut survenir. Suivre de près la fatigue accrue, la dyspnée et l'hypotension orthostatique.

- **Étude des examens diagnostiques et biochimiques :** Examiner les résultats des tests de l'exploration fonctionnelle rénale, avant le traitement, à intervalles fréquents pendant toute sa durée et pendant les 4 semaines qui suivent la fin du traitement. La toxicité rénale est courante et peut se manifester par l'élévation des concentrations d'urée et de créatinine, la diminution de la clearance de la créatinine et la présence de protéines dans les urines. La réduction de la dose de streptozocine ou l'arrêt du traitement peut renverser la lésion rénale.

- Examiner les résultats des tests de l'exploration fonctionnelle hépatique pour déceler les signes de toxicité hépatique incluant l'élévation des concentrations de TGOS (AST), de TGPS (ALT), de LDH, de bilirubine sérique et de phosphatase alcaline ou la diminution des concentrations sériques d'albumine.

- Noter la glycémie avant le traitement, après l'administration de la première dose et à intervalles réguliers pendant toute la durée du traitement.

- Noter les concentrations sériques d'acide urique avant le traitement et à intervalles réguliers pendant toute sa durée.

- Examiner la numération globulaire et la numération leucocytaire avant le traitement et à intervalles réguliers pendant toute sa durée. Informer le médecin de toute diminution importante.

DIAGNOSTICS INFIRMIERS POSSIBLES

- **Énoncés diagnostiques**
- Risque élevé d'infection.
- Risque élevé de déficit de volume liquidien.
- Prise en charge inefficace du programme thérapeutique.
- *Risque élevé d'intoxication.*
- *Risque élevé d'accident.*

- □ *Risque élevé de douleur au point d'injection IV.*
- □ *Risque élevé d'altération de l'élimination urinaire.*
- □ *Risque élevé d'atteinte à l'intégrité des tissus.*
- □ *Risque élevé de déficit nutritionnel.*

■ **Facteurs favorisants**

- □ Informations incomplètes.
- □ *Manque de connaissances sur les modalités du traitement.*
- □ *Manque de connaissances sur les signes d'hyperglycémie et d'hypoglycémie et sur les moyens de les prévenir.*
- □ *Inflammation locale du tissu vasculaire ou infiltration du médicament dans les tissus avoisinants.*
- □ *Modification de l'état liquidien ou des volumes circulants.*
- □ *Manque de connaissances sur les moyens de prévenir les effets secondaires affectant l'appareil gastro-intestinal.*
- □ *Manque de connaissances sur le régime alimentaire à suivre.*

INTERVENTIONS INFIRMIÈRES

- ■ **Directives générales:** Garder à portée de la main une solution IV de dextrose, car l'hypoglycémie peut survenir après l'administration de la dose initiale.
- □ La solution reconstituée est de couleur or pâle. Ne pas l'utiliser si elle est brun foncé. Elle est stable pendant 24 h à la température ambiante et pendant 48 h, à une température de 2 à 8 °C.
- □ Préparer la solution sous une hotte biologique de sécurité. Porter des vêtements protecteurs comprenant une blouse, un masque et des gants, pendant la manipulation de ce médicament. Mettre au rebut le matériel dans les contenants réservés à cet effet (voir l'annexe I).
- ■ **IV:** Reconstituer la préparation avec 9,5 mL de solution de dextrose à 5 %

dans de l'eau ou de NaCl à 0,9 % pour obtenir une concentration finale de 100 mg/mL. Le mélange peut être dilué une fois de plus dans 10 à 500 mL de solution de dextrose à 5 % dans de l'eau ou de NaCl à 0,9 %. Ne pas faire d'admixtion.

- □ *Vitesse d'administration:* Perfuser en 10 à 15 min. On a utilisé des perfusions de plus longue durée (de 45 à 60 min) pour réduire l'irritation veineuse. On peut également perfuser la solution en 6 h.

ENSEIGNEMENT AU PATIENT ET À SES PROCHES

- □ Recommander au patient de prévenir rapidement l'infirmière en cas de douleur ou de rougeur au point d'injection IV.
- □ Recommander au patient de prévenir rapidement l'infirmière si les symptômes suivants d'hypoglycémie se manifestent: anxiété, frissons, sueurs froides, confusion, peau moite et froide, difficultés de concentration, somnolence, faim excessive, céphalées, irritabilité, nausées, nervosité, tremblements, fatigue inhabituelle ou faiblesse.
- □ Recommander au patient de prévenir le médecin en cas de débit urinaire réduit, d'enflure des membres inférieurs, de jaunissement de la peau, de fièvre, de frissons, de maux de gorge, de signes d'infection, de saignement des gencives, de formation d'ecchymoses, de pétéchies, de présence de sang dans les selles, l'urine et les vomissements. Lui conseiller d'éviter les foules et les personnes contagieuses. Lui recommander d'utiliser une brosse à dents à poils doux et un rasoir électrique. Prévenir le patient qu'il ne doit pas consommer de boissons alcoolisées ni prendre des préparations contenant de l'aspirine en même temps que la streptozocine.

S

□ Prévenir la patiente que même si la streptozocine peut entraîner la suppression de la fonction des gonades, elle doit continuer à prendre des mesures de contraception pendant le traitement. Lui conseiller de prévenir immédiatement le médecin si elle pense être enceinte.

□ Expliquer au patient qu'il ne doit pas se faire vacciner sans recommandation expresse du médecin.

□ Prévenir le patient qu'il devra se soumettre à des examens médicaux de suivi et à des examens diagnostiques et biochimiques à intervalles fréquents.

VÉRIFICATION DES RÉSULTATS

L'efficacité du traitement peut être démontrée par: la diminution de la taille de la tumeur maligne et le ralentissement de la propagation des métastases.

SUCCIMER
(Chemet)

CLASSIFICATION:
Antidote – chélateur du plomb

Grossesse – catégorie C

INDICATIONS

Traitement de l'intoxication lorsque les concentrations sanguines sont supérieures à 450 µg/L.

ACTION

■ Formation d'un complexe hydrosoluble qui favorise l'élimination des quantités excessives de plomb dans les urines.
Effets thérapeutiques: ■ Diminution des concentrations sanguines de plomb et réduction des lésions des organes cibles en cas d'intoxication par le plomb.

PHARMACOCINÉTIQUE

Absorption: Par suite de l'administration PO, l'absorption est rapide, mais variable.

Distribution: Inconnue.
Métabolisme et excrétion: Fort métabolisme. Une fraction de 10 % est excrétée à l'état inchangé par les reins.
Demi-vie: 2 jours.

CONTRE-INDICATIONS ET PRÉCAUTIONS

Contre-indications: ■ Hypersensibilité ou allergie au succimer ■ Allaitement (à déconseiller pendant le traitement par le succimer).

Précautions: ■ Grossesse ou enfants de moins de 1 an (l'innocuité du médicament n'a pas été établie) ■ Insuffisance rénale (les chélateurs ne sont pas dialysables).

RÉACTIONS INDÉSIRABLES ET EFFETS SECONDAIRES

SNC: céphalées, somnolence, étourdissements.
ORLO: opacités cornéennes, oreilles bouchées, otite moyenne, larmoiement des yeux.
Resp.: maux de gorge, rhinorrhée, congestion nasale, toux.
CV: arythmies.
GI: nausées, vomissements, diarrhée, anorexie, symptômes hémorroïdaux, goût métallique, résultats élevés des tests de l'exploration fonctionnelle hépatique, crampes abdominales.
GU: oligurie, miction difficile, protéinurie.
Tég.: rash, éruptions mucocutanées, prurit.
Hémat.: thrombocytose, éosinophilie.
Loc.: douleurs dans le dos, les côtes, le flanc et les jambes.
SN: paresthésie, neuropathie sensorimotrice.
Divers: frissons, fièvre, syndrome pseudogrippal, moniliase.

INTERACTIONS

Médicament – médicament: L'administration concomitante d'autres **chélateurs** n'est pas recommandée.

VOIES D'ADMINISTRATION ET POSOLOGIE

PO (adultes et enfants): 10 mg/kg ou 350 mg/m^2, toutes les 8 h, pendant 5 jours, puis réduire la dose à 10 mg/kg ou 350 mg/m^2, toutes les 12 h, pendant 2 semaines de plus. Avant d'administrer un nouveau traitement, observer une période d'arrêt de la médication de 2 semaines.

PHARMACODYNAMIE
(excrétion du plomb dans l'urine)

	DÉBUT D'ACTION	PIC	DURÉE
PO	moins de 2 h	2 – 4 h	8 – 12 h

☀ SOINS INFIRMIERS

ÉVALUATION DE LA SITUATION

□ Observer le patient et les membres de sa famille pour déceler les signes d'intoxication par le plomb, avant le traitement et à intervalles fréquents pendant toute sa durée. L'intoxication aiguë par le plomb est caractérisée par les symptômes suivants: goût métallique, coliques, vomissements, diarrhée, oligurie et coma. Les symptômes d'intoxication chronique varient selon la gravité du cas et comprennent l'anorexie, l'apparition d'une ligne bleue foncée le long des gencives, des vomissements intermittents, la paresthésie, l'encéphalopathie, les convulsions et le coma.

□ Effectuer un bilan quotidien rigoureux des ingesta et des excreta et peser le patient tous les jours. Prévenir le médecin si les valeurs changent. Les patients qui suivent un traitement par le succimer doivent être adéquatement hydratés.

□ Examiner attentivement l'état neurologique: état de la conscience, réactions pupillaires et mouvement. Prévenir le médecin immédiatement en cas de modification.

□ Suivre de près les signes d'allergie ou autres réactions mucocutanées, particulièrement lors de l'administration répétée du succimer.

■ **Étude des examens diagnostiques et biochimiques:** Noter les concentrations de plomb dans le sang et dans l'urine, avant le traitement et à intervalles réguliers pendant toute sa durée. Après le traitement, suivre, au moins une fois par semaine, les concentrations sanguines jusqu'à ce que les valeurs se stabilisent pour déceler un rebond éventuel. L'administration du succimer est indiquée si les concentrations sanguines de plomb sont supérieures à 450 μg/L.

□ Le succimer peut entraîner l'élévation des concentrations sériques de transaminases, de phosphatase alcaline et de cholestérol; examiner ces concentrations avant le traitement et au moins toutes les semaines pendant toute sa durée.

□ Le succimer peut fausser les résultats des épreuves sériques et urinaires.

DIAGNOSTICS INFIRMIERS POSSIBLES

■ **Énoncés diagnostiques**

□ Risque élevé d'accident.

□ Incapacité partielle d'organiser ou d'entretenir le domicile.

□ Prise en charge inefficace du programme thérapeutique.

■ **Facteurs favorisants**

□ Informations incomplètes.

□ *Manque de connaissances sur la méthode d'administration du médicament.*

□ *Manque de connaissances sur les modalités du traitement.*

□ *Modification de l'état liquidien ou des volumes circuants.*

□ *Difficulté à s'adapter aux changements nécessaires dans les habitudes de vie.*

INTERVENTIONS INFIRMIÈRES

■ **Directives générales:** L'administration du succimer en association avec

S

d'autres chélateurs n'est pas recommandée. Les patients ayant subi un traitement par de l'EDTA ou du BAL peuvent recevoir le succimer 4 semaines plus tard.

- □ Le traitement dure 19 jours. Les doses sont administrées toutes les 8 h, pendant 5 jours, puis, toutes les 12 h, pendant 14 jours. À moins que les concentrations sanguines dictent un traitement rapide, il est recommandé d'espacer les cures d'au moins 2 semaines.
- ■ **PO :** Si le patient ne peut pas avaler la capsule, l'ouvrir et en verser le contenu sur une petite quantité d'aliments mous ou le faire prendre à la cuillère, suivi d'un verre de jus de fruits.

ENSEIGNEMENT AU PATIENT ET À SES PROCHES

- □ Insister sur l'importance des examens de suivi permettant de mesurer les concentrations de plomb. Des traitements supplémentaires peuvent s'avérer nécessaire.
- □ Inciter le patient à boire des quantités adéquates de liquide pendant toute la durée du traitement.
- □ Recommander au patient ou à ses parents de prévenir le médecin en cas de rash.
- □ Recommander au patient ou à ses parents de consulter les services de santé publics pour déterminer les sources possibles d'intoxication par le plomb à domicile, au travail, à l'école ou ailleurs. Le traitement par un chélateur ne peut être utilisé comme prophylaxie de l'intoxication par le plomb.

VÉRIFICATION DES RÉSULTATS

L'efficacité du traitement peut être démontrée par : ■ la diminution des symptômes d'intoxication par le plomb ■ la diminution des concentrations sanguines de plomb au-dessous de 450 μg/L, bien que la limite normale supérieure soit de 290 μg/L.

SUCCINYLCHOLINE
Anectine, Quelicin, suxaméthonium, (Scoline), (Sucostrin)

CLASSIFICATION :
Bloqueur neuromusculaire de type dépolarisant

Grossesse – catégorie inconnue

INDICATIONS
Paralysie des muscles squelettiques après induction de l'anesthésie lors d'une intervention chirurgicale.

ACTION
■ Prévention de la transmission neuromusculaire par blocage de l'effet de l'acétylcholine à la jonction neuromusculaire ■ Activité agoniste initiale, produisant la fasciculation ■ Stimulation de la libération d'histamine ■ Aucun effet analgésique ni anxiolytique. **Effets thérapeutiques :** ■ Paralysie des muscles squelettiques.

PHARMACOCINÉTIQUE
Absorption : L'agent est bien absorbé s'il est administré par voie IM, profondément dans le muscle.
Distribution : La succinylcholine se répartit dans tous les liquides extracellulaires ; elle traverse le placenta où on la retrouve en faibles quantités.
Métabolisme et excrétion : Une fraction de 90 % est métabolisée dans le plasma par la pseudocholinestérase. Une fraction de 10 % est excrétée à l'état inchangé par les reins.
Demi-vie : Inconnue.

CONTRE-INDICATIONS ET PRÉCAUTIONS
Contre-indications : ■ Hypersensibilité à la succinylcholine ou aux parabènes ■ Déficit en pseudocholinestérase plasmatique ■ Enfants et nouveau-nés (perfusions continues).

S

Précautions: ■ Antécédents d'hyperthermie maligne ■ Antécédents de maladie pulmonaire ou d'insuffisance rénale ou hépatique ■ Personnes âgées ou patients débilités ■ Glaucome ■ Déséquilibres électrolytiques ■ Patients prenant des dérivés digitaliques ■ Fractures ou spasmes musculaires ■ Myasthénie grave ou syndrome myasthénique ■ Césarienne (il existe cependant des précédents d'utilisation) ■ Nouveau-nés et enfants (risque accru d'hyperthermie maligne).

RÉACTIONS INDÉSIRABLES ET EFFETS SECONDAIRES

Remarque: La plupart des réactions indésirables à la succinylcholine découlent de ses effets pharmacologiques.

CV: hypotension, arythmies.

Resp.: bronchospasme, apnée.

HÉ: hyperkaliémie.

Loc.: fasciculation musculaire.

Divers: HYPERTHERMIE MALIGNE.

INTERACTIONS

Médicament – médicament: ■ Les **inhibiteurs de la cholinestérase (échothiophate, isofluorophate** ou **gouttes ophtalmiques de démécarium)**, administrés simultanément, réduisent l'activité de la pseudocholinestérase et intensifient la paralysie ■ L'intensité et la durée de la paralysie peuvent être prolongées en cas de prétraitement par des **anesthésiques généraux,** des **aminosides,** la **polymyxine B,** la **colistine,** la **clindamycine,** la **lidocaïne,** la **quinidine,** le **procaïnamide,** les **bêtabloquants,** les **diurétiques favorisant les fuites potassiques** et le **magnésium.**

VOIES D'ADMINISTRATION ET POSOLOGIE

Remarque: La voie IV est la voie qu'il faudrait préférer, mais on peut administrer des injections IM profondes chez les enfants et chez les patients dont les veines sont inaccessibles.

Dose d'essai

■ **IV (adultes):** 10 mg (0,1 mg/kg), puis examiner l'état de la fonction respiratoire.

Intervention chirurgicale de courte durée

■ **IV (adultes):** 0,6 mg/kg (écart posologique de 0,3 à 1,1 mg/kg); l'administration de doses supplémentaires dépend de la réponse du patient.

■ **IV (enfants):** de 1 à 2 mg/kg; l'administration de doses supplémentaires dépend de la réponse du patient.

Intervention chirurgicale prolongée

■ **IV (adultes):** perfusion à un débit de 2,5 mg/min (entre 2,5 et 4,3 mg/min) ou, initialement, 0,6 mg/kg (entre 0,3 et 1,1 mg/kg), puis, de 0,04 à 0,07 mg/kg, selon les besoins.

Administration IM

■ **IM (adultes et enfants):** 2,5 mg/kg (la dose totale ne doit pas dépasser 150 mg).

PHARMACODYNAMIE (paralysie des muscles squelettiques)

	DÉBUT D'ACTION	PIC	DURÉE
IM	jusqu'à 3 min	inconnu	10 – 30 min
IV	0,5 – 1 min	1 – 2 min	4 – 10 min

SOINS INFIRMIERS

ÉVALUATION DE LA SITUATION

☐ Suivre de près la fonction respiratoire pendant toute la durée du traitement par la succinylcholine. La succinylcholine ne devrait être administrée que par les personnes sachant pratiquer l'intubation endotrachéale; garder à portée de la main le matériel nécessaire à cette intervention.

☐ Évaluer pendant l'intervention la réponse neuromusculaire à la succinylcholine par la stimulation des nerfs périphériques. La paralysie des muscles est initialement sélective et elle

S

se produit habituellement dans l'ordre suivant : muscles releveurs des paupières, muscles masticateurs, muscles des membres, muscles abdominaux, muscles de la glotte, muscles intercostaux et diaphragme.

☐ Suivre de près l'ÉCG, la fréquence cardiaque et la pression artérielle pendant toute la durée de l'administration de la succinylcholine.

☐ Déterminer avant l'administration si le patient a déjà souffert d'hyperthermie maligne. Suivre de près, pendant toute la durée de l'administration, les signes suivants d'hyperthermie maligne : tachycardie, tachypnée, hypercarbie, spasme musculaire de la mâchoire, absence de relaxation laryngée, hyperthermie.

☐ Observer le patient pendant la période de récupération pour déceler les symptômes résiduels de faiblesse musculaire et de détresse respiratoire.

■ **Étude des examens diagnostiques et biochimiques :** La succinylcholine peut entraîner l'hyperkaliémie, particulièrement chez les patients présentant un traumatisme grave, des brûlures ou des troubles neurologiques.

■ **Toxicité et surdosage :** En cas de surdosage, stimuler les nerfs périphériques pour déterminer le degré de blocage neuromusculaire. Maintenir la perméabilité des voies aériennes et la ventilation jusqu'au rétablissement de la respiration normale.

DIAGNOSTICS INFIRMIERS POSSIBLES

■ **Énoncés diagnostiques**

☐ Mode de respiration inefficace.

☐ Altération de la communication verbale.

☐ *Risque élevé de perturbation des échanges gazeux.*

☐ *Risque élevé d'anxiété.*

■ **Facteurs favorisants**

☐ *Mode de respiration inefficace.*

☐ *Mode de communication altérée par l'intubation endotrachéale.*

☐ *Manque de connaissances sur les modalités du traitement.*

INTERVENTIONS INFIRMIÈRES

■ **Directives générales :** La succinylcholine ne modifie pas l'état de la conscience ni le seuil de la douleur. Il faut *toujours* assurer une anesthésie adéquate si l'on administre la succinylcholine en tant qu'adjuvant lors d'une intervention chirurgicale ou d'une autre intervention douloureuse. On devrait administrer simultanément des benzodiazépines ou des analgésiques, ou les deux, lors d'un traitement prolongé par la succinylcholine chez les patients branchés sur un respirateur, car ces patients sont éveillés et capables de ressentir tous les stimuli.

☐ Si les yeux du patient restent ouverts pendant l'administration prolongée de ce médicament, protéger la cornée par des larmes artificielles.

☐ Pour éviter la salivation excessive, on peut administrer en prémédication de l'atropine ou de la scopolamine.

☐ On peut administrer avant la succinylcholine une faible dose d'un agent de type non dépolarisant afin de réduire l'intensité de la fasciculation musculaire.

■ **IM :** Si l'on doit utiliser la voie IM, injecter profondément dans le muscle deltoïde.

■ **IV :** On peut administrer une dose d'essai de 10 mg ou de 0,1 mg/kg pour déterminer la sensibilité du patient et le temps de récupération.

■ **IV directe :** La dose habituelle chez l'adulte est administrée en 10 à 30 s. La dose doit être ensuite adaptée à la réponse du patient.

■ **Perfusion continue :** Diluer pour obtenir une solution à 0,1 ou à 0,2 % (de 1 à 2 mg/mL) dans une solution de Ringer et dextrose ou de lactate Ringer et dextrose, dans une solution de dextrose et de soluté salin, dans une solution de NaCl à 0,45 ou à 0,9 %, ou de dextrose à 5 ou à 10 % dans de l'eau, dans une solution de Ringer ou de lactate Ringer pour injection. La solution est stable pendant 24 h à la température ambiante. N'administrer la solution que si elle est transparente. Jeter toute portion inutilisée.

□ *Vitesse d'administration:* Administrer à un débit de 0,5 à 10 mg/min. Adapter la dose selon la réponse du patient et le degré de relaxation souhaitée.

■ **Association compatible dans la même seringue:** Héparine.

■ **Compatibilités (tubulure en Y):** Chlorure de potassium ou héparine avec succinate d'hydrocortisone sodique.

■ **Compatibilités en addition au soluté:** Amikacine, céphapirine, isoprotérénol, mépéridine, méthyldopa, morphine, norépinéphrine ou scopolamine.

■ **Incompatibilités en addition au soluté:** Barbituriques, bicarbonate de sodium ou nafcilline.

ENSEIGNEMENT AU PATIENT ET À SES PROCHES

□ Expliquer toutes les interventions au patient qui reçoit un traitement à la succinylcholine sans anesthésie générale, étant donné que ce médicament, administré seul, ne modifie pas l'état de la conscience. Assurer un soutien affectif.

□ Expliquer au patient que ses capacités de communication se rétabliront lorsque les effets du médicament s'épuiseront.

VÉRIFICATION DES RÉSULTATS

L'efficacité du traitement peut être démontrée par: la suppression adéquate des soubresauts musculaires, testée par la stimulation des nerfs périphériques, et une paralysie musculaire subséquente.

SUCRALFATE
Novo-Sucralate, Sulcrate, Sulcrate Suspension Plus, (Carafate)

CLASSIFICATION:
Traitement de l'ulcère – agent cytoprotecteur gastroduodénal

Grossesse – catégorie B

INDICATIONS

■ Traitement de courte durée des ulcères gastroduodénaux ■ Traitement d'entretien de l'ulcère duodénal. **Usages non approuvés:** ■ Prévention des lésions de la muqueuse gastrique lors de l'administration de doses élevées d'aspirine ou d'anti-inflammatoires non stéroïdiens aux patients souffrant de polyarthrite rhumatoïde.

ACTION

■ Formation d'une pâte épaisse par suite d'une réaction avec l'acide gastrique; cette pâte a une affinité élective pour les surfaces ulcérées. **Effets thérapeutiques:** ■ Protection des ulcères et cicatrisation subséquente.

PHARMACOCINÉTIQUE

Absorption: L'absorption systémique est minime (< 5 %).
Distribution: Inconnue.
Métabolisme et excrétion: Une fraction supérieure à 90 % est éliminée dans les fèces.
Demi-vie: De 6 à 20 h.

CONTRE-INDICATIONS ET PRÉCAUTIONS

Contre-indication: Hypersensibilité.
Précaution: Enfants (l'innocuité du médicament n'a pas été établie).

RÉACTIONS INDÉSIRABLES ET EFFETS SECONDAIRES

SNC: étourdissements, vertiges, torpeur.

S

GI: <u>constipation</u>, diarrhée, nausées, gêne gastrique, indigestion, sécheresse de la bouche (xérostomie).
Tég.: rash, prurit.

INTERACTIONS

Médicament – médicament: ■ Le sucralfate peut diminuer l'absorption de la **phény-toïne**, des **vitamines liposolubles** ou de la **tétracycline** ■ Les **antiacides**, administrés simultanément, diminuent l'efficacité du sucralfate ■ Le sucralfate diminue l'absorption des **fluoroquinolones** (éviter l'usage simultané).

VOIES D'ADMINISTRATION ET POSOLOGIE

PO (adultes): 1 g, 4 fois par jour, 1 h avant les repas et au coucher ou 2 g, 2 fois par jour, au lever et au coucher. On peut également administrer cette dose pour traiter l'ulcère duodénal.

PHARMACODYNAMIE
(effet protecteur de la muqueuse)

	DÉBUT D'ACTION	PIC	DURÉE
PO	30 min	inconnu	5 h

❋ SOINS INFIRMIERS

ÉVALUATION DE LA SITUATION

Suivre à intervalles réguliers les douleurs abdominales et la présence de sang franc ou occulte dans les selles.

DIAGNOSTICS INFIRMIERS POSSIBLES

■ **Énoncés diagnostiques**
- ☐ Douleur.
- ☐ Constipation.
- ☐ Prise en charge inefficace du programme thérapeutique.

■ **Facteurs favorisants**
- ☐ Informations incomplètes.
- ☐ *Manque de connaissances sur les moyens de stimuler la fonction intestinale.*

- ☐ *Manque de connaissances sur les modalités du traitement.*
- ☐ *Manque de connaissances sur la méthode d'administration du médicament.*

INTERVENTIONS INFIRMIÈRES

- ■ **PO**: Administrer le médicament à jeun, 1 h avant les repas et au coucher.
- ☐ Si le médecin a également prescrit un antiacide, ne pas l'administrer dans les 30 min qui précèdent ou qui suivent l'administration du sucralfate.
- ☐ Bien mélanger la préparation liquide avant de l'administrer. Mesurer à l'aide d'un récipient gradué.
- ☐ En cas d'administration par voie nasogastrique, il est préférable d'utiliser la suspension, car les comprimés de sucralfate sont relativement insolubles et peuvent former un bézoard.

ENSEIGNEMENT AU PATIENT ET À SES PROCHES

- ☐ Recommander au patient de poursuivre le traitement pendant 4 à 12 semaines, même s'il se sent mieux, pour assurer la guérison complète de l'ulcère. S'il n'a pas pu prendre le médicament au moment habituel, il doit le prendre dès que possible à moins que ce ne soit presque l'heure prévue pour la dose suivante; il ne faut jamais remplacer une dose manquée par une double dose.
- ☐ Recommander au patient d'augmenter sa consommation de liquides et d'aliments riches en fibres et de faire de l'exercice pour essayer de prévenir la constipation induite par le médicament.
- ☐ Recommander au patient d'arrêter de fumer pour prévenir la récurrence des ulcères gastroduodénaux.
- ☐ Insister sur l'importance des examens réguliers permettant de déterminer les bienfaits du traitement.

VÉRIFICATION DES RÉSULTATS

L'efficacité du traitement peut être démontrée par : ■ la diminution des douleurs abdominales ■ la guérison des ulcères gastro-duodénaux, révélée par des examens radiologiques et l'endoscopie.

SUFENTANIL
Sufenta

CLASSIFICATION :
Analgésique narcotique – agoniste

Stupéfiant

Grossesse – catégorie C

INDICATIONS

■ **IV :** Maintien d'une anesthésie équilibrée – adjuvant analgésique en association avec des barbituriques, du protoxyde d'azote et de l'oxygène ■ Maintien de l'analgésie générale – analgésie par perfusion IV continue avec du protoxyde d'azote et de l'oxygène □ Anesthésique principal avec de l'oxygène pur lors d'interventions chirurgicales majeures ■ **Voie épidurale :** Analgésie postopératoire lors de certaines interventions chirurgicales □ Adjuvant analgésique lors de l'anesthésie par la bupivacaïne épidurale pendant le travail et l'accouchement par voie vaginale.

ACTION

■ Liaison aux récepteurs opiacés du SNC modifiant ainsi la perception de la douleur et la réaction à celle-ci et entraînant une dépression généralisée du SNC. **Effets thérapeutiques :** ■ Diminution de l'intensité de la douleur modérée à grave ■ Anesthésie.

PHARMACOCINÉTIQUE

Absorption : Par suite de l'administration IV, l'absorption est essentiellement complète.

Distribution : Le sufentanil ne pénètre que lentement dans les tissus adipeux. Il traverse le placenta et pénètre dans le lait maternel.

Métabolisme et excrétion : Le sufentanil est surtout métabolisé par le foie. Un certain métabolisme a lieu dans l'intestin grêle.

Demi-vie : 2,7 h (prolongée pendant le pontage cardiopulmonaire).

CONTRE-INDICATIONS ET PRÉCAUTIONS

Contre-indications : ■ Hypersensibilité ■ Intolérance connue ■ **Voie épidurale seulement :** □ hémorragie grave □ choc □ septicémie □ infection locale au point d'injection envisagé □ troubles de la morphologie sanguine et(ou) traitement anticoagulant.

Précautions : ■ Personnes âgées ■ Patients débilités ou gravement malades ■ Patients diabétiques ■ Maladie pulmonaire grave ■ Maladie hépatique ■ Tumeurs du SNC ■ Pression intracrânienne accrue ■ Traumatisme crânien ■ Insuffisance surrénalienne ■ Douleurs abdominales non diagnostiquées ■ Hypothyroïdie ■ Alcoolisme ■ Maladie cardiaque (arythmies) ■ Grossesse (précédents d'administration au cours d'une césarienne ; risque de somnolence chez le nouveau-né) ■ Travail et accouchement (voie IV déconseillée ; voie épidurale – souffrance fœtale) ■ Allaitement (l'innocuité du médicament n'a pas été établie).

RÉACTIONS INDÉSIRABLES ET EFFETS SECONDAIRES

SNC : étourdissements, torpeur, somnolence.

ORLO : vision trouble.

Resp. : apnée, dépression respiratoire post-opératoire.

CV : bradycardie, tachycardie, hypotension, hypertension, arythmies.

GI : nausées, vomissements.

Tég. : démangeaisons, érythème.

S

Loc.: rigidité des muscles thoraciques, mouvements musculaires pendant l'intervention chirurgicale.
Divers: frissons.

INTERACTIONS

Médicament – médicament: ■ Dépression additive du SNC lors de l'usage concomitant d'**alcool**, d'**antihistaminiques**, d'**antidépresseurs** ou d'**hypnosédatifs** ■ Avant d'administrer le sufentanil, il faut arrêter la prise d'**inhibiteurs de la MAO** pendant 14 jours ■ La **cimétidine** ou l'**érythromycine** peuvent prolonger la durée de la récupération ■ Risque accru d'hypotension lors de l'administration simultanée de **benzodiazépines** ■ La **nalbuphine** ou la **pentazocine** peuvent diminuer la réponse au sufentanil.

VOIES D'ADMINISTRATION ET POSOLOGIE

Adjuvant anesthésique à faibles doses

■ **IV (adultes):** initialement, de 0,5 à 2 µg/kg. On peut administrer des doses supplémentaires de 10 à 25 µg, selon les besoins (ne pas dépasser 1 µg/kg à l'heure lors de l'administration en association avec du protoxyde d'azote et de l'oxygène).

Adjuvant anesthésique à doses moyennes

■ **IV (adultes):** initialement, de 2 à 8 µg/kg. On peut administrer des doses supplémentaires de 25 à 50 µg, selon les besoins (ne pas dépasser 1 µg/kg à l'heure lors de l'administration en association avec du protoxyde d'azote et de l'oxygène).

Anesthésique principal (avec de l'oxygène pur)

■ **IV (adultes):** initialement, de 8 à 30 µg/kg. On peut administrer des doses supplémentaires de 25 à 50 µg, selon les besoins.

■ **IV (enfants):** chirurgie cardiovasculaire – initialement, de 10 à 25 µg/kg; on administre par la suite une dose d'entretien de 20 à 50 µg.

Analgésie postopératoire

■ **Voie épidurale (adultes):** initialement, de 30 à 60 µg. On peut administrer des doses supplémentaires de 25 µg, à des intervalles d'au moins une heure, selon les besoins.

Adjuvant analgésique lors de l'anesthésie par la bupivacaïne épidurale

■ **Voie épidurale (adultes):** initialement, 10 µg (avec 0,125 à 0,25 % de bupivacaïne). On peut administrer 2 doses supplémentaires, à des intervalles d'au moins 1 heure, selon les besoins (ne pas dépasser une dose totale de 30 µg).

PHARMACODYNAMIE (analgésie)

	DÉBUT D'ACTION	PIC	DURÉE
IV	en 1 min	inconnu	5 min
voie épidurale	5 – 10 min	inconnu	4 – 6 h

✳ SOINS INFIRMIERS

ÉVALUATION DE LA SITUATION

☐ Mesurer la fréquence respiratoire et la pression artérielle à intervalles fréquents tout au long du traitement. En cas de modification importante, prévenir sans délai le médecin. Les effets dépresseurs du sufentanil sur la respiration durent plus longtemps que ses effets analgésiques. Diminuer les doses subséquentes de narcotique de $^1/_4$ à $^1/_3$ de la dose habituelle recommandée. Suivre de près l'état du patient.

■ **Étude des examens diagnostiques et biochimiques:** Le sufentanil peut entraîner l'élévation des concentrations sériques d'amylase et de lipase.

■ **Toxicité et surdosage:** En cas de surdosage, l'antidote est la naloxone (Narcan).

DIAGNOSTICS INFIRMIERS POSSIBLES

■ **Énoncés diagnostiques**
☐ Douleur.
☐ Mode de respiration inefficace.
☐ Risque élevé d'accident.

■ **Facteurs favorisants**

□ *Manque de connaissances sur les effets hypotensifs du médicament lors des changements brusques de position.*

□ *Perturbation de la vigilance.*

□ *Manque de connaissances sur les modalités du traitement.*

INTERVENTIONS INFIRMIÈRES

■ **Directives générales:** On peut administrer des benzodiazépines avant le sufentanil pour réduire la dose d'induction et pour écourter le temps qui s'écoule avant la perte de la conscience. Cette association peut augmenter le risque d'hypotension.

□ Au cours de l'administration du sufentanil, garder à portée de la main la naloxone, de l'oxygène et le matériel de réanimation.

■ **Voie épidurale:** Vérifier si l'aiguille ou le cathéter sont bien placés dans l'espace épidural avant d'injecter le sufentanil, pour éviter d'administrer par inadvertance par voie intravasculaire ou intrathécale.

□ Si l'analgésie est insuffisante, vérifier l'emplacement et l'état du cathéter avant de continuer à administrer le médicament par voie épidurale.

□ Diluer la dose de sufentanil avec 10 mL de solution de NaCl à 0,9 %.

■ **IV directe:** L'administration IV lente peut réduire l'incidence ou la gravité de la rigidité musculaire, de la bradycardie ou de l'hypotension.

□ *Vitesse d'administration:* Administrer lentement en au moins une minute ou deux.

■ **Perfusion continue:** Lorsque le sufentanil est utilisé comme anesthésique principal, on peut l'administrer sous forme de perfusion continue en même temps que la dose d'attaque initiale ou après celle-ci pour obtenir des effets immédiats et soutenus tout au long d'une intervention chirurgicale prolongée.

ENSEIGNEMENT AU PATIENT ET À SES PROCHES

□ Conseiller au patient de changer lentement de position pour réduire les risques d'hypotension orthostatique.

□ Prévenir le patient que le sufentanil provoque des étourdissements et de la somnolence. Lui conseiller de demander de l'aide lorsqu'il se déplace, de ne pas conduire et d'éviter les activités qui exigent sa vigilance pendant au moins 24 h suivant l'administration du sufentanil lors d'une intervention chirurgicale de courte durée (chirurgie d'un jour) et jusqu'à ce qu'on ait la certitude que le médicament n'entraîne pas ces effets chez lui.

□ Conseiller au patient d'éviter de boire de l'alcool ou de prendre des dépresseurs du SNC dans les 24 h qui suivent l'administration du sufentanil lors d'une intervention chirurgicale de courte durée (chirurgie d'un jour).

VÉRIFICATION DES RÉSULTATS

L'efficacité du traitement peut être démontrée par: ■ l'apaisement généralisé ■ le ralentissement de l'activité motrice ■ l'analgésie prononcée.

SULCONAZOLE
(Exelderm)

CLASSIFICATION:
Antifongique topique

Grossesse – catégorie C

INDICATIONS

■ Traitement de certaines infections fongiques incluant: □ *Tinea pedis* (pied d'athlète) □ *Tinea corporis* □ *Tinea cruris* (eczéma marginé de Hebra) □ *Tinea versicolor.*

ACTION

■ Inhibition de la croissance des champignons sensibles (effet fongistatique). **Effets thérapeutiques:** ■ Éradication des infections fongiques superficielles. **Spectre d'action:** ■ Large spectre fongistatique englobant un grand nombre de dermatophytes dont: □ *Trichophyton rubrum* □ *Trichophyton mentagrophytes* □ *Epidermophyton floccosum* □ *Microsporum canis* □ *Malassezia furfur* ■ Le sulconazole agit également contre *Candida albicans* et contre certains microorganismes à Gram positif.

PHARMACOCINÉTIQUE

Absorption: Par suite de l'administration de la préparation topique, l'absorption systémique est inconnue.
Distribution: Inconnue.
Métabolisme et excrétion: Inconnus.
Demi-vie: Inconnue.

CONTRE-INDICATIONS ET PRÉCAUTIONS

Contre-indications: Hypersensibilité au sulconazole ou aux ingrédients du véhicule.
Précautions: Grossesse, allaitement ou enfants (l'innocuité du médicament n'a pas été établie).

RÉACTIONS INDÉSIRABLES ET EFFETS SECONDAIRES

Tég.: démangeaisons, brûlures, picotements, rougeur.

INTERACTIONS

Médicament – médicament: Aucune interaction notable.

VOIES D'ADMINISTRATION ET POSOLOGIE

Usage topique (adultes): Appliquer une petite quantité de crème ou de lotion à 1 %, 1 ou 2 fois par jour (2 fois par jour en cas de *Tinea pedis*), pendant 3 à 4 semaines.

PHARMACODYNAMIE (résolution de l'infection)

	DÉBUT D'ACTION	PIC	DURÉE
préparation topique	inconnu	3 – 4 semaines	inconnue

SOINS INFIRMIERS

ÉVALUATION DE LA SITUATION

Examiner les régions cutanées et les muqueuses affectées avant le traitement et à intervalles fréquents pendant toute sa durée. Une irritation cutanée accrue peut dicter le besoin d'arrêter le traitement.

DIAGNOSTICS INFIRMIERS POSSIBLES

■ **Énoncés diagnostiques**
□ Atteinte à l'intégrité de la peau.
□ Risque élevé d'infection.
□ Prise en charge inefficace du programme thérapeutique.

■ **Facteurs favorisants**
□ Informations incomplètes.
□ *Manque de connaissances sur les modalités du traitement.*
□ *Manque de connaissances sur la méthode d'administration du médicament.*

INTERVENTIONS INFIRMIÈRES

■ **Directives générales:** Avant d'appliquer l'agent, demander au médecin quelle est la méthode de nettoyage de la peau qu'il préconise.
■ **Usage topique:** Appliquer en couche mince une quantité suffisante de préparation pour couvrir toute la région atteinte.

ENSEIGNEMENT AU PATIENT ET À SES PROCHES

■ Expliquer au patient qu'il doit utiliser le médicament en respectant scrupuleusement la posologie recommandée et la durée de traitement prescrite, même s'il se sent mieux.
□ Conseiller au patient de prévenir le médecin si aucune amélioration ne

survient ou si une irritation cutanée se manifeste.

VÉRIFICATION DES RÉSULTATS

L'efficacité du traitement peut être démontrée par : la diminution de l'irritation cutanée et l'éradication de l'infection. Dans le cas d'une infection à *Tinea pedis*, la réponse thérapeutique peut ne survenir qu'après 3 à 4 semaines.

SULFACÉTAMIDE

Bleph 10, Cetamide, Diosulf, Isopto-Cetamide, Ophtho-Sulf, Sulamyd sodique, Sulfex, (Ak-Sulf), (I-Sylfacet), (Ocu-Sul), (Sulf-10), (Sulfair), (Sulfar Forte), (Sulten-10)

CLASSIFICATION :
Anti-infectieux – sulfamidé ; anti-infectieux ophtalmique

Grossesse – catégorie inconnue

INDICATIONS

■ Traitement de la conjonctivite et de l'ulcère cornéen dus à des micro-organismes sensibles ■ Traitement d'appoint par voie systémique du trachome ■ Prophylaxie de l'infection à la suite du retrait de corps étrangers de l'œil.

ACTION

■ Inhibition de la synthèse de l'acide folique dans la cellule bactérienne. **Effets thérapeutiques :** ■ Effet bactériostatique contre les bactéries sensibles. **Spectre d'action :** ■ Large spectre d'action englobant un grand nombre d'agents pathogènes à Gram positif et à Gram négatif.

PHARMACOCINÉTIQUE

Absorption : Par suite de l'administration dans l'œil, l'absorption est minime.
Distribution : Nulle.
Métabolisme et excrétion : Nuls.
Demi-vie : Inconnue.

CONTRE-INDICATIONS ET PRÉCAUTIONS

Contre-indications : ■ Antécédents de réactions d'hypersensibilité aux sulfamidés ■ Risque de réactions de sensibilité croisée avec les diurétiques thiazidiques, les hypoglycémiants oraux de type sulfonylurée ou les inhibiteurs de l'anhydrase carbonique.
Précautions : Aucune précaution particulière.

RÉACTIONS INDÉSIRABLES ET EFFETS SECONDAIRES

ORLO : irritation locale.
Divers : surinfection, réactions d'hypersensibilité, incluant le SYNDROME DE STEVENS-JOHNSON.

INTERACTIONS

Médicament – médicament : ■ La **gentamicine ophtalmique**, administrée simultanément, peut exercer des effets antagonistes ■ Le sulfacétamide est incompatible avec le **nitrate d'argent** ou avec toute autre **préparation à base d'argent**.

VOIES D'ADMINISTRATION ET POSOLOGIE

Onguent
■ **Onguent ophtalmique (adultes) :** Appliquer un ruban d'onguent de 1,25 à 2,5 cm dans le sac conjonctival, 4 fois par jour et au coucher ou seulement au coucher, en association avec la solution pendant la journée.

Solution
■ **Gouttes ophtalmiques (adultes) :** Instiller 1 ou 2 gouttes dans le sac conjonctival, toutes les 2 à 4 h, selon la gravité de l'infection.

PHARMACODYNAMIE (effets anti-infectieux)

	DÉBUT D'ACTION	PIC	DURÉE
préparation ophtalmique	rapide	inconnu	1 – 4 h[*]

[*] Plus longue dans le cas de l'onguent.

S

☀ SOINS INFIRMIERS

ÉVALUATION DE LA SITUATION

◻ Examiner les yeux du patient, avant le traitement et à intervalles réguliers pendant toute sa durée, pour déceler les signes suivants d'infection : rougeur, écoulements purulents, douleurs. Signaler au médecin tout écoulement purulent ; le sulfacétamide est inactivé par les exsudats purulents.

◻ Déterminer si le patient est allergique aux sulfamidés.

DIAGNOSTICS INFIRMIERS POSSIBLES

■ **Énoncés diagnostiques**

◻ Risque élevé d'infection.

◻ Prise en charge inefficace du programme thérapeutique.

■ **Facteurs favorisants**

◻ Informations incomplètes.

◻ *Manque de connaissances sur les modalités du traitement.*

◻ *Manque de connaissances sur la méthode d'administration du médicament.*

◻ *Manque de connaissances sur les effets secondaires du médicament.*

INTERVENTIONS INFIRMIÈRES

■ **Préparations ophtalmiques :** La méthode d'administration des préparations ophtalmiques est indiquée à l'annexe H.

◻ Avant d'instiller l'onguent, garder le tube dans la main pendant quelques minutes pour le réchauffer. Demander au patient de s'allonger ou de pencher la tête vers l'arrière et de regarder vers le haut. Presser une petite quantité d'onguent (de 0,6 à 1,25 cm environ) dans la paupière inférieure. Demander au patient de fermer doucement les yeux et de tourner les globes oculaires en gardant les paupières fermées. L'onguent peut troubler passagèrement la vision. Espacer de 10 min l'administration d'autres onguents ophtalmiques.

ENSEIGNEMENT AU PATIENT ET À SES PROCHES

◻ Conseiller au patient de respecter scrupuleusement la posologie recommandée pendant toute la durée du traitement, même s'il se sent mieux. S'il n'a pas pu appliquer la préparation au moment habituel, il doit le faire dès que possible à moins que ce ne soit presque l'heure prévue pour la dose suivante.

◻ Montrer au patient comment administrer les gouttes ou l'onguent ophtalmiques. Insister sur l'importance d'éviter tout contact du bouchon ou de l'extrémité du tube avec les yeux ou avec toute autre surface et de bien se laver les mains afin d'éviter la propagation de l'infection.

◻ Conseiller au patient de prévenir le médecin s'il ne note aucune amélioration après 7 ou 8 jours et si l'infection s'aggrave ou si des douleurs, des démangeaisons ou l'enflure oculaires surviennent.

◻ Recommander au patient atteint d'une infection ophtalmique de ne pas porter de verres de contact tant que l'infection n'est pas guérie et que le médecin ne l'autorise à les remettre.

VÉRIFICATION DES RÉSULTATS

L'efficacité du traitement peut être démontrée par : la disparition des signes et des symptômes d'infection oculaire.

SULFAMÉTHOXAZOLE

Apo-Sulfaméthoxazole, (Gantanol), (Gantanol DS)

CLASSIFICATION :
Anti-infectieux – sulfamidé

Grossesse – catégorie C

INDICATIONS

■ Traitement : ◻ des infections des voies urinaires ◻ de la nocardiose ◻ de la toxoplasmose et de la malaria (en association avec d'autres anti-infectieux).

ACTION

■ Inhibition de la synthèse de l'acide folique dans la cellule bactérienne. **Effets thérapeutiques:** ■ Effet bactériostatique contre les bactéries sensibles. **Spectre d'action:** ■ Activité marquée contre certains agents pathogènes à Gram positif, incluant: □ les streptocoques et les staphylocoques □ *Clostridium perfringens* □ *Clostridium tetani* □ *Nocardia asteroides* ■ Action contre certains agents pathogènes à Gram négatif, incluant: □ *Enterobacter* □ *Escherichia coli* □ *Klebsiella* □ *Proteus mirabilis* □ *Proteus vulgaris* □ *Salmonella* □ *Shigella.*

PHARMACOCINÉTIQUE

Absorption: Bonne absorption par suite de l'administration PO.
Distribution: Le sulfaméthoxazole se répartit dans tout l'organisme. Il traverse le placenta et pénètre dans le lait maternel.
Métabolisme et excrétion: L'agent est surtout métabolisé par le foie. Une fraction de 20 % est excrétée à l'état inchangé par les reins.
Demi-vie: De 7 à 12 h.

CONTRE-INDICATIONS ET PRÉCAUTIONS

Contre-indications: ■ Hypersensibilité ■ Carence en glucose-6-phosphate déshydrogénase (G6-PD) ■ Porphyrie ■ Grossesse ou allaitement ■ Nourrissons (sauf en cas de traitement de la toxoplasmose congénitale).
Précautions: Insuffisance hépatique ou rénale grave.

RÉACTIONS INDÉSIRABLES ET EFFETS SECONDAIRES

SNC: étourdissements, ataxie, dépression, confusion, psychose, somnolence, agitation.
GI: anorexie, nausées, vomissements, hépatite.

GU: cristallurie.
Tég.: rash, érythrodermie, photosensibilité.
Hémat.: ANÉMIE APLASIQUE, thrombocytopénie, AGRANULOCYTOSE, éosinophilie.
SN: neuropathie périphérique.
Divers: surinfection, fièvre, réactions d'hypersensibilité, incluant le SYNDROME DE STEVENS-JOHNSON et la maladie sérique.

INTERACTIONS

Médicament – médicament: ■ Le sulfaméthoxazole peut intensifier les effets des **hypoglycémiants oraux**, de la **phénytoïne**, du **méthotrexate**, des **anticoagulants** ou de la **zidovudine** et augmenter le risque de toxicité ■ Risque accru de cristallurie lors de l'administration concomitante de **méthénamine** ■ Risque accru d'hépatite médicamenteuse lors de l'administration concomitante d'autres **agents hépatotoxiques**.

VOIES D'ADMINISTRATION ET POSOLOGIE

■ **PO (adultes):** initialement, 2 g; par la suite, 1 g toutes les 8 à 12 h.
■ **PO (enfants):** initialement, de 50 à 60 mg/kg; par la suite, de 25 à 30 mg/kg, toutes les 12 h (ne pas dépasser 75 mg/kg par jour).

PHARMACODYNAMIE (concentrations sanguines)

	DÉBUT D'ACTION	PIC
PO	1 h	2 h

SOINS INFIRMIERS

ÉVALUATION DE LA SITUATION

□ Au début du traitement et pendant toute sa durée, surveiller l'apparition des signes suivants d'infection: altération des signes vitaux; aspect de la plaie, des crachats, de l'urine et des selles ; accroissement du nombre de leucocytes.

☐ Prélever des échantillons pour les cultures et les antibiogrammes avant le début du traitement. La première dose peut être administrée avant même que les résultats soient connus.

☐ Déterminer si le patient est allergique aux sulfamidés.

☐ Effectuer le bilan quotidien des ingesta et des excreta. L'apport de liquides doit être suffisant pour maintenir un débit urinaire d'au moins 1 200 à 1 500 mL par jour, afin de prévenir la cristallurie et la formation de calculs.

■ **Étude des examens diagnostiques et biochimiques :** Suivre la numération globulaire et les résultats des analyses des urines à intervalles réguliers pendant toute la durée du traitement.

☐ Le médicament peut entraîner l'élévation des concentrations sériques de bilirubine, de créatinine et de phosphatase alcaline.

DIAGNOSTICS INFIRMIERS POSSIBLES

■ **Énoncés diagnostiques**

☐ Risque élevé d'infection.

☐ Prise en charge inefficace du programme thérapeutique.

☐ *Risque élevé d'accident.*

☐ *Risque élevé d'altération de l'élimination urinaire.*

☐ *Risque élevé d'atteinte à l'intégrité de la peau.*

■ **Facteurs favorisants**

☐ Informations incomplètes.

☐ *Perturbation de la vigilance.*

☐ *Manque de connaissances sur les modalités du traitement.*

☐ *Modification de l'état liquidien ou des volumes circulants.*

☐ *Manque de connaissances sur les moyens de réduire la photosensibilité.*

INTERVENTIONS INFIRMIÈRES

PO : Administrer le sulfaméthoxazole, à intervalles réguliers, 24 h sur 24, à jeun, au moins 1 h avant ou 2 h après les repas, avec un grand verre d'eau. En cas de difficultés de déglutition, on peut broyer le comprimé et le mélanger à la boisson que le patient choisit.

ENSEIGNEMENT AU PATIENT ET À SES PROCHES

☐ Inciter le patient à prendre toute la quantité de médicament qu'il lui a été prescrite, à intervalles réguliers, 24 h sur 24, en respectant scrupuleusement la posologie recommandée, même s'il se sent mieux. S'il n'a pas pu prendre le médicament au moment habituel, il doit le prendre dès que possible. Insister sur le fait qu'il peut être dangereux de donner ce médicament à une autre personne.

☐ Prévenir le patient que le sulfaméthoxazole peut provoquer des étourdissements. Lui conseiller de ne pas conduire et d'éviter les activités qui exigent sa vigilance jusqu'à ce qu'on ait la certitude que le médicament n'entraîne pas cet effet chez lui.

☐ Recommander au patient d'utiliser des écrans solaires et de porter des vêtements protecteurs pour prévenir les réactions de photosensibilité.

☐ Recommander au patient de signaler au médecin le rash, les maux de gorge, la fièvre, les aphtes et les saignements ou les ecchymoses inhabituels.

☐ Recommander au patient de prévenir le médecin si son état ne s'améliore pas dans les quelques jours suivant le début du traitement. Insister sur l'importance des examens de suivi permettant d'évaluer l'efficacité du traitement et les effets secondaires du sulfaméthoxazole.

VÉRIFICATION DES RÉSULTATS

La réponse clinique peut être déterminée par : la disparition des signes et des symptômes d'infection. Le temps de résolution dépend du micro-organisme infectant et du siège de l'infection.

S

SULFASALAZINE

PMS-Sulfasalazine, Salazopyrin, SAS,
(Azulfidin)

CLASSIFICATION:

Anti-infectieux – sulfamidé ; agent immunosuppresseur ; anti-inflammatoire local (appareil gastro-intestinal) et systémique

Grossesse – catégorie B

INDICATIONS

■ En association avec d'autres modalités thérapeutiques (régime alimentaire, glucocorticoïdes) pour soigner la rectocolite hémorragique aiguë, la rectite ou la rectocolite hémorragique distale et la maladie de Crohn ■ Traitement de la polyarthrite rhumatoïde lorsque le traitement habituel s'est avéré inefficace.

ACTION

■ Faibles effets antibactérien, anti-inflammatoire et immunosuppressif possibles.
Effets thérapeutiques : ■ Réduction des symptômes de la rectocolite hémorragique, de la rectite et de la maladie de Crohn ■ Suppression de la douleur et de l'inflammation associées à la polyarthrite rhumatoïde.

PHARMACOCINÉTIQUE

Absorption : Une fraction de 10 à 15 % du médicament est absorbée par suite de l'administration PO.
Distribution : La sulfasalazine se répartit dans tout l'organisme. Elle traverse le placenta et pénètre dans le lait maternel.
Métabolisme et excrétion : La sulfasalazine est clivée en sulfapyridine et en acide 5-aminosalicylique sous l'effet des bactéries de l'intestin. Une certaine fraction de la sulfasalazine absorbée est excrétée par la bile dans l'intestin. Une fraction de 15 % est éliminée à l'état inchangé par les reins. La sulfapyridine est excrétée surtout par les reins.
Demi-vie : 6 h.

CONTRE-INDICATIONS ET PRÉCAUTIONS

Contre-indications : ■ Hypersensibilité aux sulfamidés ou aux salicylates ■ Risque de réactions de sensibilité croisée avec le furosémide, les hypoglycémiants de type sulfonylurée ou les inhibiteurs de l'anhydrase carbonique ■ Carence en glucose-6-phosphate déshydrogénase (G6-PD) ■ Occlusion des voies urinaires ou des intestins ■ Enfants âgés de moins de 2 ans ■ Porphyrie.
Précautions : ■ Insuffisances rénale ou hépatique graves ■ Polyarthrite rhumatoïde juvénile (l'innocuité du médicament n'a pas été établie) ■ Grossesse (précédents d'usage sans danger) ■ Allaitement (l'innocuité du médicament n'a pas été établie).

RÉACTIONS INDÉSIRABLES ET EFFETS SECONDAIRES

SNC : céphalées, étourdissements, ataxie, dépression, confusion, psychose, somnolence, agitation.
Resp. : pneumonite.
GI : anorexie, nausées, diarrhée, vomissements, hépatite.
GU : cristallurie, oligospermie, stérilité, coloration jaune-orangée de l'urine.
Tég. : rash, jaunissement de la peau, érythrodermie, photosensibilité.
Hémat. : anémie mégaloblastique, ANÉMIE APLASIQUE, thrombocytopénie, AGRANULOCYTOSE, éosinophilie.
SN : neuropathie périphérique.
Divers : fièvre, réactions d'hypersensibilité, incluant le SYNDROME DE STEVENS-JOHNSON et la maladie sérique.

INTERACTIONS

Médicament – médicament : ■ La sulfasalazine peut accentuer l'effet des **hypoglycémiants oraux**, de la **phénytoïne**, du **méthotrexate**, de la **zidovudine** ou des **anticoagulants oraux** et augmenter le risque de toxicité ■ Risque accru d'hépatite médicamenteuse lors de l'administration simultanée d'autres **agents hépatotoxiques** ■ Risque accru de cristallurie

S

lors de l'administration simultanée de la **méthénamine**. **Médicament – aliments:** ■ La sulfasalazine peut diminuer l'absorption du **fer** et de l'**acide folique**.

PRÉSENTATION

La sulfasalazine existe sous forme de comprimés, de comprimés à enrobage entérique ou de lavements. Les sujets ayant manifesté une éruption passagère ou de la fièvre ou les deux, par suite de l'administration de la sulfasalazine, peuvent également se procurer une trousse de désensibilisation qui leur est destinée.

VOIES D'ADMINISTRATION ET POSOLOGIE

Maladies inflammatoires intestinales:
- ■ **PO (adultes):** de 1 à 2 g, 3 ou 4 fois par jour (écart posologique: de 1 à 12 g par jour).
- ■ **PR (adultes):** 1 lavement (3 g), une fois par jour, de préférence au coucher.
- ■ **PO (enfants de 25 à 35 kg):** 1 comprimé, 3 fois par jour; la dose d'entretien est de 1 comprimé, 2 fois par jour.
- ■ **PO (enfants de 35 à 50 kg):** 2 comprimés, 2 ou 3 fois par jour; la dose d'entretien est de 1 comprimé, 2 ou 3 fois par jour.

Polyarthrite rhumatoïde
- ■ **PO (adultes):** initialement, 1 comprimé à enrobage entérique, le soir, pendant une semaine; augmenter graduellement la dose de 1 comprimé par jour, chaque semaine, jusqu'à concurrence de 2 comprimés, matin et soir.

PHARMACODYNAMIE (concentrations sanguines)

	DÉBUT D'ACTION	PIC
PO	1 h	1,5 – 6 h

✳ SOINS INFIRMIERS

ÉVALUATION DE LA SITUATION

- ☐ Suivre de près la douleur abdominale et noter la fréquence, la quantité et la consistance des selles au début du traitement et pendant toute sa durée.
- ☐ Évaluer la douleur articulaire et l'amplitude du mouvement des articulations avant et 1 h ou 2 après l'administration.
- ☐ Déterminer si le patient n'est pas allergique aux sulfamidés et aux salicylates.
- ☐ Effectuer le bilan quotidien des ingesta et des excreta. L'apport de liquides doit être suffisant pour maintenir un débit urinaire d'au moins 1 200 à 1 500 mL par jour, afin de prévenir la cristallurie et la formation de calculs.
- ☐ Effectuer à intervalles réguliers pendant toute la durée du traitement une proctoscopie et une sigmoïdoscopie permettant de déterminer la réponse du patient et les adaptations posologiques nécessaires.
- ■ **Étude des examens diagnostiques et biochimiques:** Noter la numération globulaire avant l'administration et tous les mois pendant toute la durée d'un traitement prolongé. Interrompre l'administration de la sulfasalazine si une dyscrasie survient.
- ☐ Suivre de près les résultats de l'analyse des urines, avant le traitement et à intervalles réguliers pendant toute sa durée, pour déceler la cristallurie et la formation de calculs urinaires.

DIAGNOSTICS INFIRMIERS POSSIBLES

- ■ **Énoncés diagnostiques**
- ☐ Douleur.
- ☐ Diarrhée.
- ☐ Prise en charge inefficace du programme thérapeutique.
- ☐ *Risque élevé d'anxiété.*
- ☐ *Risque élevé d'accident.*
- ☐ *Risque élevé d'altération de l'élimination urinaire.*
- ☐ *Risque élevé d'atteinte à l'intégrité de la peau.*

- ■ **Facteurs favorisants**
- ☐ Informations incomplètes.
- ☐ *Perturbation de la vigilance.*

S

□ *Manque de connaissances sur les modalités du traitement.*

□ *Modification de l'état liquidien ou des volumes circulants.*

□ *Manque de connaissances sur les effets secondaires du médicament et sur les moyens de les prévenir.*

□ *Manque de connaissances sur la méthode d'administration du médicament.*

□ *Manque de connaissances sur les moyens de réduire la photosensibilité.*

INTERVENTIONS INFIRMIÈRES

■ **Directives générales :** Pour diminuer les effets secondaires gastro-intestinaux, on peut modifier la posologie ou administrer les comprimés à enrobage entérique.

■ **PO :** Pour réduire l'irritation gastro-intestinale, on peut administrer la sulfasalazine avec des aliments ou après les repas. Servir ensuite au patient un grand verre d'eau. Signaler au patient qu'il ne doit pas broyer ni croquer les comprimés à enrobage entérique.

■ **PR :** Agiter délicatement le flacon avant de l'utiliser. Demander au patient de se coucher sur le côté gauche et lubrifier l'extrémité de la canule avec un peu de vaseline. Introduire la canule dans le rectum et presser le flacon jusqu'à ce qu'il soit vide.

□ Afin d'assurer un effet thérapeutique maximal, demander au patient de garder le lavement pendant au moins 15 min et, si possible, pendant 8 h ou toute la nuit.

ENSEIGNEMENT AU PATIENT ET À SES PROCHES

□ Conseiller au patient de respecter scrupuleusement la posologie recommandée et de continuer de prendre le médicament, même s'il se sent mieux. S'il n'a pas pu prendre le médicament au moment habituel, il doit le prendre dès que possible, à moins que ce ne soit presque l'heure prévue pour la dose suivante.

□ Expliquer au patient la méthode d'administration du lavement.

□ Prévenir le patient que la sulfasalazine peut provoquer des étourdissements. Lui conseiller de ne pas conduire et d'éviter les activités qui exigent sa vigilance jusqu'à ce qu'on ait la certitude que le médicament n'entraîne pas cet effet chez lui.

□ Recommander au patient d'utiliser des écrans solaires et de porter des vêtements protecteurs pour prévenir les réactions de photosensibilité.

□ Prévenir le patient que ce médicament peut rendre sa peau et ses urines de couleur jaune orangée ; cet effet n'a aucune signification clinique.

□ Prévenir le patient que le lavement peut tacher les tissus. Tout article souillé devrait être trempé dans de l'eau. Les taches rebelles peuvent être traitées avec une solution de bicarbonate de soude. Au préalable, faire un essai avec la solution de bicarbonate de soude sur un morceau de tissu.

□ Recommander au patient de signaler au médecin la présence de rash, de maux de gorge, de fièvre, d'aphtes et de saignements ou d'ecchymoses inhabituels.

□ Conseiller au patient d'informer le médecin si les symptômes ne s'améliorent pas après 1 à 2 mois de traitement.

VÉRIFICATION DES RÉSULTATS

La réponse clinique peut être démontrée par :
■ la diminution de la diarrhée et des douleurs abdominales associées aux maladies inflammatoires intestinales □ le rétablissement d'un mode normal d'élimination intestinale ■ le soulagement de la douleur associée à la polyarthrite rhumatoïde et une mobilité accrue des articulations. On observe généralement un effet clinique, 1 à 2 mois après le début du traitement.

SULFATE FERREUX

Apo-Ferrous Sulfate, Fer-in-Sol, Fero-Grad,
Novoferrosulfa, PMS Ferrous Sulfate,
Slow Fe, Sulfate ferreux, (Feosol),
(Fer-Iron), (Fero-Gradumet), (FeSO$_4$),
(Ferralyn), (Ferra-TD), (Mol-Iron)

CLASSIFICATION:

Antianémique; supplément de fer

Grossesse – catégorie inconnue

INDICATIONS

Prévention et traitement des anémies
ferriprives.

ACTION

■ Substance minérale essentielle que
l'on trouve dans l'hémoglobine, la myoglobine et un certain nombre d'enzymes
■ Effet favorable sur le pouvoir oxyphore de l'hémoglobine, ce qui permet le
transport de l'oxygène des poumons vers
les tissus. **Effets thérapeutiques:** ■ Correction des états de carence en fer ■ Apport
supplémentaire de fer.

PHARMACOCINÉTIQUE

Absorption: Une fraction de 5 à 10 % du
fer alimentaire est absorbée. Dans les
états de carence, l'absorption peut augmenter jusqu'à 30 %. L'absorption du
fer, administré dans un but thérapeutique, peut s'élever jusqu'à 60 %. Le sulfate ferreux est absorbé par transport
actif et passif.

Distribution: Le sulfate ferreux traverse le
placenta.

Métabolisme et excrétion: La plus grande
partie de la substance est réabsorbée.
Les petites pertes quotidiennes sont attribuables à la desquamation cutanée et
à l'élimination par la sueur, l'urine et la
bile.

Demi-vie: Inconnue.

CONTRE-INDICATIONS ET PRÉCAUTIONS

Contre-indications: ■ Hémochromatose
primitive ■ Hémosidérose ■ Anémie hémolytique ■ Hypersensibilité à la tartrazine (certaines préparations contiennent
de la tartrazine).

Précautions: ■ Ulcère gastroduodénal
■ Colite ulcéreuse ou entérite régionale
(l'état du patient peut s'aggraver) ■ Utilisation abusive sans discernement (risque
de surcharge en fer).

RÉACTIONS INDÉSIRABLES ET EFFETS SECONDAIRES

GI: constipation, diarrhée, nausées, selles
foncées, douleurs épigastriques, hémorragie digestive.

Divers: coloration sombre des dents (préparations liquides).

INTERACTIONS

Médicament – médicament: ■ Les **tétracyclines** et les **antiacides** inhibent l'absorption du fer en formant des composés
insolubles ■ Le fer, administré simultanément, peut également diminuer l'absorption des **tétracyclines** ■ Le fer diminue l'absorption des **fluoroquinolones**
ou de la **pénicillamine** ■ L'administration concomitante de **chloramphénicol**
ou de **vitamine E** peut altérer la réponse
hématologique au traitement par le fer
■ La **vitamine C** peut augmenter légèrement l'absorption du fer. **Médicament –
aliments:** ■ L'absorption du fer est réduite
de 30 à 50 % s'il est pris en même temps
que des aliments.

PRÉSENTATION

Le sulfate ferreux est présenté en association avec de nombreux minéraux et
vitamines (voir l'annexe A).

VOIES D'ADMINISTRATION ET POSOLOGIE

Remarque: sulfate ferreux = de 20 à 30 %
de fer élémentaire.

Dose exprimée en mg de sulfate ferreux

Sulfate ferreux – agent prophylactique
- **PO (adultes):** de 160 à 550 mg par jour.
- **PO (enfants):** 5 mg/kg par jour.

Sulfate ferreux – agent thérapeutique
- **PO (adultes):** de 160 à 300 mg, 2 à 4 fois par jour.
- **PO (enfants):** 10 mg/kg, 3 fois par jour.

Dose exprimée en mg de fer élémentaire (agent thérapeutique)

- **PO (adultes):** de 50 à 100 mg, 3 fois par jour.
- **PO (enfants):** de 4 à 6 mg/kg par jour, en 3 doses fractionnées.
- **PO (nourrissons):** de 1 à 2 mg/kg par jour.
- **PO (femmes enceintes):** de 30 à 60 mg par jour.

PHARMACODYNAMIE
(effets sur l'érythropoïèse)

	DÉBUT D'ACTION	PIC	DURÉE
PO	4 jours	7 – 10 jours	2 – 4 mois

✳SOINS INFIRMIERS

ÉVALUATION DE LA SITUATION

☐ Examiner l'état nutritionnel du patient et ses habitudes alimentaires afin de déterminer les causes possibles de l'anémie et l'enseignement qu'il faudra lui prodiguer.

☐ Suivre de près la fonction intestinale pour déceler la constipation ou la diarrhée. Prévenir le médecin si ces symptômes surviennent et suivre la démarche des soins infirmiers qui s'impose.

- **Étude des examens diagnostiques et biochimiques:** Noter les concentrations d'hémoglobine et de réticulocytes ainsi que l'hématocrite avant l'administration du médicament, toutes les 3 semaines pendant les 2 premiers mois de traitement et à intervalles réguliers, par la suite, pendant toute la durée du traitement. On peut aussi évaluer l'efficacité du traitement par la mesure des concentrations sériques de ferritine et de fer.

☐ La présence de sang occulte dans les selles peut être masquée par la présence du fer qui rend les selles de couleur foncée. La méthode au gaïac peut parfois donner des résultats faussement positifs. Par contre, les résultats de la méthode à la benzidine ne seront pas affectés par l'administration de préparations de fer.

- **Toxicité et surdosage:** Les premiers symptômes du surdosage sont les maux d'estomac, la fièvre, les nausées, les vomissements (qui peuvent contenir du sang) et la diarrhée. Les symptômes tardifs sont le bleuissement des lèvres, des ongles et des paumes de la main, la somnolence, la faiblesse, la tachycardie, les convulsions, l'acidose métabolique, les lésions hépatiques et le collapsus cardiovasculaire. Avant que les symptômes tardifs ne se manifestent, le patient peut paraître rétabli. Par conséquent, après la disparition des symptômes, il faut prolonger de 24 h le séjour du patient au centre hospitalier afin de suivre de près toute manifestation tardive d'un état de choc ou d'une hémorragie digestive. Les complications tardives du surdosage comprennent: l'occlusion intestinale, la sténose du pylore et l'ulcération de la muqueuse gastrique.

☐ Pour traiter le surdosage, il faut provoquer des vomissements avec du sirop d'ipéca. Si le patient est comateux ou en convulsions, il faut effectuer un lavage gastrique avec du bicarbonate de sodium. L'antidote à utiliser en cas de surdosage est la déféroxamine. Il est également conseillé d'administrer des traitements de soutien supplémentaires visant à maintenir l'équilibre hydroélectrolytique et à corriger l'acidose métabolique.

S

DIAGNOSTICS INFIRMIERS POSSIBLES

■ **Énoncés diagnostiques**

□ Intolérance à l'activité.

□ Prise en charge inefficace du programme thérapeutique.

□ *Risque élevé d'intoxication.*

□ *Risque élevé d'accident.*

■ **Facteurs favorisants**

□ Informations incomplètes.

□ *Manque de connaissances sur le régime alimentaire à suivre.*

□ *Manque de connaissances sur les moyens de prévenir les effets secondaires du médicament.*

□ *Manque de connaissances sur les modalités du traitement.*

□ *Manque de connaissances sur la méthode d'administration du médicament.*

INTERVENTIONS INFIRMIÈRES

■ **PO:** Les préparations orales sont mieux absorbées si elles sont administrées 1 h avant les repas ou 2 h après. En cas d'irritation gastrique, administrer la préparation lors des repas. Les comprimés doivent être pris avec un grand verre d'eau ou de jus. Il ne faut pas broyer ni croquer les comprimés entérosolubles.

□ Les préparations liquides peuvent tacher les dents. Bien diluer le médicament et demander au patient de boire la préparation avec une paille ou de s'en verser quelques gouttes au fond de la gorge. Le liquide ou le sirop Fer-in-Sol peut être dilué dans de l'eau ou dans du jus de fruits.

□ Il ne faut pas administrer des antacides, prendre du café ou du thé, ni manger de produits laitiers, d'œufs ou de pain complet dans l'heure qui précède et dans les 2 h qui suivent l'administration des sels ferreux.

ENSEIGNEMENT AU PATIENT ET À SES PROCHES

□ Conseiller au patient de respecter scrupuleusement la posologie recommandée. S'il n'a pas pu prendre le médicament au moment habituel, il doit le prendre aussitôt que possible dans les 12 h qui suivent. Sinon, il devrait reprendre le schéma posologique prescrit ; il ne faut jamais remplacer une dose manquée par une double dose.

□ Prévenir le patient que ses selles peuvent devenir vert foncé ou noires, mais que ce changement est inoffensif.

□ Recommander au patient de suivre un régime alimentaire riche en fer. Lui expliquer que les aliments suivants contiennent du fer: les abats, les légumes verts à feuilles, les pois et les haricots secs, les fruits secs et les céréales (voir l'annexe K).

□ Informer les parents du risque de surdosage en fer auquel est exposé l'enfant. Le médicament doit être gardé dans son contenant d'origine, muni d'un bouchon de sécurité, hors de la portée des enfants. Ne jamais comparer les vitamines à des bonbons. Si l'on soupçonne un surdosage, il faut contacter sans tarder le médecin étant donné que ce type de surdosage peut être d'issue fatale. Conseiller aux parents de garder à la maison du sirop d'ipéca et de contacter le pédiatre, les services d'urgence ou un centre antipoison afin de recevoir les directives d'utilisation avant d'administrer l'agent.

VÉRIFICATION DES RÉSULTATS

La réponse clinique peut être déterminée par: l'élévation des concentrations d'hémoglobine qui peuvent atteindre les valeurs normales après 1 à 2 mois de traitement. De 3 à 6 mois peuvent s'écouler avant que les réserves de fer de l'organisme reviennent à la normale.

SULFINPYRAZONE
Anturan, Apo-Sulfinpyrazone, Novo-Pyrazone, (Anturane)

CLASSIFICATION:
Traitement de la goutte – uricosurique;
agent antiplaquettaire
Grossesse – catégorie inconnue

INDICATIONS

■ Traitement de la goutte chronique ■ Traitement prophylactique de l'infarctus du myocarde ■ Troubles cliniques où l'anomalie plaquettaire est un facteur causal ou un phénomène associé, incluant: □ les épisodes d'ischémie transitoire □ la thrombo-embolie chez les malades porteurs de prothèses cardiaques ou vasculaires □ la thrombose veineuse récidivante □ la thrombose lors d'un shunt artérioveineux.

ACTION

■ Diminution des concentrations sériques d'acide urique par la réduction de la réabsorption rénale et l'augmentation subséquente de l'excrétion urinaire ■ Diminution de l'agrégation plaquettaire ■ Prolongation du temps de survie des plaquettes. **Effets thérapeutiques:** ■ Prévention des crises de goutte grâce au maintien de concentrations sériques faibles d'acide urique ■ Prévention de l'infarctus du myocarde ■ Prévention des épisodes de thrombose et d'ischémie transitoire chez certains patients.

PHARMACOCINÉTIQUE

Absorption: Bonne absorption par suite de l'administration PO.

Distribution: Inconnue.

Métabolisme et excrétion: La sulfinpyrazone est en grande partie métabolisée par le foie. Elle est transformée en métabolites doués d'effets uricosuriques (parahydroxysulfinpyrazone) et antiplaquettaires (dérivé sulfide).

Demi-vie: 3 h (parahydroxysulfinpyrazone: 1 h; dérivé sulfide: jusqu'à 13 h).

CONTRE-INDICATIONS ET PRÉCAUTIONS

Contre-indications: ■ Hypersensibilité ■ Risque de réactions de sensibilité croisée avec l'oxyphenbutazone et la phénylbutazone.

Précautions: ■ Antécédents de dyscrasie ■ Hémorragie digestive ■ Antécédents de calculs rénaux ■ Néoplasie ou radiothérapie (risque accru de formation de calculs rénaux d'acide urique) ■ Crises aiguës de goutte.

RÉACTIONS INDÉSIRABLES ET EFFETS SECONDAIRES

GI: hémorragie digestive, nausées, vomissements, douleurs abdominales.

GU: calculs rénaux d'acide urique.

Tég.: rash.

Hémat.: dyscrasie.

Divers: fièvre.

INTERACTIONS

Médicament – médicament: ■ Risque accru de formation de calculs rénaux d'acide urique lors de l'administration simultanée d'**agents antinéoplasiques** ■ Risque accru d'hémorragie lors de l'administration simultanée d'**aspirine**, d'**anticoagulants**, de **céfamandole**, de **céfopérazone**, de **moxalactam**, de **céfotétane**, de **plicamycine** ou d'**agents thrombolytiques**.

VOIES D'ADMINISTRATION ET POSOLOGIE

Hypouricémie
■ **PO (adultes):** de 100 à 200 mg, deux fois par jour, puis augmenter sur une période de 1 semaine pour atteindre une dose d'entretien de 200 à 800 mg par jour.

Prévention de l'infarctus du myocarde
■ **PO (adultes):** 200 mg, 4 fois par jour. Le traitement ne doit commencer que 14 jours après le début de la phase aiguë.

Effet antiplaquettaire
■ **PO (adultes):** de 600 à 800 mg par jour, en 3 ou 4 doses fractionnées.

PHARMACODYNAMIE
(effets hypouricémiques)

	DÉBUT D'ACTION	PIC	DURÉE
PO	inconnu	inconnu	4 – 10 h

✺ SOINS INFIRMIERS

ÉVALUATION DE LA SITUATION

- **Goutte:** Suivre de près les douleurs, l'enflure et la mobilité des articulations pendant tout le traitement.
- ☐ Effectuer le bilan des ingesta et des excreta. Inciter le patient à boire beaucoup de liquides pour prévenir la formation de calculs uratiques (de 2 000 à 3 000 mL par jour). Le médecin peut aussi prescrire dans ce but l'alcalinisation de l'urine avec du bicarbonate de sodium, du citrate de potassium ou de l'acétazolamide.
- **Étude des examens diagnostiques et biochimiques:** Noter, à intervalles réguliers tout au long d'un traitement prolongé, la numération globulaire, les concentrations sériques d'acide urique et les résultats du test de l'exploration fonctionnelle rénale.
- ☐ On peut suivre à intervalles réguliers les concentrations sériques et urinaires d'acide urique lorsque la sulfinpyrazone est administrée pour le traitement de l'hyperuricémie.

DIAGNOSTICS INFIRMIERS POSSIBLES

- **Énoncés diagnostiques**
- ☐ Douleur.
- ☐ Altération de la mobilité physique.
- ☐ Prise en charge inefficace du programme thérapeutique.
- ☐ *Risque élevé d'altération de l'élimination urinaire.*

- **Facteurs favorisants**
- ☐ Informations incomplètes.
- ☐ *Modification de l'état liquidien ou des volumes circulants.*
- ☐ *Manque de connaissances sur les modalités du traitement.*

- ☐ *Difficulté à s'adapter aux changements nécessaires dans les habitudes de vie.*

INTERVENTIONS INFIRMIÈRES

- **Goutte:** La sulfinpyrazone n'est pas utilisée pour traiter l'arthrite goutteuse, mais plutôt pour la prévenir. Si des crises aiguës se produisent durant le traitement, on poursuit habituellement l'administration de la sulfinpyrazone à pleine dose avec de la colchicine ou des anti-inflammatoires non stéroïdiens.
- ☐ Il ne faudrait pas amorcer le traitement par la sulfinpyrazone dans les 2 à 3 semaines qui suivent une crise aiguë de goutte.
- **Prévention de l'infarctus du myocarde:** Le traitement ne doit commencer que 14 jours après le début de la phase aiguë.
- **PO:** Administrer la sulfinpyrazone avec des aliments ou des antiacides afin de réduire l'irritation gastrique.

ENSEIGNEMENT AU PATIENT ET À SES PROCHES

- ☐ Conseiller au patient de respecter scrupuleusement la posologie recommandée et de ne pas arrêter le traitement sans consulter le médecin au préalable. Des prises erratiques peuvent entraîner l'élévation des concentrations d'acide urique et déclencher une crise de goutte. Si le patient n'a pas pu prendre le médicament au moment habituel, il doit le prendre dès que possible, à moins que ce ne soit presque l'heure prévue pour la dose suivante.
- **Goutte:** Inciter le patient à suivre les recommandations du médecin concernant la perte de poids, le régime alimentaire et la consommation d'alcool.
- ☐ Recommander au patient de ne pas prendre en même temps de l'aspirine ou d'autres salicylés, car ces agents diminuent les effets uricosuriques de

la sulfinpyrazone et peuvent entraîner des épisodes hémorragiques.

□ Conseiller au patient de signaler immédiatement au médecin le rash, les nausées, les vomissements, les douleurs abdominales, les saignements ou les ecchymoses inhabituels, les maux de gorge, la fatigue ou la fièvre.

VÉRIFICATION DES RÉSULTATS

L'efficacité du traitement peut être démontrée par : ■ le soulagement de la douleur, la diminution de l'enflure des articulations touchées et l'espacement de la fréquence des crises de goutte ; les pleins effets du médicament peuvent ne pas se manifester avant plusieurs mois de traitement continu ■ la prévention de l'infarctus du myocarde ■ la prévention des épisodes de thrombose et d'ischémie transitoire chez certains patients.

SULFISOXAZOLE
Novo-Soxazole, (Gantrisin), (Lipo Gantrisin)

CLASSIFICATION :
Anti-infectieux – sulfamidé

Grossesse – catégorie C

INDICATIONS

■ Traitement des infections des voies urinaires, de la nocardiose et, en association avec d'autres anti-infectieux, de la malaria ■ Traitement du trachome et d'autres infections oculaires à *Chlamydia*. **Usages non approuvés :** ■ Traitement de la salpingite aiguë chez les adolescentes prépubertaires.

ACTION

■ Inhibition de la synthèse de l'acide folique dans la cellule bactérienne. **Effets thérapeutiques :** ■ Effet bactériostatique contre les bactéries sensibles. **Spectre d'action :** ■ Activité marquée contre certains agents pathogènes à Gram positif, incluant : □ les streptocoques et les staphylocoques □ *Clostridium perfringens* □ *Clostridium tetani* □ *Nocardia asteroides* ■ Action contre certains agents pathogènes à Gram négatif, incluant : □ *Enterobacter* □ *Escherichia coli* □ *Klebsiella* □ *Proteus mirabilis* □ *Proteus vulgaris* □ *Salmonella* □ *Shigella*.

PHARMACOCINÉTIQUE

Absorption : Bonne absorption par suite de l'administration PO.
Distribution : Le sulfisoxazole se répartit dans tout l'organisme. Il traverse le placenta et pénètre dans le lait maternel.
Métabolisme et excrétion : L'agent est surtout métabolisé par le foie.
Demi-vie : De 5 à 8 h.

CONTRE-INDICATIONS ET PRÉCAUTIONS

Contre-indications : ■ Hypersensibilité aux sulfamidés ■ Risque de réactions de sensibilité croisée avec le furosémide, les diurétiques thiazidiques, les hypoglycémiants oraux de type sulfonylurée ou les inhibiteurs de l'anhydrase carbonique ■ Porphyrie ■ Grossesse ou allaitement ■ Carence en glucose-6-phosphate déshydrogénase (G6-PD).
Précautions : Insuffisance hépatique ou rénale grave.

RÉACTIONS INDÉSIRABLES ET EFFETS SECONDAIRES

SNC : étourdissements, ataxie, dépression, confusion, psychose, somnolence, agitation.
GI : anorexie, nausées, vomissements, hépatite.
GU : cristallurie.
Tég. : rash, érythrodermie, photosensibilité.
Hémat. : ANÉMIE APLASIQUE, thrombocytopénie, AGRANULOCYTOSE, éosinophilie.
SN : neuropathie périphérique.
Divers : fièvre, surinfection, réactions d'hypersensibilité, incluant le SYNDROME DE STEVENS-JOHNSON et la maladie sérique.

INTERACTIONS

Médicament – médicament : ■ Le sulfisoxazole peut intensifier les effets des **hypoglycémiants oraux**, du **méthotrexate**, de la **phénytoïne**, de la **zidovudine** ou des **anticoagulants oraux** et augmenter le risque de toxicité ■ L'administration simultanée de **méthénamine** peut augmenter le risque de cristallurie ■ Risque accru d'hépatite médicamenteuse lors de l'administration simultanée d'autres **agents hépatotoxiques**.

VOIES D'ADMINISTRATION ET POSOLOGIE

■ **PO (adultes) :** initialement, 2 g ; par la suite, de 4 à 8 g par jour, en doses fractionnées, toutes les 4 à 6 h.

■ **PO (nourrissons > 2 mois et enfants) :** initialement, 75 mg/kg ; par la suite, de 120 à 150 mg/kg ; par jour, en doses fractionnées, toutes les 4 à 6 h.

PHARMACODYNAMIE (concentrations sanguines)

	DÉBUT D'ACTION	PIC
PO	1 h	2 – 4 h

SOINS INFIRMIERS

ÉVALUATION DE LA SITUATION

☐ Au début du traitement et pendant toute sa durée, surveiller l'apparition des signes suivants d'infection : altération des signes vitaux ; aspect de la plaie, des expectorations, de l'urine et des selles ; accroissement du nombre de leucocytes.

☐ Prélever des échantillons pour les cultures et les antibiogrammes avant le début du traitement. La première dose peut être administrée avant même que les résultats soient connus.

☐ Déterminer si le patient est allergique aux sulfamidés.

☐ Effectuer le bilan quotidien des ingesta et des excreta. L'apport de liqui-

des doit être suffisant pour maintenir un débit urinaire d'au moins 1 200 à 1 500 mL par jour afin de prévenir la cristallurie et la formation de calculs.

■ **Étude des examens diagnostiques et biochimiques :** Noter la numération globulaire avant l'administration du médicament et tous les mois pendant toute la durée d'un traitement prolongé. Il faudrait interrompre l'administration de sulfisoxazole si une dyscrasie survient.

☐ Suivre de près les résultats de l'analyse des urines avant le traitement et à intervalles réguliers pendant toute sa durée pour déceler la cristallurie et la formation de calculs urinaires.

DIAGNOSTICS INFIRMIERS POSSIBLES

■ **Énoncés diagnostiques**

☐ Risque élevé d'infection.

☐ Prise en charge inefficace du programme thérapeutique.

☐ Non-observance du traitement médicamenteux.

☐ *Risque élevé d'accident.*

☐ *Risque élevé d'altération de l'élimination urinaire.*

☐ *Risque élevé d'atteinte à l'intégrité de la peau.*

■ **Facteurs favorisants**

☐ Informations incomplètes.

☐ Doute quant aux bienfaits du médicament.

☐ *Manque de connaissances sur les effets secondaires du médicament.*

☐ *Perturbation de la vigilance.*

☐ *Manque de connaissances sur les modalités du traitement.*

☐ *Modification de l'état liquidien ou des volumes circulants.*

☐ *Manque de connaissances sur les moyens de réduire la photosensibilité.*

INTERVENTIONS INFIRMIÈRES

PO : Administrer le sulfisoxazole, à intervalles réguliers, 24 h sur 24, à jeun, au moins 1 h avant ou 2 h après les repas, avec un grand verre d'eau. Si le patient éprouve des difficultés de déglutition, on peut broyer le comprimé et le mélanger à sa boisson préférée.

ENSEIGNEMENT AU PATIENT ET À SES PROCHES

☐ Conseiller au patient de prendre toute la quantité de médicament qu'il lui a été prescrite, à intervalles réguliers, 24 h sur 24, en respectant scrupuleusement la posologie recommandée, même s'il se sent mieux. S'il n'a pas pu prendre le médicament au moment habituel, il doit le prendre dès que possible, à moins que ce ne soit presque l'heure prévue pour la dose suivante. Insister sur le fait qu'il peut être dangereux de donner ce médicament à une autre personne.

☐ Prévenir le patient que le sulfisoxazole peut provoquer des étourdissements. Lui conseiller de ne pas conduire et d'éviter les activités qui exigent sa vigilance jusqu'à ce qu'on ait la certitude que le médicament n'entraîne pas cet effet chez lui.

☐ Recommander au patient d'utiliser des écrans solaires et de porter des vêtements protecteurs pour prévenir les réactions de photosensibilité.

☐ Recommander au patient de signaler au médecin la présence de rash, de maux de gorge, de fièvre, d'aphtes et de saignements ou d'ecchymoses inhabituels.

☐ Recommander au patient de prévenir le médecin si son état ne s'améliore pas dans les quelques jours suivant le début du traitement. Insister sur l'importance des examens de suivi permettant d'évaluer la numération globulaire.

VÉRIFICATION DES RÉSULTATS

La réponse clinique peut être déterminée par: la disparition des signes et des symptômes d'infection. Le temps de résolution dépend du micro-organisme infectant et du siège de l'infection.

SULINDAC
Apo-Sulin, Clinoril, Novo-Sundac

CLASSIFICATION:
Anti-inflammatoire non stéroïdien

Grossesse – catégorie inconnue

INDICATIONS

■ Traitement des maladies inflammatoires, incluant: ☐ la polyarthrite rhumatoïde ☐ l'arthrose ☐ l'arthrite goutteuse aiguë ☐ la bursite.

ACTION

■ Inhibition de la synthèse des prostaglandines. **Effets thérapeutiques:** ■ Suppression de la douleur et de l'inflammation.

PHARMACOCINÉTIQUE

Absorption: Bonne absorption depuis le tractus gastro-intestinal par suite de l'administration PO.

Distribution: Inconnue. L'agent pénètre dans le lait maternel en petites quantités.

Métabolisme et excrétion: Le sulindac est transformé par le foie en un composé actif. Une quantité minime est excrétée à l'état inchangé par les reins.

Demi-vie: 7,8 h (métabolite actif: 16,4 h).

CONTRE-INDICATIONS ET PRÉCAUTIONS

Contre-indications: ■ Hypersensibilité ■ Risque de réactions de sensibilité croisée avec d'autres anti-inflammatoires non stéroïdiens, incluant l'aspirine ■ Hémorragie digestive manifeste ou ulcère en évolution ■ Grossesse.

Précautions: ■ Maladies cardiovasculaire, rénale ou hépatique graves (il est recommandé de modifier la dose) ■ Antécédents d'ulcère ■ Allaitement ou enfants (l'innocuité du médicament n'a pas été établie).

RÉACTIONS INDÉSIRABLES ET EFFETS SECONDAIRES

SNC : céphalées, somnolence, étourdissements.

CV : œdème.

ORLO : vision trouble, acouphènes.

GI : nausées, dyspepsie, vomissements, diarrhée, constipation, HÉMORRAGIE DIGESTIVE, gêne gastro-intestinale, HÉPATITE, flatulence, anorexie.

GU : insuffisance rénale.

Tég. : rash, photosensibilité.

Hémat. : dyscrasie, allongement du temps de saignement.

Divers : réactions allergiques, incluant l'ANAPHYLAXIE.

INTERACTIONS

Médicament – médicament : ■ L'**aspirine**, administrée simultanément, peut diminuer l'efficacité du sulindac ■ Risque accru de saignement lors de l'administration concomitante d'**anticoagulants**, d'**agents thrombolytiques**, de **céfamandole**, de **céfopérazone**, de **céfotétane**, de **moxalactam** ou de **plicamycine** ■ Effets gastro-intestinaux indésirables additifs lors de l'administration concomitante d'**aspirine**, de **glucocorticoïdes** et d'autres **agents anti-inflammatoires non stéroïdiens** ■ Le sulindac peut diminuer la réponse thérapeutique aux **diurétiques** ou aux **antihypertenseurs** ■ Le sulindac peut élever les concentrations sériques de **lithium** et augmenter le risque de toxicité ■ Risque accru de réactions hématologiques indésirables lors de l'administration simultanée d'**agents antinéoplasiques** ou d'une **radiothérapie** ■ Risque accru de réactions rénales indésirables lors de l'administration concomitante de **sels d'or** ou d'un traitement prolongé par l'**acétaminophène** ■ Les **antiacides**, administrés simultanément, abaissent les concentrations sanguines de sulindac et en diminuent l'efficacité ■ Risque accru de photosensibilité lors de l'administration simultanée d'autres **médicaments photosensibilisants**.

VOIES D'ADMINISTRATION ET POSOLOGIE

PO (adultes) : de 150 à 200 mg, 2 fois par jour (ne pas dépasser 400 mg par jour).

PHARMACODYNAMIE

	DÉBUT D'ACTION	PIC	DURÉE
PO (effet analgésique)	1 – 2 jours	inconnu	inconnue
PO (effet anti-inflammatoire)	de quelques jours à 1 semaine	2 semaines ou plus	inconnue

 SOINS INFIRMIERS

ÉVALUATION DE LA SITUATION

☐ Les patients souffrant d'asthme, d'allergie induite par l'aspirine et de polypes nasaux sont davantage prédisposés à des réactions d'hypersensibilité. Suivre de près les symptômes de rhinite, d'asthme et d'urticaire.

☐ Évaluer la douleur et l'amplitude du mouvement, avant et 1 h ou 2 h après l'administration.

■ **Étude des examens diagnostiques et biochimiques :** Examiner à intervalles réguliers, tout au long du traitement prolongé, les concentrations sériques d'urée et de créatinine ainsi que la numération globulaire et les résultats des tests de l'exploration fonctionnelle hépatique.

☐ Le sulindac peut entraîner l'élévation des concentrations sériques de potassium, de glucose, de phosphatase alcaline, de TGOS (AST) et de TGPS (ALT).

☐ Le sulindac peut allonger le temps de saignement pendant 24 h après l'arrêt du traitement.

DIAGNOSTICS INFIRMIERS POSSIBLES

■ **Énoncés diagnostiques**

☐ Douleur.

☐ Altération de la mobilité physique.

☐ Prise en charge inefficace du programme thérapeutique.

□ *Risque élevé d'ateinte à l'intégrité des tissus.*

□ *Risque élevé d'accident.*

□ *Risque élevé d'atteinte à l'intégrité de la peau.*

■ **Facteurs favorisants**

□ Informations incomplètes.

□ *Manque de connaissances sur les moyens de prévenir les effets secondaires affectant l'appareil gastrointesinal.*

□ *Perturbation de la vigilance.*

□ *Manque de connaissances sur les modalités du traitement.*

□ *Manque de connaissances sur la méthode d'administration du médicament.*

□ *Manque de connaissances sur les moyens de réduire la photosensibilité.*

INTERVENTIONS INFIRMIÈRES

PO: Pour obtenir un effet initial rapide, administrer le médicament 30 min avant les repas ou 2 h après. On peut administrer le sulindac avec des aliments, du lait ou des antiacides pour réduire l'irritation gastrique. Les aliments ralentissent, mais ne réduisent pas l'absorption de ce médicament. Les comprimés peuvent être broyés et mélangés à des liquides ou à des aliments.

ENSEIGNEMENT AU PATIENT ET À SES PROCHES

□ Conseiller au patient de prendre le sulindac avec un grand verre d'eau et de ne pas se coucher pendant 15 à 30 min par la suite.

□ Conseiller au patient de respecter scrupuleusement la posologie recommandée. S'il n'a pas pu prendre le médicament au moment habituel, il doit le prendre dès que possible, à moins que ce ne soit presque l'heure prévue pour la dose suivante. Le prévenir qu'il ne doit jamais prendre une dose double.

□ Prévenir le patient que le sulindac peut provoquer des étourdissements.

Lui conseiller de ne pas conduire et d'éviter les activités qui exigent sa vigilance jusqu'à ce qu'on ait la certitude que le médicament n'entraîne pas cet effet chez lui.

□ Conseiller au patient d'éviter de boire de l'alcool et de ne pas prendre de l'aspirine, de l'acétaminophène ou tout autre médicament en vente libre, en même temps que le sulindac, sans consulter au préalable le médecin ou le pharmacien.

□ Recommander au patient qui doit suivre un traitement dentaire ou subir une intervention chirurgicale d'avertir le dentiste ou le médecin qu'il suit un traitement médicamenteux.

□ Recommander au patient d'utiliser des écrans solaires et de porter des vêtements protecteurs afin de prévenir les réactions de photosensibilité.

□ Recommander au patient de signaler au médecin le rash, les démangeaisons, le gain de poids, l'œdème, les selles noires ou les céphalées persistantes.

VÉRIFICATION DES RÉSULTATS

L'efficacité du traitement est démontrée par: le soulagement de la douleur et une mobilité accrue des articulations. Le soulagement partiel des douleurs arthritiques survient habituellement dans les 7 jours qui suivent le début du traitement, mais le plein effet du médicament peut ne se manifester qu'après 2 à 3 semaines. Les patients qui ne répondent pas à un anti-inflammatoire non stéroïdien peuvent répondre à un autre.

SUPROFÈNE
(Profenal)

CLASSIFICATION:
Anti-inflammatoire non stéroïdien – agent ophtalmique

Grossesse – catégorie C

INDICATIONS

Prévention du myosis pendant les interventions chirurgicales.

ACTION

■ Inhibition de la synthèse des prostaglandines à l'intérieur de l'œil, entraînant l'inhibition du myosis. **Effets thérapeutiques :** ■ Prévention du myosis.

PHARMACOCINÉTIQUE

Absorption : De faibles quantités de suprofène sont absorbées par voie systémique.

Distribution : Le suprofène pénètre dans le lait maternel.

Métabolisme et excrétion : Les quantités absorbées sont principalement métabolisées par le foie. Une fraction de 15 % du médicament est excrétée à l'état inchangé par les reins.

Demi-vie : De 1 à 4 h.

CONTRE-INDICATIONS ET PRÉCAUTIONS

Contre-indications : ■ Hypersensibilité ■ Risque de réactions de sensibilité croisée avec d'autres agents anti-inflammatoires non stéroïdiens, incluant l'aspirine.

Précautions : ■ Maladies cardiovasculaire, rénale ou hépatique graves ■ Grossesse, allaitement ou enfants (l'innocuité du médicament n'a pas été établie) ■ Tendance aux saignements.

RÉACTIONS INDÉSIRABLES ET EFFETS SECONDAIRES

ORLO : brûlures, picotements, irritation et démangeaisons oculaires, photophobie, œdème conjonctival, coloration épithéliale ponctuée.

INTERACTIONS

Médicament – médicament : Les préparations ophtalmiques de **carbachol** ou d'**acétylcholine**, administrées en même temps, peuvent s'avérer inefficaces.

VOIES D'ADMINISTRATION ET POSOLOGIE

Usage ophtalmique (adultes) : 2 gouttes de solution à 1 %, toutes les heures, pendant 3 h avant l'intervention chirurgicale. On peut également administrer 2 gouttes, toutes les 4 h, au cours de la journée précédant l'intervention chirurgicale.

PHARMACODYNAMIE (effets ophtalmiques)

	DÉBUT D'ACTION	PIC	DURÉE
usage ophtalmique	1 – 2 h	inconnu	4 – 6 h

✷ SOINS INFIRMIERS

ÉVALUATION DE LA SITUATION

☐ Suivre les modifications de la vision, la taille des pupilles et l'irritation conjonctivale à intervalles réguliers tout au long du traitement.

☐ Les patients allergiques à l'aspirine et aux autres anti-inflammatoires non stéroïdiens sont davantage prédisposés aux réactions d'hypersensibilité. Suivre de près la rhinite, l'asthme et l'urticaire.

■ **Étude des examens diagnostiques et biochimiques :** En cas d'absorption systémique, le suprofène peut allonger le temps de saignement.

DIAGNOSTICS INFIRMIERS POSSIBLES

■ **Énoncés diagnostiques**

☐ Prise en charge inefficace du programme thérapeutique.

☐ *Risque élevé d'infection.*

■ **Facteurs favorisants**

☐ Informations incomplètes.

☐ *Manque de connaissances sur la méthode d'administration du médicament.*

☐ *Manque de connaissances sur les modalités du traitement.*

INTERVENTIONS INFIRMIÈRES

■ **Directives générales :** Instiller 2 gouttes, toutes les heures, pendant 3 h avant l'intervention chirurgicale. On peut également administrer la préparation au cours de la journée précédant l'intervention chirurgicale.

■ **Gouttes ophtalmiques :** La méthode d'administration des préparations ophtalmiques est indiquée à l'annexe H.

ENSEIGNEMENT AU PATIENT ET À SES PROCHES

□ Montrer au patient comment instiller les gouttes ophtalmiques. Insister sur l'importance d'éviter tout contact entre l'applicateur et une autre surface quelle qu'elle soit.

□ Conseiller au patient de respecter scrupuleusement la posologie recommandée. S'il n'a pas pu instiller le médicament au moment habituel, il doit le faire dès que possible à moins que ce ne soit presque l'heure prévue pour la dose suivante.

□ Prévenir le patient que des picotements ou des brûlures passagères peuvent survenir. Lui conseiller de signaler au médecin tout changement de l'acuité visuelle ou une irritation oculaire persistante.

VÉRIFICATION DES RÉSULTATS

L'efficacité du traitement peut être démontrée par : l'inhibition du myosis peropératoire.

TAMOXIFÈNE

Alpha-Tamoxifen, Apo-Tamox, Nolvadex, Nolvadex-D, Novo-Tamoxifen, Tamofen, Tamone

CLASSIFICATION :
Antinéoplasique – anti-œstrogène

Grossesse – catégorie D

INDICATIONS

Traitement palliatif ou adjuvant du cancer du sein.

ACTION

■ Compétition avec les œstrogènes pour se fixer sur les sites récepteurs des tissus mammaires et des autres tissus ■ Diminution de la synthèse de l'ADN et de la réponse œstrogénique. **Effets thérapeutiques :** ■ Inhibition de la croissance tumorale.

PHARMACOCINÉTIQUE

Absorption : Par suite de l'administration PO, le médicament est absorbé lentement.

Distribution : Inconnue.

Métabolisme et excrétion : Le tamoxifène est surtout métabolisé par le foie ; il est éliminé lentement dans les fèces. Des quantités infimes sont excrétées dans l'urine.

Demi-vie : 7 jours.

CONTRE-INDICATIONS ET PRÉCAUTIONS

Contre-indications : ■ Hypersensibilité ■ Grossesse ou allaitement.

Précautions : ■ Patientes en âge de procréer ■ Réserve médullaire réduite.

RÉACTIONS INDÉSIRABLES ET EFFETS SECONDAIRES

SNC : confusion, dépression, céphalées, faiblesse.

CV : œdème.

ORLO : vision trouble.

GI : nausées, vomissements.

GU : saignements vaginaux.

Tég. : photosensibilité.

HÉ : hypercalcémie.

Hémat. : thrombocytopénie, leucopénie.

Métab. : bouffées de chaleur.

Loc. : douleurs osseuses.

Divers : poussée locale de la maladie.

INTERACTIONS

Médicament – médicament : Les œstrogènes, administrés simultanément, diminuent l'efficacité du tamoxifène.

VOIES D'ADMINISTRATION ET POSOLOGIE

PO (adultes): de 20 à 40 mg par jour, en 1 seule dose ou en 2 doses fractionnées.

PHARMACODYNAMIE
(réponse tumorale)

	DÉBUT D'ACTION	PIC	DURÉE
PO	4 – 10 semaines	plusieurs mois	inconnue

SOINS INFIRMIERS

ÉVALUATION DE LA SITUATION

- □ Suivre de près l'intensification de la douleur osseuse ou tumorale. Demander au médecin s'il y a lieu d'administrer des analgésiques. Cette douleur passagère disparaît habituellement même si le traitement est poursuivi.
- ■ **Étude des examens diagnostiques et biochimiques:** Noter la numération globulaire et plaquettaire ainsi que les concentrations de calcium avant le traitement et pendant toute sa durée. Le tamoxifène peut provoquer une hypercalcémie passagère chez les patientes présentant des métastases osseuses. Il faut effectuer chez de telles patientes des dosages du calcium sérique 1 ou 2 fois par semaine, au cours des 2 à 3 premières semaines de traitement.

DIAGNOSTICS INFIRMIERS POSSIBLES

- ■ **Énoncés diagnostiques**
- □ Prise en charge inefficace du programme thérapeutique.
- □ *Risque élevé d'accident.*
- □ *Risque élevé d'atteinte à l'intégrité de la peau.*

- ■ **Facteurs favorisants**
- □ Informations incomplètes.
- □ *Manque de connaissances sur les signes d'hypocalcémie et d'hypercalcémie et sur les moyens de les prévenir.*
- □ *Perturbation de la vigilance.*

- □ *Manque de connaissances sur les modalités du traitement.*
- □ *Manque de connaissances sur les effets secondaires du médicament.*
- □ *Manque de connaissances sur les moyens de réduire la photosensibilité.*

INTERVENTIONS INFIRMIÈRES

PO: Administrer le tamoxifène avec des aliments ou des liquides si l'irritation gastrique devient gênante. Consulter le médecin si la patiente vomit peu après l'administration du médicament afin de déterminer s'il y a lieu de répéter l'administration de la dose.

ENSEIGNEMENT AU PATIENT ET À SES PROCHES

- □ Expliquer à la patiente qu'elle doit prendre le médicament en respectant scrupuleusement la posologie recommandée. Si elle n'a pu prendre le médicament au moment habituel, elle doit sauter cette dose.
- □ Expliquer à la patiente qui présente des lésions cutanées que la taille et le nombre de ces lésions peuvent augmenter passagèrement et que l'érythème pourrait s'aggraver.
- □ Recommander à la patiente de signaler rapidement au médecin les douleurs osseuses. La prévenir que ces douleurs peuvent être fortes, mais qu'elles pourraient constituer un indice de l'efficacité du médicament et qu'elles se résorberont avec le temps. Lui conseiller de demander au médecin de lui prescrire des analgésiques pour soulager la douleur.
- □ Recommander à la patiente de se peser toutes les semaines et de signaler au médecin tout gain pondéral ou la présence d'un œdème périphérique.
- □ Prévenir la patiente que le tamoxifène peut induire l'ovulation et qu'il pourrait être doué de propriétés tératogènes. Lui conseiller d'utiliser une méthode de contraception non hor-

monale durant le traitement et pendant au moins un mois après l'avoir arrêté.

- □ Recommander à la patiente d'utiliser un écran solaire et de porter des vêtements protecteurs pour prévenir les réactions de photosensibilité.
- □ Avertir la patiente que le tamoxifène peut entraîner des bouffées de chaleur. Lui conseiller d'informer le médecin si elles deviennent gênantes.
- □ Recommander à la patiente de signaler immédiatement au médecin les symptômes suivants : enflures, essoufflement, faiblesse ou vision trouble ainsi que les saignements vaginaux ou la confusion.

VÉRIFICATION DES RÉSULTATS

L'efficacité du traitement peut être démontrée par : la diminution de la taille de la tumeur mammaire et le ralentissement de la propagation des cellules malignes. Les effets observables du médicament peuvent ne pas être manifestes pendant les 4 à 10 semaines qui suivent le début du traitement.

TÉMAZÉPAM
Restoril, (Razepam), (Temaz)

CLASSIFICATION :
Hypnosédatif – benzodiazépine

Grossesse – catégorie X

INDICATIONS

Traitement de l'insomnie (courte durée).

ACTION

■ Dépression généralisée du SNC, s'exerçant à plusieurs niveaux ■ Effets pouvant être attribuables à la médiation par l'acide gamma-aminobutyrique (GABA), neurotransmetteur inhibiteur. **Effets thérapeutiques :** ■ Amélioration du sommeil.

PHARMACOCINÉTIQUE

Absorption : Bonne absorption par suite de l'administration PO.

Distribution : Le témazépam se répartit dans tout l'organisme et traverse la barrière hémato-encéphalique. Il traverse probablement le placenta et peut pénétrer dans le lait maternel. Lors de l'administration prolongée, le médicament peut s'accumuler dans les tissus.

Métabolisme et excrétion : Le témazépam est métabolisé par le foie.

Demi-vie : De 10 à 20 h.

CONTRE-INDICATIONS ET PRÉCAUTIONS

Contre-indications : ■ Hypersensibilité ■ Risque de réactions de sensibilité croisée avec d'autres benzodiazépines ■ Dépression préexistante du SNC ■ Douleurs graves non maîtrisées ■ Glaucome à angle étroit ■ Grossesse ou allaitement.

Précautions : ■ Dysfonctionnement hépatique préexistant ■ Patients pouvant être suicidaires ou ayant des antécédents de toxicomanie ■ Personnes âgées ou patients débilités (il est recommandé de réduire la dose).

RÉACTIONS INDÉSIRABLES ET EFFETS SECONDAIRES

SNC : étourdissements, somnolence, léthargie, sensation « droguée », excitation paradoxale.

ORLO : vision trouble.

GI : nausées, vomissements, diarrhée, constipation.

Tég. : rash.

Divers : tolérance aux effets du médicament, dépendance psychologique, dépendance physique.

INTERACTIONS

Médicament – médicament : ■ Dépression additive du SNC lors de l'usage concomitant d'**alcool**, d'**antidépresseurs**, d'**antihistaminiques**, d'**analgésiques narcotiques** et d'autres **hypnosédatifs** ■ Le témazépam peut diminuer l'efficacité de la **lévodopa**, administrée simultanément ■ Le **tabagisme** accélère le métabolisme du témazépam et peut en diminuer l'efficacité ■ Le **probénécide**, administré simultanément, peut prolonger les effets du témazépam.

VOIES D'ADMINISTRATION ET POSOLOGIE

PO (adultes): de 15 à 30 mg, au coucher.

PHARMACODYNAMIE (sédation)

	DÉBUT D'ACTION	PIC	DURÉE
PO	30 min	2 – 3 h	inconnue

SOINS INFIRMIERS

ÉVALUATION DE LA SITUATION

☐ Suivre de près les habitudes de sommeil avant le traitement et à intervalles réguliers pendant toute sa durée.

☐ Le traitement prolongé avec des doses élevées peut entraîner une dépendance psychologique ou physique. Limiter la quantité de médicament dont peut disposer le patient, particulièrement s'il est déprimé ou suicidaire ou s'il a des antécédents de toxicomanie.

DIAGNOSTICS INFIRMIERS POSSIBLES

■ **Énoncés diagnostiques**

☐ Perturbation des habitudes de sommeil.

☐ Risque élevé d'accident.

☐ Prise en charge inefficace du programme thérapeutique.

■ **Facteurs favorisants**

☐ Informations incomplètes.

☐ *Perturbation de la vigilance.*

☐ *Manque de connaissances sur les modalités du traitement.*

☐ *Difficulté à s'adapter aux changements nécessaires dans les habitudes de vie.*

INTERVENTIONS INFIRMIÈRES

PO: Administrer le témazépam avec des aliments si l'irritation gastrique devient gênante.

ENSEIGNEMENT AU PATIENT ET À SES PROCHES

☐ Conseiller au patient de respecter scrupuleusement la posologie recommandée. Lui expliquer l'importance de préparer un cadre propice au sommeil : la pièce doit être sombre et calme ; la nicotine et la caféine sont à proscrire. Le prévenir qu'il ne doit pas augmenter la dose si elle devient moins efficace après quelques semaines de traitement. Lui recommander de consulter le médecin dans ce cas.

☐ Prévenir le patient que le témazépam peut entraîner de la somnolence ou des étourdissements. Lui conseiller de ne pas conduire et d'éviter les activités qui exigent sa vigilance jusqu'à ce qu'on ait la certitude que le médicament n'entraîne pas ces effets chez lui.

☐ Recommander au patient de ne pas boire d'alcool, d'éviter les autres dépresseurs du SNC et de consulter le médecin ou le pharmacien avant de prendre des préparations en vente libre contenant des antihistaminiques ou de l'alcool.

☐ Conseiller à la patiente d'informer le médecin si elle pense être enceinte ou si elle souhaite le devenir.

☐ Insister sur l'importance des examens de suivi permettant d'évaluer l'efficacité du médicament.

VÉRIFICATION DES RÉSULTATS

L'efficacité du traitement peut être démontrée par: l'amélioration des habitudes du sommeil ; cet effet bénéfique peut ne pas être manifeste avant le troisième jour de traitement.

TÉRAZOSINE
Hytrin

CLASSIFICATION:
Antihypertenseur – adrénolytique à action périphérique

Grossesse – catégorie C

INDICATIONS
Hypertension légère à modérée (en monothérapie ou en association avec d'autres agents, comme les diurétiques).

ACTION
■ Dilatation des artères et des veines par blocage des récepteurs $alpha_1$-adrénergiques postsynaptiques. **Effets thérapeutiques:** ■ Abaissement de la pression artérielle.

PHARMACOCINÉTIQUE
Absorption: Bonne absorption par suite de l'administration PO.
Distribution: Inconnue.
Métabolisme et excrétion: Une fraction de 50 % du médicament est métabolisée par le foie. Une fraction de 10 % est excrétée à l'état inchangé par les reins et une fraction de 20 %, dans les fèces ; une fraction de 40 % est éliminée dans la bile.
Demi-vie: 12 h.

CONTRE-INDICATIONS ET PRÉCAUTIONS
Contre-indication: Hypersensibilité.
Précautions: Grossesse, allaitement ou enfants (l'innocuité du médicament n'a pas été établie).

RÉACTIONS INDÉSIRABLES ET EFFETS SECONDAIRES
SNC: étourdissements, nervosité, somnolence, faiblesse, céphalées.
CV: palpitations, hypotension, tachycardie, arythmies, douleurs thoraciques.
Tég.: prurit, hypotension orthostatique induite par la première dose.
ORLO: congestion nasale, vision trouble, conjonctivite, sinusite.
HÉ: œdème périphérique, fièvre.
GI: nausées, vomissements, diarrhée, sécheresse de la bouche (xérostomie), douleurs abdominales.
GU: impuissance, mictions fréquentes.
Métab.: gain de poids.
Loc.: douleurs dans les membres, douleurs lombaires, arthralgie.
SN: paresthésie.
Resp.: dyspnée.

INTERACTIONS
Médicament – médicament: ■ Hypotension additive lors de l'administration concomitante d'autres **antihypertenseurs** ou de **dérivés nitrés** ou lors de la consommation d'**alcool** ■ Les **anti-inflammatoires non stéroïdiens**, les **sympathomimétiques** ou les **œstrogènes**, administrés simultanément, peuvent diminuer les effets antihypertenseurs de la térazosine.

VOIES D'ADMINISTRATION ET POSOLOGIE
Remarque: Il faut prendre la première dose au coucher.
PO (adultes): Initialement, 1 mg, puis augmenter lentement la dose selon la réponse du patient jusqu'à concurrence de 5 mg par jour. On peut administrer la térazosine en une seule dose ou en deux doses fractionnées (ne pas dépasser 20 mg par jour).

PHARMACODYNAMIE
(effets antihypertenseurs)

	DÉBUT D'ACTION*	PIC†	DURÉE*
PO	15 min	6 – 8 semaines	24 h

* Par suite de l'administration d'une seule dose.
† Par suite de l'administration de plusieurs doses.

SOINS INFIRMIERS

ÉVALUATION DE LA SITUATION
□ Mesurer la pression artérielle (en position couchée et debout) et le pouls,

à intervalles fréquents pendant la période initiale d'ajustement de la posologie et à intervalles réguliers pendant toute la durée du traitement. Signaler au médecin tout changement important.

□ Suivre de près l'hypotension orthostatique et la syncope qui peuvent survenir de 30 min à 2 h après l'administration de la dose initiale et, parfois, plus tard. L'incidence de ces effets secondaires peut dépendre de la dose. Les patients hypovolémiques ou ceux suivant un régime hyposodé peuvent être davantage prédisposés à ces effets.

□ Effectuer le bilan quotidien des ingesta et des excreta et peser le patient tous les jours; suivre quotidiennement la formation d'un œdème, particulièrement en début de traitement.

DIAGNOSTICS INFIRMIERS POSSIBLES

■ **Énoncés diagnostiques**

□ Risque élevé d'accident.

□ Prise en charge inefficace du programme thérapeutique.

□ Non-observance du traitement médicamenteux.

■ **Facteurs favorisants**

□ Informations incomplètes.

□ Doute quant aux bienfaits du médicament.

□ *Perturbation de la vigilance.*

□ *Manque de connaissances sur les effets hypotensifs du médicament lors des changements brusques de position.*

□ *Manque de connaissances sur les modalités du traitement.*

□ *Difficulté à s'adapter aux changements nécessaires dans les habitudes de vie.*

INTERVENTIONS INFIRMIÈRES

■ **Directives générales :** On peut administrer la térazosine en association avec un diurétique ou un bêtabloquant afin de réduire la rétention hydroso-

dée. Si ces médicaments sont ajoutés au traitement par la térazosine, il faut d'abord réduire la dose de térazosine et adapter ensuite la posologie pour obtenir l'effet souhaité.

■ **PO :** Administrer la dose quotidienne au coucher. Au besoin, on peut administrer l'agent deux fois par jour.

ENSEIGNEMENT AU PATIENT ET À SES PROCHES

□ Inciter le patient à continuer à prendre ce médicament même s'il se sent mieux et à respecter scrupuleusement la posologie recommandée. Lui expliquer que la térazosine stabilise la pression artérielle, mais ne guérit pas l'hypertension. Lui recommander de prendre le médicament tous les jours au même moment. S'il n'a pu prendre le médicament au moment habituel, il doit le prendre dès que possible. S'il ne peut le prendre que le jour suivant, il doit sauter cette dose. Prévenir le patient qu'il ne doit jamais remplacer une dose manquée par une double dose.

□ Inciter le patient à prendre d'autres mesures de réduction de l'hypertension : perdre du poids, réduire sa consommation de sel, cesser de fumer, boire de l'alcool avec modération, faire régulièrement de l'exercice et diminuer le stress. Montrer au patient et à ses proches comment mesurer la pression artérielle. Leur recommander de prendre la pression artérielle au moins une fois par semaine et de signaler au médecin toute modification importante.

□ Recommander au patient de se peser deux fois par semaine et d'examiner ses pieds et ses chevilles pour déceler la rétention d'eau.

□ Prévenir le patient que la térazosine peut entraîner de la somnolence ou des étourdissements. Lui conseiller de ne pas conduire et d'éviter les activités qui exigent sa vigilance jusqu'à ce qu'on ait la certitude que le médicament n'entraîne pas ces effets chez lui.

☐ Recommander au patient d'éviter de changer brusquement de position pour prévenir les risques d'hypotension orthostatique. Lui recommander d'éviter de boire de l'alcool, de prendre des dépresseurs du SNC, de se tenir debout pendant de longues périodes de temps, de prendre des douches chaudes et de faire des efforts par temps chaud en raison du risque d'effets orthostatiques accrus.

☐ Conseiller au patient de consulter le médecin ou le pharmacien avant de prendre un médicament contre la toux, le rhume ou les allergies. Lui conseiller également de limiter sa consommation de café, de thé ou de boissons à base de cola.

☐ Recommander au patient qui doit suivre un traitement dentaire ou subir une intervention chirurgicale d'avertir le dentiste ou le médecin qu'il suit un traitement médicamenteux.

☐ Recommander au patient de signaler au médecin les étourdissements ou les faiblesses fréquentes, ou l'enflure des pieds ou des jambes.

☐ Insister sur l'importance des examens de suivi permettant d'évaluer l'efficacité du traitement.

VÉRIFICATION DES RÉSULTATS

L'efficacité du traitement peut être démontrée par: la baisse de la pression artérielle sans manifestation d'effets secondaires.

TERBUTALINE
Bricanyl, (Brethaire), (Brethine)

CLASSIFICATION:
Bronchodilatateur – agoniste bêta-adrénergique

Grossesse – catégorie B

INDICATIONS

■ Bronchodilatation en présence d'une obstruction réversible des voies respiratoires attribuable à l'asthme ou à la bronchopneumopathie chronique obstructive (BPCO). **Usages non approuvés:** ■ Interruption du travail prématuré.

ACTION

■ Agoniste bêta-adrénergique entraînant une accumulation d'adénosine monophosphate cyclique (AMPc) ■ Augmentation des concentrations d'AMPc au niveau des récepteurs bêta-adrénergiques se traduisant par: ☐ la bronchodilatation ☐ la stimulation du SNC et du cœur ☐ la diurèse ☐ la sécrétion d'acide gastrique ■ Spécificité relative pour les récepteurs bêta$_2$ (pulmonaires). **Effets thérapeutiques:** ■ Bronchodilatation.

PHARMACOCINÉTIQUE

Absorption: Une fraction de 35 à 50 % du médicament est absorbée par suite de l'administration PO, mais elle subit rapidement un métabolisme de premier passage. Par suite de l'inhalation, l'absorption est minime.

Distribution: Inconnue. La terbutaline pénètre dans le lait maternel.

Métabolisme et excrétion: La terbutaline est partiellement métabolisée par le foie. **Demi-vie:** Inconnue.

CONTRE-INDICATIONS ET PRÉCAUTIONS

Contre-indications: Hypersensibilité aux amines sympathomimétiques ou à tout autre ingrédient de la préparation.

Précautions: ■ Patients âgés (davantage prédisposés aux réactions indésirables; une réduction de la dose pourrait s'avérer nécessaire) ■ Grossesse, allaitement ou enfants de moins de 6 ans (l'innocuité du médicament n'a pas été établie – précédents d'administration durant la grossesse, mais l'agent peut induire l'hypokaliémie, l'hypoglycémie ou l'œdème

T

pulmonaire chez la mère et l'hypoglycémie chez le nouveau-né) ■ Maladie cardiaque ■ Hypertension ■ Hyperthyroïdie ■ Diabète sucré ■ Glaucome ■ Grossesse près du terme ■ Usage excessif des dispositifs destinés à l'inhalation (risque de tolérance et de bronchospasme paradoxal).

RÉACTIONS INDÉSIRABLES ET EFFETS SECONDAIRES

SNC : nervosité, agitation, insomnie, tremblements, céphalées, anxiété.
CV : hypertension, arythmies, angine, tachycardie, palpitations, ŒDÈME PULMONAIRE (chez la mère – pendant les tentatives d'interruption du travail).
GI : nausées, vomissements.
HÉ : hypokaliémie (chez la mère – pendant les tentatives d'interruption du travail).

INTERACTIONS

Médicament – médicament : ■ Effets adrénergiques additifs lors de l'administration simultanée d'autres **agents adrénergiques** (**sympathomimétiques**) incluant les **décongestionnants** et les **vasopresseurs** ■ Risque de crises hypertensives lors de l'administration simultanée d'**IMAO** ■ Les **bêtabloquants**, administrés simultanément, peuvent contrecarrer l'effet thérapeutique de la terbutaline.

VOIES D'ADMINISTRATION ET POSOLOGIE

Bronchodilatation
■ **PO (adultes) :** de 2,5 à 5 mg, 3 fois par jour, à intervalles de 6 h.
■ **PO (enfants de 12 à 15 ans) :** 2,5 mg, 3 fois par jour, à intervalles de 6 h.
■ **PO (enfants de 6 à 11 ans) :** 0,075 mg/kg, 3 fois par jour.
■ **Inhalation (adultes et enfants > 6 ans) :** 1 inhalation, 4 fois par jour (500 µg par inhalation ; ne pas dépasser 6 inhalations par jour).

Interruption du travail prématuré
■ **PO (adultes) :** 2,5 mg, toutes les 4 à 6 h, jusqu'à l'accouchement.

PHARMACODYNAMIE (bronchodilatation)

	DÉBUT D'ACTION	PIC	DURÉE
PO	30 min	1 – 2 h	4 – 8 h
inhalation	5 – 30 min	1 – 2 h	3 – 6 h

SOINS INFIRMIERS

ÉVALUATION DE LA SITUATION

■ **Bronchospasme :** Mesurer la pression artérielle et le pouls, ausculter les respirations et le murmure vésiculaire et déterminer les caractéristiques des sécrétions avant d'administrer le médicament et après le traitement.
□ Suivre de près la tolérance aux effets du médicament et l'apparition d'un bronchospasme rebond.
■ **Travail prématuré :** Mesurer le pouls et la pression artérielle de la mère, noter la fréquence et la durée des contractions ainsi que la fréquence cardiaque du fœtus. Avertir le médecin si les contractions persistent, si leur fréquence ou durée augmentent ou si des symptômes de détresse maternelle ou fœtale surviennent. Les effets secondaires chez la mère incluent la tachycardie, les palpitations, les tremblements, l'anxiété et les céphalées.
□ Suivre de près la fonction respiratoire de la mère pour déceler les symptômes suivants d'œdème pulmonaire : fréquence accrue, dyspnée, râles et crépitations, crachats mousseux.
□ Suivre de près l'apparition des symptômes suivants d'hypoglycémie chez la mère et chez le nouveau-né : anxiété, frissons, sueurs froides, confusion, peau pâle et froide, difficulté de concentration, somnolence, faim excessive, céphalées, irritabilité, nausées, nervosité, pouls rapide, tremblements, fatigue ou faiblesse inhabituelles.
□ Surveiller l'apparition des symptômes suivants d'hypokaliémie chez la

mère : faiblesse, fatigue, apparition d'une onde U sur l'ÉCG, arythmies.

- **Étude des examens diagnostiques et biochimiques:** Noter les concentrations sériques de glucose et d'électrolytes chez la mère. La terbutaline peut provoquer l'hypokaliémie et l'hypoglycémie. Mesurer les concentrations sériques de glucose chez le nouveau-né, car l'hypoglycémie peut également survenir dans son cas.

DIAGNOSTICS INFIRMIERS POSSIBLES

- **Énoncés diagnostiques**
- □ Dégagement inefficace des voies respiratoires.
- □ Prise en charge inefficace du programme thérapeutique.
- □ Non-observance du traitement médicamenteux.
- □ *Risque élevé d'accident.*
- □ *Risque élevé de perturbation des échanges gazeux.*

- **Facteurs favorisants**
- □ Informations incomplètes.
- □ Doute quant aux bienfaits du médicament.
- □ *Manque de connaissances sur les modalités du traitement.*
- □ *Manque de connaissances sur les effets secondaires du médicament.*
- □ *Manque de connaissances sur la méthode d'administration du médicament.*
- □ *Mode de respiration inefficace.*

INTERVENTIONS INFIRMIÈRES

PO: Chez les patients éprouvant des difficultés de déglutition, on peut broyer les comprimés et les mélanger à des aliments ou à des liquides.

ENSEIGNEMENT AU PATIENT ET À SES PROCHES

- **Bronchospasme:** Inciter le patient à respecter scrupuleusement la posologie recommandée. S'il n'a pu prendre le médicament au moment habituel, il doit le prendre dès que possible dans l'heure suivante, sinon il doit sauter cette dose. Le prévenir qu'il ne faut jamais remplacer une dose manquée par une double dose. Expliquer au patient que des prises plus fréquentes que celles prescrites peuvent entraîner une tolérance aux effets de la terbutaline.

- □ Recommander au patient de boire une quantité suffisante de liquides pour diminuer la viscosité des sécrétions tenaces.

- □ Conseiller au patient de consulter le médecin si les symptômes respiratoires ne sont pas soulagés ou s'ils s'aggravent après le traitement. Le patient doit prévenir le médecin en cas de douleurs thoraciques, de céphalées, d'étourdissements importants, de palpitations, de nervosité ou de faiblesse.

- **Inhalateur Turbuhaler:** Montrer au patient comment utiliser l'inhalateur Turbuhaler. Dévisser le couvercle et l'enlever. Pour charger, tenir l'inhalateur à la verticale, tourner la molette bleue le plus loin possible dans une direction, puis la ramener à la position initiale (un déclic doit se produire). Expirer. Placer l'embout buccal entre les lèvres et inspirer profondément par la bouche. Éloigner l'inhalateur Turbuhaler de la bouche et retenir sa respiration pendant 10 s par la suite. Revisser le couvercle. L'embout buccal doit être nettoyé 2 ou 3 fois par semaine.

- □ Recommander au patient recevant des glucocorticoïdes en même temps que la terbutaline par inhalation de prendre la terbutaline d'abord et d'attendre 15 min avant d'utiliser le second inhalateur, sauf recommandation contraire du médecin.

- **Travail prématuré:** Recommander à la patiente de prévenir immédiatement le médecin si le travail reprend ou si des effets secondaires importants surviennent.

VÉRIFICATION DES RÉSULTATS

L'efficacité du traitement peut être démontrée par: ■ la diminution de la bronchoconstriction et du bronchospasme □ une respiration plus facile ■ l'interruption du travail prématuré si l'âge de gestation du fœtus se situe entre 20 et 36 semaines.

TERCONAZOLE
Terazol 3, Terazol 7

CLASSIFICATION:
Antifongique topique
Grossesse – catégorie C

INDICATIONS

Traitement des infections vaginales fongiques attribuables à *Candida* (candidose vulvovaginale).

ACTION

■ Inhibition de la croissance fongique et affaiblissement de la membrane cellulaire fongique entraînant une action fongicide ou fongistatique, selon le microorganisme et sa concentration. **Effets thérapeutiques:** ■ Destruction ou inhibition des champignons sensibles.

PHARMACOCINÉTIQUE

Absorption: De petites quantités (de 5 à 16 %) peuvent être absorbées depuis la muqueuse vaginale.
Distribution: Les petites quantités absorbées depuis la muqueuse vaginale peuvent traverser le placenta.
Métabolisme et excrétion: Inconnus.
Demi-vie: Inconnue.

CONTRE-INDICATIONS ET PRÉCAUTIONS

Contre-indications: ■ Hypersensibilité ■ Grossesse (applicateur vaginal seulement).
Précautions: Allaitement et enfants (l'innocuité du médicament n'a pas été établie).

RÉACTIONS INDÉSIRABLES ET EFFETS SECONDAIRES

SNC: céphalées.
GU: brûlures vulvovaginales, démangeaisons, irritation.
Loc.: douleurs dans tout le corps.

INTERACTIONS

Médicament – médicament: Aucune interaction connue.

VOIES D'ADMINISTRATION ET POSOLOGIE

Préparation vaginale (adultes): Le contenu d'un applicateur (5 g), administré dans le vagin une fois par jour, au coucher, pendant 7 jours, ou 1 ovule à 80 mg au coucher, 3 soirs de suite.

PHARMACODYNAMIE (effet antifongique)

	DÉBUT D'ACTION	PIC	DURÉE
préparation vaginale	au moment de l'application	inconnu	inconnue

☼ SOINS INFIRMIERS

ÉVALUATION DE LA SITUATION

Inspecter les territoires cutanés et les muqueuses atteintes avant l'administration et à intervalles fréquents pendant toute la durée du traitement. Une irritation cutanée accrue peut dicter l'arrêt du traitement.

DIAGNOSTICS INFIRMIERS POSSIBLES

■ **Énoncés diagnostiques**
□ Atteinte à l'intégrité de la peau.
□ Risque élevé d'accident.
□ Prise en charge inefficace du programme thérapeutique.

■ **Facteurs favorisants**
□ Informations incomplètes.
□ *Manque de connaissances sur la méthode d'administration du médicament.*

□ *Manque de connaissances sur les modalités du traitement.*

□ *Difficulté à s'adapter aux changements nécessaires dans les habitudes de vie.*

INTERVENTIONS INFIRMIÈRES

■ **Directives générales:** Avant d'appliquer le médicament, consulter le médecin au sujet de la méthode de nettoyage qu'il préconise. Le médecin peut prescrire à la patiente de prendre des bains de siège ou des douches vaginales pendant qu'elle suit ce traitement.

■ **Préparation vaginale:** Utiliser les applicateurs fournis dans l'emballage.

ENSEIGNEMENT AU PATIENT ET À SES PROCHES

□ Inciter la patiente à appliquer le terconazole en suivant scrupuleusement la posologie recommandée pendant toute la durée du traitement, même si elle se sent mieux. La prévenir qu'elle doit poursuivre le traitement durant les règles.

□ Montrer à la patiente comment utiliser l'applicateur fourni dans l'emballage. Lui recommander d'introduire le terconazole profondément dans le vagin, au coucher, et de rester ensuite couchée pendant au moins 30 min. Lui conseiller d'utiliser des serviettes hygiéniques pour ne pas tacher ses vêtements ou la literie.

□ Recommander à la patiente de consulter le médecin au sujet des douches vaginales et des rapports sexuels durant le traitement. La préparation vaginale peut entraîner une irritation cutanée mineure chez le partenaire sexuel. Conseiller à la patiente traitée en raison d'une infection vaginale d'éviter les rapports sexuels pendant le traitement ou de demander à son partenaire d'utiliser un condom.

□ Recommander à la patiente de signaler au médecin toute aggravation de l'irritation cutanée ou l'absence de réponse au traitement.

VÉRIFICATION DES RÉSULTATS

L'efficacité du traitement peut être démontrée par: la diminution de l'irritation cutanée et de la gêne vaginale. La réponse au traitement est habituellement notable après une semaine. Avant d'entreprendre un deuxième traitement, le diagnostic devrait être confirmé à nouveau par des frottis ou des cultures afin d'écarter la possibilité d'une vulvovaginite attribuable à d'autres agents pathogènes.

TERFÉNADINE
Apo-Terfénadine, Novo-Terfénadine, Seldane

CLASSIFICATION:
Antihistaminique

Grossesse – catégorie C

INDICATIONS

Soulagement des symptômes allergiques entraînés par la libération de l'histamine incluant les allergies nasales et les dermatoses allergiques.

ACTION

■ Inhibition des effets de l'histamine. **Effets thérapeutiques:** ■ Soulagement des symptômes associés à l'excès d'histamine, qui caractérise habituellement les allergies.

PHARMACOCINÉTIQUE

Absorption: Par suite de l'administration PO, l'absorption est rapide et complète.
Distribution: Inconnue. La terfénadine semble traverser en quantités infimes la barrière hémato-encéphalique.
Métabolisme et excrétion: La terfénadine est surtout métabolisée par le foie et éliminée principalement dans les fèces par excrétion biliaire.
Demi-vie: De 16 à 23 h.

CONTRE-INDICATIONS ET PRÉCAUTIONS

Contre-indication: Hypersensibilité.

Précautions: ■ Hypertrophie de la prostate ■ Glaucome à angle étroit ■ Grossesse, allaitement ou enfants de moins de 3 ans (l'innocuité du médicament n'a pas été établie) ■ Maladie cardiovasculaire.

RÉACTIONS INDÉSIRABLES ET EFFETS SECONDAIRES

SNC: somnolence, sédation, céphalées, étourdissements, nervosité, faiblesse.
CV: palpitations, tachycardie.
ORLO: troubles de la vision.
GI: nausées, vomissements, douleurs abdominales, diarrhée, constipation, sécheresse de la bouche (xérostomie), sécheresse des lèvres.
Tég.: rash, sécheresse de la peau.
Loc.: douleurs musculosquelettiques.
Divers: réactions allergiques.

INTERACTIONS

Médicament – médicament: ■ Dépression additive du SNC lors de l'usage concomitant d'autres **dépresseurs du SNC** incluant l'**alcool**, les **antidépresseurs**, les **analgésiques narcotiques** et les **hypnosédatifs** ■ Effets anticholinergiques additifs lors de l'administration simultanée d'autres **médicaments doués de propriétés anticholinergiques** incluant les **antidépresseurs**, l'**atropine**, l'**halopéridol**, les **phénothiazines**, la **quinidine** et le **disopyramide** ■ Risque accru d'arythmies lors de l'administration simultanée de **kétoconazole**.

VOIES D'ADMINISTRATION ET POSOLOGIE

- **PO (adultes et enfants > 12 ans):** 60 mg, matin et soir, ou 120 mg, 1 fois par jour, de préférence le matin.
- **PO (enfants de 7 à 12 ans):** 30 mg, matin et soir.
- **PO (enfants de 3 à 6 ans):** 15 mg, matin et soir.

PHARMACODYNAMIE (effets antihistaminiques)

	DÉBUT D'ACTION	PIC	DURÉE
PO	1 – 2 h	3 – 6 h	6 – 24 h

☀ SOINS INFIRMIERS

ÉVALUATION DE LA SITUATION

☐ Suivre de près, avant le traitement et à intervalles réguliers pendant toute sa durée, les symptômes allergiques suivants: rhinite, conjonctivite, urticaire.

☐ Ausculter le murmure vésiculaire et déterminer les caractéristiques des sécrétions bronchiques. Le patient devrait boire de 1 500 à 2 000 mL de liquides par jour pour diminuer la viscosité des sécrétions.

■ **Étude des examens diagnostiques et biochimiques:** La terfénadine peut entraîner des résultats faussement négatifs aux tests cutanés effectués à l'aide d'extraits allergènes. Arrêter l'administration de la terfénadine 72 h avant un tel test.

DIAGNOSTICS INFIRMIERS POSSIBLES

■ **Énoncés diagnostiques**
■ Dégagement inefficace des voies respiratoires.
■ Risque élevé d'accident.
■ Prise en charge inefficace du programme thérapeutique.
■ *Risque élevé d'atteinte à l'intégrité de la muqueuse buccale.*

■ **Facteurs favorisants**
☐ Informations incomplètes.
☐ *Perturbation de la vigilance.*
☐ *Manque de connaissances sur les moyens de prévenir ou de réduire la sécheresse de la bouche.*

INTERVENTIONS INFIRMIÈRES

■ **PO:** Administrer le médicament avec des aliments ou du lait pour réduire l'irritation gastrique.

□ Utiliser un récipient gradué pour mesurer les préparations liquides. Bien mélanger.

ENSEIGNEMENT AU PATIENT ET À SES PROCHES

□ Recommander au patient de prévenir le médecin si les symptômes persistent.

□ Inciter le patient à respecter scrupuleusement la posologie recommandée. S'il n'a pu prendre le médicament au moment habituel, il doit le prendre dès que possible à moins qu'il ne soit presque l'heure prévue pour la dose suivante.

□ Prévenir le patient que la terfénadine peut provoquer la somnolence, bien que cet effet secondaire soit moins fréquent que dans le cas de l'administration d'autres antihistaminiques. Lui conseiller de ne pas conduire et d'éviter les activités qui exigent sa vigilance jusqu'à ce qu'on ait la certitude que le médicament n'entraîne pas cet effet chez lui.

VÉRIFICATION DES RÉSULTATS

L'efficacité du traitement peut être démontrée par : le soulagement des symptômes allergiques.

TESTOSTÉRONE

Base de testostérone
Malogen, (Andro), (Histerone), (Testaqua)

Cypionate de testostérone
Depo-Testosterone, Virilon IM, (Andro-Cyp), (Andronate), (dep Andro), (Depotest), (Duratest), (T-Cypionate), (Tesionate), (Tesred Cypionate)

Énanthate de testostérone
Delatestryl, Malogex, PMS-Testosterone Enanthate, (Andro LA), (Durathate), (Everone), (Testone LA), (Testrin-PA)

Propionate de testostérone
Malogen, (Testex)

Undécanoate de testostérone
Andriol

CLASSIFICATION :
Hormone – androgène
Drogue contrôlée
Grossesse – catégorie X

INDICATIONS

■ Traitement de l'hypogonadisme chez les hommes présentant un déficit en androgènes ■ Traitement du retard pubertaire chez les hommes ■ Traitement palliatif du cancer du sein sensible aux androgènes.

ACTION

■ Hormone responsable de la croissance et du développement normal des organes sexuels masculins ■ Maintien des caractères sexuels secondaires chez l'homme : □ croissance et maturation de la prostate, des vésicules séminales, du pénis, du scrotum □ développement de la pilosité et répartition caractéristique des poils chez l'homme □ épaississement des cordes vocales □ modification de la musculature corporelle et de la répartition des graisses. **Effets thérapeutiques :** ■ Correction du déficit hormonal caractérisant l'hypogonadisme □ apparition de la puberté chez l'homme ■ Suppression de la croissance des tumeurs dans le cas de certaines formes de cancer du sein.

PHARMACOCINÉTIQUE

Absorption : Bonne absorption depuis les points d'injection IM. Les sels de cypionate, de propionate et d'énanthate sont absorbés lentement.

Distribution : La testostérone traverse probablement le placenta et pénètre probablement dans le lait maternel.

Métabolisme et excrétion : Métabolisme hépatique.

T

Demi-vie: Base – de 10 à 100 min; cypionate – 8 jours.

CONTRE-INDICATIONS ET PRÉCAUTIONS

Contre-indications: ■ Hypersensibilité ■ Grossesse et allaitement ■ Patients de sexe masculin atteints de cancer du sein ou de la prostate ■ Hypercalcémie ■ Maladie hépatique, rénale ou cardiaque graves.
Précautions: ■ Diabète sucré ■ Coronaropathie ■ Antécédents de maladie hépatique ■ Prépuberté masculine.

RÉACTIONS INDÉSIRABLES ET EFFETS SECONDAIRES

CV: œdème.
GI: nausées, vomissements, modifications de l'appétit, hépatite.
GU: irritation de la vessie, hypertrophie de la prostate, irrégularités menstruelles.
ORLO: voix caverneuse.
End.: femmes: hypertrophie du clitoris, modifications de la libido, diminution du volume des seins; hommes: acné, priapisme, croissance de la pilosité faciale, oligospermie, impuissance, gynécomastie.
HÉ: hypercalcémie.
Locaux: douleur au point d'injection.

INTERACTIONS

Médicament – médicament: ■ La testostérone diminue le métabolisme et peut augmenter l'effet des **anticoagulants oraux**, des **hypoglycémiants oraux** et des **glucocorticoïdes** ■ La testostérone peut intensifier l'effet de l'**insuline** ■ Hépatotoxicité additive lors de l'administration simultanée d'autres **agents hépatotoxiques**.

VOIES D'ADMINISTRATION ET POSOLOGIE

Hypogonadisme
■ **IM (adultes):** de 200 à 400 mg, toutes les 4 semaines (cypionate ou énanthate), ou de 10 à 25 mg, de 2 à 5 fois par semaine (propionate ou base).

Hormonothérapie substitutive
■ **IM (adultes):** de 25 à 50 mg, 2 ou 3 fois par semaine (base ou propionate), ou de 50 à 400 mg, toutes les 2 à 4 semaines (énanthate).

Retard pubertaire chez l'homme
■ **IM (adolescents):** base – de 12,5 à 25 mg, 2 ou 3 fois par semaine; cypionate – de 25 à 200 mg, toutes les 2 à 4 semaines; énanthate – de 50 à 200 mg, toutes les 2 à 4 semaines.

Traitement palliatif du cancer du sein
■ **IM (adultes):** propionate ou base – de 50 à 100 mg, 3 fois par semaine; cypionate ou énanthate – de 200 à 400 mg, toutes les 2 à 4 semaines.

Traitement oral (sauf cancer du sein)
■ **PO (adultes et adolescents):** undécanoate – initialement, de 120 à 160 mg par jour en 2 doses fractionnées pendant 2 ou 3 semaines; par la suite, une dose d'entretien de 40 à 120 mg par jour.

PHARMACODYNAMIE (effets androgènes)*

	DÉBUT D'ACTION	PIC	DURÉE
IM base	inconnu	inconnu	1 – 3 jours
IM cypionate	inconnu	inconnu	2 – 4 semaines
IM énanthate	inconnu	inconnu	2 – 4 semaines
IM propionate	inconnu	inconnu	1 – 3 jours

* La réponse individuelle varie fortement; les effets peuvent survenir après plusieurs mois de traitement.

SOINS INFIRMIERS

ÉVALUATION DE LA SITUATION

■ **Directives générales:** Effectuer le bilan des ingesta et des excreta, peser le patient 2 fois par semaine et surveiller l'apparition d'un œdème. Prévenir le médecin de toute modification importante traduisant une rétention hydrique.

- **Hommes:** Suivre de près l'apparition de la puberté précoce chez les garçons (acné, foncissement de la peau, développement des caractères sexuels secondaires masculins – augmentation de la taille du pénis, érections fréquentes, croissance de la pilosité corporelle).

- Suivre de près l'augmentation du volume des seins, les érections persistantes et le besoin accru d'uriner. Déceler les difficultés de miction chez les patients âgés, en raison du risque d'hypertrophie de la prostate.

- **Femmes:** Déceler les signes de masculinisation: gravité de la voix, croissance ou chute exagérées des poils, hypertrophie du clitoris, acné, irrégularités menstruelles.

- Chez les femmes souffrant de cancer métastatique du sein, suivre de près l'apparition de symptômes d'hypercalcémie: nausées, vomissements, constipation, léthargie, perte du tonus musculaire, soif, polyurie.

- **Étude des examens diagnostiques et biochimiques:** Noter les concentrations d'hémoglobine et l'hématocrite à intervalles réguliers pendant toute la durée du traitement. La testostérone peut entraîner la polycythémie.

- Évaluer les résultats des tests de l'exploration fonctionnelle hépatique et les concentrations sériques de cholestérol à intervalles réguliers pendant toute la durée du traitement; la testostérone peut entraîner l'élévation des concentrations de TGOS (AST), l'élévation ou la diminution des concentrations de cholestérol et la suppression des facteurs de coagulation II, V, VII et X.

- Examiner les concentrations sériques et urinaires de calcium et les concentrations sériques de phosphatase alcaline en cas de cancer métastatique.

- La testostérone peut modifier la glycémie à jeun, les résultats des tests de tolérance au glucose, des tests de l'exploration fonctionnelle thyroïdienne et des tests à la métyrapone. La diminution des concentrations de créatinine et de la clearance de la créatinine peut se poursuivre jusqu'à deux semaines après l'arrêt du traitement. La testostérone peut entraîner l'élévation des concentrations sériques de chlorure, de potassium, de phosphate et de sodium.

- La testostérone peut entraîner l'élévation des concentrations de 17-cétostéroïde lors de l'analyse des urines de 24 h.

DIAGNOSTICS INFIRMIERS POSSIBLES

- **Énoncés diagnostiques**
- Dysfonctionnement sexuel.
- Prise en charge inefficace du programme thérapeutique.
- *Risque élevé de perturbation situationnelle de l'estime de soi.*
- *Risque élevé d'excès de volume liquidien.*
- *Risque élevé d'accident.*

- **Facteurs favorisants**
- Informations incomplètes.
- *Manque de connaissances sur les moyens de prévenir les effets secondaires du médicament.*
- *Altération de l'image corporelle.*
- *Manque de connaissances sur les signes d'hypoglycémie et d'hyperglycémie et sur les moyens de les prévenir.*

INTERVENTIONS INFIRMIÈRES

- **Directives générales:** On devrait faire faire des exercices d'amplitude du mouvement à tous les patients alités afin de prévenir la résorption osseuse du calcium.

- **IM:** Administrer la solution profondément dans le muscle fessier. À une basse température, des cristaux peuvent se former dans la solution; pour les dissoudre, réchauffer et agiter la fiole. Si l'on utilise une seringue ou une aiguille humides, la solution devient trouble, mais sa puissance n'est pas modifiée pour autant.

ENSEIGNEMENT AU PATIENT ET À SES PROCHES

☐ Recommander au patient de signaler rapidement au médecin les signes et les symptômes suivants : chez les hommes : priapisme (érection prolongée et souvent douloureuse) ou gynécomastie ; chez les femmes : masculinisation (pouvant être renversée si le traitement est arrêté dès que de tels changements deviennent notables) ; hypercalcémie (nausées, vomissements, constipation et faiblesse) ; œdème (gain pondéral inattendu, enflure des pieds) ; hépatite (jaunissement de la peau ou des yeux et douleurs abdominales) ; ou saignements ou ecchymoses inhabituels.

☐ Expliquer au patient la raison pour laquelle l'usage de ce médicament dans le but d'augmenter la performance athlétique est déconseillé. Dans ce cas, la testostérone n'est ni sûre ni efficace et elle peut provoquer des effets secondaires graves.

☐ Recommander à la patiente de prévenir immédiatement le médecin si elle pense être enceinte ou si elle souhaite le devenir.

☐ Recommander au patient diabétique de suivre de près sa glycémie ou sa glycosurie.

☐ Insister sur l'importance des examens physiques, diagnostiques, biochimiques et radiologiques à intervalles réguliers permettant d'évaluer les bienfaits du traitement.

☐ Prévenir les parents que l'enfant prépubertaire doit se soumettre tous les six mois à des examens radiologiques permettant d'évaluer l'âge osseux et de déterminer la vitesse de maturation des os et les effets de l'hormone sur la soudure des épiphyses.

VÉRIFICATION DES RÉSULTATS

L'efficacité du traitement peut être démontrée par : ■ la résolution des signes de déficit en androgènes sans apparition d'effets secondaires ■ la diminution de la taille des tumeurs et le ralentissement de la propagation des métastases lors d'un cancer du sein chez les femmes ménopausées. En cas de traitement antinéoplasique, la réponse peut ne survenir que 3 mois plus tard ; si l'on note des signes d'évolution de la maladie, il faut arrêter ce traitement.

TÉTRACYCLINE

Achromycin V, Apo-Tetra, Novo-Tetra, Nu-Tetra, Tetracyn, (Bristacycline), (Cyclopar), (Kesso-Tetra), (Panmycin), (Retet-S), (Robitet), (Sumycin), (Tetrex-S), (Topicycline)

CLASSIFICATION :
Anti-infectieux – tétracycline

Grossesse – catégorie inconnue

INDICATIONS

■ **PO :** Traitement de diverses infections attribuables à des microorganismes inhabituels, incluant : ☐ *Mycoplasma* ☐ *Chlamydia* ☐ *Rickettsia* ■ Traitement de la gonorrhée et de la syphilis chez les patients allergiques à la pénicilline ■ Traitement de l'acné ■ Prévention des exacerbations de la bronchite chronique ■ **Préparation ophtalmique :** Traitement des infections oculaires superficielles et du trachome.

ACTION

■ Inhibition de la synthèse des protéines bactériennes au niveau du ribosome 30S. **Effets thérapeutiques :** ■ Action bactériostatique contre les bactéries sensibles. **Spectre d'action :** ■ La tétracycline est active contre certains microorganismes à Gram positif incluant : ☐ *Bacillus* *anthracis* □ *Clostridium perfringens* □ *Clostridium tetani* □ *Listeria monocytogenes* □ *Nocardia* □ *Propionibacterium acnes* □ *Actinomyces israelii* ■ La tétracycline est également active contre certains microorganismes à Gram négatif incluant : □ *Haemophilus influenzae* □ *Legionella pneumophila* □ *Yersinia enterocolitica* □ *Yersinia pestis* □ *Neisseria gonorrhoeae* □ *Neisseria meningitidis*.

PHARMACOCINÉTIQUE

Absorption : Une fraction de 60 à 80 % du médicament est absorbée par suite de l'administration PO.

Distribution : La tétracycline se répartit dans tout l'organisme et pénètre en faible quantité dans le liquide céphalorachidien. Elle traverse le placenta et pénètre dans le lait maternel.

Métabolisme et excrétion : Le médicament est excrété à l'état surtout inchangé par les reins.

Demi-vie : De 6 à 12 h.

CONTRE-INDICATIONS ET PRÉCAUTIONS

Contre-indications : ■ Hypersensibilité ■ Enfants de moins de 8 ans (coloration sombre permanente des dents) ■ Grossesse (risque de coloration sombre permanente des dents chez les nourrissons, si le médicament est administré durant la dernière moitié de la grossesse) ■ Allaitement.

Précautions : ■ Patients cachectiques ou débilités ■ Maladie hépatique ou rénale.

RÉACTIONS INDÉSIRABLES ET EFFETS SECONDAIRES

GI : nausées, vomissements, diarrhée, pancréatite, œsophagite.

Tég. : rash, photosensibilité.

Hémat. : dyscrasie.

Divers : surinfection, réactions d'hypersensibilité.

INTERACTIONS

Médicament – médicament : ■ La tétracycline peut intensifier l'effet des **anticoagulants oraux** ■ La tétracycline peut diminuer l'efficacité des **contraceptifs oraux** ■ Les **antiacides**, le **calcium**, le **fer** et le **magnésium**, administrés simultanément, forment avec la tétracycline un chélate insoluble et en diminue l'absorption ■ Le **sucralfate**, administré simultanément, peut se lier à la tétracycline et empêcher son absorption depuis le tractus gastro-intestinal ■ La **cholestyramine** ou le **colestipol**, administrés simultanément, diminuent l'absorption des tétracyclines administrées PO. **Médicament – aliments :** ■ Le **calcium** contenu dans les aliments ou les produits laitiers diminue l'absorption de la tétracycline en formant avec elle des chélates insolubles.

PRÉSENTATION

Le médicament existe sous forme de capsules, de suspension orale et d'onguent ophtalmique.

VOIES D'ADMINISTRATION ET POSOLOGIE

- **PO (adultes) :** 1 ou 2 g par jour, en doses fractionnées, toutes les 6 h (on administre, lors du traitement prolongé de l'acné, de faibles doses de 125 à 500 mg par jour).
- **PO (enfants > 8 ans) :** de 25 à 50 mg/kg par jour, en doses fractionnées, toutes les 6 à 12 h.
- **Préparation ophtalmique (adultes et enfants) :** une mince bande d'onguent toutes les 2 h (on peut administrer le médicament plus fréquemment).

PHARMACODYNAMIE (concentrations sanguines)

	DÉBUT D'ACTION	PIC
PO	1 – 2 h	2 – 4 h

SOINS INFIRMIERS

ÉVALUATION DE LA SITUATION

□ Observer le patient au début du traitement et pendant toute sa durée pour déceler les signes suivants d'infection : altération des signes vitaux, aspect de la plaie, des crachats, de l'urine et des selles ; accroissement du nombre de leucocytes.

□ Prélever des échantillons pour les cultures et les antibiogrammes avant le début du traitement. La première dose peut être administrée avant même que les résultats soient connus.

■ **Étude des examens diagnostiques et biochimiques :** Examiner les résultats des tests de l'exploration fonctionnelle hépatique et rénale et la numération globulaire à intervalles réguliers pendant le traitement prolongé.

□ La tétracycline peut entraîner l'élévation des concentrations de TGOS (AST) et de TGPS (ALT) ainsi que des concentrations sériques d'urée, de phosphatase alcaline, de bilirubine et d'amylase.

□ La tétracycline peut entraîner une fausse élévation des concentrations urinaires de catécholamine.

DIAGNOSTICS INFIRMIERS POSSIBLES

■ **Énoncés diagnostiques**

□ Risque élevé d'infection.

□ Prise en charge inefficace du programme thérapeutique.

□ Non-observance du traitement médicamenteux.

□ *Risque élevé de déficit de volume liquidien.*

□ *Risque élevé d'accident.*

□ *Risque élevé d'atteinte à l'intégrité de la peau.*

■ **Facteurs favorisants**

□ Informations incomplètes.

□ Doute quant aux bienfaits du médicament.

□ *Manque de connaissances sur les moyens de prévenir les effets secon-*

daires affectant l'appareil gastro-intestinal.

□ *Manque de connaissances sur les modalités du traitement.*

□ *Manque de connaissances sur les effets secondaires du médicament.*

□ *Manque de connaissances sur la méthode d'administration du médicament.*

□ *Manque de connaissances sur les moyens de réduire la photosensibilité.*

INTERVENTIONS INFIRMIÈRES

■ **Directives générales :** La tétracycline peut rendre les dents de couleur jaune-brun ou ramollir les dents ou les os chez l'enfant, si elle est administrée pendant le dernier trimestre de la grossesse, la période néonatale ou au début de l'enfance. L'administration de ce médicament n'est pas recommandée chez les enfants de moins de 8 ans.

■ **PO :** Administrer la préparation à intervalles réguliers, 24 h sur 24, au moins une heure avant ou deux heures après les repas. Il faut prendre la tétracycline avec un grand verre de liquide au moins une heure avant le coucher afin de prévenir l'ulcération œsophagienne. Utiliser un récipient gradué pour mesurer les préparations liquides. Bien mélanger. Espacer de 1 à 3 h l'administration d'autres médicaments.

□ Éviter la consommation de lait, de calcium, d'antiacides, de médicaments contenant du magnésium ou des suppléments de fer dans les 1 à 3 h qui suivent ou qui précèdent l'administration de la tétracycline.

■ **Préparation ophtalmique :** La méthode d'instillation de l'onguent ophtalmique est expliquée à l'annexe H.

ENSEIGNEMENT AU PATIENT ET À SES PROCHES

■ **Directives générales :** Expliquer au patient qu'il doit prendre le médicament à intervalles réguliers, 24 h sur 24, et utiliser toute la quantité qui lui a été prescrite, même s'il se sent mieux. Lui expliquer aussi qu'il doit éviter de prendre du lait, des antiacides, du calcium, des préparations contenant du magnésium et des suppléments de fer dans les 1 à 3 h qui précèdent ou qui suivent l'administration PO de la tétracycline. Insister sur le fait qu'il peut être dangereux de donner ce médicament à une autre personne.

☐ Conseiller au patient d'utiliser un écran solaire et de porter des vêtements protecteurs afin d'éviter les réactions de photosensibilité.

☐ Conseiller au patient de signaler les symptômes allergiques et les signes suivants de surinfection : excroissance noire et pileuse sur la langue, démangeaisons ou pertes vaginales, selles molles ou nauséabondes.

☐ Recommander au patient de prévenir le médecin si les symptômes ne s'améliorent pas.

☐ Recommander au patient de jeter tout produit périmé ou décomposé étant donné qu'il peut être toxique.

■ **Préparation ophtalmique :** Montrer au patient comment administrer l'onguent ophtalmique. Lui recommander de ne pas toucher les yeux, les doigts ou toute autre surface avec l'extrémité du tube.

☐ Prévenir le patient que l'onguent ophtalmique peut rendre la vision trouble. Lui recommander de ne pas conduire et d'éviter les activités qui exigent une bonne acuité visuelle jusqu'à ce qu'on ait la certitude que le médicament n'entraîne pas cet effet chez lui.

VÉRIFICATION DES RÉSULTATS

La réponse clinique peut être déterminée par : ■ la disparition des signes et des symptômes d'infection. Le temps de résolution dépend du micro-organisme infectant et du siège de l'infection ■ la diminution des lésions acnéiques.

THÉOPHYLLINE

PMS-Theophylline, Pulmophylline, Theolair, (Accurbron), (Aquaphyllin), (Asmalix), (Bronkodyl), (Elixomin), (Elixophyllin), (Lanophyllin), (Lixolin), (Slo-phyllin Syrup), (Synophylate), (Theon), (Theophyl), (Theostat)

THÉOPHYLLINE À LIBÉRATION PROLONGÉE

Quibron-T/SR, Slo-Bid, Theochron, Theo-Dur, Theolair-SR, Théo-SR, Uniphyl, (Aerolate), (Constant-T), (Elixophyllin SR), (LaBID), (Respbid), (Slophyllin Gyrocaps), (Sustaire), (Theo-24), (Theobid Duracap), (Theobid Jr. Duracap), (Theoclear LA Cenules), (Theo-dur Sprinkle), (Theophyl SR), (Theospan-SR), (Theo-Time), (Theovent Long-Acting)

CLASSIFICATION :

Bronchodilatateur – inhibiteur de la phosphodiestérase

Grossesse – catégorie C

INDICATIONS

■ Bronchodilatation en présence d'une obstruction réversible des voies respiratoires attribuable à l'asthme ou à la bronchopneumopathie chronique obstructive (BPCO). **Usages non approuvés :** ■ Stimulant respiratoire et myocardique en cas d'apnée de la première enfance.

ACTION

■ Inhibition de la phosphodiestérase entraînant une élévation des concentrations d'adénosine monophosphate cyclique (AMPc) dans les tissus ■ Augmentation des concentrations d'AMPc entraînant : ☐ la bronchodilatation ☐ la stimulation du SNC et du cœur ☐ la diurèse ☐ la sécrétion d'acide gastrique. **Effets thérapeutiques :** ■ Bronchodilatation.

PHARMACOCINÉTIQUE

Absorption : Bonne absorption par suite de l'administration des préparations PO.

T

L'absorption des préparations à libération prolongée est lente mais complète.

Distribution: Le médicament se répartit dans tout l'organisme. Il traverse le placenta et on le trouve dans le lait maternel à des concentrations correspondant à 70 % des concentrations plasmatiques.

Métabolisme et excrétion: La théophylline est surtout métabolisée par le foie et transformée en caféine qui, chez les nouveau-nés, peut s'accumuler dans les tissus. Les métabolites sont excrétés par les reins.

Demi-vie: De 3 à 13 h; prolongée chez les personnes âgées (de plus de 60 ans), les nouveau-nés et les patients souffrant d'insuffisance cardiaque ou de maladie hépatique; écourtée chez les fumeurs et les enfants.

CONTRE-INDICATIONS ET PRÉCAUTIONS

Contre-indications: ■ Arythmies réfractaires ■ Hyperthyroïdie.

Précautions: ■ Patients âgés de plus de 60 ans (réduire la dose) ■ Insuffisance cardiaque, cœur pulmonaire ou maladie hépatique (réduire la dose) ■ Fumeurs (il peut s'avérer nécessaire d'administrer des doses plus élevées) ■ Grossesse (précédents d'administration sans danger) ■ Enfants de moins de 12 ans (éviter l'administration des préparations à libération prolongée) ou de moins de 9 ans (Quibron-T/SR) ou de moins de 6 ans (Theo-Dur).

RÉACTIONS INDÉSIRABLES ET EFFETS SECONDAIRES

SNC: nervosité, anxiété, céphalées, insomnie, CONVULSIONS.

CV: tachycardie, palpitations, arythmies, angine de poitrine.

GI: nausées, vomissements, anorexie, crampes.

SN: tremblements.

INTERACTIONS

Médicament – médicament: ■ Effets secondaires additifs sur l'appareil cardiovasculaire et sur le SNC lors de l'administration simultanée d'**adrénergiques (sympathomimétiques)** ■ La théophylline peut diminuer l'effet thérapeutique du **lithium** ■ Le **tabagisme** ainsi que le **phénobarbital,** la **rifampine,** la **phénytoïne** et le **kétoconazole,** administrés simultanément, peuvent accélérer le métabolisme de la théophylline et en diminuer l'efficacité ■ L'**érythromycine,** les **bêtabloquants,** le **vaccin antigrippal,** la **cimétidine,** les **contraceptifs oraux,** les **glucocorticoïdes,** le **disulfirame,** l'**interféron,** la **mexilétine,** les **fluoroquinolones,** le **thiabendazole** et les doses élevées d'**allopurinol,** administrés simultanément, diminuent le métabolisme de la théophylline et peuvent provoquer une toxicité ■ Risque accru d'arythmies lors de l'administration simultanée d'**halothane** ■ L'**isoniazide,** la **carbamazépine** ou les **diurétiques de l'anse,** administrés simultanément, peuvent augmenter ou diminuer les concentrations de théophylline. **Médicament – aliments:** ■ La consommation excessive d'aliments ou de boissons contenant des **xanthines (caféine)** peut mener à des réactions indésirables additives. La consommation excessive de **viande de bœuf grillée sur le charbon de bois** peut diminuer l'efficacité de la théophylline.

VOIES D'ADMINISTRATION ET POSOLOGIE

Remarque: Pour déterminer la posologie, suivre de près les concentrations plasmatiques de théophylline.

Bronchodilatation

■ **PO (adultes):** initialement, de 5 à 6 mg/kg, puis 3 mg/kg, toutes les 8 h, chez les patients par ailleurs en bonne santé, 2 mg/kg, toutes les 8 h, chez les patients plus âgés ou chez ceux souffrant de cœur pulmonaire, 4 mg/kg, toutes les 8 h, chez les jeunes adultes fumeurs. La posologie habituelle se situe entre 400 et 900 mg par jour; la dose quotidienne totale peut être fractionnée et administrée, dans le cas de la préparation à libération prolongée, toutes les 12 à 24 h.

- **PO (enfants de 12 à 16 ans) :** initialement, de 5 à 6 mg/kg, puis de 12 à 18 mg/kg par jour, en doses fractionnées, toutes les 6 h (toutes les 8 à 12 h dans le cas de la préparation à libération prolongée).

- **PO (enfants de 9 à 12 ans) :** initialement, de 5 à 6 mg/kg, puis de 16 à 20 mg/kg par jour, en doses fractionnées, toutes les 6 h (toutes les 8 à 12 h dans le cas de la préparation à libération prolongée).

- **PO (enfants de 1 à 9 ans) :** initialement, de 5 à 6 mg/kg, puis de 20 à 24 mg/kg par jour, en doses fractionnées, toutes les 6 h.

- **PO (enfants de 6 mois à 1 an) (É.-U.) :** initialement, de 5 à 6 mg/kg. Administrer ensuite en traitement d'entretien, toutes les 6 h, une dose en mg/kg = (0,05) (âge en semaines) + 1,25.

- **PO (enfants < 6 mois) (É.-U.) :** initialement, de 5 à 6 mg/kg. Administrer ensuite en traitement d'entretien, toutes les 8 h, une dose en mg/kg = (0,07) (âge en semaines) + 1,7.

- **IV (adultes) :** dose d'attaque de 5 mg/kg en 20 à 30 min, puis en perfusion continue de 0,08 à 0,63 mg/kg à l'heure.

- **IV (enfants de 9 à 16 ans) :** dose d'attaque de 5 mg/kg, puis en perfusion continue 0,63 mg/kg à l'heure.

- **IV (enfants de 6 mois à 9 ans) :** dose d'attaque de 5 mg/kg, puis en perfusion continue 0,8 mg/kg à l'heure.

- **IV (enfants < 1 an) (É.-U.) :** dose d'attaque de 5 mg/kg, puis en perfusion continue une dose en mg/kg à l'heure = (0,008) (âge en semaines) + 0,21.

Stimulant respiratoire

- **IV (nouveau-nés) (É.-U.) :** initialement, 5 mg/kg, puis 1 mg/kg toutes les 8 à 12 h.

PHARMACODYNAMIE (bronchodilatation)

	DÉBUT D'ACTION*	PIC	DURÉE
PO	rapide	1 – 2 h	6 h
PO (libération prolongée)	retardé	4 – 8 h	8 – 24 h
IV	rapide	fin de la perfusion	6 – 8 h

* Si une dose d'attaque a été administrée.

SOINS INFIRMIERS

ÉVALUATION DE LA SITUATION

☐ Mesurer la pression artérielle et le pouls ; examiner la fonction respiratoire (fréquence des respirations, murmure vésiculaire, utilisation des muscles accessoires) avant le traitement et pendant toute sa durée. S'assurer que l'oxygénothérapie a été correctement amorcée.

☐ Effectuer le bilan des ingesta et des excreta pour déceler une augmentation de la diurèse ou une surcharge liquidienne attribuables au volume de médicament administré.

☐ Chez les patients ayant des antécédents de troubles cardiovasculaires, suivre de près les modifications de l'ÉCG.

- **Étude des examens diagnostiques et biochimiques :** Noter les concentrations des gaz du sang artériel et les concentrations sériques d'électrolytes avant le traitement et à intervalles réguliers pendant toute sa durée.

- **Toxicité et surdosage :** Suivre les concentrations de médicaments à intervalles réguliers. Noter les concentrations de pointe de 1 à 2 h après l'administration des préparations à libération immédiate et de 4 à 12 h après l'administration des préparations à libération prolongée. Les concentrations plasmatiques thérapeutiques se situent entre 55 et 110 μmol/L. Des concentrations supérieures à

110 µmol/L indiquent une toxicité. La consommation de caféine peut entraîner une fausse élévation des concentrations de théophylline.

☐ Suivre de près les symptômes suivants de toxicité médicamenteuse: anorexie, nausées, vomissements, agitation, insomnie, tachycardie, arythmies, convulsions. En informer le médecin sans délai.

DIAGNOSTICS INFIRMIERS POSSIBLES

■ **Énoncés diagnostiques**

☐ Dégagement inefficace des voies respiratoires.

☐ Intolérance à l'activité.

☐ Prise en charge inefficace du programme thérapeutique.

☐ *Risque élevé d'accident.*

☐ *Risque élevé d'exacerbation des effets secondaires.*

■ **Facteurs favorisants**

☐ Informations incomplètes.

☐ *Mode de respiration inefficace.*

☐ *Manque de connaissances sur les modalités du traitement.*

☐ *Manque de connaissances sur la méthode d'administration du médicament.*

☐ *Administration trop rapide du médicament par voie IV.*

☐ *Manque de connaissances sur le régime alimentaire à suivre.*

☐ *Difficulté à s'adapter aux changements nécessaires dans les habitudes de vie.*

INTERVENTIONS INFIRMIÈRES

■ **Directives générales:** Administrer la théophylline à intervalles réguliers, 24 h sur 24.

☐ Ne pas réfrigérer les élixirs ou les solutions, car des cristaux peuvent se former. Ces derniers devraient se dissoudre lorsque le liquide est réchauffé à la température ambiante.

☐ Attendre au moins 4 h après l'arrêt du traitement IV avant d'administrer la préparation orale à action immédiate.

Administrer la 1re dose de la préparation PO à libération prolongée au moment où l'on arrête le traitement IV.

■ **PO:** Administrer la théophylline avec des aliments ou un grand verre d'eau pour réduire l'irritation gastrointestinale. Les aliments ralentissent mais ne réduisent pas l'absorption du médicament. Utiliser un récipient gradué pour mesurer les préparations liquides.

☐ Ne pas broyer les comprimés ou les capsules à action prolongée.

■ **Perfusion continue:** La théophylline destinée à l'administration IV, combinée à une solution de dextrose à 5 %, est conditionnée en un emballage imperméable. Sortir le sac de l'emballage juste avant l'administration et vérifier s'il n'y a pas de fuites. Jeter toute solution qui n'est pas transparente.

☐ *Dose d'attaque:* Administrer la solution en 20 à 30 min. Si le patient a reçu une autre forme de théophylline avant la dose d'attaque, il faut mesurer les concentrations sériques de médicament et réduire proportionnellement la dose d'attaque. En situation d'urgence, lorsqu'il est impossible d'obtenir la concentration sérique de théophylline, on peut administrer la moitié de la dose d'attaque habituelle si aucun symptôme de toxicité par la théophylline n'est présent.

☐ *Vitesse d'administration:* Ne pas dépasser un débit de 25 mg à la minute. L'administration rapide peut entraîner l'hypotension, l'arythmie, la syncope et la mort. Utiliser une pompe de perfusion afin d'assurer l'administration de la dose exacte. Suivre continuellement l'ÉCG en raison des risques de tachyarythmie.

■ **Compatibilités (tubulure en Y):** Acyclovir ou famotidine.

■ **Incompatibilité (tubulure en Y):** Hetastarch.

- **Compatibilités en addition au soluté :** Méthylprednisolone ou vérapamil.
- **Incompatibilités en addition au soluté :** Acide ascorbique, chlorpromazine, codéine, corticotropine, dimenhydrinate, épinéphrine, gluceptate d'érythromycine, hydralazine, insuline, lévorphanol, mépéridine, méthicilline, morphine, norépinéphrine, oxytétracycline, papavérine, pénicilline G, pentazocine, phénobarbital, phénytoïne, prochlorpérazine, promazine, prométhazine, tétracycline ou vancomycine.

ENSEIGNEMENT AU PATIENT ET À SES PROCHES

☐ Expliquer au patient qu'il est important de ne prendre que la dose qui lui a été prescrite, aux heures prescrites. S'il n'a pu prendre le médicament au moment habituel, il doit le prendre dès que possible à moins que ce ne soit presque l'heure prévue pour la dose suivante.

☐ Inciter le patient à boire suffisamment de liquides (2 L par jour au minimum) pour diminuer la viscosité des sécrétions des voies respiratoires.

☐ Conseiller au patient de consulter le médecin ou le pharmacien avant de prendre un médicament en vente libre pour traiter la toux, le rhume ou les difficultés respiratoires en même temps que la théophylline. Ces médicaments peuvent intensifier les effets secondaires de la théophylline et déclencher des arythmies.

☐ Recommander au patient de réduire la consommation d'aliments ou de boissons à base de xanthines (cola, café, chocolat) et de ne pas manger tous les jours des aliments grillés sur du charbon de bois.

☐ Recommander au patient de ne pas changer de marque ou de forme de préparation sans consulter le médecin.

☐ Inciter le patient à cesser de fumer. Lui recommander d'informer le médecin si l'usage qu'il fait du tabac change, car, dans un tel cas, il faudrait éventuellement modifier la posologie de théophylline.

☐ Recommander au patient de prévenir immédiatement le médecin si la dose habituelle de médicament ne produit pas les résultats escomptés, si les symptômes s'aggravent après le traitement ou si des effets toxiques se manifestent.

☐ Expliquer au patient qu'il est important d'effectuer un dosage des concentrations sériques à intervalles de 6 à 12 mois.

VÉRIFICATION DES RÉSULTATS

L'efficacité du traitement peut être démontrée par : ■ une respiration plus facile ☐ le dégagement des champs pulmonaires vérifiable par auscultation ■ un mode de respiration efficace en cas d'apnée de la première enfance.

THIAMINE

Betaxin, Bewon, vitamine B$_1$, (Betalin S), (Biamine)

CLASSIFICATION :
Vitamine hydrosoluble

Grossesse – catégorie A

INDICATIONS

■ Traitement de la carence en thiamine (béribéri) ■ Prévention de l'encéphalopathie de Wernicke ■ Supplément diététique en cas de maladie gastro-intestinale, d'alcoolisme ou de cirrhose.

ACTION

■ Élément essentiel au métabolisme des glucides. **Effets thérapeutiques :** ■ Supplément diététique en cas de carence.

PHARMACOCINÉTIQUE

Absorption : Bonne absorption depuis le tractus gastro-intestinal par un processus

T

actif. Les quantités excessives ne sont pas complètement absorbées. L'agent est également bien absorbé depuis les points d'injection IM.

Distribution: La thiamine se répartit dans tout l'organisme. Elle pénètre dans le lait maternel.

Métabolisme et excrétion: La thiamine est métabolisée par le foie. Les quantités excessives sont excrétées à l'état inchangé par les reins.

Demi-vie: Inconnue.

CONTRE-INDICATIONS ET PRÉCAUTIONS

Contre-indication: Hypersensibilité.

Précautions: Prévention de l'encéphalopathie de Wernicke (l'état du patient peut s'aggraver si on ne lui administre pas du glucose avant la thiamine).

RÉACTIONS INDÉSIRABLES ET EFFETS SECONDAIRES

Remarque: Les réactions indésirables et effets secondaires sont extrêmement rares et surviennent habituellement par suite de l'administration IV ou de l'administration de doses très élevées.

SNC: faiblesse, agitation.

ORLO: sensation de constriction du pharynx.

CV: hypotension, COLLAPSUS VASCULAIRE, vasodilatation.

Resp.: détresse respiratoire, œdème pulmonaire.

GI: nausées, hémorragie digestive.

Tég.: sensation de chaleur, picotements, prurit, urticaire, transpiration, cyanose.

Divers: angio-œdème.

INTERACTIONS

Médicament – médicament: La thiamine peut intensifier les effets des **bloqueurs neuromusculaires**.

PRÉSENTATION

La thiamine existe sous forme de comprimés, d'élixir ou de préparations par voie parentérale.

VOIES D'ADMINISTRATION ET POSOLOGIE

Carence en thiamine (béribéri)

- **PO (adultes):** de 5 à 30 mg par jour, en une seule dose ou en 3 doses fractionnées.
- **PO (enfants) (É.-U.):** de 10 à 50 mg par jour, en doses fractionnées.
- **IM et IV (adultes):** de 5 à 100 mg, 3 fois par jour.
- **IM et IV (enfants):** de 10 à 25 mg par jour.

Supplément diététique

- **PO (adultes):** 1 ou 2 mg par jour.
- **PO (enfants < 6 ans):** 0,75 mg par jour.
- **PO (nourrissons) (É.-U.):** de 0,3 à 0,5 mg par jour.

PHARMACODYNAMIE (temps de résolution des symptômes de carence – œdème et insuffisance cardiaque ; la confusion et la psychose répondent plus lentement au traitement)

	DÉBUT D'ACTION	PIC	DURÉE
PO	quelques heures	quelques jours	plusieurs jours – semaines
IM	quelques heures	quelques jours	plusieurs jours – semaines
IV	quelques heures	quelques jours	plusieurs jours – semaines

SOINS INFIRMIERS

ÉVALUATION DE LA SITUATION

☐ Surveiller les signes et les symptômes suivants de carence en thiamine : anorexie, détresse gastro-intestinale, irritabilité, palpitations, tachycardie, œdème, paresthésie, faiblesse et douleurs musculaires, dépression, perte de mémoire, confusion, psychose, troubles visuels, concentrations sériques élevées d'acide pyruvique.

☐ Évaluer l'état nutritionnel du patient (alimentation, poids) avant le traitement et pendant toute sa durée.

□ Suivre de près le patient recevant de la thiamine par voie IV pour déceler tout signe d'anaphylaxie (respiration sifflante, urticaire, œdème).

■ **Étude des examens diagnostiques et biochimiques:** La thiamine peut fausser les résultats de certains tests permettant de mesurer les concentrations sériques de théophylline, d'acide urique et d'urobilinogène.

DIAGNOSTICS INFIRMIERS POSSIBLES

■ **Énoncés diagnostiques**
□ Déficit nutritionnel.
□ Prise en charge inefficace du programme thérapeutique.
□ *Risque élevé d'accident.*
□ *Risque élevé d'anxiété.*

■ **Facteurs favorisants**
□ Informations incomplètes.
□ *Manque de connaissances sur les effets hypotensifs du médicament lors des changements brusques de position.*
□ *Manque de connaissances sur le régime alimentaire à suivre.*
□ *Douleur au point d'injection.*

INTERVENTIONS INFIRMIÈRES

■ **Directives générales:** On administre habituellement la thiamine en association avec d'autres vitamines, car il est rare que le patient ne présente que ce seul type d'avitaminose.

■ **IM et IV:** L'administration parentérale est réservée aux patients chez lesquels l'administration PO est impossible.

■ **IM:** L'administration de la préparation peut entraîner la sensibilité et l'induration au point d'injection. L'application de compresses froides peut diminuer la douleur.

■ **IV:** Des réactions d'hypersensibilité et des décès se sont produits par suite de l'administration IV. Il est recommandé d'administrer une dose d'épreuve intradermique aux patients chez lesquels on soupçonne une hypersensibilité. Surveiller l'apparition d'érythème et d'induration au point d'injection.

■ **IV directe:** Administrer la préparation sans la diluer, à raison de 100 mg en au moins 5 min.

■ **Perfusion continue:** On peut diluer la thiamine dans une préparation associant une solution de dextrose et de solution de Ringer ou de lactate Ringer ou une solution de dextrose et de soluté salin; dans une solution de dextrose à 5 ou à 10 % dans l'eau; dans une solution de Ringer ou du lactate Ringer pour injection ou dans une solution de NaCl à 0,9 ou à 0,45 %. La thiamine est habituellement administrée avec d'autres vitamines.

■ **Incompatibilités en addition au soluté:** Barbituriques, érythromycine, kanamycine, streptomycine ou solutions dont le pH est neutre ou alcalin, telles que les carbonates, les bicarbonates, les citrates et les acétates.

ENSEIGNEMENT AU PATIENT ET À SES PROCHES

□ Conseiller au patient de respecter scrupuleusement les recommandations diététiques du médecin. Lui expliquer que la meilleure source de vitamines est une alimentation équilibrée contenant des aliments provenant des quatre principaux groupes.

□ Expliquer au patient que les aliments riches en thiamine comprennent les céréales (céréales de grain entier ou enrichies), les viandes (particulièrement, le porc) et les légumes frais; la perte de thiamine durant la cuisson varie.

□ Recommander au patient qui pratique l'automédication par des suppléments vitaminiques de ne pas dépasser les taux quotidiens recommandés (voir l'annexe L). L'efficacité des mégadoses dans le traitement de diverses affections n'a pas été prouvée et elles peuvent entraîner des effets secondaires.

VÉRIFICATION DES RÉSULTATS

L'efficacité du traitement peut être démontrée par : ■ la prévention ou la diminution des signes et des symptômes de carence en vitamine B₁ □ la diminution des symptômes de névrite, des signes oculaires, de l'ataxie, de l'œdème et de l'insuffisance cardiaque, notable dans les quelques heures qui suivent l'administration de la thiamine (la disparition des symptômes se produit après quelques jours) □ la disparition de la confusion et de la psychose (parfois ces symptômes sont plus longs à disparaître et peuvent même persister en cas de lésion nerveuse).

THIÉTHYLPÉRAZINE
Torecan

CLASSIFICATION :
Antiémétique – phénothiazine ; traitement des vertiges – phénothiazine

Grossesse – catégorie inconnue

INDICATIONS

Soulagement des vertiges, des nausées et des vomissements.

ACTION

■ Modification des effets de la dopamine dans le SNC ■ Dépression de la zone réflexogène des chimiorécepteurs et du centre du vomissement dans le SNC. **Effets thérapeutiques :** ■ Diminution des vertiges, des nausées et des vomissements.

PHARMACOCINÉTIQUE

Absorption : Bonne absorption par suite de l'administration PO.

Distribution : L'agent se répartit dans tout l'organisme et on le retrouve en fortes concentrations dans le SNC. Il traverse le placenta et pénètre probablement dans le lait maternel.

Métabolisme et excrétion : Le médicament est fortement métabolisé par le foie et la muqueuse gastro-intestinale.

Demi-vie : Inconnue.

CONTRE-INDICATIONS ET PRÉCAUTIONS

Contre-indications : ■ Hypersensibilité ■ Hypersensibilité à l'aspirine ou à la tartrazine ■ Risque de réactions de sensibilité croisée avec d'autres phénothiazines ■ Glaucome à angle étroit ■ Aplasie médullaire ■ Maladie hépatique ou cardiovasculaire graves ■ Grossesse ■ Enfants de moins de 12 ans.

Précautions : ■ Personnes âgées ou patients débilités (il est recommandé de réduire la dose) ■ Allaitement (l'innocuité du médicament n'a pas été établie) ■ Diabète sucré ■ Maladie respiratoire ■ Hypertrophie de la prostate ■ Tumeur du SNC ■ Épilepsie ■ Occlusion intestinale.

RÉACTIONS INDÉSIRABLES ET EFFETS SECONDAIRES

SNC : sédation, réactions extrapyramidales, dyskinésie tardive, agitation, céphalées, spasme vasculaire cérébral, SYNDROME MALIN DES NEUROLEPTIQUES.

ORLO : sécheresse des yeux (alacrymie), vision trouble, opacité du cristallin, acouphènes.

CV : œdème périphérique.

Tég. : rash, photosensibilité, modifications de la pigmentation.

End. : galactorrhée.

GI : constipation, sécheresse de la bouche (xérostomie), occlusion intestinale, anorexie, hépatite, altération du goût.

GU : rétention urinaire.

Hémat. : AGRANULOCYTOSE, leucopénie.

Métab. : hyperthermie.

SN : névralgie du trijumeau.

Divers : réactions allergiques.

INTERACTIONS

Médicament – médicament: ■ Effet hypotensif additif lors de l'administration simultanée d'**antihypertenseurs** ou de **dérivés nitrés** ou de l'ingestion d'**alcool** ■ Effets additifs sur la dépression du SNC lors de l'usage concomitant d'autres **dépresseurs du SNC**, incluant l'**alcool**, les **antihistaminiques**, les **analgésiques narcotiques**, les **hypnosédatifs** ou les **anesthésiques généraux** ■ Effets anticholinergiques additifs lors de l'administration simultanée d'autres **médicaments doués de propriétés anticholinergiques** dont les **antihistaminiques**, les **antidépresseurs**, l'**atropine**, le **disopyramide**, l'**halopéridol** et les autres **phénothiazines** ■ La thiéthylpérazine peut diminuer les effets bénéfiques de la **lévodopa** ■ La thiéthylpérazine peut bloquer les effets alpha-adrénergiques de l'**épinéphrine** entraînant une hypotension et une tachycardie graves.

PRÉSENTATION

Le médicament existe sous forme de comprimés seulement.

VOIES D'ADMINISTRATION ET POSOLOGIE

PO (adultes): 10 mg, de 1 à 3 fois par jour.

PHARMACODYNAMIE
(effet antiémétique)

	DÉBUT D'ACTION	PIC	DURÉE
PO	30 min	inconnu	4 h

SOINS INFIRMIERS

ÉVALUATION DE LA SITUATION

■ **Directives générales:** Mesurer la pression artérielle (en position assise, debout et couchée), le pouls et le nombre de respirations avant le traitement et à intervalles fréquents pendant le traitement initial.

☐ Évaluer le degré de sédation après l'administration du médicament.

☐ Évaluer la diurèse pour déceler la rétention urinaire.

☐ Observer attentivement le patient pour déceler les effets secondaires extrapyramidaux (mouvements d'émiettement, bouche ouverte laissant s'échapper la salive [sialorrhée], tremblements, rigidité, démarche traînante) ou la dyskinésie tardive (mouvements rythmés de la bouche, du visage et des membres). Signaler immédiatement au médecin ces symptômes.

☐ Suivre de près l'apparition du syndrome malin des neuroleptiques se manifestant par de la fièvre, la détresse respiratoire, la tachycardie, des convulsions, la diaphorèse, l'hypertension ou l'hypotension, la pâleur et la fatigue. Signaler immédiatement au médecin ces symptômes.

■ **Antiémétique:** Suivre de près les nausées et les vomissements avant le traitement et de 30 à 60 min après l'administration du médicament.

■ **Traitement des vertiges:** Suivre les vertiges à intervalles réguliers.

■ **Étude des examens diagnostiques et biochimiques:** Noter à intervalles réguliers, pendant toute la durée du traitement prolongé, la numération globulaire et les résultats des tests de l'exploration fonctionnelle hépatique.

☐ La thiéthylpérazine peut entraîner des résultats faussement positifs ou faussement négatifs aux tests de grossesse.

DIAGNOSTICS INFIRMIERS POSSIBLES

■ **Énoncés diagnostiques**

☐ Risque élevé de déficit de volume liquidien.

☐ Risque élevé d'accident.

☐ Prise en charge inefficace du programme thérapeutique.

☐ *Risque élevé d'atteinte à l'intégrité de la muqueuse buccale.*

☐ *Risque élevé de constipation.*

□ *Risque élevé d'agitation.*
□ *Risque élevé d'atteinte à l'intégrité de la peau.*

■ **Facteurs favorisants**
□ *Informations incomplètes.*
□ *Perturbation de la vigilance.*
□ *Manque de connaissances sur les effets hypotensifs du médicament lors des changements brusques de position.*
□ *Manque de connaissances sur les moyens de prévenir ou de réduire la sécheresse de la bouche.*
□ *Manque de connaissances sur les moyens de stimuler la fonction intestinale.*
□ *Distension vésicale.*
□ *Manque de connaissances sur les effets secondaires du médicament.*
□ *Manque de connaissances sur les modalités du traitement.*
□ *Manque de connaissances sur les moyens de réduire la photosensibilité.*

INTERVENTIONS INFIRMIÈRES
Aucune en particulier.

ENSEIGNEMENT AU PATIENT ET À SES PROCHES
□ Recommander au patient de changer lentement de position afin de réduire les risques d'hypotension orthostatique.
□ Prévenir le patient que la thiéthylpérazine peut provoquer de la somnolence. Lui conseiller de ne pas conduire et d'éviter les activités qui exigent sa vigilance jusqu'à ce qu'on ait la certitude que le médicament n'entraîne pas cet effet chez lui.
□ Recommander au patient d'éviter de boire de l'alcool ou de prendre d'autres dépresseurs du SNC en même temps que la thiéthylpérazine.
□ Prévenir le patient que des symptômes extrapyramidaux et une dyskinésie tardive peuvent se manifester. Lui recommander de signaler immédiatement ces symptômes au médecin.

□ Recommander au patient d'utiliser des écrans solaires et de porter des vêtements protecteurs lors des expositions au soleil, afin de prévenir les réactions de photosensibilité. Lui recommander également d'éviter les températures extrêmes car ce médicament altère la thermorégulation.
□ Conseiller au patient de se rincer fréquemment la bouche, de pratiquer une bonne hygiène orale et de consommer de la gomme ou des bonbons sans sucre pour soulager la sécheresse de la bouche. Lui recommander de consulter le médecin ou le dentiste si la sécheresse de la bouche persiste pendant plus de deux semaines.
□ Recommander au patient d'augmenter sa consommation de fibres alimentaires et de liquides et de faire de l'exercice pour réduire les effets constipants de ce médicament.
□ Informer le patient qu'il doit prévenir sans délai le médecin en cas de maux de gorge, de fièvre, de saignements ou d'ecchymoses inhabituels, de rash, de faiblesse, de tremblements, de troubles de la vue, d'urine de couleur foncée ou de selles couleur de glaise.
□ Insister sur l'importance des examens diagnostiques et biochimiques et des examens ophtalmologiques à intervalles réguliers en cas de traitement prolongé.

VÉRIFICATION DES RÉSULTATS
L'efficacité du traitement peut être démontrée par: le soulagement des vertiges, des nausées et des vomissements.

THIOGUANINE
6-thioguanine, Lanvis

CLASSIFICATION:
Antinéoplasique – antimétabolite

Grossesse – catégorie inconnue

INDICATIONS

■ En association avec une chimiothérapie, pour induire une rémission chez les patients souffrant de leucémie aiguë ■ Précédents de monothérapie ou de traitement d'association avec d'autres agents en cas de leucémie myéloïde chronique.

ACTION

■ L'agent s'incorpore à l'ADN et à l'ARN entravant par la suite leur synthèse (effet spécifique sur la phase S du cycle cellulaire). **Effets thérapeutiques :** ■ Destruction des cellules à réplication rapide, particulièrement des cellules malignes ■ Propriétés immunosuppressives.

PHARMACOCINÉTIQUE

Absorption : Par suite de l'administration PO, l'absorption est variable et incomplète (30 %).

Distribution : La thioguanine ne pénètre probablement pas dans le liquide céphalorachidien, mais elle traverse le placenta.

Métabolisme et excrétion : Fort métabolisme hépatique.

Demi-vie : 11 h.

CONTRE-INDICATIONS ET PRÉCAUTIONS

Contre-indications : ■ Hypersensibilité ■ Grossesse ou allaitement ■ Maladie hépatique grave.

Précautions : ■ Patientes en âge de procréer ■ Infections ■ Réserve médullaire réduite ■ Autres maladies chroniques débilitantes.

RÉACTIONS INDÉSIRABLES ET EFFETS SECONDAIRES

ORLO : perte de la sensibilité vibratoire.

GI : jaunisse, hépatotoxicité, nausées, vomissements, stomatite, diarrhée.

GU : suppression de la fonction des gonades.

Tég. : rash, dermatite.

Hémat. : leucopénie, thrombocytopénie, anémie.

Métab. : hyperuricémie.

SN : démarche instable.

INTERACTIONS

Médicament – médicament : ■ Hypoplasie médullaire additive lors de l'administration concomitante d'autres **antinéoplasiques** ou d'une **radiothérapie** ■ La thioguanine peut diminuer la réponse des anticorps aux **vaccins vivants** et augmenter le risque de réactions indésirables.

VOIES D'ADMINISTRATION ET POSOLOGIE

Remarque : De nombreux autres protocoles sont utilisés.

Induction de la rémission

■ **PO (adultes et enfants) :** 2 mg/kg (de 75 à 100 mg/m^2) par jour, arrondis au multiple de 20 mg le plus rapproché, administrés en une dose unique. Après 4 semaines de traitement, on peut augmenter la dose jusqu'à 3 mg/kg.

Dose d'entretien

■ **PO (adultes et enfants) :** 2 mg/kg (100 mg/m^2) par jour.

PHARMACODYNAMIE (effet sur la numération globulaire)

	DÉBUT D'ACTION	PIC	DURÉE
PO	7 – 10 jours	14 jours	21 jours

SOINS INFIRMIERS

ÉVALUATION DE LA SITUATION

☐ Suivre de près la fièvre, les frissons, les maux de gorge et les signes d'infection. Prévenir le médecin si ces symptômes surviennent.

☐ Évaluer la numération plaquettaire tout au long du traitement. Suivre de près les saignements : saignement des gencives, formation d'ecchymoses, pétéchies, présence de sang occulte dans les selles, l'urine et les vomissements. En cas de thrombocytopénie, éviter les injections IM et la prise de la température PR. Appliquer une pression sur les points de ponction veineuse pendant au moins 10 min.

□ Effectuer le bilan des ingesta et des excreta. Évaluer l'état nutritionnel du patient ainsi que son appétit. On peut maintenir l'équilibre hydro-électrolytique et l'état nutritionnel du patient en lui administrant un antiémétique et en modifiant son régime alimentaire selon les aliments qu'il peut tolérer.

□ L'anémie peut survenir. Suivre de près la fatigue accrue, la dyspnée et l'hypotension orthostatique.

□ Déceler l'apparition des symptômes suivants de goutte : élévation des concentrations d'acide urique, douleurs articulaires et œdème. Inciter le patient à boire au moins 2 L de liquides par jour. Le médecin peut prescrire l'administration d'allopurinol ou l'alcalinisation de l'urine afin de diminuer les concentrations d'acide urique.

■ **Étude des examens diagnostiques et biochimiques :** Noter la numération globulaire et la formule leucocytaire au moins une fois par semaine, mais quotidiennement chez les patients dont le nombre de leucocytes est élevé. L'hypoplasie médullaire survient habituellement en l'espace de 2 à 4 semaines, mais une diminution rapide du nombre de leucocytes peut se produire en l'espace de 1 ou 2 semaines. Signaler au médecin toute chute rapide ou importante de la numération globulaire, car il peut s'avérer nécessaire d'interrompre le traitement jusqu'à ce que les valeurs se stabilisent. Une aspiration médullaire peut s'avérer nécessaire pour déceler l'hypoplasie induite par la thioguanine.

□ Suivre de près l'élévation des concentrations d'acide urique, de créatinine et d'urée.

□ Déceler l'hépatotoxicité, mise en lumière par l'élévation des concentrations de TGOS (AST), de TGPS (ALT), de LDH, de bilirubine sérique et de phosphatase alcaline.

DIAGNOSTICS INFIRMIERS POSSIBLES

■ **Énoncés diagnostiques**

□ Risque élevé d'infection.

□ Risque élevé d'accident.

□ Prise en charge inefficace du programme thérapeutique.

□ *Risque élevé d'atteinte à l'intégrité des tissus.*

□ *Risque élevé de déficit nutritionnel.*

□ *Risque élevé de déséquilibre hydro-électrolytique.*

□ *Risque élevé d'atteinte à l'intégrité de la muqueuse buccale.*

■ **Facteurs favorisants**

□ Informations incomplètes.

□ *Manque de connaissances sur les modalités du traitement.*

□ *Manque de connaissances sur les moyens de prévenir les effets secondaires affectant l'appareil gastro-intestinal.*

□ *Fatigue et faiblesse.*

□ *Manque de connaissances sur les moyens de prévenir ou de réduire la sécheresse de la bouche.*

□ *Manque de connaissances sur la méthode d'administration du médicament.*

INTERVENTIONS INFIRMIÈRES

■ **PO :** Administrer la dose quotidienne au coucher. On peut également administrer le médicament en deux doses, à intervalles de 12 h.

□ En cas de difficultés de déglutition des comprimés, demander au pharmacien s'il peut préparer un sirop.

ENSEIGNEMENT AU PATIENT ET À SES PROCHES

□ Conseiller au patient de suivre scrupuleusement la posologie recommandée, même s'il est affecté par les nausées et les vomissements. S'il vomit peu après avoir pris la dose, lui recommander de consulter le médecin. Lui recommander de prendre les associations de médicaments au moment prescrit. S'il n'a pu prendre le médicament au moment habituel, il ne doit pas le prendre du tout.

▫ Recommander au patient de signaler au médecin la diminution du débit urinaire, l'enflure des membres inférieurs, le jaunissement de la peau, les nausées, les vomissements, la diarrhée grave, les aphtes buccales, la fièvre, les frissons, les maux de gorge, les signes d'infection, le saignement des gencives, la formation d'ecchymoses, les pétéchies ou la présence de sang dans l'urine, les selles ou les vomissements.

▫ Inciter le patient à éviter les foules et les personnes contagieuses. Lui recommander d'utiliser une brosse à dents à poils doux et un rasoir électrique. Le mettre en garde contre la consommation d'alcool et de préparations à base d'aspirine.

▫ Prévenir la patiente que la thioguanine peut entraîner la suppression de la fonction des gonades. Lui conseiller toutefois de prendre des mesures de contraception. Lui recommander d'informer le médecin sans délai si elle pense être enceinte.

▫ Recommander au patient d'examiner sa muqueuse buccale à la recherche de rougeurs et d'aphtes. En présence d'aphtes, lui recommander de remplacer la brosse à dents par une brosse-éponge et de se rincer la bouche avec de l'eau après avoir bu ou mangé. Le médecin peut recommander des gargarismes avec de la lidocaïne visqueuse si la douleur empêche le patient de s'alimenter.

▫ Prévenir le patient qu'il ne doit pas se faire vacciner sans recommandation expresse du médecin.

▫ Insister sur l'importance des examens de suivi et des examens diagnostiques et biochimiques fréquents.

VÉRIFICATION DES RÉSULTATS

L'efficacité du traitement peut être démontrée par : l'induction de la rémission chez les patients souffrant de leucémie.

THIOPENTAL
Pentothal

CLASSIFICATION :
Anesthésique – barbiturique ;
anticonvulsivant – barbiturique

Drogue contrôlée

Grossesse – catégorie C

INDICATIONS

■ Induction d'un état d'inconscience dans le cadre d'une anesthésie équilibrée, en association avec des myorelaxants ou des analgésiques, durant les interventions chirurgicales de courte durée ■ Administration comme seul agent anesthésique, lors des interventions de courte durée ■ Complément à l'anesthésie locale ■ Traitement des convulsions chez les patients présentant une pression intracrânienne accrue ■ Médicament faisant partie de la narcoanalyse ou de la narcosynthèse chez les patients psychiatriques ■ Traitement d'une pression intracrânienne accrue.

ACTION

■ Dépression du SNC à tous les niveaux : ▫ dépression de la zone sensorielle du cortex ▫ diminution de l'activité motrice ▫ modification de la fonction cérébelleuse ▫ inhibition de la transmission dans le système nerveux ■ Élévation du seuil de convulsions. **Effets thérapeutiques :** ■ Induction du sommeil et de l'anesthésie sans analgésie (courte durée) ■ Diminution de l'activité convulsivante ■ Diminution de la pression intracrânienne.

PHARMACOCINÉTIQUE

Absorption: Le thiopental est réservé à l'administration par voie IV; dans ce cas, sa biodisponibilité est totale.

Distribution: Le thiopental est distribué rapidement dans le SNC, ensuite dans les viscères (foie, reins, cœur), puis dans les muscles et, enfin, dans les tissus adipeux. Il traverse facilement le placenta et on en retrouve de petites quantités dans le lait maternel.

Métabolisme et excrétion: Le thiopental est surtout métabolisé par le foie. De petites quantités sont transformées en pentobarbital.

Demi-vie: 12 h (prolongée chez les patients obèses et chez les femmes enceintes, au terme de la grossesse).

CONTRE-INDICATIONS ET PRÉCAUTIONS

Contre-indications: ■ Hypersensibilité ■ Porphyrie ■ État de mal asthmatique.

Précautions: ■ Maladie cardiovasculaire, choc ou hypotension graves ■ Myxœdème ■ Maladie d'Addison ■ Maladie hépatique ■ Maladie rénale ■ Myasthénie grave ■ Grossesse ou allaitement (l'innocuité du médicament n'a pas été établie) ■ Patients d'âge moyen, personnes âgées ou patients débilités (une réduction de la dose peut s'avérer nécessaire) ■ Usage répété (risque de tolérance aux effets du médicament) ■ Administration répétée, doses élevées ou perfusions prolongées sur une période de 24 h (risque accru de somnolence, de dépression respiratoire ou de dépression circulatoire excessives – réduire la dose).

RÉACTIONS INDÉSIRABLES ET EFFETS SECONDAIRES

SNC: délire lors de l'émergence de l'anesthésie, céphalées, somnolence prolongée.
ORLO: salivation.
Resp.: dépression respiratoire, APNÉE, laryngospasme, bronchospasme, hoquets, éternuements, toux.

CV: hypotension, dépression du myocarde, arythmies.
GI: nausées, vomissements.
Tég.: érythème, prurit, urticaire, rash.
Locaux: douleur, phlébite au point d'injection IV.
Loc.: hyperactivité des muscles squelettiques.
Divers: réactions allergiques, incluant l'ANAPHYLAXIE, frissons.

INTERACTIONS

Médicament – médicament: ■ Effets dépressifs additifs sur le SNC lors de l'usage simultané d'autres **dépresseurs du SNC** dont l'**alcool**, les **antihistaminiques**, les **antidépresseurs**, les **analgésiques narcotiques** et les **hypnosédatifs** ■ Risque accru d'hypotension lors de l'administration simultanée d'**antihypertenseurs**, de **diurétiques** ou de **kétamine**.

VOIES D'ADMINISTRATION ET POSOLOGIE

Remarque: Il faut adapter soigneusement la posologie selon la réponse du patient.

Dose d'épreuve
■ **IV (adultes):** de 25 à 75 mg.

Anesthésie
■ **IV (adultes):** initialement de 50 à 75 mg, puis de 25 à 50 mg selon les besoins, ou de 3 à 4 mg/kg en une seule dose.
■ **IV (enfants) (É.-U.):** initialement, de 3 à 5 mg/kg, puis 1 mg/kg, selon les besoins.

Anticonvulsivant
■ **IV (adultes):** de 75 à 125 mg (une dose allant jusqu'à 250 mg peut s'avérer nécessaire).

Narcoanalyse
■ **IV (adultes):** 100 mg/min jusqu'à ce que la confusion se manifeste.

Pression intracrânienne accrue
■ **IV (adultes):** de 1,5 à 3,5 mg/kg, selon les besoins.

PHARMACODYNAMIE
(effets anesthésiques)

	DÉBUT D'ACTION	PIC	DURÉE
IV	30 – 60 sec	inconnu	10 – 30 min

✳ SOINS INFIRMIERS

ÉVALUATION DE LA SITUATION

■ **Directives générales:** Suivre continuellement la fonction respiratoire, la fréquence cardiaque, la pression artérielle et l'ÉCG tout au long du traitement par le thiopental. Observer le patient immédiatement après l'injection IV pour déceler l'apnée, particulièrement si une prémédication par un narcotique a été administrée.

□ Observer de près le point d'injection IV. L'extravasation peut provoquer des douleurs, l'enflure, l'ulcération et la nécrose. L'injection intra-artérielle peut provoquer l'artérite, un vasospasme, l'œdème, une thrombose ou la gangrène des membres.

■ **Pression intracrânienne accrue:** Noter le degré de conscience et la pression intracrânienne avant l'administration du thiopental et pendant tout le traitement.

■ **Toxicité et surdosage:** Surveiller les signes de surdosage pouvant se manifester après une injection trop rapide (chute de la pression artérielle, éventuellement jusqu'à des valeurs entraînant un état de choc), l'injection de doses excessives ou des injections répétées (détresse respiratoire, laryngospasme, apnée).

DIAGNOSTICS INFIRMIERS POSSIBLES

■ **Énoncés diagnostiques**
□ Dégagement inefficace des voies respiratoires.
□ Risque élevé d'accident.
□ *Risque élevé de perturbation des échanges gazeux.*
□ *Risque élevé d'anxiété.*

□ *Risque élevé de douleur au point d'injection IV.*
□ *Risque élevé d'exacerbation des effets secondaires.*

■ **Facteurs favorisants**
□ *Manque de connaissances sur les modalités du traitement.*
□ *Mode de respiration inefficace.*
□ *Mode de communication altérée par l'intubation endotrachéale.*
□ *Inflammation locale du tissu vasculaire ou infiltration du médicament dans les tissus avoisinants.*
□ *Administration trop rapide du médicament par voie IV.*

INTERVENTIONS INFIRMIÈRES

■ **Directives générales:** Le thiopental ne devrait être administré que par des professionnels ayant une longue expérience de l'anesthésie et de l'intubation endotrachéale. Garder à portée de la main le matériel nécessaire à cette intervention.

□ Administrer une prémédication par des anticholinergiques (atropine, glycopyrrolate) pour diminuer les sécrétions de mucus. On peut administrer des narcotiques avant l'intervention, car le thiopental n'exerce pas d'effet analgésique. Il faut administrer les médicaments prescrits avant l'intervention chirurgicale de façon à ce que leurs effets maximaux se manifestent peu avant l'induction de l'anesthésie. Administrer les relaxants musculaires séparément.

□ L'usage concomitant de protoxyde d'azote à 67 % diminue les besoins en thiopental de deux tiers.

■ **IV:** Diluer le thiopental dans de l'eau stérile pour injection, dans une solution de dextrose à 5 % dans de l'eau ou de NaCl à 0,9 %. La solution devrait être fraîchement préparée et administrée dans les 24 h suivant la reconstitution. Conserver la préparation au réfrigérateur dans un flacon hermétiquement fermé. Ne pas administrer de solution contenant un précipité.

- **IV directe:** On peut administrer une dose d'épreuve de 25 à 75 mg (de 1 à 3 mL de solution à 2,5 %) pour déceler la tolérance aux effets du médicament ou une hypersensibilité inhabituelle au thiopental. Observer le patient pendant au moins 60 s.

- □ Lorsque le thiopental est le seul agent anesthésique utilisé, on peut administrer de petites doses répétées pour maintenir le degré désiré d'anesthésie.

- □ *Vitesse d'administration:* Administrer la solution lentement. Une administration rapide peut entraîner le surdosage.

- **Perfusion intermittente:** On utilise une préparation de thiopental à 2 ou à 2,5 %.

- **Perfusion continue:** On a déjà administré des solutions de 0,2 % ou de 0,4 % en perfusion continue pour maintenir l'anesthésie par le thiopental seul. On peut diluer le thiopental dans une solution de dextrose à 5 % dans du NaCl à 0,45 % ou de dextrose à 5 % dans de l'eau, ou encore dans une solution à base de plusieurs électrolytes, une solution de NaCl à 0,45 ou à 0,9 % ou une solution de lactate de sodium $1/_6$ M.

- **Associations compatibles dans la même seringue:** Aminophylline, iodure de sodium, néostigmine, pentobarbital, scopolamine, succinate d'hydrocortisone sodique ou tubocurarine.

- **Associations incompatibles dans la même seringue:** Benzquinamide, bicarbonate de sodium, chlorpromazine, clindamycine, cimétidine, dimenhydrinate, diphenhydramine, doxapram, dropéridol, éphédrine, fentanyl, glycopyrrolate, mépéridine, morphine, pentazocine, prochlorpérazine, pro-

méthazine, propiomazine ou triméthaphan.

- **Compatibilités en addition au soluté:** Bicarbonate de sodium, chloramphénicol, chlorure de potassium, ocytocine, pentobarbital, phénobarbital ou succinate d'hydrocortisone sodique.

- **Incompatibilités en addition au soluté:** Amikacine, camsylate de triméthaphan, céphapirine, chlorpromazine, cimétidine, clindamycine, codéine, dimenhydrinate, diphenhydramine, dropéridol, fentanyl, fibrinolysine, hydromorphone, insuline ordinaire, lévorphanol, mépéridine, métaraminol, méthadone, morphine, norépinéphrine, pénicilline G potassique, prochlorpérazine, promazine, prométhazine, succinylcholine, tétracycline, solution qui associe du dextrose et de la solution de Ringer ou du lactate Ringer; solution qui associe du dextrose à 10 % et du NaCl à 0,9 %, solution de dextrose à 10 % dans de l'eau et solution de Ringer et lactate Ringer pour injection.

ENSEIGNEMENT AU PATIENT ET À SES PROCHES

- □ Expliquer au patient que le thiopental peut entraîner une altération de la fonction psychomotrice pendant les 24 h qui suivent l'administration. Lui conseiller de ne pas conduire et d'éviter les activités qui exigent sa vigilance pendant cette période.

- □ Recommander au patient d'éviter de consommer de l'alcool ou de prendre d'autres dépresseurs du SNC pendant les 24 h qui suivent l'anesthésie, sauf si le médecin ou le dentiste le recommande.

VÉRIFICATION DES RÉSULTATS

L'efficacité du traitement peut être démontrée par: la perte de la conscience et le maintien du degré désiré d'anesthésie.

THIORIDAZINE
Apo-Thioridazine, Mellaril, Novo-Ridazine, PMS-Thioridazine, (Mellaril-S)

CLASSIFICATION:
Antipsychotique – phénothiazine
Grossesse – catégorie inconnue

INDICATIONS
■ Traitement des psychoses aiguës et chroniques ■ Traitement des troubles graves du comportement chez les enfants.

ACTION
■ Modification des effets de la dopamine dans le SNC ■ Blocage anticholinergique et alpha-adrénolytique marqué. **Effets thérapeutiques:** ■ Diminution des signes et des symptômes de psychose.

PHARMACOCINÉTIQUE
Absorption: L'absorption des comprimés est variable; elle pourrait être meilleure par suite de l'administration PO des préparations liquides.
Distribution: L'agent se répartit dans tout l'organisme. On le retrouve à fortes concentrations dans le SNC. Il traverse le placenta et pénètre dans le lait maternel.
Métabolisme et excrétion: Le médicament est fortement métabolisé par le foie et la muqueuse gastro-intestinale.
Demi-vie: Inconnue.

CONTRE-INDICATIONS ET PRÉCAUTIONS
Contre-indications: ■ Hypersensibilité ■ Risque de réactions de sensibilité croisée avec d'autres phénothiazines ■ Glaucome à angle étroit ■ Aplasie médullaire ■ Maladie hépatique ou cardiovasculaire graves.
Précautions: ■ Personnes âgées ou patients débilités ■ Grossesse ou allaitement (l'innocuité du médicament n'a pas été établie) ■ Diabète sucré ■ Maladie respiratoire ■ Hypertrophie de la prostate

■ Tumeurs du SNC ■ Épilepsie ■ Occlusion intestinale.

RÉACTIONS INDÉSIRABLES ET EFFETS SECONDAIRES
SNC: sédation, réactions extrapyramidales, dyskinésie tardive, SYNDROME MALIN DES NEUROLEPTIQUES.
ORLO: sécheresse des yeux (alacrymie), vision trouble, opacité du cristallin.
CV: hypotension, tachycardie.
GI: constipation, sécheresse de la bouche (xérostomie), occlusion intestinale, anorexie, hépatite.
GU: rétention urinaire.
Tég.: rash, photosensibilité, modification de la pigmentation.
End.: galactorrhée.
Hémat.: AGRANULOCYTOSE, leucopénie.
Métab.: hyperthermie.
Divers: réactions allergiques.

INTERACTIONS
Médicament – médicament: ■ Effet hypotensif additif lors de l'administration concomitante d'**antihypertenseurs** et de **dérivés nitrés** ou de la consommation d'**alcool** ■ Effet additif sur la dépression du SNC lors de l'usage concomitant d'autres **dépresseurs du SNC** incluant l'**alcool**, les **antihistaminiques**, les **analgésiques narcotiques**, les **hypnosédatifs** et les **anesthésiques généraux** ■ Effets anticholinergiques additifs lors de l'usage concomitant d'autres **médicaments doués de propriétés anticholinergiques**, dont les **antihistaminiques**, les **antidépresseurs**, l'**atropine**, l'**halopéridol**, les autres **phénothiazines** et le **disopyramide** ■ Le **lithium**, administré simultanément, diminue les concentrations sanguines de thioridazine ■ La thioridazine peut masquer les signes précoces de toxicité par le **lithium** et augmenter le risque de réactions extrapyramidales ■ Risque accru d'agranulocytose lors de l'administration simultanée d'**antithyroïdiens** ■ Risque d'hypotension et de tachycardie graves lors de l'administration simultanée

d'**épinéphrine** ■ La thioridazine peut réduire l'efficacité de la **lévodopa**.

PRÉSENTATION

Le médicament est présenté sous forme de comprimés, de concentré et de suspension.

VOIES D'ADMINISTRATION ET POSOLOGIE

Psychoses

■ **PO (adultes)**: de 50 à 100 mg, 3 fois par jour, jusqu'à concurrence de 800 mg par jour.

Dépressions névrotiques s'accompagnant d'anxiété et de peurs ; anxiété chez les personnes âgées

■ **PO (adultes)**: 25 mg, 3 fois par jour (écart posologique de 30 à 200 mg par jour).

Troubles du comportement chez les enfants

■ **PO (enfants > 2 ans)**: de 0,5 à 3 mg/kg par jour, en 2 ou 3 doses fractionnées (10 mg, 2 ou 3 fois par jour).

PHARMACODYNAMIE (effets antipsychotiques)

	DÉBUT D'ACTION	PIC	DURÉE
PO	inconnu	inconnu	8 – 12 h

☀ SOINS INFIRMIERS

ÉVALUATION DE LA SITUATION

☐ Évaluer l'état de la conscience (orientation, humeur, comportement) et le degré d'anxiété avant le traitement et à intervalles réguliers pendant toute sa durée.

☐ Mesurer le pouls, la fréquence respiratoire et la pression artérielle (en position assise, debout et couchée) avant le traitement et à intervalles fréquents pendant la période d'adaptation de la posologie.

☐ Observer le patient attentivement lorsqu'on lui administre le médicament pour s'assurer qu'il l'a bien avalé.

☐ Noter le degré de sédation après l'administration du médicament.

☐ Effectuer le bilan des ingesta et des excreta et peser le patient tous les jours. Informer le médecin de toute modification importante.

☐ Suivre de près les symptômes extrapyramidaux (mouvements d'émiettement, bouche ouverte laissant s'échapper la salive [sialorrhée], tremblements, rigidité, démarche traînante) et de dyskinésie tardive (mouvements incontrôlés du visage, de la bouche, de la langue ou de la mâchoire et mouvements involontaires des membres). Signaler au médecin sans délai l'apparition de ces symptômes.

☐ Suivre de près les symptômes suivants du syndrome malin des neuroleptiques : fièvre, détresse respiratoire, tachycardie, convulsions, diaphorèse, hypertension ou hypotension, pâleur, fatigue. Signaler au médecin sans délai l'apparition de ces symptômes.

■ **Étude des examens diagnostiques et biochimiques** : Examiner à intervalles réguliers pendant toute la durée du traitement les résultats des tests de l'exploration fonctionnelle hépatique et la numération globulaire. La thioridazine peut entraîner la dyscrasie, particulièrement entre la 4e et la 10e semaine de traitement.

☐ La thioridazine peut entraîner des résultats faussement positifs ou faussement négatifs aux tests de grossesse et des résultats faussement positifs au dosage de la bilirubine urinaire.

☐ La thioridazine peut entraîner l'élévation des concentrations sériques de prolactine contrecarrant ainsi les résultats des tests par la gonadoreline.

☐ La thioridazine peut entraîner des modifications des ondes Q et T sur l'ÉCG.

DIAGNOSTICS INFIRMIERS POSSIBLES

■ Énoncés diagnostiques

- ☐ Stratégies d'adaptation individuelle inefficaces.
- ☐ Perturbation des opérations de la pensée.
- ☐ Prise en charge inefficace du programme thérapeutique.
- ☐ *Risque élevé d'accident.*
- ☐ *Risque élevé d'atteinte à l'intégrité de la muqueuse buccale.*
- ☐ *Risque élevé d'atteinte à l'intégrité de la peau.*
- ☐ *Risque élevé de constipation.*
- ☐ *Risque élevé de surinfection.*

■ Facteurs favorisants

- ☐ Informations incomplètes.
- ☐ *Perturbation de la vigilance.*
- ☐ *Manque de connaissances sur les effets hypotensifs du médicament lors des changements brusques de position.*
- ☐ *Manque de connaissances sur les moyens de prévenir ou de réduire la sécheresse de la bouche.*
- ☐ *Manque de connaissances sur les moyens de réduire la photosensibilité.*
- ☐ *Manque de connaissances sur les moyens de stimuler la fonction intestinale.*
- ☐ *Manque de connaissances sur les modalités du traitement.*

INTERVENTIONS INFIRMIÈRES

- ☐ Lors de l'administration des préparations liquides, éviter de s'en éclabousser les mains en raison des risques de dermatite de contact.
- ☐ Arrêter l'administration des phénothiazines 48 h avant une myélographie par le métrizamide et ne la reprendre que 24 h après cette intervention, car les phénothiazines abaissent le seuil de convulsion.
- ■ **PO:** Administrer la thioridazine avec des aliments, du lait ou un grand verre d'eau afin de réduire l'irritation gastrique.

- ☐ Diluer le concentré juste avant l'administration dans 120 mL d'eau distillée ou d'eau du robinet acidifiée ou encore dans du jus de fruits.

ENSEIGNEMENT AU PATIENT ET À SES PROCHES

- ☐ Conseiller au patient de respecter scrupuleusement la posologie recommandée. L'avertir qu'il ne doit jamais sauter de dose ni remplacer une dose manquée par une double dose. S'il n'a pu prendre le médicament au moment habituel, il doit le prendre dès que possible à moins que ce ne soit presque l'heure prévue pour la dose suivante. S'il doit prendre plus de deux doses par jour, le médicament doit être pris dans l'heure qui suit.
- ☐ Le sevrage brusque peut provoquer une gastrite, des nausées, des vomissements, des étourdissements, des céphalées, la tachycardie et l'insomnie.
- ☐ Prévenir le patient que la thioridazine peut provoquer de la somnolence. Lui conseiller de ne pas conduire et d'éviter les activités qui exigent sa vigilance jusqu'à ce qu'on ait la certitude que le médicament n'entraîne pas cet effet chez lui.
- ☐ Recommander au patient d'utiliser un écran solaire et de porter des vêtements protecteurs lors des expositions au soleil afin de prévenir les réactions de photosensibilité. Lui recommander également d'éviter les températures extrêmes, car ce médicament altère la thermorégulation.
- ☐ Conseiller au patient de se rincer fréquemment la bouche, de pratiquer une bonne hygiène orale et de consommer de la gomme ou des bonbons sans sucre pour soulager la sécheresse de la bouche. Lui conseiller de consulter le médecin ou le dentiste si la sécheresse de la bouche persiste pendant plus de deux semaines.
- ☐ Recommander au patient d'augmenter sa consommation de liquides et de

fibres alimentaires et de faire de l'exercice pour réduire les effets constipants du médicament.
□ Recommander au patient d'éviter de boire de l'alcool et de ne pas prendre d'autres dépresseurs du SNC en même temps que ce médicament.
□ Recommander au patient qui doit suivre un traitement dentaire ou subir une intervention chirurgicale d'avertir le dentiste ou le médecin qu'il suit un traitement médicamenteux.
□ Recommander au patient d'informer rapidement le médecin en cas de maux de gorge, de fièvre, de saignements ou d'ecchymoses inhabituels, de rash, de faiblesse, de tremblements, de troubles visuels, de miction difficile, d'urine foncée ou de selles couleur de glaise.
□ Insister sur l'importance des examens réguliers de suivi incluant des examens ophtalmologiques permettant d'évaluer la réponse au médicament et d'en déceler les effets secondaires. Lui expliquer également qu'il est important de continuer à suivre une psychothérapie si le médecin la lui a prescrite.

VÉRIFICATION DES RÉSULTATS

L'efficacité du traitement peut être démontrée par : ■ la diminution de l'excitation et un moindre recours aux comportements paranoïdes ou au repli sur soi ■ la diminution de l'anxiété accompagnant la dépression.

THIOTÉPA

CLASSIFICATION :
Antinéoplasique – alkylant
Grossesse – catégorie inconnue

INDICATIONS

■ **Instillation de la vessie :** Traitement ou prophylaxie des tumeurs superficielles de la vessie ■ **IV :** Traitement palliatif du cancer du sein et des ovaires ■ **Instillation endocavitaire :** Prévention des épanchements malins récurrents dans la plèvre, le péricarde ou le péritoine.

ACTION

■ Inhibition de la synthèse de l'ADN, de l'ARN et des protéines par la formation de liaisons transverses entre les chaînes d'ADN et d'ARN (phase non spécifique du cycle cellulaire). **Effets thérapeutiques :** ■ Destruction des cellules à croissance rapide, particulièrement des cellules malignes ■ Propriétés immunosuppressives.

PHARMACOCINÉTIQUE

Absorption : Par suite de l'instillation, l'absorption est variable (de 10 à 100 %).
Distribution : Inconnue.
Métabolisme et excrétion : Le médicament est fortement métabolisé.
Demi-vie : Inconnue.

CONTRE-INDICATIONS ET PRÉCAUTIONS

Contre-indications : ■ Hypersensibilité ■ Grossesse ou allaitement.
Précautions : ■ Patientes en âge de procréer ■ Infections en évolution ■ Diminution de la réserve médullaire ■ Autres maladies chroniques débilitantes ■ Maladie hépatique ou rénale graves.

RÉACTIONS INDÉSIRABLES ET EFFETS SECONDAIRES

SNC : céphalées, étourdissements.
ORLO : sensation de serrement dans la gorge.
GI : nausées, anorexie, vomissements, stomatite.
GU : suppression de la fonction des gonades.
Tég. : alopécie, rash, prurit, urticaire.
Hémat. : thrombocytopénie, leucopénie, anémie.
Locaux : douleur au point d'injection IV, douleur au point d'instillation endocavitaire.

Métab.: hyperuricémie.

Divers: fièvre, réactions allergiques.

INTERACTIONS

Médicament – médicament: ■ Effet additif sur l'aplasie médullaire lors de l'administration concomitante d'**autres antinéoplasiques** ou d'une **radiothérapie** ■ Le thiotépa peut prolonger l'apnée s'il est administré après la **succinylcholine** ■ Le thiotépa peut diminuer la réponse des anticorps aux **vaccins vivants** et augmenter le risque de réactions indésirables.

VOIES D'ADMINISTRATION ET POSOLOGIE

Instillation vésicale

■ **Voie intravésicale (adultes):** 60 mg, hebdomadairement, à retenir pendant 2 h; poursuivre ce traitement pendant 4 semaines et le répéter au besoin.

Traitement palliatif du cancer du sein et des ovaires

■ **IV (adultes):** de 0,3 à 0,4 mg/kg, toutes les 1 à 4 semaines.

Épanchements malins

■ **Voie endocavitaire (adultes):** de 0,6 à 0,8 mg/kg, toutes les 1 à 4 semaines (dose d'entretien de 0,07 à 0,8 mg/kg).

PHARMACODYNAMIE
(effet sur la numération globulaire; les effets observés après l'administration endocavitaire sont extrêmement variables)

	DÉBUT D'ACTION	PIC	DURÉE
IV	10 jours (jusqu'à 30 jours)	14 jours	21 jours

❊ SOINS INFIRMIERS

ÉVALUATION DE LA SITUATION

☐ Mesurer les signes vitaux avant le traitement et à intervalles réguliers pendant toute sa durée.

☐ Suivre de près la fièvre, les frissons, les maux de gorge et les signes d'infection. Prévenir le médecin si ces symptômes apparaissent.

☐ Vérifier la numération plaquettaire tout au long du traitement. Observer le patient pour déceler les saignements: saignement des gencives, formation d'ecchymoses, pétéchies, présence de sang occulte dans les selles, l'urine et les vomissements. Éviter les injections IM et la prise de la température PR. Exercer une pression sur tous les points de ponction veineuse pendant 10 min.

☐ Effectuer le bilan des ingesta et des excreta. Évaluer l'appétit du patient et son état nutritionnel. Suivre de près les nausées, les vomissements et l'anorexie. On peut maintenir l'équilibre hydro-électrolytique et l'état nutritionnel du patient en lui administrant un antiémétique et en modifiant son régime alimentaire selon les aliments qu'il peut tolérer.

☐ Le thiotépa peut entraîner l'anémie. Suivre de près la fatigue accrue, la dyspnée et l'hypotension orthostatique.

☐ Déceler les symptômes suivants de goutte: concentrations accrues d'acide urique, douleurs articulaires, œdème. Inciter le patient à boire au moins 2 litres de liquides par jour. Le médecin peut prescrire de l'allopurinol ou l'alcalinisation de l'urine pour réduire les concentrations d'acide urique.

■ **Étude des examens diagnostiques et biochimiques:** Noter la numération globulaire et la formule leucocytaire avant le traitement, hebdomadairement pendant toute sa durée et pendant au moins 3 semaines après l'avoir arrêté. Le nadir de la leucopénie survient après 10 à 14 jours bien qu'il puisse parfois ne se manifester qu'après un mois. Prévenir le médecin si le nombre de plaquettes est inférieur à 150×10^9/L ou celui des leucocytes, à 3×10^9/L.

□ Suivre l'élévation des concentrations de TGOS (AST), de TGPS (ALT), de LDH, de bilirubine sérique, d'acide urique, de créatinine et d'urée.

DIAGNOSTICS INFIRMIERS POSSIBLES

■ Énoncés diagnostiques

□ Risque élevé d'infection.

□ Risque élevé d'accident.

□ Prise en charge inefficace du programme thérapeutique.

□ *Risque élevé de douleur au point d'injection IV.*

□ *Risque élevé de déséquilibre hydro-électrolytique.*

□ *Risque élevé de perturbation situationnelle de l'estime de soi.*

■ Facteurs favorisants

□ Informations incomplètes.

□ Peturbation de la vigilance.

□ Fatigue et faiblesse.

□ *Inflammation locale du tissu vasculaire ou infiltration du médicament dans les tissus avoisinants.*

□ *Manque de connaissances sur les modalités du traitement.*

□ *Manque de connaissances sur les moyens de prévenir les effets secondaires affectant l'appareil gastro-intestinal.*

□ *Manque de connaissances sur le régime alimentaire à suivre.*

□ *Manque de connaissances sur la méthode d'administration du médicament.*

□ *Altération de l'image corporelle.*

INTERVENTIONS INFIRMIÈRES

■ Directives générales : Le thiotépa peut être administré sans danger par voie IM ou SC.

□ La solution peut être transparente ou légèrement trouble. Ne pas utiliser la solution si elle est très trouble ou si elle contient un précipité. La solution est stable pendant 3 jours si elle a été réfrigérée après la reconstitution.

□ Préparer la solution sous une hotte biologique de sécurité. Porter des vêtements protecteurs, comprenant un masque, des gants et une blouse, pendant la manipulation de ce médicament. Mettre au rebut le matériel dans les contenants réservés à cet effet (voir l'annexe I).

□ Reconstituer 15 mg de poudre avec 1,5 mL d'eau stérile pour injection. Cette concentration est appropriée pour l'injection dans la tumeur. On peut diluer la préparation de nouveau si on l'administre par d'autres voies.

□ Le médecin peut administrer la solution par plusieurs voies différentes.

■ Voie endocavitaire : Reconstituer la solution. Le thiotépa est instillé par le tube qu'on a utilisé pour drainer l'épanchement.

■ Instillation vésicale : Diminuer la consommation de liquides du patient, selon la prescription du médecin, pendant 8 à 12 h avant le traitement. Reconstituer la solution. Mélanger 60 mg avec 30 à 60 mL d'eau stérile et instiller dans la vessie par une sonde de Foley. Demander au patient de changer la position toutes les 15 min afin que la solution puisse bien irriguer toute la vessie. La solution devrait être gardée pendant 2 h. On administre habituellement une quantité moindre de solution (30 mL) aux patients incapables de retenir 60 mL.

■ IV directe : Après reconstitution, on peut administrer la préparation sans la diluer en 1 à 3 min.

■ Perfusion intermittente : Diluer de nouveau dans 50 à 100 mL de solution de NaCl à 0,9 %, de dextrose à 5 % dans de l'eau, d'une solution associant du dextrose et du soluté salin, de solution de Ringer ou de lactate Ringer.

■ Associations compatibles dans la même seringue : Chlorhydrate de procaïne à 2 % ou épinéphrine à 1 : 1 000.

ENSEIGNEMENT AU PATIENT ET À SES PROCHES

□ Recommander au patient recevant le thiotépa par une sonde de Foley d'informer le médecin en cas d'hématurie ou de dysurie.

☐ Recommander au patient de signaler immédiatement au médecin la fièvre, les frissons, les maux de gorge, les signes d'infection, le saignement des gencives, la formation d'ecchymoses, les pétéchies ou la présence de sang dans les selles, l'urine et les vomissements. Expliquer au patient qu'il doit éviter les foules et les personnes contagieuses. Lui recommander d'utiliser une brosse à dents à poils doux et un rasoir électrique. Le mettre en garde contre la consommation d'alcool et de préparations à base d'aspirine.

☐ Recommander au patient d'examiner sa muqueuse buccale à la recherche de rougeurs et d'aphtes. En présence d'aphtes, lui conseiller de remplacer la brosse à dents par une brosse-éponge et de se rincer la bouche avec de l'eau après avoir bu et mangé. Le médecin peut lui prescrire des gargarismes à la lidocaïne visqueuse si la douleur l'empêche de s'alimenter.

☐ Expliquer à la patiente que le thiotépa peut entraîner la suppression de la fonction des gonades. Lui conseiller toutefois de prendre des mesures de contraception. Lui recommander d'informer le médecin sans délai si elle pense être enceinte.

☐ Expliquer au patient qu'il risque de perdre ses cheveux. Explorer avec lui les stratégies lui permettant de s'adapter à ce changement.

☐ Expliquer au patient qu'il ne doit pas se faire vacciner sans recommandation expresse du médecin.

☐ Insister sur la nécessité des examens médicaux de suivi et des examens diagnostiques et biochimiques à intervalles fréquents.

VÉRIFICATION DES RÉSULTATS

L'efficacité du traitement peut être démontrée par : la diminution de la taille de la tumeur et de la propagation des métastases.

THIOTHIXÈNE
Navane

CLASSIFICATION :
Antipsychotique – thioxanthène

Grossesse – catégorie inconnue

INDICATIONS

Traitement des psychoses, particulièrement chez les schizophrènes apathiques et repliés sur eux-mêmes.

ACTION

■ Modification de l'effet de la dopamine dans le SNC. **Effets thérapeutiques :** ■ Diminution des signes et des symptômes psychotiques.

PHARMACOCINÉTIQUE

Absorption : Bonne absorption par suite de l'administration PO.

Distribution : Le médicament se répartit dans tout l'organisme. Il traverse le placenta.

Métabolisme et excrétion : Le médicament est surtout métabolisé par le foie.

Demi-vie : 30 h.

CONTRE-INDICATIONS ET PRÉCAUTIONS

Contre-indications : ■ Hypersensibilité ■ Risque de réactions de sensibilité croisée avec d'autres phénothiazines ■ Glaucome à angle étroit ■ Aplasie médullaire ■ Maladie hépatique ou cardiaque graves.

Précautions : ■ Personnes âgées ou patients débilités (une réduction de la dose peut s'avérer nécessaire) ■ Diabète sucré ■ Maladie respiratoire ■ Hypertrophie de la prostate ■ Tumeur du SNC ■ Épilepsie ■ Occlusion intestinale ■ Grossesse, allaitement ou enfants (l'innocuité du médicament n'a pas été établie).

T

RÉACTIONS INDÉSIRABLES ET EFFETS SECONDAIRES

SNC : sédation, réactions extrapyramidales, dyskinésie tardive, SYNDROME MALIN DES NEUROLEPTIQUES.

ORLO : sécheresse des yeux (alacrymie), vision trouble, opacité du cristallin.

CV : hypotension, tachycardie.

GI : constipation, sécheresse de la bouche (xérostomie), occlusion intestinale, anorexie, hépatite, nausées.

GU : rétention urinaire.

Tég. : rash, photosensibilité, modification de la pigmentation.

End. : galactorrhée.

Hémat. : leucopénie, leucocytose.

Métab. : hyperpyrexie.

Divers : réactions allergiques.

INTERACTIONS

Médicament – médicament : ■ Effets hypotensifs additifs lors de l'administration simultanée d'**antihypertenseurs** et de **dérivés nitrés** ou de la consommation d'**alcool** ■ Effets additifs sur la dépression du SNC lors de l'usage concomitant d'autres **dépresseurs du SNC**, dont l'**alcool**, les **antihistaminiques**, les **antidépresseurs**, les **analgésiques narcotiques** et les **hypnosédatifs** ■ Effets anticholinergiques additifs lors de l'administration simultanée d'autres **médicaments doués de propriétés anticholinergiques** dont les **antihistaminiques**, les **antidépresseurs**, la **quinidine** ou le **disopyramide** ■ Le thiothixène peut diminuer l'efficacité de la **lévodopa** ■ Risque accru d'effets cardiaques lors de l'administration simultanée de **quinidine**.

VOIES D'ADMINISTRATION ET POSOLOGIE

Psychoses légères à modérées

■ **PO (adultes) :** 2 mg, 3 fois par jour ; on peut augmenter la dose au besoin jusqu'à 15 mg par jour.

Psychoses graves

■ **PO (adultes) :** 5 mg, 2 fois par jour ; on peut augmenter la dose jusqu'à 20 à 30 mg par jour (ne pas dépasser 60 mg par jour). On peut administrer le thiothixène en 1 seule dose quotidienne.

PHARMACODYNAMIE (effets antipsychotiques)

	DÉBUT D'ACTION	PIC	DURÉE
PO	quelques jours – plusieurs semaines	inconnu	inconnue

✳ SOINS INFIRMIERS

ÉVALUATION DE LA SITUATION

☐ Évaluer l'état de la conscience du patient (délire, hallucinations et comportement) avant le traitement et à intervalles réguliers pendant toute sa durée.

☐ Observer le patient attentivement lorsqu'on lui administre le médicament pour s'assurer qu'il l'a bien avalé.

☐ Déterminer le degré de sédation après l'administration.

☐ Observer le patient pour déceler l'apparition des effets secondaires extrapyramidaux suivants : akathisie – agitation ; dystonie – spasmes musculaires et mouvements de torsion ; pseudoparkinsonisme – faciès rigide, rigidité, tremblements, bouche ouverte laissant s'échapper la salive (sialorrhée), démarche traînante, dysphagie. Informer le médecin de l'apparition de ces symptômes, car une réduction de la posologie ou l'arrêt du traitement peuvent s'avérer nécessaires. Le médecin peut également prescrire des agents antiparkinsoniens (trihexyphénidyle, benztropine) pour maîtriser ces symptômes.

☐ Suivre de près les symptômes suivants de dyskinésie tardive : mouvements rythmiques de la bouche, des joues et des membres. Informer immédiatement le médecin de l'apparition de ces symptômes, car ces effets secondaires peuvent être irréversibles.

□ Suivre de près l'apparition du syndrome malin des neuroleptiques se manifestant par de la fièvre, une détresse respiratoire, la tachycardie, des convulsions, la diaphorèse, l'hypertension ou l'hypotension, la pâleur ou la fatigue. Informer immédiatement le médecin de l'apparition de ces symptômes.

■ **Étude des examens diagnostiques et biochimiques :** Le thiothixène entraîne l'élévation des concentrations sériques de prolactine et la diminution des concentrations sériques d'acide urique.

□ Noter la numération globulaire et la formule leucocytaire avant le traitement, et à intervalles réguliers, pendant toute sa durée. Le risque de leucopénie est le plus élevé entre la 4e et la 10e semaine de traitement.

□ Examiner les résultats des tests de l'exploration fonctionnelle hépatique avant le traitement et à intervalles réguliers pendant toute sa durée. Le risque d'hépatotoxicité est le plus élevé de 2 à 4 semaines après le début du traitement.

DIAGNOSTICS INFIRMIERS POSSIBLES

■ **Énoncés diagnostiques**

□ Perturbation des opérations de la pensée.

□ Risque élevé d'accident.

□ Prise en charge inefficace du programme thérapeutique.

□ *Risque élevé d'atteinte à l'intégrité de la muqueuse buccale.*

□ *Risque élevé d'atteinte à l'intégrité de la peau.*

□ *Risque élevé de constipation.*

■ **Facteurs favorisants**

□ Informations incomplètes.

□ *Perturbation de la vigilance.*

□ *Manque de connaissances sur les effets hypotensifs du médicament lors des changements brusques de position.*

□ *Manque de connaissances sur les moyens de prévenir ou de réduire la sécheresse de la bouche.*

□ *Manque de connaissances sur les moyens de réduire la photosensibilité.*

□ *Manque de connaissances sur les modalités du traitement.*

□ *Manque de connaissances sur les moyens de stimuler la fonction intestinale.*

INTERVENTIONS INFIRMIÈRES

■ **Directives générales :** Administrer le médicament avec des aliments ou du lait afin de réduire l'irritation gastrique.

□ Le thiothixène abaisse le seuil de convulsion ; prendre les précautions qui s'imposent chez les patients ayant des antécédents de troubles convulsifs.

ENSEIGNEMENT AU PATIENT ET À SES PROCHES

□ Inciter le patient à respecter scrupuleusement la posologie recommandée. S'il n'a pu prendre le médicament au moment habituel, il doit le prendre dès que possible à moins qu'il ne reste que deux heures avant l'heure prévue pour la dose suivante. L'avertir qu'il ne doit jamais remplacer une dose manquée par une double dose. Chez les patients recevant un traitement prolongé à des doses élevées, il peut s'avérer nécessaire de diminuer la dose graduellement, car les symptômes de sevrage suivants peuvent se manifester : dyskinésie, tremblements, étourdissements, nausées et vomissements.

□ Prévenir le patient que le thiothixène peut provoquer de la somnolence. Lui conseiller de ne pas conduire et d'éviter les activités qui exigent sa vigilance jusqu'à ce qu'on ait la certitude que le médicament n'entraîne pas cet effet chez lui.

□ Prévenir le patient que des symptômes extrapyramidaux et une dyskinésie tardive peuvent se manifester. Lui recommander de signaler immédiatement ce type de symptômes au médecin.

□ Conseiller au patient de se rincer fréquemment la bouche, de pratiquer une bonne hygiène orale et de consommer de la gomme ou des bonbons sans sucre pour soulager la sécheresse de la bouche. Lui recommander de consulter le médecin ou le dentiste si la sécheresse de la bouche persiste pendant plus de deux semaines.

□ Recommander au patient d'augmenter sa consommation de fibres alimentaires et de liquides et de faire de l'exercice pour réduire les effets constipants de ce médicament.

□ Recommander au patient d'utiliser les écrans solaires et de porter des vêtements protecteurs afin de prévenir les réactions de photosensibilité.

□ Recommander au patient d'éviter de boire de l'alcool et de ne pas prendre d'autres dépresseurs du SNC ou des médicaments en vente libre sans consulter le médecin au préalable.

□ Conseiller au patient d'éviter l'effort par temps chaud et les bains très chauds, car le thiothixène altère la thermorégulation.

□ Inciter le patient à prévenir sans délai le médecin en cas de maux de gorge, de fièvre, de rash ou de modification de la couleur de la peau, de faiblesse, de tremblements ou de troubles de la vue.

□ Recommander au patient qui doit suivre un traitement dentaire ou subir une intervention chirurgicale d'avertir le dentiste ou le médecin qu'il suit un traitement médicamenteux.

□ Insister sur l'importance des examens médicaux de suivi et de la psychothérapie, des examens ophtalmologiques et des épreuves diagnostiques et biochimiques.

VÉRIFICATION DES RÉSULTATS

L'efficacité du traitement peut être démontrée par : la diminution de l'idéation psychotique.

THYROÏDE
Glande thyroïde desséchée,
(Armour Thyroid), (Thyrar)

CLASSIFICATION :
Hormone thyroïdienne

Grossesse – catégorie A

INDICATIONS

■ Hormonothérapie substitutive en présence d'une insuffisance thyroïdienne partielle ou complète de diverses étiologies. **Usages non approuvés :** ■ Traitement de certains types de cancer de la thyroïde.

ACTION

■ Accélération de la vitesse du métabolisme tissulaire (effet principal) : □ activation de la gluconéogenèse □ augmentation de l'utilisation et de la mobilisation des réserves de glycogène □ stimulation de la synthèse protéique □ stimulation de la croissance et de la différenciation cellulaires □ effet favorable sur le développement du cerveau et du SNC ■ Médicament doué d'une activité identique à celle de la T_3 (triiodothyronine) et de la T_4 (thyroxine). **Effets thérapeutiques :** ■ Hormonothérapie substitutive en cas de carence et rétablissement de l'équilibre hormonal normal ■ Suppression des cancers thyroïdiens dépendant de la thyrotrophine.

PHARMACOCINÉTIQUE

Absorption : Par suite de l'administration PO, l'agent est bien absorbé depuis le tractus gastro-intestinal.
Distribution : Le médicament se répartit dans la plupart des tissus de l'organisme.

Les hormones thyroïdiennes ne traversent pas facilement le placenta ; des quantités minimes pénètrent dans le lait maternel.

Métabolisme et excrétion: L'hormone est métabolisée par le foie et d'autres tissus. L'hormone thyroïdienne subit plusieurs cycles entérohépatiques. Elle est excrétée dans les fèces par la bile.

Demi-vie: T_3 (liothyronine) de 1 à 2 jours ; T_4 (thyroxine) de 6 à 7 jours.

CONTRE-INDICATIONS ET PRÉCAUTIONS

Contre-indications: ■ Hypersensibilité ■ Infarctus du myocarde récent ■ Thyrotoxicose.

Précautions: ■ Maladie cardiovasculaire ■ Insuffisance rénale grave ■ Troubles corticosurrénaux non résolus ■ Personnes âgées et patients myxœdémateux (très grande sensibilité aux hormones thyroïdiennes ; il faut réduire considérablement la dose initiale).

RÉACTIONS INDÉSIRABLES ET EFFETS SECONDAIRES

SNC: irritabilité, insomnie, nervosité, céphalées.

CV: tachycardie, arythmies, débit cardiaque accru, angine de poitrine, pression artérielle accrue, COLLAPSUS CARDIOVASCULAIRE, hypotension.

GI: diarrhée, crampes, vomissements.

Tég.: transpiration accrue, alopécie (enfants seulement).

End.: irrégularités du cycle menstruel.

Métab.: perte de poids, intolérance à la chaleur.

Loc.: maturation accélérée de la substance osseuse chez les enfants.

INTERACTIONS

Médicament – médicament: ■ La **cholestyramine** ou le **colestipol**, administrés simultanément, réduisent l'absorption de la préparation administrée PO ■ L'hormone thyroïdienne peut augmenter l'effet des **anticoagulants oraux** ■ L'hormone thyroïdienne peut accroître les besoins en **insuline** ou en **hypoglycémiants oraux** chez les diabétiques ■ Effets cardiovasculaires additifs lors de l'administration simultanée d'**agents adrénergiques (sympathomimétiques)** ■ L'hormone thyroïdienne peut diminuer la réponse aux **bêtabloquants**, administrés simultanément.

VOIES D'ADMINISTRATION ET POSOLOGIE

Remarque : 60 mg équivalent généralement à 100 µg de lévothyroxine (T_4) ou à 25 µg de liothyronine (T_3).

- **PO (adultes):** de 30 à 60 mg par jour ; augmenter la dose à intervalle de un mois (la dose habituelle est de 30 à 125 mg par jour). Chez les adultes souffrant d'hypothyroïdie grave, on doit commencer le traitement avec 15 mg par jour.
- **PO (enfants) (É.-U.):** 15 mg par jour ; augmenter la dose à intervalles de 2 semaines (on peut administrer une dose supérieure à celle recommandée chez l'adulte).

PHARMACODYNAMIE
(effets sur les résultats des tests de l'exploration fonctionnelle thyroïdienne)

	DÉBUT D'ACTION	PIC	DURÉE
PO	plusieurs jours – semaines	4 – 6 semaines	plusieurs jours – semaines

SOINS INFIRMIERS

ÉVALUATION DE LA SITUATION

- **Directives générales:** Mesurer la pression artérielle et le pouls à la pointe du cœur avant le traitement et à intervalles réguliers pendant toute sa durée. Déceler les signes d'ischémie du myocarde et les tachyarythmies.

- Suivre de près les symptômes suivants d'hyperthyroïdie : tachycardie, douleurs thoraciques, nervosité, insomnie, diaphorèse, tremblements, perte de poids.
- **Enfants :** Mesurer l'âge osseux, la taille et le poids et évaluer le développement psychomoteur.
- **Étude des examens diagnostiques et biochimiques :** Examiner les résultats des tests de l'exploration fonctionnelle thyroïdienne avant le traitement et pendant toute sa durée.
- Mesurer la glycémie et la glycosurie chez les patients diabétiques. Il peut s'avérer nécessaire d'augmenter les doses d'insuline et d'hypoglycémiants oraux.

DIAGNOSTICS INFIRMIERS POSSIBLES

- **Énoncés diagnostiques**
- □ Prise en charge inefficace du programme thérapeutique.
- □ *Risque élevé de perturbation des habitudes de sommeil.*
- □ *Risque élevé de déficit nutritionnel.*
- □ *Risque élevé d'accident.*
- □ *Risque élevé de perturbation situationnelle de l'estime de soi.*

- **Facteurs favorisants**
- □ Informations incomplètes.
- □ *Manque de connaissances sur la méthode d'administration du médicament.*
- □ *Manque de connaissances sur le régime alimentaire à suivre.*
- □ *Manque de connaissances sur les modalités du traitement.*
- □ *Manque de connaissances sur les effets secondaires du médicament.*
- □ *Altération de l'image corporelle.*

INTERVENTIONS INFIRMIÈRES

Directives générales : Administrer le médicament en une seule dose, de préférence avant le petit déjeuner, pour prévenir l'insomnie.

ENSEIGNEMENT AU PATIENT ET À SES PROCHES

- **Directives générales :** Inciter le patient à respecter scrupuleusement la posologie recommandée et à prendre le médicament au même moment chaque jour. S'il n'a pu prendre le médicament au moment habituel, il doit le prendre dès que possible, à moins que ce ne soit presque l'heure prévue pour la dose suivante. S'il n'a pu prendre plus de 2 ou de 3 doses, il doit prévenir le médecin. L'avertir qu'il est déconseillé d'arrêter le traitement sans consulter le médecin au préalable.
- □ Montrer au patient et à ses proches comment prendre le pouls. Conseiller au patient de ne pas prendre l'hormone thyroïdienne et de prévenir le médecin si le pouls au repos est supérieur à 100 bpm.
- □ Expliquer au patient que l'hormone thyroïdienne ne guérit pas l'hypothyroïdie, elle ne fait que remplacer les hormones thyroïdiennes ; le traitement peut être poursuivi toute la vie durant.
- □ Prévenir le patient qu'il ne doit pas substituer une marque de médicament à une autre, car les teneurs pourraient ne pas être équivalentes.
- □ Conseiller au patient de prévenir le médecin si les symptômes suivants se manifestent : céphalées, nervosité, diarrhée, transpiration abondante, intolérance à la chaleur, douleurs thoraciques, fréquence accrue du pouls, palpitations ou si tout autre symptôme inhabituel survient.
- □ Prévenir le patient qu'il ne doit pas prendre d'autres médicaments en même temps que l'extrait de thyroïde sans consulter le médecin ou le pharmacien.
- □ Recommander au patient qui doit suivre un traitement dentaire ou subir une intervention chirurgicale d'avertir le médecin ou le dentiste qu'il suit un traitement thyroïdien.

- ☐ Insister sur l'importance des examens de suivi permettant d'évaluer l'efficacité du traitement. Les tests de l'exploration fonctionnelle thyroïdienne doivent être effectués au moins une fois par année.
- **Enfants :** Expliquer aux parents que les examens de suivi sont importants puisqu'ils permettent au médecin de surveiller la croissance de l'enfant. Les prévenir du risque d'alopécie partielle auquel sont exposés les enfants qui suivent un traitement aux extraits de thyroïde. Cet effet est habituellement passager.

VÉRIFICATION DES RÉSULTATS

L'efficacité du traitement peut être démontrée par : ■ la résolution des symptômes d'hypothyroïdie. La réponse inclut : ☐ la diurèse ☐ la perte de poids ☐ une sensation de mieux-être ☐ un regain d'énergie, l'accélération du pouls, un gain d'appétit et l'augmentation de l'activité psychomotrice ☐ la normalisation de la texture de la peau et des cheveux ☐ la suppression de la constipation ☐ l'élévation des concentrations de T_3 et de T_4 ; la mesure du pouls pendant le sommeil et de la température basale le matin permettent d'évaluer l'efficacité du traitement ■ Chez les enfants, l'efficacité du traitement est déterminée par : ☐ un développement physique et psychomoteur appropriés.

TICARCILLINE
Ticar

CLASSIFICATION :
Anti-infectieux – pénicilline à large spectre
Grossesse – catégorie inconnue

INDICATIONS

■ Traitement des infections graves dues aux micro-organismes sensibles dont : ☐ les infections des tissus mous ☐ la septicémie ☐ les infections des voies respiratoires ☐ les infections des voies urinaires ■ Traitement d'association avec un aminoside (l'action contre les micro-organismes *Pseudomonas* peut être synergique) ■ Précédents de traitement d'association avec d'autres anti-infectieux en présence d'infections chez des patients immunodéprimés. **Usages non approuvés :** ■ Traitement des infections graves dues aux micro-organismes sensibles dont : ☐ les infections des os et des articulations ☐ les infections intra-abdominales ☐ les infections gynécologiques.

ACTION

■ Liaison à la membrane de la paroi cellulaire provoquant la destruction de la bactérie. **Effets thérapeutiques :** ■ Effet bactéricide contre les bactéries sensibles ■ Le spectre d'action est plus large que celui d'autres pénicillines. **Spectre d'action :** ■ La ticarcilline possède un spectre d'action semblable à celui de la pénicilline, mais considérablement plus large, qui englobe plusieurs agents pathogènes aérobies à Gram négatif importants, dont : ☐ *Pseudomonas æruginosa* ☐ *Escherichia coli* ☐ *Proteus mirabilis* ☐ *Providencia rettgeri* ■ La ticarcilline est également active contre certaines bactéries anaérobies comprenant les *Bacteroides* ■ La ticarcilline n'a pas d'effet sur les staphylocoques qui produisent des pénicillinases ni sur les *Enterobacteriaceae* qui produisent des bêta-lactamases.

PHARMACOCINÉTIQUE

Absorption : Bonne absorption par suite de l'administration par voie IM.
Distribution : Le médicament se répartit dans tout l'organisme. Il ne pénètre en quantité suffisante dans le liquide céphalorachidien qu'en présence d'une inflammation des méninges. Il traverse le placenta et pénètre à faibles concentrations dans le lait maternel.
Métabolisme et excrétion : Une fraction de 10 % est métabolisée par le foie et une

fraction de 90 % est excrétée à l'état inchangé par les reins.
Demi-vie: De 0,9 à 1,3 h (prolongée en cas d'insuffisance rénale).

CONTRE-INDICATIONS ET PRÉCAUTIONS

Contre-indications: Hypersensibilité aux pénicillines ou aux céphalosporines.
Précautions: ■ Insuffisance rénale (réduire la dose) ■ Grossesse et allaitement (l'innocuité du médicament n'a pas été établie) ■ Antécédents d'hypersensibilité ■ Maladie hépatique grave.

RÉACTIONS INDÉSIRABLES ET EFFETS SECONDAIRES

SNC: confusion, léthargie, CONVULSIONS (doses élevées).
CV: insuffisance cardiaque, arythmies.
GI: nausées, diarrhée.
GU: hématurie (enfants seulement).
Tég.: rash, urticaire.
HÉ: hypokaliémie, hypernatrémie.
Hémat.: saignements, dyscrasie, allongement du temps de saignement.
Locaux: phlébite.
Métab.: alcalose métabolique.
Divers: surinfection, réactions d'hypersensibilité incluant l'ANAPHYLAXIE et la maladie du sérum.

INTERACTIONS

Médicament – médicament: ■ Le **probénécide** diminue l'excrétion rénale de la ticarcilline et en augmente les concentrations sanguines ■ La ticarcilline peut modifier l'excrétion du **lithium** ■ Les **diurétiques**, les **glucocorticoïdes** ou l'**amphotéricine B**, administrés simultanément, peuvent augmenter le risque d'hypokaliémie ■ L'hypokaliémie augmente le risque de toxicité induite par les **dérivés digitaliques**.

VOIES D'ADMINISTRATION ET POSOLOGIE

Remarque: La préparation contient de 5,2 à 6,5 mmol de sodium par gramme de ticarcilline.

- **IV (adultes et enfants pesant > 40 kg):** de 1 à 4 g, toutes les 4 à 6 h (de 150 à 300 mg/kg par jour).
- **IV (enfants > 1 mois et pesant < 40 kg):** de 50 à 300 mg/kg par jour en doses fractionnées, toutes les 4 à 8 h.
- **IV (nouveau-nés pesant > 2 kg):** initialement, 100 mg/kg, puis, 75 mg/kg toutes les 4 à 6 h. Augmenter la dose jusqu'à 100 mg/kg, toutes les 4 h, après les 2 premières semaines de vie.
- **IV (nouveau-nés pesant < 2 kg):** initialement, 100 mg/kg, puis, 75 mg/kg toutes les 8 h. Administrer toutes les 4 à 6 h après la première semaine de vie.
- **IM (adultes et enfants pesant > 40 kg):** 1 g, toutes les 6 h.
- **IM (enfants > 1 mois et pesant < 40 kg):** de 50 à 100 mg/kg par jour en doses fractionnées, toutes les 6 à 8 h.
- **IM (nouveau-nés pesant > 2 kg):** initialement, 100 mg/kg, puis, 75 mg/kg toutes les 4 à 6 h. Augmenter la dose jusqu'à 100 mg/kg toutes les 4 h après les 2 premières semaines de vie.
- **IM (nouveau-nés pesant < 2 kg):** initialement, 100 mg/kg, puis, 75 mg/kg toutes les 8 h. Administrer toutes les 4 à 6 h après la première semaine de vie.

PHARMACODYNAMIE (concentrations sanguines)

	DÉBUT D'ACTION	PIC
IM	rapide	30 – 75 min
IV	rapide	fin de la perfusion

SOINS INFIRMIERS

ÉVALUATION DE LA SITUATION

☐ Au début du traitement et pendant toute sa durée, suivre de près les signes suivants d'infection: altération des signes vitaux, aspect de la plaie, des crachats, de l'urine et des selles, accroissement du nombre de leucocytes.

□ Recueillir les antécédents du patient avant d'amorcer le traitement afin de déterminer ses réactions antérieures à une pénicilline ou à une céphalosporine. Même les personnes n'ayant jamais manifesté de sensibilité aux pénicillines peuvent présenter une réaction allergique.

□ Prélever des échantillons pour les cultures et les antibiogrammes avant le début du traitement. La première dose peut être administrée avant même que les résultats soient connus.

□ Suivre de près les signes et les symptômes suivants d'anaphylaxie : rash, prurit, œdème laryngé, respiration sifflante. Si ces réactions se manifestent, arrêter l'administration du médicament et avertir immédiatement le médecin. Garder à portée de la main de l'épinéphrine, un antihistaminique et le matériel de réanimation pour parer à une éventuelle réaction anaphylactique.

■ **Étude des examens diagnostiques et biochimiques :** Noter, avant le traitement et à intervalles réguliers pendant toute sa durée, les résultats des tests de l'exploration fonctionnelle hépatique et rénale, la numération globulaire, les concentrations sériques de potassium et le temps de saignement.

□ La ticarcilline peut entraîner des résultats faussement positifs au dosage des protéines dans l'urine ainsi que l'élévation des concentrations d'urée, de créatinine, de TGOS (AST), de TGPS (ALT), de bilirubine sérique, de phosphatase alcaline, de LDH et d'acide urique. Elle peut également allonger le temps de saignement.

□ Lors de l'administration de doses élevées de ticarcilline, une hypernatrémie et une hypokaliémie peuvent survenir.

DIAGNOSTICS INFIRMIERS POSSIBLES

■ **Énoncés diagnostiques**

□ Risque élevé d'infection.

□ Prise en charge inefficace du programme thérapeutique.

□ *Risque élevé d'accident.*

□ *Risque élevé de déséquilibre hydroélectrolytique.*

□ *Risque élevé d'anxiété.*

■ **Facteurs favorisants**

□ Informations incomplètes.

□ *Perturbation de la vigilance.*

□ *Manque de connaissances sur le régime alimentaire à suivre.*

□ *Manque de connaissances sur les moyens de prévenir les effets secondaires affectant l'appareil gastrointestinal.*

□ *Manque de connaissances sur les modalités du traitement.*

□ *Douleur au point d'injection.*

INTERVENTIONS INFIRMIÈRES

■ **IM :** Reconstituer le contenu d'une fiole de 1 g avec 1,7 mL d'eau stérile ou d'eau bactériostatique pour injection pour obtenir une concentration de 1 g/2,5 mL.

□ Injecter profondément dans une masse musculaire bien développée et bien masser pour diminuer la douleur. On ne devrait pas administrer plus de 2 g dans un même point d'injection.

■ **IV :** Changer de point d'injection IV toutes les 48 h pour prévenir la phlébite.

□ Ajouter 4,2 mL d'eau stérile pour injection par gramme de poudre à diluer. Diluer une fois de plus avec une solution de NaCl à 0,9 %, de dextrose à 5 % dans de l'eau, de solution de Ringer ou de lactate Ringer pour obtenir 1 g dans au moins 20 mL. La solution diluée est stable pendant 24 h à la température ambiante et pendant 14 jours au réfrigérateur.

■ **IV directe :** Injecter aussi lentement que possible pour réduire l'irritation veineuse. Ne pas administrer à des concentrations supérieures à 50 mg/mL.

- **Perfusion intermittente :** Administrer la solution en 30 min à 2 h et en 10 à 20 min, chez les nouveau-nés.
- **Compatibilités (tubulure en Y) :** Acyclovir, cyclophosphamide, famotidine, hydromorphone, mépéridine, morphine, ondansétron, perphénazine, sulfate de magnésium ou vérapamil.
- **Compatibilités en addition au soluté :** Ranitidine ou vérapamil.
- **Incompatibilités en addition au soluté :** La ticarcilline n'est pas compatible avec les aminosides ; ne pas mélanger avec ces agents. Espacer l'administration des deux agents d'au moins une heure.

ENSEIGNEMENT AU PATIENT ET À SES PROCHES

Recommander au patient de signaler au médecin l'allergie et les signes suivants de surinfection : excroissance noire pileuse sur la langue, démangeaisons ou pertes vaginales, selles molles ou nauséabondes.

VÉRIFICATION DES RÉSULTATS

La réponse clinique peut être déterminée par : la disparition des signes et des symptômes d'infection. Le temps de la résolution dépend du micro-organisme infectant et du siège de l'infection.

TICARCILLINE AVEC CLAVULANATE

Timentin

CLASSIFICATION :
Anti-infectieux – pénicilline à large spectre
Grossesse – catégorie B

INDICATIONS

- Traitement des infections graves dues aux micro-organismes sensibles dont : □ les infections de la peau et des tissus mous □ les infections des os et des articulations □ la septicémie □ les infections des voies respiratoires □ les infections intra-abdominales □ les infections gynécologiques □ les infections des voies urinaires ■ Prévention de l'infection lors d'une chirurgie colorectale, d'une hystérectomie abdominale ou d'une césarienne à haut risque ■ Traitement d'association avec un aminoside (l'action contre les *Pseudomonas* peut être synergique) ■ Précédents de traitement d'association avec d'autres anti-infectieux en présence d'infections chez des patients immunodéprimés.

ACTION

■ Liaison à la membrane de la paroi cellulaire provoquant la destruction de la bactérie ■ L'ajout du clavulanate augmente la résistance aux bêta-lactamases, enzymes produites par les bactéries et capables d'inactiver certaines pénicillines. **Effets thérapeutiques :** ■ Effet bactéricide contre les bactéries sensibles ■ Le spectre d'action est plus large que celui d'autres pénicillines. **Spectre d'action :** ■ La ticarcilline avec clavulanate possède un spectre d'action semblable à celui de la pénicilline, mais considérablement plus large, qui englobe plusieurs agents pathogènes aérobies à Gram négatif importants, dont : □ *Pseudomonas æruginosa* □ *Escherichia coli* □ *Proteus mirabilis* □ *Providencia rettgeri* ■ La ticarcilline avec clavulanate est également active contre certaines bactéries anaérobies comprenant les *Bacteroides*.

PHARMACOCINÉTIQUE

Absorption : Médicament réservé à l'administration par voie IV ; dans ce cas la biodisponibilité est totale.
Distribution : Le médicament se répartit dans tout l'organisme. Il ne pénètre en quantité suffisante dans le liquide céphalorachidien qu'en présence d'une inflammation des méninges. Il traverse le placenta et pénètre à faibles concentrations dans le lait maternel.

Métabolisme et excrétion: Une fraction de 10 % de ticarcilline est métabolisée par le foie et une fraction de 90 % est excrétée à l'état inchangé par les reins. Le clavulanate est métabolisé par le foie.

Demi-vie: Ticarcilline: de 0,9 à 1,3 h (prolongée en cas d'insuffisance rénale); clavulanate: de 1,1 à 1,5 h.

CONTRE-INDICATIONS ET PRÉCAUTIONS

Contre-indications: Hypersensibilité aux pénicillines ou aux céphalosporines.

Précautions: ■ Insuffisance rénale (réduire la dose) ■ Grossesse et allaitement (l'innocuité du médicament n'a pas été établie) ■ Antécédents d'hypersensibilité ■ Maladie hépatique grave.

RÉACTIONS INDÉSIRABLES ET EFFETS SECONDAIRES

SNC: confusion, léthargie, CONVULSIONS (doses élevées).

CV: insuffisance cardiaque, arythmies.

GI: nausées, diarrhée.

GU: hématurie (enfants seulement).

Tég.: rash, urticaire.

HÉ: hypokaliémie, hypernatrémie.

Hémat.: saignements, dyscrasie, allongement du temps de saignement.

Locaux: phlébite.

Métab.: alcalose métabolique.

Divers: surinfection, réactions d'hypersensibilité incluant l'ANAPHYLAXIE et la maladie du sérum.

INTERACTIONS

Médicament – médicament: ■ Le **probénécide** diminue l'excrétion rénale de la préparation et en augmente les concentrations sanguines ■ La ticarcilline avec clavulanate peut modifier l'excrétion du **lithium** ■ Les **diurétiques**, les **glucocorticoïdes** ou l'**amphotéricine B**, administrés simultanément, peuvent augmenter le risque d'hypokaliémie ■ L'hypokaliémie augmente le risque de toxicité induite par les **dérivés digitaliques**.

VOIES D'ADMINISTRATION ET POSOLOGIE

Remarque: La préparation contient 4,83 mmol de sodium et 0,15 mmol de potassium par gramme. Elle contient également 3 grammes de ticarcilline et 100 mg de clavulanate donnant une puissance combinée de 3,1 g.

Traitement
- **IV (adultes pesant > 60 kg):** 3,1 g, toutes les 4 à 6 h (toutes les 6 à 8 h en cas d'infection urinaire seulement).
- **IV (enfants > 60 kg):** de 200 à 300 mg/kg par jour de l'équivalent de ticarcilline en doses fractionnées, toutes les 4 à 6 h.

Prophylaxie avant chirurgie
- **IV (adultes):** 3,1 g dès que le cordon ombilical est clampé ou de 30 à 60 min avant l'incision initiale; ensuite, 2 doses de plus à des intervalles de 4 à 6 h. Ne pas dépasser 3 doses.

PHARMACODYNAMIE
(concentrations sanguines)

	DÉBUT D'ACTION	PIC
IV	rapide	fin de la perfusion

SOINS INFIRMIERS

ÉVALUATION DE LA SITUATION

- ☐ Au début du traitement et pendant toute sa durée, suivre de près les signes suivants d'infection: altération des signes vitaux, aspect de la plaie, des crachats, de l'urine et des selles, accroissement du nombre de leucocytes.
- ☐ Recueillir les antécédents du patient avant d'amorcer le traitement afin de déterminer ses réactions antérieures à une pénicilline ou à une céphalosporine. Même les personnes n'ayant jamais manifesté de sensibilité aux pénicillines peuvent présenter une réaction allergique.

T

□ Prélever des échantillons pour les cultures et les antibiogrammes avant le début du traitement. La première dose peut être administrée avant même que les résultats soient connus.

□ Surveiller les signes et les symptômes suivants d'anaphylaxie : rash, prurit, œdème laryngé, respiration sifflante. Si ces réactions se manifestent, arrêter l'administration du médicament et avertir immédiatement le médecin. Garder à portée de la main de l'épinéphrine, un antihistaminique et le matériel de réanimation pour parer à une éventuelle réaction anaphylactique.

■ **Étude des examens diagnostiques et biochimiques :** Noter avant le traitement et à intervalles réguliers pendant toute sa durée les résultats des tests de l'exploration fonctionnelle hépatique et rénale, la numération globulaire, les concentrations sériques de potassium et le temps de saignement.

□ La préparation peut entraîner des résultats faussement positifs au dosage des protéines dans l'urine ainsi que l'élévation des concentrations d'urée, de créatinine, de TGOS (AST), de TGPS (ALT), de bilirubine sérique, de phosphatase alcaline, de LDH et d'acide urique. Elle peut également allonger le temps de saignement.

□ Lors de l'administration de doses élevées de cette préparation, une hypernatrémie et une hypokaliémie peuvent survenir.

DIAGNOSTICS INFIRMIERS POSSIBLES

■ **Énoncés diagnostiques**

□ Risque élevé d'infection.

□ Prise en charge inefficace du programme thérapeutique.

□ *Risque élevé d'accident.*

□ *Risque élevé de déséquilibre hydro-électrolytique.*

□ *Risque élevé de douleur au point d'injection IV.*

■ **Facteurs favorisants**

□ Informations incomplètes.

□ *Perturbation de la vigilance.*

□ *Manque de connaissances sur le régime alimentaire à suivre.*

□ *Manque de connaissances sur les moyens de prévenir les effets secondaires affectant l'appareil gastro-intestinal.*

□ *Manque de connaissances sur les modalités du traitement.*

□ *Inflammation locale du tissu vasculaire ou infiltration du médicament dans les tissus avoisinants.*

INTERVENTIONS INFIRMIÈRES

■ **IV :** Changer de point d'injection IV toutes les 48 h pour prévenir la phlébite.

□ Ajouter 13 mL d'eau stérile pour injection au contenu de la fiole de 3,1 g de ticarcilline avec clavulanate pour obtenir une concentration de ticarcilline de 200 mg/mL et d'acide clavulanique de 6,7 mg/mL. Diluer une fois de plus dans une solution de NaCl à 0,9 %, de dextrose à 5 % dans de l'eau, de solution de Ringer ou de lactate Ringer. La solution mère est stable pendant 6 h à la température ambiante et pendant 72 h au réfrigérateur.

□ *Vitesse d'administration :* Administrer en 30 min dans une tubulure en Y ou par IV directe. Si l'on utilise la tubulure en Y, on doit interrompre la perfusion principale pendant l'administration de la ticarcilline avec clavulanate.

■ **Compatibilités (tubulure en Y) :** Cyclophosphamide, famotidine, mépéridine, morphine, ondansétron ou perphénazine.

■ **Incompatibilités en addition au soluté :** La ticarcilline avec clavulanate n'est pas compatible avec les aminosides ; ne pas mélanger avec ces agents. Espacer l'administration des deux agents d'au moins une heure.

Recommander au patient de signaler au médecin l'allergie et les signes suivants de surinfection: excroissance noire pileuse sur la langue, démangeaisons ou pertes vaginales, selles molles ou nauséabondes.

VÉRIFICATION DES RÉSULTATS

La réponse clinique peut être déterminée par: la disparition des signes et des symptômes d'infection. Le temps de la résolution dépend du micro-organisme infectant et du siège de l'infection.

TICLOPIDINE
Ticlid

CLASSIFICATION:
Antiagrégant plaquettaire

Grossesse – catégorie B

INDICATIONS

Prévention d'un accident cérébrovasculaire en cas de thrombo-embolie totale ou de signes avant-coureurs d'accident cérébrovasculaire.

ACTION

■ Inhibition de l'agrégation plaquettaire par modification de la fonction des membranes plaquettaires ■ Allongement du temps de saignement. **Effets thérapeutiques:** ■ Diminution de la fréquence des accidents cérébrovasculaires chez les patients exposés à un risque élevé.

PHARMACOCINÉTIQUE

Absorption: Bonne absorption (plus de 80 %) par suite de l'administration par voie orale.

Distribution: Inconnue.

Métabolisme et excrétion: Le médicament est fortement métabolisé par le foie. Une quantité minime est excrétée à l'état inchangé par les reins.

Demi-vie: Dose unique – 12,6 h; doses multiples – de 4 à 5 jours.

CONTRE-INDICATIONS ET PRÉCAUTIONS

Contre-indications: ■ Hypersensibilité ■ Troubles hémorragiques ■ Saignements manifestes ■ Maladie hépatique grave.

Précautions: ■ Grossesse, allaitement ou enfants de moins de 18 ans (l'innocuité du médicament n'a pas été établie) ■ Risque d'hémorragie (traumatisme, intervention chirurgicale, antécédents d'ulcère) ■ Insuffisance hépatique ou rénale (une adaptation de la posologie peut s'avérer nécessaire) ■ Patients âgés (sensibilité accrue).

RÉACTIONS INDÉSIRABLES ET EFFETS SECONDAIRES

SNC: céphalées, faiblesse, étourdissements.

ORLO: épistaxis, acouphènes.

GI: diarrhée, nausées, vomissements, plénitude gastro-intestinale, douleurs gastro-intestinales, anorexie, résultats anormaux aux tests de l'exploration fonctionnelle hépatique.

GU: hématurie.

Tég.: urticaire, rash, ecchymoses, prurit.

Hémat.: neutropénie, HÉMORRAGIE CÉRÉBRALE, saignements.

Métab.: hypertriglycéridémie, hypercholestérolémie.

INTERACTIONS

Médicament – médicament: ■ L'**aspirine**, administrée simultanément, potentialise l'effet de la ticlopidine sur les plaquettes (l'administration concomitante n'est pas recommandée) ■ La **cimétidine**, administrée simultanément, diminue le métabolisme de la ticlopidine et peut augmenter le risque de toxicité ■ La ticlopidine diminue le métabolisme de la **théophylline**, administrée simultanément, et peut augmenter le risque de toxicité. **Médicament – aliments:** ■ L'absorption de la ticlopidine est accrue si elle est prise avec des **aliments**.

VOIES D'ADMINISTRATION ET POSOLOGIE

PO (adultes): 250 mg, 2 fois par jour, avec des aliments.

PHARMACODYNAMIE
(effet sur la fonction plaquettaire)

	DÉBUT D'ACTION	PIC	DURÉE
PO	en l'espace de 4 jours	8 – 11 jours	2 semaines

SOINS INFIRMIERS

ÉVALUATION DE LA SITUATION

☐ Suivre de près à intervalles réguliers pendant toute la durée du traitement les symptômes d'accident cérébro-vasculaire.

■ **Étude des examens diagnostiques et biochimiques:** La ticlopidine allonge le temps de saignement. Cet effet dépend de la durée du traitement et de la dose administrée.

☐ Noter la numération globulaire et la formule leucocytaire toutes les 2 semaines, à partir de la 2e semaine de traitement et jusqu'à la fin du 3e mois de traitement; des analyses plus fréquentes sont nécessaires si le compte absolu de polynucléaires neutrophiles diminue ou s'il est inférieur à 30 % des valeurs initiales. En cas de neutropénie, il faut arrêter le traitement par la ticlopidine.

☐ La ticlopidine peut entraîner l'élévation des concentrations sériques de cholestérol total et de triglycérides. Les concentrations augmentent habituellement de 8 à 10 % durant le premier mois et restent à ce niveau.

☐ La ticlopidine peut entraîner l'élévation des concentrations de phosphatase alcaline, de TGOS (AST) et de TGPS (ALT) durant les 4 premiers mois de traitement.

■ **Toxicité et surdosage:** Le temps de saignement allongé se normalise dans les 2 h qui suivent l'administration IV de méthylprednisolone. On peut également effectuer des transfusions de plaquettes pour renverser les effets de la ticlopidine sur le temps de saignement.

DIAGNOSTICS INFIRMIERS POSSIBLES

■ **Énoncés diagnostiques**

☐ Risque élevé d'accident.

☐ Prise en charge inefficace du programme thérapeutique.

☐ *Risque élevé de diarrhée.*

☐ *Risque élevé de déséquilibre hydro-électrolytique.*

■ **Facteurs favorisants**

☐ Informations incomplètes.

☐ *Manque de connaissances sur le régime alimentaire à suivre.*

☐ *Manque de connaissances sur les moyens de prévenir les effets secondaires affectant l'appareil gastro-intestinal.*

☐ *Manque de connaissances sur les modalités du traitement.*

INTERVENTIONS INFIRMIÈRES

PO: Administrer la ticlopidine avec les aliments ou immédiatement après les repas afin de réduire la gêne gastro-intestinale.

ENSEIGNEMENT AU PATIENT ET À SES PROCHES

☐ Inciter le patient à respecter scrupuleusement la posologie recommandée.

☐ Recommander au patient de signaler immédiatement au médecin la fièvre, les frissons, les maux de gorge, les ecchymoses ou les saignements inhabituels, la diarrhée grave ou persistante, le rash, la jaunisse, l'urine de couleur foncée ou les selles de couleur pâle.

☐ Recommander au patient qui doit suivre un traitement dentaire ou subir une intervention chirurgicale d'avertir le dentiste ou le médecin qu'il suit un traitement médicamenteux. Il peut s'avérer nécessaire d'arrêter le traitement pendant les 10 à 14 jours qui précèdent l'intervention.

VÉRIFICATION DES RÉSULTATS

L'efficacité du traitement peut être démontrée par : la prévention des accidents cérébrovasculaires.

TIMOLOL

Apo-Timol, Apo-Timop, Blocadren, Gen-Timolol, Novo-Timol, Timoptic

CLASSIFICATION :

Bêtabloquant non sélectif ; antihypertenseur/antiangineux – bêtabloquant ; préparation ophtalmique – traitement du glaucome

Grossesse – catégorie C

INDICATIONS

■ **PO :** Hypertension – en monothérapie ou en association avec d'autres agents ■ **PO :** Traitement de l'angine de poitrine ■ **PO :** Prévention de l'infarctus du myocarde ■ **Préparation ophtalmique :** Traitement du glaucome et d'autres manifestations d'une pression intraoculaire élevée ■ **PO :** Prophylaxie de la migraine. **Usages non approuvés :** ■ Traitement des troubles suivants : □ tachyarythmies □ myocardiopathie hypertrophique □ phéochromocytome □ thyrotoxicose □ anxiété □ tremblements □ prolapsus de la valvule mitrale.

ACTION

■ Inhibition de la stimulation des récepteurs bêta$_1$ (myocardiques) et bêta$_2$ (pulmonaires, vasculaires ou utérins). **Effets thérapeutiques :** ■ Abaissement de la pression artérielle ■ Diminution de la fréquence cardiaque ■ Prévention de l'infarctus du myocarde ■ Abaissement de la pression intraoculaire ■ Prévention des migraines.

PHARMACOCINÉTIQUE

Absorption : Bonne absorption par suite de l'administration PO. Une certaine absorption peut se produire par suite de l'application de la préparation ophtalmique.

Distribution : Inconnue. Le timolol pénètre dans le lait maternel.

Métabolisme et excrétion : Le timolol est fortement métabolisé par le foie.

Demi-vie : De 3 à 4 h.

CONTRE-INDICATIONS ET PRÉCAUTIONS

Contre-indications : ■ Insuffisance cardiaque non compensée ■ Œdème pulmonaire ■ Choc cardiogène ■ Bradycardie ou bloc cardiaque ■ Enfants (l'innocuité du médicament n'a pas été établie).

Précautions : ■ Thyrotoxicose ou hypoglycémie (le médicament peut en masquer les symptômes) ■ Insuffisance hépatique (une réduction de la dose peut s'avérer nécessaire) ■ Grossesse ou allaitement (le médicament peut entraîner l'apnée, de faibles scores au test d'Apgar, la bradycardie et l'hypoglycémie chez le nouveau-né) ■ Usage de la préparation ophtalmique (risque de réactions systémiques).

RÉACTIONS INDÉSIRABLES ET EFFETS SECONDAIRES

SNC : fatigue, faiblesse, dépression, perte de la mémoire, modifications des opérations de la pensée, insomnie, étourdissements.

CV : BRADYCARDIE, INSUFFISANCE CARDIAQUE, ŒDÈME PULMONAIRE, hypotension, œdème, vasoconstriction périphérique.

ORLO : sécheresse des yeux (alacrymie), vision trouble, congestion nasale.

Resp. : bronchospasme, respiration sifflante.

GI : constipation, diarrhée, nausées, vomissements.

GU : impuissance, diminution de la libido.

Tég.: rash.

End.: hyperglycémie, hypoglycémie.

INTERACTIONS

Médicament – médicament: ■ Risque de dépression additive du myocarde lors de l'administration concomitante d'une **anesthésie générale**, de **phénytoïne par voie IV** et de **vérapamil** ■ Risque de bradycardie additive lors de l'administration concomitante de **dérivés digitaliques** ■ Risque d'hypotension additive lors de l'administration concomitante d'autres **antihypertenseurs** ou de **dérivés nitrés** et de la consommation d'**alcool** ■ Les **amphétamines**, la **cocaïne**, l'**éphédrine**, l'**épinéphrine**, la **norépinéphrine**, la **phényléphrine** ou la **pseudoéphédrine**, administrées simultanément, peuvent entraîner une stimulation alpha-adrénergique excessive, l'hypertension ou la bradycardie ■ Le timolol peut abolir les effets bénéfiques sur les récepteurs bêta$_1$ cardiaques de la **dopamine** ou de la **dobutamine** ■ L'**insuline**, administrée simultanément, peut prolonger l'hypoglycémie ■ Le timolol peut entraîner l'hypertension s'il est administré dans les 14 jours qui suivent un traitement par un **inhibiteur de la MAO** ■ Les **anti-inflammatoires non stéroïdiens**, administrés simultanément, peuvent diminuer l'effet antihypertenseur ■ La **cimétidine**, administrée simultanément, peut diminuer le métabolisme du timolol et en intensifier les effets ■ Le timolol peut contrecarrer les effets des **bronchodilatateurs bêta-adrénergiques**.

VOIES D'ADMINISTRATION ET POSOLOGIE

Hypertension
■ **PO (adultes):** de 5 à 10 mg, 2 fois par jour (la dose habituelle est de 20 à 40 mg par jour).

Angine
■ **PO (adultes):** initialement, 5 mg, 2 ou 3 fois par jour. On peut augmenter la dose à des intervalles d'au moins 3 jours, à raison de 10 à 15 mg par jour, en prises fractionnées (ne pas dépasser 45 mg par jour).

Prévention de l'infarctus du myocarde
■ **PO (adultes):** 10 mg, 2 fois par jour; amorcer le traitement en l'espace de 1 à 4 semaines après l'infarctus.

Prophylaxie de la migraine
■ **PO (adultes):** initialement, 10 mg, 2 fois par jour. On peut administrer 20 mg, 1 fois par jour, en traitement d'entretien (l'écart posologique se situe entre 10 mg, 1 fois par jour, et 15 mg, 2 fois par jour).

Glaucome
■ **Préparation ophtalmique (adultes):** 1 goutte de solution à 0,25 ou à 0,5 %, deux fois par jour.

PHARMACODYNAMIE (PO = effet antihypertenseur; préparation ophtalmique = effet sur la pression intraoculaire)

	DÉBUT D'ACTION	PIC	DURÉE
PO	inconnu	1 – 2 h*	12 – 24 h
préparation ophtalmique	15 – 30 min	1 – 5 h	24 h

* Les effets antihypertenseurs maximaux peuvent ne se manifester qu'après plusieurs semaines.

SOINS INFIRMIERS

ÉVALUATION DE LA SITUATION
■ **Directives générales:** Effectuer le bilan quotidien des ingesta et des excreta et peser le patient tous les jours. Observer le patient à intervalles réguliers pour déceler les signes suivants d'insuffisance cardiaque: œdème périphérique, dyspnée, râles et crépitations, fatigue, gain pondéral.
■ **Hypertension:** Mesurer la pression artérielle et le pouls à intervalles fréquents au cours de la période d'adaptation de la posologie et à intervalles réguliers pendant toute la durée du traitement. Si le pouls est inférieur à 50 battements par minute, consulter

le médecin avant d'administrer le médicament. Suivre de près l'hypotension orthostatique pendant qu'on aide le patient à sortir du lit.

- **Angine :** Suivre de près la fréquence et la durée des épisodes de douleurs thoraciques pendant toute la durée du traitement.

- **Préparation ophtalmique :** Mesurer la pression intraoculaire à intervalles réguliers durant le traitement initial et après environ 4 semaines de traitement.

- **Étude des examens diagnostiques et biochimiques :** Le timolol peut entraîner l'élévation des concentrations sériques de potassium, d'acide urique, de triglycérides, de lipoprotéines, de LDH, de phosphatase alcaline et d'urée.

- ☐ Examiner régulièrement les résultats des tests de l'exploration fonctionnelle hépatique et rénale et noter la numération globulaire chez les patients recevant un traitement prolongé.

DIAGNOSTICS INFIRMIERS POSSIBLES

- **Énoncés diagnostiques**
- ☐ Diminution du débit cardiaque.
- ☐ Prise en charge inefficace du programme thérapeutique.
- ☐ Non-observance du traitement médicamenteux.
- ☐ *Risque élevé de perturbation des habitudes de sommeil.*
- ☐ *Risque élevé d'accident.*
- ☐ *Risque élevé de déséquilibre hydro-électrolytique.*

- **Facteurs favorisants**
- ☐ Informations incomplètes.
- ☐ Doute quant aux bienfaits du médicament.
- ☐ *Fatigue et faiblesse.*
- ☐ *Manque de connaissances sur les moyens de prévenir les effets secondaires affectant l'appareil gastro-intestinal.*
- ☐ *Manque de connaissances sur le régime alimentaire à suivre.*

- ☐ *Manque de connaissances sur la méthode d'administration du médicament.*
- ☐ *Manque de connaissances sur les modalités du traitement.*
- ☐ *Difficulté à s'adapter aux changements nécessaires dans les habitudes de vie.*
- ☐ *Manque de connaissances sur les effets hypotensifs du médicament lors des changements brusques de position.*

INTERVENTIONS INFIRMIÈRES

- **PO :** On peut administrer le timolol avec des aliments ou à jeun. Si le patient éprouve des difficultés de déglutition, on peut broyer les comprimés et les mélanger avec des aliments ou des liquides.

- **Préparation ophtalmique :** La méthode d'instillation des gouttes ophtalmiques est indiquée à l'annexe H.

ENSEIGNEMENT AU PATIENT ET À SES PROCHES

- **Directives générales :** Conseiller au patient de respecter scrupuleusement la posologie recommandée et de continuer à prendre le médicament, même s'il se sent mieux. S'il n'a pu prendre le médicament au moment habituel, il doit le prendre dès que possible, mais au moins quatre heures avant l'heure prévue pour la dose suivante. Un sevrage brusque peut déclencher des arythmies qui mettent la vie en danger, de l'hypertension ou l'ischémie du myocarde.

- ☐ Montrer au patient et à ses proches comment prendre le pouls et la pression artérielle. Leur conseiller de mesurer le pouls tous les jours et la pression artérielle au moins une fois par semaine. Recommander au patient de ne pas prendre le médicament et d'informer le médecin si le pouls est inférieur à 50 bpm ou si la pression artérielle change considérablement.

□ Inciter le patient à appliquer d'autres mesures de réduction de l'hypertension : perdre du poids, réduire sa consommation de sel, diminuer le stress, faire régulièrement de l'exercice, boire modérément de l'alcool et cesser de fumer.

□ Prévenir le patient que le timolol peut le rendre plus sensible au froid.

□ Conseiller au patient de consulter le médecin ou le pharmacien avant de prendre des médicaments en vente libre, et particulièrement des médicaments contre le rhume, en même temps que le timolol. Lui conseiller également d'éviter les excès de café, de thé et de boissons à base de cola.

□ Recommander au patient diabétique de bien mesurer sa glycémie, particulièrement lorsqu'il se sent fatigué, faible ou irritable.

□ Recommander au patient qui doit suivre un traitement dentaire ou subir une intervention chirurgicale d'avertir le dentiste ou le médecin qu'il suit un traitement médicamenteux.

□ Conseiller au patient de porter sur lui en tout temps une pièce d'identité où est inscrit son traitement médicamenteux.

□ Recommander au patient de signaler au médecin les symptômes suivants : ralentissement du pouls, étourdissements, dépression ou rash.

■ **Préparation ophtalmique :** Montrer au patient comment administrer la solution ophtalmique. Lui expliquer qu'il ne doit pas toucher les yeux, les doigts ni aucune autre surface avec l'extrémité du flacon et qu'il peut prévenir l'absorption systémique en exerçant une pression sur le canthus interne.

VÉRIFICATION DES RÉSULTATS

L'efficacité du traitement peut être démontrée par : ■ la baisse de la pression artérielle ■ la diminution de la fréquence des crises d'angine et l'amélioration de la tolérance à l'effort ■ la prévention d'un nouvel infarctus du myocarde ■ la diminution de la pression intraoculaire ■ la prévention des migraines.

TIOCONAZOLE
Gyno-Trosyd, Trosyd, (Vagistat)

CLASSIFICATION :
Antifongique topique

Grossesse – catégorie C

INDICATIONS

■ Traitement de la candidose vaginale ■ Traitement d'un grand nombre d'infections fongiques dont : □ *Tinea pedis* □ le pityriasis versicolor □ *Tinea corporis* □ l'eczéma marginé de Hebra □ la candidose cutanée.

ACTION

■ Inhibition de la synthèse de la membrane cellulaire fongique, modifiant ainsi sa perméabilité. **Effets thérapeutiques :** ■ Action fongistatique contre les microorganismes sensibles. **Spectre d'action :** ■ Le tioconazole est actif contre plusieurs champignons incluant : □ *Candida albicans* □ *Trichophyton rubrum* □ *T. mentagrophytes* □ *Malassezia furfur* □ *Epidermophyton floccosum*.

PHARMACOCINÉTIQUE

Absorption : Par suite de l'application intravaginale ou topique, l'absorption est minime.
Distribution : Inconnue.
Métabolisme et excrétion : Inconnus.
Demi-vie : Inconnue.

CONTRE-INDICATIONS ET PRÉCAUTIONS

Contre-indications : ■ Hypersensibilité au tioconazole ou aux autres ingrédients de la préparation ■ Risque de réactions de sensibilité croisée avec les autres imidazoles.

Précautions: ■ Grossesse ■ Allaitement ou enfants (l'innocuité du médicament n'a pas été établie).

RÉACTIONS INDÉSIRABLES ET EFFETS SECONDAIRES

GU: brûlure, démangeaisons.
Tég.: brûlures, prurit, érythème.

INTERACTIONS

Médicament – médicament: Aucune interaction notable.

VOIES D'ADMINISTRATION ET POSOLOGIE

- **Préparation vaginale:** Le contenu d'un applicateur rempli d'onguent à 6,5 %, au coucher (4,6 g).
- **Préparation topique:** Appliquer la crème à 1 %, 2 fois par jour, matin et soir.

PHARMACODYNAMIE

	DÉBUT D'ACTION	PIC	DURÉE
préparation vaginale	plusieurs heures – jours	plusieurs jours	inconnue

✳ SOINS INFIRMIERS

ÉVALUATION DE LA SITUATION

Inspecter les territoires cutanés et les muqueuses touchées avant le traitement et à intervalles fréquents pendant toute sa durée. Une irritation cutanée accrue peut dicter l'arrêt du traitement.

DIAGNOSTICS INFIRMIERS POSSIBLES

- **Énoncés diagnostiques**
- ☐ Atteinte à l'intégrité de la peau.
- ☐ Risque élevé d'infection.
- ☐ Prise en charge inefficace du programme thérapeutique.
- ☐ *Risque élevé d'agitation.*

- **Facteurs favorisants**
- ☐ Informations incomplètes.
- ☐ *Manque de connaissances sur la méthode d'administration du médicament.*

- ☐ *Démangeaisons.*
- ☐ *Difficulté à s'adapter aux changements nécessaires dans les habitudes de vie.*
- ☐ *Manque de connaissances sur les modalités du traitement.*

INTERVENTIONS INFIRMIÈRES

- **Préparation vaginale:** Avant d'appliquer la préparation, demander au médecin quelle est la méthode de nettoyage qu'il préconise. Le médecin peut prescrire parallèlement à ce traitement des bains de siège ou des douches vaginales.
- ☐ Les applicateurs sont fournis.
- **Préparation topique:** Nettoyer la peau touchée avec de l'eau et du savon et bien sécher. Appliquer une quantité suffisante de préparation pour recouvrir la région affectée et la faire pénétrer en massant délicatement. Éviter tout contact avec les yeux. Ne recouvrir d'un pansement occlusif que si le médecin le recommande expressément.

ENSEIGNEMENT AU PATIENT ET À SES PROCHES

- **Directives générales:** Recommander au patient de signaler au médecin toute aggravation de l'irritation cutanée ou l'absence de réponse au traitement.
- **Préparation vaginale:** Conseiller à la patiente d'appliquer le tioconazole en suivant scrupuleusement la posologie recommandée pendant toute la durée prescrite, même si elle se sent mieux. Lui expliquer qu'il faut poursuivre le traitement pendant les règles.
- ☐ Montrer à la patiente comment utiliser l'applicateur de l'onguent vaginal. Lui recommander d'introduire l'onguent profondément dans le vagin, au coucher. L'inciter à garder ensuite la position couchée pendant au moins 30 min. Lui conseiller d'utiliser une serviette hygiénique pour ne pas tacher ses vêtements ni la literie.

□ Recommander à la patiente de consulter le médecin au sujet des douches vaginales et des rapports sexuels pendant le traitement. Le médicament peut entraîner une irritation cutanée mineure chez le partenaire sexuel. Conseiller à la patiente d'éviter les rapports sexuels pendant le traitement pour prévenir la réinfection ou de demander à son partenaire de porter un condom.

■ **Préparation topique :** Recommander au patient d'appliquer la préparation topique en suivant scrupuleusement les recommandations du médecin. S'il n'a pas pu appliquer la préparation au moment habituel, il doit le faire dès que possible à moins que ce ne soit l'heure prévue pour la dose suivante.

□ Recommander au patient qui souffre du pied d'athlète de porter des vêtements amples et des souliers aérés et de changer de bas et de souliers au moins une fois par jour.

VÉRIFICATION DES RÉSULTATS

L'efficacité du traitement peut être démontrée par : ■ la diminution de l'irritation cutanée et de la gêne vaginale. La réponse au traitement est habituellement notable après une semaine. Il faut confirmer à nouveau le diagnostic par des prélèvements ou des cultures avant d'entreprendre un deuxième traitement afin d'écarter la possibilité d'une vulvovaginite attribuable à d'autres agents pathogènes ■ la résolution des signes et des symptômes des infections fongiques superficielles. La durée du traitement peut aller de 1 à 6 semaines.

TOBRAMYCINE
Nebcin, Tobrex

CLASSIFICATION :
Anti-infectieux – aminoside

Grossesse – catégorie D

INDICATIONS

■ **IM et IV :** Traitement des infections graves dues aux bacilles à Gram négatif et aux staphylocoques lorsque les pénicillines ou les autres médicaments moins toxiques sont contre-indiqués ou lorsqu'il y a une résistance à la gentamicine ■ **IM et IV :** Traitement des infections suivantes provoquées par les micro-organismes sensibles : □ infections du SNC □ infections des voies respiratoires □ infections de la peau et des tissus mous □ infections des voies urinaires avec complications □ septicémie ■ **Préparation ophtalmique :** Traitement des infections oculaires superficielles. **Usages non approuvés :** ■ Traitement des infections suivantes provoquées par les micro-organismes sensibles : □ infections des os □ infections abdominales □ endocardite.

ACTION

■ Inhibition de la synthèse des protéines bactériennes au niveau du ribosome 30S. **Effets thérapeutiques :** ■ Effet bactéricide contre les bactéries sensibles. **Spectre d'action :** ■ La tobramycine est particulièrement efficace contre les micro-organismes à Gram négatif suivants, lorsqu'il y a a résistance à la gentamicine : □ *Pseudomonas æruginosa* □ *Klebsiella pneumoniæ* □ *Escherichia coli* □ *Proteus* □ *Serratia* □ *Acinetobacter* ■ Le traitement des infections entérococciques nécessite l'effet synergique d'une pénicilline.

PHARMACOCINÉTIQUE

Absorption : Bonne absorption par suite de l'administration IM. Par suite de l'application des préparations topiques, l'absorption est minime.

Distribution : Par suite de l'administration IM ou IV, le médicament se répartit dans tous les liquides extracellulaires. La tobramycine traverse le placenta et pénètre dans le liquide céphalorachidien en quantités infimes.

Métabolisme et excrétion: La tobramycine est principalement excrétée par les reins (> 90 %). Il faut adapter la posologie, en cas d'insuffisance rénale, quel qu'en soit le degré. Des quantités infimes de médicament sont métabolisées par le foie.

Demi-vie: De 2 à 3 h (prolongée en cas d'insuffisance rénale).

CONTRE-INDICATIONS ET PRÉCAUTIONS

Contre-indications: ■ Hypersensibilité ■ Risque de réactions de sensibilité croisée avec d'autres aminosides.

Précautions: ■ Insuffisance rénale quelle qu'elle soit (adapter la posologie) ■ Grossesse (le médicament peut provoquer la surdité congénitale) ■ Allaitement (l'innocuité du médicament n'a pas été établie) ■ Maladies neuromusculaires, telle la myasthénie grave.

RÉACTIONS INDÉSIRABLES ET EFFETS SECONDAIRES

ORLO: neurotoxicité au niveau de la VIIIe paire de nerfs crâniens (vestibulaire et cochléaire), sensation de picotement et de brûlure oculaires (préparation ophtalmique).

GU: toxicité rénale.

SN: blocage neuromusculaire accru.

Divers: réactions d'hypersensibilité.

INTERACTIONS

Médicament – médicament: ■ Les **pénicillines** inactivent la tobramycine lors d'un traitement en association chez les patients souffrant d'insuffisance rénale ■ Risque de paralysie respiratoire après une **anesthésie par inhalation (éther, cyclopropane, halothane, protoxyde d'azote)** ou l'administration de **bloqueurs neuromusculaires (tubocurarine, succinylcholine, décaméthonium)** ■ Risque accru de neurotoxicité au niveau de la VIIIe paire de nerfs crâniens (effet ototoxique) lors de l'administration concomitante de **diurétiques de l'anse (bumétanide, furosémide)** ■ L'administration simultanée d'autres **médicaments néphrotoxiques (cisplatine)** peut augmenter le risque de toxicité rénale.

VOIES D'ADMINISTRATION ET POSOLOGIE

Remarque: Toutes les doses suivant la dose d'attaque doivent être déterminées d'après les concentrations sériques du médicament et les résultats des tests de l'exploration fonctionnelle rénale.

■ **IM et IV (adultes):** de 3 à 5 mg/kg par jour, en doses fractionnées, toutes les 8 h.

■ **IM et IV (enfants):** de 6 à 7,5 mg/kg par jour, en doses fractionnées, toutes les 6 à 8 h.

■ **IM et IV (nouveau-nés < 1 semaine):** ne pas dépasser 4 mg/kg par jour, en doses fractionnées, toutes les 12 h.

■ **Voie intrathécale (adultes) (É.-U.):** de 3 à 8 mg, toutes les 18 à 48 h.

■ **Préparation ophtalmique (adultes et enfants):** appliquer une bande de 1,5 cm de l'onguent à 0,3 %, 2 ou 3 fois par jour (toutes les 3 ou 4 h en cas d'infection grave par *Pseudomonas æruginosa*) ou 1 ou 2 gouttes de solution à 0,3 %, toutes les 4 h (toutes les 60 min en cas d'infection grave par *Pseudomonas æruginosa*).

PHARMACODYNAMIE (concentrations sanguines)

	DÉBUT D'ACTION	PIC
IM	rapide	30 – 90 min
IV	rapide	fin de la perfusion
onguent ophtalmique	rapide	inconnu
solution ophtalmique	rapide	inconnu

☀ SOINS INFIRMIERS

ÉVALUATION DE LA SITUATION

☐ Au début du traitement et pendant toute sa durée, suivre de près les signes suivants d'infection: altération des signes vitaux ; aspect de la plaie, des crachats, de l'urine et des selles ; accroissement du nombre de leucocytes.

☐ Prélever des échantillons pour les cultures et les antibiogrammes avant le début du traitement. La première dose peut être administrée avant même que les résultats soient connus.

☐ Mesurer par audiogramme la fonction de la VIIIe paire de nerfs crâniens avant le traitement et pendant toute sa durée. La perte de l'ouïe se situe habituellement au niveau des sons à haute fréquence. Pour prévenir la surdité permanente, il est essentiel d'élaborer le diagnostic et d'intervenir rapidement. Il faut également suivre de près les symptômes suivants de dysfonction vestibulaire : vertiges, ataxie, nausées, vomissements. La dysfonction au niveau de la VIIIe paire crânienne est habituellement le résultat de la présence prolongée de pics sériques élevés de tobramycine.

☐ Effectuer le bilan quotidien des ingesta et des excreta et peser le patient tous les jours pour en évaluer l'état de l'hydratation et de la fonction rénale.

☐ Surveiller les signes suivants de surinfection : fièvre, infection des voies respiratoires supérieures, démangeaisons ou pertes vaginales, malaise accru, diarrhée. Signaler ces réactions au médecin.

■ **Étude des examens diagnostiques et biochimiques :** Suivre de près la fonction rénale en notant les résultats de l'analyse des urines, la densité de l'urine, les concentrations d'urée et de créatinine, ainsi que la clearance de la créatinine, avant le traitement et pendant toute sa durée.

☐ La tobramycine peut entraîner l'élévation des concentrations sériques de TGOS (AST), de TGPS (ALT), de LDH, de bilirubine et de phosphatase alcaline.

☐ Le médicament peut entraîner la diminution des concentrations sériques de calcium, de magnésium, de sodium et de potassium.

■ **Toxicité et surdosage :** Noter les concentrations sériques à intervalles réguliers pendant toute la durée du traitement. Pour obtenir des résultats valables, il est important de bien choisir le moment où le sang sera prélevé. Pour déterminer les pics, prélever un échantillon de sang de 30 à 60 min après l'injection IM et immédiatement après la fin de la perfusion IV. Pour déterminer les creux, prélever l'échantillon juste avant l'administration de la dose suivante. Les pics acceptables se situent entre 4 et 10 mg/L ; les creux ne devraient pas dépasser 2 mg/L.

DIAGNOSTICS INFIRMIERS POSSIBLES

■ **Énoncés diagnostiques**

☐ Altération de la perception auditive.

☐ Risque élevé d'infection.

☐ *Risque élevé d'intoxication.*

☐ *Risque élevé d'altération de l'élimination urinaire.*

■ **Facteurs favorisants**

☐ *Manque de connaissances sur les modalités du traitement.*

☐ *Modification de l'état liquidien ou des volumes circulants.*

☐ *Manque de connaissances sur les effets secondaires du médicament et sur les moyens de les prévenir.*

INTERVENTIONS INFIRMIÈRES

■ **Directives générales :** Assurer une hydratation adéquate (de 1 500 à 2 000 mL de liquides par jour) pendant toute la durée du traitement.

■ **IM :** Administrer profondément dans un muscle bien développé. L'administration SC n'est pas recommandée et peut être douloureuse.

■ **Perfusion intermittente :** Diluer chaque dose de tobramycine dans 50 à 200 mL de solution de dextrose à 5 ou à 10 % dans de l'eau, de dextrose à 5 % et du NaCl à 0,9 %, de NaCl à 0,9 %, de solution de Ringer ou de lactate Ringer, afin d'obtenir une concentration ne dépassant pas 1 mg/mL (0,1 %). On peut diluer les doses destinées aux enfants proportionnellement, dans de plus faibles volumes. La solution est stable pendant 24 h à la température ambiante et pendant 36 h au réfrigérateur. La tobramycine existe également sous forme de fioles « ADD-Vantage », destinées à l'administration par un raccordement en série.

☐ *Vitesse d'administration :* Administrer lentement en 20 à 60 min tant chez les adultes que chez les enfants. Après l'administration, rincer la tubulure IV avec une solution de dextrose à 5 % dans de l'eau ou une solution de NaCl à 0,9 %.

■ **Associations incompatibles dans la même seringue :** Céfamandole, clindamycine ou héparine.

■ **Compatibilités (tubulure en Y) :** Acyclovir, ciprofloxacine, cyclophosphamide, énalapril, esmolol, foscarnet, furosémide, hydromorphone, labétalol, mépéridine, morphine, perphénazine, sulfate de magnésium, tolazoline ou zidovudine.

Compatibilités en addition au soluté : aztréonam, bléomycine, céfoxitine, ciprofloxacine, clindamycine, furosémide, gluconate de calcium, métronidazole, ranitidine ou vérapamil.

■ **Incompatibilités en addition au soluté :** Administrer la tobramycine séparément ; le fabricant ne recommande pas d'admixtion. Espacer l'administration des aminosides et des pénicillines d'au moins une heure afin de prévenir l'inactivation.

■ **Préparation ophtalmique :** Ne pas toucher les yeux, les doigts ni d'autres surfaces avec l'extrémité du tube ou du flacon.

☐ La méthode d'administration des gouttes ophtalmiques est indiquée à l'annexe H.

☐ Réchauffer le tube dans les mains pendant plusieurs minutes avant d'appliquer l'onguent. Appliquer une bande d'onguent de 1,5 cm sous la paupière inférieure. Demander au patient de fermer doucement la paupière et de bouger l'œil dans toutes les directions. Attendre 10 min avant d'appliquer un autre onguent ophtalmique.

ENSEIGNEMENT AU PATIENT ET À SES PROCHES

■ **Directives générales :** Conseiller au patient de signaler au médecin les signes d'hypersensibilité, les acouphènes, les vertiges ou la surdité.

■ **Préparation ophtalmique :** Recommander au patient souffrant d'infection ophtalmique d'éviter de porter des verres de contact tant que l'infection est présente et que le médecin n'en autorise pas l'usage.

VÉRIFICATION DES RÉSULTATS

La réponse clinique peut être déterminée par : la disparition des signes et des symptômes d'infection. Le temps de résolution dépend du micro-organisme infectant et du siège de l'infection.

TOCAÏNIDE
Tonocard

CLASSIFICATION :
Antiarythmique – classe IB
Grossesse – catégorie C

INDICATIONS

Traitement des arythmies ventriculaires incluant les contractions ventriculaires prématurées multifocales et unifocales et la tachycardie ventriculaire.

ACTION

■ Suppression de l'automaticité des tissus de conduction et diminution de la dépolarisation spontanée des ventricules durant la diastole ■ Effet minime ou nul sur la fréquence cardiaque. **Effets thérapeutiques :** ■ Réduction des arythmies.

PHARMACOCINÉTIQUE

Absorption : Bonne absorption par suite de l'administration PO.

Distribution : Le médicament se répartit dans tout l'organisme. Il traverse la barrière hémato-encéphalique.

Métabolisme et excrétion : L'agent est partiellement métabolisé par le foie. Une fraction de 30 à 50 % est excrétée à l'état inchangé par les reins.

Demi-vie : De 11 à 23 h.

CONTRE-INDICATIONS ET PRÉCAUTIONS

Contre-indications : ■ Hypersensibilité ■ Bloc cardiaque avancé.

Précautions : ■ Insuffisance cardiaque ■ Insuffisance hépatique ou rénale (il est recommandé de réduire la dose) ■ Grossesse, allaitement ou enfants (l'innocuité du médicament n'a pas été établie).

RÉACTIONS INDÉSIRABLES ET EFFETS SECONDAIRES

SNC : sensation de tête légère, vertiges, tremblements, céphalées, hallucinations, sautes d'humeur, agitation, sédation, CONVULSIONS, coma, dépression, paranoïa, étourdissements.

ORLO : vision trouble, acouphènes, soif.

Resp. : pneumonie, fibrose pulmonaire.

CV : hypotension, tachycardie, bradycardie, palpitations, insuffisance cardiaque, arythmies, angine, troubles de la conduction, hypertension, ARRÊT SINUSAL.

GI : nausées, vomissements, anorexie, diarrhée, constipation, dyspepsie, dysphagie, gêne abdominale, hépatite.

GU : rétention urinaire.

Tég. : rash, transpiration, rougeur du visage, alopécie.

Hémat. : dyscrasie.

Loc. : arthralgie, myalgie.

SN : myasthénie grave, engourdissements.

INTERACTIONS

Médicament – médicament : ■ Effets cardiaques additifs lors de l'administration simultanée d'**autres antiarythmiques** ■ Les **bêtabloquants**, administrés simultanément, peuvent déclencher l'insuffisance cardiaque.

VOIES D'ADMINISTRATION ET POSOLOGIE

PO (adultes) : initialement, 400 mg, toutes les 8 h. Le traitement d'entretien se situe entre 1,2 et 1,8 g par jour, en doses fractionnées, toutes les 6 ou 8 h (ne pas dépasser 2,4 g par jour). On peut utiliser une posologie biquotidienne chez certains patients.

PHARMACODYNAMIE (effets antiarythmiques)

	DÉBUT D'ACTION	PIC	DURÉE
PO	30 – 60 min	0,5 – 2 h	8 – 12 h

SOINS INFIRMIERS

ÉVALUATION DE LA SITUATION

☐ Mesurer la pression artérielle et le pouls, et examiner le tracé de l'ÉCG avant le traitement et à intervalles réguliers pendant toute sa durée.

☐ Ausculter les poumons à intervalles réguliers pendant toute la durée du traitement. Informer le médecin en cas de toux ou d'essoufflement. Il faut également examiner les radiographies si des signes de complication pulmonaire se manifestent.

■ **Étude des examens diagnostiques et biochimiques :** Examiner la numération globulaire à intervalles réguliers pen-

T

dant toute la durée du traitement. La leucopénie, l'agranulocytose et la thrombocytopénie se produisent habituellement après 2 à 12 semaines de traitement ; les valeurs retournent à la normale un mois après l'arrêt de la médication.

DIAGNOSTICS INFIRMIERS POSSIBLES

■ Énoncés diagnostiques
- ☐ Diminution du débit cardiaque.
- ☐ Prise en charge inefficace du programme thérapeutique.
- ☐ *Risque élevé d'accident.*
- ☐ *Risque élevé d'altération de la perception visuelle.*
- ☐ *Risque élevé de déficit nutritionnel.*
- ☐ *Risque élevé de déséquilibre hydro-électrolytique.*

■ Facteurs favorisants
- ☐ Informations incomplètes.
- ☐ *Manque de connaissances sur les modalités du traitement.*
- ☐ *Manque de connaissances sur les effets secondaires du médicament et sur les moyens de les prévenir.*
- ☐ *Manque de connaissances sur la méthode d'administration du médicament.*
- ☐ *Perturbation de la vigilance.*

INTERVENTIONS INFIRMIÈRES

PO : On peut administrer la préparation avec des aliments ou du lait afin de réduire l'irritation gastrique.

ENSEIGNEMENT AU PATIENT ET À SES PROCHES

- ☐ Prévenir le patient qu'il doit prendre le médicament à intervalles réguliers, 24 h sur 24, en respectant scrupuleusement la posologie recommandée, même s'il se sent mieux. S'il n'a pu prendre le médicament au moment habituel, il doit le prendre dès que possible dans les 4 h qui suivent ; sinon, il doit sauter cette dose. Lui expliquer qu'il ne doit jamais remplacer une dose manquée par une dou-

ble dose. Recommander au patient de ne pas arrêter de prendre le médicament sans consulter le médecin au préalable, car il peut s'avérer nécessaire de réduire la dose graduellement pour prévenir une aggravation de son état.

- ☐ Montrer au patient et à ses proches comment prendre le pouls. Conseiller au patient de signaler au médecin toute modification de la fréquence du pouls ou du nombre de battements.

- ☐ Prévenir le patient que cet agent peut provoquer des étourdissements ou une sensation de tête légère. Lui conseiller de ne pas conduire et d'éviter les activités qui exigent sa vigilance jusqu'à ce qu'on ait la certitude que le médicament n'entraîne pas ces effets chez lui.

- ☐ Recommander au patient qui doit suivre un traitement dentaire ou subir une intervention chirurgicale d'avertir le dentiste ou le médecin qu'il suit un traitement médicamenteux.

- ☐ Conseiller au patient de porter sur lui en tout temps une pièce d'identité où sont inscrits son trouble de santé et son traitement médicamenteux.

- ☐ Recommander au patient d'informer le médecin en cas de tremblements, de fièvre, de frissons, de maux de gorge, de saignements ou d'ecchymoses inhabituels, de dyspnée, de toux, de respiration sifflante ou de palpitations. Il faut également prévenir le médecin si les nausées, les vomissements ou la diarrhée s'aggravent.

- ☐ Insister sur l'importance des examens de suivi permettant d'évaluer les bienfaits du médicament.

VÉRIFICATION DES RÉSULTATS

L'efficacité du traitement peut être démontrée par : la réduction des arythmies ventriculaires sans manifestation de réactions indésirables.

TOLAZAMIDE
(Ronase), (Tolamide), (Tolinase)

CLASSIFICATION:
Hypoglycémiant oral – sulfonylurée

Grossesse – catégorie C

INDICATIONS

■ Équilibrage de la glycémie en cas de diabète non insulinodépendant de l'adulte, diabète de type II, diabète de l'adulte, diabète non cétonique) lorsque la diétothérapie ne donne pas les résultats escomptés ■ Une certaine fonction pancréatique doit subsister.

ACTION

■ Diminution de la glycémie par la stimulation des sécrétions d'insuline du pancréas et l'augmentation de la sensibilité des sites récepteurs à l'insuline ■ Diminution possible de la production de glucose hépatique. **Effets thérapeutiques:** ■ Diminution de la glycémie chez les patients diabétiques.

PHARMACOCINÉTIQUE

Absorption: Par suite de l'administration PO, l'absorption est lente mais complète.
Distribution: Inconnue.
Métabolisme et excrétion: Métabolisme hépatique. Une fraction du médicament est transformée par le foie en composés doués d'une activité hypoglycémiante.
Demi-vie: 7 h.

CONTRE-INDICATIONS ET PRÉCAUTIONS

Contre-indications: ■ Hypersensibilité ■ Risque de réactions de sensibilité croisée avec les sulfamidés ■ Diabète insulinodépendant (diabète de type I, diabète juvénile, diabète cétonique, diabète très instable) ■ Maladie rénale, hépatique, thyroïdienne ou autre maladie endocrinienne graves.

Précautions: ■ Maladie cardiovasculaire grave ■ Patients âgés (il peut s'avérer nécessaire de réduire la dose) ■ Infection, stress ou modification de l'alimentation (il peut s'avérer nécessaire de devoir contrôler plus souvent la glycémie).

RÉACTIONS INDÉSIRABLES ET EFFETS SECONDAIRES

SNC: céphalées, faiblesse, étourdissements.
GI: nausées, vomissements, diarrhée, hépatite, crampes.
Tég.: photosensibilité, rash.
End.: hypoglycémie.
HÉ: hyponatrémie.
Hémat.: ANÉMIE APLASIQUE, leucopénie, pancytopénie, thrombocytopénie.

INTERACTIONS

Médicament – médicament: ■ L'usage concomitant d'**alcool** peut entraîner une réaction semblable à la réaction au disulfirame ■ L'**alcool**, les **glucocorticoïdes**, la **rifampine**, le **diclofénac** et les **diurétiques thiazidiques**, administrés simultanément, peuvent diminuer l'efficacité du tolazamide ■ Les **hormones androgènes (testostérone)**, le **chloramphénicol**, le **clofibrate**, les **IMAO**, les **anti-inflammatoires non stéroïdiens** (sauf le **diclofénac**), les **salicylates**, les **sulfamidés** et les **anticoagulants oraux**, administrés simultanément, peuvent augmenter le risque d'hypoglycémie ■ Les **bêtabloquants**, administrés simultanément, peuvent modifier la réponse aux hypoglycémiants oraux (en augmenter ou en diminuer les besoins).

VOIES D'ADMINISTRATION ET POSOLOGIE

PO (adultes): initialement, de 100 à 250 mg par jour, au petit déjeuner. On peut augmenter la dose par paliers de 50 à 250 mg par jour, à des intervalles de 1 semaine (écart de 100 à 1 000 mg par jour).

PHARMACODYNAMIE
(effets hypoglycémiants)

	DÉBUT D'ACTION	PIC	DURÉE
PO	1 h	1 – 6 h	12 – 24 h

SOINS INFIRMIERS

ÉVALUATION DE LA SITUATION

- ☐ Surveiller l'apparition des signes et des symptômes suivants d'hypoglycémie : transpiration, faim, faiblesse, étourdissements, tremblements, tachycardie, anxiété. Suivre de près pendant un jour ou deux le patient ayant manifesté un épisode d'hypoglycémie.
- ☐ Déterminer si le patient n'est pas allergique aux sulfamidés.
- ■ **Étude des examens diagnostiques et biochimiques :** Noter à intervalles réguliers pendant toute la durée du traitement les concentrations sériques de glucose et d'hémoglobine glycosylée.
- ☐ Suivre la numération globulaire à intervalles réguliers pendant toute la durée du traitement. Prévenir immédiatement le médecin si le nombre de globules sanguins diminue.
- ☐ Examiner les résultats des tests de l'exploration fonctionnelle hépatique à intervalles réguliers. Le tolazamide peut entraîner l'élévation des concentrations de TGOS (AST), de TGPS (ALT), de bilirubine et de cholestérol. Les élévations passagères des concentrations de phosphatase alcaline au début du traitement n'ont habituellement aucune signification clinique.
- ■ **Toxicité et surdosage :** Le surdosage se manifeste par des symptômes d'hypoglycémie. En cas d'hypoglycémie légère, on peut administrer du glucose PO. En cas d'hypoglycémie grave, on doit administrer par voie IV une solution de dextrose à 50 % dans de l'eau et ensuite, en perfusion continue, une solution de dextrose plus diluée, à un

débit suffisant pour maintenir la glycémie à environ 5,6 mmol/L.

DIAGNOSTICS INFIRMIERS POSSIBLES

- ■ **Énoncés diagnostiques**
- ☐ Excès nutritionnel.
- ☐ Prise en charge inefficace du programme thérapeutique.
- ☐ Non-observance du traitement médicamenteux.
- ☐ *Risque élevé d'atteinte à l'intégrité de la peau.*
- ☐ *Risque élevé d'accident.*

- ■ **Facteurs favorisants**
- ☐ Informations incomplètes.
- ☐ Doute quant aux bienfaits du médicament.
- ☐ *Manque de connaissances sur les moyens de réduire la photosensibilité.*
- ☐ *Manque des connaissances sur les signes d'hypoglycémie et d'hyperglycémie et sur les moyens de les prévenir.*
- ☐ *Manque de connaissances sur les modalités du traitement.*
- ☐ *Perturbation de la vigilance.*
- ☐ *Difficulté à s'adapter aux changements nécessaires dans les habitudes de vie.*
- ☐ *Manque de connaissances sur les effets secondaires du médicament et sur les moyens de les prévenir.*
- ☐ *Manque de connaissances sur la méthode d'administration du médicament.*

INTERVENTIONS INFIRMIÈRES

- ■ **Directives générales :** On peut administrer le tolazamide en une seule dose le matin ou en deux doses fractionnées.
- ☐ Il peut s'avérer nécessaire d'administrer de l'insuline aux patients dont la glycémie a été stabilisée avec le tolazamide, mais qui ont de la fièvre, qui sont exposés au stress, à un traumatisme ou à l'infection ou qui doivent subir une intervention chirurgicale.

T

□ Chez les patients qui prennent moins de 40 unités d'insuline par jour, on peut substituer le tolazamide à l'insulinothérapie sans devoir en ajuster graduellement la posologie. Chez les patients qui prennent plus de 40 unités par jour, la dose d'insuline doit être réduite graduellement ; administrer le tolazamide et 50 % de la dose antérieure d'insuline pendant les premiers jours, puis diminuer graduellement les doses d'insuline, selon la réponse du patient. Mesurer la glycémie ou la glycosurie et la cétonurie au moins trois fois par jour pendant cette période.

■ **PO :** Administrer le tolazamide 30 min avant les repas afin d'optimiser l'équilibrage de la glycémie.

□ Dans le cas des patients qui éprouvent des difficultés de déglutition, on peut broyer les comprimés et les administrer avec des liquides.

ENSEIGNEMENT AU PATIENT ET À SES PROCHES

□ Conseiller au patient de prendre le médicament tous les jours à la même heure. S'il n'a pas pu prendre le médicament au moment habituel, il doit le prendre dès que possible à moins que ce ne soit presque l'heure prévue pour la dose suivante. Lui conseiller de ne pas prendre le médicament s'il est incapable de manger.

□ Expliquer au patient que le tolazamide permet de supprimer les symptômes dus à l'hyperglycémie, mais ne peut guérir le diabète. Le traitement à l'aide de cet agent est de longue durée.

□ Expliquer au patient les signes d'hypoglycémie et d'hyperglycémie. Si des symptômes d'hypoglycémie se manifestent, recommander au patient de prendre un verre de jus d'orange ou du sucre, du miel ou du sirop de maïs dissous dans de l'eau et de prévenir le médecin.

□ Inciter le patient à suivre la diétothérapie, la pharmacothérapie et le programme d'exercices prescrits afin de prévenir les épisodes d'hypoglycémie ou d'hyperglycémie.

□ Faire la démonstration du dosage de la glycémie ou de la glycosurie et de la cétonurie. Insister sur le fait qu'il faut prélever deux échantillons consécutifs d'urine pour s'assurer que les résultats sont justes. Recommander au patient de surveiller étroitement les résultats de ces tests en période de stress ou de maladie et de prévenir immédiatement le médecin si des modifications importantes surviennent. Au cours de la période de substitution d'un hypoglycémiant oral à l'insuline, le patient devrait contrôler sa glycémie, sa glycosurie ou sa cétonurie au moins 3 fois par jour et signaler les résultats au médecin selon ses consignes.

□ Prévenir le patient que le tolazamide peut provoquer des étourdissements. Lui conseiller de ne pas conduire et d'éviter les activités qui exigent sa vigilance jusqu'à ce qu'on ait la certitude que le médicament n'entraîne pas cet effet chez lui.

□ Conseiller au patient de consulter le médecin ou le pharmacien avant de prendre d'autres médicaments et, particulièrement, des agents à base d'aspirine, ou de l'alcool, en même temps que le tolazamide. Prévenir le patient que la consommation simultanée d'alcool peut entraîner une réaction semblable à la réaction au disulfirame se traduisant par les symptômes suivants : crampes abdominales, nausées, vomissements, bouffées vasomotrices, céphalées et hypoglycémie.

□ Prévenir la patiente qu'elle ne devrait pas prendre de tolazamide pendant la grossesse. Lui conseiller de ne pas prendre des contraceptifs oraux, mais d'utiliser une autre méthode de contraception et d'informer rapidement le médecin si elle pense être enceinte.

- □ Conseiller au patient d'utiliser un écran solaire et de porter des vêtements de protection pour prévenir les réactions de photosensibilité.
- □ Conseiller au patient de toujours porter sur lui du sucre (sachets de sucre ou bonbons) ainsi qu'une pièce d'identité où sont inscrits son problème de santé et son traitement médicamenteux.
- □ Insister sur l'importance d'un suivi médical régulier.

VÉRIFICATION DES RÉSULTATS

L'efficacité du traitement peut être démontrée par : l'équilibrage de la glycémie sans épisodes d'hypoglycémie ou d'hyperglycémie.

TOLAZOLINE

(Priscoline)

CLASSIFICATION :
Antihypertenseur – divers

Grossesse – catégorie inconnue

INDICATIONS

Traitement de l'hypertension pulmonaire chez les nouveau-nés lorsqu'il est impossible d'en assurer l'oxygénation par d'autres méthodes (oxygénothérapie, ventilation assistée).

ACTION

■ Vasodilatation par une action directe ■ Vasodilatation par blocage alpha-adrénergique. **Effets thérapeutiques :** ■ Abaissement de la pression artérielle pulmonaire ■ Diminution de la résistance vasculaire.

PHARMACOCINÉTIQUE

Absorption : La tolazoline est réservée à l'administration par voie IV ; dans ce cas, sa biodisponibilité est totale.
Distribution : Inconnue.

Métabolisme et excrétion : La tolazoline est surtout excrétée à l'état inchangé par les reins.
Demi-vie : De 3 à 10 h (nouveau-nés).

CONTRE-INDICATIONS ET PRÉCAUTIONS

Contre-indication : Hypotension.
Précautions : ■ Acidose ■ Sténose mitrale (risque d'apparition d'une réponse paradoxale) ■ Gastrite ou antécédents d'hémorragie digestive.

RÉACTIONS INDÉSIRABLES ET EFFETS SECONDAIRES

ORLO : mydriase.
CV : hypotension, tachycardie, CHOC.
GI : HÉMORRAGIE DIGESTIVE, diarrhée, nausées, vomissements.
GU : insuffisance rénale aiguë avec oligurie.
Tég. : rougeur du visage, horripilation.
HÉ : alcalose hypochlorémique.
Hémat. : thrombopénie.

INTERACTIONS

Médicament – médicament : ■ Risque d'hypotension initiale suivie d'une hypertension rebond lors de l'administration simultanée d'**épinéphrine** ou de **norépinéphrine** ■ La tolazoline peut contrecarrer les effets vasopresseurs de la **dopamine**, de l'**éphédrine**, du **métaraminol**, de la **méthoxamine** ou de la **phényléphrine**, administrés simultanément.

VOIES D'ADMINISTRATION ET POSOLOGIE

IV (nouveau-nés) : dose initiale de 1 ou 2 mg/kg, administrée en 5 à 10 min dans une veine du cuir chevelu ou directement dans l'artère pulmonaire, puis 1 ou 2 mg/kg à l'heure sous forme de perfusion IV. On peut augmenter la dose par paliers de 1 ou 2 mg/kg à l'heure jusqu'à concurrence de 6 à 8 mg/kg à l'heure. On peut répéter au besoin l'administration du bolus initial.

PHARMACODYNAMIE
(réponse vasculaire)

	DÉBUT D'ACTION	PIC	DURÉE
IV	30 min	inconnu	inconnue

SOINS INFIRMIERS

ÉVALUATION DE LA SITUATION

- ☐ Mesurer la pression artérielle et la fréquence cardiaque, et surveiller le tracé de l'ÉCG à intervalles réguliers tout au long de l'administration de la tolazoline. Arrêter l'administration si la pression artérielle systolique ne peut être maintenue à plus de 40 à 50 mmHg.
- ☐ Mesurer à intervalles fréquents pendant toute la durée du traitement la pression artérielle pulmonaire et la pression capillaire pulmonaire.
- ☐ Effectuer le bilan quotidien des ingesta et des excreta et peser le patient tous les jours pendant toute la durée du traitement.
- ☐ Observer la patient pendant toute la durée du traitement pour déceler les saignements, les ecchymoses, les pétéchies ou la présence de sang dans les selles, l'urine ou les vomissements.
- ■ **Étude des examens diagnostiques et biochimiques:** Noter à intervalles réguliers pendant toute la durée du traitement les concentrations des gaz artériels, la numération globulaire et les concentrations d'électrolytes sériques, particulièrement celles de potassium et de chlorure. En cas d'acidose métabolique hypochlorémique, arrêter la médication et administrer au patient du potassium et du chlorure.
- ☐ Effectuer à intervalles réguliers l'analyse hématologique des échantillons prélevés par aspiration gastrique afin de déceler l'hémorragie digestive.
- ■ **Toxicité et surdosage:** En cas d'hypotension grave, abaisser la tête du lit et administrer des liquides par voie IV. Ne pas administrer d'épinéphrine ou de norépinéphrine, car ces agents pourraient aggraver l'hypotension et entraîneront ensuite une hypertension rebond. On peut administrer par perfusion de la dopamine en même temps que la tolazoline si les liquides IV ne suffisent pas à stabiliser la pression artérielle.

DIAGNOSTICS INFIRMIERS POSSIBLES

- ■ **Énoncés diagnostiques**
- ☐ Altération de l'irrigation tissulaire.
- ☐ Perturbation des échanges gazeux.
- ☐ Prise en charge inefficace du programme thérapeutique.
- ☐ *Risque élevé d'accident.*
- ☐ *Risque élevé d'altération de l'élimination urinaire.*
- ☐ *Risque élevé d'atteinte à l'intégrité des tissus.*
- ■ **Facteurs favorisants**
- ☐ Informations incomplètes.
- ☐ *Manque de connaissances sur les effets hypotensifs du médicament lors des changements brusques de position.*
- ☐ *Manque de connaissances sur les effets secondaires du médicament et sur les moyens de les prévenir.*
- ☐ *Manque de connaissances sur les modalités du traitement.*

INTERVENTIONS INFIRMIÈRES

- ■ **Directives générales:** L'administration de ce médicament ne doit se faire que dans une unité de soins intensifs du nouveau-né où travaille une équipe soignante dûment formée et où l'on trouve le matériel nécessaire à la respiration assistée.
- ☐ Le médecin peut prescrire des antiacides avant le traitement afin de réduire l'hémorragie digestive.
- ■ **IV directe:** Administrer la dose initiale sans la diluer en 10 min, dans une veine du cuir chevelu ou directement dans l'artère pulmonaire. Poursuivre par la perfusion de la dose d'entre-

tien. On peut répéter au besoin l'administration du bolus initial pendant la perfusion.

- **Perfusion continue:** On peut diluer la préparation de tolazoline dans une solution de dextrose à 5 ou à 10 % dans de l'eau, de NaCl à 0,45 ou à 0,9 %, dans une solution de Ringer ou de lactate Ringer, dans une solution qui associe du dextrose et du soluté salin, du dextrose et de la solution de Ringer ou du dextrose et du lactate Ringer. Ne pas utiliser de diluants contenant de l'alcool benzylique chez les nouveau-nés en raison du risque de réactions menant à une issue fatale.
  - ☐ Utiliser une pompe de perfusion pour assurer l'administration de la dose exacte.
- **Compatibilités (tubulure en Y):** Aminophylline, ampicilline, bicarbonate de sodium, céfotaxime, cimétidine, dobutamine, dopamine, furosémide, gentamicine, gluconate de calcium, phytonadione, tobramycine ou vancomycine.
- **Incompatibilité (tubulure en Y):** Indométhacine.

ENSEIGNEMENT AU PATIENT ET À SES PROCHES

Expliquer aux parents le but du traitement et leur fournir un soutien affectif.

VÉRIFICATION DES RÉSULTATS

L'efficacité du traitement peut être démontrée par: la baisse de la pression artérielle pulmonaire et de la résistance vasculaire. La réponse devrait être notable dans les 30 min qui suivent l'administration de la dose initiale.

TOLBUTAMIDE

Apo-Tolbutamide, Mobenol, Novo-Butamide, (Oramide), (Orinase), (SK-Tolbutamide)

CLASSIFICATION:
Hypoglycémiant oral – sulfonylurée
Grossesse – catégorie C

INDICATIONS

- Équilibrage de la glycémie en cas de diabète non insulinodépendant de l'adulte (diabète de type II, diabète de l'adulte, diabète non cétonique) lorsque la diétothérapie ne donne pas les résultats escomptés ■ Une certaine fonction pancréatique doit subsister.

ACTION

■ Diminution de la glycémie par la stimulation des sécrétions d'insuline du pancréas et l'augmentation de la sensibilité des sites récepteurs à l'insuline ■ Diminution possible de la production de glucose hépatique. **Effets thérapeutiques:** ■ Diminution de la glycémie chez les patients diabétiques.

PHARMACOCINÉTIQUE

Absorption: Bonne absorption par suite de l'administration PO.
Distribution: Inconnue.
Métabolisme et excrétion: Le tolbutamide est surtout métabolisé par le foie.
Demi-vie: 7 h (entre 4 et 25 h).

CONTRE-INDICATIONS ET PRÉCAUTIONS

Contre-indications: ■ Hypersensibilité ■ Diabète insulinodépendant (diabète du type I, diabète juvénile, diabète cétonique, diabète très instable) ■ Maladie rénale, hépatique, thyroïdienne ou autre maladie endocrinienne graves ■ Risque de réactions de sensibilité croisée avec les sulfamidés.

Précautions: ■ Maladie cardiovasculaire grave ■ Patients âgés (il peut s'avérer nécessaire de réduire la dose) ■ Infection, stress ou modification de l'alimentation (il peut s'avérer nécessaire de devoir contrôler plus souvent la glycémie).

T

RÉACTIONS INDÉSIRABLES ET EFFETS SECONDAIRES

SNC: céphalées, faiblesse, étourdissements.

Tég.: photosensibilité, rash.

End.: hypoglycémie.

HÉ: hyponatrémie.

GI: nausées, vomissements, diarrhée, hépatite, crampes.

Hémat.: ANÉMIE APLASIQUE, leucopénie, pancytopénie, thrombocytopénie.

INTERACTIONS

Médicament – médicament: ■ L'usage concomitant d'**alcool** peut entraîner une réaction semblable à la réaction au disulfirame ■ L'**alcool**, les **glucocorticoïdes**, la **rifampine**, le **diclofénac** et les **diurétiques thiazidiques**, utilisés simultanément, peuvent diminuer l'efficacité du tolbutamide ■ Les **hormones androgènes (testostérone)**, le **chloramphénicol**, le **clofibrate**, les **IMAO**, les **anti-inflammatoires non stéroïdiens**, les **salicylates**, les **sulfamidés** et les **anticoagulants oraux**, administrés simultanément, peuvent augmenter le risque d'hypoglycémie ■ Les **bêtabloquants**, administrés simultanément, peuvent modifier la réponse aux hypoglycémiants oraux (en augmenter ou en diminuer les besoins).

VOIES D'ADMINISTRATION ET POSOLOGIE

PO (adultes): 1 ou 2 g par jour en dose unique ou en 2 ou 3 doses fractionnées (écart posologique: de 500 à 2 000 mg par jour).

PHARMACODYNAMIE (effets hypoglycémiants)

	DÉBUT D'ACTION	PIC	DURÉE
PO	1 h	4 – 6 h	6 – 12 h

☀ SOINS INFIRMIERS

ÉVALUATION DE LA SITUATION

☐ Suivre de près l'apparition des signes et des symptômes suivants d'hypoglycémie: transpiration, faim, faiblesse, étourdissements, tremblements, tachycardie, anxiété. Surveiller étroitement pendant un jour ou deux le patient ayant manifesté un épisode d'hypoglycémie.

☐ Déterminer si le patient n'est pas allergique aux sulfamidés.

■ **Étude des examens diagnostiques et biochimiques:** Noter, à intervalles réguliers pendant toute la durée du traitement, les concentrations sériques de glucose et d'hémoglobine glycosylée.

☐ Noter la numération globulaire à intervalles réguliers pendant toute la durée du traitement. Prévenir immédiatement le médecin si le nombre de globules sanguins diminue.

☐ Le tolbutamide peut fausser les résultats des épreuves de fixation de l'iode radioactif et du dosage de l'albumine urinaire.

■ **Toxicité et surdosage:** Le surdosage se manifeste par des symptômes d'hypoglycémie. En cas d'hypoglycémie légère, on peut administrer du glucose PO. En cas d'hypoglycémie grave, on doit administrer par voie IV une solution de dextrose à 50 % dans de l'eau, et ensuite, en perfusion continue, une solution de dextrose plus diluée, à un débit suffisant pour maintenir la glycémie à environ 5,6 mmol/L.

DIAGNOSTICS INFIRMIERS POSSIBLES

■ **Énoncés diagnostiques**

☐ Excès nutritionnel

☐ Prise en charge inefficace du programme thérapeutique.

☐ Non-observance du traitement médicamenteux.

☐ *Risque élevé d'accident*

☐ *Risque élevé d'atteinte à l'intégrité de la peau.*

■ **Facteurs favorisants**

☐ Informations incomplètes.

☐ Doute quant aux bienfaits du médicament.

☐ *Perturbation de la vigilance.*

□ *Manque de connaissances sur les signes d'hypoglycémie et d'hyperglycémie et sur les moyens de les prévenir.*

□ *Manque de connaissances sur les moyens de réduire la photosensibilité.*

□ *Manque de connaissances sur la méthode d'administration du médicament.*

□ *Manque de connaissances sur les modalités du traitement.*

□ *Manque de connaissances sur le régime alimentaire à suivre.*

INTERVENTIONS INFIRMIÈRES

■ **Directives générales :** On peut administrer le tolbutamide en une seule dose le matin ou en doses fractionnées.

□ Il peut s'avérer nécessaire d'administrer de l'insuline aux patients dont la glycémie a été stabilisée avec le tolbutamide, mais qui ont de la fièvre, qui sont exposés au stress, à un traumatisme ou à l'infection ou qui doivent subir une intervention chirurgicale.

□ Chez les patients qui prennent 20 unités d'insuline par jour, on peut substituer le tolbutamide à l'insulinothérapie sans devoir en ajuster graduellement la posologie. Chez les patients qui prennent de 20 à 40 unités par jour, la dose d'insuline doit être réduite de 30 à 50 % le premier jour, puis ajustée graduellement. Chez les patients qui prennent plus de 40 unités par jour, la dose d'insuline doit être réduite de 20 % le premier jour, puis ajustée graduellement, selon les besoins. Mesurer la glycémie ou la glycosurie et la cétonurie au moins 3 fois par jour pendant cette période.

■ **PO :** Administrer le tolbutamide 30 min avant les repas afin d'optimiser l'équilibrage de la glycémie.

□ Dans le cas des patients qui éprouvent des difficultés de déglutition, on peut broyer les comprimés et les administrer avec des liquides.

ENSEIGNEMENT AU PATIENT ET À SES PROCHES

□ Conseiller au patient de prendre le médicament tous les jours à la même heure. S'il n'a pas pu prendre le médicament au moment habituel, il doit le prendre dès que possible à moins que ce ne soit presque l'heure prévue pour la dose suivante. Lui conseiller de ne pas prendre la dose s'il est incapable de manger.

□ Expliquer au patient que le tolbutamide permet de supprimer les symptômes dus à l'hyperglycémie, mais ne peut guérir le diabète. Le traitement à l'aide de cet agent est de longue durée.

□ Expliquer au patient les signes d'hypoglycémie et d'hyperglycémie. Si des symptômes d'hypoglycémie se manifestent, recommander au patient de prendre un verre de jus d'orange ou du sucre, du miel ou du sirop de maïs dissous dans de l'eau et de prévenir le médecin.

□ Inciter le patient à suivre la diétothérapie, la pharmacothérapie et le programme d'exercices prescrits afin de prévenir les épisodes d'hypoglycémie ou d'hyperglycémie.

□ Faire la démonstration du dosage de la glycémie ou de la glycosurie et de la cétonurie. Insister sur le fait qu'il faut prélever deux échantillons consécutifs d'urine pour s'assurer que les résultats sont justes. Recommander au patient de surveiller étroitement les résultats de ces tests en période de stress ou de maladie et de prévenir immédiatement le médecin si des modifications importantes surviennent. Au cours de la période de substitution d'un hypoglycémiant oral à l'insuline, le patient devrait contrôler sa glycémie, sa glycosurie ou sa cétonurie au moins 3 fois par jour et signaler les résultats au médecin selon ses consignes.

□ Prévenir le patient que le tolbutamide peut provoquer des étourdissements. Lui conseiller de ne pas conduire et

- d'éviter les activités qui exigent sa vigilance jusqu'à ce qu'on ait la certitude que le médicament n'entraîne pas cet effet chez lui.
- Conseiller au patient de consulter le médecin ou le pharmacien avant de prendre d'autres médicaments et, particulièrement, des agents à base d'aspirine, ou de l'alcool, en même temps que le tolbutamide. Prévenir le patient que la consommation simultanée d'alcool peut entraîner une réaction semblable à la réaction au disulfirame se traduisant par les symptômes suivants: crampes abdominales, nausées, vomissements, bouffées vasomotrices, céphalées et hypoglycémie.
- Prévenir la patiente qu'elle ne devrait pas prendre de tolbutamide pendant la grossesse. Lui conseiller de ne pas prendre des contraceptifs oraux, mais d'utiliser une autre méthode de contraception et d'informer rapidement le médecin si elle pense être enceinte.
- Conseiller au patient d'utiliser un écran solaire et de porter des vêtements de protection pour prévenir les réactions de photosensibilité.
- Conseiller au patient de toujours porter sur lui du sucre (sachets de sucre ou bonbons) ainsi qu'une pièce d'identité où sont inscrits son problème de santé et son traitement médicamenteux.
- Insister sur l'importance d'un suivi médical régulier.

VÉRIFICATION DES RÉSULTATS

L'efficacité du traitement peut être démontrée par: l'équilibrage de la glycémie sans épisodes d'hypoglycémie ou d'hyperglycémie.

TOLMÉTINE

Tolectin, Tolectin DS

CLASSIFICATION:
Anti-inflammatoire non-stéroïdien

Grossesse – catégorie C

INDICATIONS

■ Traitement des troubles inflammatoires dont: □ la polyarthrite rhumatoïde □ la polyarthrite juvénile □ l'arthrose.

ACTION

■ Inhibition de la synthèse des prostaglandines. **Effets thérapeutiques:** ■ Suppression de la douleur et de l'inflammation.

PHARMACOCINÉTIQUE

Absorption: Par suite de l'administration PO, l'agent est bien absorbé depuis le tractus gastro-intestinal.
Distribution: Inconnue.
Métabolisme et excrétion: Le médicament est surtout métabolisé par le foie. Une fraction de 20 % est excrétée à l'état inchangé par les reins.
Demi-vie: 1 h.

CONTRE-INDICATIONS ET PRÉCAUTIONS

Contre-indications: ■ Hypersensibilité ■ Risque de réactions de sensibilité croisée avec d'autres anti-inflammatoires non stéroïdiens incluant l'aspirine ■ Hémorragie digestive manifeste ou ulcère en évolution ■ Grossesse.
Précautions: ■ Maladie cardiovasculaire, rénale ou hépatique graves ■ Antécédents d'ulcère ■ Allaitement (l'innocuité du médicament n'a pas été établie) ■ Insuffisance hépatique ou rénale graves (il est recommandé de réduire la dose).

RÉACTIONS INDÉSIRABLES ET EFFETS SECONDAIRES

SNC: céphalées, somnolence, étourdissements, troubles du sommeil, dépression.
ORLO: trouble de la vision, acouphènes.
CV: œdème, hypertension.
GI: nausées, dyspepsie, vomissements, diarrhée, constipation, HÉMORRAGIE DIGESTIVE, gêne gastro-intestinale, flatulence, HÉPATITE.
GU: insuffisance rénale.

Tég.: rash.

Hémat.: allongement du temps de saignement.

Loc.: faiblesse musculaire.

Divers: réactions allergiques incluant l'ANAPHYLAXIE.

INTERACTIONS

Médicament – médicament: ■ Risque accru de saignement lors de l'usage concomitant d'**anticoagulants**, de **céfamandole**, de **céfopérazone**, de **céfotétane**, de **moxalactam**, d'**agents thrombolytiques** ou de **plicamycine** ■ Effets nocifs additifs sur le tractus gastro-intestinal lors de l'usage concomitant d'**aspirine**, de **glucocorticoïdes** et d'**autres anti-inflammatoires non stéroïdiens** ■ La tolmétine peut diminuer la réponse aux **antihypertenseurs** ou aux **diurétiques** ■ La tolmétine peut élever les concentrations sériques de **lithium** et augmenter le risque de toxicité ■ La tolmétine peut accroître le risque de toxicité hématologique par les **antinéoplasiques** ou la **radiothérapie**, administrés simultanément ■ Risque accru d'effets nocifs sur les reins lors de l'administration simultanée de **sels d'or** ou de l'usage prolongé d'**acétaminophène** ■ Risque accru d'hypoglycémie induite par l'**insuline** ou les **hypoglycémiants oraux**.

PRÉSENTATION

La tolmétine existe aussi sous forme de capsules à double teneur (DS) à 400 mg.

VOIES D'ADMINISTRATION ET POSOLOGIE

- **PO (adultes):** 400 mg, 3 fois par jour (écart posologique de 600 à 1 800 mg par jour, en 3 ou 4 doses fractionnées; ne pas dépasser 2 000 mg par jour).

- **PO (enfants > 2 ans):** de 15 à 30 mg/kg par jour, en 3 ou 4 doses fractionnées (ne pas dépasser 30 mg/kg par jour).

PHARMACODYNAMIE (effets anti-inflammatoires)

	DÉBUT D'ACTION	PIC	DURÉE
PO	en l'espace de 7 jours	1 – 2 semaines	inconnue

SOINS INFIRMIERS

ÉVALUATION DE LA SITUATION

- **Directives générales:** Les patients souffrant d'asthme, d'allergie induite par l'aspirine ou de polypes nasaux sont davantage prédisposés aux réactions d'hypersensibilité. Suivre de près la rhinite, l'asthme et l'urticaire.

☐ Suivre de près la douleur et examiner la mobilité des articulations avant l'administration de la tolmétine et une heure plus tard.

- **Étude des examens diagnostiques et biochimiques:** Chez les patients qui suivent un traitement prolongé, examiner à intervalles réguliers les résultats des tests de l'exploration fonctionnelle hépatique, la numération globulaire, les concentrations sériques d'urée et de créatinine sérique.

☐ La tolmétine peut entraîner l'élévation des concentrations sériques de potassium, d'urée, de TGOS (AST) et de TGPS (ALT).

☐ La tolmétine peut diminuer l'hématocrite et les concentrations d'hémoglobine. Elle peut également allonger le temps de saignement pendant une période allant jusqu'à 2 jours après l'arrêt du traitement.

☐ La tolmétine peut entraîner des résultats faussement positifs au dosage des protéines urinaires.

DIAGNOSTICS INFIRMIERS POSSIBLES

- **Énoncés diagnostiques**

☐ Douleur.

☐ Altération de la mobilité physique.

T

- Prise en charge inefficace du programme thérapeutique.
- *Risque élevé de déficit de volume liquidien.*
- *Risque élevé de déséquilibre hydro-électrolytique.*
- *Risque élevé d'atteinte à l'intégrité des tissus.*
- *Risque élevé d'accident.*
- *Risque élevé d'intolérance à l'activité.*

■ **Facteurs favorisants**
- Informations incomplètes.
- *Manque de connaissances sur les moyens de prévenir les effets secondaires affectant l'appareil gastro-intestinal.*
- *Manque de connaissances sur le régime alimentaire à suivre.*
- *Perturbation de la vigilance.*
- *Manque de connaissances sur les modalités du traitement.*
- *Manque de connaissances sur la méthode d'administration du médicament.*
- *Manque de connaissances sur les effets secondaires du médicament et sur les moyens de les prévenir.*

INTERVENTIONS INFIRMIÈRES

PO: Pour obtenir un effet initial rapide, administrer la tolmétine 30 min avant les repas ou 2 h après. On peut administrer l'agent avec des aliments, du lait ou des antiacides pour diminuer l'irritation gastrique. Les aliments ralentissent l'absorption, mais n'en réduisent pas l'ampleur. On peut broyer les comprimés ou ouvrir les capsules et les mélanger avec des liquides ou des aliments.

ENSEIGNEMENT AU PATIENT ET À SES PROCHES
- Conseiller au patient de prendre la tolmétine avec un grand verre d'eau et de ne pas s'étendre dans les 15 à 30 min qui suivent.

- Inciter le patient à respecter scrupuleusement la posologie recommandée. S'il n'a pu prendre le médicament au moment habituel, il doit le prendre dès que possible à moins que ce ne soit presque l'heure prévue pour la dose suivante. Il ne faut jamais remplacer une dose manquée par une double dose.
- Prévenir le patient que la tolmétine peut provoquer des étourdissements ou de la somnolence. Lui conseiller de ne pas conduire et d'éviter les activités qui exigent sa vigilance jusqu'à ce qu'on ait la certitude que le médicament n'entraîne pas ces effets chez lui.
- Recommander au patient d'éviter de boire de l'alcool et de consulter le médecin ou le pharmacien avant de prendre une préparation à base d'aspirine ou d'acétaminophène, ou un autre médicament en vente libre, en même temps que la tolmétine.
- Recommander au patient de prévenir le médecin en cas de rash, de démangeaisons, de douleurs musculaires, de troubles visuels, de gain de poids, d'œdème, de selles noires ou de céphalées persistantes.
- Recommander au patient qui doit suivre un traitement dentaire ou subir une intervention chirurgicale d'avertir le dentiste ou le médecin qu'il suit un traitement médicamenteux.

VÉRIFICATION DES RÉSULTATS

L'efficacité du traitement peut être démontrée par: ■ la diminution de la douleur □ l'amélioration de la mobilité des articulations. On observe habituellement un soulagement partiel de la douleur arthritique en l'espace de 7 jours, mais le plein effet du médicament peut ne se manifester qu'après une semaine ou deux de traitement continu. Les patients qui ne répondent pas à un anti-inflammatoire non stéroïdien peuvent répondre à un autre.

TRAZODONE
Desyrel, Desyrel Dividose, PMS-Trazodone, (Trazon), (Trialodine)

CLASSIFICATION:
Antidépresseur – divers

Grossesse – catégorie C

INDICATIONS

■ Soulagement symptomatique des états dépressifs. **Usages non approuvés:** ■ Traitement des syndromes de douleur chronique, incluant la neuropathie diabétique.

ACTION

■ Modification des effets de la sérotonine dans le SNC. **Effets thérapeutiques:** ■ Effet antidépresseur qui peut n'être notable qu'après plusieurs semaines de traitement.

PHARMACOCINÉTIQUE

Absorption: Bonne absorption par suite de l'administration PO.

Distribution: Le médicament se répartit dans tout l'organisme.

Métabolisme et excrétion: La trazodone est fortement métabolisée par le foie. Des quantités minimes sont excrétées à l'état inchangé par les reins.

Demi-vie: De 5 à 9 h.

CONTRE-INDICATIONS ET PRÉCAUTIONS

Contre-indications: ■ Hypersensibilité ■ Période de convalescence suivant un infarctus du myocarde ■ Traitement concomitant par des électrochocs.

Précautions: ■ Maladie cardiovasculaire ■ Comportement suicidaire ■ Grossesse, allaitement ou enfants (l'innocuité du médicament n'a pas été établie) ■ Maladie hépatique ou rénale graves (il est recommandé de réduire la dose).

RÉACTIONS INDÉSIRABLES ET EFFETS SECONDAIRES

SNC: somnolence, étourdissements, sensation de tête légère, fatigue, faiblesse, insomnie, confusion, hallucinations, troubles de l'élocution, cauchemars, syncope, céphalées.

ORLO: vision trouble, acouphènes.

CV: hypotension, douleurs thoraciques, tachycardie, arythmies, palpitations, hypertension.

GI: sécheresse de la bouche (xérostomie), constipation, nausées, vomissements, goût désagréable, flatulence, diarrhée, salivation excessive.

GU: mictions fréquentes, impuissance, priapisme, hématurie.

Tég.: rash.

Hémat.: anémie, leucopénie.

Loc.: myalgie.

SN: tremblements.

INTERACTIONS

Médicament – médicament: ■ La trazodone peut élever les concentrations sériques de **digoxine** ou de **phénytoïne** ■ Dépression additive du SNC lors de l'usage concomitant d'autres **dépresseurs du SNC,** incluant l'**alcool,** les **antihistaminiques,** les **analgésiques narcotiques** et les **hypnosédatifs** ■ Hypotension additive lors de l'administration simultanée d'**antihypertenseurs** ou de **dérivés nitrés** ou de la consommation d'**alcool.**

VOIES D'ADMINISTRATION ET POSOLOGIE

PO (adultes): de 150 à 200 mg par jour, en 2 ou 3 doses fractionnées; augmenter ensuite la dose par paliers de 50 mg par jour, tous les 3 ou 4 jours, jusqu'à l'obtention de la réponse désirée (ne pas dépasser 600 mg par jour).

PHARMACODYNAMIE
(effet antidépresseur)

	DÉBUT D'ACTION	PIC	DURÉE
PO	2 semaines	2–4 semaines	plusieurs semaines

T

☆ SOINS INFIRMIERS

ÉVALUATION DE LA SITUATION

☐ Évaluer l'état de la conscience du patient et les modifications de son humeur à intervalles fréquents. Déceler les tendances suicidaires, particulièrement durant le traitement initial. Réduire la quantité de médicament dont le patient peut disposer.

☐ Mesurer la pression artérielle et le pouls avant et pendant le traitement initial. Chez les patients ayant des antécédents de maladie cardiaque, suivre de près l'ÉCG avant le traitement et à intervalles réguliers pendant toute sa durée, afin de déceler les arythmies.

■ **Étude des examens diagnostiques et biochimiques :** Noter la numération globulaire et les résultats des tests de l'exploration fonctionnelle hépatique et rénale avant le traitement et à intervalles réguliers pendant toute sa durée. La trazodone peut entraîner une légère diminution du nombre de leucocytes et de polynucléaires neutrophiles ; cette diminution n'a aucune signification clinique.

DIAGNOSTICS INFIRMIERS POSSIBLES

■ **Énoncés diagnostiques**

☐ Stratégies d'adaptation individuelle inefficaces.

☐ Prise en charge inefficace du programme thérapeutique,

☐ *Risque élevé d'accident.*

☐ *Risque élevé d'atteinte à l'intégrité de la muqueuse buccale.*

☐ *Risque élevé de constipation.*

■ **Facteurs favorisants**

☐ Informations incomplètes.

☐ *Perturbtion de la vigilance.*

☐ *Manque de connaissances sur les effets hypotensifs du médicament lors des changements brusques de position.*

☐ *Manque de connaissances sur les moyens de prévenir ou de réduire la sécheresse de la bouche.*

☐ *Manque de connaissances sur la méthode d'administration du médicament.*

☐ *Manque de connaissances sur les moyens de stimuler la fonction intestinale.*

INTERVENTIONS INFIRMIÈRES

PO : Administrer la trazodone avec des aliments ou immédiatement après les repas afin de réduire les effets secondaires (nausées, étourdissements) et de favoriser l'absorption du médicament. On peut administrer une plus grande portion de la dose quotidienne totale au coucher afin de réduire la somnolence diurne et les étourdissements.

ENSEIGNEMENT AU PATIENT ET À SES PROCHES

☐ Conseiller au patient de respecter scrupuleusement la posologie recommandée. S'il n'a pu prendre le médicament au moment habituel, il doit le prendre dès que possible, mais pas plus tard que 4 h avant l'heure prévue pour la dose suivante. Le prévenir qu'il ne doit jamais remplacer une dose manquée par une double dose. Conseiller au patient de consulter le médecin avant d'arrêter le traitement. Il faut réduire la posologie graduellement pour prévenir une aggravation de l'état.

☐ Prévenir le patient que la trazodone peut provoquer de la somnolence et rendre la vision trouble. Lui recommander de ne pas conduire et d'éviter les activités qui exigent sa vigilance jusqu'à ce qu'on ait la certitude que le médicament n'entraîne pas ces effets chez lui.

☐ Recommander au patient de changer lentement de position afin de réduire les risques d'hypotension orthostatique.

□ Mettre en garde le patient contre la consommation d'alcool et la prise d'autres dépresseurs du SNC en même temps que la trazodone.

□ Recommander au patient de se rincer fréquemment la bouche, de pratiquer une bonne hygiène orale et de consommer de la gomme ou des bonbons sans sucre pour soulager la sécheresse de la bouche. Lui conseiller d'avertir le médecin ou le dentiste si ce symptôme persiste pendant plus de deux semaines. Lui conseiller d'augmenter sa consommation de liquides et de fibres alimentaires et de faire de l'exercice pour prévenir la constipation.

□ Recommander au patient qui doit suivre un traitement dentaire ou subir une intervention chirurgicale d'avertir le dentiste ou le médecin qu'il suit un traitement médicamenteux.

□ Recommander au patient de signaler au médecin le priapisme, les extrasystoles, la faiblesse, la confusion, le rash ou les tremblements. Lui conseiller de prévenir également le médecin si la sécheresse de la bouche, les nausées, les vomissements, les étourdissements, les céphalées, les douleurs musculaires, la constipation ou la diarrhée s'aggravent.

□ Insister sur l'importance des examens de suivi permettant d'évaluer l'efficacité du traitement.

VÉRIFICATION DES RÉSULTATS

L'efficacité du traitement peut être démontrée par : ■ la résolution des symptômes de dépression □ une sensation de mieux-être □ un regain d'intérêt pour l'entourage □ un gain d'appétit □ un regain d'énergie □ l'amélioration du sommeil ■ la diminution de l'intensité de la douleur en cas de syndromes de douleur chronique. Les effets thérapeutiques se manifestent habituellement dans l'espace de 2 semaines, bien qu'une amélioration notable ne puisse parfois être observée qu'après 4 semaines.

TRIAMCINOLONE

Aristocort, Aristospan, Azmacort, Kenalog, Nasacort, (Amcort), (Articulose L.A.), (Atolone), (Cenocort A), (Cinonide), (Kenacort), (Kenaject), (Tramacort), (Triam-A), (Triamonide), (Tri-Kort), (Trilog), (Tristoject)

CLASSIFICATION :
Glucocorticoïde à action intermédiaire ; anti-inflammatoire

Grossesse – catégorie inconnue

INDICATIONS

■ Traitement systémique et local d'une grande variété d'affections dont : □ les maladies inflammatoires chroniques □ les maladies allergiques □ les maladies hématologiques □ les maladies néoplasiques □ les maladies auto-immunes ■ Médicament ne pouvant être administré un jour sur deux.

ACTION

■ Suppression de l'inflammation et de la réponse immunitaire normale ■ Nombreux effets métaboliques intenses ■ Suppression de la fonction des surrénales à des doses de 4 mg par jour, administrées sur une période prolongée ■ Médicament pratiquement dépourvu de toute activité minéralocorticoïde (rétention sodée). **Effets thérapeutiques :** ■ Suppression de l'inflammation ■ Modification de la réponse immunitaire normale.

PHARMACOCINÉTIQUE

Absorption : Bonne absorption par suite de l'administration PO et IM. L'application prolongée de doses élevées de la préparation topique peut aussi mener à une absorption systémique. Les sels d'acétonide et de diacétate, administrés par voie IM, ont une longue durée d'action.

T

Distribution: Le médicament se répartit dans tout l'organisme. Il traverse le placenta et pénètre probablement dans le lait maternel.

Métabolisme et excrétion: Le médicament est surtout métabolisé par le foie et d'autres tissus. De petites quantités sont excrétées à l'état inchangé par les reins.

Demi-vie: Plus de 200 min; la suppression de la fonction surrénalienne dure 2,25 jours.

CONTRE-INDICATIONS ET PRÉCAUTIONS

Contre-indications: ■ Infections évolutives non traitées ■ Allaitement (administration prolongée).

Précautions: ■ Traitement prolongé (risque de suppression de la fonction surrénalienne) ■ Période de stress (intervention chirurgicale, infection – administrer des doses supplémentaires) ■ Enfants (l'administration prolongée peut entraîner un ralentissement de la croissance) ■ Infections (le médicament peut masquer les signes d'infection, par exemple, fièvre et inflammation) ■ Enfants de moins de 12 ans (administration intranasale – l'innocuité du médicament n'a pas été établie) ■ Enfants de moins de 6 ans (préparation pour inhalation – l'innocuité du médicament n'a pas été établie).

RÉACTIONS INDÉSIRABLES ET EFFETS SECONDAIRES

SNC: céphalées, agitation, psychose, fatigue, dépression, euphorie, modification de la personnalité; pression intracrânienne accrue (enfants seulement).

ORLO: cataractes, pression intraoculaire accrue; voie intranasale – irritation nasale, sécheresse des muqueuses, congestion nasosinusale, maux de gorge, éternuements, épistaxis; inhalation – infections fongiques oropharyngées, voix rauque, sécheresse ou irritation de la gorge, sécheresse de la bouche (xérostomie).

CV: hypertension.

GI: nausées, vomissements, anorexie, ULCÈRE GASTRODUODÉNAL.

End.: suppression de la fonction surrénalienne, hyperglycémie.

Tég.: ralentissement de la cicatrisation des plaies, pétéchies, ecchymoses, fragilité, hirsutisme, acné.

HÉ: hypokaliémie, alcalose hypokaliémique, rétention hydrique (traitement prolongé à des doses élevées).

Hémat.: thromboembolie, thrombophlébite.

Métab.: perte de poids, gain de poids.

Loc.: atrophie musculaire, douleurs musculaires, nécrose aseptique des articulations, ostéoporose.

Divers: sensibilité accrue aux infections, aspect cushingoïde (faciès lunaire, bosse de bison).

INTERACTIONS

Médicament – médicament: ■ Hypokaliémie additive lors de l'administration simultanée de **diurétiques**, d'**amphotéricine B**, d'**azlocilline**, de **carbénicilline**, de **mezlocilline**, de **pipéracilline** ou de **ticarcilline** ■ L'hypokaliémie peut augmenter le risque de toxicité par les **dérivés digitaliques** ■ La triamcinolone peut augmenter les besoins en **insuline** ou en **hypoglycémiants oraux** ■ Risque accru d'effets gastro-intestinaux indésirables lors de l'usage concomitant d'**anti-inflammatoires non stéroïdiens**, d'**alcool** ou d'**aspirine**.

VOIES D'ADMINISTRATION ET POSOLOGIE

- **PO (adultes):** de 2 à 40 mg par jour, en 2 à 4 doses fractionnées ou en une seule dose (pour les faibles doses seulement).

- **IM (adultes):** 40 mg (acétonide ou diacétate).

- **IA (adultes):** de 2 à 40 mg (acétonide ou diacétate), de 2 à 20 mg (hexacétonide).

- **Préparation topique (adultes et enfants):** crème ou onguent de 0,025 à 0,5 %, de 2 à 4 fois par jour (acétonide).
- **Préparation nasale:** 2 pulvérisations dans chaque narine, 1 fois par jour (55 µg par pulvérisation).
- **Préparation pour inhalation (adultes):** 2 inhalations, 3 ou 4 fois par jour (100 µg par pulvérisation); ne pas dépasser 16 inhalations par jour.
- **Préparation pour inhalation (enfants de 6 à 12 ans):** 1 ou 2 inhalations, 3 ou 4 fois par jour (100 µg par pulvérisation); ne pas dépasser 12 inhalations par jour.

PHARMACODYNAMIE
(effets anti-inflammatoires)

	DÉBUT D'ACTION	PIC	DURÉE
PO	inconnu	1 – 2 h	2,25 jours
IM acétonide	24 – 48 h	inconnu	1 – 6 semaines
IM diacétate	lent	inconnu	4 jours-4 semaines
IA acétonide	inconnu	inconnu	plusieurs semaines
IA diacétate	inconnu	inconnu	1 – 8 semaines
IA hexacétonide	inconnu	inconnu	3 – 4 semaines
voie intranasale	de 12 h à plusieurs jours	inconnu	inconnue

SOINS INFIRMIERS

ÉVALUATION DE LA SITUATION

☐ Ce médicament est indiqué pour le traitement de nombreuses maladies. Examiner les appareils ou les systèmes atteints avant le début du traitement et à intervalles réguliers pendant toute sa durée.

☐ Observer le patient, avant le début du traitement et à intervalles réguliers pendant toute sa durée, pour déceler les symptômes suivants d'insuffisance surrénalienne: hypotension, perte de poids, faiblesse, nausées, vomissements, anorexie, léthargie, confusion, agitation.

☐ Effectuer le bilan quotidien des ingesta et des excreta et peser le patient tous les jours. Suivre de près l'apparition d'un œdème périphérique, d'un gain de poids constant, de râles et de crépitations ou de dyspnée. Prévenir le médecin si ces symptômes se manifestent.

☐ Les enfants devraient être soumis à des examens réguliers d'évaluation de la croissance.

- **Étude des examens diagnostiques et biochimiques:** Les patients qui suivent un traitement prolongé devraient se soumettre à intervalles réguliers à des analyses permettant de mesurer les valeurs hématologiques, les concentrations sériques d'électrolytes et les concentrations de glucose dans le sérum et dans l'urine. La triamcinolone peut entraîner la diminution du nombre de leucocytes. Elle peut déclencher l'hyperglycémie, particulièrement chez les patients souffrant de diabète. Le médicament peut entraîner la diminution des concentrations sériques de potassium et de calcium et l'élévation des concentrations sériques de sodium.

☐ Signaler rapidement au médecin la présence de sang occulte dans les selles, décelée par la méthode au gaïac.

☐ La triamcinolone peut supprimer les réactions aux tests cutanés allergologiques.

☐ Le médecin peut prescrire des tests de l'exploration fonctionnelle surrénalienne à intervalles réguliers pour déterminer le degré de suppression de l'axe hypothalamo-hypophyso-surrénalien.

DIAGNOSTICS INFIRMIERS POSSIBLES

- **Énoncés diagnostiques**
☐ Risque élevé d'infection.
☐ Prise en charge inefficace du programme thérapeutique.

T

□ Perturbation situationnelle de l'estime de soi.

□ *Risque élevé d'atteinte à l'intégrité de la peau.*

■ **Facteurs favorisants**

□ Informations incomplètes.

□ *Manque de connaissances sur la méthode d'administration du médicament.*

□ *Manque de connaissances sur les modalités du traitement.*

□ *Manque de connaissances sur les effets secondaires du médicament et sur les moyens de les prévenir.*

□ *Manque de connaissances sur le régime alimentaire à suivre.*

□ *Altération de l'image corporelle.*

INTERVENTIONS INFIRMIÈRES

■ **Directives générales:** Administrer la dose quotidienne de triamcinolone le matin pour faire coïncider la prise avec les sécrétions normales de cortisol de l'organisme.

■ **PO:** Administrer la triamcinolone avec des aliments afin de réduire l'irritation gastrique. On peut broyer les comprimés et les administrer avec des aliments ou des liquides chez les patients éprouvant des difficultés de déglutition. Utiliser un récipient gradué pour mesurer correctement les préparations liquides.

■ **IM:** Bien agiter la suspension avant de la retirer de la fiole. Administrer l'injection profondément dans un muscle bien développé. Ne pas administrer la triamcinolone par voie IV.

■ **Préparation topique:** Porter des gants lors de l'application de la préparation topique.

■ **Vaporisateur nasal:** Le patient qui utilise également un décongestionnant topique devrait recevoir le décongestionnant de 5 à 15 min avant la triamcinolone. Avant d'administrer le médicament, recommander au patient de se moucher délicatement s'il est

incapable de respirer librement par le nez.

■ **Préparation pour inhalation:** Si le patient doit aussi prendre un bronchodilatateur par inhalation, il devrait le recevoir plusieurs minutes avant la triamcinolone afin d'ouvrir les voies respiratoires et de favoriser le transport du corticoïde à son lieu d'action. Attendre 5 min avant d'administrer les autres médicaments par inhalation.

ENSEIGNEMENT AU PATIENT ET À SES PROCHES

■ **Directives générales:** Conseiller au patient de respecter scrupuleusement la posologie recommandée, de ne pas sauter de dose et de ne pas remplacer une dose manquée par une double dose. Le sevrage brusque peut entraîner une insuffisance surrénalienne se manifestant par l'anorexie, des nausées, de la fatigue, de la faiblesse, de l'hypotension, de la dyspnée et de l'hypoglycémie. Si ces signes apparaissent, prévenir immédiatement le médecin, car la vie du patient peut être en danger.

□ Inciter le patient qui suit un traitement prolongé à consommer des aliments riches en protéines, en calcium et en potassium et pauvres en sodium et en hydrates de carbone (voir l'annexe K).

□ Prévenir le patient que la triamcinolone supprime la réponse immunitaire et peut masquer les symptômes d'infection. Lui conseiller d'éviter les personnes contagieuses et de signaler immédiatement au médecin toute infection possible.

□ Expliquer au patient les effets secondaires de ce médicament. Lui recommander de prévenir rapidement le médecin s'il souffre de fortes douleurs abdominales ou si ses selles deviennent goudronneuses et de signaler également toute enflure inhabituelle,

- un gain de poids, la fatigue, les douleurs osseuses, les ecchymoses, les plaies qui ne cicatrisent pas, les troubles visuels ou des modifications de comportement.

☐ Recommander au patient de prévenir le médecin si les symptômes de la maladie sous-jacente ressurgissent ou s'aggravent.

☐ Prévenir le patient que le traitement pourrait affecter son image corporelle. Explorer avec lui les stratégies d'adaptation auxquelles il pourrait recourir.

☐ Conseiller au patient de porter sur lui une pièce d'identité où sont inscrits son problème de santé et son traitement, pour parer à toute urgence lors de circonstances où il est incapable d'exposer ses antécédents médicaux.

☐ Recommander au patient de ne pas se faire vacciner sans recommandation expresse du médecin.

☐ Insister sur l'importance des examens de suivi permettant d'évaluer les bienfaits du traitement et les effets secondaires du médicament. Le médecin peut prescrire à intervalles réguliers des examens diagnostiques, biochimiques et ophtalmologiques.

■ **Préparations topiques :** Montrer au patient le mode d'emploi du médicament. Appliquer la préparation topique sur une peau propre et légèrement humide. Utiliser un pansement occlusif seulement si le médecin le recommande, car l'absorption du médicament pourrait être accrue. Appliquer la préparation topique avec un cotontige. Éviter tout contact avec les yeux.

■ **Vaporisateur nasal :** Montrer au patient comment se servir du vaporisateur nasal. Appuyer légèrement sur une narine avec un doigt pour la fermer. Introduire le bout de l'applicateur dans l'autre narine et pulvériser en inhalant doucement. Prévenir le patient qu'il peut connaître une sensa-

tion passagère de picotement dans le nez.

☐ Recommander au patient d'informer le médecin si les symptômes ne s'améliorent pas en l'espace de un mois ou si les écoulements nasaux deviennent purulents.

■ **Préparation pour inhalation :** Montrer au patient comment utiliser l'aérosol doseur. Bien agiter l'aérosol, expirer, serrer fortement les lèvres autour de la pièce buccale, administrer au cours de la 2e moitié de l'inhalation et retenir la respiration le plus longtemps possible après le traitement pour favoriser l'instillation du médicament en profondeur. Recommander au patient d'espacer les inhalations d'au moins 1 min. Laver l'appareillage d'inhalation dans de l'eau courante chaude, au moins 1 fois par jour.

☐ Prévenir le patient qu'il ne doit pas utiliser des doses plus élevées ni prendre le médicament plus souvent que le médecin ne l'a recommandé. La posologie normale est de 16 inhalations par jour chez les adultes et de 12 par jour chez les enfants de 6 à 12 ans. Conseiller au patient de prévenir le médecin si la dose prescrite s'avère inefficace.

☐ Prévenir le patient qu'après avoir effectué le nombre prescrit d'inhalations, il doit bien se rincer la bouche avec de l'eau.

☐ Expliquer au patient que le médicament est réservé à l'usage prophylactique. Au cours d'une crise aiguë d'asthme, la prise de corticoïdes supplémentaires à action systémique pourrait s'avérer nécessaire.

VÉRIFICATION DES RÉSULTATS

L'efficacité du traitement peut être démontrée par : la suppression des réponses inflammatoire et immunitaire en présence de maladies auto-immunes, de réactions allergiques ou d'une néoplasie.

TRIAMTÉRÈNE
Dyrenium

CLASSIFICATION:
Diurétique d'épargne potassique
Grossesse – catégorie inconnue

INDICATIONS
Médicament surtout utilisé pour contrecarrer la perte de potassium induite par d'autres diurétiques administrés pour le traitement de l'œdème ou de l'hypertension.

ACTION
■ Action au niveau du tube distal entraînant l'excrétion de sodium, de bicarbonate et de calcium tout en conservant les ions de potassium et d'hydrogène. **Effets thérapeutiques:** ■ Faible effet antihypertenseur et diurétique comparativement aux autres diurétiques ■ Conservation du potassium.

PHARMACOCINÉTIQUE
Absorption: L'absorption varie fortement d'une personne à une autre.
Distribution: Le médicament se répartit dans tout l'organisme.
Métabolisme et excrétion: Le triamtérène est partiellement métabolisé par le foie. Une fraction est excrétée à l'état inchangé.
Demi-vie: De 100 à 150 min.

CONTRE-INDICATIONS ET PRÉCAUTIONS
Contre-indications: ■ Hypersensibilité ■ Insuffisance rénale ■ Grossesse ou allaitement ■ Hyperkaliémie.
Précautions: ■ Dysfonctionnement hépatique ■ Hyperuricémie ■ Antécédents de lithiase rénale ■ Enfants (l'innocuité du médicament n'a pas été établie).

RÉACTIONS INDÉSIRABLES ET EFFETS SECONDAIRES
SNC: étourdissements, faiblesse, céphalées.

CV: hypotension.
GI: nausées, vomissements, diarrhée.
GU: lithiase rénale, coloration bleuâtre de l'urine.
Tég.: rash, photosensibilité.
HÉ: HYPERKALIÉMIE, hyponatrémie.
Hémat.: anémie mégaloblastique, dyscrasie.
Loc.: crampes musculaires.
Divers: réactions d'hypersensibilité.

INTERACTIONS
Médicament – médicament: ■ Hypotension additive lors de l'administration simultanée d'autres **antihypertenseurs** ou de **dérivés nitrés** ou de la consommation d'**alcool** ■ Les **inhibiteurs de l'enzyme de conversion de l'angiotensine (ECA)** ou les **suppléments de potassium**, administrés simultanément, peuvent entraîner une hyperkaliémie ■ Le triamtérène diminue l'excrétion du **lithium** et peut entraîner la toxicité. **Médicament – aliments:** ■ La consommation d'**aliments riches en potassium** (voir l'annexe K) peut entraîner une hyperkaliémie.

PRÉSENTATION
Le triamtérène existe également en association avec l'hydrochlorothiazide (voir l'annexe A).

VOIES D'ADMINISTRATION ET POSOLOGIE
PO (adultes): 100 mg, 2 fois par jour (jusqu'à concurrence de 300 mg par jour). Administrer de plus faibles doses lorsqu'il s'agit d'un traitement d'association.

PHARMACODYNAMIE
(effet d'épargne potassique)

	DÉBUT D'ACTION	PIC	DURÉE
PO	2 h	6 – 8 h	12 – 16 h

☀ SOINS INFIRMIERS

ÉVALUATION DE LA SITUATION

☐ Effectuer le bilan quotidien des ingesta et des excreta et peser le patient tous les jours pendant toute la durée du traitement.

☐ Observer le patient à intervalles réguliers pour déceler les signes suivants d'hyperkaliémie : fatigue, faiblesse musculaire, paresthésie, confusion, dyspnée, arythmies cardiaques. Les patients souffrant de diabète sucré ou de maladie rénale et les patients âgés sont davantage prédisposés à ces symptômes.

☐ Il est recommandé de suivre l'ÉCG à intervalles réguliers chez les patients recevant un traitement prolongé.

■ **Étude des examens diagnostiques et biochimiques :** Examiner les concentrations sériques de potassium avant le traitement et à intervalles réguliers pendant toute sa durée. Ne pas administrer le médicament et informer le médecin si le patient devient hyperkaliémique.

☐ Noter les concentrations sériques d'urée, de créatinine et d'électrolytes, avant le traitement et à intervalles réguliers pendant toute sa durée. Noter également la numération globulaire et la numération plaquettaire, à intervalles réguliers, pendant toute la durée du traitement. Le triamtérène peut entraîner l'élévation des concentrations sériques de glucose, de magnésium, d'acide urique, d'urée, de créatinine et de potassium et accroître l'excrétion du calcium dans l'urine. Il peut également entraîner la diminution des concentrations de sodium.

DIAGNOSTICS INFIRMIERS POSSIBLES

■ **Énoncés diagnostiques**

☐ Excès de volume liquidien.

☐ Prise en charge inefficace du programme thérapeutique.

☐ *Risque élevé d'accident.*

☐ *Risque élevé d'atteinte à l'intégrité de la peau.*

☐ *Risque élevé d'anxiété.*

■ **Facteurs favorisants**

☐ Informations incomplètes.

☐ *Perturbation de la vigilance.*

☐ *Manque de connaissances sur les signes d'hypokaliémie et d'hyperkaliémie et sur les moyens de les prévenir.*

☐ *Manque de connaissances sur la méthode d'administration du médicament.*

☐ *Manque de connaissances sur les modalités du traitement.*

☐ *Manque de connaissances sur le régime alimentaire à suivre.*

☐ *Manque de connaissances sur les moyens de réduire la photosensibilité.*

☐ *Manque de connaissances sur les effets secondaires du médicament.*

INTERVENTIONS INFIRMIÈRES

■ **Directives générales :** Administrer le médicament le matin afin de ne pas interrompre le cycle du sommeil.

■ **PO :** Administrer le médicament avec des aliments ou du lait afin de réduire l'irritation gastrique et d'augmenter la biodisponibilité.

ENSEIGNEMENT AU PATIENT ET À SES PROCHES

☐ Expliquer au patient qu'il doit continuer à prendre ce médicament, même s'il se sent mieux. Lui recommander de prendre le triamtérène tous les jours au même moment. S'il n'a pu prendre le médicament au moment habituel, il doit le prendre dès que possible à moins que ce ne soit presque l'heure prévue pour la dose suivante.

☐ Recommander au patient d'éviter les substituts de sel et les aliments contenant de fortes concentrations de potassium ou de sodium à moins que le médecin ne les ait prescrits expressément.

☐ Recommander au patient d'utiliser un écran solaire et de porter des vêtements protecteurs afin de prévenir les réactions de photosensibilité.

☐ Prévenir le patient que le triamtérène peut entraîner des étourdissements. Lui conseiller de ne pas conduire et d'éviter les activités qui exigent sa vigilance jusqu'à ce qu'on ait la certitude que le médicament n'entraîne pas cet effet chez lui.

☐ Recommander au patient d'éviter de prendre des médicaments en vente libre sans consulter au préalable le médecin ou le pharmacien.

☐ Signaler au patient que le triamtérène peut rendre l'urine bleuâtre.

☐ Recommander au patient de signaler au médecin les crampes musculaires, la fatigue, la faiblesse ou les nausées, les vomissements et la diarrhée graves.

VÉRIFICATION DES RÉSULTATS

L'efficacité du traitement peut être démontrée par : l'augmentation de la diurèse et la diminution de l'œdème avec maintien des concentrations sériques de potassium dans les limites acceptables.

TRIAZOLAM
Apo-Triazo, Gen-Triazolam, Halcion, Novo-Triolam

CLASSIFICATION :
Hypnosédatif – benzodiazépine
Grossesse – catégorie X

INDICATIONS

Traitement de courte durée de l'insomnie.

ACTION

■ Dépression généralisée du SNC s'exerçant à de nombreux niveaux ■ Effets probablement attribuables à la médiation par l'acide gamma aminobutyrique (GABA), neurotransmetteur inhibiteur. **Effets thérapeutiques :** ■ Amélioration du sommeil.

PHARMACOCINÉTIQUE

Absorption : Bonne absorption par suite de l'administration PO.

Distribution : Le médicament se répartit dans tout l'organisme. Il traverse la barrière hémato-encéphalique. Il pénètre probablement dans le placenta et le lait maternel.

Métabolisme et excrétion : Métabolisme hépatique.

Demi-vie : De 1,6 à 5,4 h.

CONTRE-INDICATIONS ET PRÉCAUTIONS

Contre-indications : ■ Hypersensibilité ■ Risque de réactions de sensibilité croisée avec d'autres benzodiazépines ■ Dépression préexistante du SNC ■ Douleurs graves non maîtrisées ■ Grossesse, allaitement ou enfants.

Précautions : ■ Dysfonctionnement hépatique préexistant (il est recommandé de réduire la dose) ■ Patients pouvant être suicidaires ou ayant des antécédents de toxicomanie ■ Personnes âgées ou patients débilités (il est recommandé de réduire la dose).

RÉACTIONS INDÉSIRABLES ET EFFETS SECONDAIRES

SNC : étourdissements, somnolence, léthargie, sensation « droguée », excitation paradoxale, confusion, dépression, céphalées.

Tég. : rash.

ORLO : vision trouble.

GI : nausées, vomissements, diarrhée, constipation.

Divers : tolérance aux effets du médicament, dépendance psychologique, dépendance physique.

INTERACTIONS

Médicament – médicament: ■ Dépression additive du SNC lors de l'usage concomitant d'**alcool**, d'**antidépresseurs**, d'**antihistaminiques** et d'**analgésiques narcotiques** ■ Le triazolam peut augmenter la toxicité de la **zidovudine** ■ Le triazolam peut diminuer l'efficacité de la **lévodopa** ■ L'**isoniazide**, administrée simultanément, peut diminuer l'excrétion du triazolam et en intensifier les effets ■ La **cimétidine** ou l'**érythromycine**, administrées simultanément, peuvent diminuer le métabolisme du triazolam et intensifier ses effets ■ La **théophylline**, administrée simultanément, peut diminuer les effets sédatifs du triazolam.

VOIES D'ADMINISTRATION ET POSOLOGIE

PO (adultes): de 0,125 à 0,5 mg, au coucher.

PHARMACODYNAMIE (sédation)

	DÉBUT D'ACTION	PIC	DURÉE
PO	15 – 30 min	3 jours*	inconnue

* Réponse hypnotique maximale.

☀ SOINS INFIRMIERS

ÉVALUATION DE LA SITUATION

☐ Noter les habitudes de sommeil avant le traitement et à intervalles réguliers pendant toute sa durée.

☐ Le traitement prolongé avec des doses élevées peut entraîner la dépendance psychologique ou physique. Limiter la quantité de médicament dont peut disposer le patient, particulièrement s'il est déprimé, suicidaire ou s'il a des antécédents de toxicomanie.

DIAGNOSTICS INFIRMIERS POSSIBLES

■ **Énoncés diagnostiques**

☐ Perturbation des habitudes de sommeil.

☐ Risque élevé d'accident.

☐ Prise en charge inefficace du programme thérapeutique.

■ **Facteurs favorisants**

☐ Informations incomplètes.

☐ *Perturbation de la vigilance.*

☐ *Difficulté à s'adapter aux changements nécessaires dans les habitudes de vie.*

INTERVENTIONS INFIRMIÈRES

PO: Administrer le triazolam avec des aliments si l'irritation gastrique devient gênante.

ENSEIGNEMENT AU PATIENT ET À SES PROCHES

☐ Conseiller au patient de respecter scrupuleusement la posologie recommandée. Lui expliquer l'importance de préparer un cadre propice au sommeil: la pièce doit être sombre et calme, la nicotine et la caféine sont à proscrire. Lui recommander de consulter le médecin si le traitement devient moins efficace après quelques semaines. Lui expliquer qu'il ne doit pas augmenter la dose de sa propre initiative.

☐ Prévenir le patient que le triazolam peut entraîner de la somnolence ou des étourdissements diurnes. Lui conseiller de ne pas conduire et d'éviter les activités qui exigent sa vigilance jusqu'à ce qu'on ait la certitude que le médicament n'entraîne pas ces effets chez lui.

☐ Recommander au patient d'éviter de boire de l'alcool ou de prendre d'autres dépresseurs du SNC et de consulter le médecin ou le pharmacien avant de prendre des préparations en vente libre contenant des antihistaminiques ou de l'alcool.

☐ Conseiller à la patiente d'informer le médecin si elle pense être enceinte ou si elle souhaite le devenir. Par ailleurs, le patient doit également signaler au médecin la confusion, la dépression ou les céphalées persistantes.

☐ Insister sur l'importance des examens de suivi permettant d'évaluer l'efficacité du médicament.

VÉRIFICATION DES RÉSULTATS

L'efficacité du traitement peut être démontrée par : l'amélioration des habitudes de sommeil ; cet effet bénéfique peut ne pas être manifeste avant le 3e jour de traitement.

TRIFLUOPÉRAZINE

Apo-Trifluoperazine, Novo-Flurazine, Stelazine, Terfluzine, (Suprazine)

CLASSIFICATION :
Antipsychotique – phénothiazine ; antiémétique – phénothiazine

Grossesse – catégorie inconnue

INDICATIONS

■ Traitement des psychoses aiguës et chroniques ■ Adjuvant au traitement de l'anxiété lorsque des agents plus sûrs sont contre-indiqués ■ Traitement ou prévention des nausées et vomissements d'étiologies diverses.

ACTION

■ Modification des effets de la dopamine dans le SNC ■ Forte action anticholinergique et blocage marqué des récepteurs alpha-adrénergiques ■ Dépression de la zone réflexogène des chimiorécepteurs. **Effets thérapeutiques :** ■ Diminution des signes et des symptômes psychotiques ■ Diminution des nausées et des vomissements.

PHARMACOCINÉTIQUE

Absorption : L'absorption des comprimés est variable ; celle de la préparation liquide PO pourrait être meilleure.
Distribution : L'agent se répartit dans tout l'organisme et on le retrouve en fortes concentrations dans le SNC. Il traverse

le placenta et pénètre probablement dans le lait maternel.
Métabolisme et excrétion : Le médicament est fortement métabolisé par le foie.
Demi-vie : Inconnue.

CONTRE-INDICATIONS ET PRÉCAUTIONS

Contre-indications : ■ Hypersensibilité ■ Risque de réactions de sensibilité croisée avec d'autres phénothiazines ■ Glaucome à angle étroit ■ Aplasie médullaire ■ Maladie hépatique ou cardiovasculaire graves.
Précautions : ■ Personnes âgées ou patients débilités (il est recommandé de réduire la dose) ■ Grossesse et allaitement (l'innocuité du médicament n'a pas été établie – risque d'effets indésirables chez le nouveau-né) ■ Diabète sucré ■ Maladie respiratoire ■ Hypertrophie de la prostate ■ Tumeur du SNC ■ Épilepsie ■ Occlusion intestinale.

RÉACTIONS INDÉSIRABLES ET EFFETS SECONDAIRES

SNC : sédation, réactions extrapyramidales, dyskinésie tardive, SYNDROME MALIN DES NEUROLEPTIQUES.
ORLO : sécheresse des yeux (alacrymie), vision trouble, opacité du cristallin.
CV : hypotension, tachycardie.
GI : constipation, sécheresse de la bouche (xérostomie), occlusion intestinale, anorexie, hépatite.
GU : rétention urinaire.
Tég. : rash, photosensibilité, modifications de la pigmentation.
End. : galactorrhée.
Hémat. : AGRANULOCYTOSE, leucopénie.
Métab. : hyperthermie.
Divers : réactions allergiques.

INTERACTIONS

Médicament – médicament : ■ Effets hypotensifs additifs lors de l'administration simultanée d'**antihypertenseurs** ou de **dérivés nitrés** ou de la consommation d'**alcool** ■ Effets additifs sur la dépression du SNC lors de l'usage concomitant d'autres **dépresseurs du SNC**, dont l'**alcool**, les **antihistaminiques**, les **analgésiques narcotiques**, les **hypnosédatifs** ou les **anesthésiques généraux** ■ Effets anticholinergiques additifs lors de l'administration simultanée d'autres **médicaments doués de propriétés anticholinergiques** dont les **antihistaminiques**, les **antidépresseurs**, d'autres **phénothiazines**, la **quinidine** et le **disopyramide** ■ Risque d'encéphalopathie aiguë lors de l'administration simultanée de **lithium** ■ La trifluopérazine peut diminuer les effets bénéfiques de la **lévodopa** ■ Risque accru d'agranulocytose lors de l'administration simultanée d'agents **antithyroïdiens** ■ Le **lithium**, administré simultanément, diminue l'absorption de la trifluopérazine et peut augmenter le risque de réactions extrapyramidales.

PRÉSENTATION

Le médicament est présenté sous forme de comprimés et de concentré.

VOIES D'ADMINISTRATION ET POSOLOGIE

Psychoses

- **PO (adultes):** de 1 à 5 mg, 2 ou 3 fois par jour (jusqu'à concurrence de 40 mg par jour).
- **PO (enfants de 6 à 12 ans):** 1 mg, 1 ou 2 fois par jour (jusqu'à concurrence de 15 mg par jour).

Anxiété

- **PO (adultes):** de 1 à 2 mg , 2 fois par jour.

PHARMACODYNAMIE (effets antipsychotiques)

	DÉBUT D'ACTION	PIC	DURÉE
PO	inconnu	inconnu	12 – 24 h

SOINS INFIRMIERS

ÉVALUATION DE LA SITUATION

☐ Évaluer l'état de la conscience du patient (orientation, humeur et comportement) et le degré d'anxiété, avant le traitement et à intervalles réguliers pendant toute sa durée.

☐ Mesurer la pression artérielle (en position assise, couchée et debout), le pouls et le nombre de respirations avant le traitement et à intervalles fréquents pendant la période d'adaptation de la posologie.

☐ Observer le patient attentivement pendant qu'on lui administre le médicament pour s'assurer qu'il l'a bien avalé.

☐ Effectuer le bilan quotidien des ingesta et des excreta et peser le patient tous les jours. Signaler au médecin toute modification importante.

☐ Surveiller les effets secondaires extrapyramidaux suivants: akathisie – agitation; dystonie – spasmes musculaires et mouvements de torsion; pseudoparkinsonisme – faciès figé, rigidité, tremblements, bouche ouverte laissant s'échapper la salive (sialorrhée), démarche traînante, dysphagie. Signaler au médecin l'apparition de ces symptômes, car la réduction de la dose ou l'arrêt du traitement peuvent s'avérer nécessaires. Le médecin peut également prescrire des agents antiparkinsoniens (trihexyphénidyle ou benztropine) pour maîtriser ces symptômes.

☐ Surveiller les symptômes suivants de dyskinésie tardive: mouvements rythmiques de la bouche, des joues et des membres. Informer immédiatement le médecin de l'apparition de ces symptômes, car ces effets secondaires peuvent être irréversibles.

☐ Suivre de près l'apparition du syndrome malin des neuroleptiques se manifestant par de la fièvre, la détresse respiratoire, la tachycardie, des convulsions, la diaphorèse, l'hypertension ou l'hypotension, la pâleur ou la fatigue. Signaler immédiatement au médecin ces symptômes.

- **Étude des examens diagnostiques et biochimiques :** Noter à intervalles réguliers pendant toute la durée du traitement la numération globulaire et les résultats des tests de l'exploration fonctionnelle hépatique. La trifluopérazine peut entraîner une dyscrasie, particulièrement entre la 4ᵉ et la 10ᵉ semaine de traitement.
  □ La trifluopérazine peut entraîner des résultats faussement positifs ou faussement négatifs aux tests de grossesse et des résultats faussement positifs au dosage de la bilirubine urinaire.
  □ La trifluopérazine peut entraîner une élévation des concentrations sériques de prolactine et modifier ainsi les résultats des épreuves à la gonadoreline.
  □ Le médicament peut entraîner des modifications des ondes Q et T sur l'ECG.

DIAGNOSTICS INFIRMIERS POSSIBLES

- **Énoncés diagnostiques**
  □ Stratégies d'adaptation individuelle inefficaces.
  □ Altération des opérations de la pensée.
  □ Prise en charge inefficace du programme thérapeutique.
  □ *Risque élevé de constipation.*
  □ *Risque élevé d'atteinte à l'intégrité de la peau.*
  □ *Risque élevé d'atteinte à l'intégrité de la muqueuse buccale.*

- **Facteurs favorisants**
  □ Informations incomplètes.
  □ *Perturbation de la vigilance.*
  □ *Manque de connaissances sur les effets hypotensifs du médicament lors des changements brusques de position.*
  □ *Manque de connaissances sur les moyens de stimuler la fonction intestinale.*
  □ *Manque de connaissances sur les moyens de réduire la photosensibilité.*

□ *Manque de connaissances sur les effets secondaires du médicament et sur les moyens de les prévenir.*
□ *Manque de connaissances sur les modalités du traitement.*
□ *Manque de connaissances sur les moyens de prévenir ou de réduire la sécheresse de la bouche.*

INTERVENTIONS INFIRMIÈRES

□ Éviter les éclaboussures sur les mains en raison des risques de dermatite de contact.
□ Interrompre le traitement aux phénothiazines 48 h avant une myélographie au métrizamide et ne le reprendre que 24 h plus tard, car les phénothiazines abaissent le seuil des convulsions.
- **PO :** Administrer le médicament par voie orale avec des aliments, de l'eau ou du lait afin de diminuer l'irritation gastrique. Chez les patients éprouvant des difficultés de déglutition, on peut broyer les comprimés et les mélanger avec des aliments ou des liquides.
□ Diluer le concentré juste avant de l'administrer dans au moins 120 mL de jus de tomate ou de fruits, de lait, de boisson gazéifiée, de café, de thé ou d'eau. On peut également l'administrer avec des aliments semi-solides (soupes, poudings).

ENSEIGNEMENT AU PATIENT ET À SES PROCHES

□ Conseiller au patient de respecter scrupuleusement la posologie recommandée. L'avertir qu'il ne doit jamais sauter de dose ni remplacer une dose manquée par une double dose. S'il n'a pu prendre le médicament au moment habituel, il doit le prendre dès que possible à moins qu'il ne soit presque l'heure prévue pour la dose suivante. S'il doit prendre le médicament plus de 2 fois par jour, il ne devrait pas prendre la dose manquée plus d'1 h après l'heure prévue.

□ Le sevrage brusque peut provoquer une gastrite, des nausées, des vomissements, des étourdissements, des céphalées, de la tachycardie et de l'insomnie.

□ Prévenir le patient que la trifluopérazine peut provoquer de la somnolence. Lui conseiller de ne pas conduire et d'éviter les activités qui exigent sa vigilance jusqu'à ce qu'on ait la certitude que le médicament n'entraîne pas cet effet chez lui.

□ Recommander au patient de changer lentement de position afin de réduire les risques d'hypotension orthostatique.

□ Recommander au patient d'utiliser des écrans solaires et de porter des vêtements protecteurs lors des expositions au soleil, afin de prévenir les réactions de photosensibilité. Lui recommander également d'éviter les températures extrêmes, car ce médicament altère la thermorégulation.

□ Recommander au patient d'éviter de boire de l'alcool ou de prendre d'autres dépresseurs du SNC en même temps que la trifluopérazine.

□ Conseiller au patient de se rincer fréquemment la bouche, de pratiquer une bonne hygiène orale et de consommer de la gomme ou des bonbons sans sucre pour soulager la sécheresse de la bouche. Lui recommander de consulter le médecin ou le dentiste si la sécheresse de la bouche persiste pendant plus de deux semaines.

□ Expliquer au patient que l'exercice ainsi que la consommation accrue de fibres alimentaires et de liquides permettent de réduire les effets constipants du médicament.

□ Recommander au patient qui doit suivre un traitement dentaire ou subir une intervention chirurgicale d'avertir le dentiste ou le médecin qu'il suit un traitement médicamenteux.

□ Informer le patient qu'il doit prévenir sans délai le médecin en cas de maux de gorge, de fièvre, d'ecchymoses ou de saignements inhabituels, de rash, de faiblesse, de tremblements, de trouble de la vue, de difficultés de miction, d'urine de couleur foncée ou de selles couleur de glaise.

□ Insister sur l'importance des examens réguliers de suivi permettant d'évaluer la réponse au médicament et d'en déceler les effets secondaires. Des examens ophtalmologiques sont également indiqués à intervalles réguliers. Inciter le patient à suivre une psychothérapie si le médecin la lui a prescrite.

VÉRIFICATION DES RÉSULTATS

L'efficacité du traitement peut être démontrée par : ■ la diminution de l'excitation et un moindre recours à un comportement paranoïde ou au repli sur soi ■ la diminution de l'anxiété accompagnant la dépression. Les effets thérapeutiques du médicament peuvent ne pas être manifestes avant 2 ou 3 semaines ■ la prévention et le soulagement des nausées et des vomissements.

TRIFLURIDINE
Viroptic

CLASSIFICATION :
Préparation ophtalmique – antiviral
Grossesse – catégorie inconnue

INDICATIONS

Traitement de la kératite herpétique de type 1 ou de type 2 ou de la kératoconjonctivite.

ACTION

■ Inhibition de la synthèse de l'ADN et de la réplication virale subséquente. **Effets thérapeutiques :** ■ Action antivirale contre le virus de l'herpès simplex.

PHARMACOCINÉTIQUE

Absorption : Aucune absorption systémique ne semble se produire par suite de l'administration de la préparation ophtalmique.

Distribution : Par suite de l'administration de la préparation ophtalmique, la trifluridine pénètre dans les structures oculaires (cornée, humeur aqueuse). La pénétration peut s'accroître en présence d'infection.

Métabolisme et excrétion : Inconnus.

Demi-vie : De 12 à 18 min.

CONTRE-INDICATIONS ET PRÉCAUTIONS

Contre-indications : Hypersensibilité à la trifluridine ou au chlorure de benzalkonium.

Précautions : Grossesse ou allaitement (l'innocuité du médicament n'a pas été établie).

RÉACTIONS INDÉSIRABLES ET EFFETS SECONDAIRES

ORLO : brûlures et picotements oculaires, œdème palpébral, irritation de la conjonctive.

INTERACTIONS

Médicament – médicament : Aucune interaction notable.

VOIES D'ADMINISTRATION ET POSOLOGIE

Préparation ophtalmique (adultes) : 1 goutte de solution à 1 %, toutes les 2 h, lorsque le patient est éveillé (ne pas dépasser 9 gouttes par jour) jusqu'à la réépithélialisation de la cornée, puis diminuer la dose à 1 goutte, toutes les 4 h lorsque le patient est éveillé (ne pas dépasser 5 gouttes par jour) pendant 7 jours de plus (ne pas administrer le traitement pendant plus de 21 jours).

PHARMACODYNAMIE (amélioration des anomalies de la cornée)

	DÉBUT D'ACTION	PIC	DURÉE
préparation ophtalmique	7 – 14 jours	14 jours	inconnue

SOINS INFIRMIERS

ÉVALUATION DE LA SITUATION

Examiner les lésions de l'œil quotidiennement, avant le traitement et pendant toute sa durée.

DIAGNOSTICS INFIRMIERS POSSIBLES

■ **Énoncés diagnostiques**
□ Risque élevé d'infection.
□ Prise en charge inefficace du programme thérapeutique.
□ *Risque élevé d'accident.*
□ *Risque élevé d'anxiété.*

■ **Facteurs favorisants**
□ Informations incomplètes.
□ *Manque de connaissances sur les modalités du traitement.*
□ *Manque de connaissances sur la méthode d'administration du médicament.*
□ *Altération de la perception visuelle.*
□ *Manque de connaissances sur les effets secondaires du médicament.*

INTERVENTIONS INFIRMIÈRES

Solution ophtalmique : La méthode d'administration des gouttes ophtalmiques est indiquée à l'annexe H.

ENSEIGNEMENT AU PATIENT ET À SES PROCHES

□ Montrer au patient comment administrer les gouttes ophtalmiques. Insister sur l'importance de ne pas toucher les yeux, les doigts ni aucune autre surface avec le bouchon ou l'extrémité du flacon.
□ Conseiller au patient de respecter scrupuleusement la posologie recommandée, même s'il se sent mieux ou s'il trouve le traitement peu commode. La kératite herpétique peut récidiver si le traitement par la trifluridine est arrêté trop tôt. Expliquer au patient que s'il n'a pu prendre le médicament au moment habituel, il doit le prendre dès que possible à moins que ce ne soit presque l'heure prévue

pour la dose suivante. Le prévenir qu'il ne doit pas utiliser la préparation ophtalmique plus fréquemment ou plus longtemps que le médecin ne l'a recommandé.

□ Prévenir le patient que la trifluridine peut entraîner une sensation de brûlure ou de picotement au moment de l'instillation des gouttes.

□ Recommander au patient de consulter le médecin s'il ne note aucune amélioration après une semaine de traitement, si son état s'aggrave ou si l'irritation persiste.

□ Souligner l'importance des examens de suivi permettant de déterminer les bienfaits du traitement.

VÉRIFICATION DES RÉSULTATS

L'efficacité du traitement peut être démontrée par : la disparition des lésions oculaires en cas de kératite herpétique. Le traitement n'est habituellement pas poursuivi pendant plus de 21 jours ou de 3 à 5 jours après la cicatrisation, sauf dans les cas chroniques ou chez les patients présentant des infections difficiles à traiter.

TRIHEXYPHÉNIDYLE

Apo-Trihex, Artane, Novo-Hexidyl, PMS-Trihexyphénidyle, (Trihexane), (Trihexy)

CLASSIFICATION :

Anticholinergique – antimuscarinique ; antiparkinsonien – anticholinergique

Grossesse – catégorie C

INDICATIONS

Traitement d'appoint du syndrome parkinsonien attribuable à de nombreuses causes incluant le parkinsonisme induit par les médicaments.

ACTION

■ Inhibition de l'action de l'acétylcholine entraînant les effets suivants : □ diminution de la transpiration et de la salivation □ mydriase (dilatation des pupilles) □ augmentation de la fréquence cardiaque ■ Effet spasmolytique sur les muscles lisses ■ Inhibition des centres moteurs du cerveau et blocage des influx nerveux efférents. **Effets thérapeutiques :** ■ Diminution des signes et des symptômes du syndrome parkinsonien (tremblements, rigidité).

PHARMACOCINÉTIQUE

Absorption : Bonne absorption par suite de l'administration PO.
Distribution : Inconnue.
Métabolisme et excrétion : Inconnus.
Demi-vie : Inconnue.

CONTRE-INDICATIONS ET PRÉCAUTIONS

Contre-indications : ■ Hypersensibilité ■ Glaucome à angle étroit ■ Hémorragie aiguë ■ Tachycardie secondaire à l'insuffisance cardiaque ■ Thyrotoxicose.
Précautions : ■ Personnes âgées et patients très jeunes (risque accru de réactions indésirables) ■ Occlusion ou infection intestinales ■ Hypertrophie de la prostate ■ Maladies rénale, hépatique, pulmonaire ou cardiaque chroniques ■ Grossesse ou allaitement (l'innocuité du médicament n'a pas été établie).

RÉACTIONS INDÉSIRABLES ET EFFETS SECONDAIRES

SNC : étourdissements, nervosité, somnolence, faiblesse, céphalées, confusion.
ORLO : vision trouble, mydriase.
CV : tachycardie, hypotension orthostatique.
GI : sécheresse de la bouche (xérostomie), nausées, constipation, vomissements.
GU : retard de la miction avec difficultés d'uriner, rétention urinaire.
Tég. : transpiration réduite.

INTERACTIONS

Médicament – médicament: ■ Effets anticholinergiques additifs lors de l'administration concomitante d'autres **médicaments doués de propriétés anticholinergiques**, dont les **phénothiazines**, les **antidépresseurs tricycliques**, la **quinidine** et le **disopyramide** ■ Effets additifs sur la dépression du SNC lors de l'usage simultané d'autres **dépresseurs du SNC**, dont l'**alcool**, les **antihistaminiques**, les **analgésiques narcotiques** et les **hypnosédatifs** ■ Les anticholinergiques peuvent modifier l'absorption d'autres **médicaments administrés simultanément PO** en ralentissant la motilité du tractus gastro-intestinal ■ Les **antiacides**, administrés simultanément, peuvent diminuer l'absorption du trihexyphénidyle ■ Le médicament peut augmenter les lésions de la muqueuse gastro-intestinale chez les patients prenant des **préparations** PO de **chlorure de potassium contenant une matrice de cire**.

VOIES D'ADMINISTRATION ET POSOLOGIE

PO (adultes): initialement, 1 mg par jour. Augmenter la dose par paliers de 2 mg, tous les 3 à 5 jours. La dose d'entretien habituelle est de 5 à 15 mg par jour, en 3 doses fractionnées. On peut administrer les préparations à libération prolongée (Artane Séquels) toutes les 12 à 24 h, une fois que la dose a été déterminée à l'aide de la préparation liquide ou des comprimés ordinaires.

PHARMACODYNAMIE (effets antiparkinsoniens)

	DÉBUT D'ACTION	PIC	DURÉE
PO	1 h	2 – 3 h	6 – 12 h
PO libération prolongée	inconnu	inconnu	12 – 24 h

⁂ SOINS INFIRMIERS

ÉVALUATION DE LA SITUATION

☐ Observer le patient avant le traitement et pendant toute sa durée pour déceler les symptômes parkinsoniens et extrapyramidaux suivants: akinésie, rigidité, tremblements, mouvements d'émiettement, faciès rigide, démarche traînante, spasmes musculaires, mouvements de torsion et bouche ouverte laissant s'échapper la salive (sialorrhée).

☐ Chez les patients souffrant d'une maladie mentale, au début du traitement, le trihexyphénidyle accroît le risque d'exacerbation des symptômes. Interrompre l'administration et prévenir le médecin si le comportement du patient change de façon notable.

DIAGNOSTICS INFIRMIERS POSSIBLES

■ **Énoncés diagnostiques**

☐ Altération de la mobilité physique.

☐ Risque élevé d'accident.

☐ Prise en charge inefficace du programme thérapeutique.

☐ *Risque élevé d'atteinte à l'intégrité de la muqueuse buccale.*

☐ *Risque élevé de constipation.*

☐ *Risque élevé d'intolérance à l'activité.*

■ **Facteurs favorisants**

☐ Informations incomplètes.

☐ *Perturbation de la vigilance.*

☐ *Manque de connaissances sur les effets hypotensifs du médicament lors des changements brusques de position.*

☐ *Altération de la perception visuelle.*

☐ *Manque de connaissances sur les moyens de prévenir ou de réduire la sécheresse de la bouche.*

☐ *Manque de connaissances sur les modalités du traitement.*

- □ *Manque de connaissances sur la méthode d'administration du médicament.*
- □ *Manque de connaissances sur les moyens de stimuler la fonction intestinale.*

INTERVENTIONS INFIRMIÈRES

- ■ **Directives générales:** Les capsules à libération prolongée ne doivent pas être administrées tant que la posologie n'est pas établie avec les préparations à action plus brève.
- ■ **PO:** On administre habituellement le trihexyphénidyle après les repas. On peut l'administrer avant les repas si le patient souffre de sécheresse de la bouche, ou avec des aliments si une irritation gastrique se manifeste. Les capsules à libération prolongée devraient être avalées telles quelles; il ne faut pas les briser, les broyer ni les mâcher. Utiliser un récipient gradué pour mesurer l'élixir.

ENSEIGNEMENT AU PATIENT ET À SES PROCHES

- □ Inciter le patient à respecter scrupuleusement la posologie recommandée. S'il n'a pu prendre le médicament au moment habituel, il doit le prendre dès que possible mais pas plus tard que 2 h avant l'heure prévue pour la dose suivante. L'avertir qu'il ne doit jamais remplacer une dose manquée par une double dose.
- □ Avant d'arrêter le traitement par le trihexyphénidyle, on doit diminuer graduellement la dose pour éviter les réactions suivantes de sevrage: anxiété, tachycardie, insomnie, symptômes parkinsoniens ou extrapyramidaux rebond.
- □ Prévenir le patient que le médicament peut entraîner de la somnolence ou des étourdissements. Lui conseiller de ne pas conduire et d'éviter les activités qui exigent sa vigilance jusqu'à ce qu'on ait la certitude que le médicament n'entraîne pas ces effets chez lui.
- □ Recommander au patient de changer lentement de position afin de diminuer les risques d'hypotension orthostatique.
- □ Expliquer au patient que le rinçage fréquent de la bouche, une bonne hygiène orale et la consommation de gomme ou de bonbons sans sucre permettent de diminuer la sécheresse de la bouche. Si la sécheresse de la bouche persiste, lui recommander de demander au médecin s'il peut utiliser des substituts de salive. Lui recommander également d'informer le dentiste si la sécheresse de la bouche l'empêche de porter sa prothèse.
- □ Recommander au patient de consulter le médecin ou le pharmacien avant de prendre des médicaments en vente libre, particulièrement des médicaments contre le rhume, ou de consommer des boissons alcoolisées.
- □ Prévenir le patient que ce médicament diminue la transpiration et qu'il peut accroître le risque d'hyperthermie par temps chaud. Recommander au patient de rester à l'intérieur, dans une pièce climatisée, par temps chaud.
- □ Expliquer au patient que l'augmentation de sa consommation de liquides et de fibres alimentaires ainsi que l'exercice physique peuvent l'aider à réduire les effets constipants du médicament.
- □ Conseiller au patient de prévenir le médecin en cas de confusion, de rash, de rétention urinaire, de constipation grave ou de troubles visuels.

VÉRIFICATION DES RÉSULTATS

L'efficacité du traitement peut être démontrée par: ■ la disparition des signes et des symptômes parkinsoniens ■ la disparition des symptômes extrapyramidaux induits par les médicaments.

TRIMÉTHAPHAN
Arfonad

CLASSIFICATION:
Antihypertenseur – ganglioplégique

Grossesse – catégorie inconnue

INDICATIONS

■ Abaissement rapide de la pression artérielle lors du traitement des urgences hypertensives ■ Médicament particulièrement utile pour abaisser la pression artérielle en cas d'anévrisme disséquant de l'aorte ■ Induction d'une hypotension contrôlée chez les patients subissant une chirurgie de la tête et du cou ■ Traitement d'urgence de l'œdème pulmonaire chez les malades souffrant d'hypertension pulmonaire associée à de l'hypertension essentielle.

ACTION

■ Inhibition de la transmission nerveuse au niveau des ganglions du système nerveux sympathique et autonome ■ Vasodilatation et libération d'histamine ■ Augmentation du débit sanguin périphérique et abaissement de la pression artérielle. **Effets thérapeutiques:** ■ Abaissement de la pression artérielle.

PHARMACOCINÉTIQUE

Absorption: Le triméthaphan est réservé à l'administration IV; dans ce cas sa biodisponibilité est totale.
Distribution: Le médicament traverse le placenta.
Métabolisme et excrétion: Le triméthaphan est surtout excrété à l'état inchangé par les reins. De petites quantités peuvent être métabolisées par la pseudocholinestérase.
Demi-vie: Inconnue.

CONTRE-INDICATIONS ET PRÉCAUTIONS

Contre-indications: ■ Hypersensibilité ■ Anémie ■ Hypovolémie ■ Choc ■ Asphyxie ■ Glaucome ■ Insuffisance respiratoire ■ Grossesse.
Précautions: ■ Patients souffrant d'allergies ■ Personnes âgées ou patients débilités ■ Enfants ■ Maladie cardiovasculaire ■ Maladie dégénérative du SNC ■ Diabète sucré ■ Maladie d'Addison ■ Allaitement (l'innocuité du médicament n'a pas été établie) ■ Insuffisance hépatique ou rénale.

RÉACTIONS INDÉSIRABLES ET EFFETS SECONDAIRES

SNC: faiblesse, agitation.
ORLO: cycloplégie, mydriase.
Resp.: apnée, ARRÊT RESPIRATOIRE (doses élevées seulement).
CV: hypotension, tachycardie, angine.
GI: anorexie, nausées, vomissements, sécheresse de la bouche (xérostomie), occlusion intestinale (traitement de plus de 48 h).
GU: rétention urinaire.
Tég.: urticaire, démangeaisons.
Divers: tachyphylaxie.

INTERACTIONS

Médicament – médicament: ■ Hypotension additive lors de l'administration concomitante d'autres **antihypertenseurs**, de **dérivés nitrés**, de **diurétiques**, d'**anesthésiques** ou de **procaïnamide** ■ Le triméthaphan peut prolonger le blocage neuromusculaire provoqué par la **succinylcholine** ou la **tubocurarine**.

VOIES D'ADMINISTRATION ET POSOLOGIE

Hypertension grave, urgence hypertensive
■ **IV (adultes) (É.-U.):** initialement, de 0,5 à 1 mg/min. On peut augmenter la dose graduellement jusqu'à l'obtention de la réponse souhaitée (écart posologique de 1 à 5 mg/min).

Anévrisme disséquant de l'aorte
■ **IV (adultes) (É.-U.):** initialement, de 1 à 2 mg/min. On peut augmenter la dose selon les besoins afin de maintenir la

pression artérielle systolique entre 100 et 200 mmHg.

Induction d'une hypotension contrôlée durant l'anesthésie

■ **IV (adultes):** initialement, de 3 à 4 mg/min, puis en perfusion de 0,2 à 6 mg/min.

PHARMACODYNAMIE
(effet antihypertenseur)

	DÉBUT D'ACTION	PIC	DURÉE
IV	immédiat	inconnu	10 – 15 min

☼ SOINS INFIRMIERS

ÉVALUATION DE LA SITUATION

□ Mesurer la pression artérielle, le pouls et les respirations au moins toutes les 5 min durant la période initiale d'adaptation de la posologie et au moins toutes les 15 min pendant toute la durée du traitement. Ajuster la vitesse de perfusion selon les recommandations du médecin. Suivre constamment l'ÉCG chez les patients ayant des antécédents de maladie cardiaque.

□ Effectuer le bilan quotidien des ingesta et des excreta et peser le patient tous les jours. Suivre de près l'apparition d'œdème, la turgescence des jugulaires, la dyspnée, les râles et les crépitations, particulièrement chez les patients souffrant d'œdème pulmonaire.

□ Suivre de près les patients ayant des antécédents d'allergie, car une tachyphylaxie peut survenir en raison de l'effet du médicament sur la libération de l'histamine.

□ L'examen des pupilles devrait être évité en raison de l'effet mydriatique (dilatateur) du médicament.

□ Suivre de près les nausées et les vomissements; protéger les voies respiratoires des patients dont le niveau de conscience est moindre. Examiner la fonction abdominale (distension, bruits intestinaux) des patients recevant le traitement pendant plus de 48 h, en raison du risque d'occlusion intestinale.

■ **Étude des examens diagnostiques et biochimiques:** Le triméthaphan peut entraîner une légère diminution des concentrations sériques de potassium et peut prévenir l'élévation des concentrations sériques de glucose induite par la chirurgie.

■ **Toxicité et surdosage:** La toxicité se manifeste par une hypotension grave. Arrêter la perfusion, en informer le médecin et administrer des vasopresseurs.

DIAGNOSTICS INFIRMIERS POSSIBLES

■ **Énoncés diagnostiques**

□ Diminution du débit cardiaque.

□ Altération de l'irrigation tissulaire.

□ *Risque élevé d'accident.*

□ *Risque élevé de perturbation des échanges gazeux.*

□ *Risque élevé d'intoxication.*

■ **Facteurs favorisants**

□ *Manque de connaissances sur les effets hypotensifs du médicament lors des changements brusques de position.*

□ *Modification de l'état liquidien ou des volumes circulants.*

□ *Manque de connaissances sur les modalités du traitement.*

INTERVENTIONS INFIRMIÈRES

■ **IV:** Réfrigérer la préparation avant la dilution. Préparer la solution immédiatement avant de l'administrer. La solution IV est stable pendant 8 h après la reconstitution.

■ **Perfusion continue:** Diluer le contenu d'une fiole de 500 mg (10 mL) dans 500 mL de solution de dextrose à 5 % dans de l'eau, pour obtenir une concentration finale de 1 mg/mL.

■ *Vitesse de perfusion:* La vitesse de perfusion doit être ajustée par une

T

pompe IV ou un dispositif de contrôle et adaptée en fonction de la pression artérielle du patient.

- **Compatibilités (tubulure en Y):** Chlorure de potassium, héparine ou hydrocortisone.
- **Incompatibilités en addition au soluté:** Bromures, solutions alcalines, thiopental sodique, triéthiodure de gallamine ou tubocurarine. Il n'est pas recommandé de mélanger cet agent à aucun médicament.

ENSEIGNEMENT AU PATIENT ET À SES PROCHES

□ Expliquer au patient le but du traitement.

□ Recommander au patient éveillé de rester en position couchée pendant toute la durée du traitement afin de prévenir l'hypotension orthostatique.

VÉRIFICATION DES RÉSULTATS

L'efficacité du traitement peut être démontrée par: ■ la stabilisation de courte durée de la pression artérielle en cas de crise hypertensive ■ l'induction d'une hypotension contrôlée durant une intervention chirurgicale.

TRIMÉTHOBENZAMIDE

(Tebamide), (Tegamide), (Ticon), (Tigan), (Tiject-20)

CLASSIFICATION:
Antiémétique – divers

Grossesse – catégorie inconnue

INDICATIONS

Traitement des nausées et des vomissements légers à modérés.

ACTION

■ Inhibition de la stimulation de la zone réflexogène des chimiorécepteurs, située dans le bulbe rachidien, responsable du déclenchement des vomissements. **Effets thérapeutiques:** ■ Diminution des nausées et des vomissements.

PHARMACOCINÉTIQUE

Absorption: Par suite de l'administration PO, IM et PR, l'absorption est notable.
Distribution: Inconnue.
Métabolisme et excrétion: Inconnus. Le médicament semble être surtout métabolisé par le foie.
Demi-vie: Inconnue.

CONTRE-INDICATIONS ET PRÉCAUTIONS

Contre-indications: ■ Hypersensibilité ■ Hypersensibilité à la benzocaïne (suppositoires seulement).
Précautions: ■ Grossesse ou allaitement (l'innocuité du médicament n'a pas été établie) ■ Enfants pouvant être atteints d'une maladie virale (risque accru de syndrome de Reye).

RÉACTIONS INDÉSIRABLES ET EFFETS SECONDAIRES

SNC: somnolence, réactions extrapyramidales, dépression, CONVULSIONS, coma.
CV: hypotension.
GI: diarrhée, hépatite.
Tég.: rash.
Hémat.: dyscrasie.
Locaux: douleur au point d'injection IM, irritation rectale (suppositoires).

INTERACTIONS

Médicament – médicament: Dépression additive du SNC lors de l'usage concomitant d'autres **dépresseurs du SNC**, incluant l'**alcool**, les **antidépresseurs**, les **antihistaminiques**, les **analgésiques narcotiques** et les **hypnosédatifs**.

PRÉSENTATION

Le triméthobenzamide existe sous forme de capsules, de suppositoires et de préparations injectables.

VOIES D'ADMINISTRATION ET POSOLOGIE

- **PO (adultes):** 250 mg, 3 ou 4 fois par jour.
- **PO (enfants pesant de 13 à 40 kg):** de 100 à 200 mg, 3 ou 4 fois par jour.
- **IM (adultes):** 200 mg, 3 ou 4 fois par jour.
- **PR (adultes):** 200 mg, 3 ou 4 fois par jour.
- **PR (enfants pesant de 14 à 45 kg):** de 100 à 200 mg, 3 ou 4 fois par jour.
- **PR (enfants pesant < 14 kg):** 100 mg, 3 ou 4 fois par jour.

PHARMACODYNAMIE
(effet antiémétique)

	DÉBUT D'ACTION	PIC	DURÉE
PO	10 – 40 min	inconnu	3 – 4 h
IM	15 – 35 min	inconnu	2 – 3 h
PR	10 – 40 min	inconnu	3 – 4 h

SOINS INFIRMIERS

ÉVALUATION DE LA SITUATION

- ☐ Suivre de près les nausées et les vomissements, avant l'administration du médicament et de 30 à 60 min après.
- ☐ Surveiller la pression artérielle pour déceler l'hypotension après l'administration par voie parentérale.

DIAGNOSTICS INFIRMIERS POSSIBLES

- **Énoncés diagnostiques**
- ☐ Déficit de volume liquidien.
- ☐ Risque élevé d'acident.
- ☐ Prise en charge inefficace du programme thérapeutique.
- ☐ *Risque élevé d'anxiété.*
- ☐ *Risque élevé d'atteinte à l'intégrité des tissus.*

- **Facteurs favorisants**
- ☐ Informations incomplètes.
- ☐ *Perturbation de la vigilance.*
- ☐ *Manque de connaissances sur les effets hypotensifs du médicament lors des changements brusques de position.*

- ☐ *Douleur au point d'injection.*
- ☐ *Manque de connaissances sur les modalités du traitement.*
- ☐ *Manque de connaissances sur la méthode d'administration du médicament.*

INTERVENTIONS INFIRMIÈRES

- **PO:** Dans le cas des patients éprouvant des difficultés de déglutition, on peut ouvrir les capsules et en mélanger le contenu avec des aliments ou des liquides.
- **IM:** Injecter profondément dans une masse musculaire bien développée afin de réduire l'irritation tissulaire.
- **Associations compatibles dans la même seringue:** Glycopyrrolate, hydromorphone, midazolam ou nalbuphine.
- **Compatibilités (tubulure en Y):** Chlorure de potassium, héparine ou succinate d'hydrocortisone sodique.

ENSEIGNEMENT AU PATIENT ET À SES PROCHES

- ☐ Inciter le patient à respecter scrupuleusement la posologie recommandée. S'il n'a pu prendre le médicament au moment habituel, il doit le prendre dès que possible à moins que ce ne soit presque l'heure prévue pour la dose suivante. L'avertir qu'il ne doit jamais remplacer une dose manquée par une double dose.
- ☐ Recommander au patient de changer lentement de position afin de réduire les risques d'hypotension orthostatique entraînés par l'administration par voie parentérale.
- ☐ Prévenir le patient que le triméthobenzamide peut provoquer de la somnolence. Lui conseiller de ne pas conduire et d'éviter les activités qui exigent sa vigilance jusqu'à ce qu'on ait la certitude que le médicament n'entraîne pas cet effet chez lui.
- ☐ Conseiller au patient d'éviter de boire de l'alcool ou de prendre d'autres dépresseurs du SNC en même temps que le triméthobenzamide.

☐ Recommander au patient de prévenir sans délai le médecin en présence de maux de gorge, de fièvre, de faiblesse ou de fatigue inhabituelles, de tremblements ou de jaunissement de la peau ou des yeux.

VÉRIFICATION DES RÉSULTATS

L'efficacité du traitement peut être démontrée par : la prévention et le soulagement des nausées et des vomissements.

TRIMÉTHOPRIME
Proloprim, (Trimpex)

CLASSIFICATION :
Anti-infectieux – divers

Grossesse – catégorie C

INDICATIONS

■ Traitement des infections non compliquées des voies urinaires. **Usages non approuvés :** ■ Prophylaxie des infections urinaires chroniques récurrentes.

ACTION

■ Altération de la synthèse bactérienne d'acide folique. **Effets thérapeutiques :** ■ Action bactéricide contre les bactéries sensibles. **Spectre d'action :** ■ Le triméthoprime est actif contre certaines bactéries à Gram positif dont : ☐ *Streptococcus pneumoniæ* ☐ les streptocoques bêta-hémolytiques du groupe A ☐ certains staphylocoques et entérocoques ■ Le spectre d'action contre les bactéries à Gram négatif inclut les *Enterobacteriaceæ* suivantes : ☐ *Acinetobacter* ☐ *Citrobacter* ☐ *Enterobacter* ☐ *Escherichia coli* ☐ *Klebsiella pneumoniæ* ☐ *Proteus mirabilis* ☐ *Salmonella* ☐ *Shigella* ■ D'autres souches de *Proteus*, ainsi que certaines bactéries *Providencia* et *Serratia* sont également sensibles à cet agent.

PHARMACOCINÉTIQUE

Absorption : Bonne absorption par suite de l'administration PO.

Distribution : Le médicament se répartit dans tout l'organisme. Il traverse le placenta et on le retrouve à de fortes concentrations dans le lait maternel.

Métabolisme et excrétion : Une fraction de 80 % est excrétée à l'état inchangé dans l'urine ; une fraction de 20 % est métabolisée par le foie.

Demi-vie : De 8 à 11 h (prolongée en cas d'insuffisance rénale).

CONTRE-INDICATIONS ET PRÉCAUTIONS

Contre-indications : ■ Hypersensibilité ■ Anémie mégaloblastique secondaire à une carence en folates.

Précautions : ■ Insuffisance rénale (il est recommandé de réduire la dose) ■ Grossesse, allaitement ou enfants de moins de 12 ans (l'innocuité du médicament n'a pas été établie) ■ Patients débilités ■ Insuffisance hépatique grave ■ Carence en folates.

RÉACTIONS INDÉSIRABLES ET EFFETS SECONDAIRES

GI : gêne épigastrique, nausées, vomissements, glossite, altération du goût, hépatite.

Tég. : rash, prurit.

Hémat. : neutropénie, thrombocytopénie, anémie mégaloblastique.

Divers : fièvre.

INTERACTIONS

Médicament – médicament : ■ Risque accru de carence en folates lors de l'administration simultanée de **phénytoïne** ou de **méthotrexate** ■ Risque accru d'aplasie médullaire lors de l'administration simultanée d'**antinéoplasiques** ou d'une **radiothérapie** ■ La **rifampine**, administrée simultanément, peut diminuer l'efficacité du triméthoprime en en augmentant l'élimination.

VOIES D'ADMINISTRATION ET POSOLOGIE

Traitement des infections urinaires

- **PO (adultes):** 100 mg, toutes les 12 h, ou 200 mg en une seule dose quotidienne.

Prophylaxie des infections urinaires chroniques

- **PO (adultes) (É.-U.):** 100 mg par jour (dose unique).

PHARMACODYNAMIE
(concentrations sanguines)

	DÉBUT D'ACTION	PIC
PO	rapide	1 – 4 h

☀ SOINS INFIRMIERS

ÉVALUATION DE LA SITUATION

- ☐ Observer le patient au début du traitement et pendant toute sa durée à la recherche des signes suivants d'infection urinaire: fièvre, urine trouble, mictions fréquentes, envie impérieuse d'uriner, douleurs et brûlures à la miction.

- ☐ Prélever des échantillons pour les cultures et les antibiogrammes avant le début du traitement. La première dose peut être administrée avant même que les résultats soient connus.

- ☐ Effectuer le bilan des ingesta et des excreta. Le patient devrait consommer suffisamment de liquides pour maintenir un débit urinaire d'au moins 1 200 à 1 500 mL par jour.

- ■ **Étude des examens diagnostiques et biochimiques:** Le triméthoprime peut entraîner l'élévation des concentrations sériques de bilirubine, de créatinine, d'urée, de TGOS (AST) et de TGPS (ALT).

- ☐ Noter la numération globulaire et les résultats de l'analyse des urines à intervalles réguliers pendant toute la durée du traitement. Le traitement devrait être arrêté en cas de dyscrasie.

DIAGNOSTICS INFIRMIERS POSSIBLES

- ■ **Énoncés diagnostiques**
- ☐ Risque élevé d'infection.
- ☐ Prise en charge inefficace du programme thérapeutique.
- ☐ *Risque élevé d'altération de l'élimination urinaire.*

- ■ **Facteurs favorisants**
- ☐ Informations incomplètes.
- ☐ *Manque de connaissances sur les modalités du traitement.*
- ☐ *Modification de l'état liquidien ou des volumes circulants.*
- ☐ *Manque de connaissances sur les effets secondaires du médicament et sur les moyens de les prévenir.*

INTERVENTIONS INFIRMIÈRES

PO: Administrer le médicament à jeun avec un grand verre d'eau, au moins 1 heure avant les repas ou 2 heures après. On peut administrer le triméthoprime avec des aliments en cas d'irritation gastrique.

ENSEIGNEMENT AU PATIENT ET À SES PROCHES

- ☐ Inciter le patient à respecter scrupuleusement la posologie recommandée et à prendre toute la quantité de médicament prescrite, même s'il se sent mieux. S'il n'a pu prendre le médicament au moment habituel, il doit le prendre dès que possible et espacer également les prises subséquentes. Insister sur le fait qu'il peut être dangereux de donner ce médicament à une autre personne.

- ☐ Recommander au patient de signaler au médecin le rash, les maux de gorge, la fièvre, les aphtes ainsi que les ecchymoses ou les saignements inhabituels. Le médecin peut prescrire de la leucovorine (acide folinique) en cas de carence en acide folique.

□ Recommander au patient d'informer le médecin si les symptômes ne s'améliorent pas.

□ Insister sur l'importance des examens de suivi réguliers permettant d'évaluer les bienfaits du traitement.

VÉRIFICATION DES RÉSULTATS

L'efficacité du traitement peut être démontrée par: ■ la disparition des signes et des symptômes d'infection (il faut habituellement compter de 10 à 14 jours de traitement avant que l'infection ne disparaisse) ■ la réduction de l'incidence des infections urinaires en cas de traitement prophylactique.

TRIPROLIDINE
(Actidil), (Alleract), (Mydidyl)

CLASSIFICATION:
Antihistaminique

Grossesse – catégorie B

INDICATIONS

■ Soulagement des symptômes allergiques dus à la libération de l'histamine ■ Médicament particulièrement utile pour le traitement des allergies nasales et des dermatoses allergiques.

ACTION

■ Inhibition des effets de l'histamine. **Effets thérapeutiques:** ■ Soulagement des symptômes associés au surplus d'histamine qui caractérise habituellement les allergies.

PHARMACOCINÉTIQUE

Absorption: Bonne absorption par suite de l'administration PO.

Distribution: Le médicament se répartit dans tout l'organisme. Il pénètre dans le lait maternel en quantités infimes et traverse la barrière hémato-encéphalique.

Métabolisme et excrétion: La triprolidine est fortement métabolisée par le foie.
Demi-vie: 5 h.

CONTRE-INDICATIONS ET PRÉCAUTIONS

Contre-indications: ■ Hypersensibilité ■ Crises aiguës d'asthme ■ Allaitement.
Précautions: ■ Patients âgés (risque accru de réactions indésirables) ■ Glaucome à angle étroit ■ Maladie hépatique ■ Grossesse (l'innocuité du médicament n'a pas été établie) ■ Hypertrophie de la prostate.

RÉACTIONS INDÉSIRABLES ET EFFETS SECONDAIRES

SNC: somnolence, sédation, excitation (enfants), étourdissements.
ORLO: vision trouble.
CV: hypotension, hypertension, palpitations, arythmies.
GI: sécheresse de la bouche (xérostomie), constipation.
GU: rétention urinaire avec difficulté d'uriner.

INTERACTIONS

Médicament – médicament: ■ Dépression additive du SNC lors de l'usage concomitant d'autres **dépresseurs du SNC**, incluant l'**alcool**, les **analgésiques narcotiques** et les **hypnosédatifs** ■ Effets anticholinergiques additifs lors de l'administration simultanée d'autres **médicaments doués de propriétés anticholinergiques**, incluant les **antidépresseurs**, l'**atropine**, l'**halopéridol**, les **phénothiazines**, la **quinidine** et le **disopyramide** ■ Les **IMAO**, administrés simultanément, intensifient et prolongent les effets anticholinergiques des antihistaminiques.

PRÉSENTATION

La triprolidine existe sous forme de comprimés ou de sirop. Elle existe également en association avec des décongestionnants et des sirops antitussifs (voir l'annexe A).

VOIES D'ADMINISTRATION ET POSOLOGIE

- **PO (adultes):** 2,5 mg, toutes les 4 à 6 h (ne pas dépasser 10 mg en 24 h), ou 5 mg de la préparation à libération prolongée, toutes les 12 h (ne pas dépasser 10 mg en 24 h).
- **PO (enfants de 6 à 12 ans):** 1,25 mg, toutes les 6 à 8 h (ne pas dépasser 5 mg en 24 h).
- **PO (enfants de 4 à 6 ans):** 0,937 mg, toutes les 6 à 8 h (ne pas dépasser 3,75 mg en 24 h).
- **PO (enfants de 2 à 4 ans):** 0,625 mg, toutes les 6 à 8 h (ne pas dépasser 2,5 mg en 24 h).
- **PO (enfants de 4 mois à 2 ans):** 0,312 mg, toutes les 6 à 8 h (ne pas dépasser 1,25 mg en 24 h).

PHARMACODYNAMIE
(effets antihistaminiques)

	DÉBUT D'ACTION	PIC	DURÉE
PO	15 – 60 min	1 – 2 h	6 – 8 h*

* Jusqu'à 12 h dans le cas des préparations à libération prolongée.

SOINS INFIRMIERS

ÉVALUATION DE LA SITUATION

- ☐ Suivre de près, avant le traitement et à intervalles réguliers pendant toute sa durée, les symptômes suivants d'allergie : rhinite, conjonctivite, urticaire.
- ☐ Ausculter le murmure vésiculaire et noter les caractéristiques des sécrétions bronchiques. S'assurer que le patient consomme de 1 500 à 2 000 mL de liquides par jour afin de diminuer la viscosité des sécrétions.
- ■ **Étude des examens diagnostiques et biochimiques:** La triprolidine peut entraîner des résultats faussement négatifs aux tests cutanés effectués avec des extraits allergènes. Arrêter l'administration du médicament 3 jours avant ces tests.

DIAGNOSTICS INFIRMIERS POSSIBLES

- ■ **Énoncés diagnostiques**
- ☐ Dégagement inefficace des voies respiratoires.
- ☐ Risque élevé d'accident.
- ☐ Prise en charge inefficace du programme thérapeutique.
- ☐ *Risque élevé d'atteinte à l'intégrité de la muqueuse buccale.*
- ☐ *Risque élevé d'infection.*

- ■ **Facteurs favorisants**
- ☐ Informations incomplètes.
- ☐ *Perturbation de la vigilance.*
- ☐ *Manque de connaissances sur les moyens de prévenir ou de réduire la sécheresse de la bouche.*
- ☐ *Manque de connaissances sur les modalités du traitement.,*

INTERVENTIONS INFIRMIÈRES

PO: Administrer les doses PO avec des aliments ou du lait afin de réduire l'irritation gastrique. Utiliser un récipient gradué pour mesurer les préparations liquides.

ENSEIGNEMENT AU PATIENT ET À SES PROCHES

- ☐ Expliquer au patient que s'il n'a pu prendre le médicament au moment habituel, il doit le prendre dès que possible à moins que ce ne soit presque l'heure prévue pour la dose suivante.
- ☐ Recommander au patient de contacter le médecin si les symptômes persistent.
- ☐ Prévenir le patient que la triprolidine peut provoquer de la somnolence. Lui conseiller de ne pas conduire et d'éviter les activités qui exigent sa vigilance jusqu'à ce qu'on ait la certitude que le médicament n'entraîne pas cet effet chez lui.
- ☐ Conseiller au patient d'éviter de boire de l'alcool ou de prendre d'autres dépresseurs du SNC en même temps que la triprolidine.

☐ Conseiller au patient de se rincer fréquemment la bouche, de pratiquer une bonne hygiène orale et de consommer de la gomme ou des bonbons sans sucre pour soulager la sécheresse de la bouche. Lui recommander de consulter le médecin ou le dentiste si la sécheresse de la bouche persiste pendant plus de deux semaines.

VÉRIFICATION DES RÉSULTATS

L'efficacité du traitement peut être démontrée par: le soulagement des symptômes allergiques.

TUBOCURARINE

CLASSIFICATION:
Bloqueur neuromusculaire de type non dépolarisant

Grossesse – catégorie C

INDICATIONS

■ Paralysie des muscles squelettiques après induction de l'anesthésie lors d'une intervention chirurgicale ■ Amélioration de la compliance pulmonaire durant la ventilation artificielle ■ Adjuvant aux électrochocs ■ Agent de diagnostic de la myasthénie grave.

ACTION

■ Inhibition de la transmission neuromusculaire par blocage de l'effet de l'acétylcholine à la jonction neuromusculaire ■ Absence d'effets analgésiques ou anxiolytiques. **Effets thérapeutiques:** ■ Paralysie des muscles squelettiques.

PHARMACOCINÉTIQUE

Absorption: Bonne absorption par suite de l'administration IM; par suite de l'administration IV, l'effet est toutefois plus rapide.

Distribution: Le médicament se répartit rapidement dans tout l'organisme et il est ensuite redistribué dans divers compartiments tissulaires. La durée d'action prolongée qu'on note par suite d'une administration répétée s'explique par la saturation de ces compartiments.

Métabolisme et excrétion: Une fraction de 30 à 75 % est excrétée à l'état inchangé par les reins; une fraction de 11 % est excrétée dans la bile. De petites quantités sont métabolisées par le foie.

Demi-vie: 2 h.

CONTRE-INDICATIONS ET PRÉCAUTIONS

Contre-indications: ■ Hypersensibilité à la tubocurarine ■ Hypersensibilité à l'alcool benzylique ou aux bisulfites.

Précautions: ■ Antécédents de maladie pulmonaire ou d'insuffisance rénale ou hépatique ■ Personnes âgées ou patients débilités ■ Déséquilibres électrolytiques ■ Myasthénie grave ou syndromes myasthéniques.

RÉACTIONS INDÉSIRABLES ET EFFETS SECONDAIRES

CV: hypotension, arythmies.
ORLO: salivation excessive.
Resp.: bronchospasme, APNÉE.
GI: diminution du tonus gastro-intestinal, diminution de la motilité gastro-intestinale.
Loc.: faiblesse musculaire.
Divers: réactions allergiques.

INTERACTIONS

Médicament – médicament: ■ L'intensité et la durée de la paralysie peuvent être prolongées lors de l'administration préalable de **succinylcholine**, d'une **anesthésie générale**, d'**aminosides**, de **polymyxine B**, de **colistine**, de **clindamycine**, de **lidocaïne**, de **quinidine**, de **procaïnamide**, de **bêtabloquants**, de **diurétiques kaliurétiques** et de **magnésium** ■ Réduire la dose de $^2/_3$ lors de l'administration concomitante d'**éther**, de $^1/_3$ lors de l'administration concomitante de **méthoxyflurane** et de $^1/_5$ lors de l'administration concomitante d'**halothane** ou de **cyclopropane** ■ Le **doxapram**, administré simultanément, masque les effets résiduels de la tubocurarine.

VOIES D'ADMINISTRATION ET POSOLOGIE

Remarque : On devrait opter de préférence pour la voie IV, mais on peut cependant administrer la tubocurarine par voie IM aux nourrissons ou à d'autres patients chez lesquels l'accès à une veine est impossible.

Adjuvant à l'anesthésie générale
- **IM et IV (adultes) (É.-U.) :** initialement, de 6 à 9 mg, puis administrer de 3 à 4,5 mg en 3 à 5 min, au besoin. On peut administrer des doses supplémentaires de 3 mg (0,165 mg/kg) si besoin est.
- **IV (nourrissons et enfants) :** 0,5 mg/kg.
- **IV (nouveau-nés à 4 semaines) :** de 0,25 à 0,5 mg/kg.

Adjuvant aux électrochocs
- **IV (adultes) :** de 0,1 à 0,2 mg/kg (les doses initiales devraient être de 3 mg inférieures à la dose calculée).

Adjuvant à la ventilation artificielle
- **IV (adultes) (É.-U.) :** 1 mg (0,0165 mg/kg). On peut administrer des doses subséquentes selon les besoins.

Diagnostic de la myasthénie grave
- **IV (adultes) :** de 0,004 à 0,033 mg/kg. *Remarque :* des symptômes de myasthénie profonde peuvent survenir.

PHARMACODYNAMIE (paralysie musculosquelettique)

	DÉBUT D'ACTION	PIC	DURÉE*
IV	1 min	2 – 5 min	20 – 90 min
IM	15 – 25 min	inconnu	inconnue

* La durée augmente lors d'une administration répétée.

SOINS INFIRMIERS

ÉVALUATION DE LA SITUATION
- ☐ Suivre la fonction respiratoire tout au long de l'administration de la tubocu-

rarine. Avertir immédiatement le médecin de tout changement important.
- ☐ Évaluer la réponse neuromusculaire à la tubocurarine pendant l'intervention chirurgicale par la stimulation des nerfs périphériques. La paralysie des muscles est initialement sélective et elle se produit habituellement dans l'ordre suivant : muscles releveurs des paupières, muscles masticateurs, muscles des membres, muscles abdominaux, muscles de la glotte, muscles intercostaux et diaphragme. Le rétablissement de la fonction musculaire se produit habituellement dans l'ordre inverse.
- ☐ Surveiller l'ÉCG et mesurer la fréquence cardiaque et la pression artérielle tout au long de l'administration de la tubocurarine.
- ☐ Observer le patient pendant la période de récupération pour déceler la faiblesse musculaire résiduelle et la détresse respiratoire.
- **Toxicité et surdosage :** En cas de surdosage, stimuler les nerfs périphériques pour déterminer le degré de blocage neuromusculaire. Assurer la ventilation et la perméabilité des voies aériennes jusqu'au rétablissement d'un mode de respiration normal.
- ☐ On peut administrer des agents anticholinestérasiques (édrophonium, néostigmine, pyridostigmine) pour contrecarrer les effets de la tubocurarine. L'atropine est habituellement administrée avant les agents anticholinestérasiques ou en même temps qu'eux pour contrecarrer les effets muscariniques.
- ☐ Il peut s'avérer nécessaire d'administrer des liquides et des vasopresseurs pour traiter l'hypotension grave ou le choc.

DIAGNOSTICS INFIRMIERS POSSIBLES
- **Énoncés diagnostiques**
- ☐ Mode de respiration inefficace.
- ☐ Altération de la communication verbale.

□ Peur.
□ *Risque élevé d'accident.*

■ **Facteurs favorisants**
□ *Manque de connaissances sur les modalités du traitement.*
□ *Mode de communication altéré par l'intubation endotrachéale.*

INTERVENTIONS INFIRMIÈRES

■ **Directives générales:** La tubocurarine ne devrait être administrée que par les personnes sachant pratiquer l'intubation endotrachéale. Garder à portée de la main le matériel nécessaire à cette intervention.

□ La tubocurarine ne modifie pas l'état de la conscience ni le seuil de la douleur. Il faut *toujours* assurer une anesthésie adéquate lorsque la tubocurarine est utilisée comme adjuvant à une intervention chirurgicale ou à des examens douloureux. Lors de l'administration prolongée pendant la ventilation assistée, on devrait administrer des benzodiazépines ou des analgésiques ou les deux à la fois, en même temps que la tubocurarine, car le patient est éveillé et capable de ressentir toutes les sensations.

□ Si le patient garde les yeux ouverts pendant une administration prolongée, protéger sa cornée par des larmes artificielles.

■ **IV directe:** Administrer la dose par voie IV sans la diluer, en 1 à 1,5 min. L'injection rapide ou l'administration de doses élevées entraînent la libération d'histamine, se traduisant par de l'hypotension et le bronchospasme. Adapter la dose selon la réaction du patient.

■ **Associations compatibles dans la même seringue:** Pentobarbital ou thiopental.

■ **Solutés compatibles:** Associations de dextrose et de solution de Ringer ou de lactate Ringer, de dextrose et de soluté salin; solution de dextrose à 5 ou à 10 % dans de l'eau; solution

de NaCl à 0,9 ou à 0,45 % ou solution de Ringer ou lactate Ringer pour injection.

■ **Incompatibilités en addition au soluté:** La tubocurarine est incompatible avec la plupart des barbituriques, le bicarbonate de sodium et le triméthaphan.

ENSEIGNEMENT AU PATIENT ET À SES PROCHES

□ Expliquer toutes les interventions au patient qui reçoit de la tubocurarine sans anesthésie étant donné que ce médicament, administré seul, ne modifie pas l'état de la conscience. Lui fournir un soutien affectif.

□ Expliquer au patient que ses capacités de communication se rétabliront lorsque les effets du médicament s'épuiseront.

VÉRIFICATION DES RÉSULTATS

L'efficacité du traitement peut être démontrée par: ■ la suppression adéquate des soubresauts musculaires testée par la stimulation des nerfs périphériques, avec paralysie musculaire subséquente ■ le diagnostic de la myasthénie grave.

UROKINASE
Abbokinase, Abbokinase Open-Cath

CLASSIFICATION:
Agent thrombolytique

Grossesse – catégorie B

INDICATIONS

■ Traitement de l'embolie pulmonaire aiguë et massive ou accompagnée d'une instabilité hémodynamique ■ Lyse des thrombus coronariens ■ Déblocage des cathéters veineux ■ Traitement des occlusions thrombo-emboliques des artères et greffons périphériques.

ACTION

■ Activation directe du plasminogène.
Effets thérapeutiques: ■ Lyse des thrombus ou des emboles.

PHARMACOCINÉTIQUE

Absorption: L'urokinase est réservée à l'administration par voie IV; dans ce cas, sa biodisponibilité est totale.
Distribution: inconnue.
Métabolisme et excrétion: Métabolisme hépatique.
Demi-vie: De 10 à 20 min.

CONTRE-INDICATIONS ET PRÉCAUTIONS

Contre-indications: ■ Hypersensibilité ■ Hémorragie interne manifeste ■ Accident cérébrovasculaire récent (moins de 2 mois) ■ Chirurgie intracrânienne ou intrarachidienne ou néoplasie intracrânienne.
Précautions: ■ Chirurgie ou traumatisme mineurs récents (moins de 2 mois) ■ Risque de formation d'un thrombus dans le cœur gauche ■ Maladie cérébrovasculaire ■ Rétinopathie diabétique hémorragique ■ Grossesse, allaitement ou enfants (l'innocuité du médicament n'a pas été établie) ■ Personnes âgées (risque accru d'hémorragie intracrânienne).

RÉACTIONS INDÉSIRABLES ET EFFETS SECONDAIRES

Resp.: bronchospasme.
Tég.: rash.
Hémat.: SAIGNEMENTS.
Divers: fièvre, réactions d'hypersensibilité, incluant l'ANAPHYLAXIE.

INTERACTIONS

Médicament – médicament: Risque accru de saignement lors de l'administration concomitante d'autres **anticoagulants**, de **céfamandole**, de **céfotétane**, de **moxalactam**, de **plicamycine** ou d'**agents affectant la fonction plaquettaire**, incluant l'**aspirine**, les **anti-inflammatoires non stéroïdiens** ou le **dipyridamole**.

VOIES D'ADMINISTRATION ET POSOLOGIE

Lyse des thrombus coronariens, infarctus du myocarde
■ **Voie intracoronarienne (adultes):** 6 000 UI/min pendant une période allant jusqu'à 2 h (administrer au préalable de 2 500 à 10 000 unités d'héparine par voie IV).

Embolie pulmonaire
■ **IV (adultes):** dose d'attaque de 4 400 UI/kg, en 10 min; administrer ensuite 4 400 UI/kg à l'heure pendant 12 h.

Blocage des cathéters veineux
■ **Administration dans le cathéter (adultes):** injecter dans le cathéter de 1 à 1,8 mL de solution à 5 000 UI/mL, puis aspirer. On peut répéter l'aspiration toutes les 5 min pendant 30 min. Faute de résultats, on peut clamper le cathéter et laisser agir la solution pendant 30 à 60 min, puis aspirer.

PHARMACODYNAMIE (thrombolyse)

	DÉBUT D'ACTION	PIC	DURÉE
IV	immédiat	rapide	jusqu'à 12 h

SOINS INFIRMIERS

ÉVALUATION DE LA SITUATION

☐ Suivre de près les signes vitaux et prendre la température pendant toute la durée du traitement.
☐ Pour déceler les saignements, examiner soigneusement le patient aux intervalles suivants: toutes les 15 min, pendant la 1re h de traitement; toutes les 15 à 30 min, pendant les 8 h qui suivent; au moins toutes les 4 h, pendant le reste du traitement. Une hémorragie patente peut survenir au siège des interventions invasives ou aux orifices corporels. Une hémorragie interne peut également survenir; suivre de près les signes suivants: état

neurologique affaibli, douleurs abdo-minales avec des vomissures ayant l'aspect du marc de café, selles noires et goudronneuses, douleurs articu-laires. En cas d'hémorragie, arrêter d'administrer le médicament et pré-venir le médecin sans délai.

□ Interroger le patient au sujet d'une réaction antérieure à l'urokinase. Suivre de près les réactions d'hyper-sensibilité (rash, dyspnée) et la fièvre. Signaler rapidement ces réactions au médecin. Garder de l'épinéphrine, un antihistaminique et le matériel de réanimation à portée de la main pour contrer une éventuelle réaction ana-phylactique.

■ **Thrombose des coronaires :** Suivre cons-tamment l'ÉCG. Prévenir le médecin en cas d'arythmie importante. Il peut prescrire à titre prophylactique de la lidocaïne ou du procaïnamide (Pro-nestyl) par voie IV. Suivre de près les concentrations d'enzymes cardiaques.

■ **Embolie pulmonaire :** Prendre le pouls et la pression artérielle, et suivre de près les valeurs hémodynamiques et l'état de la fonction respiratoire : fré-quence des respirations, gravité de la dyspnée, concentration des gaz arté-riels.

■ **Occlusion artérielle aiguë :** Examiner les extrémités et palper les pulsations dans les membres touchés, toutes les heures. Prévenir immédiatement le médecin en cas d'insuffisance circu-latoire.

■ **Blocage de la canule ou du cathéter :** Dé-terminer la capacité d'aspiration du sang, ce qui est un indice de perméabi-lité. Afin de prévenir l'aéroembolie, demander au patient d'expirer et de retenir sa respiration pendant qu'on insère et qu'on retire la seringue IV.

■ **Étude des examens diagnostiques et bio-chimiques :** Noter, avant le traitement et à intervalles fréquents pendant toute sa durée, l'hématocrite, les con-centrations d'hémoglobine, la numé-

ration plaquettaire, le temps de pro-thrombine, le temps de thrombine et le temps de céphaline activée (APTT). On peut également noter le temps de saignement avant le traitement si le patient a reçu des antiagrégants pla-quettaires.

□ Obtenir le groupe sanguin et les com-patibilités et garder du sang à portée de la main en tout temps pour contrer l'hémorragie.

■ **Toxicité et surdosage :** En cas de saigne-ment local, appliquer une pression sur le point de ponction. En cas d'hé-morragie interne ou grave, interrom-pre la perfusion. Les facteurs de coa-gulation et le volume sanguin peuvent être rétablis par perfusion de sang entier, d'hématies concentrées, de plasma frais congelé ou de cryopréci-pités. Ne pas administrer du dextran en raison de son activité antiplaquet-taire. On peut utiliser comme anti-dote de l'acide aminocaproïque (Amicar).

DIAGNOSTICS INFIRMIERS POSSIBLES

■ **Énoncés diagnostiques**

□ Altération de l'irrigation tissulaire.
□ *Risque élevé d'accident.*
□ *Risque élevé d'atteinte à l'intégrité des tissus*

■ **Facteurs favorisants**

□ *Manque de connaissances sur les modalités du traitement.*

INTERVENTIONS INFIRMIÈRES

■ **Directives générales :** Ce médicament ne devrait être administré que dans les établissements où l'on peut suivre de près la fonction hématologique et la réponse clinique.

□ On devrait éviter, tout au long de ce traitement, les interventions invasives, comme les injections IM ou les ponc-tions artérielles. Si de tels actes théra-peutiques s'avèrent cependant néces-saires, appliquer une pression sur les points de ponction IV, pendant au moins 15 min et sur les points de ponction artérielle, pendant au moins 30 min.

□ L'anticoagulation par voie systémique avec de l'héparine est habituellement amorcée plusieurs heures après la fin du traitement thrombolytique.

■ **Perfusion intermittente :** Reconstituer le contenu de chaque fiole avec 5,2 mL d'eau stérile pour injection sans agents de conservation (qu'on injecte directement contre les parois de la fiole) et la tourner délicatement sans l'agiter. Diluer une fois de plus dans une solution de NaCl à 0,9 % ou de dextrose à 5 % dans de l'eau afin d'obtenir un volume final de 195 à 200 mL. Pour la lyse des thrombus coronariens, ajouter le contenu de 3 fioles à 500 mL de solution de dextrose à 5 % dans de l'eau afin d'obtenir une concentration d'environ 1 500 UI/mL. Utiliser la solution reconstituée immédiatement après sa préparation.

□ *Vitesse d'administration :* Perfuser selon les recommandations du médecin. On peut filtrer la solution avec une membrane filtrante à pores de 0,22 ou de 0,45 μm, placée en position terminale. Utiliser une pompe de perfusion pour assurer l'administration de la dose exacte.

■ **Incompatibilités en addition au soluté :** Le fabricant recommande de ne pas mélanger l'urokinase à d'autres médicaments.

■ **Déblocage de la canule ou du cathéter :** Ajouter 1 mL de la préparation précédemment reconstituée à 9 mL d'eau stérile pour injection ne contenant pas d'agents de conservation. Injecter lentement et soigneusement 1 mL dans la canule bouchée, puis clamper pendant 5 min. Par la suite, aspirer soigneusement le contenu pour retirer le caillot. En cas d'échec, clamper de nouveau pendant 5 min. Répéter l'aspiration toutes les 5 min jusqu'à ce que le caillot soit retiré ou pendant

30 min au maximum. En cas d'échec, clamper pendant 30 à 60 min et essayer d'aspirer de nouveau. Il peut s'avérer nécessaire d'administrer une deuxième dose d'urokinase.

□ Le médicament existe également en fioles à chambre double. Pour débloquer les canules et les cathéters, le contenu de la fiole est reconstitué de façon à obtenir une concentration de 5 000 UI/mL.

ENSEIGNEMENT AU PATIENT ET À SES PROCHES

□ Expliquer au patient le but du traitement. Lui recommander de signaler au médecin ou à l'infirmière les réactions d'hypersensibilité (rash, dyspnée), les saignements et la formation d'ecchymoses.

□ Expliquer au patient qu'il doit garder le lit. Lui demander de ne pas manipuler les tubulures pour prévenir les accidents.

VÉRIFICATION DES RÉSULTATS

L'efficacité du traitement peut être démontrée par : ■ la lyse des thrombus et le rétablissement de la circulation sanguine ■ la perméabilité de la canule ou du cathéter.

VANCOMYCINE
Vancocine, Vancocine CP

CLASSIFICATION :
Anti-infectieux – divers

Grossesse – catégorie C

INDICATIONS

■ **IV :** Traitement des infections qui peuvent mettre la vie en danger dans les cas où des antibiotiques moins toxiques sont contre-indiqués. Médicament particulièrement utile dans le traitement des infections staphylococciques dont : □ l'endocardite □ l'ostéomyélite □ la pneumonie □ la septicémie □ les infections des tissus mous chez les patients allergiques aux pénicillines ou à leurs dérivés ou lorsque les antibiogrammes font état d'une résistance à la méthicilline ■ **PO**: Traitement de la colite pseudomembraneuse et de l'entérocolite staphylococcique attribuables à *Clostridium difficile* ■ **IV**: Médicament administré dans le cadre d'un traitement prophylactique de l'endocardite, chez les patients exposés à un risque élevé qui sont allergiques aux pénicillines.

ACTION

■ Liaison à la paroi cellulaire bactérienne entraînant la destruction de la bactérie. **Effets thérapeutiques**: ■ Effet bactéricide contre les bactéries sensibles. **Spectre d'action**: ■ La vancomycine est active contre des micro-organismes à Gram positif dont: □ les staphylocoques (incluant les souches de *Staphyloccocus aureus* résistantes à la méthicilline) □ les streptocoques bêta-hémolytiques du groupe A ■ *Streptococcus pneumoniae* ■ *Corynebacterium* ■ *Clostridium*.

PHARMACOCINÉTIQUE

Absorption: Faible absorption depuis le tractus gastro-intestinal.

Distribution: La vancomycine se répartit dans tout l'organisme. Une certaine quantité pénètre dans le liquide céphalorachidien (de 20 à 30 %). Elle traverse le placenta.

Métabolisme et excrétion: Les doses administrées PO sont surtout excrétées dans les fèces. La vancomycine par voie IV est presque entièrement éliminée par les reins.

Demi-vie: 6 h (prolongée en cas d'insuffisance rénale).

CONTRE-INDICATIONS ET PRÉCAUTIONS

Contre-indication: Hypersensibilité.

Précautions: ■ Insuffisance rénale (il est recommandé de réduire la dose) ■ Grossesse et allaitement (l'innocuité du médicament n'a pas été établie) ■ Troubles de

l'ouïe ■ Occlusion ou inflammation intestinale (absorption systémique accrue lors de l'administration PO).

RÉACTIONS INDÉSIRABLES ET EFFETS SECONDAIRES

Remarque: Sauf indication contraire, les réactions indésirables et les les effets secondaires ont été notés par suite de l'administration IV.

ORLO: IV et PO – neurotoxicité au niveau de la VIIIᵉ paire de nerfs crâniens (effet ototoxique).

CV: hypotension.

GI: nausées, PO – vomissements, goût désagréable.

GU: toxicité rénale.

Tég.: rash.

Hémat.: leucopénie, éosinophilie.

Locaux: phlébite.

Loc.: douleurs lombaires et cervicales.

Divers: réactions d'hypersensibilité, incluant l'ANAPHYLAXIE; fièvre, frissons, « syndrome du cou rouge » (érythème cutané au niveau du cou et des épaules, état de malaise et symptômes rappelant le choc), surinfection.

INTERACTIONS

Médicament – médicament: Risque d'effets ototoxiques et néphrotoxiques additifs lors de l'administration concomitante d'autres **médicaments doués de propriétés ototoxiques et néphrotoxiques (aspirine, aminosides, cyclosporine, cisplatine, diurétiques de l'anse).**

PRÉSENTATION

La vancomycine existe sous forme de capsules et de préparations injectables.

VOIES D'ADMINISTRATION ET POSOLOGIE

Infections systémiques graves

■ **IV (adultes):** 500 mg, toutes les 6 h, ou 1 g, toutes les 12 h.

■ **IV (enfants):** 40 mg/kg par jour, en doses fractionnées, toutes les 6 à 12 h.

- **IV (nouveau-nés de 1 semaine à 1 mois):** initialement, 15 mg/kg, puis 10 mg/kg, toutes les 8 h.
- **IV (nouveau-nés < 1 semaine):** initialement, 15 mg/kg, puis 10 mg/kg, toutes les 12 h.

Prophylaxie de l'endocardite chez les patients allergiques aux pénicillines

- **IV (adultes et enfants > 27 kg) (É.-U.):** 1 g en une seule dose, une heure avant l'intervention chirurgicale.
- **IV (enfants < 27 kg) (É.-U.):** 20 mg/kg en une seule dose, une heure avant l'intervention chirurgicale.

Colite pseudomembraneuse

- **PO (adultes):** de 125 à 500 mg, toutes les 6 à 8 h, pendant 7 à 10 jours.
- **PO (enfants):** 40 mg/kg par jour, en doses fractionnées, toutes les 6 à 8 h (ne pas dépasser 2 g par jour) pendant 7 à 10 jours.

PHARMACODYNAMIE
(concentrations sanguines)

	DÉBUT D'ACTION	PIC
IV	rapide	fin de la perfusion

SOINS INFIRMIERS

ÉVALUATION DE LA SITUATION

- ☐ Au début du traitement et pendant toute sa durée, suivre de près les signes suivants d'infection: altération des signes vitaux, aspect de la plaie, des crachats, de l'urine et des selles, accroissement du nombre des leucocytes.
- ☐ Prélever des échantillons pour les cultures et les antibiogrammes avant le début du traitement. La première dose peut être administrée avant même que les résultats soient connus.
- ☐ Surveiller de près le point d'injection IV. La vancomycine irrite les tissus et entraîne la nécrose et une douleur intense en cas d'extravasation. Assurer la rotation des points de perfusion.

- ☐ Mesurer la pression artérielle pendant toute la durée de la perfusion IV.
- ☐ Déterminer les concentrations sériques de vancomycine ainsi que la fonction de la VIIIe paire de nerfs crâniens par audiométrie avant le début du traitement et pendant toute sa durée, chez les patients prédisposés à un dysfonctionnement rénal et chez ceux ayant plus de 60 ans. Pour prévenir les lésions permanentes, un diagnostic et une intervention rapides sont essentiels.
- ☐ Effectuer le bilan quotidien des ingesta et des excreta et peser le patient tous les jours. Une urine trouble ou rosée peut être un signe de toxicité rénale.
- ☐ Suivre de près les signes suivants de surinfection: excroissance noire pileuse sur la langue, démangeaisons ou pertes vaginales, selles molles ou nauséabondes. En informer le médecin le cas échéant.
- Colite pseudomembraneuse: Évaluer tout au long du traitement l'état de la fonction intestinale: ausculter les bruits intestinaux; déterminer la fréquence de la défécation et la consistance des matières fécales ainsi que la présence de sang dans les selles.
- Étude des examens diagnostiques et biochimiques: Noter le nombre de cylindres ainsi que les concentrations d'albumine et de globules dans l'urine; suivre de près la diminution de la gravité spécifique et la numération globulaire. Examiner les résultats de l'exploration fonctionnelle rénale à intervalles réguliers pendant toute la durée du traitement.
- ☐ La vancomycine peut entraîner l'élévation des concentrations d'urée.
- Toxicité et surdosage: Les concentrations de pointe de vancomycine ne devraient pas dépasser 5 à 40 mg/mL. Les creux sanguins ne devraient pas dépasser 5 à 10 mg/mL.

V

DIAGNOSTICS INFIRMIERS POSSIBLES

■ **Énoncés diagnostiques**

□ Altération de la perception auditive.

□ Risque élevé d'infection.

□ Prise en charge inefficace du programme thérapeutique.

□ *Risque élevé de douleur au point d'injection IV.*

□ *Risque élevé d'intoxication.*

□ *Risque élevé d'anxiété.*

■ **Facteurs favorisants**

□ Informations incomplètes.

□ *Manque de connaissances sur les modalités du traitement.*

□ *Douleur au point d'injection IV.*

□ *Inflammation locale du tissu vasculaire ou infiltration du médicament dans les tissus avoisinants.*

INTERVENTIONS INFIRMIÈRES

■ **PO:** On peut diluer la préparation destinée à la voie IV dans 30 mL d'eau et l'administrer par voie orale ou par sonde gastrique. Cette solution a un goût amer et désagréable. Elle est stable pendant 14 jours au réfrigérateur.

■ **Perfusion intermittente:** Diluer le contenu de la fiole de 500 mg avec 10 mL et la fiole de 1 g avec 20 mL d'eau stérile pour injection. Diluer une fois de plus avec au moins 100 mL (fiole de 500 mg) ou avec au moins 200 mL (fiole de 1 g) de solution de NaCl à 0,9 %, de dextrose à 5 % ou à 10 % dans de l'eau ou de lactate Ringer. Les solutions obtenues après la reconstitution de la vancomycine et les solutés préparés doivent être utilisés dans les 24 h s'ils sont conservés à la température ambiante ou dans les 96 h s'ils sont conservés au réfrigérateur (5°C).

□ *Vitesse d'administration:* Administrer la solution en 60 min. Ne pas administrer rapidement ni sous forme de bolus afin de réduire le risque de thrombophlébite et d'hypotension ainsi que le risque d'apparition du « syndrome du cou rouge » (hypoten-

sion grave soudaine, rougeur ou rash maculopapuleux du visage, du cou, de la poitrine et des membres supérieurs).

■ **Perfusion continue:** Ce type de perfusion ne doit être utilisé que s'il est impossible d'effectuer une perfusion intermittente.

□ *Vitesse d'administration:* On peut également administrer la préparation en perfusion continue après en avoir dilué 1 ou 2 g dans un volume suffisant pour perfuser en 24 h.

■ **Association incompatible dans la même seringue:** Héparine.

■ **Compatibilités (tubulure en Y):** Acyclovir, atracurium, cyclophosphamide, énalapril, esmolol, hydromorphone, labétalol, mépéridine, morphine, ondansétron, pancuronium, perphénazine, sulfate de magnésium, tolazoline, vécuronium ou zidovudine.

■ **Incompatibilité (tubulure en Y):** Foscarnet.

■ **Compatibilités en addition au soluté:** Amikacine, chlorure de potassium, cimétidine, corticotrophine, dimenhydrinate, gluconate de calcium, ranitidine, succinate d'hydrocortisone sodique ou vérapamil.

■ **Incompatibilités en addition au soluté:** Amobarbital, chloramphénicol, chlorothiazide, dexaméthasone, héparine, méthicilline, pentobarbital, phénobarbital, sécobarbital ou warfarine.

ENSEIGNEMENT AU PATIENT ET À SES PROCHES

□ Inciter le patient qui doit prendre la vancomycine PO à respecter scrupuleusement la posologie recommandée. S'il n'a pu prendre le médicament au moment habituel, il doit le prendre dès que possible à moins que ce ne soit presque l'heure prévue pour la dose suivante. L'avertir qu'il ne doit jamais remplacer une dose manquée par une double dose.

□ Recommander au patient de signaler au médecin les signes d'hypersensibilité, les acouphènes, les vertiges ou la surdité.

□ Recommander au patient d'avertir le médecin s'il n'observe aucune amélioration au bout de quelques jours.

□ Expliquer au patient ayant des antécédents de cardite rhumatismales ou de remplacement valvulaire qu'il est important de suivre un traitement antimicrobien prophylactique avant de se soumettre à une intervention médicale ou dentaire effractive.

VÉRIFICATION DES RÉSULTATS

La réponse clinique peut être démontrée par : ■ la disparition des signes et des symptômes d'infection. Le temps nécessaire à une résolution complète dépend du micro-organisme infectant et du siège de l'infection ■ la prophylaxie de l'endocardite.

VASOPRESSINE
Pitressin, Pressyn

CLASSIFICATION :
Hormone antidiurétique

Grossesse – catégorie inconnue

INDICATIONS

■ Maîtrise des symptômes du diabète insipide central attribuable à un déficit de la sécrétion d'hormone antidiurétique ■ Traitement et prévention de la distension abdominale postopératoire ■ Élimination des gaz observés lors des radiographies abdominales. **Usages non approuvés :** ■ Traitement de l'hémorragie digestive (voie IV ou perfusion intra-artérielle élective).

ACTION

■ Modification de la perméabilité des tubules rénaux, favorisant la réabsorption de l'eau ■ Effet stimulant direct sur la musculature du tractus gastro-intestinal ■ Vasoconstriction (doses élevées). **Effets thérapeutiques :** ■ Diminution du débit urinaire et augmentation de l'osmolalité de l'urine chez les patients souffrant de diabète insipide ■ Soulagement de la distension abdominale ■ Diminution de l'hémorragie digestive.

PHARMACOCINÉTIQUE

Absorption : Par suite de l'administration IM, l'absorption peut être imprévisible.

Distribution : Le médicament se répartit dans tous les liquides extracellulaires.

Métabolisme et excrétion : La vasopressine est rapidement décomposée par le foie et les reins. De petites quantités (< 5 %) sont excrétées à l'état inchangé par les reins.

Demi-vie : De 10 à 20 min.

CONTRE-INDICATIONS ET PRÉCAUTIONS

Contre-indications : ■ Insuffisance rénale chronique accompagnée de concentrations accrues d'urée ■ Hypersensibilité aux protéines de bœuf ou de porc.

Précautions : ■ Polyurie périopératoire (sensibilité accrue à la vasopressine) ■ Patients comateux ■ Convulsions ■ Migraine ■ Asthme ■ Insuffisance cardiaque ■ Maladie cardiovasculaire ■ Patients âgés et enfants (risque accru de sensibilité à la vasopressine) ■ Insuffisance rénale.

RÉACTIONS INDÉSIRABLES ET EFFETS SECONDAIRES

SNC : étourdissements, sensation de coups dans la tête.

CV : douleurs thoraciques, INFARCTUS DU MYOCARDE, angine.

GI : crampes abdominales, éructation, diarrhée, nausées, vomissements, flatulence, brûlures d'estomac.

Tég. : transpiration, pâleur, blêmissement péribuccal.

SN : tremblements.

V

Divers: intoxication hydrique (doses élevées seulement), fièvre, réactions allergiques.

INTERACTIONS

Médicament – médicament: ■ L'**alcool**, le **lithium**, la **déméclocycline**, l'**héparine** ou la **norépinéphrine**, pris simultanément, peuvent diminuer l'effet antidiurétique de la vasopressine ■ La **carbamazépine**, le **chlorpropamide**, le **clofibrate** ou la **fludrocortisone**, administrés simultanément, peuvent intensifier l'effet antidiurétique de la vasopressine ■ Les **ganglioplégiques**, administrés simultanément, peuvent intensifier l'effet vasopresseur de la vasopressine.

VOIES D'ADMINISTRATION ET POSOLOGIE

Diabète insipide central
- **IM et SC (adultes):** de 0,25 à 0,5 mL (de 5 à 10 unités), 2 ou 3 fois par jour, selon les besoins.
- **IM et SC (enfants):** de 0,125 à 0,5 mL (de 2,5 à 10 unités), 3 ou 4 fois par jour.
- **Voie nasale (adultes):** administrer le médicament à l'aide de tampons d'ouate, d'un vaporisateur ou d'un compte-gouttes. On doit adapter la posologie aux besoins de chaque patient.

Distension abdominale
- **IM (adultes):** initialement, 0,25 mL (5 unités). On peut augmenter la dose jusqu'à 0,5 mL (10 unités), au besoin, toutes les 3 ou 4 h.

Préparation à la radiographie du tractus gastro-intestinal
- **IM et SC (adultes):** 0,5 mL (10 unités), 2 h, puis 30 min, avant la radiographie.

Hémorragie digestive
- **IV (adultes) (É.-U.):** de 0,2 à 0,4 unité/min; on peut augmenter la dose jusqu'à 0,9 unité/min.

- **Voie intra-artérielle (adultes) (É.-U.):** de 0,1 à 0,5 unité/min.

PHARMACODYNAMIE
(effet antidiurétique)

	DÉBUT D'ACTION	PIC	DURÉE
IM	inconnu	inconnu	2 – 8 h

SOINS INFIRMIERS

ÉVALUATION DE LA SITUATION

- **Directives générale:** Suivre de près l'ÉCG à intervalles réguliers pendant toute la durée du traitement.
- **Diabète insipide:** Noter à intervalles fréquents l'osmolalité et le volume des urines pour déterminer les effets du médicament. Surveiller les symptômes suivants de déshydratation: soif excessive, peau et muqueuses sèches, tachycardie. Peser le patient tous les jours, effectuer le bilan quotidien des ingesta et des excreta et suivre de près l'apparition d'œdème.
- **Hémorragie digestive:** Suivre de près la fonction abdominale: distension, bruits intestinaux, présence de sang occulte dans les selles ou les échantillons prélevés par aspiration nasogastrique. Déceler également les signes et les symptômes suivants d'hypovolémie menant au choc: abaissement de la pression artérielle, tachycardie et diaphorèse.
- **Étude des examens diagnostiques et biochimiques:** Noter la densité de l'urine pendant toute la durée du traitement.
- □ Noter les concentrations sériques d'électrolytes à intervalles réguliers pendant toute la durée du traitement.
- **Toxicité et surdosage:** Les signes et les symptômes d'intoxication hydrique incluent la confusion, la somnolence, les céphalées, le gain pondéral, les difficultés de miction, les convulsions et le coma.

□ Le traitement du surdosage inclut la restriction hydrique et l'arrêt temporaire du traitement à la vasopressine jusqu'à ce que la polyurie revienne. Si les symptômes sont graves, l'administration de mannitol, de dextrose hypertonique, d'urée et de furosémide peut s'avérer nécessaire.

DIAGNOSTICS INFIRMIERS POSSIBLES

■ **Énoncés diagnostiques**

□ Déficit du volume liquidien.

□ Excès de volume liquidien.

□ Prise en charge inefficace du programme thérapeutique.

□ *Risque élevé d'accident.*

□ *Risque élevé d'atteinte à l'intégrité des tissus.*

□ *Risque élevé de douleur au point d'injection IV.*

□ *Risque élevé d'exacerbation des effets secondaires.*

■ **Facteurs favorisants**

□ Informations incomplètes.

□ *Manque de connaissances sur les modalités du traitement.*

□ *Inflammation locale du tissu vasculaire ou infiltration du médicament dans les tissus avoisinants.*

□ *Administration trop rapide du médicament par voie IV.*

INTERVENTIONS INFIRMIÈRES

■ **Directives générales :** On peut administrer la vasopressine aqueuse pour injection par voies SC ou IM chez les patients souffrant de diabète insipide ou par voies IV ou intra-artérielle chez ceux souffrant d'hémorragie digestive (É.-U.).

□ Administrer la vasopressine avec 1 ou 2 verres d'eau afin de réduire les effets secondaires du médicament : blêmissement de la peau, crampes abdominales, nausées.

■ **Perfusion continue :** On peut diluer la vasopressine pour injection dans une solution de NaCl à 0,9 % ou de dextrose à 5 % dans de l'eau pour obtenir une concentration de 0,1 à 1 unité/mL.

□ *Vitesse d'administration :* Adapter la dose selon la réponse du patient. Utiliser une pompe de perfusion pour administrer la dose exacte.

ENSEIGNEMENT AU PATIENT ET À SES PROCHES

□ Inciter le patient à respecter scrupuleusement la posologie recommandée et à ne pas prendre une plus grande quantité de médicament que celle qui lui a été prescrite. S'il n'a pu prendre le médicament au moment habituel, il doit le prendre dès que possible à moins que ce ne soit presque l'heure prévue pour la dose suivante.

□ Recommander au patient de prendre la vasopressine avec 1 ou 2 verres d'eau afin de réduire les effets secondaires du médicament : blêmissement de la peau, crampes abdominales et nausées. Prévenir le patient que ces effets secondaires ne sont pas graves et qu'ils disparaissent habituellement en l'espace de quelques minutes.

□ Mettre en garde le patient contre la consommation d'alcool en même temps que ce médicament.

□ Recommander au patient souffrant de diabète insipide de toujours porter sur lui une pièce d'identité sur laquelle sont inscrits son problème de santé et son traitement médicamenteux.

VÉRIFICATION DES RÉSULTATS

L'efficacité du traitement peut être démontrée par : ■ la diminution du volume des urines □ le soulagement de la polydipsie □ l'augmentation de l'osmolalité de l'urine chez les patients souffrant de diabète insipide central ■ la prévention et le traitement de la distension abdominale ■ la répression de l'hémorragie digestive.

VÉCURONIUM
Norcuron

CLASSIFICATION:
*Bloqueur neuromusculaire de type non
dépolarisant*

Grossesse – catégorie C

INDICATIONS

■ Paralysie des muscles squelettiques et
facilitation de l'intubation après induction de l'anesthésie lors d'une intervention chirurgicale ■ Amélioration de la
compliance pulmonaire durant la ventilation artificielle.

ACTION

■ Inhibition de la transmission neuromusculaire par blocage de l'effet de
l'acétylcholine à la jonction neuromusculaire ■ Absence d'effets analgésiques
ou anxiolytiques. **Effets thérapeutiques:**
■ Paralysie des muscles squelettiques.

PHARMACOCINÉTIQUE

Absorption: Le vécuronium est réservé à
l'administration IV; dans ce cas, sa biodisponibilité est totale.
Distribution: Le vécuronium se répartit
rapidement dans le liquide extracellulaire. Il ne pénètre que très faiblement
dans le SNC.
Métabolisme et excrétion: Une fraction du
médicament (20 %) est métabolisée par
le foie et transformée en au moins un
métabolite actif. Une fraction de 35 %
est excrétée à l'état inchangé par les reins.
Demi-vie: De 31 à 80 min (plus courte
chez les femmes enceintes près du terme
et prolongée en cas d'insuffisance hépatique).

CONTRE-INDICATIONS ET
PRÉCAUTIONS

Contre-indications: Hypersensibilité au
vécuronium ou aux bromures.

Précautions: ■ Antécédents de maladie
pulmonaire ou cardiovasculaire ou d'insuffisance rénale ou hépatique ■ Personnes âgées ou patients débilités ■ Déséquilibres électrolytiques ■ Myasthénie grave
ou syndromes myasthéniques (administrer avec une extrême prudence) ■ Grossesse ou allaitement (l'innocuité du médicament n'a pas été établie) ■ Nouveau-
nés de moins de 7 semaines (l'innocuité
du médicament n'a pas été établie) ■ Enfants de 7 semaines à 1 an (sensibilité
accrue se traduisant par un temps de récupération plus long).

RÉACTIONS INDÉSIRABLES ET
EFFETS SECONDAIRES

Remarque: La plupart des réactions in-
désirables au vécuronium découlent de
ses effets pharmacologiques.
Resp.: APNÉE, insuffisance respiratoire.
Loc.: faiblesse musculaire.
Divers: réactions allergiques.

INTERACTIONS

Médicament – médicament: ■ L'intensité et
la durée de la paralysie peuvent être prolongées lors d'un traitement préalable par
la **succinylcholine**, un **anesthésique général**, des **aminosides**, la **polymyxine B**,
la **colistine,** la **clindamycine**, la **lidocaïne**, la **quinidine**, le **procaïnamide**,
les **bêtabloquants**, les **diurétiques kaliurétiques** et le **magnésium** ■ Blocage neuromusculaire additif lors de l'administration simultanée d'**anesthésiques par
inhalation** – réduire la dose de vécuronium de 15 % lorsqu'il est administré
avec de l'**enflurane** ou de l'**isoflurane** et
réduire la dose d'anesthésique de 30 à
50 %.

VOIES D'ADMINISTRATION ET
POSOLOGIE

IV (adultes): dose initiale de 80 à 100 µg/
kg, après que l'état d'équilibre a été
atteint ou de 40 à 60 µg/kg après intubation assistée par la succinylcholine et
anesthésie (attendre que les effets de la

succinylcholine disparaissent). On a déjà administré de 150 à 280 µg/kg à certains patients. Administrer ensuite une dose d'entretien de 10 à 15 µg/kg, de 25 à 40 min après la dose initiale, puis toutes les 12 à 15 min, selon les besoins, ou en perfusion continue à un débit de 1 µg/kg à la minute (écart posologique de 0,8 à 1,2 µg/kg).

PHARMACODYNAMIE (paralysie des muscles squelettiques)

	DÉBUT D'ACTION	PIC	DURÉE
IV	1 min	3 – 5 min	15 – 25 min

⁂ SOINS INFIRMIERS

ÉVALUATION DE LA SITUATION

◻ Suivre continuellement la fonction respiratoire pendant toute la durée du traitement au vécuronium. Signaler immédiatement au médecin tout changement important.

◻ Évaluer la réponse neuromusculaire au vécuronium pendant l'intervention chirurgicale par la stimulation des nerfs périphériques. La paralysie des muscles est initialement sélective et elle se produit habituellement dans l'ordre suivant : muscles releveurs des paupières, muscles masticateurs, muscles des membres, muscles abdominaux, muscles de la glotte, muscles intercostaux et diaphragme. Le rétablissement de la fonction musculaire se produit habituellement dans l'ordre inverse.

◻ Suivre de près l'ÉCG, la fréquence cardiaque et la pression artérielle pendant toute la durée du traitement au vécuronium.

◻ Observer le patient pendant la période de récupération pour déceler la faiblesse musculaire résiduelle et la détresse respiratoire.

■ **Toxicité et surdosage :** En cas de surdosage, stimuler les nerfs périphériques

pour déterminer le degré de blocage neuromusculaire. Maintenir la perméabilité des voies aériennes et la ventilation jusqu'au rétablissement de la respiration normale.

◻ On peut administrer des agents anticholinestérasiques (édrophonium, néostigmine, pyridostigmine) pour contrecarrer les effets du vécuronium. On administre habituellement de l'atropine avant les agents anticholinestérasiques ou en même temps qu'eux pour contrecarrer les effets muscariniques.

◻ Il peut s'avérer nécessaire d'administrer des liquides et des vasopresseurs pour traiter l'hypotension grave ou le choc.

DIAGNOSTICS INFIRMIERS POSSIBLES

■ **Énoncés diagnostiques**

◻ Mode de respiration inefficace.

◻ Altération de la communication verbale.

◻ Peur.

◻ *Risque élevé d'accident.*

■ **Facteurs favorisants**

◻ *Manque de connaissances sur les modalités du traitement.*

◻ *Mode de communication altérée par l'intubation endotrachéale.*

INTERVENTIONS INFIRMIÈRES

■ **Directives générales :** Le vécuronium ne devrait être administré que par les personnes sachant pratiquer l'intubation endotrachéale. Garder à portée de la main le matériel nécessaire à cette intervention.

◻ Le vécuronium ne modifie pas l'état de la conscience ni le seuil de la douleur. Il faut *toujours* assurer une anesthésie adéquate lorsque le vécuronium est utilisé comme adjuvant lors d'une intervention chirurgicale ou lors d'examens douloureux. Lors de l'administration prolongée pendant la ventilation assistée, on devrait administrer des benzodiazépines ou

V

V

des analgésiques ou les deux à la fois, en même temps que le vécuronium, car le patient est éveillé et capable de ressentir toutes les sensations.

☐ Si les yeux du patient restent ouverts pendant toute la durée d'une administration prolongée, protéger sa cornée par des larmes artificielles.

■ **IV:** Reconstituer le vécuronium avec de l'eau bactériostatique (qui pourrait être fournie par le fabricant), une solution de dextrose à 5 % dans de l'eau, de NaCl à 0,9 %, de dextrose à 5 % dans une solution de NaCl à 0,9 %, ou du lactate Ringer pour injection. La solution reconstituée avec de l'eau bactériostatique est stable pendant 5 jours au réfrigérateur. La solution reconstituée avec d'autres diluants est stable pendant 24 h au réfrigérateur. Jeter toute solution inutilisée.

■ **IV directe:** Reconstituer chaque dose avec 5 à 10 mL. Adapter la dose selon la réponse du patient.

■ **Perfusion continue:** Diluer le vécuronium pour obtenir une concentration de 10 à 20 mg/100 mL.

■ *Vitesse d'administration:* Adapter la vitesse de perfusion selon la réponse du patient.

■ **Associations incompatibles dans la même seringue ou incompatibilités (tubulure en Y):** Le vécuronium est incompatible avec la plupart des barbituriques.

ENSEIGNEMENT AU PATIENT ET À SES PROCHES

☐ Expliquer toutes les interventions au patient qui reçoit du vécuronium sans anesthésie, étant donné que ce médicament, administré seul, ne modifie pas l'état de la conscience. Fournir au patient un soutien affectif.

☐ Expliquer au patient que ses capacités de communication se rétabliront lorsque les effets du médicament s'épuiseront.

VÉRIFICATION DES RÉSULTATS

L'efficacité du traitement peut être démontrée par: la suppression adéquate des soubresauts musculaires testée par la stimulation des nerfs périphériques et la paralysie musculaire subséquente.

VÉRAPAMIL

Apo-Verap, Isoptin, Isoptin SR, Novo-Veramil, Nu-Verap, (Calan), (Calan SR), (Verelan)

CLASSIFICATION:

Inhibiteur calcique; antiangineux; antihypertenseur – inhibiteur calcique; antiarythmique – classe IV; vasodilatateur coronarien

Grossesse – catégorie C

INDICATIONS

■ **PO:** ☐ angine d'effort stable chronique ☐ angine provoquée par des spasmes coronariens ☐ cardiomyopathie hypertrophique lorsqu'une chirurgie n'est pas indiquée ☐ hypertension essentielle légère à modérée ■ **PO et IM:** Interruption des tachyarythmies supraventriculaires et d'un rythme ventriculaire rapide en cas de flutter ou de fibrillation auriculaire. **Usages non approuvés:** ■ Prévention des migraines.

ACTION

■ Inhibition du transport du calcium dans les cellules du myocarde et des muscles lisses vasculaires entraînant l'inhibition du couplage excitation-contraction et de la contraction subséquente ■ Diminution de la conduction SA et AV et prolongation des périodes réfractaires du nœud AV dans les tissus de conduction cardiaque. **Effets thérapeutiques:** ■ Vasodilatation coronarienne et diminution subséquente de la fréquence et de la gravité des crises d'angine ■ Abaissement de la pression artérielle ■ Suppression des tachyarythmies supraventriculaires.

PHARMACOCINÉTIQUE

Absorption: Bonne absorption par suite de l'administration PO.

Distribution: Inconnue. De petites quantités pénètrent dans le lait maternel.

Métabolisme et excrétion: Le médicament est surtout métabolisé par le foie, la plus grande partie lors d'un premier passage hépatique.

Demi-vie: De 4,5 à 12 h.

CONTRE-INDICATIONS ET PRÉCAUTIONS

Contre-indications: ■ Hypersensibilité ■ Bradycardie sinusale ■ Bloc cardiaque avancé ■ Insuffisance cardiaque grave.

Précautions: ■ Maladie hépatique (il est recommandé de réduire la dose) ■ Grossesse, allaitement ou enfants (l'innocuité du médicament n'a pas été établie) ■ Myocardiopathie obstructive (lorsqu'elle s'accompagne de dyspnée nocturne paroxystique, d'orthopnée, d'obstruction du ventricule gauche, de dysfonctionnement du nœud SA, de bloc cardiaque ou de pression capillaire pulmonaire élevée) ■ Insuffisance cardiaque ■ Syndrome de dysfonctionnement sinusal ■ Dystrophie musculaire évolutive de type Duchenne (risque de défaillance des muscles respiratoires).

RÉACTIONS INDÉSIRABLES ET EFFETS SECONDAIRES

SNC: étourdissements, céphalées, fatigue.

CV: bradycardie, hypotension, œdème, bloc cardiaque, insuffisance cardiaque, ARRÊT SINUSAL, ASYSTOLE.

GI: constipation, nausées, gêne abdominale.

Resp.: œdème pulmonaire.

INTERACTIONS

Médicament – médicament: ■ Le vérapamil augmente les concentrations sériques de **digoxine** et peut entraîner la toxicité digitalique ■ Risque accru de bradycardie, d'insuffisance cardiaque et d'arythmies lors de l'administration concomitante de **bêtabloquants** ou de **dysopyramide** ■ Hypotension additive lors de l'administration simultanée d'**antihypertenseurs**, de **dérivés nitrés** ou de **quinidine** et de la consommation d'**alcool** ■ Le vérapamil diminue l'efficacité de la **rifampine** administrée PO ■ Le vérapamil intensifie les effets myorelaxants des **bloqueurs neuromusculaires de type non dépolarisant** ■ L'administration simultanée de **calcium** et de **vitamine D** peut se traduire par la diminution de l'efficacité du vérapamil ■ Le vérapamil peut augmenter ou diminuer les concentrations sanguines de **lithium** ■ Le vérapamil peut ralentir le métabolisme de la **carbamazépine**, de la **cyclosporine**, de la **prazosine** ou de la **quinidine** et en augmenter le risque de toxicité ■ Le vérapamil intensifie l'effet anesthésique de l'**étodimate**, administré simultanément ■ Risque d'hypotension grave lors de l'administration simultanée de **fentanyl** ■ Le vérapamil peut augmenter le risque de toxicité par la **théophylline**, administrée simultanément.

VOIES D'ADMINISTRATION ET POSOLOGIE

- **PO (adultes):** 80 mg, 3 ou 4 fois par jour; on peut augmenter la dose à intervalles quotidiens ou hebdomadaires, selon les besoins. Préparation à libération prolongée – de 120 à 140 mg par jour en une seule dose qu'on augmentera à intervalles quotidiens ou hebdomadaires, selon les besoins (écart posologique: de 240 à 480 mg par jour). Pour le traitement de la cardiomyopathie hypertrophique, des doses quotidiennes de 600 à 720 mg peuvent s'avérer nécessaires.

- **IV (adultes):** 5 mg, en 1 min; on peut répéter l'administration 5 à 10 min plus tard.

- **IV (enfants de 2 à 15 ans):** de 0,1 à 0,3 mg/kg en 2 min (avec surveillance de l'ECG); on peut répéter l'administration 30 min plus tard. La dose initiale ne devrait pas dépasser 5 mg et la dose d'entretien, 10 mg.

- **IV (enfants < 2 ans):** de 0,1 à 0,2 mg/kg en 2 min (avec surveillance de l'ÉCG); on peut répéter l'administration 30 min plus tard.

PHARMACODYNAMIE
(effets cardiovasculaires)

	DÉBUT D'ACTION	PIC	DURÉE
PO	1 – 2 h	30 – 90 min*	3 – 7 h
PO (libération prolongée)	inconnu	5 – 7 h	24 h
IV	1 – 5 min†	3 – 5 min	2 h†

* Dose unique; les effets des doses multiples peuvent ne pas être manifestes avant 24 à 48 h.
† Effets antiarythmiques; les effets hémodynamiques commencent de 3 à 5 min après l'injection et persistent pendant 10 à 20 min.

SOINS INFIRMIERS

ÉVALUATION DE LA SITUATION

- **Directives générales:** Mesurer la pression artérielle et le pouls avant l'administration parentérale et à intervalles fréquents pendant toute sa durée ainsi qu'à intervalles réguliers pendant tout le traitement.
- Effectuer le bilan quotidien des ingesta et des excreta et peser le patient tous les jours. Suivre de près les signes suivants d'insuffisance cardiaque: œdème périphérique, râles ou crépitations, dyspnée, gain pondéral, turgescence des jugulaires.
- Noter régulièrement les concentrations sériques de digoxine et suivre les signes et les symptômes de toxicité cardiaque chez les patients prenant des dérivés digitaliques en même temps que le vérapamil.
- Suivre l'ÉCG à intervalles réguliers chez les patients qui reçoivent un traitement prolongé.
- **Angine:** Déterminer le siège, la durée et l'intensité des douleurs angineuses et les facteurs qui les déclenchent.

- **Arythmies:** Suivre continuellement l'ÉCG durant l'administration IV. Contacter rapidement le médecin en cas de bradycardie symptomatique ou d'hypotension prolongée. Garder à portée de la main le matériel de réanimation et les médicaments à administrer en cas d'urgence.
- **Étude des examens diagnostiques et biochimiques:** Le vérapamil peut entraîner l'élévation des concentrations de phosphatase alcaline, de CPK, de LDH, de TGOS (AST) et de TGPS (ALT).

DIAGNOSTICS INFIRMIERS POSSIBLES

- **Énoncés diagnostiques**
- ☐ Diminution du débit cardiaque.
- ☐ Douleur.
- ☐ Prise en charge inefficace du programme thérapeutique.
- ☐ *Risque élevé d'accident.*
- ☐ *Risque élevé de constipation.*

- **Facteurs favorisants**
- ☐ Informations incomplètes.
- ☐ *Perturbation de la vigilance.*
- ☐ *Manque de connaissances sur les effets hypotensifs du médicament lors des changements brusques de position.*
- ☐ *Manque de connaissances sur les moyens de stimuler la fonction intestinale.*
- ☐ *Manque de connaissances sur la méthode d'administration du médicament.*
- ☐ *Difficulté à s'adapter aux changements nécesaires dans les habitudes de vie.*

INTERVENTIONS INFIRMIÈRES

- **PO:** Administrer le médicament avec des aliments ou du lait afin de réduire l'irritation gastrique.
- ☐ Les comprimés à libération prolongée doivent être avalés tels quels ou être coupés en deux. Il ne faut pas les broyer ni les mâcher.

- **IV:** Le patient devrait garder la position couchée pendant au moins 1 h après l'administration IV afin de réduire les effets hypotensifs du médicament.
- **IV directe:** Administrer le vérapamil par voie IV, sans le diluer, dans une tubulure en Y ou dans un robinet à 3 voies en 1 min par dose. Administrer la préparation en 3 min chez les patients âgés.
- **Association compatible dans la même seringue:** Héparine.
- **Compatibilités (tubulure en Y):** Amrinone, dobutamine, dopamine, famotidine, méthicilline, pénicilline G potassique, pipéracilline ou ticarcilline.
- **Incompatibilités (tubulure en Y):** Albumine, ampicilline, bicarbonate de sodium, mezlocilline, nafcilline ou oxacilline.

ENSEIGNEMENT AU PATIENT ET À SES PROCHES

- **Directives générales:** Conseiller au patient de respecter scrupuleusement la posologie recommandée, même s'il se sent mieux. S'il n'a pu prendre le médicament au moment habituel, il doit le prendre dès que possible à moins que ce ne soit presque l'heure prévue pour la dose suivante. L'avertir qu'il ne doit jamais remplacer une dose manquée par une double dose. Le prévenir qu'il doit consulter le médecin avant d'arrêter le traitement par le vérapamil, car il peut s'avérer nécessaire de réduire graduellement la dose.
- □ Recommander au patient et à ses proches de mesurer le pouls tous les jours avant la prise de vérapamil et d'informer le médecin si le pouls est irrégulier ou s'il est inférieur à 50 battements par minute.
- □ Recommander au patient de changer lentement de position afin de réduire le risque d'hypotension orthostatique.
- □ Prévenir le patient que le vérapamil peut provoquer des étourdissements. Lui conseiller de ne pas conduire et d'éviter les activités qui exigent sa vigilance jusqu'à ce qu'on ait la certitude que le médicament n'entraîne pas cet effet chez lui.
- □ Conseiller au patient d'éviter de boire de l'alcool et de prendre des médicaments en vente libre en même temps que le vérapamil sans consulter au préalable le médecin ou le pharmacien.
- □ Recommander au patient de prévenir le médecin en cas de céphalées graves ou persistantes.
- **Angine:** Expliquer au patient qui suit un traitement simultané par un dérivé nitré qu'il doit prendre les deux médicaments comme ils lui ont été prescrits et utiliser la nitroglycérine sublinguale, selon les besoins, si une crise d'angine de poitrine survient.
- □ Recommander au patient de prévenir le médecin si la douleur thoracique ne diminue pas, si elle s'aggrave après le traitement, si elle s'accompagne de diaphorèse ou d'essoufflements ou si des céphalées graves et persistantes se manifestent.
- □ Recommander au patient de consulter le médecin à propos d'une éventuelle restriction des activités physiques.
- **Hypertension:** Montrer au patient et à ses proches comment mesurer la pression artérielle et leur conseiller de la prendre une fois par semaine. Leur recommander d'informer immédiatement le médecin de tout changement important.
- □ Inciter le patient à appliquer d'autres mesures de réduction de l'hypertension: réduire sa consommation de sel, faire régulièrement de l'exercice, perdre du poids, diminuer le stress, boire modérément et cesser de fumer. Lui expliquer que le vérapamil stabilise la pression artérielle, mais ne guérit pas l'hypertension.

L'efficacité du traitement peut être démontrée par : ■ la diminution de la fréquence et de la gravité des crises d'angine □ un moindre recours aux dérivés nitrés □ l'augmentation de la tolérance à l'effort et une sensation de bien-être ■ la baisse de la pression artérielle jusqu'aux valeurs normales ■ l'interruption et la prévention des tachyarythmies supraventriculaires.

VIDARABINE

adénine arabinoside, Vira-A, (Ara-A)

CLASSIFICATION :
Agent antiviral

Grossesse – catégorie C

INDICATIONS

■ **IV :** Traitement de l'encéphalite herpétique ■ **Préparation ophtalmique :** Traitement de la kératoconjonctivite herpétique se manifestant par une kératite dendritique ou par une cornée ulcéreuse. **Usages non approuvés :** ■ Traitement des infections dues à *Herpes virus varicellae* chez les patients immunodéprimés ■ Traitement des troubles suivants : □ infections graves par le virus de l'herpès simplex chez les nouveau-nés □ zona attribuable à une réactivation de *Herpes virus varicellae* chez les patients immunodéprimés.

ACTION

■ Inhibition apparente de la synthèse de l'ADN viral. **Effets thérapeutiques :** ■ Diminution de la réplication virale.

PHARMACOCINÉTIQUE

Absorption : Par suite de l'administration par voie IV, la biodisponibilité est totale. Aucune absorption systémique apparente par suite de l'administration de la préparation ophtalmique.

Distribution : Le médicament se répartit dans tout l'organisme. Il traverse massivement la barrière hémato-encéphalique. **Métabolisme et excrétion :** Une fraction de 75 à 90 % est transformée en un autre composé antiviral actif (ara-HX). Les deux composés sont excrétés par les reins.

Demi-vie : Vidarabine – 1,5 h ; ara-HX – 3,3 h (prolongée pour les deux composés en cas d'insuffisance rénale).

CONTRE-INDICATIONS ET PRÉCAUTIONS

Contre-indication : Hypersensibilité.
Précautions : ■ Dysfonction rénale (réduire la dose) ■ Dysfonction hépatique ■ Patients prédisposés à une surcharge liquidienne ou à un œdème cérébral.

RÉACTIONS INDÉSIRABLES ET EFFETS SECONDAIRES

SNC : malaise, faiblesse, tremblements, ataxie, hallucinations, psychoses, confusion, céphalées, encéphalopathie.
Tég. : prurit, rash.
ORLO : préparation ophtalmique – brûlures, démangeaisons et irritation oculaires, vision trouble, photophobie.
HÉ : hyponatrémie, surcharge liquidienne.
GI : nausées, vomissements, anorexie, perte de poids, diarrhée, hémorragie digestive, hépatite.
Hémat. : anémie, leucopénie, thrombocytopénie.
Locaux : phlébite au point d'injection IV.

INTERACTIONS

Médicament – médicament : L'**allopurinol**, administré simultanément, peut accroître le risque des réactions indésirables suivantes : tremblements, anémie, nausées, douleur et prurit.

VOIES D'ADMINISTRATION ET POSOLOGIE

Encéphalite herpétique
■ **IV (adultes et enfants) :** 15 mg/kg par jour, pendant 10 jours.

Kératite herpétique ou kératoconjonctivite

- **Préparation ophtalmique (adultes et enfants):** 1,5 cm d'onguent à 3 % administré dans le sac conjonctival inférieur, 5 fois par jour (toutes les 3 h) jusqu'à la réépithélisation de la cornée; poursuivre ensuite le traitement durant 7 jours avec une posologie réduite (2 fois par jour).

Zona chez les patients immunodéprimés

- **IV (adultes et enfants) (É.-U.):** 10 mg/kg par jour, pendant 5 jours.

Infections dues à Herpes virus varicellæ chez les patients immunodéprimés

- **IV (adultes et enfants) (É.-U.):** 10 mg/kg par jour, pendant 5 à 7 jours.

Infections par le virus de l'herpès simplex chez le nouveau-né

- **IV (nouveau-nés) (É.-U.):** 15 mg/kg par jour, pendant 10 à 14 jours.

PHARMACODYNAMIE
(concentrations sanguines)

	DÉBUT D'ACTION	PIC	DURÉE
IV	rapide	fin de la perfusion	inconnue

SOINS INFIRMIERS

ÉVALUATION DE LA SITUATION

- **Préparation ophtalmique:** Examiner les lésions oculaires avant le traitement et à intervalles quotidiens pendant toute sa durée.
- **Encéphalite:** Noter le niveau de la conscience du patient et son fonctionnemenr neurologique à intervalles fréquents pendant toute la durée du traitement.
- ☐ Observer le patient durant les perfusions IV pour déceler la surcharge liquidienne se manifestant par les symptômes suivants: râles et crépitations, dyspnée, gain de poids, turgescence des jugulaires.
- **Étude des examens diagnostiques et biochimiques:** La vidarabine peut entraîner l'élévation des concentrations de TGOS (AST) et de bilirubine totale.
- ☐ Noter les numérations globulaire, leucocytaire et plaquettaire à intervalles réguliers pendant toute la durée du traitement.
- ☐ La vidarabine peut entraîner la diminution du nombre de leucocytes, de plaquettes et de réticulocytes ainsi que des concentrations d'hémoglobine et de l'hématocrite. Ces effets disparaissent habituellement en l'espace de 3 à 5 jours après l'arrêt du traitement.

DIAGNOSTICS INFIRMIERS POSSIBLES

- **Énoncés diagnostiques**
- ☐ Risque élevé d'infection.
- ☐ Atteinte à l'intégrité de la peau.
- ☐ Prise en charge inefficace du programme thérapeutique.
- ☐ *Risque élevé de déficit de volume liquidien.*
- ☐ *Risque élevé de douleur au point d'injection IV.*
- ☐ *Risque élevé de déficit nutritionnel.*
- ☐ *Risque élevé d'altération de la perception visuelle.*

- **Facteurs favorisants**
- ☐ Informations incomplètes.
- ☐ *Manque de connaissances sur les moyens de prévenir les effets secondaires affectant l'appareil gastro-intestinal.*
- ☐ *Inflammation locale du tissu vasculaire ou infiltration du médicament dans les tissus avoisinants.*
- ☐ *Manque de connaissances sur les modalités du traitement.*
- ☐ *Manque de connaissances sur la méthode d'administration du médicament.*
- ☐ *Manque de connaissances sur les moyens de réduire la photosensibilité et sur l'importance d'un suivi ophtalmologique.*

INTERVENTIONS INFIRMIÈRES

- **Perfusion intermittente:** Toute solution IV peut servir de diluant à l'exception des prcduits du sang ou des solutions protéiques. Préchauffer la solution destinée à la voie IV à une température de 36 à 40 °C pour mieux diluer la suspension. Agiter jusqu'à ce que la préparation devienne complètement transparente. Utiliser un filtre (de 0,45 µm ou moins) pour la filtration finale. Diluer la solution juste avant de l'administrer et l'utiliser dans les 48 h. Ne pas réfrigérer.

☐ Pour administrer la solution chez les adultes, diluer le contenu de chaque fiole de 1 mg de vidarabine dans 2,22 mL de solution (pour 450 mg, diluer dans 1 L). Selon la dose à administrer, il faut parfois utiliser plus de 1 L de solution.

☐ Pour administrer la solution chez les nouveau-nés (É.-U.), diluer chacune des doses de vidarabine de 200 mg dans 9 mL de solution de NaCl à 0,9 % ou d'eau stérile pour injection pour obtenir une concentration de 20 mg/mL. Retirer la dose de la suspension diluée et la diluer une fois de plus dans un volume minime (2,22 mL de liquide IV par milligramme de vidarabine).

☐ *Vitesse d'administration :* Administrer la dose quotidienne totale chez les adultes et les nouveau-nés en 12 à 24 h à l'aide d'une pompe de perfusion pour assurer un débit juste.

ENSEIGNEMENT AU PATIENT ET À SES PROCHES

■ **Préparation ophtalmique :** Montrer au patient comment appliquer la vidarabine destinée à l'usage ophtalmique : garder d'abord le tube dans la main pendant plusieurs minutes pour le réchauffer ; se coucher sur le dos ou renverser la tête en arrière et regarder vers le haut ; appliquer une petite quantité d'onguent (environ 1,5 cm) à l'intérieur de la paupière inférieure. Ne pas toucher les yeux, les doigts ni aucune autre surface avec le bouchon ou l'extrémité du tube. Fermer doucement la paupière et bouger l'œil dans toutes les directions. Attendre 10 min avant d'appliquer tout autre onguent ophtalmique.

☐ Recommander au patient d'appliquer la vidarabine selon la posologie recommandée et de ne pas l'utiliser plus fréquemment ni plus longtemps que le médecin ne l'a prescrit. S'il n'a pu appliquer le médicament au moment habituel, il doit le faire dès que possible à moins que ce ne soit presque l'heure prévue pour la dose suivante. Conseiller au patient de ne pas arrêter d'appliquer l'onguent sans consulter le médecin au préalable. Il devrait également prévenir le médecin s'il ne constate aucune amélioration en l'espace de 7 jours, si son état s'aggrave ou s'il ressent des douleurs, des brûlures ou une irritation oculaires.

☐ Prévenir le patient que l'onguent peut entraîner une vision trouble. Lui conseiller de ne pas conduire et d'éviter les activités qui exigent une bonne acuité visuelle jusqu'à ce que sa vision se soit améliorée.

☐ Recommander au patient de porter des lunettes fumées et d'éviter la lumière vive afin de prévenir les réactions de photophobie.

☐ Conseiller au patient souffrant d'infection ophtalmique d'éviter de se servir de ses verres de contact jusqu'à ce que l'infection soit disparue et que le médecin en autorise à nouveau le port.

☐ Insister sur l'importance des examens ophtalmologiques de suivi permettant d'évaluer les bienfaits du médicament.

VÉRIFICATION DES RÉSULTATS

L'efficacité du traitement peut être démontrée par : ■ la réépithélisation de la cornée dans les cas de kératite herpétique (le traitement ne dure habituellement pas plus de 21 jours ou il est arrêté de 3 à 5 jours après la cicatrisation sauf dans les cas chroniques ou dans les cas d'infections difficiles à traiter ■ la disparition des signes et des symptômes d'encéphalite herpétique.

VINBLASTINE
Velbe, (Velban)

CLASSIFICATION:
Antinéoplasique – alcaloïde extrait de la pervenche

Grossesse – catégorie inconnue

INDICATIONS

■ Chimiothérapie d'association en présence des troubles suivants: □ lymphomes □ cancers des testicules sans séminome □ cancer du sein avancé □ autres tumeurs.

ACTION

■ Liaison aux protéines du fuseau acromatique entraînant l'arrêt de la métaphase et, par conséquent, la réplication cellulaire (phase M du cycle cellulaire). **Effets thérapeutiques:** ■ Destruction des cellules à croissance rapide, particulièrement des cellules malignes ■ Médicament doué de propriétés immunosuppressives.

PHARMACOCINÉTIQUE

Absorption: La vinblastine est réservée à l'administration IV; dans ce cas, sa biodisponibilité est totale.
Distribution: La vinblastine ne traverse pas la barrière hémato-encéphalique.
Métabolisme et excrétion: La vinblastine est transformée par le foie en un composé antinéoplasique actif. Elle est excrétée dans les fèces par excrétion biliaire; une petite partie est éliminée par les reins.
Demi-vie: 24 h.

CONTRE-INDICATIONS ET PRÉCAUTIONS

Contre-indications: ■ Hypersensibilité ■ Grossesse ou allaitement.
Précautions: ■ Patientes en âge de procréer ■ Infections ■ Diminution de la réserve médullaire ■ Autres maladies chroniques débilitantes.

RÉACTIONS INDÉSIRABLES ET EFFETS SECONDAIRES

SNC: neurotoxicité, dépression, faiblesse, convulsions.
Resp.: BRONCHOSPASME.
GI: nausées, vomissements, anorexie, diarrhée, stomatite, constipation.
GU: suppression de la fonction des gonades.
Tég.: dermatite, vésiculation, alopécie.
Hémat.: anémie, leucopénie, thrombocytopénie.
Locaux: phlébite au point d'injection IV.
Métab.: hyperuricémie.
SN: neuropathie périphérique, paresthésie, névrite.

INTERACTIONS

Médicament – médicament: ■ Effet additif sur l'aplasie médullaire lors de l'administration concomitante d'autres **antinéoplasiques** ou d'une **radiothérapie** ■ Risque de bronchospasme chez les patients ayant été traités auparavant par la **mitomycine** ■ La vinblastine peut diminuer la réponse des anticorps aux **vaccins vivants** et augmenter le risque de réactions indésirables.

VOIES D'ADMINISTRATION ET POSOLOGIE

Remarque: Les doses peuvent varier considérablement selon la tumeur, le schéma posologique, l'état du patient et la numération globulaire. On ne doit pas administrer la vinblastine par voie intrathécale.

■ **IV (adultes):** 3,7 mg/m^2, en une seule dose; augmenter la dose à intervalles hebdomadaires, selon la tolérance du patient, par paliers de 1,8 mg/m^2 jusqu'à concurrence de 18,5 mg/m^2 (dose d'entretien habituelle: de 5,5 à 7,4 mg/m^2).

■ **IV (enfants):** 2,5 mg/m^2, en une seule dose; augmenter la dose à intervalles hebdomadaires, selon la tolérance du patient, par paliers de 1,25 mg/m^2 jusqu'à concurrence de 12,5 mg/m^2.

V

PHARMACODYNAMIE
(effets sur la numération leucocytaire)

	DÉBUT D'ACTION	PIC	DURÉE
IV	5 – 7 jours	10 jours	7 – 14 jours

✳ SOINS INFIRMIERS

ÉVALUATION DE LA SITUATION

☐ Mesurer la pression artérielle, le pouls et la fréquence respiratoire pendant toute la durée du traitement. Signaler immédiatement au médecin l'apparition de la détresse respiratoire. Le bronchospasme peut être mortel ; il peut survenir pendant la perfusion ou plusieurs heures après.

☐ Observer le patient pour déceler la fièvre, les maux de gorge et les signes d'infection. Signaler ces symptômes au médecin.

☐ Suivre de près les saignements : saignement des gencives, formation d'ecchymoses, pétéchies, présence de sang occulte dans les selles, l'urine et les vomissements. Éviter les injections IM et la prise de température PR. Appliquer une pression sur les points de ponction veineuse pendant 10 min.

☐ La vinblastine peut entraîner des nausées et des vomissements. Effectuer le bilan des ingesta et des excreta. Noter l'appétit et l'état nutritionnel du patient. Consulter le médecin concernant l'administration prophylactique d'un antiémétique. Modifier le régime alimentaire en fonction des aliments que le patient peut tolérer.

☐ Observer les points d'injection à intervalles réguliers pour déceler la rougeur, l'irritation ou l'inflammation. En cas d'extravasation, arrêter la perfusion et la recommencer à un point différent afin d'éviter la lésion des tissus SC. Le traitement standard comprend l'application de chaleur.

☐ Surveiller les symptômes de goutte : concentrations accrues d'acide urique, douleurs articulaires, œdème. Inciter le patient à boire au moins 2 L de liquides par jour. Le médecin peut prescrire de l'allopurinol ou l'alcalinisation de l'urine afin de réduire les concentrations d'acide urique.

☐ La vinblastine peut provoquer l'anémie. Suivre de près la fatigue accrue et la dyspnée.

■ **Étude des examens diagnostiques et biochimiques :** Noter la numération globulaire avant le traitement et à intervalles réguliers pendant toute sa durée. Prévenir le médecin si le nombre de leucocytes est inférieur à 2×10^9/L. On n'administre habituellement pas les doses suivantes tant que le nombre de leucocytes n'est pas d'au moins 4×10^9/L. Le nadir de la leucopénie survient en l'espace de 5 à 10 jours ; les valeurs se rétablissent habituellement 7 à 14 jours plus tard. La thrombocytopénie peut également se produire chez les patients ayant reçu une radiothérapie ou d'autres agents chimiothérapeutiques.

☐ Vérifier les résultats des tests de l'exploration fonctionnelle hépatique (TGOS [AST], TGPS [ALT], LDH, bilirubine) et rénale (urée, créatinine) avant le traitement et à intervalles réguliers pendant toute sa durée.

☐ La vinblastine peut entraîner l'élévation des concentrations d'acide urique. Noter ces concentrations à intervalles réguliers pendant toute la durée du traitement.

DIAGNOSTICS INFIRMIERS POSSIBLES

■ **Énoncés diagnostiques**

☐ Risque élevé d'infection.

☐ Déficit nutritionnel.

☐ Prise en charge inefficace du programme thérapeutique.

☐ *Risque élevé de douleur au point d'injection IV.*

☐ *Risque élevé d'accident.*

■ **Facteurs favorisants**

□ Informations incomplètes.

□ *Inflammation locale du tissu vasculaire ou infiltration du médicament dans les tissus avoisinants.*

□ *Fatigue et faiblesse.*

□ *Manque de connaissances sur les modalités du traitement.*

□ *Manque de connaissances sur les effets secondaires affectant l'appareil gastro-intestinal.*

□ *Manque de connaissances sur le régime alimentaire à suivre.*

□ *Manque de connaissances sur les effets secondaires du médicament et sur les moyens de les prévenir.*

INTERVENTIONS INFIRMIÈRES

■ **Directives générales:** La solution devrait être préparée sous une hotte biologique de sécurité. Porter des gants, une blouse et un masque lors de la manipulation du médicament. Mettre au rebut tout le matériel destiné à l'administration IV dans les contenants réservés à cet effet (voir l'annexe I).

■ **IV directe:** Diluer 10 mg de vinblastine avec 10 mL de solution de NaCl à 0,9 % pour injection contenant du phénol ou de l'alcool benzylique. Le médicament reconstitué est stable pendant 30 jours au réfrigérateur.

□ *Vitesse d'administration:* Administrer chaque dose unique en une minute dans le raccord en Y ou le robinet à 3 voies d'une tubulure par laquelle s'écoule une solution de NaCl à 0,9 % ou de dextrose à 5 % dans de l'eau.

■ **Perfusion intermittente:** On peut diluer la préparation une fois de plus avec 50 à 100 mL de NaCl à 0,9 %.

■ Le fabricant recommande de ne pas mélanger la vinblastine à aucun autre agent dans une même solution ou dans une même seringue.

□ *Vitesse d'administration:* Administrer la solution en 15 à 30 min. Un débit plus lent ou une plus grande quantité de diluant peuvent augmenter l'irritation de la veine.

■ **Associations compatibles dans la même seringue:** Bléomycine, cisplatine, cyclophosphamide, dropéridol, fluorouracile, leucovorine calcique, méthotrexate, métoclopramide, mitomycine, ondansétron ou vincristine.

■ **Compatibilités (tubulure en Y):** Bléomycine, cisplatine, cyclophosphamide, doxorubicine, dropéridol, fluorouracile, héparine, leucovorine calcique, méthotrexate, métoclopramide, mitomycine ou vincristine.

■ **Incompatibilité (tubulure en Y):** Furosémide.

ENSEIGNEMENT AU PATIENT ET À SES PROCHES

□ Inciter le patient à signaler au médecin la fièvre, les frissons, les maux de gorge, les signes d'infection, le saignement des gencives, les ecchymoses, les pétéchies ou la présence de sang dans les selles, l'urine ou les vomissements. Recommander au patient d'éviter les foules et les personnes contagieuses. Lui recommander aussi d'utiliser une brosse à dents à poils doux et un rasoir électrique. Prévenir également le patient qu'il ne doit pas consommer de boissons alcoolisées, ni prendre de préparations contenant de l'aspirine.

□ Recommander au patient d'examiner sa muqueuse buccale à la recherche d'érythème ou d'aphtes. En présence d'aphtes, lui conseiller d'éviter les aliments épicés, de remplacer la brosse à dents par une brosse-éponge et de se rincer la bouche avec de l'eau après avoir bu et mangé. Le médecin peut lui prescrire des gargarismes à la lidocaïne visqueuse si la douleur l'empêche de s'alimenter.

□ Recommander au patient de signaler au médecin les symptômes de neurotoxicité: paresthésie, douleur, difficulté de marche, constipation persistante.

V

☐ Prévenir la patiente que la vinblastine peut avoir des effets tératogènes. Lui conseiller d'utiliser une méthode de contraception efficace durant le traitement et pendant au moins deux mois après l'avoir arrêté.

☐ Prévenir le patient qu'il risque de perdre ses cheveux. Explorer avec lui les stratégies lui permettant de s'adapter à ce changement.

☐ Expliquer au patient qu'il ne doit pas se faire vacciner sans recommandation expresse du médecin.

☐ Insister sur la nécessité d'effectuer des examens diagnostiques et biochimiques à intervalles réguliers permettant de déceler les effets secondaires du médicament.

VÉRIFICATION DES RÉSULTATS

L'efficacité du traitement peut être démontrée par : la diminution de la taille de la tumeur maligne sans apparition d'effets secondaires délétères.

VINCRISTINE
Oncovin, (Vincasar PFS)

CLASSIFICATION :
Antinéoplasique – alcaloïde extrait de la pervenche

Grossesse – catégorie D

INDICATIONS

■ En monothérapie ou en association avec d'autres modalités thérapeutiques (agents antinéoplasiques, chirurgie ou radiothérapie) en présence des troubles suivants : ☐ maladie de Hodgkin ☐ leucémies ☐ neuroblastome ☐ lymphome malin ☐ rhabdomyosarcome ☐ tumeur de Wilms ☐ autres tumeurs ■ Traitement du purpura thrombocytopénique idiopathique réfractaire à la splénectomie et aux corticostéroïdes.

ACTION

■ Liaison aux protéines du fuseau acromatique entraînant l'arrêt de la métaphase ■ Arrêt subséquent de la réplication cellulaire (phase M du cycle cellulaire) ■ Médicament exerçant peu ou pas d'effet sur la réserve médullaire. **Effets thérapeutiques :** ■ Destruction des cellules à croissance rapide, particulièrement des cellules malignes ■ Médicament doué de propriétés immunosuppressives.

PHARMACOCINÉTIQUE

Absorption : Médicament réservé à l'administration IV ; dans ce cas, sa biodisponibilité est totale.
Distribution : Le médicament se répartit rapidement dans tout l'organisme.
Métabolisme et excrétion : La vincristine est métabolisée par le foie et éliminée dans les fèces par excrétion biliaire.
Demi-vie : De 10,5 à 37,5 h.

CONTRE-INDICATIONS ET PRÉCAUTIONS

Contre-indications : ■ Hypersensibilité ■ Grossesse ou allaitement.
Précautions : ■ Patientes en âge de procréer ■ Infections ■ Diminution de la réserve médullaire ■ Autres maladies chroniques débilitantes ■ Insuffisance hépatique (il est recommandé de réduire la dose).

RÉACTIONS INDÉSIRABLES ET EFFETS SECONDAIRES

SNC : modification de l'état de la conscience, dépression, agitation, insomnie.
Resp. : bronchospasme.
GI : nausées, vomissements, anorexie, stomatite, constipation, occlusion intestinale, crampes abdominales.
GU : rétention urinaire, nycturie, oligurie, suppression de la fonction des gonades.
Tég. : alopécie.
End. : syndrome d'antidiurèse inappropriée.
Hémat. : anémie, leucopénie, thrombocytopénie légère et brève.

Locaux: phlébite au point d'injection IV.
Métab.: hyperuricémie.

SN: neurotoxicité (neuropathie périphérique ascendante).

INTERACTIONS

Médicament – médicament: ■ Risque de bronchospasme chez le patients ayant été traités auparavant par la **mitomycine** ■ La **L-asparaginase**, administrée simultanément, peut diminuer le métabolisme hépatique de la vincristine (administrer la vincristine de 12 à 24 h avant l'asparaginase) ■ La vincristine peut diminuer la réponse des anticorps aux **vaccins vivants** et augmenter le risque de réactions indésirables.

VOIES D'ADMINISTRATION ET POSOLOGIE

Remarque: De nombreux autres protocoles sont utilisés.

■ **IV (adultes)**: de 10 à 30 µg/kg ou de 0,4 à 1,4 mg/m^2; on peut répéter l'administration toutes les semaines (É.-U.: ne pas dépasser 2 mg par dose).

■ **IV (enfants pesant > 10 kg)**: de 1,5 à 2 mg/m^2, en une seule dose; on peut répéter l'administration toutes les semaines.

■ **IV (enfants pesant > 10 kg)**: 50 µg/kg, en une seule dose; on peut répéter l'administration toutes les semaines.

PHARMACODYNAMIE
(effets habituellement légers sur la numération globulaire)

	DÉBUT D'ACTION	PIC	DURÉE
IV	inconnu	inconnu	7 jours

SOINS INFIRMIERS

ÉVALUATION DE LA SITUATION

☐ Mesurer la pression artérielle, le pouls et la fréquence respiratoire pendant toute la durée du traitement. Informer immédiatement le médecin de tout changement important.

☐ Évaluer l'état neurologique du patient. Déceler les signes de paresthésie (engourdissements, picotements, douleurs), la perte de réflexes tendineux profonds (le réflexe achilléen est habituellement le premier touché), la faiblesse (poignet ou pied tombant, troubles de la démarche), la paralysie des nerfs crâniens (douleur aux mâchoires, raucité de la voix, ptosis, modifications visuelles), le dysfonctionnement du système nerveux autonome (occlusion intestinale, mictions difficiles, hypotension orthostatique, altération de la sécrétion de sueur) et le dysfonctionnement du SNC (diminution de la conscience, agitation, hallucinations). Informer le médecin de la présence de ces symptômes car ils peuvent persister pendant des mois.

☐ Effectuer le bilan des ingesta et des excreta et noter le poids du patient; informer le médecin de tout changement important. La diminution du débit urinaire s'accompagnant d'hyponatrémie peut indiquer la présence du syndrome d'antidiurèse inappropriée, lequel répond habituellement à la restriction hydrique.

☐ Observer les points de perfusion à intervalles fréquents pour déceler la rougeur, l'irritation ou l'inflammation. En cas d'extravasation, arrêter la perfusion et la recommencer à un autre point afin d'éviter les lésions des tissus sous-cutanés. Le traitement standard comprend également l'application de chaleur.

☐ Évaluer l'état nutritionnel du patient. Le médecin peut prescrire un antiémétique pour réduire les nausées et les vomissements.

☐ Surveiller les symptômes de goutte: concentrations accrues d'acide urique, douleurs articulaires, œdème. Inciter le patient à boire au moins 2 L de liquides par jour. Le médecin peut prescrire de l'allopurinol ou l'alcalinisation de l'urine afin de réduire les concentrations d'acide urique.

■ **Étude des examens diagnostiques et biochimiques:** Noter la numération globulaire avant le traitement et à intervalles fréquents pendant toute sa durée. La vincristine peut provoquer une légère leucopénie 4 jours après l'arrêt du traitement, laquelle se résorbe habituellement en l'espace de 7 jours. La numération plaquettaire peut augmenter ou diminuer.

□ Noter les résultats des tests de l'exploration fonctionnelle hépatique (TGOS [AST], TGPS [ALT], LDH, bilirubine) et rénale (urée, créatinine) avant le traitement et à intervalles réguliers pendant toute sa durée.

□ La vincristine peut entraîner l'élévation des concentrations d'acide urique. Noter ces concentrations à intervalles réguliers pendant toute la durée du traitement.

DIAGNOSTICS INFIRMIERS POSSIBLES

■ **Énoncés diagnostiques**

□ Risque élevé d'infection.

□ Déficit nutritionnel.

□ Prise en charge inefficace du programme thérapeutique.

□ *Risque élevé de douleur au point d'injection IV.*

□ *Risque élevé d'accident.*

□ *Risque élevé de perturbation situationnelle de l'estime de soi.*

□ *Risque élevé de constipation.*

■ **Facteurs favorisants**

□ Informations incomplètes.

□ *Inflammation locale du tissu vasculaire ou infiltration du médicament dans les tissus avoisinants.*

□ *Fatigue et faiblesse.*

□ *Manque de connaissances sur les modalités du traitement.*

□ *Manque de connaissances sur les effets secondaires affectant l'appareil gastro-intestinal.*

□ *Manque de connaissances sur le régime alimentaire à suivre.*

□ *Manque de connaissances sur les effets secondaires du médicament et sur les moyens de les prévenir.*

□ *Manque de connaisances sur les moyens de stimuler la fonction intestinale.*

□ *Altération de l'image corporelle.*

INTERVENTIONS INFIRMIÈRES

■ **Directives générales:** La solution devrait être préparée sous une hotte biologique de sécurité. Porter des gants, une blouse et un masque lors de la manipulation du médicament. Mettre au rebut tout le matériel destiné à l'administration IV dans les contenants réservés à cet effet (voir l'annexe I).

□ Ne pas administrer la vincristine par voies SC, IM ou intrathécale. L'administration par voie intrathécale peut mener à une issue fatale.

■ **IV directe:** Le fabricant ne recommande pas de mélanger la vincristine à d'autres préparations.

□ *Vitesse d'administration:* Administrer chaque dose unique en 1 min dans le raccord en Y ou le robinet à 3 voies d'une tubulure par où s'écoule une solution de NaCl à 0,9 % ou de dextrose à 5 % dans de l'eau.

■ **Associations compatibles dans la même seringue:** Bléomycine, cisplatine, cyclophosphamide, doxapram, doxorubicine, dropéridol, fluorouracile, héparine, leucovorine calcique, méthotrexate, métoclopramide, mitomycine ou vinblastine.

■ **Association incompatible dans la même seringue:** Furosémide.

■ **Compatibilités (tubulure en Y):** Bléomycine, cisplatine, cyclophosphamide, doxorubicine, dropéridol, fluorouracile, héparine, leucovorine calcique, méthotrexate, métoclopramide, mitomycine ou vinblastine.

■ **Incompatibilité (tubulure en Y):** Furosémide.

ENSEIGNEMENT AU PATIENT ET À SES PROCHES

◻ Recommander au patient de signaler au médecin les symptômes de neuro-toxicité : paresthésie, douleur, difficulté de marche, constipation persistante.

◻ Expliquer au patient qu'il peut soulager la constipation en augmentant sa consommation de liquides et de fibres alimentaires et en faisant de l'exercice. Le médecin peut lui prescrire des laxatifs émollients ou d'un autre type. Conseiller au patient de signaler au médecin la constipation grave ou la gêne abdominale, car elles peuvent constituer des signes de neuropathie.

◻ Recommander au patient de signaler au médecin la fièvre, les frissons, les maux de gorge, les signes d'infection, le saignement des gencives, les ecchymoses, les pétéchies, les aphtes ou la présence de sang dans les selles, l'urine ou les vomissements. Expliquer au patient qu'il doit éviter les foules et les personnes contagieuses.

◻ Expliquer à la patiente que la vincristine peut avoir des effets tératogènes. Lui conseiller d'utiliser une méthode de contraception efficace durant le traitement et pendant au moins deux mois après l'avoir arrêté.

◻ Prévenir le patient qu'il risque de perdre ses cheveux. Explorer avec lui les stratégies lui permettant de s'adapter à ce changement.

◻ Expliquer au patient qu'il ne doit pas se faire vacciner sans recommandation du médecin.

◻ Insister sur la nécessité d'effectuer des examens diagnostiques et biochimiques à intervalles réguliers permettant de déceler les effets secondaires du médicament.

VÉRIFICATION DES RÉSULTATS

L'efficacité du traitement peut être démontrée par : la diminution de la taille de la tumeur maligne sans apparition d'effets secondaires délétères.

VITAMINE A
Aquasol A, Arovit vit A, (Del-Vi-A)

CLASSIFICATION :
Vitamine liposoluble

Grossesse – catégorie X

INDICATIONS

■ Traitement et prévention de la carence en vitamine A ■ Prévention de la carence en vitamine A en cas de malabsorption des graisses ou d'un traitement par des chélateurs des acides biliaires.

ACTION

■ Cofacteur dans de nombreux processus biochimiques ■ Élément nécessaire à la croissance, au développement des os, à la vision, à la reproduction, à l'intégrité des muqueuses et de l'épithélium et à la formation de pigments visuels. **Effets thérapeutiques :** ■ Disparition des signes de carence ■ Prévention de la carence en vitamine A.

PHARMACOCINÉTIQUE

Absorption : L'absorption depuis le tractus gastro-intestinal ne peut se faire en l'absence d'acides biliaires, de graisses, de lipase et de protéines. Les préparations aqueuses sont absorbées plus rapidement que les émulsions.

Distribution : La vitamine A est surtout emmagasinée dans le foie (réserve pour 2 ans) ; de petites quantités sont emmagasinées dans les reins et les poumons. La vitamine A ne traverse pas le placenta, mais pénètre dans le lait maternel.

Métabolisme et excrétion : La vitamine A est surtout métabolisée par le foie.

Demi-vie : Inconnue.

CONTRE-INDICATIONS ET PRÉCAUTIONS

Contre-indications : ■ Hypervitaminose A ■ Malabsorption ■ Hypersensibilité aux

V

ingrédients de la préparation (chlorobutanol, polysorbate 80, hydroxyanisole butylé, hydroxytoluène butylé).

Précautions : ■ Allaitement (administrer obligatoirement des suppléments au nourrisson) ■ Grossesse (éviter la consommation de quantités supérieures à l'apport quotidien recommandé ; voir l'annexe L) ■ Insuffisance rénale grave.

RÉACTIONS INDÉSIRABLES ET EFFETS SECONDAIRES

Divers : syndrome d'hypervitaminose A.

INTERACTIONS

Médicament – médicament : ■ La **cholestyramine**, le **colestipol** et l'**huile minérale**, administrés simultanément, peuvent réduire l'absorption de la vitamine A ■ Les **contraceptifs oraux**, administrés en concomitance, augmentent les concentrations plasmatiques de vitamine A.

PRÉSENTATION

La vitamine A existe sous forme de comprimés, de capsules et de solution orale. Elle existe également en association avec d'autres vitamines.

VOIES D'ADMINISTRATION ET POSOLOGIE

Carence grave entraînant la xérophtalmie

- **PO (adultes et enfants > 8 ans) :** 500 000 UI pendant 3 jours, puis 50 000 UI par jour pendant 2 semaines et de 10 000 à 20 000 UI par jour pendant 2 mois..
- **PO (enfants de 1 à 8 ans) :** de 5 000 à 10 000 UI/kg pendant 5 jours ou jusqu'au rétablissement des valeurs normales.

Supplément alimentaire (Recommandations du Conseil canadien sur la nutrition 1994)

- **PO (allaitement) :** 1 300 UI par jour.
- **PO (grossesse) :** 330 UI par jour.
- **PO (adultes et adolescents de 16 à 18 ans) :** 3 300 UI par jour (hommes) et 2 700 UI par jour (femmes).

- **PO (enfants de 13 à 15 ans) :** 3 000 UI par jour (hommes) et 2 700 UI par jour (femmes).
- **PO (enfants de 10 à 12 ans) :** 2 700 UI par jour.
- **PO (enfants de 7 à 9 ans) :** 2 300 UI par jour.
- **PO (enfants de 4 à 6 ans) :** 1 700 UI par jour.
- **PO (nourrissons et enfants jusqu'à 4 ans) :** 1 300 UI par jour.

Malabsorption intestinale et chronique

- **PO (adultes et enfants > 8 ans) :** de 10 000 à 50 000 UI par jour d'un produit miscible à l'eau.
- **PO (nourrissons et enfants < 8 ans) :** 2 000 UI par jour, dans une préparation aqueuse.

PHARMACODYNAMIE

	DÉBUT D'ACTION	PIC	DURÉE
PO	inconnu	inconnu	inconnue

☀ SOINS INFIRMIERS

ÉVALUATION DE LA SITUATION

- ☐ Observer le patient, avant le traitement et à intervalles réguliers pendant toute sa durée, pour déceler les signes de carences en vitamine A : cécité nocturne (héméralopie), infections fréquentes des yeux, des oreilles, des sinus et de l'appareil génito-urinaire, sécheresse des muqueuses, peau rugueuse et squameuse avec des lésions qui prennent l'aspect de boutons, photophobie et sécheresse des yeux (alacrymie).
- ☐ Évaluer l'état nutritionnel du patient en effectuant le bilan de l'alimentation de 24 h. Déterminer la fréquence de consommation d'aliments riches en vitamine A.
- ■ **Étude des examens diagnostiques et biochimiques :** La toxicité chronique peut entraîner une élévation de la glycémie, des concentrations de calcium,

d'urée, de cholestérol et de triglycérides.

☐ On peut effectuer le dosage des concentrations plasmatiques de vitamine A et de carotène avant le traitement afin de déterminer la présence d'une carence en vitamine A.

☐ L'administration de doses élevées de vitamine A peut entraîner la diminution du nombre d'érythrocytes et de leucocytes, l'élévation de la vitesse de sédimentation des érythrocytes et l'allongement du temps de prothrombine.

DIAGNOSTICS INFIRMIERS POSSIBLES

■ **Énoncés diagnostiques**

☐ Déficit nutritionnel.

☐ Prise en charge inefficace du programme thérapeutique.

■ **Facteurs favorisants**

☐ Informations incomplètes.

☐ *Manque de connaissances sur le régime alimentaire à suivre.*

☐ *Manque de connaissances sur les modalités du traitement.*

☐ *Manque de connaissances sur la méthode d'administration du médicament.*

INTERVENTIONS INFIRMIÈRES

■ **PO:** Les comprimés et les capsules sont miscibles à l'eau; ils peuvent être administrés aux patients souffrant du syndrome de malabsorption.

☐ Administrer la vitamine A pendant ou après les repas.

☐ La solution peut être déposée directement dans la bouche ou mélangée à des céréales, à des jus de fruits ou à d'autres aliments. Utiliser le compte-gouttes fourni par le fabricant pour mesurer avec précision la solution.

ENSEIGNEMENT AU PATIENT ET À SES PROCHES

☐ Inciter le patient à respecter scrupuleusement la posologie recommandée. S'il n'a pu prendre le médicament au moment habituel, il doit sauter cette dose, car les vitamines liposolubles restent emmagasinées dans l'organisme pendant longtemps.

☐ Inciter le patient à respecter scrupuleusement les recommandations diététiques du médecin. Lui expliquer que la meilleure source de vitamines est une alimentation bien équilibrée comprenant des aliments provenant des quatre principaux groupes alimentaires.

☐ Les aliments riches en vitamine A sont le foie, l'huile de foie de poisson, les jaunes d'œufs, les fruits et les légumes jaune orangé, les légumes à feuilles vert foncé, le lait entier, le lait écrémé enrichi de vitamine A, le beurre et la margarine. La cuisson ordinaire ne détruit pas la vitamine A mais les aliments congelés pendant 12 mois perdent de 5 à 10 % de leur teneur en vitamine A.

☐ Prévenir les patients qui s'auto-administrent des suppléments vitaminiques qu'ils ne doivent pas dépasser l'apport quotidien recommandé (voir l'annexe L). L'efficacité des mégadoses dans le traitement des troubles médicaux reste à prouver; elles peuvent cependant entraîner des effets secondaires.

☐ Passer en revue les symptômes du syndrome de l'hypervitaminose A: céphalées, fontanelles bombantes chez les nourrissons, irritabilité, coloration jaune orangé de la peau, sécheresse et desquamation de la peau et des lèvres, perte de cheveux, anorexie, vomissements, douleurs articulaires et osseuses. Recommander au patient de signaler immédiatement ces symptômes au médecin.

☐ Prévenir le patient que l'huile minérale peut entraver l'absorption des vitamines liposolubles et qu'il ne devrait par conséquent pas en prendre simultanément.

☐ Insister sur l'importance des examens de suivi permettant d'évaluer les bienfaits du traitement. Des examens ophtalmologiques peuvent s'avérer nécessaires avant le traitement et à intervalles réguliers pendant toute sa durée.

VÉRIFICATION DES RÉSULTATS

L'efficacité du traitement peut être démontrée par: la prévention ou la diminution des symptômes d'avitaminose A.

VITAMINE E

alpha-tocophéryl, Aquasol E, (Amino-Opti-E), (Chew-E), (E-Ferol), (Eprolin), (Epsilan-M), (Gordo-Vite E), (Pheryl-E), (Vitec), (Viterra E)

CLASSIFICATION:
Vitamine liposoluble

Grossesse – catégorie inconnue

INDICATIONS

■ **PO:** Supplément diététique ■ **PO:** Prévention et traitement de l'hémolyse attribuable à une carence en vitamine E chez les nourrissons ayant un faible poids à la naissance ■ **Préparation topique:** Traitement de la peau irritée, gercée ou sèche. **Usages non approuvés:** ■ La vitamine E a été recommandée dans le traitement de la stérilité, de l'avortement, de la dystrophie musculaire, des maladies cardiaques et des ulcères variqueux. L'efficacité de la vitamine E dans le traitement de ces affections n'a toutefois pas été prouvée.

ACTION

■ Prévention de l'oxydation (antioxydant) d'autres substances ■ Protection de la membrane érythrocytaire contre l'hémolyse, particulièrement chez les nouveau-nés ayant un faible poids à la naissance. **Effets thérapeutiques:** ■ Prévention et traitement des carences chez les patients exposés à un risque élevé.

PHARMACOCINÉTIQUE

Absorption: Une fraction de 20 à 80 % est absorbée par suite de l'administration PO. L'absorption ne peut se faire en l'absence de lipides et de sels biliaires.
Distribution: Le médicament se répartit dans tout l'organisme. Il est emmagasiné dans les tissus adipeux (réserve pour 4 ans).
Métabolisme et excrétion: La vitamine E est métabolisée par le foie et excrétée dans la bile.
Demi-vie: Inconnue.

CONTRE-INDICATIONS ET PRÉCAUTIONS

Contre-indications: Hypersensibilité aux ingrédients de la préparation (parabènes, propylène, glycol).
Précautions: ■ Anémie attribuable à une carence en fer ■ Nourrissons ayant un faible poids à la naissance (l'administration PO peut entraîner l'entérocolite ulcéronécrosante) ■ Carence en vitamine K (risque accru d'hémorragie).

RÉACTIONS INDÉSIRABLES ET EFFETS SECONDAIRES

Remarque: Les réactions indésirables et les effets secondaires sont surtout observés lors de l'administration de doses élevées pendant de longues périodes de temps.
SNC: fatigue, faiblesse, céphalées.
ORLO: vision trouble.
GI: entérocolite ulcéronécrosante (administration PO chez les nourrissons ayant un faible poids à la naissance), nausées, diarrhée, crampes.
Tég.: rash.
End.: dysfonction des gonades.

INTERACTIONS

Médicament – médicament: ■ La **cholestyramine**, le **colestipol**, l'**huile minérale** et le **sucralfate**, administrés simultanément, diminuent l'absorption de la vitamine E ■ La vitamine E peut diminuer la réponse hématologique aux **suppléments**

de fer ■ La vitamine E peut augmenter la réponse hypothrombinémique des **anticoagulants oraux**.

PRÉSENTATION

La vitamine E existe sous forme de capsules et de solution orale. Elle existe également en association avec d'autres vitamines.

VOIES D'ADMINISTRATION ET POSOLOGIE

- **PO (adultes):** de 30 à 75 unités par jour.
- **PO (nouveau-nés prématurés, nouveau-nés ayant un faible poids à la naissance) (É.-U.):** 5 unités par jour.
- **PO (nouveau-né à terme) (É.-U.):** 5 unités par litre de préparation pour nourrissons.
- **Préparation topique (adultes et enfants):** Appliquer sur les régions affectées, selon les besoins.

PHARMACODYNAMIE

	DÉBUT D'ACTION	PIC	DURÉE
PO	inconnu	inconnu	inconnue

SOINS INFIRMIERS

ÉVALUATION DE LA SITUATION

- ☐ Observer le patient, avant le traitement et à intervalles réguliers pendant toute sa durée, pour déceler les signes suivants de carence en vitamine E: nouveau-nés – irritabilité, œdème, anémie hémolytique, excès de créatine dans les urines; adultes et enfants (rares) – faiblesse musculaire, dépôts cérolipoïdiques dans les muscles, anémie, excès de créatine dans les urines.
- ☐ Évaluer l'état nutritionnel par un bilan de l'alimentation de 24 h. Déterminer la fréquence de la consommation d'aliments riches en vitamine E.

- ■ **Étude des examens diagnostiques et biochimiques:** Des doses élevées de vitamine E peuvent entraîner l'élévation des concentrations de cholestérol, de triglycérides et de CPK.

DIAGNOSTICS INFIRMIERS POSSIBLES

- ■ **Énoncés diagnostiques**
- ☐ Déficit nutritionnel.
- ☐ Prise en charge inefficace du programme thérapeutique.

- ■ **Facteurs favorisants**
- ☐ Informations incomplètes.
- ☐ *Manque de connaissances sur le régime alimentaire à suivre.*
- ☐ *Manque de connaissances sur les modalités du traitement.*

INTERVENTIONS INFIRMIÈRES

- ■ **Directives générales:** Les préparations orales sont miscibles à l'eau; elles peuvent être administrées aux patients souffrant du syndrome de malabsorption.
- ■ **PO:** Administrer la vitamine E pendant ou après les repas.
- ☐ On peut déposer la solution directement dans la bouche ou la mélanger avec des céréales, des jus de fruits ou d'autres aliments. Utiliser le compte-gouttes fourni par le fabricant pour mesurer avec précision la solution.

ENSEIGNEMENT AU PATIENT ET À SES PROCHES

- ☐ Recommander au patient de respecter scrupuleusement la posologie recommandée. S'il n'a pu prendre le médicament au moment habituel, il doit sauter cette dose, car les vitamines liposolubles sont emmagasinées dans l'organisme pendant longtemps.
- ☐ Inciter le patient à respecter scrupuleusement les recommandations diététiques du médecin. Lui expliquer que la meilleure source de vitamine est une alimentation bien équilibrée comprenant des aliments provenant

des quatre principaux groupes alimentaires.

☐ Expliquer au patient que les aliments riches en vitamine E sont les huiles végétales, le germe de blé, les céréales de blé entier, le jaune d'œuf et le foie. La teneur en vitamine E des aliments n'est pas affectée considérablement par la cuisson.

☐ Prévenir les patients qui s'auto-administrent des suppléments vitaminiques qu'ils ne doivent pas dépasser l'apport quotidien recommandé (voir l'annexe L). L'efficacité de mégadoses dans le traitement des troubles médicaux reste à prouver et elles peuvent entraîner des effets secondaires.

☐ Passer en revue les symptômes du surdosage : vision trouble, symptômes pseudo-grippaux, céphalées, hypertrophie mammaire. Recommander au patient de signaler rapidement ces symptômes au médecin.

☐ Prévenir le patient que l'huile minérale peut entraver l'absorption des vitamines liposolubles et qu'il ne devrait par conséquent pas en prendre simultanément.

VÉRIFICATION DES RÉSULTATS

L'efficacité du traitement peut être démontrée par : ■ la prévention ou la diminution des symptômes d'avitaminose E ■ le soulagement des problèmes de peau sèche ou gercée.

VITAMINES DU COMPLEXE B AVEC VITAMINE C

Allbee with C, BC-Vite, Becotin-T, Bee-Forte w/C, Beminal 500, Beminal Forte with Vitamin C, Berocca-C, Néo-Bex, Stress B Tabs, Stress B with C, Surbex-T, Surbex with C, Viamon, Vita 3B, Vita 3B+C, Vitathion, (Allbee-T), (Arcobee with C), (Bexomal-C), (C-B Time), (Ceebeevim), (Cee with Bee), (Gen-bee with C), (Hi-Bee W/C), (Probec-T), (Stresscaps), (Surbu-Gen-T), (Thera-Combex HP), (Therapeutic B Complex with Vitamin C), (Variplex-C), (Vita-bee with C)

CLASSIFICATION :
Vitamine hydrosoluble

Grossesse – catégorie inconnue

INDICATIONS

Traitement et prévention des carences en vitamines B et C.

ACTION

■ Agent contenant des vitamines du complexe B (B_1, B_2, B_3, B_5, B_6, B_{12}) et de la vitamine C, un groupe de composés divers nécessaires à la croissance et au développement normaux qui agissent comme des co-enzymes ou des catalyseurs lors de nombreux processus métaboliques. **Effets thérapeutiques :** ■ Supplément de vitamines chez les patients présentant une carence en vitamines B et C ou prédisposés à une telle carence.

PHARMACOCINÉTIQUE

Absorption : Bonne absorption par suite de l'administration PO. Certains processus d'absorption ne peuvent se dérouler en l'absence de cofacteurs (B_{12}).

Distribution : L'agent se répartit dans tout l'organisme. Il traverse le placenta et pénètre dans le lait maternel.

Métabolisme et excrétion : Utilisation complète lors de divers processus biologiques. Les quantités excessives sont excrétées à l'état inchangé par les reins.

Demi-vie : Inconnue.

CONTRE-INDICATIONS ET PRÉCAUTIONS

Contre-indications : ■Hypersensibilité aux ingrédients de la préparation (alcool benzylique, parabènes, bisulfites, tartrazine).

RÉACTIONS INDÉSIRABLES ET EFFETS SECONDAIRES

Remarque: Aux doses recommandées, les réactions indésirables sont extrêmement rares.

Divers: réactions allergiques aux agents de conservation, ANAPHYLAXIE (thiamine).

INTERACTIONS

Médicament – médicament: Des quantités importantes de vitamine B_6 peuvent contrecarrer l'effet bénéfique de la **lévodopa**.

PRÉSENTATION

Les vitamines du complexe B avec vitamine C existent sous forme de capsules et de comprimés.

VOIES D'ADMINISTRATION ET POSOLOGIE

- **PO (adultes et enfants):** Quantité suffisante pour correspondre à l'apport quotidien recommandé pour le groupe d'âge du patient (consulter le tableau de l'annexe L).
- **Voie parentérale:** de 2 à 20 mL de Berocca-C par litre de solution pour administration parentérale (acides aminés, dextrose, solutions physiologiques salées). On peut administrer par voie IM ou IV lente 2 mL ou plus par jour (solution non diluée).

PHARMACODYNAMIE

	DÉBUT D'ACTION	PIC	DURÉE
PO	inconnu	inconnu	inconnue
IV	inconnu	inconnu	inconnue
IM	inconnu	inconnu	inconnue

☼ SOINS INFIRMIERS

ÉVALUATION DE LA SITUATION

- ☐ Observer le patient avant le traitement et à intervalles réguliers pendant toute sa durée pour déceler les signes d'avitaminose. Évaluer l'état nutritionnel par un bilan de l'alimentation de 24 h. Déterminer la fréquence de la consommation d'aliments riches en vitamines B et C. Le traitement devrait être réservé aux périodes de stress physiologique intense lorsque le patient est incapable de consommer suffisament de vitamines d'origine alimentaire.
- ☐ Surveiller le patient pour déceler les signes suivants d'anaphylaxie: respiration sifflante, urticaire, œdème. La préparation contient de la thiamine.

DIAGNOSTICS INFIRMIERS POSSIBLES

- **■ Énoncés diagnostiques**
- ☐ Déficit nutritionnel.
- ☐ Prise en charge inefficace du programme thérapeutique.
- ☐ *Risque élevé d'accident.*

- **■ Facteurs favorisants**
- ☐ Informations incomplètes.
- ☐ *Manque de connaissances sur le régime alimentaire à suivre.*
- ☐ *Manque de connaissances sur les modalités du traitement.*

INTERVENTIONS INFIRMIÈRES

Voie parentérale: La solution peut être administrée sans être diluée. On peut aussi la diluer dans un soluté. Les mélanges se conservent alors pendant 24 h au maximum.

ENSEIGNEMENT AU PATIENT ET À SES PROCHES

Inciter le patient à respecter scrupuleusement les recommandations diététiques du médecin. Lui expliquer que la meilleure source de vitamines est une alimentation bien équilibrée comprenant des aliments provenant des quatre principaux groupes alimentaires.

VÉRIFICATION DES RÉSULTATS

L'efficacité du traitement peut être démontrée par: la prévention ou la diminution des symptômes d'avitaminose.

W

WARFARINE
Coumadin, Warfilone, (Athrombin-K), (Panwarfin), (Sofarin)

CLASSIFICATION:
Anticoagulant

Grossesse – catégorie inconnue

INDICATIONS
■ Prophylaxie et traitement des troubles suivants : □ Thrombose veineuse □ Embolie pulmonaire □ Fibrillation auriculaire accompagnée d'embolisation ■ Adjuvant au traitement de l'occlusion coronarienne ■ Adjuvant au traitement des embolies cérébrales et des crises d'ischémie cérébrale passagères ■ Prévention de la formation de thrombus et de l'embolisation après la mise en place d'une prothèse valvulaire.

ACTION
■ Inhibition de la synthèse hépatique des facteurs de coagulation dépendant de la vitamine K (II, VII, IX et X). **Effets thérapeutiques :** ■ Prévention des épisodes thrombo-emboliques.

PHARMACOCINÉTIQUE
Absorption : Bonne absorption depuis le tractus gastro-intestinal par suite de l'administration PO.
Distribution : La warfarine traverse le placenta mais ne pénètre pas dans le lait maternel.
Métabolisme et excrétion : Métabolisme hépatique.
Demi-vie : De 0,5 à 3 jours.

CONTRE-INDICATIONS ET PRÉCAUTIONS
Contre-indications : ■ Grossesse ■ Hémorragie non maîtrisée ■ Plaies ouvertes ■ Ulcère évolutif ■ Tumeur maligne ■ Lésions ou chirurgie récentes au cerveau, à l'œil ou à la moelle épinière ■ Maladie hépatique grave ■ Hypertension non stabilisée.

Précautions : ■ Patients ayant des antécédents d'ulcère ou de maladie hépatique ■ Antécédents de non-observance du traitement ■ Femmes en âge de procréer.

RÉACTIONS INDÉSIRABLES ET EFFETS SECONDAIRES
GI : nausées, crampes.
Tég. : nécrose dermique.
Hémat. : SAIGNEMENTS.
Divers : fièvre.

INTERACTIONS
Médicament – médicament : ■ Les **androgènes**, le **céfamandole**, la **céfopérazone**, la **céfotétane**, l'**hydrate de chloral**, le **chloramphénicol**, le **disulfirame**, le **métronidazole**, le **moxalactam**, la **plicamycine**, la **streptokinase**, l'**urokinase**, les **sulfamides**, la **quinidine**, les **anti-inflammatoires non stéroïdiens**, les **valproates** et l'**aspirine**, administrés simultanément, peuvent accroître la réponse à la warfarine et augmentent le risque d'hémorragie ■ L'**alcool**, les **barbituriques** et les **contraceptifs oraux contenant des œstrogènes**, utilisés simultanément, peuvent diminuer les effets anticoagulants de la warfarine. **Médicament – aliments :** ■ La consommation de quantités importantes d'**aliments riches en vitamine K** (voir l'annexe K) peut contrecarrer l'effet anticoagulant de la warfarine.

VOIES D'ADMINISTRATION ET POSOLOGIE
PO (adultes) : dose d'attaque : de 10 à 15 mg par jour pendant 2 à 3 jours. Adapter ensuite la dose quotidienne en fonction du temps de prothrombine (habituellement de 2 à 10 mg par jour).

PHARMACODYNAMIE
(effets sur le résultat des tests de coagulation)

	DÉBUT D'ACTION	PIC	DURÉE
PO	plusieurs heures	0,5 – 3 jours	2 – 5 jours

W

SOINS INFIRMIERS

ÉVALUATION DE LA SITUATION

☐ Suivre de près les signes suivants d'hémorragie ou de saignement : saignement des gencives et du nez, formation inhabituelle d'ecchymoses, selles noires goudronneuses, hématurie, chute de l'hématocrite ou de la pression artérielle, présence de sang occulte dans les selles, l'urine ou les échantillons prélevés par aspiration nasogastrique. Prévenir le médecin si ces symptômes se manifestent.

☐ Observer le patient pour déceler les signes qui révèlent que la thrombose s'aggrave ou qu'elle s'étend. Les symptômes dépendent du territoire touché.

■ **Étude des examens diagnostiques et biochimiques :** Noter le temps de prothrombine et les autres facteurs de coagulation à intervalles fréquents pendant toute la durée du traitement. Les valeurs thérapeutiques du temps de prothrombine sont de 1,5 à 2 fois plus élevées que les valeurs de référence. Informer le médecin de tout écart important.

☐ Examiner avant le traitement et à intervalles réguliers pendant toute sa durée les résultats des tests de l'exploration fonctionnelle hépatique et la numération globulaire.

☐ Examiner les selles et l'urine avant le traitement et à intervalles réguliers pendant toute sa durée pour déceler la présence de sang occulte.

■ **Toxicité et surdosage :** Dans le cas d'un temps de prothrombine excessivement allongé ou d'un saignement mineur, il est habituellement suffisant de sauter une ou plusieurs doses de médicament. En cas de surdosage ou d'une anticoagulation qui doit être immédiatement renversée, l'antidote est la vitamine K (phytonadione, AquaMEPHYTON). Il peut également s'avérer nécessaire d'administrer du plasma ou du sang entier en cas d'hémorragie grave en raison du début d'action tardif de la vitamine K.

DIAGNOSTICS INFIRMIERS POSSIBLES

■ **Énoncés diagnostiques**

☐ Altération de l'irrigation tissulaire.

☐ Risque élevé d'accident.

☐ Prise en charge inefficace du programme thérapeutique.

☐ *Risque élevé d'atteinte à l'intégrité des tissus.*

■ **Facteurs favorisants**

☐ Informations incomplètes.

☐ *Manque de connaissances sur le régime alimentaire à suivre.*

☐ *Manque de connaissances sur les modalités du traitement.*

☐ *Manque de connaissances sur la méthode d'administration du médicament.*

☐ *Manque de connaissances sur les effets secondaires du médicament et sur les moyens de les prévenir.*

INTERVENTIONS INFIRMIÈRES

■ **Directives générales :** Administrer le médicament tous les jours au même moment.

☐ Garder la préparation injectable à l'abri de la lumière.

■ **PO :** Il faut compter de 3 à 5 jours avant que des concentrations médicamenteuses efficaces puissent être atteintes. On commence habituellement le traitement pendant que le patient reçoit encore de l'héparine par voie IV.

ENSEIGNEMENT AU PATIENT ET À SES PROCHES

☐ Conseiller au patient de respecter scrupuleusement la posologie recommandée. S'il n'a pu prendre le médicament au moment habituel, il doit le prendre dès que possible le jour même. Lui expliquer qu'il ne faut jamais remplacer une dose manquée par une double dose. Lui conseiller de signaler au médecin, au moment de

l'examen de routine ou des examens diagnostiques et biochimiques, le nombre de doses qu'il n'a pu prendre.

☐ Passer en revue les aliments riches en vitamine K (voir l'annexe K). Recommander au patient de consommer une quantité limitée de ces aliments, car la vitamine K contrecarre l'effet de la warfarine. Des changements radicaux dans les habitudes de consommation de ces aliments entraînent des fluctuations dans le temps de prothrombine.

☐ Expliquer au patient qu'il doit éviter les injections par voie IM et les activités pouvant mener à des accidents. Recommander au patient d'utiliser une brosse à dents à poils doux, de ne pas utiliser de soie dentaire et de se servir d'un rasoir électrique durant le traitement par la warfarine. Expliquer au patient que pour prévenir l'hémorragie ou la formation d'hématomes, il doit appliquer une pression sur les points d'injection et de ponction veineuse.

☐ Conseiller au patient de signaler au médecin tout saignement ou ecchymose inhabituels : saignement des gencives ou du nez, selles noires goudronneuses, hématurie, écoulement menstruel excessif.

☐ Recommander au patient de ne pas prendre de médicaments en vente libre, particulièrement ceux qui contiennent de l'aspirine, et de ne pas consommer d'alcool sans consulter au préalable le médecin ou le pharmacien.

☐ Insister sur l'importance d'examens diagnostiques et biochimiques fréquents permettant de mesurer les facteurs de coagulation.

☐ Conseiller au patient de toujours porter sur lui une pièce d'identité où est inscrit son traitement et d'informer tous les membres de l'équipe soignante qu'il prend un médicament anticoagulant avant de se soumettre à des examens diagnostiques et biochimiques ou à un traitement ou avant de subir une intervention chirurgicale.

VÉRIFICATION DES RÉSULTATS

La réponse clinique peut être démontrée par : l'allongement du temps de prothrombine (de 1,5 à 2 fois les valeurs de référence) sans signes d'hémorragie.

ZIDOVUDINE
azidothymidine, AZT, Retrovir

CLASSIFICATION :
Agent antiviral

Grossesse – catégorie C

INDICATIONS

Traitement des symptômes entraînés par l'infection par le VIH (sida) et traitement de certains cas de parasida (ARC).

ACTION

■ Par suite de la transformation intracellulaire en une forme active, blocage de la synthèse virale d'ARN par inhibition de l'ADN-polymérase (transcriptase inverse) ■ Prévention de la réplication virale. **Effets thérapeutiques :** ■ Action virostatique contre certains rétrovirus ■ Ralentissement possible de l'évolution de la maladie ou diminution de sa gravité et de ses séquelles (cependant, le médicament ne peut guérir le patient).

PHARMACOCINÉTIQUE

Absorption : Bonne absorption par suite de l'administration PO.

Distribution : La zidovudine se répartit dans tout l'organisme. Elle pénètre dans le SNC et traverse probablement le placenta.

Métabolisme et excrétion : La zidovudine est surtout métabolisée par le foie (75 %).

Une fraction de 15 à 20 % est excrétée à l'état inchangé par les reins.
Demi-vie: 1 h.

CONTRE-INDICATIONS ET PRÉCAUTIONS

Contre-indications: ■ Hypersensibilité ■ Allaitement.

Précautions: ■ Diminution de la réserve médullaire (réduire la dose en cas d'anémie ou de granulocytopénie) ■ Maladie hépatique ou rénale grave (une modification de la dose peut s'avérer nécessaire) ■ Grossesse ou enfants (l'innocuité du médicament n'a pas été établie).

RÉACTIONS INDÉSIRABLES ET EFFETS SECONDAIRES

SNC: céphalées, faiblesse, malaise, somnolence, agitation, insomnie, anxiété, confusion, dépression, diminution de l'acuité mentale, étourdissements, évanouissements.

GI: nausées, douleurs abdominales, diarrhée, dyspepsie, anorexie, vomissements, hépatite.

Tég.: pigmentation des ongles.

Hémat.: anémie, granulocytopénie, thrombocytose.

Loc.: douleurs lombaires, myalgie.

SN: tremblements.

INTERACTIONS

Médicament – médicament: ■ Aplasie médullaire additive lors de l'administration simultanée d'autres **agents doués de la propriété de déprimer la réserve médullaire (antinéoplasiques** ou **radiothérapie)** ■ Risque de neurotoxicité additive lors de l'administration concomitante d'**acyclovir** ■ La toxicité par la zidovudine peut être accrue lors de l'administration concomitante d'**acétaminophène**, d'**amphotéricine B**, d'**aspirine**, de **benzodiazépines**, de **cimétidine**, d'**indométhacine**, d'**interféron**, de **morphine**, de **pentamidine**, de **sulfamides** ou de **probénécide**.

PRÉSENTATION

La zidovudine existe également sous forme de préparation liquide.

VOIES D'ADMINISTRATION ET POSOLOGIE

Infection symptomatique par le VIH

■ **PO (adultes):** 200 mg, toutes les 4 h (6 fois par jour) ou 2,9 mg/kg, toutes les 4 h (6 fois par jour pendant 1 mois, puis réduire la dose jusqu'à 100 mg, toutes les 4 h).

■ **PO (enfants de 3 mois à 12 ans):** 180 mg/m^2, toutes les 6 h (ne pas dépasser 200 mg, toutes les 6 h).

■ **IV (adultes et enfants):** perfusion de 1 à 2 mg/kg en 1 h, toutes les 4 h, 24 h sur 24. Substituer à cette voie d'administration la voie orale le plus tôt possible.

Infection asymptomatique par le VIH

■ **PO (adultes):** 100 mg, toutes les 4 h, pendant que le patient est éveillé (500 mg par jour).

PHARMACODYNAMIE (concentrations sanguines)

	DÉBUT D'ACTION	PIC	DURÉE
PO	inconnu	0,5 – 1,5 h	inconnue

❋ SOINS INFIRMIERS

ÉVALUATION DE LA SITUATION

☐ Observer le patient pendant toute la durée du traitement pour déceler l'aggravation des symptômes du syndrome de l'immunodéficience humaine acquise (sida) ou du parasida et des symptômes d'infections opportunistes.

■ **Étude des examens diagnostiques et biochimiques:** Noter la numération globulaire toutes les 2 semaines pendant toute la durée du traitement. La zidovudine entraîne habituellement la granulocytopénie et l'anémie. L'anémie peut survenir de 2 à 4 semaines après le début du traitement et elle peut répondre à l'érythropoïétine alpha. La granulocytopénie survient habituellement après 6 à 8 semaines de traitement. Il faut envisager la réduction de la dose, l'arrêt du traitement ou des transfusions sanguines si l'hémoglobine est inférieure à 75 g/L; si elle chute de plus de 25 % par rapport aux valeurs initiales; si le nombre de granulocytes est inférieur à $0,75 \times 10^9$/L ou s'il chute de plus de 50 % par rapport aux valeurs initiales. Le traitement peut être repris graduellement lorsque l'on a la certitude que les réserves médullaires se sont rétablies.

DIAGNOSTICS INFIRMIERS POSSIBLES

■ **Énoncés diagnostiques**
□ Risque élevé d'infection.
□ Prise en charge inefficace du programme thérapeutique.
□ *Risque élevé d'accident.*

■ **Facteurs favorisants**
□ Informations incomplètes.
□ *Perturbation de la vigilance.*
□ *Fatigue et faiblesse.*
□ *Manque de connaissances sur les modalités du traitement.*
□ *Manque de connaissances sur les effets secondaires du médicament et sur les moyens de les prévenir.*
□ *Difficulté à s'adapter aux changements nécessaires dans les habitudes de vie.*

INTERVENTIONS INFIRMIÈRES

■ **Directives générales:** Administrer les capsules 24 h sur 24, à des intervalles de 4 h.
■ **IV:** Le patient devrait recevoir la perfusion IV seulement jusqu'à ce que le traitement PO puisse lui être administré.
■ **Perfusion intermittente:** Retirer la dose calculée de la fiole et la diluer avec une solution de dextrose à 5 % dans de l'eau pour obtenir une concentra-

tion inférieure à 4 mg/mL. La solution est stable pendant 24 h à la température ambiante et pendant 48 h au réfrigérateur.

□ *Vitesse d'administration:* Administrer la solution par perfusion à un débit constant pendant une heure. Éviter la perfusion rapide ou l'injection d'un bolus.

■ **Incompatibilités en addition au soluté:** Produits du sang ou solutions protéiques.

ENSEIGNEMENT AU PATIENT ET À SES PROCHES

□ Inciter le patient à respecter scrupuleusement la posologie recommandée et à prendre la zidovudine aux intervalles prescrits, 24 h sur 24, même s'il doit interrompre son sommeil. Souligner l'importance d'observer ce traitement, de ne pas prendre une quantité plus grande de médicament que celle qui a été prescrite et de ne pas abandonner le traitement sans consulter le médecin au préalable. Prévenir le patient que s'il n'a pu prendre le médicament au moment habituel, il doit le prendre dès que possible à moins que ce ne soit presque l'heure prévue pour la dose suivante. Lui conseiller de ne jamais remplacer une dose manquée par une double dose.

□ Fournir au patient des renseignements sur la zidovudine. Lui expliquer que ce médicament doit être envoyé directement par le fabricant et que la livraison peut prendre plusieurs jours. Le patient devrait renouveler son ordonnance plusieurs jours avant que ses réserves ne s'épuisent. Expliquer au patient qu'il est dangereux de donner de la zidovudine à une autre personne.

□ Prévenir le patient que la zidovudine peut provoquer des étourdissements ou des évanouissements. Lui conseiller de ne pas conduire et d'éviter les activités qui exigent sa vigilance jusqu'à ce qu'on ait la certitude que le médicament n'entraîne pas ces effets chez lui.

☐ Expliquer au patient que la zidovudine ne guérit pas le sida et qu'elle ne réduit pas le risque de transmission du VIH à d'autres personnes par les rapports sexuels ou par la contamination du sang. Inciter le patient à éviter les rapports sexuels, à utiliser un condom, à ne pas se servir des mêmes aiguilles qu'une autre personne et à ne pas donner du sang afin de prévenir la transmission du virus du sida à d'autres personnes.

☐ Recommander au patient de signaler rapidement au médecin la fièvre, les maux de gorge ou les signes d'infection. Lui conseiller d'éviter les foules et les personnes contagieuses, d'utiliser une brosse à dents à poils doux, d'éviter l'usage de cure-dents ou de la soie dentaire. L'inciter à suivre un traitement dentaire quel qu'il soit avant de commencer le traitement par la zidovudine ou de le retarder jusqu'à ce que la numération globulaire retourne à la normale.

☐ Recommander au patient d'éviter de prendre des médicaments en vente libre sans consulter au préalable le médecin ou le pharmacien.

☐ Recommander au patient d'apporter avec lui ses propres comprimés de zidovudine s'il doit être hospitalisé, car les centres hospitaliers peuvent ne pas avoir ce médicament en réserve.

☐ Insister sur l'importance de se soumettre à intervalles réguliers à des examens de suivi et à des analyses de sang permettant de déceler les effets secondaires et les bienfaits du traitement.

VÉRIFICATION DES RÉSULTATS

L'efficacité du traitement peut être démontrée par: la prévention et le traitement du sida, du parasida et des infections opportunistes chez les patients infectés par le VIH.

Z

ZINC, SULFATE DE

PMS-Egozinc, (Orazinc), (Scrip-Zinc), (Zincate), (Zinctrace), (Zinkaps)

CLASSIFICATION:
Supplément diététique – oligo-élément

Grossesse – catégorie inconnue

INDICATIONS

■ Traitement de substitution et supplément diététique chez les patients prédisposés à une carence en zinc incluant les patients recevant une nutrition parentérale à long terme. **Usages non approuvés:** ■ Traitement de l'acrodermatite enteropathica ■ Traitement du retard de la cicatrisation des plaies dû à la carence en zinc.

ACTION

■ Cofacteur dans de nombreuses réactions enzymatiques ■ Élément essentiel à la croissance normale et à la réparation des tissus, à la cicatrisation des plaies et au maintien du goût et du sens de l'odorat. **Effets thérapeutiques:** ■ Traitement de substitution en cas de carence.

PHARMACOCINÉTIQUE

Absorption: Faible absorption depuis le tractus gastro-intestinal (de 20 à 30 %).
Distribution: Le sulfate de zinc se répartit dans tout l'organisme. On le retrouve à fortes concentrations dans les muscles, les os, la peau, les reins, le foie, le pancréas, la rétine, la prostate, les érythrocytes et les leucocytes.
Métabolisme et excrétion: Une fraction de 90 % est excrétée dans les fèces, le reste est excrété dans l'urine et par la sueur.
Demi-vie: Inconnue.

CONTRE-INDICATIONS ET PRÉCAUTIONS

Contre-indications: ■ Hypersensibilité ou allergie à l'un des ingrédients de la préparation ■ Grossesse ou allaitement (quantités supplémentaires, supérieures à l'apport quotidien recommandé, chez les patientes enceintes et chez celles qui allaitent; voir l'annexe L).

Précautions: Insuffisance rénale.

RÉACTIONS INDÉSIRABLES ET EFFETS SECONDAIRES

GI: nausées, vomissements, irritation gastrique (administration PO seulement).

INTERACTIONS

Médicament – médicament: ■ Le zinc administré PO peut diminuer l'absorption des **tétracyclines** ou des **fluoroquinolones**. **Médicament – aliments:** ■ La **caféine**, les **produits laitiers** et le **son** peuvent diminuer l'absorption du zinc administré PO.

PRÉSENTATION

Le sulfate de zinc existe en association avec de nombreuses vitamines et des minéraux.

VOIES D'ADMINISTRATION ET POSOLOGIE

Remarque: Apport quotidien recommandé au Canada = 12 mg (hommes) et 9 mg (femmes). Sauf indication contraire, les doses sont exprimées en mg de zinc élémentaire. Le sulfate de zinc contient 23 % de zinc.

Supplément diététique
■ **PO (adultes):** de 25 à 50 mg par jour.

Supplément à la nutrition par voie IV – patients ayant un métabolisme stable
■ **IV (adultes):** de 2,5 à 4 mg par jour; 2 mg par jour de plus en cas de troubles cataboliques aigus.
■ **IV (nourrissons et enfants ≤ 5 ans):** 100 µg/kg par jour.
■ **IV (nourrissons prématurés < 3 000 g):** 300 µg/kg par jour.

Adultes ayant un métabolisme stable, mais chez lesquels on observe des pertes hydriques au niveau de l'intestin grêle
■ **IV (adultes):** ajouter 12,2 mg/L à la solution de nutrition parentérale totale.

Acrodermatite enteropathica et retard de la cicatrisation des plaies
■ **PO (adultes):** 220 mg, 3 fois par jour.

PHARMACODYNAMIE

	DÉBUT D'ACTION	PIC	DURÉE
PO	inconnu	inconnu	inconnue
IV	inconnue	inconnu	inconnue

☀ SOINS INFIRMIERS

ÉVALUATION DE LA SITUATION

□ Observer pendant toute la durée du traitement l'évolution des symptômes de la carence en zinc: retard de la cicatrisation des plaies, retard de croissance, perte du goût, perte du sens de l'odorat.

■ **Étude des examens diagnostiques et biochimiques:** Les concentrations sériques de zinc peuvent ne pas refléter avec précision une carence.

DIAGNOSTICS INFIRMIERS POSSIBLES

■ **Énoncés diagnostiques**
□ Déficit nutritionnel.
□ Prise en charge inefficace du programme thérapeutique.
□ *Risque élevé d'atteinte à l'intégrité de la peau.*
□ *Risque élevé d'altération de la perception olfactive et gustative.*

■ **Facteurs favorisants**
□ Informations incomplètes.
□ *Manque de connaissances sur la méthode d'administration du médicament.*
□ *Manque de connaissances sur le régime alimentaire à suivre.*
□ *Manque de connaissances sur les modalités du traitement.*

INTERVENTIONS INFIRMIÈRES

■ **PO:** Administrer les doses PO avec des aliments afin de réduire l'irritation gastrique. L'administration du sulfate de zinc avec de la caféine, des produits laitiers ou du son peut en altérer l'absorption.

■ **IV:** Le zinc est souvent inclus sous forme d'oligo-élément dans les préparations destinées à la nutrition parentérale préparées par le pharmacien.

ENSEIGNEMENT AU PATIENT ET À SES PROCHES

□ Inciter le patient à respecter scrupuleusement les recommandations diététiques du médecin. Lui expliquer que la meilleure source d'oligo-éléments est une alimentation bien équilibrée comprenant des aliments provenant des quatre principaux groupes alimentaires. Les aliments riches en zinc sont les fruits de mer, les abats et les germes de blé.

□ Prévenir les patients qui s'auto-administrent des suppléments vitaminiques qu'ils ne doivent pas dépasser l'apport quotidien recommandé (voir l'annexe L). L'efficacité des mégadoses dans le traitement de divers troubles médicaux reste à prouver et elles peuvent entraîner des effets secondaires.

□ Recommander au patient recevant le zinc PO de signaler au médecin les nausées ou les vomissements graves, les douleurs abdominales ou les selles goudronneuses.

□ Insister sur l'importance des examens de suivi permettant d'évaluer les bienfaits du traitement.

VÉRIFICATION DES RÉSULTATS

L'efficacité du traitement peut être démontrée par: ■ l'accélération de la cicatrisation des plaies ■ l'amélioration du goût ou du sens de l'odorat; de 6 à 8 semaines de traitement peuvent s'avérer nécessaires avant que les pleins effets du médicament puissent être observés ■ la résolution des lésions en cas d'acrodermatite.

ANNEXES

ANNEXE A

Associations médicamenteuses utilisées couramment

Remarque: Les médicaments ci-dessous sont énumérés dans l'ordre alphabétique de leur nom commercial. Le nom commercial est suivi du nom générique des ingrédients actifs qui composent le médicament. On trouve de plus amples renseignements sur toutes ces préparations en consultant la monographie de chacun des noms génériques inclus dans le guide. Les doses et les ingrédients inertes sont indiqués sur l'étiquette du médicament.

A ET D, ONGUENT – vitamines A et D

ACETAZONE FORTE – acétaminophène/chlorzoxasone

ACHROCIDIN – tétracycline/salicylamide

ACIDOBYL ET CASCARA – acide déhydrocholique/casanthranol/docusate sodique/ homatropine/sels biliaires

ACTIFED – pseudoéphédrine/triprolidine

ACTIFED DM – pseudoéphédrine/triprolidine/dextrométhorphane

ACTIFED PLUS EXTRA FORT – pseudoéphédrine/triprolidine/acétaminophène

ADVIL RHUME ET SINUS – ibuprofène/pseudoéphédrine

AGAROL, COMPRIMÉS – phénolphtaléine/aloïne

AGAROL LIQUIDE – phénolphtaléine/huile minérale/glycérine

ALBALON-A – naphazoline/antazoline

ALDACTAZIDe – hydrochlorothiazide/spironolactone

ALDORIL – hydrochlorothiazide/méthyldopa

ANACIN – aspirine/caféine

ANACIN AVEC CODÉINE – aspirine/caféine/codéine

ANA-KIT – épinéphrine/chlorphéniramine

ANCATROPINE, GOUTTES PÉDIATRIQUES – homatropine/butabarbital

ANTIVERT – niacine/méclizine

ANUSOL-HC – hydrocortisone/sulfate de zinc

APO-AMILZIDE – hydrochlorothiazide/amiloride

APO-CHLORAX – chlordiazépoxide/clidinium

APO-METHAZIDE – hydrochlorothiazide/méthyldopa

APO-TRIAZIDE – hydrochlorothiazide/triamtérène

AQUASOL A & D, GOUTTES – vitamines A et D hydrosolubles

ARISTOFORM « R » – acétonide de triamcinolone/clioquinol

ARTHROTEC – diclofénac/misoprostol

ASASANTINE – aspirine/dipyridamole

ASPIRIN PLUS GASTRAIDE – aspirine/carbonate de calcium/carbonate de magnésium/ oxyde de magnésium

ATASOL-8, -15, -30 – acétaminophène/codéine/caféine

AUREOCORT – acétonide de triamcinolone/chlortétracycline

AZO GANTRISIN – phénazopyridine/sulfisoxazole

BACTINE – lidocaïne/benzalkonium

BARRIERE-HC – hydrocortisone/silicone

BELLERGAL, BELLERGAL SPACETABS – belladone/ergotamine/phénobarbital

BENYLIN CODÉINE-D-E – guaifénésine/pseudoéphédrine/codéine

BENYLIN DM-D – pseudoéphédrine/dextrométhorphane

BENYLIN DM-D-E – guaifénésine/pseudoéphédrine/dextrométhorphane

BENYLIN DM-E – guaifénésine/dextrométhorphane

BIODERM – bacitracine/polymyxine B

BLEPHAMIDE, BLEPHAMIDE S.O.P. – acétate de prednisolone/sulfacétamide

BURO-SOL – acétate d'aluminium/chlorure de benzéthonium

CAFERGOT – ergotamine/caféine

CAFERGOT-PB – ergotamine/belladone/caféine/pentobarbital

CALADRYL – calamine/diphenhydramine

CALCITE D-500 – carbonate de calcium/vitamine D

CALCIUM-ROUGIER – glucoheptonate de calcium/gluconate de calcium

CALCIUM-SANDOZ FORTE – carbonate de calcium/gluconolactate de calcium

CALMURID HC – hydrocortisone/urée

CARBICARB – bicarbonate de sodium/carbonate de sodium

CELESTONE-S – bétaméthasone/sulfacétamide

CHLOR-TRIPOLON DÉCONGESTIONNANT – pseudoéphédrine/chlorphéniramine

CHLOR-TRIPOLON N.D. – pseudoéphédrine/loratadine

CHOLEDYL EXPECTORANT – oxtriphylline/guaifénésine

CITANEST FORTE – épinéphrine/prilocaïne

CLARITIN EXTRA – pseudoéphédrine/loratadine

COLY-MYCIN OTIQUE – colistine/néomycine/hydrocortisone/thonzonium

COMBIPRES – clonidine/chlorthalidone

CONTAC•C – phénylpropanolamine/chlorphéniramine

CONTAC•C, FORMULE POUR LE RHUME – acétaminophène/phénylpropanolamine/ chlorphéniramine/dextrométhorphane

CONTAC, FORMULE POUR LES SINUS – acétaminophène/pseudoéphédrine

CONTAC POUR LA NUIT – acétaminophène/acide ascorbique/phényléphrine/phéni- ramine

CORICIDIN « D » – chlorphéniramine/phénylpropanolamine

CORRECTOL – phénolphtaléine/docusate sodique

CORSYM – polistirex de phénylpropanolamine/polistirex de chlorphéniramine

CORTISPORIN – hydrocortisone/néomycine/polymyxine B

CORYPHEN-CODÉINE – aspirine/codéine

CORZIDE – nadolol/bendrofluméthiazide

DEPO-MEDROL AVEC LIDOCAÏNE – acétate de méthylprednisolone/lidocaïne

217, COMPRIMÉS – aspirine/caféine

222, 282, 292, COMPRIMÉS – aspirine/caféine/codéine

282 MEP, COMPRIMÉS – aspirine/méprobamate/caféine/codéine

DICLECTIN – pyridoxine/doxylamine

DILANTIN AVEC PHÉNOBARBITAL – phénytoïne/phénobarbital

DIMETANE EXPECTORANT – bromphéniramine/guaifénésine/phényléphrine/phényl- propanolamine

DIMETANE EXPECTORANT - C – bromphéniramine/guaifénésine/phényléphrine/phé- nylpropanolamine/codéine

DIMETANE EXPECTORANT - DC – hydrocodone/bromphéniramine/guaifénésine/phé- nyléphrine/phénylpropanola mine

DIMETAPP – bromphéniramine/phényléphrine/phénylpropanolamine

DIMETAPP-A SINUS – acétaminophène/phényléphrine/phénylpropanolamine

DIMETAPP-C – bromphéniramine/phényléphrine/phénylpropanolamine/codéine

DIMETAPP-DM – bromphéniramine/phényléphrine/phénylpropanolamine/dextromé- thorphane

DIOPHENYL-T – phényléphrine/tropicamide
DIOPTIMYD – acétate de prednisolone/sulfacétamide
DIOROUGE – phényléphrine/phéniramine
DIOVOL PLUS – hydroxyde d'aluminium/hydroxyde de magnésium/siméthicone
DIPROGEN – dipropionate de bétaméthasone/gentamicine
DIPROSALIC – dipropionate de bétaméthasone/acide salicylique
DONNAGEL – kaolin/pectine/atropine/hyoscyamine/scopolamine
DONNAGEL-PG – kaolin/pectine/extrait de poudre d'opium
DONNATAL – atropine/hyoscyamine/scopolamine/phénobarbital
DORCOL DM – dextrométhorphane/guaifénésine/noréphédrine
DOSS – docusate sodique/danthron
DOXIDAN – phénolphtaléine/docusate calcique
DRISTAN – phénylpropanolamine/chlorphéniramine/aspirine/caféine
DRISTAN, CAPSULES À EFFET PROLONGÉ – phénylpropanolamine/chlorphéniramine
DRISTAN EXTRA-FORT – phénylpropanolamine/chlorphéniramine/aspirine
DRISTAN, FORMULE P – phényléphrine/pyrilamine/aspirine/caféine
DRISTAN N.D. – pseudoéphédrine/acétaminophène
DRISTAN, VAPORISATEUR NASAL – phényléphrine/phéniramine
DRIXORAL – pseudoéphédrine/dexbromphéniramine
DRIXTAB – pseudoéphédrine/dexbromphéniramine
DUO-C.V.P. – acide ascorbique/bioflavonoïdes
DYAZIDE – hydrochlorothiazide/triamtérène
ELAVIL PLUS – perphénazine/amitriptyline
EMLA – lidocaïne/prilocaïne
EMPRACET-30, -60 – acétaminophène/codéine
EMTEC-30 – acétaminophène/codéine
ENTEX LA – guaifénésine/phénylpropanolamine
E-PILO – bitartrate d'épinéphrine/pilocarpine
EQUAGESIC – méprobamate/aspirine/éthoheptazine
ETRAFON – perphénazine/amitriptyline
EX-LAX FORMULE DOUCE – phénolphtaléine/docusate sodique
FANSIDAR – pyriméthamine/sulfadoxine
FIORINAL-C $^1/_4$, $^1/_2$ – butalbital/caféine/aspirine/codéine
FLAGYSTATIN – métronidazole/nystatine
FLAMAZINE C – sulfadiazine d'argent/chlorhexidine
FML-NEO – fluorométholone/néomycine
GARASONE – bétaméthasone/gentamicine
GAVISCON – hydroxyde d'aluminium/acide alginique
GLUCALOÏDES – gluconate de calcium/vitamine D
GRAMCAL – carbonate de calcium/gluconolactate de calcium
HEMCORT HC – hydrocortisone/sulfate de zinc
HYCOMINE, HYCOMINE-S – hydrocodone/pyrilamine/phényléphrine/ammonium
HYDROPRES – hydrochlorothiazide/réserpine
INDERIDE – hydrochlorothiazide/propranolol
INNOVAR – fentanyl/dropéridol
JACK & JILL, SIROP POUR LA TOUX – guaifénésine/pyrilamine
KENACOMB – acétonide de triamcinolone/néomycine/nystatine/gramicidine
K-MED – chlorure de potassium/chlorure de magnésium
LENOLTEC N^O 1, N^O 2, N^O 3 – acétaminophène/codéine/caféine

LENOLTEC N^O 4 – acétaminophène/codéine
LIBRAX – chlordiazépoxide/clidinium
LIDOSPORIN – polymyxine B/gramicidine/lidocaïne
LIPACTIN – héparine sodique/sulfate de zinc
LOTRIDERM – dipropionate de bétaméthasone/clotrimazole
MAALOX PLUS – hydroxyde d'aluminium/hydroxyde de magnésium/siméthicone
MEDROL – acétate de méthylprednisolone/aluminium/soufre
METIMYD – acétate de prednisolone/sulfacétamide
MODURET – hydrochlorothiazide/amiloride
MYLANTA (SAUF DOUBLE CONCENTRATION SIMPLE) – hydroxyde d'aluminium/hydroxyde
    de magnésium/siméthicone
NAPHCON-A – naphazoline/phéniramine
NEOCITRAN DM – dextrométhorphane/phéniramine/phényléphrine
NEO-CORTEF – hydrocortisone/néomycine
NEODECADRON – néomycine/dexaméthasone
NEO-MEDROL, CRÈME VERIDERM – acétate de méthylprednisolone/néomycine
NEO-PAUSE – valérate d'estradiol/énanthate de testostérone
NEOSPORIN – néomycine/polymyxine B/zinc de bacitracine
NOVAHISTEX C – codéine/phényléphrine
NOVAHISTEX DH – hydrocodone/phényléphrine
NOVAHISTEX DH Expectorant – hydrocodone/phényléphrine/guaifénésine
NOVAHISTEX DM AVEC DÉCONGESTIONNANT – pseudoéphédrine/dextrométhorphane
NOVAHISTEX DM EXPECTORANT AVEC DÉCONGESTIONNANT – pseudoéphédrine/dex-
    trométhorphane/guaifénésine
NOVAHISTEX EXPECTORANT AVEC DÉCONGESTIONNANT – guaifénésine/pseudoéphé-
    drine
NOVAHISTINE DH – hydrocodone/phényléphrine
NOVAHISTINE DM AVEC DÉCONGESTIONNANT – dextrométhorphane/pseudoéphédrine
NOVAHISTINE DM EXPECTORANT AVEC DÉCONGESTIONNANT – dextrométhorphane/
    pseudoéphédrine/guaifénésine
NOVAMILOR – hydrochlorothiazide/amiloride
NOVO-SPIROZINE – hydrochlorothiazide/spironolactone
NOVO-TRIAMZIDE – hydrochlorothiazide/triamtérène
NU-AMILZIDE – hydrochlorothiazide/amiloride
NU-TRIAZIDE – hydrochlorothiazide/triamtérène
NYQUIL – dextrométhorphane/éphédrine/doxylamine/acétaminophène
OPTIMYXIN – polymyxine B/gramicidine
OPTIMYXIN PLUS – polymyxine B/gramicidine/néomycine
ORNADE, ORNADE-A.F. – phénylpropanolamine/chlorphéniramine
ORNADE-DM – phénylpropanolamine/chlorphéniramine/dextrométhorphane
ORNADE EXPECTORANT – guaifénésine/phénylpropanolamine/chlorphéniramine
OS-CAL D – carbonate de calcium/cholécalciférol
PAMERGAN – prométhazine/péthidine
PARAFON FORTE – acétaminophène/chlorzoxasone
PEDIAZOLE – éthylsuccinate d'érythromycine/sulfisoxazole
PENNTUSS – codéine polistirex/chlorphéniramine polistirex
PEPTO-BISMOL COMPRIMÉS – carbonate de calcium/subsalicylate de bismuth
PERI-COLACE – docusate sodique/casanthranol
PHENAPHEN AVEC CODÉINE – phénobarbital/aspirine/codéine

PHENERGAN EXPECTORANT AVEC CODÉINE – prométhazine/gaïacolsulfonate de potassium/codéine

PHENERGAN EXPECTORANT SIMPLE – prométhazine/gaïacolsulfonate de potassium

PHENERGAN EXPECTORANT VC AVEC CODÉINE – prométhazine/phényléphrine/gaïacolsulfonate de potassium/codéine

PHENERGAN EXPECTORANT VC SIMPLE – prométhazine/gaïacolsulfonate de potassium/phényléphrine

PMS-LEVAZINE – amitriptyline/perphénazine

POLYSPORIN – polymyxine B/gramicidine ou bacitracine

POLYSPORIN, TRAITEMENT DES BRÛLURES – polymyxine B/gramicidine/lidocaïne

POTASSIUM-SANDOZ – chlorure de potassium/bicarbonate de potassium

PRAMOX HC – hydrocortisone/pramoxine

PREFRIN-A – phényléphrine/pyrilamine

PROCTOFOAM-HC – hydrocortisone/pramoxine

PRODIEM PLUS – psyllium/séné

PROLOPA – lévodopa/bensérazide

PROMATUSSIN DM – dextrométhorphane/prométhazine/pseudoéphédrine

PULMORPHAN – guaifénésine/dextrométhorphane/phéniramine/phényléphrine

PULMORPHAN PÉDIATRIQUE – dextrométhorphane/phéniramine/phényléphrine

REGULEX-D – docusate sodique/danthron

RIOPAN PLUS – magaldrate/siméthicone

ROBAXACET – méthocarbamol/acétaminophène

ROBAXACET-8 – méthocarbamol/acétaminophène/codéine

ROBAXISAL – méthocarbamol/aspirine

ROBAXISAL-C – méthocarbamol/aspirine/codéine

ROBITUSSIN AC – guaifénésine/codéine/phéniramine

ROBITUSSIN AVEC CODÉINE – guaifénésine/codéine/phéniramine

ROBITUSSIN CF – guaifénésine/phénylpropanolamine/dextrométhorphane

ROBITUSSIN DM – guaifénésine/dextrométhorphane

ROBITUSSIN PE – guaifénésine/pseudoéphédrine

SENOKOT/S – docusate sodique/sennosides

SINEMET, SINEMET CR – lévodopa/carbidopa

SINUTAB – pseudoéphédrine/acétaminophène/chlorphéniramine

SINUTAB AVEC CODÉINE – pseudoéphédrine/acétaminophène/chlorphéniramine/codéine

SINUTAB, FORMULE SANS SOMNOLENCE – pseudoéphédrine/acétaminophène

SINUTAB SA – acétaminophène/phénylpropanolamine/phényltoloxamine

SLOW-FE FOLIC – sulfate ferreux/acide folique

SOPAMYCETIN/HC – hydrocortisone/chloramphénicol

STELABID – trifluopérazine/isopropamide

STIEVAMYCIN – érythromycine/trétinoïne

SUDAFED DM – dextrométhorphane/pseudoéphédrine

SUDAFED EXPECTORANT – guaifénésine/pseudoéphédrine

SUDAFED SINUS EXTRA-FORT – acétaminophène/pseudoéphédrine

SUDAFED TOUX & RHUME EXTRA-FORT – acétaminophène/pseudoéphédrine/dextrométhorphane

SUPRES – méthyldopa/chlorothiazide

TENORETIC – aténolol/chlorthalidone

THEO-BRONC – théophylline/iodure de potassium/guaifénésine

TIMOLIDE – hydrochlorothiazide/timolol

TIMPILO – pilocarpine/timolol

TOBRADEX – dexaméthasone/tobramycine

TRIAMINIC DM BONNE NUIT – dextrométhorphane/chlorphéniramine/pseudoéphédrine

TRIAMINIC-DM EXPECTORANT – guaifénésine/dextrométhorphane/phéniramine/noréphédrine/pyrilamine

TRIAMINIC EXPECTORANT – guaifénésine/phéniramine/noréphédrine/pyrilamine

TRIAMINIC EXPECTORANT DH – guaifénésine/phéniramine/noréphédrine/pyrilamine/hydrocodone

TRIAMINICOL DM – dextrométhorphane/phéniramine/noréphédrine/pyrilamine

TRIATEC-30 – acétaminophène/codéine

TRIAVIL – perphénazine/amitriptyline

TRINALIN – pseudoéphédrine/azatadine

TUINAL – sécobarbital/amobarbital

TUSSIONEX – hydrocodone/phényltoloxamine

TYLENOL N^O 1, N^O 2, N^O 3 – acétaminophène/codéine/caféine

TYLENOL N^O 4 – acétaminophène/codéine

TYLENOL, AVEC CODÉINE, ÉLIXIR – acétaminophène/codéine

TYLENOL, MÉDICAMENT POUR LE RHUME (ENFANTS) – chlorphéniramine/pseudoéphédrine/acétaminophène

TYLENOL, MÉDICAMENT POUR LE RHUME (JOUR) – pseudoéphédrine/acétaminophène/dextrométhorphane

TYLENOL, MÉDICAMENT POUR LE RHUME (NUIT) – chlorphéniramine/pseudoéphédrine/acétaminophène/dextrométhorphane

TYLENOL, MÉDICAMENT POUR LE RHUME, AVEC DM (ENFANTS) – chlorphéniramine/pseudoéphédrine/acétaminophène/dextrométhorphane

TYLENOL, MÉDICAMENT RHUME ET GRIPPE – chlorphéniramine/pseudoéphédrine/acétaminophène/dextrométhorphane

TYLENOL, MÉDICAMENT POUR LES SINUS – pseudoéphédrine/acétaminophène

UREMOL-HC – hydrocortisone/urée

VALISONE-G – valérate de bétaméthasone/gentamicine

VASERETIC – hydrochlorothiazide/énalapril

VASOCIDIN – prednisolone/sulfacétamide

VASOCON-A – naphazoline/antazoline

VASOFRINIC PLUS – guaifénésine/chlorphéniramine/pseudoéphédrine/dextrométhorphane

VASOSULF – phényléphrine/sulfacétamide

VICKS FORMULE 44D – pseudoéphédrine/dextrométhorphane

VICKS FORMULE 44E – guaifénésine/dextrométhorphane

VICKS FORMULE 44M – pseudoéphédrine/dextrométhorphane/chlorphéniramine/acétaminophène

VICKS FORMULE PÉDIATRIQUE 44M – pseudoéphédrine/dextrométhorphane/chlorphéniramine

VICKS, SIROP POUR LA TOUX – guaifénésine/carbétapentane/éphédrine

VIOFORM HYDROCORTISONE – hydrocortisone/clioquinol

VISKAZIDE – hydrochlorothiazide/pindolol

ZESTORETIC – hydrochlorothiazide/lisinopril

ZINCFRIN – phényléphrine/sulfate de zinc

ZINCFRIN-A – naphazoline/antazoline/sulfate de zinc

ANNEXE B

Analgésiques narcotiques – doses équianalgésiques

DOSES ÉQUIANALGÉSIQUES DES ANALGÉSIQUES NARCOTIQUES

	VOIE*	DOSE ÉQUIANAL- GÉSIQUE (mg)†	DURÉE (h)	DEMI-VIE PLASMA- TIQUE (h)	REMARQUES
Agonistes narcotiques					
morphine, sulfate de	IM	10	4–6	2–3,5	Agent de référence; autres présentations: comprimés ou capsules à libération prolongée et suppositoires rectaux.
	PO	30	4–7		
codéine	IM	130	4–6	3	Usage conseillé: analgésique narcotique de premier recours.
	PO	200	4–6		
oxycodone, chlorhydrate d' (Supendol)	IM	15		—	Effet de courte durée; présentation parentérale inexistante; autres présentations: comprimés à 2,5 ou à 5 mg en association avec l'aspirine ou l'acétaminophène et suppositoires rectaux.
	PO	30	3–5		
héroïne	IM	5	4–5	0,5	Substance prohibée aux É.-U. et au Canada; la forme parentérale est très soluble; la diamorphine est délivrée dans les hôpitaux seulement.
	PO	60	4–5		
lévorphanol, tartrate de (Levo-Dromoran)	IM	2	4–6	12–16	Préparation orale puissante; il faut adapter très soigneusement les doses initiales pour éviter l'accumulation du médicament.
	PO	4	4–7		
hydromorphone, chlorhydrate d' (Dilaudid)	IM	1,5	4–5	2–3	Présentation: suppositoires rectaux, préparation injectable très puissante (10 mg/mL) à l'usage des patients cachectiques, plus soluble que la morphine.
	PO	7,5	4–6		
oxymorphone, chlorhydrate d' (Numorphan)	IM	1	4–6	2–3	Présentation: préparation parentérale et suppositoires rectaux.
	PR	10	4–6		
mépéridine, chlorhydrate de (Demerol) (Pamergan en association avec la prométhazine)	IM	75	2–4	3–8	Contre-indication: maladie rénale; l'accumulation du métabolite actif est toxique, la normépéridine entraîne la stimulation du SNC.
	PO	300	4–6	12–16	
méthadone, chlorhydrate de	IM	10	4–6	15–30	Préparation orale puissante; il faut adapter très soigneusement la dose initiale pour éviter l'accumulation du médicament.
	PO	20			
Médicaments antagonistes-agonistes					
pentazocine (Talwin)	IM	60	4–6	2–3	Usage non recommandé pour le soulagement de la douleur cancéreuse; les effets psychosomimétiques augmentent avec la dose; risque de symptômes de sevrage chez les patients physicodépendants.
	PO	180	4–7		

DOSES ÉQUIANALGÉSIQUES DES ANALGÉSIQUES NARCOTIQUES

	VOIE[*]	DOSE ÉQUIANAL-GÉSIQUE (mg)[†]	DURÉE (h)	DEMI-VIE PLASMA-TIQUE (h)	REMARQUES
nalbuphine, chlorhydrate de (Nubain)	IM PO	10 —	4–6	5	Présentation orale inexistante; effets psychosomimétiques moins graves que ceux entraînés par la pentazocine; risque de symptômes de sevrage chez les patients physicodépendants.
butorphanol, tartrate de (Stadol)	IM PO	2 —	3–4	2,5–3,5	Ce médicament n'est pas vendu au Canada; présentation orale inexistante aux É.-U.; effets psychosomimétiques; risque de symptômes de sevrage chez les patients physico-dépendants.
Agonistes partiels					
buprénorphine, chlorhydrate de (Buprenex)	IM subling.	0,4 0,8	4–6 5–6	2–3	Ce médicament n'est pas vendu au Canada; absence d'effet psychosomimétique; risque de symptômes de sevrage en cas de tolérance.
dézocine (Dalgan)	IM	10	3–6	2,4	Ce médicament n'est pas vendu au Canada; présentation orale inexistante aux É.-U.; effets psychosomimétiques négligeables; risque de symptômes de sevrage chez les patients physicodépendants.

* IM = voie intramusculaire; subling. = voie sublinguale; PO = voie orale; PR = voie rectale.

† Selon des études qui visaient à établir la puissance relative de chacun des médicaments énumérés, en comparant les effets d'une seule dose par voie IM à ceux de la morphine. Les doses par voie orale sont celles que l'on recommande lorsqu'on passe de la voie parentérale à la voie orale. Chez les patients n'ayant pas reçu de narcotique antérieurement, la dose de départ recommandée par voie orale est de 30 mg pour la morphine, de 5 mg pour la méthadone, de 2 mg pour le lévorphanol et de 4 mg pour l'hydromorphone.

Source : Tiré de P.G. Fine, *Cancer pain : Assessment and management*, Hospital Formulary, vol. 22, n° 936, 1987.

Résumé des règlements concernant les stupéfiants et les drogues contrôlées: pharmacie communautaire

	ORDONNANCES				
	VENTES RAPPORTABLES	RÉPÉTITIONS	EXÉCUTIONS PARTIELLES	ÉCRITES	VERBALES
I Stupéfiants					
1 stupéfiant: cocaïne, Darvon-N, Dilaudid, Frosst 642, linctus de codéine, morphine, teinture d'opium, teinture d'opium camphrée*					
1 stupéfiant + 1 ingrédient actif non stupéfiant: Coryphen + codéine, Cophylac, Empracet-30,-60, Penntuss, Tylenol No. 4 avec codéine, Darvon-N + AAS*	Oui (1)	Non	Oui (4)	Oui	Non
Toutes formes injectables de stupéfiants: Demerol, Sedol, Sublimaze*					
Hydrocodone, oxycodone et pentazocine: Tout produit contenant de l'hydrocodone, de l'oxycodone ou de la pentazocine*					
Méthadone et héroïne: Tout produit contenant de la méthadone ou de l'héroïne**					
Stupéfiants d'ordonnance verbale: *1 stupéfiant + 2 ingrédients actifs non-stupéfiants:* Cophylac Expectorant, Darvon-N composé, Fiorinal + codéine, Frosst 282, 292, Frosst 692*	Non	Non	Oui (5)	Oui	Oui
Composés de codéine exonérés: *codéine, jusqu'à 8 mg/comprimé ou 20 mg/30 ml liquide + 2 ingrédients actifs non-stupéfiants:* Atasol-8, Frosst 222, Robitussin avec codéine*	Non	Non	Oui (5)	Oui	Oui
II Drogues contrôlées					
1 drogue contrôlée ou plus:* Amphétamines: Dexédrine Phelantin Méthylphénidate: Ritalin Pentobarbital: Nembutal Somnotol(Vét) Sécobarbital: Seconal Tuinal	Oui	Oui (2)	Oui (5)	Oui	Oui
Préparations de drogues contrôlées: *1 drogue contrôlée + 1 ou plusieurs ingrédient(s) actif(s) non-drogue(s) contrôlée(s):* Cafergot PB, Carbrital*	Non	Oui (2)	Oui (5)	Oui	Oui

	ORDONNANCES				
	VENTES RAPPORTABLES	RÉPÉTITIONS	EXÉCUTIONS PARTIELLES	ÉCRITES	VERBALES

III Drogues contrôlées à l'Annexe au Règlement

1 drogue contrôlée ou plus[*] :					
Acide thiobarbiturique					
Barbituriques : amobarbital phénobarbital					
Butorphanol : Torbugesic[(Vét)] Torbutol[(Vét)]					
Diéthylpropion : Tenuate	Non	Oui	Oui	Oui	Oui
Nalbuphine : Nubain		(3)	(5)		
Phentermine : Fastin, Ionamin					
Stéroïdes androgènes-anaboliques : décanoate de nandrolone méthyltestostérone					
Préparations de drogues contrôlées à l'Annexe au Règlement :					
1 drogue contrôlée + 1 ou plusieurs ingrédient(s) actif(s) non-drogue(s) contrôlée(s) ou plus :	Non	Oui	Oui	Oui	Oui
Fiorinal, Néo-Pause, Tecnal[*]		(3)	(5)		

(1) Le dextropropoxyphène pur requiert une ordonnance écrite et signée, mais les ventes ne sont pas rapportables.

(2) Si ordonnances écrites, signées et datées indiquant le nombre de répétitions. Des copies d'ordonnances doivent être rédigées avec référence à l'ordonnance originale. De plus, inscrire sur l'ordonnance originale : le nouveau numéro, la date de la répétition, la quantité dispensée et les initiales du (de la) pharmacien(ne). Renouvellement interdit s'il s'agit d'une ordonnance verbale.

(3) Comme au point (2) mais peut aussi inclure les ordonnances verbales.

(4) Ordonnances écrites, signées et datées seulement. Des copies d'ordonnance doivent être rédigées avec référence à l'ordonnance originale. De plus, inscrire sur l'ordonnance originale : le nouveau numéro, la date de l'exécution partielle, la quantité dispensée et les initiales du (de la) pharmacien(ne).

(5) Comme au point (4) mais ordonnances verbales.

A. Les achats de stupéfiants ou de drogues contrôlées, ou des deux, doivent être consignés au registre approprié.

B. Rapporter au Bureau des drogues dangereuses (B.D.D.), dans les 10 jours, toute perte ou tout vol de stupéfiants et(ou) drogues contrôlées ainsi que les fausses ordonnances dans les plus brefs délais.

C. Pour de plus amples détails, consulter les textes de la Loi sur les stupéfiants, la Loi sur les aliments et drogues et leurs Règlements.

[*]   Consulter le CPS pour d'autres exemples.

[**] L'héroïne n'est disponible que dans les hôpitaux.

[(Vét)] Signifie pour usage vétérinaire seulement.

Ce tableau est tiré du Compendium des produits et des spécialités pharmaceutiques (CPS) 1993 ; il est reproduit avec la permission de l'Association pharmaceutique canadienne.

ANNEXE D

Tableau des vitesses de perfusion

ALTEPLASE (Activase rt-PA, Lysatec rt-PA)

Dilution : fiole de 20 mg avec 20 mL de diluant ou fiole de 50 mg avec 50 mL de diluant = 1 mg/mL.

Alteplase 1 mg/mL poids > 65 kg	dose (vol.) première heure* 60 mg (60 mL)	dose (vol.) deuxième heure 20 mg (20 mL)	dose (vol.) troisième heure 20 mg (20 mL)
Alteplase 1 mg/mL poids < 65 kg	dose (mg/kg) première heure** 0,75 mg/kg	dose (mg/kg) deuxième heure 0,25 mg/kg	dose (mg/kg) troisième heure 0,25 mg/kg

* Administrer au départ de 6 à 10 mg (de 6 à 10 mL) en bolus en une minute ou deux.
** Administrer au départ de 0,075 à 0,125 mg/kg de cette dose en bolus en une minute ou deux.

AMINOPHYLLINE

Dilution : 250 mg dans 250 mL ; 500 mg dans 500 mL ; 1 000 mg dans 1 000 mL = 1 mg/mL.
La dose d'attaque chez les patients n'ayant pas reçu d'aminophylline dans les 24 heures précédentes est de 5,6 mg/kg (5,6 mL/kg) de la dilution précitée, administrée en 20 minutes.

Vitesses de la perfusion d'aminophylline (mL/h)
Concentration = 1 mg/mL

Dose	\multicolumn{6}{c}{Poids du patient}

Dose	50 kg	60 kg	70 kg	80 kg	90 kg	100 kg
dose d'attaque (mg)*	280 mg	336 mg	392 mg	448 mg	504 mg	560 mg
0,9 mg/kg/h	45 mL/h	54 mL/h	63 mL/h	72 mL/h	81 mL/h	90 mL/h
0,8 mg/kg/h	40 mL/h	48 mL/h	56 mL/h	64 mL/h	72 mL/h	80 mL/h
0,7 mg/kg/h	35 mL/h	42 mL/h	49 mL/h	56 mL/h	63 mL/h	70 mL/h
0,6 mg/kg/h	30 mL/h	36 mL/h	42 mL/h	48 mL/h	54 mL/h	60 mL/h
0,5 mg/kg/h	25 mL/h	30 mL/h	35 mL/h	40 mL/h	45 mL/h	50 mL/h
0,4 mg/kg/h	20 mL/h	24 mL/h	28 mL/h	32 mL/h	36 mL/h	40 mL/h
0,3 mg/kg/h	15 mL/h	18 mL/h	21 mL/h	24 mL/h	27 mL/h	30 mL/h
0,2 mg/kg/h	10 mL/h	12 mL/h	14 mL/h	16 mL/h	18 mL/h	20 mL/h
0,1 mg/kg/h	5 mL/h	6 mL/h	7 mL/h	8 mL/h	9 mL/h	10 mL/h

* La dose d'attaque doit être administrée en 20 minutes.

AMRINONE (Inocor)

Dilution : 100 mg/100 mL = 1 mg/mL.
Diluer dans une solution de chlorure de sodium à 0,45 ou à 0,9 %.
Dose d'attaque : 0,75 mg/kg (0,75 mL/kg) en 2 ou 3 minutes.
Pour calculer la vitesse de perfusion (mL/min), multiplier le poids (kg) du patient par la dose en mL/kg/min.
Pour calculer la vitesse de perfusion (mL/h), multiplier le poids (kg) du patient par la dose en mg/kg/min × 60.

Vitesses de la perfusion d'amrinone (mL/h)
Concentration = 1 mg/mL

Dose	Poids du patient					
	50 kg	60 kg	70 kg	80 kg	90 kg	100 kg
dose d'attaque (mg)*	37,5 mg	45 mg	52,5 mg	60 mg	67,5 mg	75 mg
5 µg/kg/min	15 mL/h	18 mL/h	21 mL/h	24 mL/h	27 mL/h	30 mL/h
6 µg/kg/min	18 mL/h	21,6 mL/h	25,5 mL/h	28,8 mL/h	32,4 mL/h	36 mL/h
7 µg/kg/min	21 mL/h	25,2 mL/h	29,4 mL/h	33,6 mL/h	37,8 mL/h	42 mL/h
8 µg/kg/min	24 mL/h	28,8 mL/h	33,6 mL/h	38,4 mL/h	43,2 mL/h	48 mL/h
9 µg/kg/min	27 mL/h	32,4 mL/h	37,8 mL/h	43,2 mL/h	48,6 mL/h	54 mL/h
10 µg/kg/min	30 mL/h	36 mL/h	42 mL/h	48 mL/h	54 mL/h	60 mL/h

* La dose d'attaque doit être administrée en 2 ou 3 minutes.

BRÉTYLIUM (Bretylate)

A. En cas d'arythmies ventriculaires mettant la vie en danger (fibrillation ventriculaire ou tachycardie ventriculaire instable du point de vue hémodynamique): Administrer par intraveineuse rapide 5 mg/kg (0,1 mL/kg) de médicament *non dilué*. La concentration de médicament non dilué = 50 mg/mL.

Injection IV rapide de brétylium non dilué
La dose est indiquée en volume d'injection à 50 mg/mL de brétylium non dilué.

Dose	Poids du patient					
	50 kg	60 kg	70 kg	80 kg	90 kg	100 kg
5 mg/kg	5 mL	6 mL	7 mL	8 mL	9 mL	10 mL

B. En cas d'autres arythmies ventriculaires: Dilution: 2 g/500 mL = 4 mg/mL. Administrer par voie IV 5 à 10 mg/kg (1,25 à 2,5 mL/kg) en 10 à 30 minutes. On peut répéter l'administration de cette dose toutes les 6 heures ou administrer en perfusion continue à raison de 1 à 2 mg/min.

Vitesses de la perfusion intermittente de brétylium
Volume de brétylium dilué à administrer en 10 à 30 minutes
Concentration = 4 mg/mL

Dose	Poids du patient					
	50 kg	60 kg	70 kg	80 kg	90 kg	100 kg
5 mg/kg	62,5 mL	75 mL	87,5 mL	100 mL	112,5 mL	125 mL
6 mg/kg	75 mL	90 mL	105 mL	120 mL	135 mL	150 mL
7 mg/kg	87,5 mL	105 mL	122,5 mL	140 mL	157,5 mL	175 mL
8 mg/kg	100 mL	120 mL	140 mL	160 mL	180 mL	200 mL
9 mg/kg	112,5 mL	135 mL	157,5 mL	180 mL	202,5 mL	225 mL
10 mg/kg	125 mL	150 mL	175 mL	200 mL	225 mL	250 mL

Vitesses de la perfusion continue de brétylium
Concentration = 4 mg/mL

Dose mg/min	Dose mL/h
1,0 mg/min	15 mL/h
1,5 mg/min	23 mL/h
2,0 mg/min	30 mL/h

DOBUTAMINE (Dobutrex)

Dilution : 250 mg/1 000 mL = 250 μg/mL ;
500 mg/1 000 mL = 500 μg/mL ;
1 000 mg/1 000 mL = 1 000 μg/mL.

Pour calculer la vitesse de perfusion (mL/min), multiplier le poids (kg) du patient par la dose en mL/kg/min.
Pour calculer la vitesse de perfusion (mL/h), multiplier le poids (kg) du patient par la dose en mL/kg/min × 60.

Vitesses de la perfusion de dobutamine (mL/h)
Concentration = 250 μg/mL

Dose	Poids du patient					
	50 kg	60 kg	70 kg	80 kg	90 kg	100 kg
2,5 μg/kg/min	30 mL/h	36 mL/h	42 mL/h	48 mL/h	54 mL/h	60 mL/h
5 μg/kg/min	60 mL/h	72 mL/h	84 mL/h	96 mL/h	108 mL/h	120 mL/h
7,5 μg/kg/min	90 mL/h	108 mL/h	126 mL/h	144 mL/h	162 mL/h	180 mL/h
10 μg/kg/min	120 mL/h	144 mL/h	168 mL/h	192 mL/h	216 mL/h	240 mL/h

Vitesses de la perfusion de dobutamine (mL/h)
Concentration = 500 μg/mL

Dose	Poids du patient					
	50 kg	60 kg	70 kg	80 kg	90 kg	100 kg
2,5 μg/kg/min	15 mL/h	18 mL/h	21 mL/h	24 mL/h	27 mL/h	30 mL/h
5 μg/kg/min	30 mL/h	36 mL/h	42 mL/h	48 mL/h	54 mL/h	60 mL/h
7,5 μg/kg/min	45 mL/h	54 mL/h	63 mL/h	72 mL/h	81 mL/h	90 mL/h
10 μg/kg/min	60 mL/h	72 mL/h	84 mL/h	96 mL/h	108 mL/h	120 mL/h

Vitesses de la perfusion de dobutamine (mL/h)
Concentration = 1 000 μg/mL

Dose	Poids du patient					
	50 kg	60 kg	70 kg	80 kg	90 kg	100 kg
2,5 μg/kg/min	7,5 mL/h	9 mL/h	10,5 mL/h	12 mL/h	13,5 mL/h	15 mL/h
5 μg/kg/min	15 mL/h	18 mL/h	21 mL/h	24 mL/h	27 mL/h	30 mL/h
7,5 μg/kg/min	22,3 mL/h	27 mL/h	31,5 mL/h	36 mL/h	40,5 mL/h	45 mL/h
10 μg/kg/min	30 mL/h	36 mL/h	41 mL/h	48 mL/h	54 mL/h	60 mL/h

DOPAMINE (Intropin, Revimine)

Dilution : 200 mg/500 mL = 400 μg/mL ;
400 mg/500 mL = 800 μg/mL ;
800 mg/500 mL = 1 600 μg/mL.

Pour calculer la vitesse de perfusion (mL/min), multiplier le poids (kg) du patient par la dose en mL/kg/min.
Pour calculer la vitesse de perfusion (mL/h), multiplier le poids (kg) du patient par la dose en mL/kg/min × 60.

---

* Concentration appropriée en cas de restriction hydrique.

Vitesses de la perfusion de dopamine (mL/h)
Concentration = 400 µg/mL

Dose	Poids du patient					
	50 kg	60 kg	70 kg	80 kg	90 kg	100 kg
2 µg/kg/min	15 mL/h	18 mL/h	21 mL/h	24 mL/h	27 mL/h	30 mL/h
5 µg/kg/min	37,5 mL/h	45 mL/h	52,5 mL/h	60 mL/h	67,5 mL/h	75 mL/h
10 µg/kg/min	75 mL/h	90 mL/h	105 mL/h	120 mL/h	135 mL/h	150 mL/h
20 µg/kg/min	150 mL/h	180 mL/h	210 mL/h	240 mL/h	270 mL/h	300 mL/h
30 µg/kg/min	225 mL/h	270 mL/h	315 mL/h	360 mL/h	405 mL/h	450 mL/h
40 µg/kg/min	300 mL/h	360 mL/h	420 mL/h	480 mL/h	540 mL/h	600 mL/h
50 µg/kg/min	375 mL/h	450 mL/h	525 mL/h	600 mL/h	675 mL/h	750 mL/h

Vitesses de la perfusion de dopamine (mL/h)
Concentration = 800 µg/mL

Dose	Poids du patient					
	50 kg	60 kg	70 kg	80 kg	90 kg	100 kg
2 µg/kg/min	7,5 mL/h	9 mL/h	10,5 mL/h	12 mL/h	13,5 mL/h	15 mL/h
5 µg/kg/min	18,8 mL/h	22,5 mL/h	26,3 mL/h	30 mL/h	33,8 mL/h	37,5 mL/h
10 µg/kg/min	37,5 mL/h	45 mL/h	52,5 mL/h	60 mL/h	67,5 mL/h	75 mL/h
20 µg/kg/min	75 mL/h	90 mL/h	105 mL/h	120 mL/h	135 mL/h	150 mL/h
30 µg/kg/min	112,5 mL/h	135 mL/h	157,5 mL/h	180 mL/h	202,5 mL/h	225 mL/h
40 µg/kg/min	150 mL/h	180 mL/h	210 mL/h	240 mL/h	270 mL/h	300 mL/h
50 µg/kg/min	187,5 mL/h	225 mL/h	262,5 mL/h	300 mL/h	337,5 mL/h	375 mL/h

Vitesses de la perfusion de dopamine (mL/h)
Concentration = 1 600 µg/mL[*]

Dose	Poids du patient					
	50 kg	60 kg	70 kg	80 kg	90 kg	100 kg
2 µg/kg/min	3,8 mL/h	4,5 mL/h	5,3 mL/h	6 mL/h	6,8 mL/h	7,5 mL/h
5 µg/kg/min	9,4 mL/h	11,2 mL/h	13,1 mL/h	15 mL/h	16,9 mL/h	18,7 mL/h
10 µg/kg/min	18,8 mL/h	22,5 mL/h	26,3 mL/h	30 mL/h	33,8 mL/h	37,5 mL/h
20 µg/kg/min	37,5 mL/h	45 mL/h	52,5 mL/h	60 mL/h	67,5 mL/h	75 mL/h
30 µg/kg/min	56,3 mL/h	67,5 mL/h	78,8 mL/h	90 mL/h	101,3 mL/h	112,5 mL/h
40 µg/kg/min	75 mL/h	90 mL/h	105 mL/h	120 mL/h	135 mL/h	150 mL/h
50 µg/kg/min	93,8 mL/h	112,5 mL/h	131,3 mL/h	150 mL/h	168,8 mL/h	187,5 mL/h

* Concentration appropriée en cas de restriction hydrique.

ÉPINÉPHRINE (Adrenalin)

Dilution : 1 mg/250 mL = 4 µg/mL.

Vitesses de la perfusion d'épinéphrine (mL/h)
Concentration = 4 µg/mL

Dose (µg/min)	Dose (mL/h)
1 µg/min	15 mL/h
2 µg/min	30 mL/h
3 µg/min	45 mL/h
4 µg/min	60 mL/h

ESMOLOL (Brevibloc)

Dilution : 5 g/500 mL = 10 mg/mL.
Schéma posologique d'attaque = dose d'attaque de 500 µg/kg (0,05 mL/kg) administrée en 1 minute, puis perfusion de 50 µg/kg/min (0,005 mL/kg/min) en 4 minutes. En l'absence de réponse, répéter l'administration de la dose d'attaque en 1 minute, puis accroître la vitesse de perfusion à 100 µg/kg/min pendant 4 à 10 minutes. En l'absence de réponse, on peut répéter l'administration de la dose d'attaque avant d'accroître la vitesse de perfusion par paliers de 50 µg/kg/min.

Vitesses de la perfusion d'esmolol
Concentration = 10 mg/mL

Dose	Poids du patient					
	50 kg	**60 kg**	**70 kg**	**80 kg**	**90 kg**	**100 kg**
dose d'attaque (mL)*	2,5 mL	3 mL	3,5 mL	4 mL	4,5 mL	5 mL
50 µg/kg/min	15 mL/h	18 mL/h	21 mL/h	24 mL/h	27 mL/h	30 mL/h
75 µg/kg/min	22,5 mL/h	27 mL/h	31,5 mL/h	36 mL/h	40,5 mL/h	45 mL/h
100 µg/kg/min	30 mL/h	36 mL/h	42 mL/h	48 mL/h	54 mL/h	60 mL/h
125 µg/kg/min	37,5 mL/h	45 mL/h	52,5 mL/h	60 mL/h	67,5 mL/h	75 mL/h
150 µg/kg/min	45 mL/h	54 mL/h	63 mL/h	72 mL/h	81 mL/h	90 mL/h
175 µg/kg/min	52,5 mL/h	63 mL/h	73,5 mL/h	84 mL/h	94,5 mL/h	105 mL/h
200 µg/kg/min	60 mL/h	72 mL/h	84 mL/h	96 mL/h	108 mL/h	120 mL/h

* La dose d'attaque est administrée en une minute.

HÉPARINE (Hepalean, Calcilean)

Dilution : 20 000 unités/1 000 mL = 20 unités/mL.
Dose d'attaque : 1 000 à 2 000 unités administrées sous forme de bolus.

Vitesses de la perfusion d'héparine (mL/h)
Concentration = 20 unités/mL

Dose (unités/h)	Dose (mL/h)
500 unités/h	25 mL/h
750 unités/h	37,5 mL/h
1 000 unités/h	50 mL/h
1 250 unités/h	62,5 mL/h
1 500 unités/h	75 mL/h
1 750 unités/h	87,5 mL/h
2 000 unités/h	100 mL/h

ISOPROTÉRÉNOL (Isuprel)

Dilution : 2 mg/500 mL.

Vitesses de la perfusion d'isoprotérénol (mL/h)
Concentration = 4 µg/mL

Dose (µg/min)	Dose (mL/h)
2 µg/min	30 mL/h
5 µg/min	75 mL/h
10 µg/min	150 mL/h
15 µg/min	225 mL/h
20 µg/min	300 mL/h

LIDOCAÏNE (Xylocaïne)

Dilution : 1 g/1 000 mL = 1 mg/mL ;
2 g/1 000 mL = 2 mg/mL ;
4 g/1 000 mL = 4 mg/mL ;
8 g/1 000 mL = 8 mg/mL.

Dose d'attaque : 50 à 100 mg à un débit de 25 à 50 mg/min.

Vitesses de la perfusion de lidocaïne (mL/h)

Dose (mg/min)	Concentration			
	1 mg/mL	2 mg/mL	4 mg/mL	8 mg/mL
1 mg/min	60 mL/h	30 mL/h	15 mL/h	7,5 mL/h
2 mg/min	120 mL/h	60 mL/h	30 mL/h	15 mL/h
3 mg/min	180 mL/h	90 mL/h	45 mL/h	22,5 mL/h
4 mg/min	240 mL/h	120 mL/h	60 mL/h	30 mL/h

NITROGLYCÉRINE (Tridil)

Dilution : 5 mg/100 mL (25 mg/500 mL, 50 mg/1 000 mL) = 50 µg/mL ;
25 mg/250 mL (50 mg/500 mL, 100 mg/1 000 mL) = 100 µg/mL ;
50 mg/250 mL (100 mg/500 mL, 200 mg/1 000 mL) = 200 µg/mL.

Il faut noter que les divers produits commercialisés devraient être utilisés avec les tubulures de perfusion appropriées. L'utilisation d'autres tubulures pourrait modifier la réponse à une dose donnée.

Vitesses de la perfusion de nitroglycérine (mL/h)

Dose (µg/min)	Concentration		
	50 µg/mL	100 µg/mL	200 µg/mL
2,5 µg/min	3 mL/h	1,5 mL/h	0,75 mL/h
5 µg/min	6 mL/h	3 mL/h	1,5 mL/h
10 µg/min	12 mL/h	6 mL/h	3 mL/h
15 µg/min	18 mL/h	9 mL/h	4,5 mL/h
20 µg/min	24 mL/h	12 mL/h	6 mL/h
30 µg/min	36 mL/h	18 mL/h	9 mL/h
40 µg/min	48 mL/h	24 mL/h	12 mL/h
50 µg/min	60 mL/h	30 mL/h	15 mL/h
60 µg/min	72 mL/h	36 mL/h	18 mL/h

NITROPRUSSIDE (Nipride)

Dilution : 50 mg/1 000 mL = 50 µg/mL ;
100 mg/1 000 mL = 100 µg/mL ;
200 mg/1 000 mL = 200 µg/mL.

Pour calculer la vitesse de perfusion (mL/min), il suffit de multiplier le poids (kg) du patient par la dose en mL/kg/min.
Pour calculer la vitesse de perfusion (mL/h), il suffit de multiplier le poids (kg) du patient par la dose en mL/kg/min × 60.

Vitesses de la perfusion de nitroprusside (mL/h)

Dose (µg/kg/min)	Concentration		
	50 µg/mL	100 µg/mL	200 µg/mL
0,5 µg/kg/min	0,01 mL/kg/min	—	—
1 µg/kg/min	0,02 mL/kg/min	0,01 mL/kg/min	—
2 µg/kg/min	0,04 mL/kg/min	0,02 mL/kg/min	0,01 mL/kg/min
3 µg/kg/min	0,06 mL/kg/min	0,03 mL/kg/min	0,015 mL/kg/min
4 µg/kg/min	0,08 mL/kg/min	0,04 mL/kg/min	0,02 mL/kg/min
5 µg/kg/min	0,1 mL/kg/min	0,05 mL/kg/min	0,025 mL/kg/min
6 µg/kg/min	0,12 mL/kg/min	0,06 mL/kg/min	0,03 mL/kg/min
7 µg/kg/min	0,14 mL/kg/min	0,07 mL/kg/min	0,035 mL/kg/min
8 µg/kg/min	0,16 mL/kg/min	0,08 mL/kg/min	0,04 mL/kg/min
9 µg/kg/min	0,18 mL/kg/min	0,09 mL/kg/min	0,045 mL/kg/min
10 µg/kg/min	0,2 mL/kg/min	0,1 mL/kg/min	0,05 mL/kg/min

Vitesses de la perfusion de nitroprusside (mL/h)
Concentration de 50 µg/mL

Dose	Poids du patient					
	50 kg	60 kg	70 kg	80 kg	90 kg	100 kg
0,5 µg/kg/min	30 mL/h	36 mL/h	42 mL/h	48 mL/h	54 mL/h	60 mL/h
1 µg/kg/min	60 mL/h	72 mL/h	84 mL/h	96 mL/h	108 mL/h	120 mL/h
2 µg/kg/min	120 mL/h	144 mL/h	168 mL/h	192 mL/h	216 mL/h	240 mL/h
3 µg/kg/min	180 mL/h	216 mL/h	252 mL/h	288 mL/h	324 mL/h	360 mL/h
4 µg/kg/min	240 mL/h	288 mL/h	336 mL/h	384 mL/h	432 mL/h	480 mL/h
5 µg/kg/min	300 mL/h	360 mL/h	420 mL/h	480 mL/h	540 mL/h	600 mL/h
6 µg/kg/min	360 mL/h	432 mL/h	504 mL/h	576 mL/h	648 mL/h	720 mL/h
7 µg/kg/min	420 mL/h	504 mL/h	588 mL/h	672 mL/h	756 mL/h	840 mL/h
8 µg/kg/min	480 mL/h	576 mL/h	672 mL/h	768 mL/h	864 mL/h	960 mL/h
9 µg/kg/min	540 mL/h	648 mL/h	756 mL/h	864 mL/h	972 mL/h	1080 mL/h
10 µg/kg/min	600 mL/h	720 mL/h	840 mL/h	960 mL/h	1080 mL/h	1200 mL/h

Vitesses de la perfusion de nitroprusside (mL/h)
Concentration de 100 µg/mL

Dose	Poids du patient					
	50 kg	60 kg	70 kg	80 kg	90 kg	100 kg
0,5 µg/kg/min	15 mL/h	18 mL/h	21 mL/h	24 mL/h	27 mL/h	30 mL/h
1 µg/kg/min	30 mL/h	36 mL/h	42 mL/h	48 mL/h	54 mL/h	60 mL/h
2 µg/kg/min	60 mL/h	72 mL/h	84 mL/h	96 mL/h	108 mL/h	120 mL/h
3 µg/kg/min	90 mL/h	108 mL/h	126 mL/h	144 mL/h	162 mL/h	180 mL/h
4 µg/kg/min	120 mL/h	144 mL/h	168 mL/h	192 mL/h	216 mL/h	240 mL/h
5 µg/kg/min	150 mL/h	180 mL/h	210 mL/h	240 mL/h	270 mL/h	300 mL/h
6 µg/kg/min	180 mL/h	216 mL/h	252 mL/h	288 mL/h	324 mL/h	360 mL/h
7 µg/kg/min	210 mL/h	252 mL/h	294 mL/h	336 mL/h	378 mL/h	420 mL/h
8 µg/kg/min	240 mL/h	288 mL/h	336 mL/h	384 mL/h	432 mL/h	480 mL/h
9 µg/kg/min	270 mL/h	324 mL/h	378 mL/h	432 mL/h	486 mL/h	540 mL/h
10 µg/kg/min	300 mL/h	360 mL/h	420 mL/h	480 mL/h	540 mL/h	600 mL/h

Vitesses de la perfusion de nitroprusside (mL/h)
Concentration de 200 µg/mL

Dose	50 kg	60 kg	70 kg	80 kg	90 kg	100 kg
			Poids du patient			
0,5 µg/kg/min	7,5 mL/h	9 mL/h	10,5 mL/h	12 mL/h	13,5 mL/h	15 mL/h
1 µg/kg/min	15 mL/h	18 mL/h	21 mL/h	24 mL/h	27 mL/h	30 mL/h
2 µg/kg/min	30 mL/h	36 mL/h	42 mL/h	48 mL/h	54 mL/h	60 mL/h
3 µg/kg/min	45 mL/h	54 mL/h	63 mL/h	72 mL/h	81 mL/h	90 mL/h
4 µg/kg/min	60 mL/h	72 mL/h	84 mL/h	96 mL/h	108 mL/h	120 mL/h
5 µg/kg/min	75 mL/h	90 mL/h	105 mL/h	120 mL/h	135 mL/h	150 mL/h
6 µg/kg/min	90 mL/h	108 mL/h	126 mL/h	144 mL/h	162 mL/h	180 mL/h
7 µg/kg/min	105 mL/h	126 mL/h	147 mL/h	168 mL/h	189 mL/h	210 mL/h
8 µg/kg/min	120 mL/h	144 mL/h	168 mL/h	192 mL/h	216 mL/h	240 mL/h
9 µg/kg/min	135 mL/h	162 mL/h	189 mL/h	216 mL/h	243 mL/h	270 mL/h
10 µg/kg/min	150 mL/h	180 mL/h	210 mL/h	240 mL/h	270 mL/h	300 mL/h

NORÉPINÉPHRINE (Levophed)

Dilution : 1 mg/250 mL = 4 µg/mL.
Pour calculer la vitesse de perfusion (mL/h), multiplier le poids (kg) du patient par la dose en mL/kg/min × 60.

Vitesses de la perfusion de norépinéphrine (mL/h)
Concentration = 4 µg/mL

Dose (µg/min)	Dose (mL/h)
8 µg/min	120 mL/h
9 µg/min	135 mL/h
10 µg/min	150 mL/h
11 µg/min	165 mL/h
12 µg/min	180 mL/h

PHÉNYLÉPHRINE (Neo-Synephrine)

Dilution : 10 mg/500 mL = 20 µg/mL.

Vitesses de la perfusion de phényléphrine (mL/h)
Concentration = 20 µg/mL

Dose (mg/min)	Dose (mL/h)
0,04 mg/min	120 mL/h
0,06 mg/min	180 mL/h
0,08 mg/min	240 mL/h
0,10 mg/min	300 mL/h
0,12 mg/min	360 mL/h
0,14 mg/min	420 mL/h
0,16 mg/min	480 mL/h
0,18 mg/min	540 mL/h

PROCAÏNAMIDE (Pronestyl)

Dilution : 1 000 mg/500 mL = 2 mg/mL.
Dose d'attaque : de 50 à 100 mg, toutes les 5 minutes, jusqu'à la maîtrise des arythmies, l'apparition de réactions indésirables ou l'administration d'une dose totale de 1 000 mg ; ou 500 à 600 mg en 25 à 30 minutes.

Vitesses de la perfusion de procaïnamide (mL/h)
Concentration = 2 mg/mL

Dose (mg/min)	Dose (mL/h)
1 mg/min	30 mL/h
2 mg/min	60 mL/h
3 mg/min	90 mL/h
4 mg/min	120 mL/h
5 mg/min	150 mL/h
6 mg/min	180 mL/h

ANNEXE E

Médicaments et grossesse : catégories établies par la Food and Drug Administration (FDA)

Puisque la Direction générale de la santé (DGPS) n'a pas publié de règles concernant l'administration des médicaments pendant la grossesse, nous avons retenu, à titre indicatif, la classification américaine qui paraît dans les diverses monographies du guide.

CATÉGORIE A

Lors d'études adéquates et dûment contrôlées, aucun risque pour le fœtus n'a été observé au cours du premier trimestre. Aucun risque apparent n'a été observé non plus au cours des deuxième et troisième trimestres.

CATÉGORIE B

Les études menées sur les animaux ont fait état de l'existence de certains risques dans certains cas, et n'en n'ont pas fait état dans d'autres. Lorsqu'un certain risque a été noté chez les animaux, les études menées sur l'humain n'ont fait état d'aucun risque semblable ; ou encore, si l'on n'a pas signalé de risque chez les animaux, les données portant sur les femmes enceintes sont insuffisantes.

CATÉGORIE C

On a noté des réactions indésirables chez les animaux, mais les données concernant les femmes enceintes sont insuffisantes. Dans certaines situations cliniques, les bienfaits du médicament pourraient dépasser les risques possibles.

CATÉGORIE D

Selon les données recueillies au cours d'études cliniques ou d'études de pharmacovigilance («surveillance post-marketing»), il existe un risque pour le fœtus humain. Dans certaines situations cliniques, les bienfaits du médicament pourraient dépasser les risques possibles.

CATÉGORIE X

On a clairement établi le risque auquel est exposé le fœtus humain lors d'études menées sur l'humain ou sur les animaux, ou lors d'études cliniques ou d'études de pharmacovigilance («surveillance post-marketing»). Les risques auxquels le fœtus est exposé sont beaucoup plus importants que les bienfaits possibles du traitement en question pour la femme enceinte. On doit éviter l'administration du médicament pendant la grossesse.

ANNEXE F

Formules mathématiques

RAPPORT ET PROPORTION

Un rapport est l'équivalent d'une fraction : il peut donc être exprimé sous forme de fraction ($^1/_2$) ou sous forme algébrique (1:2). On parle ici d'un rapport de 1 à 2.

En mathématique, la proportion est l'égalité de deux rapports. Par exemple, $^1/_2 = {}^4/_8$

Pour calculer les doses, on applique la règle de trois. Cette méthode permet de trouver le quatrième terme d'une proportion quand les trois autres sont connus. Par exemple,

$$15 \text{ grains} = 1 \text{ gramme (équivalent connu) ou}$$
$$10 \text{ milligrammes} = 2 \text{ millilitres (concentration existante).}$$

Problème A
$$15 \text{ grains} = 1 \text{ g}$$
$$10 \text{ grains} = x$$

Problème B
$$10 \text{ mg} = 2 \text{ mL}$$
$$5 \text{ mg} = x$$

On multiplie ensuite en diagonale les termes de la proportion.

Problème A
$$15 \text{ grains} \times x$$
$$10 \text{ grains} \times 1 \text{ g}$$
$$15x = 10$$

Problème B
$$10 \text{ mg} \times x$$
$$5 \text{ mg} \times 2 \text{ mL}$$
$$10x = 10$$

À l'étape suivante, il faut diviser le résultat de la multiplication des deux valeurs connues par le nombre accompagnant la valeur inconnue. On indique ensuite l'unité de mesure correspondant à x dans l'équation d'origine.

Problème A
$$x = 10 \div 15 = {}^2/_3$$
$$x = 0,6 \text{ g}$$

Problème B
$$x = 10 \div 10 = 1 \text{ mL}$$
$$x = 1 \text{ mL}$$

CALCUL DE LA VITESSE D'ÉCOULEMENT D'UNE SOLUTION ADMINISTRÉE EN PERFUSION IV

Afin de calculer la vitesse d'écoulement d'une solution administrée en perfusion IV, on doit connaître trois valeurs :

A. La quantité de solution et le temps de perfusion correspondant. Le médecin peut prescrire :

1 000 mL pendant 8 heures
ou
125 mL/h

B. Le nombre de minutes correspondant à une heure.

$$1 \text{ h} = 60 \text{ min}$$

C. Le nombre de gouttes contenues dans 1 mL de liquide (ce renseignement est indiqué sur le conditionnement des tubulures IV).

$$10 \text{ gouttes } = 1 \text{ mL}$$

Pour résoudre le problème, on exprime les trois valeurs sous forme de proportion.

$$\frac{125 \text{ mL}}{1 \text{ h}} \times \frac{1 \text{ h}}{60 \text{ min}} \times \frac{10 \text{ gouttes}}{1 \text{ mL}}$$

On peut réduire cette fraction à sa plus simple expression.

Par conséquent :

$$\frac{125 \text{ mL}}{1 \text{ h}} \times \frac{1 \text{ h}}{\overset{}{\underset{6}{\cancel{60}}} \text{ min}} \times \frac{\overset{1}{\cancel{10}} \text{ gouttes}}{1 \text{ mL}}$$

Après réduction, nous avons

$$\frac{125 \text{ mL}}{1 \text{ h}} \times \frac{1 \text{ h}}{6 \text{ min}} \times \frac{1 \text{ goutte}}{1 \text{ mL}}$$

Pour obtenir la réponse, il faut multiplier tous les numérateurs ensemble et tous les dénominateurs ensemble, et procéder ensuite à la division. Certaines unités s'éliminent ainsi automatiquement.

$$\frac{125 \text{ } \cancel{\text{mL}}}{\cancel{\text{h}}} \times \frac{1 \text{ } \cancel{\text{h}}}{6 \text{ min}} \times \frac{1 \text{ goutte}}{1 \text{ } \cancel{\text{mL}}} = \frac{125 \text{ gouttes}}{6 \text{ min}}$$

$$\frac{125}{6} = 20,8 \text{ ou } 21 \text{ gouttes/min}$$

ANNEXE G
Nomogrammes de la surface corporelle[*]

On place l'extrémité d'une règle sur la graduation qui correspond à la taille du patient (colonne de gauche) et l'autre extrémité sur la graduation qui correspond à son poids (colonne de droite). Le point où la règle croise la colonne du centre correspond à la surface corporelle.

CALCUL DE LA SURFACE CORPORELLE CHEZ LES ENFANTS

| Taille | Surface corporelle | Poids |

---

* Source : CPS, Association pharmaceutique canadienne, 1993, p. B80-B81.

CALCUL DE LA SURFACE CORPORELLE DE L'ADULTE

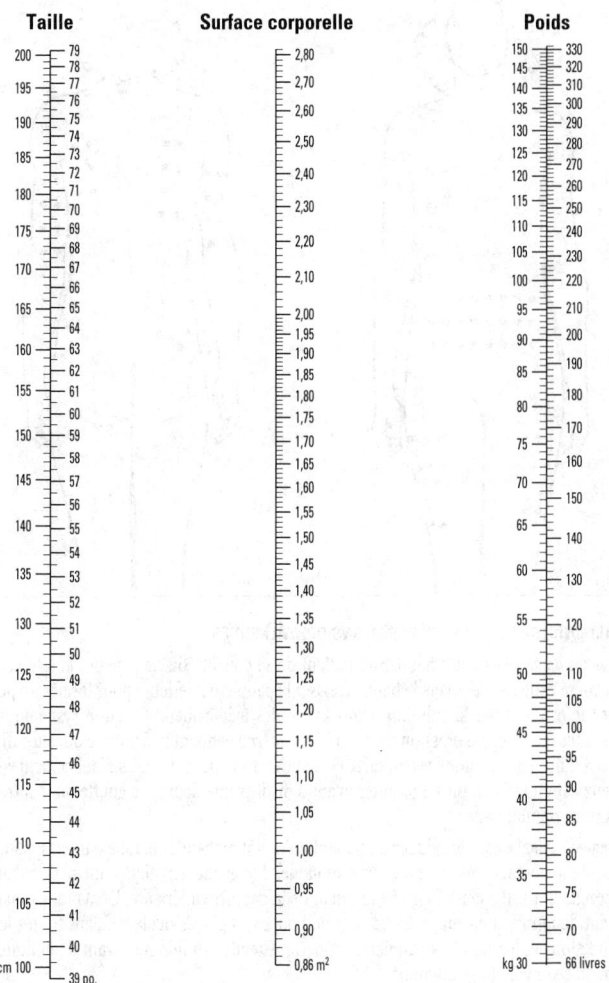

| Taille | Surface corporelle | Poids |

ANNEXE H
Méthodes d'administration

POINTS D'INJECTION SOUS-CUTANÉE

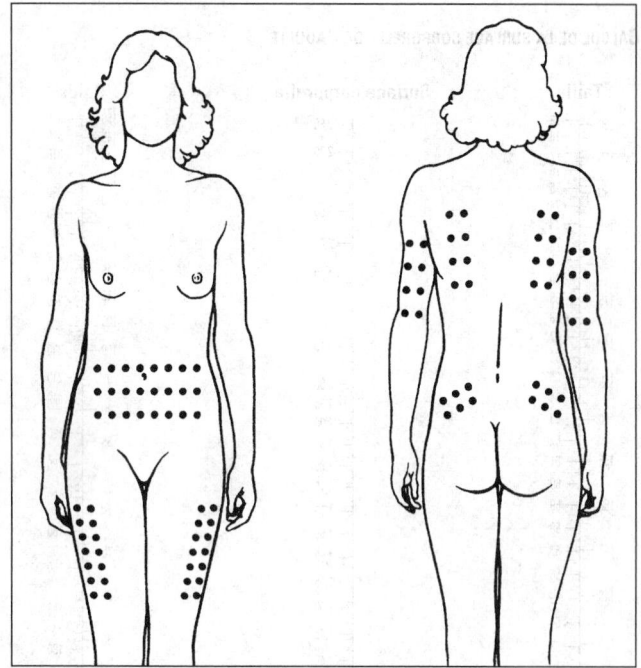

ADMINISTRATION DES PRÉPARATIONS OPHTALMIQUES

Gouttes ophtalmiques: Demander au patient de se coucher ou de pencher la tête vers l'arrière et de regarder vers le haut. Abaisser la paupière inférieure pour former un petit sac et y instiller la solution. Dans le cas des médicaments à action systémique, maintenir une légère pression sur le canthus interne pendant une minute ou deux afin de réduire l'absorption systémique. Demander au patient de fermer doucement les yeux. Attendre au moins 5 minutes avant d'instiller une deuxième goutte ou d'autres gouttes ophtalmiques.

Onguent ophtalmique: Expliquer au patient qu'il doit rechauffer le tube dans ses mains pendant quelques minutes avant d'appliquer l'onguent. Appliquer un petit ruban d'onguent (de 0,5 cm à 1 cm) à l'intérieur de la paupière inférieure. Demander au patient de fermer doucement les yeux et de bouger les globes oculaires dans toutes les directions en gardant les paupières fermées. Attendre 10 minutes avant d'appliquer un autre onguent ophtalmique.

Éviter tout contact du bouchon ou de l'extrémité du tube avec les yeux, les doigts ou toute autre surface.

POINTS D'INJECTION INTRAMUSCULAIRE

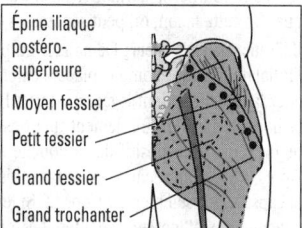

Muscle deltoïde

- Acromion
- Muscle deltoïde
- Omoplate
- Artère brachiale profonde
- Humérus
- Nerf radial

Muscle fessier postérieur

- Épine iliaque postéro-supérieure
- Moyen fessier
- Petit fessier
- Grand fessier
- Grand trochanter du fémur
- Nerf grand sciatique

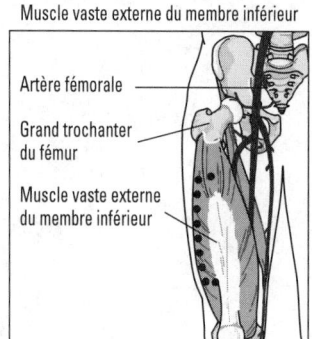

Muscle fessier antérieur

- Crête iliaque
- Épine iliaque antéro-supérieure
- Muscle moyen fessier
- Grand trochanter du fémur

Muscle vaste externe du membre inférieur

- Artère fémorale
- Grand trochanter du fémur
- Muscle vaste externe du membre inférieur

ADMINISTRATION DES PRÉPARATIONS OTIQUES

Avant d'appliquer, agiter le contenant s'il s'agit d'une suspension et réchauffer les gouttes, s'il y a lieu, en frottant avec les doigts le flacon encore fermé. Demander au patient de se coucher sur le côté ou de bien pencher la tête sur le côté. Chez l'adulte, tirer le lobe de l'oreille vers le haut et l'arrière pour redresser le canal auditif. Chez l'enfant, tirer délicatement le lobe de l'oreille vers le bas et l'arrière. Laisser tomber le nombre de gouttes prescrit dans l'oreille. Éviter de toucher l'oreille ou les cheveux avec l'extrémité du flacon. Le cas échéant, il ne faut pas rincer l'applicateur, mais plutôt l'essuyer avec un mouchoir de papier. Demander au patient de garder la tête penchée pendant au moins 2 minutes. Appliquer dans l'autre oreille, au besoin.

ADMINISTRATION DES CAPSULES ROTACAPS PAR LE DISPOSITIF D'INHALATION ROTAHALER

Préparation de l'inhalateur: Tenir l'inhalateur par l'embout buccal et tourner le barillet dans l'une ou l'autre direction jusqu'à ce qu'il s'arrête. Retirer une capsule du flacon. En maintenant le dispositif d'inhalation à la verticale, faire entrer la capsule, l'extrémité translucide d'abord, d'un mouvement ferme dans l'orifice carré avec rebord en s'assurant que le dessus de la capsule est au même niveau que le rebord. On pousse ainsi dans le dispositif l'enveloppe vide de la capsule utilisée précédemment, le cas échéant. Tenir l'inhalateur à l'horizontale de sorte que le point blanc soit tourné vers soi. Faire tourner le barillet vivement dans la direction opposée jusqu'à ce qu'il bloque. De cette façon, on peut séparer les deux moitiés de la capsule.

Utilisation de l'inhalateur: Demander au patient d'expirer tout l'air inspiré. En tenant l'inhalateur à l'horizontale, placer l'embout buccal entre les dents et les lèvres, et pencher la tête du patient légèrement vers l'arrière. Lui demander ensuite d'inspirer par la bouche aussi profondément que possible puis de retenir sa respiration pendant qu'on retire le dispositif de sa bouche et aussi longtemps qu'il le peut par la suite. Après utilisation, séparer les deux moitiés de l'inhalateur et jeter l'enveloppe vide de la capsule. Rassembler le dispositif. Si le médecin a prescrit deux capsules, reprendre chacune des étapes précédentes. Les deux parties de l'inhalateur doivent être nettoyées au moins toutes les deux semaines à l'eau tiède ou chaude, après qu'on a retiré l'enveloppe de la capsule vide de l'orifice carré avec rebord. Sécher parfaitement le dispositif avant de le rassembler.

ANNEXE I

Directives destinées aux personnes qui préparent et administrent les antinéoplasiques (cytotoxiques)[*]

PRÉAMBULE

Les caractéristiques mutagènes, tératogènes, carcinogènes et irritantes d'un bon nombre d'agents antinéoplasiques sont bien établies et représentent un danger possible pour la santé des personnes qui doivent employer ces agents. À cause de ce danger, il faut accorder une attention particulière à la manipulation, à la préparation et à l'administration de ces médicaments de même qu'à la mise au rebut de leurs résidus ou déchets. Ces recommandations visent à fournir des renseignements sur la protection des personnes qui participent à la préparation et à l'administration de la chimiothérapie. Les professionnels de la santé travaillant en milieu hospitalier ou en pratique privée se doivent d'adopter et d'utiliser les mesures appropriées de protection et de sécurité.

I. Protection du milieu de travail

1. La préparation des agents antinéoplasiques doit se faire sous une hotte biologique de sécurité (hotte à flux laminaire vertical de classe II) située dans un endroit isolé, peu passant, où le déplacement d'air est minime. Il faut au moins disposer d'une hotte de classe II de type A. Il est préférable d'utiliser les hottes de classe II, où l'air est évacuée vers l'extérieur.

2. Les hottes doivent être vérifiées par une personne compétente au moins une fois par an ou chaque fois que la hotte a été déplacée.

II. Protection de l'utilisateur

1. Il est recommandé de porter des gants jetables en latex pendant toutes les étapes du travail avec un produit antinéoplasique.

2. Il faudrait changer de gants toutes les 30 minutes environ lorsqu'on travaille de façon continue avec des agents antinéoplasiques. En cas de contamination patente, il faut enlever les gants immédiatement.

3. Il faut toujours porter des vêtements protecteurs pendant la préparation et la mise au rebut des agents antinéoplasiques. Ces vêtements doivent se fermer dans le dos, et avoir des manches longues et des poignets ajustés (en élastique ou en tricot).

4. Il est interdit de porter les vêtements protecteurs hors du laboratoire.

III. Méthode de travail et précautions à prendre lors de l'utilisation de la hotte biologique verticale à flux laminaire de classe II

1. Des méthodes et des précautions particulières sont de mise en raison du flux laminaire vertical (descendant).

2. Nettoyer, avant et après la préparation, les surfaces de la hotte avec une solution d'alcool à 70 %. Jeter le matériel utilisé dans un contenant réservé à la mise au rebut des déchets chimiques dangereux.

3. Protéger la surface de travail de la hotte par un tissu absorbant jetable à dessous plastifié. Le tissus doit être changé lors du nettoyage de la hotte ou en cas d'éclaboussures.

---

[*] Tirées de *Recommendations for Handling Cytotoxic Agents*, National Study Commission on Cytotoxic Exposure, septembre 1987. Version française adaptée à l'aide des ouvrages de références cités à la fin de l'annexe.

4. Il faut faire fonctionner la hotte 24 heures sur 24, 7 jours par semaine. Lorsque la hotte n'est pas souvent utilisée (par exemple, 1 ou 2 fois par semaine seulement), on peut l'éteindre après avoir nettoyé en profondeur toutes les surfaces intérieures. La remettre en marche 15 minutes avant de l'utiliser.

5. La préparation des médicaments doit se faire seulement derrière la fenêtre à guillotine, dont l'ouverture à été réglée à la hauteur recommandée. On doit respecter les pratiques professionnelles acceptées relatives à la préparation des produits injectables par les méthodes aseptiques.

6. Tout le matériel nécessaire à la préparation du médicament doit être placé dans l'enceinte de la hotte avant le début de la préparation, afin d'éviter toute interruption du flux de la hotte. Attendre 2 ou 3 minutes avant de commencer, afin de permettre l'évacuation de toutes les particules aéroportées.

7. La méthode d'utilisation appropriée des hottes à flux laminaire vertical diffère de celles des hottes à flux laminaire horizontal. En effet, l'air pur descend du haut de la hotte vers la surface de travail. Lors de sa descente, l'air se sépare, une portion étant évacuée par l'ouverture arrière et l'autre, par l'ouverture avant.

8. La partie de la hotte la moins protégée, autant pour le produit que pour le personnel, se situe sur une longueur de 7,5 cm, sur les côtés, près de l'ouverture avant. Il faut éviter de travailler à l'intérieur de cette superficie.

9. Les mouvements d'entrée et de sortie doivent s'effectuer sans détours et perpendiculairement au devant de la hotte. Les gestes brusques et les mouvements latéraux à travers la barrière protectrice d'air sont à éviter.

IV. Méthodes et directives de préparation

1. Bien se laver les mains avant de mettre les gants et après les avoir ôtés.

2. Prendre toutes les précautions nécessaires pour éviter la perforation des gants et la contamination.

3. Lorsque cela est possible, utiliser une seringue et des tubulures IV munies d'un embout Luer-Lock afin d'éviter les éclaboussures dues au désassemblage des pièces.

4. Afin d'éviter la dispersion des gouttelettes d'agent antinéoplasique, on devrait ventiler les fioles à l'aide d'un filtre hydrophobe permettant d'équilibrer la pression interne. On peut aussi recourir à la méthode de pression négative.

5. Avant d'ouvrir les ampoules, il faut s'assurer qu'il ne reste pas de liquide dans le col. Entourer le goulot d'une gaze stérile jetable pour réduire le risque de dispersion des gouttelettes. L'ampoule doit être brisée dans un mouvement qui s'éloigne du corps.

6. Dans le cas de fioles à membrane caoutchoutée, aspirer le liquide de l'aiguille avant de la retirer de la fiole et après avoir équilibré la pression intérieure.

7. Garder, dans l'enceinte de la hotte biologique, un récipient fermé pour y déposer les solutions médicamenteuses en excès, ou utiliser à ces fins la fiole d'origine.

8. Les agents antinéoplasiques doivent porter une étiquette indiquant que leur manipulation exige des précautions (par exemple, « Chimiothérapie : mettre au rebut selon les directives »).

9. Afin de prévenir les fuites et les bris, la solution prête à être employée devrait être conservée dans un contenant en plastique transparent, hermétiquement

clos, portant sur l'étiquette la mention suivante : « Ne pas utiliser si le flacon semble endommagé ».

V. Précautions lors de l'administration

1. Porter des gants jetables en latex lors de l'administration d'agents antinéoplasiques. Il faut bien se laver les mains avant de mettre les gants et après les avoir ôtés.

2. Porter des vêtements protecteurs qui se ferment dans le dos, à manches longues et aux poignets ajustés (en tricot ou en élastique).

3. Lorsque cela est possible, il faut utiliser des seringues et des tubulures IV munies d'un embout Luer-Lock.

4. Il faut prendre des précautions particulières lorsqu'on fait le vide dans les tubulures IV. Retirer le capuchon de la pointe distale ou de l'aiguille avant de procéder, en utilisant un tampon imbibé d'alcool par exemple. On peut aussi utiliser des contenants fermés (par exemple, des récipients sous vide) ou assurer le reflux vers les tubulures IV. Ne pas faire le vide dans les tubulures ou les seringues dans un lavabo ni dans un contenant ouvert.

VI. Directives de mise au rebut

1. Placer le matériel contaminé dans des contenants à l'épreuve des fuites et des bris portant une étiquette avec la mention « déchets chimiques dangereux ». On doit pouvoir jeter dans ces contenants des flacons, des ampoules, des gants, des vêtements jetables et tout autre matériel utilisé pour la préparation et l'administration des agents antinéoplasiques.

2. Les aiguilles, les seringues, les tubulures et les cathéters contaminés doivent être jetés tels quels. Afin de prévenir la dispersion de gouttelettes, il ne faut pas séparer l'aiguille de la seringue ni les casser.

3. Les agents antinéoplasiques mis au rebut devraient être transportés selon les directives de l'établissement concernant le matériel dangereux.

4. On ne dispose pas de données suffisantes relatives à la destruction des déchets de médicaments antinéoplasiques pour recommander une méthode en particulier.

   4.1 L'une des méthodes acceptables est l'incinération du matériel dangereux.

   4.2 On peut aussi enfouir ces déchets sur un site approuvé par un organisme de protection de l'environnement.

   4.3 On peut s'informer auprès d'une entreprise autorisée, spécialisée dans la destruction des déchets dangereux, sur les méthodes de destruction préconisées dans la localité.

VII. Recommandations relatives au personnel

1. Les membres du personnel qui travaillent avec des agents antinéoplasiques doivent être sensibilisés aux propriétés de ces agents et aux risques auxquels ils s'exposent en les manipulant. Ils doivent aussi être dûment formés pour pouvoir manipuler ces agents sans danger.

2. L'accès à l'aire de préparation devrait être interdit à toute personne étrangère au service.

3. Le personnel ayant à manipuler ces agents doit faire l'objet d'une surveillance régulière permettant de s'assurer que les directives sont suivies.

4. Il faut consigner dans les dossiers les périodes d'exposition intense à ces agents (si la préparation a été renversée) et l'employé doit se soumettre à un examen médical.

5. L'application de maquillage est interdite dans ce local. Si les produits de maquillage sont contaminés, ils peuvent contaminer à leur tour la personne qui s'en sert de façon prolongée.

6. Il est interdit de manger, de boire, de mâcher de la gomme, de fumer ou de conserver des aliments dans les locaux où l'on manipule des agents antinéoplasiques, car, en cas de contamination accidentelle, le personnel pourrait ainsi ingérer des matières toxiques.

VIII. Directives portant sur la surveillance

1. Il faudrait établir des directives concernant la vérification du matériel et des méthodes utilisés par le personnel manipulant des agents antinéoplasiques. L'observance de ces directives devrait être contrôlée à intervalles réguliers et les remarques à ce propos, consignées dans les dossiers. Les méthodes particulières de contrôle devraient tenir compte de la complexité de la tâche.

2. On recommande que les membres du personnel participant à la préparation d'agents antinéoplasiques se soumettent à un examen physique à intervalles réguliers selon les directives de l'établissement.

IX. Directives concernant les expositions importantes (si une quantité importante de préparation a été renversée) ou les risques entraînés par les éclaboussures

1. EXPOSITION IMPORTANTE (si une quantité importante de préparation a été renversée)

   1.1 Les gants et les vêtements protecteurs contaminés doivent être retirés immédiatement.

   1.2 Il faut se laver les mains après avoir enlevé les gants. Il a été démontré que certains agents cytotoxiques traversaient les gants.

   1.3 En cas de contact de l'agent antinéoplasique avec la peau, la région touchée doit être bien lavée à l'eau et au savon. Consulter un médecin dès que possible.

   1.4 Si l'œil est touché, bien le rincer à grande eau et consulter un médecin immédiatement.

2. ÉCLABOUSSURES

   2.1 Tout le personnel chargé de nettoyer les éclaboussures devrait porter des vêtements protecteurs (par exemple, gants, blouses, etc.). Ces vêtements et tout autre matériel utilisé lors du nettoyage doivent être jetés selon les directives.

   2.2 Pour nettoyer des éclaboussures, il est conseillé de porter deux paires de gants.

EXPOSÉ DES DANGERS

Manipulation des agents antinéoplasiques par les femmes enceintes, celles désirant le devenir et les femmes qui allaitent

Un grand nombre de données confirment les propriétés mutagènes, tératogènes et abortives de certains agents antinéoplasiques chez des animaux et des humains ayant reçu des doses thérapeutiques de ces agents. De plus, d'après la documentation médicale, il existerait un lien entre l'exposition des professionnelles de la santé à certains agents antinéoplasiques durant le premier trimestre de la grossesse et les fausses couches ou les malformations fœtales. Ces données évoquent la nécessité d'user de prudence lorsque des femmes enceintes ou désirant le devenir manipulent des agents antinéoplasiques. Par ailleurs, aucune donnée ne fait état de l'existence d'un lien entre l'exposition de l'homme à des agents antinéoplasiques et des conséquences défavorables pour le fœtus. Aucune étude n'a traité du risque possible associé à l'exposition des professionnelles aux agents cytotoxiques et au passage de ces agents dans le lait maternel. Toutefois, il serait prudent que les femmes qui allaitent prennent des précautions lorsqu'elles manipulent des agents antinéoplasiques.

Si toutes les directives portant sur une manipulation sans danger sont respectées, le risque d'exposition sera réduit.

Il faut fournir aux membres du personnel tous les renseignements leur permettant de prendre une décision éclairée. Ces informations devraient leur être remises par écrit et il serait préférable que les employés en question signent une formule de consentement.

Afin d'assurer le respect de ces directives, elles doivent être rédigées conformément aux stipulations des lois portant sur le droit à l'information.

Pour de plus amples renseignements consulter les documents suivants:

Guidelines for the Handling and Disposal of Hazardous Pharmaceuticals (Including Cytotoxic Drugs), Mars 1993
Canadian Society of Hospital Pharmacists
Bureau 350, 1145, route Hunt Club
Ottawa (Ontario)
K1V 0Y3
Téléphone: (613)736-9733   Télécopieur: (613)736-5660

Guide to the Safe Handling of Cytotoxic Antineoplastic Agents, 1993
Association ontarienne de santé et sécurité pour les travailleurs de la santé
Bureau 401-250, Ferrand Drive
Don Mills (Ontario)
M3C 3G8
Téléphone: (416)467-6166, poste 5570   Télécopieur: (416)429-2797

Médicaments antinéoplasiques: Guide de prévention, Octobre 1981
Association pour la santé et la sécurité du travail, secteur affaires sociales
5100, rue Sherbrooke est, bureau 950
Montréal (Québec)
H1V 3R9
Téléphone: (514)253-6871   Télécopieur: (514)253-1443

ANNEXE J

Valeurs normales des résultats des examens diagnostiques et biochimiques courants (chez l'adulte)

TESTS SÉROLOGIQUES

HÉMATOLOGIE	HOMMES	♂/♀	FEMMES
Hémoglobine	139–174 g/L		123–157 g/L
Hématocrite	0,41–0,51		0,37–0,46
Érythrocytes	$4,4–5,7 \times 10^{12}$/L		$4,0–5,2 \times 10^{12}$/L
Leucocytes		$4 – 10 \times 10^9$/L	
Neutrophiles segmentés		$0,54–0,62$ ($1,9–6,7 \times 10^9$/L)	
Neutrophiles non segmentés		$0,03–0,05$ ($< 1,5 \times 10^9$/L)	
Éosinophiles		$0,01–0,03$ ($< 0,45 \times 10^9$/L)	
Basophiles		0,01 en moyenne ($< 0,1 \times 10^9$/L)	
Monocytes		$0,03–0,07$ ($0,14–0,86 \times 10^9$/L)	
Lymphocytes		$0,25–0,35$ ($1,5–3,4 \times 10^9$/L)	
Lymphocytes T		60–80 % des lymphocytes	
Lymphocytes B		10–20 % des lymphocytes	
Plaquettes		$130–400 \times 10^9$/L	
Temps de prothrombine (P.T.)		10–13 s	
Temps de céphaline activée ou thromboplastine (P.T.T.)		25–41 s	
Temps de saignement		1–9 min	

CHIMIE	HOMMES	♂/♀	FEMMES
Sodium		135–147 mmol/L	
Potassium		3,5–5,0 mmol/L	
Chlorure		98–106 mmol/L	
Bicarbonate (HCO₃)		21–32 mmol/L	
Calcium total		2,18–2,58 mmol/L	
Calcium ionisé		1,00–1,15 mmol/L	
Phosphore inorganique/phosphate		0,8–1,5 mmol/L	
Magnésium		0,75–0,95 mmol/L	
Glucose		3,3–5,8 mmol/L	
Osmolalité		280–300 mmol/kg	

EXPLORATION HÉPATIQUE	HOMMES	♂/♀	FEMMES
TGOS (AST)		0–35 U/L	
TGPS (ALT)		3–36 U/L	
Bilirubine totale		< 26 µmol/L	
Bilirubine conjuguée (directe)		< 7 µmol/L	
Bilirubine non conjuguée (indirecte)		3,4–13,7 µmol/L	
Phosphatase alcaline		35–100 U/L	25–85 U/L

EXPLORATION RÉNALE	HOMMES	♂/♀	FEMMES
Urée, azote		2,5–8 mmol/L	
Créatinine	70–120 µmol/L		50–90 µmol/L
Acide urique	230–420 µmol/L		150–330 µmol/L

GAZOMÉTRIE ARTÉRIELLE	HOMMES	♂/♀	FEMMES
pH		7,35 – 7,45	
p0₂		85 – 105 mmHg	
pC0₂		32 – 45 mmHg	
Saturation en O₂		0,95 – 0,97	
Base excess (BE)		+ 2 – (–2)	
Bicarbonate (HCO₃)		22 – 26 mmol/L	

ANALYSES DES URINES

URINE	HOMMES	♂/♀	FEMMES
pH		4,5 – 8,0	
Densité		1,01 – 1,025	

Note : La majorité des données exprimées en unités internationales ont été tirées de l'ouvrage suivant : *Les unités SI en santé : Guide pour le personnel de la santé au Québec*, préparé par le comité directeur québécois pour l'implantation du SI en santé au Québec et par le ministère de la Santé et des Services sociaux du Québec, février 1987.

ANNEXE K

Guide alimentaire

ALIMENTS RICHES EN POTASSIUM

avocats	graines de tournesol	pêches
bananes	haricots de Lima	pommes de terre
brocoli	haricots ronds blancs	prunes
cantaloups	noix	rhubarbe
épinards	oranges	tomates
fruits secs	pamplemousses	

ALIMENTS RICHES EN SODIUM

beurre, margarine	ketchup aux tomates	repas-minute
bretzels	lait de beurre	salade de pommes de terre
chili en boîtes	macaroni au fromage	sauce à spaghetti en conserve
choucroute	mélanges à muffins et à crêpes	sauce barbecue
cornichons	plats préparés pour four à	soupe à l'oignon en sachet
croustilles	micro-ondes	soupes en boîte
fromage Parmesan	plats semi-préparés et plats	viandes salées, fumées ou
fruits de mer en conserve	surgelés	séchées

ALIMENTS RICHES EN CALCIUM

brocoli	lait et produits laitiers	saumon et sardines en conserve
chou chinois	mélasse	soupes en crème
épinards	palourdes	tofu
huîtres		

ALIMENTS RICHES EN VITAMINE K

asperges	épinards	navets
brocoli	fromage	poisson
chou	haricots	riz
chou-fleur	lait	viande de porc
choux à rosette	moutarde verte	yogourt
choux de Bruxelles		

ALIMENTS À FAIBLE TENEUR EN SODIUM

citrouille en conserve	légumes frais	noix non salées
confitures et gelées	macarons	pommes de terre
fruits	mayonnaise à faible	riz et blé soufflés
gruau de maïs (cuisson normale)	valeur énergétique	sorbet
haricots rouges et de Lima	miel	volaille cuite au four ou grillée
jaune d'œuf	navet cuit	whisky

ALIMENTS QUI ACIDIFIENT L'URINE

canneberges	œufs	prunes
fromage	poisson	viandes
grains entiers	pruneaux	volaille
(pains et céréales)		

ALIMENTS QUI ALCALINISENT L'URINE

lait
tous les fruits à l'exception des canneberges, des pruneaux et des prunes
tous les légumes

Aliments contenant de la tyramine

avocats	foie	saucisson sec (Bologne, salami,
bananes	fromages vieillis	pepperoni)
bière	fruits trop mûrs	vin rouge
boissons à base de caféine	levure	yogourt
chocolat	poissons fumés ou marinés	

Aliments riches en fer

abats	fruits secs	légumes verts en feuilles
céréales	haricots et pois secs	

ANNEXE L
Apports nutritionnels recommandés pour les Canadiens[a†]

Âge	Sexe	Poids (kg)	Protéines (g/jour)	Vitamines liposolubles			Vitamines hydrosolubles						Minéraux					
				Vit. A (ÉR/jour)	Vit. D (µg/jour)	Vit. E (mg/jour)	Vit. C (mg/jour)	Folacine[c] (µg/jour)	Thiamine (mg/jour)	Ribo-flavine (mg/jour)	Niacine (ÉN[d]/jour)	Vit. B12 (µg/jour)	Calcium (mg/jour)	Phos-phore (mg/jour)	Magné-sium (mg/jour)	Fer (mg/jour)	Iode (µg/jour)	Zinc (mg/jour)
Mois																		
0-4	M/F	6,0	12[e]	400	10	3	20	50	0,3	0,3	4	0,3	250[f]	150	20	0,3[g]	30	2[g]
5-12	M/F	9,0	12	400	10	3	20	50	0,4	0,5	7	0,3	400	200	32	7	40	3
Années																		
1	M/F	11	19	400	10	3	20	65	0,5	0,6	8	0,3	500	300	40	6	55	4
2-3	M/F	14	22	400	5	4	20	80	0,6	0,7	9	0,4	550	350	50	6	65	4
4-6	M/F	18	26	500	5	5	25	90	0,7	0,9	13	0,5	600	400	65	8	85	5
7-9	M	25	30	700	2,5	7	25	125	0,9	1,1	16	0,8	700	500	100	8	110	7
	F	25	30	700	2,5	6	25	125	0,8	1,0	14	0,8	700	500	100	8	95	7
10-12	M	34	38	800	2,5	8	25	170	1,0	1,3	18	1,0	900	700	130	8	125	9
	F	36	40	800	5	7	25	180	0,9	1,1	16	1,0	1100	800	135	8	110	9
13-15	M	50	50	900	5	9	30	150	1,1	1,4	20	1,5	1100	900	185	10	160	12
	F	48	42	800	5	7	30	145	0,9	1,1	16	1,5	1000	850	180	13	160	9
16-18	M	62	55	1000	5	10	40[h]	185	1,3	1,6	23	1,9	900	1000	230	10	160	12
	F	53	43	800	2,5	7	30[h]	160	0,8	1,1	15	1,9	700	850	200	12	160	9
19-24	M	71	58	1000	2,5	10	40[h]	210	1,2	1,5	22	2,0	800	1000	240	9	160	12
	F	58	43	800	2,5	7	30[h]	175	0,8	1,1	15	2,0	700	850	200	13	160	9

Âge	Sexe	Poids (kg)	Protéines (g/jour)	Vitamines liposolubles			Vitamines hydrosolubles						Minéraux					
				Vit. A (ER[b]/jour)	Vit. D (µg/jour)	Vit. E (mg/jour)	Vit. C (mg/jour)	Folacine[c] (µg/jour)	Thiamine (mg/jour)	Riboflavine (mg/jour)	Niacine (EN[d]/jour)	Vit. B12 (µg/jour)	Calcium (mg/jour)	Phosphore (mg/jour)	Magnésium (mg/jour)	Fer (mg/jour)	Iode (µg/jour)	Zinc (mg/jour)
25–49	M	74	61	1000	2,5	9	40[h]	220	1,1	1,4	19	2,0	800	1000	250	9	160	12
	F	59	44	800	2,5	6	30[h]	175	0,8	1,0	14	2,0	700	850	200	13	160	9
50–74	M	73	60	1000	5	7	40[h]	220	0,9	1,3	16	2,0	800	1000	250	9	160	12
	F	63	47	800	5	6	30[h]	190	0,8[i]	1,0[i]	14[i]	2,0	800	850	210	8	160	9
75+	M	69	57	1000	5	6	40[h]	205	0,8	1,0	14[i]	2,0	800	1000	230	9	160	12
	F	64	47	800	5	5	30[h]	190	0,8[i]	1,0[i]	14[i]	2,0	800	850	210	8	160	9
Grossesse (supplément)																		
1er trimestre			5	100	2,5	2	0	300	0,1	0,1	0,1	1,0	500	200	15	0	25	6
2e trimestre			20	100	2,5	2	10	300	0,1	0,3	0,2	1,0	500	200	45	5	25	6
3e trimestre			24	100	2,5	2	10	300	0,1	0,3	0,2	1,0	500	200	45	10	25	6
Lactation (supplément)			20	400	2,5	3	25	100	0,2	0,4	0,3	0,5	500	200	65	0	50	6

a. Les apports nutritionnels recommandés (ANR) sont exprimés sur une base quotidienne, mais ils doivent être considérés comme l'apport moyen pour une certaine période de temps, par exemple, une semaine.
b. Équivalents de rétinol. 1 ÉR = 1 µg ou 3,33 UI de rétinol. 1 ÉR = 6 µg ou 10 UI de bêta-carotène.
c. Les termes folacine et folate désignent un groupe de coenzymes et leurs précurseurs dont la structure chimique est similaire à celle de l'acide folique et qui ont la même activité biologique et les mêmes propriétés nutritionnelles que cet acide.
d. Équivalents de niacine. 1 EN = 1 mg de niacine ou 60 mg de tryptophane. Environ 3 % de tryptophane ingéré est oxydé en niacine.
e. On suppose que la protéine est celle du lait maternel; il faut un ajustement pour les préparations de lait pour nourrissons.
f. Les préparations de lait pour nourrissons à forte teneur en phosphore doivent contenir 375 mg de calcium.
g. On suppose que le lait maternel est la source des minéraux.
h. Les fumeurs doivent augmenter leur apport en vitamine C de 50 %.
i. Valeur sous laquelle l'apport ne doit pas descendre.

Source: tiré du *CPS 1993* de l'Association pharmaceutique canadienne, d'après Santé et Bien-être social Canada. « Recommandations sur la nutrition », rapport du Comité de révision scientifique, 1990.

ANNEXE M

Contenu en électrolytes et valeur énergétique des solutions parentérales couramment administrées en gros volumes

			MMOL/L					
	NA	K	CA	MG	CL	ACÉTATE	LACTATE	KJ/L
Dextrose à 5 % dans de l'eau	–	–	–	–	–	–	–	714
Dextrose à 10 % dans de l'eau	–	–	–	–	–	–	–	1 428
NaCl à 0,9 %	154	–	–	–	154	–	–	
Dextrose à 5 % et NaCl à 0,9 %	154	–	–	–	154	–	–	714
Dextrose à 5 % et NaCl à 0,45 %	77	–	–	–	77	–	–	714
Dextrose à 5 % et NaCl à 0,2 %	38,5	–	–	–	38,5	–	–	714
Dextrose à 5 % et lactate Ringer	130	4	1,50	–	109	–	28	714–756
Dextrose à 5 % et solution de Ringer	147,5	4	2,25	–	156	–	–	714
Lactate Ringer	130	4	1,50	–	109	–	28	37,8
Solution de Ringer pour injection	147	4	2,25	–	156	–	–	–

NaCl à 0,9 %, chlorure de sodium à 0,9 % = soluté physiologique normal ou salin normal
NaCl à 0,45 %, chlorure de sodium à 0,45 % = soluté physiologique à mi-teneur ou demi-salin
NaCl à 0,2 %, chlorure de sodium à 0,2 % = soluté physiologique au quart de la teneur ou quart-salin

ANNEXE N

Immunisations courantes chez l'enfant et l'adulte

CHEZ L'ENFANT

NOM GÉNÉRIQUE (NOM COMMERCIAL)	VOIE D'ADMINISTRATION ET POSOLOGIE	CONTRE-INDICATIONS ET PRÉCAUTIONS	RÉACTIONS INDÉSIRABLES ET EFFETS SECONDAIRES	REMARQUES
Anatoxine diphtérique, anatoxine tétanique et vaccin anticoquelucheux (Tri-Immunol)	0,5 mL par voie IM à 2, à 4 et à 6 mois, puis à 18 mois ; injection de rappel entre 4 et 6 ans.	Infection aiguë, traitement immunosuppresseur, antécédents de convulsions ou de lésions au SNC, allergie au thimérosal.	Rougeur, sensibilité, induration au point d'injection, fièvre, malaise, myalgie, urticaire, hypotension, réactions neurologiques, réactions allergiques.	Si des réactions inhabituelles se manifestent, on peut injecter les composés séparément. Les anatoxines diphtérique et tétanique de type « adultes » doivent être réadministrées tous les 10 ans.
Vaccin antipoliomyélitique vivant PO – VPTO	0,5 mL PO ou par voie SC, à 2 et à 4 mois et, s'il y a lieu, à 6 mois, puis à 18 mois ; injection de rappel entre 4 et 6 ans et, s'il y a lieu, entre 14 et 16 ans.	VPTO : Vomissements, diarrhée, allergie à la streptomycine ou à la néomycine, maladie aiguë, immunosuppression, grossesse.	VPTO : Paralysie associée au vaccin.	Si l'on utilise uniquement le VPTO, on peut omettre l'administration d'une dose à l'âge de 6 mois et entre 14 et 16 ans.
Vaccin antipoliomyélitique inactivé – VPTI	Dose unique par voie SC à 12 mois ; une seconde dose peut être administrée entre 4 et 6 ans, soit avant l'entrée à l'école.	VPTI : Allergie à la streptomycine ou à la néomycine, maladie aiguë provoquant de la fièvre.	VPTI : Rougeur, induration, douleur ou gêne locales.	
Vaccins antimorbilleux, antiourlien et antirubéoleux (M-M-R II)	HibTITER, ACT-HIB : 0,5 mL par voie IM à 2, à 4 et à 6 mois, puis à 18 mois.	Allergie aux œufs ou à la néomycine, infection active, immunosuppression, grossesse.	Brûlures, picotements, douleur au point d'injection, arthrite-arthralgie (40 %), fièvre, encéphalite, réactions allergiques.	Si des réactions inhabituelles se manifestent, on peut injecter les composés séparément. Chez les adultes n'ayant jamais reçu de vaccin antimorbilleux, on peut administrer par voie SC deux doses à 0,5 mL à au moins un mois d'intervalle ; n'administrer qu'une dose aux patients ayant déjà été immunisés. Chez les adultes n'ayant jamais reçu de vaccin antirubéoleux, administrer par voie SC une seule dose à 0,5 mL.
Vaccin conjugué contre Haemophilus influenzae type b (HibTITER, PedvaxHIB, ProHIBit, Act-HIB)	PedvaxHIB : 0,5 mL par voie IM à 2 et à 4 mois et l'injection de rappel à 12 mois.	Allergie à l'anatoxine diphtérique ou au thimérosal.	Induration, érythème, sensibilité au point d'injection, fièvre.	ProHIBit est réservé à l'immunisation des enfants de 18 à 59 mois.

ANNEXE N (*suite*)

SOINS INFIRMIERS

Évaluation de la situation
- Noter les antécédents de vaccination et de réactions d'hypersensibilité.

Diagnostics infirmiers possibles
- Risque élevé d'infection.
- Prise en charge inefficace du programme thérapeutique.

Interventions infirmières
- On peut administrer en concomitance le vaccin antimorbilleux, antiourlien et antirubéoleux, le vaccin antipoliomyélitique, les anatoxines diphtérique et tétanique, et le vaccin anticoquelucheux.
- Administrer chaque vaccin par la voie appropriée :
  □ **PO :** vaccin antipoliomyélitique vivant.
  □ **SC :** vaccin antimorbilleux, antiourlien et antirubéoleux; vaccin antipoliomyélitique inactivé.
  □ **IM :** anatoxine diphtérique, anatoxine tétanique et vaccin anticoquelucheux; vaccin conjugué contre *Hæmophilus influenzæ* type b.

Enseignement au patient et à ses proches
- Renseigner les parents sur les effets secondaires possibles du vaccin et les inciter à les signaler à l'infirmière. Prévenir le médecin si les symptômes suivants se manifestent : fièvre de plus de 39,4 °C; difficultés respiratoires; urticaire; démangeaisons; œdème des yeux, du visage ou de la muqueuse nasale; fatigue ou faiblesse soudaines et intense; ou convulsions.
- Indiquer aux parents la date du prochain vaccin.

Vérification des résultats
L'efficacité du traitement peut être démontrée par la prévention des maladies grâce à l'immunisation active.

CHEZ L'ADULTE

NOM GÉNÉRIQUE (NOM COMMERCIAL)	VOIE D'ADMINISTRATION ET POSOLOGIE	CONTRE-INDICATIONS ET PRÉCAUTIONS	RÉACTIONS INDÉSIRABLES ET EFFETS SECONDAIRES	REMARQUES
Vaccin contre l'hépatite B (Engerix-B, Recombivax HB)	Patients exposés à un risque élevé, professionnels de la santé.	3 doses de 0,5 à 2 mL par voie IM, administrées aux mois 0, 1 et 6.	Hypersensibilité à la levure ou au thimérosal.	Douleur et rougeur locales.
Vaccin grippal trivalent (Fluzone, Fluviral)	Toute personne de plus de 65 ans, personnes exposées à un risque élevé, professionnels de la santé.	0,5 mL par voie IM tous les ans (de nouvelles souches apparaissent tous les ans).	Allergie (de type anaphylactique) aux œufs ou aux protéines des œufs ou au thimérosal.	Fièvre, frissons, myalgie, malaise.

Vaccin		Posologie	Contre-indications	Effets secondaires
Vaccin antimorbilleux	Toute personne non immunisée, née en 1957 ou après.	2 doses de 0,5 mL par voie SC à au moins 1 mois d'intervalle.	Grossesse; immunosuppression; allergie de type anaphylactique aux œufs, aux protéines de l'œuf et à la néomycine.	Température subfébrile.
	Patients n'ayant reçu qu'une seule dose (étudiants, professionnels de la santé ou voyageurs).	1 dose de 0,5 mL par voie SC. *Remarque:* Il est recommandé d'administrer, dans la mesure du possible, le vaccin contre la rougeole, la rubéole et les oreillons plutôt que le vaccin monovalent contre la rougeole.		
Vaccin pneumococcique polyvalent (Pneumovax 23)	Toute personne de plus de 65 ans, personne exposée à un risque élevé.	0,5 mL par voie IM ou SC.	Hypersensibilité au phénol.	Douleur et érythème locaux.
Vaccin antirubéoleux	Femmes en âge de procréer non immunisées et certains professionnels de la santé de sexe masculin.	0,5 mL par voie SC.	Grossesse; immunosuppression; hypersensibilité de type anaphylactique à la néomycine.	Température subfébrile, adénopathie, maux de gorge, éruption cutanée; l'arthralgie et l'arthrite sont des effets courants chez les adultes n'ayant pas été immunisés antérieurement.
Vaccin antiourlien (Mumpsvax)	Adultes nés en 1957 ou après, qui n'ont jamais eu les oreillons.	0,5 mL par voie SC.	Grossesse; immunosuppression; allergie de type anaphylactique aux œufs, aux protéines de l'œuf et à la néomycine.	Parotidite, fièvre, éruptions cutanées bénignes.
Anatoxines tétanique et diphtérique de type « adultes »	Personnes non immunisées	2 doses de 0,5 mL par voie IM, à 2 mois d'intervalle, puis une 3e dose de 6 à 12 mois plus tard.	Hypersensibilité à une dose antérieure ou au thimérosal; réaction neurologique.	Douleur locale et œdème.
	Tous les adultes	Vaccin de rappel tous les 10 ans.		

ANNEXE O

Diagnostics infirmiers approuvés par l'ANADI*

Accident, risque élevé d'
Adapter à un changement dans l'état de
   santé, incapacité de s'
Alimenter, incapacité
   (partielle ou totale) de s'
Allaitement maternel efficace
Allaitement maternel inefficace
Allaitement maternel interrompu
Anxiété
Aspiration (fausse route), risque élevé d'
Automutilation, risque élevé d'
Avaler, incapacité (partielle ou totale) d'

Chagrin (deuil) dysfonctionnel
Chagrin (deuil) par anticipation
Communication verbale, altération de la
Conflit décisionnel (préciser)
Conflit face au rôle parental
Connaissances, manque de (préciser)
Constipation
Constipation colique
Croissance et développement,
   perturbation

Débit cardiaque, diminution du
Déficit nutritionnel
Dégagement inefficace des voies
   respiratoires
Déni non constructif
Détresse spirituelle
Diarrhée
Douleur
Douleur chronique
Dynamique familiale, perturbation de la
Dysfonctionnement neurovasculaire
   périphérique, risque élevé de
Dysfonctionnement sexuel
Dysréflexie

Échanges gazeux, perturbation des
Élimination urinaire, altération de l'
Estime de soi, perturbation
   de l'
Estime de soi, perturbation chronique
   de l'

Estime de soi, perturbation
   situationnelle de l'
Excès nutritionnel
Excès nutritionnel, risque élevé de
Exercice du rôle, perturbation dans l'
Exercice du rôle parental, perturbation
   dans l'
Exercice du rôle parental, risque élevé
   de perturbation dans l'
Exercice du rôle de l'aidant naturel, dé-
   faillance dans l'
Exercice du rôle de l'aidant naturel,
   risque élevé de défaillance dans l'

Fatigue

Habitudes de sommeil, perturbation des
Hyperthermie
Hypothermie

Identité personnelle, perturbation de l'
Image corporelle, perturbation de l'
Incontinence fécale
Incontinence urinaire à l'effort
Incontinence urinaire complète
Incontinence urinaire fonctionnelle
Incontinence urinaire par réduction du
   temps d'alerte
Incontinence urinaire réflexe
Infection, risque élevé d'
Intégrité de la muqueuse buccale,
   atteinte à l'
Intégrité de la peau, atteinte à l'
Intégrité de la peau, risque élevé d'at-
   teinte à l'
Intégrité des tissus, atteinte à l'
Interactions sociales, perturbation des
Intolérance à l'activité
Intolérance à l'activité, risque élevé d'
Intoxication, risque élevé d'
Irrigation tissulaire, diminution de l'
   (préciser) : cardiopulmonaire,
   cérébrale, gastro-intestinale,
   périphérique, rénale
Isolement social

* *Diagnostics infirmiers : définitions et classification*, ANADI, Paris, InterEditions, 1994.

Laver/effectuer ses soins d'hygiène, incapacité (partielle ou totale) de se
Loisirs, manque de

Maintenir en santé, difficulté à se
Maintenir une respiration spontanée, incapacité de
Mécanismes de protection, altération des
Mobilité physique, altération de la
Mode d'alimentation inefficace chez le nourrisson
Mode de respiration inefficace

Négligence de l'hémicorps
Non-observance (préciser)

Opérations de la pensée, altération des
Organiser et entretenir le domicile, incapacité (partielle ou totale) d'

Perception sensorielle, altération de la (préciser) : auditive, gustative, kinesthésique, olfactive, tactile, visuelle
Perte d'espoir
Peur
Programme thérapeutique, prise en charge inefficace du
Pseudo-constipation

Réaction post-traumatique
Recherche d'un meilleur niveau de santé (préciser les comportements)
Rétention urinaire

Sentiment d'impuissance
Sevrage de la ventilation assistée, intolérance au

Sexualité, perturbation de la
Stratégies d'adaptation défensives
Stratégies d'adaptation familiale efficaces : potentiel de croissance
Stratégies d'adaptation familiale inefficaces : absence de soutien
Stratégies d'adaptation familiale inefficaces : soutien compromis
Stratégies d'adaptation individuelle inefficaces
Suffocation, risque élevé de
Syndrome d'immobilité, risque élevé de
Syndrome d'inadaptation à un changement de milieu
Syndrome du traumatisme de viol : réaction mixte
Syndrome du traumatisme de viol : réaction silencieuse

Température corporelle, risque élevé d'altération de la
Thermorégulation inefficace
Trauma, risque élevé de

Utiliser les toilettes, incapacité (partielle ou totale) d'

Vêtir/soigner son apparence, incapacité (partielle ou totale) de se
Violence envers soi ou envers les autres, risque élevé de
Volume liquidien, déficit de
Volume liquidien, excès de
Volume liquidien, risque élevé de déficit de

ANNEXE P
Mise à jour – nouveaux médicaments

Nom générique (nom commercial)	Classifications	Usages	Statut
Amlodipine (Norvasc)	Bloqueur des canaux calciques	Traitement de l'hypertension essentielle légère ou modérée, et de l'angine chronique stable.	Approuvé par la DGPS
Atovaquone (Mepron)	Antiprotozoaire	Traitement de la pneumonie à *Pneumocystis carinii* (PPC) légère ou modérée chez les patients qui manifestent une intolérance au triméthoprime-sulfaméthoxazole.	Approuvé par la DGPS
Azithromycine (Zithromax)	Anti-infectieux – macrolide	Traitement des infections des voies respiratoires, de la peau et des annexes cutanées.	Non approuvé par la DGPS
Beractant (Survantan)	Surfactant pulmonaire (bovin)	Prévention et traitement du syndrome de détresse respiratoire chez les prématurés.	Approuvé par la DGPS
Butorphanol intranasal (Stadol NS)	Analgésique narcotique – agoniste/antagoniste	Analgésie.	Non approuvé par la DGPS
Calcipotriol (Dovonex)	Agent antipsoriasique non stéroïdien	Traitement topique du psoriasis bénin à modéré.	Approuvé par la DGPS
Cefprozil (Cefzil)	Anti-infectieux – céphalosporine	Traitement des infections des voies respiratoires, de la peau et des annexes cutanées.	Non approuvé par la DGPS
Cilazapril (Inhibace)	Inhibiteur de l'enzyme de conversion de l'angiotensine	Traitement de l'hypertension légère à modérée.	Approuvé par la DGPS
Cladribine (Leustatin)	Antinéoplasique	Traitement de la leucémie à tricholeucocytes.	Approuvé par la DGPS
Clodronate disodique (Bonefos)	Régulateur du métabolisme osseux (antihypercalcémique)	Traitement de l'hypercalcémie néoplasique.	Approuvé par la DGPS
Diltiazem IV (Cardizem)	Bloqueur des canaux calciques	Fibrillation auriculaire, flutter auriculaire, conversion de la TPSV.	Non approuvé par la DGPS
Edoxudine (Virostat)	Antiviral	Traitement local précoce des épisodes récurrents d'infections virales de type herpès génital attribuables au VHS de type 2 chez les femmes immunocompétentes.	Approuvé par la DGPS
Enoxacin (Penetrex)	Anti-infectieux – fluoroquinolone	Traitement des infections des voies respiratoires et urinaires, et des infections de la peau.	Non approuvé par la DGPS
Enoxaparine (Lovenox)	Thrombolytique	Prophylaxie des troubles thrombo-emboliques (thrombose veineuse profonde) suivant une chirurgie orthopédique de la hanche ou du genou.	Approuvé par la DGPS

Finastéride (Proscar)	Inhibiteur de la 5 alpha-réductase	Traitement de l'hypertrophie bénigne de la prostate.	Approuvé par la DGPS
Flumazénil (Anexate)	Antagoniste des benzodiazépines	Suppression ou atténuation des effets exercés par les benzodiazépines sur le SNC.	Approuvé par la DGPS
Fluvastatine sodique (Lescol)	Régulateur du métabolisme lipidique	Traitement d'appoint de l'hyperlipidémie.	Approuvé par la DGPS
Isosorbide, mononitrate de (ISMO)	Vasodilatateur – dérivé nitré	Prévention des crises angineuses.	Approuvé par la DGPS
Itraconazole (Sporanox)	Antifongique	Traitement des candidoses locales et systémiques.	Approuvé par la DGPS
Kétorolac PO (Toradol)	Anti-inflammatoire non stéroïdien	Kétorolac par voie IM : voir la monographie.	Approuvé par la DGPS
Lévocabastine, chlorhydrate de (Livostin)	Antagoniste des récepteurs H₁ de l'histamine	Traitement symptomatique de la rhinite allergique ou de la conjonctivite allergique saisonnière.	Approuvé par la DGPS
Lodoxamide, trométhamine de (Alomide)	Agent contre les allergies – stabilisant des mastocytes	Traitement de la kératoconjonctivite vernale, de la conjonctivite papillaire géante et de la conjonctivite allergique ou atopique.	Approuvé par la DGPS
Loracarbef (Lorabid)	Anti-infectieux – céphalosporine	Traitement des infections des voies respiratoires et urinaires, et des infections de la peau.	Non approuvé par la DGPS
MAb (Xomazym CD5 P)	Anticorps monoclonaux	Greffe – hôte	Royaume-Uni
Méfloquine (Lariam)	Antipaludique (traitement de la malaria)	Traitement prophylactique des infections à *P. falciparum* ou à *P. vivax*, y compris les souches de *P. falciparum* résistantes à la chloroquine.	Approuvé par la DGPS
Midodrine (Amatine)	Vasopresseur	Traitement de l'hypotension orthostatique neurogène primaire.	Approuvé par la DGPS
Moclobémide (Manerix)	IMAO-A (réversible)	Traitement de la dépression.	Approuvé par la DGPS
Nabumétone (Relafen)	Anti-inflammatoire non stéroïdien	Traitement de l'arthrose et de la polyarthrite rhumatoïde.	Approuvé par la DGPS
Nédocromil (Tilade, Prostep)	Anti-inflammatoire bronchique	Traitement adjuvant de la bronchopneumopathie obstructive.	Approuvé par la DGPS
Nicotine transdermique (habitrol, Nicoderm, Nicotrol, Prostep)	Auxiliaire antitabagisme	Traitement adjuvant du tabagisme.	Approuvé par la DGPS
Nilutamide (Anandron)	Antiandrogène non stéroïdien	Traitement du cancer de la prostate métastatique.	Approuvé par la DGPS
Norgestimate/éthinyl d'œstradiol (Cyclen, Tri-Cyclen)	Contraceptif oral	Contrôle de la conception.	Approuvé par la DGPS
Paclitaxel (Taxol)	Antinéoplasique	Traitement de cancer ovarien métastatique après échec du traitement standard.	Approuvé par la DGPS
Pamidronate disodique (Aredia)	Régulateur du métabolisme osseux	Traitement de l'hypercalcémie d'origine tumorale.	Approuvé par la DGPS
Paroxétine, chlorhydrate de (Paxil)	Antidépresseur	Soulagement symptomatique de la dépression.	Approuvé par la DGPS

ANNEXE P (*suite*)

NOM GÉNÉRIQUE (NOM COMMERCIAL)	CLASSIFICATIONS	USAGES	STATUT
Pentastarch (Pentaspan)	Agent destiné à l'expansion du volume plasmatique	Solution d'appoint lorsqu'une expansion du volume plasmatique est souhaitable lors du traitement des chocs.	Approuvé par la DGPS
Pantosan sodique, polysulfate de (Elmiron)	Glucide macromoléculaire	Traitement de la cystite interstitielle.	Approuvé par la DGPS
Pentostatine (Nipent)	Antinéoplasique – inhibiteur de l'état de transition de l'adénosine désaminase (ADA).	Traitement de la leucémie à tricholeucocytes chez les adultes.	Approuvé par la DGPS
Pinavérium, bromure de (Dicetel)	Inhibiteur calcique gastro-intestinal	Traitement et soulagement des symptômes associés au syndrome du côlon irritable et aux troubles des voies biliaires.	Approuvé par la DGPS
Rifabutine (Mycobutin)	Anti-infectieux – ansamycine	Prévention des maladies disséminées du complexe *Mycobacterium avium* dans les cas avancés d'infection au VIH.	Approuvé par la DGPS
Rispéridone (Risperdal)	Antipsychotique	Maîtrise des manifestations de la schizophrénie.	Approuvé par la DGPS
Sertraline (Zoloft)	Antidépresseur	Traitement de la dépression.	Approuvé par la DGPS
Simvastine (Zocor)	Hypocholestérolémiant	Traitement d'appoint de l'hyperlipidémie.	Approuvé par la DGPS
Sumatriptan (Imitrex)	Agoniste de la sérotonine	Traitement de la migraine et des crises migraineuses.	Approuvé par la DGPS
Temafloxacin (Omniflox)	Anti-infectieux – fluoroquinolone	Traitement des infections des voies respiratoires et urinaires.	Royaume-Uni
Testostérone, undécanoate de (Andriol)	Androgène	Thérapie de remplacement lorsqu'une déficience ou une absence de testostérone endogène chez l'homme est associée à des symptômes.	Approuvé par la DGPS
Terbinafine, chlorhydrate de (Lamisil)	Antifongique	Traitement des infections fongiques de la peau et des ongles.	Approuvé par la DGPS
Vaccin antityphoïdique vivant oral atténué Ty 21a (Vivotif Berna)	Vaccin	Immunisation contre la maladie causée par Salmonella typhi (fièvre typhoïde).	Approuvé par la DGPS
Vaccin contre la varicelle (Varivax)	Vaccin	Prévention contre la varicelle.	Royaume-Uni
Vigabatrim (Sabril)	Anticonvulsivant	Traitement d'appoint des cas d'épilepsie impossibles à stabiliser de façon satisfaisante par les mesures thérapeutiques classiques.	Approuvé par la DGPS
Zalcitabine (Hivid)	Antirétroviral	Traitement des cas avancés d'infection au VIH, en association avec la zidovudine.	Approuvé par la DGPS

ANNEXE Q
Accidents reliés à la pharmacothérapie

RÔLE DE L'INFIRMIÈRE DANS LE DÉPISTAGE, LA PRÉVENTION ET LE RAPPORT DES RÉACTIONS INDÉSIRABLES AUX MÉDICAMENTS ET DES ERREURS DE MÉDICATION

Les accidents reliés à la pharmacothérapie sont les situations où l'administration de médicaments a entraîné une réponse indésirable ou inattendue chez le patient. Ils englobent les réactions adverses et les erreurs de médication[1]. L'infirmière devrait se familiariser avec les caractéristiques de ces accidents et apprendre à les déceler, à les prévenir (dans la mesure du possible) et à les rapporter. La première étape de cette démarche essentielle consiste à noter les antécédents détaillés du patient en ce qui concerne la prise de médicaments, y compris celle de médicaments en vente libre, l'alimentation et les habitudes de vie (déterminer s'il fume, s'il boit de l'alcool ou s'il consomme des drogues) ainsi que les réactions antérieures aux médicaments (de type allergique et non allergique).

RÉACTIONS INDÉSIRABLES AUX MÉDICAMENTS

Les effets indésirables des médicaments sont classés en plusieurs catégories. Une bonne connaissance de cette classification protège le client contre les accidents découlant de l'administration d'un médicament ayant déjà causé des réactions indésirables chez lui ou de médicaments lui ressemblant sur le plan chimique ou pharmacologique. Avant d'administrer un médicament, particulièrement si c'est la première fois qu'elle le fait, l'infirmière devrait se familiariser avec les réactions indésirables les plus fréquentes (soulignées dans la section **Réactions indésirables et effets secondaires** de chacune des monographies). Lorsque de telles réactions se manifestent, elle devrait connaître les mesures à adopter ainsi que leur ordre de priorité. Elle devrait également connaître les réactions plus rares, mais plus graves (indiquées EN PETITES MAJUSCULES dans la section **Réactions indésirables et effets secondaires** de chacune des monographies). L'infirmière devrait être prête à intervenir dès que la réaction se manifeste.

L'infirmière devrait soupçonner qu'une réaction indésirable est apparue lorsqu'elle note dans l'état du patient une modification ne pouvant être considérée comme une réponse thérapeutique aux médicaments qu'on lui administre, particulièrement lorsqu'un nouveau médicament vient d'être ajouté au traitement. Bien qu'une maladie concomitante ou évolutive puisse aussi expliquer l'aggravation des symptômes ou l'apparition de nouveaux symptômes, il faut envisager très sérieusement la possibilité que des réactions indésirables ou des effets secondaires en soient la cause.

Réactions reliées à la dose (réactions toxiques): Les réactions toxiques peuvent avoir différentes causes, mais en règle générale elles sont provoquées par une dose excessive. Plusieurs facteurs peuvent mener à des erreurs de dosage : on n'a pas tenu compte de la taille du patient dans le calcul de la dose (chez les personnes âgées, cachectiques ou débilitées) ; on n'a pas pris en considération le mode de distribution du médicament (certains médicaments ne pénètrent pas adéquatement dans les tissus adipeux de sorte qu'une intoxication peut se produire si l'on calcule la dose d'après le poids réel plutôt que d'après le poids idéal) ; on n'a pas évalué les capacités métaboliques et excrétoires de l'organisme (insuffisance rénale ou hépatique attribuable à l'âge ou à une maladie sous-jacente) ; on n'a pas déterminé les effets des autres médicaments administrés au patient (les médicaments sont déplacés des sites où ils se lient aux protéines) ; le patient présente une sensibilité accrue au médicament à cause d'une maladie sous-jacente (les patients souffrant d'hypothyroïdie sont très sensibles aux effets de la digoxine); etc. Quoi qu'il en soit, il faut d'abord interrompre l'administration du médicament et, par la suite, en réduire la dose ou prolonger l'intervalle entre deux administrations, selon le médicament. La surveillance des concentrations sanguines du médicament s'avère utile lors de l'évaluation de telles réactions. L'infirmière doit expliquer aux patients qu'ils pourront probablement continuer de recevoir le médicament malgré l'apparition d'une réaction toxique. Il ne faut surtout pas qu'ils se croient «allergiques» à ce médicament. Il est également important de mentionner dans le dossier du patient que la réaction a été entraînée par l'administration d'une dose trop élevée. Ainsi, il ne sera pas privé du médicament à l'avenir, et on disposera des paramètres permettant de déterminer plus facilement la posologie d'autres médicaments.

Effets secondaires: On considère habituellement les effets secondaires comme les effets qui découlent de l'administration du médicament, mais ne traduisent pas son action prévue ou souhaitée. Ces effets sont indésirables et parfois gênants. Comme ils se manifestent assez souvent aux doses habituelles, il convient toutefois d'en informer le patient afin qu'il sache quoi faire s'ils apparaissent. Certains effets secondaires sont si minimes que l'on peut poursuivre le traitement sans le modifier. C'est le cas notamment du mal de tête qui se manifeste habituellement après la prise de nitroglycérine. Si l'administration du médicament se poursuit, l'effet secondaire finit par se dissiper. Entre-temps, le mal de tête peut être soulagé par de l'acétaminophène. D'autres effets secondaires dictent cependant une modification de la posologie, l'ajout d'un autre médicament à la pharmacothérapie ou l'arrêt du traitement, selon la réponse du patient ou la gravité de la réaction. Certains antihypertenseurs peuvent entraîner l'impuissance. Si le patient considère que cet effet est inacceptable, il faudrait lui prescrire un autre type d'antihypertenseur. Les opiacés entraînent souvent la constipation. Toutefois, l'ajout d'un laxatif à la pharmacothérapie ou de simples modifications de l'alimentation peuvent éliminer ou prévenir cet effet secondaire. Par contre, en présence du syndrome malin des neuroleptiques, une réaction parfois mortelle qui risque de survenir lors de la prise de phénothiazines, il faut immédiatement abandonner le traitement.

Dans le rapport des effets secondaires, il faut préciser le nom du médicament et le moment où l'effet secondaire s'est manifesté. S'il a été grave, des mesures seront prises pour que le patient ne reçoive plus cet agent. Si l'on doit néanmoins administrer un médicament ayant provoqué des effets secondaires, on informera le patient des mesures à prendre.

Réactions idiosyncrasiques: Ces réactions se manifestent sans égard à la dose administrée. Elles apparaissent de manière sporadique et imprévisible, et revêtent plusieurs formes: fièvre, dyscrasie, symptômes cardiovasculaires, modifications indésirables de l'état de la conscience, etc. Le laps de temps qui s'écoule entre l'apparition d'un tel trouble et le début du traitement est le seul indice qui permette de lier le symptôme au médicament. Plusieurs questions concernant ce type de réactions restent sans réponse. Par exemple, on ne sait jamais si le patient aura une autre réaction semblable au médicament. La décision dépend alors de la nécessité de poursuivre le traitement et de l'existence de solutions de rechange. On ne sait pas non plus si le patient aura la même réaction à des médicaments similaires. Une fois de plus, la décision devra être prise selon chaque cas. Certaines réactions idiosyncrasiques peuvent s'expliquer par l'existence de particularités génétiques modifiant les enzymes responsables du métabolisme du médicament. L'enseignement est très important, puisque le patient doit comprendre que de telles réactions sont imprévisibles. Il doit aussi comprendre que le médecin a estimé que les effets bénéfiques escomptés l'emportaient sur les risques. Une réaction idiosyncrasique à un médicament ne doit pas être considérée comme un obstacle à l'administration d'autres médicaments similaires. On doit cependant la noter au dossier afin que le médecin en tienne compte lors de la planification de traitements futurs.

Réactions d'hypersensibilité : En général, les réactions d'hypersensibilité sont de nature allergique. Elles signifient que le patient a déjà été exposé au médicament. Les manifestations d'une réaction d'hypersensibilité vont du rash léger à l'anaphylaxie potentiellement mortelle, en passant par la néphrite, la pneumonie et l'anémie hémolytique. Les médicaments contenant des protéines (vaccins ou enzymes) prédisposent davantage à des réactions d'hypersensibilité lors d'expositions ultérieures. Dans de nombreux cas d'hypersensibilité, la formation d'anticorps est en cause. La possibilité d'une sensibilisation croisée doit toujours être considérée. Prenons l'exemple de l'hypersensibilité aux pénicillines. Si le patient a des antécédents d'allergie à une pénicilline, il présentera probablement une hypersensibilité à tous les anti-infectieux connexes (autres pénicillines et céphalosporines). En consignant la réaction d'hypersensibilité au dossier, on s'assure que ces médicaments ne seront plus prescrits au patient. Si l'on doit absolument les prescrire, on fera subir au patient un prétraitement (avec des antihistaminiques ou des glucocorticoïdes) ou on le désensibilisera au préalable.

Réactions résultant de l'ajout d'un deuxième (d'un troisième ou d'un quatrième) médicament à la pharmacothérapie (interactions médicamenteuses) : Un certains nombre de réactions indésirables et d'effets secondaires se manifestent seulement si un autre médicament amorce le processus. Les symptômes ne sont donc pas causés par un seul médicament. Il faut alors déterminer avec précision quel médicament a été administré en premier, quand le deuxième a été ajouté à la pharmacothérapie et le laps de temps qui s'est écoulé avant l'apparition de la réaction. Examinons l'interaction qui s'exerce entre la digoxine et la quinidine. Dans les premiers jours qui suivent l'ajout de la quinidine à la pharmacothérapie des patients dont l'état a été stabilisé à l'aide d'une dose appropriée de digoxine, on note souvent l'apparition de troubles gastro-intestinaux (nausées, vomissements). On pourrait penser que la quinidine en est responsable, puisque c'est elle qu'on vient d'ajouter à la pharmacothérapie. Il a cependant été démontré que la quinidine augmente considérablement les concentrations sériques de digoxine pendant les premiers jours du traitement. En prévision de cette interaction, on réduit la dose de digoxine (jusqu'à 50 %), afin d'ajouter sans danger la quinidine à la pharmacothérapie. En présence d'une interaction médicamenteuse réelle ou soupçonnée, il faudrait évaluer la nécessité de continuer d'administrer les deux agents et la possibilité de modifier la posologie ou de remplacer un des médicaments. En notant dans le dossier du patient toutes les interactions de ce type, on évitera qu'elles se reproduisent. Puisque les interactions médicamenteuses graves sont plus fréquentes lors de l'administration de médicaments de certaines classes, on surveillera étroitement les patients à qui on les administre. En outre, on préviendra le patient des risques d'interaction médicamenteuse afin qu'il soit sur ses gardes chaque fois qu'on lui prescrit un nouveau médicament et qu'il consulte le médecin ou le pharmacien avant de prendre un médicament en vente libre. Les interactions médicamenteuses graves sont plus fréquentes lors de la prise d'anticoagulants oraux, d'hypoglycémiants oraux, d'anti-inflammatoires non stéroïdiens, de théophylline, d'inhibiteurs de la monoamine-oxydase, d'antihypertenseurs, d'anticonvulsivants, de cimétidine, de lithium et de dérivés digitaliques.

Notification concernant les effets indésirables à la Direction générale de la protection de la santé (DGPS)

Puisque la demande de nouveaux médicaments est très forte, le laps de temps qui s'écoule entre la mise au point d'un nouvel agent et sa commercialisation est de plus en plus court. Il s'avère donc nécessaire de continuer de surveiller les réactions indésirables après le lancement des médicaments sur le marché.

Lorsqu'un professionnel de la santé observe une réaction indésirable à un médicament, telle qu'elle est définie dans le document intitulé «Les réactions indésirables aux médicaments, pharmacovigilance et déclaration»[*], il doit remplir le formulaire *Notification concernant un effet indésirable présumé dû à des médicaments, cosmétiques et produits biologiques (vaccins exclus)*[†] et l'envoyer à la DGPS.

Il faut signaler les réactions mortelles, irréversibles, potentiellement mortelles ou nouvelles.

Les professionnels de la santé doivent par ailleurs relever tout problème relié au médicament en question, c'est-à-dire une éventuelle contamination, une perte de stabilité, des ingrédients manquants ou inadéquats, des erreurs d'emballage ou d'étiquetage, etc. La DGPS encourage les médecins, infirmières, dentistes et pharmaciens à se familiariser avec les divers types de réactions et à les signaler sur le formulaire mentionné plus haut. Ce formulaire doit être rempli même si l'on n'est pas sûr qu'il existe une relation de cause à effet ou si certains détails manquent. Lorsque la DGPS reçoit un tel formulaire, elle ne dévoile pas le nom du patient mais prévient le fabricant du médicament de l'apparition d'une réaction. Si la réaction signalée est très grave ou si elle a été signalée à une certaine fréquence, le médicament pourrait être retiré du marché.

Lorsqu'un médicament est retiré du marché, tous les médecins, pharmaciens et consommateurs en sont prévenus par lettre et par les médias.

Il est de la responsabilité de l'infirmière, en collaboration avec les autres professionnels de la santé, de signaler sans délai toute réaction indésirable de ce type qu'elle peut observer chez un patient.

Erreurs de médication

Comment prévenir les erreurs de médication: Une différence notable distingue les réactions indésirables à un médicament des erreurs dans son administration: les erreurs de médication sont évitables. Le but d'une pharmacothérapie optimale est de fournir le bon médicament au bon patient, à la bonne dose, par la bonne voie d'administration, au bon moment et pour la bonne indication. Il existe des risques d'erreur à toutes les étapes de ce processus. Un grand nombre de personnes sont responsables de l'administration des médicaments et chacune d'elles doit vérifier, à son niveau, qu'il n'y a pas eu d'erreur. Elle doit prévenir les erreurs dans la mesure du possible et déclarer leurs effets le cas échéant. Puisque c'est à l'infirmière qu'incombe la tâche d'administrer les médicaments, elle est souvent le dernier et le plus important maillon de la

---

[*] Voir le CPS de l'association pharmaceutique canadienne.

[†] On peut se procurer ce formulaire auprès du Centre régional EIM du Québec, Centre d'information pharmaceutique, Hôpital du Sacré-Cœur, 5400, boulevard Gouin Ouest, Montréal (Québec) H4J 1C5.

chaîne. Des erreurs peuvent se produire lors de cette dernière étape, mais c'est également à ce moment que d'autres erreurs peuvent être décelées et prévenues. Voici quelques recommandations supplémentaires à l'intention des infirmières[2]:

- Se familiariser avec les règlements de l'établissement en ce qui concerne le traitement des ordonnances et l'administration des médicaments (stocks en vrac ou en doses unitaires).

- Savoir où obtenir des renseignements sur les médicaments. Parmi les sources possibles, citons les médecins, les pharmaciens et les ouvrages de référence.

- Vérifier les ordonnances autant de fois qu'il le faut. Bien des erreurs peuvent être commises au cours des diverses transcriptions.

- Utiliser les intervalles d'administration standard pour éviter toute confusion, particulièrement lorsque la surveillance par des épreuves diagnostiques et biochimiques doit avoir lieu à un moment précis après l'administration du médicament.

- Inspecter le médicament avant de l'administrer, afin de déceler les défauts éventuels (par exemple, capsules fissurées, solutions injectables troubles, sédiments dans les solutions). Signaler ces défauts dès que possible. Vérifier l'identité du patient avant de lui administrer un médicament. Garder les médicaments dans des contenants dûment étiquetés le plus longtemps possible (essayer de les garder dans leur conditionnement unitaire d'origine jusqu'au moment où on les apporte au patient). Noter tous les détails concernant l'administration de chaque médicament dans les dossiers appropriés. Si on ne dispose pas du médicament qu'il faut administrer à un patient, ne pas le prendre parmi ceux qui sont destinés à un autre. Déterminer plutôt pourquoi le médicament ne se trouve pas à sa place. Il pourrait ne pas avoir été envoyé pour diverses raisons (interactions possibles, antécédents de réactions indésirables, duplication de traitement, etc.).

- Observer attentivement tous les effets du médicament, y compris les réactions indésirables. Il est tout aussi important de signaler l'issue thérapeutique souhaitée que l'apparition d'un rash.

- Lorsqu'on doit calculer les doses de médicament, faire vérifier ses calculs par une autre personne (un pharmacien ou une infirmière). On peut également se servir des tableaux des concentrations standard ou des vitesses de perfusion (voir l'annexe D).

- Se familiariser avec les dispositifs d'administration avant de les utiliser et bien comprendre leurs avantages ainsi que leurs inconvénients. Étant donné que la gamme de dispositifs de pointe est tellement vaste (pompes de perfusion, inhalateurs, timbres, etc.), il est important de bien étudier le mode d'emploi de chacun d'entre eux.

- Donner au patient un maximum de renseignements sur les médicaments qu'il reçoit. Lui expliquer tous les détails d'une manière qui lui soit accessible. Lui présenter des textes en gros caractères, des photos ou des illustrations. Si le patient ne comprend pas bien le français, se faire assister d'un interprète. Donner au patient tous les renseignements dont il a besoin pour devenir un consommateur éclairé. Commencer l'enseignement lors de l'administration de la première dose et renforcer les notions expliquées lors de l'administration des doses suivantes.

- Si le médicament ne peut être administré selon la prescription du médecin, en faire mention dans les dossiers.

Comment lire les ordonnances: Il faut lire les ordonnances très attentivement pour éviter les embûches pouvant entraîner des erreurs de médication. En voici quelques exemples:

Abréviations: Il est déconseillé d'abréger le nom d'un médicament ou sa posologie. Par exemple, «AZT» peut être une abréviation d'azathioprine, de zidovudine ou d'aztréonam. Des erreurs peuvent aussi se glisser lors de l'interprétation de la posologie. On peut lire par erreur «qid» (quatre fois par jour) au lieu de «qd» (tous les jours) ou de «qod» (un jour sur deux). C'est la raison pour laquelle il faudrait noter en toutes lettres le nom standard du médicament (nom générique ou nom commercial) ainsi que sa posologie.

Directives ambiguës: Les directives concernant l'administration des médicaments doivent être indiquées clairement. Ne pas se borner à écrire: «prendre selon les recommandations». Tous les renseignements supplémentaires qui pourraient modifier la réponse au traitement ou aider à prévenir une réaction indésirable doivent être transcrits clairement. Il faut par exemple préciser si le médicament doit être pris à jeun ou avec des aliments.

Posologie: Notez la teneur du médicament plutôt que la quantité à prendre (il faut indiquer la dose en milligrammes et non pas en nombre de comprimés ou de demi-comprimés). Écrivez clairement l'unité de mesure. Il est très facile de confondre les milligrammes avec les microgrammes. Les abréviations peuvent mener à une confusion encore plus grande (mg; µg). La seule exception à cette règle est, peut-être, l'administration d'associations de médicaments. Lorsque la teneur est spécifiée en unités, écrivez les mot «unités» en toutes lettres. Il est facile de prendre un «U» pour un «O».

Mesures décimales: Il faut toujours écrire un 0 avant la virgule pour les doses inférieures à 1 (par exemple, 0,3). Cependant il ne faut pas inscrire de 0 après la virgule, puisqu'on risque ainsi de décupler la dose (lire par erreur 50 au lieu de 5,0).

Système de mesure: Dans la mesure du possible, il faut toujours utiliser le système international d'unités. Les autres systèmes de mesure ne sont pas réellement standard et, de plus, les abréviations de leurs unités prêtent à confusion.

Nom des médicaments: Un grand nombre de médicaments portent des noms qui se ressemblent beaucoup. Prenons comme exemple la vincristine et la vinblastine, le carboplatine et le cisplatine, la digoxine et la digitoxine, la ranitidine et la rifampicine. Pour éviter toute confusion, il pourrait être utile de marquer le nom générique ainsi que le nom commercial. Ainsi, le médicament sera clairement identifié. Il faut aussi, bien entendu, inscrire clairement la posologie du médicament.

Prescriptions transmises de vive voix: Les prescriptions transmises oralement ou par téléphone doivent être consignées le plus rapidement possible. Cette façon de faire permet à l'infirmière de répéter clairement les recommandations du médecin et de s'assurer qu'elle a bien compris les valeurs numériques, ce qui est particulièrement important pour les multiples de dix (on peut facilement confondre vingt et quatre-vingts, par exemple).

Arrêt temporaire de la médication: Parfois, le médecin recommande d'arrêter temporairement la médication, et il faut alors observer les paramètres indiquant qu'on peut reprendre le traitement. Les directives de l'établissement mentionnent habituellement le laps de temps qui doit s'écouler avant de reprendre le traitement.

Cette précision élimine toute confusion. Dans le cas d'un grand nombre de médicaments, il pourrait être tout à fait logique d'interrompre l'administration pendant un certain temps pour la reprendre par la suite.

Le bon sens: Si une ordonnance semble contenir une anomalie, par exemple un trop grand nombre de comprimés à prendre, un volume trop important de solution à injecter, ou un médicament destiné au traitement d'une maladie ou d'un trouble dont le patient n'est pas atteint, on doit la faire vérifier. Il faut également remettre en question l'administration d'un médicament par une voie qui ne semble pas appropriée, par exemple une injection intramusculaire chez un patient capable d'avaler un comprimé.

QUE FAIRE SI UNE ERREUR À ÉTÉ COMMISE ?

Si, malgré toutes ces précautions, une erreur de médication a été commise, il est très important de la signaler par écrit, même si le patient n'a subi aucun effet nuisible. Le but des directives de l'établissement concernant la déclaration des accidents reliés à la pharmacothérapie est de déceler tous les problèmes et d'énoncer les mesures à prendre pour qu'ils ne se reproduisent pas.

RÉFÉRENCES :

1. Manasse, H. R., Jr.: «Medication use in an imperfect world: Drug misadventuring as an issue of public policy», 1re partie, *Am J Hosp Pharm* no 46, p. 929-944, 1989.

2. Rapport ASHP: «ASHP guidelines for preventing medication errors in hospitals», *Am J Hosp Pharm* no 50, p. 305-314, 1993.

ANNEXE R
Réactions anaphylactiques

1. **Arrêter d'administrer le médicament ayant provoqué la réaction.**
   (Arrêter l'administration IV, poser un garrot si le médicament a été administré par voie IM ou SC.)

2. **Assurer le dégagement des voies respiratoires. Administrer de l'*aminophylline* par voie IV** ou tout autre bronchodilatateur en cas de détresse respiratoire.

3. **Administrer de l'*épinéphrine*.**
   - **SC (adultes):** de 0,2 à 0,5 mg, au besoin toutes les 30 à 60 min.
   - **SC (enfants):** de 0,01 à 0,03 mg/kg ou de 0,1 à 0,3 mg, au besoin toutes les 30 à 60 min.
   - **IV (adultes):** de 0,3 à 0,5 mg en 5 min, au besoin toutes les 15 min, *ou* 0,1 mg en 5 à 10 min, *ou* perfusion de 1 à 4 µg/min.
   - **IV (enfants):** 0,01 mg/kg *ou* de 0,1 à 0,2 mg en 5 min, au besoin toutes les 30 min, *ou* de 0,1 à 1,5 µg\kg\min (au maximum).

4. **Administrer des *antihistaminiques*** (par exemple de la diphenhydramine [Benadryl]) pour prévenir la réapparition des symptômes et atténuer l'intensité de la réaction.
   diphenhydramine (Benadryl)
   - **IM, IV (adultes):** de 10 à 50 mg en dose unique (au besoin administrer jusqu'à 100 mg; ne pas dépasser 400 mg/jour). On peut par la suite administrer le traitement PO pendant un ou deux jours.
   - **IM, IV (enfants):** 5 mg/kg/jour *ou* 150 mg/m^2 en doses fractionnées toutes les 6 à 8 h (ne pas dépasser 300 mg/jour). On peut par la suite administrer le traitement PO pendant un ou deux jours.

5. **Maintenir la pression artérielle, au besoin, en administrant des liquides et/ou des vasopresseurs.**

6. **Administrer des *glucocorticoïdes*,** au besoin, pour atténuer l'intensité de la réaction.
   hydrocortisone(Solu-Cortef)
   - **IV (adultes et enfants):** de 100 à 1 000 mg. On peut par la suite administrer 7mg/kg/jour par voie IV ou PO, pendant un ou deux jours.

7. **Consigner la réaction** du client dans son dossier médical; recommander au patient le port d'un bracelet indiquant l'allergie (en informer au besoin les proches).

ANNEXE S

Compatibilités des médicaments: mélanges dans la même seringue

LÉGENDE

- C = Compatibilité
- L = Compatibilité pendant une période limitée
- I = Incompatibilité
- * = Données contradictoires
- – = Données manquantes
- ■ = Même médicament

	1	2	3	4	5	6	7	8	9	10	11	12	13	14	15	16	17	18	19	20	21
1. atropine	■	–	C	L	–	–	L	–	C	L	L	L	L	C	L	L	–	L	L	L	–
2. buprénorphine	–	■	–	–	–	–	–	–	–	–	–	–	–	–	–	–	–	–	–	–	–
3. butorphanol	C	–	■	C	–	–	C	–	–	C	C	L	C	–	C	I	–	C	C	C	–
4. chlorpromazine	L	–	C	■	–	I	L	L	C	L	L	L	L	–	L	I	I	L	L	L	–
5. codéine	–	–	–	–	■	–	–	–	–	C	–	–	–	–	–	–	–	–	–	–	–
6. diazépam	–	–	–	I	–	■	–	–	–	–	–	I	–	I	–	I	–	–	–	–	–
7. diphenhydramine	L	–	C	L	–	–	■	L	C	L	L	L	L	–	L	I	–	L	L	L	–
8. dropéridol/fentanyl	–	–	–	L	–	–	L	■	–	–	–	–	–	–	–	–	–	–	–	–	–
9. hydromorphone	C	–	–	C	–	–	C	–	■	C	–	L	–	–	C	C	–	*	C	C	–
10. hydroxyzine	L	–	C	L	C	–	L	–	C	■	L	L	L	C	L	I	I	L	L	L	–
11. mépéridine	L	–	C	L	–	–	L	–	–	L	■	L	I	–	L	I	–	L	L	L	–
12. midazolam	L	–	L	L	–	I	L	–	L	L	L	■	L	L	–	L	*	–	*	*	–
13. morphine	L	–	C	L	–	–	L	–	–	L	I	L	■	–	L	*	–	*	*	L	–
14. nalbuphine	C	–	–	–	–	I	–	–	–	C	–	L	–	■	–	I	–	C	C	C	–
15. pentazocine	L	–	C	L	–	–	L	–	C	L	L	–	L	–	■	I	–	L	L	L	–
16. pentobarbital	L	–	I	I	–	I	–	–	C	I	I	L	*	I	I	■	–	I	I	L	–
17. phénobarbital	–	–	–	I	–	–	–	–	–	I	–	*	–	–	–	–	■	I	–	–	–
18. prochlorpérazine	L	–	C	L	–	–	L	–	*	L	L	–	*	C	L	I	I	■	L	L	–
19. prométhazine	L	–	C	L	–	–	L	–	C	L	L	*	*	C	L	I	–	L	■	L	–
20. scopolamine	L	–	C	L	–	–	L	–	C	L	L	*	L	C	L	L	–	L	L	■	–
21. sécobarbital	–	–	–	–	–	–	–	–	–	–	–	–	–	–	–	–	–	–	–	–	■

ANNEXE T

Compatibilités des médicaments : mélanges dans un soluté IV

LÉGENDE

C = Compatibilité
L = Compatibilité pendant une période limitée
I = Incompatibilité
* = Données contradictoires
– = Données manquantes
■ = Même médicament

	1. amikacine	2. aminophylline	3. amphotéricine B	4. ampicilline	5. calcium, chlorure de	6. calcium, gluconate de	7. céfamandole	8. céfazoline	9. céfoxitine	10. chloramphénicol	11. cimétidine	12. clindamycine	13. dexaméthasone	14. diphenhydramine	15. gentamicine	16. héparine
1. amikacine	■	*	I	I	C	C	–	I	C	C	C	C	*	C	–	I
2. aminophylline	*	■	–	–	–	C	–	–	–	C	I	I	C	C	–	C
3. amphotéricine B	I	–	■	I	I	I	–	–	–	–	I	–	–	I	I	C
4. ampicilline	I	–	I	■	–	I	–	–	–	–	*	*	–	–	I	*
5. calcium, chlorure de	C	–	I	–	■	–	–	–	–	C	–	–	–	–	–	–
6. calcium, gluconate de	C	C	I	I	–	■	I	I	–	C	–	I	C	C	I	C
7. céfamandole	–	–	–	–	–	I	■	–	–	–	*	C	–	–	I	–
8. céfazoline	I	–	–	–	–	I	–	■	–	L	I	C	C	–	I	–
9. céfoxitine	C	–	–	–	–	–	–	–	■	C	C	–	–	–	I	L
10. chloramphénicol	C	C	–	–	C	C	–	L	–	■	–	–	C	C	I	C
11. cimétidine	C	I	I	*	–	–	*	*	C	–	■	C	C	–	C	–
12. clindamycine	C	I	–	*	–	I	C	C	–	C	C	■	–	–	C	C
13. dexaméthasone	*	C	–	–	–	C	–	C	–	C	–	C	■	–	I	L
14. diphenhydramine	C	C	I	–	C	–	–	–	C	–	–	I	–	■	I	–
15. gentamicine	–	–	I	I	–	I	I	I	I	I	C	C	I	I	■	I
16. héparine	I	C	C	*	–	C	–	–	L	C	–	C	L	–	I	■
17. hydrocortisone	C	C	C	*	C	C	–	–	–	C	–	C	L	I	I	*
18. insuline régulière	–	I	–	–	–	–	–	–	C	–	C	–	–	–	I	I
19. lidocaïne	–	C	–	*	C	C	C	–	–	C	C	–	C	C	C	C
20. méthicilline	I	C	–	I	C	C	–	–	–	–	I	–	–	C	C	*
21. méthylprednisolone	–	*	–	–	–	I	–	–	–	C	–	C	–	–	–	C
22. métoclopramide	–	–	–	–	–	I	–	–	–	–	C	C	C	–	–	–
23. métronidazole	C	C	–	*	–	–	*	C	*	C	–	C	–	–	C	C
24. mezlocilline	–	–	–	–	–	–	–	–	–	–	–	–	–	–	I	–
25. multivitamines en perfusion	–	–	–	–	–	–	–	–	C	–	–	–	–	–	–	–
26. nafcilline	–	*	–	–	–	–	–	–	–	C	–	–	C	C	–	C
27. ocytocine	–	–	–	–	–	–	–	–	–	C	–	–	–	–	–	–
28. oxacilline	*	–	–	–	–	–	–	–	–	C	–	–	–	–	–	–
29. pénicilline G	*	I	I	–	C	C	–	–	–	C	C	C	–	C	*	*
30. pipéracilline	–	–	–	–	–	–	–	–	–	–	–	C	–	–	–	–
31. potassium, chlorure de	*	C	I	–	–	C	–	–	–	C	C	C	–	–	–	C
32. procaïnamide	–	–	–	–	–	–	–	–	–	–	–	–	–	–	–	–
33. ranitidine	C	–	I	*	–	–	–	–	*	–	C	–	I	C	–	C
34. ticarcilline	–	–	–	–	–	–	–	–	–	–	–	–	–	–	–	–
35. tobramycine	–	–	–	–	–	C	I	–	C	–	–	*	–	–	–	–
36. vancomycine	C	*	–	–	–	C	–	–	–	I	C	–	I	–	–	I
37. vérapamil	C	C	I	*	C	C	C	C	C	C	C	C	C	–	C	C

	17. hydrocortisone	18. insuline régulière	19. lidocaïne	20. méthicilline	21. méthylprednisolone	22. métoclopramide	23. métronidazole	24. mezlocilline	25. multivitamines en perfusion	26. nafcilline	27. ocytocine	28. oxacilline	29. pénicilline G	30. pipéracilline	31. potassium, chlorure de	32. procaïnamide	33. ranitidine	34. ticarcilline	35. tobramycine	36. vancomycine	37. vérapamil
1.	C	—	—	I	—	—	C	—	—	—	—	*	*	—	*	—	C	—	—	C	C
2.	C	I	C	C	*	—	C	—	—	*	—	—	I	—	C	—	—	—	—	*	C
3.	C	—	—	—	—	—	—	—	—	—	—	—	I	—	I	—	I	—	—	—	I
4.	*	—	*	I	—	—	*	—	—	—	—	—	—	—	—	—	*	—	—	—	*
5.	C	—	C	I	—	—	—	—	—	—	—	—	C	—	—	—	—	—	—	—	C
6.	L	—	C	C	I	I	—	—	—	—	—	—	C	—	C	—	—	—	C	C	C
7.	—	—	C	—	—	—	*	—	—	—	—	—	—	—	—	—	—	I	—	—	C
8.	—	—	—	—	—	—	C	—	—	—	—	—	—	—	—	—	*	—	—	—	C
9.	C	—	—	—	—	—	*	—	C	—	—	—	—	—	—	—	—	—	C	—	C
10.	C	—	C	I	C	—	C	—	—	C	C	C	C	—	C	—	C	—	—	I	C
11.	—	C	C	—	C	C	—	—	—	—	—	C	—	C	—	—	—	—	C	C	C
12.	C	—	—	—	C	C	C	—	—	—	—	C	C	C	C	—	I	—	*	—	C
13.	L	—	C	C	—	C	—	—	—	C	—	—	—	—	—	—	C	—	—	I	C
14.	I	—	C	C	—	—	—	—	—	C	—	—	C	—	—	—	—	—	—	—	—
15.	I	I	C	I	—	—	C	I	—	—	—	—	*	—	—	—	C	—	—	—	C
16.	*	I	C	*	C	—	C	—	—	C	—	—	*	—	C	—	—	—	—	I	C
17.	■	L	C	*	—	—	*	—	—	I	—	—	C	C	C	—	—	—	—	C	C
18.	L	■	C	—	I	—	—	—	—	—	—	—	—	—	—	—	—	—	—	—	C
19.	C	C	■	—	—	—	—	—	—	—	—	—	C	—	C	C	—	—	—	—	C
20.	*	—	I	■	—	—	—	—	—	—	—	—	C	—	C	—	—	—	—	I	C
21.	—	I	—	—	■	C	—	—	—	I	—	—	*	—	—	—	—	—	—	—	C
22.	—	—	—	—	C	■	—	—	C	—	—	—	—	—	C	—	—	—	—	—	—
23.	*	—	—	—	—	—	■	—	C	—	—	—	C	—	—	—	—	—	C	—	—
24.	—	—	—	—	—	—	—	■	—	—	—	—	—	—	—	—	—	—	—	—	*
25.	—	—	—	—	—	C	C	—	■	—	—	—	L	—	—	—	—	—	—	—	C
26.	I	—	—	—	I	—	—	—	—	■	—	—	—	—	C	—	—	—	—	—	*
27.	—	—	—	—	—	—	—	—	—	—	■	—	—	—	—	—	—	—	—	—	C
28.	—	—	—	—	—	—	—	—	—	—	—	■	—	—	C	—	—	—	—	—	*
29.	C	—	C	C	*	—	*	—	L	—	—	—	■	—	*	—	C	—	—	—	C
30.	C	—	—	—	—	—	—	—	—	—	—	—	—	■	C	—	—	—	—	—	C
31.	C	—	C	C	—	C	—	—	—	C	—	C	*	C	■	—	—	—	—	C	C
32.	—	—	C	—	—	—	—	—	—	—	—	—	—	—	—	■	—	—	—	—	C
33.	—	—	—	—	—	—	—	—	—	C	—	—	—	—	—	—	■	C	C	C	—
34.	—	—	—	—	—	—	—	—	—	—	—	—	—	—	—	—	C	■	—	—	C
35.	—	—	—	—	—	C	—	—	—	—	—	—	—	—	—	—	C	—	■	—	C
36.	C	—	—	I	—	—	—	—	—	—	—	—	—	—	C	—	C	—	—	■	C
37.	C	C	C	C	C	—	—	*	C	*	C	*	C	C	C	C	—	C	C	C	■

Bibliographie

American Hospital Formulary Service: Drug Information 92, American Society of Hospital Pharmacists, Bethesda, 1992.

Cella, J. H., et J. Watson, *Nurse's Manual of Laboratory Tests*, F.A. Davis, Philadelphie, 1989.

Doenges, M. E., et M. F. Moorhouse, *Nurse's Pocket Guide: Nursing Diagnoses with Interventions*, 3ᵉ édition, F.A. Davis, Philadelphie, 1991.

Facts and Comparisons, J. B. Lippincott, Saint-Louis, 1992.

Fischbach, F. T., *A Manual of Laboratory Diagnostic Tests*, 3ᵉ édition, J. B. Lippincott, Philadelphie, 1988.

Mathewson, M. K., *Pharmacotherapeutics: A Nursing Process Approach*, 2ᵉ édition, F. A. Davis, Philadelphie, 1991.

Physicians' Desk Reference (PDR), Medical Economics, Oradell, 1992.

Trissel, L. A., *Handbook of Injectable Drugs*, 6ᵉ édition, American Society of Hospital Pharmacists, Bethesda, 1990.

Trissel, L. A., *Supplement to Handbook of Injectable Drugs*, 6ᵉ édition, American Society of Hospital Pharmacists, Bethesda, 1991.

USP Dispensing Information (USP-DI)-Drug Information for the Health Care Provider Volume I, United States Phamacopeial Convention, Rockville, 1991.

Whitney, E., et M. Boyle, *Understanding Nutrition*, 3ᵉ édition, West Publishing Company, St.-Paul, 1984.

Index

Note: Les noms commerciaux sont en caractères ordinaires; les *associations médicamenteuses* sont en *italiques*; les CLASSES DE MÉDICAMENTS sont en PETITES CAPITALES; les **NOMS GÉNÉRIQUES** sont en caractères **GRAS ET EN PETITES CAPITALES**.

SUPPLÉMENT

A

ALDESLEUKINE
Proleukin, (interleukin-2), (IL-2)

CLASSIFICATION:
Antinéoplasique
(interleukine recombinante modifiée)

Grossesse – catégorie C

INDICATIONS
■ Traitement du carcinome métastatique des cellules rénales chez l'adulte (≥ 18 ans).

ACTION
■ Augmentation de l'immunité cellulaire (lymphocytose et éosinophilie), augmentation de la production de cytokines (incluant le facteur de nécrose tumorale, l'interleukine 1 et l'interféron gamma) et inhibition de la croissance de la tumeur.
Effets thérapeutiques : ■ Régression du carcinome des cellules rénales.

PHARMACOCINÉTIQUE
Absorption : Par suite de l'administration IV, la biodisponibilité est complète.
Distribution : Le médicament se répartit rapidement dans l'espace intravasculaire et extracellulaire. Une fraction de 70 % est captée par le foie, les reins et les poumons.
Métabolisme et excrétion : L'aldesleukine est transformée en acides aminés par les cellules qui tapissent les tubules contournés proximaux des reins.
Demi-vie : 85 min.

CONTRE-INDICATIONS ET PRÉCAUTIONS
Contre-indications : ■ Hypersensibilité à l'aldesleukine ou au mannitol ■ Antécédents de maladie cardiaque ou pulmonaire, confirmée par des résultats anormaux à l'épreuve d'effort au thallium ou aux épreuves de l'exploration fonctionnelle respiratoire ■ Antécédents de l'une des toxicités suivantes lors de traitements

antérieurs par l'aldesleukine : tachycardie ventriculaire soutenue (≥ 5 battements) ; angine de poitrine ou infarctus du myocarde indiqués par des modifications de l'ÉCG ; troubles respiratoires dictant l'intubation pendant plus de 72 h ; tamponade péricardique ; toxicité rénale dictant la dialyse pendant plus de 72 h ; atteinte du SNC se traduisant par le coma ou une psychose d'une durée de plus de 48 h ; convulsions réfractaires ; perforation ou ischémie intestinale ; hémorragie digestive dictant une intervention chirurgicale ■ Autogreffe d'organe (risque accru de rejet).

Précautions : ■ Antécédents de maladie cardiovasculaire, respiratoire, hépatique ou rénale ■ Antécédents de convulsions ou de métastases soupçonnées au SNC (les symptômes peuvent être exagérés et des convulsions peuvent survenir) ■ Grossesse, allaitement ou enfants de moins de 18 ans (l'innocuité du médicament n'a pas été établie) ■ Patientes en âge de procréer.

RÉACTIONS INDÉSIRABLES ET EFFETS SECONDAIRES

Resp. : congestion pulmonaire, dyspnée, œdème pulmonaire, INSUFFISANCE RESPIRATOIRE, APNÉE, tachypnée, épanchement pleural, respiration sifflante, pneumothorax, hémoptysie.

CV : INFARCTUS DU MYOCARDE, ARRÊT CARDIAQUE, INSUFFISANCE CARDIAQUE, ACCIDENT VASCULAIRE CÉRÉBRAL, hypotension, tachycardie, arythmies, ischémie du myocarde, épanchement péricardique, thrombose.

GI : PERFORATION INTESTINALE, jaunisse, ascite, hépatomégalie.

GU : oligurie/anurie, protéinurie, hématurie, dysurie, insuffisance rénale.

Tég. : prurit.

HÉ : hypocalcémie, hypomagnésémie, hypophosphatémie, hypokaliémie, acidose, hyperuricémie, hyponatrémie, hyperkaliémie, alcalose.

A

Hémat.: anémie, leucopénie, thrombocytopénie, troubles de la coagulation, leucocytose, éosinophilie.
Divers: SYNDROME DE FUITE CAPILLAIRE,
fièvre, frissons, gain de poids, perte de
poids.

INTERACTIONS

Médicament – médicament: ■ Les **glucocorticoïdes** réduisent l'effet antinéoplasique de l'aldesleukine. Éviter l'administration concomitante ■ Risque
d'hypotension additive lors de l'administration concomitante d'**antihypertenseurs** ■ L'administration concomitante
de médicaments **cardiotoxiques**, **myélo-
toxiques** ou **néphrotoxiques** peut accroître le risque d'intoxication au niveau
du cœur, de la moelle osseuse ou des
reins.

PRÉSENTATIONS

■ Fioles de 22×10^6 UI (1,3 mg).

VOIES D'ADMINISTRATION ET POSOLOGIE

■ **IV (adultes):** 14 doses de 600 000 UI/
kg (0,037 mg/kg) toutes les 8 h par
perfusion IV de 15 min. Répéter une
fois, après un repos de 9 jours, de
sorte qu'on aura administré 28 doses
au total. Après un repos de 7 semaines, on peut évaluer le cas des
patients ayant bien répondu au traitement en vue de leur administrer des
cures additionnelles.

PHARMACODYNAMIE (diminution du volume de la tumeur à la fin de la première cure)

	DÉBUT D'ACTION	PIC	DURÉE
IV	4 semaines	inconnu	12 mois

SOINS INFIRMIERS

ÉVALUATION DE LA SITUATION

☐ Surveiller continuellement l'ÉCG durant la perfusion. Vérifier, à intervalles

fréquents, l'état de la fonction respiratoire. Examiner les résultats des
épreuves de l'exploration fonctionnelle pulmonaire et des radiographies
thoraciques avant le traitement et
pendant toute sa durée.

■ Mesurer les signes vitaux et noter le
poids corporel quotidiennement. Suivre de près les signes suivants du syndrome de fuite capillaire: hypotension, hypovolémie, œdème, ascite,
épanchement pleural. Ce syndrome
se manifeste initialement par une
chute de la pression artérielle qui survient de 2 à 12 h après le début du
traitement. Chez les patients hypo-
tendus, on devrait surveiller l'ÉCG
continuellement et mesurer la pression veineuse centrale tout au long
du traitement.

☐ Surveiller les modifications de l'état
mental du patient. En cas de somnolence ou de léthargie modérée à grave,
arrêter le traitement. Ces symptômes
pourraient évoluer vers le coma.

☐ Observer le patient à intervalles fréquents pour déceler les signes d'infection, particulièrement la septicémie et l'endocardite bactérienne. On
recommande l'administration prophylactique d'un antibiotique efficace
contre *Staphylococcus aureus* chez
tous les patients recevant une perfusion par une tubulure centrale. On
devrait traiter vigoureusement toutes
les infections intercurrentes. L'aldesleukine altère la fonction leucocytaire.

■ Suivre de près les signes d'anémie et
d'hémorragie. Des transfusions d'érythrocytes ou de plaquettes pourraient
s'avérer nécessaires.

■ **Étude des examens diagnostiques et biochimiques:** Noter la numération globulaire, la formule leucocytaire, la
numération plaquettaire, les concentrations d'électrolytes et les résultats
des épreuves de l'exploration fonctionnelle hépatique et rénale, avant le

traitement et quotidiennement pendant toute sa durée. L'aldesleukine peut entraîner l'élévation des concentrations de bilirubine, d'urée, de créatinine sérique, de transaminases et de phosphatase alcaline. Elle peut également provoquer l'hypomagnésémie, l'acidose, l'hypocalcémie, l'hypophosphatémie, l'hypokaliémie, l'hyperuricémie, l'hypoalbuminémie et l'hypoprotéinémie.

DIAGNOSTICS INFIRMIERS POSSIBLES

■ **Énoncés diagnostiques**
□ Risque d'infection.
□ Prise en charge inefficace du programme thérapeutique.
□ *Risque d'accident.*

■ **Facteurs favorisants**
□ Informations incomplètes.
□ *Modification de l'état liquidien ou des volumes circulants.*
□ *Manque de connaissances sur les effets secondaires du médicament.*

INTERVENTIONS INFIRMIÈRES

■ **Perfusion intermittente :** Reconstituer le contenu de chaque fiole avec 1,2 mL d'eau stérile pour injection afin d'obtenir une concentration de 18 millions d'UI (1,1 mg)/mL. Durant la reconstitution, diriger l'eau stérile vers les parois de la fiole ; mélanger délicatement la solution pour éviter une formation excessive de mousse. Ne pas agiter. La solution doit être transparente, d'incolore à jaunâtre. Administrer la solution dans les 48 h qui suivent sa reconstitution. Jeter toute portion inutilisée.
□ Diluer la dose reconstituée dans 50 mL de dextrose à 5 % dans de l'eau. Ne pas reconstituer avec de l'eau bactériostatique pour injection, de la solution de NaCl à 0,9 % ou de l'albumine, ni ne diluer dans ce type de liquides.
■ *Vitesse d'administration :* Administrer chaque dose par perfusion en 15 min.

■ **Incompatibilités en addition au soluté :** Ne pas mélanger l'aldesleukine à d'autres médicaments.

ENSEIGNEMENT AU PATIENT ET À SES PROCHES

□ Recommander au patient de prévenir le médecin en cas de dyspnée, de maux de gorge, de fièvre, de frissons, de jaunissement de la peau, de saignements ou d'hématomes inhabituels ou de fatigue.
□ Recommander aux patientes en âge de procréer d'adopter une méthode de contraception non hormonale pendant toute la durée du traitement.

VÉRIFICATION DES RÉSULTATS

L'efficacité du traitement peut être démontrée par : ■ la diminution du volume de la tumeur et le ralentissement de la propagation du carcinome des cellules rénales.

APROTININE
Trasylol

CLASSIFICATION :
Agent hémostatique – inhibiteur de protéinases
Grossesse – catégorie B

INDICATIONS

■ Traitement des patients souffrant d'états causés par une hyperfibrinolyse d'origine chirurgicale, résultant par exemple d'une opération à cœur ouvert ou d'une chirurgie de la prostate, ou par une hyperfibrinolyse associée à des hémorragies pendant la grossesse, causées notamment par le décollement prématuré du placenta.

ACTION

■ Inhibition des protéinases qui a pour résultat l'inhibition de la plasmine et de la kallikréine, l'inhibition de l'activation

A

de la phase de contact et la préservation de la membrane plaquettaire. Son effet global se caractérise par une diminution de la fibrinolyse et de la vitesse de renouvellement des facteurs de la coagulation.

Effets thérapeutiques: ■ Diminution de l'incidence de l'hémorragie et du besoin de transfusions.

PHARMACOCINÉTIQUE

Absorption: Par suite de l'administration IV, la biodisponibilité est totale.

Distribution: L'aprotinine se répartit rapidement dans tous les compartiments extracellulaires.

Métabolisme et excrétion: L'aprotinine est surtout décomposée par les enzymes lysosomales. Une petite fraction (9 %) est éliminée à l'état inchangé par les reins.

Demi-vie: 150 min (après la distribution); 10 h (élimination terminale).

CONTRE-INDICATIONS ET PRÉCAUTIONS

Contre-indications: ■ Hypersensibilité connue.

Précautions: ■ Antécédents de réactions allergiques aux médicaments ou à d'autres agents (risque accru de réactions allergiques) ■ Usage antérieur d'aprotinine (risque accru de réactions d'hypersensibilité lors d'une exposition ultérieure) ■ Grossesse, allaitement ou enfants (l'innocuité du médicament n'a pas été établie).

RÉACTIONS INDÉSIRABLES ET EFFETS SECONDAIRES

GU: nécrose tubulaire.

Locaux: phlébite.

Divers: réactions d'hypersensibilité, y compris l'ANAPHYLAXIE.

INTERACTIONS

Médicament – médicament: ■ L'aprotinine peut entraîner une diminution de l'efficacité des **agents fibrinolytiques**.

PRÉSENTATIONS

■ Ampoules à 10 000 UIK/mL.

VOIES D'ADMINISTRATION ET POSOLOGIE

■ **IV (adultes):** *Dose d'épreuve* – 1 mL (1,4 mg ou 10 000 unités inactivant la kallikréine [UIK]), 10 min avant d'administrer le reste de la dose. En l'absence de réactions allergiques, on peut administrer le reste de la dose. *Dose initiale* – 200 000 à 500 000 UIK, administrée à une vitesse n'excédant pas 5 mL/min. *Perfusion continue* – 50 mL/h (70 mg/h ou 500 000 UIK/h). *Dose d'amorce de la pompe lors de circulation extracorporelle (É.-U.)* – on peut ajouter 200 mL (280 mg ou 2 millions d'UIK) au liquide d'amorce qui circule dans le circuit extracorporel. D'autres schémas posologiques ont aussi été utilisés.

PHARMACODYNAMIE
(effets sur les hémorragies)

	DÉBUT D'ACTION	PIC	DURÉE
IV	rapide	inconnu	inconnue

SOINS INFIRMIERS

ÉVALUATION DE LA SITUATION

☐ Suivre de près les réactions allergiques suivantes: éruptions cutanées, dyspnée, nausée, tachycardie, collapsus cardiovasculaire. Si l'une de ces réactions se manifeste, il faut arrêter immédiatement l'administration de l'aprotinine. L'administration d'épinéphrine, d'un antihistaminique, d'un glucocorticoïde, d'un vasopresseur ou de liquides pourrait être de mise. Garder à portée de la main le matériel de réanimation.

■ **Étude des examens diagnostiques et biochimiques:** L'aprotinine peut fausser les résultats des épreuves diagnostiques évaluant le traitement par l'héparine. L'aprotinine prolonge le temps total de coagulation du sang hépariné. On doit administrer les doses de charge standard d'héparine et établir les doses ultérieures en utilisant un schéma posologique fixe selon le poids du patient et la durée de l'intervention chirurgicale, en administrant une dose de charge d'héparine avant la mise en place de la canule, puis une deuxième dose 90 min après la fin de l'intervention, ou établir la dose d'héparine à l'aide d'une méthode dont les résultats ne sont pas modifiés par l'aprotinine, tel le titrage de la protamine.

☐ L'aprotinine peut entraîner une élévation des concentrations de créatinine sérique, de glucose, de transaminase sérique et de créatine-kinase.

☐ L'aprotinine entraîne habituellement la prolongation du temps de céphaline et du temps de coagulation activée.

DIAGNOSTICS INFIRMIERS POSSIBLES

■ **Énoncés diagnostiques**

☐ Diminution de l'irrigation tissulaire.

☐ Risque d'accident.

■ **Facteurs favorisants**

☐ *Manque de connaissances sur la méthode d'administration du médicament.*

■ *Manque de connaissances sur les effets secondaires du médicament.*

INTERVENTIONS INFIRMIÈRES

Chirurgie cardiaque

■ **Directives générales :** Administrer le médicament en gardant le patient en décubitus dorsal. La dose de charge est habituellement administrée après l'induction de l'anesthésie, mais avant la sternotomie. Après la dose de charge, administrer l'aprotinine en perfusion continue jusqu'au moment où le patient quitte la salle d'opération.

☐ Administrer un antihistaminique peu de temps avant la dose de charge aux patients ayant reçu antérieurement de

l'aprotinine. En cas de réaction allergique à la dose d'épreuve, cesser d'administrer l'aprotinine. Même en l'absence de réactions à la dose d'épreuve, il existe un risque d'anaphylaxie lors de l'administration de la pleine dose thérapeutique.

■ **Dose de charge :** Administrer la dose de charge de 200 000 UIK sans la diluer.

■ *Vitesse d'administration :* Administrer la dose de charge en 20 à 30 min. La perfusion rapide peut entraîner une chute passagère de la pression artérielle.

■ **Perfusion continue :** Administrer l'aprotinine sans la diluer.

■ *Vitesse d'administration :* Administrer à une vitesse de 50 mL/h.

Autres indications

■ **Perfusion IV intermittente ou continue :** L'aprotinine peut être diluée avec une solution de dextrose à 5 % dans de l'eau ou une solution de NaCl à 0,9 %. Administrer immédiatement après la dilution, à un débit n'excédant pas 50 000 UIK/min.

■ **Incompatibilités (tubulure en Y) :** Ne pas administrer d'autres médicaments dans la même tubulure.

■ **Incompatibilités en addition au soluté :** corticostéroïdes, héparine, tétracyclines, solution nutritive renfermant des acides aminés ou émulsion lipidique.

ENSEIGNEMENT AU PATIENT ET À SES PROCHES

☐ Expliquer au patient pourquoi il est important d'informer le médecin de tout traitement antérieur à l'aprotinine.

VÉRIFICATION DES RÉSULTATS

L'efficacité du traitement peut être démontrée par : ■ la diminution des hémorragies et du besoin de transfusions chez les patients subissant un pontage aortocoronarien ou chez les patients souffrant d'états causés par une fibrinolyse.

A

ATOVAQUONE
Mepron

CLASSIFICATION:
Anti-infectieux – antiprotozoaire

Grossesse – catégorie C

INDICATIONS

■ Traitement de la pneumonie légère à modérée due à *Pneumocystis carinii* chez les patients qui ne peuvent tolérer l'association de triméthoprime et de sulfaméthoxazole.

ACTION

■ Inhibition de l'action des enzymes nécessaires à la synthèse de l'acide nucléique et de l'adénosine triphosphate chez les protozoaires. **Effets thérapeutiques:** ■ Activité antiprotozoaire dirigée contre *Pneumocystis carinii*.

PHARMACOCINÉTIQUE

Absorption: L'absorption est relativement faible, mais elle est considérablement accrue en présence d'aliments, particulièrement de matières grasses.

Distribution: L'atovaquone pénètre dans le liquide céphalorachidien à de très faibles concentrations (moins de 1 % des concentrations plasmatiques).

Métabolisme et excrétion: L'agent subit plusieurs cycles entérohépatiques et est éliminé dans les fèces.

Demi-vie: De 2,2 à 2,9 jours.

CONTRE-INDICATIONS ET PRÉCAUTIONS

Contre-indications: ■ Hypersensibilité.

Précautions: ■ Troubles gastro-intestinaux (l'absorption peut être moindre) ■ Grossesse, allaitement ou enfants (l'innocuité du médicament n'a pas été établie) ■ Insuffisance hépatique, rénale ou cardiaque (une modification de la posologie peut s'avérer nécessaire).

RÉACTIONS INDÉSIRABLES ET EFFETS SECONDAIRES

SNC: céphalées, insomnie, faiblesse, étourdissements, anxiété.

ORLO: sinusite, rhinite.

GI: nausées, diarrhée, vomissements, douleurs abdominales, constipation, résultats anormaux aux épreuves de l'exploration fonctionnelle hépatique, anorexie, goût anormal.

Tég.: rash, prurit.

End.: hypoglycémie, hyperglycémie.

HÉ: hyponatrémie.

Hémat.: anémie, neutropénie.

Divers: fièvre, moniliase, transpiration, douleur.

INTERACTIONS

Médicament – médicament: ■ Interaction possible avec les **médicaments qui se lient fortement aux protéines plasmatiques**, mais l'atovaquone ne semble pas interagir avec la phénytoïne. **Médicament – aliments:** ■ Les **aliments** favorisent l'absorption de l'atovaquone.

PRÉSENTATIONS

■ Comprimés de 250 mg.

VOIES D'ADMINISTRATION ET POSOLOGIE

■ **PO (adultes):** 750 mg, trois fois par jour, avec des aliments, pendant 21 jours.

PHARMACODYNAMIE (concentrations sanguines)

	DÉBUT D'ACTION	PIC*
PO	inconnu	1 – 8 h
		24 – 96 h

* L'existence de deux pics est attribuable au cycle entérohépatique.

 SOINS INFIRMIERS

ÉVALUATION DE LA SITUATION

□ Au début du traitement et pendant toute sa durée, suivre de près les signes suivants de pneumonie due à *Pneumocystis carinii*: altération des signes vitaux, murmure vésiculaire, aspect des crachats, accroissement du nombre de leucocytes.

☐ Prélever des échantillons pour les cultures avant le début du traitement. On peut administrer la première dose avant que les résultats ne soient connus.

■ **Étude des examens diagnostiques et biochimiques:** Surveiller les fonctions hématologique et hépatique. L'atovaquone peut entraîner l'anémie et la neutropénie. Elle peut également entraîner une élévation des concentrations sériques d'AST (TGOS), d'ALT (TGPS) et de phosphatase alcaline.

☐ Noter les concentrations d'électrolytes, car l'atovaquone peut entraîner l'hyponatrémie.

■ L'atovaquone peut modifier la glycémie. Suivre de près les patients diabétiques.

DIAGNOSTICS INFIRMIERS POSSIBLES

■ **Énoncés diagnostiques**

☐ Risque d'infection.

☐ Prise en charge inefficace du programme thérapeutique.

☐ *Risque de déficit nutritionnel.*

☐ *Risque de surinfection.*

■ **Facteurs favorisants**

☐ Informations incomplètes.

☐ *Manque de connaissances sur les moyens de prévenir les effets secondaires touchant l'appareil gastrointestinal.*

☐ *Manque de connaissances sur les modalités du traitement.*

INTERVENTIONS INFIRMIÈRES

■ **PO:** Administrer le médicament trois fois par jour, avec des aliments, pendant 21 jours.

ENSEIGNEMENT AU PATIENT ET À SES PROCHES

☐ Expliquer au patient qu'il doit respecter scrupuleusement la posologie recommandée. Insister sur la nécessité de prendre l'atovaquone avec des aliments, particulièrement avec des aliments riches en matières grasses. Si le médicament est pris sans aliments, les concentrations plasmatiques peuvent être diminuées et l'efficacité réduite.

☐ Recommander au patient de prévenir le médecin en cas de rash.

VÉRIFICATION DES RÉSULTATS

La réponse clinique au traitement peut être déterminée par: ■ la disparition des signes et des symptômes de pneumonie due à *Pneumocystis carinii*.

ATTAPULGITE

Kaopectate, Fowler's Attapulgite Suspension Orale, (Diar-Aid), (Diasorb), (Fowler's Diarrhea Tablets), (hydrated magnesium silicate), (Kaopectate Advanced Formula), (Kaopectate Maximum Strenght), (Parepectolin), (Rheaban), (St. Joseph Antidiarrheal)

CLASSIFICATION:

Antidiarrhéique (adsorbant)

Grossesse – catégorie inconnue

INDICATIONS

■ Traitement d'appoint des symptômes de la diarrhée aiguë légère à modérée.

ACTION

■ Effet adsorbant sur les bactéries et les toxines et diminution de la teneur en liquide des selles. **Effets thérapeutiques:** ■ Diminution de la fréquence des selles ainsi que de leur teneur en liquide.

PHARMACOCINÉTIQUE

Absorption: Le médicament agit localement; il n'est pas absorbé.
Distribution: Inconnue.
Métabolisme et excrétion: Inconnus.
Demi-vie: Inconnue.

B **CONTRE-INDICATIONS ET PRÉCAUTIONS**

Contre-indications : ▪ Déshydratation grave ▪ Diarrhée pouvant être d'origine parasitaire ▪ Dysenterie.

Précautions : ▪ Enfants de moins de 3 ans ou personnes âgées (risque accru de déshydratation).

RÉACTIONS INDÉSIRABLES ET EFFETS SECONDAIRES

GI : constipation.

INTERACTIONS

Médicament – médicament : ▪ L'attapulgite peut réduire l'absorption gastro-intestinale de **médicaments administrés simultanément** (les administrer de 2 à 3 h avant ou de 2 à 4 h après l'attapulgite).

PRÉSENTATIONS

▪ Suspension orale de 600 mg/15 mL et de 750 mg/15 mL ▪ Comprimés de 600 mg et 750 mg ▪ Comprimés à croquer de 300 mg.

VOIES D'ADMINISTRATION ET POSOLOGIE

▪ **PO (adultes) :** de 1,2 à 1,5 g initialement, puis après chaque selle liquide (ne pas dépasser 9 g/24 h).
▪ **PO (enfants de 6 à 12 ans) :** 600 mg initialement, puis après chaque selle liquide (ne pas dépasser 4,2 g/24 h).
▪ **PO (enfants de 3 à 6 ans) :** 300 mg initialement, puis après chaque selle liquide (ne pas dépasser 2,1 g/24 h).

PHARMACODYNAMIE (effet antidiarrhéique)

	DÉBUT D'ACTION	PIC	DURÉE
PO	inconnu	inconnu	inconnue

SOINS INFIRMIERS

ÉVALUATION DE LA SITUATION

□ Observer la fréquence et la consistance des selles et ausculter les bruits intestinaux, avant l'administration initiale et pendant toute la durée du traitement.
□ Effectuer le bilan hydro-électrolytique et observer la peau pour déceler des signes de déshydratation.

DIAGNOSTICS INFIRMIERS POSSIBLES

▪ **Énoncés diagnostiques**
□ Diarrhée.
□ Constipation.
□ Prise en charge inefficace du programme thérapeutique.
□ *Risque de déficit nutritionnel.*

▪ **Facteurs favorisants**
□ Informations incomplètes.
□ *Manque de connaissances sur les moyens de prévenir les effets secondaires touchant l'appareil gastro-intestinal.*

INTERVENTIONS INFIRMIÈRES

▪ **Directives générales :** Administrer après chaque selle liquide jusqu'à ce que la diarrhée soit maîtrisée.
▪ **PO :** Bien agiter la suspension avant de l'administrer.

ENSEIGNEMENT AU PATIENT ET À SES PROCHES

□ Recommander au patient de prévenir le médecin si la diarrhée persiste pendant plus de 48 h ou si elle s'accompagne de fièvre ou de douleurs abdominales.

VÉRIFICATION DES RÉSULTATS

L'efficacité du traitement peut être démontrée par : ▪ la diminution de la fréquence des selles liquides □ la production de selles molles et bien moulées.

BÉRACTANT
Survanta

CLASSIFICATION :
Surfactant pulmonaire naturel

Grossesse – catégorie inconnue

B

INDICATIONS

■ Traitement et prophylaxie de la détresse respiratoire (maladie des membranes hyalines ; syndrome de détresse respiratoire) chez le nouveau-né prématuré.

ACTION

■ Remplacement du surfactant pulmonaire endogène chez les nouveau-nés prématurés, ce qui permet de diminuer la tension de surface du revêtement endo-alvéolaire ■ Extrait naturel de poumon de bovin. **Effets thérapeutiques :** ■ Diminution de la détresse respiratoire du nouveau-né, de ses complications et de la fréquence de la mort néonatale due à cette maladie.

PHARMACOCINÉTIQUE

Absorption : Le surfactant est administré directement à son lieu d'action. L'ampleur de l'absorption systémique est inconnue.
Distribution : Le béractant se répartit rapidement dans le tissu pulmonaire.
Métabolisme et excrétion : Le médicament pénètre les voies de circulation du surfactant endogène où il est recyclé et réutilisé.
Demi-vie : Inconnue.

CONTRE-INDICATIONS ET PRÉCAUTIONS

Contre-indications : ■ Aucune contre-indication connue.
Précautions : ■ Il ne faut prendre aucune précaution particulière, mais il y a un risque accru d'infections nosocomiales.

RÉACTIONS INDÉSIRABLES ET EFFETS SECONDAIRES

Resp : désaturation en oxygène (due à l'administration du médicament).
CV : bradycardie passagère.

INTERACTIONS

Médicament – médicament : Aucune interaction connue.

PRÉSENTATIONS

■ Fioles de 8 mL ; 25 mg de phospholipides/mL de suspension.

VOIES D'ADMINISTRATION ET POSOLOGIE

■ **Voie intratrachéale (prématurés) :** 100 mg de phospholipides/kg (4 mL/kg) ; administrer 4 doses dans les 48 premières heures de vie, à des intervalles d'au moins 6 h. Peut aussi être administré en deux demi-doses.

PHARMACODYNAMIE (amélioration de l'oxygénation)

	DÉBUT D'ACTION	PIC	DURÉE
voie intratrachéale	quelques minutes	inconnu	inconnue

SOINS INFIRMIERS

ÉVALUATION DE LA SITUATION

☐ Surveiller continuellement, tout au long de l'administration de chaque dose, le tracé de l'ÉCG, la fréquence cardiaque, la couleur de la peau, l'expansion thoracique, l'expression du visage, le taux de saturation en oxygène et la perméabilité de la canule endotrachéale. Exercer une surveillance étroite au chevet du nouveau-né pendant au moins 30 min après l'administration de la dose.

☐ En cas de bradycardie ou de diminution de la saturation en oxygène, cesser l'administration du médicament et prendre les mesures correctives qui s'imposent. Ensuite, on peut poursuivre l'administration de béractant.

■ **Étude des examens diagnostiques et biochimiques :** Mesurer souvent les gaz du sang artériel afin d'éviter l'hyperoxémie ou l'hypocapnie.

DIAGNOSTICS INFIRMIERS POSSIBLES

■ **Énoncés diagnostiques**
☐ Dégagement inefficace des voies respiratoires.
☐ *Risque de perturbation des échanges gazeux.*
☐ *Risque d'infection.*
☐ *Risque d'accident.*

B

■ **Facteurs favorisants**

□ *Manque de connaissances sur la méthode d'administration du médicament.*

□ *Manque de connaissances sur les modalités du traitement.*

INTERVENTIONS INFIRMIÈRES

■ **Directives générales:** Seul le personnel médical connaissant à fond les soins respiratoires et le traitement clinique des nouveau-nés dont l'état est instable peut effectuer l'instillation du béractant. Le fabricant fournit sur demande du matériel audiovisuel portant sur la méthode d'administration du médicament.

■ **Inhalation:** Il n'est pas nécessaire de reconstituer le médicament. Vérifier tout changement de couleur du médicament avant de l'administrer. La suspension devrait être de blanc cassé à brun clair. Si un dépôt s'est formé, mélanger en tournant doucement la fiole sans l'agiter. Le béractant doit être gardé au réfrigérateur. Avant de l'administrer, réchauffer le médicament à la température ambiante, pendant au moins 20 min, ou dans les mains, pendant au moins 8 min. Ne pas utiliser de méthode artificielle de réchauffement. Les fioles réchauffées qui n'ont pas été ouvertes peuvent être de nouveau réfrigérées pendant 8 h, mais cette manœuvre ne doit pas être effectuée plus d'une fois. Jeter les doses qui n'ont pas été administrées.

□ Administrer le béractant par voie intratrachéale à l'aide d'un cathéter de 1,65 mm (5F) que l'on introduit dans la canule endotrachéale, de façon à ce que l'extrémité du cathéter dépasse légèrement de l'extrémité de la canule, au-dessus de l'éperon trachéal du nouveau-né. Raccourcir le cathéter avant de l'insérer pour éviter l'instillation du médicament dans la bronche souche.

□ Déterminer la dose à administrer et retirer lentement tout le contenu de la fiole dans une seringue de plastique à l'aide d'une aiguille de gros calibre (au moins 20). Ne pas filtrer la solution ni secouer la seringue. Fixer le cathéter à l'embout de la seringue. Remplir le cathéter de béractant et jeter tout l'excès de solution par l'intermédiaire du cathéter, de sorte qu'il ne reste dans la seringue que la dose totale à administrer.

□ Avant d'instiller le médicament, effectuer une aspiration endotrachéale. Vérifier la position de la canule endotrachéale. Ne pas faire d'aspiration dans l'heure qui suit l'instillation sauf si l'état clinique du nouveau-né dicte cette intervention.

■ *Vitesse d'administration:* Pour assurer la répartition homogène du médicament, administrer chaque quart de dose lentement en 2 ou 3 s, en changeant chaque fois la position du nouveau-né. La séquence des positions devrait être la suivante: tête et corps inclinés légèrement vers le bas, la tête tournée vers la droite; tête et corps inclinés légèrement vers le bas, la tête tournée vers la gauche; tête et corps inclinés légèrement vers le haut, la tête tournée vers la droite; tête et corps inclinés légèrement vers le haut, la tête tournée vers la gauche. Entre chaque quart de dose administré, assurer la ventilation du nouveau-né pendant au moins 30 s ou jusqu'à ce que son état se stabilise. Après l'instillation du dernier quart de dose, retirer le cathéter sans le rincer. Pour l'administration en deux demi-doses, les positions recommandées sont les suivantes: tête et corps tournés à environ 45° vers la droite; tête et corps tournés à environ 45° vers la gauche.

■ **Mesures préventives:** Administrer si possible dans les 15 min qui suivent la naissance. Entre chaque quart de dose administré, assurer la ventilation manuellement à l'aide d'un ballon contenant suffisamment d'oxygène pour prévenir la cyanose ; la fréquence devrait être de 60 respirations par minute et la pression positive suffisante pour permettre des échanges gazeux et des mouvements de la cage thoracique adéquats.

- **Mesures d'urgence :** Administrer le médicament le plus tôt possible après que le nourrisson souffrant de détresse respiratoire a été placé sous respirateur. Juste avant l'instillation du premier quart de dose et entre chaque quart de dose par la suite, régler le respirateur de façon à assurer 60 respirations par minute, avec un temps d'inspiration de 0,5 s et une FiO$_2$ de 1.
- **Administration de doses répétées :** Obtenir la confirmation radiologique de la présence du syndrome de détresse respiratoire avant de répéter l'administration du médicament. La FiO$_2$ peut être augmentée de 0,2 ou d'autant qu'il faut pour prévenir la cyanose. On peut régler la fréquence respiratoire à 30 respirations par minute avec un temps d'inspiration inférieur à 1 s. Si la fréquence respiratoire avant le traitement était supérieure ou égale à 30, elle peut rester inchangée pendant l'administration d'une nouvelle dose. Lors de l'administration de doses répétées, ne pas utiliser de ballon pour assurer la respiration manuellement.

ENSEIGNEMENT AU PATIENT ET À SES PROCHES

- ☐ Expliquer le but du traitement aux parents du nouveau-né.

VÉRIFICATION DES RÉSULTATS

L'efficacité du traitement peut être démontrée par : ■ la prévention de la détresse respiratoire du nouveau-né ☐ l'amélioration de la compliance pulmonaire ☐ l'amélioration de l'oxygénation ☐ la normalisation des concentrations des gaz du sang artériel.

BUDÉNOSIDE
Rhinocort Aqua

CLASSIFICATION :
Glucocorticoïde – préparation intranasale
Grossesse – catégorie C

INDICATIONS

■ Traitement de la rhinite allergique et d'autres affections inflammatoires chroniques des voies nasales ■ Traitement des polypes nasaux et prévention de leur réapparition après une polypectomie.

ACTION

■ Anti-inflammatoire puissant à action locale qui modifie la réponse immunitaire. **Effets thérapeutiques :** ■ Diminution des symptômes de la rhinite allergique et non allergique ■ Diminution du volume des polypes nasaux et diminution de leur incidence en cas d'administration préventive.

PHARMACOCINÉTIQUE

Absorption : Des quantités minimes pénètrent dans la circulation systémique.
Distribution : L'action est surtout locale.
Métabolisme et excrétion : Les petites quantités absorbées dans la circulation systémique sont rapidement métabolisées.
Demi-vie : Inconnue.

CONTRE-INDICATIONS ET PRÉCAUTIONS

Contre-indications : ■ Hypersensibilité ■ Infection localisée de la muqueuse nasale ■ Crises aiguës de rhinite.
Précautions : ■ Intervention chirurgicale ou traumatisme récent au nez (la cicatrisation peut être retardée) ■ Enflure ou sécrétions excessives de la muqueuse nasale (l'ajout d'un décongestionnant topique pourrait s'avérer nécessaire).

RÉACTIONS INDÉSIRABLES ET EFFETS SECONDAIRES

SNC : sensation de tête légère.

B

ORLO: pharyngite, irritation rhinopharyngienne, épistaxis, infections nasales et pharyngiennes.

Resp.: toux accrue, respiration sifflante.

GI: nausées, dyspepsie, sécheresse de la bouche (xérostomie).

INTERACTIONS

Médicament – médicament: ■ Aucune interaction notable aux doses recommandées.

PRÉSENTATIONS

■ Vaporisateur nasal : 100 µg par vaporisation.

VOIES D'ADMINISTRATION ET POSOLOGIE

Rhinite

■ **Préparation intranasale (adultes et enfants > 6 ans)**: 1 vaporisation dans chaque narine, le matin et le soir, ou 2 vaporisations dans chaque narine, le matin (la dose totale est de 400 µg par jour). On peut réduire graduellement la dose toutes les 2 à 4 semaines après l'apparition de l'effet souhaité.

Traitement ou prévention des polypes nasaux

■ **Préparation intranasale (adultes et enfants > 6 ans)**: 1 vaporisation dans chaque narine le matin et le soir (400 µg par jour).

PHARMACODYNAMIE
(suppression des symptômes de la rhinite)

	DÉBUT D'ACTION	PIC	DURÉE
préparation intranasale	24 h	3–7 jours	inconnue

☀ SOINS INFIRMIERS

ÉVALUATION DE LA SITUATION

■ **Directives générales**: Au début du traitement et pendant les périodes de stress, suivre de près les patients chez lesquels on substitue le budénoside aux glucocorticoïdes à action générale, afin de déceler les signes suivants d'insuffisance surrénalienne : anorexie, nausées, faiblesse, fatigue, hypotension, hypoglycémie. Si ces signes se manifestent, prévenir immédiatement le médecin, car il peut s'agir d'une réaction mortelle.

■ Pendant le sevrage des corticostéroïdes administrés par voie orale, surveiller les symptômes de sevrage suivants : douleur articulaire ou musculaire, lassitude, dépression.

■ **Vaporisateur nasal**: Déterminer la gravité de la congestion nasale ; noter la quantité et la couleur de l'écoulement et la fréquence des éternuements.

DIAGNOSTICS INFIRMIERS POSSIBLES

■ **Énoncés diagnostiques**

☐ Dégagement inefficace des voies respiratoires.

☐ Risque d'infection.

☐ Prise en charge inefficace du programme thérapeutique.

■ **Facteurs favorisants**

☐ Informations incomplètes.

☐ *Manque de connaissances sur les modalités du traitement.*

INTERVENTIONS INFIRMIÈRES

■ **Directives générales**: Après avoir obtenu les effets cliniques souhaités, on devrait tenter de réduire la dose jusqu'à la dose la plus faible permettant de maîtriser les symptômes. On peut diminuer graduellement la dose toutes les 2 à 4 semaines tant que l'effet souhaité subsiste. Si les symptômes se manifestent de nouveau, on peut, pendant une courte période, administrer de nouveau la dose de départ.

■ **Vaporisateur nasal**: Si le patient utilise également un décongestionnant topique, il doit le prendre de 5 à 15 min avant le budénoside. Avant d'administrer le médicament, demander au patient de se moucher délicatement s'il est incapable de respirer librement par le nez.

ENSEIGNEMENT AU PATIENT ET À SES PROCHES

- **Directives générales :** Conseiller au patient de respecter scrupuleusement la posologie recommandée. S'il n'a pu prendre le médicament au moment habituel, il doit le prendre aussitôt que possible à moins que ce ne soit presque l'heure prévue pour la dose suivante.
- □ Conseiller au patient de ne pas fumer et d'éviter les allergènes connus et les autres irritants respiratoires.
- **Vaporisateur nasal :** Expliquer au patient qu'il ne faut pas dépasser la dose quotidienne de 4 vaporisations par jour.
- □ Expliquer au patient le mode d'emploi du vaporisateur. Il faut bien secouer le vaporisateur avant l'usage. Prévenir le patient qu'il peut ressentir un picotement passager dans le nez.
- □ Indiquer au patient qu'il doit ranger le vaporisateur la tête en bas, dans un endroit sec. L'informer qu'il doit utiliser le vaporisateur dans les 6 mois suivant l'ouverture de la pochette en aluminium.
- □ Inciter le patient à prévenir le médecin si les symptômes ne s'améliorent pas après 1 mois où si l'écoulement devient purulent.

VÉRIFICATION DES RÉSULTATS

L'efficacité du traitement peut être démontrée par : ■ la résolution de la congestion nasale et la disparition de l'écoulement et des éternuements qui caractérisent la rhinite saisonnière ou apériodique ■ la disparition ou la prévention de la réapparition des polypes nasaux.

CALCIPOTRIÈNE
Dovonex

CLASSIFICATION :
Antipsoriasique – préparation topique

Grossesse – catégorie C

INDICATIONS

- Traitement des plaques psoriasiques de gravité légère à modérée.

ACTION

- Modulateur du développement et de la production des cellules cutanées à titre de forme synthétique de vitamine D. **Effets thérapeutiques :** ■ Diminution de l'étendue et de la gravité des lésions psoriasiques.

PHARMACOCINÉTIQUE

Absorption : Par suite de l'administration topique, une fraction de 6 % du médicament est absorbée dans la circulation systémique depuis les lésions psoriasiques (5 % depuis la peau intacte).

Distribution : Inconnue.

Métabolisme et excrétion : Le calcipotriène est métabolisé et recyclé par le foie et éliminé dans la bile.

Demi-vie : Inconnue.

CONTRE-INDICATIONS ET PRÉCAUTIONS

Contre-indications : ■ Hypersensibilité au calcipotriène ou à d'autres ingrédients entrant dans la composition de la base de l'onguent (vaseline et huile minérale dans le produit fabriqué aux É.-U., paraffine dans le produit fabriqué au Canada) ■ Hypercalcémie ■ Toxicité à la vitamine D ■ Psoriasis facial.

Précautions : ■ Patients de plus de 65 ans (plus grande fréquence de réactions locales) ■ Antécédents de calculs rénaux ■ Grossesse, allaitement ou enfants (l'innocuité du médicament n'a pas été établie).

RÉACTIONS INDÉSIRABLES ET EFFETS SECONDAIRES

Tég. : brûlures, démangeaisons, irritation cutanée, érythème, peau sèche, desquamation de la peau, rash, aggravation ou dissémination des lésions psoriasiques.

HÉ : hypercalcémie.

C

INTERACTIONS

Médicament – médicament : ■ Aucune interaction notable aux doses recommandées.

PRÉSENTATIONS

■ Onguent et crème à 0,005 % (50 µg/g).

VOIES D'ADMINISTRATION ET POSOLOGIE

■ **Préparation topique (adultes) :** Appliquer 2 fois par jour.

PHARMACODYNAMIE
(amélioration de l'état des lésions psoriasiques)

	DÉBUT D'ACTION	PIC	DURÉE
préparation topique	2 semaines	inconnu	inconnue

✷ SOINS INFIRMIERS

ÉVALUATION DE LA SITUATION

☐ Examiner l'état de la peau avant l'application du calcipotriène et à intervalles réguliers tout au long du traitement.

■ **Étude des examens diagnostiques et biochimiques :** Obtenir les concentrations sériques et urinaires de calcium avant le traitement et à intervalles réguliers par la suite. Le calcipotriène peut entraîner une hypercalcémie transitoire rapidement réversible. Si l'hypercalcémie se manifeste, interrompre l'administration du calcipotriène et surveiller les concentrations de calcium toutes les semaines jusqu'à ce qu'elles reviennent à la normale. Le calcipotriène peut aussi provoquer une hypercalciurie réversible, qui constitue probablement un meilleur indice de toxicité que les concentrations sériques de calcium. Lorsque le traitement est maintenu pendant plusieurs semaines, il faut surveiller à intervalles réguliers les concentrations urinaires de calcium.

■ **Toxicité et surdosage :** Un usage excessif peut entraîner l'hypercalcémie, étant donné qu'une fraction suffisante du médicament peut être absorbée par suite de l'administration topique.

DIAGNOSTICS INFIRMIERS POSSIBLES

■ **Énoncés diagnostiques**

☐ Atteinte à l'intégrité de la peau.

☐ Perturbation situationnelle de l'estime de soi.

☐ Prise en charge inefficace du programme thérapeutique.

■ **Facteurs favorisants**

☐ Informations incomplètes.

☐ *Altération de l'image corporelle.*

☐ *Manque de connaissances sur les modalités du traitement.*

☐ *Manque de connaissances sur les moyens de prévenir les effets secondaires du médicament.*

INTERVENTIONS INFIRMIÈRES

■ **Préparation topique :** Appliquer une couche mince de calcipotriène sur le territoire atteint deux fois par jour (matin et soir) et faire pénétrer complètement l'onguent ou la crème en frottant la peau délicatement. Une fréquence moindre peut être indiquée pour le traitement d'entretien. Appliquer parcimonieusement dans les plis cutanés afin de prévenir l'irritation causée par un effet occlusif naturel. Ne pas recouvrir d'un pansement occlusif. S'il est utilisé en association avec la photothérapie par rayons UVB, appliquer le calciprotriène après la séance de photothérapie.

ENSEIGNEMENT AU PATIENT ET À SES PROCHES

☐ Expliquer au patient qu'il doit suivre scrupuleusement les recommandations du médecin et ne pas utiliser plus de 100 g par semaine. S'il n'a pas pu appliquer l'onguent au moment habituel, lui recommander de le faire dès que possible sauf s'il est presque l'heure de l'application suivante. Le calcipotriène est réservé à l'usage externe; on doit éviter tout contact avec le visage ou les yeux. Conseiller au patient de se laver les mains après l'application.

- Prévenir le patient qu'il ne doit utiliser le calcipotriène que pour l'affection pour laquelle il a été prescrit.
- Indiquer au patient qu'il doit signaler au médecin tous les signes de réaction indésirable locale ou d'irritation persistante et le rash facial. Le calcipotriène peut entraîner une irritation des lésions et de la peau avoisinante. L'arrêt du traitement peut s'avérer nécessaire.
- Insister sur l'importance des examens biochimiques permettant de suivre de près les concentrations de calcium.
- Informer le patient qu'il doit consulter le médecin en l'absence d'amélioration dans les 2 à 8 semaines suivant le début du traitement ou en cas d'aggravation des lésions.

VÉRIFICATION DES RÉSULTATS

L'efficacité du traitement peut être démontrée par : ■ l'amélioration ou la disparition des lésions cutanées psoriasiques. L'amélioration se manifeste habituellement après 2 semaines de traitement. On note une amélioration marquée vers la huitième semaine.

CHOLINE ET MAGNÉSIUM, SALICYLATES DE

Trilisate, (Tricosal)

CLASSIFICATION :

Analgésique non narcotique ;
anti-inflammatoire non stéroïdien ;
antipyrétique

Grossesse – catégorie C

INDICATIONS

■ Soulagement des signes et symptômes de la polyarthrite rhumatoïde et de l'arthrose.

ACTION

■ Analgésie et réduction de l'inflammation par inhibition de la synthèse des prostaglandines ■ Contrairement à l'aspirine, le médicament n'exerce aucun effet sur la fonction plaquettaire. **Effets thérapeutiques :** ■ Diminution de la douleur légère à modérée et de l'inflammation.

PHARMACOCINÉTIQUE

Absorption : Bonne absorption par suite de l'administration PO.
Distribution : L'agent se répartit rapidement dans tout l'organisme. Il traverse le placenta et pénètre dans le lait maternel.
Métabolisme et excrétion : Métabolisme hépatique important. Les métabolites inactifs sont excrétés par les reins.
Demi-vie : De 2 à 3 h pour les doses faibles. Pour les doses plus élevées, de 15 à 30 h en raison de la saturation du métabolisme hépatique.

CONTRE-INDICATIONS ET PRÉCAUTIONS

Contre-indications : ■ Hypersensibilité à l'aspirine ou à d'autres anti-inflammatoires non stéroïdiens (les réactions de sensibilité croisée sont moins graves que lors d'un traitement à l'aspirine).
Précautions : ■ Insuffisance rénale (risque d'intoxication par le magnésium) ■ Insuffisance hépatique grave ■ Grossesse (risque de réactions indésirables chez le fœtus et la mère) ■ Allaitement (l'innocuité du médicament n'a pas été établie) ■ Enfants ou adolescents souffrant d'une infection virale (risque accru d'apparition du syndrome de Reye).

RÉACTIONS INDÉSIRABLES ET EFFETS SECONDAIRES

ORLO : acouphènes, surdité.

C

GI: <u>dyspepsie</u>, <u>brûlures d'estomac</u>, <u>épigastralgie</u>, <u>nausées</u>, vomissements, anorexie, douleurs abdominales, HÉMORRAGIE DIGESTIVE, hépatotoxicité.

Divers: ■ œdème pulmonaire lésionnel, réactions allergiques incluant l'ANAPHYLAXIE ou l'ŒDÈME LARYNGÉ.

INTERACTIONS

Médicament – médicament: ■ Les salicylates de choline et de magnésium peuvent augmenter la concentration sérique et le risque de toxicité des **pénicillines**, de la **phénytoïne**, du **méthotrexate**, de l'**acide valproïque**, des **hypoglycémiants oraux** et des **sulfamides** ■ Le médicament peut contrecarrer les effets bénéfiques du **probénécide** ou du **sulfinpyrazone** ■ Les salicylates de choline et de magnésium peuvent diminuer l'efficacité des **agents anti-inflammatoires non stéroïdiens** administrés simultanément (à l'exception du kétoprofène) ■ Les **glucocorticoïdes** peuvent diminuer les concentrations sériques de salicylates ■ L'**acidification de l'urine** peut entraîner l'élévation des concentrations sériques de salicylates ■ L'**alcalinisation de l'urine** ou l'ingestion de quantités importantes d'**antiacides** réduit les concentrations sériques de salicylates ■ L'effet thérapeutique des **diurétiques** ou des **antihypertenseurs** peut être diminué ■ Risque accru d'irritation gastrointestinale lors de l'administration d'**anti-inflammatoires non stéroïdiens** (effet moindre que dans le cas de l'aspirine) ■ Risque accru de neurotoxicité pour le huitième nerf crânien (effet ototoxique) lors de l'administration concomitante de **vancomycine**. **Médicament – aliments**: ■ Les **aliments qui acidifient l'urine** (voir l'annexe K du *Guide*) peuvent accentuer la réabsorption des salicylates et en accroître les concentrations sériques.

PRÉSENTATIONS
(teneur en salicylates)

■ Comprimés de 500 mg de salicylates (293 mg de salicylate de choline et 362 mg de salicylate de magnésium).

VOIES D'ADMINISTRATION ET POSOLOGIE

La teneur des comprimés est exprimée en mg de salicylates : 500 mg équivalent à 650 mg d'aspirine.

■ **PO (adultes)**: de 2 à 3 g de salicylates par jour, en 2 ou 3 doses fractionnées.

■ **PO (enfants > 37 kg)**: (É.-U.) 2,2 g de salicylates par jour, en 2 doses fractionnées.

■ **PO (enfants < 37 kg)**: (É.-U.) 50 mg de salicylates/kg par jour, en 2 doses fractionnées.

PHARMACODYNAMIE
(analgésie et diminution de la fièvre)*

	DÉBUT D'ACTION	PIC	DURÉE
PO	5–30 min	1–3 h	3–6 h

* L'effet antirhumatismal peut ne se manifester qu'après un traitement de 2 à 3 semaines.

SOINS INFIRMIERS

ÉVALUATION DE LA SITUATION

■ **Directives générales**: Les patients souffrant d'asthme, d'allergie et de polypes nasaux ou ceux qui sont allergiques à la tartrazine sont davantage prédisposés aux réactions d'hypersensibilité aux salicylates.

■ **Douleur**: Noter le type de douleur, son siège et son intensité ainsi que l'amplitude de mouvement des articulations avant le traitement et 1 à 3 h après l'administration du médicament.

■ **Fièvre**: Prendre la température et noter les signes connexes suivants : diaphorèse, tachycardie, malaise et frissons.

■ **Toxicité et surdosage**: Surveiller l'apparition d'acouphènes, d'hyperventilation, d'agitation, de confusion mentale, de léthargie, de diarrhée et de transpiration. Si ces symptômes se manifestent, arrêter l'administration du médicament et prévenir immédiatement le médecin.

DIAGNOSTICS INFIRMIERS POSSIBLES

■ **Énoncés diagnostiques**
□ Douleur.
□ Altération de la mobilité physique.
□ Prise en charge inefficace du programme thérapeutique.
□ *Risque de réaction allergique.*
□ *Risque d'irritation gastro-intestinale.*

■ **Facteurs favorisants**
□ Informations incomplètes.
□ *Douleurs articulaires.*
□ *Manque de connaissances sur les moyens de prévenir les effets secondaires touchant l'appareil gastro-intestinal.*

INTERVENTIONS INFIRMIÈRES

■ **PO :** Administrer le médicament après les repas ou avec des aliments ou un antiacide pour réduire l'irritation gastrique. Les aliments ralentissent, mais ne réduisent pas l'absorption de ce médicament.

ENSEIGNEMENT AU PATIENT ET À SES PROCHES

□ Conseiller au patient de prendre le médicament avec un grand verre d'eau et d'éviter de se coucher pendant 15 à 30 min.
□ Recommander au patient de signaler au médecin les acouphènes, les saignements des gencives et les ecchymoses inhabituels, les selles noires et goudronneuses ou la fièvre persistant plus de 3 jours.
□ Conseiller au patient de ne pas boire d'alcool pendant qu'il prend ce médicament afin de réduire le risque d'irritation gastrique.
□ Recommander au patient qui doit subir une intervention chirurgicale pendant qu'il suit un traitement prolongé avec ce médicament d'en avertir le dentiste ou le médecin.
□ Les centres épidémiologiques mettent en garde contre l'administration de salicylates aux enfants et aux adolescents qui souffrent de varicelle, de syndrome grippal ou de maladies virales en raison du risque d'apparition du syndrome de Reye.

VÉRIFICATION DES RÉSULTATS
L'efficacité du traitement peut être démontrée par : ■ le soulagement de la douleur légère à modérée ■ la mobilité accrue des articulations.

CISAPRIDE
Prepulsid

CLASSIFICATION :
Agent de motilité gastro-intestinale – traitement du reflux gastro-œsophagien
Grossesse – catégorie C

INDICATIONS

■ Prophylaxie et traitement des symptômes associés au reflux gastro-œsophagien ■ Traitement des troubles de la motilité gastro-intestinale, notamment de la gastroparésie et de la pseudo-obstruction intestinale.

ACTION

■ Stimulation de la libération d'acétylcholine au niveau du plexus myentérique ■ Augmentation de l'intensité du péristaltisme œsophagien et de la pression du sphincter inférieur de l'œsophage. Le cisapride est également un agoniste de la sérotonine (4HT). **Effets thérapeutiques :** ■ Diminution des symptômes du reflux gastro-œsophagien.

PHARMACOCINÉTIQUE

Absorption : Absorption rapide par suite de l'administration PO, mais la biodisponibilité est faible (entre 35 et 40 %).
Distribution : De petites quantités de cisapride pénètrent dans le lait maternel.
Métabolisme et excrétion : Métabolisme hépatique important (> 90 %).
Demi-vie : De 8 à 10 h.

C CONTRE-INDICATIONS ET PRÉCAUTIONS

Contre-indications: ■ Hypersensibilité ■ Cas où une motilité gastro-intestinale accrue peut être nuisible (hémorragie digestive, obstruction mécanique ou perforation).

Précautions: ■ Grossesse, allaitement ou enfants (l'innocuité du médicament n'a pas été établie).

RÉACTIONS INDÉSIRABLES ET EFFETS SECONDAIRES

SNC: céphalée, étourdissements, fatigue, dépression.
Resp.: rhinite, pharyngite.
CV: douleurs thoraciques
GI: diarrhée, douleurs abdominales, dyspepsie, constipation, flatulence, vomissements.
HÉ: déshydratation.
Loc.: douleurs lombaires, myalgie.

INTERACTIONS

Médicament–médicament: ■ Les **anticholinergiques** peuvent diminuer les effets du cisapride ■ Le cisapride peut accélérer les effets sédatifs des **benzodiazépines** ou de l'**alcool** ■ Le cisapride peut accentuer les effets de la **warfarine** ■ Le cisapride peut modifier les effets des **médicaments ayant des plages thérapeutiques étroites** (digoxine, anticonvulsivants; le suivi des concentrations sanguines est recommandé) ■ La **cimétidine** augmente les concentrations plasmatiques de cisapride ■ L'absorption gastro-intestinale de la **cimétidine** et de la **ranitidine** est accélérée.

PRÉSENTATIONS

■ Comprimés de 5, 10 et 20 mg ■ Suspension orale à 1 mg\mL.

VOIES D'ADMINISTRATION ET POSOLOGIE

Prophylaxie des symptômes du reflux gastro-œsophagien

■ **PO (adultes):** 10 mg, 2 fois par jour, 15 min avant le déjeuner et au coucher ou 20 mg, 1 fois par jour au coucher

Traitement des symptômes du reflux gastro-œsophagien

■ **PO (adultes):** 5 à 10 mg, 3 ou 4 fois par jour, 15 min avant les repas et au coucher ou 20 mg, 2 fois par jour, 15 min avant le déjeuner et au coucher.

PHARMACODYNAMIE
(effets sur la pression du spincter inférieur de l'œsophage)

	DÉBUT D'ACTION	PIC	DURÉE
PO	30–60 min	70 min	inconnue

☀ SOINS INFIRMIERS

ÉVALUATION DE LA SITUATION

□ Suivre de près les symptômes (brûlures d'estomac) associés au reflux gastro-œsophagien.

DIAGNOSTICS INFIRMIERS POSSIBLES

■ **Énoncés diagnostiques**
□ Douleur.
□ Prise en charge inefficace du programme thérapeutique.
□ *Risque de déséquilibre hydro-électrolytique.*

■ **Facteurs favorisants**
□ Informations incomplètes.
□ *Manque de connaissances sur les modalités du traitement.*
□ *Modification de l'état liquidien ou des volumes circulants.*

INTERVENTIONS INFIRMIÈRES

■ **PO:** Administrer le médicament 15 min avant les repas et au coucher.

ENSEIGNEMENT AU PATIENT ET À SES PROCHES

□ Conseiller au patient de respecter scrupuleusement la posologie recommandée pendant toute la durée du traitement et de continuer à prendre le cisapride même s'il se sent mieux.

□ Recommander au patient d'éviter de boire de l'alcool ou de prendre des dépresseurs du SNC en même temps que le cisapride, car celui-ci peut augmenter les effets sédatifs de ces agents.

VÉRIFICATION DES RÉSULTATS

L'efficacité du traitement peut être démontrée par : ■ la diminution des symptômes du reflux gastro-œsophagien.

CLADRIBINE

Leustatine

CLASSIFICATION :
Antinéoplasique – antimétabolite

Grossesse – catégorie D

INDICATIONS

■ Traitement de la leucémie à tricholeucocytes, caractérisée par l'anémie, la leucopénie, la thrombocytopénie ou des symptômes cliniques. **Usages non approuvés :** ■ Traitement d'autres affections : □ lymphome cutané à cellules T avancé □ leucémie lymphoïde chronique □ lymphome non hodgkinien □ leucémie myéloïde aiguë □ anémie hémolytique auto-immune □ mycosis fongoïde □ réticulose de Sézary.

ACTION

■ Inhibition de la synthèse de l'ADN. **Effets thérapeutiques :** ■ Destruction des cellules à réplication rapide, particulièrement des cellules malignes.

PHARMACOCINÉTIQUE

Absorption : Par suite de l'administration IV, la biodisponibilité est totale.
Distribution : Inconnue.
Métabolisme et excrétion : Inconnus.
Demi-vie : 5,4 h.

CONTRE-INDICATIONS ET PRÉCAUTIONS

Contre-indications : ■ Hypersensibilité ■ Intolérance connue à l'alcool benzy-

lique (ingrédient du diluant) ■ Grossesse ou allaitement.

Précautions : ■ Maladie infectieuse évolutive, réserve médullaire réduite ou autres maladies chroniques débilitantes ■ Altération de la fonction rénale ou hépatique (risque accru de toxicité) ■ Patientes en âge de procréer ■ Enfants (l'innocuité du médicament n'a pas été établie).

RÉACTIONS INDÉSIRABLES ET EFFETS SECONDAIRES

SNC : fatigue, céphalées, étourdissements, faiblesse, malaises, insomnie.

ORLO : épistaxis.

Resp. : murmure vésiculaire anormal, toux, essoufflement.

CV : œdème, tachycardie.

GI : nausées, anorexie, vomissements, diarrhée, constipation, douleurs abdominales.

Derm. : rash, transpiration, purpura, pétéchies, érythème.

Hémat. : neutropénie, anémie, thrombocytopénie.

Locaux : réactions au point d'injection, thrombose, phlébite.

Loc. : myalgie, arthralgie.

Divers : fièvre, infection, frissons, douleur au tronc.

INTERACTIONS

Médicament – médicament : ■ Risque d'effet additif sur l'aplasie médullaire lors de l'administration concomitante d'autres **antinéoplasiques** ou d'une **radiothérapie**.

PRÉSENTATIONS

■ Fioles à 1 mg/mL.

VOIES D'ADMINISTRATION ET POSOLOGIE

■ **IV (adultes) :** 0,09 mg/kg par jour pendant 7 jours.

C

PHARMACODYNAMIE
(effets sur la numération globulaire dans le sang périphérique)

	DÉBUT D'ACTION	PIC	DURÉE*
plaquettes	inconnu	inconnu	12 jours
nombre absolu de polynucléaires neutrophiles	inconnu	inconnu	5 semaines
hémoglobine	inconnu	inconnu	8 semaines

* Temps écoulé jusqu'à la normalisation des numérations.

SOINS INFIRMIERS

ÉVALUATION DE LA SITUATION

□ Observer le patient à la recherche de signes d'hypoplasie médullaire. Surveiller l'apparition de signes d'infection, de fièvre, de frissons et de maux de gorge. Noter la numération plaquettaire pendant toute la durée du traitement. Suivre de près les saignements : gencives qui saignent, formation d'ecchymoses, pétéchies, présence de sang occulte dans les selles, l'urine et les vomissements. Éviter les injections intramusculaires et la prise de la température rectale ; appliquer une pression sur les points de ponction veineuse pendant 10 min. L'anémie peut survenir. Suivre de près la fatigue accrue, la dyspnée et l'hypotension orthostatique.

□ Observer le point d'injection à la recherche de signes de phlébite.

□ Effectuer le bilan quotidien des ingesta et des excreta. On peut prévenir la néphropathie causée par l'accumulation d'acide urique chez les patients atteints de leucémie et de lymphome par une hydratation adéquate par voie orale et l'administration d'allopurinol, au besoin.

■ **Étude des examens diagnostiques et biochimiques :** Noter le nombre de lymphocytes T CD4 et CD8 avant le début du traitement et à intervalles réguliers pendant toute sa durée. La cladribine peut diminuer pendant une période prolongée le nombre de lymphocytes T CD4 et CD8 ; il faut compter au moins 6 à 12 mois avant que la numération se normalise.

□ Noter les concentrations d'hémoglobine, l'hématocrite, la formule leucocytaire et le nombre de plaquettes avant le début du traitement et à intervalles réguliers par la suite, particulièrement durant les 4 à 8 semaines qui suivent l'arrêt de la médication. Au cours des deux semaines suivant l'arrêt de la médication, on note une baisse du nombre de plaquettes et du nombre absolu de polynucléaires neutrophiles ainsi que des concentrations d'hémoglobine. Des transfusions de plaquettes et d'érythrocytes peuvent s'avérer nécessaires. Les concentrations reviennent habituellement à la normale vers le douzième jour, la cinquième semaine et la huitième semaine, respectivement.

□ Noter les résultats des épreuves de l'exploration fonctionnelle rénale et hépatique avant le traitement et à intervalles réguliers pendant toute sa durée. La cladribine peut entraîner une néphrotoxicité se manifestant par des concentrations sériques élevées de créatinine, l'anurie et l'acidose.

□ Surveiller les concentrations sériques d'acide urique avant le traitement et pendant toute sa durée. La cladribine peut entraîner une élévation des concentrations sériques et urinaires d'acide urique. L'alcalinisation de l'urine peut s'avérer nécessaire.

■ **Toxicité et surdosage :** L'administration de doses élevées de cladribine peut entraîner une toxicité neurologique irréversible provoquant une faiblesse motrice dégénérant en paraparésie ou en quadriparésie. Si des symptômes se manifestent, arrêter le traitement par la cladribine. Il n'existe aucun antidote connu.

D

DIAGNOSTICS INFIRMIERS POSSIBLES

- **Énoncés diagnostiques**
- ☐ Risque d'infection.
- ☐ Risque d'accident.
- ☐ Prise en charge inefficace du programme thérapeutique.
- ☐ *Risque de douleur au point d'injection IV.*

- **Facteurs favorisants**
- ☐ Informations incomplètes.
- ☐ *Manque de connaissances sur les modalités du traitement.*
- ☐ *Manque de connaissances sur la méthode d'administration du médicament.*
- ☐ *Inflammation locale du tissu vasculaire ou infiltration du médicament dans les tissus avoisinants.*

INTERVENTIONS INFIRMIÈRES

- **Directives générales :** Préparer les solutions sous une hotte biologique de sécurité. Porter des gants, un vêtement protecteur et un masque pendant la manipulation de la cladribine. Mettre au rebut le matériel utilisé dans les contenants réservés à cet effet (voir l'annexe I du *Guide*).
- **Perfusion continue :** Ajouter la dose quotidienne à 500 mL d'une solution de NaCl pour injection à 0,9 %. La solution est stable pendant 24 h à la température ambiante ou pendant 8 jours au réfrigérateur.
- ☐ On peut aussi préparer la solution nécessaire pour une période de 7 jours en ajoutant à la dose calculée une quantité suffisante de solution bactériostatique de NaCl à 0,9 % (contenant 0,9 % d'alcool benzylique) pour porter le volume total de solution à 100 mL. L'utilisation des Medication Cassettes de Pharmacia Deltec est recommandée.
- *Vitesse d'administration :* Administrer en perfusion continue de 24 h.
- **Incompatibilités en addition au soluté :** dextrose à 5 % dans de l'eau. Ne pas mélanger ni perfuser d'autres médicaments ou solutions dans la même tubulure.

ENSEIGNEMENT AU PATIENT ET À SES PROCHES

- ☐ Recommander au patient de signaler rapidement au médecin la fièvre, les maux de gorge, les signes d'infection, le saignement des gencives, la formation d'ecchymoses, les pétéchies ; la présence de sang dans l'urine, les selles et les vomissements ; une enflure inhabituelle, des douleurs articulaires, l'essoufflement ou la confusion. Expliquer au patient qu'il doit éviter les foules et les personnes contagieuses. Lui recommander d'utiliser une brosse à dents à poils doux et un rasoir électrique et de prendre garde aux chutes. Prévenir le patient qu'il ne doit pas boire de boissons alcoolisées ni prendre de médicaments renfermant de l'aspirine, de l'ibuprofène ou du naproxène, en raison des risques d'hémorragie digestive.
- ☐ Conseiller à la patiente de prendre un contraceptif à base d'hormones pendant le traitement et pendant au moins 4 mois après l'avoir arrêté.
- ☐ Expliquer au patient qu'il ne doit pas se faire vacciner à moins d'une recommandation expresse du médecin.

VÉRIFICATION DES RÉSULTATS (ÉVALUATION)

L'efficacité du traitement peut être démontrée par : ■ l'amélioration des paramètres hématologiques chez les patients souffrant de leucémie.

DALTÉPARINE
Fragmin

CLASSIFICATION :
Anticoagulant – thrombolytique

Grossesse – catégorie B

D

INDICATIONS

■ Prévention de la thrombose veineuse profonde et de l'embolie pulmonaire à la suite d'une intervention chirurgicale ■ Traitement de la thrombose veineuse profonde ■ Prévention de la coagulation au cours de l'hémodialyse et de l'hémofiltration.

ACTION

■ Potentialisation de l'effet inhibiteur de l'antithrombine sur le facteur X_a et la thrombine. La daltéparine est une héparine de faible poids moléculaire. **Effets thérapeutiques:** ■ Prévention de la formation de thrombus.

PHARMACOCINÉTIQUE

Absorption: Bonne absorption (87 %) par suite de l'administration SC.
Distribution: Inconnue.
Métabolisme et excrétion: Inconnus.
Demi-vie: De 3 à 4 h après l'injection SC et de 2,1 à 2,3 h après l'injection IV (prolongée en cas d'insuffisance rénale).

CONTRE-INDICATIONS ET PRÉCAUTIONS

Contre-indications: ■ Hypersensibilité à la daltéparine, à l'héparine et aux protéines de porc ■ Hémorragie massive non maîtrisée ■ Thrombocytopénie induite par un traitement antérieur par la daltéparine.
Précautions: ■ Insuffisance rénale ou hépatique grave ■ Rétinopathie (hypertensive ou diabétique) ■ Grossesse, allaitement ou enfants (l'innocuité du médicament n'a pas été établie).
Extrême prudence: ■ Patients exposés à un risque élevé d'hémorragie (hypertension grave non maîtrisée; endocardite bactérienne; troubles hémorragiques; antécédents d'hémorragie digestive ou de maladie gastro-intestinale; accident vasculaire cérébral hémorragique; intervention chirurgicale récente au SNC ou à l'œil) ■ Antécédents de thrombocytopénie induite par l'héparine.

RÉACTIONS INDÉSIRABLES ET EFFETS SECONDAIRES

GI: élévation réversible des enzymes hépatiques.
Hémat.: saignements, thrombocytopénie.

INTERACTIONS

Médicament – médicament: ■ L'administration concomitante d'**anticoagulants** ou d'**agents qui modifient la fonction plaquettaire** (y compris les **anti-inflammatoires non stéroïdiens**) augmente le risque d'hémorragie.

PRÉSENTATIONS

■ Ampoules pour injection de 1 et 4 mL renfermant 2 500 UI d'anti-facteur X_a par mL ■ Seringues préremplies à dose unique contenant 2 500 ou 5 000 UI dans un volume de 0,2 mL.

VOIES D'ADMINISTRATION ET POSOLOGIE

Thromboprophylaxie chirurgicale

■ **SC (adultes):** 2 500 UI, 1 à 2 h avant l'intervention chirurgicale ou le soir précédant l'opération. Ensuite, 1 fois par jour pendant 5 à 7 jours ou jusqu'à ce que le patient puisse marcher.

Traitement de la thrombose veineuse profonde

■ **SC (adultes):** 100 UI/kg, 2 fois par jour.

■ **IV (adultes):** 100 UI/kg, administrés en 12 h par perfusion continue.

Anticoagulation pour l'hémodialyse et l'hémofiltration

■ **IV (adultes):** Bolus de 30 à 40 UI/kg, suivi d'une perfusion de 10 à 15 UI/kg/h.

PHARMACODYNAMIE (effet antithrombotique)

	DÉBUT D'ACTION	PIC	DURÉE
SC	rapide	4 h	jusqu'à 24 h

D

SOINS INFIRMIERS

ÉVALUATION DE LA SITUATION

- **Directives générales:** Rechercher les signes suivants d'hémorragie ou de saignement: saignement des gencives et du nez, formation inhabituelle d'ecchymoses, selles noires goudronneuses, hématurie, chute de l'hématocrite ou de la pression artérielle, présence de sang occulte dans les selles. Prévenir le médecin si ces symptômes se manifestent.
- **SC:** Observer la formation d'hématomes, d'ecchymoses ou l'apparition d'une inflammation au point d'injection.
- **IV:** Observer l'apparition d'une inflammation au point d'injection.
- **Étude des examens diagnostiques et biochimiques:** Noter la numération globulaire et la numération plaquettaire. Examiner les selles à intervalles réguliers pendant toute la durée du traitement pour déceler la présence de sang occulte. En cas de thrombocytopénie, surveiller étroitement le patient. Si les valeurs de l'hématocrite chutent soudainement, rechercher les foyers hémorragiques possibles.
- □ Il n'est pas nécessaire de suivre en particulier le temps de céphaline activée (APTT).
- □ La daltéparine peut entraîner des élévations asymptomatiques des concentrations de transaminases (TGOS [AST], TGPS [ALT]).

DIAGNOSTICS INFIRMIERS POSSIBLES

- **Énoncés diagnostiques**
- □ Altération de l'irrigation tissulaire.
- □ Risque d'accident.
- □ Prise en charge inefficace du programme thérapeutique.
- □ *Risque d'atteinte à l'intégrité des tissus.*

- **Facteurs favorisants**
- □ Informations incomplètes.

- □ *Manque de connaissances sur les modalités du traitement.*
- □ *Manque de connaissances sur la méthode d'administration du médicament.*

INTERVENTIONS INFIRMIÈRES

- **Directives générales:** Administrer la première dose de 1 à 2 h avant l'intervention chirurgicale ou le soir précédant l'opération.
- □ La daltéparine, l'héparine non fractionnée et les autres préparations d'héparine de faible poids moléculaire ne sont pas interchangeables (unité pour unité).
- **SC:** Administrer la solution profondément dans le tissu SC en gardant le patient en position assise ou couchée. On peut injecter la daltéparine dans la paroi abdominale au-dessous et à côté du nombril, dans la partie supérieure externe de la cuisse ou dans le quadrant supérieur externe de la fesse. Effectuer une rotation des points d'injection quotidiennement. Faire entrer complètement l'aiguille à un angle de 45 ou de 90 degrés, en soulevant la peau et en la tenant entre le pouce et l'index.
- □ Ne pas administrer le médicament par voie IM.
- **IV:** La solution pour injection peut être mélangée à une solution de NaCl à 0,9 % ou de dextrose à 5 % dans de l'eau, pour obtenir une concentration de 20 UI/mL. La vitesse de perfusion est de 10 mL/h. La solution est stable pendant 24 h.

ENSEIGNEMENT AU PATIENT ET À SES PROCHES

- □ Conseiller au patient de signaler immédiatement au médecin ou à l'infirmière les saignements ou les ecchymoses inhabituels.
- □ Conseiller au patient de ne pas prendre de l'aspirine, du naproxène ou de l'ibuprofène pendant le traitement à la daltéparine.

D

L'efficacité du traitement peut être démontrée par : ■ la prévention et la résolution de la thrombose veineuse profonde.

DEXRAZOXANE
Zinecard

CLASSIFICATION :
Agent cardioprotecteur

Grossesse – catégorie C

INDICATIONS

■ Diminution de l'incidence et de la gravité de la cardiotoxicité induite par la doxorubicine chez les femmes atteintes d'un cancer du sein qui ont déjà répondu au traitement à la doxorubicine ou chez qui la maladie s'est stabilisée durant ce traitement. Le dexrazoxane ne peut être utilisé que si la patiente tolère la pleine dose de doxorubicine.

ACTION

■ Chélation intracellulaire. **Effets thérapeutiques :** ■ Atténuation des effets cardiotoxiques de la doxorubicine.

PHARMACOCINÉTIQUE

Absorption : Par suite de l'administration IV, la biodisponibilité est totale.

Distribution : Inconnue.

Métabolisme et excrétion : On note un certain degré de métabolisme ; une fraction de 42 % est éliminée dans l'urine.

Demi-vie : De 2,1 à 2,5 h.

CONTRE-INDICATIONS ET PRÉCAUTIONS

Contre-indications : ■ Toutes les autres chimiothérapies, sauf celles qui sont à base d'autres anthracyclines (agents s'apparentant à la doxorubicine).

Précautions : ■ Grossesse, allaitement, enfants (l'innocuité du médicament n'a pas été établie).

RÉACTIONS INDÉSIRABLES ET EFFETS SECONDAIRES

Hémat. : aplasie médullaire.

Locaux : douleur au point d'injection.

INTERACTIONS

Médicament – médicament : ■ Effets additifs possibles sur l'aplasie médullaire lors de l'administration concomitante d'**agents antinéoplasiques** ou d'une **radiothérapie**. Le dexrazoxane peut réduire l'effet antitumoral d'une chimiothérapie d'association à base de **fluorouracile** et de **cyclophosphamide**.

PRÉSENTATIONS

■ Solution pour injection en fioles de 250 et 500 mg.

VOIES D'ADMINISTRATION ET POSOLOGIE

■ **IV (adultes) :** 500 mg/m^2.

PHARMACODYNAMIE
(effet cardioprotecteur)

	DÉBUT D'ACTION	PIC	DURÉE
IV	rapide	inconnu	inconnue

SOINS INFIRMIERS

ÉVALUATION DE LA SITUATION

■ Évaluer, au début du traitement et à intervalles réguliers pendant toute sa durée, la gravité de la cardiomyopathie (cardiomégalie sur la radiographie, râles basilaires, galop B$_3$, dyspnée, chute de la fraction d'éjection du ventricule gauche).

■ **Étude des examens diagnostiques et biochimiques :** Suivre de près, pendant toute la durée du traitement, la numération globulaire et le nombre de plaquettes. La thrombocytopénie, la leucopénie et la granulocytopénie induites par la chimiothérapie peuvent être plus graves au nadir lorsque le dexrazoxane est utilisé.

DIAGNOSTICS INFIRMIERS POSSIBLES

■ **Énoncés diagnostiques**
□ Diminution du débit cardiaque.
□ Douleur.
□ Prise en charge inefficace du programme thérapeutique.
□ *Risque d'accident.*

■ **Facteurs favorisants**
□ Informations incomplètes.
□ *Manque de connaissances sur les modalités du traitement.*

INTERVENTIONS INFIRMIÈRES

■ **Directives générales:** Le dexrazoxane peut être administré 30 min avant et jusqu'à 15 min après l'administration de la doxorubicine.
□ Préparer les solutions sous une hotte biologique de sécurité. Porter des gants, un vêtement protecteur et un masque pendant la manipulation du médicament. Mettre au rebut le matériel IV dans des contenants réservés à cet effet (voir l'annexe I du *Guide*).
□ Ne pas administrer la solution si elle a changé de couleur ou si elle renferme des particules. Les solutions reconstituées et diluées restent stables pendant 6 h dans un sac à perfusion si elles sont gardées au réfrigérateur (entre 2 et 8°C). Jeter toutes les solutions inutilisées.
■ **IV directe:** Reconstituer le dexrazoxane avec une solution de lactate de sodium pour injection d'une concentration molaire de 0,167 (M/6) afin d'obtenir une concentration de 10 mg/mL.
□ *Vitesse d'administration:* Administrer la solution par injection IV lente.
■ La solution peut être administrée par perfusion IV rapide (sans diluer la solution reconstituée).

■ **Incompatibilités en addition au soluté:** Ne pas mélanger à d'autres médicaments.

ENSEIGNEMENT AU PATIENT ET À SES PROCHES

□ Expliquer à la patiente le but du traitement.
□ Insister sur la nécessité de surveiller continuellement la fonction cardiaque.

VÉRIFICATION DES RÉSULTATS

L'efficacité du traitement peut être démontrée par: ■ la baisse de l'incidence et de la gravité de la cardiomyopathie associée à l'administration de la doxorubicine chez les femmes atteintes d'un cancer métastatique du sein.

DORNASE ALFA
Pulmozyme

CLASSIFICATION:
Adjuvant du traitement de la fibrose kystique – enzyme permettant le clivage de l'ADN humain

Grossesse – catégorie B

INDICATIONS

■ Traitement adjuvant de la fibrose kystique en association avec des bronchodilatateurs et des antibiotiques.

ACTION

■ Décomposition des quantités excessives d'ADN présentes dans les voies respiratoires des patients souffrant de fibrose kystique. Les concentrations élevées d'ADN favorisent la viscosité accrue des crachats et accroissent le risque d'infection. **Effets thérapeutiques:** ■ Diminution des taux d'infection et de la nécessité d'administrer des antibiotiques par voie parentérale ■ Amélioration de la fonction pulmonaire.

PHARMACOCINÉTIQUE

Absorption : Par suite de l'inhalation, l'absorption est négligeable.

Distribution : L'action est surtout locale.

Métabolisme et excrétion : Inconnus.

Demi-vie : Inconnue.

CONTRE-INDICATIONS ET PRÉCAUTIONS

Contre-indications : ■ Hypersensibilité à la dornase ou aux produits à base d'ovaires de hamster chinois.

Précautions : ■ Grossesse, allaitement ou enfants de moins de 5 ans (l'innocuité du médicament n'a pas été établie).

RÉACTIONS INDÉSIRABLES ET EFFETS SECONDAIRES

ORLO : modification de la voix.

Tég. : rash.

INTERACTIONS

Médicament – médicament : ■ Aucune interaction notable.

PRÉSENTATIONS

■ Ampoules à dose unique de 2,5 mL renfermant une solution pour inhalation à 1 mg/mL.

VOIES D'ADMINISTRATION ET POSOLOGIE

■ **Inhalation (adultes et enfants de plus de 5 ans) :** 2,5 mg, 1 ou 2 fois par jour.

PHARMACODYNAMIE
(effet sur les paramètres notés)

	DÉBUT D'ACTION	PIC	DURÉE
inhalation	en l'espace de 15 min[†]	3 jours – 1 semaine[††] Plusieurs semaines ou mois[†††]	48 h

† Concentrations importantes dans les crachats.
†† Amélioration de la fonction respiratoire.
††† Diminution de l'incidence des infections des voies respiratoires.

SOINS INFIRMIERS

ÉVALUATION DE LA SITUATION

□ Évaluer les signes vitaux et la fonction respiratoire, ausculter le murmure vésiculaire, noter la fréquence et le rythme des respirations, la quantité et la couleur des crachats, et surveiller la présence de dyspnée à intervalles réguliers pendant toute la durée du traitement.

DIAGNOSTICS INFIRMIERS POSSIBLES

■ **Énoncés diagnostiques**

□ Dégagement inefficace des voies respiratoires.

□ Risque d'infection.

□ Prise en charge inefficace du programme thérapeutique.

■ **Facteurs favorisants**

□ Informations incomplètes.

□ *Manque de connaissances sur la méthode d'administration du médicament.*

INTERVENTIONS INFIRMIÈRES

■ **Directives générales :** Pour maintenir ses effets thérapeutiques, la dornase alfa doit être administrée tous les jours. La fonction pulmonaire se détériore dans les 48 h suivant l'arrêt du traitement.

■ **Inhalation :** La solution pour inhalation de dornase alfa est administrée à l'aide d'un nébuliseur à pression jetable Hudson T Up-draft II ou Marquest Acorn II avec compresseur Pulmon-Aide ainsi qu'à l'aide du nébuliseur réutilisable PARI LC Jet + avec compresseur PARI PRONEB. Il n'est pas recommandé d'utiliser d'autres appareils à piles ni de nébuliseurs ultrasoniques.

□ Utiliser la pièce buccale fournie avec chaque nébuliseur ; en utilisant un masque facial, on risque de réduire la quantité de médicament qui pénètre dans les poumons.

□ En raison des risques d'incompatibilité, la dornase alfa ne devrait pas être mélangée avec d'autres médicaments dans le nébuliseur ni diluée dans d'autres solutions. Les autres médicaments administrés simultanément peuvent être pris avant ou après la dornase alfa.

□ Ne pas administrer la solution si elle est trouble, si elle a changé de couleur, si les ampoules ont déjà été ouvertes ou si elles sont périmées.

□ Conserver les ampoules au réfrigérateur dans des sachets d'aluminium; ne pas les congeler; ne pas les laisser à la température ambiante pendant plus de 24 h.

ENSEIGNEMENT AU PATIENT ET À SES PROCHES

□ Conseiller au patient de respecter scrupuleusement la posologie recommandée et de prendre la dornase alfa à la même heure chaque jour. S'il a oublié de prendre une dose, il doit la prendre le plus tôt possible; s'il est presque l'heure de la dose suivante, lui conseiller de ne pas prendre cette dose et de revenir au schéma habituel.

□ Insister sur la nécessité de continuer à prendre les autres médicaments destinés au traitement de la fibrose kystique, y compris les bronchodilatateurs et les antibiotiques.

□ Montrer au patient la méthode d'administration de la dornase alfa. Se laver les mains avant d'assembler le nébuliseur et d'y ajouter le médicament. Assembler sur une surface propre et garder les pièces propres, en suivant les directives du fabricant. Ouvrir l'ampoule et en vider le contenu dans le récipient du nébuliseur. Utiliser toute la quantité de médicament fournie dans l'ampoule. Administrer conformément aux directives du fabricant. Nettoyer le nébuliseur après chaque utilisation.

VÉRIFICATION DES RÉSULTATS

L'efficacité du traitement peut être démontrée par : ■ l'amélioration de la fonction pulmonaire, habituellement en l'espace de 3 jours à 2 semaines, et la réduction de la fréquence des infections dictant une antibiothérapie par voie parentérale chez les patients souffrant de fibrose kystique (parfois plusieurs semaines ou mois de traitement doivent s'écouler avant qu'on note une amélioration).

DORZOLAMIDE
Trusopt

CLASSIFICATION :
Traitement du glaucome ; inhibiteur de l'anhydrase carbonique (préparation ophtalmique)

Grossesse – catégorie C

INDICATIONS

■ Traitement de la pression intraoculaire élevée associée à l'hypertension oculaire ou au glaucome à angle ouvert.

ACTION

■ Diminution de la production d'humeur aqueuse. **Effets thérapeutiques :** ■ Abaissement de la pression intraoculaire.

PHARMACOCINÉTIQUE

Absorption : L'absorption de la préparation ophtalmique est minime.
Distribution : Le dorzolamide s'accumule dans les globules rouges.
Métabolisme et excrétion : De petites quantités du médicament sont métabolisées, le reste est excrété par les reins.
Demi-vie : 4 mois.

CONTRE-INDICATIONS ET PRÉCAUTIONS

Contre-indications : ■ Hypersensibilité ■ Risque de réactions de sensibilité croisée avec les sulfamidés ■ Traitement

D   concomitant par des inhibiteurs de l'anhydrase carbonique administrés par voie orale (risque d'effets systémiques additifs).

Précautions : ■ Dysfonctionnement rénal ou hépatique (ce médicament n'est pas recommandé si la clearance de la créatinine < 0,5 mL/s) ■ Grossesse, allaitement ou enfants (l'innocuité du médicament n'a pas été établie).

RÉACTIONS INDÉSIRABLES ET EFFETS SECONDAIRES

ORLO : brûlures oculaires, picotements et gêne, kératite ponctuée superficielle, vision trouble, larmoiement, sécheresse, photophobie, kératite bactérienne.
GI : goût amer.

INTERACTIONS

Médicament – médicament : ■ Aucune interaction notable par suite de l'utilisation de la préparation ophtalmique.

PRÉSENTATIONS

■ Solution ophtalmique à 2 %.

VOIES D'ADMINISTRATION ET POSOLOGIE

■ **Préparation ophtalmique (adultes) :** Une goutte dans l'œil atteint, 3 fois par jour. En association avec un bêtabloquant ophtalmique : une goutte dans l'œil atteint, 2 fois par jour.

PHARMACODYNAMIE
(diminution de la pression intraoculaire)

	DÉBUT D'ACTION	PIC	DURÉE
Préparation ophtalmique	inconnu	inconnu	inconnue

ÉVALUATION DE LA SITUATION

☐ Suivre de près la conjonctivite, les réactions des paupières ainsi que les picotements, les brûlures ou la gêne immédiatement après l'administration du médicament. Si de telles réactions se manifestent, arrêter l'administration du médicament et évaluer l'état du patient avant de reprendre le traitement. De nombreuses réactions disparaissent à l'arrêt du traitement.

☐ Déterminer si le patient est allergique aux sulfamidés.

■ **Toxicité et surdosage :** La toxicité peut se traduire par un déséquilibre électrolytique, l'acidose et des effets sur le SNC. Si l'on soupçonne un surdosage, suivre de près les concentrations sériques d'électrolytes (particulièrement de potassium) et le pH sanguin.

DIAGNOSTICS INFIRMIERS POSSIBLES

■ **Énoncés diagnostiques**

☐ Altération de la perception visuelle.

☐ Prise en charge inefficace du programme thérapeutique.

☐ Risque d'infection.

☐ *Risque d'accident.*

■ **Facteurs favorisants**

☐ Informations incomplètes.

☐ *Manque de connaissances sur les moyens de réduire la photosensibilité et sur l'importance d'un suivi ophtalmologique.*

☐ *Manque de connaissances sur la méthode d'administration du médicament.*

☐ *Manque de connaissances sur les effets secondaires du médicament.*

INTERVENTIONS INFIRMIÈRES

■ **Préparation ophtalmique :** Si le dorzolamide est utilisé en même temps que d'autres préparations ophtalmiques, il faut administrer les deux médicaments à au moins 10 min d'intervalle.

ENSEIGNEMENT AU PATIENT ET À SES PROCHES

☐ Montrer au patient comment administrer la solution de dorzolamide (voir l'annexe H du *Guide*). Insister sur la nécessité d'éviter tout contact entre le bout de l'applicateur et l'œil ou la région périorbitaire, en raison du risque de contamination de la solution et d'infection oculaire.

☐ Conseiller au patient d'arrêter le traitement et de contacter le médecin en cas d'infection ou d'un nouveau problème touchant les yeux (traumatisme, chirurgie).

☐ Recommander au patient de consulter le médecin avant de porter des verres de contact souples durant l'instillation du dorzolamide.

☐ Recommander au patient de prévenir le médecin en cas de rash.

VÉRIFICATION DES RÉSULTATS

L'efficacité du traitement peut être démontrée par : ■ la baisse de la pression intraoculaire chez les patients souffrant d'hypertension oculaire ou de glaucome à angle ouvert.

ÉNOXAPARINE
Lovenox

CLASSIFICATION :
Thrombolytique (héparine de faible poids moléculaire)

Grossesse – catégorie B

INDICATIONS
Prévention de la thrombose veineuse profonde (cause d'embolie pulmonaire) après une intervention de chirurgie orthopédique de la hanche ou du genou.

ACTION
■ Prévention de la transformation de la prothrombine en thrombine par ses effets sur le facteur X_a. L'énoxaparine est une héparine de faible poids moléculaire.
Effets thérapeutiques : ■ Prévention de la formation de thrombus.

PHARMACOCINÉTIQUE
Absorption : Bonne absorption par suite de l'administration SC (92 %).
Distribution : Inconnue.
Métabolisme et excrétion : Inconnus.
Demi-vie : 4,5 h.

CONTRE-INDICATIONS ET PRÉCAUTIONS

Contre-indications : ■ Hémorragie réelle ■ Thrombocytopénie associée à la formation d'anticorps antiplaquettaires en présence de l'énoxaparine ■ Hypersensibilité à l'énoxaparine ou aux protéines de porc.

Précautions : ■ Troubles hémorragiques, hypertension non maîtrisée, antécédents lointains ou récents d'ulcère gastro-intestinal ou d'hémorragie digestive ■ Personnes âgées et patients souffrant d'insuffisance rénale (sensibilité accrue aux effets de l'énoxaparine).

Extrême prudence : ■ Antécédents de thrombocytopénie induite par l'héparine ■ Intervention chirurgicale récente au cerveau, à la colonne vertébrale ou aux yeux ■ Endocardite bactérienne ■ Troubles hémorragiques acquis ou congénitaux ■ Ulcère gastro-intestinal ou hémorragie digestive en poussée évolutive

RÉACTIONS INDÉSIRABLES ET EFFETS SECONDAIRES

SNC : œdème.
Hémat. : HÉMORRAGIE, thrombocytopénie, anémie.
Locaux : irritation, douleur, hématome et érythème au point d'injection.

INTERACTIONS

Médicament – médicament : ■ L'administration concomitante d'**autres anticoagulants** ou **agents antiplaquettaires** (y compris les **anti-inflammatoires non stéroïdiens**) peut augmenter le risque d'hémorragie.

PRÉSENTATIONS
■ Seringues préremplies de 30 mg/0,3 mL.

VOIES D'ADMINISTRATION ET POSOLOGIE

■ **SC (adultes) :** 30 mg, deux fois par jour. Amorcer le traitement dans les 24 h suivant l'intervention chirurgicale.

F

PHARMACODYNAMIE
(effet thrombolytique)

	DÉBUT D'ACTION	PIC	DURÉE
SC	inconnu	inconnu	12 h

ÉVALUATION DE LA SITUATION

- **Directives générales:** Rechercher les signes suivants d'hémorragie: saignement des gencives et du nez, formation inhabituelle d'ecchymoses, selles noires goudronneuses, hématurie, chute de l'hématocrite ou de la pression artérielle, présence de sang occulte dans les selles (confirmée par la méthode au gaïac). Prévenir le médecin si ces symptômes se manifestent.

- **SC:** Observer le point d'injection pour déceler les hématomes, les ecchymoses ou l'inflammation.

- **Étude des examens diagnostiques et biochimiques:** Surveiller les numérations globulaire et plaquettaire à intervalles réguliers pendant toute la durée du traitement.

DIAGNOSTICS INFIRMIERS POSSIBLES:

- **Énoncés diagnostiques**
  - ☐ Diminution de l'irrigation tissulaire.
  - ☐ Risque d'accident.
  - ☐ Prise en charge inefficace du programme thérapeutique.

- **Facteurs favorisants**
  - ☐ Informations incomplètes.
  - ☐ *Manque de connaissances sur les modalités du traitement.*
  - ☐ *Manque de connaissances sur la méthode d'administration du médicament.*

INTERVENTIONS INFIRMIÈRES

- **Directives générales:** Administrer l'énoxaparine aussitôt que possible après l'intervention chirurgicale, et pas plus de 24 h après. Continuer le traitement pendant toute la période postopératoire jusqu'à ce que le risque de thrombose veineuse profonde se soit atténué, habituellement entre 7 et 14 jours. Le patient doit être en décubitus pendant l'injection SC d'énoxaparine.

- **SC:** Administrer l'injection profondément dans le tissu sous-cutané. Faire la rotation des points d'injection entre les parois abdominales antérolatérale et postérolatérale droite et gauche. Introduire l'aiguille verticalement et complètement dans un pli cutané maintenu entre le pouce et l'index. Le pli cutané doit être maintenu pendant toute la durée de l'injection. Ne pas administrer par voie IM, car un hématome risque de se former. La solution devrait être de transparente à jaune pâle ; ne pas injecter la solution si elle contient des particules.

ENSEIGNEMENT AU PATIENT ET À SES PROCHES

- ☐ Conseiller au patient de signaler immédiatement au médecin ou à l'infirmière les saignements ou les ecchymoses inhabituels.

- ☐ Conseiller au patient de ne pas prendre de l'aspirine, des médicaments contenant de l'acide acétylsalicylique ou de l'ibuprofène pendant le traitement à l'énoxaparine.

VÉRIFICATION DES RÉSULTATS

L'efficacité du traitement peut être démontrée par: ■ la prévention de la thrombose veineuse profonde.

FACTEUR IX, COMPLEXE DE (humain)
Konyne 80, (Profilnine Heat-Treated), (Proplex SX-T), (Proplex T)

FACTEUR IX (humain)
AlphaNine SD, (AlphaNine), (Mononine)

CLASSIFICATION:
Agent hémostatique ; dérivé sanguin

Grossesse – catégorie C

INDICATIONS

■ Traitement des épisodes hémorragiques ou des hémorragies imminentes attribuables à un déficit en facteur IX (hémophilie B, maladie de Christmas) ■ Traitement des hémorragies chez les patients présentant des inhibiteurs du facteur VIII ■ Prévention et traitement des hémorragies chez les patients présentant un déficit en facteur VII (Proplex T seulement) ■ Renversement rapide des effets des anticoagulants oraux dans les situations d'urgence (complexe de facteur IX seulement).

ACTION

■ Le complexe de facteur IX (humain) contient les facteurs de coagulation sanguine II, VII, IX et X (Proplex SX-T contient moins de facteur VII). L'activité du facteur IX (humain) correspond uniquement à celle du facteur IX. **Effets thérapeutiques :** ■ Traitement substitutif en présence du déficit en facteur IX qui caractérise l'hémophilie B ■ Rétablissement de l'hémostase.

PHARMACOCINÉTIQUE

Absorption : L'administration du complexe de facteur IX est réservée à la voie IV ; dans ce cas, sa biodisponibilité est totale.

Distribution : Inconnue.

Métabolisme et excrétion : Élimination rapide du plasma par utilisation lors du processus de coagulation.

Demi-vie : Facteur IX – de 24 à 32 h ; facteur VII – de 3 à 6 h.

CONTRE-INDICATIONS ET PRÉCAUTIONS

Contre-indications : ■ Déficit en facteur VII (sauf Proplex T) ■ Coagulation intravasculaire ou fibrinolyse associée à une maladie hépatique.

Précautions : ■ Période postopératoire (risque accru de thrombose) ■ Groupes sanguins A, B et AB.

RÉACTIONS INDÉSIRABLES ET EFFETS SECONDAIRES

SNC : céphalées, somnolence, léthargie.

CV : modification de la fréquence cardiaque, modification de la pression artérielle.

GI : nausées, vomissements.

Tég. : rougeurs, urticaire.

Hémat. : thrombose, coagulation intravasculaire disséminée.

SN : picotements.

Divers : fièvre, frissons, risque de transmission du virus de l'hépatite, risque de transmission du VIH, réactions d'hypersensibilité.

INTERACTIONS

Médicament – médicament : ■ Risque accru de thrombose lors de l'administration simultanée d'**acide aminocaproïque**.

PRÉSENTATIONS

■ Fioles : le nombre d'unités est indiqué sur l'étiquette.

VOIES D'ADMINISTRATION ET POSOLOGIE

Remarque : On peut se servir de la formule suivante : dose (unités) = poids corporel (kg) × (0,8 à 1 unité/kg) × augmentation souhaitable du facteur IX (en % de l'activité normale).

Complexe de facteur IX (humain)

■ IV (adultes et enfants) : *Traitement de l'hémorragie chez les patients atteints d'hémophilie B* — dose nécessaire pour obtenir 25 % de l'activité normale du facteur IX ou de 60 à 75 unités/kg, initialement ; ensuite, de 10 à 20 unités/kg par jour, pendant 1 semaine. *Prophylaxie de l'hémorragie chez les patients atteints d'hémophilie B* — de 10 à 20 unités/kg, 1 ou 2 fois par semaine. *Traitement de l'hémorragie chez les patients atteints d'hémophilie A et présentant des inhibiteurs du facteur VIII* — 75 unités/kg ; répéter l'administration 12 h plus tard, selon les besoins.

Renversement des effets des anti-coagulants oraux — 15 unités/kg. *Déficit en facteur VII (Proplex T seulement)* — 0,5 unité/kg × poids corporel (kg) × augmentation souhaitable du facteur IX (en % de l'activité normale). Répéter l'administration toutes les 4 à 6 h, selon les besoins. En cas d'intervention chirurgicale, augmenter le niveau d'activité de plus de 25 % (de 40 à 60 % de l'activité normale) avant l'intervention et pendant une semaine après.

Facteur IX (humain)
AlphaNine, AlphaNine SD

- **IV (adultes et enfants)**: *Hémorragie légère à modérée* — dose nécessaire pour augmenter le niveau d'activité du facteur IX jusqu'à 20 à 30 % de l'activité normale (une seule dose). *Hémorragie plus grave ou intervention chirurgicale* — dose nécessaire pour augmenter le niveau d'activité du facteur IX jusqu'à 30 à 50 % de l'activité normale (en perfusion quotidienne). *Extractions dentaires* — dose nécessaire pour augmenter le niveau d'activité du facteur IX jusqu'à 50 % de l'activité normale. Répéter l'administration, selon les besoins.

Mononine (É.-U.)

- **IV (adultes et enfants)**: *Hémorragie légère* — dose nécessaire pour augmenter le niveau d'activité du facteur IX jusqu'à 15 à 25 % de l'activité normale (de 20 à 30 unités/kg); on peut répéter l'administration 24 h plus tard. *Traumatisme grave ou intervention chirurgicale* — dose nécessaire pour augmenter le niveau d'activité du facteur IX jusqu'à 25 à 50 % de l'activité normale (75 unités/kg); administrer toutes les 18 à 30 h pendant 10 jours au maximum.

PHARMACODYNAMIE
(hémostase)

	DÉBUT D'ACTION	PIC	DURÉE
IV	immédiat	inconnu	1–2 jours

ÉVALUATION DE LA SITUATION

- ☐ Mesurer à intervalles fréquents la pression artérielle, le pouls et les respirations.
- ☐ Déterminer le type de traumatisme subi; évaluer la quantité de sang perdue.
- ☐ Suivre de près l'apparition d'un nouvel épisode hémorragique ou l'intensification de l'hémorragie, toutes les 15 à 30 min. Immobiliser les articulations touchées et appliquer de la glace.
- ☐ Effectuer le bilan des ingesta et des excreta; noter la couleur de l'urine. Prévenir le médecin en cas de modifications importantes ou si l'urine vire au rouge ou à l'orange. Les patients appartenant aux groupes sanguins A, B et AB sont particulièrement prédisposés à une réaction hémolytique.
- ☐ Ralentir le débit de la perfusion et prévenir le médecin si les réactions suivantes d'hypersensibilité se manifestent: fièvre, frissons, picotements, céphalées, urticaire, modifications de la pression artérielle ou de la fréquence du pouls, nausées et vomissements, léthargie.
- ☐ Vérifier les résultats des épreuves de coagulation avant, pendant et après l'administration afin de déterminer l'efficacité du traitement.

DIAGNOSTICS INFIRMIERS POSSIBLES

- **Énoncés diagnostiques**
- ☐ Diminution de l'irrigation tissulaire.
- ☐ Risque d'accident.
- ☐ Prise en charge inefficace du programme thérapeutique.

- **Facteurs favorisants**
- ☐ Informations incomplètes.
- ☐ *Manque de connaissances sur les modalités du traitement.*

INTERVENTIONS INFIRMIÈRES

- **Directives générales**: La posologie doit être adaptée au degré de déficit en facteur de coagulation, au taux de facteurs de coagulation souhaité et au poids du patient.

- ☐ Obtenir le groupe sanguin et les résultats du test de compatibilité croisée afin de se préparer à une éventuelle transfusion.

- ☐ Pour réprimer l'hémorragie après un traumatisme grave ou une intervention chirurgicale, il faut maintenir les concentrations de facteur IX à 25 % des valeurs normales pendant au moins 1 semaine. Si l'activité est supérieure ou égale à 50 % des valeurs normales, il y a risque de réaction thromboembolique ou de coagulopathie intravasculaire disséminée.

- ☐ On peut administrer un vaccin antihépatite B avant le traitement afin de prévenir l'hépatite.

- ☐ Prévenir tout le personnel soignant que le patient présente une tendance au saignement afin de lui éviter de nouveaux traumatismes. Appliquer une pression sur tous les points de ponction veineuse pendant au moins 5 min ; éviter les injections IM.

- ■ **IV directe :** Réfrigérer la poudre lyophilisée concentrée jusqu'au moment de la reconstitution. Avant de reconstituer la préparation, chauffer le diluant (eau stérile pour injection) à la température ambiante. Utiliser une seringue en plastique pour préparer et administrer la solution. Utiliser l'aiguille munie d'un filtre fournie par le fabricant pour évacuer l'air de la fiole lors de la reconstitution. Après avoir ajouté du diluant, tourner délicatement la fiole jusqu'à ce que la solution soit complètement dissoute. Ne pas réfrigérer après la reconstitution. Administrer la préparation dans les 3 h qui suivent la reconstitution. La solution reconstituée est stable pendant 12 h à la température ambiante.

- ☐ *Vitesse d'administration :* Administrer la solution IV à un débit inférieur à 3 mL/min (100 unités/min). Ne pas effectuer de mélange. Interrompre la perfusion et recommencer à un débit plus lent en cas de picotements ou de rougeurs au visage.

ENSEIGNEMENT AU PATIENT ET À SES PROCHES

- ☐ Inciter le patient à prévenir l'infirmière dès qu'une nouvelle hémorragie survient.

- ☐ Conseiller au patient de toujours porter une pièce d'identité où est inscrit son problème de santé.

- ☐ Mettre en garde le patient contre les produits contenant de l'aspirine ou de l'ibuprofène, car ils peuvent entraver davantage la coagulation du sang.

- ☐ Expliquer au patient les méthodes de prévention de l'hémorragie : utiliser une brosse à dents à poils doux, éviter les injections IM et SC, éviter les activités qui risquent de provoquer des traumatismes.

- ☐ Expliquer au patient que le risque de transmission du virus de l'hépatite ou du VIH est moindre si l'on utilise des préparations traitées par la chaleur. Les programmes actuels de dépistage et la vaccination contre le virus de l'hépatite B devraient également aider à réduire ce risque.

- ☐ Expliquer au patient souffrant d'hémophilie l'importance du suivi médical. Pour prévenir les saignements spontanés, le médecin peut prescrire un traitement par le facteur IX, à raison de 2 ou 3 fois par semaine.

VÉRIFICATION DES RÉSULTATS

L'efficacité du traitement peut être démontrée par : ■ la prévention des saignements spontanés ou l'arrêt de l'hémorragie chez les patients qui présentent un déficit du facteur IX (hémophilie B ou maladie de Christmas), des inhibiteurs du facteur VIII ou un déficit du facteur VII, ainsi qu'après une surdose d'anticoagulants.

FAMCICLOVIR
Famvir

CLASSIFICATION :
Antiviral

Grossesse – catégorie B

INDICATIONS
- Traitement des infections aiguës dues à l'herpès zoster (zona).

ACTION
- Inhibition de la synthèse de l'ADN viral dans les cellules infectées seulement. **Effets thérapeutiques :** ■ Diminution de la durée de l'infection due à l'herpès zoster et de la durée de l'élimination du virus.

PHARMACOCINÉTIQUE
Absorption : Après avoir été absorbé, le famciclovir est rapidement transformé dans la paroi intestinale en penciclovir, le composé actif.
Distribution : Inconnue.
Métabolisme et excrétion : Le penciclovir est principalement excrété par les reins.
Demi-vie : *Penciclovir : de 2,1 à 3 h (prolongée en cas d'insuffisance rénale).*

CONTRE-INDICATIONS ET PRÉCAUTIONS
Contre-indications : ■ Hypersensibilité.
Précautions : ■ Insuffisance rénale (on recommande d'accroître l'intervalle posologique si la clearance de la créatinine < 1 mL/s) ■ Personnes âgées (en raison de la réduction de la fonction rénale avec l'âge) ■ Grossesse, allaitement ou enfants de moins de 18 ans (l'innocuité du médicament n'a pas été établie).

RÉACTIONS INDÉSIRABLES ET EFFETS SECONDAIRES
SNC : céphalées, étourdissements, fatigue.
GI : diarrhée, nausées, vomissements.

INTERACTIONS
Médicament – médicament : ■ Le **probénécide** élève les concentrations plasmatiques du penciclovir ■ Le famciclovir peut élever les concentrations sériques de **digoxine.**

PRÉSENTATIONS
- Comprimés de 500 mg.

VOIES D'ADMINISTRATION ET POSOLOGIE
- **PO (adultes) :** 500 mg, toutes les 8 h, pendant 7 jours. La posologie doit être ajustée en cas d'insuffisance rénale.

PHARMACODYNAMIE
(concentrations sanguines de penciclovir)

	DÉBUT D'ACTION	PIC	DURÉE
PO	rapide	0,9 h	inconnue

☀ SOINS INFIRMIERS

ÉVALUATION DE LA SITUATION
- ☐ Examiner les lésions avant le traitement et quotidiennement pendant toute sa durée.
- ☐ Surveiller le patient à intervalles réguliers pendant et après le traitement pour déceler l'apparition d'algies postzostériennes.

DIAGNOSTICS INFIRMIERS POSSIBLES
- **Énoncés diagnostiques**
- ☐ Atteinte à l'intégrité de la peau.
- ☐ Risque d'infection.
- ☐ Prise en charge inefficace du programme thérapeutique.
- ☐ *Risque de douleur.*
- **Facteurs favorisants**
- ☐ Informations incomplètes.
- ☐ *Manque de connaissances sur la méthode d'administration du médicament.*
- ☐ *Manque de connaissances sur les modalités du traitement.*

□ *Manque de connaissances sur les effets secondaires du médicament et sur les moyens de les réduire.*

INTERVENTIONS INFIRMIÈRES

■ **Directives générales:** Amorcer le traitement par le famciclovir le plus tôt possible après le diagnostic d'herpès zoster; au maximum dans les 72 h, et de préférence dans les 48 h.

■ **PO:** Le famciclovir peut être administré sans égard aux repas.

ENSEIGNEMENT AU PATIENT ET À SES PROCHES

□ Conseiller au patient de respecter scrupuleusement la posologie recommandée pendant toute la durée du traitement. S'il n'a pu prendre le médicament au moment habituel, il doit le prendre dès que possible à moins que ce ne soit presque l'heure prévue pour la dose suivante.

□ Prévenir le patient que le famciclovir ne prévient pas la transmission de l'infection à d'autres personnes. Jusqu'à ce que toutes les lésions aient formé une croûte, la prudence est de mise lors des contacts avec les personnes qui n'ont pas eu la varicelle, qui n'ont pas été vaccinées contre cette infection ou qui sont immunodéprimées.

VÉRIFICATION DES RÉSULTATS

L'efficacité du traitement peut être démontrée par: ■ la réduction de la période de formation complète de croûtes et de disparition des vésicules, des ulcérations et des croûtes chez les patients souffrant d'herpès zoster aigu (zona).

FLUORURE, SUPPLÉMENTS DE

Préparations orales

Fluor-A-Day, Karidium, Pedi-dent, Tri-Vi-Flor, Tri-Vi-Sol avec fluorure, (Duraflor), (Fluoritabs), (Fluorosol), (Fluotic), (Flura), (Flura-Drops), (Flura-Loz), (Luride), (Pediaflor), (Pharmaflur), (Phos-Flur), (Solu-Flur)

Préparations topiques

Fluorinse, (ACT), (Fluorigard), (Gel Kam), (Gel-Tin), (Karigel), (Listermint avec fluorure), (Minute-Gel), (Point-Two), (Stop), (Thera-Flur)

CLASSIFICATIONS:

Oligo-élément – soins dentaires

Grossesse – catégorie inconnue

INDICATIONS

■ Prévention de la carie dentaire chez les enfants lorsque les concentrations en fluorure de l'eau potable sont insuffisantes.

ACTION

■ Le fluorure s'incorpore aux os et aux dents et il stabilise la matrice cristalline. Il favorise la reminéralisation et peut ralentir la formation de la plaque dentaire. Le fluorure présent sur l'émail dentaire favorise la résistance aux substances acides et prévient la carie. **Effets thérapeutiques:** ■ Réduction du nombre de caries chez les enfants.

PHARMACOCINÉTIQUE

Absorption: Bonne absorption par suite de l'administration PO.

Distribution: L'agent est emmagasiné dans les os et dans les dents pendant leur croissance. Il traverse facilement le placenta et pénètre en petites quantités dans le lait maternel.

Métabolisme et excrétion: Une fraction de 50 % est excrétée par voie rénale à l'état inchangé. De petites quantités sont excrétées dans les fèces et la sueur.

Demi-vie: Inconnue.

CONTRE-INDICATIONS ET PRÉCAUTIONS

Contre-indications: ■ Hypersensibilité ■ Régime hyposodé ■ Présence de plus

F de 0,7 mg/L de fluorure dans l'eau potable ■ Certains produits renferment de la tartrazine et d'autres additifs ; ne pas en administrer aux patients ayant des antécédents d'intolérance ■ Insuffisance rénale grave.

Précautions : ■ Lorsque la teneur en fluorure de l'eau est inconnue.

RÉACTIONS INDÉSIRABLES ET EFFETS SECONDAIRES

SNC : céphalées, faiblesse.

GI : gêne gastro-intestinale.

Tég. : eczéma, dermatite atopique, urticaire.

Divers : taches sur les dents (toxicité).

INTERACTIONS

Médicament – médicament : ■ Les **suppléments calciques**, administrés simultanément, entravent l'absorption des préparations à base de fluorure de calcium et du fluorure. ■ L'**hydroxyde d'aluminium** diminue l'absorption du fluorure.

Médicament- aliments : ■ Les **produits laitiers**, pris en même temps, entravent l'absorption du fluorure et des préparations à base de fluorure de calcium.

PRÉSENTATIONS
(selon la teneur en fluorure)

■ Comprimés à croquer de 0,25, 0,5 et 1 mg ■ Gouttes de 0,125 mg par goutte, de 0,25 mg/0,6 mL et de 0,5 mg/0,6 mL ■ Rince-bouche à 0,05 et 0,2 %

VOIES D'ADMINISTRATION ET POSOLOGIE

On ne doit pas administrer de fluorure lorsque l'eau potable renferme plus de 0,3 mg/L de fluorure.

Préparations orales — concentration de fluorure dans l'eau potable < 0,3 mg/L

■ **(Enfants de moins de 3 ans) :** non recommandé.

■ **(Enfants de 3 à 5 ans) :** 0,25 ou 0,5 mg par jour, selon le dentifrice utilisé.

■ **(Enfants de 6 à 13 ans) :** 1 mg par jour.

Préparations topiques

■ **(Adultes et enfants de plus de 12 ans) :** 10 mL par jour.

■ **(Enfants de 6 à 12 ans) :** de 5 à 10 mL par jour.

PHARMACODYNAMIE
(concentrations sanguines)

	DÉBUT D'ACTION	PIC	DURÉE
PO	inconnu	30 – 60 min	inconnue

SOINS INFIRMIERS

ÉVALUATION DE LA SITUATION

□ Examiner les dents à intervalles réguliers pour déceler l'apparition de taches. En informer le dentiste, le cas échéant.

DIAGNOSTICS INFIRMIERS POSSIBLES

■ **Énoncés diagnostiques**

□ Prise en charge inefficace du programme thérapeutique.

■ **Facteurs favorisants**

□ Informations incomplètes.

□ *Manque de connaissances sur les modalités du traitement.*

INTERVENTIONS INFIRMIÈRES

□ On peut administrer les gouttes sans les diluer ou on peut les mélanger à des aliments ou à des liquides.

□ Il ne faut pas administrer le fluorure de sodium dans les 2 h suivant la consommation de lait ou de produits laitiers puisque ces aliments peuvent en réduire l'absorption.

ENSEIGNEMENT AU PATIENT ET À SES PROCHES

□ Expliquer au patient qu'il doit prendre les suppléments de fluorure selon les directives accompagnant chaque préparation.

□ Prévenir le patient que les rince-bouche sont plus efficaces s'il les utilise immédiatement après s'être brossé les dents ou après avoir passé la soie dentaire, juste avant d'aller se coucher. Lui expliquer qu'il doit cracher l'excédent de salive ; *il ne faut pas avaler le produit.* Lui conseiller de ne pas boire, manger ni se rincer la bouche pendant les 30 min qui suivent le traitement.

☐ Encourager le patient à subir à intervalles réguliers des examens dentaires permettant d'évaluer l'état de ses dents.

VÉRIFICATION DES RÉSULTATS

L'efficacité du traitement peut être démontrée par : ■ la prévention de la carie dentaire.

FLUVASTATINE

Lescol

CLASSIFICATION :
Hypolipidémiant – inhibiteur de l'HMG-CoA réductase

Grossesse – catégorie X

INDICATIONS

■ Traitement d'appoint de l'hypercholestérolémie primaire, en association avec la diétothérapie.

ACTION

■ Inhibition de l'enzyme (HMG-CoA réductase) qui catalyse une étape précoce de la synthèse du cholestérol. **Effets thérapeutiques :** ■ Abaissement des concentrations de cholestérol total et de lipoprotéines de basse densité (LDL). Élévation légère des concentrations de lipoprotéines de haute densité (HDL) et abaissement des concentrations de lipoprotéines de très basse densité (VLDL) et de triglycérides.

PHARMACOCINÉTIQUE

Absorption : Une fraction de 98 % du médicament est absorbée par suite de l'ad-ministration PO, mais subit un métabolisme de premier passage important, ce qui donne une biodisponibilité de 24 %.
Distribution : La fluvastatine pénètre dans le lait maternel ; le reste de la distribution est inconnu.

Métabolisme et excrétion : Par suite du métabolisme hépatique important, une fraction de 5 % de la fluvastatine est excrétée dans l'urine et une fraction de 90 % dans les fèces.

Demi-vie : 1,2 h.

CONTRE-INDICATIONS ET PRÉCAUTIONS

Contre-indications : ■ Hypersensibilité ■ Grossesse ■ Allaitement ■ Maladie hépatique évolutive ou dysfonctionnement hépatique.

Précautions : ■ Antécédents de maladie hépatique ■ Alcoolisme ■ Infection aiguë grave ■ Hypotension ■ Interventions chirurgicales ou traumatismes majeurs ■ Troubles métaboliques, endocriniens ou électrolytiques graves ■ Convulsions non maîtrisées ■ Troubles de la vision ■ Insuffisance rénale grave (il peut s'avérer nécessaire de réduire la dose) ■ Enfants de moins de 18 ans (l'innocuité du médicament n'a pas été établie).

RÉACTIONS INDÉSIRABLES ET EFFETS SECONDAIRES

SNC : céphalées, étourdissements, insomnie, fatigue.

Resp. : rhinite, pharyngite, toux, sinusite, bronchite.

GI : nausées, vomissements, douleurs ou crampes abdominales, constipation, flatulence, dyspepsie, élévations des enzymes hépatiques.

Tég. : photosensibilité, rash ou prurit.

Loc. : myopathie, crampes ou douleurs musculaires, douleurs lombaires, arthropathie.

Divers : réactions allergiques incluant l'anaphylaxie.

F **INTERACTIONS**

Médicament – médicament : ■ Risque accru d'hémorragie lors de l'administration concomitante de **warfarine** ■ Risque accru de myopathie lors de l'administration concomitante de **gemfibrozil** ■ La **cholestyramine** ou le **colestipol**, administrés simultanément, diminuent l'absorption de la fluvastatine.

PRÉSENTATIONS

■ Capsules de 20 et 40 mg.

VOIES D'ADMINISTRATION ET POSOLOGIE

■ **PO (adultes) :** 20 mg, une fois par jour, au coucher. On peut augmenter la dose à 40 mg, une fois par jour, ou à 20 mg, deux fois par jour.

PHARMACODYNAMIE
(effet hypocholestérolémiant)

	DÉBUT D'ACTION	PIC	DURÉE
PO	1 – 2 semaines	4 – 6 semaines	inconnue

SOINS INFIRMIERS

ÉVALUATION DE LA SITUATION

☐ Recueillir les données sur les habitudes alimentaires du patient, notamment sur sa consommation de matières grasses.

☐ Des examens ophtalmologiques sont recommandés avant le traitement et annuellement pendant toute sa durée.

■ **Études des examens diagnostiques et biochimiques :** Noter les concentrations sériques de cholestérol et de triglycérides, avant l'administration et à intervalles réguliers pendant toute la durée du traitement.

☐ Examiner les résultats des épreuves de l'exploration fonctionnelle hépatique, y compris les concentrations de TGOS (AST), avant le traitement, toutes les 4 à 6 semaines durant les trois premiers mois de traitement, toutes les 6 à 12 semaines pendant le reste de la première année ou après la majoration de la dose et tous les 6 mois par la suite. Si les concentrations de TGOS (AST) sont trois fois supérieures à la normale, il faut arrêter le traitement par la fluvastatine. Cette dernière peut également entraîner des élévations des concentrations de phosphatase alcaline et de bilirubine.

☐ En cas de sensibilité musculaire durant le traitement, examiner les concentrations de CPK ; si elles sont fortement élevées ou si une myopathie se manifeste, il faut arrêter le traitement par la fluvastatine.

☐ La fluvastatine peut entraîner des résultats anormaux aux épreuves de l'exploration fonctionnelle de la thyroïde.

DIAGNOSTICS INFIRMIERS POSSIBLES

■ **Énoncés diagnostiques**

☐ Prise en charge inefficace du programme thérapeutique.

☐ Non-observance du traitement médicamenteux.

■ **Facteurs favorisants**

☐ Informations incomplètes.

☐ Doute quant aux bienfaits du médicament.

☐ *Manque de connaissances sur les modalités du traitement.*

☐ *Manque de connaissances sur le régime alimentaire à suivre.*

☐ *Difficulté à s'adapter aux changements nécessaires dans les habitudes de vie.*

INTERVENTIONS INFIRMIÈRES

■ **PO :** Administrer la fluvastatine une fois par jour, au coucher, sans égard aux repas.

☐ Si la fluvastatine est administrée en association avec des chélateurs des acides biliaires (cholestyramine, colestipol), l'administrer au moins 2 h après ces agents.

□ Conseiller au patient de respecter scrupuleusement la posologie recommandée, de ne pas sauter de dose et de ne pas remplacer une dose manquée par une double dose. La fluvastatine aide à réduire les taux sériques élevés de cholestérol, mais ne guérit pas l'hypercholestérolémie.

□ Expliquer au patient que le traitement médicamenteux sera pleinement efficace seulement s'il suit en même temps un régime alimentaire pauvre en matières grasses, en cholestérol et en glucides, s'il évite de boire de l'alcool, s'il fait de l'exercice et s'il arrête de fumer.

□ Recommander au patient de prévenir le médecin en cas de douleur, de sensibilité ou de faiblesse musculaires inexpliquées, particulièrement si ces symptômes s'accompagnent de fièvre ou de malaise.

□ Conseiller au patient d'utiliser un écran solaire et de porter des vêtements protecteurs afin de prévenir les réactions de photosensibilité.

□ Recommander à la patiente de prévenir immédiatement le médecin si elle pense être enceinte ou si elle souhaite le devenir.

□ Recommander au patient qui doit subir un traitement dentaire ou une intervention chirurgicale d'avertir le dentiste ou le médecin qu'il prend des médicaments.

□ Insister sur l'importance des examens de suivi permettant de déterminer l'efficacité du traitement et de déceler les effets secondaires du médicament.

VÉRIFICATION DES RÉSULTATS

L'efficacité du traitement peut être démontrée par : ■ la baisse des concentrations sériques de lipoprotéines de basse densité (LDL), de lipoprotéines de très basse densité (VLDL) et de cholestérol total ■ l'élévation des concentrations de lipoprotéines de haute densité (HDL) ■ la baisse des concentrations sériques de triglycérides.

FLUVOXAMINE

Luvox

CLASSIFICATION :

Antidépresseur – inhibiteur spécifique du recaptage de la sérotonine ; traitement des obsessions

Grossesse – catégorie C

INDICATIONS

■ Traitement du trouble obsessionnel-compulsif ■ Traitement de la dépression.

ACTION

■ Inhibition du recaptage de la sérotonine dans le SNC. **Effets thérapeutiques :** ■ Diminution des comportements obsessionnels-compulsifs ■ Soulagement des symptômes de la dépression.

PHARMACOCINÉTIQUE

Absorption : Par suite de l'administration PO, une fraction de 53 % du médicament est absorbée.

Distribution : La fluvoxamine est excrétée dans le lait maternel et traverse le SNC. Le reste de la distribution est inconnu.

Métabolisme et excrétion : La fluvoxamine est surtout éliminée par les reins.

Demi-vie : De 13,6 à 15,6 h ; la demi-vie se prolonge légèrement (de 17 à 22 h) après des doses répétées.

CONTRE-INDICATIONS ET PRÉCAUTIONS

Contre-indications : ■ Hypersensibilité à la fluvoxamine ou à d'autres inhibiteurs spécifiques du recaptage de la sérotonine ■ Prise simultanée d'inhibiteurs de la MAO ■ Traitement concomitant par l'astémizole ou la terfénadine.

F

Précautions: ■ Personnes âgées ou souffrant d'insuffisance hépatique (on recommande d'administrer une dose initiale plus faible et d'augmenter les doses plus lentement) ■ Grossesse, allaitement ou enfants de moins de 18 ans (l'innocuité du médicament n'a pas été établie).

RÉACTIONS INDÉSIRABLES ET EFFETS SECONDAIRES

SNC: céphalées, faiblesse, syncope, insomnie, somnolence, nervosité, anxiété, étourdissements, dépression, agitation, labilité émotionnelle, apathie, réactions maniaques, réactions psychotiques.

ORLO: sinusite.

Resp.: toux, dyspnée.

CV: palpitations, vasodilatation, hypotension posturale, hypertension, tachycardie.

GI: nausées, vomissements, diarrhée, dyspepsie, sécheresse de la bouche (xérostomie), anorexie, constipation, flatulence, dysphagie, élévations des enzymes hépatiques.

GU: baisse de la libido ou dysfonctionnement sexuel.

Tég.: transpiration excessive.

HÉ: œdème.

Métab.: perte de poids, gain de poids.

Loc.: myoclonie ou soubresauts, hypertonie.

SN: tremblements, hypokinésie ou hyperkinésie.

Divers: réactions allergiques, symptômes pseudo-grippaux, frissons, troubles dentaires ou caries, bâillements.

INTERACTIONS

Médicament – médicament: ■ Le tabagisme peut diminuer l'efficacité de la fluvoxamine ■ L'administration concomitante d'**antidépresseurs tricycliques** peut augmenter les concentrations plasmatiques de fluvoxamine ■ La fluvoxamine administrée en même temps que l'**astémizole** ou la **terfénadine** peut augmenter le risque de réactions cardiaques pouvant être mortelles ■ La fluvoxamine diminue le métabolisme et peut intensifier les effets de certains **bêtabloquants** (propranolol), du **diazépam**, de la **carbamazépine**, de la **méthadone**, du **lithium**, de la **théophylline**, du **tolbutamide** et du **L-tryptophane** ■ L'administration simultanée d'**inhibiteurs de la MAO** peut entraîner des réactions graves et même mortelles.

PRÉSENTATIONS

■ Comprimés de 50 et 100 mg.

VOIES D'ADMINISTRATION ET POSOLOGIE

■ **PO (adultes):** *Dose initiale* – 50 mg par jour au coucher; on majore ensuite la dose de 50 mg, tous les 4 à 7 jours, jusqu'à ce qu'on obtienne l'effet souhaité. Si la dose quotidienne dépasse 150 mg, administrer la fluvoxamine en deux prises égales ou administrer une dose plus élevée au coucher (ne pas dépasser 300 mg par jour). *Dose d'entretien* – adapter la posologie à intervalles réguliers pour administrer la dose la plus faible qui permet de maîtriser les symptômes.

PHARMACODYNAMIE (amélioration des comportements obsessionnels-compulsifs et des symptômes de dépression)

	DÉBUT D'ACTION	PIC	DURÉE
PO	en l'espace de 2 ou 3 semaines	plusieurs mois	inconnue

SOINS INFIRMIERS

ÉVALUATION DE LA SITUATION

☐ Suivre de près les sautes d'humeur. Surveiller la fréquence des comportements obsessionnels-compulsifs. Noter dans quelle mesure ces pensées et comportements entravent le fonctionnement du patient. Signaler au médecin l'aggravation de l'anxiété, de l'agitation ou de l'insomnie.

□ Observer les tendances suicidaires, particulièrement au début du traitement. Réduire la quantité de médicament dont le patient peut disposer.

□ Suivre de près l'appétit du patient et son alimentation. Noter son poids toutes les semaines. Prévenir le médecin en cas de modification pondérale importante. Pour favoriser le maintien de l'état nutritionnel, adapter le régime alimentaire selon les aliments que le patient peut tolérer.

■ **Toxicité et surdosage :** Les symptômes courants de toxicité comprennent la somnolence, les vomissements, la diarrhée et les étourdissements. Le coma, la tachycardie, la bradycardie, l'hypotension, des anomalies de l'ÉCG, des anomalies aux épreuves de l'exploration fonctionnelle hépatique et des convulsions peuvent également survenir. Traiter les symptômes et apporter les mesures de soutien appropriées.

DIAGNOSTICS INFIRMIERS POSSIBLES

■ **Énoncés diagnostiques**

□ Stratégies d'adaptation individuelle inefficaces.

□ Risque d'accident.

□ Prise en charge inefficace du programme thérapeutique.

□ *Risque de déficit nutritionnel.*

□ *Risque d'atteinte à l'intégrité de la muqueuse buccale.*

■ **Facteurs favorisants**

□ Informations incomplètes.

□ *Perturbation de la vigilance.*

□ *Manque de connaissances sur les moyens de prévenir les effets secondaires du médicament.*

□ *Manque de connaissances sur les moyens de prévenir ou de réduire la sécheresse de la bouche.*

INTERVENTIONS INFIRMIÈRES

■ **PO :** Lors du traitement initial, administrer le médicament en une seule dose, au coucher. On peut majorer la dose tous les 4 à 7 jours, selon la tolérance du patient.

□ On peut administrer la fluvoxamine sans égard aux repas.

ENSEIGNEMENT AU PATIENT ET À SES PROCHES

□ Conseiller au patient de respecter scrupuleusement la posologie recommandée, de ne pas sauter de dose et de ne pas remplacer une dose manquée par une double dose. L'amélioration des symptômes devraient être manifeste en l'espace de 2 à 3 semaines, mais le patient devrait poursuivre le traitement selon les recommandations du médecin.

□ Prévenir le patient que la fluvoxamine peut provoquer de la somnolence et des étourdissements. Lui recommander de ne pas conduire et d'éviter les activités qui exigent de la vigilance jusqu'à ce qu'on ait la certitude que le médicament n'entraîne pas ces effets chez lui.

□ Conseiller au patient d'éviter la consommation d'alcool ou la prise d'autres dépresseurs du SNC pendant le traitement et de consulter le médecin avant de prendre d'autres médicaments en même temps que la fluvoxamine.

□ Conseiller à la patiente de prévenir le médecin si elle souhaite devenir enceinte, si elle pense l'être ou si elle allaite.

□ Conseiller au patient de prévenir le médecin en cas de rash ou d'urticaire ou si les maux de tête, les nausées, l'anorexie, l'anxiété ou l'insomnie persistent.

□ Insister sur l'importance des examens de suivi permettant de déterminer les bienfaits du traitement.

VÉRIFICATION DES RÉSULTATS

L'efficacité du traitement peut être démontrée par : ■ la diminution des symptômes du trouble obsessionnel-compulsif ■ la diminution des symptômes de la dépression.

GABAPENTINE
Neurontin

CLASSIFICATION:
Anticonvulsivant – divers

Grossesse – catégorie C

INDICATIONS
■ Comme traitement adjuvant chez les patients dont l'épilepsie n'est pas stabilisée de façon satisfaisante par la thérapeutique classique.

ACTION
■ Mécanisme d'action inconnu. Pourrait modifier le transport des acides aminés à travers les membranes neuronales. **Effets thérapeutiques:** ■ Diminution de la fréquence des crises épileptiques.

PHARMACOCINÉTIQUE
Absorption: Bonne absorption après l'administration PO grâce à un mécanisme de transport actif. À des doses plus élevées, le mécanisme est saturé et l'absorption du médicament diminue (la biodisponibilité de la gabapentine se situe entre 60 % pour une dose de 300 mg et 35 % pour une dose de 1 600 mg).
Distribution: Le médicament traverse la barrière hémato-encéphalique.
Métabolisme et excrétion: Presque tout le médicament est éliminé à l'état inchangé par les reins.
Demi-vie: De 5 à 7 h, chez les patients ayant une fonction rénale normale; jusqu'à 132 h en présence d'anurie.

CONTRE-INDICATIONS ET PRÉCAUTIONS
Contre-indications: ■ Hypersensibilité.
Précautions: ■ Insuffisance rénale (diminuer la dose ou augmenter l'intervalle posologique, ou les deux, si la clearance de la créatinine ≤ 1 mL/s) ■ Patients âgés (en raison de la diminution de la fonction rénale avec l'âge) ■ Grossesse, allaitement ou enfants de moins de 12 ans

(l'innocuité du médicament n'a pas été établie).

RÉACTIONS INDÉSIRABLES ET EFFETS SECONDAIRES
SNC: <u>somnolence</u>, étourdissements, <u>ataxie</u>, faiblesse, malaises, vertiges, hostilité, anxiété.
ORLO: nystagmus, vision anormale.
CV: hypertension.
GI: anorexie, flatulence, gingivite.
Loc.: arthralgie.
SN: hyperkinésie, paresthésie, réflexes altérés.
Divers: œdème facial.

INTERACTIONS
Médicament – médicament: ■ Les **antiacides** peuvent diminuer l'absorption de la gabapentine.

PRÉSENTATIONS
■ Capsules de 100, 300 et 400 mg.

VOIES D'ADMINISTRATION ET POSOLOGIE
■ **PO (adultes et enfants de plus de 12 ans):** une dose de 300 à 400 mg le premier jour, deux doses de 300 à 400 mg le deuxième jour, trois doses de 300 à 400 mg le troisième jour. On peut poursuivre cette adaptation posologique rapide jusqu'à l'obtention de l'effet souhaité. La plage posologique habituelle se situe entre 900 et 1 200 mg par jour, administrés en trois doses fractionnées (les doses ne devraient pas être espacées de plus de 12 h).

PHARMACODYNAMIE
(concentrations sanguines)

	DÉBUT D'ACTION	PIC	DURÉE
PO	rapide	2–4 h	inconnue

ÉVALUATION DE LA SITUATION
□ Déterminer le siège, la durée et les caractéristiques des convulsions.
■ **Étude des examens diagnostiques et biochimiques:** La gabapentine peut entraîner des résultats faussement po-

sitifs lors du dosage des protéines urinaires par l'épreuve sur bandelette réactive Ames N-Multistix SG ; utiliser les épreuves de précipitation par l'acide sulfosalicylique.

☐ Le médicament peut provoquer l'anémie, la thrombocytopénie, la leucopénie et une prolongation du temps de saignement.

DIAGNOSTICS INFIRMIERS POSSIBLES

■ **Énoncés diagnostiques**

☐ Risque d'accident.

☐ Prise en charge inefficace du programme thérapeutique.

■ **Facteurs favorisants**

☐ Informations incomplètes.

☐ *Perturbation de la vigilance.*

☐ *Manque de connaissances sur les modalités du traitement.*

INTERVENTIONS INFIRMIÈRES

■ **PO :** On peut administrer le médicament sans égard aux repas.

☐ On peut ouvrir les capsules et en dissoudre le contenu dans du jus ou le verser sur des aliments mous comme la compote de pommes, immédiatement avant de les administrer. Ne pas conserver le médicament en solution, car il se décompose avec le temps. Lors de l'arrêt du traitement, il faudrait réduire graduellement la dose de gabapentine pendant une semaine. Éviter le sevrage brusque, car il peut entraîner une augmentation de la fréquence des crises épileptiques.

ENSEIGNEMENT AU PATIENT ET À SES PROCHES

☐ Inciter le patient à respecter scrupuleusement la posologie recommandée. S'il doit prendre le médicament trois fois par jour, l'intervalle entre les doses ne devrait pas être supérieur à 12 h. S'il n'a pas pu prendre le médicament au moment habituel, il doit le faire dès que possible. S'il reste moins de 2 h avant la dose suivante, il doit prendre cette dose immédiatement et attendre de 1 à 2 h avant de prendre la dose suivante, puis il doit reprendre le schéma posologique habituel. Il ne faut pas doubler la dose ni arrêter brusquement la prise de ce médicament en raison du risque d'augmenter la fréquence des crises épileptiques.

☐ Prévenir le patient qu'il ne doit pas prendre la gabapentine dans les 2 h qui précèdent ou qui suivent la prise d'un antiacide.

☐ Prévenir le patient que la gabapentine peut provoquer de la somnolence et des étourdissements. Lui conseiller de ne pas conduire et d'éviter les activités qui exigent de la vigilance jusqu'à ce qu'on ait la certitude que le médicament n'entraîne pas ces effets chez lui. Lui expliquer qu'il ne pourra reprendre la conduite automobile que si le médecin lui en donne l'autorisation, une fois que les crises ont été maîtrisées.

☐ Recommander à la patiente d'informer le médecin si elle est enceinte ou si elle prévoit le devenir, si elle a l'intention d'allaiter ou si elle allaite.

☐ Recommander au patient qui doit subir un traitement dentaire ou une intervention chirurgicale d'avertir le dentiste ou le médecin qu'il prend des médicaments.

☐ Conseiller au patient de porter en tout temps une pièce d'identité où sont inscrits sa maladie et son traitement médicamenteux.

VÉRIFICATION DES RÉSULTATS

L'efficacité du traitement peut être démontrée par : ■ la diminution ou la suppression des crises épileptiques.

GONADORÉLINE, ACÉTATE DE

Lutrepulse

CLASSIFICATION :

Hormone (gonadolibérine)

Grossesse – catégorie B

INDICATIONS

■ Induction de l'ovulation chez les patientes atteintes d'aménorrhée hypothalamique primaire.

ACTION

■ Induction de la libération hypophysaire d'hormone lutéinisante (LH) et, à un moindre degré, de folliculostimuline. L'administration par injection pulsatile induit l'ovulation ■ Si l'ovulation et la grossesse surviennent, la gonadoréline favorise le maintien du corps jaune. **Effets thérapeutiques:** ■ Induction de l'ovulation ■ Maintien du corps jaune.

PHARMACOCINÉTIQUE

Absorption: Par suite de l'administration IV, la biodisponibilité est totale.
Distribution: Inconnue.
Métabolisme et excrétion: Transformation rapide en composés inertes.
Demi-vie: De 10 à 40 min.

CONTRE-INDICATIONS ET PRÉCAUTIONS

Contre-indications: ■ Hypersensibilité ■ Usage concomitant de stimulants ovariens ■ Troubles qu'une grossesse pourrait exacerber ■ Kystes ovariens, tumeurs hormonodépendantes ou autres troubles aggravés par l'administration d'hormones favorisant la fécondité.
Précautions: ■ Patientes de moins de 18 ans (l'innocuité n'a pas été établie).

RÉACTIONS INDÉSIRABLES ET EFFETS SECONDAIRES

Endo.: grossesses multiples, hyperstimulation ovarienne.
Locaux: inflammation, infection, phlébite légère, hématome au point d'injection IV.

INTERACTIONS

Médicament – médicament: ■ L'administration concomitante d'autres **stimulants ovariens** doit être évitée.

PRÉSENTATIONS

■ Fioles de 0,8 et 3,2 mg; administrer à l'aide d'une pompe Lutrepulse.

VOIES D'ADMINISTRATION ET POSOLOGIE

■ **IV ou SC (adultes):** 5 µg, toutes les 90 min, (entre 2,5 et 20 µg) pendant 21 jours. Si l'ovulation survient, poursuivre l'administration pendant 2 semaines pour maintenir le corps jaune.

PHARMACODYNAMIE (ovulation)

	DÉBUT D'ACTION	PIC	DURÉE
IV	inconnu	2–3 semaines	inconnue

SOINS INFIRMIERS

ÉVALUATION DE LA SITUATION

□ Effectuer des examens physiques, y compris des examens gynécologiques, à intervalles réguliers, pendant toute la durée du traitement.
□ Effectuer une échographie des ovaires avant d'administrer l'hormone ainsi qu'au 7e et au 14e jour de traitement.
□ Observer la patiente pour déceler les signes suivants du syndrome d'hyperstimulation ovarienne: hypertrophie soudaine des ovaires, ascite ou épanchement pleural. Arrêter le traitement si ce syndrome se manifeste, car il peut entraîner un déséquilibre hydrique, la rupture de l'ovaire ou la septicémie.
■ **Étude des examens diagnostiques et biochimiques:** Surveiller les concentrations sériques de progestérone au milieu de la phase lutéale.

DIAGNOSTICS INFIRMIERS POSSIBLES

■ **Énoncés diagnostiques**
□ Dysfonctionnement sexuel.
□ Prise en charge inefficace du programme thérapeutique.
□ *Risque d'accident.*

- **Facteurs favorisants**
- ☐ Informations incomplètes.
- ☐ *Manque de connaissances sur les modalités du traitement.*
- ☐ *Manque de connaissances sur les effets secondaires du médicament et sur les moyens de les prévenir.*
- ☐ Manque de connaissances sur la méthode d'administration du médicament.

INTERVENTIONS INFIRMIÈRES

- Diluer le contenu de la fiole dans 8 mL de diluant salin immédiatement avant l'utilisation. Agiter pendant quelques secondes pour obtenir une solution transparente et incolore. Ne pas utiliser une solution qui a changé de couleur ou qui contient des particules. Remplir le sac avec la solution reconstituée. La solution de 8 mL devrait fournir une quantité suffisante de médicament pour être administrée en injections IV ou SC de 1 min, à intervalles de 90 min, pendant environ 7 jours consécutifs.
- *Vitesse d'administration :* Régler la pompe Lutrepulse de façon à ce qu'elle libère 25 ou 50 µL de solution, selon la dose choisie, en 1 min, à intervalles de 90 min.

ENSEIGNEMENT AU PATIENT ET À SES PROCHES

- ☐ Enseigner à la patiente la méthode de reconstitution de l'acétate de gonadoréline et l'usage de la pompe Lutrepulse.
- ☐ Inciter la patiente à signaler toute rougeur ou inflammation au point d'injection IV ou SC.
- ☐ Renseigner la patiente sur la nécessité d'un suivi en cas de grossesse et sur la possibilité de grossesses multiples.

VÉRIFICATION DES RÉSULTATS

L'efficacité du traitement peut être démontrée par : ■ le déclenchement de l'ovulation chez les femmes atteintes d'aménorrhée hypothalamique primaire.

GONADORÉLINE, CHLORHYDRATE DE
Factrel

CLASSIFICATION :
Hormone (gonadolibérine)

Grossesse – catégorie B

INDICATIONS

- Évaluation de la capacité du lobe antérieur de l'hypophyse de sécréter de la gonadotrophine.

ACTION

- Induction de la libération de gonadotrophine (hormone lutéinisante) par l'hypophyse. **Effets thérapeutiques :** ■ Augmentation des concentrations d'hormone lutéinisante (LH).

PHARMACOCINÉTIQUE

Absorption : Par suite de l'administration IV, la biodisponibilité est totale.
Distribution : Inconnue.
Métabolisme et excrétion : Transformation rapide en composés inertes.
Demi-vie : De 10 à 40 min.

CONTRE-INDICATIONS ET PRÉCAUTIONS

Contre-indications : ■ Hypersensibilité à la gonadoréline ou à l'alcool benzylique.
Précautions : ■ Grossesse, allaitement, enfants (l'innocuité n'a pas été établie).

RÉACTIONS INDÉSIRABLES ET EFFETS SECONDAIRES

Loc. : réactions d'hypersensibilité (administration de doses multiples) y compris l'ANAPHYLAXIE et la formation d'anticorps (plusieurs doses massives).

INTERACTIONS

Médicament – médicament : ■ L'administration simultanée d'**androgènes**, d'**œstrogènes**, de **progestatifs** ou de **glucocorticoïdes** peut modifier la sécrétion de

G gonadotrophine ■ La **digoxine** et les **contraceptifs oraux** peuvent diminuer les concentrations de gonadotrophine ■ La **lévodopa** et la **spironolactone** peuvent augmenter les concentrations de gonadotrophine ■ Les **phénothiazines** et les **antagonistes de la dopamine** peuvent diminuer la réponse à la gonadoréline.

PRÉSENTATIONS

■ Fioles de 100 et 500 µg.

VOIES D'ADMINISTRATION ET POSOLOGIE

■ **SC et IV (adultes)**: 100 µg en dose unique, au début de la phase folliculaire (jour 1 au jour 7).
■ **SC et IV (enfants)**: 2 µg/kg (ne pas dépasser la dose recommandée chez l'adulte).

PHARMACODYNAMIE
(élévation des concentrations de LH)

	DÉBUT D'ACTION	PIC	DURÉE
SC (femmes)	en quelques minutes	30 min	> 2 h
SC (hommes)	en quelques minutes	60 min	> 2 h
IV (femmes)	en quelques minutes	30 min	> 2 h
IV (hommes)	en quelques minutes	15 min	> 2 h

SOINS INFIRMIERS

ÉVALUATION DE LA SITUATION

□ Déterminer à quel stade de son cycle menstruel se trouve la patiente. L'évaluation de l'effet du chlorhydrate de gonadoréline doit s'effectuer au cours des 7 premiers jours du cycle menstruel.
■ **Étude des examens diagnostiques et biochimiques**: Pour déterminer la concentration initiale de LH, prélever du sang 15 min avant l'administration de la gonadoréline et immédiatement avant de l'administrer.
□ Après l'administration de la gonadoréline, il faut prélever des échantillons de sang veineux à intervalles réguliers.
□ Les concentrations sériques normales de LH se situent habituellement entre 5 et 25 UI/L chez les hommes et les femmes postpubertaires et chez les femmes préménopausées.

DIAGNOSTICS INFIRMIERS POSSIBLES:

■ **Énoncés diagnostiques**
□ Prise en charge inefficace du programme thérapeutique.
□ *Dysfonctionnement sexuel.*
■ **Facteurs favorisants**
□ Informations incomplètes.
□ *Manque de connaissances sur les modalités du traitement.*

INTERVENTIONS INFIRMIÈRES

■ **IV directe**: Diluer le contenu de la fiole de 100 µg dans 1 mL et celle de 500 µg dans 2 mL du diluant fourni par le fabricant et administrer immédiatement après la dilution. Jeter toute portion inutilisée.
■ *Vitesse d'administration*: Administrer en bolus.

ENSEIGNEMENT AU PATIENT ET À SES PROCHES

□ Indiquer à la patiente l'objectif de ce traitement.
□ Inciter la patiente à signaler immédiatement les symptômes suivants d'anaphylaxie: difficultés respiratoires, bouffées vasomotrices persistantes, éruptions cutanées.

VÉRIFICATION DES RÉSULTATS

L'efficacité du traitement peut être démontrée par: ■ l'évaluation de la libération des gonadotrophines par le lobe antérieur de l'hypophyse.

GRANISÉTRON
Kytril

CLASSIFICATION:
Antiémétique – antagoniste de la 5-HT₃

Grossesse – catégorie B

INDICATIONS
■ Prévention des nausées et des vomissements associés à une chimiothérapie qui provoque de telles réactions.

ACTION
■ Inhibition des effets de la sérotonine au niveau des sites récepteurs (antagoniste sélectif) situés sur les terminaisons du nerf vague et dans la zone gâchette des chimiorécepteurs du SNC. **Effets thérapeutiques:** ■ Diminution de la fréquence et de la gravité des nausées et des vomissements provoqués par la chimiothérapie.

PHARMACOCINÉTIQUE
Absorption: Bonne absorption par suite de l'administration PO.
Distribution: Inconnue.
Métabolisme et excrétion: Le médicament est surtout métabolisé par le foie. Une fraction de 12 % est excrétée à l'état inchangé par les reins.
Demi-vie: De 8 à 9 h *chez les patients cancéreux* (entre 0,9 et 31,1 h); 4,9 h *chez les volontaires en bonne santé* (entre 0,9 et 15,2 h); 7,7 h *chez les patients âgés* (entre 2,6 et 17,7 h).

CONTRE-INDICATIONS ET PRÉCAUTIONS
Contre-indications: ■ Hypersensibilité.
Précautions: ■ Grossesse ou allaitement (l'innocuité du médicament n'a pas été établie) ■ Enfants de moins de 2 ans (l'innocuité de l'administration IV n'a pas été établie) ■ Enfants de moins de 18 ans (l'innocuité de l'usage PO n'a pas été établie).

RÉACTIONS INDÉSIRABLES ET EFFETS SECONDAIRES
SNC: céphalées, faiblesse, somnolence, agitation, anxiété, stimulation du SNC.
CV: hypertension.
GI: diarrhée, constipation, altération du goût, concentrations élevées des enzymes hépatiques.
Divers: fièvre, réactions anaphylactoïdes.

INTERACTIONS
Médicament – médicament: ■ L'usage concomitant d'**agents provoquant des réactions extrapyramidales** peut augmenter le risque de telles réactions au granisétron.

PRÉSENTATIONS
■ Comprimés de 1 mg ■ Solution pour injection de 1 mg/mL.

VOIES D'ADMINISTRATION ET POSOLOGIE
■ **PO (adultes):** 1 mg, 2 fois par jour, la première dose étant administrée au moins 60 min avant la chimiothérapie et la deuxième, 12 h plus tard, seulement les jours de chimiothérapie. On peut également administrer une seule dose de 2 mg, 1 h avant la chimiothérapie.
■ **IV (adultes et enfants de 2 à 16 ans):** 10 µg/kg dans les 30 min qui précèdent la chimiothérapie.

PHARMACODYNAMIE

	DÉBUT D'ACTION	PIC	DURÉE
PO	rapide	60 min	jusqu'à 12 h
IV	rapide	30 min	jusqu'à 24 h

SOINS INFIRMIERS

ÉVALUATION DE LA SITUATION
▢ Suivre de près les nausées, les vomissements et la distension abdominale et ausculter les bruits intestinaux

avant et après l'administration du granisétron.

☐ Suivre de près pendant toute la durée du traitement les effets extrapyramidaux suivants : mouvements involontaires, grimaces, rigidité, démarche traînante, tremblements des mains. Ces symptômes se manifestent rarement et ils sont habituellement associés à l'usage simultané d'autres médicaments qui produisent ces effets.

■ **Études des examens diagnostiques et biochimiques :** Le granisétron peut entraîner l'élévation des concentrations de TGOS (AST) et de TGPS (ALT).

DIAGNOSTICS INFIRMIERS POSSIBLES

■ **Énoncés diagnostiques**
☐ Déficit nutritionnel.
☐ Douleur.
☐ Prise en charge inefficace du programme thérapeutique.
☐ *Diarrhée.*
☐ *Constipation.*

■ **Facteurs favorisants**
☐ Informations incomplètes.
☐ *Manque de connaissances sur le régime alimentaire à suivre.*
☐ *Manque de connaissances sur les moyens de prévenir les effets secondaires touchant l'appareil gastro-intestinal.*
☐ *Manque de connaissances sur les effets secondaires du médicament.*

INTERVENTIONS INFIRMIÈRES

■ **Directives générales :** Le granisétron est administré seulement les jours où le patient reçoit la chimiothérapie. Il s'est avéré inutile de l'administrer les autres jours.

■ **PO :** Administrer la première dose dans l'heure qui précède la chimiothérapie, et la deuxième, 12 h plus tard.

■ **IV directe :** Diluer dans 50 mL d'une solution de NaCl à 0,18 ou 0,9 % ou encore d'une solution de dextrose à 4 ou 5 % dans de l'eau. La solution devrait être préparée au moment de l'administration, mais elle reste stable pendant 24 h à la température ambiante.

■ *Vitesse d'administration :* Administrer la dose en 5 min.

■ **Associations incompatibles dans la même seringue :** Le granisétron ne devrait pas être mélangé à d'autres médicaments.

ENSEIGNEMENT AU PATIENT ET À SES PROCHES

☐ Recommander au patient de prévenir immédiatement le médecin s'il note des mouvements involontaires des yeux, du visage ou des membres.

VÉRIFICATION DES RÉSULTATS

L'efficacité du traitement peut être démontrée par : ■ la prévention des nausées et des vomissements associés à une chimiothérapie qui provoque de telles réactions.

HÉPATITE A, VACCIN CONTRE L'

Havrix

CLASSIFICATION :
Vaccin inactivé

Grossesse – catégorie C

INDICATIONS

■ Immunisation active chez les personnes susceptibles d'être exposées au virus de l'hépatite A (personnes qui voyagent dans des régions où l'hépatite A est une maladie endémique, qui sont exposées aux populations à risque élevé, dont les Amérindiens et les Inuits, et personnes chez lesquelles l'hépatite A représente un risque professionnel, notamment le personnel infirmier, personnes travaillant dans les garderies ou dans les laboratoires, personnes qui utilisent des drogues injectables et hémophiles, et personnes qui s'engagent dans des rapports sexuels à risque élevé.

ACTION

■ Forme inactive du virus de l'hépatite A (VHA), laquelle, une fois administrée, entraîne la formation d'anticorps protecteurs spécifiques. **Effets thérapeutiques:** ■ Protection contre l'infection par le virus de l'hépatite A.

PHARMACOCINÉTIQUE

Absorption: Bonne absorption par suite de l'administration IM.
Distribution: Inconnue.
Métabolisme et excrétion: Inconnus.
Demi-vie: Inconnue.

CONTRE-INDICATIONS ET PRÉCAUTIONS

Contre-indications: ■ Hypersensibilité ■ Maladie fébrile concomitante (à moins qu'elle n'augmente le risque d'hépatite A).
Précautions: ■ Déficit immunitaire sous-jacent (l'administration de doses supplémentaires de vaccin peut s'avérer nécessaire) ■ Troubles hémorragiques ou thrombocytopénie (risque accru de saignement au point d'injection).

RÉACTIONS INDÉSIRABLES ET EFFETS SECONDAIRES

SNC: céphalées, fatigue, somnolence.
GI: anorexie, nausées.
Locaux: sensibilité au point d'injection, douleur au point d'injection, rougeur, induration, œdème.
Divers: fièvre, RÉACTIONS ALLERGIQUES INCLUANT L'ANAPHYLAXIE.

INTERACTIONS

Médicament – médicament: Aucune interaction notable.

PRÉSENTATIONS

■ Solution pour injection à 720 U LE/ 1 mL d'antigène viral (préparation pour adultes).

VOIES D'ADMINISTRATION ET POSOLOGIE

■ **IM (adultes):** *Primovaccination* – une injection de 720 U LE (unités immunoabsorbantes liées à une enzyme). Répéter l'administration 1 mois plus tard. *Dose de rappel* – une injection de 720 U LE, de 6 à 12 mois plus tard.
■ **IM (enfants de 2 à 18 ans):** (É.-U.) *Primovaccination* – une injection de 360 U LE. Répéter l'administration un mois plus tard. *Dose de rappel* – une injection de 360 U LE, de 6 à 12 mois plus tard.

PHARMACODYNAMIE

	DÉBUT D'ACTION	PIC	DURÉE
IM	2 semaines	6 mois*	plusieurs années

* Après la dose de rappel.

SOINS INFIRMIERS

ÉVALUATION DE LA SITUATION

☐ Déterminer les facteurs de risque de l'hépatite A avant d'administrer le vaccin.
☐ Prendre la température avant la vaccination. Ne pas administrer le vaccin en présence d'une maladie fébrile à moins que celle-ci n'expose le patient à un risque encore plus grand.

DIAGNOSTICS INFIRMIERS POSSIBLES

■ **Énoncés diagnostiques**
☐ Risque d'infection.
☐ Douleur.
☐ Prise en charge inefficace du programme thérapeutique.
☐ *Risque d'accident.*

■ **Facteurs favorisants**
☐ Informations incomplètes.
☐ *Manque de connaissances sur les effets secondaires du médicament.*
☐ *Manque de connaissances sur la méthode d'administration du médicament.*

INTERVENTIONS INFIRMIÈRES

- **Directives générales:** Garder de l'épinéphrine à portée de la main pour parer à une réaction anaphylactique.
- □ Lorsqu'on administre en même temps d'autres vaccins ou des immunoglobulines, il faut utiliser des seringues distinctes et administrer les préparations dans des points d'injection différents.
- **IM:** Agiter la fiole ou la seringue avant d'administrer le vaccin. Lorsqu'il est bien mélangé, le vaccin se présente sous la forme d'une suspension blanche opaque. Si la solution n'a pas cet aspect, il faut la jeter. Ne pas diluer le vaccin, l'administrer tel quel. Garder au réfrigérateur. Ne pas congeler; en cas de congélation, jeter la fiole.
- □ Chez les adultes, injecter dans le muscle deltoïde. Ne pas administrer dans le muscle fessier, car la réponse pourrait ne pas être optimale dans ce cas. Ne pas administrer le vaccin par les voies IV, SC ou intradermique.

ENSEIGNEMENT AU PATIENT ET À SES PROCHES

- □ Informer le patient ou ses proches des bienfaits et des risques associés à la vaccination avant d'administrer le vaccin. La primovaccination devrait être terminée 2 semaines avant que le patient ne risque d'être exposé au virus.
- □ Recommander au patient qui se rend dans des régions où la maladie est endémique ou épidémique de consulter un centre d'épidémiologie pour déterminer les endroits à haut risque. Prévenir le patient qu'il doit prendre toutes les précautions nécessaires pour éviter d'entrer en contact avec de l'eau ou des aliments contaminés ou d'en ingérer.
- □ Informer le patient ou ses proches que la durée de l'immunisation après la fin d'un programme complet de vaccination avec le vaccin contre l'hépatite A n'a pas été établie.

VÉRIFICATION DES RÉSULTATS

L'efficacité du traitement peut être démontrée par: ■ la prévention de l'infection par le virus de l'hépatite A.

LAMOTRIGINE
Lamictal

CLASSIFICATION:
Anticonvulsivant – divers

Grossesse – catégorie C

INDICATIONS

■ Traitement adjuvant chez les patients dont l'état épileptique n'est pas stabilisé de façon satisfaisante par la pharmacothérapie classique. **Usages non approuvés:** ■ Autres troubles convulsifs chez l'adulte ■ Syndrome de Lennox-Gastaut chez les enfants et les nourrissons.

ACTION

■ Stabilisation des membranes neuronales par inhibition du transport du sodium. **Effets thérapeutiques:** ■ Diminution de l'incidence des crises épileptiques.

PHARMACOCINÉTIQUE

Absorption: Bonne absorption (98 %) par suite de l'administration PO.

Distribution: La lamotrigine pénètre dans le lait maternel. Elle se lie fortement aux tissus contenant de la mélanine (yeux, pigments cutanés).

Métabolisme et excrétion: Le médicament est en grande partie métabolisé par le foie et transformé en métabolites inactifs. Une fraction de 10 % est excrétée à l'état inchangé par les reins.

Demi-vie: 25,4 h (lorsque la lamotrigine est administrée en monothérapie pendant une période prolongée).

CONTRE-INDICATIONS ET PRÉCAUTIONS

Contre-indications: ■ Hypersensibilité. En éviter l'usage chez les patientes qui allaitent.

Précautions: ■ Fonction rénale diminuée (l'administration de doses d'entretien plus faibles peut s'avérer nécessaire) ■ Insuffisance cardiaque ■ Insuffisance hépatique ■ Grossesse ou enfants de moins de 18 ans (l'innocuité du médicament n'a pas été établie).

RÉACTIONS INDÉSIRABLES ET EFFETS SECONDAIRES

SNC: ataxie, modifications du comportement, dépression, étourdissements, céphalées, insomnie, somnolence, tremblements.
ORLO: vision trouble, vision double, rhinite.
GI: nausées, vomissements.
GU: vaginite.
Tég.: rash, photosensibilité.
Loc.: arthralgie.

INTERACTIONS

Médicament–médicament: ■ La **carbamazépine**, administrée simultanément, peut diminuer les concentrations de lamotrigine et élever les concentrations d'un métabolite actif de la carbamazépine ■ Le **phénobarbital**, la **phénytoïne** ou la **primidone**, administrés simultanément, diminuent les concentrations de lamotrigine ■ Si l'**acide valproïque** et la lamotrigine sont administrés en même temps, les concentrations de lamotrigine sont doublées et celles d'acide valproïque, diminuées.

PRÉSENTATIONS

■ Comprimés de 25, 100, 150 et 200 mg.

VOIES D'ADMINISTRATION ET POSOLOGIE

■ **PO (adultes et enfants de plus de 18 ans):** *Patients prenant de la carbamazé-* *pine, du phénobarbital, de la phénytoïne ou de la primidone* – une seule dose de 50 mg par jour, pendant les deux premières semaines; puis 50 mg, deux fois par jour, pendant les deux semaines qui suivent; majorer ensuite la dose à intervalles de 1 semaine, par paliers de 100 mg par jour, pour atteindre une dose d'entretien de 150 à 250 mg, deux fois par jour. *Patients prenant de la carbamazépine, du phénobarbital, de la phénytoïne ou de la primidone en concomitance avec de l'acide valproïque* – une dose de 25 mg par jour, pendant les deux premières semaines; puis 25 mg, 2 fois par jour, pendant les deux semaines qui suivent; majorer ensuite la dose par paliers de 50 mg par jour, toutes les 1 à 2 semaines, pour atteindre une dose d'entretien de 50 à 100 mg, deux fois par jour.

PHARMACODYNAMIE (concentrations sanguines)

	DÉBUT D'ACTION	PIC	DURÉE
PO	inconnu	1,4–4,8 h	inconnue

ÉVALUATION DE LA SITUATION

☐ Déterminer le siège, la durée et les caractéristiques des convulsions.

☐ Suivre de près, à intervalles réguliers pendant toute la durée du traitement, l'apparition d'un rash. Le rash se manifeste habituellement au cours des 4 à 6 premières semaines de traitement et, le plus souvent chez les patients prenant plusieurs agents antiépileptiques, incluant le valproate. L'arrêt du traitement peut alors s'imposer.

■ **Étude des examens diagnostiques et biochimiques:** On peut mesurer, à intervalles réguliers pendant toute la durée du traitement, les concentrations plasmatiques de lamotrigine, particulièrement chez les patients recevant en même temps d'autres anticonvulsivants.

DIAGNOSTICS INFIRMIERS POSSIBLES

■ **Énoncés diagnostiques**

□ Risque d'atteinte à l'intégrité de la peau.

□ Risque d'accident.

□ Prise en charge inefficace du programme thérapeutique.

■ **Facteurs favorisants**

□ Informations incomplètes.

□ *Perturbation de la vigilance.*

□ *Manque de connaissances sur les modalités du traitement.*

□ *Manque de connaissances sur les interactions médicamenteuses.*

□ *Manque de connaissances sur les moyens de prévenir la photosensibilité.*

INTERVENTIONS INFIRMIÈRES

■ **PO :** On peut administrer le médicament sans égard aux repas.

□ En cas d'arrêt du traitement, la dose de lamotrigine devrait être réduite graduellement pendant au moins 2 semaines, à moins que les risques auxquels est exposé le patient ne dictent un sevrage plus rapide. Éviter le sevrage brusque, car il peut entraîner une augmentation de la fréquence des crises épileptiques.

ENSEIGNEMENT AU PATIENT ET À SES PROCHES

□ Inciter le patient à respecter scrupuleusement la posologie recommandée. S'il n'a pas pu prendre le médicament au moment habituel, il doit le faire dès que possible, à moins que ce ne soit presque l'heure prévue pour la dose suivante. Il ne faut pas doubler la dose ni arrêter brusquement la prise de ce médicament en raison du risque d'augmenter la fréquence des crises épileptiques.

□ Conseiller au patient de prévenir immédiatement le médecin si un rash se manifeste ou si les crises épileptiques deviennent plus fréquentes.

□ Prévenir le patient que la lamotrigine peut provoquer des étourdissements, de la somnolence et une vision trouble. Lui conseiller de ne pas conduire et d'éviter les activités qui exigent de la vigilance jusqu'à ce qu'on ait la certitude que le médicament n'entraîne pas ces effets chez lui. Lui expliquer qu'il ne pourra reprendre la conduite automobile que si le médecin lui en donne l'autorisation, une fois que les crises ont été maîtrisées.

□ Recommander au patient d'utiliser un écran solaire et de porter des vêtements protecteurs pour prévenir les réactions de photosensibilité.

□ Recommander à la patiente d'informer le médecin si elle est enceinte ou si elle prévoit le devenir, ou encore si elle a l'intention d'allaiter ou si elle allaite.

□ Recommander au patient qui doit subir un traitement dentaire ou une intervention chirurgicale d'avertir le dentiste ou le médecin qu'il prend des médicaments.

□ Conseiller au patient de porter sur lui en tout temps une pièce d'identité où sont inscrits sa maladie et son traitement médicamenteux.

VÉRIFICATION DES RÉSULTATS

L'efficacité du traitement peut être démontrée par : ■ la diminution ou la suppression des crises épileptiques.

LANSOPRAZOLE
Prevacid

CLASSIFICATION :
Agent gastro-intestinal (traitement des ulcères); inhibiteur des sécrétions gastriques

Grossesse – catégorie B

INDICATIONS

■ Traitement de courte durée de l'œsophagite par érosion, incluant l'œsophagite de Barrett ■ Traitement de courte durée de l'ulcère duodénal ou de l'ulcère gastrique, y compris chez les patients n'ayant pas répondu à un traitement par les antagonistes des récepteurs H_2 de l'histamine. **Usage non approuvé :** ■ Traitement prolongé en cas d'hypersécrétion pathologique, y compris en présence du syndrome de Zollinger-Ellison.

ACTION

■ Liaison à une enzyme présente dans les cellules pariétales de l'estomac lorsque le pH gastrique est acide, ce qui prévient l'entrée des ions hydrogène dans la lumière du tube gastrique. **Effets thérapeutiques :** ■ Diminution de l'accumulation d'acide dans la lumière gastrique et réduction du reflux gastro-œsophagien ■ Cicatrisation des ulcères duodénaux et gastriques.

PHARMACOCINÉTIQUE

Absorption : Bonne absorption (80 %) par suite de l'administration PO.
Distribution : Inconnue.
Métabolisme et excrétion : Le médicament subit un important métabolisme hépatique qui le convertit en métabolites inactifs. À l'intérieur des cellules pariétales, le médicament est transformé en au moins deux métabolites inhibant la sécrétion.
Demi-vie : Moins de 2 h (prolongée chez les personnes âgées et chez les insuffisants hépatiques).

CONTRE-INDICATIONS ET PRÉCAUTIONS

Contre indications : ■ Hypersensibilité.
Précautions : ■ Personnes âgées (la dose ne devrait pas dépasser 30 mg par jour) ■ Insuffisance hépatique grave (une réduction de la dose peut s'avérer nécessaire) ■ Grossesse, allaitement, enfants

(l'innocuité du médicament n'a pas été établie).

RÉACTIONS INDÉSIRABLES ET EFFETS SECONDAIRES

SNC : somnolence.
GI : douleurs abdominales, diarrhée, nausées.

INTERACTIONS

Médicament – médicament : ■ L'administration concomitante de **sucralfate** réduit l'absorption du lansoprazole (il faut le prendre 30 min avant le sulfacrate). L'agent peut réduire l'absorption des médicaments nécessitant un pH acide dont le **kétoconazole**, les **esters de l'ampicilline**, les **sels de fer** et la **digoxine** ■ Le lanzoprazole peut élever légèrement les concentrations sériques de **théophylline.**

PRÉSENTATIONS

■ Capsules à libération retard de 15 et 30 mg.

VOIES D'ADMINISTRATION ET POSOLOGIE

■ **PO (adultes) :** *Ulcère duodénal* – 15 mg par jour avant le déjeuner pendant 2 à 4 semaines. *Ulcère gastrique* – 15 mg par jour avant le déjeuner pendant 4 à 8 semaines. *Œsophagite par érosion* – 30 mg par jour avant le déjeuner pendant 4 à 8 semaines. *Hypersécrétion pathologique* (É. U.) – 60 mg, une fois par jour ; on peut augmenter la dose jusqu'à 90 mg, 2 fois par jour. S'il faut prendre plus de 120 mg par jour, administrer le médicament en doses fractionnées.

PHARMACODYNAMIE (suppression des sécrétions acides)

	DÉBUT D'ACTION	PIC	DURÉE
PO	rapide	inconnu	plus de 24 h

L

⁂ SOINS INFIRMIERS

ÉVALUATION DE LA SITUATION

- ☐ Suivre de près, à intervalles réguliers, la présence de douleurs épigastriques ou abdominales et de sang occulte ou apparent dans les selles, les vomissements ou les échantillons prélevés par aspiration gastrique.

- ■ **Étude des examens diagnostiques et biochimiques:** Le médicament peut entraîner des résultats anormaux aux épreuves de l'exploration fonctionnelle hépatique, notamment une élévation des concentrations d'AST (TGOS), d'ALT (TGPS), de phosphatase alcaline, de LDH et de bilirubine.

- ☐ Le lansoprazole peut entraîner une élévation des concentrations sériques de créatinine et une élévation ou une baisse des concentrations d'électrolytes.

- ☐ Le lansoprazole peut modifier le nombre d'érythrocytes, de leucocytes et de plaquettes.

- ☐ Le médicament peut entraîner une augmentation de la concentration de gastrine, des rapports albumine/globuline anormaux, une hyperlipidémie et une élévation ou une baisse des taux de cholestérol.

DIAGNOSTICS INFIRMIERS POSSIBLES

- ■ **Énoncés diagnostiques**
- ☐ Douleur.
- ☐ Prise en charge inefficace du programme thérapeutique.
- ☐ *Risque d'accident.*

- ■ **Facteurs favorisants**
- ☐ Informations incomplètes.
- ☐ *Manque de connaissances sur les modalités du traitement.*
- ☐ *Perturbation de la vigilance.*
- ☐ *Manque de connaissances sur le régime alimentaire à suivre.*

- ☐ *Manque de connaissances sur les effets secondaires du médicament et sur les moyens de les prévenir.*

INTERVENTIONS INFIRMIÈRES

- ■ **PO:** Administrer avant le déjeuner. On doit avaler la capsule sans la croquer, l'ouvrir ou l'écraser.

ENSEIGNEMENT AU PATIENT ET À SES PROCHES

- ☐ Inciter le patient à respecter scrupuleusement la posologie recommandée et à prendre toute la quantité de médicament qui lui a été prescrite même s'il se sent mieux.

- ☐ Mettre en garde le patient contre la consommation d'alcool, de produits renfermant de l'aspirine, de l'ibuprofène ou du naproxène et d'aliments qui peuvent causer une irritation gastrique.

- ☐ Prévenir le patient que le lansoprazole peut provoquer de la somnolence. Lui conseiller de ne pas conduire et d'éviter les activités qui exigent de la vigilance jusqu'à ce qu'on ait la certitude que le médicament n'entraîne pas cet effet chez lui.

- ☐ Recommander au patient de signaler immédiatement au médecin la présence de selles noires goudronneuses, de diarrhée ou de douleur abdominale.

VÉRIFICATION DES RÉSULTATS

L'efficacité du traitement peut être démontrée par : ■ la diminution de la douleur abdominale ou la prévention de l'irritation et des hémorragies gastriques. La cicatrisation des ulcères duodénaux peut être constatée par radiographie ou par endoscopie. Le traitement doit être poursuivi pendant 2 à 4 semaines chez les patients atteints d'un ulcère duodénal, et pendant 4 à 8 semaines chez ceux qui sont atteints d'un ulcère gastrique. ■ Cicatrisation des ulcérations chez les patients souffrant d'œsophagite par érosion. Le traitement doit être poursuivi pendant 4 à 8 semaines.

LIDOCAÏNE/PRILOCAÏNE

EMLA

CLASSIFICATION:
Anesthésique local en association

Grossesse – catégorie B

INDICATIONS

■ Anesthésie locale lorsque le produit est appliqué sur la peau ou la muqueuse génitale normales et intactes.

ACTION

■ Inhibition du transport des ions à travers la membrane neuronale, ce qui empêche la formation et la conduction de l'influx nerveux normal. Les deux anesthésiques, présentés sous forme de crème, doivent être appliqués ensemble; la crème doit être recouverte d'un pansement occlusif. Le médicament actif est libéré dans le derme et l'épiderme, ce qui entraîne l'accumulation d'anesthésique local dans le derme au niveau des récepteurs de la douleur et des terminaisons nerveuses. **Effets thérapeutiques:** ■ Effet anesthésique qui se limite au territoire traité.

PHARMACOCINÉTIQUE

Absorption: Par suite de l'application du timbre EMLA pendant 4 h, de petites quantités sont absorbées par voie systémique.

Distribution: Les petites quantités absorbées se répartissent dans tout l'organisme et traversent la barrière hémato-encéphalique et le placenta.

Métabolisme et excrétion: La lidocaïne est surtout métabolisée par le foie. La prilocaïne est éliminée par le foie et les reins.

Demi-vie: Lidocaïne: biphasique – phase initiale: de 7 à 30 min; phase terminale: de 90 à 120 min; prilocaïne: de 10 à 50 min.

CONTRE-INDICATIONS ET PRÉCAUTIONS

Contre-indications: ■ Hypersensibilité à la lidocaïne, à la prilocaïne ou à tout autre anesthésique local de type amide ■ Hypersensibilité à tout autre ingrédient de la préparation ■ Application dans l'oreille moyenne ■ Méthémoglobinémie idiopathique ou congénitale ■ Nourrissons de 6 à 12 mois recevant des agents qui stimulent la formation de la méthémoglobine ■ Nourrissons de moins de 6 mois.

Précautions: ■ Usage répété ou utilisation sur une grande surface cutanée (absorption systémique probable) ■ Maladie hépatique grave ■ Tout trouble associé à la méthémoglobinémie (y compris une carence en glucose-6-phosphate déshydrogénase) ■ Allaitement.

RÉACTIONS INDÉSIRABLES ET EFFETS SECONDAIRES

Locaux: <u>blêmissement</u>, <u>rougeur</u>, altération de la sensibilité thermique, œdème, démangeaisons, rash.

Divers: réactions allergiques, y compris l'ANAPHYLAXIE.

INTERACTIONS

Médicament – médicament: ■ Les **antiarythmiques du groupe 1 (tocaïnide, mexilétine)** administrés simultanément peuvent entraîner des effets cardiaques indésirables ■ L'administration concomitante d'**autres anesthésiques locaux** peut entraîner une toxicité additive.

PRÉSENTATIONS

■ Crème de lidocaïne à 2,5 % avec prilocaïne à 2,5 % en tubes de 5 et de 30 g
■ Timbre à usage unique de 1 g.

VOIES D'ADMINISTRATION ET POSOLOGIE

Interventions mineures au niveau du derme (ponction veineuse, mise en place d'un cathéter IV)

■ **Préparation topique (adultes):** Appliquer 2,5 g de crème sur une surface cutanée de 20 à 25 cm^2, recouvrir d'un pansement occlusif qu'on laisse en place pendant au moins 1 h.

- **Préparation topique (enfants) (É.-U):** Le territoire cutané traité ne devrait pas dépasser 100 cm^2 chez les enfants dont le poids est inférieur à 10 kg, ou 600 cm^2 chez les enfants dont le poids se situe entre 10 et 20 kg.
- **Timbre cutané (adultes et enfants):** Appliquer le timbre sur la région désirée et laisser en place pendant au moins 1 h.

Interventions majeures au niveau du derme (prélèvements de greffons de peau de demi-épaisseur)

- **Préparation topique (adultes et enfants):** Appliquer 2 g sur une surface cutanée de 10 cm^2 et recouvrir d'un pansement occlusif qu'on laisse en place pendant au moins 2 h.

Traitement au laser (ablation de verrues, de taches de vin, de dermatofibromes, de nævus)

- **Préparation topique (adultes et enfants):** Appliquer 1 à 2 g de crème sur une surface cutanée ne dépassant pas 16 cm^2, recouvrir d'un pansement occlusif qu'on laisse en place pendant au moins 1 h avant le début de l'intervention. La durée d'application ne doit pas dépasser 4 h.

Interventions au niveau de la muqueuse génitale (anesthésie par infiltration locale, intervention chirurgicale de moins de 10 min sur des lésions localisées, ablation de condylomes, biopsies)

- **Préparation topique (adultes):** Appliquer 2,5 g de crème sur chaque lésion ou à l'endroit choisi pour l'infiltration. La crème doit rester en contact avec la muqueuse pendant 5 à 10 min. Il n'est pas nécessaire d'appliquer un pansement. L'intervention chirurgicale doit débuter immédiatement après qu'on a retiré la crème.

PHARMACODYNAMIE
(anesthésie locale)

	DÉBUT D'ACTION	PIC	DURÉE*
Préparation topique	1 – 3 h	3 h	1 – 2 h

* Après le retrait du pansement occlusif.

ÉVALUATION DE LA SITUATION

□ Examiner la surface à traiter pour déceler les lésions ouvertes. Appliquer le produit sur une peau intacte seulement.

□ Après le retrait de la préparation et avant d'effectuer l'intervention, vérifier l'effet de l'anesthésique.

DIAGNOSTICS INFIRMIERS POSSIBLES

- **Énoncés diagnostiques**
□ Douleur.
□ Prise en charge inefficace du programme thérapeutique.

- **Facteurs favorisants**
□ Informations incomplètes.
□ *Manque de connaissances sur les modalités du traitement.*
□ *Manque de connaissances sur la méthode d'administration du médicament.*

INTERVENTIONS INFIRMIÈRES

- **Préparation topique:** Dans le cas des interventions dermiques mineures (ponction veineuse, mise en place d'un cathéter IV), appliquer le contenu du tube de 2,5 g (la moitié du tube de 5 g), en une couche épaisse, sur un territoire cutané de 20 à 25 cm^2 où l'intervention sera effectuée. Retirer la partie centrale prédécoupée du pansement occlusif (fourni avec le tube de 5 g) et enlever le papier autocollant du cadre. Recouvrir la peau d'une couche épaisse de crème de lidocaïne et de prilocaïne et appliquer le pansement. Ne pas étaler la crème. Lisser soigneusement la bordure du pansement et s'assurer qu'il tient bien en place pour empêcher les fuites. Retirer le papier en papier et noter l'heure de l'application. On doit appliquer la crème de lidocaïne et de prilocaïne au moins 1 h avant une intervention mineure au niveau du derme. Retirer le pansement occlusif et essuyer la crème de lidocaïne et de prilocaïne. Nettoyer toute la surface avec une solution antiseptique et préparer le patient pour l'intervention.

□ Pour les interventions majeures, suivre les directives indiquées ci-dessus en utilisant de plus grandes quantités de crème de lidocaïne et de prilocaïne et un pansement occlusif de la taille appropriée. Dans ce cas, il faut appliquer la crème de lidocaïne et de prilocaïne au moins 2 h avant l'intervention.

ENSEIGNEMENT AU PATIENT ET À SES PROCHES

□ Expliquer au patient et à ses proches l'utilité de la crème et du pansement occlusif. Informer le patient que la crème de lidocaïne et de prilocaïne peut inhiber toutes les sensations sur la surface cutanée traitée. Prévenir le patient qu'il ne doit pas gratter, frotter ou exposer à des températures extrêmes la surface traitée jusqu'à ce que toute sa sensibilité soit revenue.

VÉRIFICATION DES RÉSULTATS

L'efficacité du traitement peut être démontrée par : ■ l'anesthésie au niveau du territoire cutané traité.

LODOXAMIDE
Alomide

CLASSIFICATION :
Stabilisant des mastocytes
(agent ophtalmique)

Grossesse – catégorie B

INDICATIONS

■ Traitement des signes et symptômes oculaires associés à la kératoconjonctivite vernale, à la conjonctivite papillaire géante et à la conjonctivite allergique ou atopique.

ACTION

■ Inhibition de la libération d'histamine et des médiateurs de l'inflammation des mastocytes sensibilisés, incluant les substances à libération lente de l'anaphylaxie (SRS-A). **Effets thérapeutiques :** ■ Diminution des symptômes allergiques qui accompagnent les troubles ophtalmiques vernaux et atopiques.

PHARMACOCINÉTIQUE

Absorption : Par suite de l'administration dans les yeux, l'absorption systémique est minime.

Distribution : L'effet est principalement local ; le reste de la distribution est inconnu.

Métabolisme et excrétion : De petites quantités de médicament sont absorbées ; la plus grande partie est excrétée dans l'urine.

Demi-vie : 8,5 h (dans l'urine).

CONTRE-INDICATIONS ET PRÉCAUTIONS

Contre-indications : ■ Hypersensibilité.
Précautions : ■ Grossesse, allaitement ou enfants de moins de 2 ans (l'innocuité du médicament n'a pas été établie).

RÉACTIONS INDÉSIRABLES ET EFFETS SECONDAIRES

SNC : céphalées.
ORLO : brûlures, picotements, malaise oculaire, démangeaisons et prurit, vision trouble, alacrymie, larmoiement et écoulements, sensation de présence d'un corps étranger, hyperémie, dépôts cristallins.

INTERACTIONS

Médicament – médicament : ■ Aucune interaction notable lors de l'usage aux doses recommandées.

PRÉSENTATIONS

■ Solution ophtalmique à 0,1 % dans des flacons de 10 mL.

L

VOIES D'ADMINISTRATION ET POSOLOGIE

- **Gouttes ophtalmiques (adultes et enfants de plus de 2 ans):** 1 ou 2 gouttes dans l'œil ou les yeux atteints, quatre fois par jour, à intervalles réguliers. Une fois l'amélioration obtenue, le traitement doit être poursuivi aussi longtemps que requis pour maintenir l'effet.

PHARMACODYNAMIE
(diminution des symptômes ophtalmiques d'allergie)

	DÉBUT D'ACTION	PIC	DURÉE
gouttes ophtalmiques	inconnu	inconnu	inconnue

SOINS INFIRMIERS

ÉVALUATION DE LA SITUATION

- Observer les yeux du patient pour déceler la rougeur, le larmoiement, l'irritation et les changements de la vue.

DIAGNOSTICS INFIRMIERS POSSIBLES

- **Énoncés diagnostiques**
- Douleur.
- Prise en charge inefficace du programme thérapeutique.
- *Risque d'altération de la perception visuelle.*
- **Facteurs favorisants**
- Informations incomplètes.
- *Manque de connaissances sur les effets secondaires du médicament.*
- *Manque de connaissances sur la méthode d'administration du médicament.*

INTERVENTIONS INFIRMIÈRES

- La méthode d'instillation des gouttes ophtalmiques est indiquée à l'annexe H du *Guide*.

ENSEIGNEMENT AU PATIENT ET À SES PROCHES

- Montrer au patient la méthode appropriée pour l'instillation des gouttes ophtalmiques. Lui recommander de prévenir le médecin si l'irritation oculaire s'aggrave. Lors de l'instillation, une sensation passagère de brûlure ou de picotement est courante, mais elle ne devrait pas persister.
- Conseiller au patient de consulter le médecin à propos du port de verres de contact pendant le traitement par la lodoxamide.

VÉRIFICATION DES RÉSULTATS

L'efficacité du traitement peut être démontrée par: ■ une diminution du larmoiement, de la rougeur et de l'irritation oculaires.

LORATIDINE
Claritin

CLASSIFICATION:
Antihistaminique

Grossesse – catégorie B

INDICATIONS

■ Soulagement des symptômes de la rhinite allergique saisonnière et non saisonnière ■ Soulagement des symptômes et des signes d'urticaire chronique et d'autres dermatopathies allergiques.

ACTION

■ Inhibition des effets périphériques de l'histamine libérée lors des réactions allergiques. **Effets thérapeutiques:** ■ Diminution des symptômes des réactions allergiques.

PHARMACOCINÉTIQUE

Absorption: Par suite de l'administration PO, le médicament est absorbé rapidement (80 %).

Distribution: Inconnue.

Métabolisme et excrétion: Le médicament est rapidement et fortement métabolisé au cours de son premier passage dans le foie. Une grande partie est transformée en descarboéthoxyloratidine, un métabolite actif.

Demi-vie: Loratidine: de 7,8 à 11 h; descarboéthoxyloratidine: 20 h.

CONTRE-INDICATIONS ET PRÉCAUTIONS

Contre-indications: ■ Hypersensibilité.

Précautions: ■ Insuffisance hépatique (il est recommandé de réduire la dose à 10 mg, tous les deux jours) ■ Patients prenant des médicaments qui modifient le métabolisme hépatique d'autres agents ■ Grossesse ou allaitement (l'innocuité du médicament chez les enfants de moins de 12 ans n'a pas été établie).

RÉACTIONS INDÉSIRABLES ET EFFETS SECONDAIRES (incidence de 2 % ou moins)

SNC: étourdissements, migraine, tremblements, vertiges, anxiété, dépression, agitation, amnésie, manque de concentration, confusion, nervosité, rêves bizarres.

ORLO: altération de la sécrétion des larmes, conjonctivite, vision trouble, otalgie, douleurs oculaires, acouphènes, blépharospasme, dysphonie, sécheresse du nez, épistaxis, pharyngite, congestion nasale, rhinite, sinusite, éternuements.

Resp.: toux, hémoptysie, dyspnée, bronchospasme, bronchite, laryngite.

CV: douleurs thoraciques, hypotension, hypertension, palpitations, syncope, tachycardie.

GI: altération de la salivation, gêne abdominale, gastrite, diarrhée, constipation, nausées, vomissements, flatulence, altération du goût, gain d'appétit, anorexie, dyspepsie, stomatite, maux de dents.

GU: impuissance, diminution de la libido, ménorragie, dysménorrhée, vaginite, modification de la couleur de l'urine, altération de la miction.

Tég.: transpiration accrue, bouffées vasomotrices, dermatite, cheveux secs, peau sèche, urticaire, rash, prurit, photosensibilité, purpura.

End.: douleurs mammaires.

SN: hypoesthésie, paresthésie.

Loc.: crampes dans les jambes, douleurs lombaires, hyperkinésie, arthralgie, myalgie.

Divers: soif, rigidité, fièvre, symptômes allergiques accrus, ŒDÈME DE QUINCKE.

INTERACTIONS

Médicament – médicament: ■ Aucune interaction notable. **Médicament-aliments:** ■ Les **aliments** augmentent l'absorption de la loratidine.

PRÉSENTATIONS

■ Comprimés de 10 mg ■ Sirop à 1 mg/mL.

VOIES D'ADMINISTRATION ET POSOLOGIE

■ **PO comprimé (adultes et enfants > 12 ans):** 1 comprimé, 1 fois par jour.
■ **PO sirop (adultes et enfants > 10 ans de poids > 30 kg):** 10 mL, 1 fois par jour.
■ **PO sirop (enfants de 2 à 9 ans de poids ≤ 30 kg):** 5 mL, 1 fois par jour. (Ne jamais utiliser pendant plus de 14 jours chez les enfants de 2 à 12 ans, à moins d'avis contraire du médecin.)

PHARMACODYNAMIE (effets antihistaminiques)

	DÉBUT D'ACTION	PIC	DURÉE
PO	1 – 3 H	8 – 12 H	> 24 h

❋ SOINS INFIRMIERS

ÉVALUATION DE LA SITUATION

☐ Suivre de près, avant le traitement et à intervalles réguliers pendant toute sa durée, les symptômes suivants d'allergie: rhinite, conjonctivite, urticaire.

□ Ausculter le murmure vésiculaire et déterminer les caractéristiques des sécrétions bronchiques. S'assurer que le patient consomme de 1 500 à 2 000 mL de liquides par jour pour diminuer la viscosité des sécrétions.

DIAGNOSTICS INFIRMIERS POSSIBLES

■ **Énoncés diagnostiques**

□ Dégagement inefficace des voies respiratoires.

□ Risque d'accident.

□ Prise en charge inefficace du programme thérapeutique.

□ *Risque d'atteinte à l'intégrité de la muqueuse buccale.*

■ **Facteurs favorisants**

□ Informations incomplètes.

□ *Manque de connaissances sur les modalités du traitement.*

□ *Perturbation de la vigilance.*

□ *Manque de connaissances sur les moyens de prévenir la photosensibilité.*

□ *Manque de connaissances sur les moyens de prévenir ou de réduire la sécheresse de la bouche.*

INTERVENTIONS INFIRMIÈRES

■ **PO:** Administrer le médicament une fois par jour.

ENSEIGNEMENT AU PATIENT ET À SES PROCHES

□ Expliquer au patient qu'il pourrait connaître un gain d'appétit. Les patients suivant un traitement prolongé devraient peut-être réduire l'apport énergétique et faire plus d'exercice pour éviter une prise de poids indésirable.

□ Recommander au patient d'utiliser un écran solaire et de porter des vêtements protecteurs pour prévenir les réactions de photosensibilité.

□ Recommander au patient de prévenir le médecin si les symptômes persistent.

VÉRIFICATION DES RÉSULTATS

L'efficacité du traitement peut être démontrée par: la diminution des symptômes allergiques.

LOSARTAN
Cozaar

CLASSIFICATION:
Antihypertenseur – inhibiteur des récepteurs de l'angiotensine II

Grossesse – catégorie C (premier trimestre), D (deuxième et troisième trimestres)

INDICATIONS

■ Hypertension – en monothérapie ou en association avec des diurétiques thiazidiques, des bêtabloquants ou des inhibiteurs calciques.

ACTION

■ Blocage des effets vasoconstricteurs de l'angiotensine II et de ses effets producteurs d'aldostérone au niveau de divers sites récepteurs, y compris ceux situés dans les muscles lisses vasculaires et dans les surrénales. **Effets thérapeutiques:**
■ Abaissement de la pression artérielle.

PHARMACOCINÉTIQUE

Absorption: Bien qu'il soit bien absorbé, le losartan subit un fort métabolisme hépatique de premier passage; sa biodisponibilité est donc de 33 %.

Distribution: Inconnue.

Métabolisme et excrétion: Après un fort métabolisme hépatique de premier passage, une fraction de 14 % du losartan est transformée en acide carboxylique, son métabolite actif. Une fraction de 4 % du losartan et une fraction de 6 % de son métabolite actif sont excrétées à l'état inchangé par les reins. On note également une certaine élimination biliaire.

Demi-vie: Losartan – 2 h; acide carboxylique – de 6 à 9 h.

CONTRE-INDICATIONS ET PRÉCAUTIONS

Contre-indications: ■ Hypersensibilité ■ Grossesse.

Précautions: ■ Déplétion volémique (il faut corriger ce déficit avant d'amorcer le traitement ■ Patients d'origine afro-américaine (le losartan pourrait ne pas être aussi efficace en monothérapie; l'administration d'agents supplémentaires pourrait s'avérer nécessaire) ■ Insuffisance rénale due à une néphropathie primaire ou à une insuffisance cardiaque (risque d'aggravation du dysfonctionnement rénal) ■ Insuffisance hépatique (il est recommandé de réduire les doses initiales) ■ Patientes en âge de procréer ■ Allaitement et enfants de moins de 18 ans (l'innocuité du médicament n'a pas été établie).

RÉACTIONS INDÉSIRABLES ET EFFETS SECONDAIRES

CV: hypotension.
GU: dysfonctionnement rénal.

INTERACTIONS

Médicament – médicament: ■ La **cimétidine** peut intensifier les effets du losartan ■ Le **phénobarbital** peut diminuer les effets du losartan ■ Effets antihypertenseurs additifs lors de l'administration simultanée d'**hydrochlorothiazide** ■ Risque accru d'hypotension lors de l'administration concomitante d'un **diurétique** (la dose initiale ne devrait pas dépasser 25 mg).

PRÉSENTATIONS

■ Comprimés de 25 et 50 mg.

VOIES D'ADMINISTRATION ET POSOLOGIE

■ **PO (adultes):** Dose initiale de 50 mg par jour (la posologie habituelle est de 50 à 100 mg par jour en une seule dose ou en deux doses fractionnées). *Patients prenant un diurétique qui présentent une déplétion volémique ou qui souffrent d'un dysfonctionnement hépatique –* initialement, 25 mg par jour; on peut augmenter cette dose, selon la tolérance du patient.

PHARMACODYNAMIE
(effet antihypertenseur au cours d'un traitement prolongé)

	DÉBUT D'ACTION	PIC	DURÉE
PO	1 semaine	3–6 semaines	inconnue

☐ Mesurer le pouls et la pression artérielle (en positions couchée, assise et debout) à intervalles réguliers pendant toute la durée du traitement.

■ **Étude des examens diagnostiques et biochimiques:** Le losartan entraîne dans de rares cas l'élévation des concentrations sériques d'urée et de créatinine.

☐ Le médicament entraîne souvent de légères diminutions de l'hémoglobine et de l'hématocrite, mais elles ne sont habituellement pas significatives sur le plan clinique.

☐ Le losartan peut parfois élever les concentrations des enzymes hépatiques et les concentrations sériques de bilirubine.

DIAGNOSTICS INFIRMIERS POSSIBLES

■ **Énoncés diagnostiques**
☐ Risque d'accident.
☐ Prise en charge inefficace du programme thérapeutique.
☐ Non-observance du traitement médicamenteux.
☐ *Risque de déficit nutritionnel.*

■ **Facteurs favorisants**
☐ Informations incomplètes.
☐ Doute quant aux bienfaits du médicament.
☐ *Manque de connaissances sur les effets hypotensifs du médicament*

M

lors des changements brusques de position.

☐ *Manque de connaissances sur les modalités du traitement.*

☐ *Manque de connaissances sur le régime alimentaire à suivre.*

INTERVENTIONS INFIRMIÈRES

■ **Directives générales:** Dans la mesure du possible, il faudrait corriger la déplétion volémique avant d'amorcer le traitement.

■ **PO:** On peut administrer le losartan avec ou sans aliments, mais il devrait être toujours pris dans les mêmes conditions par rapport aux aliments.

ENSEIGNEMENT AU PATIENT ET À SES PROCHES

☐ Expliquer au patient qu'il doit respecter scrupuleusement la posologie recommandée et continuer à prendre le médicament même s'il se sent bien. Le médicament stabilise la pression artérielle, mais ne guérit pas l'hypertension. Recommander au patient de prendre le médicament tous les jours à la même heure.

☐ Inciter le patient à prendre d'autres mesures pour réduire l'hypertension: perdre du poids, suivre un régime hyposodé, cesser de fumer, boire avec modération, faire de l'exercice et diminuer le stress.

☐ Montrer au patient et à ses proches comment prendre la pression artérielle. Leur demander de mesurer la pression artérielle au moins une fois par semaine et de prévenir le médecin si des changements importants surviennent.

☐ Recommander à la patiente en âge de procréer de prendre des mesures de contraception et de prévenir le médecin si elle pense être enceinte ou si elle souhaite le devenir.

☐ Recommander au patient de changer lentement de position pour réduire les risques d'hypotension orthostatique.

☐ Recommander au patient qui doit subir un traitement dentaire ou une intervention chirurgicale de prévenir le dentiste ou le médecin qu'il prend des antihypertenseurs.

☐ Insister sur l'importance des examens de suivi permettant d'évaluer les bienfaits du médicament.

VÉRIFICATION DES RÉSULTATS

L'efficacité du traitement peut être démontrée par: ■ la baisse de la pression artérielle sans que des effets indésirables excessifs se manifestent.

METFORMINE

Apo-Metformin, Gen-Metformin, Glucophage, Novo-Metformin

CLASSIFICATION:
Hypoglycémiant oral – biguanide

Grossesse – catégorie B

INDICATIONS

■ Traitement d'appoint (associé à une diétothérapie) visant à équilibrer la glycémie en cas de diabète non insulinodépendant ou lorsque l'insuline n'est pas recommandée. Peut être utile pour le traitement des patients diabétiques obèses. Aussi en traitement d'association avec les sulfamidés hypoglycémiants oraux.

ACTION

■ Diminution de la production hépatique de glucose ■ Diminution de l'absorption de glucose par les intestins ■ Augmentation de la sensibilité à l'insuline. **Effets thérapeutiques:** ■ Équilibrage de la glycémie sans épisodes d'hypoglycémie.

PHARMACOCINÉTIQUE

Absorption: Par suite de l'administration PO, une fraction de 50 à 60 % est absorbée.

Distribution: La metformine pénètre dans le lait maternel à des taux équivalant aux concentrations plasmatiques.

Métabolisme et excrétion: La metformine est éliminée par les reins à l'état presque entièrement inchangé.

Demi-vie: 17,6 h.

CONTRE-INDICATIONS ET PRÉCAUTIONS

Contre-indications: ■ Hypersensibilité ■ Acidose métabolique de quelque cause que ce soit ■ Dysfonctionnement rénal sous-jacent (créatinine sérique > 140 μmol/L chez l'homme ou > 130 μmol/L chez la femme) ■ Études radiographiques concomitantes nécessitant l'administration IV d'une substance de contraste iodée (interrompre temporairement l'administration de la metformine) ■ Insuffisance hépatique.

Précautions: ■ Insuffisance rénale quelle qu'en soit la gravité ■ Patients âgés ou débilités (il peut s'avérer nécessaire de réduire la dose) ■ Stress dû à une infection ou à une intervention chirurgicale ■ Hypoxie ■ Insuffisance hypophysaire ■ Grossesse, allaitement ou enfants (l'innocuité du médicament n'a pas été établie).

RÉACTIONS INDÉSIRABLES ET EFFETS SECONDAIRES

GI: nausées, vomissements, diarrhée, ballonnement, goût métallique désagréable.

HÉ: ACIDOSE LACTIQUE.

Divers: concentrations réduites de la vitamine B_{12} et de l'acide folique.

INTERACTIONS

Médicament – médicament: ■ L'administration d'une **substance de contraste iodée** ou une consommation excessive d'**alcool** peuvent augmenter le risque d'acidose lactique ■ L'**amiloride**, la **digoxine**, la **morphine**, le **procaïnamide**, la **quinidine**, la **ranitidine**, le **triamtérène**, le **triméthoprime** et la **vancomy-** cine peuvent entrer en compétition avec la metformine au cours du processus d'élimination. Dans ce cas, on peut noter une modification des réponses au traitement ■ La **cimétidine** et le **furosémide** peuvent augmenter les effets de la metformine ■ La **nifédipine** augmente l'absorption de la metformine et peut en intensifier les effets. **Médicament – aliments:** ■ Les aliments diminuent et retardent l'absorption de la metformine.

PRÉSENTATIONS

■ Comprimés de 500 et 850 mg.

VOIES D'ADMINISTRATION ET POSOLOGIE

■ **PO (adultes):** La dose initiale habituelle est de 500 mg, 3 fois par jour. La dose d'entretien est de 500 mg, 3 ou 4 fois par jour, ou de 850 mg, 2 ou 3 fois par jour. La dose quotidienne ne doit pas dépasser 2,5 g.

PHARMACODYNAMIE
(équilibrage de la glycémie)

	DÉBUT D'ACTION	PIC	DURÉE
PO	plusieurs jours	2–4 semaines	inconnue

☼ SOINS INFIRMIERS

ÉVALUATION DE LA SITUATION

☐ Surveiller l'apparition des signes et des symptômes suivants d'hypoglycémie: douleurs abdominales, transpiration, faim, faiblesse, étourdissements, céphalées, tremblements, tachycardie, anxiété.

☐ Suivre de près l'apparition d'une cétoacidose ou d'une acidose lactique chez les patients dont la glycémie est bien équilibrée avec la metformine, mais qui sont atteints d'une nouvelle maladie ou qui présentent des résultats anormaux aux épreuves diagnostiques et biochimiques. Mesurer les électrolytes sériques, la cétonémie et la glycémie et, si cela est indiqué, le pH sanguin, les concentrations de lactate, de pyruvate et de metformine. En présence de n'importe quelle forme d'acidose, arrêter immédiatement l'administration de metformine et traiter l'acidose.

- **Étude des examens diagnostiques et biochimiques :** Suivre, à intervalles réguliers pendant toute la durée du traitement, la glycémie et la concentration d'hémoglobine glycosylée afin d'évaluer l'efficacité du médicament.
- Examiner les résultats des épreuves de l'exploration fonctionnelle rénale avant le traitement et au moins une fois par année pendant toute sa durée. Arrêter le traitement par la metformine si une insuffisance rénale se manifeste.
- Suivre la numération globulaire avant le traitement et au moins une fois par année pendant toute sa durée.
- La metformine peut diminuer les concentrations sériques de vitamine B_{12} et d'acide folique sans entraîner de signes cliniques. L'anémie survient dans de rares cas, mais elle est réversible dès l'arrêt du traitement par la metformine ou dès l'administration de suppléments de vitamine B_{12} ou d'acide folique.

DIAGNOSTICS INFIRMIERS POSSIBLES

- **Énoncés diagnostiques**
- Excès nutritionnel.
- Prise en charge inefficace du programme thérapeutique.
- Non-observance du traitement médicamenteux.
- *Risque de déficit nutritionnel.*
- *Risque d'accident.*

- **Facteurs favorisants**
- Informations incomplètes.
- Doute quant aux bienfaits du médicament.
- *Manque de connaissances sur le régime alimentaire à suivre.*

- *Manque de connaissances sur les signes d'hypoglycémie et d'hyperglycémie et sur les moyens de les prévenir.*
- *Manque de connaissances sur les modalités du traitement.*
- *Difficulté à s'adapter aux changements nécessaires dans les habitudes de vie.*

INTERVENTIONS INFIRMIÈRES

- **Directives générales :** Il peut s'avérer nécessaire d'administrer de l'insuline aux patients dont la glycémie a été stabilisée, mais qui font de la fièvre, qui sont exposés au stress, à un traumatisme ou à une infection ou qui doivent subir une intervention chirurgicale. Interrompre l'administration de la metformine et attendre la fin de l'épisode aigu avant de reprendre le traitement.
- On devrait interrompre passagèrement l'administration de metformine chez les patients qui doivent subir une intervention chirurgicale et, de ce fait, diminuer leur consommation d'aliments et de liquides. Reprendre l'administration du médicament lorsque le patient a de nouveau le droit de prendre des aliments et des liquides par la bouche et lorsque sa fonction rénale s'est rétablie.
- Interrompre le traitement par la metformine pendant la durée des analyses nécessitant l'injection IV d'une substance de contraste iodée.
- **PO :** Administrer la metformine avec des aliments pour réduire les effets gastro-intestinaux.

ENSEIGNEMENT AU PATIENT ET À SES PROCHES

- Conseiller au patient de prendre le médicament tous les jours à la même heure, en suivant scrupuleusement les recommandations du médecin. S'il n'a pas pu prendre le médicament au moment habituel, il doit le prendre dès que possible à moins que ce ne soit presque l'heure prévue pour la dose suivante. Le prévenir qu'il ne doit pas doubler les doses.

☐ Expliquer au patient que la metformine permet de stabiliser la glycémie, mais ne peut guérir le diabète. Le traitement à l'aide de cet agent est habituellement de longue durée.

☐ Inciter le patient à suivre la diétothérapie, la pharmacothérapie et le programme d'exercices prescrits afin de prévenir les épisodes d'hypoglycémie ou d'hyperglycémie.

☐ Expliquer au patient les signes d'hypoglycémie et d'hyperglycémie. Si des symptômes d'hypoglycémie se manifestent, lui recommander de prendre un verre de jus d'orange ou un verre d'eau auquel il ajoute 2 à 3 cuillerées à thé de sucre, de miel ou de sirop de maïs et de prévenir le médecin.

☐ Montrer au patient comment mesurer la glycémie, la glycosurie et la cétonurie. Insister sur le fait qu'il faut prélever l'urine à mi-jet pour s'assurer que les résultats sont justes. Recommander au patient de surveiller étroitement les résultats de ces tests en période de stress ou de maladie et de prévenir immédiatement le médecin si des modifications importantes surviennent.

☐ Expliquer au patient qu'en présence d'une infection grave, de déshydratation ou de diarrhée intense ou persistante, ou en cas d'examens médicaux ou d'une intervention chirurgicale, le risque d'acidose lactique peut dicter l'arrêt du traitement par la metformine. Lui recommander de signaler immédiatement au médecin les symptômes suivants d'acidose lactique : frissons, diarrhée, étourdissements, hypotension, douleurs musculaires, somnolence, pouls faible ou fréquence cardiaque ralentie, dyspnée ou faiblesse.

☐ Conseiller au patient de consulter le médecin ou le pharmacien avant de prendre de l'alcool ou d'autres médicaments de prescription ou en vente libre en même temps que la metformine.

☐ L'insuline est le médicament qu'il faut préférer pour équilibrer la glycémie au cours de la grossesse. Conseiller à la patiente de ne pas prendre de contraceptifs oraux, mais d'utiliser une autre méthode de contraception et d'informer rapidement le médecin si elle pense être enceinte ou si elle souhaite le devenir.

☐ Prévenir le patient que la metformine peut lui donner un goût désagréable ou métallique, symptôme qui disparaît habituellement de façon spontanée.

☐ Recommander au patient qui doit subir un traitement dentaire ou une intervention chirurgicale d'avertir le dentiste ou le médecin qu'il prend des médicaments.

☐ Conseiller au patient de toujours avoir sur lui du sucre (sachets de sucre ou bonbons) et une pièce d'identité où sont inscrits son problème de santé et son traitement médicamenteux.

☐ Recommander au patient de signaler au médecin les symptômes suivants : diarrhée, nausées, vomissements, douleurs abdominales ou sensation de plénitude gastrique.

☐ Insister sur l'importance des examens de suivi et des évaluations de la glycémie, de l'hémoglobine glycosylée, de la fonction rénale et des paramètres hématologiques à intervalles réguliers.

VÉRIFICATION DES RÉSULTATS

L'efficacité du traitement peut être démontrée par : ■ l'équilibrage de la glycémie sans épisodes d'hypoglycémie ou d'hyperglycémie. L'équilibre peut être atteint en quelques jours, mais le plein effet du traitement peut ne pas se manifester avant 2 semaines. Si le patient ne répond pas au traitement après qu'il a reçu des doses maximales de metformine pendant 4 semaines, on peut lui administrer des sulfamidés hypoglycémiants par voie orale. Si l'on n'obtient pas de résultats satisfaisants dans les 1 à 3 mois qui suivent le début du traitement concomitant, on peut arrêter l'administration des agents par voie orale et amorcer le traitement par l'insuline.

MILRINONE
Primacor

CLASSIFICATION :
Agent inotrope

Grossesse – catégorie C

INDICATIONS

■ Traitement de courte durée de l'insuffisance cardiaque congestive grave qui ne répond pas au traitement habituel par des dérivés digitaliques, des diurétiques et des vasodilatateurs.

ACTION

■ Augmentation de la contractilité du myocarde ■ Diminution de la précharge et de la postcharge par un effet direct de dilatation du muscle lisse vasculaire.
Effets thérapeutiques : ■ Augmentation du débit cardiaque (effet inotrope).

PHARMACOCINÉTIQUE

Absorption : Par suite de l'administration IV, la biodisponibilité de la milrinone est complète.
Distribution : Inconnue.
Métabolisme et excrétion : Une fraction de 80 à 90 % du médicament est excrétée à l'état inchangé par les reins.
Demi-vie : 2,3 h (prolongée en cas d'insuffisance cardiaque).

CONTRE-INDICATIONS ET PRÉCAUTIONS

Contre-indications : ■ Hypersensibilité ■ Cardiopathie valvulaire pulmonaire ou aortique grave ■ Rétrécissement aortique sous-valvulaire hypertrophique (risque accru d'obstruction de la voie d'éjection).
Précautions : ■ Antécédents d'arythmies, d'anomalies électrolytiques, de concentrations anormales de digoxine ou de cathétérisme vasculaire (risque accru d'arythmies ventriculaires) ■ Insuffisance rénale (il est recommandé de réduire la vitesse de perfusion si la clearance de la créatinine < 50 mL/min) ■ Grossesse, allaitement ou enfants (l'innocuité du médicament n'a pas été établie).

RÉACTIONS INDÉSIRABLES ET EFFETS SECONDAIRES

SNC : céphalées, tremblements.
CV : ARYTHMIES VENTRICULAIRES, arythmies supraventriculaires, hypotension, angine de poitrine, douleurs thoraciques.
HÉ : hypokaliémie.
Hémat. : thrombocytopénie.

INTERACTIONS

Médicament – médicament : ■ Aucune interaction notable.

PRÉSENTATIONS

■ Fioles à 1 mg/mL.

VOIES D'ADMINISTRATION ET POSOLOGIE

■ **IV (adultes) :** dose d'attaque de 50 μg/kg, suivie d'une perfusion de 0,50 μg/kg/min (peut s'échelonner de 0,375 à 0,75 μg/kg/min).

PHARMACODYNAMIE
(effets hémodynamiques)

	DÉBUT D'ACTION	PIC	DURÉE
IV	5 – 15 min	inconnu	inconnue

SOINS INFIRMIERS

ÉVALUATION DE LA SITUATION

□ Mesurer la fréquence cardiaque et la pression artérielle tout au long de l'administration. On devrait ralentir

ou arrêter l'administration de la milrinone si la pression artérielle chute
de façon excessive.

☐ Effectuer le bilan quotidien des ingesta et des excreta et peser le patient
tous les jours. Observer le patient pour
déterminer si les signes et les symptômes suivants d'insuffisance cardiaque ont disparu : œdème périphérique, dyspnée, râles et crépitations,
gain pondéral ; vérifier si les paramètres hémodynamiques suivants se
sont améliorés : augmentation du débit cardiaque, diminution de la pression capillaire pulmonaire. Corriger
les effets d'un traitement antérieur
intensif par des diurétiques pour
favoriser une pression de remplissage
adéquate du cœur.

■ Suivre l'ÉCG tout au long de la perfusion. Les arythmies sont courantes et
peuvent mettre la vie du patient en
danger. Le risque d'arythmies ventriculaires est accru chez les patients
ayant des antécédents d'arythmies,
d'anomalies électrolytiques, de concentrations anormales de digoxine ou
de cathétérisme vasculaire.

■ **Étude des examens diagnostiques et biochimiques :** Examiner à intervalles fréquents tout au long de l'administration les concentrations d'électrolytes
et les résultats des épreuves de l'exploration fonctionnelle rénale. Pour
réduire le risque d'arythmies, corriger
l'hypokaliémie avant d'administrer la
milrinone.

☐ Noter la numération plaquettaire durant le traitement.

■ **Toxicité et surdosage :** Le surdosage se
manifeste par de l'hypotension. On
devrait réduire la dose ou arrêter le
traitement. Le recours à des mesures
de soutien pourrait s'avérer nécessaire.

DIAGNOSTICS INFIRMIERS POSSIBLES

■ **Énoncés diagnostiques**

☐ Diminution du débit cardiaque.

☐ Intolérance à l'activité.

☐ Excès de volume liquidien.

☐ *Risque d'accident.*

☐ *Risque d'intoxication.*

■ **Facteurs favorisants**

☐ *Manque de connaissances sur les
effets hypotensifs du médicament.*

☐ *Manque de connaissances sur les
effets secondaires du médicament.*

☐ *Essoufflement et fatigue.*

INTERVENTIONS INFIRMIÈRES

■ **IV directe :** On peut administrer la dose
d'attaque sans la diluer au préalable.

☐ *Vitesse d'administration :* Administrer la dose d'attaque en 10 min.

■ **Perfusion continue :** On peut diluer le
contenu de la fiole de 20 mg avec
180 mL de diluant pour obtenir une
concentration de 100 µg/mL, avec
113 mL de diluant pour obtenir une
concentration de 150 µg/mL ou avec
80 mL de diluant pour obtenir une
concentration de 200 µg/mL. Les diluants compatibles comprennent les
solutions de NaCl à 0,9 % et à 0,45 %
et la solution de dextrose à 5 % dans
de l'eau. Ne pas utiliser une solution
qui a changé de couleur ou qui contient des particules.

☐ *Vitesse d'administration :* Adapter le
débit de la perfusion selon la réponse
clinique et hémodynamique du patient. Consulter le tableau des vitesses
de perfusion (annexe D du *Guide*).

■ **Incompatibilités (tubulure en Y) :** Furosémide.

**ENSEIGNEMENT AU PATIENT ET
À SES PROCHES**

☐ Expliquer au patient et à ses proches
la raison pour laquelle on doit lui
administrer ce médicament. La milrinone ne guérit pas l'insuffisance cardiaque, mais peut en maîtriser les
symptômes pendant un certain temps.

VÉRIFICATION DES RÉSULTATS

L'efficacité du traitement peut être démontrée
par : ■ la diminution des signes et des

M

symptômes d'insuffisance cardiaque □ l'amélioration des paramètres hémodynamiques.

MIVACURIUM
Mivacron

CLASSIFICATION :
Bloqueur neuromusculaire de type non dépolarisant

Grossesse – catégorie C

INDICATIONS
■ Paralysie des muscles squelettiques durant les interventions chirurgicales, en association avec une anesthésie générale ■ Facilitation de l'intubation endotrachéale (il est préférable d'administrer la succinylcholine parce que son début d'action est plus rapide) et amélioration de la compliance pulmonaire durant la ventilation assistée.

ACTION
■ Inhibition de la transmission neuromusculaire par blocage de l'effet de l'acétylcholine à la jonction neuromusculaire. Ce médicament est dépourvu de propriétés analgésiques ou anxiolytiques.
Effets thérapeutiques : ■ Paralysie des muscles squelettiques.

PHARMACOCINÉTIQUE
Absorption : Par suite de l'administration IV, la biodisponibilité du mivacurium est totale.
Distribution : La distribution dans les tissus est réduite.
Métabolisme et excrétion : Le mivacurium est rapidement métabolisé dans le plasma par les cholinestérases.
Demi-vie : 2 h.

CONTRE-INDICATIONS ET PRÉCAUTIONS
Contre-indications : ■ Hypersensibilité au mivacurium. Risque de réactions de sen-

sibilité croisée avec d'autres agents similaires.
Précautions : ■ Antécédents de maladie pulmonaire ou d'insuffisance rénale ou hépatique, personnes âgées ou patients débilités (sensibilité accrue aux effets du médicament ; on pourrait administrer de plus faibles doses d'entretien) ■ Déséquilibres électrolytiques ou traitement par des dérivés digitaliques (risque accru d'arythmies) ■ Patients obèses (plus grande prédisposition à l'hypotension ; la posologie doit être établie en fonction du poids corporel idéal) ■ Grossesse, allaitement ou enfants de moins de 2 ans (l'innocuité du médicament n'a pas été établie) ■ Enfants (des doses plus fortes, administrées à intervalles plus fréquents que chez les adultes, peuvent être nécessaires).
Extrême prudence : ■ Myasthénie grave ou syndromes myasthéniques (risque de paralysie respiratoire prolongée) ■ Sujets homozygotes pour le gène atypique de la cholinestérase plasmatique (sensibilité extrême à ce type d'agents).

RÉACTIONS INDÉSIRABLES ET EFFETS SECONDAIRES
SNC : étourdissements.
Resp. : bronchospasme, respiration sifflante, hypoxémie.
CV : tachycardie, bradycardie, arythmies, hypotension.
Tég. : bouffées vasomotrices, rash, urticaire, érythème.
Locaux : phlébite.
MS : spasmes musculaires.

INTERACTIONS
Médicament – médicament : ■ L'intensité et la durée de la paralysie peuvent être prolongées lors de l'administration préalable de **succinylcholine**, d'un **anesthésique général**, d'antibiotiques de la classe des **aminosides**, de **polymyxine**, de **colistine**, de **clindamycine**, de **lidocaïne**, de **quinidine**, de **procaïnamide**, de **bêtabloqueurs**, de **diurétiques entraînant une déplétion du potassium**,

de sels de **magnésium**, de **démécarium**, d'**échotiophate** et d'**isoflurophate**. Réduire la dose de mivacurium de 25 % s'il est administré en même temps que l'**enflurane** ou l'**isoflurane**.

PRÉSENTATIONS
■ Fioles de 10, 20 et 50 mL à 2 mg/mL.

VOIES D'ADMINISTRATION ET POSOLOGIE

Dose initiale – intubation
■ **IV (adultes)** : 150 µg/kg.
■ **IV (enfants de 2 à 12 ans)** : 200 µg/kg.

Dose d'entretien
■ **IV (adultes)** : 0,1 mg/kg en bolus, toutes les 15 min, ou en perfusion continue à un débit de 9 à 10 µg/kg/min. Si on amorce la perfusion en même temps qu'on administre le bolus initial, commencer à un débit de 4 µg/kg/min. Le débit de perfusion peut se situer entre 1 et 15 µg/kg/min.
■ **IV (enfants de 2 à 12 ans)** : 14 µg/kg/min (de 5 à 31 µg/kg/min).

PHARMACODYNAMIE (paralysie des muscles squelettiques)*

	DÉBUT D'ACTION	PIC	DURÉE
IV – adultes	rapide	3,3 min	26 min
IV – enfants	rapide	1,9 min	19 min

* Lorsque le mivacurium est administré en même temps que l'anesthésie générale.

SOINS INFIRMIERS

ÉVALUATION DE LA SITUATION
☐ Suivre continuellement la fonction respiratoire pendant toute la durée du traitement au mivacurium. Signaler immédiatement au médecin tout changement important.
☐ Évaluer la réponse neuromusculaire au mivacurium par la stimulation des nerfs périphériques. La paralysie des muscles est initialement sélective et se produit habituellement dans l'ordre suivant : muscles releveurs des paupières, muscles de la mastication, muscles des membres, muscles abdominaux, muscles de la glotte, muscles intercostaux et diaphragme. Le rétablissement de la fonction musculaire se produit habituellement dans l'ordre inverse.
☐ Suivre de près l'ÉCG, la fréquence cardiaque et la pression artérielle pendant toute la durée du traitement au mivacurium.
☐ Observer le patient pendant la période de récupération pour déceler les symptômes résiduels de faiblesse musculaire et de détresse respiratoire. Surveiller ces effets par la stimulation des nerfs périphériques.
■ **Toxicité et surdosage** : En cas de surdosage, stimuler les nerfs périphériques pour déterminer le degré de blocage neuromusculaire. Maintenir la perméabilité des voies aériennes et la ventilation jusqu'au rétablissement de la respiration normale.
☐ On peut administrer des agents anticholinestérasiques (édrophonium, néostigmine, pyridostigmine) pour contrecarrer les effets du mivacurium. On administre habituellement de l'atropine avant les agents anticholinestérasiques ou en même temps qu'eux pour contrecarrer les effets muscariniques. Il peut s'avérer nécessaire d'administrer des liquides et des vasopresseurs pour traiter l'hypotension grave ou le choc.

DIAGNOSTICS INFIRMIERS POSSIBLES
■ **Énoncés diagnostiques**
☐ Mode de respiration inefficace.
☐ Altération de la communication verbale.
☐ Peur.
☐ *Risque d'accident.*

■ **Facteurs favorisants**
☐ *Manque de connaissances sur les effets secondaires du médicament.*

N

- □ *Manque de connaissances sur les modalités du traitement.*
- □ *Mode de communication altéré par l'intubation endotrachéale.*

INTERVENTIONS INFIRMIÈRES

- □ Le mivacurium ne devrait être administré que par les personnes sachant pratiquer l'intubation endotrachéale. Garder à portée de la main le matériel nécessaire à cette intervention.
- □ Le mivacurium ne modifie pas l'état de la conscience ni le seuil de la douleur. Il faut *toujours* assurer une anesthésie et une analgésie adéquates lorsque le mivacurium est utilisé comme adjuvant lors d'une intervention chirurgicale ou d'examens douloureux. Lors de l'administration prolongée pendant la ventilation assistée, on devrait administrer des benzodiazépines ou des analgésiques, ou les deux à la fois, en même temps que le mivacurium, car le patient est éveillé et capable de ressentir toutes les sensations.
- □ Si les yeux du patient restent ouverts pendant toute la durée d'une administration prolongée, protéger sa cornée à l'aide de larmes artificielles.
- ■ **IV directe :** On peut administrer le mivacurium sans le diluer.
- □ *Vitesse d'administration :* Administrer en 5 à 15 min.
- ■ **Perfusion continue :** On peut diluer le mivacurium dans une solution de dextrose à 5 % dans de l'eau, ou une solution de dextrose à 5 % et de NaCl à 0,9 %, de NaCl à 0,9 % dans une solution de lactate Ringer ou de dextrose à 5 % dans du lactate Ringer, pour obtenir une concentration de 0,5 mg/mL. La solution est stable pendant 24 h à la température ambiante. Jeter toute quantité de mivacurium qui n'a pas été utilisée.
- □ *Vitesse d'administration :* Adapter la vitesse de perfusion selon la réponse du patient et le degré de stimulation des nerfs périphériques.
- ■ **Compatibilités (tubulure en Y) :** Alfentanil, dropéridol, fentanyl, midazolam, sulfentanil.
- ■ **Incompatibilités (tubulure en Y) :** Barbituriques.

ENSEIGNEMENT AU PATIENT ET À SES PROCHES

- □ Expliquer toutes les interventions au patient qui reçoit du mivacurium sans anesthésie, étant donné que ce médicament, administré seul, ne modifie pas l'état de conscience. Fournir au patient un soutien affectif.
- □ Expliquer au patient que ses capacités de communication se rétabliront lorsque les effets du médicament se dissiperont.

VÉRIFICATION DES RÉSULTATS

L'efficacité du traitement peut être démontrée par : ■ la suppression adéquate des soubresauts musculaires testée par la stimulation de nerfs périphériques et la paralysie musculaire subséquente.

NÉFAZODONE
Serzone

CLASSIFICATION :
Antidépresseur – divers

Grossesse – catégorie C

INDICATIONS

■ Traitement de la dépression, souvent en association avec la psychothérapie.

ACTION

■ Inhibition du recaptage de la sérotonine et de la noradrénaline par les neurones ■ Effet antagoniste sur les récepteurs alpha$_1$ adrénergiques. **Effets thérapeutiques :** ■ Effet antidépresseur, qui peut ne se manifester qu'après plusieurs semaines de traitement.

PHARMACOCINÉTIQUE

Absorption: Même si elle est bien absorbée, la néfazodone subit un métabolisme hépatique de premier passage important et variable (biodisponibilité d'environ 20 %).

Distribution: La néfazodone se répartit dans tout l'organisme et pénètre dans le SNC.

Métabolisme et excrétion: Médicament fortement métabolisé. Un métabolite, l'hydroxynéfazodone, exerce une activité antidépressive.

Demi-vie: *Néfazodone* – de 2 à 4 h; *hydroxynéfazodone* – de 1,5 à 4 h.

CONTRE-INDICATIONS ET PRÉCAUTIONS

Contre-indications: ■ Hypersensibilité ■ Traitement concomitant par l'astémizole ou la terfénadine.

Précautions: ■ Patients âgés (amorcer le traitement par une dose plus faible) ■ Comportement suicidaire ■ Antécédents de toxicomanie ■ Maladie cardiovasculaire ou vasculaire cérébrale sous-jacente ■ Antécédents de manie ■ Grossesse, allaitement ou enfants de moins de 18 ans (l'innocuité du médicament n'a pas été établie).

RÉACTIONS INDÉSIRABLES ET EFFETS SECONDAIRES

SNC: somnolence, insomnie, faiblesse, agitation, étourdissements, confusion.
ORLO: vision trouble, vision anormale, douleurs oculaires, acouphènes.
Resp.: dyspnée.
CV: hypotension, bradycardie.
GI: nausées, sécheresse de la bouche (xérostomie), constipation, gastro-entérite.
GU: impuissance.
Tég.: photosensibilité.
Hémat.: baisse de l'hématocrite.

INTERACTIONS

Médicament – médicament: ■ Dépression additive du SNC lors de l'usage concomitant d'autres dépresseurs du SNC, incluant l'alcool, les **antihistaminiques**, les **analgésiques opiacés** et les **hypnosédatifs** ■ L'administration concomitante de **terfénadine** ou d'**astémizole** peut entraîner des réactions cardiovasculaires parfois mortelles (éviter l'administration concomitante) ■ L'administration simultanée d'**inhibiteurs de la MAO** peut entraîner des réactions graves, voire mortelles (éviter l'administration concomitante ou laisser passer 14 jours entre la dernière dose d'IMAO et la première dose de néfazodone; arrêter le traitement par la néfazodone au moins 7 jours avant d'amorcer le traitement par un inhibiteur de la MAO) ■ La néfazodone peut élever les concentrations plasmatiques d'**alprazolam** ou de **triazolam** ■ La néfazodone peut augmenter les concentrations sériques de **digoxine** ■ Risque d'hypotension additive lors de l'administration simultanée d'**antihypertenseurs**, de **dérivés nitrés** ou de la consommation d'**alcool**.

PRÉSENTATIONS

■ Comprimés de 50, 100, 150, 200 et 300 mg.

VOIES D'ADMINISTRATION ET POSOLOGIE

■ **PO (adultes):** Initialement, 100 mg, deux fois par jour; on peut augmenter la dose chaque semaine jusqu'à concurrence de 600 mg par jour, en deux prises fractionnées.

■ **PO (personnes âgées):** Initialement, 50 mg, deux fois par jour; on peut augmenter la dose à intervalle de une semaine, selon la tolérance du patient.

PHARMACODYNAMIE
(effet antidépresseur)

	DÉBUT D'ACTION	PIC	DURÉE
PO	quelques jours à quelques semaines	plusieurs semaines	inconnue

✿ SOINS INFIRMIERS

ÉVALUATION DE LA SITUATION

□ Suivre l'état de conscience du patient et les sautes d'humeur. Prévenir le médecin si l'anxiété, la nervosité ou l'insomnie s'aggravent fortement.

□ Observer les tendances suicidaires, particulièrement au début du traitement. Réduire la quantité de médicament dont le patient peut disposer.

□ Mesurer la pression artérielle et le pouls avant le traitement et à intervalles réguliers pendant toute sa durée.

■ **Étude des examens diagnostiques et biochimiques**: La néfazodone peut entraîner une baisse de l'hématocrite et la leucopénie.

□ La néfazodone peut entraîner une élévation des concentrations de LDH, d'AST (TGOS) et d'ALT (TGPS).

□ La néfazodone peut également provoquer l'hypercholestérolémie et l'hypoglycémie.

DIAGNOSTICS INFIRMIERS POSSIBLES

■ **Énoncés diagnostiques**

□ Stratégies d'adaptation individuelle inefficaces.

□ Risque d'accident.

□ Prise en charge inefficace du programme thérapeutique.

□ *Risque d'atteinte à l'intégrité de la muqueuse buccale.*

□ *Risque d'atteinte à l'intégrité de la peau.*

■ **Facteurs favorisants**

□ Informations incomplètes.

□ Perturbation de la vigilance.

□ *Manque de connaissances sur les effets hypotensifs du médicament et sur les moyens de les prévenir.*

□ *Manque de connaissances sur les moyens de prévenir les effets secondaires du médicament.*

□ *Manque de connaissances sur les moyens de prévenir ou de réduire la sécheresse de la bouche.*

□ *Manque de connaissances sur les moyens de prévenir la photosensibilité.*

INTERVENTIONS INFIRMIÈRES

■ **PO**: Administrer les doses deux fois par jour.

ENSEIGNEMENT AU PATIENT ET À SES PROCHES

□ Conseiller au patient de respecter scrupuleusement la posologie recommandée. Plusieurs semaines peuvent s'écouler avant que la pleine réponse antidépressive ne se manifeste. Une fois la réponse obtenue, le patient devrait poursuivre le traitement pendant au moins 6 mois. Si le patient n'a pu prendre le médicament au moment habituel, il doit le prendre dès que possible, à moins que ce ne soit presque l'heure prévue pour la dose suivante. Lui recommander de ne jamais remplacer une dose manquée par une double dose.

□ Prévenir le patient que la néfazodone peut provoquer de la somnolence et des étourdissements. Lui recommander de ne pas conduire et d'éviter les activités qui exigent de la vigilance jusqu'à ce qu'on ait la certitude que le médicament n'entraîne pas ces effets chez lui.

□ Recommander au patient de changer lentement de position afin de réduire les risques d'hypotension orthostatique.

□ Mettre en garde le patient contre la consommation d'alcool et la prise d'autres dépresseurs du SNC en même temps que la néfazodone. Lui recommander également de ne pas prendre d'autre médicaments sur ordonnance ou en vente libre sans avoir consulté préalablement le médecin ou le pharmacien.

□ Recommander au patient de se rincer fréquemment la bouche, de pratiquer une bonne hygiène orale et de consommer de la gomme ou des bonbons sans sucre pour soulager la séche-resse de la bouche. Si ce symptôme persiste pendant plus de deux se-maines, lui conseiller de consulter le médecin ou le dentiste concernant l'utilisation de substituts de salive.

☐ Conseiller à la patiente de prévenir le médecin si elle souhaite devenir en-ceinte, si elle pense l'être ou si elle allaite.

☐ Conseiller au patient d'utiliser un écran solaire et de porter des vête-ments protecteurs afin de prévenir les réactions de photosensibilité.

☐ Recommander au patient de signaler au médecin les signes d'allergie, tels que le rash et l'urticaire, l'agitation, une vision trouble ou d'autres chan-gements de la vision, la confusion, les étourdissements, l'instabilité, les mic-tions difficiles ou fréquentes, la dif-ficulté à concentrer l'attention ou les troubles de la mémoire.

☐ Insister sur l'importance des examens de suivi permettant d'évaluer l'effica-cité du traitement. Inciter le patient à s'engager dans une psychothérapie.

VÉRIFICATION DES RÉSULTATS

L'efficacité du traitement peut être démontrée par : ■ une sensation de mieux-être ☐ un regain d'intérêt pour l'entourage. Les pleins effets antidépresseurs peuvent ne pas se manifester avant plusieurs semai-nes. Il faut réévaluer à intervalles régu-liers la nécessité de poursuivre le traite-ment. Le traitement dure habituellement 6 mois ou plus.

PACLITAXEL
Taxol

CLASSIFICATION :
Antinéoplasique (agent qui agit sur les microtubules)

Grossesse – catégorie D

INDICATIONS
■ Traitement du cancer métastatique de l'ovaire n'ayant pas répondu à un trai-tement standard.

ACTION
■ Inhibition de la fonction normale des microtubules nécessaire à l'interphase et à la mitose. **Effets thérapeutiques :** ■ Des-truction des cellules à croissance rapide, particulièrement des cellules malignes.

PHARMACOCINÉTIQUE
Absorption : Par suite de l'administration IV, la biodisponibilité est totale.
Distribution : Inconnue.
Métabolisme et excrétion : Bien que des études approfondies ne l'aient pas con-firmé, le paclitaxel semble être fortement métabolisé par le foie.
Demi-vie : de 5,3 à 17,4 h.

CONTRE-INDICATIONS ET PRÉCAUTIONS
Contre-indications : ■ Hypersensibilité au paclitaxel ou à l'huile de ricin (le véhicule contient de l'huile de ricin polyoxéthylée) ■ Intolérance connue à l'alcool ■ Gros-sesse ou allaitement ■ Patients dont le nombre de leucocytes est $\leq 1,5 \times 10^9$/L.
Précautions : ■ Femmes en âge de procréer ■ Insuffisance hépatique grave, infections évolutives, diminution de la réserve mé-dullaire ou maladies chroniques débili-tantes ■ Enfants (l'innocuité du médica-ment n'a pas été établie).

RÉACTIONS INDÉSIRABLES ET EFFETS SECONDAIRES
CV : bradycardie, hypotension, anoma-lies de l'ECG.
GI : nausées, vomissements, diarrhée, sto-matite, résultats anormaux aux épreuves de l'exploration fonctionnelle hépatique.
Tég. : alopécie.
Hémat. : anémie, leucopénie, thrombocy-topénie.
MS : myalgie, arthralgie.

P

Neuro.: neuropathie périphérique.
Divers: réactions d'hypersensibilité incluant l'ANAPHYLAXIE.

INTERACTIONS

Médicament – médicament: ■ Le **kétoconazole** peut inhiber le métabolisme du paclitaxel et accroître le risque d'une intoxication grave; l'administration concomitante de ces deux agents devrait s'accompagner de prudence ■ Risque accru de dépression médullaire lors de l'administration concomitante de **cisplatine**.

PRÉSENTATIONS

■ Fioles de 30 mg à 5 mL par fiole.

VOIES D'ADMINISTRATION ET POSOLOGIE

D'autres schémas posologiques ont également été utilisés.

■ **IV (adultes):** 175 mg/m^2 en 3 h, toutes les 3 semaines. (Dans la monographie approuvée aux États-Unis, on recommande une dose de 135 mg/m^2.)

PHARMACODYNAMIE
(effet sur la numération leucocytaire)

	DÉBUT D'ACTION	PIC	DURÉE
IV	inconnu	11 jours	3 semaines

SOINS INFIRMIERS

ÉVALUATION DE LA SITUATION

□ Suivre à intervalles fréquents les signes vitaux, particulièrement durant la première heure de la perfusion.

□ Suivre de près les réactions d'hypersensibilité, qui sont fréquentes (19 %) durant l'administration du paclitaxel. Les manifestations les plus courantes sont la dyspnée, l'hypotension et les douleurs thoraciques. Le cas échéant, arrêter la perfusion et prévenir le médecin. Le traitement peut inclure l'administration de bronchodilatateurs, d'épinéphrine, d'antihistaminiques et de glucocorticoïdes. Garder à portée de la main ces agents et le matériel de réanimation pour parer à une réaction anaphylactique. D'autres manifestations d'une réaction d'hypersensibilité incluent les bouffées vasomotrices et le rash. On recommande d'administrer à *toutes* les patientes un traitement préalable à base d'un glucocorticoïde (dexaméthasone), de diphénhydramine et d'un antagoniste des récepteurs H$_2$ de l'histamine (cimétidine ou ranitidine).

□ Suivre de près la fonction cardiaque. L'hypotension et la bradycardie surviennent couramment, mais elles ne dictent habituellement aucun traitement. On recommande de surveiller l'ÉCG tout au long du traitement seulement chez les patientes présentant de graves anomalies de conduction sous-jacentes.

□ Suivre de près la fièvre, les frissons, les maux de gorge et les signes d'infection pendant toute la durée du traitement et prévenir le médecin, le cas échéant.

□ Vérifier la numération plaquettaire durant le traitement. Suivre de près les saignements: saignement des gencives, ecchymoses, pétéchies, présence de sang occulte dans les selles, l'urine et les vomissements. Éviter les injections IM et la prise de la température par voie rectale. Appliquer une pression sur les points de ponction pendant 10 min.

□ Une anémie peut survenir. Surveiller les signes de fatigue accrue, de dyspnée et d'hypotension orthostatique.

□ Observer l'apparition d'une neuropathie périphérique. En cas de symptômes graves, il faut réduire les doses subséquentes de 20 %.

□ Effectuer le bilan des ingesta et des excreta, noter l'appétit de la patiente et l'apport nutritionnel. Le paclitaxel entraîne des nausées et des vomissements chez 60 % des patientes. Demander au médecin s'il recommande un antiémétique en prophylaxie. La modification de l'alimentation en fonction des aliments que la patiente peut tolérer permet de maintenir l'équilibre hydro-électrolytique et l'état nutritionnel.

■ **Étude des examens diagnostiques et biochimiques:** Suivre de près la numération globulaire et la formule leucocytaire avant le traitement et à intervalles réguliers pendant toute sa durée. Le nadir de la leucopénie se produit en l'espace de 11 jours. Prévenir le médecin si le nombre de plaquettes est inférieur à $7,5 \times 10^{10}$/L.

□ Surveiller les résultats des épreuves de l'exploration fonctionnelle hépatique (AST [TGOS], ALT [TGPS], LDH, bilirubine), avant le traitement et à intervalles réguliers pendant toute sa durée, pour déceler la toxicité hépatique.

DIAGNOSTICS INFIRMIERS POSSIBLES
■ **Énoncés diagnostiques**
□ Risque d'infection.
□ Risque d'accident.
□ Prise en charge inefficace du programme thérapeutique.
□ *Risque de perturbation situationnelle de l'estime de soi.*
□ *Risque d'atteinte à l'intégrité de la muqueuse buccale.*

■ **Facteurs favorisants**
□ Informations incomplètes.
□ *Manque de connaissances sur les effets secondaires du médicament et les moyens de les prévenir.*
□ *Manque de connaissances sur les modalités du traitement.*
□ *Altération de l'image corporelle.*
□ *Manque de connaissances sur les effets hypotenseurs du médicament.*

INTERVENTIONS INFIRMIÈRES
■ **Perfusion continue:** Diluer le paclitaxel avant de l'injecter. Diluer le contenu d'une fiole de 5 mL (30 mg) pour obtenir une concentration de 0,3 à 1,2 mg/mL avec les diluants suivants:

NaCl à 0,9 %, dextrose à 5 % dans de l'eau, solution de dextrose à 5 % dans de l'eau et de NaCl à 0,9 %, ou solution de dextrose à 5 % dans une solution de Ringer. La solution est normalement trouble; il faut vérifier avant de l'administrer qu'elle ne contient pas de particules et n'a pas changé de couleur. Utiliser un filtre intégré dont les pores ne dépassent pas 0,22 μm. Les solutions sont stables pendant 27 h à la lumière et à la température ambiante. Ne pas utiliser de contenant ou de tubulures en chlorure de polyvinyle (PVC).

■ *Vitesse d'administration:* Administrer chaque dose par une perfusion de 3 h.

ENSEIGNEMENT AU PATIENT ET À SES PROCHES
□ Recommander à la patiente de signaler au médecin la fièvre, les frissons, les maux de gorge, les signes d'infection, les saignements des gencives, la formation d'ecchymoses, les pétéchies ou la présence de sang dans l'urine, les selles ou les vomissements. Expliquer à la patiente qu'elle doit éviter les foules et les personnes contagieuses. Lui recommander d'utiliser une brosse à dents à poils doux et un rasoir électrique.

□ Prévenir la patiente qu'elle ne doit pas boire de boissons alcoolisées ni prendre des médicaments renfermant de l'aspirine ou de l'ibuprofène.

□ Recommander à la patiente de prévenir le médecin en cas de douleurs abdominales, de jaunissement de la peau, de faiblesse, de paresthésie, de trouble de la démarche ou de douleurs musculaires ou articulaires.

□ Recommander à la patiente d'examiner sa muqueuse buccale à la recherche d'érythème ou d'aphtes. En cas d'aphtes, lui conseiller de remplacer la brosse à dents par une brosse-éponge et de se rincer la bouche avec de l'eau après avoir bu et mangé.

□ Expliquer à la patiente qu'elle risque de perdre ses cheveux. Explorer avec elle les stratégies lui permettant de s'adapter à ce changement.

□ Recommander à la patiente en âge de procréer d'adopter une méthode de contraception non hormonale.

□ Recommander à la patiente de ne pas se faire vacciner sans recommandation expresse du médecin.

□ Insister sur la nécessité d'effectuer des examens biochimiques et diagnostiques à intervalles réguliers pour suivre de près les effets secondaires.

VÉRIFICATION DES RÉSULTATS

L'efficacité du traitement peut être démontrée par : ■ la diminution du volume de la tumeur et le ralentissement de la propagation des cellules malignes.

PAROXÉTINE
Paxil

CLASSIFICATION :
Antidépresseur

Grossesse – catégorie B

INDICATIONS

■ Traitement de la dépression, souvent en association avec une psychothérapie ■ Traitement symptomatique à court terme du trouble obsessionnel compulsif ■ Traitement symptomatique à court terme du trouble panique, avec ou sans agoraphobie.

ACTION

■ Inhibition du recaptage de la sérotonine par les neurones du SNC, ce qui en potentialise l'activité. Faible effet sur la noradrénaline et la dopamine. **Effets thérapeutiques :** ■ Effets antidépresseur, antiobsessionnel et antipanique.

PHARMACOCINÉTIQUE

Absorption : Bonne absorption par suite de l'administration PO.

Distribution : La paroxétine se répartit dans tous les liquides et tissus de l'organisme, y compris le SNC. Elle pénètre dans le lait maternel.

Métabolisme et excrétion : Le médicament est fortement métabolisé par le foie. Une fraction minime (2 %) est excrétée à l'état inchangé par les reins.

Demi-vie : 21 h.

CONTRE-INDICATIONS ET PRÉCAUTIONS

Contre-indications : ■ Hypersensibilité ■ Traitement concomitant aux inhibiteurs de la MAO (risque de réactions graves pouvant mener à une issue fatale). **Précautions :** ■ Insuffisance hépatique ou rénale grave, personnes âgées ou patients débilités (amorcer le traitement à des doses plus faibles ; la dose quotidienne ne devrait pas dépasser 40 mg) ■ Antécédents de manie ■ Grossesse, allaitement ou enfants (l'innocuité du médicament n'a pas été établie) ■ Comportement suicidaire.

RÉACTIONS INDÉSIRABLES ET EFFETS SECONDAIRES

SNC : somnolence, étourdissements, insomnie, tremblements, nervosité, anxiété, céphalées, faiblesse, malaises, agitation, sensation « droguée », stimulation du SNC, confusion, amnésie, manque de concentration, dépression, instabilité affective, vertiges.

ORLO : atteinte oropharyngée, rhinite, vision trouble.

Resp. : troubles respiratoires, bâillements, pharyngite, toux accrue.

CV : douleurs thoraciques, palpitations, vasodilatation, hypotension posturale, hypertension, syncope, tachycardie, œdème.

GI : nausées, sécheresse de la bouche (xérostomie), constipation, diarrhée, perte d'appétit, flatulence, vomissements, douleurs abdominales, dyspepsie, gain d'appétit, altération du goût.

GU : troubles éjaculatoires, troubles génitaux (hommes), diminution de la libido, mictions fréquentes, troubles urinaires, troubles génitaux (femmes).

Tég. : transpiration, rash, prurit.

Métab. : gain de poids, perte de poids.

Loc. : douleurs lombaires, myopathie, myalgie, myasthénie.

SN : paresthésie, myoclonie.

Divers : fièvre, frissons.

INTERACTIONS

Médicament – médicament : ■ Risque de réactions graves et même mortelles (hyperthermie, rigidité, myoclonie, instabilité neurovégétative, avec fluctuation des signes vitaux et agitation extrême pouvant mener au délire et au coma) lors de l'administration concomitante d'un **inhibiteur de la MAO**. Il faut cesser l'administration des IMAO au moins 14 jours avant d'amorcer le traitement par la paroxétine. De même, il faut arrêter l'administration de la paroxétine au moins 14 jours avant d'entreprendre le traitement par un IMAO ■ La paroxétine peut ralentir le métabolisme et augmenter les effets de certains médicaments métabolisés par le foie, notamment les autres **antidépresseurs**, les **phénothiazines**, les **antiarythmiques du groupe IC**, la **procyclidine** et la **quinidine**. L'usage concomitant de ces médicaments et de la paroxétine devrait se faire avec prudence ■ La **cimétidine** élève les concentrations sanguines de paroxétine ■ Le **phénobarbital** et la **phénytoïne** peuvent diminuer l'efficacité de la paroxétine ■ La consommation simultanée d'**alcool** est déconseillée ■ La paroxétine peut diminuer l'efficacité de la **digoxine** ■ L'usage concomitant de **tryptophane** peut entraîner des céphalées, des nausées, de la transpiration et des étourdissements ■ La paroxétine peut augmenter le risque de saignement sans que le temps de prothrombine soit modifié si elle est administrée en même temps que la **warfarine**.

PRÉSENTATIONS

■ Comprimés de 20 et 30 mg.

VOIES D'ADMINISTRATION ET POSOLOGIE

(*Remarque :* Chez les personnes âgées, les patients débilités ou les patients souffrant d'une insuffisance rénale ou hépatique grave, la dose initiale devrait être de 10 mg/jour et ne devrait pas dépasser 40 mg/jour.)

■ **PO (adultes) :** *Dépression* – débuter avec une seule dose de 20 mg le matin ; on peut augmenter la dose de 10 mg/jour, à des intervalles hebdomadaires (éventail des doses de 20 à 50 mg). *Trouble obsessionnel-compulsif* – débuter avec une seule dose de 20 mg le matin ; on peut augmenter graduellement la dose, jusqu'à un maximum de 60 mg/jour. La dose recommandée est de 40 mg/jour. *Trouble panique* – débuter avec une seule dose de 10 mg le matin ; on peut augmenter graduellement la dose jusqu'à un maximum de 60 mg/jour. La dose recommandée est de 40 mg/jour.

PHARMACODYNAMIE
(effets antidépresseurs)

	DÉBUT D'ACTION	PIC	DURÉE
PO	1–4 semaines	inconnu	inconnue

SOINS INFIRMIERS

ÉVALUATION DE LA SITUATION

☐ Suivre de près les sautes d'humeur. Informer le médecin si le patient devient plus anxieux ou nerveux ou si l'insomnie s'aggrave.

☐ Observer les tendances suicidaires, particulièrement durant le traitement initial. Réduire la quantité de médicament dont le patient peut disposer.

□ Suivre de près l'appétit et l'alimentation. Peser le patient toutes les semaines. Avertir le médecin en cas de perte continue de poids. Adapter le régime selon les aliments que le patient peut tolérer afin de maintenir l'état nutritionnel.

■ **Étude des examens diagnostiques et biochimiques:** Examiner la numération globulaire et la formule leucocytaire tout au long du traitement. Prévenir le médecin en cas de leucopénie ou d'anémie.

DIAGNOSTICS INFIRMIERS POSSIBLES

■ **Énoncés diagnostiques**
□ Stratégies d'adaptation individuelle inefficaces.
□ Prise en charge inefficace du programme thérapeutique.
□ *Risque d'accident.*
□ *Risque de déficit nutritionnel.*
□ *Risque d'atteinte à l'intégrité de la muqueuse buccale.*

■ **Facteurs favorisants**
□ Informations incomplètes.
□ *Perturbation de la vigilance.*
□ *Manque de connaissances sur le régime alimentaire à suivre.*
□ *Manque de connaissances sur les moyens de prévenir ou de réduire la sécheresse de la bouche.*

INTERVENTIONS INFIRMIÈRES

■ **PO:** Administrer la paroxétine en une seule dose, le matin.

ENSEIGNEMENT AU PATIENT ET À SES PROCHES

□ Conseiller au patient de respecter scrupuleusement la posologie recommandée. S'il n'a pu prendre le médicament au moment habituel, lui conseiller de ne pas prendre cette dose et de revenir au schéma habituel. Lui recommander de ne jamais remplacer une dose manquée par une double dose.

□ Prévenir le patient que la paroxétine peut provoquer de la somnolence et des étourdissements. Lui recommander de ne pas conduire et d'éviter les activités qui exigent de la vigilance jusqu'à ce qu'on ait la certitude que le médicament n'entraîne pas ces effets chez lui.

□ Conseiller au patient d'éviter de consommer de l'alcool et de prendre d'autres dépresseurs du SNC en même temps que la paroxétine. Lui recommander de consulter le médecin avant de prendre d'autres médicaments en même temps que la paroxétine.

□ Expliquer au patient qu'il peut soulager la sécheresse de la bouche en se rinçant souvent la bouche, en pratiquant une bonne hygiène orale et en consommant de la gomme ou des bonbons sans sucre. Si la sécheresse de la bouche persiste pendant plus de deux semaines, lui conseiller de consulter le médecin ou le pharmacien, qui pourra lui recommander des substituts de salive.

□ Conseiller à la patiente de prévenir le médecin si elle souhaite devenir enceinte ou si elle pense l'être, ou si elle allaite.

□ Recommander au patient de prévenir le médecin si les céphalées, la faiblesse, les nausées, l'anorexie, l'anxiété ou l'insomnie persistent.

□ Insister sur l'importance des examens de suivi permettant de déterminer les effets du traitement. Inciter le patient à suivre une psychothérapie.

VÉRIFICATION DES RÉSULTATS

L'efficacité du traitement peut être démontrée par: ■ une sensation de mieux-être ■ un regain d'intérêt pour l'entourage. Les effets antidépresseurs peuvent ne pas se manifester avant 1 à 4 semaines ■ une amélioration du trouble obsessionnel-compulsif et du trouble panique.

PENTOSTATINE
Nipent

CLASSIFICATION:
Antinéoplasique – inhibiteur enzymatique

Grossesse – catégorie D

INDICATIONS

■ Traitement de la leucémie à tricholeucocytes (leucémie à cellules chevelues) chez l'adulte.

ACTION

■ Inhibition de l'adénosine-désaminase (ADA), une enzyme qui bloque la synthèse de l'ADN, particulièrement dans les cellules T du système lymphoïde. **Effets thérapeutiques :** ■ Diminution des signes et des symptômes de la maladie (rétablissement des paramètres hématologiques, diminution des symptômes d'organomégalie et de lymphadénopathie).

PHARMACOCINÉTIQUE

Absorption : Par suite de l'administration IV, la biodisponibilité est totale.

Distribution : Inconnue.

Métabolisme et excrétion : La pentostatine et ses métabolites sont excrétés par les reins.

Demi-vie : 6 h (prolongée en présence d'une insuffisance rénale).

CONTRE-INDICATIONS ET PRÉCAUTIONS

Contre-indications : ■ Hypersensibilité à la pentostatine ou au mannitol.

Précautions : ■ Maladie cardiovasculaire sous-jacente, convulsions, maladie hépatique ou rénale préexistante, maladie pulmonaire ou autres maladies chroniques débilitantes ■ Patientes en âge de procréer ■ Grossesse, allaitement ou enfants (l'innocuité du médicament n'a pas été établie).

RÉACTIONS INDÉSIRABLES ET EFFETS SECONDAIRES

SNC : CONVULSIONS, fatigue, céphalées, anxiété, confusion, dépression, étourdissements, insomnie, nervosité, somnolence, faiblesse, malaise.

ORLO : vision anormale, conjonctivite, douleurs auriculaires, douleurs oculaires.

Resp. : toux, bronchite, dyspnée, pneumonie, pharyngite, rhinite, sinusite.

CV : douleurs thoraciques, œdème périphérique, arythmies, anomalies du tracé ÉCG.

GI : anorexie, nausées, vomissements, diarrhée, constipation, flatulence, douleurs abdominales, stomatite.

GU : toxicité rénale, hématurie, dysurie.

Tég. : rash, herpès, zona, prurit, changement de la couleur de la peau, séborrhée, transpiration, peau sèche, eczéma, ecchymoses, pétéchies, photosensibilité.

Hémat. : anémie, leucopénie, thrombocytopénie, hémorragie, thrombophlébite.

Métab. : perte de poids.

Loc. : douleurs lombaires, myalgie, arthralgie.

SN : paresthésie.

Divers : lymphadénopathie, infection, douleurs, réactions allergiques, frissons, néoplasmes secondaires.

INTERACTIONS

Médicament – médicament : ■ Risque accru de toxicité pulmonaire et d'issue fatale lors de l'usage concomitant de **fludarabine** ■ La pentostatine intensifie les effets de la **vidarabine**, ce qui peut entraîner une toxicité accrue.

PRÉSENTATIONS

■ Fiole de 5 mL.

VOIES D'ADMINISTRATION ET POSOLOGIE

■ **IV (adultes) :** 4 mg/m^2, toutes les deux semaines.

P

PHARMACODYNAMIE
(réponse clinique)

	DÉBUT D'ACTION	PIC	DURÉE
IV	4,7 mois	inconnu	> 7,7 mois (de 1,4 à 35,1 mois)

☀ SOINS INFIRMIERS

ÉVALUATION DE LA SITUATION

☐ Suivre de près l'apparition d'une toxicité pour le SNC, qui se manifeste initialement par la léthargie et qui peut évoluer vers des convulsions et le coma. Il faut cesser l'administration du médicament dans ce cas.

☐ Effectuer le bilan des ingesta et des excreta et surveiller la fonction rénale ; assurer une hydratation adéquate. Administrer de 500 à 1 000 mL de dextrose à 5 % dans une solution de NaCl à 0,45 % avant d'injecter la pentostatine et 500 mL de dextrose à 5 % dans de l'eau ou une solution similaire après l'administration de la pentostatine.

☐ Suivre de près les signes de réactions allergiques, incluant les réactions anaphylactiques et le rash. On peut interrompre le traitement en cas de rash grave ou d'anaphylaxie. Garder à portée de la main de l'épinéphrine, un antihistaminique et le matériel de réanimation pendant toute la durée du traitement.

☐ Surveiller les signes d'infection (altération des signes vitaux, accroissement du nombre de leucocytes) pendant toute la durée du traitement. Il est conseillé de ne pas administrer la dose si une infection apparaît au cours du traitement.

■ **Étude des examens diagnostiques et biochimiques** : Avant d'amorcer le traitement, évaluer la fonction rénale par la mesure des concentrations de créatinine sérique ou de la clearance de la créatinine. On devrait mesurer les concentrations de créatinine sérique avant d'administrer chaque dose. Il est conseillé de ne pas administrer la dose si la concentration de la créatinine sérique est élevée.

☐ Noter la numération globulaire avant l'administration de chaque dose et à intervalles réguliers pendant toute la durée du traitement. On devrait interrompre pendant un certain temps l'administration de la pentostatine chez le patient dont le nombre de polynucléaires neutrophiles était initialement supérieur à $0,5 \times 10^9$/L si, au cours du traitement, il tombe à moins de $0,2 \times 10^9$/L. On reprendra le traitement lorsque le nombre de polynucléaires neutrophiles sera revenu aux valeurs d'avant le traitement.

☐ La pentostatine peut entraîner des résultats élevés aux épreuves de l'exploration fonctionnelle hépatique.

☐ Noter, à intervalles réguliers pendant toute la durée du traitement, le nombre de tricholeucocytes afin de déterminer la réponse au médicament.

☐ On peut effectuer des aspirations de la moelle osseuse et des biopsies tous les 2 à 3 mois afin d'évaluer la réponse au traitement.

DIAGNOSTICS INFIRMIERS POSSIBLES

■ **Énoncés diagnostiques**

☐ Risque d'infection.

☐ Prise en charge inefficace du programme thérapeutique.

☐ *Risque d'accident.*

☐ *Risque de surinfection.*

☐ *Risque de réactions allergiques.*

■ **Facteurs favorisants**

☐ Informations incomplètes.

☐ *Manque de connaissances sur les modalités du traitement.*

☐ *Manque de connaissances sur les effets secondaires du médicament et sur les moyens de les prévenir.*

☐ *Manque de connaissances sur les moyens de réduire la photosensibilité.*

INTERVENTIONS INFIRMIÈRES

- **Directives générales:** La pentostatine ne devrait être administrée que sous la surveillance d'un médecin compétent et expérimenté en chimiothérapie antinéoplasique.
- ☐ Préparer la solution sous une hotte biologique de sécurité. Porter des gants, un vêtement protecteur et un masque pendant la manipulation de ce médicament. Jeter le matériel dans les contenants réservés à cet effet (voir l'annexe I du *Guide*).
- ☐ Reconstituer la solution en ajoutant 5 mL d'eau stérile pour injection à chaque fiole de 10 mg pour obtenir une concentration de 2 mg/mL. Secouer vigoureusement la fiole jusqu'à la dissolution complète du médicament.
- **IV directe:** On peut administrer le médicament sans le diluer.
- *Vitesse d'administration:* Injecter sous forme de bolus intraveineux en 5 min.
- **Perfusion intermittente:** Diluer dans 25 à 50 mL d'une solution de dextrose à 5 % dans de l'eau ou de NaCl à 0,9 %. Les solutions sont stables pendant 8 h à la température ambiante. Jeter toute portion inutilisée.
- **Compatibilités (tubulure en Y):** Fludarabine, ondansétron, sargramostim.

ENSEIGNEMENT AU PATIENT ET À SES PROCHES

- ☐ Recommander au patient de signaler immédiatement au médecin ou à l'infirmière le rash ou les signes d'anaphylaxie.
- ☐ Conseiller au patient d'avertir rapidement le médecin en cas de fièvre, de frissons, de maux de gorge ou de signes d'infection. Expliquer au patient qu'il doit éviter les foules et les personnes contagieuses.
- ☐ Conseiller au patient d'utiliser un écran solaire et de porter des vêtements protecteurs pour prévenir les réactions de photosensibilité.

VÉRIFICATION DES RÉSULTATS

L'efficacité du traitement peut être démontrée par: ■ la diminution du nombre de tricholeucocytes dans le sang périphérique et dans la moelle osseuse ■ la diminution des symptômes d'organomégalie ■ la diminution des symptômes de lymphadénopathie.

PIPÉRACILLINE
Pipracil

PIPÉRACILLINE/ TAZOBACTAM
Tazocin, (Zosyn)

CLASSIFICATION:
Anti-infectieux – pénicilline à très large spectre

Grossesse – catégorie B

INDICATIONS

- **Pipéracilline:** Traitement des infections graves dues aux micro-organismes sensibles dont: ☐ les infections de la peau et des tissus mous ☐ les infections des os et des articulations ☐ la septicémie ☐ les infections des voies respiratoires inférieures ☐ les infections intra-abdominales ☐ les infections gynécologiques et urinaires ■ Traitement d'association avec un aminoside (l'action contre *Pseudomonas* peut être synergique) ■ Précédents de traitement d'association avec d'autres antibiotiques en présence d'infections chez des patients immunodéprimés ■ Prophylaxie périopératoire, lors d'interventions chirurgicales abdominales ou génito-urinaires. **Usage non approuvé:** ■ Interventions chirurgicales à la tête et au cou. ■ **Pipéracilline/tazobactam:** ☐ Appendicite et péritonite ☐ Infections de la peau et des tissus mous (y compris cellulite, abcès cutané, infection du pied chez le diabétique). **Usages non approuvés:** □ Infections gynécologiques □ Pneumonie extra-hospitalière due à des bactéries productrices de bêtalactamases qui résistent à la pipéracilline.

ACTION

■ **Pipéracilline:** Se lie à la membrane cellulaire bactérienne et provoque la destruction de la bactérie. Le spectre d'action est plus large que celui d'autres pénicillines ■ **Tazobactam:** Inhibition de la bêtalactamase, enzyme capable de détruire les pénicillines. **Effets thérapeutiques:** ■ Effet bactéricide contre les bactéries sensibles. **Spectre d'action:** ■ **Pipéracilline:** Spectre d'action semblable à celui des pénicillines, mais considérablement plus large, qui englobe plusieurs bactéries aérobies Gram négatif importantes, dont: □ *Pseudomonas aeruginosa* □ *Escherichia coli* □ *Proteus mirabilis* □ *Providencia rettgeri* □ *Neisseria gonorrhϕæ* ■ La pipéracilline est également active contre certaines bactéries anaérobies comprenant les *Bacteroides* ■ La pipéracilline seule n'a pas d'effet sur les staphylocoques qui produisent des pénicillinases ni sur les *Enterobacteriaceæ* qui produisent des bêtalactamases ■ **Pipéracilline/tazobactam:** L'association agit sur les bactéries suivantes productrices de bêtalactamases qui résistent à la pipéracilline: □ *Bacteroides fragilis* □ *E. coli* □ *Staphylococcus aureus* □ *Hæmophilus influenzæ*.

PHARMACOCINÉTIQUE

Absorption: Bonne absorption (80 %) depuis les points d'injection IM.

Distribution: Le médicament se répartit dans tout l'organisme. Il ne pénètre suffisamment dans le liquide céphalorachidien qu'en présence d'une inflammation des méninges. Il traverse le placenta et pénètre à faibles concentrations dans le lait maternel.

Métabolisme et excrétion: La pipéracilline est surtout excrétée à l'état inchangé par les reins (90 %). Une fraction de 10 % est excrétée dans la bile. Le tazobactam est excrété par les reins à 80 %.

Demi-vie: de 0,7 à 1,3 h.

CONTRE-INDICATIONS ET PRÉCAUTIONS

Contre-indications: ■ Hypersensibilité aux pénicillines, aux céphalosporines ou au tazobactam.

Précautions: ■ Insuffisance rénale (il est recommandé de réduire la dose ou d'augmenter l'intervalle entre les doses si la clearance de la créatinine < 0,66 mL/s) ■ Grossesse et allaitement (l'innocuité du médicament n'a pas été établie) ■ Régimes hyposodés.

RÉACTIONS INDÉSIRABLES ET EFFETS SECONDAIRES

Pipéracilline

SNC: confusion, léthargie, CONVULSIONS (doses élevées).

CV: insuffisance cardiaque, arythmies.

Tég.: rash, urticaire.

HÉ: hypokaliémie, hypernatrémie.

GI: nausées, diarrhée, hépatite.

GU: hématurie (enfants seulement), néphrite interstitielle.

Hémat.: hémorragie, dyscrasie, allongement du temps de saignement.

Locaux: phlébite au point d'injection IV, douleur au point d'injection IM.

Métab.: alcalose métabolique.

Divers: surinfection, réactions d'hypersensibilité incluant l'ANAPHYLAXIE et la maladie du sérum.

Pipéracilline/tazobactam

SNC: céphalées, insomnie, agitation, étourdissements.

ORLO: rhinite.

Resp.: dyspnée.

CV: douleurs thoraciques, œdème, hypertension.

Tég.: rash.

Divers: fièvre, surinfection.

INTERACTIONS

Médicament – médicament: ■ Le **probénécide** diminue l'excrétion rénale du médicament et en augmente les concentrations sanguines ■ Le médicament peut modifier l'excrétion du **lithium** ■ Les **diurétiques**, les **glucocorticoïdes** ou l'**amphotéricine B**, administrés simultanément, peuvent augmenter le risque d'hypokaliémie ■ Risque additif de toxicité hépatique lors de l'administration simultanée d'autres **agents hépatotoxiques** ■ Chez les patients souffrant d'insuffisance rénale, le médicament peut diminuer la demi-vie des **aminosides** (administrés par différentes voies).

PRÉSENTATIONS

Pipéracilline
■ Fioles de 2, 3, 4 et 40 g.

Pipéracilline/tazobactam
■ Fioles de 2 g de pipéracilline avec 0,25 g de tazobactam, de 3 g de pipéracilline avec 0,375 g de tazobactam, de 4 g de pipéracilline avec 0,5 g de tazobactam.

VOIES D'ADMINISTRATION ET POSOLOGIE

Pipéracilline
La préparation contient 1,85 mmol de sodium par gramme de pipéracilline.

■ **IM, IV (adultes):** de 2 à 4 g, toutes les 4 à 6 h; on recommande d'administrer des doses plus faibles en cas d'infections urinaires non compliquées ou de pneumonie extra-hospitalière. Pour traiter une urétrite gonococcique non compliquée, administrer par voie IM 2 g de pipéracilline 30 min après une dose par voie orale de 1 g de probénécide.

Pipéracilline/tazobactam
La préparation contient 2,35 mmol de sodium par gramme de pipéracilline.

■ **IV (adultes):** La dose usuelle est de 3 g de pipéracilline avec 0,375 g de tazobactam, toutes les 6 h. Pour le traitement des infections intra-abdo-

minales, on recommande 4 g de pipéracilline avec 0,5 g de tazobactam, toutes les 8 h. La posologie doit être ajustée en cas d'insuffisance rénale.

PHARMACODYNAMIE
(concentrations sanguines)

	DÉBUT D'ACTION	PIC
IM	rapide	30–50 min
IV	rapide	fin de la perfusion

SOINS INFIRMIERS

ÉVALUATION DE LA SITUATION

☐ Au début du traitement et pendant toute sa durée, suivre de près les signes suivants d'infection: altération des signes vitaux, aspect de la plaie, des crachats, de l'urine et des selles, accroissement du nombre de leucocytes.

☐ Recueillir les antécédents du patient avant d'amorcer le traitement afin de déterminer ses réactions à un traitement antérieur à une pénicilline ou à une céphalosporine. Même les personnes n'ayant jamais manifesté d'hypersensibilité à la pénicilline peuvent présenter une réaction allergique.

☐ Prélever des échantillons pour les cultures et les antibiogrammes avant le début du traitement. La première dose peut être administrée avant que les résultats soient connus.

☐ Surveiller les signes et les symptômes suivants d'anaphylaxie: rash, prurit, œdème laryngé, respiration sifflante. Si ces réactions se manifestent, arrêter l'administration du médicament et avertir immédiatement le médecin. Garder à portée de la main de l'épinéphrine, un antihistaminique et le matériel de réanimation pour parer à une éventuelle réaction anaphylactique.

■ **Étude des examens diagnostiques et biochimiques:** Noter, avant le traitement et à intervalles réguliers pendant toute sa durée, les résultats des épreuves de l'exploration fonctionnelle hépatique et rénale, la numération globulaire, les concentrations sériques de potassium et le temps de saignement.

□ Le médicament peut positiver les résultats du test de Coombs direct.

□ Le médicament peut entraîner l'élévation des concentrations sériques d'urée, de créatinine, de TGOS (AST), de TGPS (ALT), de bilirubine et de LDH.

□ La *pipéracilline* peut entraîner l'élévation des concentrations sériques de sodium et la diminution des concentrations sériques de potassium.

□ L'association *pipéracilline/tazobactam* peut entraîner une chute de l'hémoglobine et de l'hématocrite ainsi que la thrombocytopénie, l'éosinophilie, la leucopénie, la neutropénie, l'allongement du temps de prothrombine et du temps de céphaline et l'élévation des concentrations de phosphatase alcaline. Elle peut également provoquer la protéinurie, l'hématurie, la pyurie, l'hyperglycémie, la diminution des concentrations de protéines totales ou d'albumine et des anomalies des concentrations de sodium, de potassium et de calcium.

DIAGNOSTICS INFIRMIERS POSSIBLES

■ **Énoncés diagnostiques**

□ Risque d'infection.

□ Prise en charge inefficace du programme thérapeutique.

□ *Risque de douleur au point d'injection IV.*

□ *Risque d'anxiété.*

□ *Risque de déséquilibre hydroélectrolytique.*

□ *Risque d'accident.*

□ *Risque de surinfection.*

■ **Facteurs favorisants**

□ Informations incomplètes.

□ *Inflammation locale du tissu vasculaire ou infiltration du médicament dans les tissus avoisinants.*

□ *Douleur au point d'injection IV.*

□ *Manque de connaissances sur les modalités du traitement.*

□ *Manque de connaissances sur les moyens de prévenir les effets secondaires du médicament.*

INTERVENTIONS INFIRMIÈRES

Pipéracilline

■ **IM :** Pour reconstituer la solution destinée à la voie IM, ajouter 4 mL, 6 mL ou 8 mL d'eau stérile, d'eau bactériostatique ou d'une solution de NaCl à 0,9 % pour injection ou de chlorhydrate de lidocaïne pour injection (sans épinéphrine) à 0,5 ou à 1 % au contenu d'une fiole de 2 g, de 3 g ou de 4 g, respectivement, afin d'obtenir une concentration de 0,4 g/mL.

□ Injecter la préparation profondément dans une masse musculaire bien développée et bien masser. On ne devrait pas administrer plus de 2 g dans un même point d'injection.

■ **IV :** La reconstitution initiale de la solution destinée à la voie IV doit se faire avec au moins 10 mL d'eau stérile pour injection, d'eau bactériostatique ou de solution de NaCl à 0,9 %. Bien mélanger jusqu'à dissolution complète. La solution reconstituée est stable pendant 24 h à la température ambiante et pendant 72 h au réfrigérateur.

□ Changer de point d'injection IV toutes les 48 h pour prévenir la phlébite.

■ **IV directe :** Injecter la préparation lentement, en 3 à 5 min, pour réduire l'irritation veineuse.

■ **Perfusion intermittente :** Diluer la pipéracilline dans au moins 50 mL de solution de NaCl à 0,9 %, de dextrose à 5 % dans de l'eau, de dextrose à 5 % dans une solution de NaCl à 0,9 % ou de lactate Ringer.

□ *Vitesse d'administration:* Administrer l'agent en 20 à 30 min dans une tubulure en Y.

■ **Association compatible dans la même seringue:** Héparine.

■ **Compatibilités (tubulure en Y):** Acyclovir, ciprofloxacine, cyclophosphamide, énalaprilate, esmolol, famotidine, fludarabine, foscarnet, hydromorphone, labétalol, mépéridine, morphine, perphénazine, sulfate de magnésium, vérapamil ou zidovudine.

■ **Incompatibilités (tubulure en Y):** Fluconazole ou ondansétron. S'il faut administrer en même temps des aminosides et des pénicillines, les injecter à des points différents.

Pipéracilline/tazobactam

■ **Perfusion intermittente:** Reconstituer avec 5 mL d'une solution de NaCl à 0,9 %, d'eau stérile ou bactériostatique pour injection, de solution de dextran à 6 % dans une solution saline ou de dextrose à 5 % dans de l'eau pour chaque gramme de pipéracilline. Ne pas utiliser de lactate Ringer, car les deux agents sont incompatibles. Bien mélanger jusqu'à dissolution complète. Diluer de nouveau dans au moins 50 mL de diluant. Jeter toute portion inutilisée après 12 h si la solution a été gardée à la température ambiante ou après 48 h si elle a été réfrigérée.

■ *Vitesse d'administration:* Administrer en au moins 30 min.

ENSEIGNEMENT AU PATIENT ET À SES PROCHES

□ Recommander au patient de signaler au médecin l'allergie et les signes suivants de surinfection: excroissance noire pileuse sur la langue, démangeaisons ou pertes vaginales, selles molles ou nauséabondes.

VÉRIFICATION DES RÉSULTATS

La réponse clinique peut être déterminée par: ■ la disparition des signes et des symptômes d'infection. Le temps de résolution dépend du micro-organisme en cause et du siège de l'infection.

RIFABUTINE
Mycobutin

CLASSIFICATION:
Agent antimycobactérien

Grossesse – catégorie B

INDICATIONS

■ Prévention de la dissémination du complexe *Mycobacterium avium* (MAC) chez les patients souffrant d'une infection avancée par le virus de l'immunodéficience humaine (VIH).

ACTION

■ Inhibition de l'ARN-polymérase dépendante de l'ADN, dans les micro-organismes sensibles. **Effets thérapeutiques:** ■ Effet mycobactéricide contre les micro-organismes sensibles. **Spectre d'action:** ■ La rifabutine agit contre *Mycobacterium avium* et contre la plupart des souches de *Mycobacterium tuberculosis*.

PHARMACOCINÉTIQUE

Absorption: Bonne absorption par suite de l'administration PO (de 50 à 85 %). L'absorption de la rifabutine est réduite à 20 % chez les patients séropositifs (VIH).

Distribution: Le médicament se répartit dans tous les liquides et tissus de l'organisme.

Métabolisme et excrétion: La rifabutine est métabolisée en grande partie par le foie. Une fraction < 5 % est excrétée à l'état inchangé par les reins.

Demi-vie: 45 h.

CONTRE-INDICATIONS ET PRÉCAUTIONS

Contre-indications: ■ Hypersensibilité; risque de réactions de sensibilité croisée

R

avec d'autres rifamycines (rifampine)
■ Tuberculose évolutive.

Précautions: ■ Grossesse, allaitement ou enfants (l'innocuité du médicament n'a pas été établie).

RÉACTIONS INDÉSIRABLES ET EFFETS SECONDAIRES

ORLO: coloration brun-orangé des larmes, troubles oculaires.

Resp.: dyspnée.

CV: oppression thoracique, douleurs thoraciques.

GI: coloration brun-orangé de la salive, hépatite, altération du goût.

GU: coloration brun-orangé de l'urine.

Tég.: rash, changement de la couleur de la peau.

Hémat.: neutropénie, thrombocytopénie, hémolyse.

Loc.: arthralgie, myosite.

Divers: coloration brun-orangé des liquides physiologiques, syndrome pseudogrippal.

INTERACTIONS

Médicament – médicament: ■ La rifabutine accélère le métabolisme et réduit l'efficacité d'autres médicaments, notamment des **glucocorticoïdes**, du **disopyramide**, de la **quinidine**, des **analgésiques opiacés**, des **hypoglycémiants oraux**, des **anticoagulants oraux**, des **œstrogènes**, des **contraceptifs oraux**, de la **phénytoïne**, du **vérapamil**, du **fluconazole**, du **tocaïnide**, de la **théophylline**, de la **zidovudine** et du **chloramphénicol**.

PRÉSENTATIONS

■ Capsules de 150 mg.

VOIES D'ADMINISTRATION ET POSOLOGIE

■ **PO (adultes):** 300 mg, en une seule dose quotidienne. En cas d'irritation gastrique, de nausées ou de vomissements, on peut administrer 150 mg, 2 fois par jour avec des aliments.

PHARMACODYNAMIE
(concentrations sanguines)

	DÉBUT D'ACTION	PIC
PO	rapide	2–4 h

SOINS INFIRMIERS

ÉVALUATION DE LA SITUATION

☐ Suivre de près, au début du traitement et pendant toute sa durée, les paramètres suivants, afin de découvrir l'apparition d'une tuberculose évolutive: concentrations des tuberculines purifiées (PPD), radiographie thoracique, analyses des crachats, du sang et des urines, biopsie des ganglions lymphatiques qui semblent anormaux. La rifabutine ne doit pas être administrée aux patients souffrant de tuberculose évolutive.

■ **Étude des examens diagnostiques et biochimiques:** Noter la numération globulaire à intervalles réguliers pendant toute la durée du traitement. La rifabutine peut entraîner la neutropénie et la thrombocytopénie.

DIAGNOSTICS INFIRMIERS POSSIBLES

■ **Énoncés diagnostiques**

☐ Risque d'infection.

☐ Prise en charge inefficace du programme thérapeutique.

☐ Non-observance du traitement médicamenteux.

☐ *Risque de surinfection.*

■ **Facteurs favorisants**

☐ Informations incomplètes.

☐ Doute quant aux bienfaits du médicament.

☐ *Manque de connaissances sur les modalités du traitement.*

☐ *Manque de connaissances sur les effets secondaires du médicament et sur les moyens de les prévenir.*

R

INTERVENTIONS INFIRMIÈRES

- **PO :** On peut administrer le médicament sans égard aux repas. Les aliments riches en gras ralentissent la vitesse d'absorption du médicament, mais pas son degré d'absorption. On peut mélanger la rifabutine avec certains aliments comme la compote de pommes. En cas d'irritation gastrique, administrer le médicament avec des aliments.

ENSEIGNEMENT AU PATIENT ET À SES PROCHES

- □ Inciter le patient à respecter scrupuleusement la posologie recommandée et à prendre toute la quantité de médicament qui lui a été prescrite même s'il se sent mieux. Le prévenir qu'il ne faut pas sauter de dose ni remplacer une dose manquée par une double dose.

- □ Conseiller au patient de prévenir rapidement le médecin si des signes ou des symptômes de neutropénie (maux de gorge, fièvre et signes d'infection), de thrombocytopénie (saignements ou ecchymoses inhabituels) ou d'hépatite (jaunissement des yeux et de la peau, nausées, vomissements, anorexie, fatigue inhabituelle, faiblesse) se manifestent.

- □ Conseiller au patient d'éviter de boire de l'alcool pendant le traitement en raison d'un risque accru d'hépatotoxicité.

- □ Recommander au patient de signaler rapidement au médecin les symptômes de myosite (myalgie, arthralgie) ou d'uvéite (inflammation intraoculaire).

- □ Prévenir le patient que la rifabutine peut faire virer la salive, les expectorations, la sueur, les larmes, l'urine et les selles au rouge-orangé ou au rouge-brun et modifier la couleur des verres de contact souples de façon permanente.

- □ Prévenir la patiente que la rifabutine est tératogène. Lui conseiller d'utiliser une méthode contraceptive non hormonale pendant toute la durée du traitement.

- □ Insister sur l'importance des examens de suivi réguliers permettant d'évaluer les bienfaits du traitement et d'en déceler les effets secondaires.

VÉRIFICATION DES RÉSULTATS

L'efficacité du traitement peut être démontrée par : ■ la prévention de la dissémination du complexe *Mycobacterium avium* (MAC) chez les patients souffrant d'infection avancée par le virus de l'immunodéficience humaine (VIH).

RISPÉRIDONE
Risperdal

CLASSIFICATION:
Antipsychotique – divers
Grossesse – catégorie C

INDICATIONS

- ■ Traitement des manifestations de la schizophrénie.

ACTION

- ■ Blocage possible des effets de la dopamine et de la sérotonine dans le SNC. **Effets thérapeutiques :** ■ Diminution des symptômes psychotiques chez les patients souffrant de schizophrénie.

PHARMACOCINÉTIQUE

Absorption : Par suite de l'administration PO, le médicament est bien absorbé (70 %).
Distribution : Inconnue.
Métabolisme et excrétion : La rispéridone est fortement métabolisée par le foie. Le métabolisme est déterminé génétiquement. Chez la plupart des patients, la rispéridone est rapidement transformée en 9-hydroxyrispéridone. Chez les autres

(de 6 à 8 % des sujets de race blanche), la transformation est plus lente. La 9-hydroxyrispéridone est également un composé antipsychotique actif. La rispéridone et son métabolite actif sont éliminés par les reins.

Demi-vie: *Personnes ayant un métabolisme rapide* – rispéridone: 3 h; 9-hydroxyrispéridone: 21 h. *Personnes ayant un métabolisme lent* – rispéridone: 20 h; 9-hydroxyrispéridone: 30 h.

CONTRE-INDICATIONS ET PRÉCAUTIONS

Contre-indications: ■ Hypersensibilité.

Précautions: ■ Personnes âgées ou patients débilités, insuffisants rénaux ou hépatiques (il est recommandé de réduire la dose initiale) ■ Maladie cardiovasculaire sous-jacente (risque accru d'arythmie et d'hypotension) ■ Antécédents de convulsions ■ Antécédents de tentatives de suicide ou de toxicomanie ■ Grossesse, allaitement ou enfants (l'innocuité du médicament n'a pas été établie).

RÉACTIONS INDÉSIRABLES ET EFFETS SECONDAIRES

SNC: sédation, réactions extrapyramidales, dyskinésie tardive, SYNDROME MALIN DES NEUROLEPTIQUES, altération de la régulation thermique, fatigue, activité onirique accrue, sommeil prolongé, nervosité.

Resp.: rhinite.

CV: arythmies, tachycardie, hypotension orthostatique.

GI: constipation, anorexie, sécheresse de la bouche (xérostomie), dyspepsie.

GU: baisse de la libido, polyurie.

Tég.: rash, photosensibilité, pigmentation accrue.

Divers: polydipsie, gain de poids.

INTERACTIONS

Médicament – médicament: ■ La rispéridone peut diminuer les effets antiparkinsoniens de la **lévodopa** et d'autres **agonistes de la dopamine** ■ La **carbamazépine** intensifie le métabolisme de la rispéridone et peut en réduire l'efficacité ■ La **clozapine** diminue le métabolisme de la rispéridone et peut en intensifier les effets ■ Risque de dépression additive du SNC lors de l'usage concomitant d'autres **dépresseurs du SNC**, incluant l'**alcool**, les **antihistaminiques**, les **hypnosédatifs** ou les **opiacés**.

PRÉSENTATIONS

■ Comprimés de 1, 2, 3 et 4 mg.

VOIES D'ADMINISTRATION ET POSOLOGIE

■ **PO (adultes):** 1 mg, 2 fois par jour; le deuxième jour, on augmente la dose à 3 mg, 2 fois par jour; le troisième jour, on porte la dose à 3 mg, 2 fois par jour. On peut ensuite augmenter la dose hebdomadairement à raison de 1 mg, deux fois par jour. La plage thérapeutique habituelle est de 4 à 6 mg par jour; ne pas dépasser 16 mg par jour. *Personnes âgées, patients prédisposés à l'hypotension ou insuffisants hépatiques* – initialement, 0,5 mg, 2 fois par jour; augmenter la dose de 0,5 mg, 2 fois par jour, jusqu'à concurrence de 1,5 mg, 2 fois par jour. On peut ensuite augmenter la dose à intervalles hebdomadaires, le cas échéant. *Insuffisants rénaux* – puisque la pharmacocinétique de la rispéridone est considérablement modifiée chez ces patients, on ne peut pas faire de recommandations concernant la posologie.

PHARMACODYNAMIE (effet antipsychotique)

	DÉBUT D'ACTION	PIC	DURÉE
PO	inconnu	inconnu	inconnue

☼ SOINS INFIRMIERS

ÉVALUATION DE LA SITUATION

□ Déterminer, avant le traitement et à intervalles réguliers pendant toute sa

R

durée, l'état de conscience du patient (délire, hallucinations et comportement).

□ Suivre les sautes d'humeur. Observer les tendances suicidaires, particulièrement au début du traitement. Réduire la quantité de médicament dont le patient peut disposer.

□ Mesurer la pression artérielle (en position assise, debout et couchée) ainsi que le pouls, avant l'administration du médicament et à intervalles fréquents pendant la période d'adaptation de la posologie. La rispéridone peut entraîner un allongement de l'intervalle Q-T, la tachycardie et l'hypotension orthostatique. En cas d'hypotension, il peut s'avérer nécessaire de réduire la dose.

□ Observer attentivement le patient pendant qu'il prend le médicament pour s'assurer qu'il l'a bien avalé.

□ Suivre de près l'apparition de symptômes extrapyramidaux (akathisie – besoin irrépressible de bouger; dystonie – spasmes musculaires et mouvements d'émiettement) ou de symptômes de pseudoparkinsonisme: faciès rigide, rigidité, tremblements, bouche ouverte laissant s'échapper la salive (sialorrhée), démarche traînante, dysphagie. Prévenir le médecin si ces symptômes se manifestent, car il pourrait s'avérer nécessaire de réduire la dose ou d'arrêter le traitement. On peut administrer du trihexyphénidile ou de la diphenhydramine pour maîtriser ces symptômes.

□ Suivre de près les signes suivants de dyskinésie tardive: mouvements involontaires rythmiques du visage, de la bouche et des membres. Prévenir le médecin dès que ces symptômes se manifestent, car ils peuvent être irréversibles.

□ Suivre de près les signes suivants de syndrome malin des neuroleptiques: fièvre, détresse respiratoire, tachycardie, convulsions, diaphorèse, hypertension ou hypotension, pâleur, fatigue. Prévenir immédiatement le médecin si ces symptômes se manifestent.

■ **Études des examens diagnostiques et biochimiques:** La rispéridone peut entraîner une élévation des concentrations sériques de prolactine.

□ La rispéridone peut entraîner une élévation des concentrations d'AST (TGOS) et d'ALT (TGPS).

□ La rispéridone peut provoquer l'anémie, la thrombocytopénie, la leucocytose et la leucopénie.

DIAGNOSTICS INFIRMIERS POSSIBLES

■ **Énoncés diagnostiques**

□ Risque de violence envers les autres.

□ Altération des opérations de la pensée.

□ Risque d'accident.

□ *Risque d'anxiété.*

□ *Risque d'atteinte à l'intégrité de la peau.*

□ *Risque d'atteinte à l'intégrité de la muqueuse buccale.*

■ **Facteurs favorisants**

□ Perturbation de la vigilance.

□ *Manque de connaissances sur les moyens de prévenir ou de réduire la sécheresse de la bouche.*

□ *Manque de connaissances sur les moyens de réduire la photosensibilité.*

□ *Manque de connaissances sur les effets hypotensifs du médicament et sur les moyens de les prévenir.*

INTERVENTIONS INFIRMIÈRES

■ **Directives générales:** Lorsqu'on remplace d'autres antipsychotiques par la rispéridone, il faut arrêter l'administration du médicament précédent et réduire le plus possible la période où les deux agents psychotiques sont pris simultanément.

□ Si l'on reprend le traitement après un arrêt de la médication, il faut suivre le

R

programme thérapeutique initial recommandé de 3 jours.

ENSEIGNEMENT AU PATIENT ET À SES PROCHES

- ☐ Conseiller au patient de respecter scrupuleusement la posologie recommandée.
- ☐ Prévenir le patient qu'il risque de manifester des symptômes extrapyramidaux. Lui recommander d'avertir immédiatement le médecin si ces symptômes se manifestent.
- ☐ Recommander au patient de changer lentement de position afin de réduire les risques d'hypotension orthostatique.
- ☐ Prévenir le patient que la rispéridone peut provoquer de la somnolence. Lui conseiller de ne pas conduire et d'éviter les activités qui exigent de la vigilance jusqu'à ce qu'on ait la certitude que le médicament n'entraîne pas cet effet chez lui.
- ☐ Recommander au patient d'utiliser un écran solaire et de porter des vêtements protecteurs pour prévenir les réactions de photosensibilité. Lui conseiller également d'éviter les écarts de température importants, car la rispéridone altère la régulation thermique.
- ☐ Recommander au patient d'éviter de boire de l'alcool et de ne pas prendre d'autres dépresseurs du SNC ni de médicaments en vente libre sans consulter au préalable le médecin ou le pharmacien.
- ☐ Recommander à la patiente d'avertir le médecin si elle prévoit être enceinte ou si elle pense l'être, ou si elle allaite ou prévoit le faire.
- ☐ Recommander au patient qui doit subir un traitement dentaire ou une intervention chirurgicale d'avertir le dentiste ou le médecin qu'il prend des médicaments.
- ☐ Recommander au patient de prévenir rapidement le médecin en cas de maux de gorge, de fièvre, de saignements ou d'ecchymoses inhabituels, de rash ou de tremblements.
- ☐ Insister sur l'importance d'un suivi constant, de la psychothérapie et de la surveillance des effets secondaires du médicament.

VÉRIFICATION DES RÉSULTATS

L'efficacité du traitement peut être démontrée par : ■ la diminution des symptômes psychotiques tels que l'excitation, la paranoïa ou le repli sur soi.

ROCURONIUM
Zemuron

CLASSIFICATION :
Bloqueur neuromusculaire de type non dépolarisant

Grossesse – catégorie B

INDICATIONS

■ Paralysie des muscles squelettiques et facilitation de l'intubation après induction de l'anesthésie lors d'une intervention chirurgicale et durant la ventilation assistée.

ACTION

■ Inhibition de la transmission neuromusculaire par blocage de l'effet de l'acétylcholine à la jonction neuromusculaire ■ Ce médicament est dépourvu de propriétés anxiolytiques ou analgésiques. **Effets thérapeutiques :** ■ Paralysie des muscles squelettiques.

PHARMACOCINÉTIQUE

Absorption : Par suite de l'administration IV, la biodisponibilité du rocuronium est totale.

Distribution : Inconnue.

Métabolisme et excrétion : Le rocuronium est principalement métabolisé par le foie.

Demi-vie : 1,4 h (prolongée en cas d'insuffisance hépatique).

R

CONTRE-INDICATIONS ET PRÉCAUTIONS

Contre-indications : ■ Hypersensibilité au rocuronium ou aux bromures.

Précautions : ■ Antécédents de maladie cardiaque ou pulmonaire ■ Antécédents d'insuffisance rénale ou hépatique ■ Personnes âgées ou patients débilités ■ Hypertension pulmonaire ou valvulopathie (risque de résistance vasculaire pulmonaire accrue) ■ Grossesse ou allaitement (l'innocuité du médicament n'a pas été établie ; ce médicament n'est pas recommandé lors de l'intubation rapide chez les patientes subissant une césarienne) ■ Déséquilibres électrolytiques.

Extrême prudence : ■ Myasthénie grave ou syndromes myasthéniques.

RÉACTIONS INDÉSIRABLES ET EFFETS SECONDAIRES

CV : hypertension ou hypotension passagère.

INTERACTIONS

Médicament – médicament : ■ L'intensité et la durée de la paralysie peuvent être prolongées lors de l'administration préalable de **succinylcholine**, d'un **anesthésique général**, d'anti-infectieux de la classe des **aminosides**, de **polymyxine B**, de **colistine**, de **clindamycine**, de **lidocaïne**, de **quinidine**, de **procaïnamide**, de **bêtabloquants**, de **diurétiques entraînant une déplétion du potassium** ou de **magnésium**.

PRÉSENTATIONS

■ Solution pour injection à 10 mg/mL dans des fioles de 5 mL.

VOIES D'ADMINISTRATION ET POSOLOGIE

■ **IV (adultes) :** *Intubation rapide* – de 600 à 1200 μg (0,6 à 1,2 mg)/kg. *Intubation endotrachéale* – 600 μg (0,6 mg)/kg (on a déjà administré des doses plus faibles, de 450 μg [0,45 mg]/kg). *Dose d'entretien* – de 100 à 200 μg (0,1 à 0,2 mg)/kg. *Perfusion continue* – de 10 à 12 μg (0,01 à 0,012 mg)/kg/min (de 4 à 16 μg/kg/min en moyenne).

■ **IV (enfants) :** *Intubation (enfants de 3 mois à 12 ans)* – 600 μg (0,6 mg)/kg. *Dose d'entretien (enfants de 4 à 13 ans)* – de 75 à 125 μg (0,075 à 0,125 mg)/kg. *Perfusion continue* – 12 μg (0,012 mg)/kg/min.

PHARMACODYNAMIE (paralysie des muscles squelettiques)*

	DÉBUT D'ACTION	PIC	DURÉE
IV	1 min	1,8 min	31 min

* Après une dose de 0,6 mg/kg administrée chez l'adulte.

SOINS INFIRMIERS

ÉVALUATION DE LA SITUATION

☐ Suivre constamment la fonction respiratoire pendant toute la durée de l'administration du rocuronium. Signaler immédiatement au médecin tout changement important.

☐ Durant l'intervention chirurgicale, évaluer la réponse neuromusculaire au rocuronium au moyen de la stimulation des nerfs périphériques. La paralysie des muscles est initialement sélective et se produit habituellement dans l'ordre suivant : muscles releveurs des paupières, muscles de la mastication, muscles des membres, muscles abdominaux, muscles de la glotte, muscles intercostaux et diaphragme. Le rétablissement de la fonction musculaire se produit habituellement dans l'ordre inverse.

☐ Suivre de près l'ÉCG, la fréquence cardiaque et la pression artérielle pendant toute la durée du traitement au rocuronium.

R

☐ Observer le patient pendant la période de récupération pour déceler les symptômes résiduels de faiblesse musculaire et de détresse respiratoire.

☐ Surveiller fréquemment le point d'injection. En présence de signes d'irritation locale ou d'extravasation, arrêter l'administration IV à cet endroit et la recommencer ailleurs.

■ **Toxicité et surdosage :** En cas de surdosage, stimuler les nerfs périphériques pour déterminer le degré de blocage neuromusculaire. Maintenir la perméabilité des voies aériennes et la ventilation jusqu'à la normalisation de la respiration.

☐ On peut administrer des agents anticholinestérasiques (édrophonium, néostigmine, pyridostigmine) pour contrecarrer les effets du rocuronium. On administre habituellement de l'atropine avant les agents anticholinestérasiques ou en même temps qu'eux pour contrecarrer les effets muscariniques.

☐ Il peut s'avérer nécessaire d'administrer des liquides et des vasopresseurs pour traiter l'hypotension grave ou le choc.

DIAGNOSTICS INFIRMIERS POSSIBLES

■ **Énoncés diagnostiques**

☐ Mode de respiration inefficace.

☐ Altération de la communication verbale.

☐ Peur.

☐ *Risque d'accident.*

■ **Facteurs favorisants**

☐ *Manque de connaissances sur les effets secondaires du médicament.*

☐ *Manque de connaissances sur les modalités du traitement.*

☐ *Mode de communication altéré par l'intubation endotrachéale.*

INTERVENTIONS INFIRMIÈRES

■ **Directives générales :** Le rocuronium ne devrait être administré que par des personnes sachant pratiquer l'intuba-

tion endotrachéale. Garder à portée de la main le matériel nécessaire à cette intervention.

☐ Le rocuronium ne modifie pas l'état de conscience ni le seuil de la douleur. Il faut *toujours* assurer une anesthésie et une analgésie adéquates lorsque le rocuronium est utilisé comme adjuvant lors d'une intervention chirurgicale ou d'examens douloureux. Lors de l'administration prolongée pendant la ventilation assistée, on devrait administrer des benzodiazépines ou des analgésiques, ou les deux à la fois, en même temps que le rocuronium, car le patient est éveillé et capable de ressentir toutes les sensations.

☐ Si les yeux du patient restent ouverts pendant toute la durée d'une administration prolongée, protéger sa cornée par des larmes artificielles.

☐ Lorsque le rocuronium est utilisé à la suite de la succinylcholine, il ne devrait pas être administré tant que l'effet de la succinylcholine n'a pas disparu.

■ **IV directe :** On peut administrer le rocuronium sans le diluer.

☐ *Vitesse d'administration :* Adapter la vitesse selon la réponse du patient.

■ **Perfusion continue :** On peut diluer le rocuronium dans de l'eau stérile pour injection, dans une solution de NaCl à 0,9 % ou de dextrose à 5 % dans de l'eau, dans une solution de lactate Ringer ou dans une solution de dextrose à 5 % et de NaCl à 0,9 %. La solution est stable pendant 24 h à la température ambiante.

☐ *Vitesse d'administration :* On a utilisé des vitesses de perfusion allant de 0,004 à 0,016 mg/kg/min. Adapter la vitesse de perfusion selon la réponse du patient et le degré de stimulation des nerfs périphériques.

■ **Incompatibilités (seringue et tubulure en Y) :** solutions alcalines, barbituriques.

☐ Expliquer toutes les interventions au patient qui reçoit du rocuronium sans anesthésie, étant donné que ce médicament, administré seul, ne modifie pas l'état de conscience. Fournir au patient un soutien affectif.

☐ Expliquer au patient que ses capacités de communication se rétabliront lorsque les effets du médicament s'épuiseront.

VÉRIFICATION DES RÉSULTATS

L'efficacité du traitement peut être démontrée par : ■ la suppression adéquate des soubresauts musculaires, testée par la stimulation de nerfs périphériques, et la paralysie musculaire subséquente.

SALMÉTÉROL
Serevent

CLASSIFICATION :
Bronchodilatateur agoniste bêta-adrénergique

Grossesse – catégorie C

INDICATIONS

■ Bronchodilatation de longue durée en présence d'une obstruction réversible des voies respiratoires chez les patients qui, malgré un traitement anti-inflammatoire optimal, souffrent de symptômes nécessitant l'utilisation régulière d'un bronchodilatateur à courte action plus de deux fois par jour.

ACTION

■ Accumulation d'adénosine monophosphate cyclique (AMPc) aux sites des récepteurs bêta-adrénergiques ■ Sélectivité relative pour les récepteurs bêta$_2$ (pulmonaires). **Effets thérapeutiques :** ■ Bronchodilatation.

PHARMACOCINÉTIQUE

Absorption : Par suite de l'inhalation, l'absorption systémique est minime.
Distribution : L'action est surtout locale.
Métabolisme et excrétion : Inconnus.
Demi-vie : Inconnue.

CONTRE-INDICATIONS ET PRÉCAUTIONS

Contre-indications : ■ Hypersensibilité ■ Crise d'asthme (le début d'action est lent).
Précautions : ■ Maladie cardiovasculaire (incluant l'angine et l'hypertension) ■ Diabète ■ Glaucome ■ Hyperthyroïdie ■ Phéochromocytome ■ Usage excessif (pouvant entraîner la tolérance aux effets du médicament et un bronchospasme paradoxal) ■ Grossesse, allaitement ou enfants de moins de 12 ans (l'innocuité du médicament n'a pas été établie).

RÉACTIONS INDÉSIRABLES ET EFFETS SECONDAIRES

SNC : céphalées, nervosité.
CV : palpitations, tachycardie.
GI : douleurs abdominales, diarrhée, nausées.
Loc. : crampes ou douleurs musculaires.
SN. : tremblements.

INTERACTIONS

Médicament – médicament : ■ Les **bêta-bloquants**, administrés simultanément, peuvent diminuer les effets thérapeutiques du salmétérol.

PRÉSENTATIONS

■ Flacon aérosol de 6,5 g (60 vaporisations) ou de 13 g (120 vaporisations) à 25 μg par vaporisation ■ Plaquettes thermoformées contenant de la poudre pour inhalation à 50 μg par compartiment.

VOIES D'ADMINISTRATION ET POSOLOGIE

■ **Inhalation (adultes et enfants ≥ 12 ans) :** 50 μg (2 inhalations de l'aérosol doseur ou 1 coque du Diskhaler), deux fois par jour (à intervalles de 12 h environ).

PHARMACODYNAMIE
(bronchodilatation)

	DÉBUT D'ACTION	PIC	DURÉE
inhalation	10 – 25 min	3 – 4 h	12 h

SOINS INFIRMIERS

ÉVALUATION DE LA SITUATION

- Ausculter le murmure vésiculaire, mesurer le pouls et la pression artérielle avant l'administration et à intervalles réguliers pendant toute sa durée.
- Noter les résultats des épreuves de l'exploration fonctionnelle pulmonaire, avant le début du traitement et à intervalles réguliers pendant toute sa durée, pour déterminer l'efficacité du médicament.
- Suivre de près l'apparition d'un bronchospasme paradoxal (respiration sifflante, dyspnée, oppression thoracique) ou d'une réaction d'hypersensibilité (rash, urticaire, œdème du visage, des lèvres ou des paupières). Le cas échéant, arrêter l'administration du médicament et prévenir immédiatement le médecin.
- **Études des examens diagnostiques et biochimiques :** Le salmétérol peut entraîner une élévation de la glycémie ; cet effet se produit rarement aux doses recommandées et il est plus prononcé lors de l'administration fréquente de doses élevées.
- Le salmétérol peut entraîner une baisse des concentrations de potassium sérique, habituellement passagère et liée à la dose. Cet effet se produit rarement aux doses recommandées et il est plus prononcé lors de l'administration fréquente de doses élevées.
- **Toxicité et surdosage :** Les symptômes du surdosage incluent l'agitation persistante, les douleurs ou la gêne thoraciques, la chute de la pression artérielle, les étourdissements, l'hyperglycémie, l'hypokaliémie, les convulsions, les tachyarythmies, les tremblements persistants et les vomissements.
- En cas de surdosage, il faut arrêter d'administrer le salmétérol et les autres agonistes bêta-adrénergiques et amorcer des mesures de soutien et le traitement des symptômes. On doit administrer les bêtabloquants cardiosélectifs avec prudence, car ils peuvent induire le bronchospasme.

DIAGNOSTICS INFIRMIERS POSSIBLES

- **Énoncés diagnostiques**
- Dégagement inefficace des voies respiratoires.
- Prise en charge inefficace du programme thérapeutique.
- *Risque d'anxiété.*
- *Risque d'intoxication.*

- **Facteurs favorisants**
- Informations incomplètes.
- *Manque de connaissances sur les modalités du traitement.*
- *Manque de connaissances sur la méthode d'administration du médicament.*
- *Manque de connaissances sur les effets secondaires du médicament et sur les moyens de les prévenir.*

INTERVENTIONS INFIRMIÈRES

- **Inhalation :** Les renseignements relatifs à l'utilisation des aérosols doseurs se trouvent à l'annexe H du *Guide*.
- Il faut amorcer ou essayer l'aérosol doseur de salmétérol avant de l'utiliser pour la première fois.

ENSEIGNEMENT AU PATIENT ET À SES PROCHES

- Montrer au patient comment utiliser l'aérosol doseur ou le Diskhaler ; lui conseiller de respecter scrupuleusement la posologie recommandée. Le prévenir qu'il ne doit pas dépasser la dose recommandée. Dans le cas où les doses doivent être prises à une heure précise, toute dose manquée doit être prise le plus rapidement possible. Il faut ensuite reprendre l'horaire habituel. Prévenir le patient qu'il ne doit pas doubler les doses. Si les symptômes se manifestent avant l'heure prévue pour la dose suivante, il faut utiliser un bronchodilatateur à action rapide.

☐ Prévenir le patient qu'il ne doit pas utiliser le salmétérol pour traiter des symptômes aigus. Pour soulager une crise d'asthme, il faut utiliser un bronchodilatateur bêta-adrénergique à action rapide.

☐ Recommander au patient de ne pas vaporiser le médicament près des yeux.

☐ Prévenir le patient qu'il peut garder le Diskhaler pendant 6 mois et se procurer des recharges pendant cette période.

☐ Prévenir le patient qui suit un traitement prolongé qu'il ne doit pas prendre de doses supplémentaires de salmétérol pour prévenir le bronchospasme à l'effort.

☐ Conseiller au patient de prévenir immédiatement le médecin si le médicament ne soulage pas les troubles respiratoires ou si son état de détériore, s'il doit inhaler plus souvent que d'habitude un bronchodilatateur à action rapide pour soulager une crise d'asthme, s'il prend 4 inhalations ou plus d'un bronchodilatateur à action rapide pendant 2 jours consécutifs ou plus, ou s'il doit utiliser plus d'une recharge pendant une période de 8 semaines.

☐ Prévenir le patient recevant un traitement simultané par des glucocorticoïdes systémiques ou par inhalation de consulter le médecin avant d'arrêter le traitement ou d'en réduire la dose.

☐ Insister sur l'importance des examens de suivi réguliers permettant de déterminer l'efficacité du traitement.

VÉRIFICATION DES RÉSULTATS

L'efficacité du traitement peut être démontrée par : ■ la prévention du bronchospasme ou la réduction de la fréquence des crises d'asthme chez les patients souffrant d'asthme chronique ■ la prévention de l'asthme provoqué par l'effort.

STRONTIUM-89, CHLORURE DE
Metastron

CLASSIFICATION :
Agent radiopharmaceutique

Grossesse – catégorie D

INDICATIONS

■ Traitement palliatif de la douleur chez les patients présentant des métastases osseuses douloureuses.

ACTION

■ Cet agent est absorbé de manière préférentielle par les tumeurs osseuses et les lésions osseuses métastatiques, qu'il irradie sélectivement. **Effets thérapeutiques :** ■ Diminution de la douleur entraînée par les métastases osseuses. Parce que le début d'action est différé, il faut assurer une analgésie appropriée jusqu'à ce que les effets du strontium soient manifestes.

PHARMACOCINÉTIQUE

Absorption : Par suite de l'administration IV, la biodisponibilité est totale.

Distribution : L'agent est absorbé et retenu de façon sélective par les lésions osseuses métastatiques.

Métabolisme et excrétion : Une fraction de 67 % est excrétée dans l'urine et une fraction de 33 % dans les fèces.

Demi-vie : 50,5 jours (physique).

S

CONTRE-INDICATIONS ET PRÉCAUTIONS

Contre indications : ■ Allaitement ■ Grossesse.

Précautions : ■ Patientes en âge de procréer ■ Enfants de moins de 18 ans (l'innocuité du médicament n'a pas été établie) ■ Nombre de plaquettes inférieur à $60 \times 10^9/L$ ou nombre de leucocytes inférieur à $2,4 \times 10^9/L$ ■ Réserve médullaire réduite ou autre maladie chronique débilitante ■ Patients dont l'espérance de vie est de moins de 3 semaines.

RÉACTIONS INDÉSIRABLES ET EFFETS SECONDAIRES

Hémat. : neutropénie, thrombocytopénie, anémie.

Loc. : intensification passagère de la douleur osseuse.

INTERACTIONS

Médicament – médicament : ■ Toxicité médullaire additive lors de l'administration simultanée d'**antinéoplasiques** ou d'une **radiothérapie**.

PRÉSENTATIONS

■ Solution aqueuse stérile de 13,4 à 20,1 mg de chlorure de strontium/mL. Flacons unidoses de 4 mL contenant 150 MBq, 4 mCi. La concentration radioactive est de 37 MBq, soit 1 mCi/mL ; l'activité spécifique est de 3,33 à 5,00 MBq, soit 90 à 135 µCi/mg de strontium.

VOIES D'ADMINISTRATION ET POSOLOGIE

■ **IV (adultes) :** La dose habituelle est de 111 à 150 MBq par injection, à raison de 2 MBq/kg. Ne pas répéter avant trois mois.

PHARMACODYNAMIE
(soulagement de la douleur)

	DÉBUT D'ACTION	PIC	DURÉE
IV	7–20 jours	variable	variable

SOINS INFIRMIERS

ÉVALUATION DE LA SITUATION

□ Déterminer le type de douleur, son siège et son intensité à intervalles réguliers pendant toute la durée du traitement. Il est possible qu'une intensification passagère de la douleur se manifeste 2 à 3 jours après l'administration du médicament. Ce phénomène est normal ; l'administration de plus fortes doses d'analgésiques peut s'avérer nécessaire. L'intensité de la douleur devrait diminuer après 1 à 2 semaines ou plus. À ce moment, il sera peut-être possible de réduire ou d'arrêter l'administration d'analgésiques. Les effets peuvent se poursuivre pendant plusieurs mois.

■ **Étude des examens diagnostiques et biochimiques :** Examiner les paramètres hématologiques (nombre de leucocytes et de plaquettes) au moins une fois toutes les 2 semaines, pendant toute la durée du traitement. On note habituellement une réduction de 30 % du nombre de plaquettes par rapport aux valeurs initiales. Le nadir de la thrombocytopénie se produit dans les 12 à 16 semaines. La leucopénie peut aussi se manifester. Les concentrations reviennent habituellement aux valeurs initiales dans les 6 mois.

DIAGNOSTICS INFIRMIERS POSSIBLES

■ **Énoncés diagnostiques**
□ Douleur.
□ Prise en charge inefficace du programme thérapeutique.

■ **Facteurs favorisants**
□ Informations incomplètes.
□ *Manque de connaissances sur les modalités du traitement.*

INTERVENTIONS INFIRMIÈRES

■ **Directives générales :** Ce médicament ne peut être administré que par des médecins qui connaissent bien l'usage

T

d'agents radiopharmaceutiques et qui sont autorisés par un organisme gouvernemental à utiliser ces produits.

☐ Installer un cathéter urinaire chez les patients incontinents avant l'administration du médicament, afin de réduire le risque de contamination radioactive des vêtements, de la literie et du milieu environnant.

■ **IV directe :** Administrer par perfusion lente en 1 à 2 min. Le patient peut éprouver une sensation de chaleur si la perfusion a été administrée trop rapidement (< 30 s).

ENSEIGNEMENT AU PATIENT ET À SES PROCHES

☐ Expliquer au patient qu'il doit recevoir des analgésiques jusqu'à ce que l'effet du strontium se manifeste. Le médecin peut ensuite lui conseiller de réduire graduellement la dose d'analgésiques.

☐ Indiquer au patient qu'il ne doit modifier en rien ses habitudes alimentaires. Il peut continuer de boire de l'alcool ou du café, si le médecin ne lui interdit pas expressément.

☐ Le strontium-89 est présent dans le sang et l'urine pendant une semaine après l'injection. Prévenir le patient qu'il doit prendre les précautions suivantes pendant la première semaine : (1) Uriner dans les toilettes plutôt que dans un urinoir, si cela lui est possible ; tirer la chasse d'eau deux fois. (2) Essuyer les éclaboussures d'urine avec du papier hygiénique, jeter le papier dans la cuvette et tirer la chasse d'eau. (3) Toujours se laver les mains après avoir uriné. (4) Laver immédiatement toute la literie et tous les vêtements souillés d'urine ou de sang. Les laver séparément et les rincer à fond. (5) En cas d'utilisation d'un collecteur d'urine, respecter scrupuleusement le mode d'emploi. (6) En cas de coupure, essuyer toutes les éclaboussures de sang.

☐ Prévenir le patient qu'avant tout traitement il doit informer les professionnels de la santé et les soignants qu'il prend du strontium-89.

☐ Conseiller au patient de contacter le médecin si les effets du strontium-89 s'estompent et si la douleur réapparaît.

☐ Insister sur la nécessité de subir à intervalles réguliers des analyses de sang.

VÉRIFICATION DES RÉSULTATS

L'efficacité du traitement peut être démontrée par : ■ une diminution de la douleur attribuable aux métastases osseuses. Le traitement est répété selon la réponse du patient, les symptômes et l'état de l'hématopoïèse. Il n'est pas recommandé de répéter l'administration de ce médicament à des intervalles de moins de 90 jours.

TÉNIPOSIDE
Vumon, (VM-26)

CLASSIFICATION :
Antinéoplasique – dérivé de la podophyllotoxine

Grossesse – catégorie D

INDICATIONS

■ En monothérapie ou en association avec d'autres types de traitement chez les patients atteints de neuroblastome ou de lymphome non hodgkinien ■ En association avec d'autres traitements chez les patients atteints de leucémie lymphocytaire aiguë.

ACTION

■ Altération de l'ADN avant la mitose (effet spécifique sur une phase du cycle cellulaire). **Effets thérapeutiques :** ■ Destruction des cellules à réplication rapide, particulièrement des cellules malignes.

T

PHARMACOCINÉTIQUE

Absorption: Par suite de l'administration IV, la biodisponibilité est totale.

Distribution: Le téniposide se répartit en petites quantités dans le liquide céphalorachidien.

Métabolisme et excrétion: Une fraction de 44 % est excrétée par les reins et une fraction de 10 % au maximum est éliminée dans les fèces.

Demi-vie: 5 h.

CONTRE-INDICATIONS ET PRÉCAUTIONS

Contre-indications: ■ Hypersensibilité ■ Intolérance connue à l'huile de ricin, à l'alcool ou à l'alcool benzylique ■ Grossesse ou allaitement ■ Nouveau-nés (on ne doit pas leur administrer de préparations renfermant de l'alcool benzylique).

Précautions: ■ Patients trisomiques (plus sensibles aux effets myélodépresseurs). La dose initiale de la première cure devrait être réduite de moitié ■ Patients souffrant d'insuffisance hépatique, femmes en âge de procréer, infections évolutives, réserve médullaire réduite ou toute autre maladie chronique débilitante.

RÉACTIONS INDÉSIRABLES ET EFFETS SECONDAIRES

SNC: dépression aiguë du SNC, cécité corticale transitoire.

CV: hypotension.

GI: nausées, vomissements, inflammation des muqueuses, diarrhée.

Tég.: alopécie, rash.

End.: suppression de la fonction des gonades.

Hémat.: leucopénie, thrombocytopénie, anémie.

Locaux: phlébite au point d'injection IV.

SN: neurotoxicité périphérique.

Divers: réactions allergiques incluant l'ANAPHYLAXIE, fièvre.

INTERACTIONS

Médicament – médicament: ■ Hypoplasie médullaire additive lors de l'administration concomitante de **salicylate de so-** dium, de **tolbutamide**, de **sulfaméthizole**, d'autres **antinéoplasiques** ou d'une **radiothérapie**.

PRÉSENTATIONS

■ Fioles de 5 mL à 10 mg/mL.

VOIES D'ADMINISTRATION ET POSOLOGIE

■ **IV:** *Neuroblastome* □ Seul: 130 à 180 mg/m²/jour, 1 fois par semaine. □ En association: 100 mg/m²/jour, tous les 21 jours. *Lymphome non hodgkinien* □ Seul: 30 mg/m²/jour pendant 10 jours ou 30 mg/m²/jour tous les 5 jours ou 50 à 100 mg/m²/jour, 1 fois par semaine. □ En association: 60 à 70 mg/m²/jour, 1 fois par semaine. *Leucémie lymphocytaire aiguë* □ En association: 165 mg/m²/jour, 2 fois par semaine.

PHARMACODYNAMIE
(effets sur la numération globulaire)

	DÉBUT D'ACTION	PIC	DURÉE
IV	inconnu	inconnu	inconnue

SOINS INFIRMIERS

ÉVALUATION DE LA SITUATION

□ Mesurer la pression artérielle avant l'administration du médicament et toutes les 15 min pendant la perfusion. En cas d'hypotension, arrêter la perfusion et prévenir le médecin. Après avoir stabilisé la pression artérielle à l'aide de solutions IV et d'autres mesures de soutien, on peut reprendre la perfusion à un débit plus lent.

□ Surveiller les réactions d'hypersensibilité suivantes: fièvre, frissons, prurit, urticaire, bronchospasme, tachycardie, hypotension. Si ces symptômes se manifestent, arrêter la perfusion et prévenir le médecin. Garder à portée de la main de l'épinéphrine, un antihistaminique et le matériel de réanimation pour parer à une éventuelle réaction anaphylactique.

☐ Suivre de près la fièvre, les frissons, les maux de gorge et les signes d'infection. Prévenir le médecin si ces symptômes se manifestent.

☐ Suivre de près les saignements : saignement des gencives, formation d'ecchymoses, pétéchies, présence de sang occulte dans les selles, l'urine et les vomissements. Éviter les injections IM et la prise de la température par voie rectale. Appliquer une pression sur les points de ponction veineuse pendant 10 min.

☐ Effectuer le bilan quotidien des ingesta et des excreta, noter l'appétit du patient et la quantité d'aliments qu'il peut consommer. Le téniposide provoque des nausées et des vomissements chez 30 % des patients. Consulter le médecin à propos de l'administration prophylactique d'un antiémétique. Adapter le régime alimentaire en fonction des aliments que le patient peut tolérer pour essayer de maintenir l'équilibre hydroélectrolytique et l'état nutritionnel.

■ **Étude des examens diagnostiques et biochimiques :** Noter la numération globulaire et la formule leucocytaire avant l'administration du téniposide et à intervalles réguliers pendant toute la durée du traitement. Prévenir le médecin si le nombre de leucocytes est inférieur à $0,1 \times 10^9$/L ou si le nombre de plaquettes est inférieur à $7,5 \times 10^9$/L. On peut interrompre le traitement si le nombre de plaquettes est inférieur à $5,0 \times 10^9$/L ou si le nombre absolu de polynucléaires neutrophiles est inférieur à $0,05 \times 10^9$/L.

☐ Étudier les résultats des épreuves de l'exploration fonctionnelle hépatique (concentrations d'AST [TGOS], d'ALT [TGPS], de LDH et de bilirubine), et des épreuves de l'explo-

ration fonctionnelle rénale (urée, créatinine) avant le traitement et à intervalles réguliers pendant toute sa durée, afin de déceler la toxicité hépatique et rénale.

☐ Le téniposide peut entraîner l'élévation des concentrations d'acide urique. Vérifier ces concentrations à intervalles réguliers pendant le traitement.

DIAGNOSTICS INFIRMIERS POSSIBLES

■ **Énoncés diagnostiques**

☐ Risque d'accident.

☐ Risque d'infection.

☐ Prise en charge inefficace du programme thérapeutique.

☐ *Risque d'intoxication.*

☐ *Risque de déficit nutritionnel.*

☐ *Risque de perturbation situationnelle de l'estime de soi.*

■ **Facteurs favorisants**

☐ Informations incomplètes.

☐ *Manque de connaissances sur les modalités du traitement.*

☐ *Manque de connaissances sur le régime alimentaire à suivre.*

☐ *Altération de l'image corporelle.*

☐ *Fatigue et faiblesse.*

INTERVENTIONS INFIRMIÈRES

■ **Directives générales :** Éviter tout contact avec la peau. Utiliser une tubulure de type Luer-Lock afin de prévenir les fuites accidentelles. En cas d'éclaboussures, laver immédiatement la peau avec de l'eau et du savon.

☐ La solution doit être préparée sous une hotte biologique de sécurité. Porter des gants, un vêtement protecteur et un masque pendant la manipulation du téniposide. Mettre au rebut le matériel dans les contenants réservés à cet effet (voir l'annexe I du *Guide*).

■ **Perfusion intermittente :** Diluer avec une solution de dextrose à 5 % dans de l'eau ou de NaCl à 0,9 % pour obtenir une concentration n'excédant

T

pas 0,2 mg/mL. La solution de téniposide ne doit pas être préparée ni administrée dans des contenants en plastique puisque ce matériau pourrait se fendre et laisser fuir le médicament. Utiliser des contenants ou des sacs en verre ou en polyoléfine; les contenants en PVC ne sont pas recommandés. Administrer les préparations dans les 4 h suivant la dilution. Les solutions diluées sont stables pendant 24 h à la température ambiante.

☐ *Vitesse d'administration:* Perfuser en 30 à 60 min ou plus. Ne pas administrer par perfusion rapide en raison du risque d'hypotension.

■ **Incompatibilité en addition au soluté et dans une tubulure en Y:** Héparine. Irriguer le cathéter IV avec du dextrose à 5 % dans de l'eau ou du chlorure de sodium à 9 % seulement. Ne pas mélanger à d'autres solutions; ne pas administrer dans une tubulure en Y en même temps que d'autres médicaments ou solutions.

ENSEIGNEMENT AU PATIENT ET À SES PROCHES

☐ Recommander au patient de signaler au médecin la fièvre, les frissons, les maux de gorge, les signes d'infection, le saignement des gencives, la formation d'ecchymoses, les pétéchies ou la présence de sang dans l'urine, les selles ou les vomissements. Expliquer au patient qu'il doit éviter les foules et les personnes contagieuses. Lui conseiller d'utiliser une brosse à dents à poils doux et un rasoir électrique.

☐ Recommander au patient de ne pas consommer de boissons alcoolisées et de ne pas prendre de médicaments contenant de l'aspirine ou de l'ibuprofène.

☐ Recommander au patient de signaler au médecin les douleurs abdominales, le jaunissement de la peau, la faiblesse, la paresthésie, les troubles de la démarche.

☐ Recommander au patient d'observer ses muqueuses buccales à la recherche d'érythème et d'aphtes. En cas d'aphtes, lui conseiller de remplacer la brosse à dents par une brosse-éponge et de se rincer la bouche avec de l'eau après avoir bu ou mangé.

☐ Prévenir le patient qu'il risque de perdre ses cheveux. Explorer avec lui les stratégies lui permettant de s'adapter à ce changement.

☐ Recommander à la patiente d'utiliser une méthode contraceptive non hormonale.

☐ Expliquer au patient qu'il ne doit pas se faire vacciner sans recommandation expresse du médecin.

☐ Insister sur l'importance des examens diagnostiques et biochimiques effectués à intervalles réguliers pour suivre les effets secondaires du médicament.

VÉRIFICATION DES RÉSULTATS

L'efficacité du traitement peut être démontrée par: ■ l'amélioration de l'hématopoïèse chez les patients souffrant de leucémie lymphocytaire aiguë ■ la diminution de volume du lymphome non hodgkinien et du neuroblastome.

TORSÉMIDE
Demadex

CLASSIFICATION:
Diurétique – diurétique de l'anse

Grossesse – catégorie B

INDICATIONS

■ Traitement de l'œdème attribuable à l'insuffisance cardiaque et aux maladies rénale ou hépatique ■ Traitement de l'hypertension en monothérapie ou en association avec d'autres agents.

ACTION

■ Augmentation de l'excrétion rénale d'eau, de sodium et de chlorure, par une action sur la lumière de la branche ascendante de l'anse de Henle ▪ Activité vasodilatatrice qui réduit la précharge et la post-charge cardiaques. **Effets thérapeutiques :** ▪ Diurèse et élimination subséquente des liquides en excès (ascite, œdème, épanchement pleural) ▪ Abaissement de la pression artérielle.

PHARMACOCINÉTIQUE

Absorption : Par suite de l'administration PO, une fraction de 80 % est absorbée.
Distribution : Inconnue.
Métabolisme et excrétion : Une fraction de 80 % est métabolisée par le foie et une fraction de 20 % est excrétée dans l'urine.
Demi-vie : 210 min.

CONTRE-INDICATIONS ET PRÉCAUTIONS

Contre-indications : ▪ Hypersensibilité ▪ Risque de réaction de sensibilité croisée avec les sulfamidés ▪ Présence d'un déséquilibre électrolytique non corrigé, coma hépatique ou anurie.
Précautions : ▪ Maladie hépatique accompagnée de cirrhose ou d'ascite (le torsémide peut déclencher un coma hépatique ; on recommande l'usage concomitant d'un antagoniste de l'aldostérone ou d'un diurétique d'épargne potassique) ▪ Personnes âgées (audition difficile à évaluer ; prédisposition accrue à l'hypotension) ▪ Déplétion électrolytique, diabète sucré ou azotémie accrue ▪ Grossesse, allaitement ou enfants (l'innocuité du médicament n'a pas été établie).

RÉACTIONS INDÉSIRABLES ET EFFETS SECONDAIRES

SNC : céphalées, étourdissements, faiblesse, nervosité, insomnie.
Resp. : toux accrue, rhinite, maux de gorge.
CV : hypotension, anomalies du tracé de l'ÉCG, douleurs thoraciques.
GI : nausées, constipation, dyspepsie.
GU : mictions excessives.
Tég. : photosensibilité.

HÉ : hypokaliémie, hypomagnésémie.
Loc. : arthralgie, myalgie.

INTERACTIONS

Médicament – médicament : ▪ Effets additifs sur l'hypokaliémie lors de l'administration concomitante de **mézlocilline**, de **pipéracilline**, d'**amphotéricine B** et de **glucocorticoïdes** ▪ L'hypokaliémie augmente le risque de toxicité **digitalique** ▪ Effets additifs sur l'hypotension lors de l'administration concomitante d'**autres antihypertenseurs** ou de **dérivés nitrés** ▪ Risque accru de neurotoxicité pour le huitième nerf crânien (effet ototoxique) lors de l'administration concomitante d'**agents ototoxiques** (**aminosides, anti-infectieux, cisplatine**) ▪ Risque accru de toxicité aux **salicylates** chez les patients prenant des doses élevées de ces préparations ▪ Risque accru de dysfonctionnement rénal lors de l'usage concomitant d'**anti-inflammatoires non stéroïdiens** ▪ L'administration simultanée d'**indométhacine** chez les patients suivant un régime hyposodé peut diminuer l'efficacité du torsémide ▪ L'effet diurétique du torsémide peut être réduit par le **probénécide** ▪ Le torsémide diminue l'excrétion du **lithium** et en augmente le risque de toxicité.

PRÉSENTATIONS

▪ Comprimés de 5, 10 et 100 mg ▪ Solution pour injection à 10 mg/mL dans des ampoules de 2 et 5 mL.

VOIES D'ADMINISTRATION ET POSOLOGIE

▪ **PO, IV (adultes) :** *Insuffisance cardiaque* – de 10 à 20 mg, une fois par jour ; on peut doubler la dose jusqu'à l'obtention de l'effet désiré ; la dose maximale est de 200 mg. *Insuffisance rénale chronique* – 20 mg, une fois par jour ; on peut doubler la dose jusqu'à l'obtention de l'effet désiré ; la dose maximale est de 200 mg. *Cirrhose hépatique* – de 5 à 10 mg, une fois par

jour (avec un antagoniste de l'aldostérone ou un diurétique d'épargne
potassique); on peut doubler la dose
jusqu'à l'obtention de l'effet désiré; la
dose maximale est de 40 mg. *Hypertension* – 5 mg, une fois par jour;
après 4 à 6 semaines, on peut augmenter la dose jusqu'à concurrence
de 10 mg, une fois par jour (si le torsémide n'est toujours pas efficace,
ajouter un autre antihypertenseur).

PHARMACODYNAMIE
(effet diurétique)

	DÉBUT D'ACTION	PIC	DURÉE
PO	en l'espace de 60 min	60–120 min	6–8 h
IV	en l'espace de 10 min	en l'espace de 60 min	6–8 h

SOINS INFIRMIERS

ÉVALUATION DE LA SITUATION

□ Suivre de près l'équilibre hydrique
pendant toute la durée du traitement.
Peser le patient tous les jours, effectuer le bilan quotidien des ingesta et
des excreta, déterminer l'étendue et
le siège de l'œdème, ausculter le murmure vésiculaire, inspecter la peau et
les muqueuses. Prévenir le médecin
en cas de sécheresse de la bouche, de
léthargie, de faiblesse, d'hypotension
ou d'oligurie.

□ Mesurer la pression artérielle et le
pouls avant et pendant l'administration du médicament et à intervalles
réguliers pendant toute la durée du
traitement.

□ Chez le patient qui reçoit des dérivés
digitaliques, suivre de près les signes
et les symptômes suivants: anorexie,
nausées, vomissements, crampes musculaires, paresthésie et confusion.
Les patients prenant des dérivés digitaliques sont exposés à un risque accru de toxicité digitalique en raison de
l'effet hypokaliémiant du diurétique.

□ Suivre de près les acouphènes et la
perte de l'ouïe. L'audiométrie est recommandée chez les patients recevant un traitement prolongé. La surdité est plus fréquente lorsqu'on
administre rapidement des doses élevées par voie IV à des patients qui
présentent une fonction rénale réduite
ou qui prennent d'autres médicaments
ototoxiques.

□ Déterminer si le patient est allergique
aux sulfamidés. Une sensibilité croisée pourrait survenir.

■ **Étude des examens diagnostiques et biochimiques:** Suivre de près la glycémie
et les concentrations d'électrolytes et
d'acide urique et noter les résultats
des épreuves de l'exploration fonctionnelle rénale et hépatique avant le
traitement et à intervalles réguliers
pendant toute sa durée. Le torsémide
peut entraîner la diminution des concentrations sériques de potassium, de
calcium et de magnésium, et l'élévation de la glycémie, des concentrations d'urée, d'acide urique et de
créatinine.

□ Le torsémide peut élever les taux
plasmatiques de cholestérol total et
de lipides au cours du traitement initial. Habituellement, ces paramètres
reviennent à la normale lorsque le
traitement se prolonge.

DIAGNOSTICS INFIRMIERS POSSIBLES

■ **Énoncés diagnostiques**

□ Excès de volume liquidien.

□ Déficit de volume liquidien.

□ Prise en charge inefficace du programme thérapeutique.

□ *Risque de déséquilibre hydro-électrolytique.*

□ *Risque d'accident.*

□ *Risque d'intoxication.*

■ **Facteurs favorisants**

□ Informations incomplètes.

□ *Manque de connaissances sur le régime alimentaire à suivre.*

□ *Modification de l'état liquidien ou des volumes circulants.*

□ *Manque de connaissances sur les effets hypotensifs du médicament lors des changements brusques de position.*

□ *Manque de connaissances sur les modalités du traitement.*

□ *Manque de connaissances sur les moyens de réduire la photosensibilité.*

INTERVENTIONS INFIRMIÈRES

■ **Directives générales:** Administrer le torsémide le matin pour prévenir l'interruption du cycle de sommeil.

□ Les doses à administrer par voie PO et IV sont identiques.

■ **PO:** Le torsémide peut être administré sans égard aux repas.

■ **IV directe:** Administrer la solution non diluée. Ne pas utiliser la solution si elle a changé de couleur ou si elle contient des particules.

□ *Vitesse d'administration:* Administrer la solution lentement en 2 min.

■ **Associations incompatibles dans la même seringue:** On ne possède pas de renseignements à ce sujet. Ne pas mélanger le torsémide avec d'autres médicaments ou d'autres solutions.

ENSEIGNEMENT AU PATIENT ET À SES PROCHES

■ **Directives générales:** Conseiller au patient de respecter scrupuleusement la posologie recommandée et de prendre le torsémide à la même heure tous les jours. S'il n'a pas pu prendre le médicament au moment habituel, il doit le prendre aussitôt que possible à moins que ce ne soit presque l'heure prévue pour la dose suivante. Le prévenir qu'il ne doit jamais doubler les doses.

□ Conseiller au patient de changer lentement de position pour réduire le risque d'hypotension orthostatique. Lui expliquer que l'alcool, l'effort par temps chaud ou la station debout pendant de longues périodes au cours du traitement peuvent aggraver l'hypotension orthostatique.

□ Conseiller au patient de consulter le médecin au sujet d'un régime alimentaire riche en potassium (voir l'annexe K du *Guide*).

□ Conseiller au patient de porter des vêtements protecteurs et d'utiliser un écran solaire pour réduire les risques de réactions de photosensibilité.

□ Conseiller au patient de consulter le médecin ou le pharmacien avant de prendre un médicament en vente libre en même temps que le torsémide.

□ Conseiller au patient diabétique de suivre de près sa glycémie, car le torsémide peut élever le taux de glucose sanguin.

□ Recommander au patient qui doit subir un traitement dentaire ou une intervention chirurgicale d'avertir le dentiste ou le médecin qu'il prend des médicaments.

□ Recommander au patient de signaler immédiatement au médecin les symptômes suivants: faiblesse musculaire, crampes, nausées, étourdissements, engourdissement ou picotements au niveau des membres, acouphènes, surdité ou rash.

□ Insister sur l'importance des examens réguliers de suivi.

■ **Hypertension:** Prévenir le patient hypertendu qu'il doit continuer de prendre le médicament même s'il se sent mieux. Le torsémide stabilise la pression artérielle, mais ne guérit pas l'hypertension.

□ Inciter le patient à prendre d'autres mesures pour réduire l'hypertension: perdre du poids, faire régulièrement de l'exercice, réduire sa consommation de sel, diminuer le stress, boire avec modération et cesser de fumer.

VÉRIFICATION DES RÉSULTATS

L'efficacité du traitement peut être démontrée par: ■ l'augmentation du débit urinaire ■ la diminution de l'œdème ■ l'abaissement de la pression artérielle.

TRÉTINOÏNE

Renova, Retin-A, Rétisol-A, StieVA-A,
StieVA-A Forte, vitamine A acide

CLASSIFICATION:

*Traitement de l'acné ; traitement des
photolésions cutanées*

Grossesse – catégorie C

INDICATIONS

■ Traitement de l'acné vulgaire et traitement d'appoint des formes plus graves d'acné conglobata ■ Traitement des ridules, de l'hyperpigmentation et de la rugosité cutanée habituellement associés à la présence de photolésions (d'origine solaire) et au vieillissement intrinsèque de la peau (Renova).

ACTION

■ Diminution de la formation de microcomédons et accélération du renouvellement de l'épithélium folliculaire. **Effets thérapeutiques:** ■ Diminution de l'acné et amélioration de l'apparence de la peau.

PHARMACOCINÉTIQUE

Absorption: Par suite de l'administration topique sur une surface cutanée limitée, de petites quantités sont absorbées par voie générale.
Distribution: Inconnue.
Métabolisme et excrétion: Une fraction de plus de 5 % de la dose appliquée sur la peau est excrétée dans l'urine.
Demi-vie: Inconnue.

CONTRE-INDICATIONS ET PRÉCAUTIONS

Contre-indications: ■ Hypersensibilité à la trétinoïne ou à tout autre ingrédient de la préparation ■ Intolérance connue à l'alcool (présentation en gel et en solution seulement).
Précautions: ■ Application autour de la bouche ou des yeux, sur les ailes du nez ou près d'autres muqueuses ■ Grossesse, allaitement, enfants (l'innocuité du médicament n'a pas été établie).

RÉACTIONS INDÉSIRABLES ET EFFETS SECONDAIRES

Tég.: photosensibilité, rougeur, vésication, œdème, formation de croûtes, hyperpigmentation, hypopigmentation.

INTERACTIONS

Médicament – médicament: ■ Augmentation du risque d'une irritation cutanée excessive lors de l'administration concomitante d'**agents kératolytiques** (peroxyde de benzoyle, acide salicylique, soufre ou résorcinol) ■ Risque accru de photosensibilité lors de l'administration concomitante d'**agents photosensibilisants** ■ Risque accru d'irritation lors de l'utilisation de **préparations topiques destinées aux soins de la peau** (lotion après-rasage, fond de teint, maquillage, parfum, eau de toilette) ■ La trétinoïne augmente l'absorption du **minoxidil en préparation topique**.

PRÉSENTATIONS

■ Crème à 0,01, 0,025 et 0,1 % (la crème Rétisol A contient aussi un écran solaire, le Parsol) ■ Gel à 0,001, 0,025 et 0,05 % ■ Solution à 0,05 %.

VOIES D'ADMINISTRATION ET POSOLOGIE

■ **Voie topique (adultes et adolescents):** une application, une fois par jour, au coucher.

PHARMACODYNAMIE (amélioration de l'état de la peau)

	DÉBUT D'ACTION	PIC	DURÉE
préparation topique	2 – 3 semaines	6 semaines	inconnue

☼ SOINS INFIRMIERS

ÉVALUATION DE LA SITUATION

☐ Évaluer l'état de la peau avant le traitement et à intervalles réguliers pendant toute sa durée. Noter le nombre et la gravité des lésions, le degré de déshydratation de la peau, la gravité de l'érythème et des démangeaisons. La réaction à la fréquence des applications et à la dose administrée varie et devrait être suivie de près. Il est possible que l'acné s'aggrave passagèrement au début du traitement. Ce phénomène peut être attribuable à l'effet de la trétinoïne sur les lésions profondes, passées inaperçues, mais ne dicte pas l'arrêt du traitement.

DIAGNOSTICS INFIRMIERS POSSIBLES

■ **Énoncés diagnostiques**

□ Atteinte à l'intégrité de la peau.
□ Perturbation situationnelle de l'estime de soi.
□ Prise en charge inefficace du programme thérapeutique.
□ *Risque d'accident.*
□ *Risque d'anxiété.*

■ **Facteurs favorisants**

□ Informations incomplètes.
□ *Manque de connaissances sur les modalités du traitement.*
□ *Manque de connaissances sur les moyens de réduire la photosensibilité.*

INTERVENTIONS INFIRMIÈRES

■ **Préparation topique :** Appliquer la trétinoïne, une fois par jour, avant le coucher. Appliquer une mince couche sur toute la surface. Se laver les mains immédiatement après l'application.
■ **Préparation liquide :** Appliquer avec le bout des doigts, de la gaze ou un coton-tige. Ne pas saturer la gaze ou le coton-tige afin que le produit ne déborde pas sur les régions saines.
■ **Gel :** Si l'on applique une quantité trop importante de gel, celui-ci se dessèche et s'exfolie, ce qui peut permettre de réduire le risque de surutilisation.
□ La trétinoïne peut entraîner un œdème local grave et une forte desquamation de la peau sur la surface où elle a été appliquée. Dans ce cas, on peut utiliser le produit moins souvent, interrompre le traitement ou l'abandonner complètement.

ENSEIGNEMENT AU PATIENT ET À SES PROCHES

□ Conseiller au patient de respecter scrupuleusement la posologie recommandée. La trétinoïne peut entraîner une sensation passagère de chaleur et de picotement. Ne pas appliquer autour des yeux ou de la bouche, sur les ailes du nez ou près d'autres muqueuses. Conseiller au patient de ne pas appliquer des quantités excessives en raison du risque de rougeur, de desquamation ou de gêne. De toute façon, les résultats ne seraient pas meilleurs.

□ Prévenir le patient que l'acné peut parfois s'aggraver au début du traitement.

□ Conseiller au patient de consulter le médecin au sujet de l'utilisation concomitante d'autres préparations contre l'acné. L'utilisation normale de produits cosmétiques n'est pas défendue, mais le territoire à traiter doit être nettoyé à fond avant l'application de la trétinoïne. Les savons ou les produits médicamentés ou abrasifs, les savons et les produits cosmétiques qui assèchent fortement la peau, les produits ayant une forte concentration d'alcool, d'astringents, d'épices ou de limette peuvent dessécher davantage la peau.

□ Recommander au patient d'utiliser un écran solaire et de porter des vêtements protecteurs pour prévenir les réactions de photosensibilité. Lui conseiller de consulter le médecin au sujet des écrans solaires qu'il devrait utiliser puisque certaines préparations peuvent aggraver l'acné. Recommander au patient de s'exposer le moins possible au soleil et aux lampes solaires. En cas de coup de soleil, il devrait cesser le traitement par la trétinoïne jusqu'à guérison complète. Les conditions climatiques extrêmes (vent fort, froid intense) peuvent aussi irriter la peau.

VÉRIFICATION DES RÉSULTATS

L'efficacité du traitement peut être démontrée par : ■ la diminution du nombre et de la gravité des lésions dans les cas d'acné grave. Les résultats thérapeutiques peuvent habituellement être notés dans les 2 à 3 semaines suivant le début du traitement, mais le plein effet du traitement peut ne pas se manifester avant 6 semaines. Lorsque les résultats sont satisfaisants, poursuivre le traitement en espaçant les applications ou en ayant recours à d'autres préparations ■ l'amélioration des signes cliniques de photolésions cutanées.

TRIMÉTREXATE
NeuTrexin

CLASSIFICATION :
Antiprotozoaire

Grossesse – catégorie D

INDICATIONS

■ Traitement de la pneumonie modérée à grave due à *Pneumocystis carinii* chez les patients qui présentent un déficit immunitaire et qui ne tolèrent pas ou sont réfractaires au traitement par le triméthoprime-sulfaméthoxazole ou chez qui l'emploi de cette association est contre-indiquée.

ACTION

■ Inhibition de la dihydrofolate réductase se traduisant par un effet antagoniste sur l'acide folique. Le trimétrexate doit être administré en même temps que la leucovorine, qui prévient l'hypoplasie médullaire qu'il entraîne tout en lui permettant d'exercer son effet antiprotozoaire sur *P. Carinii*. **Effets thérapeutiques :** ■ Activité antiprotozoaire.

PHARMACOCINÉTIQUE

Absorption : Par suite de l'administration IV, la biodisponibilité est totale.
Distribution : Inconnue.
Métabolisme et excrétion : Le trimétrexate est métabolisé par le foie ; certains métabolites sont dotés d'une activité antiprotozoaire. Une fraction de 10 à 30 % est excrétée à l'état inchangé par les reins.
Demi-vie : 11 h.

CONTRE-INDICATIONS ET PRÉCAUTIONS

Contre-indications : ■ Hypersensibilité au trimétrexate, au méthotrexate ou à la leucovorine ■ Grossesse et allaitement.
Précautions : ■ Maladie rénale sous-jacente (interrompre passagèrement le traitement si les concentrations de créatinine dépassent 230 μmol/L) ■ Maladie hépatique sous-jacente (interrompre passagèrement le traitement si les concentrations de transaminases ou de phosphatase alcaline sont plus de cinq fois supérieures à la normale) ■ Hypoplasie médullaire (il est recommandé de réduire la dose de trimétrexate ou d'augmenter la dose de leucovorine si le nombre de polynucléaires neutrophiles est inférieur à $1,0 \times 10^9$/L ou si le nombre de plaquettes est inférieur à 75×10^9/L) ■ Patientes en âge de procréer ■ Enfants de moins de 18 ans (l'innocuité du médicament n'a pas été établie).

RÉACTIONS INDÉSIRABLES ET EFFETS SECONDAIRES

SNC : confusion, fatigue.
GI : élévation des concentrations d'AST (TGOS) et d'ALT (TGPS), nausées, vomissements, élévation des concentrations de bilirubine et de phosphatase alcaline.
GU : élévation des concentrations sériques de créatinine.

Derm.: rash, prurit.

HÉ: hyponatrémie, hypocalcémie.

Hémat.: neutropénie, thrombocytopénie, anémie.

Divers: fièvre.

INTERACTIONS

Médicament – médicament: ■ Les médicaments suivants, administrés simultanément, peuvent modifier les concentrations plasmatiques de trimétrexate et réduire son efficacité : **acétaminophène, érythromycine, rifampine, rifabutine, kétoconazole** ou **fluconazole** ■ La toxicité du trimétrexate peut être accrue lors de l'administration concomitante de **cimétidine**, de **clotrimazole**, de **kétoconazole** ou de **miconazole** ■ Lors de l'administration simultanée de leucovorine et de trimétrexate, l'effet anticonvulsivant du **phénobarbital**, de la **phénytoïne** et de la **primidone** peut être diminué ■ Risque accru de toxicité hématologique lors de l'administration concomitante d'**antinéoplasiques** ou d'une **radiothérapie** ■ Risque accru de néphrotoxicité lors de l'administration concomitante d'**agents néphrotoxiques**.

PRÉSENTATIONS

■ Solution pour injection en fioles de 25 mg/5 mL.

VOIES D'ADMINISTRATION ET POSOLOGIE

■ **IV (adultes)**: *Trimétrexate* – 45 mg/m^2 (1,2 mg/kg), une fois par jour, pendant 21 jours. *Administration concomitante de leucovorine* – 20 mg/m^2 par voie orale ou IV, toutes les 6 h, pendant 24 jours, sans dépasser la dose maximale quotidienne de 80 mg/m^2. Administrer la première dose de leucovorine par voie IV avant la première dose de trimétrexate. Consulter le guide de modification posologique fourni par le fabricant si le patient présente une toxicité hématologique.

PHARMACODYNAMIE
(concentrations sanguines)

	DÉBUT D'ACTION	PIC
IV	rapide	fin de la perfusion

✳ SOINS INFIRMIERS

ÉVALUATION DE LA SITUATION

☐ Examiner fréquemment les points de ponction veineuse à la recherche de signes d'infection.

☐ Prendre la température tous les jours. En cas de fièvre, on peut administrer un antipyrétique. Surveiller l'apparition de signes d'infection, de fièvre, de frissons et de maux de gorge. Suivre de près les saignements : gencives qui saignent, formation d'ecchymoses, pétéchies, présence de sang dans les selles, l'urine et les vomissements. Éviter les injections IM et la prise de la température rectale ; appliquer une pression sur les points de ponction veineuse pendant 10 min. Amorcer les mesures nécessaires pour éviter les saignements lorsque le nombre de plaquettes est inférieur à 50×10^9/L et les mesures de prévention des infections lorsque le nombre de polynucléaires neutrophiles est inférieur à $1,0 \times 10^9$/L (voir Enseignement au patient et à ses proches). Réduire la dose lorsque le nombre de polynucléaires neutrophiles est inférieur à $1,0 \times 10^9$/L ou le nombre de plaquettes inférieur à 75×10^9/L.

■ **Étude des examens diagnostiques et biochimiques**: Vérifier les fonctions hématologique, rénale et hépatique, deux fois par semaine, pendant toute la durée du traitement. Le trimétrexate peut entraîner une diminution du nombre absolu de polynucléaires neutrophiles et du nombre de plaquettes et une élévation des concentrations sériques de créatinine, d'urée, d'AST (TGOS), d'ALT (TGPS) et de phosphatase alcaline.

T

DIAGNOSTICS INFIRMIERS POSSIBLES

▪ Énoncés diagnostiques

□ Risque d'infection.

□ Prise en charge inefficace du programme thérapeutique.

□ *Risque d'accident.*

□ *Risque d'intoxication.*

▪ Facteurs favorisants

□ Informations incomplètes.

□ *Manque de connaissances sur les modalités du traitement.*

□ *Manque de connaissances sur les effets secondaires du médicament et sur les moyens de les prévenir.*

INTERVENTIONS INFIRMIÈRES

▪ Directives générales : Afin de prévenir tout risque de toxicité mortelle, administrer la leucovorine et le trimétrexate de façon concomitante et maintenir le traitement par la leucovorine pendant les 72 h qui suivent l'administration de la dernière dose de trimétrexate.

□ Préparer les solutions sous une hotte biologique de sécurité. Porter des gants, un vêtement protecteur et un masque pendant la manipulation du trimétrexate. Mettre au rebut le matériel IV dans les contenants réservés à cet effet (voir l'annexe I du *Guide*).

▪ Perfusion intermittente : Reconstituer le contenu de la fiole de trimétrexate avec 2 mL de dextrose à 5 % dans de l'eau ou d'eau stérile pour injection pour obtenir une concentration de 12,5 mg/mL. Avant de la diluer davantage, passer la solution par un filtre de 0,22 μm. Diluer de nouveau avec du dextrose à 5 % dans de l'eau pour obtenir une concentration finale se situant entre 0,25 mg/mL et 2 mg/mL. La solution est stable pendant 24 h à la température ambiante.

▪ *Vitesse d'administration du trimétrexate :* Administrer le médicament en 60 à 90 min.

▪ *Vitesse d'administration de la leucovorine :* Administrer le médicament en 5 à 10 min.

▪ **Incompatibilités en addition au soluté ou dans une tubulure en Y :** solution de NaCl à 0,9 %, leucovorine, solutions contenant du chlorure. Administrer le trimétrexate et la leucovorine séparément. Entre deux perfusions, rincer les tubulures avec au moins 10 mL de dextrose à 5 % dans de l'eau.

ENSEIGNEMENT AU PATIENT ET À SES PROCHES

□ Expliquer au patient le but du traitement par le trimétrexate et la leucovorine ainsi que la nécessité de le poursuivre jusqu'à terme.

□ Expliquer au patient qu'il doit prendre sa température au moins une fois par jour et plus fréquemment s'il pense faire de la fièvre.

□ Conseiller au patient présentant un nombre absolu de polynucléaires neutrophiles inférieur à $1,0 \times 10^9$/L de prendre des mesures de prévention contre l'infection. Il doit notamment se laver les mains souvent, recouvrir le point d'injection IV lorsqu'il prend un bain ou une douche, bien laver les fruits frais et éviter de consommer des viandes et des légumes crus ou insuffisamment cuits, se débarrasser des fleurs fraîches et des plantes d'intérieur et éviter les foules et les personnes contagieuses.

□ Recommander au patient dont le nombre de plaquettes est inférieur à 50×10^9/L de prendre les mesures suivantes pour éviter les saignements : utiliser une brosse à dents à poils doux et un rasoir électrique, prendre tout particulièrement garde aux chutes, ne pas boire de boissons alcoolisées ni prendre de médicaments renfermant de l'aspirine, de l'ibuprofène ou du naproxène, car ces substances peuvent déclencher une hémorragie digestive.

☐ Indiquer au patient qu'il doit signaler immédiatement au médecin une fièvre dépassant 38°C, le rash, les symptômes pseudo-grippaux, les engourdissements ou les picotements aux pieds et aux mains, les douleurs abdominales, les aphtes, la formation accrue d'ecchymoses, les saignements plus fréquents et les selles noires goudronneuses.

☐ Insister sur l'importance des examens biochimiques et diagnostiques réguliers permettant de suivre de près les effets secondaires.

VÉRIFICATION DES RÉSULTATS

L'efficacité du traitement peut être démontrée par : ■ la diminution des symptômes de la pneumonie à *P. carinii* chez les patients qui présentent un déficit immunitaire.

VENLAFAXINE
Effexor

CLASSIFICATION :
Antidépresseur – divers

Grossesse – catégorie C

INDICATIONS
■ Traitement de la dépression majeure, souvent en association avec la psychothérapie.

ACTION
■ Inhibition du recaptage de la sérotonine et de la noradrénaline dans le SNC.
Effets thérapeutiques : ■ Diminution de la symptomatologie dépressive.

PHARMACOCINÉTIQUE
Absorption : Par suite de l'administration PO, le médicament est bien absorbé (de 92 à 100 %).
Distribution : La venlafaxine se répartit massivement dans tous les tissus.
Métabolisme et excrétion : La venlafaxine est fortement métabolisée par le foie. L'un de ses métabolites, la O-déméthyl-venlafaxine (ODV), exerce une activité antidépressive. Une fraction de 5 % de la venlafaxine est excrétée à l'état inchangé dans l'urine ; une fraction de 30 % du métabolite actif est également excrétée dans l'urine.
Demi-vie : *Venlafaxine* – de 3 à 5 h ; *ODV* : de 9 à 11 h (dans les deux cas, la demi-vie est prolongée en présence d'une insuffisance hépatique ou rénale).

CONTRE-INDICATIONS ET PRÉCAUTIONS
Contre-indications : ■ Hypersensibilité ■ Administration concomitante d'un IMAO.
Précautions : ■ Maladie cardiovasculaire, y compris l'hypertension ■ Insuffisance hépatique (diminuer la dose de 50 % ou plus si l'insuffisance est modérée à grave) ■ Insuffisance rénale (diminuer la dose de 25 % si l'insuffisance est légère et de 50 % si la clearance de la créatinine est inférieure à 0,85 mL/s) ■ Antécédents de convulsions ou de troubles neurologiques ■ Antécédents de manie ■ Antécédents de pharmacodépendance ou de toxicomanie ■ Grossesse, allaitement ou enfants de moins de 18 ans (n'utiliser la venlafaxine pendant la grossesse qu'en cas d'absolue nécessité ; l'innocuité du médicament n'a pas été établie).

RÉACTIONS INDÉSIRABLES ET EFFETS SECONDAIRES
SNC : céphalées, perturbation des opérations de la pensée, rêves bizarres, étourdissements, anxiété, nervosité, faiblesse, confusion, somnolence, agitation, dépersonnalisation, labilité affective, aggravation de la dépression, CONVULSIONS.
ORLO : troubles de la vue, rhinite, acouphènes.
CV : douleurs thoraciques, hypertension, palpitations, tachycardie.
GI : anorexie, constipation, diarrhée, dyspepsie, nausées, sécheresse de la bouche (xérostomie), douleurs abdominales, altération du goût, vomissements, perte pondérale.

V

GU : dysfonctionnement sexuel, altération de la miction, rétention urinaire, mictions fréquentes.

Tég. : démangeaisons, photosensibilité, rash.

SN : paresthésie, mouvements brefs et saccadés.

Divers : bâillements, frissons.

INTERACTIONS

Médicament – médicament : ■ L'administration simultanée d'**inhibiteurs de la MAO** peut entraîner des réactions graves, voire mortelles (arrêter l'administration des IMAO au moins 2 semaines avant le début du traitement par la venlafaxine ; arrêter l'administration de la venlafaxine au moins 1 semaine avant le début du traitement par les IMAO) ■ L'administration concomitante d'**alcool** ou d'autres **dépresseurs du SNC**, y compris d'**hypnosédatifs**, d'**antihistaminiques** et d'**analgésiques opiacés**, n'est pas recommandée chez les patients déprimés ■ Les effets sérotoninergiques du **lithium** et de la venlafaxine pouvant être additifs, administrer ce médicament avec prudence aux patients prenant de la venlafaxine ■ La **cimétidine** peut intensifier les effets de la venlafaxine (cet effet peut être plus marqué chez les personnes âgées, les insuffisants hépatiques ou rénaux, ou les hypertendus).

PRÉSENTATIONS

■ Comprimés de 37,5 et 75 mg.

VOIES D'ADMINISTRATION ET POSOLOGIE

■ **PO (adultes) :** 75 mg/jour en 2 ou 3 doses fractionnées ; on peut augmenter la dose jusqu'à concurrence de 75 mg par jour, tous les 4 jours ou plus fréquemment, jusqu'à concurrence de 225 mg par jour (ne pas dépasser 375 mg par jour, en 3 doses fractionnées).

PHARMACODYNAMIE
(effet antidépresseur)

	DÉBUT D'ACTION	PIC	DURÉE
PO	en l'espace de 2 semaines	2 – 4 semaines	inconnue

ÉVALUATION DE LA SITUATION

□ Suivre de près les sautes d'humeur et l'état mental du patient. Signaler au médecin l'aggravation de l'anxiété, de la nervosité ou de l'insomnie.

□ Observer les tendances suicidaires, particulièrement au début du traitement. Réduire la quantité de médicament dont le patient peut disposer.

□ Prendre la pression artérielle avant le traitement et à intervalles réguliers pendant toute sa durée. L'hypertension soutenue peut être reliée à la dose. Dans ce cas, diminuer la dose ou interrompre le traitement.

□ Suivre de près l'appétit du patient et son alimentation. Peser le patient toutes les semaines. Prévenir le médecin en cas de perte de poids continue. Adapter le régime alimentaire selon les aliments que le patient peut tolérer, afin de favoriser le maintien de l'état nutritionnel.

■ **Étude des examens diagnostiques et biochimiques :** Examiner la numération globulaire, la formule leucocytaire et le nombre de plaquettes à intervalles réguliers tout au long du traitement. La venlafaxine peut entraîner l'anémie, la leucocytose, la leucopénie, la thrombocytopénie, la basophilie et l'éosinophilie.

□ La venlafaxine peut entraîner une élévation des concentrations sériques de phosphatase alcaline, de bilirubine, d'AST (TGOS), d'ALT (TGPS), d'urée et de créatinine.

□ La venlafaxine peut aussi entraîner une élévation des taux de cholestérol.

□ La venlafaxine peut entraîner des anomalies électrolytiques (hyper ou hypoglycémie, hyper ou hypokaliémie, hyperuricémie, hyper ou hypophosphatémie et hyponatrémie).

DIAGNOSTICS INFIRMIERS POSSIBLES

■ **Énoncés diagnostiques**

□ Stratégies d'adaptation individuelles inefficaces.
□ Risque d'accident.
□ Prise en charge inefficace du programme thérapeutique.
□ *Risque de déficit nutritionnel.*
□ *Risque d'atteinte à l'intégrité de la muqueuse buccale.*
□ *Risque de perturbation situationnelle de l'estime de soi.*

■ **Facteurs favorisants**

□ Informations incomplètes
□ *Manque de connaissances sur le régime alimentaire à suivre.*
□ *Perturbation de la vigilance.*
□ *Manque de connaissances sur les moyens de prévenir les effets secondaires du médicament.*
□ *Manque de connaissances sur les moyens de prévenir ou de réduire la sécheresse de la bouche.*
□ Altération de l'image corporelle.

INTERVENTIONS INFIRMIÈRES

■ **PO :** Administrer la venlafaxine avec des aliments.

ENSEIGNEMENT AU PATIENT ET À SES PROCHES

□ Conseiller au patient de respecter scrupuleusement la posologie recommandée. S'il n'a pu prendre le médicament au moment habituel, il doit le prendre aussitôt que possible à moins que ce ne soit presque l'heure prévue pour la dose suivante. Le prévenir qu'il ne doit pas doubler les doses ni arrêter brusquement le traitement. Chez les patients ayant pris de la venlafaxine pendant plus de 1 semaine, il faut réduire la dose progressivement. La période de réduction progressive de la dose sera de 2 semaines si le traitement par la venlafaxine a duré 6 semaines ou plus.

□ La venlafaxine peut entraîner de la somnolence ou des étourdissements. Recommander au patient de ne pas conduire et d'éviter les activités qui exigent de la vigilance jusqu'à ce qu'on ait la certitude que le médicament n'entraîne pas ces effets chez lui.

□ Conseiller au patient d'éviter la consommation d'alcool ou la prise d'autres dépresseurs du SNC pendant le traitement et de consulter le médecin ou le pharmacien avant de prendre d'autres médicaments de prescription ou en vente libre en même temps que la venlafaxine.

□ Conseiller à la patiente de prévenir le médecin si elle souhaite devenir enceinte ou pense l'être ou si elle allaite.

□ Conseiller au patient d'utiliser un écran solaire et de porter des vêtements protecteurs afin d'éviter les réactions de photosensibilité.

□ Conseiller au patient de prévenir le médecin en cas de réactions allergiques (rash, urticaire).

□ Insister sur l'importance des examens de suivi permettant de déterminer les bienfaits du traitement. Encourager le patient à s'engager dans une psychothérapie.

VÉRIFICATION DES RÉSULTATS

L'efficacité du traitement peut être démontrée par : ■ une sensation de mieux-être □ un regain d'intérêt pour l'entourage. Il faut évaluer à intervalles réguliers le besoin de traitement. Le traitement doit habituellement être poursuivi pendant plusieurs mois.

VINORELBINE
Navelbine

CLASSIFICATION :
Antinéoplasique – alcaloïde extrait de la pervenche

Grossesse – catégorie D

V

INDICATIONS

■ En monothérapie ou en association avec le cisplatine chez les patients non alités atteints d'un cancer inopérable des poumons autre qu'à petites cellules ■ Traitement des patientes atteintes d'un cancer du sein avec métastases qui n'ont pas répondu au traitement de première ligne ou qui subissent une rechute dans les 6 mois suivant un traitement adjuvant à base d'anthracycline.

ACTION

■ Liaison à une protéine (tubuline) des microtubules cellulaires entraînant l'arrêt de la métaphase et, par conséquent, de la réplication cellulaire (phase M du cycle cellulaire). **Effets thérapeutiques:** ■ Destruction des cellules à réplication rapide, particulièrement des cellules malignes.

PHARMACOCINÉTIQUE

Absorption: Par suite de l'administration IV, la biodisponibilité est totale.
Distribution: La vinorelbine se lie fortement aux plaquettes et aux lymphocytes.
Métabolisme et excrétion: La vinorelbine est surtout métabolisée par le foie. Au moins un des ses métabolites est actif. De grandes quantités sont éliminées dans les fèces; une fraction de 11 % est éliminée à l'état inchangé par les reins.
Demi-vie: De 28 à 44 h.

CONTRE-INDICATIONS ET PRÉCAUTIONS

Contre-indications: ■ Hypersensibilité ■ Grossesse ou allaitement ■ Infections ■ Diminution de la réserve médullaire ■ Autres maladies chroniques débilitantes.
Précautions: ■ Patientes en âge de procréer ■ Insuffisance hépatique (il est recommandé de réduire la dose si la bilirubine totale dépasse 235 µmol/L) ■ Granulocytopénie (interrompre passagèrement le traitement ou réduire la dose) ■ Enfants (l'innocuité du médicament n'a pas été établie).

RÉACTIONS INDÉSIRABLES ET EFFETS SECONDAIRES

SNC: fatigue.
Resp: essoufflement.
CV: douleurs thoraciques.
GI: constipation, nausées, vomissements, diarrhée, anorexie, élévations passagères des enzymes hépatiques.
Derm.: alopécie, rash.
Hémat.: neutropénie, anémie, thrombocytopénie.
Locaux: irritation au point d'injection IV, réactions cutanées, phlébite.
Loc.: douleur à la mâchoire, myalgie, arthralgie.
SN: neurotoxicité.

INTERACTIONS

Médicament – médicament: ■ Effet additif sur l'aplasie médullaire lors de l'administration concomitante d'autres **antinéoplasiques** ou d'une **radiothérapie** ■ Le **cisplatine**, administré simultanément, peut aggraver l'aplasie médullaire ou augmenter le risque qu'elle apparaisse ■ Risque de réactions pulmonaires aiguës lors de l'administration concomitante de **mitomycine** ou d'une **radiothérapie thoracique.**

PRÉSENTATIONS

■ Solution pour injection à 10 mg/mL, en flacons de 1 et 5 mL.

VOIES D'ADMINISTRATION ET POSOLOGIE

■ **IV (adultes):** 30 mg/m^2, une fois par semaine. Consulter le guide de modification posologique fourni par le fabricant si le patient présente une toxicité hématologique.

PHARMACODYNAMIE (effets sur le nombre de leucocytes)

	DÉBUT D'ACTION	PIC	DURÉE
IV	inconnu	7–10 jours	7–14 jours

SOINS INFIRMIERS

ÉVALUATION DE LA SITUATION

☐ Mesurer la pression artérielle, le pouls et la fréquence respiratoire pendant toute la durée du traitement. Noter tout changement important. Dans de rares cas, l'essoufflement aigu ou un bronchospasme grave survient peu de temps après l'administration de la vinorelbine. L'administration de corticostéroïdes, de bronchodilatateurs et d'oxygène peut s'avérer nécessaire, particulièrement chez les patients ayant des antécédents de maladie pulmonaire.

☐ Suivre de près les signes d'infection (maux de gorge, fièvre, toux, modification de l'état de la conscience) particulièrement durant la période où l'on prévoit le nadir de la granulocytopénie.

☐ Évaluer l'état neurologique du patient. Déceler les signes de paresthésie (engourdissements, picotements, douleurs), la perte de réflexes tendineux profonds (le réflexe achilléen est habituellement le premier touché), la faiblesse (poignet ou pied tombant, troubles de la démarche), la paralysie des nerfs crâniens (douleur aux mâchoires, raucité de la voix, ptosis, modifications visuelles), le dysfonctionnement du système nerveux autonome (constipation, occlusion intestinale, mictions difficiles, hypotension orthostatique, altération de la sécrétion de la sueur) et le dysfonctionnement du SNC (diminution de la conscience, agitation, hallucinations). Ces symptômes peuvent persister pendant plusieurs mois. L'incidence de la neurotoxicité associée à la vinorelbine est inférieure à celle notée avec les autres alcaloïdes extraits de la pervenche.

☐ Effectuer le bilan des ingesta et des excreta et peser le patient tous les jours pour déceler tout écart important.

☐ Évaluer l'état nutritionnel du patient. Les nausées légères à modérées sont courantes. Le médecin peut prescrire un antiémétique pour réduire les nausées et les vomissements.

☐ Surveiller les symptômes de goutte : concentrations accrues d'acide urique, douleurs articulaires, œdème. Inciter le patient à boire au moins 2 L de liquides par jour. Le médecin peut prescrire de l'allopurinol ou l'alcalinisation de l'urine afin de réduire les concentrations d'acide urique.

■ **Étude des examens diagnostiques et biochimiques :** Noter la numération globulaire avant chaque dose et à intervalles réguliers pendant toute la durée du traitement. Le nadir de la granulocytopénie survient habituellement de 7 à 10 jours après l'administration de la vinorelbine, mais les valeurs se rétablissent généralement 7 à 14 jours plus tard. Si le nombre absolu de polynucléaires neutrophiles est $< 1,5 \times 10^9$/L, la diminution de la dose ou l'interruption du traitement pourrait s'avérer nécessaire. Si des épisodes récurrents de fièvre ou de septicémie se manifestent durant la granulocytopénie, il faudrait modifier les doses ultérieures de vinorelbine. Le médicament peut aussi entraîner une anémie légère à modérée. La thrombocytopénie se manifeste rarement.

☐ Noter les résultats des épreuves de l'exploration fonctionnelle hépatique (AST [TGOS], ALT [TGPS], LDH, bilirubine) et de l'exploration rénale (urée, créatinine) avant le traitement et à intervalles réguliers pendant toute sa durée. La vinorelbine peut entraîner une élévation des concentrations d'acide urique. Noter ces concentrations à intervalles réguliers pendant toute la durée du traitement.

DIAGNOSTICS INFIRMIERS POSSIBLES

■ **Énoncés diagnostiques**

☐ Risque d'accident.

☐ Risque d'infection.

V

- □ Prise en charge inefficace du programme thérapeutique.
- □ *Risque de déficit nutritionnel.*
- □ *Risque de douleur au point d'injection IV.*

■ **Facteurs favorisants**
- □ Informations incomplètes.
- □ *Manque de connaissances sur les modalités du traitement.*
- □ *Inflammation locale du tissu vasculaire ou infiltration du médicament dans les tissus avoisinants.*
- □ Fatigue et faiblesse.
- □ *Manque de connaissances sur les effets secondaires du médicament.*
- □ *Manque de connaissances sur le régime alimentaire à suivre.*

INTERVENTIONS INFIRMIÈRES

■ **Directives générales :** Préparer les solutions sous une hotte biologique de sécurité. Porter des gants, un vêtement protecteur et un masque pendant la manipulation de la vinorelbine. Mettre au rebut le matériel IV dans les contenants réservés à cet effet (voir l'annexe I du *Guide*).
- □ Rincer la veine avec au moins 75 à 125 mL de NaCl à 0,9 % ou de dextrose à 5 % dans de l'eau pendant 10 min ou plus après la fin de l'administration.
- □ Examiner fréquemment les points d'injection pour déceler la rougeur, l'irritation ou l'inflammation. La vinorelbine est un vésicant. En cas d'extravasation, il faut arrêter la perfusion et changer de point d'injection pour éviter toute lésion des tissus sous-cutanés. Pour traiter l'extravasation, il faut appliquer immédiatement des compresses tièdes sur la région touchée, et les laisser en place pendant 30 à 60 min. Au cours des 24 h suivantes, on les applique pendant 15 min en observant des pauses de 15 min, ce qui permet d'accroître l'absorption systémique du médicament. Afin de favoriser l'absorption et la

dispersion du médicament extravasé, administrer 150 unités d'hyaluronidase diluée dans 1 à 2 mL de NaCl à 0,9 %, à raison de 1 mL par mL extravasé, par la canule IV en place ou par voie SC si l'aiguille a été retirée.

■ **IV directe :** Diluer la vinorelbine jusqu'à une concentration de 1,5 à 3 mg/mL avec du NaCl à 0,9 % ou du dextrose à 5 % dans de l'eau.

■ *Vitesse d'administration :* Administrer en au moins 1 min.

■ **Perfusion intermittente :** Diluer la vinorelbine pour obtenir une concentration de 0,5 à 2 mg/mL avec une solution de NaCl à 0,9 %, de dextrose à 5 % dans de l'eau, de NaCl à 0,45 %, de dextrose à 5 % avec du NaCl à 0,45 %, de Ringer ou de lactate Ringer. La solution doit être incolore ou jaune pâle. Ne pas administrer les solutions qui ont changé de couleur ou qui renferment des particules. La solution diluée est stable pendant 24 h à la température ambiante.

■ *Vitesse d'administration :* Perfuser en 6 à 10 min dans le raccord en Y qui se trouve le plus près du sac contenant une solution intraveineuse qui s'écoule librement, ou dans la tubulure centrale.

■ **Compatibilités (tubulure en Y) :** amikacine, aztréoname, bléomycine, bumétanide, buprénorphine, butorphanol, carboplatine, carmustine, céfotaxime, ceftazidime, ceftizoxime, chlorpromazine, chlorure de potassium, cimétidine, cisplatine, clindamycine, cyclophosphamide, cytarabine, dacarbazine, dactinomycine, daunorubicine, diphenhydramine, doxorubicine, doxycycline, dropéridol, énalaprilate, étoposide, famotidine, floxuridine, fluconazole, fludarabine, gentamicine, gluconate de calcium, halopéridol, héparine, hydrocortisone, hydromorphone, hydroxyzine, idarubicine, ifosfamide, imipenem/cilastatine, lorazépam, mannitol, méchloréthamine, melphalan, mépéri-

V

dine, mesna, méthotrexate, métoclopramide, métronidazole, miconazole, minocycline, mitoxantrone, morphine, nalbuphine, nétilmicine, nitrate de gallium, ondansétron, phosphate sodique de dexaméthasone, plicamycine, prochlorpérazine, prométhazine, ranitidine, streptozocine, ticarcilline, ticarcilline/clavunalate, tobramycine, vancomycine, vinblastine, vincristine, zidovudine.

- **Incompatibilités (tubulure en Y) :** acyclovir, aminophylline, amphotéricine B, ampicilline, bicarbonate de sodium, céfazoline, céfopérazone, céforanide, céfotétane, ceftriaxone, céfuroxime, fluorouracile, furosémide, ganciclovir, méthylprednisolone, mitomycine, pipéracilline, thiotépa, triméthoprime/sulfaméthoxazole.

ENSEIGNEMENT AU PATIENT ET À SES PROCHES

- ☐ Recommander au patient de signaler au médecin les symptômes suivants de neurotoxicité : paresthésie, douleur, difficulté à marcher, constipation persistante.
- ☐ Expliquer au patient qu'il peut soulager la constipation en augmentant sa consommation de liquides et de fibres alimentaires et en faisant de l'exercice. Le médecin peut lui prescrire des laxatifs ou des émollients fécaux. Inciter le patient à signaler au médecin la constipation grave ou la gêne abdominale, car elles peuvent constituer des signes de neuropathie.
- ☐ Recommander au patient de signaler au médecin la fièvre, les frissons, les maux de gorge, les signes d'infection, le saignement des gencives, les ecchymoses, les pétéchies, les aphtes ou la présence de sang dans les selles, l'urine ou les vomissements.
- ☐ Expliquer au patient qu'il doit éviter les foules et les personnes contagieuses.
- ☐ Expliquer à la patiente que la vinorelbine peut avoir des effets tératogènes. Lui conseiller d'utiliser une méthode de contraception efficace durant le traitement et pendant au moins deux mois après l'avoir arrêté.

- ☐ Prévenir le patient qu'il risque de perdre ses cheveux. Explorer avec lui les stratégies lui permettant de s'adapter à ce changement.

- ☐ Expliquer au patient qu'il ne doit pas se faire vacciner sans recommandation expresse du médecin.

- ☐ Insister sur l'importance des examens diagnostiques et biochimiques réguliers permettant de déceler les effets secondaires du médicament.

VÉRIFICATION DES RÉSULTATS

L'efficacité du traitement peut être démontrée par : ■ la diminution du volume de la tumeur ou de la prolifération des cellules malignes sans apparition d'effets secondaires délétères.

VITAMINES DU COMPLEXE B AVEC VITAMINE C

Préparations orales

Albee + C, B Complex + C, Beminal, Beminal 500, Beminal + C Fortis, B Stress C600, B-Totum 500, Formula III, Hemo-Somaton + C, Lysamine, Mega-13, Neo-bex, Neo-bex Forte, Novo B+C-600, Penta 3B+C, Stress B Tension + C, Stress Formula Vitamins, Stress vit B+C, Surbex-500, Vita 3B+C, Vita Stress 500, (Albee-T), (Bee-T-Vites), (C-B Time), (High Potency), (N-Vites), (Probec-T), (Stresscaps), (Sublingual B Total Liquid), (Surbex with C), (Surbu-Gen-T), (Superplex-T), (Surplex-T)

Préparations parentérales

Beminal avec C Fortis, Berocca-C, (Key Plex), (Neurodep), (Vicam)

CLASSIFICATION :

Vitamine hydrosoluble

Grossesse – catégorie inconnue

V **INDICATIONS**

■ Traitement et prévention des carences vitaminiques.

ACTION

■ Agent contenant des vitamines du complexe B (B_1, B_2, B_3, B_5, B_6, B_{12}) et de la vitamine C, constituant un groupe de composés divers nécessaires à la croissance et au développement normaux, qui jouent le rôle de coenzymes ou de catalyseurs lors de nombreux processus métaboliques. **Effets thérapeutiques:** ■ Supplément de vitamines chez les patients présentant une carence en vitamines B et C ou prédisposés à une telle carence.

PHARMACOCINÉTIQUE

Absorption: Bonne absorption par suite de l'administration PO. Certains processus d'absorption ne peuvent se dérouler en l'absence de cofacteurs (B_{12})
Distribution: L'agent se répartit dans tout l'organisme. Il traverse le placenta et pénètre dans le lait maternel.
Métabolisme et excrétion: Utilisation complète lors de divers processus biologiques. Les quantités en excès sont excrétées à l'état inchangé par les reins.
Demi-vie: Inconnue.

CONTRE-INDICATIONS ET PRÉCAUTIONS

Contre-indications: ■ Hypersensibilité aux ingrédients de la préparation (alcool benzylique, parabènes, bisulfites, tartrazine).

RÉACTIONS INDÉSIRABLES ET EFFETS SECONDAIRES

Aux doses recommandées, les réactions indésirables sont extrêmement rares.
Divers: réactions allergiques aux agents de conservation, ANAPHYLAXIE (thiamine).

INTERACTIONS

Médicament – médicament: ■ Des quantités importantes de vitamine B_6 peuvent contrecarrer l'effet bénéfique de la **lévodopa**.

PRÉSENTATIONS

■ Comprimés, capsules, liquide contenant de la vitamine B_1 (5 à 40 mg), B_2 (1,7 à 25 mg), B_3 (20 à 100 mg), B_5 (10 à 100 mg), B_6 (1 à 50 mg), B_{12} (4,5 à 10 µg) et de la vitamine C (50 à 600 mg) ■ Préparation de polyvitamines ou d'oligoéléments en association avec de l'acide folique, de la biotine, du chrome, des protéines de soja, de la levure de bière, du potassium, du fer, du manganèse et du zinc ■ Solution pour injection à base de vitamine B_1 (5 ou 50 mg), B_2 (5 mg), B_3 (40 ou 125 mg), B_5 (10,5 mg), B_6 (5 ou 10 mg) et de vitamine C (500 mg/mL).

VOIES D'ADMINISTRATION ET POSOLOGIE

■ **PO, IV (adultes et enfants):** quantité suffisante pour correspondre à l'apport quotidien recommandé pour le groupe d'âge du patient (consulter le tableau de l'annexe L du *Guide*).

PHARMACODYNAMIE

	DÉBUT D'ACTION	PIC	DURÉE
PO	inconnu	inconnu	inconnue

SOINS INFIRMIERS

ÉVALUATION DE LA SITUATION

□ Observer le patient avant le traitement et à intervalles réguliers pendant toute sa durée pour déceler les signes d'avitaminose. Évaluer l'état nutritionnel par un bilan de l'alimentation de 24 h. Déterminer la fréquence de la consommation d'aliments riches en vitamines. Le traitement devrait être réservé aux périodes de stress physiologique intense lorsque le patient est incapable de consommer suffisamment de vitamines d'origine alimentaire.

□ Surveiller le patient pour déceler les signes d'anaphylaxie suivants: respiration sifflante, urticaire, œdème. La préparation contient de la thiamine.

DIAGNOSTICS INFIRMIERS POSSIBLES

■ **Énoncés diagnostiques**
□ Déficit nutritionnel.
□ Prise en charge inefficace du programme thérapeutique.

■ **Facteurs favorisants**
□ Informations incomplètes.
□ *Manque de connaissances sur les modalités du traitement.*
□ *Manque de connaissances sur le régime alimentaire à suivre.*

INTERVENTIONS INFIRMIÈRES

■ **Perfusion continue :** L'agent est habituellement administré dans un grand volume de solution parentérale.

ENSEIGNEMENT AU PATIENT ET À SES PROCHES

□ Inciter le patient à respecter scrupuleusement les recommandations diététiques du médecin. Lui expliquer que la meilleure source de vitamines est une alimentation équilibrée comprenant des aliments provenant des quatre principaux groupes alimentaires.

VÉRIFICATION DES RÉSULTATS

L'efficacité du traitement peut être démontrée par : ■ la prévention ou la diminution des symptômes d'avitaminose.

ZALCITABINE

HIVID, didéoxycytidine, ddC

CLASSIFICATION :
Agent antiviral

Grossesse – catégorie C

INDICATIONS

■ En association avec la zidovudine pour la prise en charge des adultes atteints d'une infection avancée par le VIH (nombre de CD4 $\leq 3 \times 10^8$/L) et dont l'état clinique ou immunologique se détériore ■ En monothérapie, pour le traitement des adultes atteints d'une infection avancée par le VIH qui ont présenté une intolérance ou une détérioration clinique ou immunologique notable au cours d'un traitement par la zidovudine.

ACTION

■ Par suite de la transformation intracellulaire en sa forme active, la zalcitabine inhibe la synthèse virale de l'ADN et de la réplication virale qui s'ensuit. **Effets thérapeutiques :** ■ Ralentissement de l'évolution de l'infection par le VIH ■ Augmentation du nombre de cellules CD4.

PHARMACOCINÉTIQUE

Absorption : Bonne absorption par suite de l'administration PO (80 %).
Distribution : L'agent se répartit dans le liquide intracellulaire. Il traverse la barrière hémato-encéphalique. Le reste de la distribution demeure inconnu.
Métabolisme et excrétion : Une fraction de 70 % est excrétée par les reins.
Demi-vie : 2 h.

CONTRE-INDICATIONS ET PRÉCAUTIONS

Contre-indications : ■ Hypersensibilité.
Précautions : ■ Insuffisance rénale (il est recommandé de modifier la posologie si la clearance de la créatinine est < 0,66 mL/s) ■ Patients présentant des signes de neuropathie périphérique (interrompre brièvement le traitement par la zalcitabine et le recommencer à la moitié de la dose initiale si l'état du patient s'améliore) ■ Antécédents de maladie hépatique ou d'alcoolisme (risque accru d'anomalie de la fonction hépatique) ■ Antécédents de pancréatite ou d'hypertriglycéridémie ■ Grossesse, allaitement, enfants (l'innocuité du médicament n'a pas été établie).

RÉACTIONS INDÉSIRABLES ET EFFETS SECONDAIRES

SNC : céphalées, étourdissements, fatigue, confusion, altération de la capacité de se concentrer.

ORLO : pharyngite.
CV : CARDIOMYOPATHIE, INSUFFISANCE CARDIAQUE, douleurs thoraciques.
GI : PANCRÉATITE, ulcération œsophagienne, aphtes buccaux, nausées, dysphagie, anorexie, douleurs abdominales, vomissements, diarrhée, élévation des concentrations d'enzymes hépatiques.
Tég. : rash, prurit, dermatite.
Hémat. : neutropénie, leucopénie.
Loc. : myalgie, arthralgie.
SN : neuropathie périphérique.
Divers : perte de poids, réactions d'hypersensibilité.

INTERACTIONS

Médicament – médicament : ■ Risque accru de neuropathie lors de l'administration simultanée d'autres **médicaments qui provoquent la neuropathie** (chloramphénicol, cisplatine, disulfirame, éthionamide, glutéthimide, sels d'or, hydralazine, iodoquinol, isoniazide, métronidazole, nitrofurantoïne, phénytoïne, rabavirine, vincristine) ■ L'administration concomitante de **didanosine** n'est pas recommandée ■ Risque accru de pancréatite, si la zalcitabine est administrée en même temps que des **médicaments provoquant la pancréatite** (acide valproïque, alcool, asparaginase, azathioprine, diurétiques thiazidiques, œstrogènes, furosémide, méthyldopa, nitrofurantoïne, pentamidine, sulfamidés, tétracyclines) ■ Risque accru d'intoxication par la zalcitabine attribuable à la diminution de son élimination lors de l'administration simultanée d'**aminosides**, d'**anti-infectieux**, d'**amphotéricine B** et de **foscarnet**. **Médicament – aliments :** ■ L'administration de la zalcitabine avec des **aliments** diminue son absorption.

PRÉSENTATIONS

■ Comprimés de 0,375 et 0,75 mg.

VOIES D'ADMINISTRATION ET POSOLOGIE

■ **PO (adultes) :** 0,75 mg de zalcitabine en association avec 200 mg de zidovudine, toutes les 8 h. Aucune adaptation posologique n'est nécessaire chez les patients pesant plus de 30 kg.
■ **PO (adultes) :** 0,75 mg toutes les 8 h (monothérapie).

PHARMACODYNAMIE
(concentrations sanguines)

	DÉBUT D'ACTION	PIC
PO	RAPIDE	1–2 h

SOINS INFIRMIERS

ÉVALUATION DE LA SITUATION

■ Observer le patient pendant toute la durée du traitement pour déceler l'aggravation des symptômes du syndrome de l'immunodéficience acquise (sida) ou des symptômes d'infections opportunistes.

□ Surveiller l'apparition des signes et des symptômes de neuropathie. On doit interrompre le traitement par la zalcitabine si le patient signale une gêne modérée due à une sensation d'engourdissement, de picotement, de brûlure ou de douleur au niveau des membres, si on observe la perte du réflexe achilléen ou si tout autre symptôme connexe se manifeste, particulièrement si ces symptômes sont bilatéraux et persistent pendant plus de trois jours. Si le traitement par la zalcitabine n'est pas interrompu rapidement, la neuropathie périphérique peut progresser, provoquer des douleurs intenses et devenir irréversible. La neuropathie peut évoluer même si l'on cesse l'administration de la zalcitabine, mais elle est habituellement lentement réversible lorsqu'on arrête le traitement sans délai. Si la neuropathie périphérique s'améliore jusqu'au point où les symptômes deviennent légers, on peut recommencer le traitement par la zalcitabine à la moitié de la dose habituelle.

□ Observer le patient pendant toute la durée du traitement à la recherche des symptômes de pancréatite suivants : douleurs abdominales, nausées, vomissements. Si ces symptômes se manifestent ou si les résultats des examens diagnostiques ou biochimiques connexes sont positifs, arrêter le traitement, car on a signalé des pancréatites dont l'issue a été fatale.

■ **Étude des examens diagnostiques et biochimiques :** Vérifier le nombre de CD4 avant le début du traitement et à intervalles réguliers pendant toute sa durée.

□ Examiner les concentrations sériques d'amylase, de lipase, de triglycérides et de calcium pendant toute la durée du traitement. L'élévation des concentrations sériques d'amylase, de lipase et de triglycérides et la diminution des concentrations de calcium peuvent indiquer la présence d'une pancréatite. Obtenir les valeurs initiales chez les patients ayant des antécédents de pancréatite ou des concentrations élevées d'amylase, chez les patients recevant une alimentation parentérale et chez les patients ayant des antécédents d'abus d'éthanol. On doit arrêter l'administration de la zalcitabine si les concentrations sériques d'amylase sont de 1,5 à 2 fois plus élevées que les limites normales.

■ Observer la numération globulaire et effectuer les épreuves de l'exploration fonctionnelle hépatique avant le traitement et à intervalles réguliers pendant toute sa durée. La zalcitabine peut entraîner la leucopénie et l'anémie. Elle peut également entraîner l'élévation des concentrations d'AST (TGOS), d'ALT (TGPS) et de phosphatase alcaline.

DIAGNOSTICS INFIRMIERS POSSIBLES

■ **Énoncés diagnostiques**

□ Risque d'infection.

□ Prise en charge inefficace du programme thérapeutique.

□ *Risque d'accident.*

■ **Facteurs favorisants**

□ Informations incomplètes.

□ *Manque de connaissances sur les effets secondaires du médicament.*

INTERVENTIONS INFIRMIÈRES

■ **PO :** Administrer le médicament à jeun, 1 h avant les repas ou 2 h après pour assurer une absorption maximale. Administrer toutes les 8 h, 24 h par jour.

ENSEIGNEMENT AU PATIENT ET À SES PROCHES

□ Inciter le patient à respecter scrupuleusement la posologie recommandée et à prendre la zalcitabine aux intervalles prescrits, 24 h par jour. Insister sur la nécessité de rester fidèle au traitement, de respecter la posologie et de ne pas arrêter de prendre le médicament sans avoir consulté le médecin au préalable. Prévenir le patient que s'il n'a pu prendre le médicament au moment habituel il doit le prendre aussitôt que possible à moins que ce ne soit l'heure prévue pour la dose suivante. Lui conseiller de ne jamais remplacer une dose manquée par une double dose.

□ Expliquer au patient que la zalcitabine ne guérit pas le sida et qu'elle ne réduit pas le risque de transmission du VIH à d'autres personnes par les rapports sexuels ou par la contamination du sang. Inciter le patient à éviter les rapports sexuels, à utiliser un condom, à ne pas se servir des mêmes aiguilles qu'une autre personne et à ne pas donner du sang afin de prévenir la transmission du virus du sida.

□ Recommander au patient de contacter immédiatement le médecin si des signes de neuropathie périphérique ou de pancréatite se manifestent.

□ Recommander aux femmes en âge de procréer d'utiliser une méthode de contraception non hormonale pendant toute la durée du traitement.

☐ Recommander au patient d'éviter de prendre d'autres médicaments sans consulter au préalable le médecin ou le pharmacien.

☐ Insister sur la nécessité de se soumettre à intervalles réguliers à des examens de suivi et à des analyses de sang permettant de déceler les effets secondaires du médicament et les bienfaits du traitement.

VÉRIFICATION DES RÉSULTATS

L'efficacité du traitement peut être démontrée par : ■ l'augmentation du nombre de CD4 chez les patients souffrant d'une infection par le VIH d'un stade avancé.

Index

Note: Les noms commerciaux sont en caractères ordinaires; les **NOMS GÉNÉRIQUES** sont en caractères **GRAS ET EN PETITES CAPITALES**.